अपने अपने अज्ञेय

भाग-एक

अपने अपने अज्ञेय

भाग-एक

सम्पादक

ओम थानवी

वाणी प्रकाशन

वाणी प्रकाशन

4695, 21-ए, दरियागंज, नयी दिल्ली 110 002

शाखा

अशोक राजपथ, पटना 800 004

फ़ोनः +91 11 23273167 फ़ैक्स: +91 11 23275710

www.vaniprakashan.in
vaniprakashan@gmail.com

APNE APNE AGYEY PART-1
Edited by Om Thanvi

ISBN : 978-93-5000-916-1
Memoirs

मूल्य : ₹ 1500 (दो भाग)

जैको प्रिंटर्स, नयी दिल्ली 110 002 में मुद्रित

वाणी प्रकाशन का लोगो मक़बूल फ़िदा हुसेन की कूची से

अज्ञेय के पाठकों के नाम

अनुक्रम

चार शब्द

व्यक्तिपरक संस्मरणों की विधा अनूठी है। जीवित लोगों के बारे में हों या दिवंगत लोगों पर, ऐसे संस्मरण जीवनी नहीं होते। न वे लेखक का आत्मकथ्य होते हैं। लेकिन उनकी विधा कहीं जीवनी और आत्मकथ्य के बीच रूप लेने वाली अलग विधा जरूर है। *अपने अपने अज्ञेय* के लिए सामग्री जुटाते वक्त मन में यह धारणा कुछ धुँधली थी; सौ से अधिक संस्मरणों के भीतर-बाहर होते इसका स्पष्ट बोध हुआ।

अज्ञेय ने लिखा है, समय कहीं ठहरता है तो स्मृति में ठहरता है। मगर संस्मरण में स्मृति जब आकार पाती है तो ठहरा हुआ समय मानो एक बार फिर चलने लगता है। जैसे किसी ने समय को अपनी मुट्ठी में भर लिया हो और मौके पर मुट्ठी खोल दी हो। समय का यह चित्रण किसी फिल्म के फ्लैशबैक की तरह साफ भी नहीं होता। स्मृति के झरोखों में काफी-कुछ छन जाता है। लेकिन इसी में स्मृति को फिर से रचने की सम्भावनाएँ खड़ी होती हैं। झरोखों से छनती धूप की तरह वह स्मृति हमें गुनगुना ताप और उजास देती है।

यह पुस्तक ऐसे ही संस्मरणों का संकलन है। किसी मुट्ठी में कम सामान निकला, किसी में ज्यादा। लेकिन कुल मिलाकर इतनी सामग्री मिली कि पहले एक किताब की तैयारी थी, उसके अब दो भाग हो गये और तीसरे की देहरी पर पहुँचते-न-पहुँचते इसे समेट लेना उचित समझा क्योंकि अवसर को देखते समय की सीमा थी! खयाल नहीं पड़ता कि कवीन्द्र रवीन्द्रनाथ के बाद देश में किस साहित्यकार के समय ने अपने समकालीन लेखकों और बुद्धिजीवियों की स्मृति से इस परिमाण में साझा किया होगा।

साहित्य के अकादेमिक हलके में संस्मरण को रचनात्मक विधा का दर्जा प्राप्त नहीं है। फिर भी, अच्छा संस्मरण रचना का सुख देता है। उसमें तथ्य होते हैं, घटनाएँ

(या दुर्घटनाएँ) होती हैं, लेखक के बारे में है तो उसकी कृतियों के ब्योरे होते हैं, कुछ किस्से और कुछ विवेचन भी होता है – पर अन्ततः संस्मरण स्मृति के सहारे समय की सरस पुनर्रचना है। व्यक्ति विशेष के बारे में हो तब भी व्यक्तित्व के साथ अतीत की रेखाएँ अनिवार्यतः खिंची चली आती हैं। इस तरह व्यक्तित्व की पुनर्रचना दूसरी ओर समय की पुनर्रचना ही साबित होती है।

व्यक्तिपरक संस्मरणों में जितना वह व्यक्ति मौजूद रहता है जिसके बारे में संस्मरण है, उतना ही संस्मरण का लेखक भी। ऐसे लेखन में कोई बँधा-बँधाया कायदा काम नहीं करता। लेखक के सम्पर्क, समझ, याददाश्त और विचार-दृष्टि आदि के अनुसार संस्मरण रूप लेता है। किसी व्यक्तित्व को देखने-परखने के निकष हर लेखक के अपने होते हैं, इसलिए ऐसे लेखन में आग्रह-दुराग्रह भी कम नहीं होते। यों तो कोई वर्णन या विवेचन शायद पूर्णतः निष्पक्ष नहीं होता, पर ऐसे संस्मरण तो हर हाल में व्यक्तित्व और उसके कर्त्तृत्व का विशिष्ट निरूपण ही करते हैं। संस्मरण समय की मुट्ठी खोल जरूर देते हैं, लेकिन कौन जानता है किसने समय को किस नजर से देखा और कहाँ, कैसे पकड़ा! जैसी हथेली, वैसी पकड़।

लेकिन सौ लेखकों के संस्मरण एक जगह जमा हों तो? क्या वे एक लेखक के व्यक्तित्व और उसके रचनाकर्म की संश्लिष्टता को समझने में मददगार होंगे? इस सवाल के सकारात्मक जवाब की सम्भावना में प्रस्तुत उद्यम किया गया है। संकलन में 'हिन्दी साहित्य की सबसे पेचीदा शख्सियत' करार दिये गये सच्चिदानन्द हीरानन्द वात्स्यायन 'अज्ञेय' पर सौ लेखकों के एक सौ चार संस्मरण (चार लेखकों के दो-दो आलेख) शामिल हैं। हर लेखक ने अज्ञेय को अपने रंग में देखा है। विविध रंगों से गुजरने के बाद, मुझे पूरी उम्मीद है, पाठक खुद अज्ञेय की अपनी स्वतन्त्र छवि बनाने – या बनी छवि को जाँच सकने – में सक्षम होंगे।

अपने अपने अज्ञेय की रूपरेखा अज्ञेय जन्मशती के मौके पर बनी। अशोक वाजपेयी की पहल पर बनी जन्मशती समिति ने अज्ञेय और शमशेर बहादुर सिंह को याद करने के लिए कई कार्यक्रम बनाये। गोष्ठियाँ तय हुईं। दोनों लेखकों की प्रतिनिधि रचनाओं के संकलन प्रकाशित करने की योजना भी बनी। 'अज्ञेय के संस्मरण' संचयन का जो जिम्मा मेरे कन्धों पर आया, उसे मैंने इस रूप में लिया कि अज्ञेय पर पहले से लिखे संस्मरणों को जमा करने के साथ उनसे लिखने का आग्रह किया जाय, जो अज्ञेय के निकट सम्पर्क में रहे हैं। यह काम कुछ भारी हो गया क्योंकि ऐसे लेखकों की संख्या मेरे अनुमान से कहीं ज्यादा निकली। दो-एक ने चाहे निराश किया – वे समय रहते आलेख नहीं दे सके – पर बाकी सबने बड़े उत्साह से लिखा। किसी संस्मरण में भावुक स्मरण मिला, किसी में कृतज्ञता-बोध,

कहीं अज्ञेय के व्यक्तित्व और रचनाओं की गहन चर्चा तो कहीं हिन्दी की दुनिया का जाना-पहचाना राग-विराग।

संस्मरणों की यह विपुलता और विविधता स्वाभाविक थी। मगर अज्ञेय के लेखन और व्यक्तित्व में जितना वैविध्य रहा, क्या हिन्दी में किसी अन्य लेखक में भी रहा होगा? ऐसा लेखक दूसरी भाषाओं में ढूँढ़ना शायद आसान काम नहीं होगा, जिसने कविता, कहानी, उपन्यास, नाटक, व्यंग्य, संस्मरण, यात्रा-वृत्तान्त, डायरी, स्तम्भ, अनुवाद, निबन्ध, आलोचना, सम्पादन, छापामारी, सिपहगीरी, यायावरी, अध्यापन, पत्रकारिता, चित्रकला, मूर्तिकला, छायाकारी, पाकशास्त्र, बढ़ईगीरी, दर्जीगीरी, केशकर्तन, बागवानी इत्यादि में हाथ डाला हो और अधिकांश में नाम भी कमाया हो! ज्ञान की विभिन्न शाखाओं मसलन नृतत्वशास्त्र, रसायनशास्त्र, वनस्पतिशास्त्र, सामाजिक ज्ञान, मनोविज्ञान आदि में भी उनकी रुचि प्रगाढ़ थी। इस संकलन की तैयारी के दौरान पता चला कि अज्ञेय व्यंग्यचित्र भी बनाते थे; इसका जिक्र प्रभाकर माचवे ने मार्च, 1949 के *हंस* में अज्ञेय पर लिखे अपने एक 'रेखाचित्र' में किया है।

बहरहाल, इन संस्मरणों में अज्ञेय की ज्यादातर वृत्तियों की छाया आपको मिलेगी। अलग-अलग कोण से। अनेक संस्मरणों में ऐसी जानकारियाँ और अनुभव हैं, जो शायद पहले कभी सामने नहीं आये। हर लेखक हमारे सामने अपने देखे अज्ञेय को प्रस्तुत करता है और ये अपने-अपने अज्ञेय जोड़ में हमें ऐसे लेखक और उसके जीवन से रू-ब-रू कराते हैं, जिसे प्रायः टुकड़ों में – और कई बार गलत – समझा गया।

अज्ञेय पर दर्जनों किताबें लिखी गयी हैं, सैकड़ों शोध हुए हैं। लेकिन अधिकृत जीवनी एक ही लिखी गयी। रामकमल राय ने वह जीवनी (*शिखर से सागर तक*, 1986) ज्यादातर अज्ञेय से बातचीत के आधार पर तैयार की। तकनीक के दौर में भी वह बातचीत रेकार्ड नहीं की गयी, ऐसा उनके संस्मरण (पृष्ठ 181) से ही पता चलता है। मिली जानकारी, सुने गये लहजे और शब्दों का वर्णन स्मृति या डायरी के आधार पर करने की अपनी सीमा होती है। अज्ञेय ने स्वयं कभी अपनी कथा नहीं लिखी। वे आत्मकथा लिखने के विरुद्ध थे। मानते थे कि वह 'अहंकारी' कर्म होगा, जबकि उनका लेखन 'अहं के विलय' की बात करता है। एक बार आत्मकथा लेखन पर जिज्ञासा जताये जाने पर उनका जवाब था कि आत्मकथा में अपने को सामने लाने की प्रवृत्ति होती है और उसके लिए वास्तविक परिस्थिति को बदल कर प्रस्तुत किया जा सकता है। "इस कोटि का सच अगर कोई लिखना चाहे तो उपन्यास उसके लिए सही विधा है, आत्मकथा नहीं। आत्मकथा में झूठ लिखना ज्यादा आसान है, उपन्यास में सच लिखना ज्यादा आसान है।" (राजी सेठ का संस्मरण, पृष्ठ 771)

अकारण नहीं है कि *शेखरः एक जीवनी* को लोगों ने बहुधा अज्ञेय की जीवन-कथा के रूप में देखा! अज्ञेय ने हमेशा इस बात का खंडन किया।

फिर भी, अपने बचपन, परिवार, अनेक अग्रज (और एक अनुज) साहित्यकारों आदि के बारे में अज्ञेय के संस्मरण पत्र-पत्रिकाओं में जरूर छपते रहे। वे *स्मृति-लेखा* और (मरणोपरान्त प्रकाशित) *स्मृति के गलियारों से* पुस्तकों में संकलित हैं। कुछ जानकारी लेखकों के साथ हुई उनकी लम्बी वार्ताओं में भी उपलब्ध है (*अज्ञेय अपने बारे में, अपरोक्ष, रचनाः क्यों और किनके बीच, कवि नायक* आदि)। साहित्य और साहित्येतर विषयों पर उनके विचार उनकी किताबों में प्रचुरता में मिल जाएँगे। इन सबके बावजूद, मुझे लगता है कि पुस्तक में संकलित संस्मरणों की – जो कहीं निरे स्मरण की शक्ल में हैं तो कहीं व्यक्तिचित्र या रेखाचित्र के रूप में – अलग अहमियत है। संस्मरण लिखने वाले सभी लेखक अज्ञेय के करीब या सीधे सम्पर्क में रहे हैं। उन्होंने अज्ञेय को नजदीक से देखा है।

इन संस्मरणों का महत्त्व यह देखने में भी है कि एक लेखक दूसरे लेखक को कैसे देखता है। चाहे आदर और श्रद्धा हो, चाहे राग-द्वेष, पूर्वग्रह या ईर्ष्याएँ-अकुलाहटें – हर संस्मरण अपनी जगह एक खुरदरी और अपूर्ण प्रतिमा को टाँचने वाली छैनी की तरह प्रकट होता है। प्रतिमा का अन्त में जो रूप-अरूप रह जाय, मुझे भरोसा है यह दृश्यांकन अन्ततः निरर्थक उद्यम नहीं साबित होगा। यही नहीं, इसका हासिल अज्ञेय के बारे में अनेक अनजाने-अनछुए पहलुओं को जानने में भी होगा। उदाहरण के बतौर कुछ की चर्चा यहाँ की जा सकती है।

अंग्रेजी में कहावत है कि नाम में क्या रखा है। नाम का पता नहीं, पर कभी-कभी उपनाम एक दास्तान बन जाता है। 'अज्ञेय' के मामले में शायद यही हुआ। आम धारणा है कि यह साहित्यिक नाम उन्हें जैनेन्द्र कुमार ने दिया। इसी तरह, जेल से भेजी गयी कहानी पहले-पहल जहाँ छपी, उसे भी अक्सर *हंस* बताया जाता है। पता चलता है कि वह दरअसल साप्ताहिक पत्र *जागरण* था। प्रेमचन्द मासिक पत्रिका *हंस* दो वर्षों से निकाल रहे थे और 1932 में टेब्लॉयड आकार में एक साप्ताहिक पत्र के प्रकाशन की योजना बना रहे थे। जैनेन्द्र जी ने जेल से आयी बगैर नाम वाली 'साढ़े सात' कहानियाँ (आठवीं कहानी की नकल जेल में अधूरी रह गयी थी) *विशाल भारत* के सम्पादक बनारसीदास चतुर्वेदी और प्रेमचन्द को भिजवा दी थीं। प्रेमचन्द ने पत्र लिखकर जैनेन्द्र जी से लेखक का नाम पूछा, तब जवाब में जेल में बन्द एक अज्ञात लेखक के लिए 'अज्ञेय' विशेषण जैनेन्द्र जी की सूझ थी; पर उसे नाम की तरह इस्तेमाल करने का खयाल और निर्णय प्रेमचन्द का अपना था।

'अज्ञेय' नाम अज्ञेय को पसन्द नहीं था, इस पर मैंने अपने संस्मरण (पृष्ठ 475) में भी चर्चा की है। बाद में अज्ञेय ने जब जैनेन्द्र जी से एतराज जताया तो उन्होंने नामकरण के मामले में जो घटित हुआ, बता दिया था। लेकिन जब अज्ञेय ने वह उपनाम अपना लिया – जो लोकप्रिय भी हो गया – शायद तब जैनेन्द्र जी ने उसकी जिम्मेवारी अपने ऊपर ले ली। उनके शब्दों में – "मैंने सोचा वात्स्यायन ने जेल से रचनाएँ भेजी हैं। हो सकता है उनका नाम देना ठीक न हो। इसलिए 'अज्ञेय' लिख दिया।... जब वात्स्यायन को पता चला कि मैंने उनका नाम 'अज्ञेय' रख दिया है, तो उन्होंने शुरू में नाखुशी जाहिर की।..." (पृष्ठ 7) यही बात उन्होंने जब-तब दूरदर्शन और अन्यत्र प्रकाशित-प्रसारित साक्षात्कारों में कही है।

अब तीसरा संस्मरण रूपवती जैन का देखिए (पृष्ठ 65)। वे वात्स्यायन जी के करीबी मित्र विमल कुमार जैन की पत्नी थीं। जैन दम्पती दिल्ली के सदर बाजार में क्रान्तिकारियों के बम बनाने वाले गुप्त कारखाने में अज्ञेय और यशपाल के साथ थे। विमल जी को भी दिल्ली षड्यन्त्र मुकदमे में सजा हुई थी। रूपवती जी बताती हैं कि जेल से वात्स्यायन जी ने कहानियाँ विमल जी के जरिए बाहर भिजवाईं। श्रीमती जैन लिखती हैं: "...विमल जी ने दिल्ली जेल से कुछ कहानियाँ मेरे देवर धनकुमार के पास छिपे तौर पर भिजवाई थीं और यह कहलवाया था कि ये कहानियाँ जैनेन्द्र जी के पास ले जाएँ और यदि उन्हें पसन्द आ जाएँ तो किसी पत्रिका में छपवाने की व्यवस्था कर दें। कहानियों का लेखक कौन है, यह हममें से किसी को भी मालूम नहीं है। जैनेन्द्र जी के पूछने पर धनकुमार ने उनसे भी यही कहा। जैनेन्द्र जी को कहानियाँ पसन्द आयीं और उन्होंने प्रेमचन्द जी के पास भिजवा दीं। प्रेमचन्द जी को भी कहानियाँ पसन्द आयीं और उन्होंने उन्हें प्रकाशित करने का निश्चय किया और जैनेन्द्र जी को लिखा कि वे लेखक का नाम भेज दें। जैनेन्द्र जी ने उन्हें सूचित किया कि लेखक तो अज्ञेय है, क्योंकि वह जेल में है। प्रेमचन्द जी ने अज्ञेय नाम से कहानियाँ *हंस* पत्रिका में प्रकाशित कर दीं। इस प्रकार वात्स्यायन जी के नाम के साथ अज्ञेय नाम प्रचलित हो गया।"

पचास साल बाद श्रीमती जैन के समक्ष *जागरण* की जगह *हंस* का विभ्रम सहज सम्भव है; दरअसल, *जागरण* पत्र बहुत थोड़े समय चल पाया और प्रेमचन्द के सम्पादन में *हंस* पत्रिका को ही ज्यादा प्रतिष्ठा भी मिली। यह भी सम्भव है कि किसी उत्साही सम्पादक ने *जागरण* को *हंस* कर दिया हो! जो हो, रूपवती जी का कथन इस सम्बन्ध में अज्ञेय के अपने कथन से मेल खाता है। *स्मृति-लेखा* में और नीलिमा और प्रमोद माथुर के वृत्तचित्र *सन्नाटे का छन्द* में तो इसका स्पष्ट उल्लेख है ही; आकाशवाणी अभिलेखागार के लिए रघुवीर सहाय और गोपालदास के साथ रेकार्ड

बातचीत (1992 में 'रेडियो जीवनी' के रूप में *अज्ञेय अपने बारे में* नाम से प्रकाशित) में भी अज्ञेय कहते हैं: "प्रेमचन्द जी को दोनों कहानियाँ अच्छी लगीं, लेकिन उन्होंने (जैनेन्द्र जी को) लिखा कि... तुमने यह तो नहीं लिखा कि ये कहानियाँ हैं किसकी? तुम्हारी ही तो नहीं? तो जैनेन्द्र जी ने उनको जवाब दिया कि ये कहानियाँ मेरी नहीं हैं, किसकी हैं यह मैं नहीं बता सकता। इसका लेखक तो अज्ञेय है। क्योंकि तब मैं जेल में था और चोरी से कहानियाँ भेजी गयी थीं। तो प्रेमचन्द जी ने कहा कि मैं इसी नाम से कहानी छापे दे रहा हूँ।...." इससे पहले गोपालदास के यह कहने पर कि आपको 'अज्ञेय' नाम जैनेन्द्र जी ने ही दिया, अज्ञेय कहते हैं – "उसमें उनका भी योग है"!

अब हम प्रत्यक्ष 'सचित्र साप्ताहिक' *जागरण* भी देख लें। इसका प्रकाशन अगस्त, 1932 में शुरू हुआ। देश में तो किसी संग्रह में नहीं, तोक्यो विदेश अध्ययन विश्वविद्यालय के पुस्तकालय में वे अंक मौजूद हैं जिनमें अज्ञेय की कहानी पहले-पहल छपी। जापान यात्रा के दौरान प्रो. तोशिको फुजिइ के सौजन्य से *जागरण* की वह फाइल मुझे देखने को मिली। कहानी दो अंकों में छपी थी। पहला हिस्सा 5 अक्तूबर, 1932 को प्रकाशित *जागरण* के सातवें अंक में छपा। पृष्ठ 14 पर 'अमर-वल्लरी' शीर्षक के नीचे मुद्रित था: "लेखक – श्रीयुत अज्ञेय"। इसके ठीक बायें – कहानी शुरू होने से पहले – कोष्ठक में जैनेन्द्र जी की अनुशंसा प्रकाशित थी, जिसमें उन्होंने अज्ञेय शब्द का प्रयोग विशेषण के रूप में ही किया था: "समय आया है, कि इन अद्भुत और अज्ञेय लेखक की रचनाएँ हिन्दी-जगत के सामने आएँ। इनकी कुछ कहानियाँ आदि क्रमशः *जागरण* के स्तम्भों में प्रकाशित होंगी। विज्ञ समीक्षकों और आलोचकों से मेरा निवेदन है, कि वे तनिक यत्न और सहानुभूति से इन्हें देखें और सम्मति दें। – जैनेन्द्र कुमार ।"

अपने अपने अज्ञेय में संकलित संस्मरणों ने जैसे मुझे कुछ उलझी हुई चीजें बेहतर ढंग से समझने का मौका दिया, आपको भी देंगे। खासकर अज्ञेय की शख्सियत और उनके चरित्र को समझने में। अज्ञेय अनेक लोगों के लिए चुप्पे, घुन्ने या मनहूस रहे तो अनेक लेखकों ने निकट पहुँचकर उनके व्यक्तित्व में गरिमामय मानवीय पहलू देखे। नरेश मेहता अज्ञेय का स्मरण उनकी मोहक देहयष्टि से आरम्भ करते हैं (पृष्ठ 78); जानकीवल्लभ शास्त्री अज्ञेय के 'सप्राण, उदात्त और उद्यत' व्यक्तित्व पर मुग्ध नजर आते हैं (पृष्ठ 40)। एक यात्रा को याद करते हुए शास्त्री 'अज्ञेय के खोल से' बाहर निकल आने वाले 'नये अज्ञेय' को देखकर लिखते हैं: "...ऐसे सादे गहरे दिलचस्प अज्ञेय के बारे में कैसी-कैसी अफवाहें और अटकलबाजियाँ और ऊटपटाँग किस्म की कथा-कहानियाँ; कैसी खामखयाली, लफ्फाजी और लन्तरानी!..." (पृष्ठ 42)

जाने कितने संस्मरण हैं जिनमें अज्ञेय में विनय, सदाशयता, बगैर जताए लेखकों को लेखन और रोजगार में मदद करने के प्रसंगों का जिक्र आता है। ऐसे भी संस्मरण हैं, जिनमें अज्ञेय के बर्ताव को रूखा या असहयोगपूर्ण बताया गया है। पर उन्हीं संस्मरणों के बाकी प्रसंगों को पढ़ने के बाद लेखक का अपना दुराव भी सामने आता है। जैसे केशवचन्द्र वर्मा या पंकज बिष्ट के संस्मरण हैं। केशवचन्द्र वर्मा तो कभी अज्ञेय के बहुत करीब थे। उनके कविता संग्रह 'उज्ज्वल नील रस' का लोकार्पण अज्ञेय ने किया था। लेकिन बाद में कैसे उनका 'मोहभंग' हुआ, यह उनके आलेख (पृष्ठ 615) में आप स्पष्ट है। पंकज बिष्ट जिस तरह सम्पादक अज्ञेय के साथ अपने व्यवहार और फिर अज्ञेय के उपेक्षापूर्ण बर्ताव का जिक्र करते हैं (पृष्ठ 932), अज्ञेय के व्यक्तित्व की उनकी पड़ताल का स्वर भी मानो उसमें तय हो जाता है। ऐसे विवेचन में राग-द्वेष आ ही जाता है।

कहा जा सकता है कि यह मानवीय स्वभाव है। शायद अज्ञेय भी इससे बरी नहीं रहे होंगे। लेकिन उनका लेखन इससे जरूर बरी रहा। धर्मवीर भारती, नेमिचन्द्र जैन, प्रभाकर माचवे जैसे अनेकानेक लेखकों को उनसे ऐसा सहयोग मिला, जो उनके जीवन में बड़ा अहम था। बाद में इन लेखकों के सम्बन्ध में अज्ञेय को तल्ख अनुभव हुए होंगे। लेकिन उन्होंने अपनी अनुभूति कभी लिखे में बयान नहीं की। ऐसे लेखकों के बारे में मनोहर श्याम जोशी अपने लेख – जो अज्ञेय के जीते जी छपा था – में लिखते हैं: "हिन्दी के अधिकांश नये साहित्यकार कभी न कभी अज्ञेय से प्रभावित रहे। लेकिन उनमें से सबने इस प्रभाव की केंचुली उतार फेंकना अथवा उसे अपने ही प्रादुर्भाव की केंचुली मान लेना श्रेयस्कर समझा। वह परिष्कार, वह प्रौढ़ता, वे किताबें, वे कलाकृतियाँ, वे चन्द चुने हुए रेकार्ड, वह वक्तव्यवाद, वह व्यक्तिधर्म यानी अज्ञेय की तमाम ऊपरी विशेषताएँ नये साहित्यकारों में मौजूद हैं, लेकिन वे सार्त्र और कामू की बात भले ही कर लें, अज्ञेय का नाम गलती से भी जबान पर नहीं लाते। अज्ञेय की चर्चा से उन्हें वैसा ही संकोच होता है जैसा किसी किशोर को अपनी आया अथवा बच्चा-गाड़ी देखकर हो सकता है।" (पृष्ठ 55)

अप्रैल, 1987 में जब अज्ञेय का निधन हुआ, उन पर लिखे जाने वाले श्रद्धानत लेखों की जैसे बाढ़ आ गयी थी। अकेले प्रभाकर माचवे और रघुवीर सहाय ने पाँच-पाँच संस्मरणात्मक लेख पत्र-पत्रिकाओं में लिखे। रेडियो पर उनकी श्रद्धांजलि अलग से प्रसारित हुई। शायद स्वतन्त्र लेखन करना भी इसका एक कारण रहा हो। रघुवीर सहाय ने अज्ञेय के अनेक गुण और 'सीखने' के दिनों के अनेक निजी प्रसंग याद किए, पर यह जिक्र करना भूल गये कि उनका पहला कविता संग्रह 'सीढ़ियों पर धूप में' अपने 'नये साहित्य स्रष्टा' नामक सम्पादन-आयोजन में अज्ञेय ने

प्रकाशित करवाया था। किसी लेखक के जीवन में इससे बड़ी घटना क्या हो सकती है! शायद जल्दी में लिखे लेखों में ऐसी भूल-चूक रह जाती है। लेकिन क्या यह निरा संयोग रहा होगा कि कभी उनके अत्यन्त निकट रहे धर्मवीर भारती ने अज्ञेय के निधन पर कुछ नहीं लिखा? तब भारती *धर्मयुग* का सम्पादन कर रहे थे। इस साप्ताहिक के सम्पादन के लिए उन्हें कभी अज्ञेय ने प्रेरित किया था, जब भारती अपने 'इंटरव्यू' के बाद उखड़ कर अज्ञेय के घर जा पहुँचे थे। उस प्रसंग का विस्तार से जिक्र पुष्पा भारती के इस संकलन के लिए लिखे गये विशेष संस्मरण में है (पृष्ठ 679-680)।

यह बात जगजाहिर है कि परिमल के दिनों में अज्ञेय से धर्मवीर भारती के गहरे सम्बन्ध थे। भारती के उपन्यास *सूरज का सातवाँ घोड़ा* की भूमिका अज्ञेय ने लिखी थी और बाद में उन्होंने उसका अंग्रेजी अनुवाद भी किया। मुम्बई में एक अरसे तक भारती का अज्ञेय के प्रति सम्मान भाव बना भी रहा। गंगाप्रसाद विमल के अनुसार मुम्बई में अज्ञेय से भेंट के वक्त भारती ने उनके पाँव छुए (पृष्ठ 707)। पुष्पा जी लिखती हैं कि दोनों में 'धूपछाँही' किस्म का प्रेम था (पृष्ठ 680)। श्रीराम वर्मा ने अपने संस्मरण में भारती की नाराजगी पर कुछ प्रकाश डाला है (पृष्ठ 557)। वे यह भी कहते हैं: ''*धर्मयुग* में भारती जी ने अज्ञेय के खिलाफ लिखा और लिखवाया।'' दिलचस्प बात है कि भारती जी ने अज्ञेय के रहते उन पर एक संस्मरण लिखा था। पर उसे उन्होंने छपवाया नहीं। भारती जी के निधन के बाद पुष्पा जी ने उसे कागजों की झाड़-पोंछ में पाया और हमें इस संकलन के लिए उपलब्ध कराने का अनुग्रह किया (पृष्ठ 22)।

इसी तरह, और लेखकों की गाँठें भी खूब सामने आती रही हैं। नेमिचन्द्र जैन ने अज्ञेय पर कोई संस्मरण तो नहीं लिखा, लेकिन जब-जब अवसर मिला, उन्होंने कहा कि *तार सप्तक* का श्रेय अज्ञेय ने हड़प लिया। प्रभाकर माचवे का भी यही भाव रहा। जबकि *तार सप्तक* की भूमिका में अज्ञेय खुद स्पष्ट कर चुके थे कि *तार सप्तक* का विचार 'कुछ उत्साही बन्धुओं' को आया था, जो यह 'सहोद्योगी योजना' लेकर उनके पास पहुँचे – ''संग्रह को व्यावहारिक रूप देने का दायित्व मेरे सिर पर डाला गया।... इसकी बुनियाद (आपसी) सहयोग पर खड़ी हुई... ।'' संकलन की भूमिका जरूर अज्ञेय ने लिखी। इसी भूमिका में 'प्रयोग' और 'अन्वेषी' के हवाले पढ़कर आलोचना में 'नई कविता' और 'प्रयोगवाद' का इतिहास खड़ा हुआ। परवर्ती सप्तकों के सम्पादन – जो अब निरे सहकार से ऊपर उठ गया था – और उनकी भूमिकाओं ने सप्तक परम्परा में अज्ञेय का कद बहुत ऊँचा कर दिया। लगता है यह बात उनके दो-तीन 'सहकारी' कवियों को बहुत कचोटती रही।

प्रभाकर माचवे के विभिन्न स्मरण-लेखों और उनकी लिखी अज्ञेय की संक्षिप्त जीवनी (*अज्ञेय*, 1991) में बहुत उपयोगी जानकारियाँ मिलती हैं। पर माचवे जी कई जगह तथ्यों को लेकर सजग नहीं रहे हैं। जीवनी में उन्होंने लिख दिया कि अज्ञेय दिल्ली में बसने पर *क्वेस्ट* और *थॉट* से जुड़े (पृष्ठ 125)। बेशक *थॉट* से अज्ञेय आंशिक रूप में जुड़े थे; वे उसके साहित्यिक पृष्ठों के प्रभारी थे। पर *क्वेस्ट* में ऐसी कोई जिम्मेवारी उन्होंने निभाई, इसका कोई प्रामाणिक सन्दर्भ नहीं मिलता। लेकिन अज्ञेय में खोट ढूँढ़ने वालों को माचवे के हवाले में एक मुद्दा मिल गया। नामवर सिंह ने भी *अज्ञेयः संकलित कविताएँ* (नेशनल बुक ट्रस्ट, 2011) में दिये जीवन-वृत्त में अज्ञेय को *थॉट* का सम्पादक बताया है। सम्पादक किसी पत्र या पत्रिका का नीति नियामक, सम्पूर्ण सामग्री के चयन और सम्पादन के लिए जिम्मेवार होता है। *थॉट* के सम्पादक रामसिंह थे। या बाद में केशव मलिक। सम्भव है नामवर जी ने साहित्य-सम्पादक लिखना चाहा हो।

लेकिन यह सच है कि *क्वेस्ट-थॉट* की रट अज्ञेय के विरोध में बगैर किसी पड़ताल के लगती आयी है। जबकि माचवे जी ने उस जीवनी में ही यह भी लिखा थाः "साहित्य में वे (अज्ञेय) राजनीतिक हस्तक्षेप के घोर विरोधी थे, इसीलिए 'कांग्रेस फॉर कल्चरल फ्रीडम' के साथ जुड़े रहे। उसमें भी एक प्रकार की राजनीति है, यह जानकर जैसे स्टीफेन स्पेंडर ने *एनकाउंटर* छोड़ दिया था, वात्स्यायन जी ने भी उस संस्था से अपने आपको अलग कर लिया था।" (पृष्ठ 121) यहाँ यह भी याद किया जा सकता है कि एक दौर में दुनिया भर में स्वतंत्र विचारों के लेखक "क्रांग्रेस" से जुड़ गये थे। भारत में भी अनेक साहित्यकार, बुद्धिजीवी, समाजसेवी, वैज्ञानिक और पत्रकार 'इंडियन कमेटी फॉर कल्चरल फ्रीडम' (भारत में संगठन का यही नाम था) से जुड़े। जयप्रकाश नारायण उसके अध्यक्ष रहे। संगठन से जुड़े साहित्यकारों में मैथिलीशरण गुप्त, जैनेन्द्र कुमार, सुमित्रानन्दन पन्त, हजारीप्रसाद द्विवेदी, जी. शंकर कुरुप, कन्हैयालाल माणिकलाल मुंशी, राय कृष्णदास, रामवृक्ष बेनीपुरी आदि शामिल थे।

थॉट-क्वेस्ट के बहाने अज्ञेय को सी.आई.ए. का 'वरिष्ठ एजेंट' ठहराया गया और 'पूंजीवाद का दलाल' भी। वह भी निराधार और निष्प्रमाण। सुधेन्दु पटेल कहते हैं कि उनके शहर बनारस में अज्ञेय को लेकर "कई-कई परतों वाले" किस्से प्रचलित थे, यह भी कि वे नक्सलियों को बम बनाने का प्रशिक्षण देते हैं (पृष्ठ 803)! उन्हें चरित्रहीन, यौन-कुण्ठित, खुदगर्ज, असामाजिक आदि करार दिया गया। कहा जाता है कि इस तरह का सुनियोजित दुष्प्रचार रूस-समर्थक लेखकों और दिल्ली स्थित एक प्रकाशक – जिसके पारिवारिक व्यवसाय में रूसी धन की घुसपैठ थी – की देखरेख

में चला करता था। हालाँकि सृजनरत साम्यवादी साहित्यकारों में अज्ञेय के प्रति आम तौर पर सम्मान का भाव रहा। पर आलोचक और हिन्दी प्राध्यापक वर्ग बड़ी संख्या में दुष्प्रचार के अभियान में शरीक हो गया, या कहें कि शरीक कर लिया गया। गंगाप्रसाद विमल के अनुसार, "धीरे-धीरे साम्यवादियों की आलोचनाओं का शिकार होने के कारण अज्ञेय एक धारा के लिए सचमुच अज्ञेय हो चले थे। जब मैं दिल्ली आया और समाजवादी प्रभाव में था तो अज्ञेय को कांग्रेस फॉर कल्चरल फ्रीडम जैसी संस्था और उनके प्रकाशकों से जुड़ा मानकर उनकी चर्चा प्रगतिशील हल्कों में वर्जित-सी चीज बना दी गयी थी।" (पृष्ठ 695)

एक नियोजित राजनीति की ओर इंगित करते हुए विमल कहते हैं – "...जो प्रवाद उन्हें (अज्ञेय को) लेकर प्रचलित थे और उनके साहित्यिक पात्रों में उद्घाटित होने के उपरान्त उन पर लागू मान लिए गये थे, वे कितने खोखले थे। आज इसका विवेचन जरूरी हो जाता है क्योंकि मार्क्सवादी अहंमन्यता एक अर्थ में अज्ञेय पर लादी अहंमन्यता से कहीं अधिक घातक थी। क्योंकि वह एक बड़े वर्ग को अपने प्रभाव में लेकर ऐसे कृपाकांक्षियों की कतार बढ़ा रही थी, जिन्हें साहित्यिक नेता अपने उद्देश्य के लिए सहमति की कतार बढ़ाने हेतु करते हैं। साहित्य जगत में ऐसे नेता केवल वामपन्थ में हों, यह फतवा देना आसान है। किन्तु अपने लक्ष्य के लिए साहित्यिक राजनीति में यह वृत्ति हर ओर इस्तेमाल की जाती रही है। इसके शिकार हमारे दूसरे बड़े लेखक निर्मल वर्मा भी हुए जब वे चेकोस्लोवाकिया पर सोवियत दखलअन्दाजी के चलते वामपन्थ से अलग हो गये।" (पृष्ठ 697)

कभी अज्ञेय साम्यवादी लेखकों के करीब थे। *तार सप्तक* के सात कवियों में चार मार्क्सवादी थे (रामविलास शर्मा, मुक्तिबोध, नेमिचन्द्र जैन और भारतभूषण अग्रवाल)। अज्ञेय खुद भगतसिंह-चन्द्रशेखर आजाद वाली हिन्दुस्तान सोशलिस्ट रिपब्लिकन आर्मी से निकले जुझारू तेवर वाले लेखक थे। उसके बाद उनकी आस्था भले ही मानवेन्द्रनाथ राय, राममनोहर लोहिया, जयप्रकाश नारायण और अन्ततः महात्मा गाँधी के विचारों में फलीभूत हुई। किसी राजनीतिक दल के खूँटे से वे कभी नहीं बँधे। न वे कभी दक्षिणपन्थी विचार की तरफ गये। प्रगति में उनका भरोसा था। लेकिन साहित्य में उसकी जगह को लेकर उनके विचार बहुत पहले से सुलझे हुए थे। प्रभाकर माचवे ने चालीस के दशक में इन्दौर में प्रगतिशील साहित्य पर एक चर्चा में अज्ञेय के वक्तव्य का उद्धरण इस तरह दिया है: "संघर्ष कला की जननी है। यह संघर्ष संकल्पन और परिस्थिति में चला करता है। इसी संघर्ष के कारण प्रगति दृश्यमान है। प्रगति शब्द सापेक्ष है। आज जो प्रगति है वह कल शायद प्रगति न रहे। इसी से प्रगति को सृजन का मूल बिन्दु नहीं मान सकते।... कलाकार यदि

सच्चा कलाकार है तो वह अमुक एक दिशा की लकीर ही नहीं पीटता बैठता; मगर सर्वांगीण प्रगति में विश्वास रखता है और जीता है। प्रगति जीवन के लिए लक्ष्य नहीं है, उपलक्ष्य मात्र है, क्योंकि प्रगति ही अपने आप में अन्तिम नहीं है।" (*हंस*, मार्च, 1949)

इसका अर्थ यह नहीं कि अज्ञेय प्रगतिशील या अन्य विचारवादी लेखकों को खारिज करके चलते थे। सप्तकों में आगे भी वे शमशेर बहादुर सिंह, नरेश मेहता, केदारनाथ सिंह जैसे कवियों को लेते रहे। श्रीराम वर्मा के संस्मरण से पता चलता है कि केदार जी को अज्ञेय पहले *दूसरा सप्तक* में लेना चाहते थे (पृष्ठ 550)। नागार्जुन और मनोहर श्याम जोशी को भी सप्तक शृंखला में शामिल करने की कोशिश की, पर इसमें सफल नहीं हुए। चन्द्रकान्त बान्दिवडेकर ने संस्मरण में बताया है कि पुणे के एक शोधार्थी को 'शोध में श्रद्धा नहीं, वस्तुनिष्ठ आकलन' की सलाह देते हुए उन्होंने कहा कि 'तुम उनके पास भी जाओ जिनके पास मेरे साहित्य को देखने का एक दूसरा दृष्टिकोण है। हो सकता है कि वह तुम्हें एकांगिता से बचाये। तुम शोधार्थी हो, भावना से नहीं सन्तुलन से काम लेना चाहिए। तुम डॉ. नामवर सिंह, केदारनाथ सिंह और विष्णु खरे से अवश्य मिलो' (पृष्ठ 446)। वत्सल निधि के शिविरों से उन्होंने अनेक वाम-लेखकों को जोड़ा। पर दलीय लिहाज में कई लेखक उनका आमन्त्रण स्वीकार करने में हिचकते थे। अघोषित रूप से उन्हें जैसे एक लेखक से दूर रहने और उसे दूर रखने की हिदायत थी! ऐसा न होता तो सप्तक-शृंखला और वत्सल निधि के आयोजनों से ज्यादा लोग जुड़े होते। जबकि किसी जमाने में खुद अज्ञेय को वामपन्थी संगठनों के आयोजनों में निमन्त्रित किया जाता था। बाद में संगठन अपने-अपने तर्क-कुतर्क देकर — और कभी मौन धारण कर उनसे खिंचने लगे। जैसे उनके जन्मशती वर्ष में भी देखने को मिलाः हिन्दी एक प्रमुख 'प्रगतिशील' पत्रिका ने शमशेर, नागार्जुन, केदारनाथ अग्रवाल, गोपाल सिंह नेपाली यहाँ तक कि उर्दू शायर फैज अहमद फैज को 'जन्मशती अंक' में याद किया, पर अज्ञेय को छोड़ दिया!

विश्वनाथ त्रिपाठी कभी दिल्ली में प्रगतिशील लेखक संघ के सचिव रहे हैं। अपने संस्मरण में वे लिखते हैंः "अज्ञेय प्रगतिशील लेखक संघ से भी जुड़े थे। 1966 में दिल्ली में प्रगतिशील लेखक संघ का जो राष्ट्रीय सम्मेलन हुआ था, उसमें अज्ञेय आये थे (पहले दिन खुले अधिवेशन में श्रोता के रूप में)। इससे पहले 1942 में प्रगतिशील लेखक संघ के तहत दिल्ली में जो फासिस्ट-विरोधी सम्मेलन हुआ, अज्ञेय उसके संयोजक थे। उस समय प्र.ले.सं. के महासचिव डॉ. अलीम थे। अज्ञेय के साहित्य का एक अंश ऐसा है कि जिसे प्रगतिशील लेखक संघ या जनवादी अभिव्यक्ति के रूप में पेश किया जा सकता है।" (पृष्ठ 239-240) आगे त्रिपाठी

जी यह भी कहते हैं कि उग्रवादी होने के कारण बाद में अज्ञेय व्यक्तिगत उन्माद और व्यक्तिवाद की ओर चले गये। जबकि वामपन्थी रुझान के कवि केदारनाथ सिंह का कहना है कि अज्ञेय का काव्य पढ़कर कोई उन्हें व्यक्तिवादी नहीं ठहरा सकता। (*जनसत्ता,* 25 अक्तूबर, 2011)

दरअसल, साहित्य हो चाहे जीवन – व्यक्ति-स्वातन्त्र्य और स्वातन्त्र्यचेता समाज अज्ञेय की मूल चिन्ताओं के केन्द्र में रहे। साहित्य के उदाहरण उनके लेखन में मौजूद हैं, जीवन के प्रसंग *अपने अपने अज्ञेय* में आपको कदम-कदम पर मिल जाएँगे।

व्यक्ति-स्वातन्त्र्य में विश्वास का ही परिणाम था कि अज्ञेय हर तरह के फासीवाद और अधिनायकवादी प्रवृत्तियों के विरुद्ध खड़े हुए। देश में आपातकाल की घोषणा ने उन्हें बहुत उद्वेलित किया था। वे साहित्य में तात्कालिकता के पक्षधर नहीं थे, लेकिन मानवीय तकाजे से जैसे बँटवारे और हिन्दू-मुसलिम द्वेष पर उन्होंने कलम चलाई, आपातकाल के विरोध में भी कविताएँ लिखीं। राय आनन्दकृष्ण लिखते हैं कि "आपातकाल में अज्ञेय बहुत क्षुब्ध थे और अपने स्वभाव के अनुसार आक्रोश व्यक्त करते थे।" (पृष्ठ 593) आपातकाल के चलते बीकानेर में एक व्याख्यान के दौरान उन्होंने स्वतन्त्रता को परम मूल्य बताते हुए आपातकाल के 'दमघोंटू माहौल' की निन्दा की। (पृष्ठ 492) 'चुप की दहाड़' नामक एक लेख (*जोग लिखी,* 1977) में वे लिखते हैं – "जिन्होंने आपातकाल का और उस दौरान किये गये अत्याचारों का खुला या गुप्त समर्थन किया, वे अवश्य ही निन्दा के पात्र हैं।"

अज्ञेय पर चली एक बातचीत के दौरान विश्वनाथ त्रिपाठी ने मुझे बताया कि आपातकाल में प्रगतिशील लेखक संघ से जुड़े कुछ लेखकों को साथ लेकर वे अज्ञेय के घर गये थे और उनसे आपातकाल के समर्थन में एक अपील पर हस्ताक्षर करने का आग्रह किया था। अज्ञेय ने हस्ताक्षर करने से साफ इनकार कर दिया। त्रिपाठी जी ने यह भी बताया कि लेखक संघ का कार्यक्रम बाद में श्रीमती इन्दिरा गाँधी के घर जाकर समर्थन व्यक्त करने का था। पता नहीं किस उम्मीद से वे लोग अज्ञेय को भी साथ ले जाना चाहते थे। अज्ञेय ने उन्हें बेतरह निराश किया। बाद में – त्रिपाठी जी के अनुसार – भीष्म साहनी के नेतृत्व में शिवदान सिंह चौहान, रजिया सज्जाद जहीर, त्रिपाठी जी स्वयं और कुछ अन्य लेखकों की टोली श्रीमती गाँधी के घर पहुँची। प्रसंगवश, इस संकलन के लिए लिखे अपने संस्मरण में त्रिपाठी जी ने इस घटना का जिक्र नहीं किया है।

आपातकाल में प्रगतिशील लेखकों के रवैये से अज्ञेय को शायद हैरानी नहीं हुई होगी। लेकिन रघुवीर सहाय जैसे समाजवादी लेखकों के बर्ताव ने उन्हें इतना बेचैन

किया कि *दिनमान* के लंबलेट हाल पर उन्होंने अपनी डायरी में एक तुक्तक ही रच दिया:

धीरे-से बोले अज्ञेय जी: अगरचे
शुरू मैंने ही किए थे 'चरखे और चरचे'
आया जो आपात-काल
सूरमा हुए निढाल
समाचार-साप्ताहिक सब हो गये परचे!
(*शाश्वती*, 1979)

इससे पहले, आपातकाल के दौरान, उन्होंने कुछ कविताएँ भी लिखीं। भयाक्रान्त दौर को सीधे सम्बोधित उनकी एक कविता का शीर्षक ही है – 'आतंक'। कविता इस तरह है:

ऊपर
साँय-साँय
बाहर कुछ
सरक रहा
दबे पाँव:
अन्धकार में
आँखों के अंगारे
वह हिले –
वहाँ – क्या उतरा वह?
रोयें सिहर रहे,
ठिठुरा तन:
भीतर कहीं
धुकधुकी –
वह – वह – क्या पसरा वह?
बढ़ता धीरे-धीरे:
पथराया मन
साँस रुकी –
हौसला
दरक रहा:
वे आते होंगे –

ले जाएँगे –
ले जाएँगे...
कुछ – क्या –
कोई –
किसे –
कौन?...

आपातकाल के दौरान मराठी लेखिका दुर्गा भागवत के मुखर विरोध से वे हर्षित हुए थे। उस दौर में अज्ञेय पर नजर रखे जाने के बावजूद उनके भाषणों को सरकार ने या तो नजरअन्दाज कर दिया, या उनकी भनक सरकार तक नहीं पहुँची; पर मुम्बई में दुर्गा भागवत को गिरफ्तार कर लिया गया। फिर कुछ लोगों ने दुर्गा ताई पर निशाना साधा तो 'चुप की दहाड़' लेख लिखकर अज्ञेय ने दुर्गा जी का पुरजोर समर्थन किया। बाद में 'परिवेश और साहित्यकार' विषय पर हमने माउंट आबू में वत्सल निधि का जो लेखक शिविर आयोजित किया, उसके उद्घाटन के लिए अज्ञेय ने दुर्गा भागवत को ही आमन्त्रित किया। वयोवृद्ध दुर्गा जी ने मराठी में बड़ा ओजस्वी भाषण दिया। बाद में शिविर के परचों की पुस्तक (*साहित्य का परिवेश,* 1985) की भूमिका में दुर्गा जी के भाषण को याद करते हुए अज्ञेय ने लिखाः "मुख्य अतिथि के रूप में श्रीमती दुर्गा भागवत के चुनौतियों-भरे उद्बोधन से प्रेरित विचार-विमर्श की गूँज-अनुगूँज से नक्की झील के किनारों की सड़कें और पगडंडियाँ सप्ताह-भर थरथराती रहीं।"

विश्वनाथ प्रसाद तिवारी ने अपने संस्मरण में लिखा है – "वात्स्यायन जी ने कभी सत्ता की चापलूसी नहीं की, न शब्द में न कर्म में। एक स्वतन्त्र स्वाभिमानी लेखक के रूप में जो उचित समझा वही लिखा। आपातकाल में बराबर सत्ता का विरोध करते रहे। आपातकाल के अपने एक भाषण में उन्होंने कहा था, 'इस समय देश की प्रवृत्ति अनुशासन पर जोर देने की है। जो कह दिया उसे मान लेना अनुशासन है। क्या सोचना अनुशासन नहीं है? जो देश या समाज स्वतन्त्र ढंग से सोच नहीं सकता वह स्वतन्त्र नहीं हो सकता।' स्वाधीनता को जीवन का चरम मूल्य स्वीकार करने वाले वात्स्यायन जी अपनी शर्तों पर जिये...।" (पृष्ठ 432)

ज्यों-ज्यों साहित्य में अज्ञेय का कद अपने बूते बढ़ता गया, साम्यवादी लेखक संगठनों और आलोचकों का बैर-भाव भी बढ़ता चला गया। जैनेन्द्र कुमार ने एक दिलचस्प वाकया बताया है कि कैसे *आलोचना* में शिवदान सिंह चौहान ने जानते-बूझते ऐसा काम किया जिससे अज्ञेय की हेठी होती थी और उससे अज्ञेय

और जैनेन्द्र जी में भी दूरी पैदा हो गयी:

नदी के द्वीप जब आया तो मुझे काफी आशाएँ थीं।... पढ़कर मैं वंचित-प्रवंचित-सा हो गया। मन पर बोझ-सा रहा। चार-पाँच मिनट उस हालत में रहा। फिर एकाएक मुझे लगा कि पुस्तक की यह प्रति मेरी नहीं है, शिवदान सिंह चौहान की है। बस मुझे क्या सूझा, मैंने एक कागज लिया। उस पर शिवदान सिंह चौहान को लिखा कि आपकी प्रति वापस भेज रहा हूँ। पुस्तक पढ़ तो गया हूँ, लेकिन बड़ा खाली-खाली-सा लगता है। वह कागज किताब में रखकर किताब मैंने भेज दी।

बस, शिवदान सिंह दौड़े-दौड़े आये। कहने लगे यह पत्र तो ऐतिहासिक है। *आलोचना* के अगले अंक में इसी पत्र से हम अपनी बातचीत शुरू करेंगे। शिवदान सिंह *आलोचना* त्रैमासिक के सम्पादक थे। मैंने कहा – 'देखो ऐसी गलती मत करना। यह व्यक्तिगत पत्र है।'

कहने लगे – 'नहीं-नहीं।'

मैंने कहा – 'मैं तुम्हें फिर कह रहा हूँ।'

बोले – 'चिट्ठी जिसे लिखी जाती है, उसकी प्रापर्टी होती है।'

मैंने कहा – 'नहीं, तुम चले जाओ और ऐसा नहीं करना है।'

बहरहाल, उन्होंने अपने सम्पादकीय को उसी पत्र के साथ शुरू किया। यह बात वात्स्यायन को बहुत बुरी लगी। इसका उनके मन पर गहरा असर रहा।... मैं मानता हूँ कि हिन्दी संसार में अज्ञेय जैसा योग्य और कुशल लेखक आज नहीं है।..." (पृष्ठ 9)

शिवदान सिंह चौहान के दौर में पूर्वग्रहग्रस्त आलोचना और वैयक्तिक कटाक्ष बाद के वर्षों में निम्नतम स्तर को छू गये। कलकत्ता (अब कोलकाता) के एक आयोजन में एक युवक ने अज्ञेय के वक्तव्य के बीच टोकाटोकी की। फिर ऐसी टिप्पणी जो आम तौर पर ऐसी हरकतों से विचलित न होने वाले अज्ञेय को भी दुखी कर गयी। उस युवक ने अज्ञेय को ललकार कर कहा कि आपके हाथों में मुक्तिबोध का रक्त लगा है। अज्ञेय ने जवाब दिया: "...परन्तु यह तो हिन्दी-साहित्य का इतिहास ही बताएगा कि मैंने मुक्तिबोध को कितना मान दिया, आदर किया। अन्तिम दिनों में भी मैंने यत्न किया, जितना कुछ कर सकता था, कि वे स्वस्थ हो जाएँ। मेरे और मुक्तिबोध के सम्बन्ध बहुत ही आत्मीय थे। मैं उनकी कविताओं का प्रशंसक रहा हूँ। फिर पता नहीं आप कैसे कह रहे हैं कि मेरे हाथों में मुक्तिबोध का रक्त लगा है। यह विचार ही अपने आप में बहुत क्रूर, वीभत्स और बेमानी है।" (पृष्ठ 637)।

जानने वाले जानते हैं कि मुक्तिबोध से अज्ञेय का व्यक्तिगत लगाव था। दोनों

तार सप्तक के सह-कवि थे। आगे जाकर भी मंच पर एक साथ काव्य-पाठ करते थे (पृष्ठ 959)। मुक्तिबोध की मृत्यु पर अज्ञेय ने आत्मीय श्रद्धांजलि दी (आलेख *जनसत्ता* में 4 अप्रैल, 2010 को प्रकाशित)। प्रभाकर माचवे बताते हैं: ''मुक्तिबोध की (लम्बी बीमारी के बाद) मृत्यु के समय उन्हें (अज्ञेय को) पहला हृदयाघात हुआ था, फिर भी वे चुपचाप आर्थिक सहायता देने घर आये। श्मशान यात्रा में शामिल हुए।'' (पृष्ठ 121)

अज्ञेय के स्वभाव में ही नहीं था कि अपने मुँह से कहें उन्होंने किस-किसकी मदद की। लेकिन हिन्दी जगत में शमशेर बहादुर सिंह और जानकीवल्लभ शास्त्री जैसे कई प्रतिष्ठित लेखक तक अज्ञेय के इस पहलू की चर्चा करते सुने गये हैं। संस्मरणों में भी कृतज्ञता के बहुत सारे ब्योरे आये हैं। यह तो जगजाहिर है कि रघुवीर सहाय, सर्वेश्वर दयाल सक्सेना, मनोहर श्याम जोशी, श्रीकान्त वर्मा, प्रफुल्लचन्द्र ओझा 'मुक्त', नन्दकिशोर आचार्य, प्रयाग शुक्ल, शानी आदि के रोजगार में अज्ञेय की क्या भूमिका रही। लेकिन छोटे-छोटे अनेक प्रसंग हैं जो अज्ञेय की सदाशय और मददगार छवि के दिलचस्प हवाले देते हैं। प्रफुल्लचन्द्र ओझा 'मुक्त' बताते हैं कि कैसे अज्ञेय उनकी आर्थिक स्थिति को लेकर चिन्तित रहते थे। नरेश मेहता कहते हैं, एक गीतकार की असमय मृत्यु से परिवार पर हुए वज्रपात को देख उन्होंने अज्ञेय को वत्सल निधि के माध्यम से मदद दिलाने की सिफारिश की। अज्ञेय के स्वभाव के अनुसार सहयोग-राशि बगैर जताए पहुँच गयी।

गिरिराज किशोर बताते हैं कि आई.आई.टी. कानपुर में उन्हें जब परेशान किया जा रहा था, अज्ञेय विचलित थे। एक रोज वे शिक्षामन्त्री के यहाँ जा धमके: ''वात्स्यायन जी ने जाकर प्रतापचन्द्र चन्दर से कहा कि आई.आई.टी. कानपुर के रजिस्ट्रार गिरिराज किशोर एक लेखक हैं। उन्हें परेशान किया जा रहा है, आप कुछ कीजिए। चन्दर उनसे बदले हुए अन्दाज में बोले कि लेखक होकर भी वे आई.आई.टी. में राजनीति कर रहे हैं।... वात्स्यायन जी तुरन्त बोले – लेखक तो आप भी हैं। आप भी राजनीति के बल पर ही यहाँ पहुँचे हैं। वात्स्यायन जी चन्दर साहब को अपने ढंग से जो कह सकते थे कहा और चले आये। यह बात वात्स्यायन जी ने मुझे कभी नहीं बताई।'' (पृष्ठ 322-323)

केदारनाथ सिंह तो अपनी काव्य-यात्रा में अज्ञेय की भूमिका के प्रति हमेशा कृतज्ञता जाहिर करते हैं; अपने संस्मरण में यह भी बताते हैं कि कैसे एक नौकरी दिलवाने के लिए अज्ञेय ने उन्हें बिहार में ढूँढ़ा और तार देकर दिल्ली बुलवाया। (पृष्ठ 247-248) कुरुक्षेत्र विश्वविद्यालय में हिन्दी शिक्षण की वह नायाब योजना बाद में शायद अकादमिक दुनिया की ओछी राजनीति की भेंट चढ़ गयी। रामगोपाल बजाज

1967-68 का एक प्रसंग बताते हैं, जब अज्ञेय *दिनमान* के सम्पादक थे। बजाज जी की पत्नी – प्रसिद्ध संगीतकार खेमचन्द्र प्रकाश की बेटी – लन्दन में आर्थिक संकट में पड़ गयीं। उनके पास लौटने को टिकट नहीं था। बजाज जी के अपने शब्दों में:

"अज्ञेय के पास गया। सारी बात बताई। उन्होंने पूछा, 'तुम्हारे पास कितना पैसा है?' मैंने कहा, 'जी, सतासी रुपये।' वे उठे। मुझे लेकर पार्लियामेंट स्ट्रीट पर पंजाब नेशनल बैंक पहुँचे। टिकट के लायक, करीब चार हजार रुपये निकलवा कर दिये।

मैं बाहर भागा। इस तरह कि सड़क पार करते हुए एक टैक्सी से टकराते-टकराते बचा। वे खड़े मुझे इस तरह जाते देख रहे थे। पलटकर देखा तो उन्होंने हाथ के इशारे से मुझे रोका। मुझे अपनी कार में बिठाकर बंगाली मार्केट के रेलवे क्वार्टर तक छोड़ दिया। ऐसा आश्वासन!... मैं सोचता रहा *तार सप्तक* के एक प्रमुख कवि की कही बात के बारे में कि 'अज्ञेय बड़े आत्मकेन्द्रित हैं।' यह बात कहने वाले मेरे गुरु भी थे।.... मगर उनकी बात में कितनी सच्चाई थी, यह मैं अब तक तय नहीं कर पाया हूँ।"(पृष्ठ 659-660)

आर्थिक मदद के प्रसंग तो लोग शायद इसलिए याद रखते हैं, क्योंकि यह आम व्यवहार नहीं है। पर संकलन के लिए ऐसे संस्मरण भी हैं, जिनमें अज्ञेय के सहयोगी रवैये के कई अनजाने पहलू खुलते हैं। मसलन कैसे इलाहाबाद के दिनों में शिवमंगल सिंह सुमन का डी.लिट्. शोध किसी तरह पूरा करवा कर खुद गाड़ी हाँक उन्हें बनारस ले गये और आखिरी घड़ी में शोध जमा करवाया। मलयज की मृत्यु के बाद उनके बच्चों के स्कूल में प्रवेश के लिए भटका किए; महेन्द्र भटनागर ने शोध के सिलसिले में प्रेमचन्द की किताबों के बारे में तहकीकात की थी, उन्हें सारी किताबें भिजवा दीं। रेडियो में नौकरी के लिए उन्हें फार्म भी भेजा। (फार्म भरवाने के लिए भटनागर जी प्रभाकर माचवे के पास गये; माचवे जी ने चुपचाप अपना फार्म भी भर दिया और नौकरी उन्हें ही मिल गयी!)। पुष्पा भारती बीमार थीं तो उनके मनोरंजन के लिए स्लाइड-प्रोजेक्टर और परदा लेकर पहुँचे; एक संगोष्ठी के आयोजन में पुष्पा जी ने सहयोग चाहा तो सत्र-दर-सत्र कार्यक्रम का खाका खींच दिया। राजी सेठ को रिल्के और वर्जीनिया वुल्फ से सम्बन्धित किताबें पढ़ने को दीं और धर्मवीर भारती को रिल्के का काव्य संग्रह खरीद कर भेंट किया।

किताबें तो उन्होंने पता नहीं कितने लोगों को दी होंगी। कैलाश वाजपेयी लिखते हैं कि उनकी पत्नी रूपा को शोध के लिए वॉलेस स्टीवंस का नाम अज्ञेय ने ही सुझाया। *सेलेक्टेड पोएम्स* की प्रति भी दी। इतना ही नहीं, विदेश जाकर भी वे स्टीवंस की किताबें रूपा जी को भिजवाते रहे। कैलाश जी बताते हैं, उन्होंने और

रूपा जी ने तब तक उस अमेरिकी कवि का नाम तक नहीं सुना था। मानस मुकुल दास बचपन से अज्ञेय के निकट रहे। वे लिखते हैं कि उनके एम.ए. की परीक्षा देने के बाद अज्ञेय ने उन्हें लिखा – ''तुम्हारी विश्वविद्यालय की पढ़ाई पूरी हो रही है, मैं तुम्हें सौ पुस्तकें भेंट करना चाहता हूँ। जल्दी से किताबों की सूची या अपनी दिलचस्पी के विषय मुझे लिख भेजो। जल्दी ही विविध विषयों पर किताबें आने लगीं: काव्य संग्रह, कथा साहित्य, डायरियाँ, पत्र, मिथक, नृतत्वशास्त्र, कला, दर्शन, धर्म और सौन्दर्यशास्त्र से जुड़ी पुस्तकें। उनका आना सौ के आँकड़े पर समाप्त नहीं हुआ।... वे अपनी प्रिय पुस्तकों का दूसरे से साझा करना चाहते थे।''

दूसरे से साझा करने की बात यहाँ गौर करने की है। यह वृत्ति अज्ञेय के स्वभाव में थी। पैसा हो, चाहे पेन-कापी या कश्मीरी फिरन – अपनों से चीजों का यह साझा उन्हें अच्छा लगता था। इस सम्बन्ध में उनका ललित निबन्ध 'छोड़ने का सुख' बरबस याद आता है। छोड़ने के बजाय जैसे बन पड़े जोड़ते रहने के युग में इस वृत्ति की नसीहत वे दूसरों को देने में भी संकोच नहीं करते थे। मानस के शब्दों में: ''एक बार – जब मैं बड़ा हो रहा था – उन्होंने मुझे बचपन की किताबें बच्चों में बाँट देने की सलाह दी। मैंने उन्हें बाँट तो दिया, लेकिन बड़े भारी मन से।'' (पृष्ठ 353)

लेखकों ही नहीं कलाकारों आदि को भी अज्ञेय का सहयोग मिलता रहा। सतीश गुजराल की पहली चित्र-प्रदर्शनी अज्ञेय के कारण सम्भव हुई। अज्ञेय के निधन पर *नवभारत टाइम्स* में लिखे एक स्मरण में इन्द्रकुमार गुजराल ने वह प्रसंग विस्तार से बयान किया था। काफी यत्न करने के बाद भी वह अंक मुझे दुबारा नहीं मिला, वरना वह स्मरण इस संकलन में शरीक करता। हालाँकि उस घटना का जिक्र संक्षेप में सतीश गुजराल ने अपनी आत्मकथा *ए ब्रश विद लाइफ* में किया है। बाद में मैंने सतीश जी से अज्ञेय पर कुछ विस्तार से लिखने का आग्रह किया तो उन्होंने आत्मकथा का वही पृष्ठ टंकित करवा कर भिजवा दिया! फिर मैंने इन्द्रकुमार गुजराल को पत्र लिखकर नया संस्मरण लिखने या अपने प्रकाशित स्मरण की प्रति उपलब्ध करवाने की गुजारिश की। पूर्व प्रधानमन्त्री ने पत्र का जवाब तक नहीं दिया।

खैर, अज्ञेय के सहयोगी बर्ताव की बात चल रही थी। माचवे जी बताते हैं कि कैसे अज्ञेय ने अन्ध-बधिरों की शिक्षा का काम किया। और साथ में यह मार्मिक प्रसंग भी: ''जहाँ वे रहते थे, वहीं पास में एक भंगिन थी, उसके बच्चे को चेचक हो गया था। वात्स्यायन ने बच्चे को कन्धे पर उठाया, बहुत दूर बड़ा अस्पताल था। पैदल उसे ले गये। मेहतरानी बहुत मना करती रही।...'' (पृष्ठ 111-112)

अज्ञेय जातिवाद या विचार-भेद से ऊपर उठकर मानवीय सरोकारों के घेरे में आचरण करते थे, इस चर्चा के सिलसिले में वरिष्ठ पत्रकार रामशरण जोशी का

संस्मरण महत्त्वपूर्ण है, क्योंकि मार्क्सवाद में भी वे दूसरे छोर की 'मार्क्सवादी-लेनिनवादी' धारा का प्रतिनिधित्व करते हैं। जोशी जी की अज्ञेय से वह पहली मुलाकात थी। अज्ञेय *नवभारत टाइम्स* के सम्पादक थे। जोशी जी के शब्दों में:

''मैं सोच रहा था कि सामने वाला व्यक्ति जेपी का समर्थक है। इन्दिरा गाँधी के आपातकाल का कट्टर विरोधी है। सोवियत संघ और साम्यवादियों से घृणा करता है। अमेरिका-समर्थक माना जाता है। चर्चा यह भी रही है कि यह साहित्य-संस्कृति के क्षेत्र में सीआईए के इशारों पर काम करता रहा है। अभिजात पृष्ठभूमि से आता है। इसकी सम्पूर्ण काया ही नफासत की गवाही दे रही है। चीकट, खुरदुरे लोगों से इसके क्या सरोकार हो सकते हैं? यह मेरी 'रेडिकल समीक्षा' को क्यों छापने लगा?...

''काल्पनिक पूर्वग्रहों से मैं भरा हुआ था। मुझे मेरे कतिपय वामपन्थी लेखक मित्रों ने विभिन्न उदाहरणों से समझा रखा था कि अज्ञेय जी घोर वामपन्थ-विरोधी हैं। इनसे सौ मील के फासले पर रहना चाहिए। मित्रों के अनुभवों, उदाहरणों और विचारों से अज्ञेय जी के प्रति मेरी धारणा बनी हुई थी, इसलिए मैं सम्पादक से मिलकर अपना वक्त बरबाद नहीं करना चाहता था। लेकिन एम.ए. में मेरे सहपाठी रहे रब्बी इस बात पर तुले हुए थे — मैं अज्ञेय-दर्शन का प्रयोग करूँ। यदि यह निष्फल भी रहता है तो क्या फर्क पड़ता है। कभी अँधेरे में चला तीर भी निशाने पर लग जाता है। रब्बी ने यह भी सूचना दी कि असगर वजाहत भी अज्ञेय जी से मिला था। वह निराश नहीं लौटा। 'तो यार। लपक लो इस मौके को।' जब दोस्त ने फैसला सुना ही दिया तो कहाँ भागता?... रब्बी की बात सही निकली। अगले ही सोमवार मेरा आलेख प्रकाशित हुआ। चूँकि लम्बा था, इसलिए सम्पादकीय पृष्ठ पर उसे तीन किश्तों में तीन रोज तक प्रकाशित किया गया। 'दक्षिणपन्थी' अज्ञेय जी का नया रूप मेरे सामने था, जो कि निजी अनुभव से जन्मा था।... अब आप इस व्यक्ति को पूर्व वामपन्थी, रेनीगेड, संशोधनवादी, रायवादी, जेपीवादी, ब्रिटिश या सीआईए एजेंट, रहस्यवादी या अन्तर्मुखी या आत्ममुग्ध जिस तरह भी, सुविधानुसार, परिभाषित करें।''... (पृष्ठ 878-884)

मानस बताते हैं, ''एक बार अज्ञेय के साथ यात्रा करते हुए रेल और पुलिसकर्मियों को एक गरीब असहाय को मारते और फिर हवालात में धकियाते हुए देखा। अज्ञेय ने इसका प्रतिरोध करते हुए कहा, 'एक जुर्म के लिए किसी को दो बार सजा नहीं दी जा सकती। तुम उसे थप्पड़ मार चुके हो। अब उसे हवालात में नहीं डाल सकते।' वे दृढ़ता से बोले थे। पुलिस कर्मचारी नहीं समझ सके कि क्या जवाब दें। शायद उन्होंने अज्ञेय को कोई महत्त्वपूर्ण व्यक्ति समझा

हो, जिसकी अनदेखी नहीं की जा सकती थी। उनमें से एक बोला, 'जनाब, क्या यह बात आप हमें एक कागज पर लिख कर दे सकते हैं?' उन्हीं से कागज लेकर अज्ञेय ने बाकायदा हस्ताक्षर के साथ वह बात लिख दी। वह आदमी छोड़ दिया गया।... जरूरत पड़ने पर अज्ञेय एक मित्र की तरह खड़े-पैरों मदद करना जानते थे।'' (पृष्ठ 355)

साहित्य जगत में प्रचारित अज्ञेय के अभिजात, अहंकारी, आत्मकेन्द्रित आदि होने की कथित वृत्तियों को कई संस्मरणों में सहानुभूति से समझने की कोशिश हुई है तो लेखकों ने उन वृत्तियों को 'स्वाभिमान' और 'रचनात्मक एकान्तप्रियता' के रूप में भी देखा है। ऊपर अज्ञेय के उदार और घरापे के व्यवहार वाले कुछ प्रसंगों का सन्दर्भ दिया गया है। दिलचस्प बात है कि यहाँ संकलित एक सौ चार संस्मरणों में एक में भी ऐसा जिक्र नहीं है, जब अज्ञेय किसी से कोई चीज माँगने गये हों! गोविन्द मिश्र कभी आला आयकर अधिकारी होते थे। उन्होंने लिखा है कि एक बार अज्ञेय उनके घर चले आये तो क्षण भर के लिए उन्हें लगा *नया प्रतीक* के लिए विज्ञापन जुटाने की गरज से आये होंगे। पर वे आये थे अपनी पत्रिका के लिए नयी कहानी माँगने। गोविन्द जी ने घटना का जिक्र इस तरह किया हैः

''एक बात... बल्कि दो बातें मैं अपने अनुभव से कह सकता हूँ। एक – कि अज्ञेय जी के इन आयोजनों (वत्सल निधि शिविर) में कहीं अपना घेरा या ग्रुप बनाने जैसी बात दूर-दूर तक नहीं थी। दूसरे – जो हलका अन्देशा मुझे हुआ था, जब अज्ञेय जी मेरे घर आये, कि शायद वे मुझ जैसे लोगों का पत्रिका के विज्ञापन आदि के लिए इस्तेमाल करें। एक बार भी साहित्यिक सहयोग के अलावा अज्ञेय जी ने कभी किसी चीज का जिक्र तक नहीं किया। यह बात जैनेन्द्र कुमार जी के लिए भी मैं कह सकता हूँ, जबकि उनके पुत्र का पूर्वोदय प्रकाशन तब आर्थिक संकट में था। वे सचमुच बड़े लोग थे।'' (पृष्ठ 468)

अज्ञेय के 'आत्मसम्मान' की बात करते हुए गोविन्द मिश्र कहते हैं कि यह भावना उनमें ''कूट-कूट कर भरी थी'', इतनी कि ''कभी-कभी वे अति भी करते थे''। अहंकार के मामले में हम बाबा नागार्जुन का प्रसंग ले सकते हैं। चन्द्रकान्त बान्दिवडेकर बताते हैं: ''...नागार्जुन जी हमारे घर आये थे। हिन्दी के जिन कवियों को मैं मन से प्यार करता हूँ उनमें नागार्जुन भी एक हैं। बात ही बात में अज्ञेय जी को लेकर प्रसंग चला। नागार्जुन ने एक अनुभव बताया। 'भाई वह अद्‌भुत व्यक्ति है। लोग उसे अहंकारी कहते हैं। लेकिन अहंकार उसमें है नहीं। वह तो ऐसा व्यक्ति है कि तुम उसके सामने बैठकर गालियाँ सुनाओ, वह प्रतिवाद नहीं करेगा। असह्य हुआ तो स्थान से उठकर चला जाएगा, लेकिन अपनी जीभ को

भ्रष्ट नहीं करेगा।' मैंने कुछ और जिज्ञासा व्यक्त की। नागार्जुन ने अपनी बात कही, 'भाई *दूसरा सप्तक* में मुझे शामिल करने की बात थी। पत्र मिला। बड़ा विनम्र निमन्त्रण। सन्तुलित, अनुरोधपूर्ण। लेकिन कुछ जवानी का जोश, कुछ विचारधारा का अतिरिक्त आग्रह। किसी मित्र ने कुछ उत्तेजित भी किया था। मैंने इनकार तो कर ही दिया। उनके पास जाकर बड़ी भर्त्सना करके भी आया। लेकिन उस व्यक्ति ने प्रतिवाद में एक भी कठोर शब्द नहीं कहा। चेहरे से पता चल रहा था कि मेरे वाग्बाणों से कष्ट हो रहा है। लेकिन शब्द एक भी बाहर नहीं निकला।' मैंने पूछा, 'नागार्जुन जी, आज कैसा लग रहा है?' 'सच कहूँ तो बड़ा दुख लग रहा है। इस बात का नहीं कि 'सप्तक' में नहीं गया। इस बात का कि एक भले आदमी का मन दुखाया – किसी के उकसाने पर।' शब्द मेरे हैं, आशय नागार्जुन का है। इस बात का जिक्र मैंने अज्ञेय से किया। अज्ञेय जी ने कुछ भी प्रतिक्रिया व्यक्त नहीं की। मुस्कुराकर टाल गये।'' (पृष्ठ 445)

संस्मरणों में कुछ प्रसंग ऐसे भी हैं जो संकेत करते हैं कि 'अहंकारी अज्ञेय' छवि आखिर बनी कैसे होगी। अज्ञेय कविता चाव से पढ़ते थे। राजेश जोशी के शब्दों में, अज्ञेय को कविता पढ़ते सुनना अद्वितीय अनुभव होता था। अजित कुमार कहते हैं कि अज्ञेय ने काव्य-वाचन का प्रतिमान कायम किया। कवि अक्सर कविता पढ़ने के आग्रह के इन्तजार में रहते हैं, अज्ञेय कई दफा बेरहमी से इनकार कर देते थे। गोरखपुर रेडियो वालों ने खूब चिरौरी की, पर नहीं माने। वहीं विश्वनाथ प्रसाद तिवारी के घर मोमबत्ती के सहारे ही 'असाध्य वीणा' का पूरा पाठ किया। बालकृष्ण शर्मा 'नवीन' की जयन्ती पर आयोजित कार्यक्रम में लम्बा भाषण दिया, पर मंचीय कवियों के बीच काव्य-पाठ का अचानक सामने आया आग्रह ठुकरा दिया। प्रभाकर श्रोत्रिय कहते हैं, ''अपनी कविता का मान रखना अज्ञेय के लिए व्यक्तित्व के मान का पर्याय था। बिना पूर्व योजना और समुचित वातावरण के अज्ञेय ने सार्वजनिक रूप से शायद ही कभी कविता पढ़ी हो! इस सन्दर्भ में उन्होंने अपनी पीढ़ी को भी अनकहे प्रशिक्षण दिया था। अज्ञेय जैसा नपा-तुला बोलते और लिखते थे, वैसे ही अपने प्रतिरोध और अस्वीकार को भी उन्होंने मौन अर्थवत्ता दी थी।'' (पृष्ठ 649)

काव्य-पाठ की तरह बगैर निमन्त्रण के भाषण भी नहीं करते थे। नागपुर में पहले विश्व हिन्दी सम्मेलन में गये, पर बोलने से मना कर दिया क्योंकि उसके लिए पहले कहा नहीं गया था। मुम्बई में गोविन्द मिश्र के घर गये तो बार-बार आग्रह करने पर भी खाना खाने से इनकार किया, क्योंकि वहाँ किसी रेकार्डिंग के सिलसिले में गये थे। वृन्दावन में वत्सल निधि के अपने लेखक शिविर में शिवमंगल सिंह 'सुमन' के लाख बुलावे पर भी ऊपर मंच पर जाकर नहीं बैठे। अशोक वाजपेयी ने

कई बार उन्हें भारत भवन में न्यौता। *तार सप्तक* के चालीस वर्ष होने पर उत्सव किया, *पूर्वग्रह* का कविता विशेषांक भी निकाला। अज्ञेय न आये, न विशेषांक के लिए अपनी कविता के प्रकाशन की अनुमति दी। बस्ती में प्रान्तीय हिन्दी सम्मेलन के मंच पर जैसे ही कमलापति त्रिपाठी पहुँचे, अज्ञेय उठकर चल दिए। दिल्ली में एक प्रकाशक मिलने को बाहर बैठा रहा, उससे नहीं मिले तो नहीं मिले। कभी लेखकों-पत्रकारों को इंटरव्यू देने से इनकार कर दिया। दूरदर्शन कार्यक्रम के अनुबन्ध पर दस्तखत करने को तभी राजी हुए जब आजादी को सीमित करने वाली शर्तें काट दी गयीं। ज्ञानपीठ सम्मान किसी नेता के बजाय कलाकार के हाथों लेने की शर्त रख दी।

इस तरह के कई प्रसंग हैं, जिनमें पारस्परिक सद्भाव न रहे तो गलतफहमी की या अज्ञेय को अहंकारी-अभिमानी समझने की पूरी सम्भावना खड़ी होगी। वरना आप भी नागार्जुन की तरह अज्ञेय के धैर्य को निःअहंकार समझेंगे और उनकी चुप्पी को घुन्नापन कहने के बजाय चन्द्रकान्त देवताले की तरह 'मौन की विस्मयकारी शक्ति' मानेंगे।

विरोधियों की ओर से अज्ञेय पर दो लांछन अक्सर लगाए जाते हैं। पहला, आतंकवादी/क्रान्तिकारी दौर के बाद अज्ञेय भारतीय फौज में शामिल हो गये और, दूसरा, जीवन के आखिरी पड़ाव में 'जानकी-जीवन' और 'भागवत-भूमि' यात्राएँ आयोजित कीं। दोनों विवादों का सीधा सम्बन्ध उनके साहित्य से नहीं है। पर उनके चरित्र पर छींटे उछालने के लिए इनका बहुत इस्तेमाल किया जाता रहा है। प्रस्तुत संकलन के संस्मरण पढ़कर अज्ञेय को धार्मिक, पुराणपन्थी या अंगरेजपरस्त समझना शायद ही सम्भव हो। इस तरह के आरोप इक्के-दुक्के संस्मरणों में ही मिलते हैं। परन्तु संशय लोगों के मन में रहे होंगे। रामेश्वर शुक्ल अंचल एक जगह कहते हैं कि अज्ञेय फौज में क्यों गये? यहाँ तक ठीक है। अपनी पत्रिका में पंकज बिष्ट आरोप लगाते हैं कि अज्ञेय को फौज की नौकरी एक खुफिया अधिकारी की सिफारिश पर मिली। यह गढ़ा गया आरोप है। शायद इसलिए कि इस आरोप से आगे नयी कहानी खड़ी की जाएगी! मजे की बात यह है कि यह आरोप वे अज्ञेय पर लिखे इला डालमिया के एक लेख के आधार पर लगाते हैं।

इस संकलन में दोनों आलेख मौजूद हैं। बिष्ट जी के संस्मरण (945-46) में आये हवालों को इला डालमिया के लेख (पृष्ठ 184) से मिला लें। उन्हें सरासर गलत उद्धृत किया गया है। "यह युवक चरित्रवान है, विश्वसनीय है।..." लिखकर उद्धरण जहाँ पूरा किया गया है, डालमिया की पुस्तक में वह इस तरह जारी रहता है: "... यह युवक चरित्रवान है, विश्वसनीय है। पर साथ में यह भी पूछा था कि

क्या अंग्रेज सरकार की हालत इतनी बिगड़ गयी है कि उसे अपने विद्रोहियों के सहयोग की जरूरत पड़ रही है। जेनकिंस ने यह बात वत्सल को भी बतला दी थी। इसी बात के आधार पर उस समय भारतीय सेना में वत्सल को स्थान नहीं मिला था।'' जाहिर है, जेनकिंस ने नौकरी के मामले में बिलकुल उलटी राय दी थी और वह मान भी ली गयी। लेकिन अधूरे उद्धरण रखने का मकसद तब साफ हो जाता है जब इस निष्कर्ष पर पहुँचा जाता है – ''यानी जेनकिंस ने अज्ञेय जी की सिफारिश की थी।'' अर्थात अज्ञेय को फौज की नौकरी उस खुफिया अधिकारी की सिफारिश पर मिली! गलत उद्धरण देकर हाथ-के-हाथ निष्कर्ष थोपने का दूसरा कोई उदाहरण पत्रिकाओं के सन्दर्भ में मुझे खयाल नहीं पड़ता। इस निष्कर्ष का झोल पकड़ने के लिए रूपवती जैन का संस्मरण भी पढ़ा जा सकता है।

तो इस तरह अज्ञेय 'अंग्रेजों के जासूस' भी ठहराए जाने लगे। उपर्युक्त संस्मरण के बाद उसी पत्रिका में एक लेख और छपा जिसमें सुझाया गया था कि अज्ञेय ये सब थेः प्रतिक्रियावादी, पूँजीवादी, ब्राह्मणवादी, हिन्दुत्ववादी, सन्देहास्पद, वाम-विरोधी, समाजवाद-विरोधी, कम्युनिस्ट-द्वेषी, चरम व्यक्तिवाद के पुजारी, प्रतिगामी मूल्यों के हामी, रहस्यलोक के प्राणी, प्रेरणा-हीन, निर्मम, हृदयहीन, लूटखसोट वाली बड़ी पूँजी के साथ लोटपोट, अमेरिकी साम्राज्यवादी सत्ता प्रतिष्ठान से जुड़े हुए, सीआईए प्रवर्तित-वित्तपोषित अभियान के अगुवा, फासीवादी राम जन्मभूमि आन्दोलन के पूर्व-पुरुष, इस्लाम-विरोधी, उर्दू के प्रति नफरत रखने वाले... आदि। लेख में अज्ञेय के चरित्र पर कई सवाल खड़े किये गये, जिनमें पहला यह थाः ''जब भारत अंग्रेजों का गुलाम था, तब क्या अज्ञेय – 1943 से 1946 के बीच– अंग्रेजों के जासूस थे? अज्ञेय की सहजीवी साथी (लिव-इन-पार्टनर) इला डालमिया ने उनके बारे में जो संस्मरण लिखा है, उससे उनकी यह छवि उभरती है, और अज्ञेय खासे सन्देहास्पद व्यक्ति नजर आते हैं। अज्ञेय के बारे में आमतौर पर यह धारणा रही है कि उस दौर में वह अंग्रेजों के जासूस थे।'' (*समयान्तर*, मार्च, 2011)

दूसरे शब्दों में, अंग्रेजों के लिए जासूसी करते बताकर अज्ञेय को गद्दार या देशद्रोही भी ठहरा दिया गया। क्या इससे हास्यास्पद कोई बात हो सकती है? अज्ञेय को फौज में जाना चाहिए था या नहीं इस पर दो मत हो सकते हैं। लेकिन अज्ञेय को देश से नहीं अंग्रेजों से लगाव था, यह बात वे किसके गले उतारेंगे?

दरअसल, वह दूसरे महायुद्ध की बात है। हिटलर, मुसोलिनी, फ्रांको आदि आतताइयों के फासीवादी गिरोह के खिलाफ रूजवेल्ट और स्तालिन तक एक हो गये थे। जापानी फौज भारत की पूर्वोत्तर सीमा की ओर बढ़ी तो सरकार ने भारतीय नागरिकों से लड़ाई में साथ देने की अपील की। तब राज भले अंग्रेजों का था, पर

फौज भारत की थी जो युद्ध में एकजुट हुए 'मित्र देशों' के संयुक्त मोर्चे का हिस्सा थी। खतरा भारत पर ही मँडराया हुआ था। पर उस वक्त अज्ञेय के संयुक्त मोर्चे की फौज में शामिल होने को ऐसे पेश किया जाता है जैसे वे फासीवादी जापान से भारत की रक्षा के लिए नहीं, उलटे भारत के खिलाफ लड़ने के लिए अंग्रेजों से जा मिले हों! ऐसा होता तो युद्ध खत्म होते ही वे फौजी अधिकारी के पद से इस्तीफा देकर स्वतन्त्र लेखन में संलग्न न हो गये होते।

मुश्किल यह है कि इस तरह की कीचड़-उछाल में आलिप्त रहने वाले न इतिहास को समझना चाहते हैं, न लेखक को पढ़ना। वरना अपने सैनिक जीवन के बारे में कम से कम पाँच जगह अज्ञेय ने खुद लिखा है। उन्हें जो लोग पढ़ते नहीं, वे इला डालमिया को पढ़ बैठे हैं जिन्होंने साफ लिखा था कि अज्ञेय से उनके भूमिगत अतीत के कारण खुद सेना ने सम्पर्क किया था। पर सेना ने ऐसा क्यों किया, इसका जवाब आपको इला डालमिया की किताब में नहीं, अज्ञेय से मिलेगा। 'सन 30 का क्रान्तिकारी महायुद्ध का सैनिक कैसे हो गया', सेना छोड़ने के बाद उठे इस सवाल का जवाब अज्ञेय ने 1947 में *प्रतीक* में दिया था (हेमन्त अंक)। फिर *आत्मनेपद* (1960) और दो खंडों में छपी सम्पूर्ण कहानियों के दूसरे भाग 'लौटती पगडंडियाँ' (1975) की भूमिका में उन्होंने लिखाः ''मैं युद्ध का समर्थक न था, न हूँ; पर यह तर्क मुझे ग्राह्य नहीं लगता था कि भारत क्योंकि पराधीन है, इसलिए शत्रु (जापान) से उसकी (भारत की) रक्षा करना हमारा काम नहीं है।''

वृत्तचित्र *सन्नाटे का छन्द* (1989) में भी अज्ञेय ने इस पर खुलकर बात की है। पर सबसे विस्तार से चर्चा है ऑल इंडिया रेडियो अभिलेखागार के लिए 1984 में रेकार्ड की गयी बातचीत में। 'अंग्रेजों के शासन के पक्ष में न पहले था, न तब हुआ' कहते हुए अज्ञेय बताते हैं कि युद्ध भारत पर थोपा गया था। खतरा फासीवादी शक्तियों से था, इसलिए उस वक्त देश के लिए जूझने की जरूरत थी। बाहर रूस और देश के भीतर साम्यवादी भी इस जज्बे पर एकमत थे। अज्ञेय मानते थे कि ऐसे दौर में जापानी सेना के खिलाफ एकजुट होना है। युद्ध बुरा है, लेकिन 'बुरा काम है तो भी अगर कर्त्तव्य है तो उसके लिए तैयार होना चाहिए' सोचकर अज्ञेय सेना में भरती हुए। जहाँ तक अंग्रेजों की नौकरी का सवाल है, वह तो ऑल इंडिया रेडियो में वे पहले ही कर रहे थे।

फौज में वे कैप्टन थे और वर्दीधारी थे। जासूस की कोई वर्दी नहीं होती। रघुवीर सहाय के एक सवाल के जवाब में वे बताते हैं कि सेना की योजना बंगाल-असम में नागरिकों का गुप्त संगठन तैयार करने की थी जो सेना के साथ सहयोग करे और गुरिल्ला युद्ध के स्तर पर शत्रु से लड़े। गुरिल्ला युद्ध की पृष्ठभूमि वाले कुछ और लोग

भी सेना में लिये गये थे। अज्ञेय बताते हैं – "इस सिलसिले में जो पत्र-व्यवहार कर्नल शौर्ट के साथ हुआ, उसी से मुझे यह भी पता लगा कि कम्युनिस्ट पार्टी से भी इस सम्बन्ध में पत्र-व्यवहार हुआ है, विशेष रूप से पीसी जोशी के साथ और वे लोग भी इसमें सहयोग करने को तैयार थे।" बल्कि पार्टी चाहती थी कि वह काम पूरी तरह से उसी को सौंप दिया जाए, जो सेना को मंजूर नहीं था। फिर भी, अज्ञेय के अनुसार, "हमारी जो छोटी-सी टोली थी पाँच-छह अधिकारियों की, उनमें दो कम्युनिस्ट भी थे।" इनमें एक मजहर अली खान थे, जो बाद में पाकिस्तान चले गये। उनके बेटे तारिक अली मशहूर लेखक-पत्रकार हैं। प्रसंगवश यह भी याद किया जा सकता है कि अंग्रेजी सेना में फैज अहमद फैज भी गये थे।

दूसरा विचित्र आरोप अज्ञेय पर हिन्दूवादी या दकियानूसी होने का मढ़ा जाता है। किसी जमाने में आधुनिकता और पश्चिम के प्रभाव से ग्रस्त समझे गये अज्ञेय परम्परावादी और पुरातनपन्थी करार दिये जाने लगे। यहाँ तक प्रचार हुआ कि वे राष्ट्रीय स्वयंसेवक संघ के शिविरों में जाते हैं। आधुनिकता और परम्परा को तो उन्होंने एक साथ जरूर साधा होगा, लेकिन धार्मिक संकीर्णता से वे कोसों दूर थे। जैसा कि कलाविद् और रिश्ते में अज्ञेय के साले केशव मलिक बताते हैं, "वात्स्यायन, जहाँ तक मैं जानता हूँ, अनीश्वरवादी थे। लेकिन ऐसे निश्चयवादी नहीं जो मानते हों कि भौतिक संसार मूल्य से शून्य है। उनके लिए मूल्य सीधे संसार को अनुभव करने से आते हैं।" (पृष्ठ 234-235)

लेकिन विचारवादी लेखकों के दुराग्रह उन्हें अज्ञेय की मृत्यु के बाद भी कचोटते रहे। अज्ञेय की स्मृति में पत्रिका *गंगा* में सम्पादकीय लिखते हुए कमलेश्वर ने अपने उद्‌गार यों व्यक्त किएः "प्रयोगवादी दौर के अज्ञेय यदि जाग्रत और जीवित रहते तो आज हिन्दी का इतिहास दूसरा होता... परन्तु ऐसा नहीं हुआ क्योंकि वे जीवन्त प्रश्नों के उत्तर अपनी अन्तरात्मा के भीतर छुपी दार्शनिकता में खोजने लगे और अन्त में वे निष्काम भाव से हिन्दू बनकर 'जानकी-जीवन यात्रा' में शामिल हो गये... ठीक यही तो इकबाल के साथ हुआ था। अज्ञेय और इकबाल की वैचारिक यात्रा में साम्प्रदायिकता नहीं है, पर वे सम्प्रदाय विशेष में अपनी सांस्कृतिक पहचान खोजने लगते हैं। अज्ञेय के अकेलेपन का यही एक त्रासद पहलू है – जिसे विद्यानिवास मिश्र जैसे हिन्दू बुद्धिजीवी अपना कर्मकाण्डी चोला पहना देते हैं... और वह वाणी जो रवीन्द्रनाथ टैगोर के बाद प्राच्य की अस्मिता की पहचान बनती, उसे सार्वजनिक और सार्वजनीन सौन्दर्य से विलग करके निजी सौन्दर्य की हिन्दूवादी दार्शनिक खोज में तिरोहित कर देते हैं।"...(पृष्ठ 107-108) 'सम्प्रदाय विशेष में सांस्कृतिक पहचान की खोज' को जुबानी जमा-खर्च में संघ-परिवार की सांस्कृतिक निष्ठा से

जोड़कर दिखा दिया जाता है।

लेखकों-कलाकारों के साथ सीता के मिथक से जुड़े स्थानों वाली 'जानकी-जीवन यात्रा' और 'भागवत-भूमि यात्रा' को महाकाव्य या एक पुराण की सांस्कृतिक पृष्ठभूमि में नहीं, साम्प्रदायिकता के घेरे में देखा गया। और तो और अशोक वाजपेयी भी उन यात्राओं के समय को साम्प्रदायिक घटनाओं के समान्तर रखकर देखते हैं, यहाँ तक कि 'वृन्दावन आदि' में आयोजित हुए लेखक शिविरों को भी। हालाँकि वे मानते हैं कि अज्ञेय वह नहीं थे, जैसा उन्हें संकीर्ण नजरिया रखने वालों ने समझाः

"वत्सल निधि के वृन्दावन आदि में शिविर और 'जानकी-जीवन यात्रा' जैसे आयोजन दुर्भाग्य से उस दौरान हो रहे थे, जब विशेषतः हिन्दी समाज में साम्प्रदायिक शक्तियाँ प्रबल हो रही थीं और एक तरह की फूहड़ लेकिन व्यापक, छद्म पर उग्र धार्मिकता का प्रभाव तेजी से फैल रहा था। उधर अज्ञेय अपनी आधुनिकता की यात्रा में उस मुकाम पर पहुँच चुके थे, जहाँ उन्हें अपनी जातीय परम्परा से जुड़ाव और उसका पुनराविष्कार जरूरी लग रहा था। किसी तरह की साम्प्रदायिकता से उनका कोई सम्बन्ध या रुझान कभी नहीं था और न ही उनकी मूल्य दृष्टि के रहते हो सकता था। लेकिन इन दोनों प्रवृत्तियों के लगभग एक साथ उभरने के कारण उनमें सम्बन्ध खोजना-बताना आसान था। अपनी सारी गम्भीरता और दायित्व-बोध के बावजूद वत्सल निधि के आयोजन इस तरह से गलत समझे जाने लगे और उनकी किंचित् गोपनीयता से प्रवाद और गहराने लगा। इसका भी नुकसान अज्ञेय को हुआ।" (पृष्ठ 315)

अज्ञेय को मैंने करीब से देखा है। वे धर्मभीरु नहीं थे। न मन्दिरमार्गी या पूजापाठी थे। एक बार हम लोग नाथद्वारा गए। वहाँ के प्रसिद्ध मन्दिर में पट के सामने खड़े होकर भी 'दर्शन' में उन्होंने जरा रुचि नहीं ली। लेखकों के साथ वृन्दावन यात्रा के दौरान अज्ञेय ने गोवर्धन पर्वत को 'टीला' कहा तो हिन्दू कट्टरपन्थियों के आक्रोश का निशाना बन गए। भोलाभाई पटेल ने अपने संस्मरण में लिखा है, वृन्दावन और गोवर्धन यात्रा के बाद अज्ञेय ने *साप्ताहिक हिन्दुस्तान* में जब लिखा कि गोवर्धन है कहाँ, तो मथुरा में एक सभा हुई और "सभा में निर्णय हुआ कि गिरिराज गोवर्धन के बारे में ऐसा लिखकर अज्ञेय ने ब्रज संस्कृति का घोर अपमान किया है।" (पृष्ठ 280) भोलाभाई यह भी बताते हैं कि "हम मन्दिर में गये। पर अज्ञेय गाड़ी में ही बैठे रहे।"

'जानकी-जीवन' और 'भागवत-भूमि' यात्राओं के बाद लेखकों ने जो संस्मरण लिखे, वे दो पुस्तकों में संकलित हैं। अज्ञेय के दिमाग में क्या योजना थी, उसका ब्योरा भी उन पुस्तकों में है। उसमें कहीं साम्प्रदायिकता या संकीर्ण दृष्टिकोण की छाया नहीं दिखाई देती। अगर धर्म की बात करने, मन्दिरों में आने-जाने या किसी

स्वामी-सन्त के साथ उठने-बैठने को पाप न समझा जाय तो दोनों यात्राओं के संस्मरणों-लेखों में प्रगतिशील दृष्टि ही मिलेगी। जैसे अमृतलाल नागर का संस्मरण है, जहाँ वे सीता के बहाने वर्तमान युग में हिन्दू, मुसलिम, ईसाई, तमाम औरतों की दुर्दशा की बात करते हैं। (*जन जनक जानकी,* 1984) नागर जी का संस्मरण इस संकलन में चाहकर भी मैं शामिल नहीं कर सका, क्योंकि उसमें अज्ञेय पर बात ज्यादा नहीं थी, यात्रा का ब्योरा काफी था। बहरहाल।

अज्ञेय की हिन्दूवादी छवि शायद उनके निकट के दो-एक लोगों ने भी बनाई। पं. विष्णुकान्त शास्त्री भारतीय जनता पार्टी के नेता थे। विद्वान थे और अज्ञेय के भक्त थे। पर उन्होंने अज्ञेय को अपनी विचारधारा की गाँठ के भीतर ही ज्यादा देखा-समझा। संस्मरण में वे लिखते हैं: ''अज्ञेय जी नास्तिक बुद्धिवादी के रूप में ही विख्यात रहे हैं। उनके काव्य में आस्था के, उत्सर्ग के मिलने वाले प्रसंगों की व्याख्या भी मानवीय भविष्य और मंगल के सन्दर्भ में की जाती रही है। पर उनकी *कितनी नावों में कितनी बार, क्योंकि मैं उसे जानता हूँ, सागर मुद्रा, पहले मैं सन्नाटा बुनता हूँ* सदृश परवर्ती कविता पुस्तकों में भक्ति चेतना के संकेत भी मुझे मिले। सितम्बर-अक्टूबर 1976 में राजस्थान विश्वविद्यालय के हिन्दी विभाग में हिन्दी प्राध्यापकों के पक्ष व्यापी अध्ययन शिविर के अपने व्याख्यान में जब यह बात मैंने कही तो विश्वम्भरनाथ उपाध्याय, परमानन्द श्रीवास्तव, विश्वनाथ तिवारी आदि मित्रों ने मेरे इस कथन को अमान्य ठहराया।... 12 अक्तूबर '76 को मैं (दिल्ली में) अज्ञेय जी से मिला तो उन्होंने स्वीकार किया कि भक्ति भावना की अभिव्यक्ति उनके इधर के काव्यों में होने लगी है।'' (पृष्ठ 218-219) इतना ही नहीं, शास्त्री जी हद तो तब करते हैं, जब कहते हैं कि ''जीवन के कुछ विशिष्ट अनुभवों के कारण अज्ञेय जी आस्तिक हो गये थे'' और मानने लगे थे कि ''साधना के द्वारा आत्मा का परमात्मा में विलय हो सकता है।'' इला डालमिया का हवाला देकर शास्त्री जी यह भी कहते हैं कि अज्ञेय भक्ति स्तोत्रों का पाठ करते थे और 'पाठ करने के लिए' षट्पदी को उन्होंने शास्त्री जी से लिखवाया था!

इस संकलन के एक सौ चार संस्मरणों में एक भी व्यक्ति ने कर्मकांडी अज्ञेय को नहीं देखा है, उनके सबसे अजीज मित्र और घोषित दक्षिणपन्थी पं. विद्यानिवास मिश्र ने भी नहीं! पढ़ने के लिए षट्पदी या कोई भी चीज अज्ञेय ले सकते थे, पर 'पाठ करने के लिए' कहने से शास्त्री जी अपनी मंशा थोपने लगते हैं; अखंडानन्द जी से उनकी विद्वत्ता या वृन्दावन शिविर में मदद के लिए कृतज्ञ होकर भी मिला जा सकता है, लेकिन 'गुरुजी से भेंट' में यह निष्कर्ष पंडितजी का अपना है – ''ऐसा प्रतीत होता है कि अपने जीवन के अन्तिम दो दशकों में वे उत्तरोत्तर भागवत सत्ता

की ओर अपनी अन्तर्यात्रा में अग्रसर होते जा रहे थे...।'' (पृष्ठ 219)

मृत्यु के बाद इस तरह की '*लगता है*' वाली लगन चाहे वामपन्थी व्यक्त करें, चाहे दक्षिणपन्थी – अज्ञेय तो जवाब देने से रहे। होते भी तो जवाब देते, इसमें सन्देह है। इसलिए यह पाठकों के विवेक पर छोड़ देना चाहिए कि अज्ञेय की धार्मिक आस्थाएँ कितनी प्रगाढ़ थीं या वे साम्प्रदायिकता की हदों को छूती या नहीं छूती थीं। उलटे एक वक्त तो उन्हें हिन्दू-द्वेषी करार दिया गया था। इस सम्बन्ध में नाम से लिखी एक सम्पादकीय टिप्पणी *दिनमान* में छपी थी, जिसमें हिन्दुत्व के ठेकेदार बनने वाले राष्ट्रीय स्वयंसेवक संघ की उन्होंने ठुकाई की। उस टिप्पणी का विस्तृत उद्धरण यहाँ इसलिए देना मुनासिब जान पड़ता है, क्योंकि धार्मिक आस्थाओं के बारे में अपने लेखन में अन्यत्र कहीं वे इतना साफ शायद नहीं बोलेः

''*दिनमान* के (और कई पत्रों में उसके वर्तमान सम्पादक के) बारे में कहा गया है (या प्रश्न उठाया गया है) कि वह हिन्दू-द्वेषी है। दोनों ही की ओर से इस बात का खण्डन आवश्यक है। इन पंक्तियों के लेखक को अपने को हिन्दू मानने में न केवल संकोच (नहीं) है, वरन् वह इस पर गर्व भी करता है; क्योंकि इस नाते वह मानव की श्रेष्ठ उपलब्धियों के एक विशाल पुंज का उत्तराधिकारी होता है। उस सम्पत्ति को वह खोना, बिखरने या नष्ट होने देना, या उसका प्रत्याख्यान करना नहीं चाहता। इसके बावजूद वह – और वैसा ही सोचने वाले अनेक प्रबुद्धचेता हिन्दू – राष्ट्रीय स्वयंसेवक संघ की सरगर्मियों को अहितकर मानते हैं तो इसलिए नहीं कि वे हिन्दू-द्वेषी या हिन्दू धर्म द्वेषी हैं, वरन् इसीलिए कि वे हिन्दू हैं और बने रहना चाहते हैं। संघ का ऐब यह नहीं है कि वह 'हिन्दू' है; ऐब यह है कि वह हिन्दुत्व को संकीर्ण और द्वेषमूलक रूप देकर उसका अहित करता है, उसके हजारों वर्ष के अर्जन को स्खलित करता है, सार्वभौम सत्यों को तोड़-मरोड़ कर देशज या प्रदेशज रूप देना चाहता है यानी झूठा कर देना चाहता है।...

''...इस आधार पर भेद करना कि कौन 'इसी मिट्टी में' उपजी, कौन बाहर से आयी, गलत है। हिन्दू या आर्यधर्म की मूल सम्पत्ति का – ऋग्वेद का – एक महत्त्वपूर्ण अंश ऐसे प्रदेश की देन है जो न अब भारत का अंग है, न अतीत में समूचा कभी रहा। किसी के मन में यह भ्रान्त कल्पना हो भी सकती है कि पाकिस्तान आखिर भारत ही है और फिर उसमें आ मिलेगाः पर महाभारत के या गुप्तों के समय का गान्धार जो आज अफगानिस्तान है, क्या उसे भी भारत में मिलाने का कोई स्वप्न देखता है? या ईरान के भाग को? अगर हाँ, तो उसकी बुद्धि को क्या कहा जाए? अगर नहीं, तो इस 'देशज धर्म' वाले तर्क का क्या अर्थ रह जाता है? वेदों के अधिभाग को हम इसलिए अमान्य कर दें कि वह उस भूमि पर नहीं बना जो भारत

है? क्यों? क्या सत्य इसीलिए अग्राह्य होगा कि वह अमुक मिट्टी का नहीं है? तब सार्वभौम सत्य क्या होता है? और समूचे आधुनिक ज्ञान-विज्ञान का हम क्या करेंगे? कि सब अग्राह्य है क्योंकि इस मिट्टी की उपज नहीं है?... नहीं, ऐसी 'देशज' अन्धता को हम राष्ट्रीयता नहीं मान सकते; न हम हिन्दुत्व पर इस नाते गर्व करते हैं कि वह इस मिट्टी की देन है, बल्कि मिट्टी पर इसलिए गर्व कर सकते हैं कि उसमें ऐसे सत्य उपजे जो सार्वभौम हैं।...." (*दिनमान*, 12 दिसम्बर, 1968)

बँटवारे के बाद अज्ञेय ने अनेक कविताएँ और कहानियाँ 'शरणार्थियों' की पीड़ा और साम्प्रदायिक द्वेष को केन्द्र में रखकर लिखीं। एक कहानी 'बदला' में नायक – उदार-हृदय सिख – एक उग्र हिन्दू को जिस तरह खरी-खरी सुनाता है, समझा जा सकता है कि अज्ञेय को हिन्दू-द्वेषी क्यों कहा जाता रहा होगा। कहानी में पाकिस्तान से आ रही एक भयभीत मुसलिम औरत की सुरक्षा के लिए प्रतिबद्ध सिख हिन्दू मुसाफिर से कहता है: "और क्या! मारेगा भी कौन? या मुसलमान, या हिन्दू। मुसलमान मारेगा, तो जहाँ घर के और सब लोग गये हैं वहीं मैं भी जा मिलूँगा; और अगर हिन्दू मारेगा, तो सोच लूँगा कि यही कसर बाकी थी – देश में जो बीमारी फैली है वह अपने शिखर पर पहुँच गयी – और अब तन्दुरुस्ती का रास्ता शुरू होगा।"

"मगर भला हिन्दू क्यों मारेगा? हिन्दू लाख बुरा हो, ऐसा काम नहीं करेगा...", हिन्दू मुसाफिर कहता है।

कहानी यों पूरी होती है: सरदार को एकाएक गुस्सा चढ़ आया। उसने तिरस्कारपूर्वक कहा, "रहने दीजिए, बाबू साहब! अभी आप ही जैसे रस ले-लेकर दिल्ली की बातें सुना रहे थे – अगर आपके पास छुरा होता और आपको अपने लिए कोई खतरा न होता, तो आप क्या – अपने साथ बैठी सवारियों को बख्श देते? इन्हें – या मैं बीच में पड़ता तो मुझे?" हिन्दू महाशय कुछ बोलने को हुए पर हाथ के अधिकारपूर्ण इशारे से उन्हें रोकते हुए सरदार कहता गया, "अब आप सुनना ही चाहते हैं तो सुन लीजिए कान खोलकर। मुझसे आप हमदर्दी दिखाते हैं कि मैं आपका शरणार्थी हूँ। हमदर्दी बड़ी चीज है, मैं अपने को निहाल समझता अगर आप हमदर्दी देने के काबिल होते। लेकिन आप मेरा दर्द कैसे जान सकते हैं, जब आप उसी साँस में दिल्ली की बातें ऐसे बेदर्द ढंग से करते हैं? मुझसे आप हमदर्दी कर सकते होते – इतना दिल आपमें होता तो जो बातें आप सुनाना चाहते हैं उनसे शर्म के मारे आपकी जबान बन्द हो गयी होती – सिर नीचा हो गया होता! औरत की बेइज्जती औरत की बेइज्जती है, वह हिन्दू या मुसलमान की नहीं, वह इनसान की माँ की बेइज्जती है। शेखूपुरे में हमारे साथ जो हुआ सो हुआ – मगर मैं जानता

हूँ कि उसका मैं बदला कभी नहीं ले सकता – क्योंकि उसका बदला हो ही नहीं सकता! मैं बदला दे सकता हूँ – और वह यही, कि मेरे साथ जो हुआ है, वह और किसी के साथ न हो। इसीलिए दिल्ली और अलीगढ़ के बीच इधर और उधर लोगों को पहुँचाता हूँ मैं; मेरे दिन भी कटते हैं और कुछ बदला चुका भी पाता हूँ, और इसी तरह, अगर कोई किसी दिन मार देगा तो बदला पूरा हो जाएगा – चाहे मुसलमान मारे, चाहे हिन्दू!''

सम्भव है निन्दक अब यह कहें कि यह तो पुराने अज्ञेय हुए, नये तो 'जानकी-जीवन यात्रा' वाले थे! इस बारे में निर्मल वर्मा की यह व्याख्या गौर करने योग्य हैः (भले ही निन्दा करने वाले निर्मल जी के नाम से ज्यादा बिदकते हों!) ''अधिक महत्त्वपूर्ण और प्रासंगिक वे 'लेखक-यात्राएँ' थीं, जिनका सीधा प्रयोजन जातीय स्मृति के उन पदचिह्नों पर दुबारा चलना था, जो इतिहास की रेत में अवश्य धूमिल पड़ गये हों, किन्तु जो भारतीय मनीषा और संस्कारों में आज भी उतने ही जीवनदायी और जीवन्त हैं, जितना कभी तीन हजार वर्ष पहले थे। दुनिया में भारत की संस्कृति ही ऐसी है, जिसके स्मृति-चिह्न मनुष्य की मनीषा में उतने ही जीवित हैं, जितने बाहर फैले भौगोलिक परिवेश में – एक भारतीय की तीर्थयात्रा हमेशा

अपने समय में एक पौराणिक स्मृति को पुनर्जीवित करना होता है। वह एक ही समय में अनेक कालखण्डों को जीने लगता है। अज्ञेय की इन यात्राओं को 'साम्प्रदायिक' कहना भाषा के साथ तो अत्याचार है ही, उस घोर गुलाम मानसिकता का परिचायक भी है, जिसे चेखव ने बूँद-बूँद निचोड़कर अपनी आत्मा से बाहर निकाला था और जिसे हमारे आलोचकों ने वर्षों से बूँद-बूँद सँजोकर जमा किया है।'' (पृष्ठ 75-76)

ऐसा नहीं है कि निर्मल जी जैसे कुछ लेखकों ने ही अज्ञेय को सही समझा। मेरा मानना है कि आम पाठकों में भी अज्ञेय को लेकर विचार, धर्म, सम्प्रदाय आदि की गाँठें नहीं थीं। उनका लेखन – जिसे कभी क्लिष्ट ठहराया गया था – दूर-दराज तक पढ़ा गया है। शायद यही उनकी ताकत साबित हुई। उन्हीं के बल पर पूर्वग्रहों-निन्दाओं के बीच वे टिके रहे और अपना एक समाज बनाते चले गये। मैंने अनेक यात्राओं में देखा कि उन्हें सुनने के लिए लोग उमड़ते थे। इस मायने में वे हिन्दी के 'लोकप्रिय' कवि थे। बाबा नागार्जुन की लोकप्रियता तो हिन्दी में असन्दिग्ध थी। लेकिन किसी विचार या संगठन के आधार के बगैर, अनन्त दुष्प्रचार के बीच अपनी बिरादरी की खोज अज्ञेय की विशिष्ट उपलब्धि थी। अज्ञेय के निधन के बाद केशवचन्द्र वर्मा ने अज्ञेय के उनासीवें जन्मदिन पर हिन्दी पत्र *संडे मेल* में बहुत बड़ा लेख लिखा (देखें पृष्ठ 615 पर)। अगले ही अंक में लेख के जवाब में लखनऊ के एक पाठक (सत्यवीर सक्सेना) का लम्बा प्रतिवाद छप गया।

अब थोड़ा विषयान्तर करें। हम जानते हैं कि अज्ञेय की जुबान बहुत कम खुलती थी। भक्ति-साधना न सही, निन्दा-आलोचना के प्रहार झेलने की साधना तो वे शायद कर चुके थे। लेकिन क्या आप जानते हैं कि जुबान की जगह कई बार उनके हाथ-पाँव भी चले? आपने शायद वह संस्मरण पढ़ा हो जो उन्होंने कृष्ण बिहारी मिश्र सम्पादित *हिन्दी साहित्यः बंगीय भूमिका* के लिए लिखा था। लाहौर में स्कूल के दिनों में झगड़ालू सहपाठी जगदीश (सेठी) को उन्होंने पीटा था, जो आगे चलकर पहली बोलती फिल्म 'आलमआरा' और अन्य फिल्मों के खलनायक बने। लेकिन अज्ञेय का संस्मरण छोड़िए। इस संकलन में आधा दर्जन संस्मरण ऐसे हैं, जिनमें आप 'शान्त और सरल' अज्ञेय की उग्रता के दर्शन करेंगे। इला डालमिया और पद्मा सचदेव ने दिल्ली षड्यन्त्र मुकदमे के दिनों का एक प्रसंग लिखा है। सुनने और बयान करने में फर्क सहज सम्भव है। पर यह बात दोनों में एक है कि 'वात्स्यायन' ने मजिस्ट्रेट की अँगुलियाँ मरोड़ दी थीं। इसका मजिस्ट्रेट ने दूर तक बदला लिया। (पृष्ठ 190/288) रमेश ऋषिकल्प भी अज्ञेय के ही हवाले से युवा दौर का एक किस्सा बताते हैं कि किसी ने उनकी बहन से छेड़खानी की तो अज्ञेय ने नाटकीय अन्दाज में घर बुलाकर पहले उसे चाय पिलाई, फिर पीटा! प्रभाकर माचवे आगरा में *सैनिक* के दिनों से अज्ञेय के साथ थे। वे लिखते हैं – "वात्स्यायन चुप रहते थे। परन्तु जब क्रोध आता था तो वह अनियन्त्रित होता।... सन 38 में, जब मैं विद्यार्थी था तब, हम आगरा कैंट में एक अंग्रेजी सिनेमा देखने गये थे। तभी एक गोरे सिपाही को तमाचा मारते वात्स्यायन को देखा था।" (पृष्ठ 124)

विद्यानिवास मिश्र ने 'भाई अज्ञेय' के आकस्मिक क्रोध के पीछे कारण ढूँढ़ने की कोशिश की हैः "उन्हें जेल में थोड़ी-थोड़ी मात्रा में पारे का जहर दिया गया, जिसके कारण वे तनिक-सी बात पर उबाल खा जाते थे। पर उन्होंने कठोर संकल्प से चुप रहने का अभ्यास किया। वह अभ्यास तभी काम नहीं आता था, जब कोई ऐसी बात घट जाए जिससे देश का सम्मान आहत हो।" विद्यानिवास जी इस सन्दर्भ में यह प्रसंग बताते हैंः

"एक अमेरिकी छोकरे ने शराब पीकर विदेश में भारत की नारी के बारे में कुछ अभद्र बात कही। भाई ने दस-बारह मीटर दूर खड़े सुना और चीते की छलाँग लगायी। नम्रता से कहा, कृपा करके वह वाक्य दुहराओ जो अभी-अभी कहा था! वह नशे में था, उसने दुहरा दिया। और इसके बाद भाई के हाथ उठे, गर्जन के साथ। झन्नाटेदार थप्पड़। फिर दुहराओगे वह बात? और वह मिमियाने लगा, नहीं, जीवन भर नहीं! पर भाई का क्रोध शान्त नहीं हो रहा था। लोग बिलकुल घबरा गये, वरिष्ठ अमेरिकी प्रोफेसर क्षमा-याचना करने लगे। मैंने हाथ पकड़ा और देखा भाई की नाक से खून टपक रहा है। पारे का पुण्य-प्रताप! बड़ी मुश्किल से सम्भाले जा सके।" (पृष्ठ 133)

अब आप इसमें हिंसा देखें या देशप्रेम, या नारीवाद – अज्ञेय के व्यक्तित्व में यह 'जटिलता' थी; एक अज्ञेय में मानो कई अज्ञेय थे। हर व्यक्ति में कई रूपों की छाया होती है। पर अज्ञेय की 'रेंज' लगता है कुछ व्यापक थी। जो हो, अन्ततः उनके पीछे एक सर्जक का निर्मल मन ही रहा होगा। फणीश्वरनाथ रेणु के शब्दों में: "महन्त, पादरी, पुरोहित, डिक्टेटर, धूर्त, चतुर, चालाक, सब कुछ हो सकता है वह। किन्तु इससे उसके कथाकार को छोटा कैसे मान लिया जाए? ...अदृश्य...अलख ...अकेला...लेखक...अज्ञेय!" (पृष्ठ 21)

अलग-अलग अन्दाज में अज्ञेय के व्यक्तित्व के अनेक पहलू संस्मरण-दर-संस्मरण आपके सामने खुलते चले जाएँगे। जब-तब उनमें एक दूसरे ही अज्ञेय की छवि प्रकट होती है; जीवन के ढेर रंगः मनोविनोद, हँसी-ठट्ठा, खाना-पीना, पकाना-खिलाना, बच्चों के साथ बच्चा हो जाना, बच्चों के कहने पर पेड़ पर कुटिया बना डालना, अपना और दूसरों का मजाक बनाना, चाहकर भी संगीत न सीख पाने के बावजूद संगीत की समझ, सुरीला सुनना, बेसुरा गाना...।

लेकिन इन सबके पीछे अन्ततः एक ही व्यक्तित्व सामने आता है – धीर-गम्भीर, सौम्य और गरिमामय लेखक और विचारक अज्ञेय। साहित्य में उनके योगदान का विवेचन आलोचना में होता रहेगा, मगर जहाँ-तहाँ इस संकलन के संस्मरणों में भी लेखकों-आलोचकों ने व्यक्तित्व-चित्रण के साथ उनकी राय का मूल्यांकन भी किया है। इस भूमिका का समापन नन्दकिशोर आचार्य के संस्मरण के इस अंश से किया जा सकता है, जो अनेक अन्य संस्मरणों में व्यक्त हुई धारणा का प्रतिबिम्ब ठहरता है:

"हिन्दी साहित्य के आधुनिक युग में अज्ञेय से अधिक बहुआयामी सर्जनात्मक व्यक्तित्व दूसरा नहीं है – न प्रेमचन्द, न प्रसाद, न निराला और न मुक्तिबोध। निराला और मुक्तिबोध के बिना हिन्दी उपन्यास की कल्पना सम्भव है। प्रेमचन्द के बिना हिन्दी कविता सम्भव है। और प्रसाद के बिना हिन्दी ललित निबन्ध, यात्रा वृत्तान्त और पत्रकारिता की कल्पना सम्भव है। लेकिन अज्ञेय के बिना सम्पूर्ण हिन्दी साहित्य की कल्पना असम्भव है। हिन्दी कविता, कहानी-उपन्यास, नाटक, आलोचना, सम्पादन, ललित निबन्ध, वैचारिक चिन्तन और यात्रा-वृत्तान्त एवं संस्मरणात्मक साहित्य तक में अज्ञेय की कृतियाँ शिखर की तरह सिर उठाए नये मानदण्ड का रूपायन करती हैं। मैंने अपनी पुस्तक *अज्ञेय की काव्यतितीर्षा* में जब अज्ञेय को भारतीय साहित्य में रवीन्द्र से आगे की कड़ी बताया था तो बहुत-से मित्रों ने नाक-भौं सिकोड़ी और मुझे अज्ञेय से अभिभूत बताया था। मैं तो अज्ञेय से अभिभूत था और हूँ और इसीलिए आज भी राजेन्द्र यादव की इस

बात से सहमत हूँ कि रवीन्द्रनाथ के बाद भारतीय साहित्य में अज्ञेय से बड़ा व्यक्तित्व दूसरा नहीं है।"

परिचय के दो शब्दों के बाद दो शब्द संकलन में सहयोग के।

पहले तो क्षमायाचना कि इस संकलन के प्रकाशन में विलम्ब हुआ। सामग्री के संग्रह, चयन, सम्पादन, संशोधन आदि में जितना वक्त लगा, उसका अन्दाजा पहले नहीं था। तय कार्यक्रम के मुताबिक 7 मार्च, 2011 को दोनों भाग छपवा कर हमने प्रदर्शित कर दिए। पर बाद में उनमें बहुत संशोधन-परिमार्जन करना पड़ा। जिनसे संस्मरण लिखने का आग्रह किया था, पहले मैं उनसे सामग्री की बाट जोहता था। बाद में किताब के लिए उनके फोन आने लगे। किताब अब उनको देने की स्थिति में आयी है; इस देरी के लिए वे क्षमा कर देंगे।

संकलन के लिए विशेष रूप से लिखने वालों में कुँवर नारायण, केदारनाथ सिंह, कैलाश वाजपेयी, विश्वनाथ त्रिपाठी, विजयमोहन सिंह, मानस मुकुल दास, मुकुन्द लाठ, राजी सेठ, लक्ष्मीधर मालवीय, रामकुमार, कृष्णदत्त पालीवाल, कृष्णबिहारी मिश्र, परमानन्द श्रीवास्तव, भोलाभाई पटेल, रामगोपाल बजाज, गंगाप्रसाद विमल, हरीश त्रिवेदी, राजेश जोशी, प्रभाकर श्रोत्रिय, पुष्पा भारती, शीन काफ निजाम, मृदुला गर्ग आदि अनेकानेक लेखक शामिल हैं। अधिकांश लेखक अज्ञेय के करीबी रहे हैं। उनके संस्मरण नयी जमीन तोड़ने वाले निकले। इतने रोचक और नयी जानकारियों को उद्घाटित करने वाले कि मैंने – लेखकों की सहमति से – उन्हें पुस्तक आने से पहले *जनसत्ता* में प्रकाशित किया और अन्य पत्र-पत्रिकाओं को भी प्रकाशन के लिए दिया। इस प्रयोजन से कि वे ज्यादा पाठकों तक पहुँच सकें और लोगों को इस आयोजन की अग्रिम जानकारी भी मिल सके! यह कैफियत इसलिए कि कहीं यह न समझा जाय कि आयोजन छपे-छपाए संस्मरणों का ही संकलन है! हालाँकि यह भी सच है कि अनेक संस्मरण मुझे किताबों और पत्र-पत्रिकाओं की फाइलों में मिले। उन्हें उपलब्ध करवाने में विश्वनाथ प्रसाद तिवारी, कृष्णदत्त पालीवाल, प्रभात रंजन और राजेन्द्र उपाध्याय ने बहुत मदद की है।

जो संस्मरण तैयार मिल गये, उनमें अनेक के लेखक अब इस संसार में नहीं हैं। उनके कुछ संस्मरण पुस्तकों में प्रकाशित थे, बाकी पत्र-पत्रिकाओं में। जानकीवल्लभ शास्त्री, नरेश मेहता, निर्मल वर्मा, प्रभाकर माचवे, इला डालमिया के आलेख पुस्तकों में हैं; जबकि फणीश्वरनाथ रेणु, मनोहर श्याम जोशी, प्रभाष जोशी के पत्र-पत्रिकाओं में छपे आलेख बाद में उनकी पुस्तकों में शामिल कर लिए गये। लेकिन जैनेन्द्र कुमार, विष्णु प्रभाकर, रघुवीर सहाय, रामेश्वर शुक्ल 'अंचल', कमलेश्वर, विद्यानिवास मिश्र जैसे महत्त्वपूर्ण लेखकों के संस्मरण अब तक पत्र-पत्रिकाओं की फाइलों में ही

थे। धर्मवीर भारती का संस्मरण तो अप्रकाशित ही रहा।

इस तरह उपलब्ध हुई सामग्री में कुछ संस्मरण अज्ञेय के जीते-जी लिखे गये थे। दिल्ली में हुए एशियाई लेखक सम्मेलन के हवाले से रेणु जी का संस्मरण (पृष्ठ 16) 'नई कहानियाँ' में जून, 1960 में छपा था। बाद में भी मौके-बेमौके अन्य लेखकों के संस्मरण या रेखाचित्र-व्यक्तिचित्र आदि छपते रहे। 1986 में अज्ञेय की पचहत्तरवीं वर्षगाँठ पर अनेक संस्मरण छपे। कुछ संस्मरण उनके निधन पर लिखे गये। जैनेन्द्र कुमार का संस्मरण अज्ञेय की पचहत्तरवीं वर्षगाँठ पर *नवभारत टाइम्स* में छपी एक बातचीत पर आधारित है। ऐसे ही, विष्णु प्रभाकर का अज्ञेय के निधन के बाद *धर्मयुग* में छपी बातचीत पर। उन दिनों मैं जयपुर में *इतवारी पत्रिका* का सम्पादन करता था। उनके निधन पर उस साप्ताहिक का विशेष अंक प्रकाशित हुआ, जिसमें रघुवीर सहाय, नन्दकिशोर आचार्य, गिरिराज किशोर, प्रयाग शुक्ल, बनवारी, पंकज आदि लेखकों के संस्मरण और लेख थे। लेखों छोड़कर संस्मरण इस संग्रह में काम आ गये हैं। पुनःप्रकाशित संस्मरणों में तात्कालिक लोकाचार – 'वे एक सूनापन छोड़ गये हैं जिसे भरा नहीं जा सकता' – जैसे पुनरावृत्त प्रयोग सम्पादित कर दिये हैं। कुछ लेखकों ने अपने प्रकाशित संस्मरण खुद संशोधित या परिवर्द्धित किए हैं; कुछ ने उन्हें दुबारा लिखा है।

अज्ञेय के रहते जो आलेख छपे, कहना न होगा, वे वर्तमान की भाषा में हैं। यह भी है कि सभी संकलित आलेख अनिवार्य तौर पर 'संस्मरण' की परिभाषा में शायद न रखे जा सकें। इनमें कुछ तो केवल 'स्मरण' हैं। जैसे इला डालमिया का आलेख, जिसे अज्ञेय से सम्बन्धित जीवन-तथ्यों और एक संगिनी के नजरिए को देखते शामिल किया गया है। या रामेश्वर शुक्ल अंचल का विवेचनात्मक और निर्मल वर्मा का विचारपरक आलेख।

संकलन का आखिरी 'संस्मरण' एक नज्म है। प्रसिद्ध शायर अखलाक मोहम्मद खान शहूरयार भोपाल के एक आयोजन में अज्ञेय के साथ संभागी थे। यह नज्म उन्होंने अज्ञेय के निधन की खबर पाकर कही थी। उर्दू के दूसरे बड़े शायर शीन काफ निजाम के संस्मरण और शहूरयार की नज्म में नुक्ते रखे गये हैं, क्योंकि दोनों आलेख उर्दू से हिन्दी में महज लिप्यन्तर हैं। संकलन के बाकी आलेखों में नुक्ते नहीं लगाए गये हैं। नुक्ते नागरी वर्तनी का बुनियादी हिस्सा नहीं हैं, हिन्दी में इसे लेकर दुविधा रहती है। यह दुविधा हममें भी रही; कुछ सुविधा का कारण भी समझें। कहाँ नुक्ते लगें, कहाँ नहीं, इसे लेकर पहले हिन्दी का लेखक, फिर सम्पादक, फिर प्रूफ संशोधक उलझेगा। शीन काफ निजाम साहब ने हमारी उलझन यह कहकर दूर ही की कि "लगाएँ तो लगाएँ, वरना कहाँ तक नुक्ते लगाइएगा! अरबी में पाँच 'ज' होते हैं;

हम तो उर्दू में उन्हें लिख लेंगे, हिन्दी में पाँच तरह के 'ज' बनाना कैसे मुमकिन होगा!"

मानस मुकुल दास का संस्मरण अंग्रेजी से शम्पा शाह ने अनुवाद किया है। पर उसका हिन्दी रूप मानस जी ने देखा और सँवारा है। वह संग्रह के श्रेष्ठ आलेखों में गिना जाएगा। संस्मरण होने के साथ वह अज्ञेय साहित्य की गम्भीर विवेचना भी है। मानस बचपन से अज्ञेय के सम्पर्क में रहे हैं। कनखल में अस्थि-विसर्जन के समय भी वे वहाँ मौजूद थे। मुझे सन्देह नहीं कि संस्मरणात्मक निबन्ध थोड़े विस्तार के साथ एक स्वतन्त्र पुस्तक का रूप लेगा।

लोठार लुत्से के जर्मन आलेख का अनुवाद विष्णु खरे ने किया है। उन्होंने लुत्से से यह सामग्री प्राप्त करने में भी काफी मदद की। लुत्से अज्ञेय के बहुत करीब रहे हैं। वे इन दिनों अस्वस्थ हैं, वरना विस्तार से लिखते। इस संग्रह में शामिल उनका आलेख मूलतः अज्ञेय जन्मशती पर प्रकाशित अज्ञेय की कविताओं के जर्मन अनुवाद *टांत्स आउफ डेम जाइल* (रस्सी पर नाच) की भूमिका के बतौर लिखा गया है। विष्णु खरे बताते हैं कि आलेख के शुरू में जो कविता दी गयी है, वह लुत्से की ही है, जो अज्ञेय के निधन के दूसरे दिन जर्मन में लिखी गयी थी। शायद विनयवश लुत्से ने अपने आलेख में इस बात का जिक्र नहीं किया है।

केशव मलिक के स्मरण का अनुवाद प्रियदर्शन ने किया है।

तीन संस्मरण बातचीत के आधार पर लिखे गये हैं। नामवर सिंह, जैनेन्द्र कुमार की बेटी कुसुम गुप्त और छायाकार ओ.पी. शर्मा के साथ हुई बातचीत पहले रेकार्ड की गयी, फिर आलेख तैयार कर उन्हें दिखा दिये गये। इसमें मेरे सहकर्मी मित्रों सूर्यनाथ सिंह और राकेश तिवारी ने सहयोग किया है।

नरेश मेहता का संस्मरण उनके व्याख्यान का अंश है, जो उन्होंने अज्ञेय के निधन के एक साल बाद भारत भवन में दिया था। प्रभाकर माचवे ने अज्ञेय की मृत्यु के चार साल बाद उनकी जो जीवनी लिखी, उस जीवनी में से संस्मरण का अंश हमने प्रकाशक की अनुमति से लिया है। दूसरे प्रकाशकों ने भी अपने यहाँ प्रकाशित पुस्तकों से संस्मरण लेने की छूट दी, इसके लिए उनका आभार मानता हूँ। विभिन्न पत्र-पत्रिकाओं के सम्पादकों का भी। अनेक लेखकों ने इधर-उधर बिखरी सामग्री की जानकारी दी, उसे ढूँढ़ने में मदद की। कुछ ने अज्ञेय की दुर्लभ तस्वीरें मुहैया करवाईं। सभी मददगारों के नाम संकलन के दूसरे भाग के अन्त में दर्ज हैं।

सबसे बड़ा सहयोग बाईस वर्षों से मेरे सहायक अमर छाबड़ा का रहा है। सामग्री जुटाने से लेकर अन्तिम रूप देने तक। हर स्तर पर उनका अथक हाथ रहा। वरिष्ठ सहयोगी राजेन्द्र राजन और सूर्यनाथ सिंह हमेशा साथ देते हैं। पुस्तक के नामकरण

की समस्या तीसरे सहयोगी रामजन्म पाठक ने हल की। इन सबका आभार।

श्रीमती मंजु खन्ना ने दोनों भागों की अनुक्रमणिका तैयार की है। इसके लिए उनका धन्यवाद। यह काम हिन्दी में सामान्य तौर पर केवल शोध-कृतियों में होता है। पर इतने विविध और विशद संस्मरणों में अनुक्रमणिका जरूरी लगी। इससे आम पाठकों और अज्ञेय के शोधार्थियों दोनों को सुविधा होगी।

प्रकाशक अरुण माहेश्वरी को धन्यवाद देना खुद को धन्यवाद देने की तरह होगा। वे मित्र हैं और मेरे काम में हमेशा अतिरिक्त उत्साह से रुचि लेते हैं। हाँ, वाणी प्रकाशन के सिद्ध संशोधक विनोद भारद्वाज और बहुविध प्रतिभा वाले गणेश रजवार का कृतज्ञतापूर्वक स्मरण करना अपना कर्त्तव्य समझता हूँ।

अन्त में डॉ. कपिला वात्स्यायन के प्रति विशेष आभार प्रकट करना चाहता हूँ जिन्होंने इस पुस्तक के आयोजन में शुरू से आखीर तक रुचि ली, मशविरे दिए। मैं चाहता था कि वे स्वयं लिखें। लेकिन यह काम उनके लिए कितना मुश्किल होगा, यह भी समझ में आता है। वे हमारे बीच अज्ञेय की जीवन्त उपस्थिति हैं। संकलन के लेखकों की ओर से *अपने अपने अज्ञेय* की प्रति जिस रोज उन्हें भेंट कर आऊँगा, सम्पादक के नाते वह क्षण मेरे लिए विशेष हर्ष का होगा। क्यों नहीं, उनके लिए भी!

–ओम थानवी

सिवा इसके कि ऐसा मुझे लगा
कि मैं अभी-अभी सपना देखता ही जागा ।

है, एक सपना है, मैंने उससे आगे कहा,
जिसकी याद की देहरी पर मैं खड़ा हूँ ;
यही घूम-घूम कर मेरे अतल में गूँजता रहा
कि एक सपना है जिसकी याद की देहरी पर मैं खड़ा हूँ ।

यों फिर सोया और फिर जागा और फिर सोया
एक अन्तहीन क्रम में : मानो संकल्प छिन गया हो अपना,
अनवरत इसी खोज में बेबस, खोया
कि याद कर लूँ अपना भूला-अनभूला सपना

स्वतःप्रमाण है मेरा प्रत्यय कि याद अभी लौट आयेगी :
उस मेरे सपने की जो मैंने जागर-जागर देखा —
और जिसकी याद की मैं उस देहरी पर ही खड़ा हूँ —
तीखी गहरी उत्कीर्ण छवि आँक जायेगी ।

नहीं है कोई अन्त; न कोई पूरा जागा जाना
न कोई ऐसी याद — कि फिर कभी नहीं भूलेगी :
पर ध्रुव, स्वतःप्रमाण है मेरा प्रत्यय कि मैं देहरी पर हूँ
उस सपने की जो मैंने देखा है, और जिसकी छवि
अभी जो उठेगी, देहरी पर साक्षात्, अभी उसे छू लेगी...

अज्ञेय की लिखाई में एक कविता

1

मूरत ढालने वाले

॥ जैनेन्द्र कुमार

1932 का अन्त था, या 1933 का प्रारम्भ रहा होगा। एक दिन एक साहब कहानी लेकर आये। चौथे दिन फिर आये। पूछा 'कैसी लगी?' मैंने कहा– 'अच्छी लगी।' उन्होंने कुछ नहीं बताया था कि कहानी का लेखक कौन है।

उन्हीं दिनों सच्चिदानन्द वात्स्यायन का दिल्ली में केस चल रहा था। वे जेल में थे। जेल से उनकी चिट्ठियाँ आने लगीं। रचनाएँ आने लगीं। भाव कुछ इस तरह का था कि क्या ये रचनाएँ छप सकती हैं? मैंने तब प्रेमचन्द को उनकी एक कहानी भेज दी। वे साप्ताहिक *जागरण* निकालते थे।[1] मैंने सोचा वात्स्यायन ने जेल से रचनाएँ भेजी हैं। हो सकता है उनका नाम देना ठीक न हो। इसलिए 'अज्ञेय' लिख दिया। उन्हीं दिनों *विशाल भारत* का एक कहानी विशेषांक निकलने वाला था। वहाँ भी मैंने बनारसी दास चतुर्वेदी को वात्स्यायन की एक कहानी भेज दी – अज्ञेय के नाम से। इस तरह वात्स्यायन से मेरा परोक्ष परिचय हुआ था।

तब जेल से वात्स्यायन के मुझे कई पत्र मिले थे। एक पत्र में उन्होंने लिखा कि आपसे मिलने की बड़ी इच्छा है। क्या किया जाए, कोई उपाय नहीं है। एक ही रास्ता हो सकता है। सेशन्स कोर्ट में फलाँ तारीख को हमारा केस है। तय है कि कोर्ट में अपराध सिद्ध होने के तत्काल बाद हमें जेल से कहीं और भेज दिया जाएगा। बड़ा अच्छा हो कि आप कोर्ट में मिलने आ जाएँ।

तब मैं सदर पहाड़ी धीरज में रहता था। सेशन्स कोर्ट वहाँ से दूर नहीं था। अदालत में मैंने देखा वात्स्यायन के हथकड़ियाँ लगी हैं और पुलिस पास खड़ी है। जब हथकड़ियाँ खुल गयीं तो हम लोग वहीं बैठे। बातचीत हुई। वह दृश्य आज भी मेरी आँखों के सामने है।

जब वात्स्यायन को पता चला कि मैंने उनका नाम अज्ञेय रख दिया है, तो उन्होंने शुरू में नाखुशी जाहिर की। लिखा– 'मेरा तो पहले से ही एक उपनाम है– श्रीवत्स। आपने मुझे देखा नहीं है। श्रीवत्स का एक अर्थ हाथी भी होता है। आप देखेंगे तो लगेगा कि यह नाम भी सार्थक ही था।'

1. 'अमरवल्लरी' कहानी जागरण के पाँच अक्टूबर, 1932 के अंग में छपी।–सं.

कुछ दिनों तक वात्स्यायन असमंजस में रहे। लेकिन बाद में उन्होंने 'अज्ञेय' उपनाम अपना लिया।

हाँ, जब मैं सेशन्स कोर्ट में वात्स्यायन से मिला तो मुझे लगा कि भगवान के पास जो कुछ भी है, वह इन्हें देने में उसने कोई कृपणता नहीं की। सुन्दर पुष्ट शरीर। सम्भ्रान्त, कुलीन, शिक्षित। सब कुछ इन्हें प्राप्त है। यानी जिस सबसे मैं वंचित हूँ, वह सब इनके पास है। मुझसे चार-पाँच साल छोटे थे।

फिर वे लाहौर ले जाए गये। नजरबन्द हुए। खुद तो दिल्ली आ नहीं सकते थे। मुझे उन्होंने लिखा। उन्हीं दिनों चन्द्रगुप्त विद्यालंकार भी लाहौर में थे। तब मैं उनसे मिलने गया था। इस बीच उनके पत्र भी बराबर आते रहे। उनके पत्र-व्यवहार और रचनाओं से मैं प्रभावित था।

उन दिनों वात्स्यायन भगत सिंह वगैरह क्रान्तिकारियों से प्रभावित थे। मानवेन्द्रनाथ राय के रेडिकल ह्यूमेनिज्म (उग्र मानवतावाद) से तो वात्स्यायन बहुत बाद में प्रभावित हुए। उन दिनों वात्स्यायन ने मुझे अंग्रेजी में एक लेख छपने के लिए भेजा था। मैंने उसका जवाब पहले तो हिन्दी में लिखना शुरू किया, लेकिन बात बनी नहीं तो मुझे भी अंग्रेजी में लिखना पड़ा। मेरा पत्र वात्स्यायन को अंग्रेजी भाषा की दृष्टि से पसन्द आया था। अपने लेख में वात्स्यायन ने गाँधी को करेन्स्की कहा था। मैंने उन्हें लिखा कि करेन्स्की तो रूस के जीवन में आये तत्कालीन उभार में सिर्फ संयोग से दिखाई दिया। उसका अपना कोई योगदान नहीं था। लेकिन गाँधी जी ने तो अपना समूचा आन्दोलन खुद पैदा किया। इसलिए गाँधी की करेन्स्की से तुलना नहीं की जा सकती।

मुझे तब विस्मय होता था कि वात्स्यायन वगैरह को मेरा नाम कैसे पता चला जो उन्होंने मेरे साथ पत्र-व्यवहार शुरू किया। बाद में पता चला कि लाहौर कांग्रेस के समय मेरी पहली किताब *फाँसी* क्रान्तिकारियों के हाथ लगी थी। वे उससे प्रभावित हुए। वह मेरी तीन कहानियों का संग्रह था। कहानियाँ गरमागरम थीं, हालाँकि अहिंसा में मेरा विश्वास तब भी था।

वात्स्यायन को क्रान्ति की दीक्षा एहसान इलाही और एक अन्य सज्जन ने दी थी। ये वरिष्ठ लोग थे। भगत सिंह वगैरह तो बाद में आये। एक बार मेरी इन लोगों से लाहौर में मुलाकात हुई। तब नौजवान भारत सभा बनी थी। मैं दिल्ली भारत नौजवान सभा का अध्यक्ष था। इसी नाते मैं लाहौर गया था। मिले तो वे लोग मुझे देखें और मैं उन्हें। मैं अहिंसा को मानने वाला और वे...। लेकिन इससे हमारे रिश्तों पर कोई फर्क नहीं पड़ा।

वात्स्यायन के साथ मेरा बड़ा अच्छा संवाद रहा, लेकिन बीच में एक बार संवादहीनता की स्थिति बन गयी थी। वात्स्यायन जी का उपन्यास *नदी के द्वीप*

निकला था। इससे पहले *शेखर* उपन्यास की अंग्रेजी में सिनोप्सिस भी मैंने देखी थी। *शेखर: एक जीवनी* का पहला खण्ड मुझे बहुत पसन्द आया था। दूसरे के बारे में मैं थोड़ा संदिग्ध रहा। मुझे लगा कि वात्स्यायन यथार्थ-द्रष्टा के रूप में अपने को शामिल नहीं कर पाये हैं। बहरहाल *नदी के द्वीप* जब आया तो मुझे काफी आशाएँ थीं। मैं तीन-चौथाई पुस्तक एक साथ पढ़ गया। तभी मुझे किसी काम से रेडियो स्टेशन जाना था। वात्स्यायन तब रेडियो में थे। रेडियो की गाड़ी आयी। उसमें वात्स्यायन की मित्र म्यूरल वासी बैठी थीं। वासी अंग्रेजी में लिखती थीं और प्रखर पत्रकार थीं। मैंने उनसे वात्स्यायन के उपन्यास का जिक्र किया।

रेडियो पर वात्स्यायन जी भी मिल गये। मैंने उन्हें बताया कि आपका उपन्यास पढ़ रहा हूँ।

बोले– 'तो!'

मैंने कहा– 'अभी तो तीन-चौथाई ही पढ़ा है। थोड़े पन्ने रह गये हैं।'

रेडियो से आया तो शेष उपन्यास पढ़ गया। अकेला था मैं तब। कमरे में एकदम अकेला। किताब पढ़ने के बाद बहुत खाली-खाली लगा। वात्स्यायन की किताब से मुझे बहुत आशाएँ थीं। लेकिन पढ़कर मैं वंचित-प्रवंचित-सा हो गया। मन पर बोझ-सा रहा। चार-पाँच मिनट उस हालत में रहा। फिर एकाएक मुझे लगा कि पुस्तक की यह प्रति मेरी नहीं है, शिवदान सिंह चौहान की है। बस मुझे क्या सूझा, मैंने एक कागज लिया। उस पर शिवदान सिंह चौहान को लिखा कि आपकी प्रति वापस भेज रहा हूँ। पुस्तक पढ़ तो गया हूँ, लेकिन बड़ा खाली-खाली-सा लगता है। वह कागज किताब में रखकर किताब मैंने भेज दी।

बस, शिवदान सिंह दौड़े-दौड़े आये। कहने लगे यह पत्र तो ऐतिहासिक है। *आलोचना* के अगले अंक में इसी पत्र से हम अपनी बातचीत शुरू करेंगे। शिवदान सिंह *आलोचना* त्रैमासिक के सम्पादक थे। मैंने कहा– 'देखो ऐसी गलती मत करना। यह व्यक्तिगत पत्र है।'

कहने लगे– 'नहीं-नहीं।'

मैंने कहा– 'मैं तुम्हें फिर कह रहा हूँ।'

बोले– 'चिट्ठी जिसे लिखी जाती है, उसकी प्रापर्टी होती है।'

मैंने कहा– 'नहीं, तुम चले जाओ और ऐसा नहीं करना है।'

बहरहाल, उन्होंने अपने सम्पादकीय को उसी पत्र के साथ शुरू किया। यह बात वात्स्यायन को बहुत बुरी लगी। इसका उनके मन पर गहरा असर रहा।

फिर इधर आते-जाते नहीं थे। बीच में आये, तब गलतफहमी दूर हुई।

मैं मानता हूँ कि हिन्दी संसार में अज्ञेय जैसा योग्य और कुशल लेखक आज नहीं

है। उनकी कविता से, हालाँकि उन्हें ज्ञानपीठ पुरस्कार भी मिला है, मैं ज्यादा प्रभावित नहीं हूँ। इसलिए कि मैं जानता हूँ कि कविता में एक लय की जरूरत होती है। और लय विचार में नहीं, भाव में होती है। वात्स्यायन जी को मैं इतना ब्रेनी, इतना बौद्धिक व्यक्ति मानता हूँ कि वे भावमय और भावमग्न मुश्किल से ही हो पाते हैं। वैचारिकता-बौद्धिकता उन पर हावी रहती है। लेकिन मुझे *अपने-अपने अजनबी, शेखर* का पहला भाग और आरम्भ की उनकी कहानियाँ प्रिय हैं। चिन्तन से जुड़ा वात्स्यायन जी का लेखन मुझे ज्यादा प्रभावित नहीं कर पाया है। मैं उसे समझ ही नहीं पाता। लगता है जैसे राह खो जाती है।

वात्स्यायन जी स्वस्थ और स्व-रत पुरुष हैं। स्व-रत एक साधना की चीज है, क्योंकि कहा यह जाता है कि मनुष्य एक सामाजिक प्राणी है। वात्स्यायन जी अपने में ही रहते हैं, रह सकते हैं। एक घटना मुझे याद है, जिससे उनकी प्रकृति का पता चलेगा। यहाँ (दिल्ली में) एक सत्यवती महिला थीं। उनकी माता मेरे पास आयीं। मुझसे कहा कि वात्स्यायन जी आपके पास आते हैं। हम अपनी बेटी के लिए उन्हें देखना चाहते हैं।

एक रघुनन्दन शरण नामक व्यक्ति भी अपनी बेटी के लिए वात्स्यायन जी को देखना चाहते थे। ये दोनों लोग वात्स्यायन जी के पास गये भी। मगर वात्स्यायन जी लाहौर चले गये। सत्यवती वाला रिश्ता मेरे द्वारा आगे बढ़ाया गया था। वात्स्यायन जी को उन लोगों ने पत्र भी लिखा, लेकिन कोई जवाब नहीं आया। न हाँ में, न ना में। मतलब यह कि वात्स्यायन जी अपनी ही दृष्टि में चीजों पर विचार करते हैं। किसी की परवाह नहीं करते। सामाजिक दायित्व की परवाह नहीं करते।

वात्स्यायन जी में अनेक तरह की प्रतिभाएँ हैं। उन्होंने प्लास्टर ऑफ पेरिस में मेरी एक मूर्ति बनाई थी। उसका चित्र मेरी एक किताब में छपा है।

पहली बार जब वात्स्यायन जी हमारे घर आये, तब ऐसे आये जैसे सम्भ्रान्त पुरुष आता है। काफी बड़ा बिस्तरबन्द और अटैची थी। मुझे तब शान्तिनिकेतन जाना था। मैंने उन्हें भी साथ चलने को कहा। मेरे पास तो एक तौलिया और सिर्फ एक जोड़ा (वस्त्र) था। हम रेल से गये। मैं कुर्ता, बण्डी और कच्छा पहने था। वात्स्यायन जी ने कहा– शान्तिनिकेतन आने से पहले धोती-वोती पहन लीजिए। पर बातों में मैं भूल गया। इतने में रेलवे स्टेशन आ गया। मैं वैसे ही उतर गया। बाद में मुझे पता चला कि वहाँ हिन्दी की बहुत बड़ी भद्द हुई, क्योंकि मैं कुर्ता और कच्छा पहने स्टेशन पर उतरा था। हजारीप्रसाद द्विवेदी ने वात्स्यायन जी को कहा भी। कहाँ शान्तिनिकेतन का कलात्मक वातावरण और कहाँ मैं गँवार। मैं मानता हूँ कि एटिकेट्स में वात्स्यायन जी को कोई मात नहीं कर

सकता। वह सजे-धजे रहते हैं – शालीन और सम्भ्रान्त।

बाद में वात्स्यायन जी मेरे साथ कलकत्ता भी गये और वहीं बनारसीदास चतुर्वेदी से उनका परिचय हुआ। शान्तिनिकेतन जाते हुए हम लोग काशी रुके थे। हम लोग प्रेमचन्द के यहाँ ठहरे थे। वे उन दिनों बीमार थे। वात्स्यायन जी ने तब उनके फोटो भी लिये थे। प्रेमचन्द ने कहीं लिखा था कि जैनेन्द्र में तो गोर्की जैसी प्रतिभा है, लेकिन अज्ञेय भी आगे जाएँगे।

अक्सर वात्स्यायन जी यहाँ मेरे घर (दरियागंज) आते रहे और ठहरते रहे। बाद में सत्यवती नामक एक अन्य महिला की बहिन सन्तोष से उनकी शादी हुई और हमारे घर के पास ही उन्होंने मकान लिया। सन्तोष हमारे यहाँ आती-जाती थीं। वात्स्यायन जी मानते हैं कि मैंने उन दोनों को अलग किया। इसलिए भी मेरे और वात्स्यायन के बीच कुछ समय तक संवादहीनता की स्थिति रही। बाद में सन्तोष जी का विवाह बलराज साहनी से हुआ और वात्स्यायन जी ने कपिला जी से विवाह किया। मैंने सत्यवती से कहा था कि वात्स्यायन जी विवाह के लिए नहीं बने हैं। वे बुद्धिशाली हैं, सामाजिक दायित्व का आधार वे नहीं पाते। वे अपने में मग्न रहने वाले हैं। अन्वेषक।

वात्स्यायन जी मेरे यहाँ अपने को पूरी तरह फिट कर लेते थे। मुझे कभी नहीं लगा कि उन्हें कभी कोई असुविधा रही हो। अब तो मेरे यहाँ फर्नीचर मिल भी जाएगा। तब तो हम लोग आसनों पर बैठा करते थे। मेरी पत्नी तो ठेठ देहाती थी, लेकिन वात्स्यायन जी के हमारे यहाँ ठहरने पर उन्हें कभी कोई दिक्कत नहीं हुई। वे वात्स्यायन जी से घनिष्ठ भी थीं और उन्हें स्नेह करती थीं।

वात्स्यायन जी का स्वभाव इधर बदला है। दूसरों के साथ निभाने में वे किसी से पीछे नहीं रह गये हैं। मुझे याद है जब वे *सैनिक* में काम करते थे, तब उन्होंने कहा था कि मैं उसके मालिक पालीवाल को मुँह नहीं लगाने देता। एक कर्मचारी होकर भी इतनी गरिमा। लेकिन अब वे अपने को सीधा-सतर्क दिखाने की कोई कोशिश नहीं करते।

प्रस्तुतिः मधुसूदन आनन्द

2

सड़क जहाँ समाप्त होती है

॥ विष्णु प्रभाकर

भारत-कोकिला सरोजिनी नायडू के मुख से सुना था मैंने कि आत्मा न तो जन्म लेती है और न मरती है। वह उच्च और उच्च से उच्चतर लोकों की तलाश में निरन्तर यात्रा करती रहती है। अर्थात् शाश्वत यायावर है वह। अज्ञेय जीवन भर यायावर रहे। अब भी बस एक और यात्रा पर चले गये हैं वे। अन्तर इतना ही है कि अब वहाँ से लौट कर अपने संस्मरण न सुना सकेंगे, न चिट्ठी-पत्री लिख सकेंगे, न दूरभाष पर ही बात हो सकेगी।

मौन का शिल्पी सचमुच मौन हो गया है, पर मौन तो सहस्र जिह्वाओं से बोलता है। लेकिन उस आवाज को भीड़ में नहीं सुना जा सकता। अपने अन्तर के मौन में ही वह वाणी मुखर होती है। अज्ञेय अब उस मौन में अर्थात् उस स्मृति में जिएँगे। स्मृति मनुष्य को पवित्र करती है। स्मृति मनुष्य को दर्द देती है।

और बिना किसी के दर्द से पवित्र हुए किसी को पहचाना नहीं जा सकता। रवि ठाकुर ने कहीं लिखा है कि रात्रि के समय निरभ्र नील गगन में एक नक्षत्र चमकता रहता था, पर लोग उसे या तो देखते नहीं थे, या देखते थे तो उपेक्षा से मुँह बिचका कर चले जाते थे। एक दिन अचानक क्या हुआ कि वे लोग ठिठक गये। उनके मार्ग में वह अन्धकार कैसा था? वह क्या था यहाँ जो आलोकित करता रहता था हमारे पथ को? कहाँ गया वह?

चले जाने पर किसी का मूल्य जानते हैं लोग। वे ही नहीं, जो उसके प्रभामण्डल के दायरे में होते हैं, बल्कि वे भी जो उसके बाहर होते हैं या प्रबल प्रतिद्वन्द्वी होते हैं। क्योंकि प्रतिद्वन्द्विता भी तो उसी से होती है, जिसके पास कुछ होता है। उसी शक्तिशाली व्यक्ति के अभाव को अनुभव करते हैं लोग।

मौलिक चिन्तक के रूप में अज्ञेय ने जो छाप छोड़ी है वह अमिट रहेगी। वे हिन्दी साहित्य के उन विरल साधकों में थे जिन्होंने मौलिक चिन्तन के क्षेत्र में भाषा और देश की सीमाओं को लाँघा है। वे सब अब धीरे-धीरे मौन हो रहे हैं। जैनेन्द्र

जीते-जी वाणी खो बैठे। महादेवी लौह-पिंजर में आबद्ध तड़फड़ा रही हैं। दूसरे कई और बन्धु आयु के बोध को चाह कर भी अस्वीकार नहीं कर पा रहे। कैसी विडम्बना है यह, पर उतनी ही स्वाभाविक भी है। नयी कोंपलें तभी फूटती हैं, जब पुराने खाद बनते हैं।

अज्ञेय बहुमुखी प्रतिभा के धनी थे। जितने प्रयोग उन्होंने किये उतने शायद ही किसी ने किये हों। कविता, कथा, निबन्ध, यात्रावृत्त, संस्मरण, समीक्षा – हर विधा को नये आयाम दिये उन्होंने। मतभेद और असहमति अशुभ नहीं हैं। वे ही तो जड़ता को तोड़ते हैं और प्रगति का मार्ग प्रशस्त करते हैं। फिर भी साहित्य के क्षेत्र में ही नहीं, व्यक्ति के रूप में भी जितने विवादास्पद अज्ञेय रहे, उतना शायद ही कोई रहा हो। उन आक्षेपों का निराकरण करना मेरे लिए न तो उचित है, न आवश्यक ही है। अज्ञेय, अज्ञेय ही रह सकते हैं। कुछ और नहीं हो सकते। मैं केवल इतना ही कह सकता हूँ कि मैं उनके प्रभामण्डल का व्यक्ति कभी नहीं रहा। मेरे सृजन के बारे में अपना अभिमत रखने का उनका अधिकार था। उनको और इस दृष्टि से अन्य बन्धुओं को भी चुनौती देने का कोई औचित्य मेरे पास नहीं है। पर इस सबके होते हुए भी मेरे प्रति उनका व्यवहार सदा आत्मीय और स्नेहपूर्ण रहा।

दिल्ली आने के बाद एक दिन उन्होंने मुझसे कहा था कि क्या मैं *प्रतीक* के सम्पादन का भार सँभाल सकता हूँ। मेरे लिए इससे अधिक गर्व की बात और क्या हो सकती थी। लेकिन दो-तीन दिन आत्ममंथन करने के बाद मैंने उनसे निवेदन किया कि आप भी अपनी मान्यता पर अटल रहनेवाले व्यक्ति हैं और मैं भी सिद्धान्त पर समझौता नहीं कर पाता, तब...

वे तुरन्त मुस्कुरा कर बोले, "तब ठीक है। मैं समझ गया।"

लेकिन इस घटना से मेरे प्रति उनसे सहज स्नेह में जरा भी अन्तर नहीं पड़ा। मेरे लिए वे उन मित्रों से कहीं अधिक अपने रहे जो उस मंच पर नहीं बैठना चाहते, जिस पर मैं रहता हूँ। उस किताब में नहीं छपना चाहते हैं जिसमें मेरी रचना रहती है। मैंने उनसे जब कभी किसी संकलन के लिए उनकी रचना चाही तो बिना किसी शर्त अपनी स्वीकृति दे दी; दूसरे कई मित्रों ने नहीं ही दी। *प्रतीक* में छपी मेरी कई रचनाएँ खो गयीं। मैंने उन्हें लिखा। उन्होंने तुरन्त सभी जिरॉक्स करवा कर भेज दीं।

शायद 1939 में जैनेन्द्र जी ने जिस साहित्य सम्मेलन का आयोजन किया था, उसी में उनसे पहली बार भेंट हुई थी। अध्यक्ष थे मश्रुवाला। बैठक की समाप्ति पर उनके जूते ढूँढ़े नहीं मिल रहे थे। हम कुछ करें इससे पूर्व क्या देखता हूँ कि एक ओर से अज्ञेय हाथों में मश्रुवाला जी के जूते थामे चले आ रहे हैं।

गत वर्ष इंडिया इंटरनेशनल सेंटर के एक समारोह में मैं जब पहुँचा तो अज्ञेय मित्रों से घिरे लॉन में बैठे थे। जैसे ही उन्होंने मुझे देखा, तेजी से उठे, एक ओर गये और एक कुर्सी उठा लाये मेरे लिए...

पचास वर्ष के अन्तराल के बाद मेरे सामने वही अज्ञेय खड़े थे, जिन्हें मैंने 1939 में देखा था। तब वे अपने अग्रज के जूते लाये थे और अब अपने अनुज के लिए कुर्सी ला रहे थे।

क्या किसी टिप्पणी की अपेक्षा करती हैं ये घटनाएँ?

निश्चय ही सृजन के उनके मानदण्ड थे। लेकिन मानदण्डों के अनुरूप जहाँ भी नयी प्रतिभा उन्हें दिखाई दी, उसको उन्होंने भरपूर प्रोत्साहन दिया। ऐसे दृश्यों का मैं स्वयं साक्षी रहा हूँ। स्वयं मैंने जब लिखना शुरू किया था तो जिन अग्रजों ने मेरी पीठ ठोंकी थी, उनमें अज्ञेय भी थे। उन्होंने चेतावनी दी थी कि मुझे अपने लिखने की भंगिमा बदलनी होगी, नहीं तो मैं जैनेन्द्र जी की प्रतिलिपि बन कर रह जाऊँगा। उन्होंने *विशाल भारत* में और *प्रतीक* में भी मेरी रचनाएँ छापीं। हाँ, एकाध बार लौटायीं भी। यह सम्पादक का अधिकार था।

बहुत कम लोग जानते हैं कि अज्ञेय ने दिल्ली के कनॉट प्लेस के जीवन पर *बारहखंभा* नामक उपन्यास लिखने की योजना बनायी थी। बारह मित्रों को बारह अध्याय लिखने थे। एक अध्याय मैंने भी लिखा था। पर कई कारणों से वह प्रकाशित नहीं हो पाया था। अभी पिछले दिनों उनका फोन आया, "वह उपन्यास प्रेस में जा रहा है। अपनी अनुमति भेज दो।"

वह उपन्यास शीघ्र ही आ रहा है, पर उसका संयोजक उसे न देख पाएगा...

पिछले तीन वर्ष से हम दोनों साहित्य अकादेमी में साथ-साथ काम कर रहे थे। मैं सलाहकार समिति का संयोजक हूँ। उन्होंने मुझे भरपूर सहयोग दिया। प्रायः सभी बैठकों में वे पूरा समय उपस्थित रहते और सक्रिय रूप में उनमें भाग लेते। वे मुझसे आयु में ही नहीं, सभी दृष्टियों से बड़े थे। पर दूसरे अनेक मित्रों के विपरीत उन्होंने मुझे पूरा सम्मान दिया।

अपनी बात वे दृढ़ता से कहते, उस पर अटल भी रहते। हम लोगों में तीव्र मतभेद भी होता, पर इसी कारण कभी कोई अप्रिय घटना घटने की सम्भावना उपस्थित नहीं हुई। जो काम उन्हें सौंपा गया, बड़ी ईमानदारी से उन्होंने पूरा किया। वे मौन के शिल्पी थे। मैं भी बहुत बात नहीं कर पाता, फिर भी उनके साथ कार में यात्रा करने और बात करने के अवसर आये हैं और तब शब्दों का कम-से-कम प्रयोग करते हुए भी बात की है हमने। मेरे आग्रह पर ही

उन्होंने इस महीने मध्य भारत साहित्य परिषद के स्वर्ण जयन्ती समारोह में इन्दौर जाना स्वीकार किया था। इसी महीने साहित्य अकादेमी की हिन्दी सलाहकार समिति की अन्तिम बैठक में भाग लेना था, पर इससे पूर्व ही वे – 'न समाप्त होनेवाली सड़क' पर रवाना हो गये, न लौटने के लिए।

तुम्हारा घर
वहाँ है
जहाँ सड़क समाप्त होती है
पर मुझे जब
सड़क पर चलते ही जाना है
तब वह समाप्त कहाँ होती है?
तुम्हारा घर...

3

अलख अकेला अज्ञेय

॥ फणीश्वरनाथ रेणु

आज से पच्चीस-छब्बीस साल पहले *विशाल भारत* में एक ऐसे लेखक की कहानियाँ प्रकाशित होती थीं, जो अपनी हर कथा के नायक का नाम 'सत्य' ही रखता था। सो, दूर-देहात के इस किशोर पाठक (पाठकराम!) को यह ढंग जरा भी पसन्द नहीं था। लेकिन न जाने क्या बात थी कि उसकी कहानी देखकर पाठक (उपरोक्त) का मन ललच जाता, ललचने लगता।...

शायद, लेखक के नाम में कोई विशेषता थी! विशेषता थी, पर इस नाम से थोड़ी कोफ्त ही होती थी। रामलीला या जात्रा में मुँह पर मुखोस लगाकर प्रकट होने वाले पात्रों के वास्तविक चेहरों को देखने के लिए मन जिस तरह अकुलाता था, वैसी ही अकुलाहट ऐसे नामों से होती थी।...अज्ञात, अदृश्य, अकेला, विचित्र अथवा अज्ञेय!

तब, सम्भवतः भाषा...

हाँ, भाषा में ही कोई ऐसी बात रही होगी, क्योंकि कथा के वक्तव्य या कथोपकथन का अधिकांश शब्दार्थ समझ में कभी नहीं आया। इसके बावजूद मन के परदे पर कथा का गति-चित्र कभी धुँधला होकर नहीं उभरा।

इस नकाबपोश विचित्र लेखक की कहानियों से पहले, *माधुरी* के पुराने अंकों में प्रेमचन्द की कई कहानियाँ पढ़ चुका था। बुढ़िया और बन्दर वाली कहानी, 'कर्बला'!...कहाँ उन कहानियों की भाषा-भाव की सादगी और कहाँ यह अलख, अचल, अगम, अगोचर, अजब...अज्ञेय की भाषा, जिसके अनेक शब्दों का 'सुद्ध उचारन' भी नहीं कर पाता! और, कर्बला कथा का किशोर नायक वह गरीब, करीम, हबीब, रहीम, हमीद, या जो भी नाम रहा हो उसका, कहानी पढ़ते समय जो पाठकराम की आँखों के आगे साकार खड़ा हो गया था, फिर उसमें ही समा गया था। और, इधर अज्ञेय का यह अद्भुत नायक – सत्य! ऐसा आदमी कभी देखा नहीं!...

उसकी एक नायिका का नाम याद है, 'पुष्पा'! सत्य ने एक बार स्केच आँका,

बकरे का, मेमने का। फिर फाड़ दिया। उस दिन वह ताश में हारता रहा। गलत पत्ते फेंकता गया।...

कुछ सोचता हुआ, सड़क पर जा रहा है सत्य! पास की दुकान से रेडियो की आवाज आ रही है। रेडियो से कैलिफोर्नियन आड़ू का विज्ञापन प्रसारित हो रहा है। रेडियो की ध्वनि सत्य की चिन्ताधारा को बिन्दियों द्वारा असंलग्न कर देती है। वह दुकान में घुसता है। कैलिफोर्नियन आड़ू का बन्द डिब्बा खरीद लाता है। सम्भवतः सीमेंट पर खोलता है। खाता है, स्वाद लेकर। खाते समय भी वह कुछ सोच रहा है। खाकर खाली डिब्बा फेंक देता है...खनखनाता-लुढ़कता टिन का डिब्बा...दौड़ते हुए नंग-धड़ंग लड़के। फिर, छीना-झपटी...

सत्य की ऐसी कहानियों से पाठकराम को कोई ज्ञान-लाभ नहीं हुआ, यह कहना गलत होगा।...उस समय तक रेडियो-सेट को न आँख से देखा था, न कान से सुना था। 'रेडियो सीलोन' आदि के व्यापार विभाग के जन्म से पन्द्रह-बीस साल पूर्व ही वह जान गया था कि रेडियो से विज्ञापन भी प्रचारित होते हैं।...

किन्तु कथा पढ़कर बहुत दिनों तक कैलिफोर्नियन आड़ू के लिए रसना रसबन्ती हो जाती।...आलू? आलूचे? आलूबुखारा? आड़ू? यह कैलिफोर्नियन आड़ू क्या चीज होती है? निश्चय ही कोई फल होगा!...शहर पूर्णिया जाकर, साह एंड कम्पनी में कैलिफोर्नियन आड़ू माँगा तो सामने बैठे सज्जन का मुँह अचरज से गोल हो गया, 'देखो हे! छोकरा-टा की चाय? एँ? केलिफोर्नियाँ आलू...ना तो... अरे, ये आड़ू क्या होता है? अनारस माने अनानास भी नेंहीं, गुजबेरी नेंहीं...तब क्या होता है ये केलिफोर्नियाँ ...घोड़ार डिम?...केलिफोर्नियाँ कहाँ है? है मालूम? देखा है नाक्शा में...जतऽ सब!' इसके बाद, पाठकराम ने फिर कहीं कैलिफोर्नियन आड़ू का नाम-दाम नहीं पूछा...घोड़ार डिम? और, जिस सत्य की कहानी पढ़ने के कारण उसको लांछित और लज्जित होना पड़ा था, उसी पात्र को वह प्रत्येक पत्रिका के पृष्ठों में खोजता रहा।...

ओ??...तो, जनाबआली कवित्त भी बनाते हैं! *विशाल भारत* में ही 'सत्य' के लेखक का एक गीत छपा था। गाँव का कोई भी पाठक उन दिनों पद्य नामक चीज को पढ़ता नहीं था, अर्थात् यों ही नहीं, गा-गाकर पढ़ता था।... बिना गाये अरथ कैसे खुलेगा? अजोधा मंडर रामायण की चौपाई गाता था। लछुमन गुरुजी हमेशा तार-स्वर में गाते रहते, 'भगवान भारतवर्ष में गूजै हमारी भा-र-ती-ई-ई-ई-ई!!' पाठकराम को भी यही शिक्षा मिली थी। मन-ही-मन गुनगुनाकर चमत्कृत हुआ। गीत गुनगुनाते समय पदों से...मृदंग की ध्वनि निकलती है। दौड़कर गाँव के प्रसिद्ध पखवजिया जनकदास को बुला लाया। वह सस्वर पढ़ने लगा। अपढ़ जनकदास, मृदंग बजाकर गीत का अर्थ खोलता गया...

जागो! जागो!!
धिन्ना। धिन्ना।
जागो सखि बसन्त आ गया!
धिन्ना कत्रक तिन्ना तिरकिट ता,
धिनक-धिनक-धिन-धा।
जागो!...
धिन धा!!

कथाकार के इस गीत को मृदंग के संगत के साथ यहाँ प्रस्तुत करने का कारण है।...बहुत दिनों के बाद देखा, इस गीत को कथाकार ने अपनी एक कहानी में टाँक दिया है। रसमादकता से मन मन्दिर हो गया पाठकराम का!

बसन्त आ गया। सखि जागे या न जागे...पाठकराम किशोरावस्था पार कर, गाँव से शहर आ गया। उसकी जवानी जागी और जगी रही। 1943 में नजरबन्द होने के बाद भागलपुर सेंट्रल जेल में एक दिन हाथ आयी एक जीवनीः शेखर की।

सच्चिदानन्द हीरानन्द वात्स्यायन अज्ञेय! सत्-चित् आनन्द – सत्य?

विशाल भारत की कहानियों के सत्य ने अपना नाम बदल लिया था, शेखर!

पाठकराम सेल में शेखर की जीवनी पढ़ता और बगल के सेल में उसकी पार्टी की नेशनल एक्जीक्युटिव के एक मान्य सदस्य सच्चिदानन्द हीरानन्द वात्स्यायन अज्ञेय की जीवनी सुनाते, हँसी-ठहाके के साथ। फिर भाषण देने लगते, ह्यूमेनिस्ट... मानवतावादी। हम जेल में हैं और उधर लेनिन के साथ मिलकर क्रान्ति-मसविदा बनाने वाले महान क्रान्तिकारी एम. एन. राय साहब के चेले चाँदी काट रहे हैं!...

हर जगह 'अहम सवाल'?

पाठकराम पर इसका कोई भीतरी असर नहीं पड़ा, क्योंकि वह (नमकहराम?) मन-ही-मन, चोरी-चोरी मानवेन्द्रनाथ राय को भी श्रद्धा और भक्ति का फूल चढ़ाया करता था। गँवई आदमी जय-जयकार करते समय, सबसे अन्त में, 'सब सन्तन की जै' कहना नहीं भूलता। *ऑरिजिन ऑफ दि फेमिली* पढ़ने के बावजूद वह एट्टी परसेंट सनातनी ही रहा, सब दिन।

याद है, जेल से निकलने के बाद कर्म-क्षेत्र में कहीं किसी कर्मठ कामरेड ने टोका था, "आपका वह लेखक...कौसल्यायन...सांकृत्यायन...कात्यायन...अरे वह *शेखरः एक जीवनी* का लेखक कहाँ है? है मालूम?"

...आपका लेखक? जवाब दिया, "मेरा ही नहीं, आपका भी। हमारा लेखक। हिन्दी का लेखक!"

"मारिए गोली! मेरा लेखक क्यों होगा वह? कहाँ है वह? है मालूम? 'वार' में! पूर्वी फ्रंट पर! जाइएगा?"

'वार' के विशेषार्थ, साम्राज्यवादी युद्ध और जनता की लड़ाई!

सच्ची बात यह है कि इस संवाद से पाठकराम पुलकित ही हुआ था। कामरूप कामाख्या की ओर गया है, जिधर जाना हर ग्राम-गीत में मना है। (हो मोरे राजा! पूरब मत जा!), लौटकर कब 'सत्य' या 'शेखर' की जीवनी सुनाएगा? रहस्यमय प्रदेश का जादू कब बोलेगा?

पाँच-सात साल बाद।

देश स्वतन्त्र होकर बँट चुका था। और, दानवी लीला भी समाप्त हो चुकी थी। किसी ने सुनाया, उर्दू में एक अद्‌भुत किताब लिखी गयी है, *और इंसान मर गया!*

"उर्दू में ही 'पेशावर एक्सप्रेस' कहानी लिखी गयी है।"

"बांग्ला की एक पत्रिका में प्रबोधकुमार सान्याल का उपन्यास प्रकाशित हो रहा है, धारावाहिक!"

"और हिन्दी में?"

"हिन्दी में? हाँ, हिन्दी में भी चीजें आयी हैं। फिलहाल पढ़िए यह कहानी, 'शरणार्थी'!"

पाठकराम ने अपने प्रिय मित्र प्रतुलकुमार गुहाठाकुरता उर्फ छानू से पूछा था, "की रे छानू? पोड़ेछिस? बुझते पेरेछो?"

पाठकराम के मित्र प्रतुल को आप रामपाठक कह सकते हैं, क्योंकि वह भी एक परम पाठक था। उसने गम्भीर होकर जवाब दिया था, "बुझे छी! ताहले, हिन्दी में भी है।" लाख चेष्टा करने पर वह अज्ञेय का सही उच्चारण नहीं कर सका था किन्तु।... अग्गोय!

अज्ञेय की कई किताबें माँगकर ले गया। उस दिन आया तो प्रसन्न था। बोला, "मैं अब नाम पुकारने में गलती नहीं करूँगा।"

"बोलो तो, सुनूँ!"

"मुहम्मदबक्श!!"

कई साल बाद, फिर प्रतुल ने ही एक दिन बतलाया, क्रान्तिकारी पार्टी में हिन्दी के दो लेखक थे। एक जनाब पिक्रिड एसिड धोते थे और दूसरे साहब शृंगार-प्रसाधन की सामग्री बनाते थे।

यशपाल, अज्ञेय!!

जयदोल, अरे यायावर रहेगा याद!

याद है! इतनी सरस यात्रा-कथा पहली बार पढ़ रहा था।...कानवाई, पूर्णिया

की सड़क से नहीं गुजरेगा?...यों, सिलीगुड़ी से पूर्णिया को रास्ता जाता है, और वहाँ से कटिहार होकर फिर कहीं स्टीमर से गंगा पार की जा सकती है।...किन्तु इस सड़क की अवस्था के बारे में जो-कुछ पता चला था, उसके आधार पर यही निश्चय किया गया कि सिलीगुड़ी से ट्रेन से लदकर कलकत्ते...।

यायावर का कानवाई कलकत्ते की ओर मुड़ गया। पाठकराम का मन उदास हो गया। यायावर पूर्णिया के तीतरों को नाम पुकारते नहीं सुन सकेगा। दिल्ली जाना है! दिल्ली...दूर नहीं अब!

एशियाई लेखक सम्मेलन की प्रारम्भिक बातें फिर से नहीं दुहरा रहा। निवेदन है, पाठक उसमें 'दिल्ली दूर नहीं अब' के बाद जोड़ लें, कृपया!

शीघ्र लौटकर सुना, अज्ञेय जी प्रयाग आये थे। इसके बाद ही दूसरा दल, जो अब तक तटस्थ और उदास था, सम्मेलन में उत्साहपूर्वक सम्मिलित होने की तैयारी करने लगा।...लिस्ट तैयार हुआ।

दिल्ली। हिन्दी के एक बड़े कथाकार के साथ यात्रा कर रहा हूँ। मेरा सौभाग्य।...

दिल्ली! यही है दिल्ली स्टेशन! डेल्ही!! अब दूर नहीं।...स्टेशन के बाहर, कुलियों को सामान दिखला रहा था...मेजबान को नमस्कार कह रहा था, भूली-खोई चीज को खोज रहा था कि एक मीठी मुस्कुराहट के साथ सत्-चित्...सज्जन सामने आये, "नमस्कार! मैं अज्ञेय हूँ।"

उन्होंने मुझे चुप देखकर मेरे दिल्ली में रहने का ठौर-ठिकाना पूछा। मैं कोई जवाब दूँ कि अश्क भाई जी ने पुकारकर कहा, "अमाँ, लतिका भाभी वहाँ अकेली खड़ी कब से पुकार रही हैं। और तुम इधर..."

चलते-चलते सुना, अज्ञेय जी बोले, "जिन्हें लेने के लिए कोई नहीं आये हैं, वे मेरे साथ जा रहे हैं।"

मन का जवाब मुँह में ही रख लिया। कह देता तो क्या होता, पता नहीं! कह देता, जी हाँ! धन्य हैं वे लोग जो आपके साथ जा रहे हैं।

विशाल भवन, विज्ञान भवन। भवन के हर कोने में लेखक। उतने लेखकों के बीच एक ही पाठक निकला, वह भी लिफ्ट ऑपरेटर जवान सरदार जी! लिफ्ट को ऊपर उठाने और नीचे उतारने के समय भी वह लगातार एक उर्दू नॉवेल के पृष्ठ-पर-पृष्ठ पढ़ता जा रहा था।

पाठकराम को बड़ी प्रसन्नता हुई, पाठक सरदार को पढ़ते देखकर। लिफ्ट में देखा, अज्ञेय जी चुपचाप किसी की प्रतीक्षा कर रहे हैं। चुप रहे हम। हम एक साथ ऊपर गये।... अज्ञेय जी ने सरदार जी के नॉवेल का नाम पढ़ लिया था, *नकाबपोश*!

उतने तमतमाये हुए चेहरों के बीच बहुत थोड़ी निर्विकार मूर्तियों को देखा। उसमें एक यशपाल का चेहरा है, दूसरा अज्ञेय का!

बाहर एक काउंटर पर पेशेवर फोटोग्राफरों ने सम्मेलन की कार्यवाही तथा अकार्यवाही के समय खींची तस्वीरों की दुकान लगा दी थी। लेकिन, ढूँढ़कर थक गया, अज्ञेय की लुकी-छिपी तस्वीर भी कहीं नहीं दिखाई पड़ी।

बांग्ला साहित्य के प्रसिद्ध, यात्रा-कथा लिखने वाले मनोज बसु पर दृष्टि पड़ी। हिन्दी के यायावर की याद आयी! 'शनिवारेर चीठी' के प्रवीण सम्पादक सजनीकान्त दास को देखकर उनकी एक कहानी की घटना आँखों के सामने फिर से घट गयी! किन्तु, तुरन्त ही 'हीली-बोन की बत्तखें' गर्दनें लम्बी करके उचकती हुई-सी चारों ओर जुट गयीं और 'कक्-कक्' करने लगीं।...

'कहानियों के सत्य में उतनी व्याप्ति नहीं होती, वह एक क्षण का, एक मनःस्थिति का सत्य है, एक दौड़ती लहर का गतिचित्र। वह गतिचित्र आपको दीख जाए और देखने में आपका मन भी थोड़ी देर के लिए उलझा जाए तो लेखक को और कुछ नहीं चाहिए।'

–अज्ञेय

लेखक को और कुछ नहीं चाहिए। किन्तु पाठकराम को शब्द चाहिए। और उसने सुन रखा था कि अज्ञेय और कुछ दे दे, पर शब्द नहीं देता। नहीं देता तो पाठकराम क्या करेगा? लाठी मारकर वसूल तो नहीं कर सकता! ...महन्त, पादरी, पुरोहित, डिक्टेटर, धूर्त, चतुर, चालाक, सब कुछ हो सकता है वह। किन्तु इससे. ..उसके कथाकार को छोटा कैसे मान लिया जाए?

हिन्दी के कई कथाकारों के भाषण हुए, अंग्रेजी में ही। ...अज्ञेय जब अपना वक्तव्य पढ़ रहे थे तो गोपाल हालदार एकटक उसकी मुखमुद्रा को परखने की चेष्टा कर रहे थे।...यशपाल बोलने लगा। भाषण के बीच में न जाने क्या बोला कि सभी रूसी लेखकों ने हेडफोन से अनुवाद सुनकर एक-दूसरे की ओर देखा। उनकी आँखें चमकीं। फिर कागज पर जल्दी-जल्दी नोट लेने लगे।

ताराशंकर बन्द्योपाध्याय ने पाठकराम से कहा था, "मैं जानता हूँ, जैनेन्द्र जी को, अज्ञेय को, यशपाल को।...आरकारो नाम मने नेई।"

नेपाली लेखकों का दल अपनी भाषा में आपस में सलाह कर रहा था, "अज्ञेय जी सितकुराकानी गर्नू पछे!" अज्ञेय जी से बातें करनी होंगी...किसलिए? अज्ञेय इन्हें शब्द देगा?...दे भी सकता है, पुरोहित ठहरा।

महन्त, चक्राधिपति, पादरी, पुरोहित, डिक्टेटर, हिपोक्रेट, केलिफोर्नियन आड़ू खाने वाला...अदृश्य, अलख...अकेला...लेखक...अज्ञेय!

4

उगती सूर्या का मन्दिर

॥ धर्मवीर भारती

दिल्ली की गर्म शाम इस गहरी शान्त बैठक में आकर शिथिल पड़ गयी है। बन्धन ढीले कर पंखों के नीचे बैठ गयी है। पुरानी मूर्तियाँ, आधुनिक चित्रकला, रंगीन मूल्यवान पुस्तकों, दीवान-सोफा और गद्दों के बीच...

यह बैठक (सच्चिदानन्द हीरानन्द) वात्स्यायन (अज्ञेय) की है – केन्द्र दिल्ली से 16 मील दूर – सफदरजंग हवाई अड्डे से भी दो मील आगे...दिल्ली के आठ-दस चुने हुए लेखक इकट्ठे हुए हैं – मुझसे मिलने के लिए! और कार्यक्रम है – वात्स्यायन श्याम, अनाम, कम्बोज और जापान के जो रंगीन स्लाइड्स खींचकर लाये हैं, उन्हें प्रोजेक्ट करके दिखाएँगे – और बाद में कुछ कविता पाठ!

छलकते शर्बतों के रंगीन गिलास, कपिला जी की झंकार-भरी हँसी, उनकी मधुर चुटकियाँ। एक ऊँची मेज पर प्रोजेक्टर रखा गया है – सामने को दीवार पर प्रकाश का बड़ा-सा चौखटा खिंच गया है। स्लाइड लगी...यह क्या है – दीवारों पर रंगों का इन्द्रजाल उलझ रहा है – श्याम नील रंग...यह है श्याम देश – नीली लहराती नदी – चौड़ा पाट। नदी के किनारे घने नारियल और ताड़ के कुंज – और एक बड़ा विराट पैगोडा – "यह उषा का मन्दिर है।" वात्स्यायन परिचय देते चल रहे हैं। नदी के तट पर सदियों से खड़ा हुआ प्राचीन मन्दिर। इस देश में जब सूर्य उगता है तो समुद्र और नदी के विशाल संगम पर स्वर्णपंखिनी-सी उड़ती हुई प्रथम प्रातः किरण सबसे पहले इसी मन्दिर के शिखर पर पड़ती है। यह उदित होती हुई सूर्या का मन्दिर है। अपने-अपने जाल लेकर सोनमछलियों की तलाश में जाते हुए माँझी पहले उषा के मन्दिर में अंजलि अर्पित कर अपनी नाव पानी में उतारते हैं!

चटाई पर एक तकिए की गद्दी पर बैठा हुआ मेरा उदास, थका हुआ मन – एक झटके से जैसे दिल्ली की भीड़भाड़-शोरशराबे से अलग हो जाता है! आज इस वेला में किस सुदूर नदी तट से – इस मन्दिर में प्रतिष्ठित प्रातःकिरण ने, उगती सूर्या ने मुझे पुकारा है...प्राणपण से मुझे पुकारा है...

आज मुझे – नहीं कुछ दिशाकाल का भान
नहीं कुछ सीमाओं का ज्ञान...
मेरे प्राण उसके हैं जिसने मुझे इस अप्रत्यक्ष ढंग से पुकारा है!

अपनी जगह पर बैठे-बैठे मैं जैसे प्रार्थना की मुद्रा में हो गया हूँ। प्रणाम करता हूँ ओ नदी तट वासिनी श्याम की सूर्या! तुम्हें प्रणाम करता हूँ। तुम्हारी रूखी अलकें ही मेरा जाल हैं – तुम्हारी मृणाल बाँहें ही मेरी पतवार हैं – नीले कमल की पाँखुरियाँ ही मेरी छोटी-छोटी नावें हैं – तुमसे जो भी शब्द बोलता हूँ वही मेरा समुद्री गीत है और तुम्हीं से ये सारे उपकरण लेकर जिस महासागर में उतर रहा हूँ वह क्षणों की अथाह नीलिमा का महासागर भी तुम्हीं हो...और कौन है वह सोनमछली जिसे पाने मैं निकला हूँ?

...समय और दिशा का व्यवधान टूट गया है। यह शोर, गर्द, गन्दगी, बदबू से भरी हुई दिल्ली एक बूँद की तरह सिमट गयी है – खो गयी है।

दीवार पर एक के बाद एक स्लाइड बदल रही है, और मन उसी हरे-भरे नदियों, पगोडों और धान के खेतों के देश में गहरे और गहरे डूबता चला जा रहा है। अनगिनत पगोडे – विराट, विशाल, अकल्पनीय और उन अनगिनत पगोडों में केवल एक पगोडा छाया की तरह चल रहा है – जिसे समस्त उपस्थित लोग नहीं देख पाते – देख रहा हूँ केवल मैं!

वह पगोडा छोटा-सा है, अँधेरे में डूबा हुआ – ईडेन गार्डन के एक छोटे-से पोखरे के किनारे। पोखरे के पार, झुरमुटों में चाँद निकल रहा है – टेढ़ी-मेढ़ी पगडंडियाँ...अँधेरा...

"अँधेरा अब तक क्यों लगता था?"

"अभी तक सूर्या उदित नहीं हुई थी! पत्थर में कितने पहल करते हैं तब वह मूल्यवान हीरा बन पाता है। उनमें से सबसे तीखा, सबसे उद्दीप्त पहल था सूर्या का – वह अभी तक नहीं तराशा गया था प्रातः किरण! अब वह पहल कर गया है – अब कभी अँधेरा नहीं आ सकेगा..."

...स्लाइडें बदल रही हैं। नदी में एक विराट नौका चल रही है। 50 माँझी इधर और 50 उधर लाल मखमली पोशाकें पहनकर चला रहे हैं। यह महाराजा की नौका है – चंदन की है क्या? उषा के मन्दिर तक जाएगी – सूर्या वधू को विदा कर लाएगी क्या?

सूर्या! ओ कालवधू! अपने माथे पर शाम की धूप का गैरिक पल्ला डाल लो, माथे पर रचा लो उगते सूर्य का कुमकुम बिन्दु। तुम्हें अभी जाना है – प्रणाम करने!

किसे प्रणाम करने?

सूर्या – किसे?

...स्लाइड बदल गयी!

विराट निर्जन में 500 फीट लम्बे शिलाखण्ड को काटकर बायीं करवट लेते हुए बुद्ध की विशाल प्रतिमा बनाई गयी है। आसपास घोर सन्नाटा, घने जंगल – और सिर्फ एक लाल सूनी पगडंडी उसके बगल से जाती है।

–ये धान के खेत हैं – मीलों-मीलों – और यह है सूखी ऊँची घास से घिरी गहरी झील...

ये हैं शिव मन्दिर-अंगरकोट (अंगरकोरवाट) के विश्वविख्यात शैव मन्दिर। एक-एक मन्दिर चार मील के घेरे में बना हुआ। मन्दिर के विराट शिखरों में चट्टानों में तराशे हुए, पाशुपत शिव की गम्भीर मुद्रा!

इतनी ऊँचाई से – इन पत्थरों से झाँकते हुए ये विराट शिव-मुख अपने इन पथरीले होंठों से यह क्या कह रहे हैं?

क्या कह रहे हो नीलकंठ? बोलो हिमालयवासी! मुझे बुला रहे हो हिमशिखरों की यात्रा पर?

आऊँगा बन्धु! आ गया हूँ बन्धु!

फिर भटक क्यों रहा हूँ! क्यों, आखिर क्यों?

बर्फ में सहयात्रिणी के पगचिह्न दीखते क्यों नहीं?

मलयपवन लू की तरह झुलसा क्यों रही है?...

...पत्थर की तराश और घनी हरियाली के बाद अकस्मात् उड़ते रेशम के से रंग और एक अजीब सजी हुई कोमलता!

यह जापान है!

चौड़े सहन और नुकीली कटावदार छाजनों का स्वर्ण पगोडा। यह पगोडा सोने और लकड़ी का है। सैकड़ों वर्षों में चार बार आग से जलकर ख़ाक हो चुका है। पर हर बार ज्यों का त्यों फिर बनाकर खड़ा कर दिया जाता है। उसके नक़्शे राष्ट्रीय संग्रहालय में सुरक्षित हैं।

और यह है तैंतीस हजार बुद्ध का पगोडा। यह बुद्ध का अवलोकितेश्वर रूप है – जो देवी रूप – नारी रूप हो गया है। उसकी पाँच सौ कांस्य मूर्तियाँ बनी हैं। उनके नीचे जल है। उसमें उनकी छाया है। अतः वे पाँच सौ मूर्तियाँ एक हजार हो गयीं। उनमें से हर मूर्ति की करुणा के तैंतीस रूप हैं, अतः वह तैंतीस हजार करुणाओं का पगोडा है।

और यह हैं तारा के भवन, और ये हैं क्योतो के मन्दिर। और यह है निक्रमो

की झील! यहाँ एक मन्दिर है देवी का – उसी के पास यह गहरी झील है। जापान की सबसे रहस्यमयी झील – पवित्र-गहरी-अथाह! और कैसा अद्भुत रंग!

निश्चय मानसरोवर यही है! यही है!

दर्शकों में से एक उसी समय कहता है, "यह है भारती की नील झील!" मैं चौंक उठता हूँ।

किसने कहा यह? किसकी वाणी से कौन बोल उठा इस समय! सब मुस्कुराकर देखते हैं मुझे! मैं चुप हूँ...

स्लाइड बदली!

यह समुद्र है – गहरा नीला हरा मिश्रित! फेनोज्ज्वल लहरें...कहाँ हैं अंजलियाँ? कहाँ है गुलाब? लहरो तुम ढँके हो क्या उन्हें...दूर पर फूजीयामा है। बर्फ ढँका ज्वालामुखी!

कैसे अजीब चित्र लिये हैं वात्स्यायन ने उस पर्वत के!

समुद्र से चालीस मील दूर है फूजीयामा – लेकिन कैसी लुभावनी परछाईं उसकी नीले समुद्र लैगून में सो रही है!

और यह – हाय...

चेरी के गुलाबी फूलों से लदी एक डाल के बीच से फूजीयामा!

और यह...

सूर्यास्त में फूजीयामा का सारा हिम सुनहरा गेरुआ हो गया है!

...स्लाइडें बदल गयी हैं और काव्य-पाठ शुरू हो गया है।

सबसे पहले कीर्ति चौधरी–

पहले शान्त शालीन स्वर में यह प्रतिभावान लड़की जो लाइनें पढ़ रही है, वे कितनी अर्थमयी हैं–

जिन क्षणों में मैं तुम में डूब कर जीती हूँ – जिन बातों को तुम से निवेदित करती हूँ – जिन साँसों को तुम्हें समर्पित करती हूँ – केवल वही मेरा जीवन है – शेष सब मृत है – अर्थहीन है – उन में मैं जीती नहीं – मरी हुई रहती हूँ।

उनकी पतली शालीन आवाज धूप की तरह छा गयी है। मैं इन पंक्तियों को सुनकर इतना उदास क्यों हो गया हूँ? क्यों आखिर?

काव्य-पाठ के पूरे वृत्त के बाद अब वात्स्यायन सुना रहे हैं।

"अज्ञेय जी, पहले हाइकू के कुछ अनुवाद!"

सबकी माँग है। हाइकू एक विशिष्ट प्रकार की जापानी कविता होती है। केवल सत्रह मात्राओं की दो या तीन पंक्तियाँ – जिनमें केवल एक बात कही

जाती हैः मात्र एक बात!

जैसे–

1. *मैं ने समझा झरी हुई पाँखुरियाँ*
   डालों पर फिर लौट रही हैं!
   यह तितली थी!
2. *डूबता सूरज! सूनी पगडंडी को*
   नाप रही है डरौने की लम्बी
   छाया!
   बसंत की वर्षा में, सूनी सड़क
   पर चले जा रहे हैं बतियाते
   एक छाता एक बरसाती!

वात्स्यायन ये हाइकू सुना रहे हैं, और मेरे दिमाग में एक पुरानी जापानी कथा घूम रही है। एक जापानी कवि ने अपने यहाँ कुछ अतिथियों को आमन्त्रित किया। प्रातःकाल अपना कक्ष सजाकर उसने अपने लड़के से कहा– "बाहर का मार्ग साफ कर दो।" लड़के ने राह से कंकड़, कूड़ा, पत्ते चुनकर पिता को दिखाया– कवि असन्तुष्ट दिखा। लड़के ने मार्ग फिर बुहार दिया। पर कवि बोला– "अभी सफाई नहीं हुई।" लड़के ने ला कर पानी छिड़का। कवि बोला, "अभी भी मार्ग ठीक नहीं हुआ।" लड़के ने फिर बुहारा, फिर पानी छिड़का और एक कपड़ा लेकर उसे पोंछ भी दिया। कवि फिर भी असन्तुष्ट रहा। बोला, "सफाई नहीं हुई।"

लड़का बोला– "आप ही करें फिर।" वह उठा– उसने गुलाब-लता से कुछ गुलाब तोड़े। उन्हें बेतरतीबी से, लापरवाही से रास्ते पर बिखेर दिया– और फिर गहरी साँस लेकर बोला– "अब रास्ते की ठीक-ठीक सफाई हुई है – अब जो आने वाले हैं, वे प्रसन्न मन से आ सकेंगे।"

जब जीवन की राह बिलकुल सूनी हो जाय – सब अनावश्यक उसमें से बुहार कर फेंक दिया जाय – तब गुलाब की पाँखुरियाँ बिछानी जरूरी होती हैं ताकि आने वाला सत्य उन्हीं पर पग रखकर आ सके!

...फिर यह उदासी क्यों है? यह प्राणघातक उदासी! यह घनघोर अकेलापन!

...वात्स्यायन अब अपनी एक कविता पढ़ रहे हैं– "लौटे हुए यात्री का वक्तव्य।" कविता का स्वर कुछ तीखा है – पर बेहद सच – शुरू में वे कहते हैं– जहाँ गया– पाया कि जो नकली है वही गद्दी पर सबसे ऊँचा बैठा है, आदि।

अन्त में सबसे मार्मिक बात हैः जहाँ जाओ वहीं एक प्रश्न है– "क्या दोगे?

कितना दोगे? कब तक दे सकोगे? देने के लिए क्या लाये हो!"

"यह कोई नहीं पूछता– क्या चाहते हो? क्या लेने आये हो? समर्थ हो उसे लेने में? लो यह गहनतम प्यार है – यह उज्ज्वलतम सत्य है।"

...मन बेहद कसक उठता है। बात ज़रूरत से ज़्यादा सच है।

मन बेहद कड़वा हो उठा है। जब सब कुछ दे देने के बाद सुनना पड़ा है– "क्या दिया है तुमने? कितना कम दिया है तुमने? तुम दे ही क्या सकते हो!"

...लौट रहा हूँ।

11 बज गये हैं। सन्नाटा, अँधेरा, उदासी, बेहद अकेलापन!

आस्था दो! गहनतम आस्था दो! कि जो हूँ वही बना रहूँ। जिधर चल रहा हूँ उधर चलता रहूँ।

कौन देगा आस्था?

कौन? आखिर कौन?

5

अनुभूति की निर्भ्रान्त दीप्ति

॥ रामेश्वर शुक्ल 'अंचल'

'अज्ञेय' के नाम से मैं 1932 में पहली बार परिचित हुआ, जब उनकी कहानी 'पगोडा वृक्ष' *विशाल भारत* के कहानी विशेषांक में पढ़ी। यदि मैं भूलता नहीं हूँ तो उसी में जैनेन्द्र कुमार की 'रुकिया बुढ़िया' भी पढ़ी थी। 'पगोडा वृक्ष' एक भूमिगत क्रान्तिकारी या आतंकवादी के जीवन (फरार) से सम्बन्धित मनोवैज्ञानिक रचना थी, जो मन पर अपनी विषादमयी छाप अंकित कर गयी थी। इसके पहले उग्र की क्रान्ति (रूस की) से सम्बन्धित कहानियाँ पढ़ी थीं, जो आवेशपूर्ण घटना-प्रधान थीं। उनमें जीवन-व्यापिनी स्मृति की (नायिका सुखदा की) रोसी दंशभरी पीड़ा न थी, यद्यपि प्रभावत्ता में उग्र की शैली अधिक तीव्र और तत्काल आघातमयी थी। इसके बाद मासिक *विश्वमित्र* और *विशाल भारत* में अज्ञेय की कहानियाँ पढ़ीं तो एक नये प्रकार का कथास्वरूप और संकल्पित जीवन जीने वाले कथानायक का ओज मन पर खिंचता गया।

इस बीच 1933 या 34 की शुरुआत में मैंने अज्ञेय की कविता पुस्तक की समीक्षा *माधुरी* में लिखी। *भग्नदूत* में कविता कम, कविता लिखने की आकांक्षा ही अधिक थी। ऐसी सुगठित प्राणोदीप्त कहानियों का लेखक, आत्मीय अनुभूति से सुवासित भाषा का नव प्रवर्तक ऐसी सपाट तुकबन्दी भी कर सकता है — मैं न जानता था। कुछ कविताएँ सुव्यवस्थित थीं, पर अधिकांश टुकड़ेबाजी होकर रह गयी थीं। मैंने *माधुरी* में वह दस-बारह पंक्तियों की समीक्षा कर दी। मैं स्वयं तब बिलकुल नया अधकचरा बी.ए. का छात्र था जो किताबों की 'समीक्षा' के लिए उत्सुक रहता हो। बच्चन जी की *तेरा हार* शीर्षक प्रथम कविता संग्रह की भी मैंने ऐसी ही अप्रिय लगने वाली समीक्षा उन्हीं दिनों लिखी थी। बाद में चलकर यही दोनों अपने-अपने ढंग से शलाका पुरुष बनने वाले हैं, इसके कोई लक्षण मुझे उनके प्रथम कविता संकलनों में न मिले थे।

पर अज्ञेय की कहानियाँ मुझे मुग्ध किए रहीं। शरतचन्द्र का *पथ के दावेदार* जब्त था, जो 1937 में पहला कांग्रेस शासन शुरू होने के बाद जब्ती से मुक्ति पा

1. वर्ष के मुद्रण में या उल्लेख में त्रुटि सम्भव है, क्योंकि 'पगोडा वृक्ष' अक्टूबर, 1933 में लिखी गई थी। *विशाल भारत* का अंक इसके बाद का ही रहा होगा। —सं.

हिन्दी में अनूदित हुआ। पर वह एक पर्याप्त बड़ा उपन्यास है, जो अनूठा है। शरतचन्द्र जीवन की मानवीय दुर्बलताओं के गहरे से गहरे चित्रण में कहीं यौन कुण्ठाओं और दंशनों से पीड़ित नहीं हैं। उनकी रचनाओं में एक गुलाबी स्वास्थ्य की दीप्ति है। अज्ञेय का कथा-साहित्य यौनतृष्णाओं से लिपटा हुआ लगा। यों भी डी.एच. लॉरेन्स को 'दिव्य कलाकार' मानने वाले उन दिनों के अज्ञेय अपनी यौन आसक्तियों पर घूम-फिर कर आ ही जाते थे। रूसी उपन्यासकारों ने भी अपने उपन्यासों-कहानियों में व्यक्ति की कुण्ठा को अपने विश्लेषण का विषय बनाया, पर उन्होंने इस वैयक्तिक कुण्ठा को यौन अनुभूतियों तक सीमित न रखकर आदर्शात्मक सामाजिक प्रेरणा की ओर विकसित होने का अवसर दिया। अज्ञेय प्रायः इन कहानियों में या *शेखर* की सृष्टि में यौन वर्जनाओं को ही सँवारने में लगे रहे। पर हिन्दी के पाठक उनकी कला की मोहक नवीनता से सर्वाविभूत रहे — कुछ इतने कि उनके 'प्रच्छन्न बौद्ध' स्वरूप को न देख पाये। साथ ही उनके चरित्रों में भिदे उनके जीवन के जिये अनुभव उन्हें विकृतियों की ओर अधिक प्रवृत्त होने से रोकते रहे। उनके चरित्रों को निर्मित करने वाली जटिल वक्र रेखाएँ भी पाठक को रमाये रखने के लिए कम न थीं। वे मूल रूप से भावनाजीवी रचनाकार हैं और उनकी सारी बौद्धिक तीक्ष्णता जाने-अनजाने सायास या आयास इसी भावना को धारदार बनाती है — उसे आन्तरिक अवलम्ब देती है।

कवि रूप पर बाद में चर्चा करूँगा जो अनेक प्रकार से विवादग्रस्त हो जा सकती है। पर इसमें सन्देह नहीं कि निराला के बाद उन्होंने ही छन्द-मुक्ति को शिल्पी की स्वप्नमय दृष्टि दी है। एक सांस्कृतिक चेतना का सर्जनात्मक रूप भी अधिकतर मिलता है, जो अंग्रेजी, संस्कृत या हिन्दी छन्द शास्त्र के ज्ञान के कारण उनको नयी कविता का 'कविकुल गुरु' बना देता है। पर बात अज्ञेय के कथा-साहित्य से शुरू हुई है और उसे संक्षेप में पूरा कर उनके कवि रूप पर चर्चा करूँगा। यों प्रसाद (या रवीन्द्रनाथ) की तरह अज्ञेय भी मूल रूप से कवि हैं। एक कवि का अन्तःसंगीत और माधुर्य की आन्तरिकता उनकी छन्दबद्ध और छन्दमुक्त दोनों प्रकार की कविताओं में फूटती-फैलती है। पर कथाकार के रूप में वे शिल्प की बुनावट में अपनी आरम्भिक कहानियों में जैनेन्द्र की अटपटी रचना सुषमा और आभिजात्यहीनता को अपनाते रहे। शीघ्र ही अपनी स्वतन्त्र रूपवानता उन्होंने निर्मित कर ली — भाषा के अभिजात सौन्दर्य और संस्कारशीलता के कारण। उनकी श्रेष्ठ कहानी 'रोज' (ग्रैंगीन) जैनेन्द्र की शैली पर लिखी जाकर भी नर-नारी सम्बन्ध के वैषम्य के तीव्र उभार के कारण उनकी अपनी लगती है। उनके अहं के कारण उनसे दूर रहकर भी मैं उनकी कहानियों का अनुरक्त पाठक बना रहा। आज भी उनकी कई कहानियों को फिर-फिर पढ़ने की इच्छा होती है। श्रेष्ठ

कहानीकार की यह सबसे बड़ी पहचान है।

'अज्ञेय' से मेरी भेंट इलाहाबाद में होती रही। एक बार नरेन्द्र शर्मा के यहाँ साहित्य गोष्ठी में मैं था – निराला जी भी थे। और भी इलाहाबाद के कवि-लेखक बच्चन, रामकुमार वर्मा, वाचस्पति पाठक, इलाचन्द्र जोशी से लेकर नवोदित पत्रकार तक। नरेन्द्र शर्मा ए.आई. सी.सी. के दफ्तर से कार्यालय-मन्त्री (अधीक्षक) होने के पहले *भारत* में सहायक सम्पादक रह चुके थे। मुख्य रूप से कविता पाठ ही था, पर अज्ञेय जी ने पढ़ी गयी कविताओं पर केन्द्रित अपना वक्तव्य दिया। कवि के रूप में तब वे जाने-माने भी न गये थे। उनके वक्तव्य में *विश्वभारती* में और बाद में मासिक *विश्वमित्र* में दो अंकों में छपे लेखों की लगभग दोहराहट ही थी, केवल निराला जी के सम्बन्ध में अभिव्यक्त मतांश को छोड़कर, क्योंकि निराला के सम्बन्ध में मुखर अपने उपहास और विडम्बना के स्वर की फतवानुमा अपरिपक्वता उनकी समझ में सम्भवतः आ चुकी थी। निराला जी ने काव्य-पाठ करते समय अपने मुक्त छन्द के नाद सौन्दर्य और अछूते रस-वैभव को भी बड़ी निर्भीकता के साथ बताया था। मैंने कहा– आप भी तो कविता लिखते हैं, आपके *भग्नदूत* से मुझे ऐसा ही लगा है। कुछ हमें भी सुनाइए।

तब तक अज्ञेय केवल आकाशवाणी पर ही यदा-कदा अवसर पाने पर कविता सुनाते थे – मैंने उनकी 'मैं भिखमंगी इस आलम की' कविता सुनी भी थी, जो आज की हिन्दी कविता पर दी गयी वार्ता के अन्त में चुने हुए आठ कवियों के साथ अपने को भी परिगणित करते हुए उन्होंने सुनाई थी। पन्त जी ने स्वसम्पादित *रूपाभ* में भी तमाम पहुँच के बावजूद उनकी कविता कभी न छापी थी। प्रयाग में न होने के कारण उस समय वे वहाँ उपस्थित नहीं थे। अज्ञेय जी मेरी बात अपनी हँसी को विनय के आवरण में लपेटते हुए टाल गये। किसी अन्य ने कविता-पाठ के लिए कहा भी न था। निराला जी ने इस बीच अपनी कला के सम्बन्ध में तब तक एक खासा वक्तव्य दे डाला था। बीच-बीच में अपने सम्बन्ध में प्रकट की गयी अज्ञेय की मान्यता की अनर्गलता पर भी कटाक्ष थे। अज्ञेय बराबर मुस्कुराते रहे।

दिल्ली आकाशवाणी पर जनवरी 1942 में आयोजित एक कवि सम्मेलन में फिर भेंट हुई। यहाँ वे विशिष्ट श्रोता के रूप में ही थे। काव्य-पाठ करने के लिए आमन्त्रित न थे। उसके कुछ महीने पहले ही मेरी कविता पुस्तक *किरण बेला* की कटु आलोचना उन्होंने *साहित्य-सन्देश* में लिखी थी, जो पूर्व प्रसारित थी। होमवती जी भी उनके साथ थीं, जिनसे मेरी यह पहली भेंट थी। उन्होंने कहा– भैया! आज यहाँ पढ़ी गयी कविताओं में मुझे आपकी कविता बड़ी अच्छी लगी, रामकुमार वर्मा की भी। मैंने कहा– आप जैसी कवि-हृदय विदुषी को यदि पसन्द आयी तो मेरा उसे लिखना सार्थक हो गया। तब तक अज्ञेय जी पूछ बैठे– मेरी लिखी समीक्षा

आपने सुनी थी – *साहित्य सन्देश* में छपी भी थी। तब तक मैं उनकी अहं भरी प्रकृति और गुट बनाने की बातें देख-सुन चुका था। वे आयु में (और लेखन में भी) मुझसे बड़े थे, यह भूलकर मैंने कहा– मैं रेडियो के पालतू समीक्षकों की वार्ताएँ नहीं सुनता। आपकी कहानियाँ जरूर मुग्धतापूर्वक पढ़ता हूँ। बात वहीं खत्म हो गयी। सुभद्रा जी तब तक पास आकर मुझसे कह रही थीं– अंचल! तुम्हें तब देखा था, जब तुम आठ साल के थे। अब आज देख रही हूँ। कभी जबलपुर नहीं आते हो?

उन दिनों अज्ञेय दिल्ली रेडियो में नियुक्ति पा चुके थे। तीन सौ रुपये महीने की नौकरी उन दिनों रेडियो में पा जाना किसी भी हिन्दी-उर्दू के साहित्यिक के लिए बड़ी बात समझी जाती थी। विश्वयुद्ध चल रहा था पूरे वेग से। वहीं से कुछ समय बाद घोर अंग्रेज-विरोधी माने जाने वाले अज्ञेय (और उर्दू कवि फैज) इमरजेन्सी कमीशन प्राप्त कर अंग्रेजों की सेना में चले गये थे। यह रूस के युद्ध में शामिल होने के पहले की बात हो सकती है।[1] कवि के रूप में वे सामने आ चुके थे, पर छायावादी स्वच्छन्दतावाद के अवशिष्ट भावानुभव-समूह को लेकर। इसके पहले कुछ वर्षों तक बनारसीदास चतुर्वेदी की संस्तुति पर (अवकाशलेता सम्पादक के नाते) वे *विशाल भारत* का सम्पादन भी कर चुके थे। उन्हीं के सम्पादन काल में *विशाल भारत* अपनी दलबन्दी से भरा प्रचारक रूप त्याग कर साहित्यिक रूप अपना चुका था। आधी सदी से अधिक पहले की बातें हैं ये।

'अज्ञेय' के कृतित्व में नवीनता का उद्रेक और परम्परा से कटे हुए प्रयोगों के प्रति आत्मविश्वास की आस्था *शेखरः एक जीवनी* के प्रकाशन के बाद पूरी-पूरी सामने आयी। *कोठरी की बात* तथा अन्य कहानी-संकलनों की कहानियों में शैली की नवीनता तो थी, पर अन्तरस्थ नया-पुराना दोनों था। क्रान्ति के आवेश और आक्रोश का एक सन्तुलित स्थैर्य इन कहानियों में मिलता है, जिसमें बीच-बीच में लेखक की खुदी भी बोल उठती है। पर भावना की स्फूर्ति भी कम नहीं है जो कहानी को वैचारिक तो नहीं, पर मनोवैज्ञानिक ऊर्जा देती है। यौन आवेदनों-संवेदनों की प्रच्छन्नता तो है ही, पर एक नये शिल्प का रचाव भी है। *शेखरः एक जीवनी* में लेखक की आसक्तियाँ-विरक्तियाँ सफाई के साथ उभरी हैं। अभिनव रूप-विधान के साथ लेखक ने निर्भीकता के साथ पारिवारिक और वैयक्तिक परिवेश को चित्रित किया है।

इतनी सशक्त कृति का सृजेता बाद में *नदी के द्वीप* जैसा छिछला उपन्यास

1. रूस के 'मित्र-देशों' के साथ युद्ध में शामिल होने के बाद की बात है। –सं.

लिखेगा, यह मेरी तरह बहुत से अज्ञेय के प्रशंसक पाठकों ने न सोचा होगा। आत्मरत प्रवृत्तियों से घिरा होने और बचपन से यौन दंशों के प्रति जिज्ञासु शेखर के चित्रण में उसकी निजी कुण्ठाओं की निहित 'फ्रायडीय' मनोविज्ञान के बावजूद उन समस्त स्थितियों और प्रसंगों को मार्मिकता प्रदान करती है। ऐसे लेखन में आयातित कुण्ठा ही कृति को कमजोर करती है – अपनी सही-भोगी कुण्ठा नहीं। पर शेखर की एक कमजोरी है कि कहीं-कहीं लेखक या उसका भोक्ता अवचेतन कुण्ठाओं को नहीं जीता – कुण्ठाएँ ही उसे जीने लगती हैं। तर्क का जामा पहनाने से भी यह विकृति नहीं मुँदती, भले मनोव्यथा के आँवें में तपी अनुभूतियों और प्रतीतियों का मनमोहक परिपाक इसमें हो। संक्षेप में, अज्ञेय की इस कृति ने जिस बेधक दृष्टि का आत्मीय परिचय दिया है, वह एक खण्डित व्यक्तित्व को भी विद्रोही का रूप देती है। अज्ञेय के समस्त कथा लेखन पर (कुछ कहानियों को छोड़कर जो व्यवस्था के विरोध में सच्चे विद्रोह की प्रेरणा से लिखी गयी हैं) डी. एच. लॉरेन्स का यौनवाद छाया हुआ है। मुक्त सम्भोग और नर-नारी सम्बन्ध की स्थूल कुत्सा *नदी के द्वीप* में लेखक ने सहज रुचिपूर्वक दर्शाई है। जैनेन्द्र की भाँति अज्ञेय भी बौद्धिकों की दार्शनिक पद्धति को अपनाते हैं और बड़े से बड़े कदाचार को भी मन की सहज-स्वाभाविक गति ठहरा देते हैं। किसी भी प्रकार के नव लेखन का स्वागत करने वाले उनके दलबद्ध भक्त उसकी दूसरी विशिष्टताओं के प्रभाव में रमे यह क्यों भूल जाते हैं कि नीति-अनीति के ऊपर मानवात्मा का एक अखण्ड सत्य भी होता है, जो केवल रचना सौष्ठव का मोहताज नहीं। नर-नारी की मूल जिजीविषा से रतिकर्म और उठते-बैठते उसके आवेग मूल जीवन से संश्लिष्ट नहीं माने जा सकते, न उसकी समग्रीभूत चेतना का स्थान ही ले सकते हैं। जब अज्ञेय जैसा विचारवान लेखक इस प्रकार के प्रसंगों को स्वाभाविक या बाह्यारोपित ढंग से अपने औपन्यासिक रचना-विन्यास में लाए – लाए ही नहीं उनके विवरणों में रस लेने लगे, तब यही कहना पड़ता है कि वह अपनी ही दमित इच्छाओं को व्यक्त कर रहा है। निषिद्ध के रोमांचकारी रस में डूब रहा है।

तार सप्तक की मठाधीश प्रवृत्ति से अलग हटकर बना 'अज्ञेय' का कवि रूप हिन्दी में युग-प्रवर्तन की संज्ञा पाने का अधिकारी है। हिन्दी की वाचिक परम्परा से हटकर पाठन परम्परा बनाने का श्रेय उन्हीं को है। हमारे देश में लगभग डेढ़ हजार वर्षों से कविता सुनी ही जाती रही है। शृंगार के रस राजत्व को चुनौती देने वाले भवभूति जैसे कवि इसी वाचिक परम्परा के एकछत्र अधिकार के कारण सम्भव है क्षुब्ध हुए हों, पर यह परम्परा टूटनी ही थी, क्योंकि कविता को लगभग एक ही 'पैटर्न' पर जड़ कर देती थी – काव्य वैभव चाहे जितना अपरिमेय रहा हो। यों निराला जैसे ऊर्जावान काव्यवाचक इसी युग में हुए – रवीन्द्रनाथ का तो

कहना ही क्या! पर वे संगीत-प्रधान थे। *तारसप्तक* की शृंखलाबद्ध शुरुआत का ध्येय भले वाचक परम्परा से विमुखता न रहा हो – गिरिजाकुमार माथुर जैसे गायन-वाचक कवि भी उसमें थे। पर कुल मिलाकर कविता एक बड़े रूढ़ रुचिसंस्कार से मुक्त हो गयी।

कविता की मुक्ति में निराला के बाद अज्ञेय का योगदान सर्वाधिक महत्त्वपूर्ण है। प्रयोगवाद के नाम से इस नयी कविता का आरम्भ अज्ञेय ने किया तो जरूर, पर प्रयोग शब्द में जो कृत्रिमता-बोध या यत्नसाध्यता है, वह लगातार दूर होती गयी। अज्ञेय द्वारा कुण्ठाओं से भरे गद्य से आगे बढ़कर पूरी सृष्टि और ससागरा धरती को अपनी काव्य-प्रेरणा मानने और उसी के अनुसार 'कास्मिक' कवि दृष्टि विकसित करने का राग बोध इस समस्त नवचेतना में फूला-फला। छायावादी स्वच्छन्दतावाद या छायावादोत्तर यथार्थवादी रागात्मकता से आगे बढ़कर अज्ञेय ने हृदय के रस से दग्ध कर बुद्धि तत्त्व का समावेश किया। यहाँ भी वे निराला युग के अगले कदम बने। उनकी कल्पना और भावबोध के नये आयामों ने हिन्दी-कविता की उपलब्धि-सम्पदा को समृद्ध किया।

'अज्ञेय' का कवि उलझी हुई संवेदनाओं का कवि है। आज का युग जितना नाट्य और सामाजिक संघर्षों का युग है, उतना ही आन्तरिक संघर्षों का भी। उपचेतन मन के अनुभव-खण्ड न तो वर्जनाओं की परम्परा की परवाह करते हैं, न लोक जीवन में बनती गयी उन मान्यताओं की जो मनोविश्लेषण की तीक्ष्णता से घबराती हैं। इसमें कुछ खतरे भी हैं जो अभिव्यक्ति के अनगढ़पन के खतरे से कम हैं, क्योंकि यौन परिकल्पनाओं से लदे मानव मन क़ी सौन्दर्य चेतना के लगभग सभी उपमानों को वे यौन प्रतीकार्थ दे देते हैं – अवचेतन की प्रत्येक सांकेतिक उठान को, दमित कुण्ठाओं और इच्छाओं को, मुक्त चेतना प्रवाह या 'स्ट्रीम ऑफ कान्ससनेस' का तिलिस्म बना देते हैं। अज्ञेय की आरम्भिक कविताओं में यह दुर्बलता है – उनके बिम्ब भी इसी मानसिकता से बोझिल हैं। *तेरी प्राण पीठिका पर लिंग-सा खड़ा हुआ* या *कहाँ हो नारि?* जैसे अनेक उदाहरण इसी यौन कुण्ठा के प्रमाण हैं। पर धीरे-धीरे उनकी कविता में एक प्रकार की निर्मल पारदर्शिता आती गयी, जो कहीं सायास है, कहीं आयास और अवमुक्त। *आँगन के पार द्वार, सागर मुद्रा, सुनहले शैवाल, अरी ओ करुणा प्रभामय* में संकलित कविताओं में कल्पना और अनुभूति की ऐसी ही निर्भ्रान्त दीप्ति है। प्रकृति से गहरा लगाव पन्त और निराला के प्रकृति चित्रण को और अधिक संवेदनशीलता और बिम्बात्मकता प्रदान करता है। इस दृष्टि से उनकी भावनात्मक तटस्थता और शब्दों-अर्थों की परस्पर स्पर्धी चारुता बेजोड़ है। अपने को उनका उत्तराधिकारी या अनुवर्ती कहने वाले अधिकांश कवि इस दृष्टि से बौने नजर आते हैं। चित्तरंजन दास का

सागर-संगीत समुद्र पर लिखी गयी उनकी नव-नव चित्रात्मकता और औदात्य से भरी कविताओं के पीछे छूटा जाता है – भले ही वे बौद्धिक दिव्यता से दीप्त हों। सामाजिक विडम्बनाओं को तो प्रेमचन्द, उग्र से लेकर उसके निरन्तर बाद तक प्रायः सभी ने अनुभव किया – अपनी शक्ति भर चित्रित भी किया, साथ ही उसकी विदारकता को वे अपने सम्पूर्ण रचनाकाल में तीव्रता से अनुभव करते रहे। अज्ञेय ने अपने लेखन के प्रथम चरण में तो किया – कहानियों में सर्वाधिक और प्रीति की स्मृति से इतर कविताओं में। पर जल्द ही जीवन और जगत के किसी शाश्वत बृहत्तर आशय की तलाश, अधिक से अधिक आभिजात्यपूर्ण काव्य-सम्भ्रान्तता की तलाश उन्होंने अपने भौतिक जीवन की तरह साहित्य-प्रणयन में भी जारी रखी। उनके भीतर का अहंवादी अलगाव और अगुवापन की प्रवृत्ति भी उन्हें कभी सहज होने न देती थी। वे अपने असली-नकली वैशिष्ट्य में कुछ ऐसे खोते गये कि भव्यता, असाधारणता और हर प्रकार का औदात्य ही उनके लिए साहित्य का प्रयोजन बन गया। परिणामस्वरूप उनके जीवन और सृजन के स्वरों में लालित्य-बोध और सुन्दरता की सिद्धि तो बढ़ती गयी पर उसी अनुपात में एक प्रकार का कटापन-पृथकत्व उनके लेखन पर छा गया। वे साहित्यकारों के साहित्यकार बनते गये।

जिस प्रकार अज्ञेय के कथा लेखन पर डी. एच. लॉरेन्स का नग्नतावाद (चाहें तो उसे अतिनिर्भीकतावाद कह लें) छाया रहा और वे बराबर उससे भावाभिभूत रहे, उसी प्रकार उनके विचारक और चिन्तक रूप पर टी. एस. एलियट का पूर्ण प्रभाव रहा आया। यों तो कविता में शब्द-शिल्प पर भी टी.एस. एलियट (कहीं-कहीं एजरा पाउंड का भी प्रभाव रहा) पर बाद में चलकर भारतीय जीवन दर्शन में व्याप्त आस्था, विश्वास और शिवता ने उसे पीछे डाल दिया। आचरण-स्वातन्त्र्य के नैतिक मानों की शुद्धता-अशुद्धता में न जाकर मैं मूल प्रेरणा-उत्स की बात कर रहा हूँ जो सम्पूर्ण जीवन दृष्टि की पूर्णता और अस्तित्व की समग्रता को रचती है। मुझे अज्ञेय की सूक्ष्म विचारवानता का लेखक हिन्दी में दूसरा नहीं मिला, जिसने सर्जना को विवेचना और विवेचना को सर्जना का रूप दिया हो। उन पर विवादों के प्रहार कम नहीं हुए। प्रत्येक शक्तिशाली लेखक की यही नियति है। पर इस सब में अविचलित रहकर अज्ञेय साहित्य, संस्कृति और संस्कारी शुचिता और भारतीय अस्मिता के सम्बन्ध में अपने विचार को परिपुष्ट करते रहे। लगभग प्रत्येक विधा में उन्होंने साहित्य विरचा है, पर अपनी रचनागत मौलिकता को अपनाए हुए। वादों के विवादों में पड़कर भी वे नहीं बदले। सौन्दर्य उनका मूल मर्म था।

प्रारम्भ के आत्मार्थी और संयम-असंयम का भेद न मानने वाले अज्ञेय धीरे-धीरे आत्म संयमन और रहस्यानुभूति की अलौकिक परिव्याप्ति के हामी हो गये।

रवीन्द्रनाथ ने केवल नैतिक आदर्श की दृष्टि से ही नहीं सौन्दर्यानुभूति और आनन्द की दृष्टि से भी संयम की आवश्यकता की बात की है, अज्ञेय इसी कलाकारोचित संयम को अपनाने की प्रक्रिया में धीरे-धीरे विराटवादी हो चले। अपनी व्यक्तिगत रागात्मक प्रवृत्ति और अनुभूति को प्रकृति और उसके रूप-समाज की शृंखला में तो बाँधा, पर उनका आत्मवाद प्रायः समाज निरपेक्ष ही रहा। अन्तर का कितना भी गहरा आत्मद्रष्टा हो, लेकिन रचनाधर्मी इस सीमा तक तो समाज की असंगतियों और अन्तर्विरोधों से पलायन नहीं कर लेता कि अपनी ही उलझी अन्तश्चेतना में खो जाय। रहस्यानुभूति या सौन्दर्य की विराट् प्रतीति – फैलाव-बोध एक प्रकार की अन्तश्चेतना ही तो है जो विकारहीन होकर भी प्रायः व्यापक सामाजिक दायित्व से हीन होती है। कैसा भी अलौकिक नाम दिया जाय, या मांगलिकता का रूप उसे माना जाय, पर जब मानव समाज की वेदनाओं और विडम्बनाओं से उसकी सम्पृक्ति का प्रश्न आता है, तब वहाँ यह सारा उदात्तीकरण समाज के विकास और उसमें व्याप्त वैषम्य के निराकरण में कोई योगदान नहीं देता। अज्ञेय को जब-जब मैंने पढ़ा या सुना उनकी सारी प्रच्छन्न दर्पोक्तियों और विशिष्ट श्रेणी बोध में मुझे अहं से इदं की ओर जाने का कोई सांस्कृतिक या मानवीय अहसास नहीं मिला, जो उन जैसे मेधावी जीवन द्रष्टा से मिलना था। व्यक्ति मन का उदात्तीकरण या सार्थक मन की काव्यात्मक दिव्यता कोई सर्वजनीन परिष्कार नहीं उपजाती।

पर इसमें सन्देह नहीं कि भाषा के सारे अभिजात तेवरों और श्रीसम्पन्नता की भंगिमाओं के होते हुए बौद्धिक कसावट और रूपगत शिल्पसज्जा (क्राफ्ट) को साहित्य-पुरुष अज्ञेय की देन अप्रतिम है। राजनीति में थोड़े समय तक क्रान्तिकारी वे भले रहे हों, पर साहित्य में नर-नारी के सम्बन्धों तक ही उनकी विद्रोही वृत्ति सीमित रही। व्यवस्था के बदलाव और युग-परिवर्तन के प्राणवन्त प्रेरक प्रबोध उनमें सानुपातिक दृष्टि से कम ही मिले। वे यशपाल और अहमद नदीम कासमी से पिछड़ते गये। पर भाषा और रचना-शिल्प को उन्होंने अभिनव संस्कारशीलता प्रदान की। विचारों में उनसे खिन्नता रखने वाले भी उनके गुणों और प्रभावों की शक्ति के कायल रहे। ऐसी सर्वतोमुखी और सबल प्रतिभा का लेखक-विचारक अब कब होगा?

6

आपकी यात्रा सीधी है

॥ जानकीवल्लभ शास्त्री

एक अजब-सा नाम साँप की आँख की तरह अपनी ओर खींचने वाला, मैंने जब पहले-पहल सुना, मेरे कोई कान न था। *हरी घास पर क्षण भर* औचक ही जब उसे देखा तो *इत्यलम्* की 'परछाईं-सी चोर की' ने बुरी तरह चौंका दिया, मेरे कोई आँख थी क्या उसे सही-सही देखने-परखने के काबिल?

परम्परा को आगे बढ़ाने वाले कवि देखे थे। 'ट्रेडिशनल' निराला न थे। उनके काव्य के लक्ष्य और शिल्प को एक हद तक 'अनकन्वेंशनल' कहा जा सकता था, फिर भी उनके–

वीक्षण अराल
बज रहे जहाँ
जीवन का स्वर भर छन्द, ताल
मौन में मन्द्र,
....
प्रणय के प्रियंगु की डाल-डाल।

–जैसे काव्य-बिम्ब कालिदास की कला को भूलने-बिसरने न देते थे, प्रत्युत उनकी याद ताजा कर देते थे।

हरी घास पर... बाजरे की कलगी का तीखा टटकापन किन्तु अपनी अलग स्थिति रखता था। उसका आकर्षण मन के स्वाभाविक लगाव में न था, जान-बूझकर किए कटाव में, सबसे अलग-थलग होने में था। चेतना में एक ही झटके में उतर आने वाली यह तेजी बहुत कुछ–

वेन द ईवनिंग इज स्प्रैड आउट अगेंस्ट द स्काइ
लाइक ए पेशेंट एथेराइज्ड अपॉन ए टेबल

जैसी थी। मैं समझता हूँ कि एलियट के दर्पस्फीत अन्दाज में ही अज्ञेय ने हिन्दी कविता के क्षेत्र में बेखौफ कदम रखा था। ढल-ढल उच्छल भावुकता को अति

संयत शीतल शब्दों की रुपहली धूप में सुखाता, अनावश्यक विस्तार का अनिवार्यतः परिहार कर रचना के दायित्व पर निःशब्द कठोर दबाव हुआ (*तो तू क्या कवि है? क्यों और शब्द जोड़ना चाहता है? कविता तो यह रखी है।*) एक वयस्क संवेदनशील व्यक्तित्व तभी मेरे छायाच्छादित गहन गगन को छू गया था। और तो और, तब मुझे पण्डितराज की भव्य भावुकता भी इस सुन्दर संशय से समाहित निश्चय की छवि न दिखा सकी। शास्त्रीय दोषों से सर्वथा मुक्त, गुणों की खान, रस-भावों-भरी, अलंकार-सम्भार से अन्तर्दृष्टि में चौंध पैदा करने वाली और कानों में अमृत उँडेलने वाली उनकी वर्णावली सहसा इस ठेठ वस्तु और शिल्प का टटकापन न झुठला सकी। अपनी प्रेरणा प्रिया के बिछोह पर वह जो रोए-गाए कि अब कमल के फूलों का सोच सदा के लिए समाप्त हो गया और चटक चाँदनी में भरपूर निखार भी आ गया। और तो और कोयलों की बन आयी, अब वे बेधड़क वन-बागों में जब देखो तब कुहकती रहती है!

तो ऐसा कहाँ क्या बन पड़ा जो कालिदास, भवभूति या श्रीहर्ष से अछूता रह आया था? अवश्य अज्ञेय का विद्रोह वैचारिक विश्लेषण के स्तर पर भी चित्त को चमत्कृत करता था। मैं मुग्ध भाव से परम्परा से पूछता थाः यह जहर(!) कहाँ पाया!

दिल्ली, लखनऊ, इलाहाबाद से पटना तक के कितने ही रेडियो कवि-सम्मेलनों में हम साथ-साथ काव्य-पाठ करते रहे थे। मैं उन्हें खूब डूबकर सुनता था, चाहता थाः बन्द खिड़कियाँ, दरवाजे पर पड़े मोटे रंगीन पर्दे सब इस ऐसी ताजा हवा के झोंकों से हिलने-झूलने लगे। मेरी कच्ची ललक को मायूसी न हुई। हाँ, यह एहसास बेशक हुआ कि विवेक स्थिरता लाता है, रस की छलकन मशहूर है। अज्ञेय का बिरस, शान्त लेखन अपनी अलग अहमियत रखता है। गद्य-पद्य के सभी आयामों पर श्वेत-श्याम परछाइयाँ डालकर उन्होंने कितनी जल्दी अपनी अलग पहचान बना ली थी।

लखनऊ सम्मेलन में समादृत 'उदय के पथ पर' नामक स्वच्छन्द छन्द की मेरी एक रचना सुनकर वह उसे अपनी साइक्लोस्टाइल से छपी पत्रिका के लिए माँग बैठे थे। इलाहाबाद में 'ताड़ की आड़ से चाँद क्या झाँकता!' सुनकर आप ही गद्‌गद न हुए, उसी समय किसी का फोन आया तो बोलेः आपका गीत सबको बहुत पसन्द आया है! पीछे चलकर *रूपाम्बरा* में मेरी दो-तीन रचनाएँ संकलित कीं।

'चक्रान्त शिला' जैसी एकाध को छोड़कर उनकी खुली तिजोरी के कितने ही हीरे-जवाहरात का वजन मेरे बटखरों के मुकाबले भारी पड़ा है। मैंने मोल-तोल के दायरे पर पड़े मकड़ियों के जाले को बिना नुकसान पहुँचाए उनके प्रकाश को

हल्के-हल्के छुआ है। शराब, शराबे-मार्फत न बन पायी क्योंकि दफातन नुमायां तरक्की न हुई, यह बात और है।

चाँदनी चौक के एक होटल में ठहरा हुआ था। आगे अज्ञेय जी से भेंट हो चुकी थी, उस सुबह उन्होंने कई बार रिंग किया था। मैं पृथ्वीराज जी से मिलने चला गया था। उस दिन 'पठान' नाटक में शम्मी कपूर उतर रहे थे। बम्बई में चुपचाप गीताबाली से शादी कर ली थी, अभी पापा जी के पाँव छूने पहुँचे हुए थे दोनों। बैर ढले होटल लौटा तो अज्ञेय जी के फोन की बात मालूम हुई। जी मसोसकर रह गया। शाम को हंसकुमार तिवारी से राजकमल में भेंट हुई तो बोलेः अज्ञेय जी आपको बहुत ढूँढ़ रहे थे। *अरी ओ करुणा प्रभामय* नामक उनकी सबसे नयी काव्य-पुस्तिका का उद्घाटन-समारोह था उस दिन। काश कि उस समारोह में दो शब्द बोलकर मैं अपनी जंगआलूदा अभिज्ञता माँज पाता!

छुटपुट मुलाकातों और उड़ती-उड़ती-सी बातों ने उनके तेजस्वी व्यक्तित्व को अधिक आकर्षक बना दिया था। जयस्तम्भ-से सुदृढ़ ऊँचे का वह मन्द-मधुर स्वर अपने आप में एक प्रिय विस्मय था। एक अपरिभाषित चरित्र, समकालीन वात्या के पक्ष पर खड़े अक्षयवट की परिक्रमा करना लक्ष्य था मेरा, कोई भी सबक सीखना कुन्द और तीखे एहसासों से गुजरने पर ही सम्भव था।

वक्त के मोड़ की शुरुआत पत्थरों से अटे रास्ते से हुई। उन दिनों डॉ. प्रभाकर माचवे (उज्जैन, माधव कॉलेज के दर्शनशास्त्र के प्रोफेसर होने के जमाने से मेरे मित्र) नागपुर रेडियो-स्टेशन में थे। भारतीय स्तर पर एक कवि-सम्मेलन आयोजित किया था और उसमें भाग लेने के लिए अपने ही अन्दर बन्द रहने वाले मुझ-जैसे गुमनाम को भी आमन्त्रित किया था। मैं गाँव से चीथड़े लपेटे पुतलों की तरह के लोगों के बारे में सोचता-सोचता लौट रहा था। दरअसल पिताश्री को लिवा लाने गाँव गया था। पटना हिन्दी साहित्य सम्मेलन भवन में रात बिताने ठहरा हुआ था कि मुजफ्फरपुर से छाया का भेजा हुआ एक दूत नागपुर रेडियो का अनुबन्ध पत्र लिये हुए पहुँच गया। यदि मैं ठीक उसी समय छूटने वाली गाड़ी न पकड़ लेता तो नियत समय पर नागपुर हरगिज नहीं पहुँच सकता था। भागमभाग की अपने बदन की धूल झाड़कर उठ खड़ा हुआ और पिताजी के श्रीचरणों की धूल से आँख आँज कर पटना जंक्शन पहुँच गया। सवेरा मुगलसराय के आसपास हुआ। इलाहाबाद में शान्ति मेहरोत्रा, विजयदेव नारायण साही आदि के उसी डिब्बे में आ जाने पर वातावरण जीवित जान पड़ने लगा। एक अजीब गहमा-गहमी माहौल में मदहोशी-सी महसूस होने लगी।

नागपुर मैं पहले भी जा चुका था, राष्ट्र-भाषा-प्रचार-समिति, वर्धा के विशेषाधिवेशन

में। वहीं पहले-पहल मैंने तुकड़ो महाराज के कीर्तन-प्रवचन सुने थे। पण्डित माखनलाल चतुर्वेदी से दुराग्रह करके 'कोयल बोलो तो' कविता सबको सुनवाई थी। विक्रयार्थ अपनी किताबों का बड़ा-सा बण्डल लिये हुए 'अश्क' जी आ गये थे और उस बार भी रेडियो वाले मुझे स्टूडियो बुला ले गये थे। श्रीमती सुमति मुटाटकर का अविस्मरणीय गीतिगोविन्द-गायन मैंने स्टूडियो में ही सुना था। मेरे कितने ही गीतों का रेकॉर्ड बनाया था। वहीं वारणासि राममूर्ति रेणु मुझसे मिले और सदा के लिए मित्र हो गये थे। कुछ ही दिनों बाद मुझे हैदराबाद बुलाया था।

इस बार नागपुर उतरकर सीधे माचवे जी के घर जाना था। पिछली बार तो छात्राओं का परम प्रफुल्ल दल स्वागतार्थ उपस्थित था। तुरत-फुरत बिस्तर बाँधा, हँसते-हँसते स्वयं उठाकर कार पर डाल दिया, फिर नियत स्थान पर स्थापित कर दिया। वहाँ आवासीय व्यवस्था भी लड़कियों के ही हाथ में थी, नाश्ता, चाय, भोजन बनाने और खिलाने का पूरा दायित्व उन्हीं पर था। ऐसा अद्‌भुत दृश्य मैंने राष्ट्रभाषा-प्रचार-समिति की कृपा से, जीवन में पहली ही बार देखा था बिहार में किसी साहित्यिक आयोजन के आरम्भ में शास्त्रीय शैली में मंगलाचरण करने के लिए कोई ढूँढ़े न मिलेगी, सौ-सौ बहाने सुनने को मिलेंगे। यहाँ सम्भ्रान्त महिलाओं की एक अपनी अनोखी टीम थी। तानपूरे पर मन्द्र-मधुर कण्ठ से दरबारी कान्हड़ा में मन्त्रोपम विशुद्ध उच्चारण के साथ 'वर दे, वीणा वादिनि वर दे' का अनन्य तन्मयता पूर्ण गायन कितने ही दिनों तक मेरे मन-गगन में गूँजता रहा था। मैंने लाल किले से लेकर गाँव की पाठशाला तक में इसके अनगिनत गायन सुने थे, इमन, भीमपलासी, केदारा, छायानट आदि में, यहाँ पहली बार दरबारी की बन्दिश में – नव गति, नव लय, ताल, छन्द नव – अन्तरतर में कौंधा था।

इस बार तो रेडियो का कवि सम्मेलन था। यहाँ कौन किसे लिवाने आता। होल्डाल, ब्रीफकेस और बेंत की डलिया लादे-लूदे मैं माचवे जी के क्वार्टर में दाखिल हो गया। इनके परिवार से उज्जैन से ही घुल-मिल गया था। श्रीमती माचवे ने मुक्तिबोध, माचवे और मुझे – साथ बैठाकर उज्जैन में जो गरम पकौड़ियाँ खिलाई थीं, उनके स्वाद की याद दिलाता हुआ उनसे मिला। माचवे जी कमल-दल-लोचनों में आनन्द का मकरन्द भरे हुए उमंग तरंगित आत्मीयता से भुज-भर भेंट रहे थे कि अचानक अज्ञेय जी आ गये। वह पर्वतारोही के चुस्त-दुरुस्त वेश में थे। बोलेः आप 'रामटेक' चलेंगे? –अन्धे को नैन मिलें तो और क्या चाहिए, यहाँ तो कमलनयन बाँटने की बात थी।...

रात में कवि सम्मेलन खूब जमा। विनय मोहन शर्मा ने गीतिगोविन्द का अनुगायन सुनाया तो मुझे आर्नल्ड के *सौंग ऑफ सौंग्स* की याद आ गयी। अज्ञेय जी में तो हिमालय और सागर हैं। काव्य-पाठ का उनका ढंग भी पेटेंट है। परिवेश

को प्रिय गम्भीरता दी। विजयदेव नारायण साही ने एक अंग्रेजी कविता के अनेक हिन्दी-रूपान्तर पन्त, रामकुमार वर्मा आदि की शैली में सुनाकर सबको खूब हँसाया।

संयोग से प्रचार-समिति वाले हृषिकेश शर्मा जी वहाँ उपस्थित थे। उन्होंने कल की एक संगोष्ठी के लिए अज्ञेय जी को और मुझे अत्यन्त आग्रह-अनुरोध-अनुनयपूर्वक रोक लिया। अज्ञेय जी एक छोटी-सी शर्त पर राजी हो गये कि सभा विसर्जन के पश्चात् रात में ही वह हम दोनों को कार से जबलपुर पहुँचा देने का प्रबन्ध कर देंगे। हम वहाँ से बॉम्बे मेल पकड़ लेंगे।

वह अजीबोगरीब संगोष्ठी बरबस–

मंजिल की जुस्तुजू से पहले किसे खबर थी
रस्तों के बीच होंगे और रहनुमा न होगा।

अज्ञेय का सप्राण, उदात्त और उद्यत व्यक्तित्व मेरे निर्जल, निस्तेज और निष्प्राण अस्तित्व को आरम्भ से ही उदीप्त और आन्दोलित करता रहा है। *भग्नदूत* और *चिन्ता* के अनचीन्हे स्वर में मेरा अँधेरा कैशोर झुटपुटे के बीच का अध-उघड़ा प्रकाश ढूँढ़ता था; *विपथगा* की कहानियों ने कठुआए चौकठे को आमूल हिला दिया था और *शेखर* ने...

वही अज्ञेय अभी अकेले मेरे साथ थे शान्त, गम्भीर, उदासे-से। कुछ ही दिन पहले *नदी के द्वीप* की एक आलोचना आँखों में चुभी थी: जो शेखर है, वही भुवन है और वह दूसरा कोई नहीं, स्वयं अज्ञेय हैं। यह सौम्य, शिष्ट, निर्व्याज मनोहर आकार क्या उन परछाइयों के अहंकार से लिपटा है? निमिष भर पहले की निर्धूम आग विराग की नीरवता में हिमानी हो गयी है?

जैसे अपने जड़ तन से निकलकर तादात्म्य मन कहीं घोर निभृत में विभोर हो रहा हो; चेहरे पर तनाव नहीं, रम्य रेखाओं में सलवटें नहीं! –असम्भव की सम्भावनाओं से उदासीन, आत्मानुशासित दृष्टि का सृष्टि-चेतन प्रसार। मैं छेड़ता न था कि उस एकात्म चैतन्य-चन्द्र पर बादल न रुके, कुमुद न कुम्हलाए, तनिक कंकड़ी के पड़े स्वस्थ जल घायल न हो।

कि सड़क के दोनों ओर वन-फूलों से लदे पेड़-पौधे बार-बार चमकीली कार पर छाँव करने लगे और मखमली घास पर ओस के बिखरे मोती हॉर्न की ध्वनि से काँपने लगे। अब सीट पर तने बैठे अज्ञेय के खोल से एक नया अज्ञेय निकला और ड्राइवर को गाड़ी रोकने को कहा और मुझे बाँहों से खींचकर बाहर निकला और झींगुरों की झंकार से झनझनाते वन-प्रान्तर पर छाए आधी रात के काँटे की

मानिन्द चुभन भरे सन्नाटे और चेहरे पर पड़े कुहरे को चीरते हुए कहाः टेसू!

मैंने हँसकर कहाः हाँ, मैं टेसुओं को खूब पहचानता हूँ। जहाँ पैदा हुआ हूँ, चमड़े के कई कारखाने हैं!

हुलसकर बोलेः ठीक है। तब तो मुश्किल न होगी। मैं पेड़ पर चढ़ता हूँ, टहनियाँ और डालियाँ लोढ़-तोड़कर गिराऊँगा, आप उन्हें लोक लेंगे, ऊपर-ऊपर हाथों में थाम लेंगे। जमीन पर गिरने से फूल टूट-बिखर जाएँगे।

बोले और सघन पलाशवन में खो गये। आधे-अँधेरे, आधे-उजाले में किसी, खूब खिले पेड़ को ढूँढ़ निकालना कुछ ऐसा आसान न था, मगर *तार सप्तक* की सन्धानी दृष्टि से बच निकलना भी कठिन था। पल भर की खामोशी में ड्राइवर परेशान, मेरी साँसें ऊपर-ऊपर टँगी, कि थोड़े फासले से बच्चों-सी किलकारी सुनाई दी। ड्राइवर बाहर न निकला। मैं आवाज की अँधेरी ड्योढ़ी पार कर बाघ-छाल-सी बिछी चाँदनी की छींट पर सिमटते-ठिठकते पाँवों जा खड़ा हुआ। आजू-बाजू झुकी-झुकी शाखाओं के भीतर से ताकाः अज्ञेय फुनगियों में उलझी चाँदनी की तरह इत्मीनान से बैठे निर्गन्ध किंशुक-कलियों की अनाघ्रात गन्ध पी रहे थे। डालियों की महराबों के बीच मेरी कमजोर आवाज पहचानकर बोलेः आप आ गये? कैसा अच्छा लग रहा है!

माघ-फागुन का जाड़ों का महीना। ओस से जुड़ाए बदन को ठण्डी हवा सुखा रही थी और अज्ञेय थे कि हवा खा रहे थे। फुनगियों के अनछुए आकाश में रंगीले बादलों की मस्ती देख रहे थे।

रामटेक के बाद उनकी मौज की गिलहरी का यह रंग कुतर-कुतर कर फेंकना और उतावली को करीब न फटकने देना मुझे बहुत अच्छा लग रहा था।

मैंने स्वर में लय भरकर कहाः अज्ञेय जी, आप तो मुझसे छह साल बड़े हैं, वह तीन-चार साल छोटा रहा होगा। नक्श आपसे बेहद मिलता-जुलता। मैं रायगढ़ में राजकवि था, वह वहाँ के नायब दीवान महन्त जी का लड़का था—देवेन्द्र!

'आह! देवेन्द्र? वह तो मेरा सगा भानजा था! अब न रहा!'

मैं निःशब्द सोचता रहाः

टेसुओं के वन में भी मेरे चेहरे का रंग उड़ गया। वह मेरे रायगढ़-प्रवास का सबसे प्यारा संगी था। कार्तिकेय-सा सुन्दर मगर रोबीला चेहरा, बेहद जिन्दादिल और साहसी, अंग्रेजी पर मास्टरी, फ्रेंच रेडियो के जरिए सीख ली थी। हम जब-तब जंगल-पहाड़ में घूमते वक्त साथ-साथ सिने-संगीत गाते-गुनगुनाते थे। दीवान डॉ. बलदेव प्रसाद मिश्र का बँगला मेरे ड्रेक गेस्ट हाउस से सटा था। उनके बड़े लड़के से उसकी दोस्ती थी। रोज ही आता था। आता था, तो इधर मुझसे मिले बिना नहीं लौटता था। मैंने सन् '39 में रायगढ़ छोड़ दिया था। आज अचानक इस पोज में

अज्ञेय को देखकर उसकी हैरतअंगेज जिन्दादिली सूखी पलकों में तैर गयी थी। और आह! ऐसा कैसा समाचार सुना कि हौसला ही निचुड़ गया; निर्गन्ध टेसुओं की सौगन्ध, मेरा तो अन्तरंग बदरंग हो गया।

अब तक काफी टहनियाँ गर्दन, कन्धों और हाथों से टँग गयी थीं। अज्ञेय जी ऋतुराज की तरह हौले-हौले रूप-रंग के आकाश से उतर आये। उनके कलाकार की निस्संगता, वीरानी और निर्वैयक्तिकता मुझ पर गहरा असर छोड़ गयी।

'अब नहीं रहा' के अलावा एक शब्द भी देवेन्द्र के बारे में वह न बोले थे। इधर देवेन्द्र और उसकी माँ से मैंने अनदेखे अज्ञेय के बारे में कितना कुछ न जान लिया था। कुछ कहने को मेरे होठ फड़फड़ाए कि यही निस्संगता आपकी सृष्टि का स्वर्ग है; बौद्धिक दृढ़ता पर ऐसा निरपवाद अधिकार अत्यन्त वितृष्णा का कारण बन जाता, अप्रताड़ित भावना का लांछनहीन, सुरुचि-सम्पन्न परिहार अपने समग्र साहित्य में आत्म-सीमित हो सकता है, अतिरिक्त व्यक्तिबद्ध कदापि नहीं।

परिस्थिति की सीमाओं विडम्बनाओं से ऊपर उठे अज्ञेय कार में बैठते-बैठते शिशु सुलभ हार्दिकता उछालकर बोलेः शास्त्री जी, (निस्सन्देह वैसे पूर्ण व्यक्तित्व से ऐसे सम्बोधित होते मेरे तन-मन और आत्मा की इकाई टूटने लगती है।) ये टेसू मैं दिल्ली के दोस्तों की होली के उपहार के रूप में दूँगा। कहूँगा, ये तुम्हारे अनुरूप भी हैं, प्रतिरूप भी।

उनकी जिन्दादिली, उनकी मुस्कान होठों के दरम्यान जरा की जरा थमी कि मैंने दबी-दबी-सी आवाज में अपना साज छेड़ाः

दिल्ली वालों को भले-भले दे लेंगे, दिलवालों (विद्यानिवास जी-जैसों) को देना मुश्किल होगा – वे 'निर्गन्धा इव किंशुकाः' से वाकिफ जो होते हैं।

–मेरे इस जुमले से उनके चेहरे के भावों में हलकी-सी भी तब्दीली नहीं आयी। मैंने आँखें खोलकर हारी हुई निगाहों से उनकी शिलीभूत स्थितप्रज्ञता देखी, जिस पर कैसे भी सादे रंगीन शीशे गिरकर चकनाचूर हो जाते!

जबलपुर तक सवाल-जवाब का सिलसिला अटूट रहा। बातचीत में बेपनाह खिंचाव, आँखों में अजब-सी चमक और होंठों पर गहराइयों से फूटी मुस्कान – और ऐसे सादे गहरे दिलचस्प अज्ञेय के बारे में कैसी-कैसी अफवाहें और अटकलबाजियाँ और ऊटपटाँग किस्म की कथा-कहानियाँ हैं; कैसी खामखयाली, लफ्फाजी और लन्तरानी! 'भिन्न रुचिहिं लोकः'!

पौ फटने ही वाली थी। महाकवि पन्त के शब्दों में–

चीर तीर-सी रही क्षितिज-उर
अरुणचूड़ की ध्वनि मतवाली
अब प्रकाश-गर्भित लगता तम

अँगड़ाता सोया समीर जग।

के पारदर्शी दृश्यों में मैं देख रहा था कि हिन्दी कविता के छायावादी संस्कारों को पाउंड और एलियट के समानान्तर अज्ञेय ने ही सर्वप्रथम तूल की तरह तूमकर उड़ाना आरम्भ किया था। और पश्चिमी साहित्य शास्त्र की पारंगतता और पश्चिमी साहित्यान्दोलनों को सर्वात्मना समर्पित प्रज्ञा द्वारा अज्ञेय का कवि गढ़ा गया है। उसे भारतीय काव्य-परम्परा के इतिहास के प्रकाश में नहीं पढ़ा जा सकता। संस्कृत और बांग्ला के उद्धरण उन्हें भारतीय आकाश में उड़ने भर देते हैं, यहाँ की मिट्टी में उनके कलमी पौधे पूरी तरह पनप नहीं पाते। उनके द्वारा खिलाए हुए रंगारंग फूल यहाँ के नासापुटों में पल भर को चौंकाने वाली गन्ध जरूर भरते हैं पर वे आत्मा को वह रस नहीं देते, जो भारत की अपनी प्रत्यभिज्ञा है। सच तो यह कि वह चिद्विलास या शिल्प-सन्तुलित अभिनव बुद्धि-वैभव ही है जो नित नये प्रयोगों से हिन्दी को नयी शक्तिमत्ता प्रदान करता रहा है और सबसे बड़ा सच यह कि संस्कृत-बांग्ला की चाहे जैसी जानकारी मुझे हो मगर अंग्रेजी की आधी-अधूरी अँधेरी जानकारी अज्ञेय-साहित्य की चौंध को आत्मसात् करने में मेरी बहुत बड़ी बाधा है। जिसने 'मॉडर्न इंगलिश प्रोज' का मर्म नहीं समझा, वह अज्ञेय की अंग्रेजी-हिन्दी के मजे भी नहीं ले सकता। वेस्टलैंड के खण्डित बिम्बों के ढेर से गुजरने वाली भारतीय आत्मा ह्रास-विघटन, अवसाद और मृत्यु-भय के मुलम्मे को नयी चेतना की गर्म राख से घिस-घिसाकर छुड़ा सकती है।

बला से पूँजीवाद और समाजवाद की खराद पर खरा उतरा साहित्य मेरी समझ में न आये, यह व्यक्ति अज्ञेय तो लाखों में एक है। इनकी प्रसन्न-गम्भीर आकृति, सजे-सँवरे बोल, अन्तर-प्रान्तर में अंक जाने वाले व्यवहार इस पल को निस्तन्द्र निस्तलता से जीने के लिए क्या कम है? इनके खुलाव को रहस्य न समझने भर सँवर लूँ।

मैंने कहाः 'रिटायरिंग रूम या किसी ग्रैंड होटल की सुविधाओं का लोभ न हो तो मेरा यहाँ एक दिली दोस्त है – रमेशचन्द्र मिश्र, आप वहाँ चलें, उसकी पत्नी ललिता कालिदास के देश – उज्जैन – की है, शील और शालीनता की स्फटिक प्रतिमा, आपको अचानक अपने बीच पाकर दम्पती अन्दरूनी खुशी से खिल उठेंगे।'

अज्ञेय जी ने छोहा कर जँचे-तुले शब्दों में स्वीकृति दे दी। मेरे तो एकटक जक-सी बँध गयी। यों असली हाल ही बतलाया था, जटल ही हाँकी थी, बत्तीसी चमकाता रमेश छज्जे पर किसी कमजोर पौधे को टीकन देता, थूनी लगाता दिख गया।
रमेश कवि भी है, कविराज भी, नाजुक-मिजाज भी है, शेर की दाढ़ में पहुँचा पेल देने वाला भी, हिन्दू युनिवर्सिटी के जमाने का छात्र-मित्र, जो स्टेज पर फ्री ऐक्टिंग

के लिए मशहूर था, गोष्ठियों में शेरो-शायरी के लिए, हरदिलअजीजी हद से गुजर गयी थी, बच्चन जी ट्रेनिंग करते वक्त जिस हसीन माहौल में रहते थे, एक्टर रमेश की 'राइवलिरी' उसकी चहारदीवारी फाँद गयी थी। निराला जब अचानक आ जाते थे, उनके अटपटे आतिथ्य का बोझ रमेश के कन्धे डाल मैं मुफ्त का यश लूटता था।

इकले होकर मरा ही जा सकता है। जीने के लिए रमेश-से दोस्त का साथ काफी है। तनहा बैठकर अंगराओं पलक झपकते संगी-साथियों के दल-बादल से घिरा पाओगे अपने आपको!

मेरे किए कुछ न हुआ लोग कहते हैं, —सुनी-अनसुनी कर देता हूँ। अब किस-किस को कहता फिरूँः मैंने यह जन्म व्यर्थ नहीं गँवाया, रमेश-सा दोस्त पाया है!

चाय-नाश्ते के बाद अज्ञेय ने कहाः क्यों न हम नर्मदा नहाने चलें? भेड़ाघाट दूर है तो गायघाट ही सही।

रमेश डिस्पेंसरी जाने की जल्दी में था। सवारी मँगवा दी। कहने को हम दोनों नर्मदा नहाने निकले थे, मगर मैं रास्ते भर अज्ञेय की निर्बाध, वेगवती ज्ञान-गंगा में डुबकियाँ लगाता रहा था। किनारे पर कपड़े उतारे और अज्ञेय का स्वर्ण-वर्ण सुडौल शरीर स्नान के नील परिधान में बलराम बन गया।

अपनी जिन्दगी तो धोती-कुर्ते-चप्पल में घुट गयी। किसी हिन्दी के कवि की यह विदेशियों-सी चुस्ती और फुर्ती पलकों में अट नहीं रही थी। तैराकी का शौक मुझे भी है, एक बार इसी नर्मदा के धुआँधार जलप्रपात में शहीद होते-होते रह गया था। तैर-तैर कर देर तक कीलाल-लीला का स्फार सम्भार चला। पहाड़ और नदी — दोनों ने दो ही दिनों में अज्ञेय की ऊँचाई और गहराई दिखा दी थी। मन मत्त था। देश-विदेश की अनेक अनुभूतियों के तीव्र-वेगं जलद-याद से हम जल्दी ही लौट आये, यहाँ दो नयन मेरी प्रतीक्षा में खड़े थे।

ललिता जी संस्कृत से एम.ए., पीएच.डी. होंगी, पाक-कला में किन्तु सुपर — डी-लिट्.। पल भर को छककर खाने-पीने का सिलसिला चला। निराला के बाद लगभग उसी कद के अज्ञेय को अत्यन्त मिताहार देखकर अपनी बेहयाई पर बेहद दया आयी। मैं तो भीम-भोजनालय में खाते वक्त भी सुध-बुध बिसार बैठता हूँ, आखिर खिलाने वाले पर क्या गुजर रही होगी।

बॉम्बे मेल के आने का वक्त हो गया था। दिल भर आया कि इस छोटी-सी मुलाकात में—

मेरे रमेश, सब के रमेश,
उद्दाम प्रतिभ गोबर-गणेश।

की जहर छहरती हँसी और मधु-मद बोरे-भोरे बोल नसीब न हुए। सदर बाजार से कैंट दूर न था। घास की गन्ध, धूप का रूप द्वारा चलाए गये यों बीरानी में छुप बैठे दिल का स्पन्दन लिए-दिए कम्पार्टमेंट में पहुँचा और होल्डाल फैलाकर झटपट एक बर्थ दखल कर लिया। कुछ परे हटकर उपरले बर्थ पर अज्ञेय जी ने भी अपना बिस्तर फैला दिया। उनके तकिए के नीचे से अमृत राय का हाल का छपा लाल कवर वाला 'बीज' निकला। वे मेरे पास ही बैठ गये थे। बीज के 'बाद' में विश्व चौखूँट न बैठ सकेगा, यही वार्ता का मूल और स्थूल विषय था।

काफी देर बाद जब जबलपुर जंक्शन से गाड़ी चली, कल-परसों से ही अपनी आत्मिक आर्द्रता से भिगोते आते शिशु-सदृश सस्मित स्वर में बोलेः

जानते हैं, मेरी साहित्यिक गति-विधि का आरम्भ एक तरह से, इसी जबलपुर शहर से हुआ था। हितकारिणी सभा हाई स्कूल के वार्षिकोत्सव के लिए मैंने एक अभिभाषण...

हाँ-हाँ, मैंने पढ़ा है, *त्रिशंकु* का वही तो पहला निबन्ध है।

हाई स्कूल के स्तर से बहुत ऊँचा है वह लेख। आप बुरा न मानें तो उसके सम्बन्ध में कुछ निवेदन करूँ?

अज्ञेय जी की मद्धम आवाज और नरम और मुलायम हो गयी।

मैंने कहाः उस निबन्ध में आपने लारेंस का लम्बा उद्धरण दिया है, रवीन्द्रनाथ का कहीं नाम तक न लिया। उनके शिक्षा-सम्बन्धी मौलिक विचारों का आपका निबन्ध ऋणी है।

उन्हें मेरी बात पर विस्मय हो रहा था तो मैंने हँसाने के अभिप्राय से बताया कि बीस तक कालिदास और बीस से पच्चीस की उमर तक में मैंने रवीन्द्रनाथ का सारा साहित्य पढ़ डाला था।

तरह-तरह की वैयक्तिक और निर्वैयक्तिक बातों में वेला ढलने को आयी तो मैंने चौंककर देखा, इलाहाबाद आ गया था। उन्होंने झटपट अपना बिस्तर लपेट लिया, उन्हें दिल्ली के लिए गाड़ी बदलनी थी। मुझे चुपचाप बैठे रहने के लिए कहा और आप तेज कदम चलकर भीड़ में खो गये। कुछ देर बाद लौटे तो हँसते हुए मेरे हाथ में पटना तक का एक टिकट थमायाः

"आपकी यात्रा सीधी है, बैठे-बैठे इसी से पहुँच जाएँगे।"

'शुभास्ते सन्तु पन्थानः।' फिर हौले-हौले खिसकती हुई गाड़ी से अपना सामान उतारते-उतारते बोलेः

"मेरा रास्ता ऐसा आसान नहीं, मुझे प्रतीक्षा करनी होगी।"

7

प्रतीक और प्रयोग

॥ रघुवीर सहाय

एक नवयुवक हाथ में एक बक्स लिये हुए नयी दिल्ली रेलवे स्टेशन पर उतरा। लोगों की अक्खड़ बोली से वह परेशान था और किसी से ज्यादा बात करना नहीं चाहता था। सवारी खोजकर जब वह 14-डी फीरोजशाह रोड की तलाश में चला तो उसे नहीं मालूम था कि अगर वह व्यक्ति नहीं मिल पाया, जिससे उसे मिलना है, तो वह कहाँ ठिकाना खोजेगा।

मकान मिला, पर जिससे मिलना था, वह नदारद था। उसी घर में एक भारी-भरकम व्यक्ति ने बताया, "कल सवेरे मुलाकात हो जाएगी, अभी तो आप खा-पीकर सो जाइए।" अगले दिन दरियागंज के एक मकान में, जहाँ एक अंग्रेजी पत्रिका का दफ्तर था, मिलने की उम्मीद हुई। थोड़ी देर में वात्स्यायन जी मिले। वे अपना काम खत्म कर चुके थे और अब मैं उनसे पूछ सकता था कि मेरी कई चिट्ठियों का उत्तर क्यों नहीं आया और मैं अधीर होकर स्वयं आ पहुँचा हूँ तो अब यह मालूम हो जाए कि मुझे किस काम के लिए बुलाया गया है। इसके बाद *थॉट* कार्यालय के नीचे बनी मियानी में वात्स्यायन जी के घर में और *प्रतीक* कार्यालय यानी 14-डी फीरोजशाह रोड में, तीन दिन की बातचीत के बाद यह तय हो गया कि मुझे *प्रतीक* के सहायक सम्पादक का नियुक्ति पत्र दे दिया जाए और मैं 15 मई से काम सँभाल लूँ। तीन दिन भी इसलिए लगे कि मैंने बचपने में जिद की कि हर बात नियुक्ति पत्र में साफ-साफ लिख दी जाए। यह मजमून अन्त में वात्स्यायन जी ने दुरुस्त किया और उस पर हस्ताक्षर करके मुझे दे दिया।

यह घर से बाहर किसी अच्छी चीज को हासिल करने का मेरा पहला अनुभव था और उसमें मुझे कितनी सहानुभूति मिली थी। बातचीत में एक बार जब मैं आग्रह कर रहा था कि मेरे कर्त्तव्य स्पष्ट लिख दिए जाएँ, प्रकाशक बन्धुओं ने कहा, "इतना लिखना क्या काफी नहीं है कि सहायक सम्पादक सम्पादक की सहायता करेगा।" मैंने कहा, "नहीं, यह भी लिखना जरूरी है कि उनसे सर्कुलेशन के या डिस्पैच के हिसाब-किताब, मुंशी या हरकारे का काम नहीं कहा जाएगा।"

वात्स्यायन जी ने नियुक्ति पत्र में यह बात लिख दी और मुझसे कहा, "यह पत्र मेरे हस्ताक्षर से दिया जा रहा है, आप फिजूल की फिक्र न करें। आप इतनी बारीकी में जा ही क्यों रहे हैं?" मैंने उम्र से ज्यादा बड़े बनते हुए कहा, "आप इन प्रकाशकों को जानते नहीं। ये सम्पादक का ऐसे ही शोषण करते हैं।" वात्स्यायन जी मन ही मन हँसे होंगे।

मैं पत्र जेब में रखकर 5 मई को लखनऊ लौट गया। दस दिन बाद जब अपने किताब-कागजों के असबाब के साथ लौटा तो रचनाओं की विचाराधीन फाइलों, चित्रों के संग्रह, पत्राचार और छपाई के काम में जुट गया। जितना विश्वास वात्स्यायन जी मुझ पर करते, उतना ही विश्वास मुझे अपने पर होता जाता। मेरे पहले 15 मई तक जनवरी का एक और फरवरी का एक, फिर मार्च-अप्रैल का संयुक्तांक, ये तीन अंक निकल गये थे। वात्स्यायन जी मई-जून का एक और संयुक्तांक निकालकर (हो सकता है वह केवल जून का रहा हो) बराबर आ गये और जुलाई से बाकायदा योजना बनाना, सामग्री मँगाना, अयाचित रचनाएँ छाँटना, पत्र-व्यवहार करना और प्रकाशन की सुविधा पर नजर रखना शुरू हो गया। हिन्दी साहित्य सम्बन्धी पत्रिकाएँ तो कार्यालय में आती ही थीं, बहुत-सी सामग्री वात्स्यायन जी घर से ले आया करते थे और बाहर भी चौकन्ने रहने को कहते थे।

इसी समय उन्होंने फिल्म, रंगमंच, चित्रकला, मूर्तिशिल्प और वास्तुकला पर संवाद, टिप्पणियाँ *प्रतीक* में शुरू कीं, और खुद तो लिखी ही, जिन्हें मुझे लिखने योग्य समझा उन्हें मुझे अपने मन से लिखने दिया। मेरा पत्रकारिता का अनुभव *नवजीवन* दैनिक में कुछ महीने राजनीतिक समाचार तैयार करने और पेज मेकअप करने के अलावा कुछ न था। मगर नयी कविता की, प्रसारण माध्यम की सक्रियता की, आधुनिक साहित्य की पढ़ाई और राजनीतिक संगठन (प्रगतिशील लेखक संघ और इप्टा) की दी हुई जागरूकता थी। काम में रचनात्मक मजा आने लगा। अपनी पीढ़ी के अपने से उम्र में दो-चार वर्ष बड़े या छोटे कितने ही लेखकों से पत्र-व्यवहार और उनकी नयी रचनाओं का संवाद आधुनिक साहित्यिक मासिक पत्र के निर्माण की ऐसी स्फूर्ति से भर जाता था जैसे यह एक अत्यन्त सामयिक सम्पूर्ण सामाजिक कर्त्तव्य हो। वात्स्यायन जी के एक सम्पादकीय – रेडियो की साहित्य सम्बन्धी नीति पर – का शीर्षक था 'आकाशवाणीः नयी देवमाला?' 'निजी और सार्वजनिक चेहरे', 'अन्तरराष्ट्रीय कला और साहित्य सम्मेलन' और 'उर्दू प्रकरण' ये कुछ अन्य सम्पादकीय हैं जो उस समय के महत्त्वपूर्ण प्रश्नों पर विचारोत्तेजन करते थे।

उपन्यास लेखन में नयी स्फूर्ति के उत्तेजन के उद्देश्य से वात्स्यायन जी ने 'बारहखंभा'

शीर्षक से एक नयी धारावाहिक योजना शुरू की, जिसमें बारह लेखकों को एक किस्त लिखनी थी और पहले छप चुकी किस्तों के आगे कथा को जैसे चाहें वैसे बढ़ाना था। कोई कथा-वस्तु निश्चित नहीं थी – कथानक तो सद्यःस्फूर्त था ही। यह प्रयोग अगस्त 1951 से अज्ञेय की पहली किस्त से शुरू हुआ और इसे मन्मथनाथ गुप्त, विष्णु प्रभाकर, प्रभाकर माचवे, अमृतलाल नागर, धर्मवीर भारती और अन्य सहयोगियों ने बढ़ाया। पर यह पूरा न हो सका, क्योंकि *प्रतीक* का प्रकाशन ही अगस्त 1952 तक बन्द हो गया। यह एक खेल था, परन्तु वात्स्यायन जी मानते थे कि: *"साझे के खेल में टीम के सदस्यों को पूरा अवसर मिलना चाहिए, कोई गिरता-पड़ता भी चले तो दूसरों को उसे सँभालना चाहिए। दूसरे, खेल में खिलाड़ियों को भी रस मिलता है और देखने वालों को भी; और उन्हें खिलाड़ियों की हार में भी रस मिलता है। खेल में एक पक्ष हारेगा ही इसलिए वह न खेले, इस तर्क को किसी टीम ने माना और किस दर्शक ने उसका अनुमोदन किया? तीसरे, यह भी जान पड़ता है कि इस प्रकार के प्रयोग से लेखकों की विशेष रुचियाँ, प्रवृत्तियाँ और गुण-दोष भी किसी हद तक प्रकट होते हैं। हिन्दी के औपन्यासिक कृतित्व की अवस्था का प्रतिबिम्बन होता है, यह भी उसका एक महत्त्व है और इस दृष्टि से प्रयोग के एक पहलू की असफलता एक दूसरे पहलू की सफलता है। पाठकों के अब तक जो पत्र आये हैं, उनसे यही विदित होता है कि वह समुदाय बड़ी दिलचस्पी से इस प्रयोग का अनुसरण कर रहा है – सम्पादक।"*

प्रतीक में मैथिलीशरण गुप्त से लेकर अजित कुमार तक ने रचनाएँ प्रकाशन के लिए दीं। बालकृष्ण राव, त्रिलोचन शास्त्री, शमशेर बहादुर सिंह, भारतभूषण अग्रवाल, सर्वेश्वर दयाल सक्सेना, केदारनाथ सिंह, गिरिजाकुमार माथुर, जगदीश गुप्त, कुँवर नारायण, रांगेय राघव, शीतला सहाय श्रीवास्तव की कविताएँ प्रकाशित हुईं। सत्येन्द्र शरत्, राजेन्द्र यादव, मनोहर श्याम जोशी, अहमद हुसैन, शिवप्रसाद सिंह, राधाकृष्ण, भालचन्द्र ओझा, राय आनन्द कृष्ण की कहानियाँ आयीं और कला दर्शन और समाज शास्त्र पर भगवतशरण उपाध्याय, मांजरी साही, देवराज, कपिला मलिक, यशदेव शल्य और वासुदेव शरण अग्रवाल जैसे विद्वानों के लेख प्रकाशित हुए। टिप्पणियों का जो खण्ड *प्रतीक* की विशेषता थी, उसमें सम्मेलनों, गोष्ठियों, फिल्मों, रंगमंच की गतिविधियों और रेडियो प्रसारणों पर टिप्पणियाँ दी गयीं, जिनमें कपिला मलिक का विशेष योगदान था। फिल्म पर स्वयं वात्स्यायन जी ने एकाधिक बार लिखा। ये टिप्पणियाँ निरी समीक्षाएँ न थीं, बहसें भी थीं। एक जनवरी 51 से लेकर अगस्त 52 तक के अंकों का विश्लेषण करने से मालूम होगा कि 1947 के बाद के कलात्मक और वैचारिक उत्तेजन को वात्स्यायन जी ने

समग्रता में प्रतिबिम्बित ही नहीं, स्फुरित करने का प्रयत्न किया था। इस दौर में किसी भी नवयुवक को स्वाधीन वातावरण में सोचने-समझने और स्वयं अपनी रचनात्मकता को विकसित करने का अवसर न मिला हो – जैसे मुझे उनके विश्वास पात्र सहायक के रूप में मिला – तो वह उसी की अशक्यता रही होगी। सम्पादन की यह व्यापकता वात्स्यायन जी की एक छोटे से आविष्कार से बहुत स्पष्ट रूप से फलित होती थी। वह थी 'गत मास का साहित्य' नामक उनका चलाया हुआ स्तम्भ, जिसमें पिछले महीने की मासिक/त्रैमासिक पत्रिकाओं में प्रकाशित उल्लेखनीय रचनाओं का रोचक वर्णन रहता था। *प्रतीक* के पाठक प्रायः पूरे साहित्यिक परिदृश्य की प्रामाणिक झलक पा जाते थे।

आगे के वर्षों में रचना का यह सम्मिलित संसार कितने ही वैचारिक अनुभवों से समृद्ध होता हुआ साहित्य और पत्रकारिता को एक विश्व-संवेदना तक ले गया। यह कहानी तो वात्स्यायन जी के सम्पूर्ण योगदान की कहानी है। मैंने तो वात्स्यायन जी के उस दौर को छुआ भर है जो 1947 के तुरन्त बाद के भारत में हिन्दी के कर्त्तव्य को अर्थात् व्यापक भारतीय संवेदना को आधुनिक और वास्तविक बनाने के दायित्व को निभाने में उन्होंने खर्च किया। जहाँ तक उस दौर में साथ रहने का सवाल है, वह मुझे एक दुर्लभ अवसर के रूप में मिला था और सौभाग्य की बात यह है कि वह कविता के क्षेत्र से आया था। जब *प्रतीक* द्वैमासिक और *दूसरा सप्तक* के परिचय के नाते वे 1951 में मुझे अपने सहायक के रूप में बुला लाये थे।

बीसवीं शताब्दी भारत के लिए चुनौतियों से भरी है। आजादी का आन्दोलन सदियों से जीवित परम्पराओं की नयी पहचान, उनके सन्दर्भ में उग्र और शोषक शक्ति केन्द्र यूरोप के साथ आधुनिकता की खोज, जो कि स्वाधीनता के साथ मिल कर असल में भारतीयता की खोज ही बनी – ये थीं हमारी चुनौतियाँ। और अब इस सदी के बीतते बीतते विश्व स्तर पर शक्ति की आक्रामकता बेहद बढ़ जाने के साथ-साथ ये बेहद मुश्किल भी हो गयी है। भाषा को रचना का साधन बनाने वाले को राजनैतिक संगठनों के प्रबन्धक की अपेक्षा निर्माण और उत्तराधिकार की यह चुनौती अनेक आयामों में उठानी पड़ती है। स्वाधीनता और लोकतन्त्र पर स्वयं भारतीय परम्पराओं की विकृति का भारतीय रचनाकार को ऐतिहासिक जवाब देना पड़ रहा है। वात्स्यायन यह जवाब दे रहे थे। यों तो वह अकेले नहीं थे, बल्कि अनेक कला क्षेत्रों में और अनेक प्रदेशों में रचनाकार उनके साथ थे। परन्तु इतना होने पर भी उनका साधन कोई संगठन नहीं था। विचार ही था। वह पुराना किस्सा याद आता है कि किसी किसान ने मरते वक्त बच्चों को बताया था कि वह खेत

के किसी कोने में अपार सम्पत्ति गड़ी हुई छोड़े जा रहा है। किस कोने में यह नहीं बताया था। चुनाचे सम्पत्ति के लोभ में सन्तान ने खेत का चप्पा चप्पा खोद डाला। सम्पत्ति मिली पर इस रूप में कि गोड़े हुए खेत से विपुल उपज पैदा हुई। वात्स्यायन जी की वसीयत में इस किसान की वसीयत से फर्क यह है कि इन्होंने गड़ी सम्पत्ति का स्थल रहस्य नहीं बनाया है। खेत के हर कोने में रत्न गड़े हैं। यह हम जानते हैं क्योंकि वह यही बता गये हैं। गुड़ाई तो फिर भी सारे खेत की करनी पड़ेगी।

जो लोग भक्तिभाव से विह्वल होकर इस युग पुरुष के चले जाने पर कह रहे हैं कि अन्धकार सामने है उन्हें सचाई से कहना चाहिए कि भूमि का पूरा विस्तार सामने है। शायद मेहनत से बचने के लिए वे निराशा का सहारा ले रहे हैं। पर वृथा भावुकता से यह मान लेना कि वात्स्यायन जी का अभाव कोई अकेला व्यक्ति पूरा कर देगा, आत्मप्रवंचना होगी। ऐसे क्षण में ईमानदारी का एक ही रास्ता बच रहता है। इतिहास को एकमुश्त निर्माण कर देने का मिथ्या सरलीकरण छोड़ कर विविध क्षेत्रों से रचना कर्म करने वालों को अपने अपने दायरों में काम करते रहना और उन दायरों को परस्पर मिलाते रहना ही वह रास्ता है। इसके कोई सार्वजनिक नियम नहीं बताये जा सकते। अपना रास्ता चुनने का विवेक ही अपने रास्ते के नियम बतायेगा सिवाय इसके कि स्वाधीनता और लोकतन्त्र के असन्दिग्ध नियम बरकरार रहेंगे और मानवीय गरिमा की पहचान में मिलावट न की जाएगी।

शान्ति के साधक जो वाणी के साधकों के प्रतिकूल रहते हैं। सिर्फ यही दो खतरे सामने खड़े नहीं कर देते जिनका जिक्र किया गया। उनके काल और इतिहास को अपने कारखाने में ढाल कर बाजार में पेश करने का अभियान जारी है ही। जैसे-जैसे यह शताब्दी खत्म होने को आएगी वे नये अभियान शुरू करेंगे। प्रकृति के शोषण की नीति सिर्फ पेड़-पौधों और पहाड़ों को उखाड़ने की नीति नहीं है जिसका वात्स्यायन जी ने विरोध किया था। यह आधुनिकता की झूठी समझ फैलाने की और उसी के सहारे विकास की बेईमानी फैलाने की नीति भी है। वह स्मृति को ध्वंस कर अतीत की और उससे मिले अनुभव को मिटा कर भविष्य को नष्ट कर देने की भी नीति है। आधुनिकता के मोह में पड़कर हम निरे वर्तमान में रह जाएँ, यह कुचक्र इसे बढ़ा रहा है। हमारे बुद्धिजीवी खानों में बाँट कर आदमी को रखने के अभ्यस्त कराये जा रहे हैं, जैसे हमारे साहित्य में कभी-कभी दिखता है, वैसे ही जैसे हमारे नये चिकित्सक व्यक्ति को मन और देह में बाँट कर उसका उपचार नहीं व्यापार कर रहे हैं। जीवन को एक ओर गुलामी और समृद्धि तथा दूसरी ओर आजादी और निर्धनता में बाँट कर हमें इनमें से एक चुनने को कहा जा रहा है। यह साहित्य और कलाओं को मिला कर राजनीति में हस्तक्षेप करने का

ऐतिहासिक समय है। इसके तकाजे को पूरा करना बीसवीं सदी का ही काम है। इसी बीसवीं सदी में साहित्य ने भारत को रचनात्मकता की विश्व पहचान बनाने का अवसर दिया। कहना न होगा कि इस काम में आधुनिक भारतीय साहित्य चेतना के निर्माण में जो आदमी अकेला नहीं तो अग्रसर अवश्य था वह हिन्दी का स.ही. वात्स्यायन था। हिन्दी का यह ऐतिहासिक दायित्व था जो वात्स्यायन जी ने पूरा किया जबकि ज्यादातर लोग हिन्दी की सेवा करते रहे।

अज्ञेय की तीन चौथाई शताब्दी लम्बी इस कहानी का पूरा बयान यहाँ नहीं किया जा सकता। न उसके अन्त से जो हमने पिछले सप्ताह देखा। हम कोई मूल्यांकन जैसे सतही और काम निपटाऊ निष्कर्ष निकाल सकते हैं। कुछ जानना है तो शुरुआत अलग-अलग लोगों को वहीं से करनी पड़ेगी जहाँ से उन्होंने वात्स्यायन जी को साहित्यकार, पत्रकार, चिन्तक या व्यक्ति के रूप में जाना था क्योंकि उसी अभिज्ञान के रास्ते से उनकी जीवन्त साझेदारी का परिचय मिल सकता है। वही पुण्य स्मरण है।

मैं तो जब पैदा हुआ था तब वात्स्यायन जी 18 बरस की उम्र के थे। यानी वह उम्र जिस पर पहुँच कर मैंने कविता लिखना सीखा। 1929 यानी मेरे जन्म के वर्ष में जब रावी के किनारे स्वतन्त्रता प्राप्त करने की शपथ ली जा रही थी। वात्स्यायन जी भगतसिंह की पार्टी में शामिल हो कर स्वाधीनता संग्राम में कूद कर अंग्रेजों के बन्दी हो चुके थे। अगले छह वर्ष में जब *शेखर* जेल में लिखा गया तब मैं घर पर बारहखड़ी सीख रहा था। नयी पीढ़ी को तेजी से पुरानी पीढ़ी के पास तक पहुँचाना ही बीसवीं शताब्दी की असाधारण विशेषता थी। यह भी कि राजनीति और साहित्य दोनों क्षेत्रों में रचनाकर्मियों ने अपने अपने साधनों से काम किया और जिसमें विस्तार की जितनी ताकत थी उसने अपने दायरे को उतना दूसरे दायरों के भीतर बढ़ाया। 1947 की आजादी के बाद लोकतन्त्र और स्वाधीनता की समझ बढ़ाने के लिए लड़ाई जारी रही। उसमें बहुत से लोग शामिल रहे और एक सामूहिक नेतृत्व की चेतना विकसने लगी जो किसी दलीय समझौते पर नहीं रचनात्मक समानताओं पर आधारित थी। वात्स्यायन जी के राजनीतिक विचारों में इतनी गुंजाइश थी कि नये रचनाकारों से उनका संवाद जारी रहा। यह एक मिथ्या सरलीकरण है कि वात्स्यायन जी की प्रतिमा चुक गयी इसलिए नये लेखकों ने उन्हें मानना बन्द कर दिया। एक तो यह बात न असत्य है – जीवित साहित्य में ऐसा होता नहीं कि एक पीढ़ी पिछली को रद्द कर दे। दूसरे यह एकतरफा है क्योंकि वात्स्यायन जी ने लगातार अपने को अभिव्यक्त करते रहने के प्रायः साठ साल में संवेदना की कई दहलीजें पार कीं, जरूरी नहीं है कि वे हर बार वही दहलीजें रहीं हों जो नयी पीढ़ी गिरते पड़ते पार कर रही थी। आने वाले रचनाकारों

में ऐसे निकम्मे भी रहे ही होंगे जिनसे कोई संवाद देर तक मुश्किल होता है और निश्चय ही ऐसे जहीन भी जो वात्स्यायन जी की छाप से मुक्त होकर स्वभावतया अपना रास्ता पकड़ चले।

1965 में जब वात्स्यायन जी ने *दिनमान* निकाला, आकाशवाणी के हिन्दी समाचार विभाग में उनके साथ काम कर चुके सर्वेश्वरदयाल सक्सेना, मनोहर श्याम जोशी और श्यामलाल शर्मा *दिनमान* में आये। जितेन्द्र गुप्त आकाशवाणी में वात्स्यायन जी के साथ नहीं थे पर बाकी सबके साथ रह चुके थे। योगराज थानी भी अन्यत्र वात्स्यायन जी के सहयोगी रहे थे। ये सब *दिनमान* में लगातार साथ रहे। हाँ, मनोहर श्याम जोशी वात्स्यायन जी के *दिनमान* छोड़ने से पहले ही ज्यादा अच्छी जगह चले गये थे। मैं दिनमान में 1968 में शामिल हुआ और समाचार सम्पादक के रूप में वात्स्यायन जी के साथ डेढ़ साल काम किया। पर *प्रतीक* (1951) और आकाशवाणी (1953) का सम्बन्ध पुराना था। मुझे परिवार में शामिल होते देर न लगी। ऐसे ही कई सहयोगियों से जो वात्स्यायन जी के साथ पहली बार काम करने आये उनसे अपनापा मिला।

1969 से 1982 तक यानी जब मुझे पुराने साथियों से अलग होकर त्यागपत्र देने को बाध्य होना पड़ा उत्साहवर्धक सफलताओं, पत्रकारिता के नये अव्यावसायिक रचनात्मक प्रयोगों और आकस्मिक तनावों के साथ निरन्तर सहकारिता का दौर रहा जिसके लिए सहयोगी *नवभारत टाइम्स* ने लिखा है, "न केवल गैरपेशेवर राजनैतिक मत को *दिनमान* में स्थान मिला बल्कि इसने पाठकों को पत्रकार की तरह चौकन्ना और परिपक्व बनाया। कई लोग *दिनमान* से शिक्षित होकर पत्रकार बने।" इसमें इतना और जोड़ना चाहूँगा कि यही नहीं वे *दिनमान* में नियुक्त भी हो गये जैसे विनोद भारद्वाज और नरेश कौशिक (अब बी बी सी में)। इस समय ऐसे और साथी कहाँ कहाँ क्या काम कर रहे हैं इनका ब्योरा नहीं है। पर वे जहाँ भी हों हिन्दी पत्रकारिता में साहित्य की ऊर्जा को संपुजित करना नयी पीढ़ी के लिए सम्भव बनाने वाले वात्स्यायन जी का नाम नहीं भूलेंगे।

8

एक अपना ही अजनबी

॥ मनोहर श्याम जोशी

सच्चिदानन्द हीरानन्द वात्स्यायन 'अज्ञेय': नाम तो नाम, उपनाम सुबहान अल्लाह! आप कहेंगे कि भला नाम-उपनाम में धरा क्या है? जरा सुनिए: मुंशी प्रेमचन्द – एक निहायत ही दबे-ढके, सीधे-सादे शख्स की तस्वीर सामने आती है न? निराला – यह शब्द सुनकर मन में अवधूत जागता है कि नहीं? और वे तमाम नन्दन, कुमार और लाल युक्त नाम, उन्हें सुनकर सच कहिए, मूड कतई सूरदास हुआ जाता है कि नहीं? तो जरा फिर सुनिए – सच्चिदानन्द हीरानन्द वात्स्यायन 'अज्ञेय'! देखा आपने, इसे सुनने की दो ही प्रतिक्रियाएँ होती हैं, या तो आप आस्तीनें चढ़ाकर पूछते हैं, "क्या कहा?" या आप मरी-सी आवाज में एक गिलास ठण्डे पानी की माँग कर बैठते हैं। तो क्या ताज्जुब जो इस नाम ने हिन्दी साहित्य जगत में सबसे ज्यादा उन्मेष, सबसे ज्यादा हीनभावना जगायी है। यहाँ बतौर सान्त्वना, 'नाम बड़े और दर्शन छोटे' वाला मामला भी नहीं है, यह नहीं कि कहा मनोहर श्याम और एक उजबक सामने ला खड़ा किया। अज्ञेय जब आपके सम्मुख प्रकट होता है तो आप देखते हैं कि उसका व्यक्तित्व भी नाम के अनुरूप गरिमावान है। ऊँचा कद, चौड़ा सीना, फ्रायडवादी याद ताजा करानेवाले घने काले रोयें, यदा-कदा-बहार-दाढ़ी, खिलाड़ी-सा बदन, शिकारी-सी चाल! इस पर तुर्रा यह कि आप इस व्यक्तित्व को किसी भी लिबास में लपेट दीजिए, वह प्रभावप्रद प्रतीत होता है।

एक बार नयी दिल्ली में जीन्स-जाकिटधारी और स्कूटर-सवार वात्स्यायन को देखा था और खुदा झूठ न बुलवाये, वह क्षण खासा चेतन रहा था। कुल मिलाकर यह व्यक्तित्व ऐसा है कि देखते ही हे-हेतुक विशेषणवादी काव्य आप ही आप फूटता चला जाए। मगर जब यह व्यक्तित्व बोलना शुरू करता है तो दुखद आश्चर्य के साथ, आप दिनकर जी को विदा करके पन्त जी को न्योता देते हैं। भगवान की दी हुई तमाम अक्खड़ सजधज के बावजूद अज्ञेय में कुछ

ऐसा है जो निहायत ही नाजुक है – उसकी आवाज सुनहरे फ्रेम के पीछे झाँकती हुई उसकी शान्त-क्लान्त आँखें और ओठों की कोर से ठोढ़ी की ओर बढ़ती हुई थकी-हारी-सी रेखाएँ। अज्ञेय की आवाज में गेय तत्त्व काफी है। लहजा भी खास है – लययुक्त और विराम-चिह्नपूर्ण। अक्सर विराम-चिह्न शब्द के बीच भी लगा दिये जाते हैं, यथा– रघु, वीरजी त़ो, आ'प आते हैं? इस लहजे की नकल करने की तबीयत होती है। कई भूतपूर्व अज्ञेयवादियों की जबान पर तो 'करत-करत अभ्यास के' यह नकल असल हो चली है और वह सभा-सोसायटी में कुछ इस तरह के जुमले कहते सुने जाते हैं– 'हम, ने एक यो, जना, बनायी थी, उसपर काम हो, ने जा, रहा है।' गर्ज यह कि कुछ और है उसका अन्दाजे बयाँ और उसकी तर्जे बयाँ भी! यों सच पूछिए तो उसका क्या ऐसा है जो कुछ और नहीं?

सामान्य हिन्दी साहित्यकार के सामने अज्ञेय कुछ ऐसा ही जँचा जैसा उच्च मध्यवर्ग निम्न मध्यवर्ग की तुलना में दीखता है। उससे सामान्य हिन्दी साहित्यकार को कुछ वैसी ही ईर्ष्या हुई जैसी निम्न मध्यवर्ग को उच्च मध्यवर्ग से होती आयी है। पंचों की राय में अज्ञेय हिन्दी साहित्य जगत का सर्वाधिक अप्रिय व्यक्ति है। इस भावना को महज ईर्ष्या पर आधारित समझना या समझा सकना मुश्किल है। मानना ही पड़ता है कि अज्ञेय को दोस्त न बनाने में, और प्रकारान्तर से, दुश्मन बनाने में माहिरी हासिल है। उसे तपाक से मिलना, गले में हाथ डाले घूमना, भगवन! गुरु! कऔ बेटा! जैसे सम्बोधन कहना, जरा भी तो नहीं आता। अपने में, अपने तक रहने में, वह अंग्रेजों को भी मात करता है। न वह किसी का व्यक्तिगत सुख-दुख जानना चाहता है और न वह किसी को अपना व्यक्तिगत सुख-दुख बताता है। इसीलिए पीठ-पीछे बुराई करने में प्रवीण हिन्दी लेखकों को उसके व्यक्तिगत जीवन के बारे में काफी जुगुप्सा रहती है। ऐसा भी नहीं कि उसके व्यक्तिगत जीवन में कोई खास पेच रहा हो। विवाह, तलाक, और एक लम्बे अन्तराल के बाद पुनर्विवाह। इतनी-सी बात को लेकर वह चटखारे पैदा किये और लिये गये हैं कि हिन्दी साहित्यकारों की कल्पनाशीलता की दाद देनी पड़ती है।

अज्ञेय को राजनीतिक बदनामी भी काफी मिली है। प्रतिक्रियावादियों की हिन्दी में कोई कमी नहीं, लेकिन अमरीकी एजेंट अज्ञेय को ही कहा गया है। मुझे एक प्रगतिशील आलोचक ने विस्तार से समझाया था कि अज्ञेय को *प्रतीक* के प्रकाशन के लिए कितनी अमरीकी सहायता मिलती है। जब *प्रतीक* बन्द हो गया तो शायद इन आलोचक महादेय का यही अनुमान रहा होगा कि अमरीकी खजाना खाली हो गया है। साहित्यिक दृष्टि से भी अज्ञेय को बराबर

गलत समझा और समझाया गया है। कहीं गलती से उसने एलियट की कुछ पंक्तियाँ अपने लेख में उद्धृत कर दीं, तब से उसे एलियट कहा जाने लगा और एलियट को 'इडियट' का पर्याय ठहराया जाने लगा। कोई भी पढ़ा-लिखा आदमी यह देख सकता है कि अगर अज्ञेय पर किन्हीं पाश्चात्य लेखकों का प्रभाव है तो डी.एच. लॉरेन्स और ब्राउनिंग का! लॉरेन्स का प्रभाव अज्ञेय की लेखनी ही नहीं, दाढ़ी भी घोषित करती है। लेकिन देखने और पढ़नेवाले लोग हैं कहाँ!

पिछली पीढ़ी अज्ञेय की अंग्रेजियत से आक्रान्त रही और उसे अमौलिक साबित करने की कोशिश करती रही। नयी पीढ़ी अज्ञेय की भारतीयता से बोर हुई पड़ी है और उसके नयेपन को पुराना ठहराने में जुटी हुई है। अज्ञेय आज प्राचीनों में आधुनिक हैं और आधुनिकों में प्राचीन, यानी हर कहीं अजनबी। हिन्दी के अधिकांश नये साहित्यकार कभी न कभी अज्ञेय से प्रभावित रहे। लेकिन उनमें से सबने इस प्रभाव की केंचुली उतार फेंकना अथवा उसे अपने ही प्रादुर्भाव की केंचुली मान लेना श्रेयस्कर समझा। वह परिष्कार, वह प्रौढ़ता, वे किताबें, वे कलाकृतियाँ, वे चन्द चुने हुए रेकॉर्ड, वह वक्तव्यवाद, वह व्यक्तिधर्म यानी अज्ञेय की तमाम ऊपरी विशेषताएँ नये साहित्यकारों में मौजूद हैं, लेकिन वे सार्त्र और कामू की बात भले ही कर लें, अज्ञेय का नाम गलती से भी जबान पर नहीं लाते। अज्ञेय की चर्चा से उन्हें वैसा ही संकोच होता है जैसा किसी किशोर को अपनी आया अथवा बच्चा-गाड़ी देखकर हो सकता है।

उनका व्यक्तित्व और कृतित्व नये लेखक को शुरू में अनायास आकर्षित करता है। जब मैं पहली बार अज्ञेय से मिला, कोई बीस मिनट तक अपना पारिवारिक दुखड़ा रोता रहा। कोई दूसरा आदमी होता तो शायद सचमुच पसीज जाता, पसीजता भी नहीं तो पसीजने का अभिनय अवश्य करता। लेकिन मैंने अज्ञेय की आँखों में यह पढ़ा कि वह मेरे दुख से नहीं, उस कमजोरी से दुखी हैं जो अपना दुख व्यक्त करने पर मजबूर कर रही है। दुख के प्रति यह दृष्टि साहित्य में अक्सर नजर आती है, लेकिन जीवन में नहीं। व्यक्ति अज्ञेय का यही पहला आकर्षण है कि उसके कई उसूल हैं और वह उनका पक्का है। एक उसूल यह है कि वह किसी की धारणा बदलने की कोशिश नहीं करता।

अज्ञेय ने मेरे 'प्रगतिवाद' का कभी बुरा नहीं माना, तब भी नहीं जब वह सर्वथा अज्ञेयविरोधी हो उठा। एक बार मैंने नदी-के-द्वीपवाद के खिलाफ एक

कविता लिखकर अज्ञेय को दी। उस वक्त एक साहित्यिक-कम-फोटोग्राफर ज्यादा किस्म के जीव भी वहाँ मौजूद थे। उन्होंने कविता पढ़ी और इस आशय के भाव व्यक्त किये कि लौण्डे, सूरज पर थूकता है! लेकिन अज्ञेय ने कहा कि कविता की कमजोरी यह नहीं कि वह मेरी कविता के विरुद्ध लिखी गयी है, बल्कि यह है कि वह मेरी कविता का पूरी तरह विरोध नहीं करती। अज्ञेय का दूसरा उसूल यह है कि वह निजी बातचीत को अपमान के बराबर मानता है। अज्ञेय ने मेरी बेरोजगारी दूर करने के लिए जो भी प्रयास किया, उसकी मुझसे कभी चर्चा नहीं की। जब भी सूचना दी, पत्र के माध्यम से दी और वह भी खासे क्षमायाचना भाव से। यह नहीं कि फलाँ मेरा यार है, उससे कह दिया है, काम बन जाएगा, समझे! हमारे साथ रहोगे तो ऐसे ही मजे करोगे।

अज्ञेय का तीसरा उसूल है कि अपनी इज्जत करो और दूसरों की भी। अपने से छोटे लोगों के भी नाम के साथ सम्मानसूचक 'जी' लगाना वह कभी नहीं भूलता। किसी के लिए भी सामने या पीठ-पीछे निरादरपूर्ण बात उसके मुँह से नहीं निकलती। अज्ञेय के यहाँ वह सापेक्षवाद भी नहीं जो हिन्दी साहित्यिकों के दरबारों में अक्सर नजर आता है, वह सापेक्षवाद जो हर व्यक्ति को अपने स्वार्थ और उसकी शक्ति की तुला पर तोलता है। लिहाजा अज्ञेय का चौथा उसूल यह है कि हर व्यक्ति और कृति का मूल्यांकन कुछ सुनिश्चित प्रतिमानों के आधार पर करता है। साहित्य और साहित्येतर दोनों क्षेत्र में उसका मूल्यांकन कभी-कभी लोकमत-विरुद्ध होता है, मसलन उसे फिल्म 'पाथेर पांचाली' पसन्द नहीं आयी, हुसेन की चित्रकला कभी विशेष प्रभावित नहीं कर पायी। लेकिन अज्ञेय जगहँसाई के डर से धारणा बदलनेवालों में से नहीं। अंग्रेज़ी मुहावरे की टाँग तोड़कर कहूँ तो अज्ञेय धारणा धीर, विश्वास-साहसी हैं। अब आनन्द यह है कि हिन्दी के वही नामचीन लेखक जो आशीर्वादनुमा अभिमत बाँटते फिरते हैं, किसी अधकचरे लेखक का भदेस गद्य पढ़कर 'जेम्स जॉयस!' चिल्ला उठते हैं, वही लेखक अज्ञेय की हर गलत धारणा को पक्षधरता का प्रमाण मानते हैं। मसलन जब अज्ञेय ने साहित्य अकादेमी के लिए अपने एक लेख में मुझ जैसे कुछ छुटभैया लेखकों का भी नामोल्लेख कर दिया तो हिन्दी साहित्य संसार में हाहाकार मच गया। हाहाकार मचानेवाले साथ ही यह भी कहते हैं कि अज्ञेय की मान्यताओं का कोई मूल्य नहीं। जैसा कि उस अवसर पर एक साहित्यकार-रिश्तेदार-साहित्यकार ने मुझसे कहा था, "देखा, आज अज्ञेय की वजह से सबकी गालियाँ सुन रहे हो। हमारे रिश्तेदार की सेवा की होती तो वह तुम्हारे विषय में अपनी अच्छी राय सही जगह व्यक्त करते, तुम्हें अच्छी नौकरी मिल जाती।"

अज्ञेय हिन्दी साहित्य का अछूत है। उसका आशीर्वाद सार्वजनिक श्राप के बराबर समझिए। फिर उसका व्यक्तित्व कुछ इतना विशिष्ट और विराट है कि दूसरे को वटवृक्ष काम्प्लेक्स होने लगता है। फिर उसने कुछ ऐसे एकान्त में घर बना छोड़ा है कि वहाँ अकेले भी जाइए तो यही महसूस होता है कि भीड़ साथ ले आये। फिर उससे कोई साहित्येतर सम्पर्क अथवा सेवा-मेवा-सम्बन्ध भी सम्भव नहीं है। इसलिए उसका हर साहित्यिक साथी उससे अलग हो जाता है। अलग होकर यह कहने लगता है कि अज्ञेय बहुत घुन्ना और गुम्मा है, मतलब साधता है, मौके पर छिप कर वार करता है। मैंने जब *तीसरा सप्तक* के लिए अपनी कविताएँ आलस्य और संकोचवश नहीं दीं, मैंने जब दिल्ली में 'परिमल' बनाये जाने का विरोध किया, मैंने जब निर्मल वर्मा, रामकुमार, भीष्म साहनी और नरेश मेहता जैसे घोषित वामपक्षीय लेखकों का साथ अपनाया तो मुझे इस छिपे वार का बड़ी हौलदिली से इन्तजार रहा। लेकिन मेरी गर्दन आज भी सलामत है।

9

बम बनाने की अजब दास्तान

॥ रूपवती जैन

अज्ञेय जी से हमारी पहली भेंट 1930 में झण्डेवालान बम फैक्टरी, दिल्ली में हुई थी। हुआ यह था कि दल के पूर्व निश्चय के अनुसार गाडोदिया स्टोर डकैती से लाए गये रुपयों में से पाँच हजार रुपया बम बनाने के मसाले की रसायन शाला आरम्भ करने के लिए निश्चित हो चुका था। इस काम को सुचारु रूप से सम्पन्न करने के लिए किसी गण्यमान्य व्यक्ति की आवश्यकता थी, जिसको इसका कार्यभार सौंपा जा सके। यशपाल जी वाइसराय की ट्रेन उड़ाने के षड्यन्त्र में मफरूर घोषित किए जा चुके थे। उनकी देखरेख में ही बम का मसाला बनाने का कार्य होना था, किन्तु वह किसी स्थानीय व्यक्ति के सहयोग के बिना पूरा नहीं कर सकते थे। उनका तो केवल सक्रिय नेतृत्व ही चाहिए था। दल ने मेरे पति (विमल चन्द जैन) को इस कार्य के लिए उपयुक्त समझा और उन्हें यह कार्य करने का आदेश दिया।

चन्द्रशेखर आजाद से विमल जी की इस सिलसिले में भेंट हुई।

उस भेंट में इस योजना की बारीकी से अन्वेषणा की गयी। योजना का निष्कर्ष यह था कि एक कारखाना शुरू किया जाए, जो बाहर से देखने में एक सीधा-सादा व्यापारिक संगठन जान पड़े। क्योंकि रासायनिक वस्तुएँ काफी मात्रा में इस्तेमाल होनी थीं, इसलिए व्यापारिक संगठन इस प्रकार का होना चाहिए, जिसमें रासायनिक वस्तुएँ काम में लाई जाती हों ताकि काफी मात्रा में रासायनिक पदार्थ लाना-ले जाना असंगत न जान पड़े। निश्चय किया गया कि इस कारखाने को साबुन, तेल, क्रीम आदि बनाने का रूप दिया जाए। कारखाने के लिए स्थान भी इस प्रकार का होना चाहिए, जो बस्ती में होते हुए भी बस्ती से अलग हो – उससे सटा हुआ अड़ोस-पड़ोस न हो।

उपयुक्त स्थान की खोज विमल जी ने शुरू कर दी क्योंकि वे स्वयं एक सम्मानित व्यापारी के सुपुत्र थे और उनका सम्बन्ध व्यापारिक समाज में काफी था। इसलिए उपयुक्त स्थान ढूँढ़ने में देर नहीं लगी, लेकिन मकान को पक्का नहीं

किया गया। कारण यह था कि यशपाल जी दिल्ली पहुँचने वाले थे और उनके निरीक्षण करने के बाद ही स्थान का निश्चय होना था। यशपाल जी दिल्ली आये और मकान को देखकर प्रसन्न हो गये। उनके हिसाब से मकान में जो भी बातें होनी चाहिए थीं, वे सब थीं। मकान किराए पर ले लिया गया और विमल जी के नाम से ही किरायानामा लिखा गया।

मकान दिल्ली के मशहूर लोहे वाले लाला भानामल गुलजारीमल का था, जो कुतुबरोड से पहाड़गंज जाते समय ईदगाह और झण्डेवालान की ओर जाने वाली सड़क पर था। मकान के चारों ओर सड़क थी और उसका जीना एक अहाते में से था और दूसरा जीना पीछे गली में से था। अहाते में सिरकी और टोरकी आदि बनाने वाले रहते थे। वहाँ घोड़े बाँधने तथा फीटनः खड़े करने के तबेले बने हुए थे। उस जमाने में करीब-करीब सभी रईस इस तरह का मकान रखते थे, जिसको वे समय-समय पर मनोरंजन के लिए इस्तेमाल किया करते थे। मकान को देखने से पता लगता था मानो मुद्दत से इस्तेमाल में न आया हो। ऊपर से मकान बहुत साफ-सुथरा और अच्छा बना हुआ था।

फैक्टरी का नाम रखा गया – 'हिमालयन टायलेट्स'। अंग्रेजी का एक बड़ा-सा साइनबोर्ड फैक्टरी के बाहर लगा दिया गया। सबसे बाहर एक छोटे कमरे में, साबुन की टिकियों के नमूने और तेल की शीशियाँ, 'हिमालयन टायलेट्स' लेबलों के साथ रख दी गयीं। साबुन के ठप्पे और साँचे बनवा लिये गये थे। इस स्थान को साधारण व्यापारिक संस्था का रूप देने के लिए आवश्यक था कि उसमें स्त्रियाँ भी हों, जिससे यह विदित हो कि साधारण गृहस्थी वाले लोग अपना व्यापार जमाने की चेष्टा कर रहे हैं। इसीलिए मुझे गाँव से बुलाने के लिए विमल जी ने अपने छोटे भाई जुगमंदर जी को सिसाना गाँव भेजा। जुगमंदर जी ने एक पत्र माँ को और एक मुझे दिया। विमल जी ने मेरे पत्र में लिखा था– तुम्हारी बहुत दिनों से इच्छा थी कि देश के काम में मैं तुम्हें भी साथ ले चलूँ। इच्छा मेरी भी थी, लेकिन समय नहीं आया। अब समय आ गया है। और देश के काम के लिए तुम्हारी आवश्यकता है। तुम जुगमंदर के साथ दिल्ली चली आओ। मैंने माँ को लिख दिया है। और जुगमंदर से भी कहला दिया है कि यहाँ मेरे मित्र एक अच्छे डाक्टर आये हुए हैं। उनसे तुम्हारा इलाज कराना है, इसलिए माँ तुम्हें अवश्य भेज देगी।

पत्र पढ़कर मुझे ऐसा लग रहा था कि मानो मेरी सारी प्रार्थनाएँ मंजूर हो गयी हैं और मेरी इच्छापूर्ति का समय आ गया है। उसी समय माँ ने पूछा– विमल ने तुम्हें क्या लिखा? मैंने सीधे स्वभाव से उत्तर दिया, जो कुछ आपके पत्र में लिखा वही मुझे लिखा है कि किसी अच्छे डाक्टर से इलाज कराना चाहते हैं।

माँ ने भेजने में कोई आपत्ति नहीं की, क्योंकि मेरी तबीयत काफी दिनों से खराब चल रही थी। अगले दिन मैं जुगमंदर जी के साथ दिल्ली चली आयी और वे मुझे पूर्व निश्चित स्थान पर ले गये। विमल जी वहाँ प्रतीक्षा में खड़े मिले। जुगमंदर जी वहाँ से वापिस चले गये और मुझे लेकर विमल जी बम बनाने की फैक्टरी में पहुँच गये। जब हम फैक्टरी में पहुँचे, शाम हो गयी थी। जीने से चढ़ते ही जो पहला कमरा था, उसे व्यापार की गद्दी या ऑफिस के तौर पर रखा गया था। एक तरफ एक अलमारी में बाकायदा 'हिमालयन टायलेट्स' के लेबल लगी हुई क्रीम, तेल की सुन्दर शीशियाँ, दो-चार किस्म के साबुन की टिकियाँ सजी हुई थीं। एक तरफ मेज पर कागज, कलम, दवात, फाइल वगैरह रखे थे। इस कमरे में से एक दरवाजा अन्दर जाने का था, जो हमेशा अन्दर से बन्द रहता था। अन्दर जाने के लिए छज्जे का रास्ता इस्तेमाल किया जाता था। मुझे उसी रास्ते से ले जाया गया। उस समय फैक्टरी में जिन व्यक्तियों से भेंट हुई, उनमें से मैं किसी को भी नहीं जानती थी, केवल एक दो से मैं परिचित थी। एक थे कैलाशपति जी, जो हमारे घर में पहले रह चुके थे। वे फैक्टरी में रहते थे, लेकिन आते-जाते रहते थे। दूसरे व्यक्ति थे यशपाल जी, तीसरे थे गिरिवर सिंह, जो फैक्टरी में सेवक का पार्ट अदा कर रहे थे।

हम सब के सोने बैठने का इन्तजाम ऑफिस के पीछे बड़े कमरे में था। बड़े कमरे से एक छोटा रास्ता दूसरी तरफ चौक में जाता था और चौक के उस पार दूसरी तरफ एक लम्बी रसोई थी। वहाँ पर मिट्टी के तेल के कई स्टोव रखे थे और कई बड़े-बड़े शीशों के जार और दूसरे यन्त्र रखे थे। पेटियों की पेटियाँ भरी शीशियाँ रखी थीं। हाथ में पहनने के रबड़ के दस्ताने और सिलपचियाँ भी एक तरफ रखी हुई थीं और चौक की जमीन भी किसी गहरे रंग से झुलसी हुई थी। उधर घुसते ही तेज महक आती थी। बम के मसाले बनाने का काम शुरू हो चुका था, बड़े-बड़े शीशों के जारों में गन्धक और कारबोलिक का जर्मनी का बना हुआ मर्क कम्पनी का एसिड उबलता रहता था। और जबरदस्त घुटन होती थी, मगर वहाँ से हटा नहीं जा सकता था, क्योंकि एक-एक बूँद करके तीसरा नाईट्रिक एसिड उसमें मिलाया जाता था। इस तरीके से उसको पकाकर एक खास डिग्री पर ले जाया जाता था, जिसके बाद उसमें दाना पड़ना शुरू हो जाता था और उसको आग पर से उतार कर ठण्डा करने के लिए रख दिया जाता था। ठण्डा हो जाने के बाद उसमें बड़े-बड़े दाने बन जाते और फिर उसको दस्ताने पहन कर पानी से धोकर एसिड से अलग कर लिया जाता था। धोने का काम मैं ही करती थी। कारण यह था कि दस्ताने पहनने के बावजूद हाथ ऐसे पीले पड़ जाते थे, जिसका रंग किसी प्रकार नहीं छूटता था और बहुत दिनों तक वैसा ही रहता था। कोई भी

रासायनिक विज्ञान से ताल्लुक रखने वाला जान सकता था कि यह रंग सिवाय पिकरिक एसिड के और नहीं हो सकता। पुरुषों को इधर-उधर घूमना पड़ता था और रंग देखकर सन्देह हो सकता था। रंग लग जाने पर मैंने कई साड़ियाँ जला दी थीं। रंग छिपाने के लिए हाथों में मेहँदी भी लगाती थी।

विमल जी ने मुझे किसी वैद्य को दिखाया था। वैद्य ने एक दवाई ऐसी भी दी थी, जिसे पीस कर उसकी फकी पानी के साथ लेनी थी। फैक्टरी में सिलबट्टा रखा था। मैंने उस पर पीसकर फकी ले ली। थोड़ी देर बाद ही मुझे चक्कर आया और उल्टी होनी शुरू हो गयी। पसीना भी आ गया। विमल जी ने बताया कि सिल पर जहरीली चीज पीसी गयी थी। इसी कारण यह हुआ। इस विषय में और मुझे कुछ याद नहीं कि क्या हुआ और मेरी तबीयत कैसे ठीक हुई। काफी उल्टी होने के बाद शायद जहरीली चीज निकल गयी थी।

दो-चार दिन के बाद मालूम हुआ कि फैक्टरी में एक सज्जन और आने वाले हैं। समस्या थी कि उन्हें स्टेशन से फैक्टरी तक किस प्रकार लाया जाए। उन्हें केवल यशपाल जी जानते थे और लाहौर से आने वाली गाड़ी पर जाना यशपाल जी के लिए खतरे से खाली न था, क्योंकि उन्हें लाहौर और दिल्ली से फरार घोषित कर दिया गया था और उनका फोटो पुलिस के पास था, जो अखबारों में भी निकाला जा चुका था। मगर कोई चारा भी न था, इसलिए विमल जी और यशपाल जी दोनों स्टेशन गये। यशपाल जी सिंधी व्यापारी के भेष में थे और विमल जी उनके साथ होते हुए भी उनसे अलग कुछ फासले की दूरी से चल रहे थे। दोनों में परस्पर तय हो गया था कि जिस डिब्बे से आगन्तुक उतरेंगे, यशपाल जी एक क्षण खड़े होकर चले जाएँगे और विमल जी इस घटना को दूर से देखते रहेंगे। यशपाल जी के चले जाने के बाद विमल जी उन सज्जन के पास जाकर अपना इतना परिचय देंगे कि वे उन्हें लेने आये हैं। इस बात में कोई धोखा होने की बात नहीं थी। कारण आगन्तुक के बारे में विमल जी को पूरी तरह से जानकारी करा दी गयी थी। इसके अतिरिक्त आगन्तुक शक्ल, सूरत, रंग और कद में अलग ही था और सारी भीड़ में अलग से पहचाना जा सकता था। आगन्तुक के पास पहुँच कर विमल जी ने 'हलो' कहा और उनका मामूली-सा सामान कुली से उठवाकर अपने साथ चलने के लिए कहा। आगन्तुक यशपाल जी को पहले ही देख चुके थे और बगैर कुछ कहे वे विमल जी के साथ फैक्टरी आ गये। फैक्टरी में नये आने वाले ये सज्जन थे – सच्चिदानन्द हीरानन्द वात्स्यायन, जो तब तक अज्ञेय नहीं हुए थे।

वे फैक्टरी में रसायन विज्ञान के सलाहकार की हैसियत से आये थे। पिकरिक एसिड तो यशपाल जी की देखरेख में बन ही रहा था, किन्तु कुछ नये

प्रयोग करने थे, इसलिए वात्स्यायन जी को इस काम के लिए बुलाया गया। वात्स्यायन जी की देखरेख में कई और चीजें तैयार की गयीं, जैसे क्रोटन सीड आयल और टी.एन.टी. आदि।

मेरे धुले हुए मसाले का निरीक्षण वात्स्यायन जी करते थे और वही बम के खोल में मसाला भरकर बम तैयार करते थे। पिकरिक एसिड विमल जी बनाते थे। कभी-कभी मैं भी उनको सहयोग करती थी। हालाँकि विमल जी मना करते थे कि जरा-सी असावधानी से आग लग सकती है, परन्तु मैं मानती न थी और पूरी सावधानी बरतती थी और ठीक प्रयोग करने पर प्रसन्न होती थी। इस पर विमल जी को विश्वास हो चला था और कभी-कभी काम पड़ने पर मुझे अकेला छोड़कर बाहर भी चले जाते थे।

वात्स्यायन जी से पहले दिन से ही हमारे घनिष्ठ सम्बन्ध हो गये थे। ऐसा लगता था जैसे हम लोग सदियों से एक दूसरे के मित्र और अपने हैं। काम से फुरसत मिलने पर हम तीनों घंटों बैठकर दुनिया भर की बातें किया करते थे। उन्हीं दिनों वात्स्यायन जी ने एक कहानी लिखी थी, जो उन्होंने हमें पढ़ कर सुनाई थी। वह शायद उनकी पहली रचना थी। दुर्भाग्य से वह पाण्डुलिपि विमल जी के गिरफ्तार होने के बाद उनके सूटकेस से रिवाल्वर के साथ पुलिस के हाथ पड़ गयी थी। उस कहानी की बात तो मुझे याद नहीं है, मगर कहानी की एक पंक्ति आज भी याद है। वह पहली पंक्ति थीः कुछ महिलाएँ बदसूरत होते हुए भी जब वह हँसती हैं तो सुन्दर लगने लगती हैं; किन्तु वह हँसते समय और भी बदसूरत हो जाती थी।

थोड़े दिन के बाद फैक्टरी में प्रकाशवती नाम की एक महिला और आ गयी। हमें बताया गया कि वह पार्टी का काम करने के लिंए घर से सब सम्बन्ध तोड़कर आयी है।

एक दिन योजना बनी कि सलफोनिक गैस का निरीक्षण किया जाए। पुराना किला, जिसे कौरव-पाण्डव का किला भी कहते हैं, गैस के परीक्षण के लिए उपयुक्त स्थान समझा गया, क्योंकि उसके खँडहरों में बहुत से चमगादड़ लटके रहते थे और गैस छोड़ने के बाद वहाँ से अलग हटने के लिए काफी स्थान था। उस गैस के असर से किसी और को नुकसान होने की सम्भावना भी नहीं थी। किला ज्यादातर सुनसान ही रहता था। यशपाल जी, विमल जी और अज्ञेय जी कैमरा आदि लटकाए सैलानी जैसे वेष में वहाँ पहुँचे। मेरे पास कैमरा नहीं था। गैस का प्रयोग किया गया। प्रयोग बहुत सफल नहीं था। उसमें अभी और अन्वेषण की आवश्यकता थी। उसी अवसर पर यशपाल जी ने हम लोगों को वह स्थान दिखलाया जहाँ से लॉर्ड इर्विन की ट्रेन उड़ाई गयी थी।

फैक्टरी में खाना बनाने आदि का सब इन्तजाम मेरे हाथ में था। खाना मामूली तौर पर एक ही समय बनता था, ज्यादातर खिचड़ी या दाल चावल।

अक्तूबर 1930 में अचानक कैलाशपति दिल्ली में गिरफ्तार कर लिये गये। वे दल में एक मुख्य स्थान रखते थे। उन्होंने पुलिस को दल के सारे भेद बता दिये। वे सरकारी गवाह बन गये थे। अज्ञेय जी का नाम वे नहीं जानते थे। उनसे साइंटिस्ट के नाम से परिचित थे, लेकिन और सब विवरण उन्होंने पुलिस को दे दिया। पुलिस यशपाल की तलाश में अमृतसर में घूम रही थी। वहाँ एक नौजवान, जो यशपाल जी और अज्ञेय जी को जानता था, पुलिस उसे सब इंस्पेक्टर बनाने का प्रलोभन देकर अपने साथ लायी थी। उसने अचानक अज्ञेय जी को एक मुलसमान पेंटर और मस्जिद में अजान देने वाले मुल्ला के रूप में पहचान लिया और पुलिस को खबर कर दी। अज्ञेय जी को, जो मोहम्मद बक्स के नाम से देवराज और केशव किशन के साथ छद्मवेष में रह रहे थे, गिरफ्तार कर लिया गया। उन्हें लाहौर किले ले जाया गया, जो उन दिनों क्रान्तिकारियों को विभिन्न प्रकार की यातनाएँ देकर दल का भेद उगलवाने के लिए प्रसिद्ध था। वहाँ एक दिन जेनकिंस, जो उस समय लाहौर का एस.पी. था और अपने सख्त बरताव के लिए मशहूर था, अज्ञेय जी से पूछताछ के लिए किले में आया। अज्ञेय जी ने उसके किसी वाहियात सवाल के जवाब में उसे एक चाँटा जड़ दिया।

संयोगवश तेरह-चौदह वर्ष बाद इसी अफसर जेनकिंस के साथ अन्य परिस्थितियों में अज्ञेय जी की भेंट हुई। दूसरा विश्वयुद्ध भयानक अवस्था में पहुँच चुका था। जापान की फौजें एक के बाद एक मुल्क को रौंदते हुए हमारे देश की पूर्वी सीमा तक पहुँच चुकी थीं। अज्ञेय जी का कवि हृदय और मन इस निष्कर्ष पर पहुँच चुका था कि मनुष्य जाति की स्वतन्त्रता और आधुनिक सभ्यता एवं संस्कृति को यदि बचाना है तो फासिस्ट ताकतों को हराना आवश्यक है। अज्ञेय जी ने विश्वयुद्ध में भाग लेने का निश्चय किया और उन्होंने फौज में भरती होने के लिए आवेदन पत्र दे दिया। उसकी पूछताछ इसी अंग्रेज अफसर जेनकिंस को सौंपी गयी। इस अफसर ने अज्ञेय जी के बारे में अपनी रिंपोर्ट में लिखाः 'श्री वात्स्यायन एक साहसी और ईमानदार व्यक्ति हैं और उन पर पूरी तरह विश्वास किया जा सकता है? लेकिन क्या सरकार की हालत इतनी पतली हो गयी है कि उसे एक विद्रोही की सहायता की जरूरत आ पड़ी?' बाद में अपनी यह रिपोर्ट जेनकिंस ने अज्ञेय जी को दिखला दी थी। उस वक्त तो अज्ञेय जी को फौज में भरती नहीं किया गया। मगर विमल जी ने इस मामले को उस समय के गृहमन्त्री मैसवेल से अपनी भेंट में उठाया। थोड़े दिन बाद अज्ञेय जी को सेना के पदाधिकारियों ने साक्षात्कार के लिए बुलाया और उन्हें सेना में कैप्टन पद पर लेने के लिए अपनी

स्वीकृति दे दी। उस समय अज्ञेय जी ने व्यंग्य से कहा था, 'क्या सरकार की वाकई हालत खराब हो गयी है कि वह एक विद्रोही को लेने के लिए तैयार हो गयी!' अफसर लोग यह सुनकर अचम्भे में पड़ गये थे कि दफ्तर की छिपी बात उन तक कैसे पहुँच गयी। अज्ञेय जी ने उन्हें देर तक इस मनःस्थिति में नहीं रहने दिया। उन्होंने स्वयं बतला दिया कि जेनकिंस ने अपनी रिपोर्ट उन्हें दिखा दी थी। जेनकिंस उस समय भारत के खुफिया विभाग के उपनिदेशक थे।

कैलाशपति आदि के विश्वासघात करने पर देश के कोने-कोने में कई नौजवानों को गिरफ्तार कर लिया गया। विद्याभूषण शुक्ल बनारस से, विमल प्रसाद जैन मेरठ से, नन्दकिशोर निगम और विश्वनाथ वैशम्पायन कानपुर से, रुद्रदत्त मिश्रा अजमेर से और धन्वन्तरि दिल्ली से गिरफ्तार हो गये।

दिल्ली में वाइसराय की विशेष आज्ञा से तीन जजों का एक ट्रिब्यूनल बनाया गया और इस मुकदमे का नाम दिल्ली षड्यन्त्र केस रखा गया। सर जफरुल्ला खाँ को सरकारी वकील बनाया गया और साउथ ब्लाक, जहाँ आजकल रक्षा मन्त्रालय और विदेश मन्त्रालय के दफ्तर हैं, में मुकदमे की सुनवाई के लिए अदालत बनाई गयी। उस समय तक वाइसराय हाउस, जो आजकल राष्ट्रपति भवन है, पूरी तरह से तैयार नहीं हुआ था। सोचा गया था कि मुकदमा छह महीने में खत्म कर दिया जाएगा और इस बीच में वाइसराय हाउस तैयार हो जाएगा, वाइसराय और उनका दफ्तर पुरानी दिल्ली से यहाँ लाया जा सकेगा। जब देखा गया कि केस के खत्म होने की जल्दी सम्भावना नहीं है तो वाइसराय अपने भवन में आ गये और इस अदालत को वाइसराय के पुराने भवन में स्थानान्तरित कर दिया गया। वाइसराय के अध्यादेश के अनुसार विशेष अदालत बनाने के अलावा अभियुक्तों के बचाव के वकीलों के लिए 164 रुपये रोज, मुख्य वकील के लिए और 64-64 रुपये रोज, दो सहायक वकीलों के लिए व्यवस्था थी।

अज्ञेय, विमल, धन्वन्तरि, विद्याभूषण, वैशम्पायन ने निर्णय के अनुसार अपना केस स्वयं करने का निश्चय किया। जिन लोगों ने उस केस में अज्ञेय जी को पुलिस के गवाहों से जिरह करते सुना है, उनका कहना है कि उनकी जिरह देश के चोटी के वकीलों की जिरह के अनुरूप थी। केस दो-ढाई साल चलने के बाद खत्म होने के आसपास भी नहीं पहुँचा। ग्यारह सौ गवाहों में से अभी चौंसठ गवाह भी अपना बयान पूरा नहीं कर पाये थे। केवल एक सुलतानी गवाह कैलाशपति को अभियुक्तों ने नौ महीने तक अपनी जिरह के बल पर कठघरे में खड़े रखा। जिरह प्रायः विद्याभूषण और अज्ञेय ने ही की थी। विमल जी ने दल के निश्चय के अनुसार एक बयान देकर, जिसमें दल के सिद्धान्त का प्रतिपादन था, अदालत का

बहिष्कार कर दिया। इसी बीच जफरुल्ला खाँ को वाइसराय की कार्यकारिणी में ले लिया गया और उनकी सलाह से वाइसराय ने एक दूसरे अध्यादेश से अदालत बन्द कर दी। कुछ अभियुक्तों को छोड़ दिया गया, कुछ को दफा 1818 के रेगुलेशन 3 के अनुसार जेल में बन्द कर दिया गया और कुछ को अलग-अलग अभियोग में साधारण अदालत के सामने सुनवाई के लिए भेज दिया गया। वात्स्यायन और विमल जी पर विस्फोट कानून के अन्तर्गत मुकदमा चलाया गया। मिस्टर बिलेकेट, जो दिल्ली में उस समय सेशन्स जज थे, ने अपने फैसले में विमल जी और वात्स्यायन जी को पाँच-पाँच वर्ष की सजा देते हुए लिखा था कि वात्स्यायन का जो लिखित बयान मेरे सामने है, एक ऊँचे साहित्य का नमूना है और अभियुक्त को सजा देते हुए मुझे बहुत अफसोस हो रहा है।

लाहौर हाईकोर्ट में अपील करने पर वात्स्यायन को रिहा कर दिया गया और विमल जी की तीन वर्ष की सजा बरकरार रखी गयी। अज्ञेय जी के छूटते ही पुलिस ने उन्हें फिर गिरफ्तार कर लिया और एक महीने किले में रखकर छोड़ दिया। फिर उन्हें घर में ही नजरबन्द कर दिया गया।

इस सन्दर्भ में एक विशेष उल्लेखनीय बात यह है कि विमल जी ने दिल्ली जेल से कुछ कहानियाँ मेरे देवर धनकुमार के पास छिपे तौर पर भिजवाई थीं और यह कहलवाया था कि ये कहानियाँ जैनेन्द्र जी के पास ले जाएँ और यदि उन्हें पसन्द आ जाएँ तो किसी पत्रिका में छपवाने की व्यवस्था कर दें। कहानियों का लेखक कौन है, यह हममें से किसी को भी मालूम नहीं है। जैनेन्द्र जी के पूछने पर धनकुमार ने उनसे भी यही कहा। जैनेन्द्र जी को कहानियाँ पसन्द आयीं और उन्होंने प्रेमचन्द जी के पास भिजवा दीं। प्रेमचन्द जी को भी कहानियाँ पसन्द आयीं और उन्होंने उन्हें प्रकाशित करने का निश्चय किया और जैनेन्द्र जी को लिखा कि वह लेखक का नाम भेज दें। जैनेन्द्र जी ने उन्हें सूचित किया कि लेखक तो अज्ञेय है, क्योंकि वह जेल में है। प्रेमचन्द जी ने अज्ञेय नाम से कहानियाँ *हंस* पत्रिका में प्रकाशित कर दीं। इस प्रकार वात्स्यायन जी के नाम के साथ अज्ञेय नाम प्रचलित हो गया।

1936 में विमल जी जेल से छूटकर बाहर आये। उसके बाद हम मेरठ में शान्तिस्वरूप के मकान में रहने लगे। अज्ञेय जी तब हमारे पास कुछ दिनों के लिए आकर ठहरे थे। उस समय मेरी लड़की इन्दु पाँच महीने की थी। उसे बैठना भी नहीं आता था। वह बैठी-बैठी लुढ़क जाती थी। भाई जी उसके लिए एक मूढ़ी खरीद लाये थे। मूढ़ी को औंधी करके उसमें गद्दी डालकर इन्दु को बैठा देते और उसे खिलाते थे। इन्दु भी किलकारी के साथ हँसती थी और खूब खेलती थी। इन्दु का नाम भाई जी ने ही रखा था। जब इन्दु का जन्म हुआ था, तब मैं बहुत बीमार

हो गयी थी। उस समय अज्ञेय जी मुझसे मिलने आये थे और तभी उन्होंने उसका नाम रखा था। इन्दु की लड़की और इन्दु के भाई का नाम भी अज्ञेय जी ने ही रखा था। उनके पास कैमरा था और उन्होंने इन्दु के बहुत सारे फोटो खींचे थे। तभी अज्ञेय जी ने बहुत-सी मूर्तियाँ भी बनाई थीं। उन मूर्तियों में एक मूर्ति एक सुन्दर बच्चे की भी उन्होंने बनाई। एक दिन एक महिला आयी थी। बच्चा उसके साथ आया था लेकिन जब उन्होंने मूर्ति बनाई थी, तब बच्चा उनके पास नहीं था। मैं सोचती हूँ कि उन्होंने अपने मन-दर्पण में उस बच्चे के रूप-रंग और अंग के आकार के प्रति छाप डालकर ही मूर्ति बनाई होगी, टोपी भी उसी प्रकार पहनाई थी, जिस प्रकार वह बच्चा पहने था। जब मूर्ति बनकर तैयार हो गयी तो भाई जी ने मुझसे पूछा 'भाभी, यह मूर्ति कैसी बनी है?'

बिना विलम्ब किए मैंने तुरन्त उत्तर दिया, 'भाई जी, मूर्ति तो बहुत ही सुन्दर बनी है, हूबहू उस बच्चे की शक्ल है, एक हफ्ता पहले जो एक महिला आयी थी और बच्चा उसके साथ आया था।'

भाई जी मन्द-मन्द मुस्कुराते हुए और मेरी बात में हाँ मिलाते हुए बोले, 'भाभी, जरा ध्यान से देखो, नाक में कमी रह गयी है।'

अगले दिन देखती हूँ कि भाई जी नाक की पूर्ति करने में लगे हुए हैं। अज्ञेय जी छत पर बनी कुछ ऊँची दीवार की मुँडेर पर मूर्ति बनाने का सब मसा़ला रख लेते थे और टेढ़े-मेढ़े खड़े होकर मुँडेर पर मूर्तियाँ बनाते थे।

एक दिन विमल जी बाजार से कटहल खरीदकर लाये। मैंने उनसे कहा कि मैंने तो कभी कटहल की सब्जी नहीं बनाई, यह कैसे बनाई जाती है। अज्ञेय जी ने तुरन्त कहाः 'भाभी, कटहल की सब्जी बनाना मैं जानता हूँ। आज मैं ही सब्जी बनाऊँगा।' सब्जी उन्होंने बनाई, जो बहुत ही स्वादिष्ट बनी थी। इसी प्रकार एक दिन उन्होंने खीर बनाई। जब तक वह हमारे पास रहे, कभी कुछ तो कभी कुछ बनाते ही रहे।

दोपहर का खाना हम तीनों एक साथ खाते थे। एक दिन कमरे में चटाई बिछाकर खाने का सब इन्तजाम कर लिया गया और हम लोग विमल जी की प्रतीक्षा कर रहे थे, लेकिन अचानक गाँब से मेरी सास आ गयी। मैंने उनके पैर छुए और अज्ञेय जी ने उन्हें नमस्ते करते हुए कहा, 'माँ, आपने मुझे पहचाना?' माँ ने नमस्ते लेते हुए कहा, 'कोर्ट-कचहरी में चढ़कर भी तुम्हें नहीं पहचानूँगी।' जब दोनों में परस्पर बातें हो रही थीं, तभी विमल जी आ गये। माँ को देखकर विमल जी ने पहला सवाल यही किया, 'माँ, अज्ञेय जी को पहचाना?' माँ केवल मुस्कुरा दी थीं। मैंने दोनों के लिए खाना परोस दिया। खाना खाने के बाद विमल जी ने माँ से कहा, 'मैं जल्दी में हूँ, केवल खाना खाने यह सोचकर आया हूँ कि ये लोग

मेरा इन्तजार कर रहे होंगे। शाम को लौटकर आपसे बातें करूँगा।' अज्ञेय जी को भी मूर्तियों के लिए सामान लाना था, इसलिए वे भी विमल जी के साथ चले गये।

माँ ने स्नान किया और खाना खाकर जब वह कमरे में पहुँचीं तो वहाँ बहुत-सी मूर्तियाँ रखी हुई देखीं। माँ ने पूछा कि ये मूर्तियाँ कहाँ से आयी हैं? मैंने उन्हें बताया कि ये सब मूर्तियाँ वात्स्यायन भाई ने बनाई हैं। कुछ देर तक मूर्तियों को बड़े ध्यान से देखने के बाद माँ ने मुझसे पूछा कि क्या वात्स्यायन जी मूर्तियों का व्यापार करते हैं। मैंने बतलाया कि नहीं माँ, उन्हें मूर्तियाँ बनाने का शौक है। मूर्तियों का ही नहीं, उन्हें फोटोग्राफी का भी बहुत शौक है। यह कहते हुए मैंने उनके सामने इन्दु के बहुत से फोटो निकालकर रख दिए, साथ में और भी बहुत से फोटो, जैसे इलाहाबाद का अलफ्रेड पार्क, जहाँ चन्द्रशेखर आजाद को गोली लगी थी, दिल्ली का कुतुबमीनार, लाल किला, घंटाघर, आगरा का ताजमहल और हम दोनों के चित्र भी, कहाँ तक गिनाऊँ।

जब मैं माँ को एक-एक करके चित्र दिखला रही थी तो इन्दु ने अपने जागने का अलार्म बजा दिया। माँ ने उसे उठा लिया।

वात्स्यायन जी *सैनिक* पत्रिका के सम्पादक होकर आगरा चले गये। 1937 में कांग्रेस ने उन सब विधायकों का, जो 1935 के कानून के अनुसार अलग-अलग प्रान्तों में चुने गये थे, दिल्ली में एक सम्मेलन बुलाया था, जिसमें कांग्रेस को यह निर्णय लेना था कि जिन प्रान्तों में काँग्रेस का बहुमत आ गया है, वहाँ पर कांग्रेस मन्त्री पद ग्रहण करके सरकारें बनाए या नहीं। विमल जी उस सम्मेलन तक किसानों के मार्च का संगठन करने का विचार कर रहे थे। उन्होंने वात्स्यायन जी को भी अपने गाँव सिमाना बुला लिया। दोनों ने मिलकर एक किसान मार्च संगठित किया। इस रैली में मेरठ जिले के सौ गाँवों से उन सम्बद्ध स्वतन्त्रता सेनानियों को आमन्त्रित किया गया, जिन्होंने सन् 1930 और 1932 के आन्दोलन में भाग लिया था और कारावास की सजाएँ भुगती थीं। किसानों की तरफ से कांग्रेस के प्रधान राजेन्द्र प्रसाद जी को ज्ञापन देने का निश्चय किया गया था। उसमें माँग की गयी थी कि अगर कांग्रेस पद ग्रहण करने का निश्चय करती है तो उनको कांग्रेस की तरफ से किसानों के लिए ये कार्य करने का आदेश होना चाहिएः लगान और सिंचाई की दर आधी कर दी जाए, किसानों का कर्ज माफ कर दिया जाए और किसान जिस जमीन को बोता है, उसमें मारुसी कर दिया जाए।

वात्स्यायन जी ने बड़े-बड़े पोस्टर तथा पेंटिंग बनाई थीं, कुछ इकट्ठी की थीं, जिनको बाँसों में जड़कर किसान उठाए चल रहे थे। इस चालीस मील के मार्च ने सारे इलाके में जागृति पैदा कर दी थी। मार्च के संगठन और संयम की चर्चा बहुत

दिनों तक रही। यह रैली दिल्ली से लौटकर एक किसान सम्मेलन में परिणत हो गयी थी। इसके सभापति प्रोफेसर रंगा तथा स्वामी सहजानन्द थे। डॉ. असरफ, डॉ. अहमद आदि कम्युनिस्ट नेताओं ने भी इसमें भाग लिया, लेकिन वात्स्यायन जी को अन्त में बहुत निराशा हुई।

यद्यपि वात्स्यायन जी और विमल जी राजनीतिक विषयों पर समान विचारधारा रखते थे, फिर भी विमल जी नहीं चाहते थे कि वात्स्यायन जी सक्रिय राजनीतिक गतिविधियों में भाग लें। उन्हें दृढ़ विश्वास था कि वात्स्यायन जी में एक विलक्षण बुद्धि और संवेदना व्यक्त करने की असीम शक्ति उन्हें एक महान कलाकार बना सकती है। वात्स्यायन जी स्वयं भी साहित्य सृजन के मूल्य पर राजनीति में भाग लेना नहीं चाहते थे, किन्तु राजनीति में सब विचारधाराओं का मूल्यांकन कर लेते थे। और उनके बारे में अपना स्पष्ट विचार व्यक्त करने में जरा भी नहीं हिचकिचाते थे।

वात्स्यायन जी *सैनिक* का सम्पादन छोड़कर आगरा से आ गये थे। इस बीच में उनकी बहन इन्दुमती मेरठ में अध्यापिका बन गयी थीं और वे हमारे मकान के पास ही रहती थीं। वात्स्यायन जी आगरा से आने के बाद उन्हीं के साथ रहने लगे और शीघ्र ही मेरठ की सामाजिक और साहित्यिक गतिविधियों में सक्रिय भाग लेने लगे। उन्होंने होमवती जी के साथ मिलकर मेरठ में साहित्य परिषद की स्थापना की। इसके तत्वावधान में दो बड़े साहित्य सम्मेलन हुए, जिसमें चोटी के लेखकों जैसे सूर्यकांत त्रिपाठी निराला, हरिवंशराय बच्चन, भगवतीचरण वर्मा, जैनेन्द्र कुमार, हजारी प्रसाद द्विवेदी, नरेन्द्र शर्मा तथा शिवमंगल सिंह सुमन आदि ने भाग लिया था।

1937-38 में वात्स्यायन जी *विशाल भारत* के सम्पादक होकर कलकत्ता चले गये। इस बीच में वे एम.एन. राय के सम्पर्क में आ चुके थे और राजनीति में उनकी विचारधारा काफी हद तक एम.एन. राय की विचारधारा से मिलती थी। उन्होंने एम.एन. राय से फासिज्म के बारे में लेख लिखाया था, जो *विशाल भारत* में प्रकाशित हुआ। जिन्होंने उस लेख को उस समय पढ़ा होगा, वे जानते हैं कि दोनों को ही फासिज्म के भयंकर रूप का एहसास था। दोनों ही जानते थे कि व्यक्तिगत स्वतन्त्रता और आधुनिक सभ्यता का सबसे बड़ा दुश्मन फासिज्म ही है। इसलिए लड़ाई छिड़ने के बाद इन दोनों को अपना रास्ता चुनने में कोई द्वन्द्व नहीं हुआ। एम.एन. राय से वार्तालाप करते समय वात्स्यायन जी ने एक दफा कहा था कि आपके बर्फ जैसे ठण्डे विवेक और तर्क में यदि भावुकता और रोमांस की गरमाई भी मिश्रित हो जाए तो जीवन ज्यादा सुखद और सुन्दर हो जाए।

वात्स्यायन जी से महीनों और कभी-कभी सालों भेंट नहीं होती थी। किन्तु

जहाँ पर भी वे होते थे, वहाँ के किसी सुन्दर स्थान की तस्वीर का पोस्टकार्ड अवश्य भेजते थे। वात्स्यायन जी खाने-पीने और रहन-सहन में सादे मिजाज के थे। बच्चों के वे दोस्त थे। बच्चों को पिकनिक ले जाना उनका विशेष शगल था, कभी चिड़ियाघर तो कभी नर्सरी तो कभी ऐतिहासिक स्थान। प्रत्येक सैर में बच्चों को न केवल खेलकूद से आनन्दित करते थे, बल्कि हर जानवर और फूल से साक्षात्कार कराकर शिक्षित भी करते थे।

अज्ञेय जी व्यंग्य भी कर लेते थे। मगर उनमें एक विशेषता थी कि उन्होंने किसी को कभी कोई अपशब्द नहीं कहा।

10

स्वतन्त्रता और स्वधर्म

॥ निर्मल वर्मा

कुछ लेखकों की यादें उनके जीवन और कृतित्व से उतनी नहीं, जितनी अपने जीवन के एक खास चरण से जुड़ी होती हैं, जब पहले-पहल हमने उन्हें पढ़ा था। उनकी पुस्तकों की स्मृति हमारे अपने अतीत की परतें खोलने लगती हैं। हमें लगभग कैलेंडर की तारीखों की तरह याद रहता है कि दॉस्तोयेवस्की का अमुक उपन्यास और प्रेमचन्द की अमुक कहानी हमने बचपन और बीते हुए यौवन की किसी विशेष स्थिति में पहली बार पढ़ी थी।

अज्ञेय के साथ मेरा – एक लम्बे अरसे तक – कुछ ऐसा ही रिश्ता रहा। उनकी पुस्तकों से मेरा सम्बन्ध कुछ इतना अन्तरंग था कि उन्हें एक व्यक्ति की हैसियत से जान सकूँ, इसकी इच्छा कभी बहुत सशक्त नहीं रही। बाद के वर्षों में जब मैं उनके कुछ अधिक निकट आ गया था, शुरू की यह अजब दूरी हमेशा कायम रही। यदि यह एक विरोधाभास न जान पड़े तो मैं इसे एक 'आत्मीय दूरी' कहना चाहूँगा, जिसमें सान्निध्य का स्नेह था तो दूरी की निस्संगता भी – और इन दोनों के बीच विश्वास का पुल था। यह विश्वास कभी ऊपर उठकर प्रेम का दर्जा हासिल न कर सका, किन्तु वह नीचे गिरकर कभी विरक्ति या वितृष्णा में भी स्खलित नहीं हुआ। मेरे लिए अज्ञेय एक लेखक और वात्स्यायन एक व्यक्ति बहुत हदों तक अलग-अलग दराजों में रहते थे, इसलिए एक की भ्रान्ति दूसरे पर आरोपित करने से बच पाता था।

कभी-कभार मैं बिलकुल भूल जाता था कि मैं *शेखर* के लेखक के साथ बैठा हूँ। वह लेखक मेरे भीतर था, जिसके उपन्यास और कहानियों ने मेरी कच्ची उम्र की मिट्टी पर अपनी एक ऐसी असाधारण प्रतिमा गढ़ी थी कि विश्वास नहीं होता था कि सामने बैठे हुए चुप, गुमसुम, शालीन व्यक्ति ने कभी मुझे सिर्फ अपने शब्दों से इतनी गहराई से मथा था, जितना किसी और हिन्दी लेखक ने नहीं। कई बार मेरे भीतर इच्छा उमगती थी कि मैं उन्हें बताऊँ कि दसवीं क्लास की अपनी पाठ्य-पुस्तक में उनकी एक कहानी – 'कड़ियाँ' उसका नाम था – पढ़कर लगा

था, कैसे बस की खिड़की से भागता एक परिदृश्य सिर्फ शब्दों के सहारे भीतर से लैंडस्केप को एक चमकीली कौंध की तरह झुलसा सकता है। अज्ञेय से पहले मैंने कभी हिन्दी गद्य-लेखन में प्रकृति की तीव्र मांसलता को मनुष्य के अन्तस्तल में प्रवेश करते नहीं देखा था। मैं जो आज तक प्रेमचन्द, सुदर्शन और यशपाल की आहार-सामग्री पर पलता आया था, कभी कल्पना भी नहीं कर सकता था कि एक सुन्न दुपहर में बालू की तह पर किसी भागती हुई गूजर लड़की की नंगी टाँगें सिर्फ अपनी उत्तप्त उदासी में किशोर मन में पहली बार सेक्स की धुँधली चेतना उघाड़ सकती हैं। कहानी की घटनाओं से नहीं, सिर्फ बस की खिड़की से बाहर देखे एक क्षणभंगुर दृश्य के द्वारा!

मैंने कभी यह बात वात्स्यायन जी से नहीं कही, शायद कोई फायदा भी नहीं था। कहानी की स्मृति अब उनकी रचना नहीं, मेरे अनुभव का एक अभिन्न अंग बन गयी थी। किसी रचना की शायद यही चरम उपलब्धि होती है, जब वह अपने रचयिता से विदा लेकर अपने पाठक के मन में बस जाती है। लेखक जीवित न भी रहे, वह कभी मृत नहीं होती। यह दूसरा जीवन ही उसका असली जीवन होता है। बरसों बाद कहानी को दुबारा पढ़ते हुए वह नये सिरे से साँस लेने लगती है।

किन्तु ठीक यहीं एक दिलचस्प विरोधाभास जन्म लेता हैः अज्ञेय की कृतियों में हम शायद ही कभी रचना के लेखक को भूल पाते हैं। प्रेमचन्द की कहानियों में हम प्रेमचन्द को भूल सकते हैं – अज्ञेय हमें हमेशा अपने अस्तित्व की याद दिलाते रहते हैं। अज्ञेय की अधिकांश रचनाओं को पढ़ते हुए बराबर उनकी अदृश्य 'उपस्थिति' का अहसास बना रहता है। यह कभी-कभी हमारे स्वायत्त अनुभव में गहरी बाधा भी बन जाता है। उनकी कहानी या कविता पढ़ते हुए हम सिर्फ खिड़की के बाहर फैला परिदृश्य ही नहीं देखते, बल्कि उस 'आँख' को भी देखते हैं जो उस परिदृश्य को एक रचनात्मक अनुभव में परिणत कर रही है। कुछ ऐसा लगता है, जैसे कभी किसी फोटोग्राफ को देखकर लगता है – जहाँ बाहर दृश्य पर कैमरे की छाया भी दिखाई दे जाती है। हम रचना के कथ्य से अपनी ओर मुड़ते हैं, लेकिन हर बार मुड़ते हुए हमें उस 'छाया' को लाँघना पड़ता है जो एक तरफ हमारे अनुभव को बहुत इंटेंस (सघन) बनाती है, तो दूसरी तरफ उसे थोड़ा-सा अवरुद्ध भी कर जाती है। अज्ञेय जो अपने जीवन में इतना चुप रहते थे, अपनी रचनाओं में बोलते दिखाई देते हैं। मानो कह रहे हों, देखो, जो मैं देख रहा हूँ, इसका कभी-कभी उलटा असर होता है। हम देखने के बजाय उनकी आवाज सुनने लगते हैं।

लेकिन यही 'आवाज' हमारे रचनात्मक अनुभव को एक ऐसा संस्कार देती थी, जिसे किसी बेहतर शब्द के अभाव में हम 'आत्मचेतना का स्वर' कह सकते

हैं। अज्ञेय यदि हिन्दी कविता के आधुनिक आन्दोलन के प्रमुख प्रवक्ता बने तो इसी आत्मचेतना के कारण, जिसे उन्होंने बहुत निष्ठा और सजगता के साथ *तार सप्तक* में नियोजित किया था। यह काम उन्होंने कोई महान आधुनिक कविता या उपन्यास लिखकर नहीं किया, जैसा एक समय में एलियट ने वेस्टलैंड और जॉयस ने यूलिसिस लिखकर समूचे साहित्य की दिशा को मोड़कर किया था। कितना अजीब है कि आज हम शायद ही अज्ञेय की किसी ऐसी कविता को याद कर पाते हैं, जो उन्होंने *तार सप्तक* में संकलित की थी। सच तो यह है कि 'सप्तक' में अज्ञेय की कविताएँ ही ऐसी हैं, जो छायावादी कवियों के मुहावरे से अलग होते हुए भी उनके रोमांटिक बोध की सबसे अधिक याद दिलाती हैं। अज्ञेय की आधुनिकता इसमें निहित नहीं थी कि उन्होंने एलियट की तरह हिन्दी कविता को एक नये धरातल पर प्रतिष्ठित किया, बल्कि वह इसमें थी कि उन्होंने कविता के उस रोमांटिक भाव-बोध को आत्मचेतना की वायवी और वस्तुगत यातना के साथ जोड़ा था, जिसे छायावादी कवियों ने (एकमात्र निराला को छोड़कर) उपेक्षित और अधूरा छोड़ दिया था। अज्ञेय छोड़ते नहीं, सिर्फ मुड़ते हैं; और जहाँ मुड़ते हैं वहाँ भी छूटे हुए रास्ते के स्मृति-संकेत अपने साथ ले जाना नहीं भूलते। अज्ञेय और हमारे पीढ़ी के लेखकों के बीच यह बड़ा अन्तर था। हममें से अनेक टूटे हुए लेखक थे, जो अपनी रचनाओं में जुड़ने का स्वप्न देखते थे। अज्ञेय अपने संस्कारों में सहज रूप से जुड़े हुए लेखक थे, जो अपने कृतित्व में टूटने की यातना दर्ज कर लेते थे। शायद वह व्यक्ति जो अपने राजनीतिक जीवन में सचमुच आतंकवादी होता है (जैसा अज्ञेय अपने आरम्भिक जीवन में थे), वह अपने साहित्य में तोड़-फोड़ का नाटकीय अभिनय नहीं दुहराना चाहता।

यह वही लेखक कर सकता है जो सहज रूप से स्वाधीन होता है। अज्ञेय की अनेक सीमाएँ थीं, किन्तु आखिर तक उनका स्वाधीनता-बोध अप्रतिम और अक्षुण्ण रहा। अज्ञेय का व्यक्तित्व सहज रूप से सिमटा हुआ था, किन्तु अपने स्वाधीनता-बोध के कारण वह बार-बार उसका अतिक्रमण कर लेते थे। इसी कारण अपनी रुचियों में बहुत वैयक्तिक होने पर भी वह दूसरे लेखकों के रचना-संसार में बहुत आसानी से प्रवेश कर लेते थे। आज के समय में, जब हर पत्रिका किसी खास समूह का झंडा गाड़े दिखाई देती है, *प्रतीक* की पुरानी फाइलें देखकर एक सुखद आश्चर्य होता है, जिसके पन्नों पर मुक्तिबोध, शमशेर, और सज्जाद जहीर एक साथ खड़े दिखाई देते हैं। यही खुला और 'कैथलिक' दृष्टिकोण *दूसरा, तीसरा सप्तक* के संकलित कवियों के चयन में दिखाई देता है, जहाँ अपने को खुले रूप से घोषित करनेवाले मार्क्सवादी कवि उन कवियों के साथ बातचीत करते दिखाई देते हैं — भवानीप्रसाद मिश्र, कुँवरनारायण, विजयदेव नारायण साही — जिनके साहित्यिक

आग्रह और आस्थाएँ नितान्त दूसरे किस्म की कला-दृष्टि उद्घाटित करती हैं। उस समय कोई सोच भी नहीं सकता था कि कला के इस खुले, मुक्त और असीम 'स्पेस' को एक दिन 'रूपवादी' और 'जनवादी' कठघरों में बाँधकर हमारी आलोचना हमारे अन्तःविवेक को जगानेवाली भूमिका नहीं, एक हथकड़ी पहनानेवाले कोतवाल का रोल अदा करने लगेगी।

क्या यह आश्चर्य की बात नहीं कि एक लेखक का स्वाधीनता-बोध, जो हर समय, हर देश में लेखन-धर्म की बुनियादी प्रतिज्ञा माना जाता रहा है, वही अज्ञेय को हिन्दी-परिवेश में सबसे अधिक विवादास्पद बनाता रहा? एक स्वाधीन लेखक स्वतः अपनी स्वाधीनता के कारण श्रेष्ठ नहीं हो ज़ाता, किन्तु श्रेष्ठता का दर्जा हासिल करने के लिए अपने भीतर स्वाधीनता का बोध होना एक अनिवार्य शर्त बन जाता है। शायद एक चेक और पोलिश लेखक स्वतन्त्रता के इस मूल्य को एक हिन्दी लेखक से कहीं अधिक गहराई और पीड़ा के साथ महसूस करता है, जिसे हम एक अपेक्षाकृत खुले समाज में इतने सन्देह और वितृष्णा से देखते हैं। एक लेखक को गाँधीवादी या मार्क्सवादी मानने में हमें कोई खास दिक्कत महसूस नहीं होती, लेकिन एक सर्वथा स्वाधीन लेखक जो बाहर के किसी मत अथवा दर्शन को नहीं, स्वयं अपने भीतरी विवेक को कसौटी मानकर चलता है – यह बात हम स्वीकार नहीं कर पाते। स्वाधीनता अपने में कोई मूल्य नहीं, इसलिए यह संयोग नहीं जान पड़ता कि आपातकाल के दौरान सत्ता के आगे घुटने टेकने में हिन्दी के 'प्रतिबद्ध' लेखक सबसे आगे थे, जबकि उससे कुछ समय पहले तक अज्ञेय जयप्रकाश जी की पत्रिका *एवरीमेन्स* का सम्पादन कर रहे थे। अगर पिछले अनेक वर्षों से सोवियत सत्ता द्वारा लेखकों पर पाबन्दी को हमारे मार्क्सवादी आलोचक सही मानते आये थे, तो अपने देश में उसी तरह की तानाशाही को स्वीकार करने में भला क्या आपत्ति हो सकती है? गुलामी की मानसिकता चाहे कितनी लज्जास्पद हो, उसका तर्क संगतिहीन नहीं होता।

इसीलिए स्वतन्त्रता हमारे लिए एक लेखक का सहज धर्म नहीं – एक अभिजात वर्ग का लक्षण बन जाती है। अज्ञेय को 'अभिजात' मानने के पीछे कोई यह भावना नहीं थी कि वह किसी उच्च, सामन्ती वर्ग से आये थे, बल्कि उनका स्वभावगत स्वाधीन विवेक गुलाम मानसिकता में कहीं फिट नहीं हो पाता था। अज्ञेय के प्रति हमारी झुँझलाहट बहुत स्वाभाविक थी। हममें से अनेक लेखक ऐसे परिवेश से आते हैं, जहाँ पग-पग पर हमें 'ऊपरवालों' का मुँह जोहना पड़ता है – वह चाहे पिता हो या परमेश्वर या समाज-परिवार के रूढ़िगत बन्धन। गुलामी एक सहज अवस्था है, जबकि स्वतन्त्रता को अर्जित करने के लिए असीम संघर्ष करना

पड़ता है। इसलिए हम जब बड़े शहरों में आते हैं, तो आसानी से अपनी संस्कारगत गुलामी की जगह किसी पार्टी या विचारधारा की गुलामी स्वीकार कर लेते हैं। हम यह नहीं सोचते कि किसी रेडिकल विचारधारा का ठप्पा लगाने मात्र से आत्मा के अन्दर धँसी गुलामी से छुटकारा नहीं मिलता। इसीलिए जब हम किसी ऐसे व्यक्ति का सामना करते हैं, जो अपने संस्कारों में सहज रूप से स्वाधीन है, वह सीधा हमारे क्रोध और निन्दा का शिकार बन जाता है, उसकी स्वतन्त्र मेधा हमें हर क्षण अपनी गुलाम आत्मा की याद दिलाती है जो हमें असह्य जान पड़ती है। हम स्वयं स्वाधीन होने के बजाय उसे अपनी गुलामी में घसीटना चाहते हैं – और यदि वह इसके लिए तैयार नहीं होता, तो हम आसानी से उसे अमेरिकी एजेंट या पूँजीवादी दलाल कहकर दुबारा अपनी गुलामी की खोह में शरण लेकर अपनी कचोटती आत्मा से मुक्ति पा लेते हैं।

यदि अज्ञेय के सन्दर्भ में मुझे अपने साहित्यिक परिवेश की दास-वृत्ति याद आती है तो इसलिए कि ठीक इस 'गुलाम-अवस्था' का वर्णन एक दूसरे देश के लेखक ने इतनी मार्मिक सचाई से किया था, जो हम सबके लिए एक उदाहरण होना चाहिए। चेखव अपने एक मित्र को पत्र में लिखते हुए अपने बाल्यकाल के भयंकर अनुभवों के बारे में कहते हैं, "तुम मेरे बारे में एक कहानी लिखो कि कैसे एक युवक को अपना समूचा यौवन बलिदान करके स्वाधीनता अर्जित करनी पड़ी, जो एक कुलीन घराने के लेखक को प्रकृति से वरदान में मिलती है...मैंने अपने भीतर से गुलाम को बूँद-बूँद निचोड़कर बाहर निकाला है और एक सुबह मैंने पाया कि मेरी धमनियों में गुलाम का रक्त नहीं, एक मनुष्य का सच्चा खून प्रवाहित हो रहा है।"

चेखव के ये शब्द हिन्दी के वर्तमान वातावरण में कितने अजीब और पराये जान पड़ेंगे, इस बारे में कोई भी टिप्पणी निरर्थक है।

अज्ञेय का स्वाधीनता-बोध अमूर्त नहीं था: वह सीधा-सादा सृजन और कर्म की उन समस्याओं से जुड़ा था, जिनसे आज का हर संवेदनशील लेखक जूझता है। पिछले वर्षों में यदि किसी एक लेखक ने हिन्दी भाषा को विचारों का सबसे सशक्त और समर्थ माध्यम बनाने की चेष्टा की, उसमें अज्ञेय अग्रणी थे। आकाशवाणी की भाषा हो अथवा हिन्दी पत्रकारिता में राजनीतिक शब्दावली का प्रयोग, अज्ञेय की कोशिश हमेशा यह रहती थी कि शब्दों का सही और सटीक इस्तेमाल हो सके। वे एक तरफ हिन्दी भाषा को पण्डिताऊ बोझिलपन से छुटकारा दिलवाना चाहते थे, तो दूसरी तरफ उसे अंग्रेजी की आक्रामक प्रभुसत्ता से मुक्त करवाना चाहते थे। यह काम आसान नहीं था। इसके लिए उन सब मोर्चों पर संघर्ष करना जरूरी था, जहाँ सत्ताधारी शक्तियाँ भाषा को भ्रष्ट करने की प्रक्रिया में सत्य को

सम्प्रेषित करने के साधनों को दूषित करती हैं।

मुझे कभी-कभी काफी आश्चर्य होता था कि जिस लेखक को 'अहंकेन्द्रित रूपवादी' होने का आरोप आजीवन सहना पड़ा, वह किस हद तक भाषा के राजनीतिक दुराचार के विरुद्ध संघर्ष करता रहा! आज के व्यावसायिक युग में, जहाँ सम्प्रेषण के साधन दिनों-दिन झूठे और पराधीन बनते जा रहे हैं, लेखक के सामने यह चुनौती बराबर बनी रहती है कि वह अपनी भाषा को अवमूल्यित किए बिना दूसरों तक अपनी सचाई पूरी पवित्रता और प्रामाणिकता के साथ सम्प्रेषित कर पाए। कुछ लेखक अपने 'अनमोल सत्यों' के प्रति इतने आसक्त रहते हैं कि बिना सम्प्रेषण का जोखिम उठाए स्वयं अपने में दुरूह, अस्पष्ट और आत्म-सम्मोहित हो जाते हैं, किन्तु एक दूसरा खतरा भी है, जब लेखक दूसरों तक पहुँचने की जल्दबाजी में स्वयं अपनी आत्मीय सचाई से समझौता करने लगता है, सस्ते दामों पर लोकप्रियता अर्जित करने के लालच में अपनी भाषा को ही भ्रष्ट करने लगता है। अज्ञेय की यह अद्भुत विशेषता थी कि वे दोनों गढ़हों से बचकर अपनी भाषा की शर्तों पर दूसरों तक पहुँचने की जोखिम उठाते रहे। यह एक तरह से हवा में तनी हुई रस्सी पर चलना था – सस्ती लोकप्रियता और आत्म-सम्मोहन के बीच – इसमें वह सफल भी हुए, असफल भी, किन्तु लेखक का प्राथमिक धर्म इस रस्सी पर भी चलना है, इस चुनौती से उन्होंने कभी मुँह नहीं मोड़ा।

भाषा की समृद्धि और सम्पदा कमरे की चहारदीवारी के बीच सुरक्षित नहीं रहती, इसका अहसास भी अज्ञेय को था। मुझे लगता है, अपने अन्तिम वर्षों में अज्ञेय का अपनी जातीय परम्परा के प्रति आकर्षण – अन्य कारणों के अलावा – इसमें भी था कि वे उसमें उन सब स्मृतियों, मिथकों, पुराणकथाओं को उत्कीर्णित करना चाहते थे जो सैकड़ों वर्षों से हमारी वाचिक और साहित्यिक परम्परा का जीवन-स्रोत रहे हैं। जो काम उनके पिता ने पुरातत्त्व क्षेत्र में किया – जमीन से शिलालेख, मूर्तियों को निकालने का कार्य – वही काम अज्ञेय अन्तिम वर्षों में अपने भारतीय अतीत के विशाल स्मृति-प्रदेश में करना चाहते थे, इतिहास की राख-मिट्टी में दबे उन सब 'मील के पत्थरों' को खोदकर बाहर निकालना, जिन पर भारतीय संस्कृति के पड़ाव-चिह्न अंकित थे। वे आज के भारतीय लेखक की विशिष्ट भूमिका परम्परा के निरन्तर प्रवाह में निर्दिष्ट करना चाहते थे, जो आधुनिक युग की फैशनपरस्त 'ऐतिहासिकता' से बिलकुल भिन्न है। यह काम समुचित रूप से चिन्तन-अध्ययन के स्तर पर संयोजित हो सके, इसके लिए उन्होंने 'वत्सल निधि' की ओर से विभिन्न क्षेत्रों में भारतीय विशेषज्ञों की व्याख्यानमालाएँ आयोजित की थीं। किन्तु इससे भी अधिक महत्त्वपूर्ण और प्रासंगिक वे 'लेखक-यात्राएँ' थीं, जिनका सीधा प्रयोजन जातीय स्मृति के उन

पदचिह्नों पर दुबारा चलना था, जो इतिहास की रेत में अवश्य धूमिल पड़ गये हों, किन्तु जो भारतीय मनीषा और संस्कारों में आज भी उतने ही जीवनदायी और जीवन्त हैं, जितना कभी तीन हजार वर्ष पहले थे। दुनिया में भारत की संस्कृति ही ऐसी है, जिसके स्मृति-चिह्न मनुष्य की मनीषा में उतने ही जीवित हैं, जितने बाहर फैले भौगोलिक परिवेश में – एक भारतीय की तीर्थयात्रा हमेशा अपने समय में एक पौराणिक स्मृति को पुनर्जीवित करना होता है। वह एक ही समय में अनेक कालखण्डों को जीने लगता है। अज्ञेय की इन यात्राओं को 'साम्प्रदायिक' कहना भाषा के साथ तो अत्याचार है ही, उस घोर गुलाम मानसिकता का परिचायक भी है, जिसे चेखव ने बूँद-बूँद निचोड़कर अपनी आत्मा से बाहर निकाला था और जिसे हमारे आलोचकों ने वर्षों से बूँद-बूँद सँजोकर जमा किया है।

कभी-कभी मैं सोचता हूँ कि क्या एक भारतीय बुद्धिजीवी का परम्परा विरोध उस मानसिक गुलामी के साथ तो नहीं जुड़ा है, जो अंग्रेजों ने पिछले दो सौ वर्षों के दौरान हम पर आरोपित की है, ताकि हम विस्मृति के अँधेरे में रहकर अपनी स्वतन्त्रता के बोझ से छुटकारा पा सकें? प्रसिद्ध चेक लेखक मिलान कुंदेरा ने एक बार अपने देश की अभागी स्थिति पर टिप्पणी करते हुए कहा था, "तानाशाही शासन में एक जाति की स्मृति को सबसे पहले नष्ट किया जाता है, ताकि विस्मृति में वह अपनी गुलामी स्वीकार कर सके। एक देश की जातीय अस्मिता को नष्ट करने का सबसे सरल उपाय है – उसकी स्मृति को उन्मूलित करना।" मुझे नहीं मालूम, अज्ञेय ने कभी इन पंक्तियों को पढ़ा था, किन्तु वे यदि जीवित होते तो उनसे अवश्य सहमत होते। उनके अन्तिम वर्षों का यदि एकमात्र कोई संघर्ष था – तो भारतीय लेखक को जातीय विस्मृति के अँधेरे से मुक्त करना।

यदि वे जीवित होते...इस अधूरे वाक्य पर मेरा मन बार-बार अटक जाता है। वे हमारे बीच इतने वर्ष रहे कि यह खयाल कभी नहीं आता था कि वह एक दिन जा भी सकते हैं। महीनों गुजर जाते थे और एक शहर में रहते हुए भी मैं उनसे नहीं मिल पाता था। किन्तु यह विश्वास कि कैवंटर्स लेन में जाकर उनसे किसी भी घड़ी मिला जा सकता है, मन को एक अजीब-सी तसल्ली देता था। पिछले पचास वर्षों से वह हिन्दी साहित्य के परिदृश्य का इतना जीवन्त अंग थे कि शायद ही कोई पीढ़ी उनकी उपस्थिति से अपने को अछूता छोड़ पायी हो। उपन्यास हो या कविता, सृजन की कोई ऐसी इमारत नहीं जिस पर कहीं उनके हाथ की लगाई हुई ईंट, कहीं सुघड़ हाथों से चुना हुआ पत्थर, कहीं दीवार पर खींचा हुआ स्मृति-चित्र दिखाई न दे। वह व्यक्ति जो अपने जीवनकाल में इतना चुप रहता था, मृत्यु के बाद इमारत के हर कोने में बोलता दिखाई देगा, ऐसा कभी नहीं सोचा था।

अब वे नहीं हैं, तो शायद अपने पूर्वग्रहों से मुक्त होकर हम उनके लेखन का अधिक सम्यक् मूल्यांकन कर सकें। हर लेखक की तरह उनकी अपनी कमियाँ थीं, अपनी कमजोरियाँ। आश्चर्य होता है कि इतने वर्षों के दौरान अज्ञेय एक व्यक्ति के रूप में विवाद का केन्द्र अवश्य रहे, किन्तु उनके कृतित्व का सही मूल्यांकन उपेक्षित पड़ा रहा। हमारी आलोचना की विपन्न अवस्था का अनुमान लगाना मुश्किल नहीं, यदि हम गौर करें कि पिछले वर्षों में न तो अज्ञेय की सीमाओं का सही विश्लेषण हुआ, न उनकी उपलब्धियों का वस्तुगत आकलन। निन्दा और स्तुति के बीच हमारी आलोचना जिस दिन एक स्वाधीन चेतना अर्जित कर पाएगी, उस दिन शायद अज्ञेय पूर्वग्रहों के घटाटोपों से मुक्त होकर एक नया जीवन ग्रहण करेंगे। वह हिन्दी पाठकों का अज्ञेय से एक नया साक्षात्कार होगा; मृत्यु के बाद एक दूसरा जीवन, जो हर लेखक अपने लिखे पन्नों पर और पाठकों की स्मृति में नये सिरे से शुरू करता है।

अज्ञेय का जन्म वसन्त के शुरू-मौसम में हुआ था, निधन वसन्त के ढलते दिनों में – छिहत्तर वर्ष लम्बी जिन्दगी जैसे पूरे वसन्त की एक यात्रा हो। चार अप्रैल की सुबह ही जब मैं उनके घर गया तो मन गहरी व्यथा में डूबा था, किन्तु उनके कमरे में जाकर एक अनोखी अनुभूति जगने लगी। वे गहन, निश्चिन्त, असीम विश्रान्ति में सो रहे थे, जैसे कोई व्यक्ति एक संघर्षमय दुःख-सुख से भरी यात्रा को पूरी करके अपने अन्तिम पड़ाव पर आ लेटता है। एक अजीब शान्ति और सम्पूर्णता का भाव उनके चेहरे पर था, मानो मेरी व्यथा देखकर वे एक-दूसरे समय के स्वाधीन कवि, शेक्सपियर के शब्दों में मुझे सान्त्वना दे रहे हों, "सच यह है कि मैं चिन्ता नहीं करता। आखिर आदमी एक बार मरता है। हम ईश्वर के प्रति एक मृत्यु के लिए तो देनदार हैं ही...वह जो इस वर्ष मरता है, अगले वर्ष के लिए मुक्त हो जाता है।"

11

फूल की सुगन्ध

॥ नरेश मेहता

वात्स्यायन में सुदर्शन व्यक्तित्व का वैशिष्ट्य था, परन्तु साधारण अर्थ में नहीं। उनकी देहयष्टि में ग्रीक मूर्तियों का सा सौन्दर्य, लालित्य या लयात्मकता ही नहीं थी, बल्कि आचरण और व्यवहार से भी वे निष्णात तराशी धवल प्रतिमा की प्रतीति कराते थे। एक ऐसा सुषमात्व था जिसे विरल ही कहा जा सकता था। पुरुष-सौन्दर्य का यह मूर्तितत्त्व हमारे भारतीय उपमहाद्वीप में केवल कद्दावर पठानों के गंधारपन में ही सहज देखा-पाया जाता है। भूमध्यसागर से लगा हिन्दुकुश तक के भू-भाग को सौन्दर्य, संस्कृति और सभ्यता से ऐतिहासिक तथा प्रभावकारी व्यवहार करने का श्रेय प्राप्त होता रहा है। पण्डित हजारीप्रसाद द्विवेदी के कथनानुसार पाणिनि पठान थे, तात्पर्य आर्य थे, इसलिए अनुमान किया ज़ा सकता है कि उस अप्रतिम वैयाकरणी मेधा में भी माइकेल एंजिलो की अनिन्द्य प्रतिमा वाली अपूर्वता सम्भव है रही हो। पाणिनि के बाद सम्भवतः सच्चिदानन्द हीरानन्द वात्स्यायन 'अज्ञेय' को देख-सुनकर ही आर्य-सौष्ठव की उस पुरुष-माधवता का आभास मिलता है, जो कभी सम्राट समुद्रगुप्त में रही होगी या धूमकेतु खारवेल में। हम चाहें तो इस सन्दर्भ में सोफोक्लीज का भी स्मरण कर सकते हैं, जो न केवल अपनी ट्रेजडियों के कारण ही प्रसिद्ध रहा बल्कि जीवन भर स्वयं सौन्दर्य का मानक-व्यक्तित्व भी माना जाता रहा। निश्चित ही वात्स्यायन हिन्दी साहित्य की देशगतता पर सौष्ठव की विषुवत-रेखा हैं तो कालगतता में सर्जनात्मक ऊर्ध्व-शिखर।

पुरातत्त्वी खोज के सिलसिले में वात्स्यायन के पिता डॉ. हीरानन्द शास्त्री को प्रशासनिक भारत-भ्रमण के लिए जाना पड़ता था, फिर चाहे वह द्वारका की खोज रही हो या बौद्धकालीन अवशेष। आज की तरह उन दिनों डाक बँगलों या विश्राम-भवनों की ऐसी विशद सुविधाएँ नहीं हुआ करती थीं और खासकर दूर-दराज वाले खुदाई-स्थलों पर तो नहीं ही। ऐसी स्थिति में तम्बू-छोलदारियों का कामचलाऊ शिविर किसी अमराई की रम्यता में या पेड़ों की छतनारी सघनता में लग जाया करता था। आम्रबहुल तराई प्रदेश के देवरिया जिले के कसिया क्षेत्र में बौद्धकालीन

अवशेषों की खुदाई के दिनों में उनका जन्म फाल्गुन शुक्ला सप्तमी संवत 1967 तदनुसार 7 मार्च, 1911 ईस्वी को ऐसे ही एक शिविर में हुआ। सामुद्रिक-शास्त्र के अनुसार प्रलम्ब कर्ण का जातक विचारवान होता है और अंक-शास्त्र की दृष्टि से भी 'सात' की संख्या मौलिकता की सूचक मानी जाती है। जातक 'वत्सल' ने शास्त्रों की इस शास्ता को सत्य ही सिद्ध किया।

हिमालय की तराई वाली आम्रवनों की हरीतिमा प्रधान उस भूमि में 'वत्सल' का जन्म एक संयोग भर ही है, वरना सच्चिदानन्द हीरानन्द वात्स्यायन 'अज्ञेय' अपने रंग, कद-काठी से हिन्दुकुश पर्वत-शृंखला के अपने आद्यन्त पठानी-स्वत्व का ही स्मरण कराते थे। प्रत्येक स्वत्व अपनी भूमि के इतिहास और भूगोल की ही परिणति और निर्मिति होता है। सम्भव है वात्स्यायन भी ठीक-ठीक न जानते रहे हों कि उनके पूर्वज कब, किस काल और किस इतिहास-क्रम में हिन्दुकुश से नीचे पंजाब के मैदान में आकर बसे, परन्तु इतना अवश्य था कि उनकी जैविक वंशानुगतता में आर्यत्व का एक पठानी छींटा निश्चित ही था। वैसे हिन्दी में पंजाब से प्रायः लेखक आये हैं, परन्तु ऐसा आर्य सौष्ठव शायद किसी अन्य में नहीं रहा। इसलिए हो सकता है कि सारस्वत ब्राह्मणों की यह भणोत-शाखा अगत्या करतारपुर (जलंधर) आने के पूर्व काफी समय तक सीमान्त प्रदेश से लगे पंजाब के उस उत्तरी सिरे पर बसी रही हो जहाँ खैबर-बोलन आदि दर्रों और घाटियों से उत्तर की तेज बर्फीली हवाएँ हिन्दुकुश से नीचे उतरकर पंजाब के मैदानों को सियराती रहती हैं। इन हिमानी हवाओं में सेब लाल और रसीले होते हैं, आलूबुखारा स्वाद का पर्याय बनता है तथा आड़ू और दूसरे सारे सूखे मेवे रस-रूप ग्रहण करते हैं। इन्हीं सर्दीली हवाओं और चिटखती धूप में मनुष्य का चिनार जैसा तनों वाला खड़ा कद्दावर व्यक्तित्व भी सीझता स्वरूपित होता है। भूमध्य-सागर से लेकर हिन्दुकुश के मध्य का भू-भाग अपने चिन्तकों, सर्जकों, मेधावियों, योद्धाओं और सौन्दर्य के कारण भी ख्यात रहा है तथा इतिहास, संस्कृति और सभ्यता पर अपनी प्रिय-अप्रिय अमिट छाप भी छोड़ी है।

तात्पर्य यह कि वात्स्यायन की देहयष्टि और स्वत्व में आर्यत्व का छींटा था, जिसकी प्रतीति देखने वालों को तो होती ही थी, लेकिन स्वयं वात्स्यायन को भी थी और जिसे वह पूरी गरिमा और चेष्टा के साथ ही नहीं बल्कि सुषमित तरीके पर वहन भी करते थे। यदि उन्हें पठानी लम्बा कुरता-सलवार पहना दिया जाता तो वह आसानी से सीमान्त गाँधी के परिवार के लग सकते थे। शायद अपने क्रान्तिकारी जीवन में इस पठानी सम्भावना को वह आजमा भी चुके थे, पर देहयष्टि की इस विशिष्टता ने भी वात्स्यायन को कम उलझन में नहीं डाला। सामान्य ऊँचाई वाले हिन्दी लेखकों के बीच वह जीवन भर किसी प्राचीन ऐतिहासिक

लाट की भाँति अलग-थलग दिखलाई देते रहे और इस लाट-व्यक्तित्व से संलाप तथा व्यवहार करते समय बेचारे अधिकांश हिन्दी लेखकों की गर्दन ही दुख जाती रही!

वात्स्यायन ने अपने जीवन के बारे में तथा पं. विद्यानिवास मिश्र और डॉ. रामकमल राय ने यहाँ-वहाँ जो भी संकेत दिए हैं, यदि वे हमारे ध्यान में रहें तो उस शिकायत में कुछ कमी आ सकती है, जो प्रायः हिन्दी लेखकों को उन्हें लेकर रही है। वैसे तो कद-काठी और प्रभावी मूर्ति-व्यक्तित्व की दृष्टि से निराला उन्नीस नहीं थे, परन्तु एक असंग व्यक्तित्ववाला ग्राम-देवता का विग्रह था तो दूसरा होंठों में भाषा का बीड़ा दबाए रोमन दरबार का एक सम्भ्रान्त सामन्त – जैसे, सिसेरो। निराला गाँव किनारे के पीपल के नीचे खुले में प्रस्थापित अनावृत मारुति की आराध्य-मूर्ति थे तो वात्स्यायन म्यूजियम में करीने से रखी अपोलो, सिकन्दर या किसी ग्रीक वीर-योद्धा की ऐतिहासिक विरल प्रतिमा। एक के साथ सहज श्रद्धा, तादात्म्य का आत्मीय भाव अनायास जाता है तो दूसरे के साथ संगमरमरी शिल्प-सुषमा की निष्णातता के प्रति संयत प्रशंसा। मैंने आतंक शब्द जानबूझकर प्रयोग नहीं किया है।

जो हो, विशिष्ट दोनों ही थे और दोनों के अपने-अपने प्रभामण्डल भी थे। प्रत्येक ऐसी विशिष्टता को अनिवार्यतः मूल्य चुकाना ही पड़ता है, अपने-अपने ढंग से। विशिष्टता के सन्दर्भ में सबसे पहला दण्ड तो होता है – अकेलापन। निराला को सहज और सामान्य से उठाकर हमने उन्हें जो आराध्य-पद और देवत्व प्रदान कर दिया था, मण्डित भाव से, उसे उस काव्य-मूर्ति ने दारागंज की अपनी विभिन्न कोठरियों में, मानसिक सूनेपनों में किस-किस प्रकार और कैसी-कैसी दुस्तरता में वहन किया होगा, इसे जानने की जरूरत किसी भक्त को कभी नहीं हुई; हाँ, इस काव्य-देवता का गुण-गान भजन-कीर्तन सामूहिक रूप से तथा अखण्ड भाव से होता रहा। वात्स्यायन में इस दण्ड का प्रकार, प्रयोजन और प्रकृति भिन्न जरूर है, पर है वह भी दण्ड ही। यह बात भिन्न है कि इसे भी वह एक प्रकार की अलभ्य भूषा, मुद्रा तथा आचरण-सा जीवन भर धारे रहे। फिर भी दोनों में किसी प्रकार की समता नहीं खोजी जानी चाहिए, क्योंकि वस्तुतः कोई समता थी भी नहीं। ऐसा कुछ भी करना दोनों के प्रति अन्याय ही होगा। जहाँ तक लोगों की भक्ति और साहित्यिक सम्मान-भाव की बात है तो निराला निश्चित ही बीस ही सिद्ध हुए, पर इस प्रकार की भाषा में रखकर किसी को भी देखना-परखना, जो कि प्रायः किया जाता है, कोई अर्थ नहीं रखता क्योंकि भिन्न भूमियों की प्रयोजनता और अनिवार्यता भिन्न हुआ करती है। न तो किसी चीज, स्थिति की पुनरावृत्ति होती है और न उसकी आवश्यकता ही होती है। अस्तु।

आज यह याद नहीं पड़ता कि वात्स्यायन जी को सबसे पहले कब, कहाँ और किस सन्दर्भ में देखा। जो देखना, सबसे पहले देखने के रूप में याद पड़ता है, उसे पहला देखना नहीं कहा जा सकता, क्योंकि मुझे देखते ही उन्होंने "आप यहाँ कैसे?" का जो वाक्य कहा था और किंचित् आश्चर्य का जो भाव सधे ढंग से व्यक्त किया था, उसकी ध्वनि ही यह थी कि हम व्यक्तिशः इसके पूर्व भी मिले थे। बहरहाल इतना तो स्पष्ट ही है कि जो भी पहला मिलना रहा होगा, निश्चित ही कुछ खास नहीं रहा होगा। पिछले दिनों सन् 84 में सम्पन्न 'भागवत-भूमि यात्रा' के अवसर पर चोरवाड के सौराष्ट्री सागर-तट पर एक शाम टहलते हुए मैंने हमारे पहले मिलने के बारे में उनसे जिज्ञासा की तो पता लगा कि उन्हें भी नहीं याद कि पहले-पहल हम लोग कब-कहाँ मिले थे। उन्हें भी शायद वहीं मिलना याद आया जिसे मैं बताने जा रहा हूँ। सन् 1947 में प्रयाग में प्रगतिशील-लेखक-संघ का दूसरा अधिवेशन लगभग दस वर्ष बाद सम्पन्न हुआ था। इसके बारे में *मुक्तिबोध, एक अवधूत कविता* नामक अपनी पुस्तक में थोड़ी चर्चा कर चुका हूँ।

पहले दिन शाम को दिन भर के अधिवेशन के बाद चाय-पान का अन्तराल हुआ। जीरो रोड स्थित तत्कालीन अग्रवाल डिग्री कॉलेज, जो अब इलाहाबाद इण्टरमीडिएट कॉलेज है, के घिरे बड़े से मैदान में गोल बनाए लेखक चाय-पान और गप्प लगाने के लिए फैले हुए थे। प्रगतिशीलों की इस जमात में मेरा, क्योंकि मैं तब तक नवोदित ही था, अकेला पड़ जाना नितान्त स्वाभाविक था, इसलिए थोड़ी असुविधा अनुभव कर रहा था कि तभी मैंने देखा कि मैदान के बाहरी फाटक के पास पीछे, एक तरफ आद्यन्त श्वेत भूषा में 'अज्ञेय जी' चुपचाप खड़े हैं। उनके उस प्रकार के खड़े होने में उनका अकेलापन भी स्पष्ट दिखा और लिखा पड़ रहा था, जिसे वह साधे हुए थे। अपनी तरह उन्हें भी अकेला देखा तो ढाढस बँधा। मेरे पास पहुँचने पर उन्होंने वह उपरोक्त वाक्य कहा था, जिसका मैंने आरम्भ में उल्लेख किया।

मैं ठीक से नहीं कह सकता कि उन दिनों वात्स्यायन प्रयाग रहने आ गये थे या नहीं, परन्तु शायद उसी वर्ष से *प्रतीक* प्रयाग से आरम्भ हुआ था। जो हो, हम लोगों ने रिक्शा लिया और कॉफी हाउस के लिए निकले। आज जहाँ कॉफी हाउस है, यह तो बहुत बाद की बात है, पहले वह सड़क से थोड़ा हटकर एक बँगले में हुआ करता था। तब के भीड़हीन इलाहाबाद में पेड़ों, बँगलों और व्यक्तियों सबके स्वत्व हुआ करते थे। धूप, धूप लगा करती थी और हवा, हवा। कॉफी हाउस में बैठे हुए भी लगता था कि आप अपने निजी बँगले में निश्चिन्त मन कॉफी, खिड़की से दिखता बाहरी दृश्य और 'कम्पनी', सबके आस्वाद को अपने में अनुभव कर रहे हैं। बड़ी देर तक हम लोग बैठे रहे, हालाँकि बातें कम ही हुईं, फिर भी हुईं। कुछ

उन्होंने पूछा और थोड़ा-बहुत अपनी ओर से मैंने उन्हें बताया। मैं उन दिनों लखनऊ में था। जीवन की आपाधापी में बनारस वाला पीएच.डी. का सारा सिलसिला ही गड़बड़ा गया था। रेडियो से आजीविका कमाने के चक्कर में क्या-क्या नहीं सहना पड़ रहा था। इस अधिवेशन से लखनऊ लौटने पर मालूम हुआ कि मुझे रेडियो में ले लिया गया, खैर – उस दिन बातों ही बातों में वात्स्यायन जी ने बताया कि वह शीघ्र ही एक द्वैमासिक पत्रिका आरम्भ करने वाले हैं। और सच ही लखनऊ लौटने के थोड़े दिनों बाद मालूम हुआ कि *प्रतीक* नाम से एक द्वैमासिक, 'जो पत्र भी था और पुस्तक भी', उन्होंने प्रयाग से आरम्भ कर दिया है।

तब तो नहीं, पर आज जब पीछे मुड़कर देखता हूँ तो चीजें, स्थितियाँ, लोग आदि न जाने क्या-क्या अपने पूरे सन्दर्भ में स्थित और सक्रिय दिखते हैं और उन सबके कार्य-कारण भी समझ में आते हैं। वात्स्यायन से जिस भेंट का उल्लेख किया, उस समय तक वह साहित्य में अपनी पहली 'इनिंग' खेल चुके थे और सिवाय *शेखरः एक जीवनी* उपन्यास या 'रोज' तथा 'विपथगा' जैसी दो-चार कहानियों के काव्य के क्षेत्र में तो वह लगभग 'शून्य' पर ही आउट हुए थे। तात्पर्य यह कि पहली 'इनिंग' का उनका प्रदर्शन एक प्रकार से निराशाजनक ही था। हालाँकि *तार सप्तक* के रूप में काव्य का एक सहयोगी प्रकाशन हो चुका था, पर साहित्य में अभी उसकी पहचान और प्रभाव में देरी थी और इसके लिए *दूसरा सप्तक* के प्रकाशन तक प्रतीक्षा करनी थी। हालाँकि कालान्तर में *तीसरा* और *चौथा सप्तक* भी प्रकाशित हुए; पर यह शायद लकीर पीटने जैसा ही सिद्ध हुआ। पहले दो सप्तकों का प्रयोजन तो निश्चित ही कविता और साहित्य की चिन्ता से निसृत था, परन्तु शेष दोनों के द्वारा भले ही वात्स्यायन के नेतृत्व की प्रतीति हुई हो, परन्तु उनसे न तो काव्य और न कवि – किसी को कोई खास लाभ हुआ नहीं लगता। *तार सप्तक* और *दूसरा सप्तक* के सन्दर्भ से बाद के दोनों सप्तकों की स्थिति वैसी ही लगती है जैसे माद्री के दोनों पुत्रों की कुन्ती के पुत्रों के सन्दर्भ में थी। वात्स्यायन ने जिन साथी-मित्रों को लेकर *तार सप्तक* की सहयोगी योजना को मूर्त बनाया था और बाद में जो हश्र हुआ, वे सारे कवि-मित्र आखिर तो 'कामरेड' थे।

इस सन्दर्भ में एक रोचक प्रसंग याद आ गया। उस द्वितीय प्रगतिशील अधिवेशन में एक काव्य-सम्मेलन भी होना था। रेडियो ने अधिवेशन के आयोजकों से कहा कि रेडियो उनके दस कवियों की एक काव्य-गोष्ठी प्रसारित करने को तैयार है। मजा यह कि आयोजकों को ऐसे दस कवियों के नाम नहीं मिल पा रहे थे जो रेडियो को भी स्वीकार होते। किसी तरह आठ नाम तो हो गये, समस्या बाकी के दो नामों की आयी। कुछ लोगों ने 'वात्स्यायन' का नाम सुझाया पर *तार*

सप्तक के सहयोगी कवि-मित्रों ने ही जमकर विरोध किया। इसी सिलसिले में जब 'सुमन' ने मेरा नाम सुझाया, तब जो हिकारत का भाव लोगों ने व्यक्त किया, उसे जाने ही दीजिए। गरज कि वह काव्य-गोष्ठी रेडियो से प्रसारित जरूर हुई, पर पता नहीं वह संख्या पूरी हुई कि नहीं – चलिए, प्रगतिशीलता की लाज तो रह गयी।

वात्स्यायन इलाहाबाद से प्रायः लखनऊ आते थे और उनका आना एक प्रकार से घटना जैसा हुआ करता था। सन् 48-49 में ही तो उनका काव्य-संग्रह *हरी घास पर क्षण भर* निकला था, जो कालान्तर में उनकी काव्य-यात्रा की 'क्लासिक-बिगनिंग' सिद्ध हुआ। *तार सप्तक, प्रतीक* और *हरी घास पर क्षण भर* के साथ वात्स्यायन ने अपनी दूसरी 'इनिंग' शुरू की, जिसमें उन्होंने कई रेकॉर्ड बनाये, तोड़े और दर्ज करवाये और अन्त तक 'नॉट-आउट' रहे। उन दिनों लखनऊ रेडियो पर गिरिजाकुमार माथुर और भारतभूषण अग्रवाल भी थे। यशपाल, भगवतीचरण वर्मा, अमृतलाल नागर के अलावा देवराज, कुँवर नारायण, रघुवीर सहाय आदि के कारण लखनऊ में अच्छा-खासा साहित्यिक माहौल था, फिर भी लखनऊ के इस साहित्यिक माहौल पर उर्दू लेखकों की पकड़ थोड़ी अधिक सटीक थी। तब वहाँ डॉ. अलीम, आले अहमद सुरूर, एहतेशाम हुसैन, मजाज, रजिया सज्जाद जहीर से लेकर 'सलाम' मछलीशहरी तक सक्रिय थे। उन दिनों उर्दू के बुजुर्ग आलोचक 'नियाज फतेहपुरी' साहब का तो खासा रुतबा था ही। प्रगतिशील लेखक संघ की हिन्दी-उर्दू के लेखकों की प्रायः मिली-जुली बैठकें यशपाल जी के 'विप्लव' कार्यालय में भी हो जाती थीं।

उन दिनों लगता था कि 'लाल क्रान्ति' बस दो-चार हाथ लबे-बाम ही रह गयी है और हमारे ये साहित्यिक 'कमिसार' ही काहिली कर रहे हैं। 'क्रान्ति' के इस जज्बे को लेकर उर्दू लेखकों में कुछ ज्यादा ही तेवर और उबाल था। हो सकता है मैं यह 'स्वीपिंग रिमार्क' ही कर रहा होऊँ कि उर्दू में इश्क और 'इन्किलाब' दोनों की तर्जुमानी एक ही जुबान में बल्कि एक ही साथ सहजता से की जा सकती है, परन्तु बेचारे हिन्दी लेखक के साथ तो यह धर्म-परिवर्तन का-सा धर्म-संकट होता है। फिर भी लखनऊ में अच्छी-खासी फिजाँ थी, जो वात्स्यायन जी के गाहे-बगाहे आ जाने पर थोड़ी गड़बड़ा जाती थी। उनके लिए अलग से गोष्ठियाँ-बैठकें होती थीं, जिनमें नागर जी तो आ जाते थे, पर यशपाल और भगवतीचरण वर्मा को कभी नहीं देखा।

वात्स्यायन के दर्प, अहंकार या 'अशोभनीय मौन' को लेकर लेखकों को प्रायः शिकायत रही है उसमें वात्स्यायन का अपना स्वभाव, परिस्थितियाँ आदि निश्चित ही कुछ तो कारण रहे ही हैं। परन्तु मुझे ऐसा लगता है कि इसमें स्वयं हिन्दी लेखकों का भी कम दोष नहीं था। सन् 40 से 50 का दशक ऐसा था, जब

वात्स्यायन एक प्रकार की मानसिक हताशा के काल-खण्ड में से गुजर रहे थे। अभी उनके पास गर्व या अहंकार करने के लिए उपलब्धि की कोई खास पूँजी भी नहीं थी। यदि उनके साथ तत्कालीन मित्रों, लेखकों ने समवयस्कीपन का भाव और आचरण किया होता तो वात्स्यायन काफी-कुछ सहज हो सकते थे। पूरी तरह उनके मानवीकरण या साधारणीकरण की आशा तो बेकार ही थी, पर शायद वह मूर्ति तो नहीं ही बनते। उनका मूर्ति बन जाना, न तो उनके हक में उचित हुआ और न ही दूसरों के हित में। वस्तुतः गत चालीस-पचास वर्षों में साहित्य की गाड़ी उनके कारण उलार ही ज्यादा रही, पर इसमें केवल वात्स्यायन ही कारण नहीं हैं। जैसा कि मैंने पहले कहा कि उन्हें स्वयं भी कुछ तो प्रतीति थी ही कि वे कुछ विशिष्ट हैं, और इसे अस्वाभाविक भी नहीं कहा जा सकता था, क्योंकि वैशिष्ट्य था तो, पर यदि इसका उचित समाहार हो जाता 'तो अच्छा ही था – स्वयं वात्स्यायन के लिए भी और साहित्य के लिए भी।

भारतभूषण अग्रवाल उन दिनों 'दारुलशफा' तात्पर्य विधायक-आवास में हाथरस क्षेत्र के किसी एम. एल. ए. की कृपा से रह रहे थे। 'दारुलशफा' उन दिनों बनने की प्रक्रिया में था। वात्स्यायन जी के आने पर बैठकें अक्सर 'दारुलशफा' में ही होती थीं। वात्स्यायन जी अपना संग्रह *हरी घास पर क्षण भर* लेकर आये थे, इसलिए उनका एकल काव्य-पाठ रखा गया, अतः गिनती के लोग ही आमन्त्रित थे। जिस कारण से इस गोष्ठी का स्मरण आज तक बना हुआ है, वह थोड़ा हास्यास्पद भी है और तत्कालीन लेखकों का वात्स्यायन के प्रति समवयस्की आदान-प्रदान वाला भाव न होकर, एक अजीब गुरुडम की स्थापना की शुरुआत की जा रही थी, का भी स्मरण कराता है। वैसे अपने इस निष्कर्ष में मैं गलत भी हो सकता हूँ या आप चाहें तो इसे मेरा पूर्वग्रह भी कह सकते हैं कि इस प्रकार के पूजा-भाव ने ही सारी विषमताएँ उत्पन्न कीं। आपने भी आम मध्यवर्गीय घरों में आध्यात्मिक रुझान का दिलचस्प स्वरूप देखा होगा। इस प्रकार के बेचारे विश्वासी घरों-परिवारों में किसी न किसी 'बाबा' का प्रवेश हुआ रहता है, जिनका आना एक प्रकार से 'अवतरण' जैसा ही होता है। पूरा घर, घर की व्यवस्था आदि सब एड़ियों-पंजों के बल आदेश-पालन में खड़ी होती है। ऐसे बाबाओं के आगमन पर उनके लिए विशेष आसन, थोड़ी ऊँचाई पर, हुआ तो चौकी पर, बिछा दिया जाता है और जनता सामने भक्तिभाव से दस्तबस्ता बैठ जाती है, और तब प्रवचन की अमृत-वर्षा होने लगती है। वैसे इसमें कुछ बुराई भी नहीं है, अपनी-अपनी आस्था है। प्रशान्त कमरे में निस्तब्ध शान्ति और अगरबत्तियों, लोबान नहीं, की सुगन्ध के बीच अध्यात्म की चर्चा को तो किसी प्रकार समझा जा सकता है परन्तु काव्य-पाठ को अध्यात्म-जगत का इलहामी जामा पहनाना, जरूर थोड़ा हास्यास्पद बनाता है।

वात्स्यायन का उस दिन वाला काव्य-पाठ लगभग उसी तरह प्रस्तुत किया गया, जैसे तूर से लौटकर पैगम्बर ने लोगों को, जो कि जाहिल खानाबदोश ही थे, आयतें सुनाई होंगी। और ऐसे में सिवाय एक प्रकार की कृतकृत्यता के और कुछ सम्भव भी क्या हो सकता था? उस प्रशस्त कमरे में अगरबत्तियों की दैवीय सुगन्ध और काव्य की पैगम्बरी-वाणी के साथ कितनी निरभ्र शान्ति थी। निश्चित ही काम्य थी, पर सवाल यह उठता है कि क्या ऐसा विशिष्ट आयोजन इतने नाटकीय ढंग का, हम अपने किसी अन्य समकालीन के साथ या के लिए करते हैं? वैसे मैंने सिर्फ सुना भर है कि रवीन्द्रनाथ ठाकुर लगभग इसी प्रकार अपना काव्य-पाठ का प्रवचन आदि करते थे, पर यह भी सुना है कि और लोगों के साथ भी इसी परम्परा का निर्बहन होता था, क्योंकि शान्तिनिकेतन का अपना यह एक विशिष्ट प्रकार था। हम इससे सहमत हैं या नहीं का प्रश्न नहीं है, देखना यही है कि क्या ऐसा सामान्य रूप से हम सबके लिए करते हैं? नहीं, तब भला वात्स्यायन 'करेला और नीम चढ़ा' कैसे नहीं होते?

मेरी यह निश्चित धारणा है कि वात्स्यायन को सहज हमने नहीं होने दिया। जीवन के उत्तरकाल में जब वह सहज होना भी चाहते रहे, लेकिन तब तक बहुत देर हो चुकी थी। काफी दिनों के बाद अगर मूर्ति वापस व्यक्ति बनना चाहे तो मूर्ति तो खण्डित होती ही है, वह व्यक्ति भी नहीं बन पाती।

लखनऊ के दिनों में ही *दूसरा सप्तक* के निकाले जाने की भनक वातावरण में आने लगी थी, और निश्चित ही ऐसे में हमेशा लोगों के अपने-अपने गणित चला करते हैं। कभी कुछ नाम उछलते, कभी कुछ। आजकल एडमीशन के लिए जुलाई में जैसी मारधाड़, सिफारिश आदि का बोलबाला होता है, लगभग कुछ-कुछ ऐसी ही घेरा-घेरी वात्स्यायन के लखनऊ आने पर हुआ करती थी। वात्स्यायन लाख समझदार, कला के पारखी, तटस्थ वगैरह रहे हों, पर यार लोग भी तो कम खुदा नहीं थे और कुछ नाम जुड़वा कर ही रहे। आज भले ही हम कह लें कि *सप्तक* में आ जाने से क्या होता है, पर उन दिनों सचमुच ही कुछ होता था, इसे मान लिया जाए तो क्या हर्ज है? तो, इसी अन्तराल में मेरा तबादला इलाहाबाद हो गया। चूँकि इलाहाबाद हिन्दी साहित्य का गढ़ था, इसलिए वात्स्यायन और *दूसरा सप्तक* को लेकर यहाँ लोग कुछ ज्यादा ही परेशान थे। हालाँकि वात्स्यायन तब अपना बोरिया-बसता समेट कर दिल्ली जा चुके थे। पर आये दिन प्रयाग आकर अपनी पकड़ और गतिविधि बनाये हुए थे। लेकिन वात्स्यायन की जैसी अपनी कार्य शैली रही है कि लोगों को हमेशा कयास करते रहने की स्थिति में ही बनाए रखना। वस्तुतः यह ढंग राजनीतिज्ञों का ही होता है, परन्तु इसे साहित्य में पहली बार

सटीक तरीके से वात्स्यायन ने सफलतापूर्वक काम में लिया।

उन दिनों भी इलाहाबाद में प्रगतिशील और 'परिमल'-लेखकों के दो खेमे स्पष्ट थे। मैं उन दिनों कम्युनिस्ट पार्टी और प्रगतिशील-लेखक संघ से अनिवार्य रूप से जुड़ा हुआ था, इसके कारण 'परिमल' के लेखकों से हार्दिकता का नहीं बल्कि विरोध और तनाव का सम्बन्ध ही था। परन्तु स्वयं प्रगतिशीलों से भी तो एकरसता नहीं थी। सच तो यह है कि सब कुछ, कुछ लोगों की वैयक्तिक आत्मीयता तथा अन्य कारणों से ही मैं इस प्रगतिशील खेमे में था जबकि मेरे लेखन से, मेरी अवधारणाओं से तथा रहन-सहन के ढंग से ये लोग बहुत आश्वस्त नहीं थे। मैं इस काल की केवल उन्हीं बातों की चर्चा करूँगा जो वात्स्यायन से सम्बन्धित हैं। मुझे इलाहाबाद आने पर एक दिन वात्स्यायन जी ने कहा कि वे मेरी कविताएँ देखना चाहते हैं। हालाँकि वे तब तक मेरी गद्य-पद्य की कई चीजें *प्रतीक* में छाप भी चुके थे। कुछ तो समझ ही गया कि वे क्यों माँग रहे हैं, पर जब उन्होंने स्पष्ट नहीं कहा तो मैंने भी नहीं पूछा। शाम को वह घर पर आये और करीब बारह-पन्द्रह कविताएँ छाँट कर ले गये। फिर बोले, कि "आपकी वह लम्बी कविता कहाँ है?" वस्तुतः वह अभी पूरी हुई ही नहीं थी। उसका आरम्भ देखकर ही वह बोले कि आप इसे पूरा क्यों नहीं करते? भला इसका क्या जवाब हो सकता था? खैर, मैं उसके बाद एक माह की छुट्टी लेकर दिल्ली अपने भाई के पास चला गया। दिल्ली में वात्स्यायन भी पास ही में रहते थे। इसलिए दो-एक बार मिलना हुआ और उन्होंने उस कविता को पूरा करने का आग्रह किया, और मैंने 'समय देवता' नाम देकर उस लम्बी कविता को पूरा करके उन्हें दे दिया। अब तक यह बात बिना कहे भी स्पष्ट हो गयी थी कि मैं *दूसरा सप्तक* में सम्मिलित किया जा रहा हूँ।

मैंने लखनऊ के दिनों में ही उपन्यास *डूबते मस्तूल* लिखने की कोशिश की थी और जब वहाँ से तबादला हुआ था, तब थोड़े दिन और रुक कर जैसे-तैसे उसे पूरा-जैसा कर लिया था। इलाहाबाद आने पर जब मैंने उसे टाइप करवाना शुरू किया तो वात्स्यायन जी को उसकी भनक लगी। वात्स्यायन जी उन दिनों *नेहरू अभिनन्दन ग्रन्थ* के सिलसिले से प्रायः और वह भी थोड़े लम्बे समय के लिए इलाहाबाद आते रहते थे। शाम को अक्सर 'मलानी कैफे', जो अब दूसरे नाम से 'बार' में परिणत हो गया है, में परिमल के इस अड्डे पर उनसे भेंट हो जाती। वस्तुतः 'मलानी कैफे' या 'कॉफी हाउस' साहित्यिक सर्जरी के 'थियेटर-रूम' हुआ करते थे। बिना किसी नियम के और रूरियायत के 'फ्री-स्टाइल' में रोमन कुश्तियाँ जैसी होती थीं। कोई किसी से उन्नीस पड़ने को तैयार ही नहीं रहता था।

वस्तुतः इस अड्डे को धर्मवीर भारती चलाते थे, इसलिए दादागिरी भी उन्हीं की चलती थी। वात्स्यायन घण्टों चुपचाप बैठे हुए लेखकों की इस मलंगबाजी को देखा करते थे। उनकी इस उपस्थिति का दिलचस्प पहलू यह था कि कोई भी वात्स्यायन के सामने किसी से हेठा नहीं दिखना चाहता था। फिर भी इस चकल्लस में वहाँ नयी कविता, नये लेखन के बारे में गम्भीर चर्चाएँ भी लगे हाथ हो जाती थीं। मेरा इन लेखकों से रेडियो के कारण सम्बन्ध बनाये रखना जरूरी था। और चूँकि मैं रेडियो में था इसलिए ये भी मेरी सर्वथा उपेक्षा नहीं कर सकते थे, दोनों पक्षों की अपनी-अपनी विवशता थी। इस चीज को लेकर क्या-क्या नाटक-तमाशे नहीं हुए, पर यह विषयान्तर हो जाएगा।

तो, एक दिन वात्स्यायन जी आये और बोले कि, मैंने सुना है कि 'आपने कोई उपन्यास लिखा है!' चूँकि अभी उसके पूरे होने में थोड़ी कसर थी, इसलिए मैंने यही कहा कि अभी तो वह टाइप हो रहा है और पूरा भी नहीं हुआ है। फिर भी उन्होंने देखने का आग्रह किया, अतः दूसरे दिन मैंने उन्हें उसकी टाइप प्रति दे दी। वह शायद उसी दिन दिल्ली जा रहे थे, इसलिए पाण्डुलिपि साथ में ले गये। करीब एक माह के बाद जब वह फिर आये तो पूछा कि 'इसे कौन छाप रहा है?' भला उस समय क्या ऐसी स्थिति मेरी हो सकती थी कि पाण्डुलिपि तैयार होने के पूर्व ही कोई प्रकाशक तैयार बैठा हो? प्रकाशक वाली मेरी विवशता सुनकर बोले कि यदि मुझे आपत्ति न हो तो वे छापने को तैयार हैं। भला मुझे क्या आपत्ति हो सकती थी? किसी भी नवोदित लेखक के लिए चीजों का इस प्रकार आसान हो जाना प्रसन्नता का ही कारण हो सकता था, और फिर वह भी वात्स्यायन के द्वारा।

उन्हीं दिनों धर्मवीर भारती ने भी *सूरज का सातवाँ घोड़ा* नामक एक प्रयोगधर्मी उपन्यास लिखा था। इलाहाबाद में उसके नये शिल्प और तेवर की उन दिनों काफी चर्चा थी। तेजी अच्छी चीज है, परन्तु जरूरत से ज्यादा तेजी कालान्तर में मार्गच्युत ही करती है। यदि मैं बहुत गलत नहीं हूँ तो ऐसा लगता है कि भारती अनावश्यक ही सतर्क और तेज रहे हैं। एक अच्छे लेखक और छोटे-मोटे साहित्यिक नेता होने के सारे गुण उनमें मौजूद थे। उन दिनों 'परिमल' का अर्थ ही था – भारती। विजयदेव नारायण साही तब तक समाजवादी राजनीति और मजदूर यूनियन के कामों में अधिक सक्रिय थे। साहित्य में तो वे काफी बाद में उतरे।

अपने प्रयोगधर्मी होने के अलावा भारती के इस उपन्यास की चर्चा का एक और भी कारण बना और वह यह कि उसकी भूमिका वात्स्यायन लिख रहे थे। साहित्य में भी आखिर तो हाड़-मांस वाले लोग ही होते हैं। यह कोई त्यागियों या वीतरागियों की जमात तो नहीं है, बल्कि अच्छे-खासे 'लतखोरीलालों' का अड्डा ही है। एक से एक बालखिल्य आपको यहाँ मिलेंगे। इलाहाबाद का यदि कोई

आप्त-वाक्य था, तो यही कि– "परनिन्दा सम रस नहीं भाई"। वात्स्यायन भूमिका लिख रहे हैं – इस बात, इस स्थिति के जितने शोशे और पख हो सकते थे उन्हें तरह-तरह से रंग देकर, पूरे विश्वास के साथ, चबा-चबाकर चटखारे ले-लेकर साहित्य का यह मछलीबाजार 'मलानी-कैफे' के मालिक के लिए भी जानेबवाल हो जाता था। इसमें सवाल झूठ-सच का नहीं था, बल्कि छीछालेदर को कितनी कलात्मक ऊँचाइयाँ दी जा सकती थीं, इसकी बात थी। इलाहाबाद जैसे उस नहाए-धोए 'चेस्टिटी बेल्ट' धारे विक्टोरियन शहर में यह घटना लगभग अनैतिक जैसी ही हो गयी थी, जिसके कारण विक्टोरियन मर्यादा के चेहरे पर शर्मिन्दगी पुत गयी थी। वस्तुतः इस मामले में भी लेखकों की अन्य वृत्तियों के अलावा वही मध्यवर्गीय मनोवृत्ति कार्य कर रही थी कि भारती वात्स्यायन को कैसे साध ले गये? मतलब, कि हम सब टापते ही रह गये। छोटे शहरों की ही यह विशेषता होती है कि लोग, चीजों, घटनाओं और व्यक्तियों को आसानी से नहीं बीतने देते – कई बार तो वर्षों यह जुगाली चलती रहती है, कभी इस डाढ़ में, तो कभी उस डाढ़ में। मेरा खयाल है कि इस भूमिका को मात्र एक सामान्य-सी घटना बने रहने दिया होता तो यह भारती और वात्स्यायन दोनों के भावी सम्बन्धों के लिए शुभ होता, पर–

फायदा क्या, सोच, आखिर तू भी दाना है 'असद'
दोस्ती नादाँ की है, जी का जियाँ हो जाएगा।

और सचमुच ही यह सम्बन्ध वात्स्यायन के लिए भी तथा भारती के लिए भी जी का जंजाल बनकर ही रहा। वैसे मैं पूरी बात नहीं जानता कि इसके आलावा और वे कौन-सी अप्रिय बातें इन दोनों के बीच घटित हुईं, क्या सचमुच ही, या केवल कल्पना कर ली गयी? –कि जिसके कारण भारती ने वात्स्यायन को जो बाद में 'गुरु-दक्षिणा' दी, उसे न तो स्तरीय और न शोभनीय कहा जा सकता है। वैसे भारती के पास जरूर ही अपनी इस तल्खी के लिए औचित्य और कारण रहे होंगे, लेकिन फिर भी विरोध और शत्रुता में अन्तर किया होता तो उन्हीं के लिए अच्छा होता, खैर।

दो-तीन महीने बाद वात्स्यायन फिर इलाहाबाद आये। उनके द्वारा उक्त भूमिका के लिखे जाने के प्रवादों को सुनते-सुनते कुछ अच्छा नहीं लग रहा था। मन तो हुआ कि सचाई जानी जाए, और जो कि वात्स्यायन जी से ही

पूछने पर सम्भव हो सकती थी। परन्तु यह भी ध्यान आया कि किसी दूसरे के मामले में रुचि लेने की क्या जरूरत है, यह तो फटे में पाँव देना होगा, और क्यों? फिर जैसा कि वात्स्यायन का स्वभाव है, वे मौन रहेंगे, जो आपको अपनी अवमानना भी लग सकता है। उस दिन वात्स्यायन तीसरे प्रहर रेडियो ही आ गये थे। मेरे ऑफिस का समय समाप्त होने पर बोले कि यदि मेरा काम हो गया हो तो चलिए थोड़ा गंगा-तट घूमा जाए। मैंने रात में प्रसारित होने वाली वार्ता की 'स्क्रिप्ट' और 'डिस्क' ड्यूटीरूम में जमा की और हम लोग द्रौपदी-घाट के लिए निकले। रेडियो के पास ही एकान्त लम्बी थार्नहिल सड़क के सिरे पर मिलिट्री का 'मेस' है। शारदीया शाम के उस काम्य झुटपुटे में 'मेस' के बाहर रखी चमचमाती तोपें और चुस्त-दुरुस्त 'मेस' का इकहरा बँगला, कॉरीडोर, खम्भे, लॉन, लॉन की क्यारियाँ सब मोहक लग रहे थे। कुछ दिनों मैं भी मिलिट्री में था, सो मिलिट्री को लेकर थोड़ी-बहुत चर्चा करते हुए हम लोग 'सी.डी.ए. पेंशन्स' के कार्यालय जब पहुँचे तो उस समय तक कार्यालय सुनसान हो चुका था। न जाने क्यों मुझे प्रकृति या प्राकृतिक स्थान कभी उजाड़ या वीरानी का भाव नहीं देते, पर हाँ, बड़े से बड़े आवास उजड़ जाने पर कैसे दयनीय, फटेहाल और कंगाल लगते हैं कि, बस।

हम लोग जब द्रौपदी घाट पहुँचे तब वहाँ नितान्त निर्जन था। आजकल तो सिवाय बाढ़ के अब शायद ही कभी द्रौपदी-घाट पर गंगा होती है, परन्तु उन दिनों ऐसा नहीं था। पेड़ों की छतनारी सघनता में घाट से सटी बहती गंगा में प्रवाह की जैसी एक हल्की-सी तुतलाहट थी। गंगा यहाँ एक बड़ा-सा कटाव करते हुए आगे बढ़ती है। सामने दूर मीलों चला गया गंगा का पांट फैला पड़ा था। उस पार फाफामऊ की आबादी की हल्की-सी लकीर क्षितिज में बुँदकियों से बनाई गयी दिख रही थी। सर्दियों का आकाश मुझे हमेशा क्लासिक लगता रहा है – जैसे किसी रूसी उपन्यास से दृश्य-वर्णन वाला पृष्ठ फाड़कर आकाश में चिपका दिया गया हो। सीढ़ियों पर बैठे घुटनों पर कुहनियों के सहारे ठोढ़ी टिकाए वात्स्यायन जिस भाव से सारा प्राकृतिक व्यापार घटित होते देख रहे थे – प्रतिक्रियाहीन – वह उन्हें आँखों से कवि और चित्तवृत्ति से असंग बना रहा था। उन दिनों वात्स्यायन के खासे घुँघराले बाल थे, जो क्रमशः कम होने लगे थे, फिर भी उनके सुन्दर मुख पर फैल कर कितने अप्रतिम हो जाते थे, यह वही बतला सकते हैं जिन्होंने वात्स्यायन को उन दिनों देखा हो, शायद सेम्पसन के ऐसे ही कुन्तल रहे हों। मुझे उनका एक आरम्भिक काव्य-संग्रह *भग्नदूत* का स्मरण हो रहा है जिसमें

कवि का चित्र छपा है — रेल की खिड़की से घुँघराले बालों वाला बस्ट। ग्रीक माइथॉलोजी भला झूठ क्यों कहेगी कि नारसीसस बहुत अप्रतिम रूपवान था। जरूर रहा होगा, पर वात्स्यायन उससे कम तो उस चित्र में नहीं लगते।

मैं गंगा की इस विपुल प्रशान्तता में कहीं अपने से दूर चला गया था कि मुझे सुनाई दिया जैसे वात्स्यायन कुछ कह रहे हैं– "आपकी कविताओं से तो लगता है कि आप अच्छी-खासी वैदिक परम्परा से आते हैं।" मैं हठात् नहीं समझ सका कि वे क्या जानना चाहते हैं। मैंने भी शायद कुछ ऐसा ही कहा था, कि "दैनिक सामान्य पूजा-पाठ तो परिवार में आज भी है, पर हाँ, पितामह को अवश्य विशिष्ट पूजा आदि करते देखा था।" तब वह किंचित् मुस्कुराते हुए बोले– "लेकिन इन लोगों के साथ आप कैसे हो गये?" —वात्स्यायन ने हालाँकि 'कम्युनिस्ट' संज्ञा का प्रयोग नहीं किया था, पर 'इन लोगों' से ध्वनि स्पष्ट थी। मैंने भी इतना ही कहा– 'पता नहीं कैसे।'

हम शायद थोड़ी देर और बैठे रहे। जाड़ों की शामों को भी तो रात होने की बड़ी जल्दी पड़ी रहती है। चारों ओर खूब खुला था, परन्तु पेड़ों से आरम्भिक अँधेरा हल्के-हल्के झरने लगा था। तभी उन्होंने उठते हुए पूछा– "आपके उपन्यास की भूमिका कौन लिख रहा है?" वैसे मैंने उन्हें बताया कि भूमिका मैं स्वयं ही लिखूँगा। इस बात से आज सम्भव है लोगों को लगे कि मैंने भारती वाले प्रसंग के कारण ऐसा अस्वीकार किया होगा। नहीं, बिलकुल शुरू से मेरी यह धारणा रही है कि व्यक्ति को अपने पैरों पर ही खड़ा होना और चलना चाहिए, जब तक कि उसे 'पोलियो' न हो गया हो। भारती की भूमिका का प्रसंग तो केवल एक संयोग भर था और मेरा वात्स्यायन को इस प्रकार अस्वीकार करना भी। लौटानी में हम पूरे रास्ते चुप ही रहे। हमें काफी दूर जाकर रिक्शा मिला। उन दिनों रेडियो स्टेशन भी काफी जंगल में हुआ करता था। आज तो चारों ओर दूर-दराज तक पॉश कॉलोनियाँ बस गयी हैं। शायद एक मात्र रिक्शा ए.जी. ऑफिस के पास मिला। मैंने चाहा कि वात्स्यायन जी उसे लेकर डॉ. आशा मुकुल दास के कटरा वाले आवास 'बसुधा' लौटें, क्योंकि वह हमेशा इलाहाबाद में वहीं ठहरते रहे हैं। पर नहीं, वे जानते थे कि मैं अभी सिविल लाइन्स जाऊँगा और 'बी.एन.रामा' में खाना खाऊँगा और तब वापस इसी ए.जी. ऑफिस के पास बने 'वाई.एम.सी.ए.' के हॉस्टल लौटूँगा। मैं उन दिनों इसी हॉस्टल में रह रहा था। वैसे तो वात्स्यायन के साथ मौन एक शाश्वत समस्या है, पर कुछ दिनों के बाद वह समस्या नहीं भी रहती है। लेकिन कई बार जब मौन, सचमुच का मौन लगने लगता है तो एक अव्यक्त बोझ-सा अनुभव होता है।

हालाँकि अभी हम द्रौपदी-घाट पर बड़े ही खुले मन से थे, पर हठात् लगने

लगा कि जैसे इस बीच कुछ अवांछित घटित हो गया और मौन भारी हो आया, लेकिन क्या? और जब मेरे खाना खा लेने पर हम लोगों ने कॉफी खत्म की, तब तक सिविल लाइन्स की खाली सड़कों पर इक्के-दुक्के आते-जाते लोगों के और ठण्डी हवा के झोंकों के कहीं कुछ नहीं था। उन दिनों व्यक्तियों की तरह दुकानें भी शालीन हुआ करती थीं – प्रदर्शनहीन। और जब वात्स्यायन रिक्शा लेकर दूर होते गये तो मुझे लगा कि मेरा इस प्रकार उन्हें अस्वीकार कर देना क्या ठीक था? पर क्यों नहीं ठीक था? जब मैं सहज रूप से इसे मानता हूँ तो वात्स्यायन को भी बुरा नहीं मानना चाहिए। वह अपने स्वत्व और संकल्प को जिस निष्ठा तथा आग्रह के साथ धारे रहते हैं, वैसा कोई दूसरा भी तो कर सकता है? और मैं उस रात बड़ी देर तक सोचता बिस्तर पर पड़ा रहा। हालाँकि अवचेतन कह रहा था कि कुछ अवांछित घट गया है। लेकिन क्या?

कुछ दिनों बाद मेरा तबादला नागपुर हो गया। हालाँकि लखनऊ से ही मैं यह जान चुका था कि रेडियो की यह सरकारी नौकरी बहुत नहीं चलेगी और मैं भी कोई बहुत उत्सुक नहीं था। इलाहाबाद के इन वर्षों ने एक प्रकार से मेरा भविष्य तय कर दिया था कि मुझे सिर्फ लेखक ही बनना है और वह भी इलाहाबाद में रहकर, और यह संकल्प अगत्या सन् 59 में जाकर ही फलीभूत हुआ। नागपुर का सन् 53 का वर्ष अनेक दृष्टियों से महत्त्वपूर्ण रहा। मुक्तिबोध की आत्मीयता आज तक कितना बड़ा सम्बल है, इसे शायद पूरी तरह कभी व्यक्त नहीं किया जा सकता। नागपुर का वह वर्ष समाप्त होते-होते मैं रेडियो से बाहर आ गया। हालाँकि सोचा था कि सीधे इलाहाबाद जाऊँगा, पर अभी मेरे और इलाहाबाद के बीच दिल्ली का छह वर्ष का समय, कई लोग, घटनाएँ और सर्वथा निरावलम्बता के अनुभव शेष थे।

दिल्ली में आज जिसे 'जनपथ' कहा जाता है उसे उन दिनों 'क्वीन्स वे' कहते थे। सिवाय ईस्टर्न-कोर्ट और वेस्टर्न-कोर्ट के या विशाल अशोक वृक्षों के झुरमुटों में खोए-खोए इंपीरियल होटल के तथा 'फ्रीमेसन्स' की एक बिल्डिंग के अलावा कहीं कुछ और नहीं था। हाँ, पंजाब से आये शरणार्थियों ने अपनी गुमटियाँ इस 'क्वीन्स वे' पर जरूर खड़ी कर ली थीं। अंग्रेजों के ताजे-ताजे जाने की बू-बास अभी भी परिवेश में थी। इंडियन कॉफी हाउस इसी 'क्वीन्स वे' पर हुआ करता था। इसके पीछे की ओर जो लेन थी और अब भी है, जो गनीमत है आज भी 'तोल्सतोय लेन' ही कहलाती है। यह तो विदेशी लेखक तोल्सतोय का मामला था वरना अगर किसी भारतीय लेखक के नाम से होती तो आज इसका न जाने क्या नाम हो गया होता। खैर, वात्स्यायन इसी तोल्सतोय-लेन में एक मकान की दूसरी मंजिल के

दो-तीन कमरों वाले छोटे से आवास में रह रहे थे। चूँकि मेरी पाण्डुलिपि वे दो वर्षों से अपने पास रखे हुए थे और पता नहीं चल रहा था कि उसका क्या हुआ, अतः मैंने नागपुर से उन्हें अपने दिल्ली आने के बारे में लिखा और एक तारीख और समय दे दिया। चूँकि उन दिनों मेरे भाई 33, कैनिंग लेन में रह रहे थे, जो एक तरह से पास ही में थी।

मैं अपनी दी हुई तारीख और समय पर उनके यहाँ पहुँचा। दिया हुआ समय साढ़े आठ का था और मैं उसी समय पहुँचा। तंग, घुमावदार सीढ़ियाँ एक छत पर जाकर खुलीं और मैंने सामने ही एक खुला दरवाजा देखा। पहले तो बहुत ही छोटा एक कमरा दरवाजे से सटा था और उस कमरे के बाद फिर एक छोटा कमरा था। भीतर वाले कमरे में एक नीची चौकी पर दूध के दो मग तथा सेब और बिस्कुट भी थे, जिनके सामने एक महिला भी बैठी थी। दरवाजे पर सहसा एक व्यक्ति को खड़े देखा तो वात्स्यायन बाहर निकले। इस बीच मैं समझ गया कि साथ में जो महिला हैं, वे कपिला मल्लिक हैं। अनायास आया होता तो मुझे लगा होता कि ऐसे निजीपन वाले समय नहीं आना चाहिए था। परन्तु मैंने तो अपने आने के दिन और समय दोनों की सूचना पहले दे दी थी, अतः मेरा इस प्रकार आना न तो हठात् ही था और न ही अवांछित। वात्स्यायन तेजी से बाहर निकले और आते ही उन्होंने पूछा कि 'कहिए'? मुझे अप्रिय लगा, क्योंकि मैं अपने आने के प्रयोजन के बारे में लिख ही चुका था। खैर, कुल यही कहा– "वह मेरा उपन्यास...।" "आप एक मिनिट रुकें", कहते हुए वह भीतर चले गये और सचमुच एक ही मिनिट में पाण्डुलिपि लाकर देते हुए बोले– "अच्छा"। एक क्षण को न जाने कितनी बातें मन में आयीं, और मुझे लगा कि जिस वात्स्यायन को मैं जानता रहा हूँ, वह नहीं हैं। कोई व्यक्ति हठात् इतना और ऐसा बदल सकता है, सोचकर मुझे आश्चर्य से अधिक परिताप हो रहा था, अपने आने पर। उनके इस आचरण को मैं नहीं समझ पा रहा था कि इसे शिष्टता की किस कोटि में रखा जाए, और मुझे लगा कि मेरा वात्स्यायन से यह अन्तिम मिलना है। स्वत्व की अवमानना के मूल्य पर जब न जाने क्या-क्या घर-परिवार, नौकरी-चाकरी छोड़ता आया तब भला...और दुबारा जिसे मिलना कहा जाता है उसके लिए दोनों को ही लगभग पच्चीस वर्षों से भी अधिक की प्रतीक्षा करनी पड़ी। हाँ, दिल्ली में या इलाहाबाद में दूर-दराज की देखा-देखी या बहुत हुआ तो दुआ-सलाम जैसा हो गया, वरना तो दोनों ने एक-दूसरे को 'डेडलेटर पोस्ट बाक्स' में डाल रखा था।

दुबारा मिलने का एक अजीब योगायोग मुक्तिबोध और वात्स्यायन दोनों के सन्दर्भ में मेरे साथ घटित हुआ और दोनों का एक ही परिणाम निकला – आत्मीयता। मुक्तिबोध तो इस दुबारा मिलने को लेकर उत्साह में प्रायः कहा करते थे– "यार

पार्टनर, आप खूब मिले।" मगर वात्स्यायन, जो आखिर तो 'अज्ञेय' थे, कहते तो कैसे? लेकिन व्यक्ति वाणी का संयम भले ही कर ले जाए, परन्तु ये आँखें, किस-किसको, कब-कब, कहाँ-कहाँ और कैसे-कैसे धोखा नहीं देती आयी हैं! तब भला वात्स्यायन की आँखें कैसे अछूती रह सकती थीं? पर यह भी सही है कि आँखों की भाषा होती बड़ी ऐकान्तिक है। जैसे मैंने आरम्भ में कहा कि सन् 53 में उपन्यास की पाण्डुलिपि की लौटानी के वक्त हमारे बीच एक अव्यक्त तनाव अकारण उत्पन्न हुआ और मुझे उनकी छत पर उस दिन ऐसा लगा था कि यह हमारे सम्बन्धों का जैसे 'फाइनेल' है। और यह लगना काफी-कुछ सही जैसा ही था; परन्तु जीवन में शायद 'फाइनेल' जैसी कोई स्थिति नहीं होती, तभी तो वात्स्यायन को जब 78-79 में ज्ञानपीठ पुरस्कार मिला तो उस अवसर पर त्रिवेणी कला-संगम में एक समारोह हुआ, जिसमें इस तनाव की इतिश्री हुई। तात्पर्य यह कि यह अबोला पच्चीस वर्ष से भी कुछ ज्यादा ही चला। वैसे ऐसा नहीं कि इस अन्तराल में हमारा आमना-सामना नहीं हुआ, या देखा-देखी नहीं हुई या अता-पता नहीं रखा गया – यह सब हुआ, बल्कि और भी बहुत-कुछ हुआ, पर कुल मिलाकर उनकी ओर से शायद यही भाव रहा होगा कि– "आ, तू आ, हाँ, आ, मेरे पैरों की छाप-छाप पर रखता पैर, तू आ" –तो सम्भव है जवानी के जोश में मेरा भी कुछ-कुछ यही भाव रहा होगा कि– "रेख्ते के तुम्हीं उस्ताद नहीं हो गालिब।" –गरज कि तनाव था और निश्चित ही था मगर शत्रुता वाला नहीं, बल्कि आत्मीयता के टूटने के बाद एक रिक्तता या उदासी, बस कुछ ऐसा ही। यह अहसास तीव्र इसलिए भी था कि सामाजिक स्तर पर दोनों की ही ओर से सम्भ्रान्त मौन था। सम्भव है यह स्थिति समय के साथ वात्स्यायन को भी असुविधाजनक होती गयी होगी, मगर समस्या थी कि पहल कैसे हो, और कौन करे? – "क्या, पहले आप?", "जी नहीं, पहले आप" – का भी तकल्लुफ रहा ही होगा, और आखिरकार बड़प्पन का परिचय वात्स्यायन जी ने ही दिया, जिसकी तफसील के पहले एक रोचक प्रसंग की चर्चा शायद अप्रासंगिक न हो, जब हमें परिस्थितिवश बाधित होकर कुछ समय के लिए साथ होना पड़ा था।

शायद समय सन् 62 या 63 का था। शमशेर जी उन दिनों इलाहाबाद में ही हुआ करते थे। वात्स्यायन जी *आँगन के पार द्वार* की कविताएँ लेकर इलाहाबाद आये हुए थे। शमशेर, बहादुरगंज वाले जिस मकान में रहा करते थे उसकी विशेषता बिना देखे समझ में नहीं आ सकती है। अगर आपने किसी शरीफ, निहायत ही कमसिन दुबले-पतले महानुभाव को बदन से एकदम चिपकी, बटनों में कसी पड़ती शेरवानी में देखा हो तो आप शमशेर जी के इस बासे की मासूमियत कुछ-कुछ समझ सकते हैं। बमुश्किल दस फीट चौड़ी उस जगह में ताजिये जैसा

एक तिमंजिला मकान। इस दस फीट में भी दीवार से निहायत सटे-सटे काँखता-कूँखता चढ़ता एक जीना भी, जो दो फीट चौड़ा तो रहा ही होगा। गरज कि उस मकान की बाकी की सारी मकानियत आठ फीट में सजी-सँवरी थी। हिन्दी में जिसे पहली मंजिल कहा जाता है, उसमें एक मुसलमान दर्जी की दुकान थी। वैसे 'थी' का प्रयोग शमशेर के कारण ही किया जा रहा है वरना तो आज भी वहाँ वह मकान, दुकान आदि सब कुछ बदस्तूर है, 'थी' या था का वैसे कोई सवाल नहीं उठता, पर — वैसे उस मकान का तो कोई अपना नाम नहीं था। मगर दुकान वह भी टेलरिंग-शॉप, भला बिना नाम के कैसे हो सकती थी, फलतः 'जस्टफिट टेलर्स' का एक बड़ा-सा साइनबोर्ड भी था। नतीजा यह हुआ कि उस मकान का नाम ही "जस्ट फिट" हो गया। कई बार खयाल आता है कि चीजों के नाम रखे या पड़ जाने के पीछे क्या इसी तरह के संयोग काम करते हैं? संयोग से जो टेलर मास्टर थे, खुदा उन्हें उम्रदराज करें, वे आज भी सही-सलामत हैं, खासे तोले-माशे जिस्म के श्रीमान हैं, तो हमारे शमशेर जी भी कौन उनसे कम थे। मगर ताज्जुब की बात तो यह थी कि इनका मकान-मालिक, जो कि औसत हैसियत का एक सुनार था, कोई भी इन तीनों को एक साथ देखकर कह सकता था कि ऐसे कमसिन किराएदारों का ऐसा ही मालिके-मकाँ हो सकता है या होना चाहिए — शरीफ!

बहरहाल, आइए इस 'जस्ट फिट' की सीढ़ियाँ चढ़ी जाएँ। मगर, जरा देख-सँभलकर सीढ़ियाँ चढ़िएगा, शमशेर जी की साइकिल भी ऊँचा मुँह किए सीढ़ियों पर है, वैसे उसे ऊपर नहीं जाना है। उन दिनों प्रतिदिन शमशेर जी के यहाँ घण्टों बैठक जमती थी। जब रोज की तरह उस दिन भी पहुँचा तो देखा कि उस आठ-दस फीट वाली मकानियत की जैसे चादरें चिकनी कर दी गयी हैं और थोड़ा धुला-पुँछापन भी लग रहा था। चार-पाँच नवोदित लेखक-लेखिकाएँ दीवार से सटे-सटे बैठे हुए थे। बीच में एक चौकी, और चौकी के उस पार वात्स्यायन। मैं जब पहुँचा तब खाना लगभग समाप्त हो रहा था। मुझे हठात् आया देख शमशेर तो नहीं, परन्तु दूसरे सभी चौंके और कहना चाहिए मैं भी, कि मैं बहुत गलत मौके पर पहुँचा। शमशेर तो आग्रह-मूर्ति हैं। खाने के लिए इसरार जरूर किया, परन्तु जानते थे कि मैं इस वक्त तक खा चुका होता हूँ, इसलिए समझौता फलों पर हुआ जो कि भोजन के बाद सामने रखे गये। मैंने चाहा जरूर कि फलों के खत्म होते ही मैं किसी बहाने से उठ जाऊँगा और जैसे ही मैंने मौका देखा तथा उठना चाहा तो शमशेर बोले— "अरे वाह, अज्ञेय जी अब नयी कविताएँ सुनाएँगे, और तुम चले जाओगे?" —कहते हुए उन्होंने वात्स्यायन की ओर देखा, जैसे कह रहे हों कि— भला बताइए? वात्स्यायन को निश्चित ही असुविधा हो रही थी, यह

उनके मौन और आँखों में लिखा हुआ था। मुझे भी असुविधा से कुछ ज्यादा अनुभव हो रहा था। परन्तु शमशेर को कैसे समझाया जाता? शमशेर वस्तुतः एक ऐसी आत्मीय गाँठ की तरह रहे हैं, जो इस तरह के मौकों पर आपकी अँगुलियाँ लाख दुख जाएँ पर अपने गाँठपन को बड़े ही निर्दोषपन से लिये रहेंगे और आपकी ओर निरीह देखने लगेंगे।

तो, आखिरकार वात्स्यायन जी ने पूरी सम्भ्रान्तता और गम्भीरता के साथ कविताएँ पढ़ीं। कविताएँ क्या थीं, एक खास किस्म का सृजनात्मक अनुभव था। जिन्होंने, वात्स्यायन को अन्तिम दिनों में ही काव्य-पाठ करते सुना है, वे शायद नहीं समझ सकते कि वह अत्यन्त निर्वैयक्तिक और भावहीन तरीके पर काव्य-पाठ किया करते थे, जिसमें किसी भी प्रकार का आदान-प्रदान नहीं होता था। इसका कारण मुझे तो यही लगता है कि सन् 35 से 45 के दशक में बच्चन आदि मंच से जिस प्रकार काव्य-पाठ किया करते थे उसमें निश्चित ही मंचीय नाटकीयता, तथा गलेबाजी ही अधिक होने लगी थी; शायद उन मंचीय कवियों की लोकप्रियता का यह भी एक कारण रहा हो। निश्चित ही, वात्स्यायन ही नहीं, कोई भी गम्भीर रुचि का कवि इसको स्वीकार नहीं करेगा। शायद यही कारण था कि मैथिलीशरण गुप्त, प्रसाद या महादेवी ने काव्य-पाठ के इस मंचपन को नहीं स्वीकारा। परन्तु इस प्रतिक्रिया में वात्स्यायन अतिवादिता के जिस दूसरे सिरे पर खड़े हो गये, वह भी तो इसका जवाब नहीं था।...

इस काव्य-पाठ के बाद चाय के लिए वात्स्यायन जी का सुझाव आया कि कहीं बाहर चलकर पी जाए। मैंने इस मौके का लाभ लेना चाहा कि चला जाऊँ, पर फिर वही शमशेर की सरलता आड़े आ गयी। और हम तीन-चार लोग आखिरकार जानसेनगंज 'निरंजन' सिनेमा के नॉवेल्टी होटल पहुँचे। चाय तो औपचारिकता ही थी, इसलिए चाय खत्म करते ही शमशेर को कहीं जाना याद हो आया और वे चौथे व्यक्ति के साथ तत्काल चल दिये। अब मंच पर अबोलेपन की स्थिति में रह गये थे केवल दो पात्र – वात्स्यायन और नरेश मेहता। दोनों ही पात्र होटल से बाहर आये। शायद दोनों ही अपने-अपने जाने को नैसर्गिक दिखाने की चेष्टा में थे। होटल के बाहर की व्यस्त सड़क को म्युनिसपाल्टी ने यातायात पर नियन्त्रण रखने के खयाल से पत्थरों की एक पाली खींच रखी थी। इसी पाली को अपने बीच में विभाजित-रेखा बनाकर दोनों ही पात्र खड़े हो गये और एक दूसरे को इस भाव से देखना आरम्भ किया, कि– कहिए, अब? आखिर इस द्विधा की मनःस्थिति में और वह भी इस प्रकार चलती सड़क पर कितनी देर खड़ा रहा जा सकता था। इसलिए अनुज होने के नाते मैंने ही कहा, "अब तो आप 'बसुधा' ही जाएँगे।" आखिरकार उन्हें मुझसे बोलना ही पड़ा– "हाँ, और आप?" "मैं भी अब

घर ही जाऊँगा।" और अपने-अपने गन्तव्य के लिए हमने भिन्न दिशा वाले रिक्शे लिये और वस्तुतः हम दोनों ही अपने-अपने झूठ की ओर बढ़े।

झूठ? जी हाँ झूठ, इसलिए कि न उन्हें 'बसुधा' जाना था और न मुझे घर। हुआ यह कि मैं इस पूरे तनाव के बाद थोड़ी निश्चिन्तता चाहता था। इसलिए घर न जाकर जब मैं रेलवे ओवरब्रिज वाले लम्बे रास्ते से होकर कॉफी हाउस पहुँचा। शायद चार-पाँच के बीच का समय रहा होगा और आमतौर पर कॉफी हाउस में इस समय भीड़ नहीं होती। जैसे ही पीछे की सिरे वाली टेबल पर, जहाँ कि आमतौर पर हम लोग बैठते रहे थे, दृष्टि पड़ी तो मैं अवाक् रह गया, कि वहाँ अकेले वात्स्यायन बैठे हैं और कॉफी पी रहे हैं। अजीब स्थिति थी कि मैं न तो लौट सकता था और न किसी दूसरी टेबल पर बैठ ही सकता था। और रोज वाली टेबल पर जाने का मतलब – फिर वात्स्यायन! और जब तक मैं वहाँ पहुँचा तब तक वह बैरे को मेरे लिए कॉफी का आर्डर दे चुके थे, और हम फिर अपनी नितान्तताओं में खोए मौन कॉफी पीते रहे। उसके बाद जब वह चलने के लिए उद्यत दिखे तो मैंने इस बार पूछने की गलती नहीं की, कि अब आप 'बसुधा' ही जाएँगे न? पर इस बीच विषमता को लेकर सारे समय उनमें और मुझमें एक स्मितता लिखी हुई थी जिसे हम दोनों पढ़ सके थे। अस्तु।

हुआ यह कि एक दिन डाक से एक सामान्य-सा निमन्त्रण-पत्र मिला, जिसमें वात्स्यायन जी के सम्मान में, दिल्ली में त्रिवेणी कला संगम में एक समारोह की सूचना थी। प्रयोजन ज्ञानपीठ पुरस्कार का मिलना था। ठीक है, ऐसी सामान्य सूचनाएँ तो आती ही रहती हैं। लेकिन तभी देखा कि ऊपर कोने में हाथ से कुछ लिखा हुआ है, पढ़ा– नरेश जी, मैं चाहता हूँ कि आप अवश्य आएँ –अज्ञेय। यह पढ़कर भी मुझे ऐसा नहीं लगा कि मुझे इलाहाबाद से केवल इतनी-सी बात के लिए दिल्ली जाना चाहिए। परन्तु पत्नी महिमा जी ने अपने 'कान्ता-सम्मित' ढंग से मुझे समझाया कि अज्ञेय जी के इस आग्रह की रक्षा करनी ही चाहिए, क्योंकि जब मेरे मन में उनको लेकर हमेशा आदर और आत्मीयता ही रही है, तब व्यर्थ की बातों से जो वर्षों का तनाव है, वह आखिर दूर किस प्रकार होगा? अज्ञेय जी ने बड़े होकर जब पहल की है, तब क्या मुझे एक आत्मीय अनुज की भाँति व्यवहार नहीं करना चाहिए? महिमा जी की बातों और तर्कों में न केवल विवेक था, बल्कि दूरदर्शिता भी थी और मुझे पहले पत्नी के सामने और बाद में वात्स्यायन के सामने झुकना ही पड़ा। पर क्या इसे झुकना कहा जाएगा, जिसमें वात्स्यायन जी की ऐसी आत्मीयता मुझे मिली जो मेरी भूषा में ही नहीं, स्वत्व में भी इत्र बनकर सुवासित है? पर एक बात नहीं समझ पा रहा था कि वात्स्यायन को अपनी इस चरम

उपलब्धि के समय मेरा स्मरण कैसे हुआ? मैं दूर-दराज तक उनके क्षितिज में कहीं नहीं था, तब? और मुझे एक सज्जन का स्मरण हो आया– डॉ. रामकमल राय का। रामकमल जी ने वात्स्यायन पर एक आलोचना ग्रन्थ लिखा था जो मुझे अच्छा लगा था। उनसे प्रायः वात्स्यायन पर भी चर्चा होती रहती थी। सम्भव है उन्होंने ही 'लिएसाँ' का काम किया हो, और बाद में इस अनुमान की कुछ पुष्टि भी हुई। खैर।

उस शाम मैं अत्यन्त सशंक भाव से त्रिवेणी कला संगम अपने भाई, सांसद नन्दकिशोर भट्ट के साथ पहुँचा। आयोजन बड़ा तो नहीं था, पर 'काम्पेक्ट' और रुचि-सम्पन्न था। दिल्ली के बाहर के भी कई लेखक मंच और हाल में जमा थे। मैं इसी तैयारी से गया था कि पीछे कहीं भी बैठ लिया जाएगा और समाप्ति पर वात्स्यायन जी को बधाई दे दी जाएगी। परन्तु अन्दर पहुँचते ही डायस पर बैठे वात्स्यायन जी ने मुझे देखा और वे उठे। मैं और भाई अभी बैठने की जगह टोह ही रहे थे कि वात्स्यायन को अपने सामने खड़ा पाया। उनकी इस हठात् उपस्थिति में मैं शायद ठीक तरह से उन्हें बधाई भी न दे सका और उन्होंने बिना कुछ ध्यान दिए मुझे अपने साथ लिया और डायस पर अपनी बगल में बैठा लिया। उन कुछ लोगों को निश्चित ही हैरानी हुई होगी जिन्हें हमारे सम्बन्धों का ज्ञान था, कि– या इलाही ये माजरा क्या है? –सच तो यह है कि मैं स्वयं भी स्तम्भित था। समारोह में बोलने का जब मेरा क्रम आया तो मेरे सामने दुविधा उत्पन्न हुई। लोग जिस भाषा में बोल रहे थे, वैसा करना मेरे लिए असम्भव था। इसलिए संक्षिप्त-सी बधाई देते हुए उनके सम्मान में एक कविता पढ़ दी, जो निश्चित ही कुछ लोगों को अभद्रता ही लगी होगी, पर गनीमत यही थी कि वात्स्यायन जी को ऐसा नहीं लगा। समारोह की समाप्ति के बाद 'डायस' की सीढ़ियों के नीचे वात्स्यायन लोगों से घिरे हुए थे – आटोग्राफ्स देते हुए। लोग उनसे घर पर मिलने का समय माँग रहे थे और कुछ उन्हें अपने विद्यालयों में आमन्त्रित करने को उत्सुक थे। मैंने भी उनसे आज्ञा चाही तो हस्ताक्षर करना रोककर बोले– "क्या घर नहीं आएँगे?" –और मैं फिर अवाक् हुआ। घर? वात्स्यायन जी के घर? लेकिन क्यों? मैंने तो उनसे घर आने के लिए ऐसा कोई समय नहीं माँगा, जैसा कि दूसरे चाह रहे हैं। पर मुँह से केवल इतना ही निकला– "ठीक है, जब आप कहें।" और दूसरे दिन सवेरे नौ बजे का समय तय हुआ। इतनी व्यस्तता में तथा घिरे होने पर भी वे घर का ठीक-ठीक दिशा-ज्ञान देना नहीं भूले। –उस रात, काफी रात गये तक सोचता रहा कि इतने वर्षों बाद आखिर क्या बातें की जा सकती हैं? क्या इतने लम्बे अबोलेपन के बाद हठात् सहज होकर कुछ भी कहा जा सकता है। और वह भी अज्ञेय जैसे व्यक्ति के साथ? जब बहुत देर सोचने पर भी कुछ समझ में नहीं आया तो यही लगा कि

पहले से कुछ भी सोचना बेकार है। जैसी स्थिति होगी, देखा जाएगा।

उन दिनों वात्स्यायन जी, अगर भूल नहीं करता तो, जंगपुरा एक्सटेंशन के आसपास कहीं रहते थे। दिए हुए पते पर जब पहुँचा तो बँगले के बाहर तैनात गोरखे ने सुनकर हाथ से भीतर की ओर उधर इशारा किया, जहाँ एक कार के पास कोई महिला खड़ी थीं। समझ नहीं पाया कि गोरखे ने मेरी बात समझकर ऐसा संकेत किया है। पर जब मैं उन देवी जी के पास पहुँचा और अज्ञेय जी के बारे में पूछा तो, कुछ इतना अस्पष्ट तथा संक्षिप्त सा 'हाँ' जैसा उन्होंने कहा जिसे मैं ठीक से सुन तो नहीं पाया, पर लगा कि शायद 'हाँ' ही कहा है। दुबारा पूछकर आश्वस्त हो सकूँ, इसके पूर्व ही वे देवी जी बँगले के उस बड़े दरवाजे की ओर लगभग भागने जैसी ही तेजी से लपकीं, जिसमें एक जीना स्पष्ट दिख रहा था, और वे जीने से चढ़कर विलीन हो गयीं। बँगले के उस सुनसानपन में मैं फिर निरीहता अनुभव करता द्विधा में था कि क्या किया जाए? मेरे पास देवी जी के संक्षिप्त 'हाँ' के सहारे जीना चढ़ने के अलावा और कोई दूसरा विकल्प भी तो नहीं था। संकोच भी हो रहा था कि किसी बँगले के सुनसानपन घर में प्रवेश करना क्या उचित भी है? एक बार यह भी लगा कि क्या सचमुच ही देवी जी ने 'हाँ' ही कहा था या मुझे ऐसा भ्रम हुआ? वैसे देवी जी से मैंने कुछ अवांछित तो नहीं ही पूछा था जो ठीक से जवाब न देकर बगटूट चली गयीं। और धड़कते दिल के साथ मैं एक-एक सीढ़ियाँ चढ़ते हुए अपने इस आने पर लानत भेजता रहा। जब मैं इस अन्यमनस्कता के साथ ऊपर आखिरी सीढ़ी पर पहुँचा और जीने से सिरे पर नमस्कार करते वात्स्यायन दिखे तो जान में जान आयी कि नहीं, मैं गलत जगह नहीं पहुँचा। सीढ़ियों पर यह ध्यान आया जरूर कि कहीं इला जी तो नहीं थीं? हालाँकि उस समय मैंने उन्हें ठीक से देखा तक नहीं था। कालान्तर में कभी किसी प्रसंग में मेरे इस आगमन की चर्चा निकली तो पता चला कि इला जी ही थीं। तब उनका उस दिन का संक्षिप्त 'हाँ' और बगटूट चला जाना सब समझ सका क्योंकि स्थितियाँ तब भिन्न थीं। मुझे एक शान्त तथा किंचित् प्रशस्त लेकिन निराडम्बर ड्राइंगरूम के करीनेपन में बैठालकर 'अभी आया' कहकर वात्स्यायन चले गये। यह बँगला मेन रोड से थोड़ा भीतर था, इसलिए एक प्रकार की काम्य निःशब्दता न केवल कमरे में ही थी, बल्कि खिड़की के बाहर की प्रशस्तता, पेड़ों और धूप तक में थी। बड़ी खिड़की क्या थी, जैसे तैल-चित्र थी जिसमें पेड़, आकाश, धूप सब चित्रित लग रहे थे। व्यक्ति की सम्भ्रान्तता उसकी चीजों और परिवेश से भी आँकी जा सकती है।

थोड़ी ही देर में वात्स्यायन एक छोटी ट्रे में दो कप चाय और कुछ बिस्कुट लेकर आये। चाय देखते ही मुझे सन् 53 वाला सारा दृश्य मूर्त हो आया। उस दिन उनकी बैठक में चौकी पर दूध के दो मग और एक प्लेट में काटे जाने की

प्रतीक्षा करते सेब रखे थे, तथा एक बाहरी व्यक्ति के पहुँच जाने पर विचित्र असुविधा अनुभव करतीं कपिला जी बैठी थीं। तो क्या उस दिन के दूध से चाय आज बनकर आयी? हँसने को मन हुआ, पर लगा कि हँसने पर, वात्स्यायन जी के पूछने पर इस प्रसंग को बताना पड़ा तो पच्चीस वर्षों के बाद की इस शुरुआत की इब्तिदा ही गलत हो जाएगी। चाय पीते हुए शायद हम एक-दूसरे को जरूर ही तौलते रहे होंगे कि – देखें। और मुझे लगा कि अनुज होने के नाते मेरा इस प्रकार मौन रहना अभद्रता है। लेकिन कौन-सी बात से शुरू किया जाए? अंग्रेज लोग प्रायः ऐसे मौकों पर मौसम या इंग्लिश-चैनल में ज्वार-भाटों के समय और स्थिति की चर्चा से औपचारिकता निबाह लिया करते हैं। लेकिन ऐसी कोई सुविधा या परम्परा हमारी अपनी तो नहीं है, तब? मैंने *नया प्रतीक* की चर्चा चलायी कि उसे क्यों बन्द कर दिया गया? छूटते ही वे बोले कि अब साहित्यिक पत्रों की किसे आवश्यकता रह गयी है? न पाठकों को और न लेखकों को, किसी की चिन्ता का यह विषय ही नहीं रह गया है इसलिए वह बन्द नहीं होता, तो और क्या होता? अच्छा, आप ही बताएँ कि यदि ऐसी कोई चिन्ता आपको थी तो आपने *नया प्रतीक* में कभी कुछ क्यों नहीं भेजा? क्या बिना सामग्री के कोई पत्र निकल सकता है? —और मुझे वर्षों-वर्षों बाद वात्स्यायन को ऐसे सहज, इतनी आत्मीयता, और ऐसे खुलकर बातें करते हुए सुनना बहुत सुख दे गया।

फिर तो हम लोग इस सहज-मार्ग से चलकर कई तरह की बातें करने पर आ गये। इलाहाबाद के एक-एक लोग, एक-एक सड़क को लेकर हम जुड़ते ही चले गये। मुझे ऐसा नहीं लगा कि जैसे वह सप्रयास यह सब कुछ कह-सुन रहे हैं ताकि विगत वर्षों में अन्तराल की जो सूखी खाई हमारे बीच बन गयी थी, उसे वह एक दिन में ही जल से पूरित कर देना चाह रहे हैं। जो हुआ, या जो हो रहा था वह निष्प्रयास ही था। शायद उसे ऐसा ही होना था। सामान्यतः वात्स्यायन न अपने और न किसी के घर-दुआर की मध्यमवर्गी बातें नहीं करते परन्तु उनके सारे 'अंग्रेजी बुर्जुआपन' के भीतर आखिर तो पंजाब की खुली-भूमि का आदमी कहीं उनमें भी था – जिसे वह लाख प्रसाधित किए रहते थे, पर झाँक ही जाता था। और ऐसा झाँकना कुछ तो मजा दे ही जाता है। बोले कि वे जल्दी ही इलाहाबाद आने वाले हैं। निश्चिन्त मन गंगा-तट घूमना चाहते हैं। मुझे हम लोगों का वह द्रौपदी-घाट जाना याद हो आया। मैं समझ गया कि वह इस घूमने में कहीं मुझे भी जोड़ने के लिए उत्सुक हैं। मैंने पूछा, कि "क्या आप घर आना पसन्द करेंगे?" मेरी इस औपचारिकता पर वे थोड़ा सा खुलकर – जिसमें 'डॉग-टीथ' के पीछे तक के दाँत भी थे, हँसते दिखे– बोले, "आप और महिमा जी बुलाएँगे तो क्यों नहीं आऊँगा?" और इसके बाद तो वह जब भी इलाहाबाद आये, बहुत ही सहज

आत्मीयता के साथ, कभी अकेले तो कभी इला जी के साथ, घर आते रहे।...

मेरी षष्टि-पूर्ति के अवसर पर आयोजित समारोह में लोकभारती प्रकाशन वात्स्यायन जी को बुलाना चाहता था। मुझे जब यह मालूम हुआ तो कुछ अन्यान्य कारणों से उनके आने को लेकर मैं शायद आश्वस्त नहीं हो पा रहा था, पर इसमें वात्स्यायन जी कोई कारण नहीं थे। मैंने इस मामले में भी मौन रह जाना ही उचित समझा। परन्तु जब वे सहर्ष आये, समारोह में पूरी आत्मीयता से बोले, मुझे आशीर्वाद दिया, स्मृति-स्वरूप अपनी नयी पुस्तक भी दी तथा खुले मन से काव्य-पाठ में हिस्सा लिया तो निश्चित ही मुझसे अधिक लोगों को आश्चर्य हुआ। दूसरे दिन इला जी के साथ घर भी आये और मध्ययुगीन भाषा में जिसे 'जूठन गिराना' कहा जाता है, सो वह भी किया। बड़ी ही सहज एक पारिवारिकता बच्चों तक ने अनुभव की। कहना चाहिए कि इसके बाद ही मैं वास्तविक रूप से उनके प्रति सहज हो सका। सच तो यह है कि वात्स्यायन को निकट से देखना – सम्पूर्ण समुद्र या आद्यन्त हिमालय को ऐसा देखना होता था जैसे आपके हाथों में कोई फूल सुगन्ध दे रहा हो।

इसके बाद जब वे उतने ही उत्साह से सन् 84 में भोपाल में हुए 'सारस्वत सम्मान' में भी आये तो निश्चित ही लगा कि विगत के रीते अन्तराल की सारी कटुताएँ, यदि कोई थीं तो, या स्मृतियाँ सबको पूरी तरह समाप्त कर देना चाहती हैं, तब भला मैं कैसे इस सदाशयता में सहयोगी न बनता? इस अवसर पर उनकी जन्मजात या अर्जित संकोचशीलता या अंग्रेजों वाली बुर्जुआ-वृत्ति का दिलचस्प वाकया हुआ। जाड़े के अच्छे-खासे दिन थे। भोपाल के 'न्यू रेस्ट हाउस' में हम लोग टिके थे। रेस्ट हाउस वाले वैसे तो रात के लिए कम्बल देते हैं, पर शायद माँगने पर ही। और सम्भव है किसी ने कम्बलों के लिए कहा नहीं होगा, सो उनके कमरे में कम्बल नहीं रखे गये, जबकि हम लोगों के पास अतिरिक्त थे। वात्स्यायन जी नियमतः जल्द जागने वालों में रहे हैं और देर से जागने वालों में मैं। जब मैं जागा और बाहर निकला तो देखा कि वात्स्यायन जी पूरी तरह से लैस रेस्ट हाउस के ओस भीगे लॉन में प्रातः भ्रमण कर रहे हैं तथा डॉ. रामकमल राय भी, जो कि इस सम्मान-समारोह में मेरे साथ इलाहाबाद से गये थे, वे भी सबेरे जागने और घूमने जाने वालों में से हैं। मुझे देखते ही रामकमल जी ने बताया कि रात में वात्स्यायन जी के कमरे में किसी ने कम्बल ही नहीं रखा और उन्होंने गरम कपड़ों में ही किसी तरह रात काटी। सुनकर मैं सन्न रह गया। नाश्ते की टेबल पर बड़े ही निरपेक्ष भाव से उन्होंने कुल इतना ही बताया कि नहीं, गरम कपड़ों के अलावा वह गरम शाल भी तो थी जो कल समारोह में उन्हें भी मेरे कारण 'तुफैल' में मिली थी। नाश्ते की टेबल पर आयोजक कैलाशचन्द्र पन्त, प्रभाकर श्रोत्रिय आदि भी

थे। पर सब सन्न। रेस्ट हाउस वालों को कहा-सुना भी गया, पूछताछ भी की गयी। पर जो होना था सो तो हो चुका था। सच ही उनकी इस शालीनता का वह दण्ड उन्होंने भले ही देह पर भोगा, परन्तु मैं क्या किसी दिन अपने मन पर से इसे उतार सकूँगा?...

चोरवाड। सौराष्ट्र का वनस्पतिविहीन बलुई, पश्चिमी समुद्र तट। पता नहीं क्या, पर यहाँ की इस वीरान भौगोलिकता में इतिहास के क्रूर व्यवहार की जैसे एक अव्यक्त आहट, थरथराहट अभी भी कहीं है और वह भौगोलिकता अभी भी पूरी तरह सहज नहीं हो पाई है। गहरे कटाव के कारण समुद्र में खाड़ी का-सा बोध है। बंगाल-उड़ीसा का पूर्वी तट या दक्षिणी प्रायद्वीप के गोवा-कोंकण के पश्चिमी समुद्री तटों में ताड़ नारियल आदि की जो आरण्यक रम्यता है वैसी इस सौराष्ट्री-तट में नहीं है। है, तो बस पेंसिल की लकीर-सा खिंचा एक सपाटपन। फिर भी यह प्रकृति में ही क्षमता और विशेषता होती है कि बिना किसी भी प्रकार के अलंकरण, प्रसाधन और अलभ्यता के भी निरे रेतीले कगारों, टीलों और ढूहों में ही ऐसे मन्त्रमुग्ध भाव में अपने ही लिए उपस्थित हुई रहती है, जैसे कि स्त्रियाँ अपने एकान्त में होती हैं। निरे रेतीले सौराष्ट्री-तट के क्षितिज में उतर गये किनारों पर सम्पन्न होता सूर्यास्त, किसी वैभवी समारोह से कम नहीं लग रहा था। प्रकाश, गुलाल बना आकाश में फैला हुआ था। हमारे वस्त्र ही नहीं मन तक इस गुलाल में रँगे पड़ रहे थे। अरब सागर के ऊपर फैले आकाश का यह निर्बाध सूर्यास्त — मध्य-पूर्व-एशिया, ग्रीस-यूनान की मिथक-भूमि के भी पार पूरे यूरोप में न जाने किस-किस रूप और क्रम में घटित हो रहा होगा। सूर्यास्त जब क्रमशः सन्ध्या में परिणत होता है, तब क्या सृष्टि की अर्धनारीश्वर वाली प्रकृति की अवधारणा, सत्य नहीं लगती? पुरुष में नारी और नारी में पुरुष की भेद-रेखा क्या वस्तुतः कहीं है? तात्विक बातों के बारे में एक सीमा के बाद किसी एक देश, एक मान्यता की भूमि पर खड़े होकर उठाए जाने वाले प्रश्न क्या किसी सत्य तक पहुँचाते हैं? सृष्टि में क्या देशज, तद्भव और तत्समता को लेकर कोई भेद-दृष्टि और व्यवहार मिलता है? यदि हिमालय का अलभ्य ब्रह्मकमल परम तत्समता है तो क्या बालू में ज्वारों द्वारा पीछे छूटे कूड़े-करकट की देशजता और तद्भवता उतनी ही मूल्यवान नहीं है? जब भी हम केवल अपनी ही स्थिति और दृष्टि का आग्रह लिये रहते हैं, तभी हम तात्विकता से वंचित और दरिद्र ही होते हैं।

लहरें किस एकान्त उत्साह से, जिस चट्टान पर मैं बैठा था, आ रही थीं और झाग के फन पटकती बिखरते शब्द बन, सन्ध्या को भाषा न भी सही तो नादमय तो बना ही रही थीं। उनके लौटने के साथ मैं भी तो अनजाने ही सागर होते जाने

के उपक्रम में रत था। समुद्री हवाओं की निर्द्वन्द्वता मुझे हमेशा नीग्रो-संगीत की आदिमता, उद्दामता और नैसर्गिकता का बोध करवाती है – कहीं किसी भी प्रकार की सभ्यता की कोई ग्रन्थि नहीं, जो है निर्बाध है, फिर चाहे वह देह हो या मन। तभी लगा कि सागर का उफनाना अब चट्टानों पर तेजी से चढ़ने लगा है, शायद अब ज्वार आने को है, और मुझे लगा कि कोई मेरे पीछे उपस्थित है। चौंका। क्या सच ही? और सच ही कुरते-पाजामे में आकाश में बाण की तरह खिंचे चले गये वात्स्यायन खड़े हैं, पता नहीं कब से। मुझे अपनी ओर देखते देखा तो बोले– "सागर बाँधता है न? जन्मदिन की बधाई। अब चलिए लोग प्रतीक्षा कर रहे हैं।" ध्यान ही नहीं गया था कि तट पर अँधेरा उतर आया था और रेस्ट हाउस के किचन वाले वार्ड की खिड़कियाँ पीला प्रकाश लिखती चमकने लगी थीं। जब हम लोग वहाँ पहुँचे तो मालूम हुआ कि एक काव्य-गोष्ठी आयोजित है, तो उसका सन्दर्भ और प्रयोजन समझने में कोई कठिनाई नहीं हुई, क्योंकि वात्स्यायन जी की आँखों में अत्यन्त क्षीण स्मिति-सी आत्मीयता अँजी हुई थी। उस दिन के केंडल-लाइट-डिनर को स्वरूप तथा स्वादिष्ट मिठाइयों से जिस प्रकार संयुक्त और सुवासित किया गया था, उसकी सुगन्ध और स्मृति कम से कम मेरे लिए तो इतिहास ही है।

इन अन्तिम दिनों में चार-छह बार तो निश्चित ही कभी इलाहाबाद विश्वविद्यालय की हीरक जयन्ती पर, तो कभी जयपुर में या फिर वृन्दावन में केवल हमारे ही काफी लम्बे-लम्बे काव्य-पाठ हुए। एक स्थिति तों यह आ गयी कि वे अपनी कविताएँ सुनाते समय कुछ के पूर्व यह भी कह दिया करते थे कि, "यह नरेश जी को प्रिय है।" पर इससे भी अधिक मार्मिक बात तो यह थी कि दो-चार बार उन्होंने मुझे गलत पंक्ति पढ़ने पर टोक दिया होगा कि– "नहीं, पंक्ति इस प्रकार है" –सामान्यतः उनको लेकर यह आम शिकायत, जो गलत भी नहीं थी, कि वे न तो स्वयं अपने से कभी कविता सुनाते हैं और न किसी को सुनाने के आग्रह की औपचारिकता या सौजन्यता दिखलाते हैं। दूसरी आदत उनमें यह थी कि वह कभी दाद नहीं दिया करते थे और यह स्थिति काफी असुविधाजनक होती थी, जैसे आप किसी मूर्ति के सामने बैठे हुए काव्य-पाठ कर रहे हैं। इन शिकायतों से वह सर्वथा मुक्त हो गये थे, कहना तो गलत होगा, परन्तु पहले की अपेक्षा उनमें काफी बदलाव आ गया था।

इसका एक रोचक प्रसंग याद आ रहा है। इन्हीं वर्षों में एक बार 'नवीन जयन्ती' के सिलसिले से वात्स्यायन जी भी शाजापुर गये। मैं तो अपने चचेरे भाई के घर ठहरने चला गया, पर वात्स्यायन जी डाक बँगले में ठहराए गये। हुआ यह

कि जयन्ती समारोह जब देर रात समाप्त हुआ तो मैं घर चला आया और वे डाक बँगले। दूसरे दिन जब दस बजे के करीब मैं डाक बँगले पहुँचा तो देखा कि कुछ स्थानीय लेखकों से घिरे वे बरामदे में बैठे हैं। थोड़ी देर बाद जब हम अकेले रह गये तो डाक बँगले की प्रशस्तता में चहलकदमी करते हुए मैंने उनसे पूछा– "रात कोई कष्ट तो नहीं हुआ?" वे थोड़ा-सा मुस्कुराते हुए बोले कि– "रात आप तो अकेला छोड़ गये। यहाँ भी थोड़ा काव्य-पाठ हुआ।" वात्स्यायन जी ने इससे अधिक कुछ नहीं कहा, पर किसी से मुझे ज्ञात हुआ कि स्थानीय कवियों ने उन्हें न केवल अपनी ढेरों कविताएँ ही सुनाईं, उनसे भी देर रात तक काफी कविताएँ सुनीं। लौटते में रास्ते में मैंने थोड़े चुटकी लेते हुए कहा कि– "स्थानीय कवियों ने आपको बड़ा कवि मानते हुए भी हिन्दी का कवि ही माना, बेचारों को आपकी अप्रतिमता का कोई अन्दाजा नहीं था।" जाहिर है कि वात्स्यायन को जवाब तो नहीं ही देना था।

कई बार लोग अनायास ही आपको विषमता में डाल देते हैं कि आप फलाँ साहब को जानते हैं इसलिए हमारा यह करवा दें, वह करवा दें। सम्बन्ध और स्थितियाँ ऐसी होती हैं कि न 'ना' कहते बनता है, न 'हाँ'। हालाँकि जो प्रसंग मैं बतलाने जा रहा हूँ वह कतई आत्मपरक नहीं था, बल्कि पूरी तरह मानवीय ही था। फिर भी साँसत तो साँसत होती है। सन् तो नहीं याद पड़ रहा है, पर अभी चार-पाँच बरस हुए होंगे। इलाहाबाद में बहुत अच्छे एक गीतकार थे, उमाकान्त मालवीय। उनका सहसा निधन हो गया। वे ए. जी. ऑफिस में साधारण पद पर थे। ऑफिस से कर्ज लेकर दूसरों की तरह उन्होंने भी एक अदद मकान बनवाया, पर इस बीच चल बसे। तीन-चार छोटे बच्चों की कच्ची गृहस्थी पर वज्रपात हुआ। भीषण कर्ज में परिवार एकदम डूबने की स्थिति में आ गया। उमाकान्त जी उस कार्यालय में कितने लोकप्रिय थे, यह इससे पता चलता है कि वहाँ के सारे कर्मचारियों ने इस परिवार को उबारने के लिए कई प्रकार के कार्यक्रम किए और उस चन्दे से इतनी रकम जमा की जिसकी कल्पना करना मुश्किल था। इसी सन्दर्भ में आयोजक लोग मेरे पास भी आये कि अगर मैं वात्स्यायन जी से कह दूँ तो वत्सल निधि से कुछ आर्थिक सहायता सम्भव है मिल जाए। मेरे कहने से ऐसा हो सकता है – उन लोगों का यह विश्वास ही मेरे लिए साँसत था। यह भी नहीं कह सकता था कि वे गलत सोचते हैं कि मेरे कह देने भर से ऐसा हो सकता है। लेकिन उमाकान्त जी के परिवार की दारुण विभीषका को जानता था, इसलिए मुझे लगा कि वात्स्यायन जी से कहना चाहिए। ज्यादा से ज्यादा मेरी बात व्यर्थ ही तो जाएगी, परन्तु न कहना तो निरी अमानवीयता होगी।

संयोग से उन्हीं दिनों दिल्ली जाना हुआ और वात्स्यायन जी से भेंट भी हो

गयी तथा मौका देखकर मैंने इला जी तथा वात्स्यायन जी से चर्चा चलायी। सुनकर वात्स्यायन ने थोड़े रुककर मात्र इतना ही कहा– "ठीक है, जल्दी ही न्यासियों की बैठक होने वाली है उसमें आपकी यह बात रख दी जाएगी, देखिए।" वात्स्यायन जी आम ढंग का, व्यर्थ का न तो आश्वासन दिया करते थे और न ही अतिरिक्त उत्साह दिखाते थे। भाषा और आचरण का एक ऐसा ठण्डापन हुआ करता था जिसके कारण उनके बारे में काफी भ्रम हो जाया करता था। मैं जब टैक्सी में बैठ गया तो इला जी आयीं तो मात्र इतना ही बोलीं– "नरेश जी, आप चिन्ता न करें, कुछ तो जरूर ही होगा।" और जब कुछ दिनों बाद उनकी ओर से उस परिवार के लिए तीन हजार का ड्राफ्ट आया तो प्रणम्य हुआ, साथ ही चौंका भी एक गीतकार के लिए नयी कविता के पुरोधा के मन में कहीं कोई भेद-भाव नहीं, क्योंकि कवि आखिर तो कवि ही होता है। विधा के भेद से कोई कैसे कवि नहीं रह जाता?

दिल्ली। कैवेंटर लेन। अंग्रेज युगीन एकान्त बँगला। कद्दावर पेड़ों से घिरा प्रशस्त लॉन और खुलापन। मार्च का कुसुममुखी महीना। चिड़ियाँ अपने परों और चोंचों में फाल्गुन ऋतु दबाए उड़ रही थीं, फुदक रही थीं। चारों ओर की शान्ति ने स्थान में एक गहरापन ला दिया था, जिसमें धूप, पीत-भूषा की सम्भ्रान्तता में अपने को वहन करती फैली हुई थी। वात्स्यायन की छिहत्तरवीं वर्षगाँठ बड़े ही षड्ज स्वर में आभास दे रही थी। लॉन में बड़ा-सा शामियाना इला जी के उत्साह को अभिव्यक्त करता तना था। अच्छी-खासी गहमागहमी थी। विभिन्न प्रकार की सुगन्धें, प्रसाधन प्रति-नमस्कार करते शामियाने में आ-जा रहे थेः साहित्य और कला-क्षेत्र के लोग ही प्रमुख थे। सिरे पर एक मंच, जिस पर कुमार गन्धर्व और सामने लोग। इला जी ने पूर्ण विनम्र होकर कुमार की अभ्यर्थना की और वात्स्यायन ने सम्मान। इसके बाद तो वातावरण में केवल कुमार का संगीत – कभी धूप, कभी चिड़िया, कभी सुगन्ध बनकर देश-कालातीत कर गया। उपरान्त पीछे के लॉन में लोग टोलियाँ बनाकर गप और व्यंजन-प्रधान हो गये। इस पूरे आयोजन के किसी भी कार्यक्रम में यह प्रतीति नहीं होने दी गयी थी कि यह वात्स्यायन जी की छिहत्तरवीं वर्षगाँठ के लिए आयोजित है। एक निरपेक्ष समारोह जिसे सब अपने-अपने ढंग पर समारोहित करते रहे। वात्स्यायन लोगों से मिल रहे थे, लोग उन्हें घेरे हुए थे।

आहार-गोष्ठी के बाद लोगों से घिरे वात्स्यायन जी से मैंने विदा माँगी तो वे चौंके– "क्या आप जा रहे हैं?" सीने तक की ऊँचाई वाली भीड़ के बीच में वे वैसे ही लग रहे थे जैसे जलाशय में खड़े हों। उनके इस पूछने में जैसे एक आदेश, पर आहत जैसा भाव भी था कि नहीं, अभी नहीं जाएँगे। परन्तु जिस तरह बाहर बँगले में भीड़ ही भीड़ थी, उसमें मात्र अकेले एक बने रहने का भला क्या अवसर हो

सकता था? और फिर क्या वात्स्यायन इतनी जल्द भीड़ से मुक्त होकर नितान्त हो सकते थे, जो कहीं उनके मन में कल्पित रहा होगा? भला शाम तक मैं कैसे रुक सकता था, मुझे उसी रात इलाहाबाद भी जाना था। मुझे असमंजस में देखा तो जलों को ठेलते हुए भाव से भीड़ से बाहर निकलकर आये और बोले– "ठीक है, तो फिर कल सवेरे आएँ।" –"पर मैं तो आज ही इलाहाबाद जा रहा हूँ।" मैंने अनुभव किया कि वे अपने से ही भाषाहीन जूझ रहे हैं। शायद वे मुझे आज जाने से बरजना चाहते रहे होंगे। परन्तु उनकी आधारभूत विषमता ही यह थी कि वे भाषा तक पहुँचते हमेशा मौन हो जाते रहे। अन्दर का वह सारा जूझना केवल एक शब्द वाली भाषा ही समेट सका– "अच्छा!!"

और यह 'अच्छा' उस दिन तो उतना नहीं खला, परन्तु समय के साथ गहराता ही चला गया। उस दिन क्या जानता था कि विदा देती और प्रणाम करती यही अन्तिम आत्मीय भाषा सुन रहा हूँ। क्योंकि इसके एक वर्ष बाद जब पता चला कि वे पेड़ पर अपना घर टाँग महाप्रयाण कर गये, तो आसन्न रह गया। दो-तीन वर्ष पूर्व भी तो जयपुर से लौटकर दिल्ली में उन्होंने दो-चार दिन वृन्दावन रहने की इच्छा व्यक्त की थी। परन्तु अपने स्वास्थ्य की गड़बड़ी के कारण जाना सम्भव न हो सका था। शायद हम बहुत-कुछ कहने-सुनने के अन्तिम बिन्दु पर पहुँच चुके थे। पर, जाने वह क्या था जो दोनों बार आड़े आ गया। उस दिन क्या जानता था कि कैवेंटर लेन के प्रलम्ब वृक्षों के सरसरातेपन की पृष्ठभूमि में खड़े इस परम आत्मीय को फिर कभी नहीं देख सकूँगा।

12

दो दरवाजों का घर

॥ कमलेश्वर

मृत्यु के बाद जो विराट हो जाता है, वह अज्ञेय ही रहता है! यही अज्ञेय जी की पहचान है। उन्होंने शब्दों, अर्थों, मिथकों और विचारों की इतनी सम्पदा हिन्दी को दी है कि उनके व्यक्तिगत मौन को उनके साहित्य का मौन नहीं माना जा सकता. .. उन्होंने निरन्तर शब्दों के मौन से मानस को मुखर किया है और निजत्व की छाप से अपने हर कथन को सम्पुष्ट किया है। उनकी निजता ही वह साहित्यिक छेनी या ब्रुश है जो सौन्दर्य के विराट और सघन संसार को उत्कीर्ण भी करती है और निरूपित भी...

मैं अज्ञेय जी से अभिभूत नहीं हूँ... कभी रहा भी नहीं, उन्हें इसकी जरूरत भी नहीं थी। लेकिन मैं यह जरूर मानता हूँ कि उनके विशद लेखन से यह निश्चिन्तता हमें जरूर मिलती रही कि जिस सांस्कृतिक विरासत को हम नजरअन्दाज करते रहे, अज्ञेय जी निरन्तर उसे माँजते, धोते और सँवारते रहे... उसमें कुछ जोड़ते रहे... उनके रहते हम निश्चिन्त थे कि वह बौद्धिक धरोहर निरापद रूप से सुरिक्षत है, जो मूलतः प्राच्य और चिरन्तन है। उनके जाने से हमारे प्राच्य सौन्दर्य, शब्दों, बिम्बों, रंगों, परिकल्पनाओं और साहित्यिक सरोकारों की सृष्टि का संसार अपनी गरिमा की गुरुता में कहीं कुछ भारहीन हो गया है... क्योंकि उस सृष्टि का प्रहरी, प्रेरक और पोषक अब नहीं रहा है।

मुझे अज्ञेय जी के रहते हमेशा यह एहसास रहा कि शब्दों और सौन्दर्य की एक आधुनिक अजन्ता हमारे पास है... उसका शिल्पी हमारे साथ है जो आधुनिक शहरों की निर्जन घाटियों में मूल्यों की शिलाओं को काटकर प्रस्तर के फलक तैयार कर रहा है और निजत्व के गहरे और संवेदनाओं के तरल रंगों से उन प्रस्तर फलकों को रच रहा है।

वे अज्ञेय नहीं – एक अमिट अजन्ता हैं।

मैंने जितना अज्ञेय को जाना है, उसे जानने के लिए अज्ञेय को जानना जरूरी नहीं था। वह दौर नयी कविता और नयी कहानी का था... कि एक दिन पोस्ट से

निमन्त्रण मिला था कि अज्ञेय जी टैगोर टाउन इलाहाबाद में अपना घर कपिला जी के साथ बसा रहे हैं और शाम को एक मिलन का आयोजन है। लगा था कि एक यायावर (बंजारे) ने अपनी नक्काशीदार बैलगाड़ी कहीं रोकी थी और डेरा डाला था... घर में शालीन चहल-पहल थी।

इलाहाबाद के सभी साहित्यकार मौजूद थे... मुख्य कमरे में शान्त सितार वादन चल रहा था... और दूसरे कमरे में अज्ञेय जी सबसे अलग उस समय की नयी कहानी के खुरदरेपन पर संयमित और सापेक्ष बात कर रहे थे। तब लगा था कि वे किसी बात या स्थिति से निरपेक्ष नहीं थे। उनकी चिन्ता कथ्य की नहीं, शैली और शिल्प की थी। वे लेखकों से भी निरपेक्ष नहीं थे, परन्तु कहानी के बदलते कथ्य, मिजाज और तेवर से वे बहुत सन्तुष्ट नहीं थे। चटकी हुई खुरदरी भाषा को वे पहचानने की कोशिश भी कर रहे थे और उन स्वरों को मन-ही-मन जाँच भी रहे थे, जो नयी कहानी के नाम से सामने आ चुके थे। उनकी रचनात्मक आँखें नयी कहानी की आग और धुएँ को दूर तक देख रही थीं। लेकिन अज्ञेय नाम का जो बंजारा अपने नक्काशीदार शब्दरथ से उतरा था – उसकी चिन्ताओं की सारी भट्ठियाँ कहीं भीतर धधक रही थीं... उन्हीं आन्तरिक भट्ठियों में लोहा तप और गल रहा था, परन्तु भीतर-ही-भीतर चलते घनों की कोई ठनक बाहर नहीं आ रही थी... तपते लोहे पर चोटें पड़ रही थीं... जलते लोहे की किरचें छिटक रही थीं – सुलगते अंगारों की आँच और धुआँ भी था, परन्तु उस धुएँ में चन्दन की गन्ध थी, और जो तार उसमें तपकर बन रहे थे... वे मुख्य कमरे में बज रहे शान्त सितार को समर्पित थे।

मुझे तो लगता है कि अज्ञेय हमेशा एक शालीन और शिल्पयुक्त घर बनाते रहे... कविता का घर, कहानियों का घर और हर विधा में तराशे हुए शब्दों का एक पारदर्शी घर... इसीलिए उनकी भाषा उनके निजत्व की पोषक है, सौम्य और समदर्शी – गर्मी में बहती नदी की धार की तरह शीतल और समतल एक लय में बद्ध जैसे नदी अपने में गाती है। वे उद्दाम और प्रश्नवादी नहीं हैं। वे अपने समय के सवालों से भी परे हैं। इसीलिए उनका साहित्य अभिजात्यवर्णी और अकेला है।

प्रयोगवादी दौर के अज्ञेय यदि जाग्रत और जीवित रहते तो आज हिन्दी का इतिहास दूसरा होता... परन्तु ऐसा नहीं हुआ क्योंकि वे जीवन्त प्रश्नों के उत्तर अपनी अन्तरात्मा के भीतर छुपी दार्शनिकता में खोजने लगे और अन्त में वे निष्काम भाव से हिन्दू बनकर 'जानकी-जीवन यात्रा' में शामिल हो गये... ठीक यही तो इकबाल के साथ हुआ था। अज्ञेय और इकबाल की वैचारिक यात्रा में साम्प्रदायिकता नहीं है, पर वे सम्प्रदाय विशेष में अपनी सांस्कृतिक पहचान खोजने लगते हैं। अज्ञेय के अकेलेपन का यही एक त्रासद पहलू है – जिसे विद्यानिवास

मिश्र जैसे हिन्दू बुद्धिजीवी अपना कर्मकाण्डी चोला पहना देते हैं... और वह वाणी जो रवीन्द्रनाथ टैगोर के बाद प्राच्य की अस्मिता की पहचान बनती, उसे सार्वजनिक और सार्वजनीन सौन्दर्य से विलग करके निजी सौन्दर्य की हिन्दूवादी दार्शनिक खोज में तिरोहित कर देते हैं। अपने अकेलेपन की यातना को जीने वाले संवेदनशील रचनाकार की यही त्रासदी होती है, क्योंकि वह अपनी सघन पहचान के लिए कहीं बहुत कमजोर हो जाता है और तब वह मानव अस्तित्व की खोज में अतीत की ओर अनजाने ही लौट पड़ता है। यही अज्ञेय जी के साथ भी हुआ – कुछ-कुछ उसी साधक की तरह जो एक राह पर अकेला चला जा रहा था। उसके केश लम्बे थे और अन्धड़ चल रहा था। राह पर चलते साधक के बाल उड़-उड़कर उसकी आँखों को ढँक लेते थे। वह बार-बार अपने बाल पीछे पलटकर आगे देखने और बढ़ने की कोशिश में लगा था। तभी एक स्थान पर बैठे एक व्यक्ति ने उस साधक से कहा– तुम अन्धड़ की दिशा में क्यों चल रहे हो? अन्धड़ की विपरीत दिशा में चलो तो तुम्हारे यह केश तुम्हें परेशान नहीं करेंगे। ...साधक को यह बात तथ्यपूर्ण लगी और विपरीत दिशा में चलने की अपनी आदत के कारण वह पलटा और अन्धड़ की विपरीत दिशा में चलने लगा। और तब उसके बालों ने उसकी आँखों पर आकर उसे परेशान करना बन्द कर दिया... उसकी आँखें अब निर्विरोध सब कुछ देख सकती थीं – और साधक उस तरफ चल पड़ा, परन्तु उसकी यात्रा की दिशा बदल गयी थी... यह उसने नहीं सोचा था।

अपने समय के चिह्नों और दिशाओं से कटी अकेली यात्राओं के राही इस तरह बहुत बार अतीत की ओर लौट चुके हैं। सुखद यही है कि अज्ञेय जी उस अतीत की राह पर अभी बहुत दूर तक नहीं जा पाये थे। इसीलिए वे विद्यानिवास मिश्र की तरह जटिल और कुटिल आधुनिक हिन्दू नहीं बन पाये थे।

अपने अकेलेपन में अपनी बौद्धिक और संवेदनात्मक अस्मिता के लिए अज्ञेय जी अपने 'घर' की तलाश में एकाग्र रह पाते तो उन्होंने अपनी मित्र और सहचरी इला डालमिया के साथ व्यक्ति, व्यक्तित्व और साहित्य का घर खोज लिया था, जिसकी खोज में वे कहीं भीतर-ही-भीतर बहुत संलग्न थे... तभी तो शायद उन्होंने लिखा था–

मेरा घर
दो दरवाजों को जोड़ता
मेरा घर
दो दरवाजों के बीच है
उसमें

किधर से भी झाँको
तुम दरवाजे से बाहर देख रहे
होगे
तुम्हें पार का दृश्य दीख
जाएगा
घर नहीं दीखेगा
....
घर
हैं कहाँ जिनकी हम
बात करते हैं
घर की बातें
सबकी अपनी हैं
घर की बातें
कोई किसी से नहीं करता
जिनकी बातें होती हैं
वे घर नहीं हैं!

ऐसा ही एक पारदर्शी, दो दरवाजों का घर थे अज्ञेय! जो एक बिना बातों का घर बनाना चाहते थे... और वह घर उन्होंने अपनी मित्र और सहचरी इला डालमिया के साथ बनाया था...कोई लेखक, कोई साहित्यकार अपने बहुत निजी क्षणों के बिना पूर्ण नहीं हो पाता... अज्ञेय पूर्ण हुए थे, परन्तु उनकी पूर्णता को खण्डित किया था उन्होंने, जो अज्ञेय को जानने और उन्हें 'भाई' कहने का सामाजिक लबादा लपेटकर खुद कुछ महत्त्वपूर्ण बनने की कोशिश करते हैं और अज्ञेय की विराट पहचान को धूमिल करते हैं।

प्रयोगवादी अज्ञेय पूर्ण और सार्थक हो जाते यदि वे अकेले न होते। घर की खोज में भटकते अज्ञेय सम्पूर्ण हो जाते, यदि वे इला डालमिया में अपनी अस्मिता को खोज पाने का समय पाते...परन्तु...

और यह परन्तु ही तो नश्वर जीवन का उत्तर है। जीवन इसीलिए सुन्दर है, क्योंकि वह नश्वर है... इसे अज्ञेय जी स्वीकारते थे...

इसीलिए तो वे इस नश्वरता में अमरता की खोज करते रहे और शब्दों, रंगों, रेखाओं, आकृतियों, छवियों, भंगिमाओं और विचारों की एक अजन्ता बनाते हुए स्वयं एक आधुनिक अजन्ता बन गये।... जिसमें निहित विचारों और अर्थों के सौन्दर्य की खोज के लिए हर सदी के शब्दकार कों लौटना पड़ेगा!

13

आप ही गोया मुसाफिर

॥ प्रभाकर माचवे

ढूँढ़ता फिरता हूँ मैं 'इकबाल' अपने आपको
आप ही गोया मुसाफिर आप ही मंजिल हूँ मैं

1936 की बात है। मैं आगरा कॉलेज में दर्शन एम.ए. अन्तिम वर्ष का विद्यार्थी था। जैनेन्द्र जी क्रान्तिकारी वात्स्यायन को 'अज्ञेय' नाम दे चुके थे, प्रेमचन्द ने उनकी कहानी *हंस* में[1] छापी थी। *भग्नदूत* छप चुका था, इसमें लम्बे, घुँघराले बालों के सुमुख व्यक्ति का गोल फोटो छपा था। मैं और नेमिचन्द्र जैन (*नटरंग* वाले) आगरा होटल में उनसे मिलने गये। वे पेड़े भी कुतर-कुतर कर आराम से खाते हुए ठण्डा पानी पी रहे थे। चिरगाँव से मैथिलीशरण गुप्त जी से मिलकर लौटे थे। एक मोटी-सी पाण्डुलिपि दिखाई – नाम था *द्वन्द्व*। गुप्त जी ने कहा, यह शीर्षक ठीक नहीं। नायक क्रान्तिकारी के नाम पर *शेखर* उसका नाम रखा गया। तब वात्स्यायन जी को कौन-सी पुस्तकें प्रिय थीं? बोले– 'जेल में डी.एच. लारेंस की कविताएँ, रोमां रोलां का *ज्यां क्रिस्तोफ* और टी.एस. एलियट का *सेक्रेड वुड* मेरे साथ थे।' इधर एक इंटरव्यू में एलियट के प्रभाव का उपहास उन्होंने किया, पर एक जमाना था, जब उन्हें एलियट की रचनाएँ जबानी याद थीं। एक ऑटोग्राफ में उन्होंने दस पंक्तियाँ एलियट की दीं– 'टाइम प्रेजेंट एंड टाइम पास्ट...'

फिर वे *सैनिक* साप्ताहिक के सम्पादक बनकर आगरे में रहे। हम लोग इक्के में बैठकर राजा की मण्डी (जहाँ मैं ढाई रुपये माहवार के एक गन्दे कमरे में एक बार दूध और पाव रोटी खाकर रहता था, ट्यूशन करके अपनी पढ़ाई कर रहा था) से कसरेट बाजार जाते थे। एक बार बनारसीदास चतुर्वेदी, 'अज्ञेय' और मैं इक्के में बैठकर श्रीराम शर्मा के फार्म पर फिरोजाबाद गये। वात्स्यायन जी की रुचियाँ बहुगुणी थीं। उन्हें पेड़-पौधों, फूल-फलों की अद्भुत जानकारी थी। शिमला

---

1. दरअसल, साप्ताहिक *जागरण* में। –सं.

के उच्च अध्ययन संस्थान में जब वे एक बार आये (मैं वहाँ 77 से 79 तक फेलो था) तो उन्होंने हिन्दी के कई लेखकों को चकित और लज्जित कर दिया—बागवान से भी ज्यादा उन्हें एक-एक पौधे का पता था। उनके आवास पर उनकी मृतदेह के पास उनका भृत्य या माली कह रहा था, जहाँ भी जाते एक पौधा ले आते। सुन्दरलाल बहुगुणा के हाथों एक वृक्ष उन्होंने अपनी वाटिका में लगवाया। शान्तिनिकेतन से उन्होंने सीखा था अपने जन्मदिन पर हर बार एक नया पेड़ लगवाना। कोई अतिथि, जिन्हें वे सम्मान देना चाहते थे, उनके हाथों पेड़ लगवाते थे। इसीलिए उनकी कविताओं में भी हरी घास, बाजरे की कलगी, फूल कचनार के, 'असाध्य वीणा' में वन, चीड़ और देवदारु भीमताल के, असम की वर्षा, सुदूर समुद्र-तटों और नदियों के बिम्ब बहुत आते हैं। इस जीवन (जल), हरीतिमा और एक 'अपने घर' की ललक उनकी कविता में सर्वत्र अन्तर्निहित है। उसी में से उनके अन्तिम *मरुथल* वाले कविता-गुच्छ की बात समझ में आती है। सुब्रह्मण्यम भारती ने भी अन्तिम लम्बे गद्यगीतों में आँधी और रेगिस्तान पर, सूर्य पर लिखा है।

हो न हो अब आ गयी मंजिल करीब
रास्ते सुनसान नजर आते हैं (खुमार)

सन् 40 में मेरठ में भारतीय साहित्य परिषद के अधिवेशन में साहित्यकार और परिस्थिति पर बोलते हुए वात्स्यायन ने 'प्रसाद' के *ले चल मुझे भुलावा देकर मेरे नाविक धीरे-धीरे* को दौहार्द (नास्टेलजिया) कहा था। वे सारी दुनिया घूमकर फिर वहीं भारतीयता के मूल पर आ गये। वे वत्सल निधि में अकारण 'घर में ड्राइंग रूम और किचन' पर बहस कराते थे (वाराणसी में रायकृष्णदास स्मृति आयोजन में)। वे 'यायावार' थे। और 'कितनी नावों में कितनी बार' जाने पर भी भीतर-भीतर बेहद अकेले थे।

कम से कम मौत से ऐसी मुझे उम्मीद नहीं
जिन्दगी तूने तो धोखे पे दिया है धोखा (फिराक)

तो आगरे में वे कहीं से मूर्ति बनाने की मिट्टी लेकर आ गये। तीन अर्द्ध-उत्कीर्ण 'सील' जैसे शिल्प बनाये। मुझसे रेखाचित्र बनवाये— मैथिलीशरण गुप्त, जैनेन्द्र कुमार और इन्दुमती (शायद वही *शेखर* की शशि थी) के। जैनेन्द्र जी वाली शिल्पकृति का छायाचित्र मेरी पहली किताब *जैनेन्द्र के विचार* (1937) में नाथूराम प्रेमी ने आर्ट पेपर पर छापा था।

आगरे की दो और बातें याद आती हैं। जहाँ वे रहते थे, वहीं पास में एक भंगिन थी, उसके बच्चे को चेचक हो गया था। वात्स्यायन ने बच्चे को कन्धे पर

उठाया, बहुत दूर बड़ा अस्पताल था। पैदल उसे ले गये। मेहतरानी बहुत मना करती रही। वात्स्यायन को बच्चों से बहुत लगाव था। इलाहाबाद में मैं उनके ही बड़े मकान के एक कमरे में रहता था (1948 में)। मेरे दो वर्ष के बच्चे असंग को सवेरे अपनी मोटर में बैठाकर लोकनाथ की जलेबी खरीदकर लाते थे। जापान गये तो मेरी बच्ची के लिए कितने खिलौने लाये। कितने फोटो, बच्चे के लिए। यह है उनका बच्चों के लिए प्रेम अपनी निधि का नाम 'वत्सल' रखने का कारण।

वे निरन्तर यात्री थे। एक साहित्यविधा से दूसरी तक – 'पूछ लूँ मैं नाम तेरा' जैसे गीत (*चिन्ता* में) से मुक्त छन्द तक। फिर भी लयात्मकता, छन्द का, प्रास का सूक्ष्म मोह नहीं छूटा – वह उनके 'तुक्तकों' तक में है – एक मुझ पर लिखने की उन्होंने कृपा की थी। आगरे में रहते हुए एक बार कैंट में एक अंग्रेजी फिल्म दिखाने हमें ले गये। वहाँ एक अंग्रेज हिन्दुस्तानियों को गालियाँ दे रहा था। वात्स्यायन ने तमतमाकर जोर से उसे एक चाँटा मारा, सारे सिनेमाघर में हंगामा हो गया। पर गोरे सिपाही थोड़े थे। वात्स्यायन ने कहा– "माफी माँगो!" अंग्रेज ने माफी माँगी, तभी क्रोध शान्त हुआ।

फिर वे *विशाल भारत* में कलकत्ता चले गये। वहाँ भी हम उन्हें मिले। वे विवेकानन्द रोड पर रहते थे। *नया समाज* वाले मोहनसिंह सेंगर उनके बड़े मित्र थे। उसी में एम.एन. राय के कई लेखों के उन्होंने अनुवाद किए। त्रिपुरी कांग्रेस पर एक रिपोर्ताज लिखा। मेरी पहली 'दो इम्प्रेशनिस्ट कविताएँ', *विशाल भारत* में अक्तूबर सन् 38 में छापीं। इन्दौर की *वीणा* ने चार पृष्ठों की कठोर आलोचना उस पर लिखी। याद आता है तब 'उग्र' ने लिखा था– हिन्दी में साढ़े तीन क्वारे हैं: एक पन्त, एक अज्ञेय, एक शान्तिप्रिय द्विवेदी और आधे वे खुद ('उग्र')!

मैं इन्दौर में राष्ट्रीय मजदूर संघ का मंत्री बना, एम.ए. (दर्शन) करने पर। वात्स्यायन वहाँ आये– तब *विशाल भारत* छोड़कर वे बड़ौदा में पिताजी (डॉ. हीरानन्द शास्त्री) के पास गये थे। मैंने उनके दर्शन किए थे। वे बहुत अनुशासन प्रिय और गम्भीर पुरातत्त्ववेत्ता थे। याद आता है कुछ दिन वात्स्यायन जी अन्ध-बधिरों के शिक्षण का कुछ काम करते रहे। कितनी-कितनी चीजें वे सीखे। इतिहास, दर्शन, भाषा विज्ञान, समाजशास्त्र, ललितकलाएँ, लोक साहित्य सब में वात्स्यायन जी को बड़ी रुचि थी। इन्दौर में आये तो हरिभाऊ उपाध्याय वहाँ आये हुए थे। वे मुझसे कहने लगे– "व्यक्ति बहुत ज्ञानी गुणी है, पर व्यामोह में पड़ गये हैं। क्रान्तिकारी आदमी शान्ति की खोज में है।"

मार्च 1942 में दिल्ली में वात्स्यायन जी ने 'एंटी फासिस्ट लेखक सम्मेलन' बुलाया था, शाहिद परवेज के साथ। मैं जिस कमरे में ठहरा था, उसमें डॉ. अब्दुल सलीम और गजानन माधव मुक्तिबोध मेरे साथ थे। देर रात चाँदनी रात में यमुना की बालू पर बैठे वात्स्यायन जी ने अपने क्रान्तिकारी जीवन के संस्मरण सुनाये। कैसे उनके दल के एक व्यक्ति की गलती से नौकर के वेश में सक्रिय क्रान्तिकारी मुखबिर बन गया। कारखाना (जिसमें वे बम बनाते थे – पीला पिकरिक एसिड नाली से बहते समय लोग न पकड़ें इसलिए) पुलिस ने छापा मारकर जब्त किया। वेश बदलकर वात्स्यायन भागे। चन्द्रशेखर आजाद ने हुक्म दिया कि उस दुश्चरित्र व्यक्ति को गोली से उड़ा दो। वात्स्यायन उसे छिपाकर चित्राल ले गये, नौकर के वेश में। भगवतीचरण वोहरा उनके साथी थे। उनकी मृत्यु की बात *विप्लव* के अंकों में, यशपाल के *सिंहावलोकन* में और *शेखरः एक जीवनी* में रावी के किनारे बम का प्रयोग करते हुए उस आदमी के मारे जाने के दृश्य तौलनीय हैं।

मैंने वात्स्यायन जी से पूछा– "आप अपनी आत्मकथा क्यों नहीं लिखते?" वे एम.एन. राय की तरह बोले– "जो कुछ मैंने अब तक लिखा, वह 'आत्म' कथन नहीं है तो क्या है। क्या वह 'आत्म' से पलायन है?"

युद्धकाल में वे कप्तान बनकर असम गये। 'दिलखुश सभा' में सिपाहियों के मनोरंजन के लिए सांस्कृतिक कार्यक्रम आयोजित करते रहे। वे 'लिएजों अफसर' थे। मैं तब उज्जैन में था– कोटा में *भारतीय संस्कृति* त्रैमासिक पत्रिका निकाली। मेरे लिए कविता उन्होंने लिखी 'शत्रु मेरी शान्ति के...'। लौटे तो युद्ध-विरोधी होकर। देखिए *प्रतीक* में तीन लेख युद्ध और लेखक को लेकर। एक अपना, एक सुब्रत मुखर्जी का, एक किसी मुस्लिम सज्जन का।

इलाहाबाद में सन् 48 से 51 तक उनके साथ रहना हुआ। *नेहरू अभिनन्दन ग्रन्थ* का एक-तिहाई सम्पादन-सहयोग, अनुवाद आदि मैंने उनके लिए किया। उससे पहले *तार सप्तक* की योजना 1943 में बनी। मैंने ही तब कहा था– मराठी के रवि किरण मण्डल के सात कवियों की तरह से (सप्तर्षि तारों का 'लोगो' उनकी पुस्तकों पर था) नाम रखें। 'सप्तपर्णी', 'सप्तरंग' कई नाम सोचे गये। 'तार' उन्होंने उसमें जोड़ा। पहले मध्य प्रदेश के कवियों की बात थी। वीरेन्द्र कुमार जैन, प्रयाग चन्द्र शर्मा, मुक्तिबोध, गिरिजाकुमार, मैं उसमें शामिल थे। कलकत्ता में भारतभूषण अग्रवाल तब *समाजसेवक* में थे। नेमिचन्द्र जैन और भारत साढ़ू थे। फिर उसमें रामविलास शर्मा भी जोड़े गये। वीरेन्द्र कुमार जैन और प्रयाग चन्द्र शर्मा निकल गये।

जिस वर्ष रामविलास जी को साहित्य अकादेमी का पुरस्कार मिला तब शीला संधु के घर *तार सप्तक* के सातों कवियों का एक चित्र लिया गया था।

वात्स्यायन जी ने *प्रतीक* में भदन्त आनन्द कौसल्यायन और रामविलास शर्मा पर सम्पादकीय लिखा। वात्स्यायन जी के पट्टशिष्य डॉ. विद्यानिवास मिश्र ने *अभिरुचि* में अज्ञेय के बाद रामविलास जी का बड़ा इंटरव्यू छापा। बाद में अज्ञेय जी का लिया अमृतलाल नागर का इंटरव्यू। वात्स्यायन जी ने मुक्तिबोध और रामविलास को छोड़ शेष चार पर कभी कुछ नहीं लिखा। अपने भाषणों में वे केवल जैनेन्द्र और रघुवीर सहाय के उद्धरण देते।

मगर मेरी अनेक रचनाएँ— कविताएँ, निबन्ध, ग्रन्थ समीक्षाएँ, चित्र, रेखाचित्र, हास्य-व्यंग लेख, कहानियाँ, उपन्यास-अंश, उन्होंने *सैनिक, विशाल भारत, प्रतीक, नया प्रतीक, आरती* में छापीं।

फिर मैं साहित्य अकादेमी में सन् 54 में दिल्ली में आ गया। उनका लेख *कंटेम्परेरी इंडियन लिटरेचर* में छापने पर बड़ा हल्ला हुआ। उसे बाद में उन्होंने सुधारा। कई साहित्यिक सम्मेलनों में हम साथ-साथ भाग लेते रहे। केरल में त्रिवेन्द्रम में एम. गोविन्दन द्वारा आयोजित अखिल भारतीय लेखक सम्मेलन, भुवनेश्वर में विषुव-मिलन, मैसूर में पी.ई.एन. और देवघर में हिन्दी विद्यापीठ और विश्व हिन्दी सम्मेलन, नागपुर में... तो पचासों आयोजनों में हमने साथ-साथ भाग लिया, अंग्रेजी में, हिन्दी में, अन्य भाषाओं में।

मैं अज्ञेय जी का शिष्य या उनकी 'गुह्य-मंडली' का सदस्य, यानी पिछलगा नहीं था। *त्रिशंकु* से लगाकर *अपने अपने अजनबी, ट्रुक्यूलंट अर्थ* आदि अनेक पुस्तकों पर मेरी आलोचनाएँ छपी हैं। वे आलोचना का आदर करते थे, मतभेद से कन्नी काटने वाले नहीं थे। पर अन्तिम दस वर्षों से वे मुझसे बहुत खिंचे-से रहते थे। मैं भी बहुत अधिक नहीं मिलता था। मेरे मन में उनके प्रति आदर और स्नेह— एक हिन्दी के समझौता न करने वाले व्यक्तिवादी सम्पादक, समर्थक, साहित्यकार के नाते— बराबर बना रहा। अन्तिम पत्र व्यवहार याद आता है। मैंने *ऋतुचक्र* में एक इंटरव्यू में प्रहार किया था। उन्होंने बाकायदा टाइप किया हुआ प्रतिवाद किया और कारण भी पूछा। मैंने उत्तर दिया। बस मैं केवल उनके 'लिख लिखकर झूठा करता जाता हूँ' से सहमत नहीं था।

(2)

वात्स्यायन जी जैसा बहुज्ञ और सर्वज्ञ लेखक मैंने राहुल जी को छोड़ अन्य कोई नहीं देखा। भाषाएँ उन्हें कई आती थीं। पंजाबी उनकी मातृभाषा थी, परन्तु आर्यसमाजी प्रभाव से संस्कृत और शुद्ध हिन्दी घर में बोलते। उर्दू, बांग्ला, गुजराती,

मराठी, तमिल बोलने के अलावा वे फ्रेंच और जर्मन भी खूब पढ़ लेते थे। अंग्रेजी में उन्होंने लाहौर में एम.ए. (साहित्य) में आधा वर्ष पूरा किया था कि सन् 29 में ही वे क्रान्तिकारियों में शामिल हो गये। वे खेती, वृक्ष-वनस्पति, पशु-पक्षी, कीट-पतंगों के नाम ही नहीं, जातियों और स्वभाव आदि का गहरा व्यावहारिक ज्ञान रखते थे। वे बढ़ईगीरी, दर्जीगीरी, यंत्रों के अनेक उपयोग जानते थे। कोई वाहन नहीं था जो चलाना नहीं जानते थे। मैंने उन्हें पदयात्रा से लेकर साइकल, मोपेड, ट्रक, जीप, कार चलाते हुए, और इंजन, घुड़सवारी, ऊँट की सवारी और हाथी की सवारी करने के उनके अनुभव उनके मुँह से सुने हैं। 'एक टायर की राम कहानी' यात्रा वर्णन में वे असम से पेशावर तक यात्रा करके गये थे। हवाई जहाज ही एकमात्र वाहन है जो शायद उन्होंने चलाया नहीं, यद्यपि 'फ्लाइंग क्लब' के मेम्बर बने थे और मोनोसीट वाला हेलिकॉप्टर भी चलाया था।

उनका नदी, पर्वत, जंगल, समुद्र का ज्ञान अगाध था। शिल्पकला, स्थापत्यकला, चित्रकला, संगीत, नृत्य और नाट्यकला में भी उनकी गहरी रुचि थी। सन् चालीस में रोदाँ नामक फ्रेंच शिल्पी का एक बड़ा फोटो-एलबम पूना से मैंने खरीदा था, और उन्हें उपहार रूप में दिया था। अनेक वर्षों तक वह उनकी व्यक्तिगत लाइब्रेरी में था। मुझसे दो कविता की पंक्तियाँ भी उस पुस्तक पर लिखवाई थीं। मैथिलीशरण गुप्त, जैनेन्द्र कुमार और इंदुमती के प्लास्टर कास्ट के लिए मिट्टी के लौंदे जो राजा की मंडी में मेरी कोठरी तक वे लाये थे, मैंने ही बनाये थे। घण्टों तक वे अपनी पुस्तकों के कवर-डिजाइन, या *प्रतीक* के ऋतु-विशेषांकों के जैकेट, या *नेहरू अभिनन्दन ग्रन्थ* में कला-विभाग के सम्पादन पर मुझसे चर्चाएँ करते रहते। एक बार बच्चों के लिए बिना अक्षरों की फोटो पुस्तक बनाई। एक बार वसन्त ऋतु में इलाहाबाद में वे एक टेसू का फूल या पलाश का डंठल फूल सहित ले आये और मुझसे कहा उसकी प्रतिकृति बनाओ। फोटोग्राफी के तो वे उस्ताद थे– *सुनहले शैवाल*, कविता सहित फोटोग्राफी भी उनकी हिन्दी में पहली पुस्तक है, और अद्‌भुत है। बिहार के अकाल में 'रेणु' के साथ वे घूमे, और दिल्ली में वहाँ के लिए फोटो की प्रदर्शनी लगाई। फिल्म बनाने का भी शिक्षण उन्होंने फ्रांस में लिया, पर कोई फिल्म खुद बनाई नहीं।[1] न फिल्म-संसार में वे गये, यद्यपि बलराज साहनी, चेतन आनन्द आदि उनके अनेक मित्र थे। दृश्य-श्रव्य कलाओं में उनकी यह चतुरस्र रुचि उनकी समीक्षा, कविता, गद्यलेखन को बहुत समृद्ध बनाती रही।

ज्ञान-विज्ञान का हर विषय उन्हें प्रिय था। मनोविज्ञान, समाज-विज्ञान, नृवंशविज्ञान, राजनीति-विज्ञान के साथ-साथ साहित्य सम्बन्धी हर सिम्त और

1. 'पेरिस में पतझड़' नाम के एक वृत्तचित्र का फिल्मांकन करते हुए उनकी तस्वीर *एक बूँद सहसा उछली* के पहले संस्करण में है। वृत्तचित्र पूरा हुआ या नहीं, या उसका क्या हुआ, यह अज्ञात है। –सं.

कोण से वे परिचित ही नहीं, उसमें विदग्ध थे। कविता में छन्दशास्त्र, अलंकारशास्त्र, काव्यशास्त्र से लेकर दर्शनशास्त्र तक उन्होंने गहरा अध्ययन ही नहीं किया था, इन विविध ज्ञान-शाखाओं के अन्तरावलम्बन का साक्ष्य उनकी *संवत्सर* पुस्तक है। बौद्धिकों से उनकी मैत्री इसी कारण से थी– डॉ. देवराज हों या डॉ. गोविन्दचन्द्र पाण्डेय, डॉ. विद्यानिवास मिश्र हों या डॉ. जे. एल. मेहता, एम. एन. राय हों या सुधीन्द्रनाथ दत्त, एम. गोविन्दन हों या लक्ष्मण शास्त्री जोशी, भारत में उनके परिचित सब प्रदेशों, भाषाओं और धर्मों में थे। इस अर्थ में वे एक सच्चे भारतीय थे।

वे अंग्रेजी बहुत अच्छी लिख लेते थे। अपनी कविताओं-कहानियों के खुद अनुवाद ही नहीं किए, *थॉट* साप्ताहिक के साहित्यिक पृष्ठों के वे कई वर्षों तक सम्पादक रहे। जयप्रकाश नारायण के *एवरीमेन्स* के सम्पादक बने। *वाक्* त्रैमासिक के चार अंक प्रकाशित किए। विदेशों में भी उन्होंने अपनी बौद्धिकता एवं प्रतिभा से यूरोप और अमेरिका में कई लोगों को आकर्षित किया। डॉ. लोठार लुत्से ने जर्मन भाषा में उनके अनुवाद किए। कार्ल यास्पर्स से मिलकर उनका साक्षात्कार लेने वाले वे शायद अकेले हिन्दी के नहीं, भारतीय लेखक थे। ऐसे अनेक उदाहरण

दिए जा सकते हैं कि उनकी बहुज्ञता के कारण हिन्दी के कई एकपक्षीय, एकांगी समीक्षक उनसे जलते-कुढ़ते रहते, उनके लेखन में मीनमेख निकालते रहते। परन्तु उनकी इस व्यापक, बहु-आयामी, घुमंतू वृत्ति ने कई बार उनके लेखन में विचार के धरातल पर बहुत ही विसंगतियों और परस्पर विरोधी विधानों में उन्हें उलझा दिया। ऐसे समय वे अपने भीतर के कवि-कलाकार की शरण लेते, और कहते, "मैं तुम जैसा तार्किक थोड़े ही हूँ।" उनका प्रिय उद्धरण था वाल्ट विटमैन से–

"आई काँट्रैडिक्ट माईसेल्फ?
वेरी वेल आई काँट्रैडिक्ट माईसेल्फ
आई एम वास्ट, आई कंटेन मल्टिट्यूड्स"

(मैं परस्परविरोधी बातें कहता हूँ? जी हाँ, मैं कहता हूँ क्योंकि मैं उन सबका समाहार करता हूँ)।

नियमित शिक्षा वात्स्यायन ने मद्रास क्रिश्चियन कालेज में साइंस विषयों से बी.एससी. और लाहौर कालेज में एम.ए. (अंग्रेजी प्रीवियस) तक ही पायी। शेष उनका सब ज्ञान स्व-अर्जित था। बहुत बाद में उन्हें विक्रम विश्वविद्यालय, उज्जैन ने मानद डी. लिट्. उपाधि दी। 'अज्ञेय' निरुपाधिक थे, उपाधियों से परे अत्यन्त गुणी साहित्यकार।

परिवार, शिक्षा-संस्कार के बाद क्रम में आता है उनका कार्यक्षेत्र। सबसे पहले

वे क्रान्तिकारियों की जमात की ओर आकृष्ट हुए। चन्द्रशेखर आजाद, भगवतीचरण वोरा, सुखदेव, यशपाल, विमलप्रसाद जैन आदि उनके समय के सब साथी विप्लवी अब नहीं हैं। उस काल पर उन्हें विस्तार से लिखना चाहिए था। परन्तु यशपाल के *सिंहावलोकन* में उस समय के हिन्दुस्तान रिपब्लिकन आर्मी, नौजवान सभा और 'हिमालय टॉयलेट फैक्टरी' (दिल्ली में जहाँ बम बनाये जाते थे) का जिक्र मिलता है। मन्मथनाथ गुप्त की *सशस्त्र क्रान्तिकारियों का इतिहास* इस विषय में उत्तम पुस्तक है। वात्स्यायन जी ने मार्च, 1942 में हमें जो संस्मरण सुनाये थे, उनसे पता लगता है कि आरम्भ से ही क्रान्तिकारियों में दो दल थे– एक जो सोवियत रूस की कम्युनिस्ट पार्टी के इशारे पर चलते थे, दूसरे वे जो स्वतन्त्र, अच्छे दार्शनिक अर्थों में 'एनार्किस्ट' (अराजकवादी) थे। दोनों में काफी समानताएँ थीं, परन्तु वात्स्यायन का झुकाव मानवेंद्रनाथ राय की 'रेडिकल ह्यूमेनिस्ट पार्टी' की तरफ अधिक था। वे हमेशा भीतर से कम्युनिस्टों के घोर विरोधी रहे। यद्यपि बाहर से 'जनयुद्ध' काल में डॉ. रामविलास शर्मा, नेमिचन्द्र जैन, भारतभूषण अग्रवाल और अनेक कम्युनिस्ट हिन्दी लेखक उन्हें अपना समानधर्मा समझते रहे। महाराष्ट्र में राय के अनुयायी बहुत थे। चूँकि मैं मराठी भाषा और साहित्य से अधिक निकट था, मेरा आकर्षण राय के प्रति कम नहीं था। शायद मैं ही एकमात्र हिन्दी लेखक हूँ जिसने राय की मृत्यु पर एक सानेट (कविता) लिखा। यह उनके (अज्ञेय) और मेरे बीच बौद्धिक घनिष्ठता का एक सूक्ष्म तन्तु था।

किशोर वय में क्रान्ति और क्रान्तिकारियों के प्रति वैसे ही आकर्षण रहता है। उस रात को वात्स्यायन जी ने जो विस्तार से अपनी कहानी सुनाई थी, उसमें से तीन बातें यहाँ उल्लेखनीय हैं। चन्द्रशेखर आजाद ने एक क्रान्तिकारी को, चूँकि वह अवैध प्रेम सम्बन्ध किसी लड़की से रख रहा था, गोली से उड़ा देने की आज्ञा दी थी। परन्तु 'अज्ञेय' जी फौजी साहब बनकर चित्राल रियासत में उस क्रान्तिकारी को अपना नौकर बनाकर छिपाकर ले गये थे। गोरे साहब तलाशी लेने आये तो, उस व्यक्ति से उन्होंने जूते पालिश करवाए। बम का ट्रायल लेते समय रावी के किनारे भगवतीचरण वोरा की मृत्यु का वर्णन *शेखरः एक जीवनी* में आता ही है। उसी घटना का वर्णन यशपाल के *सिंहावलोकन* में दूसरी तरह से दिया गया है। सचाई क्या थी, वे सब स्वर्गीय क्रान्तिकारी ही जानें। कई सत्य यों रहस्यावृत रह जाते हैं। जिस आदमी ने मुखबरी की थी, वह भी उसी लड़की से इश्क करता था, जिससे यह क्रान्तिकारी दल का सदस्य गुप्त प्रेम कर रहा था। और रात को चोरी-छुपके खाने के लिए मालमलाई ये दो प्रेमी जीव मँगाते, और उस 'मुखबिर' को कुछ भी नहीं देते थे। सरकारी गुप्तचर से पैसे लेकर सब रहस्य उसी ने बताये। फिर कैसे वात्स्यायन ने एकान्त कालकोठरी में किसी भी क्षण फाँसी के हुक्म की राह देखते

हुए रातों-रात एक पूरी नोटबुक बारीक-बारीक अंग्रेजी अक्षरों में लिख डाली और उनसे मिलने आने वाली बहन के हाथ वह बाहर भिजवाई, जो कि *शेखरः एक जीवनी* की मूल कथा-वस्तु का पहला आलेख था। तब वात्स्यायन जी ने हमें जेल में लिखी अंग्रेजी कविताएँ *प्रिजन डेज एंड अदर पोयम्स* की पांडुलिपि (वे सलीके से, टंकित – व्यवस्थित पांडुलिपियाँ बनाते, सहेजकर रखते) दिखाई, जो अप्टन सिंक्लेअर के पास उन्होंने अमेरिका में भूमिका के लिए भेजी थी। सिंक्लेअर ने उन पर 'टैगोरस्क' (टैगोर जैसी, हिकारत से) लिखकर वापिस कर दी थी। बाद में जवाहरलाल नेहरू ने उसकी भूमिका लिखी।

क्रान्तिकारी जीवन की अन्तिम सजा लाहौर में नजरबन्दी जीवन सन् 33-34 में काटकर वात्स्यायन जी *सैनिक* साप्ताहिक के सम्पादक बनाकर बनारसीदास चतुर्वेदी द्वारा कृष्णदत्त पालीवाल जी के पास भेजे गये।

सैनिक सम्पादन काल में 'अज्ञेय' और हमारी आगरे में बड़ी मैत्री हुई। हम दोनों जब राजा की मंडी से कसरेट बाजार जाते, वहीं बाँस की टोकरियाँ बुनते बैठे बसोट स्त्री-पुरुषों को देखकर 'अज्ञेय' ने 'जीवनी शक्ति' कहानी लिखी। तब हम लोग आंरी बेर्गसां के दर्शन में 'एलां विताल', जिसे जॉर्ज बर्नार्ड शॉ ने 'लाइफ-फोर्स' कहा था, उस आन्तरिक ऊर्जा-उत्प्लवन के बड़े कायल थे। मैं तो नीत्शे का भक्त था और उसकी 'विल्ले जूर माख्ट' (बलेच्छा) पर मैंने 1939 की *माधुरी* में 'वह विक्षिप्त दार्शनिक नीत्शे' एक लेख भी लिखा था। मार्क्सवाद तब भारत के नौजवानों में 'फैशनेबल' था। परन्तु 'अज्ञेय' और हम तभी से मार्क्सवाद से परे की बात कर रहे थे। *तार सप्तक* में हमारी कविताएँ साक्षी हैं। मैंने तब कट्टर मार्क्सवादियों के लिए 'खूँटावादी' शब्द चलाया था जो 'डोग्मैटिक' का अनुवाद था। 'अज्ञेय' उस शब्द से बहुत खुश थे।

मैंने इंटक और सक्रिय राजनीति 1938 में ही छोड़ दी। उज्जैन में तर्कशास्त्र और मनोविज्ञान का व्याख्याता (लेक्चरर) बन गया। तब वात्स्यायन जी उज्जैन भी आये थे। ग.मा. मुक्तिबोध को मैंने ही उनसे मिलवाया था। फिर उन्हीं के कारण दिल्ली और लखनऊ रेडियो पर मुझे भाषण देने के लिए बुलाया गया। सेवाग्राम में मेरा 8 नवम्बर, 1940 में विवाह हुआ। पत्नी सहित मैं 31 दिसम्बर, 1940 को दिल्ली आकाशवाणी पर '1940 का हिन्दी साहित्य' यह पहली हिन्दी वार्ता देने गया। तब कृशन चन्दर वहाँ प्रोग्राम असिस्टेंट थे और रेडियो केन्द्र वहाँ नहीं था जहाँ आजकल संसद मार्ग पर है। वह अलीपुर रोड पर था।

गाँधी आश्रम में रहते उन्होंने मुझसे गाँधी जी और कस्तूरबा के लिनोकट बनवाये और *विशाल भारत* में छापे। तब *विशाल भारत* में मैंने कई अनुवाद किए

व कविताएँ लिखीं। 'अज्ञेय' ने *सैनिक* में मेरी 'विसंगति' कहानी छापी, जिस पर बनारसीदास चतुर्वेदी ने मुझे 'सिनिक' कहा और मैंने उन्हें दस पन्ने का बड़ा पत्र 'सिनिसिज्म' की दार्शनिक व्याख्या करते हुए लिखा। उनकी महानता कि वह पत्र उन्होंने सँभालकर रखा और चालीस बरस बाद मुझे सुरक्षित लौटाया।

स्वराज्य के बाद मैं इलाहाबाद रेडियो केन्द्र में 1948 में नियुक्त हुआ, तो वात्स्यायन जी ने ही 14 हेस्टिंग्स रोड पर मुझे आवास दिया। 1951 तक मैं वहाँ रहा, तब तक मेरे दो वर्ष के पुत्र असंग को वे बहुत खिलाते-खेलाते, लाड़ करते। मेरी पत्नी ने उन्हें चमड़े के बैग और पर्स बनाना सिखाया। पत्नी से उन्होंने अचार बनाना सीखा। तक उनके साथ असम से आये डॉ. दास और उनकी पत्नी बउदि रहते थे। उनके दो बच्चे थे, बड़े बापी ने आत्महत्या[1] कर ली। छोटे मानस मुकुल दास, इलाहाबाद में अंग्रेजी के प्रोफेसर हैं, जिन्होंने 'अज्ञेय' जी की कई रचनाओं के उत्तम अंग्रेजी अनुवाद किये हैं। वहाँ *नेहरू अभिनन्दन ग्रन्थ* में वात्स्यायन जी को मैंने जो सहायता दी, यह सब प्रेम का सौदा था। उन्होंने मुझे कोई पारिश्रमिक नहीं दिया। मुझे ख्याति दी, यही बड़ा उपकार था। *प्रतीक* में 'बैंड मास्टर' कहानी, 'कछुआ' कविता, बर्ट्रेंड रसेल पर लम्बा लेख और कई समीक्षाएं, जैसे *बाणभट्ट की आत्मकथा, हरी घास पर क्षण भर* आदि भी लिखवाईं। यह सब ब्योरा देने का मेरा आशय इतना ही है कि वात्स्यायन जी की साहित्यिक रुचि-अरुचि को बहुत निकट से मैंने देखा। राहुल जी तब हमारे यहीं आकर ठहरे थे। पन्त जी भी एक महीना रहे।

वात्स्यायन जी को पंजाबी लेखकों से बड़ी चिढ़ थी। न वे उपेन्द्रनाथ 'अश्क' को चाहते थे और देवेन्द्र सत्यार्थी के तो नाम से ही बिदकते थे। जो भी कारण रहे हों, वे यशपाल से भी बहुत खिंचे रहते थे। इलाचन्द्र जोशी ने एक बड़ा लेख *नेहरू अभिनन्दन ग्रन्थ* के लिए लिखा था, वह उन्होंने लौटा दिया। बच्चन तब बहुत लोकप्रिय थे। परन्तु बच्चन जी की पत्नी पंजाब से क्या आयीं, वात्स्यायन जी बच्चन से बेहद खिंचे-खिंचे रहते। धीरे-धीरे इलाहाबाद की प्रगतिशील लेखक मंडली के विरुद्ध 'परिमल' का आन्दोलन चला। आरम्भ में 'परिमल' वाले सब वात्स्यायन से बहुत घनिष्ठ थे। बल्कि इलाहाबाद से ही नेमिचन्द्र जैन, भारतभूषण अग्रवाल, धर्मवीर भारती, सर्वेश्वर दयाल सक्सेना, शमशेर बहादुर सिंह आदि अनेक कवि उनके द्वारा सम्पादित *तार सप्तक* और *दूसरा सप्तक* में मिलते हैं। *प्रतीक* के लेखक भी अधिकतर युवतर थे और प्रयाग-काशी-लखनऊ से ही थे। भगवतशरण

1. बीमारी से मृत्यु। देखें मानस मुकुल दास का संस्मरण पृष्ठ 371 पर। –सं

उपाध्याय और डॉ. देवराज के लेख वात्स्यायन जी ने *प्रतीक* में छापे। पर युनिवर्सिटी के बड़े प्रोफेसर-आलोचकों से वात्स्यायन जी की पटरी कभी नहीं बैठी, न नन्ददुलारे वाजपेयी से, न धीरेन्द्र वर्मा से, न डॉ. नगेन्द्र से।

हजारीप्रसाद द्विवेदी उनके प्रिय लेखक थे। और दद्दा मैथिलीशरण गुप्त तो गुरुतुल्य थे। *स्मृति-लेखा* में वे अपने समकालीन कवियों में सरोजिनी नायडू और माखनलाल चतुर्वेदी, 'निराला' और गुप्त जी को परम्परा के नाते याद करते हैं। परन्तु पन्त और 'नवीन' पर ही उन्होंने सहानुभूतिपूर्वक लिखा है, यद्यपि उसमें भी कई जगह चुटीली चुटकियाँ ली हैं। कवि के नाते उनका अहं स्फीत था और शेष सब हिन्दी कवियों को या तो वे अपना शिष्य मानते थे या अपना शत्रु। शिष्य कब शत्रु हो जाए इसका भी ठिकाना नहीं था। 'मामेकं शरणं व्रज' वाली अव्यभिचारिणी भक्ति वे अपने अनुयायियों से चाहते थे। जरा भी खटका हुआ, हो गयी कुट्टी। मैंने उनके *त्रिशंकु* पर *हंस* में और *अपने-अपने अजनबी* पर *थॉट* में आलोचना लिखी थी, वे बुरा मान गये।

दिल्ली के बाद मैं नागपुर रेडियो में नियुक्त हुआ, साहित्यिक प्रोड्यूसर के नाते। वात्स्यायन जी को एक हिन्दी-मराठी कवि सम्मेलन में बुलाया। जानकीवल्लभ शास्त्री भी आये थे, विंदा करंदीकर थे, मुक्तिबोध थे, विजयदेव नारायण साही, अनिल कुमार आदि भी थे।

1954 में मैं केन्द्रीय साहित्य अकादेमी में आ गया। तब वात्स्यायन जी अकादेमी की सलाहकार समिति में थे। मैं 1959 से 1961 विदेश में पढ़ाने गया। कैलिफोर्निया युनिवर्सिटी में मेरे बाद वात्स्यायन जी और डॉ. विद्यानिवास मिश्र गये उसी स्थान पर पढ़ाने। अब वात्स्यायन जी का क़ार्यक्षेत्र और लेखन-क्षेत्र बहुत विस्तृत होता गया। हमारी उनसे भेंट-वार्ता कम होती गयी। *दिनमान* के सम्पादन के समय तक उनसे काफी घनिष्ठता थी। रामचन्द्र वर्मा की मृत्यु पर एक पूरा विशेषांक कोशों पर मैंने उनके लिए लिख दिया। तब मैं संघ लोक सेवा आयोग में था। यह 1965-66 की बात है।

वात्स्यायन जी और मेरे सम्बन्धों में खाई पैदा करने में कुछ हमारे ही निकटवर्ती मित्रों, लेखकों-कवियों का हाथ रहा। अब वे भी इस लोक में नहीं हैं अतः उन सप्तकीय बन्धुओं का नाम लेकर यह प्रकरण व्यर्थ नहीं बढ़ाना चाहता। वात्स्यायन का कार्यक्षेत्र अब हिन्दी, अंग्रेजी सम्पादन, लेखन तथा संगोष्ठियों में भाग लेने तक विस्तृत होता गया। मेरी उनकी भेंट पी.ई.एन. कान्फ्रेंसों में, केरल में अखिल भारतीब लेखक संघ के अधिवेशन में, उड़ीसा में विषुव मिलन में और कई साहित्य अकादेमी के आयोजनों में होती रहती थी। उन्हें पहला हृदयाघात हुआ था,

फिर भी वे मुक्तिबोध को चुपचाप आर्थिक सहायता देने घर पर आये। श्मशान यात्रा में शामिल हुए। कलकत्ता में ज्ञानपीठ पुरस्कार लेने आये, तब और बाद में भारतीय भाषा परिषद तथा संस्कृति-संसद के आयोजनों में वे मिलते रहे। परन्तु अपनी पद यात्राओं में उन्होंने मुझे कभी आमंत्रित नहीं किया, न अपने जन्मदिनोत्सवों में। वत्सल निधि के कार्यक्रमों के औपचारिक निमन्त्रण आते रहते थे। उनकी जीवन सन्ध्या के अन्तिम दस वर्षों से अधिक समय में उनकी हमारी भेंट इसी तरह समारोहों में होती।

एक तरह से उन्होंने अपना आधा जीवन पूरी तरह हिन्दी भाषा और साहित्य की सेवा में अर्पित कर दिया था। विदेश यात्राएँ भी अनेक कीं। परन्तु जमकर कोई आजीविका के लिए वृत्ति या नौकरी करना उनके स्वभाव के विरुद्ध था। कुछ वर्ष वे एक कार्य में जुटते, फिर उसे छोड़ देते। 'कितनी नावों में कितनी बार' यह उनका सार्थक जीवन-क्रम था। अन्त तक वे पूछते ही रहे 'ऐसा कोई घर आपने देखा है?' उन्होंने कोई एक स्थिर आवास नहीं बनाया। यद्यपि वे चाहते थे। भीमताल में जमीन भी ली थी। अन्तिम काल में वे अपने निवास के पास के पेड़ में एक घोंसलेनुमा घर बनाकर उसमें रहना चाहते थे। रवीन्द्रनाथ ने 'विज्ञान-परिचय' शान्तिनिकेतन में ऐसा ही घर बाँधकर उसमें कुछ माह बिताकर लिखा था। परन्तु वह उनकी अन्तिम इच्छा अधूरी ही रही। मैंने उनकी मृत्यु पर *धर्मयुग* में श्रद्धांजलि लिखी तो यही शीर्षक दिया था—'नयी कविता का बेघर घरवाला'।

'अज्ञेय' जी को अपने अल्प जीवन में काफी ख्याति, कीर्ति और श्रीसम्पत्ति भी मिली। देश-विदेश में कई साहित्यिक संस्थाओं ने उन्हें देवपुरस्कार, अकादेमी पुरस्कार, युगोस्लाविया का स्वर्ण-कमल, भारतीय ज्ञानपीठ पुरस्कार और उत्तर प्रदेश हिन्दी संस्थान का शिखर-सम्मान (मरणोपरान्त) आदि उन्हें मिले। उनकी अपनी एक विशिष्ट जीवन-शैली और लेखन-शैली थी। उनके राजनैतिक विचार हिंसक क्रान्तिवाद से धीरे-धीरे मानवतावादी समाजवाद की ओर परिणत हो गये थे। परन्तु वे किसी भी राजनैतिक दल से सम्बद्ध नहीं रहे। जवाहरलाल नेहरू का तो अभिनन्दन ग्रन्थ उन्होंने सम्पादित किया ही। आचार्य नरेन्द्रदेव और जयप्रकाश नारायण उन्हें बहुत मानते थे। परन्तु साहित्य में वे राजनैतिक हस्तक्षेप के घोर विरोधी थे। इसीलिए 'कांग्रेस फॉर कल्चरल फ्रीडम' के साथ जुड़े रहे। उसमें भी एक प्रकार की राजनीति है, यह जानकर जैसे स्टीफेन स्पेंडर ने *एनकाउंटर* छोड़ दिया था, वात्स्यायन जी ने भी उस संस्था से अपने आपको अलग कर लिया

था। एम.एन. राय से बहुत प्रभावित होकर भी सक्रिय रूप से उस दल में उन्होंने कोई राजनैतिक कार्य नहीं किया।

'अज्ञेय' का शारीरिक ढाँचा बड़ा ही आकर्षक था। ऊँचे, सुपुष्ट, गौरवर्ण, गोल मुखवाले 'अज्ञेय' अधिकतर बिना दाढ़ी-मूँछ के थे। अन्तिम वर्षों में उन्होंने दाढ़ी बढ़ा ली थी। चश्मे के भीतर से मुस्कुराती-सी शरारती आँखें उनके बहुत कम बोलने की बची-खुची कसर पूरी करती थीं। बाल पहले घुँघराले थे (देखिए, *भग्नदूत* का छायाचित्र) बाद में धीरे-धीरे वे विरल होते गये। उनकी बोलचाल बहुत आकर्षक, मृदुल और मोहक थी। उनके उस राजसी रूप के कारण क्रान्तिकारी दल में उन्हें 'राजा' कहते थे। डॉ. उदय नारायण तिवारी के घर 'निराला' बैठे थे, तब वे दारागंज में रहते थे। मैं और 'अज्ञेय' उधर से जा रहे थे। मैं तब आकाशवाणी इलाहाबाद में था। हमें देखकर बुलाया, पूछा 'वजन कितना है'। 'अज्ञेय' ने और मैंने बताया। लुंगी पहने नंगधड़ंग निराला ने अपने बाहु फुलाकर स्वाभाविक कसाव ('मसल') दिखाए। बोले– "बस, हिन्दी में हमें ऐसे ऊँचे तगड़े पहलवान लोग पसन्द हैं, जैसे मैं हूँ, 'अज्ञेय' हैं, रामविलास शर्मा हैं। वरना ये पन्त, शान्तिप्रिय द्विवेदी, प्रकाशचन्द्र गुप्त क्या पिलपिले

साहब हैं। क्या मेंढ़की और क्या मेंढ़की का जुकाम।" 'निराला' जी की बात अद्भुत थी। एक बार शान्तिनिकेतन में एक अंग्रेजी भाषण में वात्स्यायन ने कह दिया था– 'निराला इज डेड' (अब 'निराला' में कुछ नहीं रहा)।[1] परन्तु इस बात का प्रत्याख्यान उन्होंने *स्मृति-लेखा* में किया। मुझे याद आता है एक वसन्तपंचमी पर एक बड़ी-सी लॉरी में श्रीपत-अमृत सबको लेकर वात्स्यायन और हम हेस्टिंग्स रोड से दारागंज पहुँचे थे। वह दिन 'निराला' का जन्म दिन था। और कैसा आनन्द मनाया था।

वास्त्यायन को यात्रा करना बहुत पसन्द था। हिमालय में 'ट्रेकिंग' हो या अपनी कार या जीप लेकर अनजान रास्तों से अनजान स्थानों पर घूमने जाने का उन्हें बहुत शौक था। आरम्भिक दिनों में, 1946 में, मैं उनके साथ मेरठ से बागपत तक किसान सम्मेलन में दोनों हाथों में एक बड़ा-सा 'किसान' का तैलचित्र पोस्टर की तरह लेकर जुलूस में गया। स्वामी सहजानन्द उस अधिवेशन के अध्यक्ष थे उनके साथ मैंने उड़ीसा, केरल, महाराष्ट्र, मध्यप्रदेश, बिहार, कनखल,

---

1. वह भाषण नहीं, लेख था। *स्मृति-लेखा* (दूसरा संस्करण) की भूमिका के अनुसार शान्तिनिकेतन की पत्रिका *विश्वभारती क्वार्टरली* में अज्ञेय ने वह लेख लिखा था। भूमिका से जाहिर होता है कि अपनी टिप्पणी का उन्हें बहुत पछतावा हुआ; उन्होंने निराला से क्षमा माँगी और क्षमा उन्हें मिली। –सं.

शिमला आदि स्थानों की यात्राएँ भी की हैं। वे सहयात्री का बड़ा ध्यान रखते थे। साथ में क्या-क्या ले जाना चाहिए, इन सबकी बड़ी व्यवस्था पहले से करते। मैं विदेश गया पहली बार 1959 में तो वात्स्यायन ने मेरी पत्नी को बताया कि वहाँ क्या-क्या कठिनाइयाँ आ सकती है, कपड़े कैसे होने चाहिए, अपना काम खुद कैसे करना चाहिए इत्यादि।

वे अत्यन्त श्रमशील लेखक थे। अपनी पांडुलिपि हो या औरों की, बहुत बारीकी से पढ़ते। सम्पादित करते। भाषा या वर्तनी की एक भी छोटी-सी भूल उन्हें प्रिय नहीं थी। मुझसे उनके स्नेह का एक कारण मेरा भी भाषा-विषयक प्रेम था। वे अक्सर कहते थे कि "तुम मराठी भाषी लोग शिवाजी के समय से ही उर्दू फारसी-बहुल लिखते हो। काका कालेलकर का 'हिन्दुस्तानी' फंडा इसीलिए हठधर्मिता तक पहुँचा। हम पंजाब में इससे उलटे, सहज उर्दू के जो शब्द हिन्दी में आ गये हैं, उनका भी जबर्दस्ती आर्यसमाजी प्रभाव में संस्कृतीकरण करते हैं।" उनकी इस भाषा-विषयक सूक्ष्म अवलोकन और औचित्य-अनौचित्य पर आग्रह के दो उदाहरण देता हूँ। रेडियो में समाचार-कक्ष में अनुवाद सलाहकार के नाते कार्य करते हुए, और *दिनमान* में सम्पादक बनकर उन्होंने बाकायदा एक वर्तनी के मानकीकरण की आदेश पुस्तिका बनाई। उन्होंने कहा कि एक ही विदेशी नाम के कई-कई रूप प्रचलित हैं जो ठीक नहीं। 'फ्रेंच' नहीं 'फरान्सीसी' होना चाहिए, 'पोर्जुगीज' नहीं 'पुर्तगाली' होना चाहिए, 'इटैलियन' नहीं 'इतालवी' होना चाहिए इत्यादि। निर्मल वर्मा ने उनकी मृत्यु के बाद साहित्य अकादेमी की ओर से आयोजित शोक सभा में कहा कि भाषा-बोध का यह हाल था कि अस्पताल में डॉक्टर उनसे पूछने आया– "आर यू नाउ आल राइट" (अब तो आप अच्छे हो गये होंगे?) तो वात्स्यायन ने कहा– "अगर मैं अच्छा हो गया हूँ तो आप पूछते क्यों हैं? आपको शायद मेरे बारे में ज्यादह मालूम है।"[1] किशोरीदास वाजपेयी जैसे भाषाविद से उनकी खूब पटती थी।

दो और विनोदपूर्ण उदाहरण देता हूँ। मेरी षष्ठिपूर्ति पर एक सभा दिल्ली में हुई। प्रभात शास्त्री, मंत्री, हिन्दी साहित्य सम्मेलन इलाहाबाद और डॉ. नामवर सिंह, अध्यक्ष हिन्दी विभाग, जवाहरलाल नेहरू युनिवर्सिटी, दोनों बोले। मेरे बारे में बोलने के बजाय बहस नई कविता, प्रयोगवाद आदि पर 'डीरेल' (पटरी से उतरकर शुरू) हो गई। बाद में वात्स्यायन बोलने खड़े हुए। मुस्कुराते हुए उन्होंने कहा–"अभी आप 'हिंसा' और 'ज-ला-ने' वाले लोगों (उनका आशय 'हिन्दी साहित्य सम्मेलन' और 'जवाहरलाल नेहरू' के अद्याक्षरों से था) के भाषण सुने। मैं तो पुराना क्रान्तिकारी हूँ, पर कविता का इस क्रोध से क्या सम्बन्ध है?" वैसे ही रमेश

1. निर्मल वर्मा ने जो प्रसंग सुनाया, वह कुछ अलग था। असल प्रसंग *भवन्ती* में है। उसका सार देखें पृष्ठ (5) पर। –सं.

कुंतल मेघ नामक हिन्दी के विख्यात आलोचक, जो काफी बड़े-बड़े बाल सिर पर रखते हैं और बड़ी उलझी हुई भाषा शैली में लिखते और बोलते हैं, के लिए वात्स्यायन जी ने कहा– "उनके कुंतल तो कभी छँटते भी हैं परन्तु उनके दिमाग पर के मेघ सदा छाये रहते हैं।" उनका एक प्रिय लतीफा उनके दिल्ली आकर बसने पर था– "अमुक अमुक अच्छे लेखक थे। बाद में उन्होंने दिल्ली-गति पायी।" या "उनका दिल्लीवास हो गया।" इस तरह के उनके कौतुक के कई उदाहरण उनके 'कुट्टिचातन' नाम से लिखे 'सब रंग' निबन्धों में और *भवन्ती, अंतरा, शाश्वती* आदि डायरी अंशों में विपुल मात्रा में बिखरे पड़े हैं। *तार सप्तक* के सम्पादन के समय 1943 में उन्होंने सातों कवियों के परिचय लिखे, और वे भी उसी विनोदी शैली में।

वात्स्यायन जी चुप रहते थे। परन्तु जब उन्हें क्रोध आता था तो वह अनियन्त्रित होता। उनके निकटतम लोग उसे बहुत झेल चुके हैं। एक उदाहरण उन्होंने स्वयं पं. कृष्णबिहारी मिश्र सम्पादित *हिन्दी साहित्यः बंगीय भूमिका* में लाहौर के एक पार्क में सहपाठी सिनेमा एक्टर जगदीश को, लड़कियों को छेड़ने पर, कैसे दे पटकी पीटा था, लिखा है।[1] सन् 38 में, जब मैं विद्यार्थी था तब, हम आगरा कैंट में एक अंग्रेजी सिनेमा देखने गये थे। तभी एक गोरे सिपाही को तमाचा मारते वात्स्यायन को देखा था। बाद में वे गुस्सा अपने भीतर पालने लगे थे, और हिन्दी आलोचकों और मीडिया-कर रचनाकारों की जैसी दुर्गत वे अपनी गुरुगम्भीर शैली में जगह-जगह करते हैं वह देखते ही बनता है। उनके कुछ चेले वह कला अपनाने की, नकल करने की कोशिश करते हैं, पर वात्स्यायन जी वाली नफासत उनके यहाँ नहीं है।

वात्स्यायन जी के स्वभाव में आत्यंतिकता – किसी के प्रति अतिशय आकर्षण और उतना ही विकर्षण, काम और क्रोध, प्यार और तिरस्कार का बड़ा विचित्र मिश्रण रहता था। साहित्य में जितनी उनकी दृष्टि सन्तुलित थी, व्यक्तिगत जीवन में या तो उनका भोलापन कहें या 'प्रत्येक मनु के पुत्र पर विश्वास करना चाहता हूँ,' इस मुक्तिबोध की पंक्ति के अनुसार उनकी हर मानव के भीतर परिवर्तन की अनगिनत सम्भावनाओं पर अटूट आस्था थी। यदि उनके चार सम्पादित *सप्तकों* के कवि ही देखें तो उनमें कितनी विविधता है, कितना वैचित्र्य है। डॉ. रामविलास शर्मा और भवानीप्रसाद मिश्र में कौन-सी समानता है या धर्मवीर भारती और स्वदेश भारती में? इस स्वभाव के कारण उन्होंने जैसे अपने बारे में एक बार मुझसे कहा– "मैं जो कुछ कहता हूँ वह बाद में सच निकलता है, परन्तु कैसेंड्रा के अभिशाप की तरह उस समय मेरी

1. अज्ञेय के उस संस्मरण में जगदीश सेठी के लड़कियों को छेड़ने का जिक्र नहीं है। जगदीश कई वर्ष बाद अभिनेता बने। –सं.

बात कोई सच नहीं मानता।" ग्रीक देवता 'कैसेंड्रा' के बारे में यह मिथक प्रसिद्ध था कि वे जो कहती थीं वही सच निकलता था, परन्तु जब वे कहती थीं, उसे कोई नहीं पतियाता था। इस शीर्षक की एक कहानी भी उन्होंने लिखी– 'कैसेंड्रा का अभिशाप'।

दिनमान के तीन कवि सहसम्पादक जब उन्होंने चुने, तब वे विलिंगडन अस्पताल में दिल के दौरे से पीड़ित थे। मुझसे कहने लगे जब मैं उन्हें देखने गया– "मेरी जन्मकुंडली में लिखा है कि जिस-जिस पर मैं उपकार करूँगा वही मेरे विरुद्ध हो जाएगा।" मैंने पूछा– "सो कैसे?" बोले– "तुम्हारे मित्र धर्मवीर भारती। मैंने उनकी कविताएँ तुम्हारे कहने से *दूसरा सप्तक* में लीं। *थॉट* में *सूरज का सातवाँ घोड़ा* का अंग्रेजी में अनुवाद किया। और अब वे मेरे खिलाफ हो गये हैं।" पता नहीं किसी कारण से दोनों में बोलचाल बन्द हो गयी थी। इन सब सम्बन्ध-विच्छेदों में, मित्रों से हो या पारिवारिकों से, वे सदा अपना पक्ष सही मानते थे। यह आत्म-समर्थनपरक दृढ़ आग्रह कभी-कभी दुराग्रह हो जाता था।

साहित्यिक विवादों में वे कभी नहीं पड़ते थे। लिखने में कोई कितनी ही कटु आलोचना करे, वे उत्तर नहीं देते थे। कभी-कभी लगता था कि वे मन-ही-मन में बुरा मान जाते थे और प्रयत्नशील रहते थे कि उस आलोचक को नीचा देखना पड़े। इसका परिणाम यह होता था कि कई उनके कटु आलोचक बाद में दल बदलकर उनके परमभक्त बन जाते थे। इस दृष्टि से उनका मौन का अस्त्र अधिक कारगर और दूरगामी, निश्चित रूप से विजयी होता था। उनके बड़बोले आलोचक छोटे पड़ जाते थे। उनके व्यक्तित्व में एक प्रकार की गरिमा और भव्यता थी, जिसमें एक प्रकार का भय-मिश्रित कुतूहल या आतंक छाया रहता। वे कभी भी किसी व्यक्ति से बहुत आत्मीयता नहीं जतलाते थे। एक तरह की बौद्धिक दूरी वे बराबर बनाये रखते।

शेखर के बाद अज्ञेय का दूसरा बहुचर्चित और विवादास्पद उपन्यास *नदी के द्वीप* है। 1950 में *नेहरू अभिनन्दन ग्रन्थ* में उन्होंने अपनी विख्यात कविता 'नदी के द्वीप' प्रकाशित की। जब वे इलाहाबाद में रहते थे तो अक्सर गंगा के प्रवाह में बालू से बने ढूह देखकर उनके मन में कुतूहल पैदा होता था कि इतनी अजस्र धारा में भी ये बालू के ऊँचे-ऊँचे द्वीप कैसे बन जाते हैं, और टिके रहते हैं। उसी समय वे *प्रतीक* का सम्पादन कर रहे थे और बाद में वे विश्व-साम्यवाद विरोधी, अमेरिका द्वारा आर्थिक अनुदान से प्रायोजित 'कांग्रेस फॉर कल्चरल फ्रीडम' संस्था के भारतीय मुखपत्र *क्वेस्ट*

और दिल्ली के *थॉट* (साप्ताहिक) से जुड़े, जब वे दिल्ली में आये।[1] इसी समय 1952 में *नदी के द्वीप* प्रकाशित हुआ।

इसमें कथानक शेखर से भी विरल है। तीन चरित्र भुवन (जो शेखर का ही प्रौढ़ रूप लगता है), गौरा (जो शशि का नया परिवर्धित संस्करण लगती है) और चन्द्रभूषण (जो एक साम्यवादी पात्र है, जैसा कि उन्होंने मुझसे कहा था नेमिचन्द्र का 'चन्द्र' और भारतभूषण अग्रवाल का 'भूषण' मिलाकर यह नाम उन्होंने बनाया, यद्यपि उस चरित्र में इन दो मूल नामों से भिन्न अधिक कट्टर साम्यवादी उनके सामने रहे)। चन्द्रभूषण को उन्होंने खलनायक की तरह चित्रित किया है। इस उपन्यास में भी व्यक्ति की स्वतंत्रता का प्रश्न और तीक्ष्णता से लेखक ने उभारा है। भुवन और गौरा के सम्बन्धों में समाजबाह्य नैतिकता, विवाहेतर सम्बन्ध और उससे उपजने वाले शिशु का भ्रूणपात तक किस नैतिक मापदण्ड से नापा जाए यह प्रश्न है। अज्ञेय नैतिकता का आधार समाज में प्रचलित या मान्य, धार्मिक या कानूनी स्त्री-पुरुष सम्बन्धों की रूढ़ियों को नहीं मानते। उनका मत है कि व्यक्ति के विवेक पर ही नैतिकता आधारित है। यदि प्रेमी युग्म को अपने प्रेम और परस्पर

आत्म-समर्पण में पूर्ण विश्वास है, तो उससे उत्पन्न सन्तान आदि परिणितियों से अपने ढंग से निपटने का भी अधिकार है। विचार क्रान्तिकारी हैं, परन्तु उसके लिए जो परिस्थितियाँ उपन्यास में सँजोई गयी हैं वे विश्वसनीय नहीं लगतीं। इसे भी आलोचकों ने अज्ञेय का आत्मकथात्मक उपन्यास माना। इसके प्रकाशन पर तीव्र प्रतिक्रियाएँ हुईं। *कल्पना* पत्रिका में डॉ. भगवतीशरण उपाध्याय ने उसकी सराहना में एक लम्बा लेख लिखा। अज्ञेय के पुराने अभिभावक और गुरुतुल्य जैनेन्द्र कुमार ने शिवदान सिंह चौहान सम्पादित *आलोचना* में एक पत्र लिखा[2] जिस पर 'अज्ञेय' बहुत वर्षों तक जैनेन्द्र जी से रूठे रहे, खिंचे-खिंचे से रहे। जैनेन्द्र कुमार का मानना था कि स्त्री-पुरुष के सम्बन्ध ऐसे बौद्धिक आधार पर नहीं होते। प्रेम में व्यक्ति के अहं का विसर्जन आवश्यक होता है। *नदी के द्वीप* में हर पात्र एक द्वीप की तरह से धारा से भिन्न अपना आकार बनाये रखता है। जैनेन्द्र को इस उपन्यास की शैली भी बहुत बोझिल और कृत्रिम लगी।

इस उपन्यास को लेकर हिन्दी में बहुत चर्चा हुई। कई लोगों ने लेखक को

1. *क्वेस्ट* से उस तरह 'जुड़ने' का कोई प्रमाण नहीं मिलता, जिस तरह वे *थॉट* से जुड़े। —सं.
2. जैनेन्द्र कुमार ने *आलोचना* को नहीं, उसके सम्पादक को निजी राय व्यक्त की थी। उसे सम्पादक ने, जैनेन्द्र जी के मना करने के बावजूद, प्रकाशित कर दिया। देखें जैनेन्द्र जी का अपना संस्मरण पृष्ठ (9) पर। —सं.

मुक्त यौन सम्बन्धों का समर्थक बताया, तो कइयों ने उन्हें सच्चा क्रान्तिकारी मानवतावादी। जहाँ साम्यवादी हर मानवीय सम्बन्ध को समाज-नियंत्रित, वर्गभेदाश्रित बताते थे, 'अज्ञेय' के अनुसार प्रेम और वासना, विवाह और सेक्स, सन्तान और विवाह-विच्छेद आदि नितान्त वैयक्तिक विषय हैं, और उनमें समाज का नियन्त्रण आवश्यक नहीं है। परन्तु *युग-सन्धियों पर* नामक उनके 1981 में प्रकाशित निबन्ध-संग्रह में नारी पर पुरुष के अत्याचार की निन्दा करते हैं और नारी-मुक्ति को भी पुरुष सापेक्ष बताते हैं। परन्तु उनके सामाजिक तथा राजनैतिक विचार बराबर बदलते चले गये। इस उपन्यास में पहाड़ों के वर्णन, प्रेम के एकान्त क्षणों की अनुभूति की काव्यमय विभूति, संवाद और तर्क-वितर्क इस उपन्यास को एक विशिष्ट उपन्यास बना देते हैं।

नई धारा (नवम्बर-दिसम्बर 1961) के 'नलिन-विलोचन विशेषांक' में उमाकान्त वर्मा ने लिखा, "एक दिन मैं छपरा जा रहा था। प्रातः चार बजे जहाज पर चढ़ा। ऊपर पहुँचने पर प्रथम वर्ग के कम्पार्टमेंट में एक कुर्सी पर, मैंने एक गौर वर्ण सुगठित शरीर वाले, लहरों की ओर ध्यानमग्न एक परिचित व्यक्ति को देखा। चरण स्पर्श करते हुए पूछा–

'आप अज्ञेय जी हैं न?'

उन्होंने सिर हिलाकर स्वीकृति दी।

बातें हुईं। परिचय का कार्य समाप्त हुआ। बातें बढ़ीं। जिज्ञासु के रूप में मैंने प्रश्न किया... *शेखरः एक जीवनी* का तीसरा खण्ड क्यों नहीं, *नदी के द्वीप* क्यों?

उन्होंने कहा– 'मैं एक ही उपन्यास कभी-कभी तीन बार लिखता हूँ। *शेखरः एक जीवनी* का तीसरा खण्ड दो बार लिख चुका, तीसरी बार लिख रहा हूँ। अभी सन्तोष नहीं हुआ।' कुछ रुक कर बोले– '*नदी के द्वीप* असम के एक डॉक बंगले की प्रेरणा है जहाँ वर्षा में भीगने के बाद मैं रुका था।' "

पटना लौटकर नलिन जी को जब मैंने यह बात कही तो उन्होंने सुनकर कहा– "मैं समझता हूँ अब आपका भ्रम दूर हो गया होगा। *शेखरः एक जीवनी* अज्ञेय जी की बुद्धि की नक्काशी है और *नदी के द्वीप* – उनके हृदय का रस-स्खलन। नक्काशी में समय तो लगता ही है।"

नदी के द्वीप से अज्ञेय का झुकाव किर्केगार्द, सार्त्र, यास्पर्स, ब्यूबर आदि अस्तित्ववादी दार्शनिकों की विचारधारा की ओर बढ़ने लगा। मनुष्य स्वयं अपनी नैतिकता, अपनी नियति, अपनी स्वतन्त्रता के क्षण का चुनाव करता है, यह विचार और भी प्रबल रूप से उनके तीसरे और अन्तिम छोटे उपन्यास *अपने-अपने अजनबी* में स्पष्ट हुआ है। मुझे यह उपन्यास अच्छा नहीं लगा,

और *थॉट* में मैंने उसकी वैसी तीखी समीक्षा भी प्रकाशित की। मुझे याद आता तब कपिला और वात्स्यायन ने मुझे खाने पर बुलाया और बड़ी देर तक इस पुस्तक और मेरी आलोचना पर तर्क-वितर्क और चर्चा होती रही। परन्तु वात्स्यायन उससे बुरा जरूर मान गये। यह घटना 1963 की होगी।

बाद में कवि 'अज्ञेय' ही प्रधान रह गये। कथा और उपन्यास की उनकी विधाएँ छूटती गयीं। वे निबन्धकार, यात्रा-वर्णन लेखक, आलोचक, सम्पादक यानी विचारात्मक गद्य के लेखक के नाते अधिक उभरने लगे। सिवाय कविता के जीवन के अन्तिम दो दशकों में कोई कथा-उपन्यास जैसी सशक्त कृति वे नहीं दे पाये। सृजनशील लेखक से अधिक अज्ञेय एक साहित्यिक मठ के स्वामी, एक 'कल्ट-फिगर', एक संगठक सम्पादक के रूप में समाज में अधिक लोकप्रिय होते गये।

14

आत्मबोध की यात्रा

॥ विद्यानिवास मिश्र

अज्ञेय को मैं बहुत कम जानता हूँ। पर उस प्रभामण्डित व्यक्तित्व के भीतर था एक, जिसे मैंने भाई कहा और जिसने मुझे भाई ही कहा, उसे कुछ-कुछ जानता हूँ। अभी भी घर से निकलता हूँ तो कभी-कभी लगता है कि भाई मेरी बाट जोह रहे हैं और कहीं से विदा होता हूँ तो लगता है भाई जय कहकर विदा करते हुए भी बुला रहे हैं। उस भाई की जीवनी का कुछ हिस्सा लिखा, अब फिर लिखना चाहता हूँ क्योंकि जाने के पहले उन्होंने कहा— तो भाई आप लिख ही डालिए, कोई दूसरा क्यों मेरी जिन्दगी पर फैसला दे। फैसला तो मैं क्या दूँगा, हाँ उस व्यक्ति को फिर से पहचानना चाहता हूँ, जिसने मुझे किशोरावस्था में एक प्रेरणा दीः

बैठे रहो, प्रकारो गायो मेरा वैसा धर्म नहीं है।
मैं हसील हूँ, बैठे रहना मेरे कुल का कर्म नहीं है।

और जिसने अपने जीवन की सन्ध्या वेला में यह गहरी उदासी की समझदारी दीः

रात तारे हों न हों। रवहीनता को सघन कर दे अँधेरा।
तू अदीन लिये हिय में। चित्र ज्योति प्रकाश का।
करना जो है तुझ को सबेरा। कर नमन बीते दिवस को धीर।
दे उसी को सौंप। यह अवसाद का लघु पल। निकल चल।
सारस अकेला।

उस व्यक्ति की समग्रता इतनी आसान नहीं है कि ठीक-ठीक आँक सकूँ। वह व्यक्तित्व पहेली रहता तो पहेली का समाधान मेरे पास था, पर वह व्यक्ति इतना गुरु-गम्भीर होते हुए भी भीतर से निरा बालक था, कौतकी और उदग्र, बिलकुल पारदर्शी, कब किस बात पर रूठेगा और कब अपने आप मनाएगा, बिलकुल अतर्कित। ऐसे झरने जैसे व्यक्तित्व को गहना बहुत मुश्किल है।

मुझसे पन्द्रह वर्ष बड़े थे पर उन्होंने आभास नहीं होने दिया, भाई ही कहते

रहे। कभी अनखनाते थे या कभी कुछ छेड़ना चाहते थे तो 'पंडित जी' कहते थे, नहीं तो बस भाई कहते थे, अगर फोन किया कि पहुँच रहा हूँ और कहीं देर हो जाए तो नाराज हो जाते थे, "भाई, आप बड़े गड़बड़ आदमी हैं"। इतने उलाहने मिलते थे, सबमें उनका अपनापन रहता था और मैं नालायक फूला नहीं समाता था।

असंख्य स्मृतियाँ... पूरा एक सैलाब है। इलाहाबाद में हेस्टिंग्स रोड पर पहली भेंट, *प्रतीक* के प्रत्येक अंक के लिए संस्कृत काव्य से ऋतुवर्णन की सामग्री चाहिए थी। बन्धुवर माचवे से पूछा कि कोई है ऐसा। और माचवे ले गये। शालीन मितभाषिता और सुरुचि की गहरी छाप मन पर पड़ी। फिर तो *प्रतीक* के द्वार से मेरे साथ जाने कितने लोगों का साहित्य में प्रवेश हुआ। रीवा में था, भाई कई बार आये। उनसे खुजराहो की कला पर पुस्तक लिखवानी थी। उन दिनों खुजराहो में रहने की जगह नहीं थी। एक मामूली सी कोठरी में जहाँ कभी गाय बाँधी जाती रही होगी, वहीं हुई रहने की जगह। कुआँ से पानी खींचते भाई हफ्तों वहीं रहे और जाने किन-किन कोनों-किनारों से चित्र लेते रहे। सोलह सौ से अधिक चित्र लिए, हाफ पैंट-कमीज पहने, एक पैर पर अपने को किसी जगह टिकाए उन्होंने अपने को जोखिम में डालकर ऊपर की शिल्पपट्टिकाओं के फोटो लिए। खाना-पीना भी रूखा सूखा, पर अदम्य उत्साह और एक नशा जैसा। इतना बड़ा कला संसार जैसे उन्हें अपार ऊर्जा से भर रहा था। बहुत सी मूर्तियाँ, जिनके चित्र भाई ने खींचे, आज भारत से चोरी चली गयी हैं।

भाई ने जितने निवास 1947 के बाद बदले, मैं सब में गया, सब में रहा। उनको यायावर भी देखा, घरू भी देखा। यायावर के रूप में इतने अपरिग्रही कि एक झोले से काम चल जाए और घर में इतने संचयी और इतने सज्जाप्रिय कि एक-एक वस्तु का स्थान निश्चित। जाने कितनी बार वही कमरा कभी अध्ययन कक्ष रहता तो कभी बैठक बन जाता, फिर कभी शयनकक्ष बनता और साज सज्जा बदल जाती। पूछते, भाई नया परिवर्तन कैसा लगा? मुझे लगता कि इन सजावटों के पीछे एक उत्साही बालक का मन था। भाई के लिए सजाव या सौन्दर्य एक कुतूहल था, एक अतृप्त कुतूहल।

उन्हें जंगल अच्छे लगते थे, बीहड़ अनछुए बीहड़ अच्छे लगते थे। या फिर करीने से, अपने पूर्ण सामंजस्य के साथ व्यवस्थित घर उन्हें अच्छे लगते थे। कहीं भी अतिरेक हो, एकरसता हो तो उन्हें बड़ी परेशानी होती थी। वे सर्वथा सहज थे। परिष्कृत रुचि भी उनकी सहज थी। किसी को भी तुम नहीं कहते थे। वह शालीनता ओढ़ी हुई नहीं थी, सहज थी।

मैं गँवार आदमी उनके घर ठहरता रहा हूँ। पहले घबराता था, मेरे जैसा अव्यवस्थित व्यक्ति कुछ इस व्यवस्था में गड़बड़ न कर दे, पर साथ रहते रहते जान

गया कि भाई की व्यवस्था एक खेल है। एक स्वभाव है। उसके पीछे प्रयत्न नहीं है। वे कोई भी काम करते तो बहुत ढंग से करते, औचित्य और कौशल का सही अनुपात क्या हो, इसका ध्यान रखते, पर वे अनगढ़ सौन्दर्य, अनगढ़ रचना से भी उतने ही अभिभूत होते। उन्हें सर्जन के नये सोपानों पर घुटनों के बल चलते रचनाकार बड़े अपने लगते थे। और फिर रससिद्ध उत्कर्ष पर पहुँचे हुए कृती। रससिद्ध रचना को बार-बार पढ़ना और उस पर चर्चा करना उनको रुचता था। वे पुराने से पुराने और नये से नये के बीच एक सेतु थे। आज उस सेतु का अभाव बहुत सालता है।

भाई बड़े जिद्दी थे। बचपन से जिद्दी थे, जिसे उन्होंने अपना सच माना, उसके लिए कुछ भी उत्सर्ग कर सकते थे और जो ठान लेते थे, किए बिना नहीं रहते थे। *प्रतीक, नया प्रतीक* बहुत बड़े घाटे के सौदे थे पर भाई की जिद कि चलाएँगे ही। *नया प्रतीक* बन्द हुआ। बड़े दुखी हुए। मैंने *अभिरुचि* शुरू की, बड़े उल्लसित। सबसे पहला साक्षात्कार उन्हीं का लिया गया। *नांदी* का पहला अंक मैं दूँ, इसके पहले की खरीद लाये और पढ़ गये, अपने अनछपे उपन्यास का अंश दिया, कविता उन्होंने अगले अंक में देने का वादा किया। वे साहित्य और सम्प्रेषण को अलग नहीं करते थे, इसी से छापे के युग में पत्र-पत्रिका को पाठक और रचना के बीच संवाद के लिए एक अपरिहार्य माध्यम मानते थे। एकान्तप्रिय होते हुए भी इस संवाद का आग्रह बराबर उनमें बना रहा।

भाई के साथ विदेश में महीनों रहा, कई वन निर्झर, कई सागर तट और कई कला संग्रहालय उनके साथ देखे, उनके साथ देखना अपने आप में एक अद्वितीय अनुभव था क्योंकि आधा देखना तो उन्हें देखकर ही हो जाता था, इतने मुग्ध भाव से देखते थे कि सौन्दर्य की आत्मा वहाँ उतर आती थी।

भाई को विदेशी कहा जाता था, पर देश के बाहर जब-जब जाते, तब-तब उनका मन घर की ओर बार-बार जाता रहा। बाद में तो उन पर बराबर एक झक सवार रही कि भारतीय 'घर' पर चर्चा हो। रायकृष्ण दास स्मृति पर्व में उन्होंने इसकी शुरुआत की। अलवर में कलाविद् हक्कू शाह आदि को जमा कर बंजारों के 'घरों' से लेकर नये घरों तक पर चर्चा करवाई। संयोग नहीं है कि उनकी अन्तिम कविताएँ घर पर हैं। घर को, घर की बात को, घर के रिश्ते नाते, हर उत्सव, हर सुख-दुख को साहित्य, कला, संस्कृति ने कैसे लिया है और हिन्दू धर्म में घर का क्या महत्त्व है, इस बारे में एक चेतना जगाना चाहते थे, क्योंकि वे एक विशाल की भावना से अभिभूत थे, जिसमें सब अपने हों, चर-अचर सभी, खम्भे, मेहराब, काठ में उकेरे चिरौटे, काठ में उकेरी बेलें, भित्तिचित्र, चावल के आटे से बनी अल्पना, घर को ऊष्मा देने वाली आग, आग के आलोक में एक-दूसरे के लिए उत्सुक दिपती आँखें, बेसिलसिले की दुख-सुख की अछोर बातचीत, आँगन,

चौबारा, देहरी का दिया, इन सबमें पूरा विश्व जीवन्त देखते थे, देखते रहना चाहते थे। ऐसे घुमक्कड़ घरू व्यक्ति के बिना घर कैसा लगेगा?

अन्य मित्रों की तरह भाग्यवान् नहीं हूँ कि कुछ सरलीकरण कर सकूँ; अज्ञेय व्यक्तिवादी थे, अराजक थे, क्रान्ति से छलाँग मारकर यूरोप के अध्यात्म की गुफा में जाने वाले पलायनवादी थे, सौन्दर्यवादी थे, सुघड़ शिल्पी थे, अज्ञेय के ऊपर मानवेन्द्रनाथ राय का प्रभाव था, यास्पर्स का प्रभाव था, और कुछ समझदारों ने तो कहा कि मेरे जैसे सामान्य व्यक्ति के कुसंग में वे नास्तिक से हिन्दू होने की प्रक्रिया में थे या जाने और किस-किस के प्रभाव में ही वे गढ़े जाते रहे। मैं तो यह मानता हूँ कि अज्ञेय में एक अपने पूरे अस्तित्व का अन्वेषी था, जिसने अपने को तोड़-तोड़ कर अपनी समग्रता का मर्म तलाशा। पर इस अन्वेषी के पास अपना पाथेय भी था, अपना पथनिर्देश भी था। वे बड़े अनुशासनप्रिय पिता की आँखों की छाया में बड़े हुए और बड़ी स्नेहमयी बहन की ओट में इतने साहसी हुए। बचपन खँडहरों में, संग्रहालयों में, पहाड़ों में गुजरा। उन्होंने पुरातत्त्व के पण्डितों की बातचीत से भाषा का संस्कार पाते हुए देश की गरिमा की उदग्रता की दीक्षा ऐसी ली कि हिन्दुस्तानी बच्चे को गाली देने वाले गोरे सहपाठी की पिटाई कर डाली और स्कूल से छुट्टी हो गयी। पिता ने सोचा इस बच्चे के लिए स्कूल बना ही नहीं है। घर पर उन्हें सब कुछ पढ़ाया जाता रहा, ज्ञान-विज्ञान और उसके साथ *रघुवंश*। किशोरावस्था और जवानी का पहला चरण मद्रास और लाहौर में एक ओर बनेड जैसे गुरु से पश्चिमी साहित्य संस्कृति की शिक्षा लेते हुए और दूसरी ओर आजाद और भगत सिंह से अग्नि दीक्षा लेते हुए गुजरा। उस अवधि में ब्राउनिंग का रंग गहरा था, जीवन को पूरी तरह स्वीकार करो और जीवन न्योछावर करो।

पर ये प्रभाव जिस व्यक्ति पर पड़ रहे थे, वह कौन था, इसके बारे में बड़ी बहन जी ने मुझे बतलाया था, “बड़ा हठी था, जिस पर अड़ जाता था, उस पर अड़ा रहता था और था सच्चा (सच्चिदानन्द था, यही रूपान्तर घर में हुआ, वह चरित्र बन गया)। पिता से मैं कई बार इसके लिए लड़ी कि यदि यह कहता है, मैंने यह काम नहीं किया तो इसने नहीं ही किया होगा, इस पर मार नहीं पड़नी चाहिए।” ऐसा धुनी व्यक्ति प्रभावों के कारण उतना ही बनेगा, जितना वह प्रभाव उसकी धुन में रमता हो। उसी व्यक्ति के शब्दों में कहना चाहें तो कहें:

मन्दिर से तीर्थ से यात्रा के हर पग से। हर साँस से
कुछ मिलेगा। अवश्य मिलेगा। पर उतना ही जितने का
तू है अपने भीतर से दानी।

अज्ञेय ने अपने प्रभावों को लिया नहीं, अपने को इन प्रभावों को दिया है। जवानी के दूसरे चरण में विज्ञान और साहित्य की पढ़ाई छूटी, सशस्त्र क्रान्ति के पथ पर आये, पकड़े गये, जेल की ऐसी यातनाएँ सहीं कि पिघलता हुआ लोहा वज्र बन गया। लोग उनकी चुप्पी का जाने क्या-क्या अर्थ लगाते हैं, पर अज्ञेय की मुखरता सकारण चुप्पी में बदली गयी, बड़े प्रयत्न से चुप्पी साधी गयी। उन्हें जेल में थोड़ी-थोड़ी मात्रा में पारे का जहर दिया गया जिसके कारण वे तनिक-सी बात पर उबाल खा जाते थे। पर उन्होंने कठोर संकल्प से चुप रहने का अभ्यास किया। वह अभ्यास तभी काम नहीं आता था, जब कोई ऐसी बात घट जाए जिससे देश का सम्मान आहत होता हो। मेरे सामने की घटना हैः एक अमेरिकी छोकरे ने शराब पीकर विदेश में भारत की नारी के बारे में कुछ अभद्र बात कही। भाई ने दस-बारह मीटर दूर खड़े सुना और चीते की छलाँग लगायी। नम्रता से कहा, कृपा करके वह वाक्य दुहराओ जो अभी-अभी कहा था! वह नशे में था, उसने दुहरा दिया। और इसके बाद भाई के हाथ उठे, गर्जन के साथ। झन्नाटेदार थप्पड़। फिर दुहराओगे वह बात? और वह मिमियाने लगा, नहीं, जीवन भर नहीं! पर भाई का क्रोध शान्त नहीं हो रहा था। लोग बिलकुल घबरा गये, वरिष्ठ अमेरिकी प्रोफेसर क्षमा-याचना करने लगे। मैंने हाथ पकड़ा और देखा भाई की नाक से खून टपक रहा है। पारे का पुण्य-प्रताप। बड़ी मुश्किल से सँभाले जा सके। ऐसे सुप्त ज्वालामुखी प्रभाव के प्रवाह में बहते नहीं, वे स्वयं तरल आग के प्रवाह होते हैं। प्रारम्भिक दिनों की उनकी कविता है, 'मैंने आहुति बनकर देखा'। उसकी दो पंक्तियाँ इस प्रकार हैंः

काँटा कठोर है तीखा है यह उसकी मर्यादा है।
मैं कब कहता हूँ वह घटकर प्रान्तर का ओछा फूल बने।

अज्ञेय की बातचीत जब खुलती थी तो इतने किस्से, इतनी कहानियाँ, इतने हास-परिहास के प्रसंग, बस फुलझड़ी की तरह छूट पड़ते थे। वे खुलते कम थे और कम लोगों से खुलते थे। जेल जीवन की एक और यातना है और वह यातना और गहरी है। उन्हें अपने किसी बड़े ही विश्वस्त साथी के विश्वासघात से गहरा आघात लगा था, इतना गहरा कि उसके बारे में बताते-बताते भी वे मुँह से नाम न निकाल सके और इसीलिए उन्होंने अपने क्रान्तिकारी जीवन का कोई दस्तावेज नहीं लिखा। उपन्यास लिखा, पर उपन्यास एक जीवनी का शीर्षक पाकर भी एक नहीं अनेक में एक हुए की, या उलटकर कहें तो एक में अनेक की जीवनी है।

क्रान्ति के बारे में कुछ कम कहने की लाचारी अन्यत्र फूटी। उन्होंने इस दोहरी यातना को सहज बनाने वाले प्यार और इस पीड़ा को सहलाने वाली पीड़ा की बात बड़ी प्रखरता से की, बड़े उदात्त भाव से की और यहीं उनकी ब्राउनिंग से बड़ी संगति हुई। मृत्यु के साक्षात्कार के क्षण में जीवन की पहचान होती है कि :

कल देने की स्वेच्छा थी, अब लेने की लाचारी है।
रो रो कर जिये आज आयी, हँस हँस मरने की बारी है।

जेल में लिखी कविताएँ अधिकतर प्यार की, उच्छल आवेगी प्यार की रचनाएँ हैं, पर हैं बड़ी गहरी। लगता नहीं है कि यह अधकचरे प्यार की कविताएँ हैं। वे एक सीझे हुए प्यार की कविताएँ लगती हैं। सीझकर लिखने का भाव भाई के साथ निरन्तर रहा। स्व. दद्दा ने भाई के बारे में एक बार बहुत तमककर किसी को पत्र लिखा था, अज्ञेय ओछी बात कभी कर नहीं सकते, मैं उनको जानता हूँ, वे बहुत डूबकर लिखते हैं। भाई की उत्तरवर्ती रचनाओं में डूब का यह भाव तिरना हो गया है, 'असाध्य वीणा' हो या 'मैंने पूछा क्या कर रही हो' या 'कवि का भाग' सबमें किसी न किसी प्रकार से इसी पर बल है कि रचनाकार की नियति है, व्यक्ति के रूप में जलना, गलना और तब गलाना। व्यक्ति के सब में जलने और गलने में ही सम्बोध्य को अपने समाज की सही पहचान होती है, कितना यह दाह, कितनी यह गलाई सबकी है, कितनी सब कुछ की तथता है। और तब ढलाई होती है प्रतिमा की। पर भाई के ही शब्दों में:

कवि का है भाग यही
आग से आग तक।
जलना
गलना। गलाना
मन्दिर जिसका भी हो।
प्रतिमा बनाना-बैठाना नहीं — प्रतिमा के प्राणों को सुलगाना।

प्रतिमा के प्राणों को सुलगाने की नियति ही सबसे दुरन्त रही भाई के जीवन में। वे अपने देश की भी प्रतिमा की छवि की चिन्ता भी उतनी नहीं करते थे, जितनी चिन्ता करते थे इस प्रतिमा की प्राणवत्ता को धधकाए रखने की, इसमें प्राणों को फूँक देने की। इसके लिए करना क्या होता है, यह उन्हीं से सुनें:

देख तो रहे हो
छीलती हूँ, नमक छिड़कती हूँ,

मसलती हूँ
निचोड़ती हूँ
कोड़ती हूँ
कसती हूँ
फोड़ती हूँ
फेंटती हूँ
महीन बिनारती हूँ
मसालों से सँवारती हूँ
देगची में पलटती हूँ
बना
कुछ नहीं रही
बनता जो है – यही सही है–
अपने आप बनता है
पर जो कर रही हूँ
एक भारी पेंदे
मगर छोटे मुँह की
देगची में सब कुछ झोंक रही हूँ
दबाकर अटा रही हूँ
सीझने दे रही हूँ
मैं कुछ करती भी नहीं
मैं काम सलटती हूँ
मैं जो परोसूँगी
जिनके आगे परोसूँगी
उन्हें क्या पता है
कि मैंने अपने साथ क्या किया है?

सचमुच लोग नहीं जानते कि भाई ने अपने साथ क्या किया, सिर्फ इसलिए कि उन्हें अपने को पहचानना था, अपनी भाषा को पहचानना था, अपने समाज को पहचानना था, अपने समाज की शक्ति और दुर्बलता दोनों को पहचानना था और अपने घर को पहचानना था। वे यायावर थे सही, पर यायावरी इस पर चलती थी कि लौटने के लिए एक घर है जो उन तमाम घर बने पराये कमरों से अलग है, क्योंकि विदेश में रहे कमरे को छोड़ते समय ध्यान रहता है कि "कहीं कोई छाप बची तो नहीं रह गयी है, जो मेरी है, जिसे कि अगला कमरेदार गैर समझे"। और

घर जाने पर ध्यान इस पर बनता है कि "हर चीज पर मेरी छाप बनी तो है न, जिससे कि मैं उसे अपना पहचानूँ।"

भाई जैसा यायावर घरबारी मैंने दूसरा नहीं देखा। लोग उन्हें भारत का निर्याती माल कहते हैं। इस बात पर वे हँसते भी थे। पर देश के बाहर उनके साथ रहा हूँ, जानता हूँ, वे अपने देश के बाहर कभी नहीं रहते थे, अपने छोटे से घर को देश बनाकर रहते थे। यही नहीं वहाँ आने वाले को एहसास करा देते थे कि यही हिन्दुस्तान है। कमरे में चीजें ठुँसी नहीं रहती थीं, हल्के इशारे रहते थे। हवा का, प्रकाश का, पौधे का ऐसा सन्तुलन रहता था कि कमरे में घुसते ही बाहर के आदमी को कुछ दूसरा अनुभव होने लगता था। और भाई को एक रोग था, कमरे का विन्यास बदलने का। कभी मेज इधर की, कभी उधर, कभी अलमारी इधर, कभी उधर। घण्टों लगते थे, पर भाई के भीतर का बच्चा यह खेल करता रहता था। मैं यह खेल देखकर खीझता था। पर आज याद करता हूँ तो लगता है कि अपने देश को पहचानने के लिए, अपने को पहचानने के लिए यह खेल जरूरी था। हमारा देश जड़ नहीं है, न यथास्थितिवादी। वहाँ अविराम गतिशीलता है, पर ऐसी नहीं कि गति लक्ष्यहीन हो।

भाई के बारे में कहा जाता था कि उनमें विकट परिवर्तन हुआ, सशस्त्र क्रान्तिकारी बुद्ध के मार्ग का प्रशंसक बन गया, बिलकुल विलायती चिन्तनधारा का आदमी, एकदम प्रतिगामी भारतीय बन गया। पर आदमी वही बनता है जो पहले से बनने की प्रक्रिया में होता है, नहीं तो बनता नहीं बनतू नजर आता है। और भाई कितने भी आत्माभिमानी, दर्पी क्यों न हों, बनतू नहीं थे। अपने अतिशय विनय में भी, संकोच में भी वे सहज थे और अपनी खीझ, परेशानी और अपने अनमनेपन में भी उतने ही सहज थे। उनमें जो भी परिवर्तन दिखता है, वह इसलिए कि निरन्तर अपने 'मैं' और 'हम' की तरह-तरह से संगति मिलाते रहे। कभी 'मैं' शीर्ष स्थान लेता कभी 'हम'। पर ऐसा कभी भी नहीं हुआ कि उनके 'मैं' और 'हम' विरोधी होकर खड़े हों, जहाँ खड़े दिखे भी वहाँ उन दोनों की समग्रता ही ध्यान-बिन्दु रही। वे 'हम' को कभी सूर्य के रूप में देखें और कहें कि "बावरा अहेरी, ले मैं खोल देता हूँ कपाट सारे मेरे इन खण्डों को शिरा-शिरा छेद दे, आलोक की कनियों से अपने गढ़ सारा ढहाकर ढूह भर कर दे।" और छोटे-छोटे दुर्गों की प्रवंचना से मुक्ति के लिए अपने टिकों के आधार में खिसकने का जोखिम उठाएँ, चाहे 'हम' के वाचक संसार के प्रति कृतज्ञता ज्ञापन के द्वारा यह व्यक्त करें कि "श्रेय मेरा कुछ नहीं, जो है इस नामहीन मिट्टी का है। और हाँ इन सब उठने, डूबने, मरने, छीजने, बदलने, जलने, पसीजने, बनने, मिटने वालों का भी"। या

चाहे अपने अकेलेपन, अकुलाहट, असमंजस, अचकचाहट, आर्त अनुभव, खोज, द्वैत, असहाय, विरह व्यथा और अन्धकार में इस जाग्रत पहचान के द्वारा कि 'जो मेरा है, वही ममेतर है'। हर प्रकार से भाई 'हम' और 'वे' के रूप में नहीं, 'मैं' और 'हम' के रूप में अपने परिवेश को अपने-अपने विशाल आत्म को पहचानने में लगे रहे। अपने को उनका सहयात्री कहूँ, इतना गुमान मुझे क्यों हो, पर यह जरूर कह सकता हूँ कि मैं उनकी अचकचाहट, उनके संशय और उनके आर्त अनुभव का साक्षी जरूर रहा हूँ और इसीलिए मुझे लोगों की यह बात सालती है कि अज्ञेय व्यक्तिवादी थे, समाज निरपेक्ष व्यक्ति थे।

अपने जीवन के प्रारम्भ से ही वे जो कुछ थे, अपने समाज को अर्पित थे। जेल से छूटकर वे आश्रम खोलना चाहते थे। पिताजी ने मना किया, जो कुछ करो खुद कमाकर करो, चन्दा माँगकर नहीं। और उन्होंने जो कुछ किया, *प्रतीक* चलाया, आन्दोलन चलाए, अपने को पूरी तरह झोंककर आग में। कभी मजाक में मैंने चर्चा की कि काशी में संस्कृत कॉलेज में एक पण्डित जी प्रत्येक महीने की तनख्वाह में एक रुपया जोड़कर रेशम की पुटली में इकट्ठा करते, कहीं अंग्रेज प्रिंसिपल किसी पल कुछ अपमानजनक व्यवहार करें, उस दिन सबका सब उसके ऊपर डालकर मुक्त हो जाऊँगा। और एक दिन ऐसा आया, प्रिंसिपल ने कुछ जवाब माँगा और पण्डित जी इक्के पर सब पुटलियाँ लादकर लाये और वहीं डालकर चले गये। उसी समय भाई को लखटकिया पुरस्कार ज्ञानपीठ का मिला और उन्होंने एक नहीं, पूरा एक लाख अपनी कमाई का जोड़कर वत्सल निधि बना दी। उनके पास बहुत ज्यादा पूँजी नहीं थी, पर उन्हें पूँजी की सुरक्षा अपेक्षित ही नहीं थी। वे अद्भुत फक्कड़ आदमी थे, चीजें इकट्ठी करके, उन्हें बाँटते, वस्तुएँ सजाते, फिर उन्हें ज्यों का त्यों छोड़ देते। अत्यन्त निर्मोही और अत्यन्त सम्पृक्त व्यक्ति। कितने स्थानों पर नये-नये पौधे लगाये और, जैसे कि इनके साथ जीवन बिताना हो, वत्सल निधि में ऐसे तल्लीन रहे कि मुझे खीझ होने लगी थीः भाई आपका स्वास्थ्य इतने परिश्रम की अनुमति नहीं देता, आप क्यों परिश्रम करते हैं, कुछ भी घटित होने वाला नहीं! और वे उत्तर देते— तभी तो और करने की जिम्मेवारी आती है।

इतना जरूर है कि जिस सामाजिकता से इतनी दूरी तक सम्पृक्त थे, वह सामाजिकता मनुष्य तक सीमित नहीं थी। उनके समाज में पशु-पक्षी, पौधे, नदियाँ सब आते थे, ये सब उनके घरबारी जन थे। जिस-जिस जगह रहे, उस-उस जगह के परिवेश में उन्होंने सजीव आत्मीयता स्थापित की। हाँ, उन्हें नकलीपन से, सतहीपन से बड़ा उद्वेग होता था। शायद इसीलिए जितनी तन्मयता से बच्चों से बात करते थे, युवतर लोगों से बात करते थे, उतनी तन्मयता से प्रौढ़तर लोगों से

नहीं। उन्हें चिड़ियों की, पौधों की, उनके रंगों की, आवाजों की, ऋतु परिवर्तनों की ऐसी पहचान थी, जैसी कम जीवविज्ञानियों को होगी पर उस पहचान में विशेष बात थी कि जैसे यह अपने किसी कुटुम्बी की पहचान है, उसकी पदचाप है कि उसकी चलने की धजा है। उनके साथ घूमा हूँ और बड़े अटपटे-अटपटे सवाल उनसे मैंने किए हैं और मुझे लगा है कि सवाल जैसे वे जोह रहे हों। कभी वे इतने डूबे रहते जंगलों की सरसर मरमर ध्वनि में, चीड़ वनों की गन्ध में कि सवाल भीतर से उठता भी तो उत्तर उनकी उस डूब में मिल जाता। इतनी विशाल साझेदारी के कारण ही उनकी परेशानी बढ़ती गयी किः

जहाँ तक दीठ जाती है, फैली हैं नंगी तलैटियाँ
एक एक कर सूख गये हैं, झरने झीलें और सोते।
कुछ भूख कुछ लोभ में
सम्पदा हम रहे हैं खोते।

इस सम्पदा को वे मूलधन की तरह रखने के पक्षधर थे, सम्पदा है। बहुत बड़ा विश्वास है उनके लिए यह सम्पदा। यह 'कामधेनु धरती' भोग की वस्तु नहीं थी, यह समर्पण के लिए थी, समर्पण सम्पूर्ण जीवन के लिए। वे जीवन की सार्थकता पक्षधरता मानते थे सही, पर पक्ष उनका वह नहीं था, जो दूसरों द्वारा स्थापित हो। पक्ष उनका था जो उनके अपनों द्वारा प्रयुक्त हो, जो अपनी प्रयोगशाला में ढला हो। जिस पक्ष के बल पर अपने लोग उड़ान भरते रहे हों, वह पक्ष था उनका। ऐसी पक्षधरता में अकेला पड़ना दुर्निवार है।

उन्होंने कभी बतलाया था, किसी एक दिन गाँधी जी की आवाज रेडियो पर इन्होंने उनके जीवन काल में सुनी और उस आवाज ने, दर्द ने – कि लोग कहते हैं मैं पागल हूँ, हाँ मैं पागल हूँ – मुझे विचलित कर दिया और मैंने भारतीय होने का नया अर्थ पाया कि बहुत सहना हो और बहुत सहते हुए बिना किसी की सहायता के निर्भय होकर आगे चलना हो तो अपने को भारतीय कहे। वे कुछ दिनों तक अकेले रहकर और गहरा आत्मचिन्तन करना चाहते थे, मुझसे वादा भी किया कि जून में भीमताल चलेंगे, पर आप डिच न कीजिएगा इस बार। दुर्भाग्य कि स्वयं डिच करके चले गये, अपने आत्मबोध से अतृप्त, पर सुखी कि 'मैंने जीवन की धज्जियाँ उड़ाई हैं'। और सन्नाटे का छन्द सन्नाटे में सहसा डूब गया। जब कभी अपनी तलाश होगी तो उस सन्नाटे की भी होगी, और उस सन्नाटे के उस खुले और अपने में बन्द छन्द की होगी ही होगी– आज नहीं, कल सही, परसों सही।

15

एक चित्र ने बाँधा

॥ प्रफुल्लचन्द ओझा 'मुक्त'

ग्रीक मूर्तियों को चुनौती देती मुखाकृति, दीर्घ देह-यष्टि, भरी-पूरी कद-काठी, प्रशस्त ललाट, लम्बी नासिका, गहरी झील की प्रशान्ति समेटे अतलस्पर्शिनी आँखें और करीने से तराशी हुई दाढ़ी – यह धीर-गम्भीर और प्रभामण्डित छवि थी, सच्चिदानन्द वात्स्यायन अज्ञेय की।

लेकिन यह तो बहुत बाद की बात है। उनसे मेरा प्रथम परिचय उनके चित्र के माध्यम से हुआ था। तब वे लाहौर षड्यन्त्र केस के अभियुक्त के रूप में लाहौर जेल में थे। लेकिन उनका एक कविता-संग्रह जेल से बाहर आ गया था, छप भी गया था और मेरे हाथ में था। *भग्नदूत* शीर्षक उस संग्रह के आवरण पृष्ठ पर एक सुडौल सुरूप तरुण का चित्र था और नीचे लेखक की जगह, नाम छपा था 'अज्ञेय'। वह जमाना था, जब भारत की तरुणाई ने अँगड़ाई ली थी और देश का बच्चा-बच्चा स्वतन्त्रता की लालसा से तड़प उठा था। गाँधी जी का अहिंसा का आन्दोलन हो या क्रान्तिकारियों का सशस्त्र विद्रोह, देश की स्वतन्त्रता के लिए जो भी, जिस भी तरीके से कुछ कर रहा था, उसके प्रति लोगों के मन असीम आदर और आत्मीय प्रीति से भरे हुए थे। मैं उस भीड़ से अलग नहीं था। लिहाजा *भग्नदूत* के उस चित्र ने मुझे बाँध लिया था – उस सुपुष्ट शरीर, सपनीली आँखों और उलझे-बिखरे केशों वाले तरुण के प्रति मेरे मन में सहज ही एक ऐसा अपनापन, एक ऐसा आदर भर गया, जो उसके बाद के साठ बरसों में निरन्तर बढ़ता रहा, गहराता रहा और दिनानुदिन सुदृढ़ होता रहा।

भग्नदूत की कविताओं ने नहीं, मुझे अज्ञेय के चित्र ने बहुत प्रभावित किया था। कविताएँ तो किसी नौसिखुए की अटपटी बोली-जैसी थीं – न छन्द शुद्ध थे, न भाषा सुघड़ थी। बेशक, कविताओं की पंक्तियों में एक बेचैनी, एक तड़प जरूर झलक जाती थी। चित्र को देखते ही स्पष्ट परिलक्षित होता था कि वह किसी भरे-पूरे घर का सुख-सुविधाओं में पला-बढ़ा लाड़ला है, जिसने जवानी की दहलीज पर पाँव रखने के साथ ही अग्नि-पथ की यात्रा आरम्भ कर दी थी और अब जेल में

बन्द था। मेरे मन में अचानक यह प्रश्न उठा कि कंस के जमाने से ही स्वतन्त्रता सदा जेलों में ही क्यों जन्म लेती रही है?

लाहौर में जब तक षड्यन्त्र के मामले की सुनवाई चल रही थी, क्रान्तिकारियों के नामों का उल्लेख जब-तब अखबारों में दीख जाता था। लेकिन उनमें से अज्ञेय को पहचान लेने का कोई उपाय नहीं था और वर्षों के बाद जब अज्ञेय की रिहाई भी हुई तो उन्हें लाहौर में ही नजरबन्द कर दिया गया। लाहौर षड्यन्त्र केस के अभियुक्त आम लोगों की स्मृति से दूर-से हो गये। दुनिया अपनी राह चलती रही।

मैंने कभी सोचा भी नहीं था कि अज्ञेय नामधारी जिस तरुण का चित्र मैंने *भग्नदूत* के आवरण-पृष्ठ पर देखा था और जिसे देखकर सहज ही मैं जिसकी ओर आदर और श्रद्धा से अभिभूत होकर आकर्षित हुआ था, उससे कभी मेरी मुलाकात भी होगी। एक तो मूलतः वह राजनीति का आदमी था और वह भी उग्र राजनीति का, और किसी भी तरह की राजनीति से मेरा दूर-दूर का रिश्ता नहीं था। दूसरे, कहाँ लाहौर और कहाँ इलाहाबाद! लेकिन यह अनहोनी भी होनी थी। अज्ञेय से मेरी मुलाकात हुई और बड़े आकस्मिक ढंग से हुई।

एक बार मैं मित्रों से मिलने के लिए दिल्ली गया हुआ था। जिस शाम जैनेन्द्र जी के यहाँ पहुँचा, इलाहाबाद से ही आये पद्मकान्त मालवीय वहाँ पहले से बैठे थे। गपशप का सिलसिला चल रहा था कि अचानक सामने सड़क पर एक ताँगा आकर रुका। साथ ही झटके से उठकर आगे बढ़ते हुए जैनेन्द्र जी के मुँह से एकमात्र शब्द निकला 'अज्ञेय'। मेरी स्मृति के द्वार खुल गये। मैं भी उनके पीछे भागा। हाँ, वह बेसरोसामान अज्ञेय ही थे, जो उस ताँगे से उतरे थे।

हम लोग वापस मुड़े तो तीन ही थे, पद्मकान्त जी पता नहीं कब खिसक गये थे। जैनेन्द्र जी ने पूछा— 'अचानक यहाँ कैसे?'

अज्ञेय मुस्कुराए, होंठों से ही नहीं आँखों से भी। बोले, 'एक मुकदमे में गवाही दिलाने के लिए पुलिस की निगरानी में मुझे आगरा भेजा गया था। लौटते हुए दिल्ली में गाड़ी बदलनी थी। सो, मैंने उस समय का सदुपयोग किया, पुलिस वालों को चकमा देकर आपसे मिलने के लिए इधर निकल आया।'

फिर बातों का जो सिलसिला चला तो चलता ही गया। मेरी जिज्ञासाओं का अन्त नहीं था। अज्ञेय जी मेरे सारे प्रश्नों के उत्तर देते थकते नहीं थे। आखिर जब अँधेरा उतर आया तो अज्ञेय जी उठे। उन्हें जामा मस्जिद के पास किसी और मित्र से मिलने जाना था। जाना मुझे भी था, मैं तो दूर ठहरा था। दरियागंज से हम तीनों ही निकले। लालकिले के पास से हमें अलग-अलग दिशाओं में जाना था। मैंने अज्ञेय जी से पूछा, 'कल फिर आपसे मुलाकात होगी?' उन्होंने कहा— 'अगर रातोंरात पुलिसवालों ने मुझे ढूँढ़ न निकाला तो होगी।'

लेकिन सुबह के अखबार में सूचना थी कि पुलिस वाले उन्हें लेकर सुबह-सबेरे कल गाड़ी से लाहौर के लिए रवाना हो चुके हैं। यानी अज्ञेय जी को उन्होंने रात में ही ढूँढ़ निकाला था।

अज्ञेय जी से मेरी दूसरी मुलाकात मेरठ के गल्प सम्मेलन में हुई थी। श्रीमती शिवरानी प्रेमचन्द की अध्यक्षता में दो दिनों के उस सम्मेलन में देश के विभिन्न भागों के कथाकारों ने भाग लिया था। मैं और अज्ञेय जी यद्यपि अलग-अलग स्थानों पर ठहरे थे, लेकिन दोनों दिनों का अधिकांश समय हमने साथ-साथ बिताया। सम्मेलन के अधिवेशन में हम दोनों साथ बैठते और अवकाश के समय अज्ञेय जी मुझे अपने साथ ले जाते। वहीं मैंने *शेखरः एक जीवनी* के कुछ अंश उन्हीं के मुख से सुने थे। कुछ कहानियाँ और कविताएँ भी सुनी थीं। उस समय की एक रोचक घटना मैं कभी नहीं भूल पाया। सम्मेलन में वे एक पैड और पेंसिल लेकर बैठते थे और जो भी व्यक्ति कहानी पढ़ने के लिए या भाषण देने के लिए मंच पर आता, उसका व्यंग्यचित्र बनाकर मेरी ओर खिसकाते जाते थे। उन्हें देखकर हँसी को रोकना मुश्किल हो जाता था। बेशक, उन्होंने मुझे भी नहीं बख्शा था।

हमारी सबसे महत्त्वपूर्ण और आत्मीय मुलाकात सन् 39 के अन्त में हुई थी।
मेरे मन में पटना से एक सर्वांग सुन्दर मासिक पत्रिका के प्रकाशन की खिचड़ी पक रही थी। मैं चाहता था मुझे उसके सम्पादन में अज्ञेय जी का सक्रिय सहयोग मिले, लेकिन पैसे मेरे पास इतने भी नहीं थे कि मैं दिल्ली जाकर उनसे बातें कर सकूँ। मैंने उन्हें अपनी योजना लिख भेजी और अनुरोध किया कि यदि सम्भव हो तो वही पटना आ जाएँ। बिना किसी पूर्व सूचना के एक दिन वे मेरी कुटिया पर आ पहुँचे। आये तो आठ-दस दिन रुक गये। उन दिनों की स्मृति अविस्मरणीय है। दो बार की अल्प और लघु मुलाकातों के बाद यह दस दिनों की लम्बी मुलाकात हम दोनों को जीवनव्यापी आत्मीय बन्धन में बाँध गयी।

अज्ञेय जी को सुनने का सुख निराला होता था। उन दिनों उनसे मैंने कितनी-कितनी बातें सुनीं— बचपन की बातें, क्रान्तिकारियों की बातें, जल-जीवन की बातें, जेल में ही *शेखरः एक जीवनी* के जन्म की बातें। बातें खत्म होने को न आती थीं, समय पंख लगाकर उड़ा जा रहा था।

उन दिनों मैं जहाँ रहता था, वहाँ मकानियत कम जमीन ज्यादा थी, कमरों के फर्श भी मिट्टी के थे। अज्ञेय जी आते ही उस माहौल में रच-बस गये। वे कभी खुली जमीन पर लोट जाते, कभी खुरपी लेकर फूलों की क्यारियाँ बनाने लगते और हर रात मच्छरदानी का निषेध करके हाथों-पैरों और मुँह पर मिट्टी के तेल का लेप करके सो जाते थे। दोनों का शाम गंगा-स्नान, नित्य नियम बन गया था। एक

बार तो हद हो गयी थी। हम लोग घूम-फिरकर आठ बजे लौटे तो अज्ञेय जी गंगा-स्नान के लिए चल पड़े। मुझे तो साथ देना ही था। हम गंगा में पैठे तो दीन-दुनिया की सुध भूल गये। साढ़े दस बजे जब घर के लोग लालटेन लेकर हमें ढूँढ़ने आये तो हमें होश आया।

अज्ञेय जी की उपस्थिति से दस दिनों तक हमारा घर हर्ष-उल्लास और सक्रियता से भरा रहा। इस बीच हमारी योजना पर भी मुहर लग गयी, *आरती* के आवरण-पृष्ठ का दुरंगा चित्र बनाकर अज्ञेय जी दिल्ली लौट गये। वे तो लौट गये, किन्तु इन दस दिनों में हम एक-दूसरे के इतने निकट आ गये, आत्मीयता के ऐसे सुदृढ़ बन्धन में बँध गये, जो उनके जीवनपर्यन्त दृढ़तर होता गया।

आरती का जीवन दो ही वर्षों का रहा। तिनका-तिनका जोड़कर बनाया जा रहा वह नन्हा-सा घोंसला सन् 42 में हवा के एक झोंके में उड़ गया, लेकिन उन दो वर्षों में अज्ञेय जी ने *आरती* के लिए जो और जितना किया, उसे मैं कभी नहीं भूल सका, कभी भूल भी नहीं सकूँगा।

मैंने आरम्भ में ही कहा है कि *भग्नदूत* की कविताओं की भाषा बड़ी अनगढ़ और अटपटी थी। यह क्रम *शेखर* से लेकर *नदी के द्वीप* तक चलता रहा। *शेखर* और उनकी अन्य समकालीन रचनाओं में हिन्दी वाक्यों के बीच अंग्रेजी शब्दों का प्रयोग बहुलता से हुआ था। यह अकारण नहीं था। अज्ञेय जी के पुरातत्त्वविद् विद्वान पिता अंग्रेजी भाषा, अंग्रेजी पोशाक और अंग्रेजी तौर-तरीकों के कट्टर हिमायती थे। अज्ञेय जी की शिक्षा भी अंग्रेजी माध्यम में हुई थी। स्नातक तक उन्होंने विज्ञान की पढ़ाई की थी, लेकिन उनका मन पूर्णतः भारतीय था। उस भारतीय मानस को विदेशी परिवेश से बाँधने की पिता की उत्कट इच्छा ने ही सम्भवतः उनके मन को विद्रोही बना दिया था। कई प्रसंगों में यह बात उन्होंने स्वयं मुझसे कही थी। *शेखर* में भी इसके प्रचुर संकेत मिलते हैं।

सन् 74 में जब मैं 6-7 वर्षों के लिए दिल्ली जा बसा था तो स्वभावतः अज्ञेय जी के साथ मेरी मैत्री प्रगाढ़ तथा और आत्मीय हो उठी थी। वे मुझसे तेरह महीने छोटे थे और इस सामान्य ज्येष्ठता को अतिरिक्त सम्मान देते थे। सम्मान उन्हें मैं भी देता था, उनकी जीवन-शैली, उनकी सृजनशीलता और उनके बहुविध गुणों के कारण। उनके गुणों का बखान करने के लिए विस्तार में जाना पड़ेगा। जो व्यक्ति सूत्रों में बोलता था, उसकी आत्मा को सम्भवतः वह विस्तार प्रिय न होगा। फलतः दो-चार बातों का उल्लेख करके ही सन्तोष कर लूँगा। सबसे पहली बात, उनके जीवन में व्यवस्था का बड़ा महत्त्व था। उनकी हर चीज हमेशा व्यवस्थित रहती थी। जरूरत के वक्त उसे ढूँढ़ना नहीं पड़ता था। पुस्तक हो या सुई वे पलक मारते उसे

सामने रख देते थे। सूई बहुत छोटी चीज है और पुस्तकों से उनकी अलमारियाँ अँटी पड़ी थीं। फिर भी, मैंने न तो कभी उन्हें सूई ढूँढ़ते देखा, न पुस्तक। वे पर-निर्भर नहीं थे और अभी के काम को बाद पर नहीं टालते थे। वे कुर्ता पहन रहे होते और एक बटन टूटकर गिर जाता तो फौरन सूई-धागा लेकर उसे टाँक लेते थे। उनके स्वभाव में तुर्शी व उत्तेजना मैंने कभी नहीं देखी थी। यह नहीं कि उन्हें क्रोध न आता हो, लेकिन वैसा संयोग बहुत कम होता था और उनका क्रोध भी शीतल होता था। वैसा सात्विक क्रोध मैंने और कहीं नहीं देखा। न तो उनकी आवाज ऊँची उठती थी, न उसमें कड़वाहट होती थी। धीमी आवाज, किन्तु दृढ़ स्वर में वे ऐसे सामान्य ढंग से बात कह देते थे कि आश्चर्य होता था। डाँट-फटकार या चीखने-चिल्लाने का जो असर होता होगा, उससे कहीं अधिक प्रभाव उनकी शान्त-शिष्ट बातों का होता था। क्रोध पर ऐसा अद्‍भुत नियन्त्रण तो ऋषि-मुनि भी नहीं कर पाते थे, शाप देने पर उतर आते थे। अज्ञेय जी ने प्रीति ही बाँटी थी सदा, शाप नहीं दिया था किसी को।

दिल्ली प्रवास के छह-सात साल मेरे लिए आर्थिक विपन्नता का काल था। मुझसे भी ज्यादा मेरी चिन्ता अज्ञेय जी को बनी रहती थी और इस स्थिति से मुझे उबारने के लिए वह हमेशा कोई न कोई रास्ता तलाशते रहते थे। भारतीय ज्ञानपीठ का पुरस्कार मिलने पर उन्होंने मुझसे कहा था– 'मैं जानता हूँ, इस पुरस्कार से मुझसे अधिक प्रसन्नता आपको हुई होगी।' मैं चकित रह गया था कि वे दूसरों का मन कैसे जान लेते हैं।

अब अज्ञेय हमारे बीच नहीं हैं तो उनकी बहुत याद आती है। पर युगों में अवतरित होने वाला अज्ञेय जैसा प्रतिभा पुरुष मरण-धर्मा नहीं होता। अज्ञेय अपनी कृतियों में, अपनी कीर्ति में और अपनी प्रीति में जीवित हैं। अपनी यश काया में वे अमर रहेंगे।

16

परस्य न परस्येति, ममेति न ममेति च

॥ कुँवर नारायण

अज्ञेय जी से मेरी पहली मुलाकात सन् 50 के आसपास हुई थी, हालाँकि ठीक तिथि और वर्ष याद नहीं। दूसरी भेंट लखनऊ रेडियो के एक कवि-सम्मेलन में हुई, जिसमें मैं एक श्रोता की तरह मौजूद था।

पहली भेंट दिल्ली ऑल इंडिया रेडियो में हुई। वह समय था जब हिन्दी साहित्य और क्लासिकल भारतीय संगीत ने लगभग साथ-साथ रेडियो में अपनी एक निश्चित जगह बना ली थी। खासकर दिल्ली, इलाहाबाद और लखनऊ के रेडियो केन्द्रों पर हिन्दी साहित्यकारों का खासा दबदबा था। दिल्ली रेडियो में उस समय अज्ञेय जी, रघुवीर सहाय, रामनाथ अवस्थी, ओंकारनाथ श्रीवास्तव (जो बाद में बीबीसी में लन्दन चले गये) आदि अनेक साहित्यकार मौजूद थे।

रघुवीर ने अज्ञेय से मेरा परिचय कराया। मैं उठने लगा तो अज्ञेय जी ने बैठे रहने का संकेत किया और स्वयं सामने की मेज पर बैठ गये। थोड़ी-बहुत बात हुई। *प्रतीक* का जिक्र भी चला। और लखनऊ आऊँगा तो मिलूँगा पर बात समाप्त हुई...

नहीं, पर बात समाप्त नहीं हुई। लखनऊ आये तो मिले, और यह सिलसिला आगे बढ़ता गया। लखनऊ आते तो मेरे ही साथ ठहरते। यह मेरे लिए एक सुखद संयोग होता। उनके आने पर अनेक साहित्यकार और कलाकार मित्र भी इकट्ठा होते। सिर्फ लखनऊ के ही नहीं, कभी-कभी इलाहाबाद से आये कवि-लेखक मित्रों के आने का संयोग भी बन जाता। लेकिन ऐसा कोई संयोग याद नहीं आता जब यशपाल जी, नागर जी या भगवती बाबू भी वहाँ रहते हों, यद्यपि वे मेरे लगभग रोज के ही मिलने-जुलने वालों में से थे; यशपाल जी और भगवती बाबू तो महानगर में मेरे पड़ोसी ही थे। धीरे-धीरे मैंने जाना कि अज्ञेय जी हर एक से बहुत खुलकर नहीं मिलते थे, लेकिन जिनके साथ मन बैठता था उनसे निस्संकोच होकर बातें करते थे। शायद उनके स्वभाव के इसी पक्ष को लेकर उन पर 'अहंवादी' और आत्मनिष्ठ होने के आरोप भी लगे जो उनके साहित्य के मूल्यांकन तक में प्रतिबिम्बित होते रहे।

इसमें सन्देह नहीं कि अपने व्यवहार और सोच में किसी हद तक अज्ञेय आत्महठी व्यक्ति थे, लेकिन इस हठ को मैंने कभी अशिष्ट अथवा उग्र रूप में प्रकट होते नहीं देखा। उनकी आत्मसंस्कृति का यह दूसरा पक्ष मुझे आकृष्ट करता था। वे गुस्सा पी जाते थे, पर उसे उगलते नहीं थे। जो बात उन्हें नागवार लगती थी, उस पर असहमति या प्रतिक्रिया का उनका अपना तरीका था, जो भभक कर बाहर नहीं आता था; मानो धीरे-धीरे, लेकिन पूरी तरह और ढंग से व्यक्त होता था। कभी उपेक्षा की भाषा में, तो कभी अवांछनीय के प्रति बिलकुल उदासीन हो जाने में। लेकिन जिन्हें वे पसन्द करते थे, उनके प्रति किसी भी हद तक उदार हो सकते थे। यह धारणा गलत है कि वे उन्हें ही पसन्द करते थे जो उनकी हाँ-में-हाँ मिलाते थे।

मेरे और अज्ञेय जी के बीच मतभेद के कई मौके आये, लेकिन उनकी वजह से हमारे आपसी सम्बन्धों में कटुता कभी नहीं आयी – कम से कम मुझे अज्ञेय जी ने इसका आभास कभी नहीं होने दिया। कुछ प्रसंगों का उल्लेख करना चाहूँगा। *नया प्रतीक* का जब सम्पादक-मण्डल बना उस समय उसमें शामिल होने में मुझे, और रेणु जी को भी, थोड़ी हिचकिचाहट थी। रेणु जी के जो कारण रहे हों, पर मुझे ऐसा लगा कि लखनऊ बैठे मैं उसमें कोई बहुत सक्रिय हिस्सेदारी नहीं निभा पाऊँगा। उस समय अज्ञेय जी के आग्रह का मान रखते हुए हम दोनों ही मना नहीं कर सके। लेकिन हम दोनों ही *नया प्रतीक* में बहुत सहज अनुभव नहीं कर रहे थे। नाम के लिए कहीं भी नाम देना मुझे कहीं भी बहुत ठीक नहीं लगता। बाद में मेरे और रेणु के नाम वापस लिये जाने पर अज्ञेय जी राजी तो हो गये पर, अधूरे मन से। वे क्षुब्ध तो थे, लेकिन मेरे असमंजस को भी समझ रहे थे। शायद हमारे बीच मधुर सम्बन्धों के बने रहने का एक बड़ा कारण यही था कि मैंने अपने मन की बात हमेशा स्पष्ट कहना पसन्द किया, कूटनीति का आश्रय नहीं लिया। मुझसे अधिक इसका श्रेय अज्ञेय की उस आत्म-संस्कृति को जाता है, जिसमें दूसरे की स्वतन्त्रता के प्रति उदार जगह थी।

इसी तरह 1981 में लखनऊ के 'साक्षरता निकेतन' में वत्सल निधि का पहला लेखक शिविर हुआ। मुझे जब बीच ही में दो दिन के लिए भोपाल जाना पड़ा तो अज्ञेय जी ने इसका काफी बुरा माना था, पर मुझसे कहा कुछ नहीं। अपने वक्तव्य के दौरान भी सम्भवतः मैंने ऐसा कुछ कह दिया था (ठीक बात याद नहीं) जो अज्ञेय जी को अच्छा नहीं लगा, और वे थोड़ी देर के लिए बैठक से उठकर बाहर चले गये। मेरे बाद में बहुत पूछने पर भी बस मुस्कुराते हुए चुप ही रहे। जैसे भीतर एक बेचैनी-सी जगाकर बात को वहीं समाप्त कर देना चाहते हों। बाद में उसी शाम स्वयं ही कहकर वे और इला जी हमारे घर पर भोजन करने आये।

इसी सिलसिले में एक और प्रकरण याद आता है। *चौथा सप्तक* के बाद अज्ञेय जी के मन में एक और सप्तक निकालने की बात थी। मुझसे बात की तो मैंने सलाह दी कि *सप्तक शृंखला* को अब समाप्त करके एक नया और ज्यादा समावेशी संकलन निकाला जाए तो बेहतर होगा। *चौथा सप्तक* इस बात का पूरा संकेत है कि 'सप्तकों' का काम अब पूरा हो चुका। नये काव्य-परिदृश्य के लिए नये तरह के काव्य-संकलन की जरूरत है। उस समय तो बात आयी-गयी हो गयी। पर कुछ समय बाद अज्ञेय जी ने मुझे कवियों की एक लम्बी सूची भेजी, जिन्हें वे एक प्रस्तावित संचयन में रखना चाहते थे। सूची मुझे थोड़ी अटपटी लगी, क्योंकि उसमें कुछ साधारण कवि रखे गये थे और अनेक जाने-माने नाम अनुपस्थित थे। मैंने इस असन्तुलन की ओर उनका ध्यान खींचा। मैंने कुछ कवियों के नाम भी सुझाए जिन्हें, मेरी राय में, अवश्य रखा जाना चाहिए था। अज्ञेय जी सहमत नहीं थे, पर मेरी बात भी नहीं काटना चाहते थे। हम दोनों ही के लिए किंचित् असहज स्थिति बन गयी थी, क्योंकि सम्पादक के रूप में हम दोनों का नाम जाना था। बाद में अज्ञेय जी ने उस योजना को चुपचाप रद्द कर दिया। न मुझसे कुछ कहा, न वह बात कभी हमारे आपसी सम्बन्धों के बीच किसी तरह का खलल डाल सकी।

अज्ञेय जी का लम्बा सान्निध्य मुझे मिला। लगभग चालीस साल। जब तक वे रहे मिलना-जुलना होता रहा। वे अपने निजी जीवन के बारे में बात करना बिलकुल पसन्द नहीं करते थे, और जिन बातों का उत्तर नहीं देना चाहते थे उसे एक नाराज चुप्पी से झिड़क देना अच्छी तरह जानते थे। उनकी चुप्पी साधारण चुप्पी नहीं होती थी – साफ सुनाई देती, अक्सर दूर-दूर तक!

सारी निकटता के बावजूद अज्ञेय जी ने मेरे लेखन पर कभी कुछ नहीं लिखा, फिर भी उनकी पसन्द बिना कहे भी सम्प्रेषित होती रही, उनकी इस शिकायत में कि मैं इतना कम क्यों लिखता हूँ!

एक बड़े लेखक या कलाकार का प्रभाव-क्षेत्र उसकी स्वयं की कृतियों से ज्यादा बड़ा हो सकता है – भले ही वह उसकी कृतियों से निकलता हो। जिस समय मैंने अज्ञेय के *हरी घास पर क्षण भर* को जाना मैं लखनऊ विश्वविद्यालय में अंग्रेजी साहित्य में एम.ए. कर रहा था। रघुवीर सहाय मेरे सहपाठी थे। संग्रह की अनेक कविताएँ रघुवीर ने मुझे पढ़कर सुनाईं। उसी समय मैं फ्रेंच में 'प्राफिशेयन्सी' का कोर्स भी कर रहा था। फ्रेंच प्रतीकवादियों और प्रयोगवाद, आधुनिक काव्यबोध आदि की बात हिन्दी में भी चल रही थी। अज्ञेय उस दिशा में सोच रहे थे और उस ओर ध्यान जाना (मेरे समय के किसी भी जागरूक कवि का ध्यान जाना) स्वाभाविक था। अज्ञेय के प्रभाव का उस समय के काव्य-चिन्तन को इस ज्यादा बड़े काव्य

संसार की ओर उन्मुख कराने में प्रमुख भूमिका रही है। इसीलिए सप्तकों के लगभग सभी कवि अपनी-अपनी तरह विकसित हुए, न कि किसी एक परिपाटी के अनुसार। प्रभावों को लेकर स्वयं अज्ञेय का उदाहरण उन्मुक्त था, न कि किसी लीक-रीति से बँधा हुआ।

प्रभावों को बहुत यान्त्रिक ढंग से नहीं समझा जा सकता। मुझ पर दूसरे लेखकों के जो भी प्रभाव पड़े वे आमतौर पर सांकेतिक ढंग से ही। स्वयं अज्ञेय पर भी दूसरों के प्रभाव अत्यन्त प्रच्छन्न रूप में ही आये। इसीलिए शायद हमारी पीढ़ी पर भी उनका खुद का असर कुछ इस तरह का रहा कि हर कवि अपनी तरह विकसित हो सका क्योंकि अज्ञेय ने मौलिक लेखन की प्रमुख शर्त को एक लेखक की बौद्धिक आजादी से, और काव्यरचना की बुनियादी जरूरतों से जोड़ा। वैचारिक आग्रहों की अपेक्षा वैचारिक स्वतन्त्रता को अधिक महत्त्व दिया। 'प्रयोग' शब्द पर जोर देना कहीं इस 'एप्रोच' को भी रेखांकित करता-सा लगता है कि काव्य-रचना का एक अर्थ यह भी है कि वह कविता के तात्विक और अवयवी सामग्री की रसायनशाला है। संस्कृत काव्यशास्त्र की ओर भी ध्यान जाता है। रस, ध्वनि, वक्रोक्ति, औचित्य, अलंकार वगैरह सभी काव्य-रचना के मूलाधारों से जुड़ते हैं, और उनकी गहरी जड़ें भाषा, शब्द, सम्प्रेषण, साधारणीकरण, प्रतीकात्मकता, बिम्बविधान आदि के अध्ययनों में हैं। इसीलिए भाषा-विज्ञान का न केवल संस्कृत-समीक्षा बल्कि पाश्चात्य समीक्षा-शास्त्र में भी केन्द्रीय स्थान रहा है।

'कथ्य' को प्रमुखता दें तो भी यह समस्या अपनी जगह बनी रहती है कि उसे अधिक-से-अधिक प्रभावशाली ढंग से दूसरों तक कैसे पहुँचाया जाए। कविता यदि भाषा के इन छिपे संसाधनों को प्रयोगों द्वारा खँगालती है तो क्या यह नाजायज चेष्टा है? या काव्य-रचना की एक अनिवार्य शर्त? क्या शमशेर जैसे कवि की 'प्रयोगशीलता' को उनके 'कथ्य' से अलग किया जा सकता है?' *सप्तकों* में सभी तरह के कवि संकलित हैं। अज्ञेय ने मुझे जब *तीसरा सप्तक* में लिया तो मेरे सामने पिछले दो सप्तकों का उदाहरण मौजूद था, और इस तथ्य ने मुझे पूरी तरह आश्वस्त किया था कि कवियों के चुनाव में उदारता और निष्पक्षता थी।

अज्ञेय ने अक्सर कवि के अकेलेपन की बात की है (*यह दीप अकेला...*) जिसे एक रचनाकार के अनिवार्य अकेलेपन से न जोड़कर अज्ञेय की तथाकथित 'अहम्मन्यता' और 'आभिजात्य' से जोड़ा गया है। जबकि स्वयं अज्ञेय 'परस्य न परस्येति, ममेति न ममेति च' वाली स्थिति पर ज्यादा जोर देते थे। टैगोर के 'एकला चलो रे' में जो अभिप्राय ध्वनित होता है वह समाज-विमुख होने का भाव नहीं है, वह रचना-कर्म की एक शर्त की ओर संकेत है। कविता में 'स्व' की बृहत्तर स्थिति के परिप्रेक्ष्य में ही अज्ञेय की रचनाओं का अध्ययन हो तो उनके

आशय को बेहतर समझा जा सकता है – 'साधारणीकरण' के अर्थ में, न कि एक संकुचित अहंवाद के अर्थ में। एक कवि का अन्तर्मुखी होना दोष नहीं है, यह गुंजाइश रखकर अगर उनके लेखन का अध्ययन किया जाए तो शायद उसे हम सीधे 'आत्मकेन्द्रित' होने से जोड़ने की जल्दबाजी न करेंगे।

अज्ञेय से मेरी अन्तिम भेंट भोपाल में हुई थी – उनके देहान्त से चार दिन पहले। रात लगभग दस बजे। खुले में एक लोकनृत्य का आयोजन था। थोड़ी देर उनके साथ बैठा रहा। वे मुझे कुछ थके-थके से लग रहे थे। मैंने अनुरोध किया कि अब होटल चलकर आराम कीजिए। उनका मन तो था, पर संकोचवश बैठे रहे। दूसरे दिन मैं और इला जी दिल्ली वापस आ गये। अज्ञेय जी दूसरे दिन आये। उसके बाद... फिर कभी मिलने का कोई अवसर उन्होंने नहीं छोड़ा।

17

जिसका वह आखेट करता है

॥ कृष्णा सोबती

दुपहर चार लाँघ गयी और परछाईं-सी बनी धूप धौली हो गयी। अप्रैल की उमगी चटख गरिमा में हरे पीले पत्तों की बेआहट सूनी बरखा। हवा है। धूप है। श्मशान में खड़े वे छाँहदार पेड़ हैं, जिन्हें कोई नहीं चीन्हता। बेमुखी घास बिछी है जैसे रेत हो। सूखी। इसमें कोई बूँद नहीं सिरसती। कोई मोती नहीं सिरजता। यहाँ कोई तृष्णा नहीं उपजती। सब ठिठका रहता है। महाकाल के साम्राज्य में यही आखिरी पड़ाव है इस धरती पर।

जो खड़े हैं वे नतमस्तक हैं। जो इस वेदी पर अपनी आहुति दे चुके हैं, वे शान्त हैं। बिना देह के इस भीड़ में शामिल हैं। वे शान्त हो चुके! जो लपटों के सुनहले पुंज में से तपकर इस सीमान्त को पार कर रहे हैं, वे शेष हो रहे हैं। पूर्ण हो रहे हैं। पूरे हो चुके हैं – वह अज्ञेय।

दबे पाँव दो परछाइयाँ। एक हरा परिधान, एक श्वेत। जिन्दगी और मौत के दोहरे कदम। जिन्दगी भविष्य में छिपे परम को हाथ में भर लेने को। मौत अपने अद्रष्टा हाथ से समेट लेने को। जो जीता है वही मरता है। इस हरियाली घास पर महाकाल की सत्ता है। हर किसी को अपनी देह यहाँ समर्पित कर देनी होती है। यही और यही स्रोत की छवि देखते-देखते काल के गर्भ में लुप्त होती है। शायद दुबारा काया पा लेने को। सब कुछ, जो भी संचित है अँजोर लिया जाता है। कवि रचनाकार, सन्त, पण्डित, कलाकार सबका निर्णायक अन्तरंग इसी एक छलाँग में समाप्त होता है। शेष होता है। पीछे रहता है कुछ! नाम यश।

कलम थामने वाले हाथ–
धरती पर चलने वाले पाँव
धड़-सीस-समूची देह-काया
स्वर सब यहीं
मांस मज्जा उससे उगी पनपी
मोह ममता तन मन समय की सीध

सब लपटों की अंजुरी में। पवित्र
इस आँच में।
सन्नाटा है ऐसा जो सिर्फ श्मशान में होता है।
कोलाहल दबा-दबा जो सिर्फ श्मशान में होता है।
हथियार डालने की अन्तिम गूँज भी जो सिर्फ यहीं होती है। कहीं और नहीं।
अग्नि-कर्म। अग्नि पथ।
इसीलिए कि आत्मा अमर है।
क्या सचमुच?

जिसका नाम अज्ञेय रहा उसकी छवि ओझल होती है, इस धरती पर शेष हो जाने की परिकल्पना क्षितिज के पार एकाकार! हमेशा के लिए लुप्त हो जाने को, झेल पाने को ही यह कल्पना, यह दर्शन। मात्र समर्पण!

कृतित्व उसमें जुड़े बरस मौसम फूल पत्ते हवाएँ वनस्पति आकाश चाँद सूरज तारे, धरती को वरण किये हुए मेह-धूप-वक्त का बावरा अहेरी आखेट समझकर शिकार कर लेता है। शिकार हो तो चुका। वही अपराधी है रौंदने का। —उग चुके को तोड़ने का।

वही-वही जो जिसके आँगन के पार द्वार प्यार गमकता रहा—
फिर वह भी जहाँ प्यार नहीं रहा—
मुख पुँछ गया। पीठ रह गयी—
सम्बन्धों के गुञ्जलों की सार-सँभाल
वितृष्णा के हाथों में सौंप दी गयी।
वक्त। समय। काल।

मात्र निज की अस्मिता ने क्या स्वयं को ठगाया। पठार में धीरज उगाया। पर्वत की हरियाली हरियाली भी क्यों सूखी घास भर रह गयी। वीराने कब उग आते हैं आत्माओं तले, पता ही नहीं लगता। आभास ही नहीं होता और ऊसर का कँटीला सिर उठा लेता है। फिर उस सीमान्त से कुछ दीखता नहीं। सूखा। पपड़ियाँ। जल और मिट्टी दोनों अपनी-अपनी महक और दहक खोये हुए से। बेरौनक हुए से।

सन्तोष
कपिला
इला
ऐसे तो हैं अनेक

जिनके द्वारा मैं जिया गया
ऐसे हैं बहुत जिन्हें मैं दिया गया
यह इतना मैंने दिया
अल्प यह लय-क्षण मैंने जिया–
आह यह विस्मय
उसे तुम्हें दे सकता हूँ मैं।
उसे दिया।
उस पूजा क्षण में
सहज स्वतः प्रेरित
मैंने संकल्प किया।
समूचे समुदाय की आत्मविभोर आत्म छवि है। यहाँ
कभी कुछ बुना जाता है
कभी कुछ बिन्ध जाता है
कभी कुछ ले लिया जाता है
कभी कुछ दे दिया जाता है।

महाकाल की वेदी पर अज्ञेय। निस्संग! लकड़ियाँ चुनी जा रही हैं। मन्त्र-घी आहुति-फूल – निरन्तर वही पूजा। एक वह जो स्वयं मन्त्राहूत।

ओ आहूत
ओ प्रत्यक्ष
अप्रतिम
ओ स्वयं प्रतिष्ठित
सुनो संकल्प मेरा
मैंने छुआ और मैं छुआ गया हूँ
मैंने चूमा और मैं चूमा गया हूँ
मैं विजेता हूँ और मुझे
जीत लिया गया है–
मैं हूँ और मैं दे दिया गया हूँ
मेरे भीतर से जी लिया गया हूँ–
मैं मिटा हूँ। मैं पराभूत हूँ।
मैं आत्मसात हूँ।
अमर्त्य कालजयी हूँ।
अमर्त्य अज्ञेय की इस मरण वेला

मैं वेदी के पास प्रियजन।
इला।

घटना में घटित हो चुके की भाँति। ऊँचे कद में इला उस संयम में स्तब्ध है जो चाहत में खट जाता है। कुछ दे देता है कुछ पा लेता है। अज्ञेय के अन्तिम वर्षों का साहचर्य। बस इतना ही। सम्बन्धों की ऊष्मा और अनावरण एक साथ। अवाक्। एकात्म। आहत। यह क्षण अकेले ही उगाहना है, उसे अकेले ही झेलना है।

कपिला – एक उत्स।
लम्बा इतना जितना जीवन।
छोटा इतना ज्यों मार्च से अप्रैल।
डबडबायी आँखें आकाश में
घुलते धुएँ को निहारती हैं।
आँचल से छू जाने क्यों
मुस्कुराती हैं।
किसने किसको झुठलाया।
जरूर कपिला को कुछ याद आया।
आ तू मुझे खा
जैसे मैंने तुझे खाया है
प्रसादवत।
कौन विजयी? कौन पराजित? कुछ नहीं मालूम।
सफेद साड़ी। ओंठों पर कपलिनी मुस्कान।
धुआँ मण्डलाकार वृक्षों की ओट में
कहाँ गुम होगा। वह तो निरन्तर इसी तरह ऊपर की सीध–
असीम में तरंगित होता रहेगा।
घी की स्निग्धता। यही होम है।
मैं मरूँगा सुखी।
मैंने जीवन की धज्जियाँ उड़ाई हैं।
क्या सचमुच?
अंकुश से परे – निर्द्वन्द्व – एकाधिकार
एकान्त।

जिया जा चुका जो उसे भूतकाल की खोखल समझकर अपने को अलग कर दो। अब वह अतीत नहीं रह गया। मैं जी चुका तुम्हें। अब तुम पधारो।

अहम की मण्डना भर नहीं, अपने प्रति असीम श्लाघा।

हर बार अपने सेतु से जो स्मृति उठाया है बटोरता है, आत्मा तक पहुँचता है, उस पहुँच को शब्द देता है फिर उसे ही ध्वंस कर देता है।

क्या पुकारेंगे इसे हम। जिजीविषा। जो केवल अपने निमित अपने लिये जीती है अपनत्व की महत्ता में।

अज्ञेय ने अपने जीवन में ऐसा नहीं किया जो न करना चाहिए था। कुछ ऐसा भी नहीं जो कर ही लेना चाहिए था।

सर्जक होने के अहंकार से जो जुड़ा है – जो अपने होने की प्रतीति से सायास सहज दी गयी अनुभूति सोख कर मनचाही पंक्तियाँ लिखकर उन्हें शेष कर देता है। वह अन्तरंग – सहभागी होने का नहीं – शब्दों में दाता होने का भाव जगाता है। यही उसकी आत्मा को हरियाता है – उसे ही दिन की तरह उदय कर संज्ञा को अपने से बाहर कर जाता है।

मैं चला हूँ
पहचान कर
प्रकाश में
दिक् प्रबुद्ध
लक्ष्य सिद्ध है।
जहाँ-जहाँ पहचान हुई
मैंने वह ठाँव छोड़ दी।
ममता ने तरिणी को तीर ओर मोड़ा
वह डोर मैंने तोड़ दी
हर लीक पोंछी हर डगर मिटा दी
हर दीप निवा मैंने
बढ़ अन्धकार में
अपनी धमनी
तेरे साथ जोड़ दी।
ओ मेरी सह-तिंतीर्षु
हमीं तो सागर हैं
जिसके हम किनारे हैं
क्योंकि उसे हमने
पार कर लिया है
पार!

सेतु होता है तो दौड़ नहीं रहती। दौड़ होती है तो सेतु के जोड़ तिड़क जाते हैं। बाँध टूटते हैं और सब ढह जाता है। बह जाता है। फिर हत्या हो जाती है उस आकार की, जो कभी सतरंगी रहा हो।

अब कृतित्व के अलावा अज्ञेय का सब कुछ परे हो चुका।

ओझल हो चुका है।

अब उन्हें आँखों से कोई नहीं देखेगा।

वह काल में स्थित हो चुके। अब विभाजित है अज्ञेय और उसकी उपस्थिति।

अज्ञेय और उसका समय। लेखकों की पूरी बिरादरी – चेहरे उदास – जाने पहचाने नाम जो बरसों उन्हें घेरे रहे। वह भी जो उन्हें ही नहीं, उनके लेखक को पहचानते रहे।

अज्ञेय ने अपने इर्द-गिर्द कभी कोई भीड़ इकट्ठा न की थी। वह न भीड़ की पौद थे। न भीड़ का चेहरा थे। भीड़ से उनका सरोकार ही कहाँ था।

विशिष्ट अभिजात की झिलमिली भरन जो उनमें अपने को देखती थी और जिसमें वह स्वयं को देखते थे। साधारण उनके निकट कहाँ था। उनके यहाँ साधारण कुछ भी नहीं था। उनके शब्दों के मुखड़े म्यूजियम में की प्रस्तुति का उगार लगते रहे। सुसज्जित। सुव्यवस्थित। सुयोजित, अज्ञेय अपनी आत्मा तक में ब्राह्मण थे। जन्मजात। दूसरों से अलग। दूसरों से दूर। ऊँचे उनके आस-पास सहज कुछ था भी भला। चुन-चुनकर सब दूर कर लिया गया था। कर दिया गया था। कभी-कभार उनके आसपास वह ललक दीख जाती, जो लगातार मूर्तियों के बीच रहकर बाहर निकल आने की एक हल्की-सी कोशिश होती। उनके पास अपनी-अपनी पहचान तक के लिए वही चेहरे – वही मुखौटे – साहित्य और विशिष्ट।

पते नम्बर सभी कुछ सम्पूर्णता में शास्त्रीय। सँवरे हुए। सजे हुए।

संस्कृत का सुसंस्कृत चिन्तन। वही उपमाएँ। वही अलंकृत भाषा। वही बोझल अनोखापन। वही जन्मजात अलगाव। अपनी कविता में अज्ञेय उसी में अनूदित होते रहे। वेद और लोक के दोनों ध्रुवों के बीच एक आरक्षित दूरी पर अज्ञेय एकान्त भाव से अपने क्लासिकी सनातन व्यक्ति को सत्कारते-सँवारते चले गये।

कोई खलबली, जीवनदायी टकराहट वहाँ कभी-कभार ही उपजी। उनके कृतित्व और कविता पर छाई उनके पौरुष की छवि नहीं वैदिक ऋचाओं की अनुभूति है जिसे अज्ञेय ने पुनःकथन द्वारा पुनःसृजित किया। पुनः जीवित किया। उनकी कविता पांडित्य के बावजूद उदात्त पैशन से कभी नहीं महकी। शान्त, धीर-गम्भीर, प्राचीन पुण्य से जड़ी और जुड़ी। सागर मुद्रा।

उस अगरु, धूप गन्ध रूँधे सोने के घर के
हर कोने को

सुनहली खुली धूप में नहलाता हूँ
तुम जो मेरी हो
मुझ में हो
सघनतम निविड़ में
मैं ही जो हूँ अन्त
तुम्हें मैं दूर बाहर से
प्रान्तर से
देशावर से
कालेतर से
तल से, अतल से, धरा से, सागर से
अन्तरिक्ष से
नित्यार्थ तेजस के निगम्भीर शून्य
आकार से
मैं समाहित अन्तःपूत
मन्त्राहत कर तुम्हें
ओ निस्संग ममेतर
ओ अभिन्न प्यार
ओ धनी
आज फिर एक बार
तुमको बुलाता हूँ
और जो मैं हूँ जो जाना-पहचाना
जिया अपनाया है, मेरा है
धन है, संचय है उसकी एक कनी को
न्योछावर कर लुटाता हूँ।
वही उपमा, शिल्प वही परिधान।
ओ मेरी सहपायिनी
हमीं वह निर्मल तलदर्शी बापी जिसे हम ओक भर पीते हैं
बार-बार तृष्णा से, तृप्ति से
आमोद से, कौतुक से
क्योंकि हमीं छिपा वह
उत्स हैं जो उसे पारित किए
रहता है।

जीना उत्स है। उत्स था और लम्बा था। फिर भी अज्ञेय की सुव्यवस्था – मार्च से अप्रैल तक। बरसों को बसन्त और पतझर की छलाँगों को क्यों गिनें। सरदी-गरमी हवाएँ बहती रहीं। डोलती रहीं। पत्तों को उड़ाती, समेटती चलीं। आज भी उसी तरह बेआहट श्मशान में।

दुपहर कब की गहरा चुकी।
अपने को फलाँग चुकी।

धूप धौली होकर पतली हो चुकी। अनायास पाखियों की चहचही हर देह का द्वार खटखटाती है। ऐसी आहट कि कोई स्वीकृत! लहरें सूखी और रीती।

स्वर मौन। कोई आतंक? नहीं। मात्र स्वीकार।

यह होना है। होता है। इसी दिन के लिए मरने वाला पैदा होता है। बाकी तो न राग, न अनुराग, न विराग। समय की धूप पर केवल पत्तियाँ, शब्द और अक्षर तैरते रहेंगे–

रहा अज्ञ निज को कहा अज्ञेय
आँखों में चिर प्रेय
हाथों में जो श्रेय
आत्मा में कुछ गेय
मिट्टी की अज्ञेय।

लौटो– इस सुनसान से श्मशान से घरों को। घरों को ही। वहीं इस स्थल को चुनौती देते हैं। फिर-फिर उगते हैं। न होने के, न रहने के अन्धकार को दिपदिपाते चले जाते हैं। श्मशान मुँह बाये खड़ा रहता है। ठगा रहता है यह देखकर कि उसकी सीमाओं को वही सीमित करता है, जिसका वह आखेट करता है।

बावरा अहेरी।

18

करीब के दिन

॥ नामवर सिंह

वात्स्यायन जी से मेरी पहली मुलाकात 1946 में काशी में हुई। जनवरी का महीना रहा होगा। युद्ध खत्म होने के बाद वे असम से बनारस आये थे। सरस्वती प्रेस में ठहरे हुए थे। सरस्वती प्रेस में उनका आना-जाना पहले से था। उधर श्रीपत राय थे। अमृत तो थे ही। बहुत पहले से उन लोगों से सम्बन्ध बना हुआ था। मुझे खबर मिली कि वात्स्यायन जी आये हैं तो मैं तुरन्त वहाँ गया। पहली मंजिल पर एक बड़ा-सा कमरा था। उसी में वे ठहरे थे। सरस्वती प्रेस से उनकी किताबें छप चुकी थीं। *शेखरः एक जीवनी* वहीं से छपी थी। असल में उन्होंने बहुत मदद की थी सरस्वती प्रेस की। लड़ाई के जमाने में कागज का कोटा था। क़ागज मिलता नहीं था उन दिनों आसानी से।

मैं उदय प्रताप कॉलेज में पढ़ रहा था। ग्यारहवीं का विद्यार्थी था। जोश था, जैसा होता है लड़कों में। मैं सीधे वात्स्यायन जी के कमरे में चला गया। दोपहर का समय था। वे खाना खा चुके थे। वहाँ एक तख्त पड़ा हुआ था। उस पर एक छोटा-सा बच्चा बैठा था। उसकी उम्र तीन-चार साल की रही होगी। वह पकी हुई मिट्टी की बुद्ध की मूर्ति के साथ खेल रहा था। वात्स्यायन जी भी उसे खेला रहे थे।

मैंने उन्हें प्रणाम किया और अपना परिचय दिया। फिर उनसे कहा कि हमारे कॉलेज की स्टूडेंट्स यूनियन का मैं सचिव हूँ। हम लोग कॉलेज में आपका व्याख्यान चाहते हैं, आपका स्वागत करना चाहते हैं। आपको हमने पढ़ा है। उन्होंने कहा– ठीक है, मैं तो अभी हूँ यहाँ। कल आ जाइए।

अगले दिन मैं गया। ताँगा लेकर गया था। उन्होंने कहा, ताँगा छोड़ दीजिए, कार मेरे पास है। उसी से चलेंगे। उन्होंने कहा कि बऊदि भी चलेंगी। बऊदि एक साँवली-सी बंगाली महिला थीं– खूब सिन्दूर लगाए हुए। बाद में मालूम हुआ कि उस छोटे बच्चे की माँ थीं – श्रीमती दास।

वात्स्यायन जी खुद कार चला रहे थे। आगे श्रीमती दास बैठी थीं, मैं पीछे की

सीट पर था।

लोग 'अज्ञेय' को जानते थे। कॉलेज में भारी भीड़ थी। पूरा हाल भरा हुआ था। प्रिंसिपल जेपी सिंह भी आये थे। हिन्दी के हमारे अध्यक्ष थे मार्कण्डेय सिंह। सुधी आदमी थे, खूब पढ़ने-लिखने वाले। उन्होंने 'अज्ञेय' को पढ़ा था। बहरहाल, वात्स्यायन जी का व्याख्यान हुआ। पूरे घण्टे भर वे असमिया मच्छरों के बारे में बोलते रहे। साहित्य के बारे में एक शब्द भी नहीं कहा। बोले कि मैं असम से आया हूँ, आप लोग अन्दाजा नहीं लगा सकते कि कितने बड़े-बड़े मच्छर हैं वहाँ। दिन में भी होते हैं। मेरे ध्यान में जो टिका रह गया है, वह यही है कि वे तो मच्छरों पर ही बोलते रह गये। लोग बहुत निराश हुए। उसके बाद कुछ चुने हुए विद्यार्थियों और अध्यापकों ने कहा कि चाय पीते हैं और वहाँ बातचीत करेंगे। बातचीत शुरू की मार्कण्डेय सिंह ने *शेखरः एक जीवनी* से। कुछ प्रेम प्रसंगों को लेकर उन्होंने पूछा कि शशि और शेखर का जो अजीब सम्बन्ध है, जो फाँसी व मृत्यु से शुरू होता है, उसके बारे में हम और जानना चाहते हैं। अज्ञेय जी खुलकर हर सवाल का जवाब देते रहे। पर अपने व्याख्यान में साहित्य पर नहीं बोले। इसकी सफाई उन्होंने यह दी कि हमारे दिमाग पर असमिया मच्छर छाये हुए हैं। मैं यात्रा-वृत्तान्त भी लिख रहा हूँ असम के जीवन पर जिसकी, अलग किताब छपकर आएगी। कहा, मुझे अन्दाजा नहीं था कि आप लोगों ने हमारा साहित्य पढ़ा है कि नहीं। इसलिए साहित्य पर भाषण नहीं किया। सोचा कि छात्रों को कुछ रोचक बातें बताएँगे अपनी दुर्गम यात्रा की।

उसी रोज उन्होंने सूचना दी कि उनका *जयदोल* नाम का एक संग्रह आ रहा है। उन्होंने फिर पूछा कि आप लोगों में से कोई असम गया है कि नहीं? हम लोगों ने कहा– नहीं। वे बोले एक कहानी मैंने *जयदोल* शीर्षक से लिखी है। वह कहानी पढ़िएगा।

चाय पीकर उन्होंने मुझसे कहा कि आपको वापस चलने की जरूरत नहीं है, आप यहीं छात्रावास में रहते हैं। मैंने रास्ता देख लिया है, खुद चला जाऊँगा। इसी बीच घटना यह घटी कि उनकी कार की बैटरी डाउन हो गयी। हम लोगों ने धक्का दिया तो कार चली। पुराने मॉडल की रही होगी, शायद सेकंड हैंड। सेकंड हैंड ही थी, वरना बैटरी डाउन नहीं होती। वे असम से वही गाड़ी लेकर आये थे।

1950-51 की घटना है। वे इलाहाबाद में रहने लगे। गुरुदेव हजारीप्रसाद द्विवेदी बनारस हिन्दू विश्वविद्यालय में अध्यक्ष होकर आ गये थे। उन्हें शान्ति निकेतन से ऑफर कर बुलाया गया था। वात्स्यायन जी का कला-संग्रही रायकृष्ण दास से बहुत गहरा सम्बन्ध था। रायकृष्ण दास का मैथिलीशरण गुप्त और जयशंकर प्रसाद से निकट का सम्बन्ध था। अक्सर मैथिलीशरण गुप्त वहाँ आते

थे। सियारामशरण गुप्त भी। वात्स्यायन जी इलाहाबाद से हफ्ते-दस दिन में अवश्य आते थे। एक बार संयोग से वे आये हुए थे। द्विवेदी जी भी आये थे। ट्रेन से इलाहाबाद जाना तय हुआ। परिमल का कोई समारोह था। यह 1951 की बात है। अगले दिन कार्यक्रम था। शाम को गाड़ी चलती थी इलाहाबाद के लिए। मैं निमन्त्रित था, पण्डित जी भी निमन्त्रित थे। मुझसे पण्डित जी ने कहा कि जाओ टिकट ले आओ। वात्स्यायन जी ने कहा कि नहीं, ये क्यों जाएँगे, मैं जाऊँगा टिकट लेने। इस तरह तीनों आदमियों का टिकट वात्स्यायन जी ने खरीदा। इस पर विचार हुआ कि हम लोग इंटर में जाएँ या तृतीय श्रेणी में? वात्स्यायन जी और द्विवेदी जी जा रहे हैं तो हमने सोचा कि टिकट सेकंड क्लास या इंटर (तीसरे और दूसरे दर्जे के बीच की उस वक्त की श्रेणी) में तो लेना ही चाहिए। वात्स्यायन जी ने कहा कि मैं तो सोच रहा था कि अपनी ही क्लास (थर्ड क्लास) में चलना चाहिए।

वात्स्यायन जी का मामला अजीब था। मौका देखकर वे कुछ भी कर सकते थे– जानबूझकर, खुद को साधारण दिखाने के लिए। यों बड़े आभिजात्य थे।

बहरहाल, हम लोग चले। साहित्य-वाहित्य की बात हो रही थी। उस समय *हरी घास पर क्षण भर* आ चुकी थी। अचानक मैंने कहा– आपकी एक कविता है, चार पंक्तियों की–

भोर वेला नदी तट की घण्टियों का नाद
चोट खाकर जग उठा सोया हुआ अवसाद
नहीं मुझको नहीं अपने दर्द का अभिमान
मानता हूँ मैं पराजय है तुम्हारी याद।

उसके अर्थ के बारे में बात हो रही थी। पण्डित जी बोले कि इसमें तो यतिभंग दोष है। *नदी तट की घण्टियों का नाद* में यतिभंग है। लय बनेगी– *भोर वेला तट नदी की घण्टियों का नाद।* '*नदी तट*' नहीं होगा। दीर्घ मात्रा उसके पास होनी चाहिए। 'दीन तट' कहो तो सहज प्रभाव है। वात्स्यायन जी बोले– नहीं, पाठ यही है और यह ठीक है। मुझे तो यतिभंग नहीं लगता। पण्डित जी ने कहा कि पुराना पण्डित हूँ, छन्द तो यही कह रहा है। खैर, उस कविता पर देर तक बात होती रही।

उसके बाद वात्स्यायन जी से जब बनारस आते थे, मुलाकात होती थी। ठाकुर प्रसाद सिंह ने साहित्य संघ कायम किया था। वे उसे योग साहित्य संघ कहते थे। पीडब्ल्यूए (प्रगतिशील लेखक संघ) उन दिनों ठप पड़ा हुआ था। ठाकुर को लखनऊ जाना था। उन्होंने कहा कि तुम इसे सँभाल लो। मैं उसका सचिव हो

गया। उसके दस वर्ष हुए थे शायद। तय किया कि एक गोष्ठी का आयोजन हो। मैं इलाहाबाद वात्स्यायन जी के पास गया। कहा कि आपको उसमें चलना है। हम पन्त जी को भी ले जाना चाहते हैं। पन्त जी ने बनारस के जयनारायण हाई स्कूल से पढ़ाई की थी और कई बार कह चुके हैं कि उसके बाद से बनारस नहीं गये। हो सकता है पन्त जी मान जाएँ। लेकिन खास तौर से हम चाहते हैं कि आप जरूर चलें। उन्होंने कहा कि ठीक है। पन्त जी भी साथ हो गये। पन्त जी जिस प्रकृति के थे, उन्होंने कुछ देर कर दी। गाड़ी आयी और छूटने वाली थी, तब तक वात्स्यायन जी तो लपककर चढ़ गये। मैं पन्त जी को देख रहा था। वात्स्यायन जी ने मुझसे कहा कि आप आइए, नहीं तो गाड़ी निकल जाएगी। मैं चढ़ गया, पर पन्त जी वहीं रह गये।

बहुत अच्छी जगह, जहाँ भारतेन्दु ठहरा करते थे डीएवी कॉलेज के बगल में 'बगिया' में, वहाँ ठहराया था हमने वात्स्यायन जी को। वे दो दिन रहे। मैंने उस समय नागरी प्रचारिणी सभा में वात्स्यायन जी के साहित्य की प्रदर्शनी लगाई थी। उसमें *शेखर: एक जीवनी* के हाथ के लिखे आरम्भ के पन्ने और *नदी के द्वीप* की पूरी पाण्डुलिपि रखी थी। वे बोले और कविता गोष्ठी में भी भाग लिया।

इलाहाबाद में 'परिमल' वालों से उनकी दूरी थी उस समय। निकटता बहुत बाद में बनी। उन्होंने वहीं से *प्रतीक* निकालना शुरू किया। हाईकोर्ट के पास वाली कॉलोनी में रहते थे। इलाहाबाद की गोष्ठियों में तो वात्स्यायन जी से मुलाकात होती रहती थी, पर सम्बन्ध लम्बे अरसे बाद तब हुआ जब वे दिल्ली आ गये। रघुवीर सहाय हमारे मित्र थे। रघुवीर सहाय के साथ भी वात्स्यायन जी से दो-एक बार मुलाकात का मौका मिला। एक बार मैंने कहा कि आपसे बात करनी है अकेले में। वे कनॉट प्लेस के एम्बेसी रेस्तराँ में बैठा करते थे। सारे रायवादी वहीं बैठते थे बोले कि रविवार की सुबह वहाँ आ जाइए। रघुवीर सहाय उस समय मिंटो रोड पर छोटी-सी जगह में रहते थे। उस रोज मैं अकेला ही गया। हमारी बातचीत केन्द्रित हो गयी केदारनाथ अग्रवाल की कविता पर। उन्होंने कहा कि आप प्रगतिशील लोग मुझे रूपवादी कहते हैं। लेकिन आपके सबसे प्रगतिशील कवि केदारनाथ अग्रवाल सबसे ज्यादा रूपवादी हैं। उन्होंने उदाहरण दिया— *मैंने उसको जब-जब देखा/लोहा देखा/लोहा जैसे गलते देखा/लोहा जैसे ढलते देखा...*। वात्स्यायन जी बोले, ये कविता एक तुक के आधार पर है। यह रूपवाद नहीं तो क्या है? रूपवादी कविता लिखने वाले आपके प्रगतिवादी केदारनाथ अग्रवाल रामविलास शर्मा के सबसे प्रिय कवि हैं और वे उन्हें सबसे बड़ा कवि भी मानते हैं। बाद में वात्स्यायन जी से पत्र-व्यवहार भी हुआ रूपवाद पर। केदारनाथ अग्रवाल से जब मैंने यह कहा तो वे बहुत भड़के।

1970 में मैं जोधपुर गया। वीवी जॉन वाइस चांसलर थे। मैं विभागाध्यक्ष था और इत्तफाक से डीन भी हो गया था। वीवी जॉन ने मुझसे कहा कि वात्स्यायन जी को आप जानते ही हैं, बाहर प्रोफेसर हैं। बर्कले, कैलिफोर्निया में। वे यहाँ किसी विश्वविद्यालय में प्रोफेसर होना चाहते हैं। जॉन उनको अच्छी तरह जानते थे। वे भी एम.एन. राय के विचारों के थे, जैसे दयाकृष्ण जी, जो सागर में हमारे साथ रह चुके थे। तो वीवी जॉन बोले कि मुश्किल यह है कि वात्स्यायन जी साठ के हो गये हैं। पर मैं चाहता हूँ कि आएँ। इसके लिए तुम्हें पहल करनी पड़ेगी। तुम लोगों के सम्बन्ध मुझे पता हैं। तुम प्रगतिशील खेमे के हो और वे दूसरे हैं। लेकिन फिर भी विश्वविद्यालय में तो वहाँ सबके लिए जगह होनी चाहिए। हमें नियम में संशोधन भी करना होगा। कल कार्यकारिणी की बैठक होगी। आप उनका नाम प्रस्तावित कीजिए। सरकार से मैं मंजूरी ले लूँगा। मैंने कहा– ठीक है, वात्स्यायन जी प्रोफेसर हों, तुलनात्मक साहित्य विभाग के अध्यक्ष हों, यह हमारे लिए गौरव की बात होगी। जॉन साहब बोले कि एक चयन समिति...। मैंने कहा– हजारीप्रसाद द्विवेदी हैं, उनसे मैं कह सकता हूँ। राजस्थान युनिवर्सिटी में डॉ. सत्येन्द्र हैं। एक आदमी कोई आप देख लीजिए। उन्होंने कहा– चल जाएगा काम। मैं दिल्ली जा रहा हूँ, वहीं बात होगी वात्स्यायन जी से। उनको अभी बुलाने की जरूरत नहीं है।...तो इस तरह नियुक्ति हो गयी।

फरवरी का अन्त रहा होगा। वीवी जॉन ने एक दिन कहा कि वात्स्यायन जी आ रहे हैं। एक ही गाड़ी थी, दोपहर को ग्यारह-साढ़े ग्यारह बजे पहुँचती थी। जॉन ने कहा कि मैं चाहता हूँ कि लोग ये जानें कि तुम दोनों में कोई बात नहीं है, सो तुम्हीं लिवाने जाओ उन्हें। वे तुम्हारे साथ ही रहेंगे क्योंकि अभी यहाँ कोई गेस्ट हाउस भी तैयार नहीं है। और कहा कि शाम को उनका खाना हमारे यहाँ होगा।

हम दोनों शाम को उनके यहाँ गये। जाते ही जॉन ने पूछा कि खाने से पहले आप क्या लेंगे, मैं तो बीयर लेता हूँ। वात्स्यायन जी ने कहा– मैं विस्की लूँगा। फिर जॉन साहब ने मुझसे पूछा– वॉट अबाउट यू प्रोफेसर? मैंने कहा कि मैं तो कुछ नहीं लेता। बोले– नहीं, आज सेलिब्रेट करेंगे। तुम भी बीयर लोगे। मैं तब लेता नहीं था, बहुत बाद में शुरू की। उस दिन जिन्दगी में पहली बार शराब पी। उसके बाद खाना-वाना खाया हम लोगों ने। उन लोगों ने मांसाहारी लिया, मैंने शाकाहारी।

मेरे साथ वात्स्यायन जी दस दिन रहे। फिर अपने घर में जाने के बाद एक दिन उन्होंने कहा, नामवर जी कल सात मार्च है। मुझे पता था कि सात मार्च को उनका जन्मदिन पड़ता है। बोले, सुबह आ जाइए। हम लोग साथ चाय पिएँगे और दिन का कार्यक्रम बनाएँगे। जोधपुर में पहला जन्मदिन उन्होंने मेरे साथ

मनाया। जैसे ही मैं उनके यहाँ पहुँचा, उन्होंने कहा— ये चिट्ठी देखिए। बोले, मेरी बहन की चिट्ठी है। सात मार्च को हर साल नियमित रूप से उसकी चिट्ठी मेरे पास आती है – यह निश्चित है। उसके बाद उन्होंने कहा कि आप दोपहर का खाना भी साथ खाएँगे। बाद में पूरा दिन हम लोग साथ ही घूमते रहे।

दूसरी घटना जो याद आती है, वह यह कि वात्स्यायन जी बोले, यहाँ जोधपुर में परिवहन की बड़ी मुश्किल है। टैक्सियाँ भी इक्की-दुक्की होंगी। मैं दिल्ली से कार ले आना चाहता हूँ। वे उस समय वसन्त विहार में रहते थे। मुझे भी दिल्ली आना था, साहित्य अकादेमी की मीटिंग के लिए। उन्होंने कहा— आप साहित्य अकादेमी में तीन बजे के आसपास मिलिए। हम लोग साथ ही कार से जोधपुर चलेंगे। निकले तो बहुत सारी बातें रास्ते में होनी ही थीं। उनके बारे में लोगों ने यह मिथ बना रखा है कि वे नहीं बोलते थे। खूब बोलते थे – दुनिया जहान के बारे में, साहित्य के बारे में। खुलकर बात करते थे। बोले कि जयपुर हम लोग विश्वविद्यालय के गेस्ट हाउस में रहेंगे। फोन करके कह दिया है प्रो. दयाकृष्ण को। वहाँ हम दोनों ने एक ही कमरे में रात बिताई। बड़ा-सा कमरा था। बिस्तरों पर मच्छरदानियाँ लगी थीं। तरोताजा होकर उन्होंने कहा कि चलो, अब खाना खाएँगे किसी रेस्तराँ में। वहाँ भुगतान भी उन्होंने किया। उन्हें जयपुर के ठिकानों की बहुत जानकारी थी।

सबेरे नाश्ता करके हम लोग चले। बहुत अच्छी कार चलाते थे वे। किशनगढ़ में उन्होंने कहा कि यहाँ बहुत अच्छी मूर्तियाँ मिलती हैं। कुछ मूर्तियाँ खरीदनी हैं। वहाँ चाय हमने पी। पहाड़ियों के बीच से गुजरते हुए, शाम को तीन-चार बजे हम जोधपुर पहुँचे।

उसके बाद वहाँ रहते हुए बीकानेर के लोगों को पता चला कि वात्स्यायन जी आ गये हैं। उनके सम्पर्क थे लोगों से। तो वहाँ से एक निमन्त्रण आया। उन्होंने मुझसे कहा, आप भी चलिए। छगन मोहता वहाँ थे। वे भी रॉयवादी थे। नन्दकिशोर जी पढ़ाते थे रामपुरिया कॉलेज में। हरीश भादानी थे, *वातायन* निकालते थे। रामदेव आचार्य थे। बीकानेर भी हम दोनों कार से गये। बड़ी अच्छी गोष्ठी हुई। फिर हम फलौदी होते हुए जोधपुर लौट आये। वात्स्यायन जी रास्ते बहुत जानते थे। शायद पहले गये हों। उन्हें किसी से कभी रास्ता पूछने की जरूरत नहीं पड़ी।

जोधपुर कार ले आने के बाद नित्य का नियम था हम लोगों का कि कहीं न कहीं निकल जाते थे। एक बार उन्होंने रणकपुर का कार्यक्रम बनाया, तो हम वहाँ भी साथ-साथ गये।

एक घटना जोधपुर में यह हुई कि मैंने राही मासूम रजा का *आधा गाँव* लगाया था पाठ्यक्रम में। कुछ लोगों ने आन्दोलन कर दिया। कहते थे पाठ्यक्रम से निकालिए– अश्लीलता से भरा हुआ है। अखबारों में धुआँधार रोज निकलता था। विश्वविद्यालय की बैठक बुलाई गयी। मैंने कुछ चिट्ठियाँ साहित्यकारों को लिखीं। *दिनमान* निकलता था, उन लोगों से पूछा अगर मदद करें। रामविलास शर्मा को पत्र लिखा। रामविलास जी ने तो कहा कि अश्लील है, निकाल दो। *दिनमान* ने भी समर्थन नहीं किया। एकेडमिक काउंसिल के एक सदस्य वात्स्यायन जी भी थे। मैंने उनसे पूछा– आप क्या कहते हैं? उन्होंने कहा कि देखिए, माहौल तो विरुद्ध है। शहर भी विरुद्ध है। साहित्यकारों में आप ही कह रहे हैं कि रामविलास जी तक ऐसा कह रहे हैं, जिनसे आपको बड़ी उम्मीद रही होगी। मैं सिद्धान्ततः उनका तर्क नहीं मानता हूँ। साहित्यिक कृतियों में अश्लीलता का विचार करना गैर-साहित्यिक है। लेकिन क्योंकि विद्यार्थियों की पढ़ाई का मामला है, पाठ्यक्रम में कोई चीज लगाई जाए या नहीं, यहाँ सिद्धान्त का सवाल भिन्न हो जाता है। पूरे वातावरण को देखते हुए मेरा खयाल है कि यहाँ से आप इसको वापस ले लीजिए। इससे हवा निकल जाएगी हल्ला करने वालों की। इन लोगों को तो आपका आना ही बुरा लग रहा होगा। मेरा आना भी पसन्द नहीं होगा। इसलिए राजनीति दूसरी है। यह साहित्यिक मामला है ही नहीं, जिस पर आप सिद्धान्त की बात करें।

एक गुट था वहाँ शराब पीकर एक दिन दो-ढाई बजे लोग वीवी जॉन पर हमला करने के लिए आ गये। इत्तफाक से मैं था उनके साथ। ऑफिस में पत्थर मारे। चोट लगी उन्हें। ऑफिस को आग लगा दी। किसी तरह उन्हें निकालकर बाहर किया। वात्स्यायन जी उस वक्त कहीं गये हुए थे। जॉन अस्पताल में भरती हुए। जाँच समिति बैठी। जॉन ने कुछ महीने बाद इस्तीफा दे दिया। उसके ठीक बाद वात्स्यायन जी ने भी इस्तीफा दे दिया।

मैं वहाँ रह गया। मैंने पूछा भी वात्स्यायन जी से कि आप तो जा रहे हैं और मैं...। उन्होंने कहा कि नहीं, आपके खिलाफ तो कुछ है नहीं। मैं तो अनेक कारणों से जा रहा हूँ। फिर जब जॉन नहीं हैं तो यहाँ रहने का क्या मतलब है।

मैं अकेला रह गया। कुछ समय बाद मैंने भी छोड़ दिया, जब मुझको ऑफर मिला आगरा के कन्हैयालाल माणिकलाल मुंशी हिन्दी और भाषा विज्ञान विद्यापीठ में। मैं वहाँ चला गया।

अज्ञेय जी वाद-विवाद में बहुत कम उलझते थे। मोहन राकेश उनके विरुद्ध थे। एक गोष्ठी में मैं अज्ञेय जी का पक्ष ले रहा था, राकेश उनके खिलाफ बोल रहे थे। जनपथ पर जहाँ श्रीकान्त रहते थे, वहाँ 'कृति' की ओर से गोष्ठियाँ होती थीं।

श्रीकान्त अज्ञेय के विरोधी थे। वे रघुवीर सहाय के भी विरुद्ध थे। सर्वेश्वर और रघुवीर सहाय तो वात्स्यायन जी के बहुत निकट थे। अन्त तक रहे। श्रीकान्त किन कारणों से उनके विरुद्ध थे, कहा नहीं जा सकता। श्रीकान्त के अलावा नरेश मेहता उनके विरुद्ध थे। नरेश जी तो एक जमाने में ट्रेड यूनियन में सक्रिय थे। इंटक के नाते ये लोग जुड़े थे। बाद में नरेश जी बहुत बदल गये। उन्होंने वात्स्यायन जी पर किताब भी लिखी। वे इतने बदल गये थे कि हिन्दुत्ववादी हो गये। उनको भोपाल में जो जगह मिली, भाजपा सरकार की वजह से मिली।

बहसों में मैंने अज्ञेय का विरोध उस रूप में नहीं किया। एक बहुत बड़ा परिवर्तन हुआ था जोधपुर में साथ रहने के कारण। साथ रहे तो उसमें एक-दूसरे को समझने का मौका मिला। हम लोग अभिशप्त थे, उस शहर में साथ रहने के लिए। जोधपुर हमारे लिए तपोवन हो गया था। दो साल का साथ रहने पर उनको नजदीक से जानने का बहुत मौका मिला।

वात्स्यायन जी से मेरे सम्बन्ध जोड़ने में जिस तरह से वीवी जॉन ने भूमिका अदा की, उसी तरह बहुत महत्त्वपूर्ण भूमिका विद्यानिवास मिश्र की भी थी। वात्स्यायन जी से जोड़ने का मुख्य काम आरम्भिक दिनों में तो हमारे गुरु आचार्य हजारीप्रसाद द्विवेदी ने किया। वह भी एक कोण है। द्विवेदी जी तो शान्तिनिकेतन में थे। वात्स्यायन जी कलकत्ते में सम्पादक थे *विशाल भारत* के। शान्तिनिकेतन आते-जाते थे। बलराज साहनी अध्यापक थे वहाँ। दोनों के बड़े अच्छे सम्बन्ध थे। वात्स्यायन जी से भी बहुत लगाव था पण्डित जी का।

'परिमल' को खड़ा करने में वात्स्यायन जी का बड़ा योगदान था। परिमल प्रगतिशील लेखक संघ के खिलाफ था। इसमें साही, भारती वगैरह थे। ये लोग लगभग लोहियावादी थे। उन लोगों को जब जरूरत पड़ी थी तो वात्स्यायन जी ने मदद ही की। परिमल वालों ने वात्स्यायन जी को इस्तेमाल किया और फिर वही, 'परिमल' उनके खिलाफ हो गया। पूरे 'परिमल' में अगर किसी के अच्छे सम्बन्ध बने रहे तो तीन व्यक्ति थे— विजयदेव नारायण साही, रामस्वरूप चतुर्वेदी और जगदीश गुप्त। धर्मवीर भारती उनके खिलाफ हुए। धर्मवीर भारती *धर्मयुग* के सम्पादक थे और बाद में अज्ञेय *नवभारत टाइम्स* के। जो स्टेटस अज्ञेय को बैनेट कोलमैन एंड कम्पनी में हासिल था, वह भारती को कभी नहीं मिला। अज्ञेय को ज्ञानपीठ मिलने पर भी भारती क्षुब्ध हुए।

कुल मिलाकर समूचा व्यक्तित्व जो वात्स्यायन जी का रहा, उसका एक स्तर था। उससे नीचे वे कभी नहीं गये। छोटापन या क्षुद्रता उनमें कहीं नहीं है। उनके व्यक्तित्व में शालीनता थी और उसकी एक मर्यादा थी। उनके अपने मूल्य थे। इतनी तरह के काम करते हुए भी कोई ऐसी विधा नहीं बची है जिसमें उन्होंने न

लिखा हो। बहुधन्धी होते हुए भी लिखने का काम जितना वे कर गये हैं, वह महत्त्वपूर्ण है।

उनकी रचनाओं में आरम्भ में संस्कृत का संस्कार ज्यादा था। उनके पिताजी संस्कृत के पण्डित थे। हिन्दी उनकी बोलचाल की भाषा नहीं थी। हिन्दी प्रदेश में वे बहुत कम रहे। लेकिन बाद में चलकर सरल और बोलचाल की प्रवाहमय हिन्दी कविताओं और गद्य, दोनों में, उन्होंने लिखी है। उनके उपन्यास *शेखरः एक जीवनी* को मैं हिन्दी के पाँच सबसे महत्त्वपूर्ण उपन्यासों में मानता हूँ।

प्रस्तुतिः राकेश तिवारी

19

चले तो फिर हाबू से चले

॥ रामस्वरूप चतुर्वेदी

अज्ञेय के सम्बन्ध में संस्मरण सुनाना कठिन है, गढ़ना आसान। इसका एक प्रमुख कारण यह है कि बहुत समय तक वे बोलते बहुत कम थे। राष्ट्रकवि मैथिलीशरण गुप्त के सम्बन्ध में अपने *स्मृति-लेखा* के अन्तर्गत उन्होंने लिखा है, "मैं उनसे भेंट करने के लिए चिरगाँव गया था और उन दिनों अपने स्वभावगत संकोच के अलावा वर्षों की चुप्पी के अभ्यास के कारण मेरा यह हाल था कि पाँच-सात मिनट भी लगातार बोलना पड़ जाए तो सचमुच मुँह दुखने लगता था – स्नायुओं का शब्दोच्चार का अभ्यास छूट गया था।" इस आत्म-स्वीकार के सन्दर्भ में जो संस्मरण मैं सुनाने जा रहा हूँ वह कितना संस्मरण है और कितना असंस्मरण इसका निर्णय आप स्वयं करेंगे। पाँचवें दशक में अज्ञेय कुछ समय के लिए इलाहाबाद रहे थे – न्याय मार्ग, तब के हेस्टिंग्स रोड पर। एक बड़ा-सा बँगला उनका आवास था। विश्वविद्यालय के हिन्दी विभाग के दो वरिष्ठ अध्येताओं ने निश्चय किया कि अज्ञेय इधर बहुचर्चित लेखक हैं, उनसे भेंट की जाए। दोनों महानुभावों में से एक बहुत कम बोलते थे, दूसरे सामान्य से कुछ अधिक। दोनों का यों औसत मिलाकर ठीक पड़ता। भेंट कार्यक्रम के सूत्रधार मितभाषी बन्धु थे, दूसरे थे केवल सहचारी और साक्षी। दोनों बन्धु अज्ञेय के आवास पर पहुँचे, घण्टी बजायी। सहज आकर्षक व्यक्तित्व में अज्ञेय बाहर आये। हाथ जोड़कर नमस्कार दोनों पक्षों की ओर से हुआ। कुर्सी की ओर हाथ दिखाकर उन्होंने बैठने का संकेत किया। दोनों मित्र बैठ गये, फिर दोनों में मौन का एक लम्बा सिलसिला चला – पन्द्रह मिनट, बीस मिनट, आधा घण्टा। भेंट पूरी हुई जानकर आगन्तुक उठ खड़े हुए, नमस्कार–प्रति नमस्कार; और यों मौनालाप समाप्त। कार्यक्रम के प्रधान भेंटकर्ता थे डॉ. रामसिंह तोमर जो आगे चलकर विश्वभारती शान्तिनिकेतन में हिन्दी भवन के प्रधान हुए, और दूसरे सहायक थे, डॉ. रघुवंश जो हिन्दी विभाग, इलाहाबाद विश्वविद्यालय के अध्यक्ष बने। अब आप समझ गये होंगे कि अज्ञेय ने सैद्धान्तिक स्तर पर तो सम्प्रेषण में मौन को महत्त्व दिया ही है, वास्तविक जीवन में भी वे मौन के सच्चे पक्षधर थे।

व्यवस्था-प्रियता अज्ञेय के चरित्र का एक ऐसा गुण था जिसकी ओर उनके मित्रों का ध्यान प्रायः जाता था। किसी भी आयोजन में वक्ताओं के चुनाव और उनकी सुख-सुविधाओं से लेकर चलते समय बस या कार में छत पर सामान लादने तक की चिन्ता वे स्वयं करते। तब उनकी भंगिमा यह रहती कि जैसे बरसों से उन्होंने यह काम किया हो, और किसी दूसरे को उसमें पड़ने की जरूरत नहीं है। कभी-कभार इला, जिन्हें कार चलानी होती, कुछ सुझाव देना चाहतीं तो मैं उन्हें यह समझाता कि यह अपेक्षित नहीं है। अज्ञेय बड़े निस्संग भाव से सामान को छत पर बैठाते रहते, दिए हुए सुझावों की अनदेखी करके बहुत कुछ उन्हें अवांछनीय मानकर। शेक्सपीयर के एक नाटक में कुछ चरित्र मिलकर एक नाटक खेलने की योजना बनाते हैं। उनमें से एक चरित्र उस अन्तर-नाटक की बहुतेरी भूमिकाएँ स्वयं लेना चाहता है, क्योंकि उसे लगता है, बड़े सहज भाव से, कि वही उस खास भूमिका के लिए सर्वाधिक उपयुक्त है। वह शेर का भी अभिनय करना चाहता है और उस दीवार का भी जिसके सहारे अन्तर-नाटक के नायक-नायिका का प्रेमालाप चलना है। छोटी-बड़ी, खास तौर से छोटी, भूमिकाओं के साथ अज्ञेय का लगाव बहुत कुछ ऐसा ही था।

व्यवस्था-प्रियता सम्बन्धी इस परिचय को देकर अब मैं आपको एक ऐसा संस्मरण सुना रहा हूँ जहाँ आप देख सकेंगे कि कैसे ऊपर से दिखने वाली व्यवस्था सम्बन्धी भूल भी उनकी व्यवस्था-प्रियता का ही अंग होती, या कि उस रूप में उसे देखा जा सकता था। वत्सल निधि की ओर से राजस्थान में आबू की पहाड़ी पर एक लेखक शिविर आयोजित था। एक सप्ताह तक साथ-साथ रहकर लेखक बन्धु वापस अपने घरों की ओर चल रहे थे। सबेरे हम चार लेखक बन्धुओं को एक स्टेशन वैगन में बैठाकर विदा किया गया– सर्वेश्वरदयाल सक्सेना, विजयदेव नारायण साही, विपिनकुमार अग्रवाल तथा मैं। चलते समय अज्ञेय ने हम लोगों के टिकट दे दिए कि पहाड़ी से नीचे उतरकर आबू रोड स्टेशन पर दिल्ली जाने वाली गाड़ी में हम लोगों का प्रथम श्रेणी आरक्षण है। अब अज्ञेय स्वयं टिकट दे रहे हैं, पूरे आश्वस्त भाव से तो किसी को यह सूझ भी नहीं सकता था कि उस पर छपा लिखा ब्योरा देख लें। भावुक मन और लगभग आर्द्र नेत्रों से विदा की मुद्रा में सब मित्र टिकट लेकर स्टेशन वैगन पर बैठ गये। रास्ते की मौज में समस्यापूर्ति का क्रम चला। समस्या सर्वेश्वर ने दी– 'आबू से चले, झाबू से चले'। जाहिर है कि आबू की उत्तम तुकें बहुत कम थीं – और सब मित्रों ने एक-एक पर जल्दी कब्जा जमा लिया। एक ने कहा– 'आये थे तो अफसर से, अब चले तो फिर बाबू से चले'। एक ने 'काबू-बेकाबू' की बात कही। किसी को कुछ न मिला तो गये जमाने के स्टंट-अभिनेता साबू को पकड़ लिया, और अपनी बात पूरी की। मेरा

समय आते-आते सब खलास! नारायण प्रसाद 'बेताब' के *प्रास-पुंज* नामक कोश की याद आयी, पर वह भी होता तो क्या ही सहायता करता। बहरहाल सरस्वती की कृपा हुई और एक उत्तम भंग-पद तुक बनी 'आये सुगन्धि के झोंके से, जब चले तो फिर हाबू से चले'। जाहिर है कि इस भंग-पद प्रयास के आगे और सब सीधे-सीधे तुक फीके पड़ गये। कंचन साही भी साथ थीं, और इस प्रतियोगिता में स्वतःस्फूर्त निर्णायक का दायित्व निर्वाह कर रही थीं। उनके निर्णयानुसार प्रथम स्थान मेरा रहा।

यह तो संस्मरण का क्षेपक हुआ। मूल बात यह कि सड़क का मार्ग अच्छा बीता, और जिसे सड़क साहित्य कहते हैं उसका निर्माण भी हुआ, बिना इस गुमान के कि हम लोगों की पंक्तियाँ 'ड्रैमैटिक आयरनी' की तरह सच होने वाली थीं। स्टेशन पहुँचने पर पता चला कि हम लोगों में से किसी का कोई आरक्षण नहीं! सब के मुँह से प्रायः एक साथ निकला 'पर भाई ने तो कहा था...।' तीसरा पहर हो रहा था। गाड़ी आयी, और एक प्रथम श्रेणी के डिब्बे में हम सब जम गये। कंडक्टर ने चेतावनी दी कि यहाँ अगले किसी स्टेशन पर वे यात्री आएँगे जिनके नाम का आरक्षण है। अब हम लोग बैठे आराम से हैं, पर चिन्ता का दबाव बना हुआ है। हर बड़े स्टेशन पर कभी सर्वेश्वर और कभी साही साहब उतरकर जाते हैं, आरक्षण का पता करने। सर्वेश्वर बीच में जता देते हैं कि वे *टाइम्स ऑफ इंडिया* से सम्बद्ध हैं। पर कंडक्टर इस सबसे अप्रभावित बना रहता है। हम सभी परेशान हैं कि अज्ञेय की व्यवस्था में यह चूक कैसे हुई। मैंने व्याख्या दी कि यह उस्ताद का हाथ है। अगर आरक्षण पक्का होता तो सब लोग इत्मीनान से गपशप करते जाते और रास्ते भर आबू शिविर का छिद्रान्वेषण होता चलता। भाई की व्यवस्था में दिन भर सब आरक्षण के लिए चिन्तित रहे, और रात होने पर प्रायः हर एक को अलग-अलग डिब्बे में सोने का स्थान मिला, यों निन्दा प्रकरण की नौबत ही नहीं आने पायी कि दिल्ली आ गयी, और सब इधर-उधर बिखर गये। व्यवस्था के अन्तर्गत अव्यवस्था का यह एक बेजोड़ प्रसंग रहा।

हिन्दी साहित्य में अज्ञेय को लेकर आकर्षण-विकर्षण का क्रम कुछ ज्वार-भाटे की तरह चलता रहा है। नयी पीढ़ी के अनेक कवियों ने उन्हें अपने काव्य ग्रन्थ समर्पित किए हैं, बहुतों की पुस्तकों की भूमिकाएँ अज्ञेय ने लिखी हैं। किसी कवि के चित्रों का परिचय और किसी की कविताओं का परिचय भी अज्ञेय ने लिखा। उधर हिन्दी के प्रायः सभी प्रमुख साप्ताहिकों का सम्पादन दायित्व अज्ञेय के मित्रों और सहकर्मियों को क्रमशः मिला। *सप्तकों* के सम्पादन से लेकर विविध लेखकीय आयोजनों तक में अज्ञेय की अग्रणी भूमिका रही है। याद आता है कि अज्ञेय का

शहर में आना एक घटना मानी जाती थी। कॉफी हाउस की मेज पर उनके एकदम निकट कौन बैठेगा और कौन वापसी में रिक्शे पर साथ जाएगा, इसके लिए कभी-कभी थोड़ी-बहुत शालीन ढंग की छीना-झपटी भी देखी जा सकती थी। तब सागर के एक सुकुमार युवा कवि और आलोचक अज्ञेय पर नयी शैली का अभिनन्दन ग्रन्थ तैयार कर रहे थे, जबकि कलकत्ता के एक विद्रोही रचनाकार उनके सौन्दर्य पर इतने मुग्ध थे कि उनकी कामना थी कि वे लड़की होते और अज्ञेय से विवाह करते। इलाहाबाद में तो अज्ञेय की तरह के कुर्तों और कन्धे पर डालने वाले झोलों की धूम थी। बरसों तक 'असाध्य वीणा' रहने के बाद अज्ञेय कुछ-कुछ सध रहे थे। और सब अलग-अलग उनमें अपना संगीत सुनते। हिन्दी साहित्य में वे कुछ उत्सव जैसे दिन थे।

फिर खबरें आने लगीं कि अज्ञेय पर ग्रन्थ निकालने वाले और उनसे विवाह की इच्छा रखने वाले, तथा उन्हें समर्पण करने वाले सब उनसे नाराज हैं, उन्हें गाली देते हैं, बुरा-भला कहते और लिखते हैं। आकर्षण जितना तीव्र था विकर्षण उससे तीव्रतर। प्रस्तुत लेखक भी इस व्यापक आकर्षण से मुक्त नहीं रहा था, पर विकर्षण की स्थिति से बच गया। इसका कारण सम्भवतः यह था कि उसने अज्ञेय पर एक विनम्र समीक्षा-पुस्तक लिखी। और जैसे कवि एलियट के अनुसार, जिनके निर्वैयक्तिकता सम्बन्धी काव्य-सिद्धान्त को अज्ञेय ने दूर तक स्वीकार किया है – कविता लिखकर उसके अनुभव से मुक्त हो जाता है, शायद कुछ वैसे ही आलोचक अपनी समीक्षा लिखकर उसके लेखकीय अनुभव से मुक्त हो जाता है। और यों आलोचक के लिए कवि से अधिक कविता प्रासंगिक होती गयी। अज्ञेय की ही पंक्तियाँ कवि और काव्य के अन्तर के प्रसंग में याद आती हैं–

मैं कवि हूँ

मैं सच लिखता हूँ
लिख लिख कर सब/झूठा करता जाता हूँ।

तू काव्यः
तू छलता है
पर हर छल में
तू और विशद, अभ्रान्त,
अनूठा होता जाता है।

कहूँ कि मैंने अज्ञेय को कवि से अधिक काव्य के रूप में जाना है, जो

निश्चय ही सदा, निरपवाद रूप में एक प्रीतिकर अनुभूति रही है। यों समीक्षा पुस्तक का होना औरों के लिए कितना उपयोगी रहा, यह तो मैं नहीं जानता, पर उसका होना इस विवादी सन्दर्भ में मेरे लिए महत्त्वपूर्ण सिद्ध हुआ, इतना कह सकता हूँ।

आकर्षण और विकर्षण के इस घटनापूर्ण दौर के बाद अब आवश्यकता अज्ञेय को समझने की है। जाहिर है कि अज्ञेय को समझने में हम यहाँ अपने को भी बेहतर समझेंगे, एक पूरे रचना-युग से साक्षात्कार कर सकेंगे।

20

काल की निरन्तरता में उत्सव

॥ लक्ष्मीकान्त वर्मा

अज्ञेय नाम की व्याख्या कठिन है। अज्ञेय का अर्थ है एक ऐसा चट्टानी इच्छाशक्ति का व्यक्ति, जो इतना द्रवित रहने वाला है कि जीवन का एक-एक क्षण जीने की जिजीविषा से ओतप्रोत रहता है। अज्ञेय का अर्थ है इतनी प्रबल लालसा की ईहा में जीने वाला व्यक्ति कि वह जीवन को पूरी तरह निचोड़कर एक बिन्दु में सिन्धु को समाहित करने वाला हो। अज्ञेय का अर्थ है कि वह व्यक्ति जो समष्टि को केवल तटस्थ रूप में आत्मसात् नहीं करता, बल्कि जो जीवन के प्रवाह में अपने को मुक्त छोड़ देता है, पर जो इतना जागरूक है कि उस प्रवाह में भी अपने अस्तित्व के द्वीप निर्मित करता चलता है। अज्ञेय का अर्थ है जो रसभोगी नहीं, रस के नितान्त कंसट्रेटेड (सघन) रूप में अपनी समूंची पहचान बनाता चलता है। अज्ञेय का अर्थ है आभिजात्य से भरपूर और नितान्त नैसर्गिक सन्दर्भ को हमेशा एक टटके स्वर में पिरोने वाला व्यक्तित्व।

अज्ञेय जीते नहीं थे। अज्ञेय भोगते थे। अज्ञेय के लिए सुख निरन्तर अपने साथ रखने वाली वस्तु नहीं, वरन् साझेदारी वाली वस्तु थी। दुख जितना उन्हें माँजता था, सुख उतना ही उन्हें नहलाता था। सुख-दुख में अज्ञेय डूबते नहीं थे। वे दोनों को टाँक कर रखते थे। इसीलिए अज्ञेय को पहचानना कठिन था। दोनों में रमते थे, लेकिन दोनों से उपराम वे एक तीसरे आयाम में भी रहते थे, जहाँ स्मरणीयता का स्वरूप आत्म-विस्मृत के रूप में नहीं आत्मानुशासन के रूप में द्रवित दिखलाई देता था। किसी भी अनुभूति में डूब जाना अज्ञेय नहीं जानते थे। हर अनुभूति को आपाद सराबोर रूप में वे अपने ऊपर से गुजर जाने देते थे और जब अपने को निचोड़कर किसी कृति में, रचना में – चाहे वह एक कंकड़ को ड्राइंग रूम के टेबुल पर रखने की बात हो या एक टेराकोट को पहचान कर उसके खुरदरेपन को इयत्ता देने की बात – अपनी छाप छोड़ते जाते थे। अज्ञेय अपने प्रति निर्मम थे, पर दूसरे की साँस जीते थे। इतनी व्याप्ति और इतनी समाप्ति

वाला सर्जक शायद दूसरा नहीं मिलेगा।

अज्ञेय सौन्दर्यवादी थे, लेकिन वह सौन्दर्य जिसमें जीवन का सब कुछ हो, हर्ष हो, विषाद हो, उल्लास हो और साथ ही वह तिक्त-कटु भी, जो क्षार होता है। अज्ञेय जो देते थे वह सुरुचि सम्पन्न होता था, संयत और अनुशासित और प्रामाणिक, लेकिन जो लेते थे वह तिक्त, कटु, कसैला था। हर रचना का माध्यम वे स्वयं थे, लेकिन उनका स्वयं, एक छन्नी था जो हर अनुभव को छानकर बाहर जाने देता था और इस छानने में जो भी कटु और तिक्त होता था, वह उनके 'स्वयं' का भाग था और जो कुछ भी सुन्दर था वह मधु था, रुचिपूर्ण था, वह सबका था। उन्होंने अपनी एक रचना में लिखा भी है:

जितनी स्फीत इयत्ता मेरी झलकती है
उतना ही मैं प्रेत हूँ
जितना रूपाकार-सारमय दीख रहा हूँ
खेत हूँ
फोड़-फोड़ कर जितने को तेरी प्रतिमा मेरे अनजाने, पहचाने अपने ही मनमाने
अंकुर उपजाती है–
बस उतना मैं खेत हूँ।

ऐसे सौन्दर्यवादी कवि का सौन्दर्य एक भोगी सौन्दर्यवादी का सौन्दर्य बोध नहीं है। हर अनुभूति का सार इसमें नहीं है कि वह कितनी अपनी होती है, उसका सार है कि उसकी अभिव्यक्ति कितनों को सुन्दर बनाती है। अज्ञेय के सौन्दर्य, उनके शिल्पी मन और साधक की आत्मा को पहचानने के लिए एक विरागी मन की आवश्यकता है। अज्ञेय उस वैराग्य के भोक्ता हैं जो दूसरों तक पहुँचते-पहुँचते एक नया रागबोध देता है, अज्ञेय इसीलिए उस अपराजेय विवशता को हर क्षण भोगने वाले कवि और सर्जक हैं जो हर अनुभूति के बाद नये होकर निकलते हैं और वह नयापन उनमें समाया हुआ मिलता है। अज्ञेय ने लिखा भी है:

आह, वह तेरे
दे दिए गये हास्य में उतरा
मेरे स्वीकारी आँसू में ढलका
वह अब जाना अनपहचाना आया
वह इन सबके – और मेरे माध्यम से
अपने में अपने को लाया
अपने को समाया

अज्ञेय को पाया नहीं जा सकता। अज्ञेय को थहा जा सकता है। अज्ञेय को जहाँ आप पकड़ेंगे, अज्ञेय उसके आगे खड़े मिलेंगे। हर रचना उन्हीं तक नहीं है। वे तो उससे मुक्त होकर अलग खड़े हो जाते हैं। इसीलिए अज्ञेय वह हैं जो वह अपनी रचना के माध्यम से हम तक आप तक पहुँचते हैं। अज्ञेय का सौन्दर्य इस अर्थ में उस सौन्दर्यवाद से भिन्न है, जो रूपायित करके छोड़ देता है। अज्ञेय का सौन्दर्यबोध एक 'थहने' की थाह लगाने की यात्रा है। अज्ञेय कहते हैं, 'आह! जो हमें सरसाता है। वह छिपा हुआ पानी है। हमारी इस जानी-पहचानी/माटी के नीचे का/रीतता नहीं, बीतता नहीं।' अज्ञेय का सौन्दर्य मर्म इस न बीतने, न रीतने वाले क्षण की अविराम यात्रा है। इसीलिए अज्ञेय का सौन्दर्यबोध ठहराव का सौन्दर्यबोध नहीं, एक निरन्तर यात्रा का सौन्दर्य बोध है।

यात्रा अज्ञेय के जीवन का अभिन्न अंग है – स्थूल में भी और सूक्ष्म में भी। स्थूल में जो उनका यायावरी मन है अविराम है, और सूक्ष्म में, अनुभूति के स्तर पर अज्ञेय की जो यात्रा है वह उपराम है। अविराम और उपराम के बीच हमें अज्ञेय का रचनाकार स्वरूप मिलता है – बाहर से देखने में सौन्दर्यवादी लेकिन भीतर से सौन्दर्य तत्त्व में रमने वाला एक ऐसा मन जो चतुराई नहीं जानता, पर निपराई में विश्वास रखता है। अज्ञेय का सौन्दर्य को भी सँवारने वाला मन है – इसीलिए बहुतों को अज्ञेय केवल एक शिल्पी से भी लग सकते हैं। लेकिन हम इस शिल्पी मन की थाह लेने की कोशिश करते हैं, तो अज्ञेय की इस यात्रा को पहचानना कठिन है, यात्रा केवल उन तक नहीं रहती।

अज्ञेय एक संश्लिष्ट संस्कार के सर्जक हैं। यह संश्लिष्टता आरोपित नहीं, संस्कारित है और संश्लिष्टता एक सीधी रेखा की गति नहीं होती। वह, वह अस्तित्व है जो चक्राकार उसी तक लौट कर समाहित हो जाता है। इसी संश्लिष्टता में उद्भव, स्थिति, संहार तीनों ही हैं। यह वापसी सबके बस की बात नहीं। इसी वापसी को तुलसीदास 'स्वांतः सुखाय' भी कहते हैं और यही वापसी बहुतों को 'बहुजन हिताय' के रूप में भी मिलती है। अज्ञेय दोनों के भोक्ता-स्रष्टा हैं। वे अपनी भाव सम्पन्नता में समग्रता का बोध भी लिये चलते हैं। वह घोर भी होता है और अघोर भी। अज्ञेय की संश्लिष्ट संस्कार-निष्ठा उन्हें आगे देखने की दृष्टि भी देती है, लेकिन जितने वे आगे देखते हैं उतने ही अपनी भी परिभाषा देते चलते हैं। यह आत्मरति के रूप में भी हो सकती है, किन्तु अज्ञेय का रचनाकार मन उसे खतरे से बचाता चलता है। जो हलाहल के बदले वात्सल्य का आशिष् देता चलता है, वही अज्ञेय की साध भी है और साध्य भी और संश्लिष्ट संस्कार के रूप में सदा अज्ञेय की रचना हमें मिलती है। अज्ञेय इसीलिए हर रचना के साथ नये लगते हैं।

अज्ञेय उतने ही आधुनिक हैं जितने पुराने। यदि काल को ठहरा हुआ मानकर हम अज्ञेय को देखेंगे तो शायद अज्ञेय हमसे छूट जाएँगे। काल की निरन्तरता के साथ अज्ञेय को देखना होगा। ठहरा हुआ काल इतिहास होता है। चिर प्रवाहित काल संस्कृति होती है। काल के नैरन्तर्य में अतीत भी परिभाषित हुआ चलता है। जानकी-जीवन यात्रा में मैंने देखा, अज्ञेय अपनी खोज में लीन थे और वह उनके अपनत्व, उस पूरे विराट जानकी-जीवन पथ से शीलित था, जिसकी यात्रा वह कर रहे थे। अज्ञेय अपने साथ राम जानकी की परिभाषा भी ढूँढ़ते चलते थे, मेरी-उनकी बातें भी होती थीं। मैं पुराण, इतिहास, मर्यादा पुरुषोत्तम राम को लिए बैठा था। मैं अपने इष्ट से चिपका था। अज्ञेय अमिष्ट की खोज में लीन थे। मैं अज्ञेय को देख रहा था। मुझे लगता था, राम के ज्यादा नजदीक अज्ञेय थे, क्योंकि निरन्तर चलने वाले कालजयी राम की तलाश में थे। मैं तपस्वी राम, मर्यादा पुरुषोत्तम राम, राजा राम से इतना भरा था कि कालजयी आधुनिकता के साथ जुड़े राम की दृष्टि मुझे नहीं मिल रही थी। मेरी भक्ति थी, अनुरक्ति थी। अज्ञेय की भावना कहीं इससे आगे थी। वह राम की रमणीयता की तलाश में थे। मुझे लगता था अज्ञेय कहीं मुझे शिक्षित करते थे। मैं आस्तिक होते हुए भी कहीं नास्तिक से जुड़ रहा था। अज्ञेय ने मेरी आस्तिकता को नयी दृष्टि से जोड़ा। मेरी अपनी आध्यात्मिकता के साथ रखने की दृष्टि थी, आधुनिकता भी व्याख्यायित होकर सामने आयी।

अज्ञेय के व्यक्तित्व का एक बहुत महत्त्वपूर्ण पक्ष उनका मौन था। भारतीय मनीषा ने कवि, कोविद, ज्ञानी की जहाँ परिभाषा गिनाई है, वहाँ उसे मितिभाषी और मितिभोगी बताया है। हमारी आज की पद्धति में वाचालता अधिक है और उपभोक्ता संस्कृति की दूसरी देन है, भोगी होकर जीने की। मितिभाषी होने के नाते भारतीय चिन्तन में सूत्र शैली में महान ग्रन्थ लिखे गये हैं। मितिभोगी ने हमें तृप्ति की नयी परिभाषा दी है। अज्ञेय को जिसने भी नजदीक से देखा है वह पाएगा कि उनके मौन में अनुशासन से अधिक उनकी संयत चेतना का प्रवाह मिला हुआ है। अज्ञेय मितिभाषी इसलिए नहीं थे कि वे अहंवादी थे, इसलिए थे कि वे शब्द के धनी थे और धनी वह है जो अपव्यय नहीं करता। कभी-कभी उनकी मितिभाषिता खलती थी, लेकिन उसे नहीं जो उनको जानता था कि वे अनुशासन के व्यक्ति हैं। यही उनके भोग को संयमित करता था। इतने दिनों तक साथ रहने पर हमने अज्ञेय को ललकते हुए नहीं देखा। भोजन में भी वह संयत थे और चुनाव करते थे कि क्या और कितना खाना है। अज्ञेय के इस संयम को भी लोग उनका नितान्त आभिजात्य मानते थे। यह अभिजात लगने वाला व्यवहार भी उनके उसी अनुशासित व्यक्तित्व का प्रभाव था।

इसका अर्थ यह नहीं कि वे शब्द के प्रति मोह पाले थे। अज्ञेय वास्तव में

शब्द की असमर्थता को भी समझते थे। अपने नवीन संग्रह की अन्तिम कविता में उन्होंने शब्द की असमर्थता को स्वीकार करते हुए लिखा है– *शब्द में मेरी समाई नहीं होगी/मैं सन्नाटे का छन्द हूँ*। सन्नाटे के छन्द में जो मूलभाव है, वह अन्तर्मन की निरन्तर सम्पादित होने वाली धड़कन की जागरूकता का परिचायक है। यह धड़कन ही वह अनहद नाद है जिसमें जीवन और मृत्यु दोनों एक साथ जीते हैं। अज्ञेय की मृत्यु भी इसी धड़कन के बन्द होने के साथ हुई।

अस्मिता की तलाश अज्ञेय की मानसिक यात्रा थी। उस यात्रा में वे सदैव अकेले रहे। बीसवीं शताब्दी से इक्कीसवीं शताब्दी में छलाँग मारकर जाने वालों के प्रति अज्ञेय चिन्तित थे। इस दौड़ को निरर्थक समझते थे। उन्हें चिन्ता थी कि क्या भारत की वर्तमान संस्कृति अपनी पहचान के साथ विकसित हो रही है? जिस लेखक पर तरह-तरह के आरोप लगते रहे, वह जीवन के अन्त में उस अस्मिता की तलाश में था जो उसे उसका मूल स्वरूप दिखा सके। अज्ञेय यहाँ अपने स्वरूप को स्थिर करना चाहते थे। वह जानकी-जीवन यात्रा हो या भागवत यात्रा, इन सब में उसी मूल तत्त्व से जुड़ना चाहते थे जो भारतीय जीवन में अन्तःसलिला के समान सदा वर्तमान है – या जो निवर्तमान होना जानती ही नहीं। फिर जो सदा वर्तमान ही है, उसकी भविष्य के प्रति जो दृष्टि होगी, वह भी उसी वर्तमान से जुड़ी होगी। अस्मिता को जिस दृष्टिकोण से अज्ञेय ढूँढ़ रहे थे, वह औरों से भिन्न था। इसीलिए गति के प्रति वे सावधान थे। छलाँग को प्रतिक्रिया के रूप में लेते थे – प्रतिक्रिया जो वर्तमान से छुड़ाती ही है, साथ ही भविष्य को भी छलावा देती है।

अज्ञेय जहाँ अपनी रचनाधर्मिता में नितान्त अकेले थे, वहीं अपनी सांस्कारिकता में सबके साथ जुड़ते थे। अज्ञेय के व्यक्तित्व को जो इस समग्रता में नहीं देखेगा, वह अज्ञेय को आधा ही समझेगा। अज्ञेय अधूरे आदमी नहीं थे। उनकी कमजोरी इसमें नहीं थी कि वे अधूरे आदमी थे। उनकी सबसे बड़ी कमजोरी यह थी कि वे अपने पूरे व्यक्तित्व को छिपा ही रहने देते थे। उसको वे अपनी व्यक्तिगत चीज मानते थे। अज्ञेय के इस व्यक्तिगत को सार्वजनिक रूप में जानने की जरूरत आज सबसे ज्यादा है।

जिसे हम आध्यात्मिकता कहते हैं, दर्शन में वह नितान्त भौतिक जीव और आत्मा का सम्बन्ध है। जैविक बन्धनों में जो जीवन की जिजीविषा है, वही उसे जैविक बनाती है। किन्तु जब वह जिजीविषा आत्मा से जुड़ती है तो आध्यात्मिक होती है। परमात्मा से जुड़ती है तो वह परमार्थता होती है। आध्यात्मिक और परमार्थता भौतिक से जुड़कर चलती है। अज्ञेय की भी परमार्थिक दृष्टि, अगर कोई थी तो, इस मिट्टी से बँधी थी। अज्ञेय ने कभी इस मिट्टी को नहीं छोड़ा, सारी

प्रकृति को इस मिट्टी की ही अभिव्यक्ति माना। इस मिट्टी को उन्होंने कभी एक रंग तक सीमित नहीं किया। उसके बाहुल्य को उसकी उर्वरा से जोड़कर देखा। यदि अज्ञेय की कोई भी आध्यात्मिकता या परमार्थिकता थी तो वह इसी रूप में थी।

जिस मिट्टी से अज्ञेय का लगाव था, उससे केवल सौन्दर्य ही बन सकता था। अज्ञेय उस घरौंदे की सौंधी मिट्टी में उत्सव मनाते थे। अज्ञेय के न रहने पर उनके अभिन्न विद्यानिवास मिश्र ने मिलते ही जो मात्र वाक्य मुझसे कहा वह यही था—सारे उत्सव समाप्त हो गये। वास्तव में समाप्त हो गये। अज्ञेय प्रत्येक दुख को यज्ञ के रूप में भोगते थे और सुख को भी। इस निरन्तर यज्ञ के स्वयं वे ही यजमान होते थे, स्वयं ही पुरोहित और स्वयं होता भी होते थे। अज्ञेय का व्यक्तित्व भी था जो समस्त उत्सवों को आत्मसात् करके देता था। मुझे याद नहीं पड़ता कि कभी अज्ञेय के साथ बैठकर मैंने उन्हें चाय बनाकर दी हो। कभी चेष्टा भी की तो रोक दिया। वह स्वयं ही चाय बनाकर देते थे और वह भी देसी शक्कर की चाय। उस चाय को पीने को भी वे 'सेलीब्रेट' करते थे, उसे भी स्मरणीय बना देते थे। उत्सव अज्ञेय का चरित्र था। महाशून्य का गायक कवि लीलामय भी था और वह लीला भी ऐसी कि जिसमें वह स्वयं नहीं, दूसरे को सारी लीला का श्रेय देता था।

अन्त में *आँगन के पार द्वार* वाले अज्ञेय ने अपना एक घर भी बनाया था। कैंवेटर लेन में नीम के ऊपर एक लकड़ी का घर आज भी बना है। अज्ञेय का यह घर उस धरती और स्वर्ग के बीच है जहाँ वे अपनी आत्मा के साथ निरन्तर रहे। स्थूल में मजबूरी थी धरती से चिपकने की और सूक्ष्य मन से नैसर्गिक उड़ान के बाद वापस आने की। पंच-तत्त्वों के विलीन हो जाने के बाद वह मजबूरी अब नहीं रह गयी है। कौन जाने वह सूना घर जो पिंजरानुमा दिखता है, लेकिन चारों ओर से खुला है, वह नैसर्गिक नीड़ हो जहाँ से अज्ञेय उस पृथ्वी को देखना चाहें, जहाँ उन्होंने जीवन के छिहत्तर वर्ष सैंतीस दिन बिताए थे।

21

भोपाल की एक रात

॥ रामकमल राय

मेरी सबसे पहली स्मृति है, *नवभारत टाइम्स* के सम्पादक के रूप में अज्ञेय से मिलने की। मेरी पहली पुस्तक *अज्ञेयः सृजन और संघर्ष* छप चुकी थी। 1979 में दिल्ली गया तो एक प्रति उनके लिए लेता गया था। कार्यालय पहुँचकर स्वागत-कक्ष में बैठी महिला से पूछा– 'अज्ञेय जी से मिलना है। किस मंजिल पर जाना होगा?' महिला ने तुरन्त प्रतिप्रश्न पूछाः 'क्या उनसे मिलने का समय तय है?' मैं ठहरा ठेठ इलाहाबाद का! लेखक भी यों आपस में समय तय करके मिलते हैं, दिमाग में था ही नहीं। कहा– 'आप फोन से पूछ लें कि एक व्यक्ति इलाहाबाद से आये हैं, मिलना चाहते हैं। यदि बुलाएँ तो भेज दीजिए।' रिसेप्शनिस्ट के चेहरे पर जो भाव थे, उसका अर्थ तो यही था कि यह कायदे के खिलाफ बात है। परन्तु शालीनतावश उसने फोन से पूछा। ऊपर से तुरन्त बुलावा आया। मैं सहमते-सहमते पहुँचा। स्पष्ट कर दूँ कि इसके पूर्व सिर्फ एक बार, उसी कार्यालय में, दो वर्ष पहले अज्ञेय से भेंट हुई थी। मैं डॉ. रघुवंश के साथ था। मुश्किल से दो-तीन वाक्यों में परिचय हुआ था। एक ऐसा परिचय जो तत्काल भुला दिया जाता है। ऐसा नहीं कि मैंने पहले अज्ञेय को नहीं देखा था या सुना था। अपनी ओर से तो मैं सन् 1952 से लगातार ऐसी बीसियों गोष्ठियों में श्रोता के रूप में बैठ चुका था, जिनमें अज्ञेय की कविताएँ या उनके व्याख्यान या संस्मरण सुनने का अवसर मिला था। परन्तु वह सब तो एक पक्षीय था। संवाद की स्थिति कभी नहीं बनी थी।

मैंने धीरे से दरवाजा खोला। द्वारपाल ने भीतर जाने का इशारा कर ही दिया था। अज्ञेय नितान्त उत्सुक एवं आत्मीय भाव से मिले। मैंने पुस्तक थमाई। वे मुग्ध दृष्टि से देखते-परखते रहे। फिर मैंने देखा कि आगे केवल उनकी दृष्टि में एक स्निग्ध गरमाई तो है, पर जबान पर शब्द नहीं। मैंने कहाः इसे देखकर दो शब्द लिखेंगे – कैसी लगी। अब मैं चलता हूँ। उन्होंने कहाः 'अच्छा, दिल्ली में कब तक हैं? घर पर आएँ न!' पता समझाया पश्चिम निजामुद्दीन के घर का। दूसरे दिन मैं घर पहुँचा। बड़ी ही आत्मीयता और गरमाहट से मिले। भीतर जाकर

अपने हाथों ट्रे में कॉफी लाये। स्वयं तैयार की। मैं चकित था। जो व्यक्ति मेरे सपनों में था वह इस प्रकार सुलभ हो सकेगा, कल्पना ही नहीं थी। कितना मन में सम्भ्रम था, संकोच था, परन्तु यह व्यक्ति तो एकदम सहज दिखा। लगा ही नहीं कि बीच में कोई परदा है। मेरा साहस इतना बढ़ा कि उठने के पहले मैंने कहाः 'क्यों न इला जी से भी मिल लूँ?' वे धीरे से उठे। एकाध मिनट में वापस आकर बैठ गये। कुछ क्षणों बाद इला जी एक पुस्तक उन्हें देने आयीं। उन्होंने परिचय कराया। फिर तो जब भी दिल्ली जाता, उनके निवास पर अवश्य ही जाना होता और अक्सर कभी-न-कभी वहाँ नाश्ता-भोजन आदि होता ही। पश्चिम निजामुद्दीन से वे सरदार पटेल मार्ग पर आ गये। यह क्रम अन्त तक बना रहा। इस बीच की न जाने कितनी स्मृतियाँ आज मन को कुरेद रही हैं।

अज्ञेय जी प्रयाग आये थे। मुझे पता नहीं था। मार्च का महीना था। गर्मी बढ़ने लगी थी। दोपहर का समय था। मेरा नया निवास उन्होंने देखा नहीं था। पुराने घर में तो वे एकाध बार आ चुके थे। घर में एक बड़ा-सा चित्र था, जिसमें अज्ञेय जी और महादेवी जी साथ बैठे हैं। मेरा छोटा बच्चा उत्पल छह-सात वर्ष का था। उसने अज्ञेय जी को उस चित्र में ही देखा था। घण्टी बजी। बच्चा दौड़ा-दौड़ा बाहर गया। वह आकर कहने लगाः 'बाहर अज्ञेय जी खड़े हैं।' मुझे सहसा विश्वास नहीं हुआ। बाहर निकल कर देखा। हाँ, वही खड़े थे – दोनों हाथ जोड़े हुए। मैं चकित था और अभिभूत भी। घण्टों वे बैठक में बैठे रहे। हल्के-हल्के स्वरों में उनका धीरे-धीरे बोलना नितान्त आत्मीय भाव मुझे अत्यन्त प्रिय लगा। पहले तो उन्होंने मेरी पुस्तक के सम्बन्ध में एक-दो बातें कहीं कि अमुक कविता का यह सन्दर्भ है। 'नदी के द्वीप' में संस्कृति का प्रतीक नदी है। भूखण्ड समाज का प्रतीक है और द्वीप व्यक्ति का। फिर उन्होंने बतलाया कि कैसे इलाहाबाद में एक साहित्यिक बहस तीन कवि मित्रों के बीच हुई और उसी रात 'नदी के द्वीप' कविता लिखी गयी। 'आपने दस वर्ष हमें और दिए' पंक्ति से शुरू होने वाली कविता के सम्बन्ध में बतलाया कि इसका सन्दर्भ भगवतीचरण वर्मा का एक वक्तव्य है जिसमें उन्होंने कहा था कि 'नयी कविता' दस वर्ष भी नहीं चलेगी। 'शक्ति का मत गर्व कर, तू उपशमन का कर', पंक्ति से शुरू होने वाली कविता के विषय में उन्होंने बतलाया कि यह कविता स्वयं को सम्बोधित है।

इसके पश्चात् मैंने अपने स्वर में पढ़ी गयी उनकी बीसियों कविताओं का टेप सुनाया। उनकी प्रतिक्रिया पूछने पर बोलेः 'चयन तो पूरी तौर पर उनकी रुचि की कसौटी पर खरा है। इस हद तक कि उन्हें चकित कर सकने वाला। परन्तु वाचन में जहाँ-तहाँ एकस्वरता है।'

उसी भेंट में उन्होंने कहा कि इलाहाबाद में तो एकदम सन्नाटा छा गया है। कोई

गति नहीं है। कोई क्रियाशीलता नहीं है। मैंने मन-ही-मन निश्चय किया कि एक मासिक गोष्ठी यहाँ चलाई जाए। उस गोष्ठी की पहली बैठक उनकी उसी प्रयाग यात्रा में मेरे घर पर हुई। गोष्ठी में अज्ञेय, नरेश मेहता, विजयदेव नारायण साही, लक्ष्मीकान्त वर्मा, विपिन कुमार अग्रवाल, जगदीश गुप्त, दूधनाथ सिंह, राजेन्द्र कुमार और केशवचन्द्र वर्मा ने अपनी-अपनी कविताएँ सुनाईं। उसके पश्चात् वह गोष्ठी नियमित प्रतिमास चलती रही। उसके क्रम में विपिन अग्रवाल, प्रो. टी. पति, विजयदेव नारायण साही, लक्ष्मीकान्त वर्मा, जगदीश गुप्त, केशव चन्द्र वर्मा, राजेन्द्र कुमार और नरेश मेहता ने अपनी-अपनी कविताएँ सुनाईं और उनकी कविताओं की विवेचना भी गोष्ठी में हुई। इन गोष्ठियों में उपर्युक्त कवियों के अतिरिक्त नियमित रूप से रघुवंश, रामस्वरूप चतुर्वेदी, सत्यप्रकाश मिश्र, रामकिशोर शर्मा आदि शामिल होते। यह चर्चा मैंने केवल इसलिए की कि अज्ञेय की प्रेरणा से एक बार पुनः प्रयाग में रचनात्मक सक्रियता का दौर आया था। साही जी की मृत्यु के पश्चात् यह गोष्ठी-क्रम भंग हो गया।

एक स्मृति कौंधती है। प्रेमचन्द को लेकर विश्वविद्यालय के हिन्दी विभाग की ओर से एक संगोष्ठी हिन्दुस्तानी एकेडमी में आयोजित थी। तीन दिनों की गोष्ठी थी। अज्ञेय उद्घाटनकर्त्ता थे और जैनेन्द्र समापनकर्त्ता। तीन दिनों में अनेक वक्ता शामिल होने वाले थे— नामवर सिंह, रमेश कुन्तल मेघ, डॉ. शिवकुमार मिश्र, अश्क, मार्कण्डेय आदि। विश्वविद्यालय के रघुवंश, रामस्वरूप चतुर्वेदी आदि थे हीः बड़ी गहमा-गहमी थी। एक दिन गोष्ठी की अध्यक्षता अज्ञेय जी ने की और प्रवर्तन व्याख्यान नामवर सिंह ने दिया। उस दिन बड़ी आवेशमय उत्कण्ठा श्रोताओं में थी। बीच में रमेश कुन्तल मेघ ने अपना व्याख्यान दिया। उन्हें मोटे तौर पर अज्ञेय के विरोधियों में माना जाता था। उन्होंने अपने व्याख्यान में कोशिश भी की कि अज्ञेय की दृष्टि की काट जहाँ-तहाँ प्रस्तुत हो सके। अध्यक्षीय भाषण में अज्ञेय ने कहा, "अध्यक्ष होने के नाते मुझे सबकी बातें ध्यान से सुननी थीं। जब मैं कुन्तल मेघ की बातें सुन रहा था तो मेरे मन में एक शरारत सूझी। मुझे लगा डॉ. मेघ के सिर से कुन्तल तो कभी-कभार नाई की कृपा से छँट भी जाते होंगे, परन्तु उनके चिन्तन पर जो मेघ छाया रहता है, कभी नहीं छँटता।" सारी सभा ठहाकों से गूँज गयी।

एक दूसरा प्रकरण याद आता है। विश्वविद्यालय के हिन्दी विभाग के हीरक जयन्ती समारोह के निमित्त जैनेन्द्र जी और अज्ञेय जी आये हुए थे। इलाहाबाद के पर्यटक-आवास में इन्हें ठहराया गया था। कमरे भी आसपास ही थे। मुझे विभाग की ओर से आतिथ्य का दायित्व सौंपा गया था। जैनेन्द्र जी का कमरा तीन नम्बर का था। उनके कमरे में वातानुकूल का यन्त्र कुछ गड़बड़ हो गया था। मैंने

प्रबन्धक से कहकर उन्हें कमरा 5 नम्बर का दिलवाया। यह कक्ष-परिवर्तन हो ही रहा था कि वात्स्यायन जी ने धीरे से मुझे बुलाया और बहुत ही धीमे हल्की मुस्कुराहट के साथ बोलेः "क्या तीन-पाँच कर रहे हैं जैनेन्द्र जी के साथ?" मुझे हँसी आ गयी। जैनेन्द्र जी ने पूछाः "क्या बात है?" मैं टाल गया।

वृन्दावन में सात दिनों का शिविर आयोजित था। विद्यानिवास जी आयोजन की व्यवस्था देख रहे थे। एक कुशल व्यवस्थापक की सारी शर्तों का निर्वाह वे सफलतापूर्वक कर रहे थे। परन्तु उस सबमें उन्हें विचार-विमर्श में भागीदारी का अवसर नहीं मिल पाया। अज्ञेय जी के जेहन से भी यह बात उतर गयी थी। सातवें दिन प्रातःकाल शिविर समाप्त हो जाने वाला था। ऐसी घोषणा भी हो चुकी थी। बहुत लोग बिस्तर-बोरिया बाँध चुके थे। अचानक अज्ञेय जी ने कहा कि शिविर का कार्यक्रम शाम को भी होगा। मैंने उनसे अलग हटकर पूछा, "यह आकस्मिक परिवर्तन क्यों?" उन्होंने धीरे-से कहा, बड़ी भूल हो गयी है। पूरे शिविर में पण्डित जी ने तो कोई भागीदारी की ही नहीं, सिवाय व्यवस्था सँभालने के। शाम को उनसे शिविर का समापन कराएँगे। आप रहिएगा। वैसा ही हुआ। शाम को शिविर का समापन पं. विद्यानिवास मिश्र जी ने किया और 'समाज' शब्द के स्थान पर लोक शब्द की प्रतिष्ठा करते हुए पूरे शिविर के चिन्तन को एक नया आयाम दिया। शिविर का विषय था 'साहित्य का समाज-परिवर्तन पर प्रभाव।'

अब कुछ स्मृतियाँ नितान्त निजी उभरती हैं, जिनमें मैं और अज्ञेय जी हैं। दूसरे उनमें नहीं हैं। मन भारी हो उठता है उन यादों की घाटी में उतरते हुए। जब भी प्रयाग आते थे, ठहरते तो प्रायः बऊदि के यहाँ ही थे। वहाँ जाने में मुझे अधिक संकोच इसलिए नहीं होता कि बऊदि के पुत्र मानस मुकुल दास मेरे ही विश्वविद्यालय में अंग्रेजी के प्राध्यापक थे और मेरे आत्मीय मित्र। फिर बऊदि के घर से अज्ञेय जी प्रायः जहाँ भी जाते मेरे स्कूटर की पिछली सीट को ही सुशोभित करते हुए। मुझे बेहद संकोच होता। अज्ञेय का व्यक्तित्व स्कूटर की पिछली सीट पर बैठने वाला नहीं रह गया था – किसी भी दृष्टि से। शरीर से भी वे हट्टे-कट्टे भारी डील-डौल वाले थे। व्यक्तित्व भी उनका इतनी गरिमा और गौरव वाला था कि उन्हें स्कूटर पर बैठाना उनके साथ सर्वथा अन्याय था। अभद्रता भी थी। परन्तु वे तो बजिद हो जाते। अक्सर कहतेः 'आप भी क्या व्यर्थ की बातें सोचते हैं? इतने उन्मुक्त भाव से हम लोग घूमते हैं, बीच में तीसरा कोई भी नहीं है। इतनी मुक्ति और निर्बाधता क्या किसी ड्राइवर की उपस्थिति में सम्भव है?' मैं चुप हो जाता। अनेक बार वे मेरे स्कूटर से महादेवी जी के यहाँ, रामस्वरूप जी के यहाँ, जगदीश जी के यहाँ और कॉफी हाउस भी गये होंगे। हर बार मुझे संकोच होता। मेरी हैसियत उन्हें कार में घुमाने की नहीं

थी। परन्तु वे तो इतने उत्फुल्ल भाव से, इतने हल्के मन से मेरे स्कूटर पर बैठते जैसे इससे सुखद कोई और चीज हो ही नहीं सकती। यदि कभी मैं बहुत व्यस्त होता तो उनके लिए अपने एक पड़ोसी ऑटोरिक्शा को भेज देता। ऑटोरिक्शा के ड्राइवर कपूर भी अज्ञेय जी के मुरीद हो चुके थे।

उनकी जीवनी लिखने का फैसला किया, अज्ञेय का अत्यन्त अन्तरंग पक्ष देखने को मिला। जीवनी लिखने का संकल्प जब मेरे मन में उभर रहा था, मैं सपने में नहीं सोचता था कि अज्ञेय इस कदर अपना सब कुछ मेरे सामने उँड़ेल देंगे। मैं तो उनके साहित्य में, उनके निकटवर्ती सूत्रों में, बुरी तरह उलझा हुआ था। कहाँ-कहाँ से किस-किस तरह से लोगों से बातचीत करके तथ्यों को और संवेदना के सूत्रों को पिरो रहा था। इसी बीच सन् 1982 में मैंने साहस करके उनसे कहाः "बिना आपके सक्रिय सहयोग के आपकी जीवनी तो पूरी नहीं हो सकती।" उन्होंने अत्यन्त शिशुवत् ऋजुता से कहाः "आपके साथ मैं बातचीत के लिए तैयार हूँ।" कार्यक्रम बन गया। फिर तो वह सिलसिला शुरू हुआ जो मेरे लिए जितना आश्चर्यमय था उतना ही आह्लादकारी। उन्होंने कहाः "आप किस रूप में बातचीत करना चाहते हैं? प्रश्न और उनके उत्तर के रूप में या कोई और पद्धति है आपकी दृष्टि में?" मैं सोचने लगाः प्रश्न भी मैं कितने कर पाऊँगा। कहाँ से उन सूत्रों को पा सकूँगा, जिनसे प्रश्न बन सकते हों? एक सीमा तक तो यह सम्भव हो सकता है, परन्तु बहुत कुछ तो उन्हीं की स्मृतियों में डूबा है। मैंने कहाः "क्या यह सम्भव नहीं है कि आप एक तरह से बचपन से लेकर आज तक की अपने जीवन की उस प्रत्येक घटना को, प्रेरणा को याद करते हुए बयान करते जाएँ जो आपकी स्मृति में उभरकर आती हैं और जो कहीं से जीवन की दिशा और संकल्प के निर्माण में महत्त्वपूर्ण रही हों?"

मैं जानता था यह बहुत बड़ी माँग थी। मुझे विश्वास कभी नहीं था कि वे इतनी बड़ी माँग के सामने पूरी सहमति के साथ अनुकूल हो जाएँगे। न जाने कैसे मैंने यह प्रस्ताव किया। अब तो सोचकर भी आश्चर्य होता है। अज्ञेय जी ने कहाः 'और आपके प्रश्न?' मैंने कहाः 'बीच-बीच में जहाँ लगेगा कि पूछना है कुछ, मैं आपको रोककर पूछ लूँगा।' उन्होंने कहाः 'ठीक है।' दूसरे दिन से हम लोग बैठने लगे। प्रातः नौ बजे मैं पहुँचता। चाय पीने के पश्चात् हम लोग बैठते, डेढ़ बजे तक लगातार वे स्मृतियों में खोए रहते। धीरे-धीरे घटनाएँ उभरतीं। जैसे पारिजात के पुष्प निःशब्द धरती पर पड़ते जाते हैं, उनके शब्द धीरे-धीरे झरते जाते थे। वे पूरी तौर पर अतीत में खो जाते। उस अवस्था में उन्हें देखना, उनके सान्निध्य में बैठना, उन्हें सुनना अपने आप में एक अनुभव होता। मेरे पास टेप नहीं था।

उनकी बातों को मुझे पूरी त्वरा से लिखते जाना भी था, जो पूरी तौर पर सम्भव नहीं होता। अनेक बार घर आकर स्मृति के सहारे मैं उनकी बातों को दुबारा लिखता। डेढ़ बजे हम लोग साथ ही दिन का भोजन करते। दो से तीन बजे तक वे विश्राम करते। फिर पुनः हम लोग बैठते। पांच बजे चाय के लिए उठते। चाय के पश्चात् मैं अपने निवास साउथ एवेन्यू चला आता। पूरे सप्ताह भर यही क्रम चला।

एक दिन बड़ी रोचक घटना घटी। अज्ञेय जी ने प्रस्ताव किया कि वे मुझे अपनी गाड़ी से छोड़ देंगे। उस दिन मैं अपने सांसद मित्र लाडली मोहन निगम के निवास वेस्टर्न कोर्ट तक जाने वाला था। अज्ञेय जी जब वेस्टर्न कोर्ट के फाटक पर पहुँचे तो मैंने उन्हें गाड़ी रोकने को कहा। उन्होंने गाड़ी रोकी और मुझे इशारा किया कि अभी गाड़ी में ही रहूँ। मैं कुछ समझ नहीं सका। अज्ञेय जी उतर कर दूसरी ओर आये। मेरा फाटक खोला और हाथ फैला कर बोले, "हाँ, अब आप उतरें।" मैंने हँसकर कहा, "क्या कर रहे हैं आप?" उन्होंने कहा, "यह तो ड्राइवर का कर्त्तव्य है।" ऐसी रोचक घटनायें और भी हैं, जिनकी चर्चा नहीं कर रहा।

उन दिनों की बातचीत में बीच में उनसे कुछ पूछना समाधि-भंग करने जैसा अपराध लगता। परन्तु पूछने की स्थितियाँ तो आतीं ही। फिर जैसे वे अचकचा जाते। पुनः मेरे प्रश्नों का पूरी ईमानदारी से जवाब देते। कहूँ कि कई बार मैंने असुविधाजनक प्रश्न भी पूछे। ऐसे प्रश्न भी जिनका उत्तर वे टाल जाना चाह सकते थे। परन्तु हर बार उन्होंने अनाविल भाव से उत्तर दिया। बिना झिझक अनाविष्ट रहते हुए उत्तर दिया। हाँ, उन्होंने जरूर मुझसे कहा कि वे हर प्रश्न का उत्तर देंगे, परन्तु सब कुछ छपने के लिए नहीं होगा। यह मेरे विवेक पर निर्भर करेगा कि मैं उसमें से कितना छपने योग्य समझूँ। यह उनके द्वारा विवेक की अपेक्षा मेरे लिए बड़े ही संकोच का प्रश्न बन गयी। हमारी बातचीत के अनेक मार्मिक प्रसंग अप्रकाशित ही रह गये। जिन प्रसंगों के छपने से मानवीय सम्बन्धों में एक नयी कड़वाहट की सम्भावना दिखी, वहाँ मैंने उन्हें अप्रकाशित ही रहने दिया। पुस्तक छपने पर या उसकी प्रक्रिया में मैंने देखा मेरे विवेक पर उनका भरोसा स्खलित नहीं हुआ। मैंने एक जीवनीकार के रूप में बड़े लोभ का संवरण किया, किन्तु उसने मुझे अज्ञेय के निकट और अधिक मूल्यवान बना दिया। मैंने देखा उनके मन में मेरे प्रति और भी गहरी आत्मीयता और सम्मान का भाव बन गया था।

इस दृष्टि से एक प्रसंग याद आता है। 7 मार्च, 1986 को अज्ञेय जी का जन्मदिन 'इंडिया इंटरनेशनल' में मनाया जा रहा था। संगोष्ठी कक्ष में प्रत्येक व्यक्ति की कुर्सी के सामने उसका नाम लिखा था। मेरे पास वाली कुर्सी के सामने प्रभाष जोशी जी का नाम लिखा था। वे वहाँ अभी नहीं आये थे। अज्ञेय जी आये। मेरे नमस्कार करते ही वहीं प्रभाष जोशी जी वाली कुर्सी पर बैठ गये। कुछ बातें

करने लगे। इला जी ने देखा कि अज्ञेय जी अपनी निश्चित जगह से अलग मेरे पास बैठे हैं। उन्होंने अज्ञेय जी की ओर शिकायत और उलाहने की दृष्टि से देखा। फिर वे जैसे क्षमा-याचना वाली नजरों से मुझे देखते हुए अपनी सुनिर्धारित जगह पर गये। उनकी शालीनता का यह एक उदाहरण था।

एक स्मृति और अत्यन्त मार्मिक है। भोपाल में नरेश जी का सारस्वत सम्मान होने वाला था। आयोजकों ने नरेश जी के समीक्षक के रूप में मुझे, आमन्त्रित किया था। सम्मान अज्ञेय जी के हाथों सम्पन्न होना था। अज्ञेय जी, नरेश जी और मैं एक ही अतिथि-गृह में ठहराए गये थे। मैं सुबह टहलने का आदी हूँ। जनवरी का महीना था। मैं घूमकर आया तो अज्ञेय जी बरामदे में अखबार पढ़ रहे थे। मुझसे पूछाः 'घूमकर आ रहे हैं?'

मेरे 'हाँ' कहने पर बोलेः 'मुझे भी साथ ले गये होते।' मैंने कहाः 'आप कमरे में थे। मैंने सोचा प्रातःकालीन क्रियाओं में व्यस्त हैं।'

उन्होंने कहाः 'नहीं, मैं तो पूरी रात जगा था। ओढ़ने को कुछ था नहीं। नरेश जी के तुफैल में जो एक शाल मिली थी, वही ओढ़कर रात काटी।' (आयोजकों ने नरेश जी को एक शाल भेंट की थी, साथ ही अज्ञेय जी को भी।) मैं तो सन्न रह गया। अतिथि-गृह वालों ने अज्ञेय जी के बिस्तर पर कम्बल नहीं रखा था। उन्होंने सोचा था कि जरूरत होने पर मँगा लेंगे। जरूरत तो थी, परन्तु अज्ञेय जी ने कम्बल मँगाने की जगह पर रात भर ठण्ड खाना ही उचित समझा। बाद में कैलाशचन्द्र पन्त, सम्पादक *जनधर्म* एवं प्रभाकर श्रोत्रिय हाथ मलते रह गये। नरेश जी भी बहुत दुखी हुए। हम लोगों के पास दुहरे कम्बल थे। परन्तु पता चलता तब न!

22

मौन का शिल्प

॥ इला डालमिया

अब घर की मरम्मत का काम पूरा हो गया है, कैवेंटर्स ईस्ट के घर में आना भी हो गया है। वत्सल – सच्चिदानन्द हीरानन्द वात्स्यायन 'अज्ञेय' – ने पूर्व की तरफ के कमरे को अपना अध्ययन कक्ष बना लिया है। कमरे में रोशनी भी काफी है। कमरा दो कमरों के बाद है, तो उसमें एकान्त भी काफी है। सुरक्षा की दृष्टि से खिड़कियों-दरवाजों पर लोहे के सींखचे लगे हैं। इन सींखचों का रंग काला है। पर कोई बात है जो वत्सल को ठीक नहीं लग रही। समझते-समझते मेरी समझ में तब आया, जब वत्सल सफेद रंग के कई डिब्बे लाये। खिड़कियों को, सींखचों को, सभी को सफेद रंग कर दिया। क्या इन काले सींखचों से उनको जेल की याद आती होगी? क्रान्तिकारी दिनों की परिणति, जेल। फाँसी की सजा पाने के लिए बन्द उन्नीस साल के नौजवान को कैसा लगता होगा? पर ऐसे नहीं, बात शुरू से ही। उनकी संक्षिप्त जीवनी ऐसे है।

जन्म कुशीनगर में, 1911। पहले बारह वर्ष की शिक्षा पिता डॉ. हीरानन्द शास्त्री की देखरेख में घर पर ही हुई। शिक्षा में संस्कृत, फारसी, उर्दू, हिन्दी, अंग्रेजी सब शामिल। 1921 में बीएस.सी./ एम.ए. के अन्तिम वर्ष में दिल्ली षड्यन्त्र केस तथा अन्य अभियोगों में गिरफ्तारी, 1930 से 34 तक लाहौर, अमृतसर, दिल्ली जेल में, अनन्तर एक वर्ष घर की नजरबन्दी में रहना। फिर *सैनिक, विशाल भारत* पत्रिकाओं का सम्पादन। ऑल इंडिया रेडियो में सलाहकार। 1943-46 में सेना में भरती होकर असम-बर्मा तथा पंजाब पश्चिमोत्तर प्रदेश में सेवा। सन् 46 में *तार सप्तक, प्रतीक* का सम्पादन। *वाक्, दिनमान, नवभारत टाइम्स, एवरीमेन्स* पत्र-पत्रिकाओं के सम्पादन में पत्रकारिता में नये प्रतिमानों की सृष्टि।

देश-विदेश की अनेक यात्राएँ, जिनमें भारतीय सभ्यता की सूक्ष्म पहचान और पकड़। विदेश में (उल्लेखनीय है अमेरिका में बर्कले तथा जर्मनी में हाईडेलबर्ग) भारतीय साहित्य और संस्कृति का अध्यापन। कई राष्ट्रीय और अन्तरराष्ट्रीय सम्मानों से सम्मानित, जिनमें भारतीय ज्ञानपीठ पुरस्कार 1979, युगोस्लाविया का

अन्तरराष्ट्रीय कविता सम्मान 'गोल्डन रीथ' सन् 83 भी शामिल। सन् 80 में वत्सल निधि के संस्थापन और संचालन के माध्यम से साहित्य और संस्कृति के बोध और निर्माण में कई नये प्रयोग। सन् 1987 में देहावसान।

अब तक अठारह काव्य संग्रह, एक गीति नाटक, तीन उपन्यास, छह कहानी संग्रह, दो यात्रा संस्मरण, सात निबन्ध संग्रह और अनेक अन्य कृतियाँ प्रकाशित। देशी-विदेशी भाषाओं में रचनाओं के अनुवाद।

सात मार्च 1911। पिता डॉ. हीरानन्द शास्त्री कुशीनगर में उत्खनन करके घर आये। उनके हाथ में खुदाई में मिली भगवान बुद्ध के अवशेषों की मंजूषा थी। घर आने पर उनको पता चला कि उन्हें पुत्र रत्न की प्राप्ति हुई। शिशु सच्चिदानन्द, सच्चा।

उसी भू-भाग में पंचन लामा थे। वे समाचार सुनकर पिता जी से मिलने आये। पिता जी के हाथ से मंजूषा 'देखें-देखें' कर खींच ली। खोलकर अपनी हथेली पर उलट ली। पारे जैसी कोई चीज उनकी हथेली पर आयी, उसे उन्होंने तुरन्त फाँक लिया। उन्होंने दीर्घ कर्णवाले इस नवजात शिशु को कई बौद्ध-धर्म चिह्नों के उपहार दिए, जिसमें टँख, घूमती हुई प्रार्थना की घण्टी आदि थे। बुद्ध-मंजूषा की प्राप्ति की बात को याद रखते हुए माता-पिता ने वत्सल को शाकाहारी बनाया। उसके बाद वे अपने आप उन्नीसं वर्ष की आयु तक शाकाहारी ही रहे।

पिता डॉ. हीरानन्द शास्त्री प्रसिद्ध भारतीय इतिहास, पुरालेख तथा पुरातत्ववेत्ता थे। उनका तबादला उत्खनन के लिए कभी कहीं, कभी कहीं हो जाता था। इन भग्नावशेषों, जंगलों, पहाड़ों, नदियों के बीच वत्सल का बचपन बीता।

लखनऊ में छुटपन के दिन। दोनों बड़े भाई पण्डित जी के साथ अष्टाध्यायी पढ़ते थे। वत्सल इतने ही लम्बे थे कि खड़े होने पर सिर मेज पर टिक जाता था। वहीं खड़े पाठ सुनते रहते थे। पिता जी पास से गुजरे। उन्होंने दोनों बड़े भाइयों को कण्ठस्थ पाठ सुनाने को कहा। वे लोग कुछ सुना पाये, कुछ नहीं। बच्चे वत्सल ने पूछा, 'हम सुनाएँ?' और स्वीकार मिलने पर तब तक का पाठ पूरा सुना दिया। इसका परिणाम यह हुआ कि अगले दिन से उनको भी सीखने के लिए बैठना पड़ा।

बी.एससी. की परीक्षा के दिनों में वत्सल को टायफाइड हो गया था। कमजोरी थी। पर प्रोफेसर लोगों की राय पर वे परीक्षा देने को तैयार हुए। उसी बीमार हालत में वत्सल को इनके एक मित्र पीठ पर लगभग लादकर परीक्षा देने ले जाते थे। वहाँ वत्सल बोलते जाते थे, उसको लिखता कोई और जाता था। तो जो मित्र

परीक्षा भवन तक ले जाता था, उसने अन्य कारणों से स्वयं परीक्षा नहीं दी थी। वह दोस्त खेलकूद में अच्छा था, वह उसी खेलकूद के बल पर पुलिस में भरती हो गया।

क्रान्तिकारी दिनों की बात है, वत्सल को पुलिस ढूँढ़ रही थी। वत्सल ट्रेन से उतरकर प्लेटफॉर्म पर आये थे कि यही मित्र जो अब पुलिस का दरोगा था, उसने वत्सल को उतरते देख लिया। जल्दी से बोला, 'मैंने तुमको देखा कहाँ है' और दूसरी तरफ निकल गया। वत्सल के लिए इतना काफी था, वे तेजी से स्टेशन से बाहर आये। स्टेशन की बिल्डिंग के बाहर पहुँचे ही थे कि अन्दर पुलिस की सीटियाँ बजने लगीं।

लाहौर में वत्सल अपनी पढ़ाई के साथ-साथ क्रान्तिकारी दल में पूर्णतया शामिल हो गये थे। भगतसिंह को छुड़ाने की पूरी योजना बनी थी। उन्हीं दिनों भगवतीचरण वोहरा एक दुर्घटना में शहीद हो गये, तो भगतसिंह को छुड़ाने के कार्यक्रम को स्थगित करना पड़ा।

यशपाल वात्स्यायन के क्रान्तिकारी दल में थे। उनको छिपाकर रखने का जिम्मा वत्सल पर था। वत्सल ने अपने पिता के परिचय के आधार पर डलहौजी के पास खजियार की झील पर एक डाक बंगले में यशपाल को रखा। वत्सल बताते थे कि वहाँ हरियाली इतनी थी कि मन तृप्त हो जाए। वह हरियाली और देवदार के पेड़ों से घिरी हुई झील इतनी सुनसान थी कि उसमें भालू, रीछ रात को तैरा करते थे।

उन लोगों को कुछ ऐसा लगने लगा कि उस जगह पर इन लोगों के होने का सन्देह हो गया है। जगह घिर गयी है। वत्सल और यशपाल वहाँ से चल दिए। दूसरी जगह पहुँचकर यशपाल ने कहा कि उनका रिवाल्वर पीछे छूट गया है। वत्सल उसको लेने उलटे पाँव लौट गये। रिवाल्वर तो बिस्तर में मिल गया। पर उस निर्जन पहाड़ी जगह से, जो कि तीन तरफ पानी से घिरी हुई थी, जाने का रास्ता सिर्फ एक पुल था। अँधेरा होने लगा था, पुल पर पहुँचने तक रात हो गयी। पुल बन्द कर दिया गया था।

वत्सल ने तय किया कि पुल के नीचे लगी हुई रस्सी को पकड़-पकड़कर वे पुल पार कर जाएँगे। धीरे-धीरे, सरकते-सरकते पुल तो पार हो चला था, वे करीब-करीब दूसरी ओर पहुँच गये थे कि पीछे से डाक बंगले की ओर से टार्च की लाइट चमकी। अन्दाज से वत्सल ने छलाँग लगाई, निशाना घास पर गिरना था, पर अँधेरा था, ठीक से दिखा नहीं। वे चट्टान पर गिरे। एक पाँव के घुटने का टोप उतर गया। आठ मील दूर यशपाल तक वे उसी हालत में चलकर पहुँचे। यशपाल को बताया कि उनको चोट लगी है, पर कितनी घातक है, इसका यशपाल को शायद अन्दाज नहीं लगा। वहाँ से उसी समय यशपाल ने उनको कोई चिट्ठी लाने

सोलह मील दूर डाकखाने में भेज दिया। संकल्प के बल पर लँगड़ाते हुए वत्सल चिट्ठी तो ले आये, फिर आकर बेहोश हो गये। उस टूटे हुए घुटने का दर्द उन्हें मौके-बेमौके जिन्दगी भर तंग करता रहा।

दिल्ली में झण्डेवालान में 'हिमालयन टायलेट्स' की एक फैक्टरी स्थापित की गयी, जिसमें ऊपरी तौर से तो साबुन, तिरंगा तेल बनाया जाता था। पर वैसे बम और अन्य विस्फोटक सामग्री तैयार की जाती थी। यहाँ पर वत्सल को 'साइंटिस्ट' नाम से पुकारा जाता था। बाद में यह फैक्टरी अमृतसर चली गयी। बम का कारखाना पूरी गरमी भर चला। यशपाल पर दलवालों को सन्देह हो गया था, अतः बम की फैक्टरी तोड़ दी गयी। धन्वन्तरि नाम के दल के सदस्य को विस्फोटक सामग्री सौंपकर और यशपाल को भी उन्हीं के सुपुर्द करके वत्सल चन्द्रशेखर आजाद के पास चले गये थे। चन्द्रशेखर आजाद के प्रति वत्सल के मन में गहरा सम्मान था। आजाद के चरित्र, उनकी नेतृत्व-क्षमता और अपने साथियों पर भरोसा दिलाने की शक्ति से वत्सल प्रभावित थे।

अमृतसर में दुर्ग्याना मन्दिर में वत्सल कश्मीरी पण्डित के रूप में रहने लगे थे। लम्बा, ढीला कश्मीरी फिरन, तीखा नाक-नक्शा। खूब सुन्दर पण्डित लगते होंगे। यहाँ सबके सामने तो वे मेवे के व्यापारी थे, पर वैसे संगठन का काम करते थे। उन्हें क्रान्तिकारी दल की ओर से रोज छह पैसे खर्च के लिए मिलते थे। एक बार का भोजन तो मन्दिर के प्रसाद से चल जाता, दूसरी बार के लिए चार पैसे में काम निकालते। वत्सल ने बताया कि उन्होंने पाया कि वे फलों की दुकान के आगे खड़े हो जाते हैं। फल देखते रहते हैं। जब उनकी समझ में आया कि उनके अन्दर फल खाने की लालसा है, तो उन्होंने फल की दुकान के पास जाना तो दूर, उस तरफ देखना भी छोड़ दिया।

बाद में उन्हें दुर्ग्याना से हट जाना पड़ा। तब वत्सल जलियाँवाले बाग के पास एक मुसलमान पेंटर के वेश में रहने लगे। यहाँ उनका नाम था मुहम्मद बख्श। मुहम्मद बख्श के दाढ़ी थी, वे पेंटर की दुकान चलाते थे। उन दिनों यशपाल की गिरफ्तारी पर 2500 रुपये का और वत्सल पर 500 रुपये का इनाम सरकार ने घोषित किया था।

वत्सल शहर के कोने में एक बड़ी जगह पर रहने लगे। पुलिस को खबर मिली कि वहीं यशपाल रहते हैं। एक रात बगल के घर की छत पर से वत्सल और उनके अन्य साथी केवल कृष्ण और देवराज को गिरफ्तार कर लिया गया। उनके पास से सात-आठ रिवाल्वर निकले, कारतूस निकले। गिरफ्तारी रात गये हुई।

गिरफ्तारी की सूचना पाकर पंजाब इंटेलिजेंस ब्यूरो के मुखिया जेनकिंस वहीं पर दौड़े चले आये। वत्सल को तब तक हथकड़ी नहीं लगी थी। वत्सल से

सवाल-जवाब किए जा रहे थे। वे चुप थे। उनकी चुप्पी से क्रुद्ध होकर जेनकिंस ने उनके मुँह के करीब ले जाकर उनकी आँख पर टार्च की तेज रोशनी फेंकी। आँख पर अचानक इतनी चौंध पड़ने पर वत्सल ने तेज हाथ से टार्च झटक दिया। टार्च जमीन पर गिर गयी। पूछताछ एकदम बन्द हो गयी। जेनकिंस ने पीठ फेर ली और नदी के किनारे चले गये। वहाँ जेनकिंस उस अँधेरी रात में बहते पानी को देखते रहे।

जब वत्सल को जेल से छुट्टी मिली तो उनकी क्रान्तिकारी गतिविधियों की चर्चा इतनी फैल गयी थी कि कॉलेजवालों ने कॉलेज में दाखिला देने से इनकार कर दिया। पर जेल से छूटने पर उनको ऑल इंडिया रेडियो का एक पत्र मिला। वहाँ से काम का आमन्त्रण था। पंजाब के इंटेलिजेंस ब्यूरो के मुखिया जेनकिंस की सिफारिश पर ऑल इंडिया ने यह कदम उठाया था। जेनकिंस के मन में इस साहसी युवक की सचाई के चरित्र की छाप पड़ चुकी थी। वत्सल ने मुझसे कहा कि यही व्यक्ति, जेनकिंस हिन्दुस्तानी होता तो क्या होता?

कुछ बरस बाद जब वत्सल भारतीय सेना में भर्ती होना चाह रहे थे, तो इन्हीं जेनकिंस ने वात्स्यायन के बारे में कहा था कि यह युवक चरित्रवान है, विश्वसनीय है। पर साथ में यह भी पूछा था कि क्या अंग्रेज सरकार की हालत इतनी बिगड़ गयी है कि उसे अपने विद्रोहियों के सहयोग की जरूरत पड़ रही है। जेनकिंस ने यह बात वत्सल को भी बतला दी थी। इसी बात के आधार पर उस समय भारतीय सेना में वत्सल को स्थान नहीं मिला था।

जब जापानी सेना इम्फाल के बॉर्डर से भारत में आने का प्रयत्न कर रही थी, उस समय अंग्रेज सरकार को ऐसे लोगों की जरूरत थी जिनका भारतीय आदमी सहज ही भरोसा कर सके। तब वत्सल को सेना में सम्मिलित होने का निमन्त्रण मिला। इस बार वत्सल ने पूछा कि यहाँ ब्रिटिश सरकार की हालत इतनी खस्ता हो गयी है कि अपने विरोधियों को लेने पर मजबूर है? सैनिक अधिकारी इस सवाल पर चौंके थे। वत्सल ने जब बताया कि यह बात स्वयं जेनकिंस ने उन्हें बताई है, तभी वे लोग सहज हो पाये थे।

जेल में वत्सल को 'हाथी भाई' कहा जाता था। जो और क्रान्तिकारी जेल में साथ थे, उनके भी इसी तरह से अलग-अलग नाम थे। एक बार जेल में अखबार लाने की मनाही हो गयी। तब क्या था, रोज तलाशी होती, रोज किसी-न-किसी स्वाधीनता आन्दोलन-कैदी के पास अखबार जरूर मिल जाता था।

इन लोगों ने जेल में एक बार कबूतरों के बच्चों को घुंघरू पहना दिए। घुंघरू की रुन-झुन से जेल का अनुशासन भंग, जेल में घुंघरू उड़-उड़कर बजने लगे। जो

एक यातनामय क्रूर स्थिति जेल में थी, उसमें इस चंचल विनोदशील पक्ष के आ जाने से उस स्थिति को झेलना सम्भव होता होगा। वत्सल ने बताया कि दिल्ली जेल में बहुत दिन तक उन्हें कपट से खाने के साथ पारा खिलाया गया। इसके कारण उनको बहुत कष्ट हुआ। उनके चिन्ताजनक स्वास्थ्य के कारण उन्हें मुल्तान जेल भेजा गया। वहीं पर पता चला कि उनको कई हफ्तों से पारे के रूप में जहर दिया जा रहा था। मुल्तान जेल में काफी उपचार के बाद उनकी स्थिति सुधरी।

वत्सल ने पाया कि कई क्रान्तिकारी साथियों में वह निष्ठा और चरित्र नहीं है जो एक व्यक्ति में होनी चाहिए। यह उनके विषाद का कारण बना। इससे उन्होंने जेल में इन सबसे अलग रहना चाहा। यह केवल काल-कोठरी में सम्भव था। अतः उसमें रहना चुना। दिल्ली जेल में वत्सल को काल-कोठरी में रखा गया। यहाँ पर एक कोठरी में एक व्यक्ति को रखा जाता था। आसपास की ऐसी अन्य कोठरियों में अन्य-अन्य सजाओं के लिए कैदी थे जो सब सजा-ए-मौत का सामना कर रहे थे। रात भर कोठरी में बल्ब जलता था। अन्दर कैदी जंजीरों में होते थे। रात को कभी किसी कोठरी से, कभी किसी कोठरी से सींखचों को जोर से पकड़कर जंजीरों की, सींखचों की खड़खड़ाने की आवाज आती रहती थी।

दिल्ली जेल में वत्सल और जैनेन्द्र जी का कुछ महीने साथ रहना हुआ।
जैनेन्द्र जी जेल से छूटे तो वत्सल ने उन्हें अपनी कुछ कहानियाँ साथ ले जाने को दे दीं। जैनेन्द्र ने वत्सल की एक कहानी 'अमरवल्लरी' प्रेमचन्द जी के पास छपने को भेजी। साथ में लिखा कि कहानी के लेखक का नाम बताना सम्भव नहीं है। लेखक 'अज्ञेय' है। प्रेमचन्द ने लेखक का नाम 'अज्ञेय' लिखकर ही कहानी छाप दी। इस तरह से वात्स्यायन का नाम 'अज्ञेय' पड़ा।

संगठन में काम करते हुए हर सदस्य को अपने व्यक्तित्व के अनुकूल अलग-अलग रोल में रखा जाता था। यशपाल साहसी थे, लेकिन यशपाल अपने को अपने अन्य साथियों से ऊँचा मानते थे। उनसे वैसा ही व्यवहार करते थे। यशपाल में गुप्त संगठन चलाने की क्षमता तो काफी थी, किन्तु क्योंकि अपने साथियों से व्यवहार अच्छा नहीं था, इसका फल सारे दल को भुगतना पड़ा।

अपने दल के साथी गिरिवर सिंह की बात करते हुए वत्सल ने बताया कि वे जाति के राजपूत थे, पर व्यक्तित्व के अनुरूप उन्हें नौकर के रोल में रखा जाता था। वह वास्तव में तो दल के साथी थे, अतः सब सदस्य उससे बराबर का बरताव करते थे, पर यशपाल उसके साथ नौकरों जैसा बर्ताव करते थे। इससे गिरिवर को क्लेश होता था। गिरिवर सरकारी गवाह बने। उन्होंने अदालत में भी वत्सल को पहचानने से इनकार कर दिया। वत्सल जिस रूप-रंग, डील-डौल के थे, उन्हें नहीं पहचान पाना सम्भव ही नहीं था। पर गिरिवर वत्सल को पहचानना नहीं चाहते

थे। मजिस्ट्रेट ने वत्सल के कन्धे पर हाथ रखकर गिरिवर से जबरदस्ती वत्सल को पहचनवाया।

अदालत में वत्सल ने गिरिवर सिंह से पूछा, 'तुम अपने को पृथ्वीराज चौहान का वंशज मानते हो, पर तुम्हारा काम किस तरह का है?' गिरिवर अदालत में ही रो पड़े, उन्होंने कहा, 'मुझे मृत्युदण्ड मिलना चाहिए, मैं विश्वासघाती हूँ।' साथ में उन्होंने यह भी बताया कि उन्हें नीच जाति का व्यवहार मिलता था, इससे उनका मन खराब हो गया था।

जिस मजिस्ट्रेट ने वत्सल को गिरिवर सिंह से जबरदस्ती पहचनवाया था, वत्सल ने उस मजिस्ट्रेट की उँगलियाँ मरोड़ दी थीं। इस मजिस्ट्रेट ने कई तरह से वत्सल से बदला लिया। जेल में किसी-न-किसी तरह वत्सल पर अत्याचार किए। उनको जेल से एम.ए. के दूसरे वर्ष की परीक्षा नहीं देने दी।

उन दिनों तीन षड्यन्त्र केस चल रहे थेः एक लाहौर षड्यन्त्र केस, जिसमें भगतसिंह, राजगुरु और सुखदेव को फाँसी हुई। दूसरा कानपुर षड्यन्त्र केस, जो एम.एन. राय के खिलाफ था। तीसरा, दिल्ली षड्यन्त्र केस, जिसमें वात्स्यायन थे।

दिसम्बर 1929 में पुराने किले से कुछ क्रान्तिकारी युवकों ने इरविन की ट्रेन को उड़ा देने की कोशिश की। यह कोशिश बहुत निपुणता से की गयी, पर इरविन बच गये। इस सिलसिले में चौदह युवकों पर केस चला। अभियोग था विस्फोटक बम बनाना, लूट-पाट करना और हत्या करना।

अप्रैल 1931 में केस कोर्ट में आया। अभियुक्तों की ओर से आसिफ अली थे, दूसरी तरफ जफरुल्लाखां थे। जैसे ही जफरुल्ला ने केस शुरू किया, वत्सल ने कहा कि उन लोगों के सह-अभियुक्त विश्वम्भरनाथ की स्मृति में उनको तारीख मिलनी चाहिए। कोर्ट कार्रवाई स्थगित होनी चाहिए। कोर्ट ने जब ऐसी कोई आवश्यकता नहीं देखी तो अभियुक्त दल ने यह मांनने से इनकार कर दिया। उन लोगों ने दीवार की ओर अपना मुँह कर लिया और गाते रहे। तब तक गाते रहे, जब तक कि कोर्ट उठ नहीं गया।

आसिफ अली के रवैये से अभियुक्त असन्तुष्ट थे। उन्होंने आसिफ अली को वकील रखने से इनकार कर दिया। नेहरू ने मध्यस्थता की तो कुछ ने किचलू को वकील बना लिया। कुछ अभियुक्तों ने अपनी पैरवी खुद करने का फैसला किया। वात्स्यायन, विमल जैन, विद्याभूषण, वैशम्पायन अपनी पैरवी स्वयं करना चाहते थे।

एक अभियुक्त विद्याभूषण ने कोर्ट से प्रार्थना की कि मुखबिर कैलाशपति से उनको कुश्ती की अनुमति दी जाए। ट्रिब्यूनल के अध्यक्ष ह्वाइट ने हँसते हुए इनकार किया।

एक बार एक अभियुक्त भवानी सहाय, जो उस दिन तक फरार था, वह 'क्रान्ति जिन्दाबाद' का नारा लगाता हुआ कोर्ट में आ गया। यह सिग्नल था, जिस पर कोर्ट में दिल्ली षड्यन्त्र केस के अन्य अभियुक्त भी क्रान्ति का नारा लगाने लगे। जब तक कोर्ट उठ नहीं गया, तब तक यह नारा चलता रहा।

इस हँसी-ठिठोली के साथ अभियुक्त नवयुवकों को अच्छी तरह मालूम था कि वे किस चीज का सामना कर रहे हैं। इस केस का अन्त क्या हो सकता है।

एक दिन कोर्ट में वत्सल ने उठकर कहा, 'हम लोग डरना नहीं चाहते और कठघरे में खड़े होकर हम डरना सीखेंगे?'

ऐसी थी क्रान्ति और ऐसे थे क्रान्तिकारी। मानस मुकुल दास ने वत्सल को जीवन शिल्पी कहा है। ठीक ही तो है, जीवन शिल्पी, क्रान्तिकारी, कवि, खासकर के जीवन शिल्पी कवि अपने जीवन पर काम करता रहता है। अपने को तराशता रहता है।

जेल से निकलकर वत्सल मेरठ के किसान आन्दोलन से जुड़े। उन दिनों की एक याद है कि वत्सल के एक दल को मेरठ से दिल्ली जाना था। दिल्ली के कांग्रेसवालों ने ऑल पार्टी कान्फ्रेंस बुलाई थी। मेरठ में किसान दल को जितना भी सिखाओ वह फौजी मार्च नहीं कर पा रहे थे। हैरान होकर वत्सल ने एक पैर में घास बाँधी, एक पैर में पत्ती। फिर दाएँ-बाएँ के बदले उन्होंने पैर उठा-उठाकर घास-पत्ती कहना शुरू किया। टोली ने तुरन्त ठीक अनुसरण किया। मार्च का अभ्यास हो गया। मेरठ से पाँच सौ किसान पैदल चलकर दिल्ली पहुँचे थे। दिल्ली में सबसे अच्छा मार्च इस मेरठवाले दल का ठहरा था।

वत्सल का कहना रहा: "मुझे जो शिक्षा-दीक्षा मिली, उसमें सन्तुलन को – जीवन कर्म और भाषाभिव्यक्ति के सहज संयम को विशेष महत्त्व दिया जाता रहा और परिस्थितियों ने एकान्त इतना अधिक दिया कि आत्मनिर्भरता अभ्यास नहीं, चरित्र का अंग बन गयी। चिन्तन और अनुभूति कम नहीं हुई, पर कोई अनुभूति तत्काल दूसरों पर प्रकट हो ही जानी चाहिए या चेहरे पर झलक आनी चाहिए, सामाजिकता की ऐसी कोई परिभाषा भी सीखने को न मिली।"

इसी अंश में आगे वत्सल कहते हैं कि "मैं जानता हूँ मैं साधारण हिन्दी या भारतीय लेखक से अधिक परिश्रम करता हूँ: अधिक समय पढ़ने-लिखने में बिताता हूँ, अधिक समय आत्म-प्रशिक्षण में, जिसमें केवल मन का प्रशिक्षण नहीं, ज्ञानेन्द्रियों का और हाथों का प्रशिक्षण भी शामिल है। मैं कपड़ा सी लेता हूँ, जूते गाँठ लेता हूँ, फर्नीचर जोड़ लेता हूँ, मिठाई-पकवान बना लेता हूँ, जिल्दबन्दी कर लेता हूँ। पंखे, साइकिल, मोटर, बिजली के छोटे-मोटे यन्त्र, इनकी सफाई और थोड़ी बहुत मरम्मत कर लेता हूँ। विलायती ढंग के बाल काट सकता हूँ, चाबियाँ

खो जाएँ तो ताले खोल दे सकता हूँ, सूत कात लेता हूँ, मामूली कढ़ाई कर लेता हूँ, मिट्टी के खिलौने बना लेता हूँ, काठ के ठप्पे खोदकर कपड़े रंग लेता हूँ, साँचे तैयार कर मूर्तियाँ बना लेता हूँ। प्रूफ देख लेता हूँ, कम्पोज कर लेता हूँ, प्रेस की मशीन चला लेता हूँ। फोटो खींचता हूँ, फिल्म और प्रिंट डेवलप कर लेता हूँ, सीमेंट के गमले बना लेता हूँ। फूलों की और तरकारी की खेती कर लेता हूँ, फावड़ा, कुल्हाड़ी, गैंती चला लेता हूँ, निराई कर लेता हूँ। बन्दूक/पिस्तौल चला लेता हूँ, तैर लेता हूँ, दौड़ लेता हूँ, पहाड़ चढ़ लेता हूँ, क्रिकेट, टेनिस, बैडमिंटन खेल लेता हूँ और इन सबसे केवल शौक रखता होऊँ, ऐसा नहीं है; अधिकांश में से किसी के भी सहारे आजीविका भी कमा ले सकता हूँ। और जो नहीं जानता, वह सीखने के लिए हमेशा तैयार हूँ।"

जेनकिंस ने वत्सल के चरित्र और साहस पर भरोसा तो दिलाया, किन्तु उनकी इस टिप्पणी पर कि क्या अंग्रेजी सरकार की स्थिति इतनी खराब हो गयी है कि एक क्रान्तिकारी नवयुवक को सरकार में भरती किया जाए, वत्सल को भारतीय सेना में नौकरी नहीं मिल सकी। इस द्वितीय महायुद्ध के दौरान बाद में जब जापानी सेना कोहिमा के बॉर्डर को आतंकित करने लगी, तो सरकार को अपना सोच बदलना पड़ा। तब ऐसे लोगों का विशेष महत्त्व हो गया जिन पर जनता पूरा विश्वास कर सके। देश की सीमाओं को, देश को बचाने के लिए सक्रिय सेना हो, पर इस फौज के साथ जनता अपने पूरे मन से जुड़ी हुई हो। ऐसी परिस्थिति में सेना अधिकारियों ने वत्सल को सेना में शामिल होने का निमन्त्रण भेजा। स्वयं वत्सल को यही ठीक लग रहा था। 1943 में वत्सल सेना में शामिल हो गये।

वत्सल का अंग्रेज सेना में शामिल होना एक अनहोनी, असाधारण घटना थी। वत्सल अंग्रेजों के कट्टर शत्रु थे। भारतीय स्वतन्त्रता संग्राम में तन-मन-धन से शामिल हुए थे। उनकी छवि क्रान्तिकारी के रूप में स्थापित थी, अब इस युद्ध से जुड़कर, वह भी सक्रिय रूप से जुड़कर, वे क्या कर रहे थे। जरूर इन सबसे बड़ा मूल्य उनको उस तरफ प्रेरित कर रहा होगा।

वत्सल के मन में गिरफ्तार होने के पहले से ही आतंकवादी रास्ते को लेकर शंकाएँ उत्पन्न होने लगी थीं। सन् 41-42 के दिन। वत्सल एकदम अकेले हो गये थे। सन् 42 के 'भारत छोड़ो' आन्दोलन से वत्सल का मन नहीं जुड़ा। गाँधी, नौजवान समाजवादी जयप्रकाश, लोहिया, इन सबसे वत्सल का सोच अलग था। भारतीय लोगों में भारत की अंग्रेजों से स्वतन्त्रता ही, सबसे बड़ी चीज लग रही थी। इधर वत्सल को लग रहा था कि द्वितीय महायुद्ध छिड़ा हुआ है। इसमें हिटलर की

विजय सारी मानव जाति की हार होगी। वत्सल की चिन्ता उस मनुष्यता की रक्षा के लिए थी। इसी सोच के तहत वत्सल ने तय किया कि वे न केवल युद्ध के पक्ष में हैं और अंग्रेजों की सेना है तो क्या हुआ, वे सक्रिय रूप से उसमें शामिल भी होंगे। स्थिति, भारत की सीमित स्थिति देखने की बात नहीं थी, सम्पूर्ण विश्व के मानव जाति के सन्दर्भ में स्थिति को देखने की बात थी। नेहरू को भी यह दिखने लगा था, किन्तु संगठन के दबाव में उन्होंने अपने दृष्टिकोण पर आग्रह नहीं किया।

ऐसे में एक अकेला नौजवान लेखक/कवि अपने देश के सीमित हित को पीछे रखकर विश्व के मानवीय सन्दर्भ में सेना में शामिल होना तय करता है। अकेला लेखक/कवि जिसका कोई अलग से संगठन नहीं है, न अनुयायी है, तो यह मूल्यों का अपने अन्दर से लिया हुआ, बहुत बड़ा फैसला था।

जेल के दिनों की तरह वे युद्ध के दिनों में भी बराबर लिखते रहे। सेना में वह ज्यादा असम-बर्मा फ्रंट पर रहे, फिर पंजाब-पश्चिमोत्तर प्रदेश में भी रहे। सेना में आने के बाद, सेना और जनता के बीच के तनाव को रोकने का दायित्व वत्सल को दिया गया। इसके लिए एक तरह की चारित्रिक निष्ठा और राष्ट्र के प्रति समर्पण की भावना की जरूरत थी। जन-मानस में यह विश्वास उत्पन्न करना कि ब्रिटिश सेना भारतीय लोगों को दबाने के लिए नहीं, किन्तु एक हद तक उसकी रक्षा करने के लिए सन्नद्ध है, एक काम यह था, दूसरी तरफ अंग्रेज सेना को भारतीय जन-मन के प्रति संवेदनशील बनाना था। यह कठिन काम वत्सल के जिम्मे लगा।

युद्ध में रहते हुए वत्सल का भारतीय जनता से गहरा सम्पर्क होता गया। उन्हीं दिनों शिवसागर के कलेक्टर फ्लैमिंग से उनका झगड़ा हुआ। शिवसागर की जनता जोर-शोर से आजादी की लड़ाई में लगी हुई थी। कलेक्टर ने उनका राशन बन्द कर दिया था। कैप्टन वात्स्यायन ने ब्रिटिश सरकार को रिपोर्ट भेजी कि कलेक्टर का तबादला कर दिया जाए। इधर कलेक्टर साहब ने जनता के विरुद्ध रिपोर्ट भेजी। सरकार ने वत्सल की बात को ही माना। फ्लैमिंग का तबादला पंजाब में कर दिया गया। इस घटना से वत्सल केवल सेना के एक अधिकारी की तरह ही नहीं, अपितु भारतीय मान-मर्यादा और भारतीय अस्मिता के पक्षधर के रूप में प्रतिष्ठित होते गये।

सन् 1945 के उत्तरार्ध तक सैनिक जीवन को करीब से देखते हुए, वहाँ की नृशंस मानसिकता और क्रूर व्यवहार को देखते हुए वत्सल का मन सैनिक जीवन से विरक्त हो गया था। अतः उन्होंने सेना से मुक्ति का प्रार्थना-पत्र दिया, जो 1946 में स्वीकृत हुआ। सेना से आकर वत्सल इलाहाबाद में रहने लगे। यहाँ

उनका कवियों-कथाकारों-साहित्यकारों से सम्पर्क बढ़ा। जेल से निकलते ही वे मैथिलीशरण गुप्त से मिलने चिरगाँव गये थे। जीवन भर वे गुप्त जी को अपना काव्य-गुरु मानते रहे। इलाहाबाद में वत्सल निराला, पन्त, साही, विपिन कुमार अग्रवाल, रामस्वरूप चतुर्वेदी के सम्पर्क में आये। बनारस में रायकृष्ण दास से उनका परिचय हुआ, घनिष्ठता बढ़ी।

इलाहाबाद से उन्होंने *प्रतीक* को तीन वर्ष चलाया। यहीं से उन्होंने *तार सप्तक* का प्रवर्तन सम्पादन किया। यह सिलसिला दूसरे और तीसरे *सप्तक* के रूप में सामने आता गया। फिर वत्सल ने एक लम्बे अन्तराल के बाद *चौथा सप्तक* निकाला।

एक ओर 'कुट्टिचातन' के नाम से वत्सल के लेख *सबरंग* पुस्तक में छपे थे, जो विनोदशील होते हुए भी गहरे में छूते थे। दूसरी ओर उनके अन्दर का कवि, चिन्तक अन्य दिशाओं में जागरूक होकर लिख रहा था। *शेखरः एक जीवनी* का पहला और दूसरा भाग आ चुका था। कविताएँ *हरी घास पर क्षर भर* में प्रकाशित हो गयी थीं। वे *नेहरू अभिनन्दन ग्रन्थ* का और सुमित्रानन्दन पन्त की षष्ठिपूर्ति पर *रूपाम्बरा* का प्रकाशन कर चुके थे। इसके बाद *अरी ओ करुणा प्रभामय* और *आँगन के पार द्वार* से होते हुए *मरुथल* तक अज्ञेय की काव्य-यात्रा रही है। वे अपनी शती में साहित्य के शलाका पुरुष हैं।

वत्सल के उपन्यास *नदी के द्वीप* का अंग्रेजी अनुवाद *आईलैंड्स इन द स्ट्रीम* है। यह अनुवाद वत्सल ने स्वयं किया था। उसमें लिखे हुए आभार को देखिए कि महाभारत और बाइबल का आभार व्यक्त किया गया है। ब्राउनिंग, एलियट, डी. एच. लॉरेंस और जयशंकर प्रसाद, प्लोमर, रोजैटी, शैली और टैगोर के नाम को स्मरण कर कृतज्ञता ज्ञापन है। वत्सल अपने गुरुजनों का सम्मान करते थे, उनसे जो सीखा था उसे मानते थे। उनके सोच में, लेखन में, कर्म में, जीवन में, परम्परागत जड़ें हैं, साथ ही साथ बहुत गहरे से देखी-समझी वैज्ञानिक आधुनिक संवेदना भी है। उनकी रचना में संस्कार और आधुनिकता का द्वन्द्व, उसका समन्वय, आधुनिक भारतीयता बनकर झलकता है।

वत्सल के लिए भारतीयता रूढ़िवादी नहीं रही, उन्होंने हिन्दुत्व को कुछ बुनियादी मूल्यों पर खड़ा माना। रमेशचन्द्र शाह की वत्सल के बारे में कही हुई बात को याद करके कह रही हूँ कि वत्सल के लिए यह मूल्य सत्य, ऋत, तप और आवर्ती काल हैं। ये मूल्य जीवन को जीवन से जोड़ते हैं। यह मूल्य रूढ़ियों में दबे हुए, जड़ नहीं हैं, निरन्तर विकासमान हैं। ईश्वरीय हैं। इसको समझना असली भारतीय होना है। आधुनिक भारतीय। वत्सल का मानना था कि क्रान्ति से चारित्र्य बनता है। उन्होंने क्रान्ति को उसके व्यापक अर्थ में

लिया। क्रान्ति व्यक्ति के लिए, क्रान्ति जाति के लिए, क्रान्ति देश के लिए। स्वाधीनता के बाद की दुर्दशा को देखकर उस क्रान्ति की जरूरत लगती है। उस क्रान्ति की, जिसकी बात वत्सल भविष्यवक्ता की तरह कर रहे थे।

वत्सल सोचते थे कि वैसे तो सभी रिश्ते महत्त्वपूर्ण होते हैं, किन्तु सबसे जरूरी रिश्ता होता है अपना अपने साथ।

23

तनी हुई रस्सी पर

॥ लोठार लुत्से

अपनी मृत्यु से कुछ ही पहले
बनाया उसने
अपने बगीचे में
एक गाछघर।
उसकी हर वस्तु की तरह
वह भी सावधानी से विन्यस्त था।
नीम के उस वृक्ष ने कोई बाधा नहीं डाली
और उसे सहर्ष स्वीकारा।
पाखियों तक ने उसे शान्ति से मान लिया।
पड़ोसी बच्चों ने
खेल-खेल में
उस पर कब्जा कर डाला।

तिस पर गृहस्वामी भी
स्वयं बच्चा बन गया।

ज्यादा संजीदगी के लिए
समय नहीं बचा था।[1]

पेड़ पर बने जिस घर का यहाँ उल्लेख है, उसे 4 अप्रैल 1987 की शाम को उद्‌घाटित होना था। थोड़े-से लेखक-मित्रों को निमन्त्रित किया गया था कि आएँ और उस गाछघर में अपनी रचनाओं से कुछ पढ़ें। लेकिन होनी को वह मंजूर न था;

---

1. यह कविता लोठार लुत्से की अपनी है, जो उन्होंने अज्ञेय के निधन के दूसरे ही दिन जर्मन में लिखी थी। –अनु.

स्वयं आतिथेय का देहावसान उसी दिन सुबह, उनके 76वें जन्मदिन से ठीक एक महीने पहले, हो गया। यकबारगी सभी सहमत थे कि 'अज्ञेय' के बिना हिन्दी साहित्य, बल्कि समूचा भारतीय साहित्य, यहाँ तक कि स्वयं भारत, विपन्न हो गये थे। भोपाल के संस्कृति-केन्द्र भारत भवन के संस्थापक अशोक वाजपेयी ने कहा: "अपनी मृत्यु से कुछ दिनों पहले वे भारत भवन के कवि भारती काव्य समारोह में आये थे। उनकी उपस्थिति-मात्र का प्रभाव ऐसा था कि वे भारत के विभिन्न भाषाओं के लगभग पचास कवियों के समवाय में 'कविकुलगुरु' की तरह स्वीकारे गये।"

विरोधाभासों से समृद्ध उनका जीवन मानो पिछली सदी के भारतीय इतिहास को प्रतिबिम्बित करता है। सच्चिदानन्द हीरानन्द वात्स्यायन अपने तत्सम उपनाम 'अज्ञेय' (जो जाना न जा सके) के लिए अपने कुछ वरिष्ठ सहधर्मा जैनेन्द्र कुमार के ऋणी थे: उसके पीछे वह नामहीनता छिपी हुई थी जिसके तहत वात्स्यायन द्वारा लिखित सामग्री उस जेल से चोरी-छिपे बाहर ले जाई जाती थी जिसमें वे ब्रिटिश औपनिवेशिक सरकार के खिलाफ एक सक्रिय युवा आतंकवादी के रूप में कैद थे। यह अन्तर्विरोध साफ नहीं हो पाया है कि फिर इसी विद्रोही ने दूसरे विश्वयुद्ध में ब्रिटेन के पक्ष से कैसे बर्मा-मोर्चे पर युद्ध में हिस्सा लिया, वह भी सम्राट की सेना में बाजाब्ता कप्तान के ओहदे से, जैसा कि वह स्वयं किंचित् गर्व से जोर देकर बतलाते थे। बहरहाल, कुल मिलाकर एक ऐसे आकर्षक व्यक्तित्व का चित्र ही उभरता है जो अपनी राह पर एक मृदु संकल्प और अधिकार से चला – और अन्त में उस मार्ग पर जो स्वयं उसके 'आत्म' की ओर जाता था।

उनके यूरोपीय मित्र भी उनके बिना विपन्नतर हुए हैं। अज्ञेय के यूरोप से सम्बन्ध उत्कट और वैविध्यपूर्ण थे। समकालीन यूरोप की जो छवि भारत में है उसके विकास में 'अज्ञेय' ने कृतिकार, आलोचनात्मक विचारक, और 'प्रवासी' के रूप में भी कम योगदान नहीं किया था – एक ऐसे व्यक्ति के रूप में जो सदा यायावर, लगातार पथ पर रहता है। 'उंटरवेग्ज त्सुम फ्लुस' ('नदी के मार्ग पर') उनके उस जर्मनभाषी अनुवाद-संचयन का शीर्षक है जो फ्राइबुर्ग, जर्मनी के वोल्फ मेर्श प्रकाशन से 1986 में प्रकाशित हुआ था।

यों तो अज्ञेय की यात्राएँ उन्हें धरती के सारे महाद्वीपों को ले गयीं, किन्तु अपेक्षाकृत और अधिक नियमितता से वे यूरोप आये और यूरोप में भी जर्मनी ही उनका गन्तव्य रहा। जर्मनी में हाइडेलबर्ग और उसके आसपास का इलाका उनका "ठौर-ठिकाना" बन गये। यह 1970 की बात है जब समसामयिक भारतीय समाज में लेखक की भूमिका पर हाइडेलबर्ग में दिए गये अपने एक महत्त्वपूर्ण लिखित अंग्रेजी भाषण में उन्होंने रचनाकार के पेशे को रस्सी पर नाचने की तरह बताया था:

"मैं उसे एक नट की तरह देखता हूँ, एक ऐसा नट जिसका अतिरिक्त उत्तरदायित्व यह भी है कि जिस रस्सी पर वह चल रहा है वह तनी रहे। वह रस्सी पर आरूढ़ ही नहीं है, वह व्यक्ति भी है जो उसे हमेशा खींच कर ताने हुए है। उसकी चिन्ता यही नहीं है कि वह रस्सी को कसी हुई रखे बल्कि सुनिश्चित भी करे कि रस्सी बनी रहे, और प्रदर्शित करता रहे कि ऐसा किया जा सकता है। आप चाहें तो इसे एक आस्था-कर्म कह सकते हैं...।"

जब वे 1976 में हाइडेलबर्ग लौटे तो इस बिम्ब से उनकी वाबस्तगी का प्रतिफलन उनकी कविता 'नाच' में हुआ, जो इस अनुवाद-संकलन की शीर्षक-कविता है। स्वयं 'अज्ञेय' ने यह इस अनुवादक को दोनों की त्स्यूरिष (ज्यूरिख) यात्रा के पहले बताया था और वहीं उन्होंने इसे पहली बार सार्वजनिक रूप से सुनाया था।

"अंतःप्रक्रिया" कहे जाने वाले उनके विचारों के तीसरे खण्ड *शाश्वती* के साठवें पृष्ठ पर उनकी एक हिन्दी 'लिमरिक' (तुक्तक) है, जिसमें कवि ने अपने इस अनुवादक को कुछ इस तरह चित्रित किया हैः

बन्धु मेरे प्रोफेसर लोठार लुट्से
शहर में रहे थे कई दिन से घुट-से
वन-गन्ध सूँघ कर
जागे मानो ऊँघ कर
काव्य के अनुवाद में फिर सहसा गये जुट-से।

यह चित्र ओडेनवाल्ट वन के वृक्षों-तले सैर, अचानक बारिश और गुनगुनी धूप, जाते हुए जाड़ों के अन्तिम हिमपात और युवा बसन्त की पहली हरीतिमा की सुख स्मृतियाँ जगाता है; स्मृतियाँ 1976 के पूर्वार्ध की, जब कवि हाइडेलबर्ग विश्वविद्यालय के दक्षिण एशिया संस्थान में अतिथि-प्राध्यापक था और, जैसा कि बिना किसी अतिशयोक्ति के कहा जा सकता है, उसने उस हैसियत से हिन्दी साहित्य को जर्मनी में एक बड़ी सीमा तक सम्भव किया। इस प्रवास की महत्त्वपूर्ण बात यह थी कि किस तरह भारतीय और यूरोपीय, दोनों सांस्कृतिक दायरों के बीच की परोक्षताओं ने कवि के व्यक्तित्व में एक-दूसरे का सामना किया, एक-दूसरे को आत्मसात् कर लिया। भारतीय लेखकों की कृतियों पर जर्मन भाषा के साहित्य का प्रभाव अपेक्षाकृत स्वल्प और अधिकांशतः अप्रत्यक्ष ही था, यानी अंग्रेजी अनुवादों के माध्यम से ही सम्प्रेषित था। 'अज्ञेय' के हाइडेलबर्ग प्रवास ने, जिसके लिए उन्होंने भारत में जर्मन सीख कर तैयारी की थी, उन पर अपनी एक छाप छोड़ी। 'अज्ञेय' के अलावा ऐसा कौन होता जो वह निजी जोखिम उठाता जो एक अपरिचित संस्कृति के समक्ष अपने सम्पूर्ण उद्घाटन में रहती है, यद्यपि ऐसा 'अनावरण' एक प्रवासी की जीवन शैली

में सीधे-सीधे होता ही है।

ओडेनवाल्ट की इन यात्राओं में तुक-क्रीड़ा और प्रतियोगिता के लिए भी वक्त रहता था (अधिकतर वह 'कठिन' तुकों को खोजने की होती थीं)। एक दूसरे 'तुक्तक' में, जो जर्मन राजमार्गों पर कार-यात्रा से प्रेरित है, कवि तुकों के लिए जर्मन भाषा के तीन शब्दों– 'फ्राउ' (महिला), 'ष्टाउ' (ट्रैफिक-जैम) तथा 'हाइडेलबर्गर रुंडशाउ' (एक दैनिक अखबार का नाम)– का इस्तेमाल करता है:

गाड़ी जब धीमी हुई बोल उठीं फ्राउ
'आज फिर हो गया न शुक्रवारी ष्टाउ!
फँसे रहो पिन-पिन–
देख ली तुम्हारी यह हाइडेलबर्गर रुंडशाउ?'

'फाउस्ट' के कठपुतली नाट्य-प्रदर्शन को देखने के बाद शैतान के पुतले के नाम 'फित्स्लीपुत्स्ली' को कवि ने इस तरह तुकों में बाँधा:

लो देख आये आज हम फित्स्ली-पुत्स्ली की पुतली!
आवाज उसकी थी पतली, बोली तुतली।
ठुमक-ठुमक जब वह चलती
हमारी हँसी निकलती
पर असली में उसको नचाती थी एक सुतली!

ओडेनवाल्ट में कवि को मध्ययुगीन जर्मन साहित्य के सन्दर्भ-चिह्न भी देखने को मिले: वहाँ उन झरनों में एक था जिनके पास ऐसा माना जाता है कि हागेन ने जीगफ्रीट पर मरणान्तक प्रहार किया था; माइन नदी को जाने वाले पैदल रास्ते पर नाइडहार्ट का रोइनठाल था और उधर, सैलानियों से दूर, था विल्डेनबर्ग का किला, जिसके बारे में कहा जाता है कि उसने कुछ समय के लिए वोल्फराम फॉन एशेनबाख को शरण दी थी। प्राचीन जर्मन साहित्य की इस खोज के चरमोत्कर्ष के रूप में विशिष्ट अतिथि को विश्वविद्यालय ग्रन्थागार में मूल मानेसे पाण्डुलिपि दिखाई गयी।

इस काव्यात्मक प्रवास से एकदम विपरीत था बर्लिन, उनका एक प्रिय गन्तव्य, जहाँ वे पहली बार 1950 के दशक के मध्य में गये थे।

"किन्तु मैंने यहीं देखा", उन्होंने अपने यात्रा-वृत्तान्त *एक बूँद सहसा उछली* में तब बर्लिन के गेडैख्टनिस गिरजाघर (जो दूसरे विश्वयुद्ध में बमबारी से ध्वस्त हो गया था) को देखकर लिखा था, "कि यह टूटा हुआ गिरजाघर मानो समकालीन यूरोप का

चेहरा है – सुन्दर, खण्डित, जीवन और विनाश के विरोधी आकर्षणों के कारण भीतर-ही-भीतर खिंचा हुआ। और मुझे ऐसा लगा कि जिस प्रकार यूरोप के संघर्ष का केन्द्र बर्लिन रहा है, उसी तरह यूरोप का असली चेहरा मूलतः बर्लिन का चेहरा है।"

'अज्ञेय' ने इस नगर में युद्धोत्तर जर्मनी और यूरोप का खुला घाव पहचाना – और इसीलिए वे बर्लिन से प्रेम करते थे।

सो 1976 में हाइडेलबर्ग में अतिथि-प्राध्यापकी के दौरान उन्हें बर्लिन से अपने परिचय के पुनर्नवीनीकरण के कई अवसर मिले। एक बार कवयित्री इंगेबोर्ग ड्रेवित्स ने उन्हें बेठानिअन संस्कृति-भवन के काव्य-भवन में काव्य-पाठ के लिए आमन्त्रित किया। उन्हें समझ में आ गया कि बर्लिन के विभाजन को एक विशिष्ट जर्मन शैली के रूप में पूर्णतः परिष्कृत कर लिया गया है। मार्च 1976 की एक यात्रा में फ्रीडरिखस्ट्रासे स्टेशन की नियन्त्रण-चौकी से प्रेरित एक कविता उपजीः

चेहरे हो गये हैं यन्त्र सभ्य।
मंजे चमकते हैं
बोल कर छिपाते हैं।
पर हाथ अभी वनैले हैं
उनके गट्टे
चुप भी सच सब बताते हैं

बस कभी- परम दुर्लभ!-
आँसूः
वे ही बचे हैं जो कभी गाते हैं।

बर्लिन में उनकी साहित्यिक अन्वेषण यात्राएँ उन्हें श्टेगलित्स उपनगर, ठीक-ठीक कहें तो उसकी सड़क ग्रूनेवाल्डस्ट्रासे के 13 नम्बर घर को ले गयीं, जिसमें फ्रांत्स काफ्का नवम्बर 1923 से जनवरी 1924 तक रहा था। बाद की एक बर्लिन-यात्रा में वे यह घर दोबारा देखना चाहते थे, लेकिन जब उनका सरकारी गाइड उससे अनजान निकला (जैसा कि उन्होंने बाद में अपने मित्रों को बताया) तो खोजने वाले को ही उसका गाइड बनना पड़ा।

डालेम के वाल्डफ्रीडहोफ कब्रिस्तान में उन्होंने गोटफ्रीड बेन की समाधि पर फूल चढ़ाए थे और उस वक्त का अपना फोटो लेने दिया था। उन्होंने बेन की कविताओं के अनुवाद हिन्दी में किए, जिसकी विख्यात कविता, "जो अकेला है, वह रहस्य में भी है/वह सदा चित्रों के ज्वार में रहता है..." की इन पंक्तियों का विश्लेषण वे

शाश्वती में इस तरह करते हैं: "लेकिन रहस्य वह चित्रों की बाढ़ नहीं है जो सर्जक के सामने उमड़ती आती है: वे चित्र तो सभी के हैं। रहस्य है वह क्रम जिनमें सर्जक उन्हें लगाता चलता है, वह विवेक जो उसे यह क्रम देता है और बिना चिन्तन-मनन के, सहज संस्कारी प्रक्रिया के रूप में देता है। और वहीं रहस्य अकेले होने का रहस्य है – वह अकेलेपन में मिलता है, अकेला करता है।..."

जिस पद्धति से यहाँ यह भारतीय कवि एक जर्मन कवि के साथ सहकर्मीसुलभ संवाद में प्रवेश कर रहा है, वह जर्मन साहित्य, और सामान्यतः विदेशी साहित्य, के साथ अज्ञेय के अपने विशिष्ट बर्ताव का सूचक है जिसके अन्तर्गत वे विदेशी मूल की अवधारणाओं और उद्देश्यों पर और आगे सोचते हैं और उन्हें रूपान्तरित करते हैं। किन्तु यह प्रणाली सदैव सर्जनात्मक रहती है – और भारतीय शास्त्रीय संगीतज्ञ द्वारा एक राग को बरतने के समान होती है – पहले एक स्थायी और फिर अन्तरे के स्वर-विस्तार की तरह।

इससे उपजती है, कला-अभ्यास की एक विशिष्ट शैली की तरह, जर्मन विषय-वस्तुओं के रूपान्तर की एक शृंखला। मठिआस क्लाउडिउस की कविता "आह! कितना अन्धकार है मृत्यु के आगार में" एक ऐसी हिन्दी कविता में बदल जाती है जिसमें कवि संस्कृत के श्लेषात्मक शब्द 'काल' (समय/मृत्यु) का प्रयोग करता है। क्लाइनेन वन्जे में स्थित क्लाइस्ट[1] की समाधि पर वह मृत्यु-आलेख पढ़ता है "अब, ओ अमर्त्यता, तू सम्पूर्ण रूप से मेरी है!" और चिन्तन करता है:

एक ढंग है जीने का
एक मरने का
और एक
ये दोनों किनारे पार करने का।
समस्या बीच में है।
जिजीविषा। एक धन।
एक नदी।
एक असाध्य रोग। एक खेल।

एक लम्बा नशा जिसमें
एक किनारा दो में बँटता है,

1. नाटककार-कथाकार हाइनरिष फॅन क्लाइस्ट, जिसने अपनी कैंसर-ग्रस्त प्रेमिका को गोली मार कर स्वयं भी आत्महत्या कर ली थी। –अनु.

दो किनारे एक में मिलते हैं।
समस्या बीच में है। अलग फूटती है—
मिल जाती है।
फूटती है मिल जाती है।
बहलाती है।
यों, यों, यों ही
तू सम्पूर्ण मेरा है, मेरे जीवन,
तू सम्पूर्ण मेरा है, मेरे मरण!

'अज्ञेय' के गन्तव्यों में ट्यूबिंगेन भी था। वहाँ मई 1976 में वे होएल्डरलीन मीनार देखने गये। उससे उपजा दोनों कवियों के बीच एक काव्य-संवाद, महाद्वीपों और शताब्दियों को लाँघता हुआ।

होएल्डरलीन की कविता इस तरह है:

पीली नाशपतियों से लदी
और वनपाटलों से भरी
भूमि झुकती है झील पर,
तुम सुन्दर हँसो,
और चुम्बनों से मत्त,
तुम अपना मस्तक
पवित्र शान्त जल में डुबोते हो

हा, कहाँ ले जाऊँ मैं, जब
शीत आएगी, ये पुष्प, और कहाँ
धूप को,
और धरती की छाया को
दीवारें खड़ी हैं
गूँगी और सर्द, हवा में
फड़फड़ाती हैं पताकाएँ।

और "होएल्डरलीन के प्रति" लिखी गयी 'अज्ञेय' की कविता 'तीसरा चरण', जो उन्होंने उसी स्थल के निकट लिखी थी, जहाँ होएल्डरलीन ने अपने पिछले दिन बिताए थे:

फूली डालों के चामर से सहलाये हुए
नदी के अदृश्य गति

तनी हुई रस्सी पर

गहराते पवित्र पानी को
फिर भँवराते जा रहे हैं
नये जवानों के शोर-भरे जल-खेल।

कोई दूसरा ही किनारा
उजलाते होंगे
अवहेलित लीला-हंस!

फलेंगे तो अलूचे, फूलेंगे तो सूरजमुखी,
पर वह सब अनत, कवि!
यहाँ इस फेंटे हुए मेले में

यहाँ क्या सुनोगे अब? 'खनकती ऋतु-पखियाँ'
या कि काल का अपने को गुंजाता सन्नाटा?

जर्मन से अनुवादः विष्णु खरे

24

सन्नाटे के छन्द

॥ प्रभाष जोशी

कैवेंटर लेन के बँगले की वही बैठक। वही मौन। प्रतीक्षा पहले भी करनी पड़ती थी कि अज्ञेय जी बोलेंगे। लेकिन अब वे कभी नहीं बोलेंगे। बोलेगी उनकी कविता। और उनकी कविता बड़बोली नहीं है। बिना यह जाने कि अब अज्ञेय नहीं रहे, चण्डीगढ़ से दिल्ली के रास्ते में सुबह उनके जीते-जी प्रकाशित अन्तिम कविता-संग्रह *ऐसा कोई घर आपने देखा है* की अन्तिम कविता पढ़ी– *'छन्द'*।

मैं सभी ओर से खुला हूँ
वन-सा, वन-सा अपने में बन्द हूँ
शब्द में मेरी समाई नहीं होगी
मैं सन्नाटे का छन्द हूँ।

भवानी बाबू भी सारी उम्र कविता लिखकर समझ गये थे कि शब्द में उनकी समाई नहीं होगी। ऐसा क्यों होता है कि जिस शब्द के जरिए हम अपने को उत्साह से अभिव्यक्त करना शुरू करके उम्र-भर आदतन अभिव्यक्ति करते जाते हैं और फिर प्रतीति होती है कि शब्द ने वह नहीं कहा जो उम्र-भर हम कहने की कोशिश करते रहे। अपने जमाने के बड़े कवियों में अज्ञेय जी ही सही शब्द पर सबसे ज्यादा जोर देते थे। लेकिन आखिर में उन्होंने कहा– 'मैं सन्नाटे का छन्द हूँ।' कैवेंटर लेन के बँगले में यह सन्नाटा आज बोल रहा था, लेकिन उसी सहज स्वाभाविक गरिमा, मृदुता और आभिजात्य के साथ जो अज्ञेय था। और यहाँ अज्ञेय से मेरा मतलब सच्चिदानन्द हीरानन्द वात्स्यायन अज्ञेय से नहीं है, हालाँकि सामने वही लेटे हुए थे– उसी सौम्य और अबूझ शान्ति में।

अज्ञेय जी ने अपने को सन्नाटे का छन्द कोई आखिरी कविता-संग्रह की आखिरी कविता में ही नहीं कहा। कोई बारह साल पहले (भी) वे सन्नाटा बुन चुके थे। 'मैं तो मरण से बँधा हूँ, पर किसी के – और इसी तार के सहारे काल से पार पाता हूँ।' आज वे इसी तार के सहारे काल से पार पा गये।

अज्ञेय ने कहा कि वे सभी ओर से खुले थे। लेकिन गिनती भर लोग ही शायद ऐसे निकलें जो उन्हें सभी ओर से खुला देख चुके हों। वे वन की तरह खुले हुए थे। लेकिन जैसा कि खुद ही बताकर गये, वन की तरह ही अपने में बन्द थे। जिन्होंने सचमुच के वन देखे हैं और उनमें रहे हैं वे जानते हैं कि वन चारों तरफ से खुला और सभी तरफ से बन्द होता है और यह बन्द और खुलापन एक-साथ होता है। वन में एक रहस्यात्मकता होती है। उसमें आदिम आवाजें और अस्तित्व के आदिम आयाम खुलते हैं।

लेकिन अज्ञेय क्या सचमुच वन थे? जो वन एकसाथ बन्द और खुला होता है, वह अपने आप उग आता है और बरसों में वन बनता है। अज्ञेय जी जीवन और लेखन दोनों में ही सोच-समझकर और बड़ी परवाह के साथ लगाया गया बगीचा लगते थे। उनकी हर पंक्ति, उनके हाथ की हरकत या आँखों की पुतलियाँ या चेहरे की मुस्कान जैसे काट-छाँटकर क्यारी की तरह बनाई गयी लगती थी। लेकिन इस सबमें एक गजब की गरिमा थी। इसलिए आप चाहते हुए भी जैसे उनके ओढ़े हुए लबादे को उतारना नहीं चाहते थे। अंग्रेजी मुहावरे की तरह उन्हें 'खोलना' बहुत मुश्किल था। उनमें गरिमामय और अभिभूत कर देने वाली एक उपस्थिति थी जो अपनी भाषा के किसी भी कवि या लेखक में नहीं थी। काफी लोगों को लगता था कि यह उपस्थिति भी लम्बे-चौड़े शरीर के चतुर उपयोग से बनाई गयी थी। अज्ञेय को लबादा ओढ़े खड़ी प्रतिमा के रूप में देखने वालों की कमी नहीं थी। इनमें से काफी लोगों ने 'लबादे' को खींचकर उतार देने की कोशिश की। यह बात है कि इस कोशिश में दिगम्बर दूसरे ही हुए। अज्ञेय जी जैसे ऊँची मीनार पर खड़े मुस्कुराते रहे हों।

वैसे तो कोई भी लिखना अनायास या बिलकुल सहज नहीं होता। लेकिन अज्ञेय जी ने तो हिन्दी लिखे हुए शब्द से ही सीखी थी। वह उनकी मातृभाषा नहीं पोथी की भाषा थी। अगर उनके ही जमाने के भवानी प्रसाद मिश्र को लिया जाए तो अज्ञेय जी आम लोगों की तरफ से अपने को कह नहीं सकते थे कि "जिस तरह हम बोलते हैं उस तरह तू लिख/और इसके बाद भी हमसे बड़ा तू दिख।" अज्ञेय तो शायद उस तरह लिखना भी नहीं चाहते थे जिस तरह दूसरे लिखते हैं या लिख रहे हैं और दूसरे से बड़ा-छोटा दिखना तो शायद वे चाहते ही नहीं थे। वे अपनी ही तरह दिखना चाहते थे और इसलिए शायद हमेशा सन्नाटा बुनते रहे और आखिर में अपने को सन्नाटे का छन्द कहकर गये। अपने आप होना और जीवन अपनी ही शर्तों पर जीना हर किसी के बस की बात नहीं होती। रेवड़ में शामिल करवाने वाला सिर्फ भय ही नहीं होता, उसमें एक आदिम चाह भी होती है। अज्ञेय ने अपने को चारों तरफ से खुला वन भले ही कहा हो, उनमें वन जैसा

आदिम शायद कुछ था नहीं।

लेकिन हो सकता है कि अपने को वे हमसे बेहतर जानते रहे हों और इसीलिए सारे दिखाऊ आभिजात्य और बगीचेपन के बावजूद वन ही रहे हों। ऊपर से हमने जो देखा वह शायद खोल हो, शायद ढाल हो, या शायद परदा हो जो किसी बहुत ही नरम और गहरे मर्म को ढाँकने के लिए। फिर भी उनकी परिक्रमा और उन्हें प्रणाम करने के बाद मैं फूट नहीं पड़ा। एक सन्नाटे में जैसे विलीन हो गया।

अज्ञेय अपने जमाने के साहित्य के महाद्वीप थे। और जब हम साहित्य की बात करते हैं तो सिर्फ हिन्दी नहीं, सिर्फ भारतीय नहीं, विश्व-साहित्य का सन्दर्भ लेना चाहिए। सिर्फ हिन्दी में लिखते रहे, इसलिए अज्ञेय नोबेल पुरस्कार के खुशवन्तसिंही मजाक के कारण नहीं थे। परायी बोली में लिखने वाले नीरद चौधरी हों या खुशवन्त सिंह या आर. के. नारायण, वे अज्ञेय वाली मौलिक ऊँचाई पर कभी पहुँच नहीं पाये। अज्ञेय के साथ साहित्य के संस्कार का एक युग पूरा हो गया। अज्ञेय नहीं होते तो जिस आधुनिकता के साथ हम लिखते हैं वह हमारी ऐसी सहज धरोहर नहीं होती। सातों आसमान भेद कर गये उस सुनहरे गरुड़ को अन्तिम प्रणाम!

25

प्रयोगधर्मी मन

॥ ठाकुर प्रसाद सिंह

सच्चिदानन्द हीरानन्द वात्स्यायन 'अज्ञेय' को पहली बार मैंने इलाहाबाद के ड्रमंड रोड स्थित बँगले में देखा था। इसके पूर्व वे द्वितीय महायुद्ध से मुक्त होकर रहने के लिए इलाहाबाद आ गये थे। उन्हें कभी बच्चन जी, कभी पन्त जी, कभी बालकृष्ण राव के साथ देखा था। काफी नजदीक था, तब भी उनके मेरे बीच में एक ठण्डी तटस्थता बची रह गयी थी। द्वितीय महायुद्ध में जाने के पूर्व लेखक और कवि के रूप में वे स्थापित हो चुके थे। आगरे के *सैनिक* और कलकत्ते के *विशाल भारत* में सम्पादन से उन्हें काफी प्रसिद्धि मिली थी, पर मेरे लिए वे *चिन्ता, इत्यलम्, तार सप्तक, शेखरः एक जीवनी* और *रोज* जैसी कहानियों के लेखक रूप में आदर्श पुरुष थे। *चिन्ता* में कितनी ही विदेशी और संस्कृत कविताओं के अनुवाद थे, जो मुझे गहराई से रोमांचित करते थे। उनकी कितनी ही पंक्तियाँ तब से मुझे कण्ठस्थ थीं। आज भी जब मैं उन्हें याद करता हूँ तो वे पंक्तियाँ याद आती हैं।

जब काँटों पर होगा क्रुद्ध प्रभंजन
का आघात।
तो उनमें उलझे फूलों की कौन
सुनेगा बात॥

ये पंक्तियाँ युद्ध और पराधीनता के बीच फँसे मेरे जैसे लड़के को पागल कर देने के लिए काफी थीं। इन्हें पढ़कर निराशा नहीं होती थी, बल्कि फूलों की बलिदानी मुद्रा के लिए मन मचल उठता था। *चिन्ता* में ही कालिदास की कुछ बड़ी प्रिय उक्तियों का उल्लेख किया गया था, उनमें मुझे आज भी एक पंक्ति याद है।

आमंत्रयस्व प्रिय सहचरम् ननु उपस्थिता रजनी। कण्व ऋषि के आश्रम में एक लताकुंज के पीछे दुष्यन्त के मोहजाल में शकुन्तला फँसी हुई देशकाल का

सारा बोध भूल जाती है। तभी आश्रम में कण्व का प्रवेश होता है और सभी सखियाँ घबरा जाती हैं। आश्रम में अनुभवी और परिपक्व बुद्धि की गौतमी भी है जो शकुन्तला को सावधान करने के लिए श्लेष के माध्यम से कण्व का आगमन इंगित करती है। वैसे तो इस पंक्ति का बड़ा सीधा अर्थ है, यानी चकोरी अपने प्रिय चकोर को विदा करो, क्योंकि रजनी आ गयी है। कण्व एकाएक चाहें भी तो समझ नहीं सकते, लेकिन शकुन्तला को इसका अभिप्राय समझने में देर नहीं लगी। इतनी सूक्ष्म व्यंजना और इतनी गन्ध युक्त भाषा! कालिदास के प्रति मेरे मन में मोह तभी जागा।

बाद में उन्होंने *प्रतीक* का सम्पादन शुरू किया। धीरे-धीरे नये लेखकों की पंक्ति उनके पास उभरने लगी। मैं इस बीच वाराणसी छोड़कर रोजी-रोटी की तलाश में सन्थाल परगने की ओर चला गया, जहाँ जाते ही एक रोमांचक नयी दुनिया ने मुझे अपने आगोश में बाँध लिया। तभी कुछ क्षेत्रों की यात्रा मैंने की और पाया कि उस अंचल में बहुत कुछ कहा जाने से रह गया है। पहले तो मैं उनके गीत गुनगुनाता घूमता रहा, फिर एक दिन एक नये गीत ने जन्म लिया। फिर मैंने दूसरा, तीसरा और चौथा गीत लिखा। उन गीतों को टाइप करके मैंने अज्ञेय जी को भेजा। 10-12 दिनों बाद उनका एक पत्र आया। बड़ा ही प्यारा पत्र था, वह। उन्होंने लिखा था, 'इतने टटके और अछूते गीत लिखकर आप वहाँ चुप क्यों बैठे हैं, गीत लिखकर भेजते रहिए। आपको पता नहीं कि आप कितना बड़ा काम कर रहे हैं'। और मैं उनके पत्र से उत्साहित होकर कुछ भेजूँ तब तक पटने से लेकर देवघर तक तहलका मच गया। यू.पी. का आदमी बिहार में आकर इतनी बड़ी गड़बड़ी पैदा कर रहा है, इससे कितने लोगों की नींदें हराम हो गयीं। कुछ लोगों ने सन्थाली गीतों के प्रामाणिक अनुवाद अज्ञेय जी को भेजे, जो उन्होंने मेरे प्रति पक्षपात के कारण तुरन्त लौटा दिए। फिर उन्होंने *टाइम्स ऑफ इंडिया* के साहित्यिक कॉलम में बड़ी ही गहराई, समझ और विस्तार से अनुवाद, मौलिक लेखन और अनुलेखन का भेद विस्तार समझाते हुए कहा कि मेरे गीत मौलिक गीत हैं, सन्थाली गीतों से वैसे ही रचनाकार खमीर ग्रहण करते हैं, जैसे वाल्मीकि, कालिदास, भवभूति से बाद के कवियों ने ग्रहण किया।

स्वयं अज्ञेय की रचना की कारीगरी भारतीय साहित्य का गहरा आभार स्वीकार करती हुई बराबर चलती रही है। वे एक ओर गहराई से इस देश की महान रचना सृष्टि से खुराक लेते हैं तो दूसरी ओर महावृक्ष की शाखों में उग आये नये किसलय और पुष्प उन्हें रोमांचित करते हैं। जो अज्ञेय को मात्र पाँच नयी कविताओं का कवि कहते हैं, वे उनके इस विशाल फलक को समझ पाने में असफल हो जाते हैं। जड़ और वृक्ष की सबसे ऊँची टहनी पर खिले फूल में जो गहरा रागरस बहता

है, उसे समझे बिना उन्हें नहीं समझा जा सकता।

मेरे गीत उनके भीतर की उस प्यास को बुझाते थे, जो केवल महाकवियों की प्यास होती है। 'नाना पुराण निगमागम सम्मतम्' लिखने वाले तुलसीदास का श्लोक तब तक अधूरा रहता है, जब तक 'क्वचिदन्यतोपि' उसमें नहीं जुट जाता। यही 'क्वचिदन्यतोपि' तुलसी को महान बनाता है। सैकड़ों वर्षों से तुलसी को एक अनुवादक सिद्ध करने की कोशिशें हो रही हैं और तुलसीदास हैं कि अनुवादक होते हुए विश्व के सिरमौर कवि बने हुए हैं और निरन्तर उनका व्यक्तित्व विशाल होता जा रहा है।

तुलसी का जो कुछ और है या जो बिहारी के शब्दों में 'और कछू' वही सच्चे साहित्यकार की पहचान बनाता है।

मैं भारतीय साहित्य की विशाल परम्परा की एक बहुत ही छोटी इकाई हूँ। मेरी पंसारी की दूकान में जंगलों की बेलें, जूठे बेर और जमुना नदी का थोड़ा-सा शीतल जल मिट्टी के बर्तन में रखा हुआ है। बस इतने ही से कृतार्थ हूँ मैं। इस पूँजी के बल पर एक दिन अज्ञेय जी को मैंने बिना तिथि तय किए सन्थाल परगने में खींचने में सफलता प्राप्त की थी। मेरे देवघर के बिलासी टाउन स्थित बँगले के बाहर एक ताँगा रुका, जिस पर अज्ञेय जी बैठे अपनी भुवन मोहिनी स्मिति से मुझे देख रहे थे।

रामायण के विशाल कथानक में जहाँ ताकत वालों की भीड़ लगी हुई है, शबरी केवल एक निमिष के लिए श्रीरामचन्द्र की तटस्थता भंग करके, उन्हें जड़ मूल से हिलाकर कलिचक्र में खो जाती है।

मैं बाद के वर्षों में अज्ञेय जी के साथ लम्बे सम्बन्धों की चर्चा यहाँ नहीं करूँगा। उनमें कितनी ही कटु मधु स्मृतियाँ हैं जिन्हें यहाँ कहना उचित नहीं है। वे अपने जीवन के अन्तिम वर्षों तक नये प्रयोग करते रहे हैं, जिनकी बार-बार चर्चा हुई। लेकिन पहले वाली बात फिर नहीं लौट सकी। वे दिनों-दिन अपनी खोल में सिमटते गये और धीरे-धीरे साहित्य के केन्द्र से हटकर हाशिए पर चले गये। एक लम्बे जीवन के रचनात्मक प्रयोगों से भरे काव्य का अन्त जरूर हो गया, लेकिन अब भी उनके संकेतों में सारगर्भित निष्कर्ष है। बिना जमीन बदले रचनाकर नयी जमीन बना नहीं सकता। यह कार्य करने के लिए अज्ञेय जी नये-नये प्रयोग करते रहे। उनका यही प्रयोगधर्मी मन हिन्दी साहित्य की अनुपम थाती है।

26

आलोक छुआ अपनापन

॥ विष्णुकान्त शास्त्री

अज्ञेय को जानना अरण्य को जानने के समान सहज भी था और दुष्कर भी। वे मिलते सभी से सहज भाव से थे, पर खुलते किससे कितना थे, यह कहना कठिन है। उनके अन्तरंगतम वृत्त के लोग भी उन्हें क्या जान सके थे? उन्हें जान जाने का गुमान करने वालों से भी क्या उनके बारे में बड़ी-बड़ी गलतियाँ नहीं हुईं? मैं तो खैर उस वृत्त की परिधि को भी शायद नहीं छू पाया था। कितनी सटीक, सन्तुलित उक्ति है अज्ञेय की अपने बारे में:

मैं सभी ओर से खुला हूँ
वन-सा, वन-सा अपने में बन्द हूँ
शब्द में मेरी समाई नहीं होगी
मैं सन्नाटे का छन्द हूँ।

किन्तु शब्दों के अतिरिक्त और कोई माध्यम भी तो नहीं है मेरे पास, उनके सम्बन्ध में अपनी स्मृतियों को दूसरों तक यथासम्भव सजीव रूप में पहुँचा पाने का। जानता हूँ, इन शब्दों में कभी दूर, कभी पास से दिखी उनकी कुछ झलकियाँ ही अंकित हो पाएँगी पर समग्र को उजागर करने में अंशों का भी कुछ-न-कुछ योगदान होता ही है। अतः संकोचपूर्वक किन्तु अकुण्ठित चित्त से प्रवृत्त हो रहा हूँ इस स्मृति-मन्थन में, इस प्रतिज्ञा के साथ कि जितना मेरा सच है, उतना ही कहूँगा।

मुझे याद है, उस दिन 1959 की 14 जनवरी थी। धर्मतल्ले (कोलकाता) में घूमते हुए अचानक धर्मवीर भारती और कान्ता जी से भेंट हो गयी। उस समय मुझे सचमुच बहुत आनन्द और आश्चर्य हुआ, जब उन्होंने कहा, "आइए, आपको अज्ञेय जी से मिलाएँ!" अज्ञेय जी उन दिनों हिन्दी साहित्य में मध्याह्न सूर्य की तरह तप रहे थे। कौन ऐसा हिन्दी साहित्य प्रेमी था, जो उनसे मिलना न चाहता!

मैं उल्लसित भाव से भारती जी के साथ हो लिया। ग्रैंड होटल के नीचे अज्ञेय जी से भेंट हुई। गरिमा मण्डित भव्य व्यक्तित्व जो अनायास सामने वाले को प्रभावित कर देता था। संयत, शालीन भाव से वे मुझसे मिले। हम लोगों ने साथ-साथ 'नीरा' में कॉफी पी। ज्यादा बात भारती जी ही करते रहे। अज्ञेय जी बहुत कम बोले, किन्तु उनकी उन थोड़ी-सी बातों में भी अध्ययन और असाधारणता की छाप थी। उनका व्यक्तित्व भी प्रभावी था और व्यवहार भी। मिलकर भी न मिलने का-सा तटस्थ-सा, असम्पृक्त-सा भाव। मुझे पहले लगा शायद नया परिचय होने के कारण वे मुझसे कम खुले, फिर लगा कि शायद वे खुलकर – अधिक ठीक कहना होगा अपने को खोलकर – मिल ही नहीं सकते, उन्हें अपने असामान्य व्यक्तित्व का आभास था। जो उनके स्तर तक उठकर उनसे मिल सकता था। शायद उसी से कुछ मात्रा तक वे खुल सकते थे। उनके संक्षिप्त उत्तर और दीर्घ मौन हम लोगों के उस दिन के वार्तालाप के प्रमुख अंश थे। उठते समय मैंने उनसे कहा, "महादेवी जी की हँसी और आपका मौन क्रिया में विपरीत होते हुए भी फल में एक जैसे हैं...औरों से अलग रहने के वर्म जैसे"। उत्तर में मिली एक मधुमिश्रित मुस्कान।

अपनी उस यात्रा में मेरे आमन्त्रण और विभागाध्यक्ष प्रो. कल्याणमल लोढ़ा के आग्रह पर अज्ञेय जी कलकत्ता विश्वविद्यालय के हिन्दी विभाग के प्राध्यापकों और विद्यार्थियों के समक्ष नयी कविता पर बोले। भारतीय संस्कृति संसद में जापान की संस्कृति पर भी उन्होंने एक विचारपूर्ण व्याख्यान दिया। मुझे लगा कि वे अपनी बातें बड़ी मर्यादा और आत्मविश्वास के साथ कहते हैं और श्रोताओं पर गहरा प्रभाव डालते हैं। विद्यार्थियों के प्रश्नों के उत्तर भी वे स्नेहपूर्वक देते रहे। तीखे प्रश्नों के उत्तर भी उन्होंने अनुत्तेजित ढंग से दिए। एक प्रश्न था, "क्या आप फ्रायड से प्रभावित हैं?" उनका उत्तर था, "फ्रायड को पढ़ना कोई दोष तो नहीं है। जब अपनी दृष्टि-शक्ति क्षीण हो तो चश्मे की सहायता लेनी पड़ती है। उसी तरह जगत के व्यापारों को समझने के लिए बड़े मनीषियों की कृतियों का अध्ययन गौरव का विषय है, लज्जा का नहीं। व्यक्ति यदि किसी का अध्ययन करता है या किसी के निकट सम्पर्क में रहता है तो उससे किसी न किसी रूप में प्रभावित होगा ही। साहित्यकार की रचना में यह प्रभाव बाहरी, ऊपरी अथवा आरोपित प्रतीत हो तो यह दोष है अन्यथा यदि वह सहज होकर आया है तो उसे दोष नहीं कहा जा सकता।" व्यापक दृष्टि एवं देश-विदेश के ज्ञान-विज्ञान से समृद्ध, आत्मविश्वास से युक्त उनके व्याख्यानों ने मुझ पर गहरी छाप छोड़ी।

उसी यात्रा में एक बार फिर उनके साथ नीरा में कॉफी पीने का सुयोग मिला लक्ष्मीचन्द्र जैन के सौजन्य से। अज्ञेय जी के मौन के वर्म को भेदने के लिए मैंने एक युक्ति की। मुझे उनकी कई कविताएँ याद थीं। मैंने उनसे कहा, "मैं आपकी

कविताएँ कभी-कभी मित्रों, छात्रों को सुनाता रहता हूँ। मैं नहीं जानता, मेरा काव्य-पाठ उन कविताओं के भाव-विचारों के अनुकूल होता है या नहीं। क्या आप अपनी कविताओं का पाठ सुनकर पाठशैली में प्रयोजनीय संशोधन करना उचित समझेंगे?" वे कुछ चकित भी हुए और प्रसन्न भी। उनकी मौन अनुमति पाकर मैंने उन्हें उनकी दो-तीन कविताएँ सुनाईं। वे सन्तुष्ट हुए, बोले, "मेरे पढ़ने का ढंग कुछ अलग हो सकता है, पर आप भी अपने ढंग से अच्छा काव्य-पाठ करते हैं।" मेरा विश्वास है कि उसके बाद मैं उनका स्नेह-भाजन बन गया, अवश्य ही एक सीमा तक ही।

उसी वर्ष नवम्बर में श्री शिक्षायतन कॉलेज की तरफ से 'हिन्दी साहित्य में आधुनिक बोध' विषय पर एक अखिल भारतीय विचारगोष्ठी हुई। अज्ञेय, देवराज, धर्मवीर भारती, नामवर सिंह जैसे सर्जक और विचारक पहले दो दिनों की गोष्ठियों में बोल चुके थे। तीसरे दिन मुझे भी बोलने के लिए आमन्त्रित किया गया। मैंने कुछ आक्रामक शैली में कहा कि आधुनिकता के अतिरेक में अपनी परम्परा के स्वस्थ तत्त्वों से भी कटना आत्मघाती प्रवृत्ति है। संकीर्ण व्यक्तिवादिता और अभिव्यक्ति में अस्पष्टता तथा चौंकाने के लिए की गयी लटकेबाजी का भी मैंने विरोध किया। श्रोताओं ने मेरे वक्तव्य का इतना स्वागत समर्थन किया कि आयोजकों ने मेरे अभियोगों का उत्तर देने के लिए नामवर जी को पुनः आमन्त्रित किया।

वैचारिक मतभेद के बावजूद उस व्याख्यान के कारण मुझे उन सभी वक्ताओं का स्नेह-सम्मान मिला, इसका मुझे बार-बार अनुभव हुआ। अज्ञेय जी ने अपनी स्वाभाविक गम्भीरता के साथ मुझसे बाद में कहा था, "क्या भारतीय काव्य-शास्त्री भी नहीं कहते कि काव्य का अर्थ कुछ प्रकट, कुछ छिपा हुआ होना चाहिए। आप उसके बिलकुल स्पष्ट होने की माँग कैसे कर सकते हैं?" मैंने उनकी बात के औचित्य को स्वीकार करके भी कहा था, अभिव्यक्ति की सांकेतिकता गहराई और सूक्ष्मता का विरोध मैं नहीं करता, किन्तु नयेपन के राह पर कविताओं को अनबूझ पहेली बना देने का समर्थन भी नहीं किया जा सकता। जो हो, उस प्रसंग से मैं उनके कुछ और निकट ही आया। उसके बाद वे कलकत्ते आये या मैं दिल्ली गया तो मैं उनसे प्रायः मिलता रहा।

मेरे विद्यार्थी और हिन्दी के उभरते हुए लेखक शरद देवड़ा ने अप्रैल 1966 में अवन्तिका की ओर से एक बड़ा आयोजन किया था, 'आज का हिन्दी साहित्य' समारोह। आमन्त्रितों में अज्ञेय, प्रभाकर माचवे, देवेन्द्रनाथ शर्मा, नेमिचन्द्र जैन, भारतभूषण अग्रवाल, नामवर सिंह, मोहन राकेश, सुरेश अवस्थी आदि। मुझे प्रत्यक्ष

अनुभव हुआ कि मार्क्सवादी खेमा अज्ञेय का प्रकट-अप्रकट विरोध करने के लिए कटिबद्ध है। योजना बनाई गयी कि पहले वक्ता अज्ञेय हों, जिससे बाद में उनका खण्डन किया जा सके। उस खेमे की रणनीति के मुकाबले में अज्ञेय निःस्पृह जैसे लगे। उन्होंने सहज ही पहले बोलना स्वीकार कर लिया। मैंने इस गोष्ठी का विस्तृत विवरण *अणिमा* पत्रिका में प्रो. शशांक के नाम से प्रस्तुत किया था, जिसकी प्रामाणिकता की दाद नामवर जी ने अपने एक पत्र में मुझे दी थी। अज्ञेय के महत्त्वपूर्ण वक्तव्य के जिस अंश ने मुझे सर्वाधिक छुआ, वह इस प्रकार था, "आज का हिन्दी साहित्य अर्थात् एक बड़ी सीमा तक आज का भारतीय साहित्य! इस स्पष्टीकरण का महत्त्व इसलिए है कि आज का हिन्दी साहित्यकार विश्व का होना चाहता है, भारतीय नहीं। मेरा सौभाग्य है कि मैं आज का भी हूँ और भारतीय भी। पिछला बोध मुझे भी कुछ देर से हुआ। धीरे-धीरे मुझे लगा कि मुझे भारतीय होना है। हमारे सांस्कृतिक चिन्तन में अतीत, वर्तमान और भविष्य में विरोध नहीं है, वे आपस में घुले-मिले हैं। बदली हुई परिस्थितियों का वर्णन करते हुए अपनी नयी दृष्टि से पुराने का वर्णन करना भी जिस प्रकार नया है, उसी प्रकार पुरानी दृष्टि से ही किया गया नये का वर्णन भी एक सीमा तक नया है। और दोनों का संघात भी क्या नया नहीं है? बदली चेतना से धर्म को समझने का और उन दोनों के सम्बन्ध को पाठक तक ले जाने का प्रयास भी जरूरी है।"

अज्ञेय जी अर्थात् हिन्दी में आधुनिकता के सबसे बड़े मसीहा के मुँह से यह बात सुनकर मेरे पारम्परिक मन को बहुत अच्छा लगा। मैं उनकी ओर अधिक आकृष्ट हुआ। यह भी स्वीकार करूँ कि मार्क्सवादियों के उनके प्रति अनुचित विरोधी रवैए ने भी मुझे उनकी ओर जाने के लिए, एक सीमा तक उनका पक्ष लेने के लिए प्रेरित किया।

एक दिलचस्प सवाल अज्ञेय के बारे में यह भी उठा था कि वे मूलतः क्या हैं, कवि या उपन्यासकार? डॉ. नगेन्द्र तथा अन्य कई आलोचक उन्हें मुख्यतः उपन्यासकार घोषित करते रहे हैं। अनेकों की दृष्टि में वे मूलतः कवि हैं। हिन्दी की प्रयोगशील नयी कविता धारा के प्रवर्तक और सर्वाधिक शक्तिशाली प्रतिनिधि। *शेखरः एक जीवनी* के प्रकाशित होते ही वे हिन्दी के श्रेष्ठ उपन्यासकार के रूप में प्रतिष्ठित हो गये थे, जबकि कवि के रूप में उनकी स्थिति आरम्भ में तो (अर्थात् *भग्नदूत, चिन्ता* के काल में) उपेक्षित-सी रही, फिर (*तार सप्तक, इत्यलम्, हरी घास पर क्षण भर* के काल में) विवादास्पद रही, *बावरा अहेरी, इन्द्रधनु रौंदे हुए ये, अरी ओ करुणा प्रभामय* तक आते-आते उनकी कवि प्रतिभा का लोहा उनके कटु आलोचकों को भी मानना पड़ा। अतः मेरे मन में यह जानने का कुतूहल था कि स्वयं अज्ञेय

जी अपने को मूलतः क्या मानते हैं। 1968 की फरवरी में दिल्ली में एक शाम अज्ञेय जी के साथ बिताने का सुयोग मुझे मिला। जब बातचीत कुछ जमी तो मैंने अपनी उक्त जिज्ञासा व्यक्त की।

वे मुस्कुराए, बोले, "कृतिकार की बातों का कम, उसकी कृतियों का अधिक विश्वास करना चाहिए। कृतिकार का अपना मूल्यांकन सब समय सही नहीं होता। उसे एक सीमा तक सहायक भर माना जा सकता है। यह काम तो मुख्यतः आलोचकों का है। आप लोगों को ही इस प्रश्न का उत्तर देना चाहिए।" फिर भी जब मैंने अपना अनुरोध जारी रखा, तब वे बोले, "पहले मैं अपने को मूलतः कवि मानता था, फिर लगने लगा कि मैं मूलतः उपन्यासकार हूँ, अब फिर मुझे लगता है कि नहीं, मैं कवि ही हूँ। उपन्यास, कहानी, नाटक भी मैं कवि के रूप में ही लिखता हूँ। वास्तव में मैं समाज से कुछ दूर पला-बढ़ा हूँ, जंगल, दूर-दराज स्थान, कारावास और फिर अधिकतर एकान्त। मैं जिस सत्य को जानता हूँ या जान सकता हूँ वह मूलतः व्यक्ति के चिन्तन या अनुभव पर आधारित है। यह स्थिति कवि के अधिक अनुकूल है। मैं अमृतलाल नागर से भिन्न प्रकृति का व्यक्ति हूँ। किसी प्रकृति की श्रेष्ठता की नहीं, केवल भिन्नता की बात कर रहा हूँ। सामाजिक सन्दर्भों के विशेष अनुभव न होने के कारण भी मैं अपने को मुख्यतः उपन्यासकार नहीं मानता, क्योंकि वह बात वैसा होने के लिए बहुत महत्त्वपूर्ण है।"

उस दिन मैंने उनसे यह भी पूछा था, "आप लिखते कैसे हैं?" उन्होंने प्रतिप्रश्न किया, "क्या आज आप मेरा इंटरव्यू लेने पर तुले हुए हैं?" मैंने कहा, "नहीं, मैं आपको यानी आपके सर्जक रूप को समझना चाहता हूँ।" वे बोले, "तो फिर सुनिए। मैं किसी भी अनुभव के बाद तुरन्त लिखने नहीं बैठ जाता। मेरे मन में कोई बात बरसों तक चुभती रहती है, मैं उस पर सोचता रहता हूँ। जब तक मुझे लगता है कि कहीं अस्पष्ट हूँ, कुछ अधूरा है, तब तक लिखना शुरू नहीं करता। जब करीब-करीब उसकी पूरी तस्वीर मन में उभर आती है, तब लिखना या लिखाना शुरू करता हूँ और फिर रुकता नहीं, इधर-उधर उलझता नहीं, बिलकुल निर्विघ्न एकान्त चाहता हूँ। *अपने अपने अजनबी* कुल तीन दिनों में लिखा गया उपन्यास है। *नदी के द्वीप* सात दिनों के बीच के अन्तराल को छोड़कर दस दिनों में पूरा हो गया था। लिखते समय मैं बिलकुल काट-छाँट नहीं करता। प्रतिलिपिकर्ताओं की असावधानी के कारण प्रतिलिपियों में काट-छाँट हो सकती है, मूल पाण्डुलिपि में नहीं। जब तक मुझे सन्तोष नहीं होता, तब तक मैं अपनी कोई कृति प्रकाशनार्थ नहीं देता। *शेखरः एक जीवनी* का तीसरा भाग लगभग पूर्ण हो चुका है। केवल कुछ स्थलों, कुछ बातों के बारे में सन्तोष नहीं हुआ, अतः पड़ा हुआ है। उसका प्रकाशन कब होगा, कहा नहीं जा सकता।"

और भी बहुत सी बातें हुई। मैंने अपराधी भाव से कहा, "आज मैंने आपका बहुत समय नष्ट कर दिया।" वे बोले, "नहीं, नहीं। समय आखिर होता किसलिए है। हम लोगों ने तो सार्थक प्रश्नों पर ही बातचीत की है। आप जब दिल्ली आएँ, आपका स्वागत है।" मुझे लगा, उन्होंने आलोक छुआ अपनापन मुझ पर बरसा दिया है और मैं उससे भीग गया हूँ। प्रायः मौन रहने वाले उस चिन्तक, सर्जक को इतना मुखर कर पाना निश्चय ही बड़ी उपलब्धि थी।

अज्ञेय ने केवल कृतियों की सर्जना नहीं की है। बहुत बड़ी संख्या में उन्होंने हिन्दी लेखकों को भी सिरजा है। उन्हें जिस किसी में थोड़ी भी सम्भावना दिखाई पड़ी, उसे उभारने और माँजने में उन्होंने अपना पूरा सहयोग दिया। मैं अपनी ही बात कहूँ। मैं वाक्शूर और लेखनीभीरू रहा हूँ। धर्मवीर भारती और नामवर जी की ही तरह अज्ञेय जी को भी लगा कि मुझे लिखना चाहिए। *नया प्रतीक* के लिए जब उन्होंने मुझे कुछ लिखने का आदेश दिया तो मैं सहम गया। भारती जी और नामवर जी की फरमाइशों के बाद भी कई बार कन्नी काट जाता रहा हूँ। किन्तु अज्ञेय जी को तो टाला नहीं जा सकता था। मैंने निर्धारित समय के भीतर ही सद्यः दिवंगत मोहन राकेश पर संस्मरण लिखकर भेज दिया। तुरन्त अज्ञेय जी का पत्र आया। पहले उन्होंने पीठ ठोंकी थी, "आपका पत्र मिला, साथ में लेख भी। इस मुस्तैदी से बहुत प्रभावित हूँ। मैं तो कल आपको याद दिलाने के लिए पत्र लिखने वाला था कि लेख आ ही गया", फिर लेख की सराहना करते हुए भी बहुत आत्मीयता के साथ उसकी त्रुटियों की ओर संकेत किया था, "संस्मरण जून अंक में ही दे रहा हूँ। कल मई अंक छपकर तैयार हुआ और आज से जून का काम शुरू है न। रॉयल्टी वाला पत्र मार्के का है। और भी संस्मरण चरित्र को उजागर करते हैं। दो-एक छोटे परिवर्तन कर लेने की अनुमति चाहता हूँ। एक तो तारीखों का ब्योरा कुछ कम कर दिया है – 'मोटा मोटी' सूचनाओं तक ही सीमित कर दिया है – हाँ, दो-एक जगह तारीख ही रहने दी है। दूसरे राकेश के संस्मरण में वही निरन्तर मंच के मध्य में रहें, इस खयाल से दूसरे नामों की बार-बार आवृत्ति से बचना उचित मानकर कहीं-कहीं नाम काट कर अन्य अतिथि या ऐसा कुछ कर दिया है। सभी नाम कम से कम एक बार पूरे कर दिए हैं, क्योंकि यह कैसे मान लिया जाए कि नेमिचन्द्र जैन सभी के लिए 'नेमि जी' हैं या कि इन्दुजा जी कहने से सब जान जाएँगे कि वे डॉ. सुरेश अवस्थी की पत्नी हैं – या कि सुरेश जी विवाहित भी हैं? आशा है, ये आपको ग्राह्य होंगे। मेरा तो विश्वास है कि इससे लेख उन लोगों के लिए भी अधिक पठनीय हो जाएगा जो इनर सर्किल के नहीं हैं – सामान्य हिन्दी पाठक हैं।"

इतना बड़ा कृती साहित्यकार सम्पादन धर्म को इतनी निष्ठा से निभाता है

और लेख को अधिक पठनीय बनाने के लिए किए गये उचित परिवर्तनों के लिए भी अपने से बहुत कनिष्ठ लेखक की सहमति चाहता है, यह अनुभव अज्ञेय की महत्ता के प्रति मुझे और विनम्र बना गया। पत्र का समापन करते हुए उन्होंने मेरे बतरस लोभी स्वभाव को जैसा प्रोत्साहन दिया वह उनकी उदारता के अनुरूप ही है, "आप से भेंट बहुत थोड़ी देर की रही, बल्कि वह भी अधिकांश राह चलते ही। यह तो है कि 'यायावर' का सही परिचय पथ पर ही मिलेगा। फिर भी कुछ देर बैठकर बात करते तो बहुत अच्छा लगता। अब की बार सही – आएँ तो अवश्य सूचना दें। मैं तो कलकत्ते आने की सोचता ही रहता हूँ। आ कब पाता हूँ देखें...।" यह पत्र 14 जून 1974 का है। मुझे यह जानकर आन्तरिक हर्ष हुआ कि अज्ञेय जी को मुझसे बातचीत करना सचमुच अच्छा लगता है, कि वे मुझे, मेरे प्रश्नों को, मेरी माथा चटौअल को झेलते नहीं, पसन्द करते हैं।

सम्पादक अज्ञेय को मेरी लेखकीय सीमाओं का पता शीघ्र ही चल गया। कई बार एक-एक लेख के लिए उन्हें तगादे के तीन-तीन पत्र भेजने पड़ते थे, फिर भी वे मुझसे कुछ न कुछ लिखवाते रहते थे। पर उनकी सम्पादकीय शालीनता बराबर बरकरार रही। उनके आदेश पर आखिरी लेख मैंने लिखा था, उत्तर भागवत-भूमि यात्रा पर। कई तगादों के बाद मैंने जो लेख भेजा, उसमें उनसे सम्बद्ध संस्मरण में स्मृति दोष के कारण तथ्य सम्बन्धी दो गलतियाँ रह गयी थीं। उन्होंने अपने 23 दिसम्बर, '85 के पत्र में लिखा, 'हाँ, दो पृष्ठों की फोटो कॉपी भेज रहा हूँ – पृ. 13 और 17 की – क्योंकि इन दोनों में मैंने थोड़ा-सा परिवर्तन किया है, मुझसे सम्बद्ध संस्मरण में। यह तथ्य की दृष्टि से ही किया गया है, फिर भी एक बार आप इसे देखकर ओके कर दें तो निश्चित रहूँगा।" अपने से छोटों की भी लेखकीय गरिमा को सुरक्षित सम्मानित रखने वाली यह सम्पादकीय शालीनता मेरी समझ में तो हिन्दी में अद्वितीय है। इसीलिए उन्हें इतना व्यापक लेखकीय सहयोग मिलता रहा।

अपनी उचित प्रशंसा से भी वे संकोच का अनुभव करते थे। इसी पत्र में उन्होंने लिखा था, "आपका लेख मुझे बहुत अच्छा लगा है, उसके बारे में अधिक नहीं कहूँगा। हाँ, मेरे बारे में जो कुछ है, वह असमंजस का कारण है, पर सब काट भी नहीं सकता।"

उनकी शालीनता ही नहीं, दृढ़ता भी अनुकरणीय थी। वे जिसे सही मानते थे, उस पर अडिग रहते थे। जनवरी 1975 में नागपुर में हुए प्रथम विश्व हिन्दी सम्मेलन की एक घटना मुझे याद आ रही है। उस सम्मेलन की प्रमुख साहित्य गोष्ठी में बोलने के लिए आयोजकों ने अज्ञेय जी को पहले से नहीं कहा था। गोष्ठी शुरू होने के कुछ पहले ही अज्ञेय जी मण्डप में आ गये थे। तब आयोजकों ने मंच पर बैठने और उस अवसर पर कुछ बोलने का अनुरोध उनसे किया। अज्ञेय जी का

दो-टूक जवाब था, "मुझसे पहले से नहीं कहा गया था इस गोष्ठी में बोलने के लिए, अतः मैं नहीं बोलूँगा। और जब बोलना नहीं है तो मंच पर भी क्यों जाऊँ।" अब एक अच्छी-खासी कटु स्थिति पैदा हो गयी। लल्लन प्रसाद व्यास, अनन्त गोपाल शेवड़े भी उनसे अनुरोध करके पहले से न कह पाने के लिए क्षमा माँगकर हार गये, किन्तु अज्ञेय जी बोलने के लिए तैयार नहीं हुए। मैंने उनसे प्रार्थना की "आप मंच पर तो चले जाइए, भले मत बोलिएगा।" वे तमाशा नहीं बनाना चाहते थे, अतः इस पर राजी हो गये, किन्तु उस गोष्ठी में कुछ नहीं बोले। चिरौरी-विनती करते वे लोग थक गये, फिर भी वे बोलने के लिए तैयार नहीं हुए। उनकी मान्यता थी कि राष्ट्रीय एवं अन्तरराष्ट्रीय विद्वानों के समक्ष बिना पूरी तैयारी किए बोलना नितान्त अनुचित है। अपनी मान्यता पर अडिग रहना उनका स्वभाव था।

विश्व हिन्दी सम्मेलन से असन्तुष्ट होकर वे लौटे। 27 जनवरी, '75 के अपने पत्र में उन्होंने मुझे लिखा, "मैं विश्व हिन्दी सम्मेलन से अत्यन्त निराश हुआ। मुझे न केवल हिन्दी का कोई विश्व रूप वहाँ नहीं दीखा बल्कि यही खतरनाक भ्रान्ति दीखी कि कुछ विदेशियों को अच्छी हिन्दी बोलते देख-सुनकर (हम) कितने स्वप्नाविष्ट हो जा सकते हैं। अंग्रेजी की बात छोड़िए क्योंकि उसके साथ गुलामी के भी सन्दर्भ हैं, पर कोई भारतीय फ्रेंच या रूसी बोल लेता हो (ऐसा भारतीय जो भारत में ये भाषाएँ पढ़ा रहा हो।) और फ्रांस या रूस जाए, तो क्या वहाँ के लोग उसे जम्हूरे की तरह जगह-जगह घुमाकर बुलवाएँगे कि देखो यह अच्छी फ्रेंच/रूसी बोलता है – जिससे सिद्ध होता है कि फ्रेंच/रूसी विश्व-भाषा हो गयी। विदेशी लोग इस अपमानजनक प्रदर्शन से दुखी ही होकर गये हैं: कह भी गये हैं कि यह हिन्दी की 'इम्मेच्युरिटी' का ही प्रमाण है कि उसे दूसरों को हिन्दी बोलते देखकर विस्मय होता है। (मेरी समझ में ठीक ही कह गये हैं।)...

"विश्व सम्मेलन न केवल हमें विराट स्वप्न में भरमाता है, वरंच देश में हिन्दी की दुरवस्था के प्रति अन्धा भी करता है और सरकार की बढ़ती हुई प्रतिकूलता के प्रति भी। और मेरा अनुमान है कि इसने अन्य भाषा प्रदेशों में भी हिन्दी विरोधी मनोभाव को बढ़ावा ही दिया है। वह आगे गुल खिलाएगा। यों उदासीनता/विरोध का वातावरण फिर हिन्दी को जमाकर वहाँ खड़ा करे जहाँ से उसे वास्तव में शक्ति मिलेगी तो यह भी कोई बुरा परिणाम न होगा – पर वह सम्मेलन का उद्धिष्ट न होगा, उसके विपरीत ही परिणाम होगा।" इतिहास ने साबित किया कि अज्ञेय जी का मूल्यांकन सही था। केन्द्रीय सरकार हिन्दी प्रेमियों को भरमाकर हिन्दी को उसके प्राप्य से वंचित करती रही, अंग्रेजी को सर्वाधिकार सौंपे रही, फिर भी कुछ अहिन्दी प्रदेशों में हिन्दी विरोध की ज्वाला सुलगती ही रही। विश्व सम्मेलनों के प्रदर्शन से नहीं, लोक सम्मेलनों के निर्णयों के क्रियान्वयन से ही हिन्दी को

वास्तविक शक्ति मिल सकती है।

26 जून, 1975 को आपातकाल घोषित हुआ। चिन्तन और अभिव्यक्ति की स्वतन्त्रता के मौलिक अधिकार पर यह क्रूर आघात था। जैसा अपेक्षित था, अज्ञेय जी ने अपनी साहित्यिक मर्यादा के भीतर इसका विरोध किया। सरकार ने उन्हें गिरफ्तार तो नहीं किया, किन्तु उनकी गतिविधियों पर और *नया प्रतीक* पर कड़ी नजर रखी जाने लगी। अपनी छोटी-सी सीमा में मैं भी आपातकाल का विरोध कर रहा था। वे मेरे इस रवैए से प्रसन्न थे। अपने विश्वासों की कीमत चुकाने से वे कभी नहीं कतराए थे। वे चाहते थे कि दूसरे भी ऐसा करें। हम लोगों ने कलकत्ता विश्वविद्यालय में बिड़ला व्याख्यान देने के लिए उन्हें आमन्त्रित कर रखा था। नवम्बर 1975 के तीसरे सप्ताह में वे कलकत्ते पधारे। उनके अपने आकर्षण के साथ विभागाध्यक्ष लोढ़ा जी की सुव्यवस्था के कारण उनकी व्याख्यानमाला कलकत्ते की चिरस्मरणीय साहित्यिक घटना बन गयी। विषय उन्होंने गहन चुना था, 'काल की अवधारणा'। पूर्व और पश्चिम के विद्वानों के विचार मन्थन के सन्दर्भ में इस कठिन विषय को यथासम्भव स्पष्ट करने का उनका प्रयास अतिशय स्तुत्य था। तीनों दिन कलकत्ता विश्वविद्यालय का दरभंगा हाल कलकत्ते के हिन्दी साहित्यिकों और साहित्य प्रेमियों से खचाखच भरा रहा। लोढ़ा जी ने संचालन का दायित्व मुझे सौंप दिया था। स्वभावतः 4, 5 दिन प्रायः अज्ञेय जी के साथ ही बीते। स्वीकृत कार्य को सुसम्पन्न करने के लिए अपनी तरफ से वे पूरी लगन से चेष्टा करते थे, इस व्याख्यानमाला के क्रम में मैंने इसका प्रत्यक्ष अनुभव किया।

अज्ञेय जी नास्तिक बुद्धिवादी के रूप में ही विख्यात रहे हैं। उनके काव्य में आस्था के, उत्सर्ग के मिलने वाले प्रसंगों की व्याख्या भी मानवीय भविष्य और मंगल के सन्दर्भ में ही की जाती रही है। पर उनकी *कितनी नावों में कितनी बार, क्योंकि मैं उसे जानता हूँ, सागर मुद्रा, पहले मैं सन्नाटा बुनता हूँ* सदृश परवर्ती कविता पुस्तकों में भक्ति चेतना के संकेत भी मुझे मिले। सितम्बर-अक्टूबर 1976 में राजस्थान विश्वविद्यालय के हिन्दी विभाग में हिन्दी प्राध्यापकों के पक्ष व्यापी अध्ययन शिविर के अपने व्याख्यान में जब यह बात मैंने कही तो विश्वम्भरनाथ उपाध्याय, परमानन्द श्रीवास्तव, विश्वनाथ तिवारी आदि मित्रों ने मेरे इस कथन को अमान्य ठहराया। पर मैंने अपनी बात साग्रह दुहराई। लौटना तो दिल्ली होकर ही हम लोगों को था। मुझसे पहले ही परमानन्द श्रीवास्तव और विश्वनाथ प्रसाद तिवारी, अज्ञेय जी से मिले। उन्हें एक प्रकार से धक्का-सा लगा अज्ञेय जी से यह सुनकर कि शास्त्री जी की बात ठीक है। 12 अक्टूबर, '76 को मैं अज्ञेय जी से मिला तो उन्होंने स्वीकार किया कि भक्ति भावना की अभिव्यक्ति उनके इधर के

काव्यों में होने लगी है। बाद में विशेषकर फरवरी '85 में उत्तर भागवत-भूमि यात्रा के समय उनसे, इला जी से इस विषय पर मैंने और खुलकर बातचीत की।

सचाई यही है कि अपने जीवन के कुछ विशिष्ट अनुभवों के कारण अज्ञेय जी आस्तिक हो गये थे। धर्म और अध्यात्म के सम्बन्ध में भी उनके विचार से उनके अपने विवेक का स्थान था। वे पुनर्जन्म को मानने के पक्ष में नहीं थे। किन्तु आत्मा की अमरता को, परमात्मा को मानते थे। वे यह भी मानते थे कि साधना के द्वारा आत्मा का परमात्मा में विलय हो सकता है। इला जी ने मुझे बताया था कि वे भक्ति के स्तोत्रों का पाठ भी करते थे, किन्तु फलश्रुति के अंशों को छोड़ देते थे। उनका मत था कि एक स्तोत्र पढ़ कर इतना कुछ पाने की इच्छा रखना तो व्यवसाय है, भक्ति नहीं। हो सकता है इस परिवर्तन में कुछ भूमिका विद्यानिवास जी मिश्र की भी रही हो। मिश्र जी के माध्यम से ही अज्ञेय जी स्वामी अखण्डानन्द सरस्वती से मिले थे। उन्हीं के आश्रम में वृन्दावन में वत्सल निधि का एक शिविर भी अज्ञेय जी ने किया था। मैं स्वामी अखण्डानन्द जी का दीक्षित शिष्य हूँ, यह जानकर उन्हें प्रसन्नता हुई थी। मुझसे शंकराचार्य जी की प्रार्थना षट्पदी सुनकर अज्ञेय जी ने पाठ करने के लिए उसे लिखवा लिया था। जब मैंने बाद में उन्हें प्रार्थना षट्पदी पर गुरुजी के प्रवचन की पुस्तिका दी थी तो वे कृतज्ञ हुए थे। वे स्वामी जी से बीच-बीच में मिलते रहते थे। 12 अगस्त, '85 के अपने पत्र में उन्होंने लिखा था, "मैं एक बार फिर वृन्दावन हो आया – दो दिन स्वामी जी का सान्निध्य रहा और बड़ी शान्ति मिली।" गुरुजी दिल्ली आये हुए हैं, यह जानकर 22 अक्टूबर, '85 को उन्होंने मेरे साथ जाकर गुरुजी से भेंट की थी। ऐसा प्रतीत होता है कि अपने जीवन के अन्तिम दो दशकों में वे उत्तरोत्तर भागवत सत्ता की ओर अपनी अन्तर्यात्रा में अग्रसर होते जा रहे थे, यद्यपि इसकी मुखर चर्चा से वे विरत रहते थे। यह भी स्मरणीय है कि उनकी आध्यात्मिकता इस जीवन और जगत की उपेक्षा कर इसके उत्तरदायित्वों से पलायन का रास्ता नहीं खोजती थी। इसी जीवन और जगत को अधिक सारवान बनाने की अन्तर्दृष्टि थी वह।

आपातकाल का विरोध करने के क्रम में मैं सक्रिय राजनीति की ओर उन्मुख होता चला गया। इसका एक परिणाम यह हुआ कि जून '77 में मैं जनता पार्टी के टिकट पर पश्चिम बंगाल की विधान सभा का सदस्य चुन लिया गया। मेरे अधिकतर साहित्यिक मित्रों और शुभेच्छुओं ने मेरे इस कदम का समर्थन नहीं किया। अज्ञेय जी उन थोड़े से लोगों में थे, जिन्होंने कहा कि जनता के लोकतान्त्रिक अधिकारों की रक्षा के प्रयास के कारण यदि आपकी साहित्यिक गतिविधि को कुछ

क्षति भी हो तो उसे सहना चाहिए। हाँ, हम लोग आपसे यह आशा अवश्य करेंगे कि आप आम राजनीतिक नेता जैसे न हो जाएँ। स्वयं उन्होंने भी उन्हीं दिनों *नवभारत टाइम्स* जैसे राष्ट्रीय दैनिक पत्र का प्रधान सम्पादक बनकर अपने सर्जक साहित्यकार रूप को एक सीमा तक क्षतिग्रस्त करना, इसी तर्क के आधार पर स्वीकार किया था।

फिर मेरे पाँच साल मुख्यतः विधायक की राजनीतिक भूमिका निभाने में स्वाहा हो गये। इस बीच अज्ञेय जी को ज्ञानपीठ पुरस्कार मिला। उनसे मैं एक-दो बार मिला भी, किन्तु साहित्यिक कार्यों में और अज्ञेय जी के साथ निकट सम्बन्ध में भी एक अन्तराल-सा आ गया, मेरे जीवन में। इसे अज्ञेय जी ने ही तोड़ा। 12 अक्टूबर, '83 को सुबह-सुबह दिल्ली से फोन कर उन्होंने आदेश दिया कि मैं वत्सल निधि द्वारा इसी महीने के अन्त में आयोजित होने वाले बोधगया शिविर में 'आज की कविता तथा छन्द' विषय पर व्याख्यान दूँ। मैंने विनम्रतापूर्वक हामी भर दी।

अज्ञेय के प्रबन्ध-पटु व्यवस्थापक रूप का प्रत्यक्ष अनुभव मुझे बोधगया और बरगी के शिविरों तथा उत्तर भागवत-भूमि यात्रा में मिला। अवश्य ही धुरी की तरह इनका बोझ इला जी उठाती रहीं, किन्तु योजना, व्यवस्था की सूक्ष्म परिकल्पना अज्ञेय ही करते रहे और पूरे उत्साह से सहभागी के रूप में उनमें अंश ग्रहण करते रहे। मुझे याद आता है 29 जून, '74 के अपने पत्र में उन्होंने लिखा था, "63 साल के लोग पूरा अवकाश ले लेते हैं और मैं हूँ कि रोज नया काम ओढ़ लेता हूँ और ओढ़ने को बाध्य भी हूँ।" मेरा सौभाग्य है कि अक्टूबर 1983 से उनके प्रयाण काल तक मुझे उनका अधिकाधिक स्नेह, विश्वास प्राप्त होता रहा। वे अन्त तक युवा स्वप्नदर्शी की तरह योजनाएँ बनाते रहे और पूरी कर्मठता के साथ उन्हें क्रियान्वित करते रहे। कई बार उन्हें मोटर चलाते हुए मैंने देखा है। वे सधे हाथों स्टियरिंग पकड़ते, तेज मोटर चलाते दनादन ओवरटेक करते। यात्राओं में वे कोई अतिरिक्त सुविधा नहीं लेते थे, अपना भारी थैला स्वयं उठाते और जवान सहयात्रियों के साथ कदम मिलाकर चलते। अपनी बढ़ी हुई उम्र और दिल के दौरे पड़ने के बावजूद वे अन्त तक सक्रिय रहे। सूरज डूबते समय तक लाल ही रहता है, इसे उन्होंने अपने जीवन में भी प्रमाणित किया।

हिन्दी की आधुनिक कविता में छन्द की स्थिति से मुझे तीव्र असन्तोष है। मुझे लगता है कि मुक्त छन्द की अतिशयता काव्य सौष्ठव को क्षतिग्रस्त कर रही है, बहुतेरे नये कवियों में छन्दोज्ञान का शोचनीय अभाव है, इसीलिए अधिकांश समकालीन कवियों के मुक्त छन्द अनगढ़ गद्य बनते जा रहे हैं। मुक्त छन्द भी अपनी आन्तरिक लयवत्ता के लिए विविध मात्राओं/वर्णों के छन्दों का आधार लेने पर ही अधिक प्रभविष्णु बन सकते हैं। पूरी काव्य रचना मुक्त छन्द में ही हो, यह

विकल्पहीन स्थिति कभी काम्य या वांछित नहीं हो सकती। अतः नये कवियों को भी छन्दों की उपयोगिता पर पुनर्विचार करना चाहिए। छन्दोवैविध्य के द्वारा अपनी कविता को समृद्धतर बनाना चाहिए।

अज्ञेय जी मेरी कई स्थापनाओं से सहमत होते हुए भी मानते थे कि मुक्त छन्द की लयवत्ता बलाघात पर भी आधारित हो सकती है। मुक्त छन्द काव्य-पाठ कौशल को विकसित करने के पक्ष में वे भी थे। उन्होंने इसी मुद्दे को बरगी शिविर में भी विचार का विषय बनाया। मेरे विचारों से अपनी कई असहमतियों के बावजूद उन्होंने न केवल बरगी शिविर में इस विषय पर और विस्तार से बोलने के लिए मुझे आमन्त्रित किया, बल्कि मेरे लेख को अपने द्वारा सम्पादित पुस्तक *समकालीन कविता और छन्द* में पहले लेख के रूप में प्रकाशित किया। दृष्टि भेद को सम्मानपूर्वक स्वीकारने में वे अत्यन्त उदार थे। जिस प्रकार अपनी मान्यताओं को वे शालीनता और दृढ़ता के साथ प्रस्तुत करते थे, उसी प्रकार अन्यों के भी इस अधिकार को मानते थे।

अज्ञेय की सौन्दर्य चेतना शिविरों के लिए चुने गये स्थानों में भी परिलक्षित होती थी। मुक्त प्रकृति के साहचर्य में नये-पुराने साहित्यकारों का सहवास, सर्जनात्मक साहित्य का सामूहिक पाठ, खुली चर्चा, तेज-तर्रार बहस के बावजूद सौहार्द उनका लक्ष्य था। सचमुच इन शिविरों-यात्राओं से तरोताजा होकर आन्तरिक दृष्टि से समृद्ध होकर सहभागी लौटते थे।

बोधगया शिविर की एक अविस्मरणीय स्मृति है, महानो नदी की पतली धारा में घुटनों तक पानी में खड़े-खड़े अज्ञेय जी से कविताएँ सुन पाने की। बाद में कुछ लोगों ने बड़े हल्के ढंग से छींटाकशी की थी इस पर। काश, वे वहाँ होते। उस विलक्षण अनुभव से गुजरते, तब समझ पाते कि यह छींटाकशी कितनी सारहीन है। हम लोगों ने बार-बार अनुरोध कर एक तरह से अज्ञेय जी को विवश कर दिया था कि युगोस्लाविया में हुए 'स्वर्णमाल' सम्मान के अवसर पर उन लोगों द्वारा प्रकाशित *स्वर्णमाल काव्य संकलन* से वे हम लोगों को अपनी कुछ कविताएँ सुनाएँ। एक सीमा तक संकोच व्यक्त करने के बावजूद हम लोगों के आग्रह को उन्होंने स्वीकार किया था। उस शान्त, स्निग्ध, उत्फुल्ल-परिवेश में उन कविताओं के पाठ ने हम लोगों को अभिभूत कर दिया था। इसी तरह बरगी शिविर में शरत्पूर्णिमा की रात को नर्मदा पर बाँध के किनारे के जादुई परिवेश में आयोजित काव्य-पाठ समारोह को मैं कभी नहीं भूल सकता। किसी प्रकार का अंकुश न होते हुए भी एक स्वतः स्वीकृत मर्यादा। *'चाँदनी में वह सफेदी है कि जैसे धूप ठण्डी हो गयी है'* की अनुभूति करते हुए नर्मदा के पार्श्वसंगीत की पृष्ठभूमि में अज्ञेय, अजितकुमार, रामेशचन्द्र शाह तथा अन्य अनेक उभरती हुई प्रतिभाओं की कविताएँ

सुन पाना क्या कम सौभाग्य की बात है। इन शिविरों के साथ अविच्छेद्य रूप से जुड़ा वन-विहार का कार्यक्रम अज्ञेय की कवि प्रतिभा के जीवन्त स्पर्श-सा होता था।

सामान्य हिन्दी पाठकों में अज्ञेय क्रान्तिकारी लेखक के रूप में प्रसिद्ध हैं। इस मान्यता के मूल में ये तथ्य हैं कि अपने आरम्भिक जीवन में 1929 से 1936 तक वे क्रान्तिकारी दल के सदस्य थे और अपने लेखन में भी उन्होंने पुरानी पद्धति के प्रति विद्रोह कर कथा साहित्य और कविता दोनों में क्रान्तिकारी परिवर्तन किए थे। बहुत कम लोगों को ज्ञात है कि क्रान्ति के सम्बन्ध में उनकी दृष्टि में बाद में मौलिक परिवर्तन हुआ था। मुझे भी इसका सीधा ज्ञान उन्हीं से बातचीत करते समय 22 अक्टूबर, '85 को हुआ। बम्बई की एक संस्था ने मुझे क्रान्तिकारियों पर व्याख्यान देने के लिए आमन्त्रित किया था। संयोग से उसके पहले मुझे दिल्ली आने का सुयोग मिला। मैंने सोचा— इस विषय पर अज्ञेय जी से सार्थक बातचीत हो सकती है, और मैं उनके पास पहुँच गया।

मुझे यह जानकर आश्चर्य ही हुआ था कि अज्ञेय अब क्रान्ति के कई पहलुओं से असहमत थे। उनका कहना था कि क्रान्ति के मूल में है अपनी वांछित, निश्चित दिशा में त्वरित परिवर्तन की कामना। दूसरे (भले वे बहुसंख्यक ही क्यों न हों) यदि ऐसा न चाहें, तो बल प्रयोग के द्वारा, असहिष्णु हिंसा के द्वारा सत्ता पर अधिकार कर उन्हें उस दिशा की ओर अग्रसर होने के लिए बाध्य करना इसकी प्रकृति में ही है। इसी प्रक्रिया में यह प्रवृत्ति विकसित होती है कि जो हमारे साथ है वह साथी है और जो साथ नहीं है, वह शत्रु है। क्रान्तिकारी की दीक्षा में ही यह निहित है कि अपने साथियों के प्रति भी रागात्मक सम्बन्ध, व्यक्तिगत सम्पर्क नहीं पनपना चाहिए। अपने विपथगामी साथी को (भले ही वह अत्यन्त श्रेष्ठ क्यों न हो, और असहमति के उसके ठोस कारण क्यों न हो) शत्रु मानकर समाप्त कर देने की मानसिकता भी क्रान्तिकारी दीक्षा का अंग होती है। अज्ञेय को ये दोनों मुद्दे बाद में अग्राह्य लगते थे।

उनकी मान्यता के अनुसार, परिवर्तन की कामना तो ठीक है, उसके लिए एक सीमा तक अधैर्य भी ठीक है, किन्तु दूसरे की इच्छा उसी दिशा में परिवर्तन करने की न होने पर बलात् परिवर्तन करने का अधिकार किसी को कैसे मिल जाता है? हमारी बात ठीक ही है, इस विश्वास के आधार की परीक्षा होनी चाहिए। बहुमत की दृष्टि में (जो कई बार नेता की दृष्टि होती है) विपक्षगामी होने पर किसी आदर्शवादी स्वतन्त्रचेता साथी की हत्या कर देनी चाहिए, यह भी उन्हें अपराध-सा लगता था। हम क्रान्तिकारी हैं, दूसरे जो हमसे असहमत हैं, वे बहुत हुए तो सुधारक भर हैं, अतः अपनी बात को शस्त्र बल से उन सब पर लाद देने

के अधिकारी हैं, यह तर्क अब उन्हें स्वीकार नहीं था। उनके अनुसार, क्रान्ति की एक बड़ी सीमा यह भी होती है कि सत्ता रूप हो जाने के बाद क्रान्तिकारी स्थितिशील हो जाते हैं, क्योंकि उनकी वृत्ति फिर सत्ता बनाए रखने की हो जाती है, अतः वे यह मानना ही नहीं चाहते थे कि परिवर्तन करके हम जहाँ पहुँचे हैं, उसके आगे भी परिवर्तन हो सकता है। क्रान्तिकारी दलों और पैगम्बरी धर्मों को निकट लाने वाली बात भी यही है। पहले पैगम्बर होते थे, पर हमारे पैगम्बर के बाद अब कोई पैगम्बर नहीं हो सकता, यह धारणा समान रूप से क्रान्तिकारी दलों में भी व्याप्त है। क्रान्तिकारी अपने आवेश में कुछ हद तक अवमानवीकृत हो जाता है। मनोवैज्ञानिक दृष्टि से वह आविष्ट-सा होता है। अपनी सैद्धान्तिक प्रेरणाओं (जिनमें स्वयं सत्ता में बने रहकर बलपूर्वक परिवर्तन का निमित्त बनने का भाव भी रहता है) के कारण वह अकथनीय अत्याचार कर सकता है। रूस और चीन दोनों देशों में क्रान्ति के बाद हुए सामूहिक उत्पीड़नों में लाखों की हत्या हुई थी। अब उन दोनों देशों के नेता भी इसकी कटु भर्त्सना करते हैं, इसे 'ब्लंडर' मानते हैं।

उन्होंने एक और चौंकाने वाली बात कही थी। उनका मानना था कि भारत में रूस-चीन की तरह क्रान्ति नहीं हो सकती, क्योंकि यह मूलतः हिन्दू देश है। यहाँ दूसरे मतों के प्रति समादर की भावना स्वतः सिद्ध सत्य के रूप में विद्यमान है। पड़ोसी देशों की तुलना में भारत में लोकतन्त्र के टिकाऊ होने का कारण हिन्दू धर्म और संस्कृति की चेतना ही है। सत्ता पर अधिकार किए बिना समाज को बदल देने का संकल्प करने वालों को आज की राजनीतिक दृष्टि में क्रान्तिकारी नहीं माना जाता। हिन्दू संस्कृति ऐसा संकल्प रखकर अग्रसर होने वालों को मन, वाणी और कर्म से परहित या सर्वहित चाहने वालों को सन्त कहती है। गाँधी जी भी ऐसे ही थे। कांग्रेस से गाँधी जी का अलगाव भी सत्ता के प्रश्न पर ही हुआ था। तुरन्त सत्ता चाहने वालों ने गाँधी जी का साथ छोड़ दिया था। उनके शहीद हो जाने के बाद अपने स्वार्थ के लिए उनका उपयोग वे लोग करते रहे, यह अलग बात है। अज्ञेय जी ऐसे सन्तों को और गाँधी जी को भी व्यापक दृष्टि से क्रान्तिकारी और वास्तविक क्रान्तिकारी मानने के पक्ष में थे।

प्रचलित राजनीतिक दृष्टि से क्रान्ति के मार्ग से असहमति उनकी काफी पुरानी है। इसके प्रमाण में उन्होंने 1954-55 में लिखित और *पूर्वा* में संकलित अपनी एक चतुष्पदी भी सुनाई, जिसका शीर्षक है, 'शक्ति का उत्पात':

क्रान्ति है आवर्त, होगी भूल, उसको मानना धारा।
उपप्लव निज में नहीं उद्दिष्ट हो सकता हमारा॥
जो नहीं उपयोज्य वह गति-शक्ति का उत्पात भर है।

स्वर्ग की हो – माँगती भागीरथी भी है किनारा॥

ऐसा प्रतीत होता है कि क्रान्ति के अग्नि पथ से गुजरकर, उसकी विकृतियों के सन्दर्भ में हिन्दू संस्कृति की उदार सहिष्णुता का अनुभव कर अज्ञेय अधिक मानवीय बने थे। व्यक्तिगत बन्धुत्व को स्वीकार करने और दूसरे के विवेक को भी सम्मान देने के कारण उनका विश्वास प्रचलित राजनीतिक क्रान्तिवादिता से हट गया था।

यह भी दिलचस्प बात है कि अज्ञेय जी इसके बावजूद विद्रोह के पक्ष में थे। सामान्यतः वे अनुशासन को स्वीकार कर शुभ बुद्धि से किए गये सामूहिक प्रयास को प्रशस्त मानते थे। किन्तु वे यह भी मानते थे कि यदि कोई किसी बात को ईमानदारी से गलत समझे तो उसका प्रतिकार करने का अधिकार उसे है। लेकिन फिर उसे इसके लिए दण्ड सहने को भी तैयार रहना चाहिए। असंयत उच्छृंखलता का वे कतई समर्थन नहीं करते थे। उनकी स्थापना थी कि इकाई समष्टि के प्रति कृतज्ञ तो हो, पर अपने विवेक को कुण्ठित भी न होने दे। मार्क्सवादियों ने उनके विरुद्ध जो धुआँधार अभियान छेड़ा था, उसमें उन पर लगाए जाने वाले आरोपों में शायद सबसे भ्रामक आरोप था अतिशय व्यक्तिवादिता का, संकीर्ण अहंवादिता का। जो व्यक्ति प्राणों की बाजी लगाकर देश की स्वाधीनता और फासिज्म के विरोध के लिए संग्राम कर सकता है, 'समाज-विमुख' कैसे कहा जा सकता है? कविता में भी उनकी घोषणा रही है, "तुम्हें धारे हृदय में/मैं सदा दूँगा/बाह्य का जो देय/नहीं गिरने तक कहूँगा/तनिक ठहरूँ/क्योंकि मेरा चुक गया पाथेय।" यह ठीक है कि वे व्यक्ति के अनुभव और विचार को भी बहुत महत्त्व देते थे, किसी से उधार लिये हुए तथाकथित 'सत्य सिद्धान्त' की वेदी पर उनकी बलि नहीं चढ़ाते थे। उनका विश्वास था कि मुक्त, कुण्ठारहित व्यक्तियों के सहयोग से ही शक्तिशाली समाज बन सकता है। बड़ा और घना वन जिस तरह बड़े और घने वृक्षों की समष्टि है, उसी तरह उन्नत, स्वतन्त्र और विवेकी व्यक्तियों के आधार पर ही सचमुच बड़ा समाज निर्मित हो सकता है। इस स्थापना से असहमत होने का कोई वस्तुगत कारण मुझे नहीं दिखता।

उनके साथ की गयी उत्तर भागवत-भूमि यात्रा मेरे जीवन की अत्यन्त बहुमूल्य स्मृति-धरोहर है। मैंने उस पर लम्बा लेख लिखा है, अतः उन बातों को मैं यहाँ दुहराना नहीं चाहता, किन्तु उसमें अनुलिखित एक-दो बातों की चर्चा करना उचित समझता हूँ।

अज्ञेय जी को भी कभी-कभी मैं दूसरे बड़े कवियों की रचनाएँ सुनाने की

धृष्टता करता रहता था। मैंने सदा पाया कि वे न केवल उन्हें चाव से सुनते थे, बल्कि कई बार मुझसे उन्हें लिखवा भी लेते थे। माण्डवी अहमदनगर के प्रसन्न परिवेश में मैंने उनसे कहा कि मेरे पिता (स्व. गांगेय नरोत्तम शास्त्री) क्षेमेन्द्र के एक श्लोक को अपनी आरामकुर्सी कहा करते थे। विषम परिस्थितियों से घिर जाने पर वे उसके आधार पर अपने मन को समझाते थे कि ओ मेरे चित्त! तू क्यों इधर-उधर व्यर्थ भटकता फिरता है, कभी विश्राम भी कर; इसे भली-भाँति समझ ले, कि स्वयं जैसा होता है, वैसा ही होता है, अन्यथा नहीं हो सकता; अतः अतीत को स्मरण करना छोड़, भविष्य के भी बाँध तू मत बना, अतर्कित रूप से आते-जाते रहने वाले भोगों को अनुभव करता चलः

परिभ्रमसि किं सुधा क्वचन चित्त विश्रान्यतां।
स्वयं भवति यद्यथा, भवति तत्ता नान्यथा॥
अतीत मननुस्मरन्नपि च भाव्यसंकल्पयन्
अतर्कित गमागमानतु भवामि भोगानहम्॥

अज्ञेय जी ने इस सूक्ति को बहुत सराहा था और लिखवाकर इसे अपने पास रख लिया था। सम्भवतः क्षणों में जीने के अपने सिद्धान्त की उन्हें इसमें आंशिक पुष्टि दिखी थी। यह भी स्पष्ट करना चाहता हूँ कि क्षणों को महत्त्व देते हुए भी न अज्ञेय को, न इस सूक्ति को क्षणवादी कहा जा सकता है।

इसी तरह एक बार बातचीत में मैंने उनसे कहा कि फ्रायड के बहुत पहले चरक ने अपने इसी भारतवर्ष में यह निरूपित किया था कि अपनी बुद्धि, धृति, स्मृति से विभ्रष्ट होकर जब कोई अशुभ कार्य करता है तो वह 'प्रज्ञापराध', अपनी ही समझ के विरुद्ध गलत, असंगत आचरण करता है। उसी से उसके सारे मनोदैहिक विकार आयुर्वेद की भाषा में कफ, वात, पित्त सम्बन्धी त्रिदोष ही नहीं ईर्ष्या, द्वेष, शोक, क्रोध आदि मनोविकार भी प्रकुपित हो उठते हैं। उनका श्लोक इस प्रकार हैः

धीधृतिस्मृतिविभ्रष्टः कर्म यत्कुसतेऽशुभम्।
प्रज्ञापराध तं विद्यात्सर्वदोष प्रकोपणम्॥

अज्ञेय जी ने यह श्लोक भी लिखवा लिया था और 'प्रज्ञापराध' शब्द की बहुत सराहना की थी।

अज्ञेय जी ने कई बार गोष्ठियों में अच्छा बोलने या निबन्ध पाठ करने पर मुक्त हृदय से मुझे बधाइयाँ दी थीं, मेरी बातों को महत्त्व देते हुए अपनी असहमति भी दो-तीन बार व्यक्त की थी, किन्तु एक बार उन्हें लगा, मैंने गम्भीर विवेचन के

स्थान पर नाम गिनाकर ही आलोचकीय दायित्व पूरा कर दिया है। उस बार उन्होंने मीठी चुटकी लेते हुए कहा था, "आप कब से नामों की तालिका से काम चलाने लगे?" विनोद में दी गयी सही, यह सीख मैं कभी नहीं भूलूँगा।

अज्ञेय अन्तिम दिन तक कार्यरत थे। उनका लिखा काफी कुछ अप्रकाशित साहित्य होना चाहिए। *शेखरः एक जीवनी* के तीसरे भाग का उल्लेख कर चुका हूँ। उन्होंने मुझे बताया था कि सेंट फ्रांसिस के जीवन पर उन्होंने एक गीतिनाट्य लिखा था जो पहले कामुक होने के बावजूद बाद में सन्त हो गये थे। उनके जीवन की जिस विडम्बना को अज्ञेय ने उभारा था, वह यह थी कि सेंट फ्रांसिस तो उत्तर जीवन में प्रेम को सर्वोपरि महत्त्व देते रहे, किन्तु उन्हीं के पट्ट शिष्य ने उन्हीं से कहा, मठ केवल प्रेम के आधार पर नहीं, नियमों के आधार पर चलता है। अज्ञेय जी की इस पर टिप्पणी थी कि प्रतिष्ठान का अंग बनने की यह परिणति होती है। वे कबीर के ऊपर भी एक गीतिनाट्य लिखना चाह रहे थे। नहीं जानता लिख पाये थे या नहीं। जानकी-जीवन यात्रा और भागवत-भूमि यात्रा की सफल क्रियान्विति के बाद उन्होंने नर्मदा-यात्रा की योजना बनाई थी, नर्मदा के उद्गम से संगम तक के महत्त्वपूर्ण स्थलों की यात्रा के रूप में। अत्यन्त स्नेहपूर्वक उसमें सम्मिलित होने का अग्रिम निमन्त्रण भी उन्होंने मुझे दिया था। उनकी अनेकानेक सृजनधर्मी योजनाओं के समान ही यह भी पूर्ण नहीं हो सकी। किन्तु इससे भी उनकी दृष्टि की साहसिक मौलिकता का आभास मिलता है। निरन्तर योजनाबद्ध कार्य करते रहने के प्रति वे इतने समर्पित थे कि उसकी गति के मन्द पड़ने पर व्यथित हो उठते थे। अपने 13 जनवरी, '84 के मार्मिक पत्र में उन्होंने लिखा था, "मेरे कार्य की गति कुछ धीमी हो गयी क्योंकि 'दिल ने धोखा दिया' — वह जो कष्ट प्रदर्शनी के दौरान हुआ था, हलका दौरा ही था। अनन्तर और भी कष्ट हुआ और एक बार उठने के बाद दिसम्बर मध्य में फिर खाट से बाँध दिया गया। ...फिर भी काम तो चल ही रहा है।"

और एक ऐसा दिन भी आया जब जीवन की धज्जियाँ उड़ाने वाले, किन्तु लिग्ध सपनों का अलग सोना सँजोने वाले अज्ञेय के दिल ने आखिरी धोखा दिया और उनकी एक मुट्ठी खाक ही रह गयी, समागत काल में उनकी लय-ताल मिल गयी।

27

सादगी में नाच

॥ विंदा करंदीकर

मैं उनसे पहले कभी मिला नहीं था। केवल नाम सुना था और जानता था कि वे हिन्दी के बड़े कवि और लेखक हैं। दो-एक मित्रों से उनकी प्रशंसा भी सुनी थी, किन्तु मिलने का अवसर नहीं मिला था। भारत भवन के 'कवि भारती' समारोह में पहुँचा तो पाया कि वहाँ भी किसी को जानता नहीं हूँ। किन्तु जब जाना कि समारोह में अज्ञेय जी भी आनेवाले हैं तो मन में सहज कुतूहल जागा उन्हें देखने का। पर वह पहली मुलाकात ही आखिरी मुलाकात बन गयी।

मैंने उन्हें देखा, तो शुरू में आपस में प्रथम परिचय की दूरी तो होती है सो बात परस्पर नमस्कार तक ही सीमित रही। किन्तु समारोह के उद्‌घाटन के समय मैंने उन्हें जरा ज्यादा निकट से देखा। अशोक वाजपेयी ने किसी मंत्री वगैरह को बुला कर या भाषणबाजी करके समारोह का उद्‌घाटन नहीं करवाया, वरन उस दिन मंच से अज्ञेय, गोपाल कृष्ण अडिग और मेरी एक-एक कविता के पाठ की योजना बनायी। अडिग बीमार थे, इस कारण आ नहीं सके थे – मैंने तथा अज्ञेय जी ने एक-एक कविता पढ़ी और उद्‌घाटन हो गया।

मुझे इतनी अच्छी हिन्दी नहीं आती कि हिन्दी कविता अच्छी तरह समझ सकूँ। गद्य समझ लेता हूँ, लेकिन कविता पूरी तरह समझ नहीं सकता। क्योंकि मैं यह मानता हूँ कि हर भाषा का अपना मिजाज होता है। कविता के अपने 'न्यूआन्सेज' होते हैं जो भाषा की समझ होने पर ही समझे जा सकते हैं। केवल अर्थ समझ लेना कविता को समझ लेना नहीं होता पर देखिए कैसा घोर आश्चर्य है कि उद्‌घाटन के बाद जब शाम को काव्यपाठ का कार्यक्रम हुआ, उसमें 'नाच' नामक जो कविता अज्ञेय जी ने सुनायी, वह मुझे शब्दशः अच्छी तरह से समझ में आयी। शुरू से आखिर तक मैंने उसका रसास्वादन किया। कविता बड़ी सादी, गहरी और साफ-सुथरी थी। अनुभूति के कई धरातलों पर उसके अर्थ खुलते चलते थे। क्या था उस कविता में? कि खूब रोशनी है और दो खम्भों के बीच तनी रस्सी पर मैं नाच रहा हूँ। लोग खम्भे नहीं देख रहे, रस्सी नहीं देख रहे, रोशनी नहीं देख

रहे, मुझे नहीं देख रहे – लोग तो नाच देख रहे हैं। कितनी जबरदस्त अन्तर्दृष्टि है इस कविता में – जीवन के अर्थों के प्रति कैसी सांगोपांग मीमांसा है, अस्तित्व मात्र की। केवल जीवन के प्रति गहरे अर्थों की बात ही नहीं, इस कविता में कलात्मक सौन्दर्य का सिद्धान्त भी अन्तर्भूत है।

सौन्दर्य को टुकड़ों में विभाजित करके नहीं देखा जा सकता। सौन्दर्य हमेशा तत्त्व की सम्पूर्णता में होता है। सौन्दर्यानुभूति का रहस्य ही यह है जो इस कविता में है – कि रस्सी नहीं, रोशनी नहीं, खम्भे नहीं, मैं नहीं, सम्पूर्ण सौन्दर्य है इन सबके योग से मिल कर बने नाच में। आप गाँधी के साथ केवल तकली या चरखा देखिए तो उसका कोई महत्त्व नजर नहीं आएगा। उसे जब समस्त भारत की तत्कालीन परिस्थिति और परिवेश की पृष्ठभूमि में देखिएगा तभी उसकी सम्पूर्णता नजर आएगी और उसका महत्त्व ज्ञात होगा। इसी सम्पूर्णता की व्याख्या है, 'नाच' कविता में। इसीलिए मुझे वह इतनी पसन्द आयी। हो सकता है, अज्ञेय जी का कोई और भाव रहा हो, हिन्दी समीक्षक कुछ और कहता हो। पर मैंने इस कविता को इसी तरह समझा और सराहा है।

जैसा कि मैंने कहा, उनसे परिचय तो नितान्त औपचारिक हुआ था। मात्र नमस्कारों का आदान-प्रदान था। लेकिन कविता पढ़ते इस पुरुष में मैंने अजब सम्मोहन पाया। मेरा मन बरबस ही मन्त्रविद्ध-सा उनकी ओर खिंचा चला जा रहा था। मुझे लगा कि जैसे मैंने एक पूर्ण-पुरुष का अनुभव इस व्यक्ति के माध्यम से पा लिया है। वह मुझे जैसे लगे थे वह बात बताने के लिए आप इजाजत दें तो मैं अंग्रेजी में कहना चाहूँगा, क्योंकि उनको लेकर मेरे दिमाग में यही दो वाक्य जम कर बैठ गये हैं: 'टु सी हिम वॉज टु बी हैप्पी, एंड टु हियर हिम वॉज टु बी रिफाइंड।'

वहाँ काव्य-पाठ के कई सत्र हुए थे। क्योंकि तमाम भाषाओं के कवि एक ही मंच से काव्य-पाठ कर रहे थे, इसलिए यह कहा गया था कि हम पहले अपनी भाषा में कविता पढ़ेंगे, फिर उसी के बाद अंग्रेजी या हिन्दी में उसका अनुवाद सुनाएँगे ताकि सभी को समझ आ सके। मैंने ऐसा महसूस किया कि कविताओं के अंग्रेजी में अनुवाद पढ़े जाने की बात से अज्ञेय जी थोड़े अकुला रहे थे, खिन्न से थे। शायद वे चाहते थे कि कविता केवल अपनी भाषा में ही पढ़ी जाए या अगर सुविधा के लिए अनुवाद करना ही है तो हिन्दी में होना चाहिए, अंग्रेजी में नहीं। यद्यपि उन्होंने उस विषय में कुछ खास कहा नहीं था, पर मुझे कुछ ऐसा ही अनुभव हुआ था। मेरे इस अन्दाज की पुष्टि बाद में हुई। वह बात फिर बताऊँगा। पहले एक और बात। तीसरे रोज जो काव्य-पाठ हुआ, उसमें अध्यक्ष के स्थान पर मुझे बैठाने का नाम प्रस्तावित हुआ था। मंच से कुछ घोषणाएँ वगैरह हो रही थीं।

चारों ओर खूब विद्वान और कवि बैठे थे। मैं भी सामने की कतारवाली कुर्सियों पर उर्दू कवि अख़्तर-उल-ईमान और उनकी पत्नी के साथ बैठा हुआ था।

अज्ञेय जी पीछे की ओर एक कोने में अपने किसी परिचित के साथ बैठे थे। वे उधर से मेरी ओर आये और अपनी एक पुस्तक *ऐसा कोई घर आपने देखा है* मुझे दी और हाथों में पुस्तक देकर, झुक कर मेरे पाँव छू लिये। इतने सारे लोगों के बीच इतनी भीड़ में उन्होंने मेरे पैर छुए तो मैं तो संकोच से सिमट गया। मेरे मन में आने लगा कि ये धरती फट जाए और मैं इसमें समा जाऊँ। मुँह से केवल इतना कह सका, 'अरे अज्ञेय जी, आप मुझे शर्मिन्दा न करें।' और मैंने उनके दोनों हाथ अपने हाथों में थाम लिये। स्लिपडिस्क के कारण स्वयं तो झुक नहीं सकता था, अन्यथा मैं स्वयं उनके चरणस्पर्श कर लेता। मैं उनहत्तर का हूँ वे छिहत्तर के – उम्र में ही नहीं, यश और कीर्ति तथा कृतित्व में भी मुझसे इतने बड़े! पर इतने विनम्र! मैं तो ठगा-सा रह गया।

अपने को स्वयं सन्तुलित कर मैंने उनसे पूछा कि इस पुस्तक में 'नाच' कविता है न! तो बोले, "नहीं, वह तो नहीं है। वह तो पुरानी है। यह पुस्तक इधर की नयी लिखी कविताओं का संकलन है।" मुझे 'नाच' इतनी पसन्द आयी थी कि मैं बोल उठा, 'क्या उसे लिख कर मुझे दे सकेंगे?' वे तुरन्त बोले, 'हाँ-हाँ जरूर'। और मुझे दी पुस्तक वापस ले कर अपने उसी सुदूर कोने में चले गये। अज्ञेय जी का व्यक्तित्व ऐसा था कि वे किसी भी कोने में बैठे हों, वही स्थान सबसे महत्त्वपूर्ण लगने लगता है। विचित्र प्रभामण्डल बिखेरते थे अपने चारों ओर। मेरा ध्यान बार-बार उधर ही जा रहा था। मुझे करना तो कुछ था नहीं। अशोक वाजपेयी स्वयं ही बड़े कुशल संयोजक हैं। वे स्वयं सब कुछ कह रहे थे, मुझे तो गणपति की तरह आसन पर बिठा भर दिया था। मैं था कि रह-रह कर सम्मोहित-सा अज्ञेय जी को देखे जा रहा था। मैंने देखा, बड़ी देर तक वे उस पुस्तक में ही कुछ लिख रहे थे। अपने ऊपर ग्लानि भी हुई, क्योंकि मुझे खुद अपनी कविता की चार पंक्तियाँ भी नहीं याद रहतीं और उनसे आग्रह कर बैठा था इतनी बड़ी कविता को याददाश्त से लिख देने का। पर मेरे अचरज का ठिकाना नहीं रहा, जब मैंने देखा कि उन्होंने मेरी वह पसन्दीदा कविता अपनी इस नयी कविता-पुस्तक के पिछले खाली पृष्ठ पर लिख कर पुस्तक मुझे पुनः आकर दे दी। इतने शोर-शराबे के बीच उन्होंने यह कष्ट उठाया। मैं तो निहाल हो उठा। इतना ओजस्वी और महान दीखनेवाला व्यक्ति भीतर से कितना सादा था, कितना सरल!

हम सब कवि वहाँ एक ही होटल में ठहरे थे। मैंने निश्चय किया कि उन्हें और निकट से जानूँगा। पर पता चला कि वे तो कल सुबह ही शहर में कहीं शिफ्ट

करनेवाले हैं। यह सूचना जिस समय मुझे मिली उस समय रात के ग्यारह बजे थे – लेकिन मेरा मन उनसे मिलने के लिए मचल रहा था। कल सुबह पता नहीं कितने बजे वे कहाँ चले जाएँगे, फिर मैं कैसे मिल पाऊँगा। मेरा मन हो रहा था कि मैं भी इस महान व्यक्ति... नहीं महान आत्मा को कुछ समर्पित करूँ। जी हो रहा था जो कुछ मेरे पास है उन्हें दे डालूँ, पर मेरे पास तो कुछ था ही नहीं। कोई नयी किताब भी नहीं थी। मेरे साथ अपनी तीन पुरानी किताबें थीं। एक *त्रिवेणी* जिसमें मेरी तीन लम्बी कविताएँ अंग्रेजी में छपी हैं, जिनका अनुवाद मैंने ए. के. रामानुजम् के साथ मिल कर किया था। दूसरी थी *पोएम ऑफ विंदा* और तीसरी थी *सम मोर पोएम्स ऑफ विंदा*। तीनों ही किताबें पुरानी हो चुकी थीं। जिल्द भी मैली थी, क्योंकि इन्हीं प्रतियों को मैं अपनी कविताएँ सुनाने के लिए सब जगह ले जाता रहा था। पुरानी मैली पुस्तकें देने में संकोच-सा अनुभव हुआ। पर फिर मैंने सोचा, पुरानी हैं तो क्या हुआ – बड़ी श्रद्धा से दे रहा हूँ, वे स्वीकार करेंगे और मैंने उन पुस्तकों पर लिखा– वांग्मयमहर्षि अज्ञेय यांस, सादर– विंदा करंदीकर।

हम कोंकणी लोग बड़े खड़ूस होते हैं। किसी की जल्दी तारीफ नहीं करते। पर मुझे उनके लिए वांग्मयमहर्षि शब्द ही एकदम उपयुक्त लगे। मेरा स्वभाव ऐसा नहीं कि हरएक से खुलकर हँसता-बोलता रहूँ या झट से किसी से भी अनौपचारिक हो जाऊँ और वक्त-बेवक्त उसके पास पहुँच जाऊँ। पर रात के ग्यारह बज जाने के बावजूद मैं अज्ञेय जी के कमरे की ओर खिंचा चला गया। रोशनी बुझ चुकी थी, फिर भी मैंने दरवाजा खटखटाया। वे बाहर आये। मुझे पहचान कर, मुस्कुरा कर नमस्कार किया। मैंने कहा, 'असमय आने की क्षमा चाहता हूँ, पर सुना कि आप सुबह चले जाएँगे। इसलिए इसी समय आना पड़ा।' तो मेरे संकोच को मिटाने के लिए मेरे कन्धे पर स्नेह भरे स्पर्श का हाथ रखते हुए बोले, 'कोई बात नहीं, आइए, बाहर बरामदे में बैठते हैं।' भीतर शायद उनकी पत्नी सो चुकी थीं। तो मैंने कहा, 'अधिक कष्ट नहीं दूँगा। मैं तो आपको अपनी ये पुस्तकें भेंट करने आया था।' बड़े प्रेम से हाथ बढ़ा कर उन्होंने पुस्तकें लीं। उलटने-पलटने लगे तो उन्होंने देखा कि मेरी पुस्तकें पैरेलल टेक्स्ट (समान्तर भाष्यान्तर) में छपी हैं– बायें पृष्ठ पर मूल मराठी और इसी के सामने दाहिने पृष्ठ पर अंग्रेजी अनुवाद था। देखते रहे और बोले, 'काश! अंग्रेजी की जगह हिन्दी अनुवाद होता तो कितना अच्छा होता।'

मैंने कहा था न कि अज्ञेय जी को कविताओं को अंग्रेजी में प्रस्तुत करना बड़ा अखर रहा था। मुझे अपने सही अन्दाज की पुष्टि मिल गयी तो मैंने अपनी ओर से उन्हें सफाई दी कि हाँ, सोचता तो मैं भी यही हूँ कि अंग्रेजी की जगह हिन्दी होती तो अच्छा था, पर बात अपनी सुविधा और साधनों की होती है। हो सकता है, हिन्दी में बहुत अच्छे अनुवादक हों, पर मेरी मजबूरी थी कि मुझे वे उपलब्ध नहीं

हैं। मैं स्वयं अंग्रेजी का प्राध्यापक रहा हूँ तथा शिकागो के रामानुजम् का भी सहयोग मुझे उपलब्ध था, इसलिए समान्तर अंग्रेजी लिपि में पुस्तकें छपी हैं। सुन कर वे बोले, 'कोई बात नहीं। देखूँ अब कुछ कर सका तो कोशिश करूँगा। इस बार बम्बई आऊँगा तो जरूर मिलेंगे।' मगर मुझे क्या मालूम था कि वे अब कभी बम्बई नहीं आएँगे। उनसे कभी मिलना नहीं हो सकेगा। पर उनसे अपनी इस पहली मुलाकात को, जो अब तो आखिरी भी कही जाएगी, कभी भुला नहीं सकूँगा।

मुझे जो हिन्दी पुस्तकें भेंट में मिलती रहती हैं, वे मैं डॉ. चन्द्रकान्त बांदिवडेकर को दे देता हूँ कि उनके काम आएँगी। भोपाल से लौट कर भी मैंने उन्हें वहाँ मिली सब हिन्दी पुस्तकें तथा पत्र-पत्रिकाएँ आदि दे दी थीं। तब तो मुझे पता भी नहीं था कि अज्ञेय जी अब फिर कभी नहीं मिलेंगे। पर विचित्र संयोग है कि मैंने बांदिवडेकर जी को देने के बाद उनसे वह पुस्तक, जो अज्ञेय जी ने मुझे दी थी, वापस माँग ली। और अब जब अज्ञेय जी सदा के लिए जा चुके हैं, तब तो उनकी दी इस पुस्तक को मैं कभी अपने से अलग नहीं कर पाऊँगा। इसके पीछे हाथ से लिखी उनकी 'नाच' कविता तो मेरे लिए अमूल्य निधि है। मैं उनके सम्मोहन में सदा के लिए बँधा हूँ।

प्रस्तुतिः पुष्पा भारती

28

मुक्ति की खोज

॥ केशव मलिक

कवियों के साथ, व्यक्ति के रूप में, एक समस्या यह होती है कि अक्सर वे पंक्तियों पर नहीं, पंक्तियों के बीच ध्यान दे रहे होते हैं: शब्द जिस तरह आते हैं, उस पर नहीं, बल्कि छूटी हुई ध्वनियों पर। निश्चय ही इस स्पष्ट आत्मलीनता में कुछ बचकाना नहीं तो बालसुलभ अवश्य होता है। 1936 में, जब मैं खुद बच्चा था, मेरठ के एक कवि सम्मेलन में मैंने बड़ी उत्सुकता से एक अजनबी को देखा, जो मेरी बगल में बैठकर मंच पर काव्य-पाठ कर रहे कवियों के चित्र बड़ी दक्षता से उकेर रहा था। इस अजनबी में कुछ ऐसा था जो, मेरी निगाहों में, दूसरों को बाँधता था। ऐसा लग रहा था कि वह बहुत ध्यान से काव्य-पाठ सुन रहा है, लेकिन फिर भी स्थूल यथार्थ को जरा भी लक्ष्य न करते हुए। स्पष्टतया उस अजनबी का मस्तिष्क अदृश्य पर केन्द्रित था, और वह बहुत ध्यान से अमूर्त को मूर्त करने में जुटा था। उस वक्त रेखाओं में।

1937 के बाद से, जब वाकई सच्चिदानन्द हीरानन्द वात्स्यायन 'अज्ञेय' को जानने का अवसर मिला – अजनबी वही थे – उनकी प्रखर चेतना के और भी ज्यादा साक्ष्य मिलते रहे। क्योंकि हमसे बड़े होते हुए भी वे हमारे साथ– मेरी बहन कपिला, भाई भाषी और खुद मेरे साथ– घुलमिल गये थे। उस समय वे बनारसीदास चतुर्वेदी से *विशाल भारत* के सम्पादन का दायित्व लेने कलकत्ता आये हुए थे और हमारे घर पर ही रह रहे थे। जब वे हमारी माँ सत्यवती मलिक से लेखन और किताबों पर बात कर रहे होते थे तो उनके शब्दों का सधाव हो या फिर जानवरों, चिड़ियों और दूसरी छोटी-छोटी चीजों को लेकर जताई गयी उनकी दिलचस्पी– इन सबने अनायास उन्हें हम सबके विशेष सम्मान का पात्र बना दिया था। उनके हमारे घर आने से पहले और बाद में भी लेखक आते-जाते रहे थे, लेकिन उनमें एक खास गुण था, जिसकी व्याख्या नहीं की जा सकती।

यह गुण उनके साथ जीवन भर बना रहा। उन्हें बस देखते हुए, उनके साथ बात करते हुए या उनके साथ पिकनिक मनाते हुए यह पता चल जाता था कि वे

खास हैं; एक विशेष व्यक्ति, किसी सार्वजनिक आशय में विशेष नहीं, लेकिन एक ऐसा व्यक्ति जिसे एक असाधारण आन्तरिक आयाम मिला हुआ है। एक स्तर पर वे सरस्वती की सेवा में लगे हुए थे, अगर नैतिकतावादी ढंग से कहें तो। लेकिन एक दूसरे स्तर पर वात्स्यायन मानवीय तौर पर बेहद सजग इंसान थे। यहाँ मैं विदेशी शासन के विरुद्ध उनके किशोर षड्यन्त्रों की बात नहीं कर रहा, बल्कि सार्वजनिक प्रश्नों से उनके निरन्तर जुड़ाव की बात कर रहा हूँ– खासकर आखिरी महायुद्ध से। मानवेन्द्रनाथ राय से वात्स्यायन जी का जुड़ाव सीधे ऐतिहासिक यथार्थ की उनकी अपनी समझ से निकलता था। सभ्यता के सामने जो गम्भीर चुनौती थी, उसके विरुद्ध कार्रवाई शुरू करने के लिए एक अलोकप्रिय रास्ते का अनुसरण साबित करता था कि सरस्वती का यह भक्त श्रीकान्त के तर्कशास्त्र की पुकार के प्रति आँख-कान बन्द किए नहीं बैठा था।

वही दृढ़ता उन्होंने बहुत बाद में *एवरीमेन्स वीकली* या *दिनमान* के सम्पादन में दिखाई। ये साहित्यिक पत्रिकाएँ नहीं थीं, जैसी उन्होंने कभी खुद शुरू की थीं, मसलन कवियों के बेहतरीन समूह के साथ *प्रतीक,* या फिर *वाक्,* जो विचार, कला और लेखन की पत्रिका थी। उन प्रारम्भिक पत्रिकाओं के साथ-साथ कुछ दूसरे मंचों पर भी 'अज्ञेय' ने अपने दो आन्तरिक व्यक्तित्वों के बीच बिलकुल सन्तुलन साध रखा था। एक ने दूसरे को मन्द नहीं किया। वे बौद्धिक रूप से बेहद मजबूत थे और भारतीय समाज और भारतीय संस्कृति की महत्त्वपूर्ण समस्याओं के समक्ष कलात्मक, सार्वजनिक बल का काम करते थे। कम से कम, उनमें तर्क और रोमान को लेकर कोई अविलेय द्वन्द्व नहीं दिखता था। कलाओं के बिना या अस्तित्व के जिस स्तर का वे प्रतिनिधित्व करती हैं, उनके बिना प्रगति या सार्वजनिक यथार्थ नीरस काम हैं। और इसके उलट, तात्कालिक विषयों से विवेकसम्मत जुड़ाव के बिना कला निष्प्राण या नकली हो जाती है।

1948 में रेडिकल कैम्प में उन्होंने अपने शान्त अन्दाज में यह बात स्थापित करने की भरसक कोशिश की। लेकिन उस समय उनके दृष्टिकोण को नहीं के बराबर सफलता मिली, क्योंकि हममें से बहुत-से लोग वैचारिक तौर पर हठी थे। तब सौन्दर्यबोध हमें अपने गम्भीर सरोकारों का वैध हिस्सा नहीं लगता था, बल्कि वह अस्तित्व के दूसरे स्तर की चीज लगता था। और एक हद तक हमारी कैफियत सही थी। लेकिन कलागत उद्देश्य और गूढ़ किस्म के सौन्दर्यबोध में फर्क होता है। वात्स्यायन का बोध विक्षोभ और संघर्ष से पलायन नहीं था, बल्कि इतिहास के बाहर मुक्ति की खोज था। वह उस क्षण को लक्ष्य करता था, जब सामाजिक-आर्थिक उद्देश्य पूरे हो जाएँ तो भी मनोगत जरूरतें बनी रहती हैं।

वे अपने जीवन और समय को तत्क्षण और भविष्य में विभक्त करते नहीं

लगते थे। जो तत्क्षण था, वही शाश्वत था। और सच्चे कलाकारों के साथ यही होता है। जिस चीज में वह शायद बड़ी तीव्रता से विश्वास करते थे, वह थी अस्तित्व के एक अर्थ की वर्तमान चेतना, विचारों के स्तर पर स्पष्टता और बड़ी मेहनत से किए गये चयन से निकली सक्रियता। इस अर्थ में अज्ञेय परम्परावादी नहीं थे, लेकिन परम्परा से गहरे बँधे थे। वह अपने जीवन्त साक्ष्य द्वारा ही अपने अन्वेषक उपन्यासों, कविताओं और निबन्धों के साथ-साथ अपनी पत्रकारिता के माध्यम से परम्परा को पुनर्नवा करने की चेष्टा करते थे। अनुसरण करना, वह चाहे परम्परा का हो या आधुनिकता का, उनका काम नहीं था। वे दाएँ और बाएँ दोनों ओर के मस्तिष्क की सक्रियता के लिहाज से मजबूत थे और अपने पूरे सामर्थ्य के साथ अतिचार की सहज मानवीय प्रकृति के विरुद्ध खड़े रहे।

निश्चय ही उनमें एक तरह का 'परफेक्शनिस्ट' था, जिसे फूहड़ता या किसी भी तरह का बेढबपन, विचार में भी, कला में भी और निजी आचरण में भी, नापसन्द था। कई लिहाज से, यह जिद उन्हें अपने सबसे अच्छे मित्रों से भी अलग और अकेला करती थी। इसी वजह से उन पर अहम्मन्यता का आरोप भी लगता था। यह सच हो या नहीं, और ये कहावत जानते हुए कि मजबूती अपनी तरह की कमजोरी लाती है, उनके यहाँ भी कला और अपने जीवन में एक वास्तविक सन्तुलन साधने का विराट प्रयास दिखता है। परस्पर विरोधी आन्तरिक शक्तियों या आवश्यकताओं के दबाव में —और कभी-कभी वहाँ लड़खड़ाते हुए भी जहाँ सिर्फ देवता ही बच सकते हैं— उन्होंने इस बात का उदाहरण प्रस्तुत किया कि रचनात्मक होना और मस्तिष्क के जीवन का अनुसरण करना क्या होता है। बेहद काहिली, उदासीनता, डरावनी जड़ता और कहीं-कहीं बेदिमाग अराजकता के माहौल में उन्होंने सिर्फ अपने निजी उदाहरण से— मानवीय सत्य के दायरे में रचनात्मक अन्वेषण का उत्साह पैदा किया। वे भौतिक विज्ञान के विद्यार्थी रहे और इसकी अपरिहार्य तटस्थता भी उन्हें मिली, जिसकी वजह से उन्होंने पूर्वग्रह या भावनाओं से भरे एक क्षेत्र को तर्क की मनोरम ज्योति दी। क्योंकि उनके लिए दुनिया को तथ्य की तरह जानना पर्याप्त नहीं था, विषय को भी उद्बोधन की उसी प्रक्रिया से गुजरना होता था। और यह उद्बोधन कुछ चुने हुए शब्दों के माध्यम से अनायास सुन्दरता के अनुभव में चला आता। यह अन्विति का वास्तविक अनुभव हुआ करता था। लेकिन इस अन्विति का अनुभव करना एक मुश्किल काम है। वात्स्यायन इसके लिए बड़ी मेहनत करते थे, एक देशज प्रेरणा और एक आलोचकीय अन्तर्दृष्टि से और इससे पैदा हुए शिल्प से भी।

वात्स्यायन, जहाँ तक मैं जानता हूँ, अनीश्वरवादी थे; लेकिन ऐसे निश्चयवादी

नहीं जो मानते हों कि भौतिक संसार मूल्य से शून्य है। उनके लिए मूल्य सीधे संसार को अनुभव करने से आते हैं। उन्होंने *शेखरः एक जीवनी* में बहुत सारे प्रश्नों से शुरुआत की और इन्हें अपनी दूसरी औपन्यासिक कृतियों, खासकर कविताओं में जारी रखा। और अपनी प्रकाशित डायरियों में उन्होंने वस्तु के मूल आत्म की उसकी बहुविधि जटिलताओं के साथ छानबीन की। यह आत्मशोध, यह अन्तःकरण का ज्ञान ही उनकी सक्रियता का ऊर्जा-स्रोत या निर्धारक तत्त्व था। यही चीज थी जो उनमें एक अपरिहार्य रचनात्मक बेचैनी का संचार करती थी और जिस सत्य का वे अनुभव करते थे, उसके अनुकूल शब्द गढ़ने, और इसके लिए शोध, अन्वेषण और प्रयोग करने की प्रेरणा देती थी।

वात्स्यायन, जो एक विलक्षण पुरातत्त्वविद् के बेटे थे, अपने भारत को अच्छी तरह जानते थेः वे पूर्वी उत्तर प्रदेश में पैदा हुए, पंजाब के गुरदासपुर से आये और कश्मीर से लेकर दक्षिण भारत तक में रहे। इसने उन्हें एक सच्चा भारतीय बनाया। वे देश की संस्कृति और कला से निजी अनुभव के स्तर पर परिचित थे। साथ ही, उनमें एक शान्त, निराडम्बर, सार्वभौमिक व्यक्ति भी था। अमेरिका और जर्मनी की अपनी यात्राओं से काफी पहले (1955 से ही) वे सुदूर पूर्व के अलावा पश्चिम की महान परम्पराओं से भी गहरे जुड़े रहे। यह वैसा ही था जैसा होना चाहिए था।

इस तरह धरती पर अपनी जड़ों से जुड़े रहने के बाद भी उनमें तर्क-प्रतितर्क का खुलापन था— हालाँकि इस शब्द के बिलकुल सही अर्थ में ही। यह वह सबक है जो हम युवतर लोग उनसे सीख सकते हैं। अपनी सम्भव दुर्बलताओं के बावजूद वे एक सम्पूर्ण व्यक्तित्व थे। अन्ततः, अगर कला व्यक्ति से बड़ी होती है, तो 'अज्ञेय' के जीवन के शील उनकी दुर्बलताओं से बहुत ऊँचे थे। उन्होंने हमें गौरवान्वित किया— इसमें कोई शक नहीं।

अनुवादः प्रियदर्शन

29

विषमता नहीं, सुषमा

॥ विश्वनाथ त्रिपाठी

बलरामपुर में एक पढ़ाकू सहपाठी के हाथ में *शेखरः एक जीवनी* देखी। उसने रोब से कहा—चन्द्रशेखर आजाद की जीवनी है। पढ़ रहा हूँ। मेरे ऊपर बहुत प्रभाव पड़ा। हम दर्जा सात या आठ में रहे होंगे। तब हमें अज्ञेय जी के साहित्यिक व्यक्तित्व के विषय में जानकारी नहीं थी। एम.ए. में यह किताब कोर्स में लगी थी। पं. हजारीप्रसाद द्विवेदी की अध्यक्षता में पाठ्यक्रम बना था।

1954 में नागरी प्रचारिणी सभा काशी में प्रसिद्ध गीतकार शम्भुनाथ सिंह की संस्था 'चेतना' के समारोह में वात्स्यायन को देखा। कपिला जी से शादी हुई ही थी। इलाहाबाद में रहते थे। वहीं से कार से काशी आये थे। शरमाते हुए-से मृदु बोलने की मुद्रा। व्यक्तित्व में आकर्षक मार्दव। कुर्ता-पाजामा, चप्पल, सुनहरे फ्रेम का चश्माः निहायत प्रभावशाली व्यक्तित्व। सभा में पं. हजारीप्रसाद द्विवेदी, पं. नन्ददुलारे वाजपेयी, राजबली पाण्डेय, सर्वेश्वर दयाल सक्सेना, केदारनाथ सिंह सहित अनेक छात्र। अज्ञेय जी के प्रति सभी में सम्मान।

अविस्मरणीय व्यक्तित्व।

उनके साहित्य से ज्यादा उनके व्यक्तित्व के विषय में बातें होतीं। केदारनाथ सिंह उनकी पंक्तियाँ सुनाते-सराहते—

ओ विहँसते रूप।
तुम कदाचित् न भी जानो यह विदा है।

'कदाचित्' जैसे शब्द को कविता में कैसे प्रयुक्त किया है।

मत हँसो हे नारि! तुम अपना वशीकृत जान
चूर्ण कर दूँगा तुम्हारा यह सकल अभिमान

या 'द्वितीया' की यह पंक्ति—

मेरा क्या है दोष कि तुमको बाद किसी के मैंने जाना

बनारस में प्रगतिशील लेखक संघ का वर्चस्व था। रुस्तम, सैटीन, त्रिलोचन शास्त्री, जगत शंखधर, नामवर सिंह, चन्द्रबली सिंह, विष्णुचन्द्र शर्मा थे। समझ लिया कि वात्स्यायन उच्च भ्रू साहित्यकार हैं। हमारा उनसे ज्यादा लेना-देना नहीं हो सकता।

1959 में दिल्ली आया। सर्वेश्वर जी से भेंट हुई। वहाँ कमलेश जी से मिले। कमलेश शुक्ल जी से मेरी पटरी बैठ गयी। वे वात्स्यायन की बहुत प्रशंसा करते। मुझसे आग्रह करते— चलिए वात्स्यायन जी के यहाँ चलते हैं। आप नहीं जानते हैं कि वे बहुत अच्छी तरह मिलते हैं नये लोगों से। उन्होंने तय कर लिया और एक दिन हम उनके साथ शक्ति नगर से चलने वाली बस नं.1 में बैठकर अज्ञेय जी से मिलने चले। अज्ञेय जी और कपिला जी विनय मार्ग पर रहते थे। कपिला जी सरकारी नौकरी में थीं। घर उन्हीं के नाम था। कमलेश जी ने घराऊँ कुर्ता निकाला। कुर्ते पर दाग भी लग गया था। दूसरा कुर्ता था नहीं। मन मसोसकर रह गये। वात्स्यायन जी के यहाँ जा रहे हैं और यह कुर्ता! लेकिन क्या करें वही पहनकर चले। मेरे मन में अपार उत्सुकता थी।

निवास के सामने पहुँचकर देखा— लॉन में कपिला जी और वात्स्यायन दोनों काम कर रहे हैं। बागवानी का। देखते ही वात्स्यायन ने पाइप के जल से हाथ धोया। कपिला जी को मैंने पहली बार देखा। मूँगे की माला पहने थीं। वात्स्यायन को इतने नजदीक से पहले नहीं देखा था। अरे! वे तो कोमल नहीं, कसरती शरीर वाले हैं। चलते हुए चौड़ा सीना तना है। (अभी पढ़ा— अजय तिवारी से अज्ञेय ने डॉ. रामविलास शर्मा को सन्देसा भिजवाया— कसरत अभी मैं भी करता हूँ।) अन्दर गया— पता नहीं कितने विषयों पर बातें हुईं। जल्दी-जल्दी नौकर बदलने, राहुल जी पर, अख्तर रायपुरी, डॉ. सरूप सिंह पर। मैं अनर्गल बोलता गया। आश्चर्य है मिलने पर उनसे मैंने इतना सहज अनुभव किया। वे मेरी बात ध्यानपूर्वक सुनते और मन्द-मन्द मुस्कुराते रहे। इस मुस्कुराने का मतलब तब समझता तो मेरा भाषा-प्रवाह इतना अनर्गल न रहता।

कमलेश जी ने कहा— 'रघुवीर सहाय ने भी आने को कहा था।' 'शाम को चार बजे तक आ जाएँ तो समझो ठीक समय पर हैं।' अज्ञेय जी बोले।

वात्स्यायन जी ने कमलेश जी से पूछा— क्या पिएँगे कॉफी कि चाय? कमलेश दुविधा में पड़ गये। वात्स्यायन जी ने मुझसे कहा— आप पहली दफा आये हैं, आप बताइए। मैंने छूटते ही कहा— कॉफी! कॉफी वहीं कमरे में बनाई गयी। बातें होती रहीं। कॉफी बनती रही। अज्ञेय जी और कमलेश की कॉफी कपिला जी ने बनाई। मेरी कॉफी अज्ञेय जी ने। अज्ञात कुल शील नवागन्तुक से ऐसा मृदु गाढ़ व्यवहार केवल हजारीप्रसाद द्विवेदी कर सकते थे। मन पर अभूतपूर्व प्रभाव पड़ा।

थोड़ी देर में रेणु जी आये। रेणु जी को पहली बार वहीं देखा। रेणु जी बिहारी खड़ी बोली बोल रहे थे। उच्चारण और वाक्य गठन दोनों में। 'हुआं हम बीस पूरी खाया।' धीमे बोलते। बोलकर चुप होते तो दोनों होंठ परस्पर चिपककर नीचे लटक जाते। लम्बी घुँघराली केश-राशि। रेणु बोलते तो अज्ञेय जी हमें देखकर इशारे में मुस्कुराते। थोड़ी देर में मैं शक्ति नगर लौट आया। कमलेश और रेणु जी वहीं रह गये।

1963 में हिन्दी प्रेमी जर्मन विद्वान लोठार लुत्से ने मैक्समूलर भवन में हिन्दी कवि सम्मेलन का आयोजन किया। तब मैं कविता करता था। मेरी कविता 'परिवार' का अंग्रेजी अनुवाद जोसेफिन मील्स ने किया था। भूमिका में उसे उद्धृत किया था। वात्स्यायन और पं. विद्यानिवास मिश्र के सम्पादन-संकलन में उसे प्रकाशित भी किया गया था। लुत्से ने भी उसे पसन्द किया, उस पर लेख लिखा और कवि सम्मेलन में अज्ञेय, अजित कुमार, कैलाश वाजपेयी आदि के साथ मैं भी काव्य-पाठ के लिए निमन्त्रित था। मैक्समूलर भवन में भारी भीड़ थी। मैं अज्ञेय जी के साथ बैठा पुलकित था कि कमलेश जी आये। बोले डॉ. लोहिया आये हैं। डॉ. लोहिया आएँ और मैं यह सूचना डॉ. लुत्से को न दूँ। लुत्से और अज्ञेय जी आपस में कुछ बात कर रहे थे। मैंने धड़ल्ली शैली में कहा— डॉ. लोहिया आये हैं। लुत्से ने मुझसे कहा— 'कैन आई फिक्स द प्रोग्राम'। मैंने भी अंग्रेजी झाड़ी— 'डिपेंड्स ऑन योर स्वीट विल'। संकट को वात्स्यायन जी ताड़ गये। यानी समझ गये कि मैं लुत्से की बात नहीं समझ पा रहा हूँ।

लुत्से कहते हैं, रुक जाइए मुझे प्रोग्राम तय कर लेने दीजिए और मैं समझ रहा हूँ कि वे डॉ. लोहिया से प्रोग्राम तय करने की बात कर रहे हैं। मुझसे हिन्दी में बोले— 'ये आपसे कह रहे हैं कि प्रोग्राम तय कर लेने के बाद वे डॉ. लोहिया का स्वागत करेंगे।'

खैर, मैक्समूलर भवन के डायरेक्टर लोहिया जी से मिले। डॉ. लोहिया सभा में पीछे बैठे थे। उन्होंने जर्मन डायरेक्टर से धाराप्रवाह जर्मन में वार्तालाप किया। कमलेश जी ने मुझसे कहा— क्या समझते हो, डॉ. लोहिया तो जर्मनी के सब्जी बेचने वालों की जर्मन में धाराप्रवाह बोल सकते हैं।

सातवें दशक के मध्य अज्ञेय जी हृदय-रोग से पीड़ित हुए। कपिला जी ने उन्हें अस्पताल में भरती कराया। बड़ी देखभाल की। *दिनमान* पहले *देशकाल* नाम से निकलने वाला था। बहुत लोग देखने आते। पं. हजारीप्रसाद द्विवेदी अपने मित्र को देखने अस्पताल गये। डॉ. नगेन्द्र भी साथ जाना चाहते थे। परन्तु पता नहीं क्यों पण्डित जी नगेन्द्र के साथ अज्ञेय को देखने नहीं जाना चाहते थे। मुझे और

अजित कुमार को लेकर गये। कहा– उनके पास एक मिनट से ज्यादा मत ठहरना। कमरे में अज्ञेय जी लेटे थे। साथ में नर्स थी। पण्डित जी उनसे मिले। देर तक उनका हाथ अपने हाथ में लिये रहे। हमें देखकर मुस्कुराए। हम चले आये।

इसके बाद जब मिला, अपना परिचय देता तो कहते– मैं आपको जानता हूँ, परिचय मत दीजिए! मुझे वात्स्यायन जी सदैव सहज लगे। उनमें जो आत्मविश्वास था, शायद वही कभी-कभी लोगों को अहंकार लगता था। मेरे मन में उनकी वह गम्भीर दत्तचित्त मुद्रा अंकित है जब वे निगम बोध घाट पर मुक्तिबोध की जलती हुई चिता देख रहे थे।

अज्ञेय के आकर्षक व्यक्तित्व में उनके प्रारम्भिक जीवन के क्रान्तिकारी रूप का भी महत्त्वपूर्ण योगदान था। वे बमकाण्ड में जेल गये थे। चन्द्रशेखर आजाद, भगत सिंह, यशपाल, बटुकेश्वर दत्त, भगवतीचरण वोहरा, सच्चिदानन्द वात्स्यायन आदि सभी क्रान्तिकारी नवयुवक थे और आकर्षक व्यक्तित्व वाले थे। वात्स्यायन द्वितीय विश्व युद्ध में सैनिक सेवा में थे। वे मूलतः साम्राज्यवाद-विरोधी और फासिज्म-विरोधी व्यक्ति थे। अज्ञेय राजनीति-निरपेक्ष साहित्यकार नहीं थे। उनका जीवन घटना-संकुल था। उसमें अनुभवों की विविधता की कमी नहीं थी।

अज्ञेय के व्यक्तित्व में जो अभेद्य आत्मविश्वास दिखलाई पड़ता था, वह बहुत कुछ इसी अनुभव विविधता और विशेषतः जीवन के प्रारम्भिक दौर में क्रान्तिकारी शिरकत के कारण। कपिला जी जैसी विदुषी और सुन्दर नारी से जिस संघर्ष के बाद उनका विवाह हुआ– यह अपने आप में सामाजिक विद्रोह की घटना थी। अज्ञेय के अनेक भक्त उनकी विकास-यात्रा नहीं देखना चाहते। वे उनके व्यक्तित्व और रचनाशीलता की वह सुदृढ़ भूमिका नहीं देखते जो उग्र देशप्रेम, फासिस्ट-विरोध और सामाजिक विद्रोह पर स्थित है। अज्ञेय देश-विदेश के किसी राजनीतिज्ञ, कवि या कलाकार के साथ सहज संयत तौर पर मिल सकते थे। उनके परिचय का क्षेत्र बहुत बड़ा था। *नेहरू अभिनन्दन ग्रन्थ* निकालने में उन्होंने बहुत परिश्रम किया था। सभी खेमों के साहित्यकारों से उनका अन्तरंग परिचय था। आर्थिक तौर पर भी उन्होंने ऊँच-नीच देखी होगी। लेकिन दीन वे कभी नहीं लगे।

शमशेर बहादुर सिंह से सुना गया है कि अनेक अवसरों पर अज्ञेय ने अनेक साहित्यकारों की आर्थिक सहायता की। सहायता कैसे की जाती है, यह वे जानते थे। नयी पीढ़ी के साहित्यकारों विशेषतः कवियों से उनका जीवित सम्पर्क था। *सप्तकों* का प्रकाशन इसका प्रमाण है। वत्सल निधि की स्थापना तो इसीलिए हुई थी। अज्ञेय प्रगतिशील लेखक संघ से भी जुड़े थे। 1966 में दिल्ली में प्रगतिशील लेखक संघ का जो राष्ट्रीय सम्मेलन हुआ था, उसमें अज्ञेय आये थे (पहले दिन खुले अधिवेशन में श्रोता के रूप में)। इससे पहले 1942 में प्रगतिशील लेखक संघ

के तहत दिल्ली में जो फासिस्ट-विरोधी सम्मेलन हुआ, अज्ञेय उसके संयोजक थे। उस समय प्र.ले.सं. के महासचिव डॉ. अलीम थे। अज्ञेय के साहित्य का एक अंश ऐसा है कि जिसे प्रगतिशील लेखक संघ या जनवादी अभिव्यक्ति के रूप में पेश किया जा सकता है। *पूर्वा* में ऐसी कविताएँ 'बन्दी स्वप्न' खण्ड में संकलित हैं। यह खण्ड 'धन्वन्तरि और अन्य कारा-बन्धुओं को' समर्पित है। इसके अलावा भी अज्ञेय ने समय-समय पर 'शोषक भइया' जैसी कविताएँ लिखी हैं, जिनसे लगता है कि वे अपने देश के निर्धन, निरक्षर जन को भी याद करते हैं।

अज्ञेय देर तक समाजवादी नहीं रहे। ब्रिटिश साम्राज्यवाद से लड़ते समय भी वे उग्रवादी थे। उग्रवादी को जन-संगठन में उतना विश्वास नहीं होता, जितना व्यक्तिगत उन्माद में। इसी प्रवृत्ति का विकास आगे चलकर अज्ञेय के 'व्यक्तिवाद' में हुआ। व्यक्तित्ववाद शब्द रामस्वरूप चतुर्वेदी का दिया हुआ है जो अज्ञेय के सन्दर्भ में ठीक जँचता है।

अज्ञेय को निजता की सुरक्षा की बहुत चिन्ता है। इसी निजता-सुरक्षा के चलते वे 'व्यक्ति-स्वातन्त्र्य' को अपनाते हैं। उनका 'क्षणवाद' और 'नदी का द्वीप' सिद्धान्त भी इससे समझ में आता है। इसका गहरा असर उनके साहित्य पर पड़ा है। अज्ञेय की मानसिकता पर बीसवीं शताब्दी की वैज्ञानिक और राजनीतिक घटनाओं का गहरा दबाव है। देश-काल की सीमाहीनता का बोध, अनन्त ब्रह्माण्ड में पृथ्वी की नगण्यता और फिर एक मनुष्य के जीवन की अपदार्थता, विश्व-युद्धों का जनसंहार इन सबके साथ अज्ञेय मानव-जीवन की सार्थकता के प्रश्न से टकराते हैं। इसीलिए अज्ञेय की वयस्क कविताओं का दौर मोह-भंग से शुरू होता है।

वंचना है चाँदनी सित, झूठ वह आकाश का निरवधि गहन विस्तार।

यह मोहभंग बहुत कुछ विश्व-बोधात्मक है। लगता है इसी बीच कुछ ऐसा भी हुआ कि उनका विश्वास हर प्रकार के संस्थानों और प्रतिष्ठानों से उठ गया। हम उस घटनाक्रम या मानसिक प्रक्रियाओं को नहीं जानते, जिससे यह हुआ। लेकिन आगे चलकर, अज्ञेय के चिन्तन और सृजन का मुख्य सरोकार संस्थान से निजता की सुरक्षा बन गया। व्यक्ति की निजता और सर्जक की निजता। इस सांस्थानिकता में परम्परा, शास्त्र, समाज, राजनीति सब कुछ आ जाते हैं। अज्ञेय जब शिकायत करते हैं– *आज तुम शब्द मुझे न दो, कल भी मैं कहूँगा।* तो यह 'तुम' काव्य की परम्परा या संस्थान है–

तुम हो पर्वत अभ्रभेदी शिला, गौरव
गरिष्ठ पुंज चांपे इस निर्झर को रहो, रहो।

'निर्झर' नयी अभिव्यक्ति है जिसके प्रवक्ता अज्ञेय हैं। इस विषय में उनकी कविता 'हमने पौधे से कहा' उनके चिन्तन को स्पष्ट कर देती है। पौधा फूल देता है, किन्तु पौधे द्वारा फूल देने की प्रक्रिया सहज और स्वायत्त है। पौधे पर कोई रोक-टोक नहीं। उस पर कोई बाह्य अनुशासन का आरोपण नहीं। सौन्दर्य की यही प्रक्रिया है। हम कवि से कविता माँगते हैं। आशा करते हैं कि कविता फूल जितनी ही सुन्दर हो, लेकिन उस पर नाना प्रकार की शर्तें आरोपित करते हैं।

किन्तु किन्तु किन्तु किन्तु हमने कवि से कहा।

अज्ञेय कलाकार हैं— और सबसे ज्यादा कला की सृजन-प्रक्रिया की स्वायत्तता के आग्रही हैं —इस पर उनका किसी से किसी प्रकार का कोई समझौता नहीं। अज्ञेय व्यक्ति की स्वायत्तता के प्रश्न को राजनीति, धर्म आदि के क्षेत्र में भी ले जाते हैं।

'स्वायत्तता' और 'निजता की सुरक्षा' अज्ञेय के लिए नागरिक और कलात्मक नैतिकता के प्रश्न हैं। ऐसी नैतिकता जिसके बिना सौन्दर्य की पहचान और अभिव्यक्ति असम्भव है। ऐसी नैतिकता 'व्यक्तिगत स्वातन्त्र्य' और 'निजता' पर इतना आग्रह केवल अज्ञेय ने नहीं किया है। ये ऐतिहासिक समस्याएँ हैं जो समाजवाद के व्यापक प्रसार एवं उसकी लोक-स्वीकृति के समानान्तर उभारी गयी हैं। यह नहीं कहा जा सकता कि ये समस्याएँ हैं ही नहीं या ऐतिहासिक सन्दर्भ से कटी हुई हैं। सामाजिकता केवल सामूहिकता नहीं है। सामाजिकता से व्यक्ति की निजता का विरोध नहीं होना चाहिए। वस्तुतः व्यक्ति की निजता और उसके व्यक्तित्व का पूर्ण-विकास सामाजिकता के वातावरण में ही सम्भव है। मुक्तिबोध इसीलिए 'रक्तालोक स्नात पुरुष' को अपने 'परिपूर्ण का आविर्भाव' कहते हैं। यह बात मान लेनी चाहिए कि व्यवहार में समाजवादी प्रतिष्ठानों में कभी-कभी व्यक्ति की निजता पर अंकुश लगाना अनिवार्य हो जाता है। लेकिन यह निर्विवाद है कि व्यक्ति की उपेक्षा करके सामाजिकता भी विकसित नहीं हो सकती। इसी तरह साहित्य के संस्थान का कोरा अध्ययन-चिन्तन, रचनात्मक गतानुगतिकता और जड़ता पनपाएगा। इस दृष्टि से अज्ञेय की व्यक्तिवादिता या व्यक्तित्ववादिता निजता, व्यक्ति-स्वातन्त्र्य का आग्रह समझ में आता है। वह इतिहास के एक अनिवार्य किन्तु अपेक्षाकृत उपेक्षित पक्ष के महत्त्व का रेखांकन है। राजनीति या चिन्तन के क्षेत्र में तो नहीं, किन्तु हिन्दी साहित्य में इस पक्ष के रेखांकन का महत्त्व अज्ञेय को उचित मिलता है।

अज्ञेय की अपनी रचनात्मकता भी इस निजता की सुरक्षा से उजागर है। काव्य-वस्तु में इसके अनेक उदाहरण प्रसिद्ध हैं। सादृश्य-विधान में भी उनके प्रसिद्ध बिम्ब ऐसे हैं जो एकरसता या सामूहिकता को तोड़कर पृथकता की प्रक्रिया में अपनी निजता स्थापित करते हैं।

एक बूँद सहसा उछली सागर के झाग से

...

पकी ज्वार से निकल शशों की जोड़ी गयी फलाँगती
सन्नाटे में बांक नदी की जमी चमककर झाँकती

उनका प्रसिद्ध उपमान 'कलगी बाजरे की' ऊपर उठकर आकाश की एकरसता तोड़ता है। उनका चिन्तन 'एक बूँद सहसा उछली सागर के झाग से' कविता में भली-भाँति स्पष्ट होता है। सागर में जल ही जल है, वहाँ बूँद का पृथक अस्तित्व बोध नहीं है। निजी व्यक्तित्व की पहचान राशि से उछलकर अलग होने से है। जब वह उछली रहती है, सागर से अलग रहती है, उस पर आलोक पड़ता है। वह रंग उठती है। उसके इसी प्रयत्न में उसके रंग जाने की सार्थकता है। यह आलोक अपनेपन का है। यह जो ढलते सूरज की आग है। वह मृत्युबद्ध जीवन की ऊष्मा है। ढलता सूरज मृत्युबद्ध जीवन का प्रतीक है – मृत्युबद्ध जीवन में भी अपनापा है, सौन्दर्य है, यही बोध सार्थकता प्रदान करता है। यह बोध विराट आकाश और विराट सागर के बीच घटित होता है। यह निजता का एकरसता या विराट के प्रति विद्रोह भी है। विराट के समक्ष अपनी सार्थकता अर्जित कर लेने का उद्यम है। अगर अज्ञेय की यह करुणा थोड़ा और सरूप होती और उनके चिन्तन-सृजन में यह निजता लोकोन्मुख होती तो वे महान भक्ति-भावना के बहुत निकट पहुँचते।

विराट और मृत्युबद्ध निजी जीवन का जो द्वन्द्व सम्बन्ध है, उसे अज्ञेय के चिन्तन और सृजन में दुनियावी सन्दर्भ नहीं मिलता। उनकी परवर्ती कविताओं में विराट से अभिभूत होने की प्रवृत्ति बढ़ती जाती है। सागर, आकाश, काल– ये तीनों रूप हैं और मृत्यु के प्रतीक हैं। सारी बातों के बावजूद मौन या महामौन भी मृत्यु की स्वीकृति है। घर या घर का आँगन, काल-सीमित जीवन है। द्वार मृत्यु और जीवन का सीमा-स्थल है। अज्ञेय की कविता क्रमशः समय के साथ सागर, आकाश, काल, सन्नाटा, मौन से मोहित-मूर्च्छित होती जाती है।

अज्ञेय के काव्य-चिन्तन से मतभेद हो सकता है। उनके साहित्य की पर्याप्तता-अपर्याप्तता पर बहस हो सकती है। किन्तु यह निर्विवाद है कि वे समकालीन जीवन में साहित्य और साहित्यकार के महत्त्व को प्रतिष्ठित करने वाले रचनाकार थे। वे साहित्य का महत्त्व साहित्य की शर्तों पर प्रतिष्ठित करना चाहते

थे। जीवन के हर क्षेत्र में संस्थानों की जकड़बन्दी से वे व्यक्तित्व को स्वायत्त बनाए रखने के आग्रही थे, क्योंकि व्यक्तित्व की पराधीनता, सामाजिकता के लिए भी हानिकर है। वे समाजवादी विचारों से बच-बचाकर चिन्तन करते थे– यद्यपि यह भी घोषित करते थे कि मैं 'साम्यवाद विरोधी नहीं हूँ।' वे सम्भवतः जानते थे कि भारत जैसे देश में जहाँ आधी से अधिक आबादी निर्धनता-रेखा के नीचे है, समाजवाद-विरोध केवल 'अवसरवादी-मुद्रा' हो सकती है, प्रतिबद्धता नहीं। रेडिकल ह्यूमेनिस्ट तो वे थे ही।

अज्ञेय परिश्रमी व्यक्ति थे। उन्होंने विविध भाषाओं का ज्ञान अर्जित किया था। अन्य भाषा के साहित्यकारों की सभा में उनकी उपस्थिति में हिन्दी भाषा और साहित्य का गौरव-वर्द्धन होता है। अज्ञेय अपने व्यक्तित्व को ही नहीं, दूसरों के व्यक्तित्व को भी महत्त्व देते थे। उनके आचरण में आभिजात्य और बड़प्पन था। यह बात उनकी कविताओं– विशेषतः प्रकृति सम्बन्धी कविताओं– में भी भरपूर दिखाई पड़ती है। प्रकृति की मामूली-सी चीज दूब, पत्ती, लता-फूल, मिट्टी में पैठकर सौन्दर्य देख लेना और दिखा देना कोई अज्ञेय से सीखे। वे विषमता के नहीं, सुषमा के कलाकार हैं–

कौन सा वह अर्थ जिसकी अलंकृति कर नहीं सकती यही पैरों तले की घास।

प्रकृति-प्रेम की यह पंक्ति मूलतः जनतान्त्रिक मानसिकता का सौन्दर्य बोध प्रकट करती है।

अज्ञेय की एक पंक्ति मुझे बहुत प्रिय है– *बच्चे ने किलक भरी; माँ की नस-नस में वह व्याप गयी*। काल-चिन्तन में यह किलकता बच्चा कितना अर्थवान है।

30

चिट–भर की दूरी

॥ केदारनाथ सिंह

'अज्ञेय' को मैंने पहली बार तब देखा था, जब मैं पाँचवीं या छठी का छात्र था– बनारस के अपने स्कूल में। पर पहली बार मिलना हुआ बिहार के देवघर नामक शहर में, जो अब झारखण्ड में है। भूलता नहीं तो यह 1951 या 1952 की बात है। मैं इंटरमीडिएट का छात्र था। देवघर स्थित हिन्दी-विद्यापीठ में हम सबके वरिष्ठ ठाकुरप्रसाद सिंह आचार्य थे। वे एक अच्छे गीतकार होने के साथ-साथ साहित्यिक गोष्ठियों के एक बहुत कुशल और वाक्पटु आयोजक भी थे। वे रहने वाले बनारस के थे। पर कुछ समय के लिए विद्यापीठ के आचार्य (प्रिंसिपल) होकर देवघर चले गये थे। वहाँ उन्होंने विद्यापीठ की ओर से बहुत बड़ा साहित्यिक आयोजन किया था, जिसमें और लोगों के अलावा आचार्य नन्ददुलारे वाजपेयी और अज्ञेय जी भी बुलाए गये थे। एक छात्र कवि के रूप में मुझे भी उसमें शामिल होने का मौका मिल गया, जो मेरे भावी साहित्यिक जीवन के लिए निर्णायक साबित हुआ।

उस समय तक *शेखर* मैं पढ़ चुका था। द्वैमासिक *प्रतीक* के अंक देखता रहता था, जो बनारस में आसानी से सुलभ था। इसलिए उस पूरे आयोजन में मेरी दिलचस्पी के केन्द्र केवल अज्ञेय थे। उनको निकट से देखने का अवसर शाम की गोष्ठी में मिला, जिसकी वे अध्यक्षता कर रहे थे। बहुत से स्थानीय कवियों के साथ उसमें प्रभाकर माचवे भी मंच पर बैठे थे, इसकी मुझे स्पष्ट याद है। काव्य-पाठ में अपनी एक-दो कविताएँ पढ़ने का मौका मुझे भी दिया गया, एक नौसिखुआ कवि के रूप में। कविता मैंने पढ़ी ठीक अज्ञेय के सामने बैठकर माइक की ओर मुँह करके; लेकिन मेरी आँखें उस समय कहीं मेरी पीठ में रही होंगी, अज्ञेय के चेहरे की प्रतिक्रिया को भाँपने की कोशिश करती हुई। पढ़कर उठा तो मैंने देखा कि वहाँ कोई प्रतिक्रिया न थी। एक हलका-सा झटका लगा। मैं पीछे जाकर बैठ गया।

अगली सुबह प्रभाकर माचवे मेरे पास आये। मुझे शाबासी दी और बोलेः 'यह

चिट अज्ञेय जी ने तुम्हारे लिए दी है।' उन्होंने यह भी बताया कि अज्ञेय रात की गाड़ी से ही दिल्ली लौट गये हैं। *शेखर* के लेखक और *हरी घास पर क्षण भर* (वह संग्रह ताजा-ताजा उन दिनों आया था) के सर्जक की ओर से चिट पाना मेरे लिए एक रोमांचकारी अनुभव था। उस चिट पर जो लिखा था, वे शब्द मुझे स्पष्ट याद हैं: "साधु! साधु! कविता अच्छी लगी। क्या *प्रतीक* में छपने के लिए देंगे?" नीचे *प्रतीक* का पता दिया था। यह उनकी लिखावट से मेरा पहला परिचय था, जिसे देखने के बाद में अनेक अवसर मिले। उनके अनेक पत्र मुझे मिले। बस मैं ही उन्हें बार-बार पाता और खोता रहा। कागजों को पाने और खो देने की मेरी जन्मजात आदत है, जो आज तक छूटी नहीं है।

बाद में मैं देर तक सोचता रहा कि जो बात वे सीधे-सीधे रूबरू कह सकते थे, उसे चिट में लिखकर क्यों दिया। उत्तर आज तक नहीं ढूँढ़ पाया हूँ। पर उनके आत्मनिष्ठ ('आत्मकेन्द्रित' से मुझे यह शब्द बेहतर लगता है) स्वभाव को जब बाद में थोड़ा निकट से जाना-पहचाना तो वह चिट-प्रसंग बड़ा स्वाभाविक लगने लगा। अज्ञेय अपने सहज व्यवहार में भी एक चिट-भर की दूरी हमेशा रखते थे और जरूरी नहीं कि वह नकारात्मक ही हो। यह उनका स्वभाव था।

देवघर प्रसंग के बाद मैं *प्रतीक* में छपने लगा। तब *प्रतीक* मासिक हो गया था
और उसमें छपने का मतलब होता था रातोंरात पहचान लिया जाना। मैं साहित्य की दुनिया में रहूँगा और कवि बनूँगा, इस पर ठप्पा देवघर की उस छोटी-सी घटना ने ही लगाया था।

उस घटना के कुछ महीने बाद रघुवीर सहाय एक सुबह बनारस के मेरे छात्रावास पहुँचे। उन्हें अज्ञेय जी ने भेजा था, इस उद्देश्य से कि एक-दो दिन के लिए मैं उनके रहने की व्यवस्था अपने छात्रावास में करा दूँ। रघुवीर जी *प्रतीक* में अज्ञेय जी के सहयोगी थे। मेरे छात्रावास के उस बड़े से कमरे में मेरे सिवा तीन छात्र और रहते थे– यानी कुल चार। रघुवीर जी ने यह दृश्य देखा और मुझसे रायकृष्ण दास के आवास के बारे में पूछा, जिसके बारे में मैं बिलकुल अनभिज्ञ था। राय साहब बनारस के (और हिन्दी साहित्य के भी) जाने-माने व्यक्ति थे, जिनका सम्बन्ध वहाँ के एक प्रतिष्ठित परिवार से था। उनका पता ढूँढ़ने में हमें कोई कठिनाई नहीं हुई। मैंने रघुवीर जी को 'सरकार जी'– राय साहब इसी नाम से पुकारे जाते थे– की कोठी तक पहुँचाया और निश्चिन्त हुआ। अज्ञेय जी ने एक छोटे से पत्र के साथ रघुवीर सहाय को इसलिए बनारस भेजा था कि वे नये लिखने वालों और बेशक कुछ पुरानों से भी मिल-जुल सकें और *प्रतीक* के लिए कुछ नयी सामग्री जुटा सकें। रघुवीर जी को अपने छात्रावास में ठहरा तो न सका, पर अगले दिन बनारस में उनके साथ-साथ घूमा जरूर। इस क्रम में कई नये-पुराने

लेखकों से उनका मिलना हुआ जिनमें आचार्य हजारीप्रसाद द्विवेदी भी थे।

मेरे लिए यह पूरा घटनाक्रम देवघर प्रसंग के विस्तार की तरह था। यह *तीसरा सप्तक* में आने से पहले की पृष्ठभूमि थी, हालाँकि उस समय दूर-दूर तक मुझे इसका आभास नहीं था। मेरे लिए तो उसकी कल्पना भी तब असम्भव थी।

तीसरा सप्तक का प्रकाशन 1959 में हुआ था और उसके पीछे चयन की जो प्रक्रिया अपनाई गयी थी, उसके बारे में कुछ भी कहना मेरे लिए कठिन है, क्योंकि *तार सप्तक* और बाद के दोनों *सप्तकों* के स्वरूप में मूलभूत अन्तर है। पहला जहाँ एक सहयोगी प्रयास के रूप में सामने आया था, वहाँ बाद वाले दोनों सप्तक स्वयं सम्पादक अज्ञेय की दृष्टि और सोच के परिणाम थे। *दूसरा सप्तक* की तरह *तीसरा सप्तक* के कवियों का चयन भी अज्ञेय जी ने अपने विवेक से किया था। यदि उन्होंने इस सम्बन्ध में किसी से परामर्श किया भी हो तो उसका कोई ब्योरा हमारे पास नहीं है। *तीसरा सप्तक* में सम्मिलित होना मेरे लिए पूरी तरह आकस्मिक था। *प्रतीक* में कविताएँ छपने के बाद दो-एक बार जब अज्ञेय जी से भेंट हुई तो उन्होंने अपनी उस योजना के बारे में मुझसे कोई चर्चा नहीं की थी। वैसे भी मैं बनारस में रहता था, जो उस दौर में साहित्यिक उथल-पुथल का केन्द्र नहीं रह गया था। *तीसरा सप्तक* निकलने वाला है, इस सम्बन्ध में कोई चर्चा या अफवाह वहाँ कभी नहीं सुनी गयी। हाँ, जब-तब इलाहाबाद जाने पर ऐसी अफवाहें सुनने को मिल जाती थीं और वहाँ तो कई बार कई लोगों के पास सम्भावित नामों की सूची तक होती थी। जाहिर है, उस सूची में मेरा नाम कहीं नहीं होता था। शायद इसका एक कारण यह हो कि मैं सीधे-सीधे उस आन्दोलन से जुड़ा नहीं था, जिसे 'नयी कविता' के नाम से जाना जाता था।

1957 में अज्ञेय जी जब बनारस आये तो उन्होंने मुझसे सम्पर्क स्थापित किया। वे प्रायः आने पर रायकृष्ण दास जी के यहाँ ही ठहरते थे। मुझे वहीं बुलाया और बातचीत की। पर *तीसरा सप्तक* की चर्चा फिर भी नहीं हुई। चलते-चलते उन्होंने मेरी कुछ कविताएँ देखने की इच्छा जरूर प्रकट की। मैं अगले ही दिन सुबह-सुबह अपनी कापी उन्हें दे आया। शाम को जब लेने गया तो वे पढ़ चुके थे। कापी लौटाते हुए कोई खास बातचीत हुई हो, ऐसा भी याद नहीं पड़ता। उनकी चुप्पी से कुछ भी निकाल पाना बड़ा कठिन होता था। इसलिए मैं जान नहीं सका कि कविताएँ उन्हें कितनी अच्छी लगीं या नहीं लगीं।

इस घटना के कोई दो या तीन वर्ष बाद मेरे छात्रावास के पते पर अज्ञेय जी का एक पत्र मिला, जिसमें ये शब्द थेः "पिछली बार जब मैंने आपसे आपकी कविताएँ माँगी थीं तो उस समय अपना अभिप्राय प्रकट नहीं किया था, परन्तु अब कह सकता हूँ कि मैं आपकी कविताओं को *तीसरा सप्तक* में शामिल करना

चाहता हूँ। जो कविताएँ आपने दी थीं, उन्हें मैंने अपनी नोटबुक में उतार लिया था। उनमें से जो कविताएँ *तीसरा सप्तक* में लेना चाहता हूँ, उनकी सूची भेज रहा हूँ...।" पत्र पाकर मुझे आश्चर्य हुआ और खुशी भी हुई, यह कहना अनावश्यक है। यह था अज्ञेय के काम करने का तरीका। वे दोपहर भर बैठ कर एक नौसिखुए कवि की बीस-पच्चीस कविताएँ अपनी नोटबुक में उतार सकते थे और उसके बाद भी बिना कुछ कहे, एक हलकी-सी शालीन मुस्कान के साथ अपने गहन मौन में खो जा सकते थे। मैंने जब *तीसरा सप्तक* के अन्य कवियों के बारे में जानना चाहा तो उन्होंने उत्तर में केवल इतना लिखाः 'यथासमय जान जाएँगे'! अज्ञेय के काव्य-विवेक पर भरोसा था। इसलिए आगे जानने की कोशिश नहीं की। जिस 'सप्तक परम्परा' में मुक्तिबोध और शमशेर जैसे कवि शामिल हों, उसके बारे में अधिक जानने की जरूरत भी क्या थी?

यह 1960 या 61 की बात होगी। मैं एक कॉलेज की नौकरी खोजता हुआ बिहार के आरा में था, डॉ. विजयमोहन सिंह और प्रो. शुकदेव सिंह के पास। दोनों वहाँ के महाराजा कॉलेज में पढ़ाते थे। एक प्रतिष्ठित पुराने कॉलेज में उन लोगों ने मेरी नियुक्ति की बात चलाई थी। अगले दिन हम लोग उस कॉलेज के प्रबन्धक के पास गये, जो उस शहर के जाने-माने रईस थे। मेरी कुल योग्यता तब तक यही थी कि प्रथम श्रेणी में एम.ए. किया था और *तीसरा सप्तक* में आ गया था। हालाँकि इस दूसरी बात का अध्यापन के सन्दर्भ में कोई खास महत्त्व नहीं था। इसके उलट कुछ हो सकता था। पर बुजुर्ग रईस काव्यप्रेमी निकले और यह सुनकर कि अज्ञेय द्वारा सम्पादित *तीसरा सप्तक* में मैं हूँ, प्रभावित हो गये। आनन-फानन में मेरी नियुक्ति हो गयी। अगला दिन इतवार था। तय हुआ कि सोमवार को ही जॉइन कर लूँ। पर हुआ कुछ और, जिसका ब्योरा लम्बा है। विजयमोहन जी के साथ उनके डेरे पर लौटा तो वहाँ एक टेलीग्राम पड़ा मिला– वह अज्ञेय जी का था और विजयमोहन सिंह के 'केयर ऑफ' मुझे भेजा गया था। टेलीग्राम दिल्ली के मोती बाग से भेजा गया था, जिसमें सिर्फ दो शब्द थे– "कम इमीडियेटली।"

मैं और विजयमोहन जी पहले तो इस पर आश्चर्यचकित थे कि यह टेलीग्राम आया कैसे? उन्हें कैसे पता चला कि मैं बनारस में न होकर आरा में हूँ– विजयमोहन जी के आवास पर। यह सब कुछ हमारे लिए एक सुखद आश्चर्य की तरह ही था। कुछ सोच-विचार और मित्रों से परामर्श के बाद मैंने तय किया कि आरा कॉलेज की फिक्र छोड़ता हूँ और चलता हूँ दिल्ली। विजयमोहन जी ने इसका समर्थन किया। सो, उस 'तुरत आइए' का अभिप्राय खोजता-टटोलता मैं दिल्ली जा पहुँचा– उसी मोतीबाग वाले आवास में, जहाँ वे तब कपिला जी के साथ रहते थे।

मैं सुबह-सुबह पहुँचा था, लगभग नाश्ते के समय। नाश्ते की मेज पर परांठे परोसते हुए अज्ञेय जी ने मुझे बताया– आपकी नियुक्ति की बात चलाई है कुरुक्षेत्र विश्वविद्यालय में (जो उसी वर्ष स्थापित हुआ था)। आगे उन्होंने यह भी बताया कि उन्हें वहाँ से हिन्दी विभाग के प्रोफेसर के पद हेतु आमंत्रित किया गया है और यह कि उन्होंने इस आमन्त्रण को स्वीकार कर लिया है। फिर उन्होंने आगे की योजना बताई और यह भी कि विभाग का जो खाका उन्होंने बनाया है, उसमें अध्यापक होंगे रघुवीर सहाय, सर्वेश्वर दयाल सक्सेना, मनोहरश्याम जोशी, प्रयागनारायण त्रिपाठी और मैं। जाहिर है, मैं कनिष्ठतम था। दिलचस्प यह है कि सर्वेश्वर दयाल सक्सेना और मेरे सिवा उसमें हिन्दी का एम.ए. कोई नहीं था!

अगले दिन उन्होंने मुझे एक पत्र देकर कुरुक्षेत्र विश्वविद्यालय भेजा कुलपति के पास। मैं यथानिर्देश कुलपति से जाकर मिला। वे खासे अनौपचारिक ढंग से मिले। बेशक वह अज्ञेय के पत्र का प्रभाव था। उनका छोटा-सा उत्तर था– 'अभी आप जाएँ; जब नियुक्ति-पत्र पहुँचेगा तब जॉइन कर लीजिएगा।' मैं लौट आया और जाकर अज्ञेय जी को बताया। उन्होंने भी लगभग वही निर्देश दिया जो कुलपति ने दिया था। मैं बनारस लौट गया।

बनारस पहुँचकर मैंने लगभग छह महीने तक प्रतीक्षा की। कोई नियुक्ति-पत्र नहीं आया, न ही अज्ञेय जी का कोई पत्र। आरा कॉलेज की नौकरी का अवसर मैं पहले खो चुका था। अन्य कोई विकल्प कहीं था नहीं। सो, वह पूरा वर्ष बेकार गया। इस बीच मैंने दो-एक जगह प्रयास किया और इसी क्रम में अन्ततः जा पहुँचा पडरौना– उसी गुमनाम से छोटे शहर में– *"जिसे शायद आप नहीं जानते। पर वहाँ जाने से पहले मैं ही कहाँ जानता था कि दुनिया के नक्शे में कहाँ है वह?"* ('शहर बदल'–*ताल्सताय और साइकिल*)

कुरुक्षेत्र योजना क्यों और कैसे विफल हुई उसका पूरा ब्योरा तो नहीं जानता, पर पडरौना जाने के काफी दिन बाद एक दिन अचानक अज्ञेय जी का पत्र मिला, जो बर्कले से भेजा गया था। इस पत्र में उन्होंने संकेत किया था कि कुछ लोगों के (इशारा हिन्दी के कुछ प्रतिष्ठित प्रोफेसरों की तरफ था) दुश्चक्र के चलते वह योजना विफल हो गयी। वे नहीं चाहते थे कि अज्ञेय जैसा एक 'बाहरी' व्यक्ति हिन्दी की अकादमिक दुनिया में प्रवेश करे। यह कहना अनावश्यक है कि मेरा जो वर्ष बेकार गया, उसके लिए उस पत्र में उन्होंने खेद व्यक्त किया था।

वर्ष व्यर्थ गया, इसका मुझे कोई दुख नहीं। अज्ञेय के टेलीग्राम के बाद का वह पूरा प्रसंग मेरे लिए एक छोटी-मोटी उपलब्धि की तरह था। दो बातें खासतौर से याद हैं। उस दिन नाश्ते की मेज पर मैंने पहली बार 'असाध्य वीणा' को देखा था। उसकी टंकित प्रति वहाँ मेज पर रखी थी। तब तक वह प्रकाशित नहीं हुई

थी। अज्ञेय जी ने बताया कि वह उनकी नयी कविता है, और ऐसा कहते हुए उन्होंने उसकी प्रति मेरी ओर बढ़ा दी। मैंने पढ़ा। एक साँस में पूरी कविता पढ़ गया। अभिभूत हुआ, यह कहना नाकाफी होगा। हाँ, उन्हीं दिनों मैंने वॉलेस स्टीवेंस नामक प्रसिद्ध अमेरिकी कवि की 'द मैन विद द ब्लू गिटार' नामक कविता पढ़ी थी। सो, उसका जिक्र उनसे किया। दोनों कविताएँ लम्बी हैं और एकदम अलग। पर दोनों सृजन-प्रक्रिया की गहन अनुभूति के धरातल को अपने-अपने ढंग से छूती हैं; न सिर्फ छूती हैं बल्कि एक विलक्षण सामर्थ्य के साथ उसे सम्प्रेषित भी करती हैं।

उस नाश्ते की मेज की जो दूसरी बात मुझे याद है, वह है मुक्तिबोध-चर्चा। अज्ञेय जी तभी मध्य प्रदेश की किसी गोष्ठी से लौटे थे। वहाँ उनकी भेंट मुक्तिबोध से हुई थी। वे देर तक मुक्तिबोध के उस भाषण की चर्चा करते रहे, जो उन्होंने गोष्ठी में सुना था। भाषण उन्हें अच्छा लगा, ऐसा उन्होंने खासतौर से बताया। मुक्तिबोध और अज्ञेय का जो विलोम आज हिन्दी में बन गया है, उसको देखते हुए वह नाश्ते की मेज पर की मुक्तिबोध-चर्चा आज और महत्त्वपूर्ण लगती है। हालाँकि अज्ञेय के निधन के कोई पच्चीस वर्ष बाद *जनसत्ता* में मुक्तिबोध की मृत्यु पर लिखा अज्ञेय जी का जो अब तक अप्रकाशित श्रद्धांजलि-लेख छपा है, वह बहुत सारी मिथ्या धारणाओं को निरस्त करता है। उसमें मुक्तिबोध को अज्ञेय ने 'पूर्ण कवि' ही नहीं कहा, मुक्तिबोध के प्रति एक आत्मीय भाव भी उसमें स्पष्ट प्रकट है।

कुरुक्षेत्र में काम भले नहीं मिला, पर उस यात्रा की अनुभूति बहुत दिनों तक एक छोटी-मोटी पूँजी की तरह मेरे साथ-साथ रही। अन्ततः वह व्यक्त हुई एक छोटी-सी कविता में– 'कुरुक्षेत्र में चाय', जो *उत्तर कबीर और अन्य कविताएँ* संग्रह में है:

दिल्ली से एक बड़े-बुजुर्ग कवि ने लिखा था–
बेकार हो–आ जाओ
काम मिल सकता है कुरुक्षेत्र में

कुरुक्षेत्र में काम?
पहले मैं चौंका
क्योंकि महाभारत पढ़ चुका था।
...

और आज इतने बरस बाद
जब भी सोचता हूँ कि मैं क्या लेकर लौटा कुरुक्षेत्र से
तो मेरा मन पलटकर पूछता है–
तुम्हारे पुरखे क्या लेकर लौटे थे?
तुम तो फिर भी भाग्यशाली हो

कि जब भी कहते हो 'कुरुक्षेत्र'
तो आँखों के आगे घूम जाते हैं कुछ सुन्दर
बलिष्ठ चेहरे
कुछ पत्थर बोलते-से
और शहतीरें भीगती हुईं
और कुछ खुशबू शुरू जुलाई की बारिश की
जो किसी ढाबे की राख से छनकर आ रही थी
और सबसे अन्त में
लेकिन सबसे पहले भी–
वह चार आने की चाय का चुक्कड़
जिसे पी चुकने के बाद तुम वहीं
उसी तरह छोड़ आये थे–
कुरुक्षेत्र में...

मैंने अज्ञेय का लिखा ज्यादातर कई बार और कई-कई कोणों से पढ़ा है। मेरा स्पष्ट मानना है कि भारतीय साहित्य के विशाल परिदृश्य में अज्ञेय की उपस्थिति का विशेष महत्त्व था, जिसे उनके रहते पूरी तरह पहचाना नहीं गया। उनका चुनौती भरा व्यक्तित्व हर चीज को एक सर्वथा नयी दृष्टि से देखने का कायल था और ऐसा करते हुए वे बड़े से बड़ा जोखिम उठाने को भी तैयार रहते थे। बड़ा रचनाकार और विचारक वह होता है जो केवल समर्थक पैदा नहीं करता, बल्कि दूसरों को अपनी मान्यताओं को परखने और उनसे बार-बार टकराने का आमन्त्रण भी देता है। अज्ञेय को लेकर भले ही बहुत-सी चीजों के बारे में विवाद रहा हो, पर यह निर्विवाद रूप से कहा जा सकता है कि उनमें अपने से भिन्न विचारों को उकसाने, जगाने और झकझोरने की अद्‌भुत क्षमता थी। ऐसा वही कर सकता है जो अपनी मूलभूत मान्यताओं के प्रति गहरी निष्ठा रखता हो। अज्ञेय में वह गहरी निष्ठा थी और उसकी जड़ें कहीं बाहर नहीं, स्वयं उनकी अक्षय रचनात्मक ऊर्जा के भीतर थीं। यह रचनात्मक ऊर्जा ही अज्ञेय की सबसे बड़ी शक्ति थी। उनके

विचारों में जो कई बार एक झकझोरने वाली ताकत दिखाई पड़ती है, वह इसलिए है कि वे कोरे विचार नहीं होते थे। बल्कि उनकी जड़ें भी उनकी रचना में ही होती थीं। रचना और विचार की जैसी घुलावट अज्ञेय के सर्जक व्यक्तित्व में सम्भव हुई, वैसी अन्यत्र कम ही मिलेगी।

अज्ञेय केवल कवि नहीं थे, यद्यपि उनकी मुख्य पहचान एक कवि के रूप में ही बनी। पर मुझे पता नहीं क्यों अज्ञेय का आरम्भिक गद्य कई बार उनकी कविताओं से भी ज्यादा आकर्षित करता है। फिर मुझे यह भी लगता है कि वे इतने अच्छे गद्यकार न होते तो शायद इतने बड़े कवि भी न बन पाते। यह भी लगता है कि उनकी कविता की अपेक्षा उनके गद्य में यहाँ-वहाँ अंग्रेजी विन्यास की हलकी-सी छाया के बावजूद मुझे खड़ी बोली गद्य की ठेठ प्रकृति का निर्वाह अधिक दिखाई पड़ता है। कविता को मुख्य विधा के रूप में स्वीकार कर लेने के बावजूद वे गद्य बराबर लिखते रहे। जितनी चर्चा उनके कवि कर्म की हुई है, उतनी उनके बाद वाले गद्य की नहीं। पर मुझे लगता है कि *स्मृति-लेखा* और अपनी छिट-पुट डायरी के कुछ खण्डों में उन्होंने हिन्दी गद्य का एक नया धरातल अर्जित किया है, जिसे रेखांकित किया जाना चाहिए। फिर इस गद्य के जितने भी रूप हो सकते हैं, अज्ञेय ने प्रायः सबकी रचनात्मक क्षमता को टटोलने की कोशिश की। ज्ञान-विज्ञान के विशेषीकरण के इस युग में साहित्य में भी विशेषीकरण की प्रवृत्ति बढ़ी है। अज्ञेय किसी एक विधा या एक ही कला रूप से अपने को न बाँधकर मानो विशेषीकरण की इस सामान्य प्रवृत्ति के विरुद्ध एक चुपचाप, परन्तु सार्थक, संघर्ष करते रहे।

अज्ञेय के अध्ययन का दायरा विशाल था। और बातों को छोड़ भी दें तो वे उन गिने-चुने रचनाकारों में थे, जिनके पास पश्चिम के साहित्य की अच्छी जानकारी के साथ-साथ संस्कृति की कालजयी कृतियों के अध्ययन और आस्वादन का गहरा एवं पुष्ट आधार था। इसीलिए उनकी कविताओं में कई बार ऐसे विलक्षण प्रयोग मिलते हैं, जिन्हें वही पकड़ पाएँगे जो कालिदास की कृतियों से परिचित होंगे। उनकी एक आरम्भिक कविता 'द्वितीया' में जो 'अत्यंतगता' शब्द आया है, वह *रघुवंश* के 'अजविलाप' की याद दिलाता है। इसी तरह 'असाध्य वीणा' कविता में जो 'पर्यत्सुक' शब्द आया है, वह *शाकुंतल* की 'पर्त्यत्सुकी भवति यत् सुखितोअपि जंतुः' की गूँज लिए हुए है। कई बार मुझे लगता है कि यह पूरी कविता मानो कालिदास के उस प्रसिद्ध छन्द की एक लम्बी काव्यात्मक व्याख्या है।

एक छोटी-सी घटना का जिक्र करना चाहूँगा। हिन्दी में शोध ग्रन्थ बहुत छपते हैं और यह माना जाता है कि वे प्रायः पढ़ने के लिए नहीं, पुस्तकालय की शोभा बढ़ाने के लिए होते हैं। कोई रचनाकार उन्हें पढ़ने की जुर्रत करता होगा,

इसकी कल्पना भी नहीं की जा सकती। 1971 में जब मेरा पीएच.डी. का शोध प्रबन्ध पुस्तक के रूप में प्रकाशित हुआ तो आश्चर्यजनक रूप से उस पर जो पहला और अन्तिम पत्र मुझे प्राप्त हुआ, वह अज्ञेय का था। उन्होंने प्रकाशक से लेकर वह पुस्तक आद्यन्त पढ़ी और उस पर मुझे विस्तृत प्रतिक्रिया लिख कर भेजी। अज्ञेय जी उन विरल लोगों में थे जो छपे हुए शब्द की कीमत जानते थे और उसकी कद्र करते थे। बाद में जो वाचिक परम्परा पर जोर देने लगे तो उसके पीछे उनकी चाहे जो धारणा रही हो, पर छपे हुए शब्द के प्रति नकार का भाव तो बिलकुल नहीं था।

अन्त में जे.एन.यू. की याद। जवाहरलाल नेहरू विश्वविद्यालय से अज्ञेय का सम्बन्ध समरस नहीं है, यह पहले सुन चुका था। वे जब *दिनमान* के सम्पादक थे तो अक्सर उसके पृष्ठों पर जे.एन.यू. का हिन्दी रूपान्तर ज.ला.ने. विश्वविद्यालय ही छपता था। इसके पीछे उनके अपने तर्क होंगे, पर उनको जानने का अवसर कभी नहीं मिला। विश्वविद्यालय में कार्यभार ग्रहण करने के कोई पाँच वर्ष बाद एक दिन अचानक मुझे सूचना मिली कि अज्ञेय जी जर्मन-भाषा केन्द्र में आ रहे हैं और वहाँ रिल्के की कविताओं का अनुवाद प्रस्तुत करेंगे। सूचना प्रो. अनिल भट्टी से मिली थी, जो उस भाषा-केन्द्र के अध्यक्ष थे और उस अनुवाद कार्यक्रम के आयोजक भी। अज्ञेय जी आये। अपने स्वभाव के अनुसार बिलकुल ठीक समय पर। सभा किंचित् विलम्ब से शुरू हुई और अध्यक्ष बनाए गये प्रो. नामवर सिंह। जोधपुर प्रवास के बाद शायद यह अज्ञेय से नामवर जी की पहली भेंट थी।

कार्यक्रम के आरम्भ में अज्ञेय जी ने एक छोटा-सा वक्तव्य दिया हिन्दी में, जबकि वहाँ और वहाँ के अन्य विदेशी भाषा केन्द्रों के सारे कार्यक्रम अंग्रेजी में होते थे। एक विदेशी भाषा केन्द्र में अज्ञेय का यह हिन्दी-प्रेम अच्छा लगा और जरूरी भी। अपने वक्तव्य में उन्होंने इस बात पर जोर दिया कि जो अनुवाद वे पढ़ने जा रहे हैं, उसे सीधे जर्मन से किया गया है और अंग्रेजी को बीच में नहीं आने दिया गया है। फिर उन्होंने रिल्के के बारे में कुछ बातें कहीं और अन्त में 'दूनो शोकगीत' का जिक्र किया, जिसका अनुवाद किया गया था। पूरी कविता –जो खासी लम्बी है– का अनुवाद नहीं किया गया था, सिर्फ उसके नौवें खंड का अनुवाद था। सभा में ज्यादातर जर्मन छात्र थे, जो रिल्के की कविता का 'टेक्स्ट' साथ लाए थे। अनुवाद पढ़ा गया– अज्ञेय जी की उसी धीर-गम्भीर और एक सहज कम्पन-भरी लय में, जिसके लिए अज्ञेय जाने जाते थे।

जब अनुवाद का पाठ खत्म हुआ तो कहा गया कि अब अनुवाद पर चर्चा होगी। शुरू में शायद किसी जर्मन अध्यापक ने कोई तथ्यपरक जानकारी चाही। इसके बाद सभा के बीच से कोई शोध-छात्र उठा और मूल पाठ के किसी शब्द के

अर्थ को लेकर वह अनुवादक अज्ञेय से बहस करने लगा। उन्होंने संक्षिप्त-सा उत्तर दिया और चुप हो गये। सभा में देर तक एक सन्नाटा छाया रहा। जो लोग अज्ञेय के मौन से परिचित थे, उन्हें यह असहज नहीं लगा। पर छात्रों में कानाफूसी शुरू हो गयी और अध्यक्ष नामवर सिंह ने अज्ञेय की उस अर्थपूर्ण चुप्पी का बचाव करते हुए (जो कइयों को आश्चर्यजनक लगा) सभा की समाप्ति की घोषणा कर दी। एक गरिमापूर्ण आयोजन का यह अप्रत्याशित और तनाव भरा अन्त था। अज्ञेय उपरान्त चाय गोष्ठी में शामिल नहीं हुए। मैं उनके पीछे-पीछे कुछ दूर तक गया और पास पहुँच कर उनसे अनुरोध किया कि वे मेरे आवास तक चलें और कम से कम एक कप चाय तो पी लें। उन्होंने सिर हिलाकर हामी भरी और मेरे आवास पर आ गये जो वहाँ से बहुत पास था। चाय उन्होंने पी, पर कुछ उखड़े भाव से। फिर उठ खड़े हुए और बोले– चलता हूँ। मैं उन्हें छोड़ने नीचे तक गया, जहाँ उनकी गाड़ी इन्तजार कर रही थी।

इसके बाद लम्बे समय तक उनसे मिलने का कोई अवसर नहीं मिला। एक-आध गोष्ठियों में कभी-पास कभी-दूर वाले नमस्कार-प्रणाम को छोड़कर। हाँ, बीच में दो-एक बार मैं उनके गॉल्फ लिंक्स वाले आवास पर जरूर गया था। तब मेरे पास फोन नहीं था, इसलिए बिना बताए ही जाना होता था। एक बार पहुँचा तो वे बाहर खड़े मिले– पर कहीं जाने के लिए तैयार। मैंने नमस्कार किया और 'फिर आऊँगा' कहकर लौट पड़ा। 'निस्संकोच आइएगा'– पीछे से अज्ञेय जी की आवाज सुनाई पड़ी। उनकी अच्छी कविताएँ –अक्सर छोटी– ऐसे ही आवाज देती-सी लगती हैं, यदि आप उनसे बिना 'मिले' वापस जा रहे हों।

इसके लम्बे अन्तराल के बाद, जब मैं कुछ समय के लिए भोपाल के 'निराला सृजनपीठ' में था, अज्ञेय जी एक दिन एकदम अप्रत्याशित मेरे आवास पर पहुँचे– मेरी अनुपस्थिति में। मैं कहीं से लौटकर आया तो नौकर ने बताया– 'कोई अजनेय जी आये थे– दाढ़ी वाले। कह गये हैं कि सुबह फिर आएँगे।' जो आये थे वे अज्ञेय ही होंगे, इसमें संशय की कोई गुंजाइश नहीं थी। मैंने पता किया कि वे कहाँ ठहरे हैं और इससे पहले कि वे सुबह आएँ, मैं सीधे वहाँ पहुँचा जहाँ वे ठहरे थे। वह डॉ. रमेशचन्द्र शाह का घर था और जब मैं पहुँचा तो वे सीढ़ियाँ उतर रहे थे। मैंने नमस्कार किया और इससे पहले कि कुछ कहता, वे बिना मौका दिए बोले– 'मैं आप ही के यहाँ आ रहा था।' अस्तु मैं उन्हें लेकर फिर आवास तक आया, जहाँ से वे पिछली शाम लौट गये थे। यह एक बड़े लेखक का अहेतुक स्नेह था, जिसके बोझ से मैं दबा हुआ था। वे आये और एक बड़ी-सी कुर्सी पर चुपचाप बैठ गये: फिर वही गहन-गम्भीर अभेद्य मौन, जिसे खोलने की चाबी मेरे पास नहीं थी।

मुझे लगा था– कोई जरूरी बात है, जिसके लिए वे आये हैं। पर ऐसा कुछ नहीं था। उनका आना सिर्फ आना था; एक अचानक और निष्प्रयोजन आना भी हुआ करता है। चाय या कॉफी के बारे में पूछने पर कहा– मट्ठा पी सकता हूँ। संयोग से दही रसोई में था, सो नौकर से कहकर मट्ठा बनवाया और ठण्ड के मौसम में उनके साथ खुद भी पिया। कोई तिपहिया मँगवा दीजिए– अचानक उन्होंने कहा। तिपहिया मँगवाना मुझे अटपटा लगा। मैंने निवेदन किया कि कहिए तो मैं अशोक वाजपेयी से कहकर कोई गाड़ी मँगवा दूँ। उन्होंने मना किया। तब तक अशोक से उनके सम्बन्ध सहज नहीं हुए थे, हालाँकि मना करने की वजह शायद यही रही होगी कि तिपहिए में जाने से उन्हें कोई गुरेज नहीं। फलतः मुझे तिपहिया मँगवाना पड़ा। वे उसमें बैठे और जाते-जाते एक वाक्य कहा, जो मेरे लिए उनके मुँह से निकला अन्तिम वाक्य था– एक दीर्घ लम्बे मौन के भीतर से फूटकर निकला छोटा-सा वाक्य– 'दिल्ली में तो मिलना होता नहीं सोचा, भोपाल में ही मिल लूँ।' उनके चले जाने के बाद भी यह वाक्य देर तक मेरे कानों में गूँजता रहा, बल्कि इस समय भी गूँज रहा है।

मनुष्य के मुख से सुना गया अन्तिम वाक्य उसके न होने के बाद एक अच्छी कविता की अन्तिम पंक्ति की तरह हो जाता है, जो गूँजता रहता है देर तक – दूर तक। जे.एन.यू. से उस दिन उनका तनाव में जाना और फिर एक दिन तीन-साढ़े तीन साल बाद अप्रत्याशित मेरे आवास पर भोपाल में आ जाना, दो अलग-अलग घटनाएँ हैं। पर दोनों के बीच कोई अन्तःसूत्र जरूर था, ऐसा मुझे लगता है। जे.एन.यू. की उस दिन की अनमनी चाय और भोपाल सृजनपीठ के उस साग्रह मट्ठा के बीच कोई न कोई रिश्ता जरूर होना चाहिए। आपको नहीं लगता?

31

स्वाहा वृत्तचित्र, सजीव स्मृतियाँ

॥ कैलाश वाजपेयी

1961। फरवरी का प्रथम सप्ताह। मैं और रघुवीर सहाय साथ-साथ। मोती बाग का डी-II/75 नम्बर का फ्लैट। पूर्वाभिमुखी फ्लैट में घुसते ही रघुवीर जी ने सामने बैठे वात्स्यायन जी को सम्बोधित कर कहाः देखिए वात्स्यायन जी मैं किसे लाया? वही कैलाश वाजपेयी जिनके बारे में आप से दो-तीन बार चर्चा हुई है! वात्स्यायन जी ने मुस्कुराते हुए हम दोनों को पास रखी कुर्सियों पर बैठने के लिए कहा। मैं चरण छूने की कोशिश में झुका तो वात्स्यायन जी तत्काल खड़े होकर पीछे हट गये। इतने बड़े वात्स्यायन जी, इतनी सुगठित देहयष्टि, इतनी मन्द-मन्द मुस्कुराती स्नेह छलकाती आँखें! प्रश्नभरी बहुत मीठी आवाज में वात्स्यायन जी बोलेः कब आये मुम्बई से? 'जी, मुम्बई तो मैंने छोड़ दिया!' वात्स्यायन जी ने दोबारा 'क्यों' जैसा प्रतिप्रश्न नहीं किया, मगर उनके माथे पर आयी हलकी विचलन से तत्काल यह आभास हो गया कि वे जानना चाह रहे हैं कि मैं मुम्बई *टाइम्स ऑफ इंडिया* में क्यों नहीं हूँ। मैंने सफाई-सी देते हुए कहाः कारणवश मैं त्यागपत्र देकर जनवरी में फिर लखनऊ चला आया और जनवरी के अन्तिम सप्ताह में यहाँ दिल्ली में आयोजित एक कार्यक्रम में भाग लेने आया था।

इसके बाद चुहल भरी आवाज में रघुवीर जी ने बोलना शुरू कियाः कैलाश जी अभी कल आकाशवाणी के गलियारे में दीख गये। किसी होटल में ठहरे थे। हम दोनों ने वहीं कैंटीन में बैठकर चाय पी। पता चला कि लखनऊ लौट जाने की उधेड़बुन में हैं। आप तो जानते हैं वात्स्यायन जी, बट्टू जी (रघुवीर जी अपनी धर्मपत्नी को बट्टू जी कहकर बुलाते थे) इन दिनों बच्चों सहित कानपुर गयी हैं, तो मैंने इन्हें सुझाया कि मेरा घर खाली है, मन हो तो होटल छोड़कर हफ्ता-दस दिन दिल्ली रह जाएँ। कैलाश जी लखनवी अन्दाज में पहले तो शुक्रिया, धन्यवाद आदि कहते रहे; फिर जब मैंने कहा— मेरे घर के पास ही वात्स्यायन जी भी रहते हैं तो ये हजरत राजी हो गये। आप भी इनके *ज्ञानोदय, धर्मयुग* में छपे लेख, कविताओं के सिलसिले में कई बार सवाल किया करते थे। सो इन्हें पकड़ ले आया।

रघुवीर जी जब यह सब कह रहे थे, तभी मैंने गौर किया कि वात्स्यायन जी का ड्राइंगरूम, ड्राइंगरूम नहीं एक पुस्तकागार है! लकड़ी से बनी कई ऊँची-ऊँची अलमारियाँ खड़ी हैं, जिनमें किताबें सजी हैं। सभी किताबों पर पट्टा चढ़ा है और सभी किताबों पर बाकायदा एक नम्बर भी है। ठीक उसी तरह से जैसे पुस्तकालयों में किताबें रखने और खोज लेने की विधि अपनाई जाती है– अंग्रेजी में जिसे 'एक्सेशन' कहते हैं। रघुवीर जी जिस अपनापे के साथ मेरे बारे में वात्स्यायन जी को बता रहे थे, वह उनमें था। अपने कार्यालय की कुछ और बातें बताकर रघुवीर जी उठ खड़े हुए। मेरी तरफ मुखातिब होकर उन्होंने चाबी के गुच्छे से एक चाबी निकालकर मुझे देते हुए कहा– कैलाश जी, यह रही 'आई 51' (मोती बाग-II में रघुवीर जी के फ्लैट का नम्बर) की चाबी। आप वात्स्यायन जी के पास से जब चाहें या तो मेरे आवास चले जाएँ या फिर आकाशवाणी आ जाएँ। मैं चला।

रघुवीर जी के चले जाने के बाद वात्स्यायन जी ने कहाः तो आपने मुम्बई वाली नौकरी छोड़ दी। क्या भारती जी से... वात्स्यायन जी वाक्य पूरा ही कर रहे थे कि मैं बोल पड़ा, 'भारती जी ने तो बहुतेरा कहा कि तुम मेरे साथ *धर्मयुग* में आ जाओ, मगर मेरा मन नहीं माना।' वात्स्यायन जी ने कहा– ऐसा? फिर पूछा– लखनऊ में आप रिसर्च कर रहे थे? क्या वह पूरी हुई? मैंने कहा– दिसम्बर 1960 में जब मैं मुम्बई के लिए लखनऊ से चल रहा था, तभी मुझे डॉ. राधाकमल जी के कार्यालय से सूचना मिल गयी थी, सभी विशेषज्ञों ने प्रमाणित कर यह स्वीकृति भेज दी है कि मुझे पीएच. डी. की उपाधि दे दी जाए! क्या विषय था– वात्स्यायन जी ने पूछा। 'आधुनिक हिन्दी कविता में शिल्प,' मैंने सहमा-सा उत्तर दिया।

–क्या-क्या पढ़ा शोध के वर्षों में?

वात्स्यायन जी का यह प्रश्न विकट था। मुझे लगा, लगा क्या याद आया, श्वेतकेतु जब अपनी शिक्षा पूरी कर अपने पिता ऋषि उद्दालक के आश्रम में लौट आया था तो ऋषि उद्दालक ने बड़े सलीके से श्वेतकेतु से यही पूछा थाः वह क्या है जिसे जान लेने के बाद और कुछ जानना शेष नहीं रह जाता? बावजूद इस प्रतीति के, एक नये मुल्ले की तरह, मैं देर तक अपने अधकचरे ज्ञान का बखान करता रहा। इस तमाम समय में, जब मैं देश और विदेश के चिन्तकों, कवि और साहित्यकारों के बारे में बोल रहा था, वात्स्यायन जी अपलक अपनी मुस्कुराती हुई आँखों से मुझे देख रहे थे। हो सकता है उन्हें मेरी प्रगल्भता पर तरस आ रहा हो। या शायद वे ऐसे ही थे, या हो गये थे।

तभी मेरे दिमाग में कार्ल यास्पर्स का नाम कौंधा, जिसने हेगेल की भावातीति का सहारा लेकर विप्रति वेष अर्थात् ऐंटीनोमी का सिद्धान्त पारित किया था। वात्स्यायन जी की वत्सलता का हलका एहसास मुझे उसी दिन हो गया था, जो

आगे की मुलाकातों में दृढ़तर होता गया। यास्पर्स ने लिखा है कि आदमी की अन्तश्चेतना वैसे तो दृग्विषय से ही जुड़ी होती है। मगर आत्मशोधन की प्रक्रिया से गुजरकर कई विवेकवान नागर प्राणी वहाँ भी पहुँच सकते हैं, जहाँ से सभी के लिए उनकी आँखों से वत्सल भाव बरसे।

कनिष्क ने जब कश्मीर में चौथी धर्म संगीति बुलाई थी, तब उसका भी यही संकल्प था कि हीनयान को महायान तक जाना ही चाहिए। हीनयान कहता है बोध हो जाए तो चुप हो जाना चाहिए। मगर कनिष्क द्वारा उन्मीलित महायान कहता है चुप्पी कैसी, उसे लुटाना चाहिए, जन-जन तक ले जाना चाहिए। यह कहना मुश्किल होगा कि वात्स्यायन जी में वत्सल भाव कार्ल यास्पर्स से होकर आया अथवा फिर वे कसिया की मिट्टी में जन्म लेकर यह संस्कार लेकर ही आये थे। महायान में इसी मनोभूमि को 'मुदिता' कहा जाता है। मुदिता के बाद विमला, प्रभाकरी, सुदुर्जया, अभिमुक्ति, दूरंगमा और अचला आदि दसमनोभूमियों का विवरण महायान में और मिलता है, जिनसे होकर प्राणी अथवा साधक या बोधिसत्व, निर्वाण तक जाकर विलीन हो सकते हैं। इसे ही कहते हैं अनत्ता याकि सत्ता का अनत्ता में विलयन। यह सब कहने का निहितार्थ यह है कि किसी भी रचनाकार पर कोई भी टिप्पणी देने से पहले यह जान लेना जरूरी है कि उसके मन की बुनावट, किन धागों से उत्प्रेरित या संगुंफित है।

एकाएक वात्स्यायन जी उठे। बोले– आइए बाहर, देखें आकाश को! मुझे दोपहर के भोजन के लिए रेडियो कैंटीन पहुँचना था। मन ही मन मैंने कहा– काश, खाया जा सकता आकाश! बाहर हलकी हवा बह रही थी। वात्स्यायन जी बोले– आपको नहीं लगता वसन्त ऋतु आ रही है? हवा से तो यही लगता है। तभी वात्स्यायन जी ने *ऋतुसंहार* की दो पंक्तियाँ दोहराईं। मैंने पूछा, जब आप *तीसरा सप्तक* तैयार कर रहे थे, तब आपका ध्यान केदारनाथ अग्रवाल पर नहीं गया? वात्स्यायन जी बोले– क्यों? मैंने कहा– बीते दशक के अन्तिम वर्ष (1959) में *तीसरा सप्तक* आया, जिसमें आपने मदन वात्स्यायन को लिया है। गुणवत्ता की दृष्टि से अगर आप ध्यान दें तो मदन वात्स्यायन की तुलना में केदारनाथ अग्रवाल की रचनाएँ कहीं ज्यादा आकर्षित करती हैं। वात्स्यायन जी ताजी-ताजी पत्तियों को हलके-हलके छूते रहे; बोले कुछ नहीं। मैंने कहा– आप कहें तो मैं केदार अग्रवाल की एक पूरी कविता सुनाऊँ जो उनके पहले काव्य संग्रह *युग की गंगा* से है। 'भला लगेगा...सुनाएँ', वात्स्यायन जी बोले। मैंने कहा– उनकी *'हवा हूँ हवा में वसन्ती हवा हूँ'* तो आपकी निगाह से गुजरी होगी। मगर रूपकात्मक ढंग पर लिखी गयी उनकी यह कविता नायाब है:

एक बीते के बराबर
यह हरा ठिंगना चना
बाँधे मुरेठा शीश पर
छोटे गुलाबी फूल का
सजकर खड़ा है।
पास में मिलकर उगी है
बीच में अलसी हठीली
देह की पतली कमर की है लचीली!

नील फूले फूल को सिर पर चढ़ाकर
कह रही है
जो छुए यह

दूँ हृदय का दान उसको।
और सरसों की न पूछो

हो गयी सबसे सयानी
हाथ पीले कर लिये हैं

ब्याह मंडप में पधारी।
फाग गाता मास फागुन
आ गया है पास जैसे

देखता हूँ मैं स्वयंवर हो रहा है।

वात्स्यायन जी ने कविता को तो सराहा, मगर पहली ही भेंट में मेरे द्वारा किए गये अतिक्रमण पर कोई प्रतिक्रिया नहीं की। हाँ, कालिदास की पंक्तियों के सन्दर्भ में यह जरूर बताया कि वे बहुत छोटे थे, तब घर पर ही उन्हें संस्कृत पढ़ाने की व्यवस्था की गयी थी। उन दिनों वात्स्यायन जी लखनऊ में थे। उन्हें लखनऊ के स्मारकों– छतर मंजिल, भूलभुलैया आदि– की याद थी।

पहले दिन बस इतनी देर ही उनके पास रहकर विदा ली। हालाँकि उन्होंने यह कहकर रोका भी कि कॉफी पीकर जाएँ। मगर मैं रुका नहीं। तब उन्होंने उसी वत्सल मुद्रा में यह भी कहा कि जितने दिन मैं रघुवीर जी के साथ मोती बाग में हूँ, जब जी चाहे उनके पास आ जाया करूँ।

मैंने लखनऊ विश्वविद्यालय में 1957-59 में, जब मैं शोध का विद्यार्थी था, डॉ. देवराज के मुँह से सुन रखा था कि वात्स्यायन जी कार्ल यास्पर्स के दर्शन से प्रभावित लगते हैं। यही नहीं मानवेन्द्र नाथ राय भी उन्हें अत्यधिक प्रिय हैं। उन्हीं दिनों मैंने यास्पर्स के दर्शन की तीन पोथियाँ पढ़ डाली थीं। मगर टैगोर लाइब्रेरी में काफी खोजबीन के बाद भी मुझे मानवेन्द्र जी के जीवन-दर्शन से सम्बन्धित कोई सामग्री नहीं मिली। अगली बार जब मैं वात्स्यायन जी से मिला, तब मैंने इसरार किया कि वे मुझे एम.एन. राय के बारे में कुछ सिलसिलेवार बताएँ। वात्स्यायन जी नयी किताबों की जिल्द पर बादामी रंग का कागज काटकर पुस्तकों को करीने से रखने के काम में व्यस्त थे। वह काम अधूरा छोड़कर उन्होंने कहना शुरू किया:

बंगाल के चौबीस परगना में जन्मे मानवेन्द्र जन्मजात विद्रोही थे। उनका असली नाम नरेन्द्र भट्टाचार्य था। प्रथम महायुद्ध की शुरुआत पर वे वेष बदलकर विदेशी शासन को उलट फेंकने की गरज से बर्मा, जापान और हिन्दचीन होते हुए अमेरिका जा पहुँचे, जहाँ उन्हें कैद कर लिया गया। जमानत पर रिहा होने के बाद नरेन्द्र भट्टाचार्य की जगह उन्होंने अपना नाम मानवेन्द्र नाथ राय रख लिया। इसके बाद वे अमेरिका की सीमा-रेखा पार कर मेक्सिको पहुँचे। (आज जब मैं यह सब लिख रहा हूँ, मुझे यह अच्छी तरह ज्ञात है कि मेक्सिको से सीमा-रेखा पार कर अमेरिका पहुँच जाना कितना आसान है) मेक्सिको पहुँचकर मानवेन्द्र जी ने वहाँ कम्युनिस्ट पार्टी की स्थापना की। वहीं उनकी मुलाकात मिखेल बोरोदिन से हुई। बोरोदिन की मदद से मानवेन्द्र जी मास्को पहुँचे। जिन दिनों राय वहाँ पहुँचे, उन दिनों मास्को में कम्युनिस्ट अन्तरराष्ट्रीय कांग्रेस के अधिवेशन की तैयारी हो रही थी। सौभाग्य से वहाँ उनकी भेंट लेनिन से हुई। लेनिन का व्यक्तित्व ही कुछ ऐसा था कि वे तत्काल व्यक्ति के गुण-दोष परख लेते थे। लेनिन ने मानवेन्द्र नाथ राय को कम्युनिस्ट पार्टी के पूर्वी प्रकोष्ठ का कार्यभार सौंपकर उन्हें चीन जाने की सलाह दी। मानवेन्द्र जी चीन गये भी। फिर इसके बाद वे भारत लौट आये।

उन्होंने आगे कहा, सर्वविदित है कि मार्क्स का चिन्तन ठोस और अकाट्य है। वह दुनिया भर के शोषितों की चिन्ता करता है। मगर भारत आकर एम.एन. राय को लगा कि देश को अंग्रेजों की दासता से मुक्त कराना कहीं अधिक जरूरी है। शायद इसीलिए उन्होंने कांग्रेस पार्टी की सदस्यता स्वीकार कर ली। यही नहीं, इसी के साथ उन्होंने स्टालिन की निरंकुशता से झल्लाकर उसे एक कड़ा पत्र भी लिखा। इसी अवधि में उन्हें मार्क्स की सशक्त क्रान्ति की अवधारणा भी कुछ-कुछ दुस्तर लगने लगी थी। परिणाम यह कि 1940 में उन्होंने रेडिकल डेमोक्रेटिक पार्टी की स्थापना की। कांग्रेस पार्टी के कार्यक्रम क्योंकि नरम थे और मार्क्स की सशक्त

क्रान्ति अत्यधिक परुष, शायद इसीलिए एम.एन. राय ने साम्यवाद के साथ समाजवाद को नत्थी कर 'उग्र मानववाद' (रेडिकल ह्यूमेनिज्म) का सिद्धान्त पारित किया। जो – वात्स्यायन जी ने दोहराया – मुझे भी सही लगा।

लखनऊ में भगवतीचरण वर्मा और नागर जी ताश खेलने के लिए मशहूर थे, जबकि वात्स्यायन जी 'स्क्रैबल' खेलने के लिए अधीर रहते थे। उस दिन उन्होंने मुझे 'स्क्रैबल' के लिए उत्प्रेरित किया। पता था कि हारूँगा। काफी सोच-समझकर मैंने अंग्रेजी के 'क्वेरी' शब्द की वर्तनी जोड़नी शुरू की। मुझे सिर्फ अन्तिम अक्षर 'वाइ' भर जोड़ना था, तभी वात्स्यायन जी ने झट वहाँ पर 'एन' अक्षर जोड़ दिया। मुझे नहीं पता था कि हिन्दी भाषा की 'चक्की' के लिए वे अंग्रेजी का 'क्वेर्न' शब्द बना देंगे!

खेल आगे चला, चलता चला गया। मैं कोशिश में था 'रेलिगन' शब्द की वर्तनी जोड़ने में। सफल भी होने को था, सिर्फ अन्तिम अक्षर 'एन' तक पहुँचना था। इस बार फिर धक्का लगा। वात्स्यायन जी ने वहाँ 'एस' अक्षर डाल दिया। मैं चक्कर में पड़ गया। मुझे सिर्फ 'एन' अक्षर जोड़ने की दिशा में बढ़ना था, तभी वात्स्यायन जी ने रेलिगन शब्द की जगह शब्द बनाया 'रेलीजिओस।' यह शब्द मुझे मालूम नहीं था। वात्स्यायन जी ने समझाया कि इस शब्द का अर्थ होता है 'धर्म का सनकी।'

वात्स्यायन जी के घर एक मास्टर जी आया करते थे। मास्टर जी शायद कपिला जी के सहायक थे, या हो सकता है वे वात्स्यायन जी के ही शिष्यों में रहे हों। बहरहाल उस दिन वात्स्यायन जी ने मास्टर जी से कहाः कैलाश जी के लिए यहीं कहीं एक कमरा तलाश कर दें। मास्टर जी ने बताया कि साउथ मोती बाग (वात्स्यायन जी मेन मोती बाग में रहते थे) में एक कमरा और साझेदारी वाले स्नान की सहूलियत वाला स्थान चालीस रुपया प्रतिमास पर मिल जाता है। मुझे याद आया मैं जब मुम्बई में था तो *धर्मयुग* में कार्यरत सम्पत ठाकुर ने, जिनके पास वाटरफील्ड रोड बान्द्रा में निजी फ्लैट था, मुझे तीन मास तक रहने की सुविधा प्रदान की थी। इस सुविधा के लिए मुझसे एक सौ रुपये प्रति मास लेते थे। बाद में भारती जी ने – जिन्हें *टाइम्स ऑफ इंडिया* ने कोलाबा में रहने के लिए फ्लैट दे रखा था – मुझे सुझाया कि मैं कोलाबा के किसी मोटेल में रहने आ जाऊँ। कुछ दिन बाद स्वयं उन्होंने मेरे लिए कोलाबा में ही अफगान चर्च रोड पर एक कमरे का बन्दोबस्त कर दिया था।

मैंने वात्स्यायन जी से कहा– मैं तो लखनऊ लौटने की सोच रहा था। वात्स्यायन जी ने कहा– 'देश की राजधानी में रहना और बात है।' वही हुआ। 16 फरवरी, 1961 तक मैं साउथ मोती बाग के एक कमरे में पड़ा पाया गया। अच्छी

बात यह थी कि पास में ही एक ढाबा था, जिसके मुछाड़िया मालिक ने मेरे विनम्र स्वभाव को पहचान कर और यूपी वाला होने के कारण मेरे कमरे में ही चाय भिजवा देने का आग्रह स्वीकार कर लिया। उस मुछाड़िये ठाकुर का नाम, अगर मैं भूलता नहीं, सुच्चा सिंह था। ढाबे में दोपहर का खाना खाकर मैं चौदह नम्बर की बस से आकाशवाणी भवन चला जाता था।

एक दिन जब चार बजे मैं वात्स्यायन जी के यहाँ गया तो वहाँ कोई सज्जन वात्स्यायन जी से *तार सप्तक* की भूमिका को लेकर बहस कर रहे थे। वे सज्जन डॉ. नगेन्द्र के शिष्य थे और रह-रहकर छायावाद की सुसंस्कृत भाषा और छान्दसिक विशेषताओं के सामने प्रयोगवाद की हीनता सिद्ध करने के लिए पन्त, प्रसाद और निराला जी की पंक्तियाँ उद्धृत किए जा रहे थे। वात्स्यायन जी ने बहुतेरा समझाया, निवेदन भी किया कि जब भी साहित्य में कोई नयी लहर आती है विरोध होता ही होता है। वे सज्जन, जिनका नाम शायद ओमप्रकाश था, वात्स्यायन जी के तर्क से बिलकुल सहमत नहीं थे। मैं तटस्थ भाव से सारी बातें सुन रहा था। तभी वात्स्यायन जी ने अपने ड्राइंग रूम में करीने से सजी विपुल ज्ञान सामग्री को टोहते हुए कोई एक बहुत पुरानी पत्रिका निकाली और उन सज्जन को पढ़ने के लिए दी। कुछ देर कक्ष में सन्नाटा रहा। इसके बाद वे सज्जन नमस्कार करके चले गये। इस बीच वात्स्यायन जी शायद कॉफी या चाय बनाने की गरज से भीतर गये।

मैंने वह जर्जर-सी पत्रिका उठाई। ऊपर लिखा था— *छायावाद*। नीचे मुद्रित था छायावाद-प्रतिवाद-परिषद, काशी। मैंने पृष्ठ पलटते ही वहाँ जो कुछ भी पढ़ा, उसे छोटी मेज पर रखे दो कागजों पर विधिवत उतार लिया। आशा है यह आप को भी रुचेगाः

ऊँ अस्य श्री छायावाद महामंत्रस्य
निराला पन्तौ ऋषी, रबड़ केंचुआदीनि
नानाविधानि छन्दांसि, श्री महाजड़ता देवता
'आह' बीज भगवती महादेवी शक्तिः प्रचारः
कीलकं मम भावुक कविपद प्राप्तये
प्रगतिशीलता सिद्धयर्थ जपे विनियोगः॥
अथ न्यासः।
ऊँ निराला पन्ताभ्यां ऋषिभ्यां नमः शिरसि।
ऊँ रबड़ केंचुआदि नानाविधेभ्यश्छन्दोभ्यो

नमो मुखे!
ऊँ भगवती महादेवी शक्तेय
नमः सर्वांगे।
अथ हृदयादि न्यासः
ऊँ 'दलबन्दी' कवचाय हुभ्!
अथ मंत्रः
ऊँ निं पं रां मं जं शां भं तां हं ग्रं आह आह
वेदने एह्येहि प्रचारिके भगवतिच्छायावादिनि
प्रगतिशीलत्वं देहि देहि कवि कुरु कुरु
झर झर मर मर
पर पर हल हल कल कल ठुक् ठुक् स्वाहा।

"विधि–

इस मन्त्र को हाथ-पैर फटकारता हुआ 21 दिन तक अष्ठोत्तरशत नित्य जपै। 22वें दिन 'पल्लव' में 'मधुकण' मिलाकर 'अनामिका' से दशांश हवन करे। फिर 'आँसू' से तद्दशांश तर्पण करे। पश्चात् 'दूर्वादल' से दशांश मार्जन करे।..."

छह मार्च को मैं और रघुवीर सहाय साथ-साथ, ग्यारह बजे के लगभग, कनॉट प्लेस जाने वाली बस पर चढ़े। शान्ति पथ पर दोनों ओर फूल खिले हुए थे। रघुवीर जी बोलेः *फूलों में वह बात नहीं है जो फूलों में होती थी*...फिर रुककर कहाः *भूलों में वह बात नहीं है जो भूलों में होती थी।* मैंने कहा– रघुवीर जी, 'आप तो ऑग्डेन नैश' वाले मूड में हैं। तभी रघुवीर जी ने दो पंक्तियाँ और जड़ दीं। अब तक चार पंक्तियाँ बन गयी थीं–

फूलों में वह बात नहीं है जो फूलों में होती थी।
भूलों में वह बात नहीं है जो भूलों में होती थी।
शूलों में वह बात नहीं है जो शूलों में होती थी।
कूलों में वह बात नहीं है जो कूलों में होती थी।

चुहल में आकर मैंने अन्तिम पंक्ति जड़ दीः

लूलों में वह बात मगर है जो लूलों में होती थी।

रघुवीर जी के संग्रह *आत्महत्या के विरुद्ध* में यह रचना सम्मिलित है।

अगले दिन वात्स्यायन जी का जन्मदिन था। रघुवीर जी ने बताया कि कल शाम को तो उनके घर-परिवार वाले होंगे। 'मैं तो सुबह दस के आसपास जाकर

उन्हें शुभकामनाएँ दे आऊँगा। आप अपनी सुविधा से जाएँ।'

सात मार्च की सुबह चाय पीते हुए मैं सोच रहा था कि जन्मदिन पर क्या लेकर जाऊँ? फिर याद आया कि वसन्त ऋतु है, बुद्ध जयन्ती पार्क में पलाश के फूल आये होंगे। झटपट तैयार होकर साउथ मोती बाग से धौला कुआँ पहुँचा। वहाँ पटेल नगर जाने वाली बस मिली। पार्क के सामने वाले स्टॉप पर मैं उतरा। बुद्ध जयन्ती पार्क शुरू होने से पहले जो रास्ता सरदार पटेल मार्ग की ओर आता है, उसके बायीं तरफ बबूल झरबेरी, धतूरा और गोरखमुंडी के झाड़ हैं। साथ ही सब तरफ फैले हैं पलाश के मँझोले वृक्ष।

सड़क के किनारे कँटीले तार लगे हैं। तारों के पार कम गहरी खाई है। मैंने ढलान से उतरकर खाई फाँदकर उस ओर जाने की हिम्मत जुटाई। अब समस्या यह थी कि पलाश के फूलों वाली कोई भी डाल, मेरे ऊपर उठे हाथ की पकड़ से ऊपर थी। मैंने आसपास निगाह दौड़ाई तो देखा, अरावली की चट्टान के कई बड़े पत्थर यहाँ-वहाँ पड़े हैं। अब एक भारी पत्थर को उखाड़ना भी मुझ जैसे लिफाफिया प्राणी के लिए खासा दुस्तर कार्य था। फिर भी पास पड़ी एक सूखी डाल की मजबूत-सी लगती टहनी तोड़कर मैंने उस बड़े पत्थर के आसपास की जमीन खुरची। इसके बाद वह पत्थर हिला, जिसे किसी तरह ढकेलकर मैं वहाँ ले आया, जिसके ऊपर खड़े होकर पलाश की फूलों भरी उस टहनी को तोड़ा जा सकता था। अपने अभियान में मैं सफल तो हो गया, पर लौटते हुए इतना जरूर हुआ कि कँटीले तार से उलझकर मेरी कमीज का निचला बटन टूट गया।

साढ़े बारह के लगभग वात्स्यायन जी के यहाँ पहुँचकर मैंने पलाश के फूलों से लदी वह डाल समर्पित की। उस समय वहाँ वात्स्यायन जी को उनके जन्मदिन की शुभकामनाएँ देने विष्णु प्रभाकर आये हुए थे। विष्णु जी शरच्चन्द्र के दीवाने थे और वात्स्यायन जी शरच्चन्द्र चट्टोपाध्याय के *श्रीकान्त* उपन्यास का अंग्रेजी अनुवाद 1944 में ही प्रकाशित करवा चुके थे। अतः दोनों के बीच बादरायण सम्बन्ध हो जाना स्वाभाविक था। दोपहर का भोजन हमने साथ किया। उस दिन दोनों के बीच जो भी बातें हुईं, वे *नदी के द्वीप* से जुड़ी थीं। गाँधीवादी विष्णु जी को चिर अतृप्त रेखा का यह वाक्यः 'मैं तुम्हारी हूँ भुवन, मुझे लो' हजम नहीं हो रहा था। वात्स्यायन जी ने मुस्कुराते हुए यही भर कहाः 'कामः नैवं पश्यति।' *शेखरः एक जीवनी* के तीसरे भाग की प्रतीक्षा अभी भी हम सबको है, ऐसा कहकर विष्णु जी ने विदा ली। इसके बाद वात्स्यायन जी भीतर गये, लौटे तो एक बटन और सूई-धागा हाथ में था। मैं हतप्रभ! वात्स्यायन जी अधिकार के साथ बोले— टूटा बटन शोभा नहीं देता। बटन मैंने ले लिया। मगर सूई में धागा वात्स्यायन जी ने डाला। बड़ी सूक्ष्म थी उनकी दृष्टि।

1961 में भारतीय दूरदर्शन के कार्यक्रमों का प्रारम्भ 'स्कूल ब्रॉडकास्ट' से हुआ। यह कार्यक्रम गंगाधर सुकुल की देखरेख में होता था। ये दिन मेरी बेकारी के दिन थे। मुझे एक काम सत्यप्रकाश नारायण किरण देते थे, जो अनुवाद का काम था। दूसरा काम मोहनसिंह सेंगर और गोपालकृष्ण कौल के द्वारा मिलता। ये दोनों वरिष्ठ बन्धु हिन्दी-वार्ता विभाग में थे। कभी-कभी हिन्दी फीचर यूनिट भी मेरी आवाज का इस्तेमाल कर लेता था। मेरी और कमलेश्वर की आवाज की सराहना देवकीनन्दन पाण्डे और शिवसागर मिश्र दोनों करते थे। सूचना के लिए बता दूँ उन दिनों कमलेश्वर भी फ्रीलांसिंग कर रहे थे। अस्तु गंगाधर सुकुल ने प्रस्ताव रखा कि मुझे कालिदास के-से वस्त्र पहनकर उसी के द्वारा रचित दो-चार श्लोक पढ़ने होंगे। कार्यक्रम तीन दिन बाद टेलीकास्ट होना था। पहले मैंने सोचा पं. नरेन्द्र शर्मा, जो उन दिनों विविध भारती के चीफ प्रोड्यूसर थे, उनके कमरे में जाऊँ। वे दो दिन की छुट्टी पर मुम्बई गये हुए थे। तब मैं सीढ़ियाँ उतर मोहनसिंह सेंगर के कमरे में आया। उन्होंने सुझाया कि क्यों न मैं रेडियो की लाइब्रेरी में 'कालिदास' की तलाश करूँ? वहाँ मैं गया, मगर निराशा हाथ लगी। बाहर निकलकर साहित्य अकादेमी जाने की सोच ही रहा था कि सामने से आती दिखीं सुनीतवीर सिंह। सुनीत उन दिनों रेडियो की अंग्रेजी मैगजीन में प्रोड्यूसर थीं। कुछ दिन पहले ही सागर निजामी ने उनसे परिचय कराया था। सुनीत बोलीं कि क्या मैं दस मिनट की एक वार्ता 'शंकराचार्य' पर उनका परिचय देते हुए रेकार्ड करवा सकूँगा? मैंने पाँच-छह दिन का समय माँगा। सुनीत बोलीं– तब फिर मेरे कमरे में आइए, मैं कुछ बातें 'फॉर्मेट' के बारे में भी समझा दूँ। अपने कमरे में उन्होंने सामने बैठाकर कई बातें बताईं, चाय भी पिलाई।

मैं उस दिन मोती बाग लौटकर जब वात्स्यायन जी के यहाँ गया तो अँधेरा हो चुका था और वात्स्यायन जी कपिला जी के साथ वही खेल खेलने की तैयारी में थे। कपिला जी ने कहा, 'चुपचाप बैठकर खेल देखिए। 'अइया जी' (कपिला जी वात्स्यायन जी को अइया कहकर ही बुलाती थीं, जो 'आर्य' शब्द का दुलार-भरा रूप है) का या तो शब्द ज्ञान देखकर चमत्कृत होते रहिए अथवा 'अइया जी' की कारावास के दिनों में लिखी गयी *प्रिजन पोएम्स* पढ़िए!'

उनकी आवाज इतनी अधिकार भरी थी कि मेरी सिट्टी गुम हो गयी। उन्होंने यह सब कहने के बाद इशारा किया कि किताब कहाँ रखी है? मैं उस ओर गया। वहाँ उस पुस्तक के साथ ही *भग्नदूत* की प्रति भी रखी थी। मैंने तब तक वह कृति पढ़ी ही नहीं थी। कपिला जी वात्स्यायन जी के साथ बातें करते हुए जोर से हँसती थीं। उनके बोलने का अन्दाज और हँसी दोनों बेहद आकर्षक लगे।

कपिला जी आज भी वैसी ही हैं। जितनी देर खेल चला, मैं कमरे के उसी कोने में बैठा उनकी कविताएँ पढ़ता रहा। बीच में जब स्वल्प विराम के पल आये तो कपिला जी ने कहा— कैलाश जी, आज यहीं खाना खाकर जाइएगा।

खेल खत्म होने के बाद बगल के कमरे में जहाँ खाने की मेज थी, कपिला जी उठकर वहाँ की व्यवस्था देखने गयीं। इस बीच वात्स्यायन जी अकेले थे। मैंने उन्हें गंगाधर सुकुल के कालिदास वाले प्रस्ताव की बात बताई। वात्स्यायन जी ने उतने ही मृदुल स्वर में कहा— जाते हुए संस्कृत साहित्य के इतिहास की प्रति लिये जाइएगा; बाधा क्या है। कपिला जी ने इस बीच में खाने की मेज पर मोमबत्तियाँ जला दी थीं। वाइन के तीन गिलास भी सजे रखे थे। उस दिन कपिला जी के निर्देशन में बना जो आहार मुझे वहाँ मिला, वह इतना सुस्वादु था कि मैं उन्हीं की करुणा या सरोकार से मिला साउथ मोती बाग का वह कमरा और पास के ढाबे की रोटियाँ भूल गया। मुझे वाइन की थोड़ी-बहुत पहचान हो गयी थी, क्योंकि रघुवीर जी के साथ घर लौटते हुए हम अक्सर कनॉट प्लेस से कोई न कोई पेय ले आया करते थे। मगर कपिला जी ने छोटे आकार की उस बोतल से जो वाइन डाली, वह नायाब थी। बाद में कपिला जी ने बताया कि यह वाइन घर के संतरों में नौसादर मिलाकर स्वयं उनके पिताजी बनाया करते थे। अपने साउथ मोती बाग वाले कमरे में लौटते समय वात्स्यायन जी ने मुझे संस्कृत साहित्य की वह पुस्तक दी।

अगले दिन वह पुस्तक पढ़ते हुए मुझे पहली बार पता चला कि कालिदास की मृत्यु सिंहल द्वीप में हुई और वह भी उनके रसिक स्वभाव के कारण। हुआ यह कि कालिदास ने वहाँ के राजा की कृति *जानकी हरण* को बहुत सराहा। परिणाम यह कि सिंहल द्वीप के राजा ने कालिदास को अपने यहाँ आमन्त्रित किया। कालिदास वहाँ गये। ऐसा लिखा मिलता है कि कालिदास ने वहाँ की परिचारिका के घर के सामने लिखा यह श्लोकांश पढ़ा—

कमले कमलोत्पत्तिः श्रूयते न तु दृश्यते।
(कमल से कमल की उत्पत्ति केवल सुनी जाती है, देखी नहीं गयी।)

कालिदास ने उसके द्वार पर लिखे इस श्लोकांश की पूर्ति करते हुए लिखा—

बाले। तव मुखाम्भोजे कथमिन्दीवर द्वयम्॥
(हे सुन्दरी। तुम्हारे मुखकमल में ये दो (नेत्र) कमल कैसे उग आये हैं।)

कालिदास की इस पंक्ति से क्रुद्ध होकर महल के ही परिचारकों ने कालिदास की हत्या कर दी। कालिदास की हत्या से राजा कुमारदास इतना आहत हुआ कि

उसने भी कालिदास की चिता पर कूद कर प्राण दे दिए।

कालिदास की प्रथम कृति *ऋतुसंहार* से ही दो-तीन श्लोक याद कर मैंने गंगाधर सुकुल के निर्देशानुसार स्कूल ब्रॉडकास्ट का वह कार्यक्रम किया। कैमरे के आगे खड़े होने का वह मेरा पहला अनुभव था। इसे संयोग ही मानें कि वात्स्यायन जी को कपिला जी के पिता 'सच्चा' (बचपन का नाम) कहकर बुलाया करते थे। कपिला जी की मदद से मुझे जो कमरा वहाँ मिला था, उसके निकट के ढाबे के मुछाड़िये ठाकुर का नाम भी सुच्चा था और कालिदास की जो पंक्तियाँ मुझे दोहराने को मिलीं वे भी *ऋतुसंहार* से थीं।

वात्स्यायन जी के घर में आने वाले रघुवीर जी, सर्वेश्वर और श्रीकान्त के जो तीन नाम लोकप्रिय हैं, (छोटे, मोटे और खोटे वात्स्यायन) तीनों कपिला जी के दिए नाम थे। पहले-पहल मैंने ये नाम उन्हीं के मुँह से सुने थे। उस घर में उन दिनों उषा राजदान (अब केशव मलिक की पत्नी), वात्स्यायन जी की बहन आनन्दलता, कपिला जी की माँ – जिन्हें हम सभी अन्नाजी कहकर बुलाते थे – आया करती थीं। उस घर में उन दिनों साहित्यिक बहसें भी खूब होती थीं।

मैं आकाशवाणी भवन में कभी पं. नरेन्द्र शर्मा के पास बैठता, कभी गोपालकृष्ण कौल के पास, कभी सागर निजामी के पास तो कभी गिरिजा कुमार जी के पास। पं. नरेन्द्र शर्मा का *द्रौपदी* खण्ड काव्य छपकर आया था। नरेन्द्र जी नेताजी नगर में रहते थे। परिवार मुम्बई में ही रह रहा था। एक दिन उन्होंने अपने घर एक प्रीतिभोज रखा। वे अपने काव्य के कुछ अंश पढ़ना चाहते थे। गोपालकृष्ण कौल, सेंगर जी, उनके मित्र अशोक जी, चिरंजीव आदि के अतिरिक्त विद्यानिवास मिश्र (जो उन दिनों दिल्ली आये हुए थे) सहित एक-दो नाम और भी – जो इस समय याद नहीं आ रहे, मगर जो छन्दबद्ध कविताएँ लिखते थे – की सूची नरेन्द्र जी ने बनाई। नरेन्द्र जी ने यह भार मुझ पर छोड़ा कि मैं वात्स्यायन जी को मनाकर लाऊँ और रघुवीर जी के बिना आऊँ।

ऐसा इसलिए कि विद्यानिवास जी लखनऊ से निकलने वाली *युग चेतना* पत्रिका में छपी रघुवीर जी की 'हमारी हिन्दी' रचना से नाराज थे। इसीलिए नरेन्द्र जी ने मुझे बरजा था। यह घटना अप्रैल के मध्य की है। बहरहाल वात्स्यायन जी को लेकर जब मैं नेताजी नगर चलने को हुआ तो उन्हीं से आज्ञा लेकर मैंने *भग्नदूत* की प्रति भी साथ ले ली। काव्य सन्ध्या बड़ी अच्छी रही। मैंने भी दो गीत सस्वर पढ़े। वात्स्यायन जी ने जब अपनी रचना *बावरा अहेरी* पढ़ी तो अपने कुटिल स्वभाव के अनुरूप कौल ने कहा– आपकी रचना सुनकर जयशंकर प्रसाद की 'बीती विभावरी जाग री' के रूपक का स्मरण हो आता है। सभी पर्युत्सुक थे कि वात्स्यायन जी अपनी कोई छांदसिक रचना पढ़ें। वात्स्यायन जी ने अपने पहले

संग्रह से निम्नलिखित रचना पहले पढ़ी।

विफले, विश्वक्षेत्र में खो जा।
आज विस्मृता हो! जा।
क्या है प्रेम! घनीभूता इच्छाओं की ज्वाला है।
क्या है विरह? प्रेम की झुलसी राख-भरा प्याला है।
तू? जाने किस-किस जीवन के विच्छेदों की पीड़ा
नभ के कोने-कोने में था, बीज व्यथा का बो जा
विफले! विश्वक्षेत्र में खो जा।

दूसरी गीतात्मक रचना जो वात्स्यायन जी ने पढ़ी, उससे तो साफ पता चल रहा था कि 1933 में छपे *भग्नदूत* पर किसका प्रभाव है:

साँझ हुई सब ओर निशा ने फैलाया निज चीर,
नभ से अंजन बरस रहा है नहीं दीखता तीर।
किन्तु सुनो। मुग्धा वधुओं के चरणों का गम्भीर,
किंकिणि-नूपुर शब्द लिए आता है मन्द समीर।
थोड़ी देर प्रतीक्षा कर लो साहस से, हे वीर—
छोड़ उन्हें क्या तटिनी-तट पर चल दोगे बे पीर?
मांझी, मत हो अधिक अधीर।

बाद में, वात्स्यायन जी को लेकर जब-जब मैं डी-II/75 के लॉन में घुसा तो कपिला जी बाहर ही खड़ी थीं। कूकती आवाज में बोलीं: 'अइया जी को चुपके से कहाँ ले गये थे? खैर तुम्हारी सजा यह है कि आज का खाना ढाबे में नहीं, यहीं खाओगे।'

अगले सप्ताह मैं फिर वात्स्यायन जी के पास गया। वे नागार्जुन की *विग्रहव्यावर्त्तनी* पढ़ रहे थे। शून्यवादी नागार्जुन ने *विग्रहव्यावर्त्तनी* में यह सिद्ध किया है कि वस्तुओं के भीतर कोई स्थिर तत्त्व नहीं, बस एक विच्छिन्न प्रवाह है; हम प्रवाह को ही भ्रमवश स्थैर्य मान लेते हैं। लखनऊ के दिनों में डॉ. देवराज ने मुझे यह शिक्षा दी थी। वात्स्यायन जी बात करने के मूड में नहीं थे। कहा— भीतर जाकर पुस्तकों के अम्बार में से जो रुचे पढ़ने लगिए, कपिला जी के आने तक। मैं चुपचाप भीतर चला गया। मेरे मन में यह सवाल कई बार घुमड़ चुका था कि वात्स्यायन जी ने पिछले विच्छेद के बाद कपिला जी से (1956 में) विवाह क्यों

किया। क्या यह सिर्फ प्रेम था या फिर कुछ ऐसे गुण जो सामान्य तथा सुन्दर होते हुए भी स्त्रियों में कम देखने को मिलते हैं। मुझे पता था कि पिछले सम्बन्ध के टूट जाने के बाद वात्स्यायन जी सेना में भरती हो गये थे और सन् 1946 में कैप्टन के पद से मुक्त भी हो गये थे। उन्होंने सनं् 1947 में इलाहाबाद से जो पत्रिका *प्रतीक* निकाली थी, उतनी सारगर्भित, विद्वत्तापूर्ण और सुरुचिसम्पन्न पत्रिका उसके बाद हिन्दी में कभी नहीं निकली।

बहरहाल सामने मेज पर टाइप की गयी किसी पुस्तक के पृष्ठों का ढेर देखकर मेरी उत्सुकता जागी। यह कपिला जी की उस न छपी पुस्तक का तीसरा अध्याय था। शीर्षक था 'लिटरेचर एंड डांसिंग'। मैंने वह अध्याय पढ़ना शुरू किया। चारों वेद, उपनिषद, गृह-सूत्र, वाल्मीकि, व्यास सहित अनेकानेक संस्कृत कवियों के अतिरिक्त, कौटिल्य, वात्स्यायन यहाँ तक कि *बुद्धचरितम्* तक सभी ग्रन्थों से नृत्य, ताल और लय के तत्त्व खोजकर उन पृष्ठों में पिरोए गये थे। मैं उस अध्याय में, जब तक कपिला जी लौट नहीं आयीं, डूबा रहा। निश्चय ही इस महिला की उद्‌भट विद्वत्ता से प्रभावित होकर ही वात्स्यायन जी इस बौद्धिक साहचर्य के लिए प्रेरित हुए होंगे। बाद में कपिला जी का यह ग्रन्थ *क्लासिकल इंडियन डांस इन लिटरेचर एंड आर्ट्स* शीर्षक से प्रकाशित भी हुआ। उसे संगीत नाटक अकादमी ने छापा है। जयदेव पर लिखी उनकी कृतियाँ तो नायाब हैं।

मई के महीने में मुझे अपनी पैतृक भूमि पृथ्वीख़ेड़ा जाना पड़ा। वहाँ गया तो ताजे टपके आम और होला के स्वाद ने ऐसा लुभाया कि दो सप्ताह तक लौट न पाया। जून में मुझे शिवाजी कॉलेज में पढ़ाने का नियुक्ति-पत्र मिल गया। एक जुलाई तक मैं राजौरी गार्डन में एक किराए के मकान में रहने चला गया। शायद अगले ही मास वात्स्यायन जी बर्कले स्थित कैलिफोर्निया विश्वविद्यालय में भारतीय संस्कृति और साहित्य पढ़ाने चले गये।

1965 के वसन्त मास में जब मैं रूपा के साथ विवाह का कार्ड लेकर डी-II/23 सत्य मार्ग पर गया, तब वात्स्यायन जी घर पर नहीं थे। कार्ड छोड़कर मैं अन्य मित्रों के यहाँ गया। निहितार्थ यह कि 7 फरवरी को विवाह में बच्चन जी, अजित कुमार, सत्येन्द्र शरत्, इन्दु जैन, ओंकार आदि कई कवि-साहित्यकार तो आये, वात्स्यायन जी नहीं। फिर जब हम दोनों एच 26 साउथ एक्सटेंशन में बस चुके थे, तब वात्स्यायन जी कपिला जी सहित वहाँ आये। कपिला जी एक यक्षिणी की मूर्ति लायीं और वात्स्यायन जी पिकासो की कलाकृति का फ्रेम जड़ा प्रिंट। 7 मार्च को वात्स्यायन जी का जन्मदिन था। इस बार मैं और रूपा दोनों बुद्ध जयन्ती पार्क गये। उसी प्रक्रिया – जिसका जिक्र मैं पहले कर चुका हूँ – से गुजरकर हम

दोनों ने पलाश के फूल लाकर वात्स्यायन जी को भेंट किए। हम दोनों को कपिला जी ने रात्रि के भोजन के लिए आमन्त्रित किया। कपिला जी को जब यह पता चला कि रूपा ने भी मिरांडा हाउस में शिक्षा पायी है, तब उन्होंने अपने वहाँ बिताए वर्षों के बारे में विचारों का आदान-प्रदान शुरू कर दिया। यह पारस्परिक सिलसिला कुछ इतना घनिष्ठ रहा कि मैं और वात्स्यायन जी लगभग 'आउटसाइडर' हो गये।

वात्स्यायन जी यों भी स्वभाव से मितभाषी थे, तो भी उन्होंने *दिनमान* के लिए कुछ लिखने की माँग की। उन्होंने साप्ताहिक के सम्पादकत्व का भार हाल ही में सँभाला था। यही नहीं, अपने साथ काम करने वालों में उन्होंने रघुवीर जी, सर्वेश्वर और श्रीकान्त के अलावा किन्हीं एक श्यामलाल जी को भी चुना था। *दिनमान* का होली विशेषांक निकलना था। उन दिनों अमेरिका में 'फ्लॉवर चिल्ड्रेन' या कि हिप्पी आन्दोलन चल रहा था; जिन्दगी से विक्षुब्ध ये सारे वे युवा थे जो रैट-रेस के खिलाफ कतार छोड़कर अलग हो गये थे। रैट-रेस की विडम्बना यह है कि आप दूसरों को पछाड़कर, तिकड़म लड़ाक़र, आगे तो बढ़े जाते हैं, मगर रहते चूहे ही हैं। दो दिन बाद मैं 10 दरियागंज, जहाँ *दिनमान* का कार्यालय था, गया। वात्स्यायन जी को मैंने वह लेख दिया। वात्स्यायन जी ने लेख पढ़कर तत्काल उसका शीर्षक दिया– 'हिप्पी हिप्पी हर्रे हर्रे।' इसके बाद उन्होंने सलाह दी कि मैं ए.एल. बैशम की *द वंडर दैट वाज इंडिया* किताब लाइब्रेरी से लाऊँ और उसे पढ़ने के बाद उनसे फिर मिलूँ। इसे संयोग ही मानें कि 1973 में जब मैं भारतीय संस्कृति का विजिटिंग प्रोफेसर होकर मैक्सिको गया, तब उसके बाद एक वर्ष के लिए प्रोफेसर बैशम भी आस्ट्रेलिया से हमारे विभाग में विजिटिंग प्रोफेसर होकर आये और इसके बाद वे अक्सर सपत्नीक हमारे घर पर ही आहार ग्रहण करने आया करते थे।

अब हम दोनों, अर्थात् रूपा सहित मैं, वात्स्यायन जी के यहाँ अक्सर रविवार को जाने लगे। एक दिन वात्स्यायन जी के सत्य मार्ग वाले नये आवास में लगे सारे फूल, घास और पौधे कोई गाय भीतर घुसकर उजाड़ गयी। कपिला जी ने कहाः कैलाश जी कुछ कीजिए। हमारे साउथ एक्सटेंशन वाले घर का फर्नीचर हमने वहीं के फर्नीचर वाले शर्मा जी को घर बुलाकर बनवाया था। फर्नीचर इतना नाजुक और अनोखा था कि भारत भूषण जब बिन्दु जी के साथ आये तो यह खबर फैला दी कि कैलाश और रूपा ने ऐसा फर्नीचर बनवाया है कि लोग उनके घर आने से डरें। रूपा जब अपना परिवार छोड़कर साउथ एक्सटेंशन आयी तो साथ में अपना कुत्ता भी लायी। कुत्ता लासाऐप्सो था बड़ा सुन्दर, मगर उसका नाम था 'बिल्ली'। हमारा कोई भी मित्र जब हमारा पता पूछता हुआ आता तो बच्चे यही कहते– क्या आप उन अंकल का घर खोज रहे हैं जिनके कुत्ते का नाम बिल्ली है?

अस्तु, हम शर्मा जी को अपनी सफेद फिएट में बैठाकर वात्स्यायन जी के यहाँ गये और एक सप्ताह बाद वहाँ एक मजबूत गेट लग गया।

एक दिन बातचीत के सिलसिले में वात्स्यायन जी ने अपू (रूपा को वात्स्यायन जी और कपिला जी इसी नाम से पुकारते थे) से अमेरिकी कवि वॉलेस स्टीवंस के विषय में बताया और सलाह दी कि उसे इसी अमेरिकी मेजर पोएट पर शोध कार्य करना चाहिए। हम दोनों ने इस कवि का नाम तब तक सुना ही नहीं था। वात्स्यायन जी ने एक शाम वॉलेस स्टीवंस की एक कविता भी सुनाई, जो मुझे अभी तक याद है:

आई नो नोबल ऐक्सेंट्स
एंड ल्यूसिड इनस्केपेबल राइम्स

बट आई नो टू

दैट ब्लैकबर्ड इज इनवॉल्व्ड
इन वाट आई नो।

चलते समय वात्स्यायन जी ने रूपा को वॉलेस स्टीवंस की *सेलेक्टेड पोएम्स* की प्रति दी, जिसे हम दोनों अलग-अलग समय पर, फिर एक साथ भी पढ़ते रहे। कविता और कवियों के विषय में हमारी रुचियाँ बहुत अलग नहीं। येट्स हम दोनों के प्रिय कवि थे, ब्लेक और जॉन डन भी। मगर वॉलेस स्टीवंस तो एकदम अलग तरह का कवि निकला। वह ठोस यथार्थ का पक्षधर तो है, मगर उसका मानना है कि कवि की कल्पना भी उतनी ही निष्कपट और अडोल है। परिणाम यह कि ठोस यथार्थ और मानवीय कल्पना के बीच एक नैसर्गिक द्वन्द्व हमेशा बना रहता है। यही द्वन्द्व उद्घाटित करना या कर पाना अच्छे कवि का लक्षण है। कई दिन तक इस कवि को पढ़ने के बाद रूपा ने दो पृष्ठों की एक प्रस्तावना लिखी और डॉ. स्वरूप सिंह से समय लेकर उनसे मिलने गयी। डॉ. स्वरूप सिंह अंग्रेजी विभाग के अध्यक्ष थे और रूपा के गुरु भी। डॉ. स्वरूप सिंह ने प्रस्तावना पढ़ी। बोले— यह कवि तो इतना गहरा कवि है कि हमारे देश में इसे कोई पढ़ाने वाला ही नहीं है। इससे ज्यादा अचरज तो मुझे इस बात का है कि तुम्हें यह सुझाया किसने? रूपा ने बताया कि वे कविताएँ वात्स्यायन जी ने दी थीं और दस दिन तक लगातार पढ़ने के बाद मैंने इसी कवि पर शोध करने का मन बनाया है। डॉ. स्वरूप सिंह ने कहा, अगर ऐसा है तो मैं अभी तुम्हारा नाम रजिस्टर करने की अनुमति

कार्यालय को भेज देता हूँ। अगले रविवार हम यह सूचना देने वात्स्यायन जी के यहाँ गये।

वात्स्यायन जी ने वॉलेस स्टीवंस की *हारमोनियम एंड अदर पोएम्स* से कुछ और कविताएँ भी पढ़कर सुना दीं। दो दिन बाद उनके *उत्तर प्रियदर्शी* नाटक का मंचन होना था। हम दोनों गये। वात्स्यायन जी बाहर ही खड़े थे। कपिला जी से कहकर उन्होंने हम दोनों को सही स्थान पर बैठाने का प्रबन्ध करवाया।

कालान्तर में वात्स्यायन जी जब दोबारा नैथन दम्पती के आमन्त्रण पर कैलिफोर्निया चले गये, तब भी यह भूले नहीं कि रूपा ने वॉलेस स्टीवंस पर शोध का बीड़ा उठा लिया है। कैलिफोर्निया में रहते हुए उन्होंने वहाँ से भी वॉलेस स्टीवंस की कविताएँ साउथ एक्सटेंशन के पते पर भिजवाई थीं। रूपा अन्ततः वॉलेस स्टीवंस पर डॉक्टरेट लेकर ही मानी।

पहले कभी मैं दिल्ली दूरदर्शन के लिए एक कार्यक्रम करता था– 'पत्रिका'। कार्यक्रम साप्ताहिक था। पहले सप्ताह में इन्दु जैन, दूसरे सप्ताह में मैं, तीसरे सप्ताह में महीप सिंह और अन्तिम सप्ताह में उर्दू पत्रिका का प्रस्तुतीकरण गोपीचन्द नारंग करते थे। इसी सन्दर्भ में मैंने चार वृत्तचित्र बनाये थे। पहला जैनेन्द्र कुमार पर। दूसरा वात्स्यायन जी पर, जिसकी शूटिंग उनके सत्य मार्ग वाले आवास पर हुई थी। तीसरा वृत्तचित्र दिनकर पर था और चौथा बच्चन जी पर। सभी वृत्तचित्र दूरदर्शन ने दिखाए थे। फिर सातवें दशक के प्रारम्भ में स्टूडियो में आग लग गयी। दूसरी चीजों के साथ वे वृत्तचित्र भी स्वाहा हो गये।

काया और चीजें नष्ट हो जाती हैं। स्मृतियाँ तो नहीं!

32

ताकि सनद रहे

॥ भोलाभाई पटेल

हम गुजरात में रहने वालों का अज्ञेय से सम्पर्क गयी सदी के पाँचवें-छठे दशक में शुरू हुआ। गुजरात के विश्वविद्यालयों में स्नातक, स्नातकोत्तर कक्षाओं में उनकी कोई न कोई रचना पाठ्यक्रम में रहती थी – अब भी रहती है। स्नातकोत्तर कक्षाओं में मुझे अज्ञेय जी के तीनों उपन्यास, *आँगन के पार द्वार* काव्य संग्रह, विद्यानिवास मिश्र सम्पादित लोकप्रिय कवि अज्ञेय और अज्ञेय की चुनी हुई कहानियाँ पढ़ाने का सुयोग मिला। *नदी के द्वीप* पढ़ाने का अवसर मुझे नडियाद के एक स्नातकोत्तर संस्थान में मिला। वहाँ सौ से अधिक छात्र कक्षा में होते थे। गुजरात विश्वविद्यालय में भाषाओं के स्नातकोत्तर अध्ययन में अपनी पसन्द की मुख्य भाषा के साथ अन्य किसी भाषा के दो प्रश्नपत्र लेने होते थे। गुजराती, संस्कृत मुख्य विषय लेकर छात्र प्रायः हिन्दी के दो प्रश्नपत्र पसन्द करते। मुख्य हिन्दी के छात्र संस्कृत या गुजराती। उन सब को आधुनिक हिन्दी साहित्य की भूमिका बताते हुए अज्ञेय के रचना संसार से अवगत कराना मेरे लिए एक तरह की चुनौती ही थी।

गुजराती में उस समय सुरेश जोशी आधुनिकता के उन्नायक थे। बॉद्लेयर, रिल्के, जेम्स जॉयस, एलियट आदि यूरोपीय साहित्यकारों की चर्चा उनकी पत्रिका *क्षितिज* में निरन्तर होती थी। हिन्दी आलोचना की परिभाषा में कहें तो सुरेश जोशी रूपवादी समीक्षक थे। हम नयी पीढ़ी के लोग उनसे प्रभावित थे। *शेखरः एक जीवनी* के शेखर को हमने आधुनिकता के प्रतिभू के रूप में पढ़ा था। जोशी ने उन दिनों गुजराती के प्रशिष्ट (क्लासिक) उपन्यास *सरस्वतीचन्द्र* (1887 से 1901 के बीच चार भागों में प्रकाशित) में शिल्प (फॉर्म) की शिथिलता दिखाकर एक विवाद खड़ा कर दिया था।

मैं अपने छात्रों से सबसे पहले सुरेश जोशी की *सरस्वतीचन्द्र* की समीक्षा की बात करते हुए *नदी के द्वीप* के सुचिन्तित शिल्प की बात करता था। *नदी के द्वीप* में कुल ग्यारह अध्याय हैं। आठ अध्याय उपन्यास के पात्रों के नाम पर हैं। चार पात्र हैं, प्रत्येक पात्र के नाम से दो-दो अध्याय। दो अध्याय अन्तराल के और अन्तिम एक में उपसंहार। उपन्यास के स्थापत्य की रूपरेखा कुछ ऐसे बनती हैः

भुवन, चन्द्रमाधव, गौरा – अन्तराल
रेखा, भुवन, चन्द्रमाधव, रेखा – अन्तराल
गौरा – उपसंहार

जिस चरित्र के नाम शीर्षक है, उस अध्याय में उसी चरित्र की संवेदना केन्द्र में है। जैसे प्रथम अध्याय में भुवन की। पाठक भुवन की चेतना से गुजरता है। द्वितीय में चन्द्रमाधव की। बाद में थोड़ा बहुत लेखक भी प्रविष्ट होता है। पर्सी लबॉक ने उपन्यास कला के प्रथम सैद्धान्तिक ग्रन्थ द *क्राफ्ट ऑफ फिक्शन* (1922) में दृष्टिकोण (पॉइंट ऑफ व्यू) का सिद्धान्त रखा था। *नदी के द्वीप* में पहले अध्याय में भुवन का दृष्टिकोण है, दूसरे में चन्द्रमाधव का। इस तरह से यहाँ बदलता हुआ दृष्टिकोण है। अन्तराल में लेखक ने पत्रशैली को आंधार बनाया है, जिसमें चरित्रों के व्यवहार की पारस्परिक प्रतिक्रियाओं का अंकन है। किसी इमारत की तरह *नदी के द्वीप* के स्थापत्य का आकार है, शिल्प की दृष्टि से परिपूर्ण। जैसा कि मार्क शोरर ने कहा है, 'मूल कथ्य और अर्जित कथ्य में जो फासला है, वही कला है।' मैं अपने छात्रों को समझाता था कि *नदी के द्वीप* के रचनाविधान में इसी तरह की कलादृष्टि है।

जब गुजरात विश्वविद्यालय के भाषा साहित्य भवन के हिन्दी विभाग में मेरी नियुक्ति हुई तो वहाँ *नदी के द्वीप* के बार-बार परिशीलन का उपक्रम बना। मुझे अच्छी तरह याद है कि *नदी के द्वीप* पढ़ाते समय किस तरह विषय, शिक्षक और छात्र एकाकार हो जाते थे। किन्तु *नदी के द्वीप* की प्रणय विभावना और प्रणय निरूपण को लेकर कक्षा में अक्सर चर्चाएँ भी हुआ करतीं। जैसे, उपन्यास में तुलियन झील का प्रसंग क्या अश्लील है? क्या रेखा जैसा असूयारहित चरित्र सम्भव है? क्या रेखा के प्रति समर्पित होते हुए भी गौरा के प्रेम की आकांक्षा में नैतिकता है? सबसे ज्यादा प्रश्न *नदी के द्वीप* की सामाजिकता को लेकर उठते। प्रेमचन्द में जो सामाजिक प्रतिबद्धता है, वैसी अज्ञेय के इस उपन्यास में कहाँ है?

आत्मनेपद में अज्ञेय ने ही इसका उत्तर दिया है: "*नदी के द्वीप* समाज के जीवन का चित्र नहीं है, एक अंग के जीवन का है; पात्र साधारण जन नहीं हैं, एक वर्ग के व्यक्ति हैं और वह वर्ग भी संख्या की दृष्टि से अप्रधान ही है; लेकिन कसौटी मेरी समझ में यह होनी चाहिए कि क्या वह जिस भी वर्ग का चित्रण है, उसका सच्चा चित्र है? क्या उस वर्ग में ऐसे लोग होते हैं, उनका जीवन ऐसा जीवन होता है, संवेदनाएँ ऐसी संवेदनाएँ होती हैं? अगर हाँ, तो उपन्यास सच्चा और प्रामाणिक है और उसके चरित्र भी वास्तविक और सच्चे हैं... और मेरा विश्वास है कि *नदी के द्वीप* उस समाज का, उसके व्यक्तियों के जीवन का जिसका वह चित्र है, सच्चा चित्र है।"

सितम्बर, 1977 में अज्ञेय अहमदाबाद आये। उन्हें नक्षत्र ट्रस्ट ने एक व्याख्यान

देने और काव्य-पाठ करने के लिए आमन्त्रित किया था। उन्हें लिवाने रघुवीर चौधरी और मैं समय से कुछ पहले हवाई अड्डे पहुँच गये थे।

कुछ वर्षों से मैं अज्ञेय के समग्र साहित्य का गहन अध्ययन कर रहा था और उन पर मेरा शोधप्रबन्ध भी पूरा होने को था। मैंने अज्ञेय जी की तस्वीरें देखी थीं, लेकिन मिला कभी न था। उनके साहित्य को पढ़कर और उनके बारे में पढ़कर, चित्र आदि देखकर उनकी एक कल्पना मेरे मन में बनी हुई थी। पहले *शेखरः एक जीवनी* पढ़ते-पढ़ते एक तस्वीर बनी थी, फिर *नदी के द्वीप* पढ़ने-पढ़ाने पर दूसरी। उस दौर में मैंने कभी भुवन में अज्ञेय की तलाश की, कभी अज्ञेय में भुवन की।

अज्ञेय जी अपने 'चुप' के लिए प्रसिद्ध थे। दिल्ली से उनके साथ रामदरश मिश्र को भी आना था। रामदरश जी हमारे अध्यापक थे और वर्षों गुजरात में रहे थे। उन्होंने कहा— मैं अलग से आऊँगा। वात्स्यायन जी से रास्ते में क्या बात करूँगा?

देखा अज्ञेय आ रहे हैं। हम उन्हें फौरन पहचान गये। भारतीय साहित्य में उनका व्यक्तित्व ऐसा हुआ है कि किसी ने उनके बारे में थोड़ा भी सुना या पढ़ा हो, पहली बार देखकर पहचान सकता था वही अज्ञेय हैं। सिर से पाँव तक वे लेखक ही लगते थे।

रघुवीर ने आगे बढ़कर उनका स्वागत किया। फिर मोटरगाड़ी में बैठे। उसके बाद हम भी चुप थे और वे भी। हमने शाहीबाग के रास्ते दिल्ली दरवाजा होते हुए गाँधी पुल पार किया और पश्चिमी अहमदाबाद में प्रवेश कर गये। लेकिन तब भी कोई बातचीत नहीं। एक बार उन्होंने कुछ पूछा, पर चुप्पी माहौल पर इतनी हावी थी कि हम सम्भ्रम में पड़ गये!

किसी होटल में न ठहराकर अज्ञेय जी को हमने उमाशंकर जोशी के निवास 'सेतु' में ठहराया। उमाशंकर जी प्रसन्न थे। हम 'सेतु' पहुँचे तो उमाशंकर जी ने बड़े उत्साह से स्वागत किया। अज्ञेय और उमाशंकर जोशीः एक हिन्दी का, दूसरा गुजराती का अनुपम साहित्यकार। दोनों को साथ देखकर हमें भी बहुत अच्छा लगा। उमाशंकर बहुत अच्छे वार्तालापी थे, किन्तु देखा कि शुरू में दोनों में बातें इतनी जम नहीं रही हैं। पर बाद में बातचीत सहज होती चली गयी। उनमें अनेक विषयों पर बातें हुईं, जिसमें साहित्य अकादेमी भी एक विषय था।

उसी दिन लालभाई दलपतभाई भारतीय संस्कृति मन्दिर में अज्ञेय, रामदरश मिश्र और गुजराती कवि निरंजन भगत से संवाद आयोजित था। उमाशंकर जोशी अध्यक्षता कर रहे थे। अज्ञेय जी को मैंने पहली बार सुना। लगा जैसे निर्झर प्रवाह हो। मैं हिन्दी का छात्र रहा, हिन्दीभाषी अध्यापकों से पढ़ा। लेकिन आधुनिक हिन्दी भाषा कितनी लोचपूर्ण हो सकती है, इसका उस रोज अनूठा आस्वाद था। वे अपनी रचनाओं पर विदेशी साहित्य के प्रभावों पर बात कर रहे थे। एक नपे-तुले सहज

वक्तव्य को सुनना हम सबके लिए एक अविस्मरणीय अनुभव साबित हुआ।

दरअसल, अज्ञेय जी पर लिखे जा रहे मेरे अपने शोधप्रबन्ध का विषय भी वही था – आधुनिकता और पाश्चात्य प्रभावों के सन्दर्भ में अज्ञेय-साहित्य का अध्ययन!

अज्ञेय ने *लिखी कागद कोरे* में 'ऋण-स्वीकारी हूँ' लेख में लिखा है: ''और इसके बाद अंग्रेजी कविता की बारी आयी। लांगफेलो और टेनिसन से शुरू किया – पर प्रभाव टेनिसन का ही अधिक स्थायी हुआ। टेनिसन को ऐसे कई बार पढ़ा, उसके प्रभाव में अंग्रेजी में लिखना भी शुरू किया। अंग्रेजी में इसके बाद ही रवीन्द्रनाथ ठाकुर से परिचय हुआ। ब्राउनिंग के ओज भरे आशावाद और ठाकुर के आशा भरे रहस्यवाद के सम्मिश्रण ने मेरे नये विकसते मन पर क्या प्रभाव डाला, यह सोचा जा सकता है।''

चिन्ता का 'एकायन खंड' नारी की उक्ति के रूप में है, जिस पर हम ब्राउनिंग की कविता 'ए वूमन्स लास्ट वर्ड' का प्रभाव देख सकते हैं। ये पंक्तियाँ तो प्रकारान्तर से ब्राउनिंग की पंक्तियों का रूपान्तर ही हैं:

ईश्वर बनकर मन्त्रशक्ति से छू दे मेरा भाल,
मात्र पुरुष रह बाँध भुजों से समाहित कर डाल।

ब्राउनिंग की पंक्तियाँ इस प्रकार हैं:

बी ए गॉड एंड होल्ड मी विद ए चार्म!
बी ए मैन एंड फोल्ड मी विदिन दा इन आर्म!

एक कवि के रूप में उन पर डी.एच. लॉरेन्स का भी प्रभाव पड़ा है। *सागर मुद्रा* संग्रह की एक कविता है 'छातियों के बीच', जिसका आरम्भ है:

उसने वहाँ अपनी नाक गड़ाते हुए
ठुमक कर कहा
और दुहराता रहा –
'हाँ, यहाँ तुम्हारी छातियों के बीच
मेरा घर है! यहाँ!
यहाँ! यहाँ!'

कवि ने स्वयं कहा है कि उक्ति की बात पढ़ी हुई थी। लॉरेन्स की प्रसिद्ध कविता 'सांग ऑफ ए मैन हू इज लव्ड' की पंक्ति इस तरह है:

बिटवीन हर ब्रेस्ट इज माइ होम बिटवीन हर ब्रेस्ट्स...

इत्यलम् की रचनाओं (1933-1946) के दौरान कवि के अपने काव्यक्षितिज के साथ प्रभावों का दायरा भी विस्तृत होता गया और विश्वकविता की परिधि को छूने लगा। *इत्यलम्* के मुखपृष्ठ पर अज्ञेय ने फ्रेंच कवि बॉद्लेयर के 'इकरेस का विलाप' काव्य की पंक्तियों का अनुवाद किया है:

भाग्यवान हैं वेश्याओं के प्रेमी
भाग्यवान प्रसन्न और तृप्तः
किन्तु मैं मेरी भुजाएँ टूट गयी हैं
क्योंकि मैंने उनकी परिधि में
मेघों को बाँध लेना चाहा था।

ये प्रभाव रचनात्मक प्रभाव थे और हिन्दी कविता में छायावाद से आगे आधुनिकता के दौर की शुरुआत के उत्स भी। अज्ञेय ने कहा है कि जितनी बार मैं विदेश जाता हूँ, अधिक भारतीय बनकर लौटता हूँ। ऐसा ही उनके साहित्य के बारे में कहा जा सकता है। आधुनिक बांग्ला कवि विष्णु दे ने अंग्रेजी में एक निबन्ध लिखा था – 'एलियट अमंग अर्जुन्स'। उसमें उन्होंने लिखा कि जैसे मुह्यमान अर्जुन के लिए कृष्ण थे, तीसरे दशक (बीसवीं सदी) के कवियों के लिए वैसे ही एलियट हैं। अपनी कविता को किस दिशा में ले जाना है, एलियट से इसका मार्गदर्शन मिलता है। एलियट कवि ही नहीं 'आचार्य' भी थे, जो नयी अंग्रेजी कविता की सैद्धान्तिक भूमिका भी रच रहे थे। 'ट्रेडिशन एंड इंडिविजुअल टेलेंट' उनका प्रसिद्ध निबन्ध है। अज्ञेय ने त्रिशंकु में 'रूढ़ि और परम्परा' शीर्षक से उसका 'लगभग भावानुवाद' प्रस्तुत किया था।

उसी दिन शाम को अटीरा के सभागार में अज्ञेय जी का काव्य-पाठ हुआ। सभागार ठसाठस भर गया था। काव्य-पाठ करना कोई अज्ञेय से सीखे। जितनी कविताओं का पाठ उन्हें करना था, सभी अलग-अलग कागज पर लिखी हुई थीं। एक-एक पन्ना वे हाथ में लेते, पढ़ते जाते। प्रायः कविगण अपनी पुरानी डायरियाँ निकालते हैं और बार-बार पन्ने पलट कर अपनी वांछित कविता ढूँढ़ते हैं। कई बार काव्य पंक्ति की पुनरावृत्ति करते हैं। अज्ञेय जी एक ही बार काव्य का ऐसा पाठ करते थे कि कविता की लय कानों में देर तक गूँजती रहे।

मेरे मन से इस कविता की गूँज अब तक विलीन नहीं हुई है–

लहर पर लहर पर लहर पर लहरः
सागर, क्या तुम जानते हो कि तुम
क्या कहना चाहते हो?
....
लहर पर लहर पर लहर पर लहरः
सागर, तुम कुछ कहना नहीं चाहते
तुम होना चाहते हो...

मैंने दूसरे दिन सुबह में उनसे मिलने का समय लिया। उमाशंकर जी के घर पर ही मिलना था। सुबह दस बजे जब 'सेतु' पहुँचा तो वहाँ अज्ञेय, शिक्षाविद् वी. वी. जॉन, कवि निरंजन भगत, बांग्ला के गुजराती विद्वान नगीनदार पारेख और उमाशंकर जोशी के बीच चर्चा चल रही थी। घूम-फिरकर बात कविता के वाचन पर आयी। टी.एस. एलियट और डीलन टॉमस के काव्य-पाठ के बारे में निरंजन भगत बता रहे थे। वाचन में से कविता के अनुवाद की बात निकली। अज्ञेय जी के पास उनकी कविताओं के हिन्दी-जर्मन द्विभाषी संस्करण की लाल जिल्द वाली पुस्तिका थी – *ठौर ठिकाने*। उन्होंने उसकी एक प्रति मुझे 'सप्रेम' भेंट दी। उमाशंकर मुझसे मुखातिब होकर बोले, अब आप दोनों अन्दर जाकर बात करें।

आरम्भ में तो हमारी बातचीत औपचारिक ढंग से चली। फिर एकदम सहज होती गयी। मुझे अज्ञेय साहित्य पर अपने शोध के सन्दर्भ में कुछ प्रश्न पूछने थे। अज्ञेय जी का सहयोग आशा से अधिक था। टेपरेकार्डर तो उपलब्ध नहीं था, पर अपने नोट्स के आधार पर मैंने उस बातचीत का एक प्रारूप भी तैयार किया था, जो उमाशंकर जी की गुजराती पत्रिका *संस्कृति* में छपा।

बातचीत में पहले तो मैंने उनसे कुछ प्रश्न किए जो सीधे मेरे शोध से सम्बन्ध रखते थे। बाद में सामान्य जिज्ञासा के कई अन्य प्रश्न भी सामने रखे। उन्होंने किसी सवाल से कतराने की चेष्टा नहीं की। एलियट के निर्वैयक्तिकता के सिद्धान्त के बारे में अज्ञेय ने कहा कि वह आज भी उपयोगी है पर एक तरह से हमारे साधारणीकरण के सिद्धान्त के नजदीक ठहरता है। सार्त्र के बारे में उनका मानना था कि वे नाटककार अच्छे हैं। उनके उपन्यास उन्हें पसन्द नहीं आये। जेम्स जॉयस के उपन्यासों को उन्होंने सैद्धान्तिक महत्त्व का बताया, जिनमें आगे सोचने को नहीं होता। इस पर मैंने जब दुबारा पूछा कि जॉयस का उपन्यास *युलिसिस* सामने आया, तब क्या इसीलिए कहा गया था कि 'नाव नॉवेल इज डैड'। अज्ञेय बोले– एक तरह से सही है क्योंकि उसी मार्ग पर आगे कोई सम्भावना नहीं है। मनोवैज्ञानिक समय की वहाँ चरम परिणति है – उसके बाद बात खत्म हो जाती है। सोचिए कि प्रत्यक्ष

अनुभव एक पहाड़ गिरने का है, तो वह एक सेकंड के अंश का अनुभव है। लेकिन लेखक उस अनुभव का वर्णन करता है सौ पृष्ठों में, तभी वह अनुभव कहा जाता है; पर जो अपने में अन्तर्विरोधी है।

मनोविज्ञान की बात चलने पर मैंने *शेखर: एक जीवनी* की बात छेड़ी। पूछा कि वे फ्रायड को पढ़कर मनोविश्लेषण से प्रभावित हुए थे या मनोविश्लेषणात्मक उपन्यास पढ़कर? अज्ञेय जी ने जवाब दिया कि *शेखर* में फ्रायडियन सिद्धान्त तो है, किन्तु वह उपन्यास का आधार नहीं है। मैंने *शेखर* के तीसरे भाग के बारे में भी बात की। मेरी सहज जिज्ञासा यह थी कि लिख लेने के बाद में भी तीसरा भाग उन्होंने प्रकाशित क्यों नहीं करवाया। जवाब में वे इतना ही बोले कि तब प्रकाशित होता तो हो जाता, अब उस रूप में नहीं हो सकता।

उनके प्रसिद्ध मौन के बारे में भी मैंने बात की। मेरा सवाल था कि मौन का दर्शन वाणी में प्रकट करने में क्या विरोधाभास नहीं है? जवाब थाः यह बात तब समझ में आती है, जब हम अन्य कलाओं के साथ काव्यकला की तुलना करते हैं। चित्रकला का माध्यम रंग है, रंग का कोई अर्थ नहीं है। संगीत में स्वर के माध्यम का भी कोई अर्थ नहीं है। कविता का माध्यम है शब्द और शब्द के अर्थ होते हैं, जिसके साथ लोकाचार जुड़ा हुआ है। शब्द सामाजिक है, इसलिए कवि का काम कठिन है। सामाजिक उपादेयता को हम छोड़ नहीं सकते, इसलिए शब्द से बड़ी शक्ति है 'मौन'। यह मौन शब्द के बीच के अन्तराल में अवस्थित होता है। कवि का सम्प्रेष्य शब्दबोध का अन्तराल है।

बाल मनोविज्ञान और शिक्षा को लेकर अज्ञेय के सरोकार उनके निबन्धों में सामने आते रहे हैं। बात चलने पर उन्होंने कहा कि अपनी कुछ किताबों पर काम पूरा होने के बाद बच्चों के लिए भी लिखूँगा। बाल शिक्षा को लेकर वे बहुत निराश लगे। बोले— शाला में तो बच्चों को खत्म कर देते हैं। बच्चा जब स्कूल में दाखिल होता है उसमें बहुत जान होती है; तीन-चार वर्षों में उसे निष्प्राण कर दिया जाता है। अज्ञेय का मानना था कि बाल साहित्य बच्चे की शिक्षा, उसके विकास में बुनियादी भूमिका निभा सकता है।

हमारी बातचीत पूरी होने को थी, तभी रघुवीर चौधरी आ गये। अज्ञेय जी को बाजार से कुछ लेना था। हम उन्हें 'गुर्जरी' ले गये। उनके पसन्दीदा वस्त्र वहाँ थे, पर बहुत महँगे। उन्होंने खरीदे और मैंने लक्ष्य किया कि उनकी पसन्द में हथकरघे और अन्य देशज शिल्प की समझ भी बहुत साफ झलकती थी।

कुछ वर्ष बाद की बात है। रघुवीर चौधरी कृष्ण को लेकर एक उपन्यास लिखना चाहते थे। एक दिन मुझसे बोले— हम गोकुल वृन्दावन-मथुरा की यात्रा करेंगे! मैं

तो यात्रा-प्रेमी था ही। वृन्दावन में वे स्वामी अखंडानन्द जी से अपनी कुछ जिज्ञासाओं का समाधान भी चाहते थे। अज्ञेय जी से उनकी इस सन्दर्भ में शायद बात हुई होगी। एक दिन रघुवीर को सम्बोधित कर अज्ञेय जी का पत्र आया, जो मेरे लिए भी था; यानी पत्र की प्रति उन्होंने मुझे भी भेजी थी। 17 जुलाई, 1985 के उस पत्र में उन्होंने लिखा थाः

प्रियवर,

आपसे अहमदाबाद और दिल्ली में बात हुई थी — वृन्दावन की योजना बनाने के लिए। जब बात हुई थी तब स्वामी अखंडानन्द जी वृन्दावन में थे नहीं इसलिए कोई जल्दी भी थी नहीं। अब विद्यानिवास जी से भी बात हो गयी है और यह निश्चित प्रस्ताव आपके सामने रख रहा हूँ।

वत्सल निधि की राय कृष्णदास स्मारक व्याख्यान माला जयपुर में 26 जुलाई से 29 जुलाई तक होगी। 30 जुलाई को किसी समय दिल्ली लौटूँगा। काम समेटने के लिए एक दिन की गुंजाइश रखकर एक अगस्त को मैं वृन्दावन पहुँच सकता हूँ। विद्यानिवास जी को भी दो अगस्त तक वहाँ पहुँचने में सुविधा होगी इसलिए ऐसा मान सकते हैं कि दो अगस्त को ही हम सब लोग वहाँ जुटें। स्वामी अखंडानन्द जी तब वहाँ होंगे...।

आप यदि इस कार्यक्रम की पुष्टि कर दें, तो मैं उसी के अनुसार स्वामी अखंडानन्द जी को भी सूचित कर दूँगा और आनन्द वृन्दावन आश्रम में ठहरने की व्यवस्था भी हो जाएगी। अभी यह मानकर चलता हूँ कि दो अगस्त से पाँच या छह अगस्त तक आपको वहाँ रहने की सुविधा होगी।

इस बीच आपको समय होगा तो हम सब लोग आसपास के दो-एक स्थलों की यात्राएँ भी कर लेंगे — रैन बसेरा आनन्द वृन्दावन आश्रम में ही रहेगा...

आशा है आप प्रसन्न हैं।

साभिवादन
आपका
सच्चिदानन्द वात्स्यायन

मेरे मन में आनन्द की लहर दौड़ गयी। अज्ञेय जी के साथ वृन्दावन में! जानकर अच्छा लगा कि हमारे रहने का इन्तजाम भी उन्होंने सोचा। जानकी-जीवन यात्रा के बाद उन्होंने एक भागवत-भूमि यात्रा का आयोजन भी किया था। तब द्वारिका प्रभासपाटण की यात्रा करके पूरा यात्रिक दल अहमदाबाद आया था। अज्ञेय और इला जी को विश्वविद्यालय अतिथिगृह में ठहराया गया। विष्णुकान्त शास्त्री, रमेशचन्द्र

शाह, मुकुन्द लाठ और दो अन्य यात्री अतिथिगृह के निकट ही स्थित मेरे आवास पर ठहरे थे। गुजराती साहित्य परिषद में अज्ञेय जी और अन्य यात्रियों का संवाद रखा गया था। प्रसिद्ध छायाकार जगन मेहता ने मेरे आवास पर आकर तस्वीरें ली थीं। अज्ञेय जी ने तस्वीरों के उस 'सैशन' के लिए सहर्ष अनुमति दी थी।

भागवत-भूमि यात्रा जब आयोजित हुई, तब उसका प्रस्थान आनन्द वृन्दावन आश्रम से ही हुआ था। वहीं से अज्ञेय जी ने अश्वत्थ का एक पौधा अपने साथ लिया था, जिसको उस यात्रा के दौरान प्रभासपाटण में रोपा गया। जैसे कृष्ण के जन्म-शैशव की भूमि से देहोत्सर्ग की भूमि का अनुसन्ध वृन्दावन के अश्वत्थ के पौधे को वहाँ रोपकर स्थापित किया गया!

सावन का महीना था। सारी ब्रजभूमि में उत्सवी वातावरण था। मैंने तमाल के वृक्ष को वहीं पहली बार देखा। अज्ञेय जी के पहुँचने में देर थी। हम स्वामी अखंडानन्द जी से मिले। वे अपने निवास के दक्षिण बरामदे में झूले पर बैठे सत्संगियों के साथ बातचीत कर रहे थे। हमारा स्वागत किया और अज्ञेय जी की बात चली तो उन्होंने कहा कि अज्ञेय जी जैसे अन्तर्दर्शी साहित्यकार बहुत कम होते हैं।

इस बीच अज्ञेय आ गये थे। उन्होंने हमें ब्रज के गोवर्धन आदि स्थलों की यात्रा का कार्यक्रम बतायाः गिरिराज गोवर्धन देखने के बाद राधा के गाम बरसाना जाएँगे, फिर वहाँ से नन्दगाँव; दोपहर तक आनन्द वृन्दावन वापस आ जाएँगे।

दूसरे दिन सुबह उनकी मोटरगाड़ी से हम निकले। अज्ञेय भले कम बोलते थे, पर उस दिन बात उन्होंने ही शुरू की। भागवत-भूमि यात्रा जब हुई, उन्होंने इन सभी स्थलों की यात्रा की थी। बाद में *साप्ताहिक हिन्दुस्तान* में उन्होंने एक लेखमाला लिखी। उसमें गोवर्धन गिरि के बारे में उन्होंने जो लिखा, उससे ब्रज संस्कृति के कथित हितचिन्तकों को आघात पहुँचा था। अज्ञेय ने लिखा था— "गोवर्धन है कहाँ? क्योंकि वहाँ अब पर्वत तो क्या, एक टीला भी नहीं है...।" उन्होंने बताया, मथुरा में एक सभा हुई और उस सभा में निर्णय हुआ कि गिरिराज गोवर्धन के बारे में ऐसा लिखकर अज्ञेय ने ब्रज संस्कृति का घोर अपमान किया है!

हमको भी यह आशा तो नहीं थी कि गोवर्धन बहुत ऊँचा पर्वत होगा, लेकिन सोचते थे कि एक पहाड़ी जितना तो जरूर होगा। उस समय अनेक श्रद्धावान यात्री गिरिराज गोवर्धन की 'परकम्मा' कर रहे थे — पैदल, साष्टांग दंडवत करते हुए। मोटर गाड़ी में से ही हमारे मार्गदर्शक ने बताया कि गिरि गोवर्धन का यह सबसे ऊँचा स्थान है! हमें सन्देह हुआ। बस, कुछ ऊँचे-नीचे छोटे-बड़े पत्थर पड़े हुए थे। क्या सचमुच यही है गिरिराज गोवर्धन? जी हाँ, यही था 'गिरिराज', जो भक्तों के लिए श्रीकृष्ण का विग्रह रूप था। भक्तगण जय जयकार करते थे। लेकिन हमें अज्ञेय जी

की बात सही लगी। हम मन्दिर में गये। पर अज्ञेय गाड़ी में ही बैठे रहे।

फिर हमारी गाड़ी बरसाना की ओर चली। दूर से हरी-भरी पहाड़ी दिखाई दी। उसी पर बसा है गाँव। वहाँ से ऊपर जाने के लिए सोपान थे। अज्ञेय जी ने कहा, आप लोग हो आइए। लेकिन हमें राधा का गाँव अज्ञेय जी के साथ देखना था। एक कच्ची-पक्की सड़क ऊपर जाती थी। उसी पर गाड़ी ली। लेकिन ढलान पर गाड़ी अटक गयी। वहाँ तीन-चार किशोरों ने 'राधेजी की जय' बोलकर गाड़ी को धक्का दिया। गाड़ी चल पड़ी और कुशलबिहारी जी के मन्दिर के प्रांगण में जा खड़ी हुई। बदलाया आकाश, चारों ओर हरियाली, उसमें भी मोरों की गहेंक, पपीहे के स्वर।

अज्ञेय जी की पोशाक किसी 'आचार्य' जैसी थी। वे अलग-अलग स्थानों से तस्वीरें ले रहे थे। एक पंडा दक्षिणा की आशा से अज्ञेय जी के पीछे पड़ गया। यह उनका प्रवासी रूप था, जो चारों ओर के सौन्दर्य का आनन्द ले रहा था। मन्दिर के कोट पर बैठे दोयल पंछी की ओर हमारा ध्यान खिंचा। मन्दिर के बाहर पेड़ के तले एक प्याऊ में लोटे की ऊँची धार से अज्ञेय अंजलि भर कर पानी पी रहे थे। उनकी यह तस्वीर मेरे मन में अंकित हो गयी।

वृन्दावन की रासलीलाएँ देखने का कार्यक्रम था। उन दिनों में वृन्दावन में हरिकथा, कीर्तन, पदगान चलते ही रहते हैं। अनेक रास मण्डलियों के भी कार्यक्रम थे। मण्डप में प्रवेश पाना मुश्किल था। दीवार के एक ओर खड़े रहकर हम रासलीला देख रहे थे। प्रसंग था कृष्ण के मिट्टी-भक्षण का। बालकृष्ण के खुले मुख को देखकर यशोदा को लगता है, 'यह तो पूरन ब्रह्म कन्हाई...'। अज्ञेय जी बोले — अब तो ब्रह्माण्ड दर्शन हो गया, आगे कुछ देखने की जरूरत नहीं है!

विद्यानिवास जी नहीं आ सके थे। स्वामी जी से विदा लेकर हम तीनों मथुरा की ओर चले। हलकी बारिश हो रही थी। मथुरा भीगा-भीगा था। हम यमुना तट पर विश्रामघाट की ओर जा रहे थे। गाड़ी में से उतरे कि एक पंडा अज्ञेय जी को पहचान गया। कहने लगा, 'मुझे कुछ नहीं चाहिए, अज्ञेय जी को मथुरा दर्शन कराकर मैं धन्य हो जाऊँगा।' उसने *साप्ताहिक हिन्दुस्तान* में भागवत-भूमि यात्रा का वृत्तान्त पढ़ा था, जिसमें गिरिराज गोवर्धन को 'टीला' कहा गया था। उसने मथुरा वाली उस सभा की भी बात की जिसमें अज्ञेय जी की निन्दा की गयी थी। अज्ञेय जी चौबे जी से पीछा न छुड़ा सके। विश्रामघाट पर पहुँचे। यमुना में बाढ़ थी। रघुवीर के साथ मेरी तस्वीर अज्ञेय जी ने खींची। चौबे जी अज्ञेय को उस स्थान के दर्शन के लिए खींच कर ले ही गये, जहाँ सूरदास रहते थे। पर चौबे जी किसी सूरत में दक्षिणा लेने के लिए राजी नहीं थे।

हम मथुरा स्टेशन पर पहुँचे। विदा देने के लिए अज्ञेय जी नीचे उतरे। हमें विदा देती उनकी स्नेहसिक्त मुद्रा अभी भी चित्त में ताजा है।

1986 में अज्ञेय जी की पचहत्तरवीं वर्षगाँठ पर संस्कृति प्रतिष्ठान और इंडिया इंटरनेशनल सेंटर के संयुक्त उपक्रम में तीन दिनों (7, 8, 9 मार्च) का एक आयोजन रखा गया था। रघुवीर चौधरी और मुझे अहमदाबाद से निमन्त्रित किया गया। बहुत गरिमामय आयोजन था। हम मना तो रहे थे अज्ञेय की वर्षगाँठ, लेकिन न तो उनके साहित्य के बारे में वहाँ चर्चा हुई, न कोई अभिनन्दन आदि। एक परिसंवाद अवश्य था, किन्तु उसका विषय था, 'सर्जनाः दृष्टि और सम्प्रेषण'। 7 तारीख को ही प्रसिद्ध कलाकार रामकुमार के चित्रों की एक प्रदर्शनी रखी गयी थी। शाम को कलागुरु केलुचरण महापात्र और माधवी मुद्‌गल ने ओडिसी नृत्य की प्रस्तुति दी। अज्ञेय की कविताएँ थीं, परन्तु प्रस्तुत करने वाले थे रघुवीर सहाय और कौमुदी दल। श्रोताओं के अत्यधिक आग्रह पर अज्ञेय ने अपनी तीन कविताएँ जरूर पढ़ीं। अन्यथा पूरा समारोह ऐसा लगता था जैसे अज्ञेय स्वयं वहाँ कोई निमन्त्रित मेहमान हों!

7 मार्च को अज्ञेय जी के कैवेंटर लेन वाले निवास पर कुमार गन्धर्व का गान था। हम पहुँचे तब एक खुले मण्डप में कार्यक्रम चल रहा था। पहुँचते ही हमने देखा कि एक विशाल पेड़ पर एक कुटिया टिकी हुई है। लगा महानगर में मानो आरण्यक कवि का एकान्त वास हो!

उसी रोज इंडिया इंटरनेशनल सेंटर के लॉन में सभी आमन्त्रित सहृदय चाय के लिए जमा थे। अज्ञेय सबका अभिवादन स्वीकार कर रहे थे। मुझे एकाएक एहसास हुआ कि क्यों न इस जन्मदिन की स्मृति में मैं डायरी में उनके हस्ताक्षर करा लूँ। अत्यन्त संकोच के साथ मैंने उनसे विनती की। डायरी हाथ में लेने से पहले अज्ञेय एक क्षण झिझके, फिर सस्मित वदन से हस्ताक्षर दें दिये। साथ में एक पंक्ति — केवल तीन शब्द — लिखकरः

ताकि सनद रहे
अज्ञेय 7-3-86

33

यह चिर अखण्ड अपनापा

॥ रमेशचन्द्र शाह

सुनो कवि। भावनाएँ नहीं हैं सोता, भावनाएँ खाद हैं केवल!
जरा उनको दबा रक्खो—
जरा-सा और पकने दो, ताने और रचने दो
अँधेरी तहों की पुट में पिघलने और पचने दो;
कि उनका सार बनकर चेतना की धरा को कुछ उर्वरा कर दे;
भावनाएँ तभी फलती हैं कि उनसे लोक के कल्याण का अंकुर कहीं फूटे।

अज्ञेय की ये पंक्तियाँ इस संस्मरणात्मक उपक्रम की शुरुआत करते ही क्यों इस कदर बेसाख्ता याद आने लगीं? इसलिए, कि यह बात उन दिनों की है जब अज्ञेय की कविता से मेरा पहला-पहला ही, मगर तुरन्त-तत्काल बाँध लेने वाला परिचय हुआ था। भाषा का वैसा आत्म-दर्पण मुझे अज्ञेय के *इत्यलम्* नामक संग्रह की कविताओं में मिला। वे कविताएँ अभी तक स्मृति में टँकी हुई हैं, इसकी वजह यही है कि उनसे मुझे खुद अपनी तत्कालीन मनःस्थितियों को, यानी अपने उलझे हुए मनोजगत को पहचानने-समझने में मदद मिली। इसे यों कहूँ कि अज्ञेय की उन कविताओं ने मेरी किशोर चेतना को वयस्क भाव-बोध में दीक्षित किया, अपनी उलझनों-कुण्ठाओं को समझने और उनसे उबरने का रास्ता दिखाया, मेरी अपनी जीवनानुभूति को आत्मान्वेषण स्वतःस्फूर्त प्रक्रिया से जोड़ा।

अज्ञेय जी अक्सर गर्मियों में अल्मोड़ा आते हैं, यह मुझे मालूम तो था, किन्तु अपने संकोची स्वभाव के चलते कभी उनसे भेंट नहीं हुई थी। उस बार भी न होती यदि एक निमित्त अचानक नहीं बन जाता। *क ख ग* नाम की पत्रिका में *आँगन के पार द्वार* के बहाने लिखे गये मेरे एक खासे बहसतलब लेख का उन्हीं दिनों छपना। मुझे रास्ते में रघुवंश जी ने बताया था कि अज्ञेय जी को वह लेख बहुत पसन्द आया था और उन्होंने लेखक का नाम-पता वगैरह भी पूछा था। कलमटिया, जहाँ अज्ञेय जी रहते थे, वहाँ तक मैं रोज सुबह लम्बी सैर के लिए जाता था। अज्ञेय जी बरामदे में एक आरामकुर्सी पर पसरे हुए जाने किस धुन में मगन थे।

यह जानकर कि मैं अल्मोड़ा का ही रहने वाला हूँ, वे आश्चर्यचकित से दिखे। जब मैंने उन्हें बताया कि मैं तो हर गर्मी की छुट्टियों में आता हूँ तो वे बड़े सहज भाव से आसपास की जगहों के नाम और उन नामों का अर्थ पूछते हुए मेरी थाह-सी लेने लगे। मैं भी उत्साहवश उन्हें जितनी उनकी जिज्ञासा थी, उससे ज्यादा ही बताता गया और जैसे ही कुमाऊँनी की शब्द-सम्पदा का खासकर भोजन और उसके स्वादों से जुड़ी शब्द-सम्पदा का बखान करने लगा, तो अज्ञेय जी एकाएक उठे और भीतर से दोनों हाथों में दो बड़ी-बड़ी तश्तरियाँ सँभाले प्रगट हुए। मेरे मुँह से निकला– "इतना सारा?" बोले– "खाइए। आप ही के यहाँ का है सब।" मैं अतिथि-देवता को भोग लगाने की औपचारिकता भर निभाने के बदले सचमुच ही खाने में जुट गया। अज्ञेय जी चाय की चुस्कियाँ लेते रहे और मेरी मुखरता झेलते रहे। पर लौटते हुए रास्ते में मुझे अपने ऊपर ही अचरज होता रहा कि कैसे पहली मुलाकात में ही मैं उनके सामने इतना खुल गया। पर जैसा कि मैंने बाद के बरसों के निरन्तर सम्पर्क में अनुभव किया, इसमें अचरज की बात वास्तव में नहीं थीः सामने वाले को इस तरह उसके अपने स्वभाव और अपनी वृत्ति में उन्मुक्त कर देना वात्स्यायन जी के व्यक्तित्व की एक सहज विशेषता थी।

वात्स्यायन जी के व्यक्तित्व के बारे में – मुझे याद नहीं पड़ता – अपनी कच्ची उम्र के दौरान मैंने कभी किसी लेखक को कुछ अच्छा बोलते हुए सुना हो। पहला ही विशेषण जो मेरे अंचल के एक सुप्रसिद्ध लेखक के मुँह से मैंने सुना, वह थाः 'अमेरिकी एजेंट।' उन दिनों की एक और याद है, अल्मोड़े के गवर्नमेंट इंटर कॉलेज के हाल में बुलाई गयी एक मीटिंग की जिसमें इलाहाबाद युनिवर्सिटी में पढ़ाई कर रहे कुछ छात्र और कुछ वामपन्थी लेखक मौजूद थे। उस मीटिंग में *इंडियन लिटरेचर* नाम की पत्रिका में छपे स. ही. वात्स्यायन के एक लेख को लेकर बाकायदा निन्दा प्रस्ताव पास किया गया था। यह शायद 56-57 के आसपास की घटना होगी, जब मैंने उस तरह साहित्यिक पत्रिकाओं में लिखना-छपना आरम्भ भी नहीं किया था। दूसरी तमाम जगहों की तरह साहित्य में भी 'लेट-कमर' होने के अपने नुकसान होते होंगे और इस विलम्बित पदार्पण के बाद भी लम्बे अरसे तक 'साहित्य की राजनीति' जैसी सर्वव्यापी और सर्वमान्य नियामत से बेखबर रहे आने के भी। बहरहाल, जो एकमात्र सुभाषित मैंने अज्ञेय के बारे में किसी लेखक के मुँह से सुना, वह था– "अज्ञेय हिन्दी साहित्य में अंगद का पाँव हैं।" जहाँ तक मुझे स्मरण है, इस सुभाषित के उद्‌गम लक्ष्मीकान्त वर्मा थे और परिवेश था– इलाहाबाद का कॉफी हाउस। इसके वजन का दूसरा सुभाषित स्वयं अज्ञेय का रचा हुआ है और वह यह कि "अज्ञेय हिन्दी के हाथी का दिखाने का दाँत हैं। एक्सपोर्ट कमोडिटी।"

सीधी नामक उजाड़-सा कस्बा सन् 64 से लगाकर सन् 71 तक मेरी कर्मभूमि – और सच कहूँ तो मेरा दीक्षागुरु और परीक्षागुरु भी – रहा। उस निपट सुनसान से निजात पाने को मैं बीच-बीच में कभी-कभी इलाहाबाद हो आता था। वात्स्यायन जी से मेरी वह पहली मुलाकात सन् 69 या सन् 70 में हुई होगी। सन् 71 में मैं सीधी से पन्ना आ गया था और वात्स्यायन जी जोधपुर चले गये थे। वे वहाँ नये-नये खुले तुलनात्मक साहित्य के विभाग में मुझे बुलाना चाहते थे। साक्षात्कार भी हो गया, नियुक्ति का आश्वासन भी मिल गया, किन्तु उस जगह से जुड़ने की नौबत ही नहीं आयी, क्योंकि वात्स्यायन जी स्वयं ही जोधपुर छोड़कर चले आये। अपने 7 जून, 1972 के पत्र में उन्होंने मुझे लिखा– "मैं खाली बैठने के लिए जोधपुर नहीं आया। यह नहीं कि खाली नहीं बैठ सकता – वह तो अजगर से भी अधिक धैर्य से कर सकता हूँ, पर जब काम उठाया ही हो तब मुफ्त की नहीं खा सकता। हजम नहीं होती।"

जोधपुर प्रवास के दौरान में अपनी कविताओं की कॉपी वात्स्यायन जी को दे आया था। वह मुझे लौटाते हुए उसी पत्र मैं उन्होंने आगे लिखा– "इसमें मेरे निशान भी हैं। (✓) का मतलब अच्छी लगी। (✓✓) का मतलब विशेष पसन्द आयी। कहीं-कहीं हाशिये में '?' भी हो सकता है या कोई टीप होगी जो स्वयं प्रकाश होगी। आप अपना कविता-संग्रह प्रेस के लिए तैयार कर लें तो बहुत अच्छा हो।" इस प्रसंग का उल्लेख यहाँ इसलिए, कि इसके साथ जहाँ मेरे साहित्यिक जीवन के सबसे उल्लासपूर्ण क्षणों की स्मृति जुड़ी है, वहीं एक कड़वी निराशा भी। अज्ञेय मेरे प्रिय कवि थे। अपनी कविताओं पर उनके काव्य-विवेक की पक्की मुहर लगी देखकर मेरा उल्लसित होना स्वाभाविक था। मैंने अपने संग्रह की पाण्डुलिपि बड़े उत्साह के साथ तैयार की और अपनी अगली दिल्ली-यात्रा में उन्हें सौंप आया। वह पाण्डुलिपि उनके पास तीन बरस पड़ी रही और उसे प्रकाशक नसीब नहीं हुआ। क्यों नहीं हुआ, वह मेरे लिए आज भी रहस्य है। पर हर रहस्य की भी कोई न कोई अन्तःकथा होती है, सो इसकी भी होगी ही।

सन् 73 में मैं पन्ना से भोपाल आ गया था। दिल्ली जब भी जाना होता, मलयज के यहाँ रहता था। पर वात्स्यायन जी के साथ भी इत्मीनान से भेंट होती थी। वे उन दिनों गॉल्फ लिंक्स में रहा करते थे। उन्होंने *नया प्रतीक* निकाला और उसके सलाहकारों में मुझे भी शामिल किया। इधर भोपाल से मेरे मित्र अशोक वाजपेयी के सम्पादन में *पूर्वग्रह* नामक एक आलोचना की पत्रिका निकलने लगी, जिसके पहले ही अंक में 'फिर बैतलवा डाल पर' शीर्षक से *नया प्रतीक* की खासी खबर ली गयी थी। स्वयं भी अशोक जी *नया प्रतीक* के सलाहकार के रूप में मेरा नाम जुड़ा देखकर अत्यधिक क्षुब्ध हुए थे।... "इतिहास आपको कभी माफ नहीं

करेगा" उन्होंने मुझसे कहा था। इतिहास की यह अवधारणा मेरे लिए नयी थी। सहयोगी या सलाहकार तो मैं अशोक जी का भी था ही। अज्ञेय का कवित्व ही नहीं, चिन्तन भी मुझे संस्कृति और समकालीन परिस्थिति, दोनों ही स्तरों पर अपनी तर्कशुद्ध स्पष्टता और देश-काल-निष्ठ जागरूकता के कारण सर्वाधिक सक्षम और संवेदनशील लगता था। सांस्कृतिक दृष्टि से ही नहीं, राजनीतिक दृष्टि से भी। मगर, तत्कालीन हिन्दी की साहित्यिक राजनीति मुझे लगता है किन्हीं और ही प्रेरणाओं से परिचालित हो रही थी, जो मेरे लिए निरर्थक थी। अज्ञेय सरीखे जागरूक और सतत विकासमान कवि-चिन्तक की अप्रासंगिकता स्वतः सिद्ध मान ली जाए, यह बात किसी तरह अपने गले उतरने वाली नहीं थी।

नया प्रतीक में मेरी रचनाएँ बराबर छपती रहीं। किन्तु आलोचनात्मक लेख ज्यादातर *पूर्वग्रह* में छपे। पीछे मुड़कर देखने पर यही प्रतीत होता है कि आलोचनात्मक विचार के स्तर पर जिस तरह के संवाद और सहयोग की अपेक्षा वात्स्यायन जी को मुझसे मन ही मन रही होगी, उसे मैं पूरी नहीं कर पाया। इसका पता मुझे तब चला जब अपनी एक चिट्ठी में उन्होंने मुझे उलाहना दिया कि "आप सलाह तो मुझे देते हैं और लेख ऐसी पत्रिकाओं को, जिनके कारण साहित्यिक पत्रकारिता पर सबसे अधिक संकट आता है।" इस तर्क को जितनी स्पष्टता से मैं आज समझ पाता हूँ, उतना तब नहीं समझ सका था। पत्रोत्तर न मिलने की शिकायत के सिलसिले में ही उन्होंने मुझे एक चिट्ठी में लिखा कि..."आपके पत्र मुझे बहुत अच्छे भी लगते हैं, बल भी देते हैं – उत्तर देने में चूक को क्षम्य मानता हूँ क्योंकि मुझे भी कई बार अच्छे पत्रों के उत्तर नहीं मिलते और मैं उसका हिसाब नहीं रखता। असल में अच्छे पत्रों के साथ उत्तर का सवाल नहीं होता – वैसे पत्र ऑटोनामस होते हैं और फिर उनके बदले में जो पत्र (जब भी) मिलता है, वह भी उतना ही स्वायत्त होता है। है न?..." उसी वर्ष (1980) के एक दूसरे पत्र की शुरुआत ही उन्होंने यों की हैः "आपके पत्रों का उत्तर देने में प्रायः ही चूक हो जाती है जो स्वयं मेरे लिए इस कारण और भी अधिक आश्चर्य की बात है कि आप उन थोड़े से लोगों में हैं, जिनके साथ मैं लगातार संवाद की स्थिति में रहना चाहता हूँ।..." पत्र का उपसंहार भी उसी टोन में होता है– "मुझे पत्र पाना अच्छा लगता है। आपको भी जरूर अच्छा लगता होगा। लेकिन सिडनी की बात उलटकर कहूँ कि माई नीड इज ग्रेटर दैन दाइन। मेरी ओर से जवाब कम मिलता है तो इसको मेरी लाचारी या नालायकी ही समझें, कोई सोचा हुआ निर्णय नहीं।..."

मलयज के देहावसान के बाद मैं जब भी दिल्ली गया, वात्स्यायन जी के साथ ही – कैवेंटर लेन वाले उनके घर पर ही ठहरता। उनका आग्रह था कि 'विंटर

वैकेशन' मैं उन्हीं के साथ बिताया करूँ। तो लगातार छह-सात बरसों तक यह क्रम अटूट बना रहा। एक बार ऐसा हुआ कि मैं गाँधी शान्ति प्रतिष्ठान अपने मित्र राजीव वोरा के यहाँ चला गया और वहाँ से उनको फोन किया तो वे घण्टे भर के भीतर ही गाड़ी लेकर वहीं आ धमके और मुझे मय असबाब के अपने यहाँ उठा ले गये। इसके बाद मुझे सामने बिठाकर इला जी को मध्यस्थ बनाते हुए उन्होंने अन्योक्तियों-व्यंग्योक्तियों का ऐसा तूमार बाँधा कि अपने से कुछ बोलते न बना। उसके बाद फिर किसकी मजाल थी कि कहीं और टिकता। एक बार ऐसा हुआ कि अपना सामान बटोर रहा था – वापसी यात्रा के लिए, तो क्या देखता हूँ कि अज्ञेय जी दरवाजे पर खड़े हैं। बोले– "अच्छा नहीं लग रहा है।" मैं समझा मैं ठीक से सामान जमा नहीं पा रहा हूँ इसलिए कह रहे हैं, क्योंकि यह ट्रेनिंग वे मुझे पहले भी दे चुके थे। मगर वे फिर से बुदबुदाए, जैसे अपने आपसे कह रहे हों– "हमको सामान बाँधते देखना अच्छा नहीं लगता, किसी का भी।" इतने में इला जी भी आ गयीं..."रमेश जी, आप समझते क्यों नहीं? वत्सल कब से आपको हिंट दिए जा रहे हैं। छोड़िए, अब आप आज नहीं जा सकते।" यात्रा स्थगित करनी पड़ी।

वात्स्यायन जी भीतर से बहुत 'इम्पल्सिव' थे। उनके जैसा संयमी और आत्मानुशासित व्यक्ति मैंने नहीं देखा। पर वह उनका अर्जन था। *कहीं बहुत गहरे में/स्वैर हैं सभी नियम* – उन्होंने यों ही नहीं लिख दिया है। कौन मानेगा कि वे सचमुच बच्चों की तरह रूठ जा सकते थे और उन्हें मनाना पड़ता था, और यह भी, कि बच्चों की तरह ही वे किसी बात पर मोद-मगन भी हो जाते थे – भले इस मुदित मन की अभिव्यक्ति का उनका अपना ढंग था जिसे उन्हें समझने वाला ही समझ सकता था। उन्हें 'स्क्रैबल' खेलने का बड़ा शौक था। मगर वह खेल मुझे इसलिए विरक्त करता था कि वे हर बार मुझे मिनटों में हरा देते थे और ऐसे-ऐसे शब्द ले आते थे जो मैंने कभी सुने भी न थे। उनके यहाँ पुस्तकों का ऐसा भण्डार था कि मुझे और किसी मनोरंजन की जरूरत भी न थी। इसलिए दोपहर के भोजन के बाद थोड़ी देर आराम करने के बाद जब वे 'स्क्रैबल' का बोर्ड उठाए मेरी गुहार मचाते थे, तो मुझे अपनी मनपसन्द किताब से बिछुड़ना अच्छा नहीं लगता था। एक बार मैंने जान-बूझकर उनकी पुकार अनसुनी कर दी और बाहर नहीं निकला तो वे इतने गुस्सा हो गये कि खाने की मेज पर भी मुँह फुलाए रहे और जब रात को नित्य की भाँति खाने के बाद बाहर टहलने के लिए मैं उनके साथ हो लिया तो बोले– "आप तो जाइए किताब पढ़िए। क्यों खामखाह अपना वक्त बरबाद करते हैं?" मैं भी क्या कोई कम नकचढ़ा था? तुरन्त वापस लौट गया। तब इला जी ने मुझे वस्तुस्थिति समझाई। पर, तब तक बहुत देर हो चुकी थी।

अनमना या अधमना खेल उनके साथ चल नहीं सकता था। वे जहाँ जिस क्षण जिस भी चीज में होते थे, पूरी तरह होते थे। जिस तरह अपने को कस सकते थे, उसी तरह, उसी पूरेपन के साथ अपने को ढीला भी छोड़ सकते थे। उनके कर्मकौशल का यही राज मेरी समझ में आया। कभी-कभी मेरे मन में आता, मैं क्यों इतने विलम्ब से इस आदमी के सम्पर्क में आया। तो जब सीखने वाली उम्र की लोच खत्म हो चुकी होती है और हमारे लिए अपनी अभ्यस्तियों की जकड़ से छूटना दुष्कर हो जाता है। एकाग्रता का अर्थ सिर्फ पढ़ने-लिखने की एकाग्रता नहीं है, यह अज्ञेय जी ने अपने साक्षात् उदाहरण से, आचरण से मेरे मन में बिठाया। पर यों किसी खूबी को समझना-सराहना एक बात है, उसे सचमुच स्वायत्त कर सकना बिलकुल दूसरी बात है।

उपयुक्त 'इम्पल्सिवनेस' की बात एक गहरा अभिप्राय रखती है। गॉल्फ लिंक वाले मकान की वह उजली सुबह याद आ रही है, जब मैं मलयज के यहाँ से बिना किसी पूर्वसूचना के वहाँ पहुँचा था। वात्स्यायन जी बैठक में तख्त पर लेट-लेटे अखबार देख रहे थे। एकाएक मैं उनसे पूछ बैठा– "वात्स्यायन जी, इधर गाँधी जी को लेकर आपके दृष्टिकोण में भारी परिवर्तन दीखता है। आप तो युवावस्था में उनके घोर विरोधी रहे थे। बताइए ना, यह परिवर्तन कैसे हुआ, क्यों हुआ?"

वात्स्यायन जी ने चौंककर मेरी ओर देखा और मुस्कुराते हुए धीरे-से उठकर बैठ गये। "सुनना चाहते हैं? सुनिए। कोई तर्क-वर्क नहीं, सिर्फ एक घटना।...मैं दिल्ली की एक अँधेरी-सी गली से गुजर रहा था। अचानक मेरे कानों में वह आवाज पड़ी...एक दुकान पर खड़े लोग रेडियो सुन रहे थे...वह आवाज रेडियो से ही आ रही थी। मैं जहाँ था वहीं गड़ा रह गया। लगा, वह आवाज मुझी को सम्बोधित है... जाने कितनी देर मैं वहाँ उसी तरह जड़वत् खड़ा रहा। वह गाँधी जी की आवाज थी।..." वे सहसा चुप हो गये। उनकी उस मुख-मुद्रा को एकटक ताकता मैं भी बड़ी देर तक कुछ नहीं बोल पाया।

उनकी डायरी *शाश्वती* में एक जगह आता है कि "गाँधी जी ही असली क्रान्तिकारी और असली भारतीय थे क्योंकि उनमें सबको साथ लेकर चलने की प्रतिभा थी।" पता नहीं अज्ञेय के व्यक्तित्व को लेकर जिस तरह की धारणाएँ हिन्दी लेखकों की दुनिया में प्रचारित हुई हैं, उनके पीछे स्वयं अज्ञेय के उस दौर के व्यक्तित्व का कितना आधार है, जिसका प्रत्यक्ष अनुभव इस 'लेट-कमर' को नहीं है। किन्तु जिस अज्ञेय को मैंने पन्द्रह बरसों के निकट सान्निध्य से जाना, जिसे वत्सल निधि द्वारा आयोजित लेखक-शिविरों में या सांस्कृतिक यात्राओं में लगातार कई वर्षों तक सक्रिय देखा, उसका कहीं कोई मेल इस बहुप्रचारित छवि से बैठता नहीं

दीखा। जो देखा, वह अपने तरीके से सबको साथ लेकर चलने की क्षमता और तत्परता का जीता-जागता उदाहरण था– अगर साहित्य में 'सबको' साथ लेकर चलने का कोई अर्थ होता है, तो। साहित्यकार के आत्म-शिक्षण की जरूरत पर, साहित्य की मूलगामी सम्प्रेषणधर्मिता पर, कवि के अपना समाज खुद बनाने के कर्त्तव्य पर शुरू से आखिर तक इतना जोर अज्ञेय के यहाँ यों ही नहीं दिया गया है। वे समानधर्माओं पर भरोसा करना चाहते थे और भरसक उन्हीं की सलाह और सहयोग के आकांक्षी भी थे। *उसी एकान्त में घर दो/जहाँ पर सभी आएँ/मैं न जाऊँ...* यह उनके लिए कोरा किताबी आदर्श या कोरी कविताई नहीं थी। निरन्तर आत्मसंघर्ष और आत्म-दान की ही उत्तरोत्तर गहराती प्रक्रिया थी।

इतना अवश्य है कि स्वयं घोर आत्मानुशासन और कर्मकौशल का उदाहरण प्रस्तुत करते हुए वे औरों से भी वैसी ही अपेक्षा रखते होंगे। इस अपेक्षा का दबाव भी शायद उनकी उपस्थिति में लोगों को असहज बना देता रहा हो। यों तो वाक्-शूरों की भला अपने यहाँ क्या कमी है? किन्तु रचना-कर्म की वास्तविक समस्याओं को लेकर, देश और समाज के सम्मुख प्रस्तुत चुनौतियों को लेकर समवयस्क और युवतर पीढ़ियों के लेखकों से संवाद की जरूरत सबसे ज्यादा अगर किसी को महसूस होती थी, तो अज्ञेय को। जो आदमी कविकर्म को ठोस सामाजिक कर्म का एवजी मानने को कदापि तैयार न था, जो विवेक निर्दिष्ट पथ पर चल पड़ने के जोखिम से कतराने वाले बुद्धिजीवी को बुद्धिजीवी मानने से इनकार करता रहा, उसकी सारी कर्मठता और ठोस योगदान के प्रति जिस तरह की उदासीनता और मूल्यमूढ़ प्रतिक्रियाएँ इसी लेखक-बिरादरी के भीतर प्रकट होती रहीं, उसके क्या हम सभी साथी नहीं? जीवित विचार और कर्म का द्रोहभरा तिरस्कार और मरणोत्तर उदारता का अनर्गल भावुक विस्फोट...क्या यही हिन्दी की वह 'सात्विक कठोरता' है, जिसका सर्वाधिक अभिमान (और अर्जित अभिमान) स्वयं अज्ञेय को था?

हाँ, युवतर पीढ़ी के लेखकों को लेकर अज्ञेय की चिन्ता का रूप निश्चय ही यह नहीं था जो रचनात्मक प्रतिभा को विवेक की बजाय मोर्चा-बुद्धि से चलाने वालों में पाया जाता है। किन्तु 'मेरी स्वाधीनता सबकी स्वाधीनता' के अन्वेषी अज्ञेय की संवादोन्मुख समकालीनता और प्रासंगिकता का ठोस प्रमाण न केवल उनके पिछले सारे परवर्ती चिन्तन में उपलभ्य है, बल्कि इसे उनके अध्ययन-कक्ष में और लेखक-शिविरों में भी बराबर देखा जा सकता था। वात्स्यायन जी के इस पक्ष का सर्वप्रथम परिचय मुझे राजस्थान विश्वविद्यालय में उन्हीं के द्वारा निर्देशित एक लेखक-शिविर में मिला था, जिसमें उन्होंने 'रिसोर्स पर्सन' के रूप में निर्मल वर्मा और पं. विद्यानिवास मिश्र के साथ मुझे भी आमन्त्रित किया था। यह वत्सल निधि की स्थापना से भी काफी पहले की बात है। बहुत दिलचस्प हैं, उस शिविर

के संस्मरण; पर उनसे भी ज्यादा जो चीज मेरी याददाश्त में टँकी रह गयी है, वह है जयपुर से दिल्ली की बस-यात्रा में रास्ते भर वात्स्यायन जी से हुई बातचीत, जिसमें अपने स्वभाव के विपरीत ज्यादातर वही वक्ता थे और मैं श्रोता। मानवेन्द्र नाथ राय और एलेन राय के बारे में पहली बार उन्हें बोलते सुना। रैशनलिस्ट राय व्यक्तिगत सम्बन्धों को अपने विचार-दर्शन में जगह देने को बिलकुल तैयार नहीं थे और अज्ञेय जी से अक्सर ही उनकी तेज तकरार हो जाती थी। राय यह चर्चा छिड़ते ही बहुत उत्तेजित हो जाते थे। इस कदर कि जब वात्स्यायन जी आगरे के अस्पताल में उनका हाल पूछने गये तो एलेन ने उन्हें रोका, कहा– "प्लीज...वात्स्यायन...तुम्हें देखते ही वे बहस पर उतारू हो जाएँगे और यह उनकी हालत देखते हुए बहुत नुकसानदेह होगा।" वात्स्यायन जी ने उन्हें बहुतेरा समझाया कि वे मुँह तक नहीं खोलेंगे तो राय बहस किससे करेंगे? मगर एलेन कहीं मानने वाली थीं? कहने लगीं– "अरे, तुम्हारी छाया भी उन्हें उत्तेजित कर डालने को काफी है।..."

बड़ी मुश्किल से एलेन राजी हुईं। वात्स्यायन जी को देखते ही राय उठ बैठे और ज्यों ही उन्होंने मुँह खोला, वात्स्यायन जी ने उन्हें बरजते हुए एलेन से किया गया अपना वादा दुहराया और कहा, "अब इसके बाद भी आप 'पर्सनल रिलेशंस' पर बहस करेंगे तो तय मानिए कि आपके-मेरे 'पर्सनल रिलेशंस' हमेशा-हमेशा के लिए खत्म हो जाएँगे।" इस पर राय ने झुँझलाकर कहा, "तब तो मैं जरूर बहस करूँगा। क्योंकि चुप रहने का मतलब यही होगा कि मैं एक ऐसी चीज के नष्ट होने की चिन्ता कर रहा हूँ जिसका अस्तित्व ही मैं नहीं मानता। तुम्हारी चालाकी मैं सब समझता हूँ।" मगर इतना बोलकर राय फिर सचमुच ही उस दिन खामोश रहे।

वात्स्यायन जी मूलतः तीव्र भावावेगों के व्यक्ति थे। उनकी पसन्द-नापसन्द भी बहुत स्पष्ट दिखाई देती थी, हालाँकि मानवीय दुर्बलताओं के प्रति उनमें पर्याप्त सहानुभूति और स्वीकार-भाव आ गया था। घण्टों एक ही आसन में बिना ऊबे, बिना हिले-डुले बैठे रहना उनके लिए सहज था, पर मेरे लिए नहीं। मेरी लगातार सुरती फाँकते रहने की आदत उन्हें कैसी लगती होगी, यह उन्होंने कभी प्रकट नहीं होने दिया। सिर्फ बहुत बाद में एक बार उन्होंने अचानक मुझसे पूछा– "रमेश जी, आपको कितने घण्टे पढ़ाना होता है।" मैंने कहा– "दो घण्टा बस, लगातार।" बोले, "तब आप क्या करते होंगे?" मैं कुछ समझा नहीं। कहने लगे– "दो घण्टे सुरती के बिना..." वाक्य उन्होंने अधूरा छोड़ दिया।

वात्स्यायन जी के कुछ जीवन-सिद्धान्त थे, जिन्हें लेकर वे कभी समझौता नहीं कर सकते थे। किन्तु इसके साथ ही साथ अपने अचूक मात्रा-ज्ञान के चलते वे कट्टर सिद्धान्तवादी की विडम्बनाओं से मुक्त रहे। ऐसे 'इम्पल्सिव', मगर नैष्ठिक बुद्धिजीवी की प्राकृतिक-सांस्कृतिक ऊर्जा ही उसे वह सन्तुलन, वह लोच देती है

जो किसी भी अतिवाद से उसे उबार लेती है। अन्ततः वह किसी के भी साथ – अपने विरोधी के साथ भी – अन्याय होते नहीं देख सकती। उसके संकट के समय तटस्थ नहीं रह सकती। याद आता है, एक दिन अचानक मेरे सामने उनके मुख से यह उद्‌गार फूटा था– "वेल, इफ इट कम्ज टु दैट, आई कुड बी अ वेरी बिटर मेन इन्डीड!..." याद नहीं, मेरी किस बात के प्रसंग में उन्होंने यह कहा। किन्तु शब्द बिलकुल यही थे।

नहीं! वात्स्यायन जी जीवन और समाज से मिली सारी कड़वाहटों के बावजूद कटु नहीं हो सके, बल्कि उत्तरोत्तर सौम्य और प्रशान्तात्मा होते गये, क्योंकि सौन्दर्य-बोध और शिवत्व-बोध की उनकी जीवनव्यापी दुहरी साधना प्रारम्भ से ही एकाग्र और ऐक्योन्मुख रही। बहुत पहले जब वे भोपाल पहली बार आये थे (वे जब भी भोपाल आये, लाख असुविधाओं के बावजूद हमारे घर ही ठहरते रहे) और मुझे सपरिवार अपना अतिथि बनाकर साँची उठा ले गये थे, जहाँ दो दिन उनके साथ बड़ी दिलचस्प और सार्थक चर्चाएँ हुई थीं। मसलन यही कि एक लेखक को अपनी आत्मकथा लिखनी चाहिए कि नहीं।...साँची के वेटिंग रूम में गाड़ी का इन्तजार करते हुए वात्स्यायन जी ने, पता नहीं किस प्रेरणा से अचानक मुझसे प्रश्न किया– "कैन यू पाजिट ए रेलीजन विदाउट गॉड?" मैंने उत्तर में कहा था– "वात्स्यायन जी, आप साँची में यह सवाल क्यों उठा रहे हैं? अपने यहाँ तो दो-दो महान धर्म बिना ईश्वर की अवधारणा के ही फलते-फूलते रहे। दर्शनों में भी न्याय को छोड़ सभी जगह ईश्वर की स्थिति डाँवाडोल है। अद्वैत वेदान्त में भी। ईसाइयों-यहूदियों के जैसे 'पर्सनल गॉड' की सुरक्षा कहाँ है? मगर यह अकारण नहीं है वात्स्यायन जी, कि प्रतिष्ठा तो भारतीय चित्त में भागवत धर्म की ही हुई।. ..." वात्स्यायन जी ने सन्तुष्ट भाव से अनुमोदन में सिर हिलाया। उन्हें बात ठीक ही लगी, ऐसा प्रतीत हुआ। आज जब उनकी वह भंगिमा याद आ रही है, तो उसके साथ-साथ उनकी ये काव्य-पंक्तियाँ भी अपने आप मन में घुमड़ने लगी हैं:

"यह वह विश्वास, नहीं जो अपनी लघुता में भी काँपा
वह पीड़ा जिसकी गहराई को स्वयं उसी ने नापा।
कुत्सा, अपमान अवज्ञा के धुँधुवाते कड़वे तम में
यह सदा द्रवित, चिर-जागरूक, अनुरक्तनेत्र
उल्लम्ब बाहु, यह चिर अखण्ड अपनापा।
जिज्ञासु, प्रबुद्ध, सदा श्रद्धामय
इसको भक्ति को दे दो।"

34

हम नहीं कहते

॥ अशोक वाजपेयी

हम नहीं कहते कि हम को छोड़कर स्रोतस्विनी बह जाय।
(नदी के द्वीप)

उन दिनों नये साहित्य की स्वीकृति की निर्णायक लड़ाई छिड़ी हुई थी और अज्ञेय उसके लगभग निर्विवाद सेनापति थे। हम लोगों ने सागर जैसे कस्बे में कविता लिखने की शुरुआत की थी और उस समय की गीत-कविता के प्रभाव से उबरकर कुछ नया करने की ओर बढ़ना चाह रहे थे। संयोगवश हमारे स्कूल की लाइब्रेरी में *कल्पना* के अंक आते थे और नये साहित्य से हमारा परिचय बढ़ रहा था। नौवीं कक्षा पास करने के बाद हुए मेरे उपनयन के अवसर पर गुरु लक्ष्मीधर आचार्य ने उपहार के रूप में जो पुस्तकें मुझे उन्नाव जिले के एक गाँव में भिजवाई थीं, उनमें से एक *हरी घास पर क्षण भर* नाम का अज्ञेय का कविता-संग्रह भी था। कविता का बिलकुल अप्रत्याशित संसार सामने खुल गया था। सरस्वती प्रेस से छपे उस संग्रह पर जिल्द भी मोटे बोरे जैसे कपड़े की थी और वह अपने अन्तरंग-बहिरंग दोनों में ही अनूठा लगा था।

मुझे याद आता है कि मैंने अज्ञेय के प्रभाव में कई कविताएँ उन दिनों लिखी थीं, जिनमें एकाध हरी घास को लेकर ही थीं जो *वसुधा* में परसाई जी ने छापी थीं। सागर का भूगोल उन दिनों आज जैसा जनाकीर्ण नहीं, बल्कि बेहद हरा-भरा था। हम लोग अपने स्कूल ही गोपालगंज मोहल्ले से एक बड़ी हरी घास का मैदान पार कर रोज आते-जाते थे। पर अज्ञेय की उन कविताओं के बाद हमने हरी घास मानो पहली बार देखी थी – कम से कम भाषा और कविता में। यह समझ भी जागी कि आसपास की दुनिया और पास-पड़ोस कविता में बेखटके आ सकते हैं। बल्कि उनकी सीधी पहचान से ही कविता अपना स्वत्व पाती है। सागर के साहित्यिक माहौल में उस समय गीतकार-कवियों का बड़ा व्यापक प्रभाव था और हम यानी रमेशदत्त दुबे और मैं इस प्रभाव से मुक्त नहीं थे। पर सौभाग्य से अज्ञेय का प्रभाव

गहनतर हुआ और हम नयी कविता की ओर मुड़े – उसमें अधिक अवकाश, अधिक मुक्ति, अधिक खुलापन था।

उसी समय उनके बाद के कविता-संग्रह *बावरा अहेरी* और *इन्द्रधनु रौंदे हुए ये* आये और हमारे रचने और सोचने के परिसर में उनकी केन्द्रीयता बढ़ी और मजबूत हुई। उनकी अनेक कविताएँ और उनके हिस्से हम दोनों को मुखाग्र याद थे और बहुत बाद में एकाध बार मैंने अज्ञेय को उन्हीं की किसी पुरानी कविता याद से सुनाकर थोड़ा चकित भी किया। मुझे एकाध बार का अपना यह दावा भी याद है – जो मैंने उनकी विमुखता के दिनों में अपने उन लेखक-मित्रों की किसी मण्डली में किया था जो उनके निकट थे – कि मुझे अज्ञेय की कविताएँ खुद उनसे अधिक याद हैं।

हम लोग मध्यवर्गीय परिवारों से थे और बिजली-रेडियो जैसे आधुनिक साधन हाल ही हमारे यहाँ आये थे। हमें अपने निपट कस्बाई माहौल में कुछ अर्थ, कुछ परिष्कार की तलाश थी। अज्ञेय की कविता में एक तरह की गरिमा थी जो हमारे लिए द्वार खोलती थी। उनकी पंक्तियों में तद्भव और तत्सम का मेल, अचानक किसी तत्सम शब्द का तद्भवों के बीच जड़-सा जाना बहुत आकर्षित करता था। उन्हीं दिनों प्रमुख लेखकों से चिट्ठी-पत्री करने का जोश पैदा हुआ। मैंने अज्ञेय को उनकी किन्हीं कविताओं पर अपनी प्रतिक्रिया व्यक्त करते हुए लिखा, जिसका उन्होंने तत्परता से उत्तर दिया। उनकी लिपि, कागज, सम्बोधन हर चीज में एक मोहक सलीका नजर आता था। उनको लेकर चलने वाले विवादों से भी हम लोग वाकिफ हो चले थे। जिन लेखकों से इस बीच सम्पर्क बढ़ रहा था, उनमें से प्रायः सभी – मुक्तिबोध, परसाई और श्रीकान्त वर्मा – अज्ञेय से असहमत और कुछ मामलों में उनके कटु आलोचक थे। साहित्य अकादेमी के एक प्रकाशन में समकालीन हिन्दी साहित्य पर निबन्ध में स्वयं अपना प्रशंसापरक उल्लेख करने और कई महत्त्वपूर्ण लेखकों का नामोल्लेख न करने के कारण उन दिनों अज्ञेय पर चौतरफा प्रहार शुरू हो गये थे और उसमें परसाई की *वसुधा* अग्रणी थी। इस सबके बावजूद मुझे अज्ञेय में लेखक का एक ऐसा उत्कर्ष-प्रतीक दिखाई देता था कि उन्हें तजना तो दूर, उनके निकट आने की इच्छा बलवती ही होती गयी। उनसे पत्राचार बना रहा, पर उन दिनों उसके महत्त्व से अनभिज्ञ रहने के कारण उसे सुरक्षित नहीं रखा जा सका।

पहली बार अज्ञेय को शायद 1958 में 17 जनपथ, नयी दिल्ली में श्रीकान्त वर्मा के दफ्तर में अचानक देखा था। उन दिनों जितेन्द्र कुमार और मैं आकाशवाणी में परिसंवाद की एक विश्वविद्यालयीन स्पर्धा में मध्य क्षेत्र से जीतकर अन्तिम चरण में भाग लेने के पहले-पहल दिल्ली आये थे और श्रीकान्त जी के पास बैठे

हुए थे। तभी अज्ञेय नामवर सिंह को खोजते हुए वहाँ आये। दुपहिया-स्कूटर पर आने के बावजूद वे हमें अपनी कल्पना के धीरोदात्त नायक की तरह ही लगे। वे अधिक कुछ नहीं बोले। मुझसे पूछा कि मैं कब कैसे आया। नामवर जी का ठिकाना जानने की बात की। कुछ देर चुप बैठे रहे। उनके अकस्मात् आने से थोड़ा विपर्यस्त-से हो गये श्रीकान्त जी के चाय के निमन्त्रण को उन्होंने तुरन्त अस्वीकार किया और सर्वेश्वर दयाल सक्सेना को पीछे की सीट पर बैठाकर, जो उनके साथ आये थे, जाते बने। उनके जाने के बाद कुछ देर चुप्पी रही और कुछ तनाव-सा भी लगा। यह भी जाहिर हुआ कि उन्हें लेकर तटस्थ या अन्यमनस्क रहना मुमकिन नहीं था। वे जो कहते थे उसका तो अर्थ था ही, जो नहीं कहते और चुप रहते थे उसका भी अर्थ लगाया जाता था।

उन्हीं दिनों हम कुछ लेखक-मित्र सागर से नये साहित्य की एक पुस्तक-पत्रिका *समवेत* निकाल रहे थे। हमारे आग्रह पर अज्ञेय ने अपनी एक नयी कहानी *नारंगियाँ* भेजी थी जो उसके दूसरे और अन्तिम अंक में प्रकाशित हुई। उस अंक में मुक्तिबोध, शमशेर, निर्मल वर्मा आदि की रचनाएँ भी थीं।

उन दिनों सागर विश्वविद्यालय में प्रसिद्ध दार्शनिक दयाकृष्ण दर्शन विभाग के प्राध्यापक थे। अपने साम्यवाद-विरोध के लिए कुख्यात थे, अन्यथा बहुत सक्रिय संस्था कांग्रेस फॉर कल्चरल फ्रीडम से उनका घनिष्ठ सम्बन्ध था। वे और उनके विभागाध्यक्ष डॉ. श्रीकृष्ण सक्सेना अज्ञेय को व्यक्तिगत रूप से जानते थे। हम लोग चूँकि उन दिनों नये साहित्य की लड़ाई *समवेत* आदि निकालकर और स्वयं अच्छी-बुरी नयी कविता लिखकर लड़ रहे थे। हमारा हिन्दी विभाग से अगर एकदम बैर का नहीं तो खासे तनाव का सम्बन्ध था, जिसके अध्यक्ष आचार्य नन्ददुलारे वाजपेयी उन दिनों नयी कविता मात्र और विशेषतः अज्ञेय के विरोधी थे। हम लोग भी कुल मिलाकर उनके कोपभाजन ही थे। ऐसे परिवेश में हमें दयाकृष्ण जैसे बुद्धिजीवी का समर्थन उत्साहजनक लगता था। दया जी साहित्य के अच्छे और प्रखर सिद्धान्तकार थे, लेकिन ठोस रचनाओं को लेकर उनकी रुचि हमें अटपटी लगती थी। वे अज्ञेय के प्रशंसक थे, पर महादेवी के गीत भी उन्हें लुभाते थे। इलाहाबाद की संस्था 'परिमल' से उनका सम्बन्ध था। बहरहाल, सागर विश्वविद्यालय में नये साहित्य को बढ़ावा हिन्दी से नहीं दर्शन, नृतत्व और किसी हद तक अंग्रेजी विभागों से मिल रहा था। राजा दुबे को छोड़कर हममें से अर्थात् आग्नेय, जितेन्द्र कुमार, प्रबोध कुमार और मुझमें से कोई भी हिन्दी का छात्र नहीं था।

एक बौद्धिक और भले लड़के के रूप में विश्वविद्यालय के परिसर में मेरी कुछ प्रतिष्ठा हो चली थी। हम लोगों के एक मित्र छात्रसंघ का चुनाव लड़ने चले और चाहते थे कि मैं उनके साथ लड़कियों के कॉमनरूम उनके समर्थन में चलूँ। उनका

खयाल था कि मैं कुछ न भी कहूँ, पर अगर उन्हें मेरा समर्थन होने की बात किसी तरह जाहिर हो जाए तो उन्हें लड़कियों के सारे वोट 'एन-ब्लॉक' मिल जाएँगे। उनके साथ जाने के पहले हम कई मित्रों ने उनसे यह वायदा करवाया कि अगर वे जीत गये तो छात्रसंघ का उद्घाटन किसी राजनेता से नहीं, बुद्धिजीवी से करवाएँगे। हुआ यह कि वे जीत गये। चूँकि वे दयाकृष्ण के भी प्रिय छात्र थे, हमने उन पर उद्घाटन के लिए अज्ञेय को बुलाने का दबाव डाला। वे मान गये। दयाकृष्ण ने चिट्ठी लिखी और मैंने भी। अज्ञेय से स्वीकृति आ गयी। उस समय उनकी आयु कुल सैंतालीस वर्ष की थी। एक विश्वविद्यालय के छात्रसंघ का उद्घाटन एक लगभग युवा लेखक करे, इसका उस समय भारत में ही कहीं और उदाहरण शायद ही रहा हो। हालाँकि उन्होंने कभी इसका कोई आभास नहीं दिया, स्वयं अज्ञेय को यह निमन्त्रण विशेष लगा होगा, विशेषतः इस सन्दर्भ में कि वे उसी विश्वविद्यालय में जाने वाले थे, जिसमें आचार्य वाजपेयी थे जो अपने सम्पादन में उन दिनों *आलोचना* पत्रिका को नयी कविता का शत्रुमंच बना चुके थे।

अज्ञेय को लेने छात्रसंघ के पदाधिकारियों के अलावा हम भी स्टेशन पहुँचे। वे दयाकृष्ण के साथ ही ठहरे। छात्रसंघ का उद्घाटन विश्वविद्यालय के बड़े ऑडिटोरियम में हुआ जिसमें शायद एक हजार से अधिक छात्र और अध्यापक रहे होंगे। अज्ञेय शायद खादी का कुर्ता-पाजामा पहने हुए थे। वे अपने स्पष्ट स्वर में संयत-शालीन ढंग से बोले। उन्होंने भारतीय होने के अनुभव कुछ विदेशी प्रसंगों में सुनाए। लेकिन हितोपदेश नहीं किया और न ही कोई सनसनीखेज बात कही।

उसके बाद उनका एक व्याख्यान हमारी साहित्यिक और कलात्मक संस्था 'रचना' में हुआ, जिसे हमने रेकॉर्ड कर लिया था और जो बाद में अज्ञेय के प्रसिद्ध निबन्ध-संग्रह *आत्मनेपद* में 'कविकर्म, माध्यम और मर्यादा' शीर्षक से संकलित हुआ। 'रचना' की गोष्ठी में हिन्दी विभाग के कुल एक अध्यापक आये थे, जबकि निमन्त्रण सभी को गया था। उस समय यह अफवाह थी कि इस गोष्ठी में हिन्दी के छात्रों और अध्यापकों का जाना पसन्द नहीं किया जा रहा था। स्वयं आचार्य वाजपेयी उन दिनों सागर से बाहर कहीं चले गये थे। दिलचस्प बात यह है कि बाद में, अज्ञेय के सागर से लौट जाने के बाद, कुलपति द्वारिकाप्रसाद मिश्र का फोन उन्हें खोजते हुए मेरे घर आया। मेरे पिता विश्वविद्यालय में ही डिप्टी रजिस्ट्रार थे। मिश्र जी अज्ञेय को चाय पर आमंत्रित करना चाहते थे, क्योंकि छात्रसंघ के उद्घाटन के समय वे भी भोपाल से बाहर थे। हालाँकि उनका बड़ा आतंक था और वे काफी अलभ्य-से कुलपति थे। उनके यह पूछने पर कि अज्ञेय के कार्यक्रम कैसे रहे – मैंने उन्हें यह बताने की जुर्रत की कि अज्ञेय के किसी भी कार्यक्रम में आचार्य वाजपेयी और उनके गण नहीं आये। उन्होंने इस पर कहा कि

यह ठीक बात नहीं। बाद में मेरे पिता जी ने मुझे बताया था कि उन्होंने आचार्य वाजपेयी से इस पर अपनी नाराजी व्यक्त करते हुए कहा था कि अज्ञेय से उनकी असहमति हो सकती है, लेकिन वे विश्वविद्यालय के अतिथि थे और उनके साथ इस तरह का व्यवहार और ठीक उसी वक्त सागर न रहना आपत्तिजनक था।

अज्ञेय सागर की इस पहली और अन्तिम यात्रा में अपने साथ नये कविता-संग्रह *अरी ओ करुणा प्रभामय* की पाण्डुलिपि, बल्कि प्रेसकॉपी, लाये थे। कैंटूनमेंट के एक पुराने अंग्रेजी किस्म के बँगले में सागर के नये लेखकों के साथ दयाकृष्ण के घर एक गोष्ठी हुई थी। हम लोगों ने अपनी एक-एक, दो-दो कविताएँ सुनाईं। अज्ञेय ने प्रायः पूरी पाण्डुलिपि ही हमारे आग्रह पर, यों ससंकोच, सुना दी। कई कविताएँ उनके हाल के जापान-प्रवास के दौरान लिखी गयी थीं। उनमें से कई पंक्तियाँ अभी भी याद हैं: *दीप पत्थर का लजीली किरण की पदचाप नीरव, सागर के किनारे तक पहुँचाने का उदार उद्यम भर मेरा हो, ताता पानी, आते पानी को धोता है जाता पानी* आदि। हिन्दी में हाइकू का अनुभव हमें सबसे पहले तभी हुआ। इसी संग्रह में उनकी नये कवि और नयी कविता से सम्बन्धित कविताएँ भी थीं, जिन्हें लेकर जल्दी ही फिर विवाद छिड़ने वाला था। स्वयं अज्ञेय ने उन्हें सुनाने के पहले कहा कि 'चलिए ये भी सुना देता हूँ, हालाँकि ये वक्तव्य हैं, कविताएँ नहीं।' उनकी संयमित आवाज, स्पष्ट उच्चारण और पाठ के अचूक सन्तुलन का हम सभी पर प्रभाव पड़ा था। यह भी एक तरह से पहली बार जाना कि कवि की अपनी आवाज में कविताएँ सुनने पर उनका अर्थ कितने अप्रत्याशित स्तरों पर खुल जाता है। किसी तरह का दिखाऊपन या भड़कीली मुद्राएँ नहीं थीं, पर एक तरह की मर्मस्पर्शी, शान्त, लगभग अविवक्षित-सी नाटकीयता जरूर थी। जब वे हमारी रचनाएँ सुन रहे थे तो मुझे उनका अपने हाथों की उँगलियों से खेलना याद है, जिन पर घने बाल थे। सागर के कैंटूनमेंट में कई पुराने उपनिवेशवादी वास्तु के बँगले थे। अहातों और सड़कों के दोनों ओर ऊँचे-ऊँचे वृक्ष थे, जिनसे मौसम में हलकी गन्ध और लम्बे डंठल वाले फूल झरते थे। अज्ञेय से हमने पहली बार जाना कि वे आकाशनीम के फूल थे। अज्ञेय का फूलों, पक्षियों, वृक्षों का ज्ञान विशद था।

अज्ञेय से सुनी कई कविता-पंक्तियाँ बाद में मन में गूँजती रहीं – उनके चले जाने के महीनों बाद भी। गणतन्त्र दिवस के आसपास विभिन्न भाषाओं के कवियों की आकाशवाणी द्वारा आयोजित सभा में अज्ञेय 1959 में शायद पहली बार आमन्त्रित हुए थे। उन दिनों इलाहाबाद का स्वरवेला कार्यक्रम हम लोग नियमित रूप से सुनते थे। कवि सभा में अज्ञेय ने जो दो कविताएँ पढ़ीं, उनमें से एक कविता 'नये कवि के प्रति' थी। मैंने तुरन्त उन्हें आपत्ति करते हुए पत्र लिखा कि जब वह

कविता स्वयं उनके अनुसार वक्तव्य थी तो उसे कवि-सभा में पढ़ने का क्या औचित्य हो सकता था? अब याद नहीं कि अज्ञेय ने इसका क्या उत्तर दिया था या कि शायद पत्र में अन्य बातों को लेकर तो कुछ कहा था, इस बात पर चुप्पी साध ली थी। बावजूद इसके कि उन दिनों तक हम हिन्दी की गुटबन्दी से परिचित और थोड़ा-बहुत अभ्यस्त हो चुके थे, मुझे उनकी उदारता में भरोसा था। मुक्तिबोध का कोई संग्रह तब तक नहीं निकला था, यह बात मुझे बहुत परेशान और क्षुब्ध करती थी। उन दिनों ज्ञानपीठ से अज्ञेय और उनके मण्डल के लेखकों की कई पुस्तकें प्रकाशित हो रही थीं। मैंने उन्हें लिखा कि वे मुक्तिबोध का संग्रह ज्ञानपीठ से निकालने की पहल करें। मुझे ठीक-ठीक याद है कि उस पत्र का जब उन्होंने उत्तर दिया तो इस बारे में कुछ नहीं लिखा। इससे बड़ी हताशा हुई थी।

स्वयं अज्ञेय के लिए सागर की यात्रा कुछ-न-कुछ फलप्रद रही थी, इसका प्रमाण 1980 में प्रकाशित उनकी कविताओं के समग्र संकलन *सदानीरा* से चला, जिसमें सागर जाते समय और वहाँ से दिल्ली लौटते समय रेलयात्रा के दौरान दो कविताओं का लिखा जाना दर्ज है। सागर आते समय लिखी गयी कविता 'इशारे जिन्दगी के' उन्होंने हमें सागर में सुनाई थी, हालाँकि उसके सद्यः लिखित होने का जिक्र नहीं किया था। 26 नवम्बर, 1958 को लौटते समय रेल में लिखी कविता 'नयी कविताः आत्मोपदेश' बाद में *कल्पना* में छपी थी और उसकी ये पंक्तियाँ मुझे याद हो गयी थीं:

भीड़ का मत हो, डटा रह, मगर
दिग्विद पांथ के समुदाय से तू
अकेला मत छूट।

ये दोनों ही कविताएँ *अरी ओ करुणा प्रभामय* में संगृहीत हैं। अज्ञेय का सागर-प्रवास कुल तीन दिनों का था और यात्रा में दो दिन लगे होंगे। इस छोटी-सी अवधि में उन्होंने दो कविताएँ और एक निबन्ध रच लिया था।

1960 में बी.ए. की पढ़ाई के लिए मैंने इलाहाबाद के बजाय दिल्ली चुना। हालाँकि पिता जी चाहते थे कि मैं इलाहाबाद जाऊँ और वहाँ दाखिला हो भी गया था। तब तक यह स्पष्ट हो चला था कि हिन्दी का केन्द्र इलाहाबाद से खिसक चला है। दिल्ली में अज्ञेय थे और श्रीकान्त वर्मा द्वारा सम्पादित पत्रिका *कृति* के माध्यम से जो नयी साहित्य-संवेदना उभर रही थी, उसमें शिरकत करने के लिए मैं बेहद उत्साहित था। यों *कृति* का रुख अज्ञेय और उनके मण्डल के लेखकों के विरुद्ध था और शमशेर को 'नयी कविता का प्रथम नागरिक' कहकर एक वैकल्पिक कविता और दृष्टि को दृश्य में स्थापित किया जा रहा था। एक युवा

कवि के रूप में तब तक कुछ मान्यता मुझे मिल चुकी थीः *कल्पना, युगचेतना, राष्ट्रवाणी, ज्ञानोदय* आदि में मेरी कविताएँ लगातार छप रही थीं। बल्कि दिल्ली आने के पहले जब मैं बी.ए. अन्तिम वर्ष का छात्र था, *ज्ञानोदय* ने मेरी एक कविता सवक्तव्य एक ऐसी सीरीज में छापी थी जिसमें उस समय के प्रमुख कवि शमशेर, कुँवर नारायण, सर्वेश्वर दयाल सक्सेना, नरेश मेहता आदि की कविताएँ छपी थीं। सेंट स्टीफेन्स कॉलेज का पूरी तरह से अंग्रेजी माहौल मुझे परेशान कर रहा था। यह बात कुछ अटपटी मानकर मैं अक्सर छुपाता था कि मैं एक छात्र हूँ।

अज्ञेय को लेकर दिल्ली में तब तक कई खासे टिकाऊ पूर्वग्रह फैले हुए थेः उनका आभिजात्य, उनकी चुप्पी, उनकी निजी जिन्दगी – सभी को लेकर। उन दिनों वैसे भी दिल्ली में कोई खास साहित्यिक आयोजन नहीं होते थे। जो होते थे उनमें से अधिकांश में अज्ञेय अनुपस्थित रहते थे। कई बार बाहर विदेश में रहने के कारण, अगर कहीं वे आ जाएँ तो वातावरण प्रायः असहज-सा हो जाता था। उनका विचित्र-सा, कई बार चिढ़ की हद तक ले जाने वाला आतंक-सा रहता था। अक्सर ऐसे अवसरों पर अज्ञेय ज्यादातर चुप रहते थे, लगभग गुमसुम। अगर वे कुछ हँस दें या विनोद की बात कह दें तो यह भी खबर और एक तरह की अफवाह बन जाती थी।

उस समय जो लेखक अज्ञेय से थोड़े घनिष्ठ-से सम्पर्क में थे, उनमें शायद मैं सबसे युवा था। वे मोती बाग में रहते थे – कपिला जी के साथ, जिन्हें एक सरकारी अधिकारी होने की वजह से वह आवास मिला हुआ था। मैं वहाँ कई बार अज्ञेय से मिला। वे कम बोलते थे और मैं जमाने का बातूनी हूँ। सो ज्यादातर बोलने का काम मैं ही करता था। अपनी ओर से बहुत जिज्ञासा उन्होंने शायद ही कभी दिखाई हो। मैं कई बार उन्हें इधर की विदेशी पुस्तकों के बारे में कुछ-न-कुछ कहता था। दुनिया भर की कविता में उन दिनों हम लोगों की बेहद दिलचस्पी थी। स्वयं अज्ञेय उन दिनों काफी विदेश रहते थे, पर उनकी मुलाकात किन्हीं लेखकों से उस दौरान होती हो, ऐसा नहीं लगता था। मुझे अब लगता है कि उनकी काव्यरुचि कुल मिलाकर पश्चिम के आरम्भिक आधुनिकों में ही थी – बाद के कवि या कविता उनकी दिलचस्पी के केन्द्र में शायद ही कभी आते थे।

उनका घर, खासकर उसका अन्तरंग, सुरुचिपूर्ण और किसी हद तक संवेदनशील था। मुझे याद है कि अक्सर हम बैठकखाने में ही बैठते थे। कुछ बर्फियाँ, कुछ नमकीन और हलकी चाय जिसे अज्ञेय स्वयं बनाकर देते थे, हर बार ही मिलते थे। एक बार जब मैं पहुँचा तो वे स्टेनोग्राफर योगराज थानी को अपना कोई उपन्यास बोलकर लिखा रहे थे। बाद में पता चला कि वह *अपने-अपने अजनबी* का पहला मजमून था। मैंने उन्हें किसी लेखक पर प्रतिकूल टिप्पणी करते कभी

नहीं पाया। मैं कई बार आचार्य वाजपेयी या नगेन्द्र आदि के ठस और प्रतिगामी रवैये की निन्दा करता था: अज्ञेय अपनी ओर से उसमें कभी कुछ नहीं जोड़ते थे। थोड़ा-सा अवाक् ही मुस्कुरा देते थे: शायद सहमति में, शायद मेरे युवकोचित अतिरेक पर।

उस समय तक उनके पास कार हो गयी थी। एक शाम वे मुझे आइफैक्स के हाल में शान्ति वर्धन का प्रसिद्ध बैले 'रामायण' दिखाने अपने साथ कार में ले गये थे। मुझे तब यह मालूम नहीं था कि उनका लिटिल बैले ट्रूप से गहरा और लम्बा सम्बन्ध रहा था। एक बार मध्य प्रदेश का जिक्र चलते उन्होंने बताया था कि उनकी एक बहन रायगढ़ में थीं और वे उनसे मिलने एकाधिक बार वहाँ गये थे। चूँकि मेरे ताऊ वहाँ थे और उन्होंने राजा चक्रधर सिंह के लिए कुछ उपन्यासादि लिखे थे, मैंने जानना चाहा कि कभी उनकी भेंट हुई थी? शायद अज्ञेय ने वहाँ बलदेवप्रसाद मिश्र से मिलना याद किया था।

मेरी रचनाओं को लेकर अज्ञेय से शायद ही कभी कोई बात होती थी। मुझे बेहद संकोच होता था। उन दिनों सभी लेखक यह जानने को बेहद उत्सुक रहते थे कि अज्ञेय उनके बारे में क्या सोचते हैं? पर मेरी हिम्मत ही नहीं पड़ती थी, बावजूद भारी उत्सुकता के। अलबत्ता एक बार अमेरिका से उनका पत्र आया, जिसमें मेरी एक कविता 'हम नये-छोटे लोग' का किसी अमेरिकी द्वारा किया गया अनुवाद था। अनुवाद बहुत ही बेतुका था। यों कविता भी खराब थी और मैंने उसे आज तक अपने किसी संग्रह में शामिल नहीं किया है। बाद में कैलिफोर्निया प्रेस से विद्यानिवास मिश्र के सम्पादन में आधुनिक हिन्दी कविता का संकलन अज्ञेय की भूमिका के साथ प्रकाशित हुआ तो उसमें सौभाग्य से वह अनुवाद शामिल नहीं था, हालाँकि इस कारण मैं, दुर्भाग्य से, उस संकलन में शामिल होने से रह गया।

उनसे कविताएँ सुनने का सुयोग कई बार मिला। वैसे वे उन दिनों लगातार दिल्ली में नहीं थे, बल्कि अमेरिका के बर्कले में अध्यापन करने चले गये थे। बीच में कभी वे फ्रांस के किसी मठ में कुछ समय बिताकर आये थे और उन्होंने हम कुछ लोगों को अपनी कविता शृंखला 'चक्रान्त शिला' की कविताएँ सुनाई थीं। *मौन-मुखर सब छन्दों में उस एक अनिर्वच छन्दमुक्त को* गाने की काव्योक्ति मुझे आज भी याद है। परम्परा से विद्रोही माने जाने वाले अज्ञेय परम्परा की ओर लौट रहे थे – बल्कि अब यह देखा जा सकता है कि परम्परा उन्होंने कभी छोड़ी नहीं थी, बल्कि आधुनिक संवेदना के लिए उसका पुनराविष्कार किया था। इस आविष्कार में परम्परा, उसके प्रतीकों-बिम्बों और भावधाराओं का पुनरन्वेषण कर रहे थे। एक आधुनिक समझ-बूझकर प्राचीन हो रहा था।

'असाध्य वीणा' कविता का एक पाठ उनके घर हुआ था, जिसमें कई लोगों के

साथ मैं भी था। पहले उन्होंने संक्षेप में वह जापानी पुराकथा बताई थी, जिसके आधार पर लम्बी कविता की रचना हुई थी। बिम्बों और कई तरह की आवाजों का अद्भुत संयोजन उनके पाठ में था, लेकिन कोई अतिरिक्त नाटकीयता नहीं। पर अज्ञेय के यहाँ सीधा-सादा भी अक्सर नाटकीय ही लगता था, हममें से कई को। पढ़ते हुए अज्ञेय में हमेशा एक आत्मविश्वास झलकता थाः उनमें मैंने कभी शमशेर का असमंजस या आवाज में वैसा कम्पन नहीं देखा-सुना। हमेशा वह एक आत्मविश्वस्त स्वर था – पर सिर्फ इस कारण उनके आत्मसंघर्ष को न देख पाना कुंदजहनी है, जिसका शिकार वे लगातार हुए।

अज्ञेय की छवि और भंगिमा पूरी तरह से कवि की थीः उदात्त, दबंग और उत्तुंग। हर हालत में उनकी उपस्थिति की भव्यता छिपती या दबती नहीं थी। उनके बरक्स शमशेर बेहद संकोची थे और बताया न जाए तो उनके कवि होने का विशेष सन्देह उन्हें देखकर नहीं होता था। अज्ञेय में एक उदार दाता की मुद्रा थीः शमशेर तो 'अपने को खयाल से भी कम' समझते थे। शमशेर को अपनी कविताएँ ठीक से सँभालकर रखने की आदत नहीं थी, जबकि अज्ञेय सब कुछ व्यवस्थित रखने के अभ्यस्त थे। शमशेर की कीर्ति तो थी कि उन्होंने लगभग एक कमरा भर कविताएँ लिखी हैं, जबकि उनकी कुल उपलब्ध कविताओं की संख्या कम ही है। लेकिन अज्ञेय का लिखा प्रायः सभी कुछ सुरक्षित है और विपुल है। इस बारे में किसी तरह की लापरवाही उनकी प्रकृति के प्रतिकूल होती। एक कवि और लेखक के रूप में अपने आत्मसंरक्षण के प्रति वे हमेशा सचेत थे। जिन दिनों मैं दिल्ली में पढ़ाता था, एक बार उन्होंने मुझे अपनी कविताओं का एक टेप सुनाया जिसमें उन्होंने अपनी अनेक कविताएँ गा कर रेकॉर्ड कर रखी थीं। सामान्यतः वे अपनी कविताएँ बड़े प्रभावशाली और सुचिन्तित ढंग से पढ़ते थे। उन्हें गाने पर उनके प्रभाव में वृद्धि होने के बजाय वह मुझे उस दिन घटता ही लगा था। गाने से उनका कोई अर्थ-विस्तार होता भी मुझे नहीं दीखा। यों संकोचवश मैंने अपनी असली प्रतिक्रिया तब नहीं बताई थी।

अज्ञेय को बीसियों काम और हुनर आते थे। एक बार वे बैठे एक नये तरह का कुर्ता डिजायन कर रहे थे। मैंने उन्हें कोई औजार लेकर चमड़े के किसी चकत्ते पर कुछ उकेरते देखा था। उनका निजी पुस्तकालय व्यवस्थित था। वे नियमपूर्वक काम करते थे। उनके लिखने-पढ़ने की मेज पर चीजें करीने से रखी होती थीं। उनकी अपार और अथक सक्रियता अचरज में डालती थी और अनुकरणीय भी लगती थी। कई तरह के सुन्दर कागज, स्टेशनरी की दूसरी चीजें मैंने जिन्दगी में पहली बार उन्हीं के यहाँ देखी थीं। उन्हें और उनके रहने के सुघड़ ढंग को देखकर

लगता था कि लेखकी में आत्मसम्मान और सुरुचि के साथ रहना सम्भव है। एकाध बार उनसे एम्बैसी रेस्तरां में भी मुलाकात हुई थी। उन्हें वह जगह प्रिय थी और कई बार वे लेखकों आदि से वहीं मिला करते थे।

अज्ञेय उन पहले हिन्दी लेखकों में थे जो सीधे अंग्रेजी में भी समान अधिकार से लिख सकते थे। स्वयं अंग्रेजी का छात्र होने के कारण मुझे यह बात विशेष रूप से आकर्षित करती थी। एक और बात भी किसी भावात्मक स्तर पर उनसे मुझे जोड़ती थी कि उनकी ही तरह मैं हिन्दी का वैध छात्र न होने के बावजूद हिन्दी लेखक होने का दुस्साहस कर रहा था।

उन दिनों एलियट और येट्स की कविता दिल्ली विश्वविद्यालय में प्रोफेसर बालचन्द्र राजन पढ़ा रहे थे, जिनकी विद्वत्ता और प्रखरता अद्वितीय थी। कविता और अध्यात्म का एक नया सम्बन्ध समझ में आ रहा था, जबकि उन दिनों चालू हिन्दी आधुनिकता में (बल्कि अभी तक भी) अध्यात्म एक पिछड़ी और आधुनिकता-विरोधी बात मानी जा रही थी। उन्हीं दिनों अज्ञेय की कविताओं में, विशेषतः 1961 में प्रकाशित *आँगन के पार द्वार* में, एक तरह की नयी आध्यात्मिकता का उभार नजर आ रहा था, जिसका कुछ आभास उनके पिछले संग्रह की बौद्ध आभा से भी होता था। मैंने नयी कविता और धार्मिक संवेदना की पड़ताल करते हुए एक लेख लिखा जो रमेश गौड़ ने अपनी पत्रिका *दिशा* में प्रकाशित किया और जो मेरी बाद में छपी पुस्तक *फिलहाल* में शामिल है। अज्ञेय उन दिनों दिल्ली अमेरिका से कुछ दिनों के लिए आये हुए थे और तोक्यो होते हुए बर्कले अध्यापन करने जा रहे थे। उनसे एम्बेसी में उसी दिन थोड़ी देर के लिए मुलाकात हुई, जिस दिन शाम को वे जाने वाले थे। मैंने अपने लेख की एक प्रति उन्हें दी। यह भी तय हुआ कि वे मेरी रुचि की कुछ पुस्तकें अमेरिका से लेकर भेजेंगे। बाद में मैंने उन्हें पत्र लिखकर लेख पर उनकी प्रतिक्रिया जाननी चाही और कुछ पुस्तकों के नाम लिख भेजे। जो दो पुस्तकें अज्ञेय ने मुझे भेजीं वे गाब्रिएला मिस्राल का कविता-संग्रह और स्टैनले बर्नशा की *दि पोएम इटसेल्फ* थीं। लेख पर अपनी प्रतिक्रिया अज्ञेय ने विस्तार से 2 मार्च, 1963 को बर्कले से लिखे पत्र में यों व्यक्त कीः

अब लेख की बात। जहाँ तक समकालीन कविता की सीमाओं की चर्चा है, मैं आपसे सहमत हूँ। रिजर्वेशन अन्तिम हिस्सों के बारे में है। एक तो यह कि मुझमें धार्मिक भाव हो भी तो भी उस भाव को मैं काव्य के लिए अनिवार्य नहीं मानता। आस्था, हाँ, पर धार्मिक आस्था केवल एक प्रकार की आस्था है, दूसरी भी हो सकती है। धर्म की व्यापकतम व्याख्या करें तब भी आस्था उससे बाहर भी हो

सकती है। आपने सेन्स ऑफ वेल्यूस की बात की है, वह बिलकुल ठीक है, उससे आगे जहाँ सोर्स ऑफ वेल्यूस अथवा सेंक्शन की बात होती है, वहाँ हम आस्था की परिधि में आ जाते हैं। पर धर्म थोड़ा और आगे है: यानी जब ये दोनों हों – पर साथ ही इनके साथ – विशेषतया सोर्स ऑफ वेल्यूस के सम्बन्ध में गम्भीर और चरम कोटि का लगाव भी हो – साधना के स्तर का, तब धर्म की बात हो सकती है। (टिलिच जिसे अल्टीमेट कंसर्न कहता है)।

दूसरी बात इसी से सम्बद्ध है, और मुझे लगता है कि आपने जो लिखा है उसमें कुछ चौंकाने के मोह में पड़ गये हैं। वह है पाप की बात। अगर आपका निदान ठीक है, तो क्या नयी पीढ़ी में पापीत्व का भाव भी हो सकता है। उतना गहरा आत्मावसाद वह पीढ़ी कहाँ से लाएगी? उसके लिए भी तो आस्था चाहिए जिसकी कसौटी पर अपने को खोटा पाकर ही वह पाप का बोध करे? न उतना कंसर्न ही रहा है कि इसकी सम्भावना हो – और जहाँ है वहाँ फिर पाप के बोध से अधिक स्वस्थ फलवती प्रेरणाओं की भी सम्भावना की जा सकती है।

एक बात और। पाप बोध की प्रेरणात्मक शक्ति से हम – हम अर्थात् हम हिन्दू या उतना भी बन्धन न चाहें तो हम भारतवासी, क्योंकि हमारी धार्मिक और चिन्तन परम्परा में दोनों प्रायः पर्यायवाची हैं – आगे निकल आये हैं। उसमें जो कुछ बल था, वह मध्यकाल में काम आ चुका, बहुत अधिक बल कभी भी नहीं था, क्योंकि वह हिन्दू चिन्तन में हो नहीं सकता। पश्चिम में वह अभी एक जीवित शक्ति है मसीहियत के कारण और हिब्रू धर्म विश्वास के कारण। उसके लिए एक तो ओरिजिनल सिन वाली प्रतिज्ञा चाहिए – यानी 'मनुष्य होना ही उस मूल पाप से दूषित होना है', और दूसरे ईश्वर के सम्बन्ध में चरम कोटि का द्वैत-भावः गॉड इज एबसोल्यूट अदर, जब तक यह आई-दाउ का रिश्ता एकान्त अनुल्लंघ्य नहीं माना जाता, तब तक सिन का भी वह गहरा अर्थ नहीं होता। और यह अपरिहार्य द्वैत हमारी भारतीय बुद्धि को ग्रहण नहीं होताः मध्यकाल में कुछ समय इसका बल रहा तो तभी मैं पापी हूँ, इस भाव का बल रहा और उसने प्रेरणा दी। अब...अब धर्म भाव के साथ भी यह नहीं आता, न आवेगाः हमारा अद्वैत का संस्कार बहुत गहरा है। इसलिए अब आप हिन्दी में बॉद्लेयर या रैम्बो जैसे उलटबाँसी धार्मिकों की प्रतीक्षा न कीजिए! कोई बड़ी आस्था वाला बड़ा कवि आएगा तो वह यूनीवर्सलिस्ट ही होगा इसी आस्था का स्पंदन उसे बल देगा, हिन्दू वह हो सकता है – उसमें और हिन्दू होने में कोई विरोध नहीं है। पर पाप का दंश उसे प्रेरणा दे इसकी सम्भावना मैं नहीं देखता हूँ – कैथलिक

यूरोप में या इस्पानी अमेरिका में वैसा हो सकता है, कुछ अन्य देशों में भी, पर भारत में – न, मुझे ऐसा नहीं दीखता।

1965 में अज्ञेय को दिल का दौरा पड़ा और वे विलिंगडन अस्पताल में भरती हुए। उन्हें देखने अनेक लेखक अस्पताल गये, हालाँकि उनसे मिलने की मनाही थी। मैं भी दो-एक बार अस्पताल उन्हें बिना देखे बाहर से वापस आ गया। उन दिनों मुक्तिबोध भी दिल्ली में ही बीमार और अचेत थे। थोड़े दिनों बाद अज्ञेय से मिलने की इजाजत मिल गयी। जिस दोपहर मैं वहाँ गया, कमरे में लगभग अँधेरा था। चुप्पी थी, हालाँकि श्रीपत राय एक कुर्सी पर बैठे थे। मैं उसी चुप्पी के विन्यास में शामिल हो गया और लगभग आधा घण्टे चुपचाप बैठा रहा।

जब अज्ञेय अमेरिका में थे तो शिकागो विश्वविद्यालय के दक्षिण एशियाई विभाग से एक पत्रिका निकलती थी *महफिल,* जिसका सम्पादन प्रोफेसर नईम करते थे। उन दिनों मैं दयालसिंह कॉलेज नयी दिल्ली में अंग्रेजी का अध्यापक हो गया था। *महफिल* का एक विशेषांक अज्ञेय पर निकलने की बात थी और, जाहिर है अज्ञेय के सुझाने पर, सम्पादक ने मुझसे उनकी कविता पर अंग्रेजी में एक निबन्ध लिखने का आग्रह किया। किसी कवि पर यह मेरा पहला निबन्ध होने जा रहा था। मुझे अच्छा लगा कि अज्ञेय ने मुझे इस योग्य माना। यथासमय निबन्ध 'ग्रैंजर ऑफ लोनलीनैस' मैंने भेज दिया और वह विशेषांक में छपा। यह अज्ञेय पर भी मेरा पहला निबन्ध था और उसका हिन्दी रूपान्तर *फ़िलहाल* में संगृहीत है। शायद मेरी पीढ़ी के किसी लेखक का वह अज्ञेय पर पहला ही निबन्ध था। संयोगवश वह किसी कवि पर अंग्रेजी में भी मेरा पहला निबन्ध था।

भारतीय प्रशासन सेवा में आने के बाद ट्रेनिंग के लिए मैं राष्ट्रीय अकादेमी मसूरी चला गया। वहाँ अज्ञेय को कविता पाठ और व्याख्यान के लिए बुलाने की कोशिश की। वे मान भी गये थे और अक्टूबर 1965 में विदेश से लौटने के बाद आने को तैयार थे। पर फिर कार्यक्रम टल गया। बीच-बीच में दिल्ली आता रहता था। उन दिनों रश्मि से सम्बन्ध गहरा हो रहा था और दिल्ली आना मुख्यतः उससे मिलने के लिए ही होता था। लेखक-मित्रों से कभी-कभार भेंट होती थी। एक बार अज्ञेय को फोन किया तो पता चला कि उसी दिन दोपहर को उनके यहाँ उनके नये नाटक *उत्तर प्रियदर्शी* का पाठ था और उन्होंने मुझे उसमें निमन्त्रित किया। जब पहुँचा तो वहाँ कई लोग थेः बच्चन, अमृता प्रीतम, रघुवीर सहाय, सर्वेश्वर, अजित कुमार आदि। अज्ञेय का यह एकमात्र नाटक नोह शैली के कुछ रंगसिद्धान्तों का पालन करते हुए लिखा गया था।

हमेशा की तरह अज्ञेय ने उसका पाठ संयम और स्वरों के उतार-चढ़ाव के

साथ किया। पाठ समाप्त होने पर उस पर प्रतिक्रिया की अपेक्षा थी, पर कोई कुछ बोल नहीं रहा था। अज्ञेय बोलेः अशोक जी, आप ही कुछ कहिए– आप मसूरी की ओलम्पियन ऊँचाई से आये हैं। मैंने कहा कि मैं नोह परम्परा को जानता नहीं हूँ और हो सकता है कि उसमें ऐसा ही होना अभीष्ट हो, पर मुझे लगता है कि इस नाटक में रंगकर्म अन्यत्र नेपथ्य में घटता है और मंच पर उसकी सूचना भर आती है। इसलिए मुझे समझ में नहीं आ रहा है कि यह मंच पर खेला कैसे जाएगा। इस पर बच्चन जी बोले कि हाँ, भाषा नाटक के लिए कुछ क्लिष्ट जरूर है। अज्ञेय उनकी बात को काटते हुए बोले कि नहीं, वे भाषा की क्लिष्टता का जिक्र नहीं कर रहे हैं– अशोक जी की आपत्ति अधिक गहरी और दूसरे किस्म की है। रघुवीर सहाय ने नाटक की भाषा में प्रयुक्त ताल की कुछ प्रशंसा की। पर बात इससे आगे नहीं बढ़ पायी।

अज्ञेय की दृष्टि में निर्भीकता थी। उनकी रुचि उदार, लेकिन अपनी शर्तों पर सख्त थी। उनमें ऐसी कविता या कवि पसन्द कर पाने की क्षमता थी जो उनकी कविदृष्टि से मेल न भी खाते हों। चीजों के बारे में उनकी राय भी स्पष्ट थी। कई बार वे चुप लगा जाते थे। पर उनमें किसी तरह की अवसरवादिता नहीं थी। निजी या सार्वजनिक रूप से मैंने उन्हें कभी ऐसा कुछ कहते नहीं सुना जो शुद्ध उपचारवश हो और जिसमें वे सचमुच यकीन न करते हों। मैं यह मानने लगा था कि उनके साथ निर्भीक और स्वतन्त्र हुआ जा सकता है।

1967 में उनका नया कविता-संग्रह *कितनी नावों में कितनी बार* आया। मैंने लगभग उन्हीं दिनों कविता को कुछ सख्ती से जाँचना-परखना शुरू किया था। जो अध्यात्म तत्त्व मुझे अज्ञेय की पिछली कविता में सशक्त लगा था, वह इस संग्रह में निर्बल होता लगा। मैंने उस पर 'बूढ़ा गिद्ध क्यों पंख फैलाए' शीर्षक से एक समीक्षा-लेख लिखा जो *धर्मयुग* में प्रकाशित हुआ। मेरे जैसे उनके निकट माने जाने वाले लेखक के एक मूर्धन्य पर इस तरह के प्रहार ने बहुतों को चकित और उनके अनेक निन्दकों को प्रसन्न किया। कइयों को यह अज्ञेय के कवि-रूप के ढलने की पहली उग्र निशानदेही लगी। पर हुआ यह कि अज्ञेय के साथ मेरे निजी सम्बन्ध खराब हो गये। कहीं मुलाकात होने पर वे बहुत अन्यमनस्कता से पेश आये। शायद मेरी आलोचना में आवेग कुछ अधिक था। शायद वह एकतरफा थी। पर उसमें एक युवा आलोचक का ईमानदार दुस्साहस था, जिसे अज्ञेय अलक्षित करें, यह मुझे दुखद और निराशाजनक लगा। उनसे बरसों से चला आ रहा सम्बन्ध टूट गया।

1970 में मेरी पहली आलोचना-पुस्तक *फिलहाल* निकली, जिसमें अज्ञेय पर पहला निबन्ध और उनके संग्रह पर समीक्षा-लेख दोनों ही शामिल हैं। दुर्भाग्य से

निबन्ध का खास नोटिस नहीं लिया गया। तब तक साहित्यिक परिदृश्य बदल चुका था...कम से कम अस्थायी तौर पर अज्ञेय का वर्चस्व घट गया लगता था। अज्ञेय को अपदस्थ कर मुक्तिबोध को केन्द्र में लाने का एक विशद आलोचनात्मक अभियान चल निकला था। इस दौरान अज्ञेय का अवमूल्यन-सा होने लगा और मुझे भी उस अभियान में शामिल मान लिया गया। यह सही है कि स्वयं अज्ञेय ने प्रतिकूल समीक्षा पर जैसी प्रतिक्रिया की थी उसने मेरा मन खट्टा कर दिया था। इस बीच वे जोधपुर में प्रोफेसर हो गये। प्रोफेसर होने का उन्हें कुछ चाव-सा था। बर्कले से भेजे गये एक पत्र में उन्होंने प्रेषक के नाम-पते में अपने को प्रोफेसर स. ही. वात्स्यायन अपने हाथ से लिखा था। वे प्रोफेसर नियुक्त होने के समय जोधपुर में नामवर जी के साथ एक रात ठहरे थे। नामवर जी ने बताया कि सोने के पहले वे उनसे कुछ पढ़ने के लिए लेने आये और *फिलहाल* की प्रति ले गये। शायद देर रात तक जगकर उन्होंने वह करीब-करीब पूरी ही पढ़ डाली। नामवर जी ने बताया था कि अगली सुबह उनकी प्रतिक्रिया अनुकूल ही थी।

फिर शुरू हुआ एक लम्बा दौर जिसमें साहित्य और संस्कृति के क्षेत्र में मेरी सक्रियता तेजी से बढ़ी-फैली। किसी हिन्दी प्रदेश में होने वाली इस सदी की सबसे बड़ी व्यापक सांस्कृतिक पहल का मैं लगभग कर्णधार बना, लेकिन अज्ञेय से सम्बन्ध लगभग टूट गया। कहीं मिलने पर औपचारिक सौजन्य के अलावा कोई और बात करने को नहीं बची। मन में यह क्लेश बराबर बना रहा कि इतनी बड़ी पहल से अज्ञेय का कोई सम्बन्ध नहीं था, जबकि उसके महत्त्व और ऐतिहासिक जरूरत को समझने और उसे उत्साहित करने की सबसे अधिक क्षमता और समझ उन्हीं के पास थी।

जो गलतफहमी *कितनी नावों में कितनी बार* पर समीक्षा-लेख से शुरू हुई थी, वह आगे के कुछ संयोगों से, अचिन्तित ढंग से सही, बढ़ती ही गयी। उनमें से एक था ज्ञानपीठ पुरस्कार। हुआ यह कि ज्ञानपीठ पुरस्कार के लिए गठित हिन्दी चयन समिति में मैं भी तीन सदस्यों में से एक था। समिति की बैठक में जो विचारणीय पुस्तकें आयीं उनमें जैनेन्द्र कुमार का उपन्यास *मुक्तिबोध*, अज्ञेय का कविता-संग्रह *कितनी नावों में कितनी बार* और यशपाल का उपन्यास *झूठा सच* थे। उस समय ज्ञानपीठ पुरस्कार किसी कृति-विशेष पर दिया जाता था। हमारी बहस लम्बी चली। मेरा तर्क यह था कि समूचे अवदान और कद की दृष्टि से निश्चय ही जैनेन्द्र कुमार और अज्ञेय मेरी नजर में यशपाल से कहीं ऊपर हैं और ज्ञानपीठ के पहले हकदार बनते हैं। लेकिन अगर कृतिविशेष को ध्यान में रखकर उसका उल्लेख करना आवश्यक था, जैसा कि उस समय नियमावली में था, तो हालाँकि जैनेन्द्र हिन्दी के श्रेष्ठ गद्यकारों में से एक थे, उनका यह उपन्यास न तो

उनका और न ही उस दौरान प्रकाशित हिन्दी उपन्यासों में उल्लेखनीय था। यही बात दुर्भाग्य से, मेरे अनुसार, अज्ञेय के लिए भी सच थी। वे कवि के रूप में हिन्दी के मूर्धन्य कवियों में निश्चय ही थे, लेकिन उनका यह संग्रह कमजोर था और इस दौरान प्रकाशित हिन्दी के उल्लेखनीय संग्रहों में नहीं था। मैंने यह जोड़ा कि यशपाल मेरी नजर में जैनेन्द्र और अज्ञेय दोनों से कमतर लेखक हैं, पर उनका उपन्यास *झूठा सच* न केवल उनकी श्रेष्ठ कृति है बल्कि उस दौरान प्रकाशित हिन्दी कृतियों में बहुचर्चित और उल्लेखनीय है।

अन्य दो सदस्य बिना इन तर्कों का कोई प्रत्याख्यान किए अज्ञेय के पक्ष में थे और यशपाल के विरुद्ध। मैंने यह बार-बार कहा कि मैं यशपाल को एक लेखक के रूप में पसन्द नहीं करता और अज्ञेय का प्रशंसक हूँ। लेकिन इस संग्रह को उस उपन्यास से बेहतर तो क्या समकक्ष भी किसी तरह नहीं माना जा सकता। बैठक में निर्णय नहीं हो सका। मैंने लौटकर अपना इस्तीफा भेज दिया, अपनी इस विचित्र-सी लेकिन ईमानदार जिद के कारण कि अज्ञेय हर तरह से ज्ञानपीठ पुरस्कार के योग्य थे, लेकिन उस संग्रह के आधार पर नहीं। मैं इस पर सहमत था कि पुरस्कार अज्ञेय को मिले, पर तभी जब उस पुस्तक का उल्लेख न हो। यह सम्भव नहीं हुआ। पुरस्कार अज्ञेय को दिया गया। यह बात उन तक शायद पहुँची होगी कि मैंने उनका विरोध किया था। दिलचस्प यह है कि ज्ञानपीठ ने बाद में मुझी से अपनी पुरस्कार-सम्बन्धी स्मारिका के लिए *कितनी नावों में कितनी बार* संग्रह पर एक प्रशस्ति-निबन्ध लिखने का, अपनी असावधानी में, आग्रह किया जिसमें मैंने यह कहकर इनकार कर दिया कि इस पुस्तक पर एक अत्यन्त प्रतिकूल समीक्षा पहले ही लिख चुका था और सिर्फ ज्ञानपीठ-पुरस्कृत होने के कारण मेरा पिछला आकलन बदल या रद्द नहीं हो जाता। हो सकता है कि यह अनिच्छा भी अज्ञेय को पता लगी हो।

सितम्बर 1974 में आलोचना-मासिक के रूप में मध्य प्रदेश कला परिषद से *पूर्वग्रह* निकलना शुरू हुआ। शरद जोशी और *धर्मयुग* ने इसे लेकर बड़ा विवाद खड़ा किया। पहले छह अंक हाथ से बने कागज पर छपे थे। अज्ञेय उन दिनों दिल्ली से मासिक *नया प्रतीक* सम्पादित कर रहे थे। उसके फरवरी 1975 के अंक में 'भरती का पृष्ठ' स्तम्भ में, मेरा भरोसा है, उन्हीं की लिखी हुई यह कविता प्रकाशित हुई जो *पूर्वग्रह* के अलावा मेरे एकाध अन्यत्र दिए गये वक्तव्य पर भी कटूक्ति थीः

'शुद्ध' कसाईखानाः *समय था जब हम कवि थे/और दूसरे नये कवि हमारे भाई थे/तब साहित्य की हमारी थी यही पहचान/कि वह है शुद्ध भेड़ियाधसान/पर 'समस्या तो यह है कि पद पर/बैठा हुआ कोई व्यक्ति/बड़ा लेखक बन जाता*

है'/और हम पद पर बैठे हैं/और हम सब सिर्फ कवि नहीं, आलोचक हैं/अब हमने अपने को ही नहीं/साहित्य को भी फिर से पहचाना है/साहित्य तो शुद्ध कसाईखाना है। यों हम 'कोई रियायत नहीं चाहते:'/रियायत का करेंगे क्या?/अनुदान सरकार से पाया हुआ है.../कागज दस्तकार का बनाया हुआ है :/लाभ? निरा पूर्वग्रह है व्यवसायी का!/हमारा काम भले हो कसाई का/पर पब्लिक सेक्टर में :/कितना अन्तर है हमारे काम के कैरेक्टर में!

यही नहीं इस कविता के आगे एक छोटी-सी टिप्पणी और थी: उधर भोपाल में अशोक वाजपेयी ने चिन्ता प्रकट की कि "मध्य प्रदेश चरागाह है। बाहर से जानवर आते हैं। इसको चर जाते हैं।" उन्हें भी ध्यान नहीं रहा कि कई जानवर तो उन्हीं के निमन्त्रण पर आते हैं—बल्कि कुछ तो उनके पूज्य भी होंगे। जाहिर है कि मध्य प्रदेश में जो हो रहा है, उस पर अज्ञेय की नजर थी और उनका आकलन प्रतिकूल था।

इस बीच अज्ञेय का हमारे लेखक-मित्र रमेशचन्द्र शाह से परिचय घनिष्ठ हुआ था। मेरी शाह साहब से मुलाकात सीधी में हुई थी, जहाँ मैं कलेक्टर होकर गया था। उनसे जो गहरा पारिवारिक सम्बन्ध बना वह सौभाग्य से आज तक तद्वत् है। एक बार अज्ञेय किसी सिलसिले में साँची देखने आ रहे थे। शाह साहब और ज्योत्स्ना उनके साथ वहीं रेस्ट हाउस में एक रात ठहरकर फिर सब लोग भोपाल आने वाले थे। 1975 की बात है। उन दिनों मध्य प्रदेश कला परिषद का मैं सचिव हो गया था और हमने वहाँ कविता-पाठ का एक सिलसिला चला रखा था। मैंने ट्रंक-काल कर अज्ञेय से अनुरोध किया कि वे परिषद के तत्वावधान में एक शाम भोपाल में कविता-पाठ करें। उन दिनों परिषद का छोटा हाल ही हमारे पास था। वह ठसाठस भर गया और अज्ञेय ने लगभग डेढ़ घण्टे मन भर कर कविता-पाठ किया। हममें से अनेक रसिकों ने आग्रहपूर्वक उनसे अपनी कई मनपसन्द कविताएँ सुनीं। पाठ के बाद सब लोग हमारे घर रात के खाने पर आये। अज्ञेय अपने पाठ से और उस पर हुई अनुकूल प्रतिक्रियाओं से सन्तुष्ट, लगभग प्रसन्न थे। खाने पर शाह-दम्पती के अलावा सोमदत्त भी थे।

बातचीत कुछ कविता में मताग्रह को लेकर चल निकली। मेरा रुख यह था कि अगर बाहर से लिये गये मताग्रह की कविता में तानाशाही हो सकती है तो उसी तरह की तानाशाही कवि के अपने स्वार्जित मताग्रह की भी हो सकती है। क्या पहली जरूरी तौर पर गैर-सर्जनात्मक और दूसरी सर्जनात्मक स्थिति होगी? मैंने पहले के उदाहरण के रूप में एलियट और नेरुदा का नाम लिया। अज्ञेय मेरे तर्कों से कुछ विचलित तो जरूर हुए, पर सहमत नहीं। उस समय हिन्दी में नयी

प्रगतिशीलता के उभार के साथ-साथ मताग्रह का आतंक बढ़ रहा था और जाहिर है कि वे उससे त्रस्त थे। उस समय मैं इस आतंक को लेकर परेशान नहीं महसूस करता था। बहरहाल, बरसों बाद यह मुलाकात अपनी मत-विभिन्नता के बावजूद आत्मीय और प्रीतिकर रही। उन दिनों मेरी फिएट कार की बैटरी खराब थी और मुझे याद है कि अगले दिन जब शायद हम उसमें उन्हें स्टेशन छोड़ने जा रहे थे तो कार बीच में एकाएक बन्द हो गयी। धक्का लगाने के अलावा कोई और चारा उसे फिर से चलाने का नहीं था। अपने लहीम-शहीम शरीर से अज्ञेय ने कुछ दूर ऐसा धक्का बिना किसी हिचक के दिया था।

हम उस समय अज्ञेय को कविता-पाठ के लिए कोई पारिश्रमिक परिषद की ओर से नहीं दे पाये थे। बाद में मैंने एक पत्र के साथ उन्हें कुछ सौ रुपयों का एक चेक भेजा। उन्होंने उसे वापस कर दिया और अप्रत्याशित सख्ती से मुझे लिखा कि वे सरकार के किसी संस्थान से कोई पारिश्रमिक स्वीकार नहीं करते हैं और अगर उन्हें पता होता कि परिषद मध्य प्रदेश सरकार का मंच है, तो वे उस पर कदापि कविता-पाठ न करते। पहले तो मैं भौचक रह गया। फिर मैंने उन्हें उत्तर देते हुए उस शाम के कविता-पाठ से उनकी सन्तुष्टि का उल्लेख करते हुए लिखा कि परिषद एक स्वायत्त संस्था है और उसमें प्रतिनिधि प्रजातान्त्रिक पद्धति से चुने जाते हैं और म.प्र. सरकार का उस पर कोई नीति-नियन्त्रण नहीं है। सरकार अनुदान देने के अलावा न कोई हस्तक्षेप करती है और न ही उसके संविधान में ऐसे किसी निदेशन या हस्तक्षेप का प्रावधान ही है। कुछ तीखेपन से मैंने उनसे पूछा कि क्या वे भारत सरकार द्वारा पोषित साहित्य अकादेमी के साथ भी यही व्यवहार करते हैं? वे भारत सरकार के प्रकाशन विभाग द्वारा प्रकाशित पत्रिका *आजकल* में अपनी रचनाएँ क्यों सहर्ष छपवाते रहे हैं, जबकि वह भारत सरकार का सीधा प्रकाशन है? मैंने तिलमिलाकर यह भी लिखा कि अकादेमी और परिषद में एक अन्तर यही है कि परिषद का सचिव हूँ और मैं एक सरकारी अधिकारी हूँ। मैंने उन्हें यह भी याद दिलाया कि वे मुझे एक कवि के रूप में अधिकारी बनने के सात-आठ बरस पहले से जानते रहे हैं और क्या वह पहचान मिट गयी? यह निश्चय ही एक तीखा उत्तर था। अज्ञेय ने उसका कोई प्रत्युत्तर नहीं दिया।

आपातकाल समाप्त होने के बाद जनता सरकार ने एक प्रेस आयोग का गठन किया था और अज्ञेय उसके सदस्य थे। आयोग का दौरा भोपाल होने वाला था। मुझे आयोग के सचिव का एक पत्र मिला जिसमें वात्स्यायन जी के भोपाल आने और मुझसे मिलने की इच्छा का जिक्र था। अज्ञेय एक दिन शाम हमारे घर आयेः वे शामला हिल्स स्थित सरकिट हाउस में रुके हुए थे। अधिकतर बातें

आपातकाल को लेकर होती रही थीं। मुझे याद है कि मैंने उन्हें बताया था कि उस दौरान मध्य प्रदेश में सबसे अधिक सोलह हजार लोग गिरफ्तार हुए थे, लेकिन उनमें एक भी लेखक नहीं था। इस पर कुछ हँसी भी हुई थी कि लेखक अपने को भले बहुत क्रान्तिकारी और खतरनाक मानें, सरकार और स्थानीय दारोगा उन्हें ऐसा नहीं मानते।

मध्य प्रदेश में जो सांस्कृतिक पहल हो रही थी, उसका काफी विस्तार होने लगा और उसने लगभग सारे देश का ध्यानाकर्षण करना शुरू किया। हालाँकि इस विस्तार में बहुत से लोगों की भूमिका और सक्रियता थी। दो तरह के लोग शुरू में उसके विरुद्ध मुखर और सक्रिय हुए। एक तो वे जिन्हें मुख्य सलाहकार होने का भ्रम था और जैसे ही वह टूटा, वे मुखालिफत करने लगे। दूसरे वे जिन्हें इसमें बिना उनकी सलाह या चौधराहट के स्वीकार के एक सूबाई सरदार के जरूरत से ज्यादा सिर उठाने की असह्य उद्दण्डता नजर आती थी। 'अपना रथ पै हम जोते रहे' के भाव से हम अपना काम करते रहे। *पूर्वग्रह* भी एक छोटी शुरुआत से काफी आगे बढ़ गया। कालिदास सम्मान आदि अलंकरणों से भी मध्य प्रदेश के संस्कृति विभाग की प्रतिष्ठा बढ़ने लगी और वह देश के सांस्कृतिक हलकों में प्रायः चर्चा का केन्द्र बनने लगा। इस बीच अज्ञेय की कई पुस्तकें प्रकाशित हुईं। उनमें से कई की गम्भीर समीक्षा *पूर्वग्रह* में प्रकाशित हुई। एकाधिक बार ऐसा हुआ कि उनकी किसी पुस्तक का नोटिस *पूर्वग्रह* के अलावा किसी और पत्रिका ने लिया ही नहीं।

बावजूद इसके कहीं न कहीं अज्ञेय की यह समझ बनी कि उनके 'बेइंसाफ अलगाव' में हमारी भी भूमिका है। सैद्धान्तिक स्तर पर वे सत्ता की संस्कृति में हस्तक्षेप से कतई और उचित ही, असहमत थे। मेरी असफलता यह थी कि मैं उन्हें या उन जैसे कुछ औरों को यह नहीं समझा पा रहा था कि मध्य प्रदेश में सांस्कृतिक विकास का एक बिलकुल नया मॉडेल विकसित हो रहा था, जिसमें सरकार का धन और साधन थे, पर हस्तक्षेप बिलकुल नहीं। यह भी कि एक लेखक होने के नाते मैं सरकार के किसी भी हस्तक्षेप को बीच में रोक लेता था। यही नहीं, स्वयं संस्कृति विभाग अपनी स्वायत्त संस्थाओं को पूरी स्वतन्त्रता के साथ काम करने दे रहा था। हस्तक्षेप होता तो स्तरधर्मिता नहीं हो सकती थी जिसके लिए इन संस्थाओं की कीर्ति फैल रही थी। पर प्रवाद यह व्याप्त था कि सभी संस्थाएँ मेरे कड़े और लगभग निजी नियन्त्रण में थीं। इसलिए अगर उनमें कोई गड़बड़ी हो तो उसके लिए अक्सर दोषी और जवाबदेह मैं मान लिया जाता था। मध्य प्रदेश प्रगतिशील लेखक संघ, *पहल* आदि उन्हीं दिनों अपनी सक्रियता के उरूज पर आ रहे थे और मैं उनकी भरसक मदद भी निश्चय ही अपने प्रजातान्त्रिक

स्वभाव के अनुरूप कर रहा था: मेरा सार्वजनिक कर्त्तव्य-बोध भी ऐसी मदद के सर्वथा पक्ष में था। लेकिन यह भी सही है कि उनकी कट्टरता और उनमें शामिल अधिकांश 'मीडियाकरों' और उनकी आक्रामकता से मुझे कुछ लेना-देना नहीं था। नागार्जुन और त्रिलोचन जैसे कवियों की उपलब्धि की व्यापक मान्यता का उद्यम भी उन्हीं दिनों शुरू हुआ। इन सबने मिलकर एक ऐसी छवि बना दी जिसमें हमें प्रगतिशीलता का समर्थक और पोषक मान लिया गया। इस समझ का असर निश्चय ही अज्ञेय पर हुआ, क्योंकि वे लगातार हमारे निमन्त्रण ठुकराते रहे।

इस बीच अज्ञेय ने ज्ञानपीठ पुरस्कार की राशि आदि से एक नयी संस्था वत्सल निधि गठित की। निधि ने विशेषतः युवा लेखकों के शिविरों के आयोजन का एक सिलसिला शुरू किया। 1982 में अज्ञेय ने मुझसे अगले दिसम्बर में वृन्दावन में 'साहित्य और सामाजिक परिवर्तन' विषय पर होने वाले शिविर के लिए हिन्दी और अन्य भारतीय भाषाओं के युवा लेखकों के नाम सुझाने का आग्रह किया। उस सिलसिले में उनके पत्र में 'साहित्य के प्रति आपके लगाव और आपके लम्बे अनुभव के आधार' का उल्लेख तो था, लेकिन स्वयं मुझे शिविर में आने का निमन्त्रण नहीं था जबकि शाह साहब के अलावा अनेक गैर युवा लेखकों को ऐसे शिविरों में अज्ञेय बुलाते थे। बहरहाल, मैंने कुछ नाम सुझा दिए।

1983 में मध्य प्रदेश सरकार की पहल पर ही एक निजी प्रकाशक ने माखनलाल चतुर्वेदी रचनावली कई खण्डों में प्रकाशित की। हमने यह निश्चय किया कि इस अवसर पर म.प्र. साहित्य परिषद, जो हर वर्ष खंडवा में माखनलाल चतुर्वेदी समारोह मनाती आयी थी, भारत भवन में एक आयोजन करे जिसमें अज्ञेय रचनावली का लोकार्पण करें। सोमदत्त ने, जो उन दिनों परिषद के सचिव थे, इस बारे में अज्ञेय से पत्राचार कर उनकी स्वीकृति प्राप्त कर ली। अज्ञेय आये और शाह साहब के यहाँ ठहरे। आयोजन की अध्यक्षता तत्कालीन मुख्यमन्त्री अर्जुन सिंह ने की। अज्ञेय ने अप्रत्याशित रूप से अपने भाषण में पहले तो यह कहा कि वे उस आयोजन में रचनावली के प्रकाशक के अनुरोध पर आये हैं। फिर सत्ता और संस्कृति के सम्बन्ध को लेकर कटाक्ष किए। यह भी कहा कि वे स्वयं तो मध्य प्रदेश में अप्रासंगिक हो ही गये हैं क्योंकि उनका कोई 'महत्त्व' नहीं माना जाता! उनका इशारा म.प्र. प्रगतिशील लेखक संघ द्वारा नागार्जुन, रामविलास शर्मा, केदारनाथ अग्रवाल आदि पर केन्द्रित उनके 'महत्त्व' शीर्षक आयोजनों की शृंखला की ओर था।

जाहिर है कि अज्ञेय ने भारत भवन, संस्कृति विभाग, प्रगतिशील लेखक संघ आदि सबको एक ही अभियान में शामिल मानकर उनसे अपना असन्तोष प्रगट किया। आयोजन के बाद मुख्यमन्त्री जी ने मुझसे कहा कि लगता है कि अज्ञेय जी हमारे कार्य से प्रसन्न नहीं हैं। मैंने सत्ता और संस्कृति के सम्बन्ध के बारे में

उनकी सैद्धान्तिक आपत्ति का उल्लेख किया तो यह भाँप कर कि मैं शायद अज्ञेय से इस मसले पर बहस पर न उतर आऊँ, उन्होंने हँसकर कहाः 'ये बुजुर्ग लोग हैं। इन्हें दूर से प्रणाम करना चाहिए...इनसे बहस नहीं।'

पर उस शाम बहस तो नहीं, पर नागार्जुन आदि के कवित्व पर अज्ञेय से कुछ बातचीत हुई। उनके अनुसार नागार्जुन का कवित्व बहुत सीमित था। अलबत्ता उन्हें त्रिलोचन में अधिक गुण नजर आते थे। इस बात पर हमारी सहमति थी कि केदारनाथ अग्रवाल इस दौर में एक अधिमूल्यित कवि हुए जा रहे हैं। सोमदत्त इस बात से आहत थे, जैसे कि मैं भी, कि अज्ञेय ने सार्वजनिक रूप से ऐसा कुछ कहा था जो सही नहीं था क्योंकि वे परिषद के निमन्त्रण पर, उसी के आयोजन में और उसी के खर्चे पर आये थे, किसी प्रकाशक के नहीं।

इस बीच अज्ञेय से एक अन्य संस्था के अन्तर्गत सम्पर्क होना शुरू हुआ। *रंगश्री लिटिल बैले ट्रूप* ग्वालियर से भोपाल आ गया। प्रभात गांगुली और गुल वर्धन से पुराना सम्बन्ध था और इस संस्था की थोड़ी-बहुत मदद मैंने की थी। अज्ञेय उसके अध्यक्ष थे। उसके भोपाल आने के पहले मैं उसका सदस्य तो था, पर अब उसकी कार्यकारिणी समिति में भी आ गया। रंगश्री की बैठकों में अज्ञेय जब-तब भोपाल आने लगे।

1984 में *तार सप्तक* के प्रकाशन के चालीस साल पूरे होने के उपलक्ष्य में भारत भवन ने एक बड़ा कवि-समागम करने का निश्चय किया। उसमें हिन्दी की सभी पीढ़ियों के कवियों को एकत्र करने का इरादा था। महादेवी आयीं भी। अज्ञेय से भी आग्रह किया। बल्कि *तार सप्तक* के सम्पादक होने के नाते उनके होने की विशेष जरूरत पर बल देकर उन्हें राजी करने की चेष्टा की, पर अज्ञेय नहीं आये। उन्होंने फरवरी 1984 में अपने पत्रोत्तर में लिखाः

आपके दोनों टेलीग्राम मिल गये थे – आपके आग्रह को कृतज्ञतापूर्वक ओढ़ लेता हूँ, पर भोपाल आना अभी तक मेरे लिए सम्भव भी नहीं था – मैंने सोमदत्त जी को भी और विजयमोहन सिंह जी को भी इसकी सूचना पहले ही दे दी थी। यह तो ठीक है कि कवि-संगम के लिए – और वह भी तार सप्तक को आधार बनाकर होने वाले जमावड़े के लिए मन में कोई उत्साह नहीं जुटा पाया, पर कई लोगों से मिल लेना अच्छा ही लगता, जिनसे मिलने के अवसर आसानी से नहीं मिलते, और उस खुशी में काव्येतिहास की विकृतियों को भी झेल लेता, जिनका स्रोत भोपाल बनता जा रहा है और जिनके लिए ऐसा समारोह एक और अवसर होता। पर इस समय ध्यान उधर उतना नहीं था, जितना अपने स्वास्थ्य की वर्तमान दशा की ओर।...

बहरहाल, अज्ञेय उस आयोजन में नहीं आये, हालाँकि मासान्त पर रंगश्री की बैठक में भोपाल आये।

इस अवसर पर *पूर्वग्रह* का एक कविता-विशेषांक भी हमने निकाला। इसके लिए कुछ प्रमुख कवियों की एक-एक कविता पर एक-एक स्वतन्त्र आलोचनात्मक निबन्ध लिखवाया था। हर निबन्ध के साथ वह कविता भी कवि की अनुमति से प्रकाशित की थी, जिस पर कि वह निबन्ध था। उसके लिए अज्ञेय की अनुमति उनकी कविता 'असाध्य वीणा' के *पूर्वग्रह* में प्रकाशन के लिए नहीं मिल सकी और उस अंक में सिर्फ वागीश शुक्ल का निबन्ध बिना कविता के प्रकाशित हुआ। यह याद करना दिलचस्प है कि कुछ इसी तरह की विषमता स्वयं अज्ञेय सम्पादक के रूप में अनुभव कर चुके थे, जब उन्होंने सुमित्रानन्दन पन्त की साठवीं वर्षगाँठ पर हिन्दी के प्रकृति-काव्य का एक सुसम्पादित संचयन *रूपाम्बरा* प्रकाशित किया था, जिसमें नरेश मेहता से अनुमति न मिलने के कारण यथास्थान उनकी दो कविताओं के शीर्षक भर उन्होंने दिए थे, कविताएँ नहीं।

विडम्बना यह थी कि अज्ञेय के निकट के प्रायः सभी लेखक, जिनमें, निर्मल वर्मा, विद्यानिवास मिश्र, नन्दकिशोर आचार्य, रमेशचन्द्र शाह आदि शामिल हैं, लगातार हमारे आयोजनों में शामिल होते थे। कई बार मुझे लगता था कि जानूँ कि उनसे हमारे आयोजनों की खबर उन्हें मिलती थी या नहीं, विशेषतः यह खबर कि किस तरह हमारे आयोजन बिलकुल खुले, जिम्मेदार और पारदर्शी मंच हैं, जिनमें प्रजातान्त्रिक संवाद होता है और किसी दृष्टि-विशेष का वर्चस्व नहीं है। पर यह पूछने में मेरा संकोच और शायद स्वाभिमान आड़े आता था, सो कभी किसी से पूछा नहीं। इला जी ने, जो उनकी संगिनी थीं, बाद में बताया था कि अज्ञेय हमारे सभी आयोजनों की पूरी खबर रखते थे और उसमें शामिल अपने लेखक-मित्रों से विस्तार से उसमें हुए विचार-विमर्श आदि का ब्योरा लेते थे। मैं आश्वस्त हूँ कि उनमें से किसी ने भी कभी कोई प्रतिकूल या पूर्वग्रहस्त विवरण न दिया होगा। फिर भी अज्ञेय में हमारे काम के प्रति पूर्वग्रह बने रहे।

रंगश्री के अध्यक्ष अज्ञेय थे और इस बीच मुझे उसकी कार्यकारिणी का सदस्य चुन लिया गया था। उसकी बैठकों के लिए प्रायः अज्ञेय भोपाल आते थे और गुल वर्धन के पास ही रुकते थे। उनसे मुलाकात और बातचीत होती रहती थी। दोनों ही ओर से इस बात का जतन किया जाता था कि भारत भवन या *पूर्वग्रह* की चर्चा न हो। अज्ञेय का रुख तो मुझे पता ही था, लेकिन मेरी भी जिद थी कि मैं उस मोर्चे पर गलत या कमजोर नहीं हूँ और अगर अज्ञेय की जिद है तो उसके बरक्स मेरी भी जिद बनी रहे। इन बैठकों में मेरे सुझावों और विचारों को वे ध्यान से सुनते थे और अक्सर उन्हें मान भी लेते थे। यह संयोग ही हुआ कि उनकी

अध्यक्षता का कार्यकाल समाप्त होने पर मुझे नया अध्यक्ष चुना गया। इस चुनाव में उनकी भी पूरी सहमति थी। बावजूद उनकी भव्यता और परिष्कार के और बावजूद उनके अधिकतर दुर्लभ होने के, उनकी गहरी प्रजातान्त्रिकता असंदिग्ध थी।

1985 में भारत भवन के वागर्थ खण्ड ने जैनेन्द्र कुमार पर केन्द्रित आयोजन करने की योजना बनाई। अज्ञेय को फिर निमन्त्रित किया। उन्होंने अपने उत्तर में लिखाः 'वागर्थ' की ओर से जैनेन्द्र कुमार से सम्बद्ध एक कार्यक्रम का आयोजन हो रहा है, यह जानकर प्रसन्नता हुई, भले ही 'जैनेन्द्र कुमार प्रसंग' जैसे नाम का आशय मैं नहीं समझ पाया। यह सोचकर भी कुतूहल हुआ कि कुछ लोगों के 'महत्त्व' की चर्चा होती है और कुछ लोगों को 'प्रसंग' वश याद किया जाता है। फिर आगे जोड़ाः 'आपने मुझे भी एक वक्तव्य के लिए आमन्त्रित किया है, आपकी कृपा है। पर मेरे पास वक्तव्य के रूप में कहने को कुछ है नहीं, होता तो उसके लिए भी भोपाल जाना आवश्यक समझता इसमें मुझे सन्देह है। अगले चार-पाँच महीने मेरे पास काम भी बहुत है, अतः समारोह देखने का लोभ भी मुझे संवरण कर लेना चाहिए।'

मेरी ओर से यह पूरी कोशिश थी कि अज्ञेय को हमारे आयोजनों में उचित और उनके गौरव के अनुरूप स्थान मिले पर उनकी ओर से निरन्तर अस्वीकृति की स्थिति बनी हुई थी। निश्चय ही इससे मन में कटुता उपजती थी और क्षोभ भी, पर मैंने उन्हें निमन्त्रित करने और उनसे आने का आग्रह बार-बार करना छोड़ा नहीं। इस बीच उनकी पचहत्तरवीं वर्षगाँठ के सिलसिले में दिल्ली में प्रस्तावित एक आयोजन में शिरकत का न्योता लक्ष्मीमल सिंघवी ने भेजा, जिसमें मुझसे 'सृजन, दृष्टि और सम्प्रेषण' पर एक परिसंवाद, कुमार गन्धर्व के गायन और माधवी मुद्‌गल के नृत्य-प्रदर्शन में उपस्थित रहने की अपेक्षा थी। मैंने सिंघवी जी को एक क्षुब्ध-सा उत्तर भेजा, जिसमें यह स्वीकार करते हुए कि 'आज भारत में हमारे बीच ऐसे बहुत कम व्यक्ति हैं जो ऐसी परिपक्व आयु में ऐसी निरन्तर गतिशील उपस्थिति हैं जैसी कि अज्ञेय।' मैंने लगभग अज्ञेय की ही शैली अपनाते हुए आयोजन में आने में अपनी असमर्थता व्यक्त की और कहा– 'वात्स्यायन जी से बेहतर कोई और नहीं जानता कि मुझे सृजन का न तो अनुभव है और न ही उसके बारे में मेरी कोई विशेष दृष्टि ही है और न ही ऐसी कोई प्रतिष्ठा जो कि मुझे उस भव्य संवाद के योग्य बनाती हो।' फिर यह भी जोड़ा कि 'यों भी अपनी सीमाओं का तीखा अहसास मुझे रहा है और सौभाग्य से वात्स्यायन जी हाल के वर्षों में मुझे उनकी याद भी कृपापूर्वक और लगातार दिलाते रहे हैं।' मुझे उम्मीद थी कि अज्ञेय यह पत्र देखेंगे और उसका सही सन्दर्भ पहचान सकेंगे।

अगले वर्ष, यानी 1986 के सितम्बर में, अज्ञेय ने मुझे पहली बार वत्सल

निधि द्वारा आयोजित होने वाले वाल्मीकिनगर शिविर में एक 'प्रतिष्ठित और अनुभवी लेखक' के रूप में आमन्त्रित किया। मैं गया नहीं। पर उत्तर में मैंने उन्हें भारत भवन में कविता-पाठ करने का निमन्त्रण भेजा और यह भी सुझाया कि वे वहाँ के अभिलेख संग्रह के लिए एक या डेढ़ घण्टे का अपना कविता-पाठ रेकार्ड कराएँ। एक अनुरोध वीडियो रेकार्डिंग के लिए भी था। अज्ञेय लगभग एक महीने के लिए यूरोप जा रहे थे, पर उन्होंने विस्तार से उत्तर दिया और तीनों अनुरोध मान लिये और उनके बारे में अपने सुझाव भी लिखे। वे श्रोताओं के समक्ष कविता पाठ बिना किसी रेकार्डिंग की व्यवस्था के करना चाहते थे और रेकार्डिंग के लिए अकेले ही पाठ करना। पुनश्च में यह जोड़ा कि 'मानदेय आपने बहुत कम रखा है—पर उसके बारे में बहस नहीं करूँगा।'

इस बर्फ गलने के पीछे इला जी से इस बीच हुई लम्बी बातचीत की भूमिका थी। वे काफी समय से उत्सुक थीं कि अज्ञेय और मेरे बीच कोई सम्बन्ध फिर से बने। हो सकता है कि इसके पीछे उनकी अपनी इच्छा के साथ-साथ स्वयं अज्ञेय की भी इसके लिए अनुकूलता का कोई संकेत रहा हो। उस बातचीत में मैंने अपनी बौद्धिक और वैचारिक स्वतन्त्रता के प्रति अज्ञेय की प्रतिक्रिया से अपनी निराशा जताई, जबकि व्यक्ति की स्वतन्त्रता का पाठ एक तरह से हममें से कइयों ने अज्ञेय की पाठशाला में ही सीखा था।

मैंने लक्ष्य किया कि इला जी के हिन्दी साहित्य-दृश्य से परिचित होने के बावजूद उसमें सक्रिय शक्ति-सन्तुलन का उन्हें अनुमान नहीं था। उन्हें अज्ञेय के विरुद्ध एक तरह के संगठित और असंगठित विरोध का पता था, लेकिन उनकी चिन्ता मुख्यतः अज्ञेय को व्यर्थ की उलझनों और सम्बन्ध-विकृतियों से बचाने की थी। अज्ञेय की लगातार बेरुखी और प्रतिकूलता को लेकर मेरे मन में जो हताशा थी, उसे मैंने उस बातचीत में पूरी अभिव्यक्ति दी। शायद मैंने यह भी कहा कि अज्ञेय के चेहरे पर, 'मेरे साथ न्याय नहीं हुआ' का जो स्थायीभाव रहता है, वह निराधार है और हिन्दी समाज उन्हें अपने सर्वश्रेष्ठ अलंकरण दे चुका, अब उसे और क्या करना चाहिए? आज मैं सोचता हूँ तो लगता है कि अन्ततः अज्ञेय के साथ सचमुच हिन्दी लेखक-समाज ने न्याय नहीं किया और कम-से-कम उनके जीवनकाल में उनके कृतित्व का जैसा गम्भीर विश्लेषण हमारे मूर्धन्य आलोचकों आदि को करना चाहिए था, वह नहीं हुआ। बरसों तक एकाध-दो साहित्यिक आन्दोलन अपनी मूल्यदृष्टियों की प्रतिष्ठा के साथ-साथ अज्ञेय को साहित्य में हाशिए पर ढकेलने का, अब लगता है विफल ही, प्रयत्न करते रहे। बहरहाल, इला जी ने वायदा किया कि वे जल्दी ही अज्ञेय को किसी आयोजन में शिरकत करने के लिए राजी कर लेंगी।

उधर प्रगतिशीलों-जनवादियों का मुझसे और भारत भवन, *पूर्वग्रह* आदि से मोहभंग शुरू हो गया, जिसने जल्दी ही हम सबके विरुद्ध एक अथक और लम्बे अभियान का रूप ले लिया। मुझे और हमारे सारे आयोजनों को मूलतः कलावादी कहा जा रहा था और साहित्य और कलाओं की स्वायत्तता की हमारी हिमायत को समाज-विरोधी प्रतिक्रियावादी वाग्विलास। लेखक संघों ने हमारे विरुद्ध हमारे आयोजनों में सहयोग का निषेध करते हुए प्रस्ताव पारित करना शुरू कर दिया। उनकी खचियाभर पत्रिकाओं में लगातार हम पर प्रहार होना शुरू हुआ। *पूर्वग्रह* ने यह नीति अपने लिए निर्धारित की थी कि हम इस तरह के विवादों का कोई नोटिस नहीं लेंगे और अपना काम किए जाएँगे। कहा यह भी जाने लगा कि हम व्यक्ति-केन्द्रित मूल्यों का संवर्द्धन-पोषण कर रहे हैं जिनके हिन्दी में आदि-प्रस्तोता अज्ञेय हैं। बल्कि एक वरिष्ठ आलोचक ने बाद में यह तक कहा कि 'भारत भवन, *पूर्वग्रह, वागर्थ* जिन विचारों और मूल्यों के लिए प्रयत्न कर रहा है उनसे हम 50 और 60 के दशक में संघर्ष कर चुके हैं। उन मरे हुए मूल्यों को नये सिरे से जिलाने की कोशिश हो रही है।' विडम्बना यह थी कि हम पर अज्ञेय की मूल्यदृष्टि का विलम्बित और अधिक चालाक संस्करण होने का आरोप लगता रहा जबकि अज्ञेय हमसे मुँह फेरे बैठे थे। दूसरी ओर बावजूद संघों के प्रस्तावों और सेंसर के, प्रमुख प्रगतिशील लेखक हमारे साथ सहयोग करते रहे। अज्ञेय के साथ हमारी स्थिति नाजुक बनी हुई थी।

वत्सल निधि के वृन्दावन आदि में शिविर और 'जय जानकी-जीवन यात्रा' जैसे आयोजन दुर्भाग्य से उस दौरान हो रहे थे, जब विशेषतः हिन्दी समाज में साम्प्रदायिक शक्तियाँ प्रबल हो रही थीं और एक तरह की फूहड़ लेकिन व्यापक, छद्म पर उग्र धार्मिकता का प्रभाव तेजी से फैल रहा था। उधर अज्ञेय अपनी आधुनिकता की यात्रा में उस मुकाम पर पहुँच चुके थे, जहाँ उन्हें अपनी जातीय परम्परा से जुड़ाव और उसका पुनराविष्कार जरूरी लग रहा था। किसी तरह की साम्प्रदायिकता से उनका कोई सम्बन्ध या रुझान कभी नहीं था और न ही उनकी मूल्यदृष्टि के रहते हो सकता था। लेकिन इन दोनों प्रवृत्तियों के लगभग एक साथ उभरने के कारण उनमें सम्बन्ध खोजना-बताना आसान था। अपनी सारी गम्भीरता और दायित्व-बोध के बावजूद वत्सल निधि के आयोजन इस तरह से गलत समझे जाने लगे और उनकी किंचित् गोपनीयता से प्रवाद और गहराने लगा। इसका भी नुकसान अज्ञेय को हुआ।

उधर प्रगतिशीलों और जनवादियों ने अज्ञेय की जीवन और कला सम्बन्धी दृष्टि को समाजविरोधी, व्यक्तिकेन्द्रित और प्रतिक्रियावादी बताकर – अक्सर बिना किसी ठोस विश्लेषण के पर 'पोलेमिकली' – उन्हें अपने शत्रु नम्बर एक

(के स्थान) पर प्रतिष्ठित कर दिया। यह भी कहा जाने लगा कि अज्ञेय के वर्चस्व के कारण ही सच्चे जनधर्मी लेखक जैसे नागार्जुन, त्रिलोचन आदि पीछे धकेल दिए गये थे, जबकि वे पहली पंक्ति के लेखक हैं। इसका एक नतीजा यह हुआ कि ऐसे सैकड़ों प्रतिबद्ध युवा लेखक दृश्य पर आ गये, जिनमें से अधिकांश ने अज्ञेय का कुछ खास पढ़ा नहीं था, पर जो उन्हें अप्रासंगिक मानने लगे थे। यह एक बड़े लेखक का पुराना पड़ना नहीं था जो कि नयी युवा संवेदना के सन्दर्भ में स्वाभाविक रूप से होता ही है। यह एक बड़े लेखक को, बिना किसी पड़ताल के, हाशिए पर फेंका जाना था। पढ़कर नहीं, बिना पढ़े अज्ञेय को खारिज करने का हिन्दी में रिवाज ही बन गया।

जनवरी 1987 में भारत भवन ने पहली आलोचना-त्रैवार्षिकी *समवाय* आयोजित की जिसे लेकर खासा विवाद और विचारोत्तेजना दोनों ही हुए। दो-दो लेखक-संघों ने अपने सदस्यों को उसमें भाग लेने से रोका, हालाँकि उनमें से कई शामिल हुए जैसे कि कई ऐन वक्त पर अपनी पूर्वस्वीकृति के बाद नहीं आये। तीन दिनों के इस आयोजन का उद्‌घाटन अज्ञेय ने किया। वे भारत भवन के किसी आयोजन में विधिवत् पहली बार आ रहे थे। यह बात हम लोगों के लिए तो विशेष महत्त्व की थी, बाकी लोग भी उसका चौकन्ने होकर नोटिस ले रहे थे। शायद बरसों बाद वे किसी ऐसे आयोजन में होने जा रहे थे जिसमें उनके अनेक अथक आलोचक भी शामिल हो रहे थे। जब वे आये तो हमेशा की तरह शान्त और धीर थे। कई लोग उनसे जाकर मिले और उन्होंने उनमें से कई का मुस्कुरा कर अभिवादन स्वीकार किया। अपने उद्‌घाटन-वक्तव्य में अज्ञेय ने कहा कि 'जानता हूँ कि हिन्दी जगत का एक बड़ा भाग ऐसा है जो मुझे कवि नहीं मानता।' फिर जोड़ा कि 'एक तरह की प्रासंगिकता मुझे इसी बात से मिली है कि तीस वर्ष तक लोग इस बात पर जोर देना आवश्यक मानते रहे हैं कि मैं प्रासंगिक नहीं हूँ।' अपने वक्तव्य के अन्त में उन्होंने कहाः '...अशोक जी ने पहले भी मुझे यहाँ बुलाने का प्रयत्न किया है। अगर नहीं आया तो इसमें उनका दोष नहीं है, मेरा ही दोष अधिक रहा है। इस बार उन्हें सफलता मिली है तो उसका भी सारा पुण्य उनका नहीं है थोड़ा पुण्य मुझे भी मिलना चाहिए, ऐसा मैं मानता हूँ।' जाहिर था कि अज्ञेय भारत भवन और मेरे किसी आयोजन में बरसों बाद यों ही नहीं आ गये थेः उसमें उनकी ओर से भी कोशिश किए जाने का उन्हें जो साफ अहसास था, उसे दूसरों तक भी वे जरूर पहुँचाना चाहते थे।

अज्ञेय आयु में तब तक पचहत्तर से ऊपर हो चुके थे। उनके स्वर में जो निजी दुख ध्वनित था वह *समवाय* में एकत्र आलोचकों द्वारा अलक्षित नहीं जा

सकता था और न ही गया। नामवर सिंह ने उद्घाटन गोष्ठी समाप्त होने के बाद कहा कि अज्ञेय हमारे बड़े लेखक हैं और उनका इस तरह कहना बड़ा मर्मस्पर्शी है। थोड़े दिन बाद, हमेशा की तरह, उनका यह मर्म स्पर्शातीत होकर उन्हें अज्ञेय पर एक फूहड़ हमले की ओर ले गया, यह और बात है।

अज्ञेय को इस बात का भी अहसास था कि ये उनके अन्तिम दिन हैं। अपने ऊपर बताए वक्तव्य में ही उन्होंने कहाः 'एक बात मेरे मन में यह भी है कि मुझे इस तरह के अवसर और बहुत अधिक मिलने वाले नहीं हैं और शायद एक बार जोर देकर मुझे यह बात कहनी चाहिए कि...', फिर यह कहा कि 'अशोक जी ने कहा था कि आलोचना तो है, लेकिन आलोचक नहीं हैं। मैं तो अनुभव करता हूँ कि आलोचना भी है, आलोचक भी हैं, लेकिन आलोक कहीं है तो उसको ओट कर देने वाले बहुत ज्यादा लोग हैं।'

अपने अप्रासंगिक हो जाने की बात उन्होंने *समवाय* की अन्तिम गोष्ठी में अपने एक हस्तक्षेप में फिर दुहराई और कहाः 'मैं अप्रासंगिक भी हो गया हूँ तो उस लिखे में शायद कुछ बचा हो जो प्रासंगिक हो – और एक बार फिर उन बातों की ओर आपका ध्यान दिलाना चाहता हूँ कि अगर आपको सुविधा हो तो आप उसको पढ़ें भी। चाहें तो पढ़ने से पहले हमेशा ही लेखक का नाम काट दिया करें और फिर पढ़ लिया करें।'

समवाय के पहले ही दिन शाम को हमारे घर भोजन पर अज्ञेय के अलावा कई लेखक-मित्र एकत्र हुए जिनमें नामवर सिंह और निर्मल वर्मा भी थे। खासे आत्मीय और खुले माहौल में काफी देर गपशप और रसरंजन हुआ। भोजन के अलावा बाद में निर्मल जी ने बताया, अज्ञेय कह रहे थे कि मैं नहीं समझता कि अशोक वाजपेयी नामवर सिंह के प्रभाव में हो सकते हैं। जाहिर है उन्हें यह समझाया गया था या कि उनकी ऐसी समझ बनी थी कि मैं ऐसे प्रभाव में हूँ। मुझे इस बात का अहसास तो था कि ऐसे लोग हैं जो मानते हैं कि मैं जो कुछ करता हूँ उसमें नामवर जी की मुख्य सलाह होती है। जाहिर है कि स्वयं अज्ञेय को भी यह भ्रम था और उनकी दूरी का एक कारण यह रहा होगा। स्थिति का व्यंग्य यह है कि थोड़े ही दिनों बाद उन्हीं नामवर सिंह ने अज्ञेय के निधन के बाद एक इंटरव्यू में कहाः 'अपनी मृत्यु के कुछ दिन पहले उन्होंने (अज्ञेय ने) भोपाल के भारत भवन के साथ, जहाँ वे पहले आमन्त्रित नहीं किए गये थे, एक गठबन्धन किया। जब उन्हें महसूस हुआ कि अशोक वाजपेयी और प्रगतिशीलों के बीच सम्बन्ध विच्छेद हो गया है, वे सामने आये। उनके गहरे साम्यवाद विरोध ने उनकी सारी गतिविधियों को नियमित किया। यही कारण है कि उन्होंने प्रतिक्रियावाद की एक और शक्ति भारत भवन के साथ हाथ मिलाया, जिसने प्रेमचन्द शताब्दी के दौरान प्रेमचन्द की

पूरी तरह से उपेक्षा की थी।'

जब मेहमान उस रात चले गये तो बिस्तर पर पड़ा मैं सोचता रहाः क्या अज्ञेय की नियति में, बिना पढ़े अप्रासंगिक मान लिये जाने में हम कई लोगों की भी नियति का पूर्वाभास नहीं है? क्या एक क्रूर अन्त हम सब की भी प्रतीक्षा नहीं कर रहा है? एक ऐसे समाज में, जो इतने बड़े लेखकों को उसकी कृतियों के पढ़े-समझे जाने की बुनियादी सुविधा न दे, लिखते रहना किसी हद तक साहस और क्या किसी हद तक ट्रैजिक लाचारी का मामला नहीं है? अज्ञेय को सब अलंकरण मिल चुके थे – फिर भी वे अकेले थे, अपने हजारों शब्दों और इतनी सारी रचनाओं के साथ। लेकिन मेरे मन में एक तरह का आध्यात्मिक-सा तोष था कि उन्हें हम उनके उचित सम्मान के साथ इस आयोजन में ला पाये थे। यह भी कि उन्हें लगा कि उनकी बातों का अभी भी सब पर गहरा प्रभाव पड़ता है। मुझे उम्मीद यह भी थी कि वे देख पाएँगे कि अपनी तथाकथित अप्रासंगिकता के बावजूद साहित्य में उनकी केन्द्रीयता और उनके प्रति, भले कुछ दूरी बरतता हुआ, आदर बरकरार है।

अगले ही महीने एशियाई कविता समारोह में भाग लेने अज्ञेय ढाका गये।

वहाँ से लौटकर उन्होंने मुझे लिखाः

'...अनौपचारिक रूप से मेरे पास यह प्रस्ताव रखा गया कि यदि आँतरे वर्ष ऐसा काव्य समारोह भारत में हुआ करे तो बहुत अच्छा हो, मुझसे अनुरोध किया गया कि उनका यह प्रस्ताव मैं प्रधानमन्त्री तक पहुँचा दूँ। यह काम करने का जिम्मा तो मैंने नहीं लिया, लेकिन ढाका कविता केन्द्र के निदेशक डॉ. अली आहसान को भारत भवन के आयोजनों का परिचय देते हुए यह आश्वासन दे दिया कि प्रस्ताव मैं आप तक पहुँचा दूँगा – आप कविता की त्रैवाषिकी का आयोजन कर ही रहे हैं तो अगर उसे द्विवार्षिकी का रूप दिया जा सके तो उसी का एक अधिवेशन एशियाई रूप भी ले सकेगा।...

रचनात्मक साहित्य के साथ सरकारी नियोजन के सम्बन्धों के बारे में मेरे विचार आप जानते ही हैं। लेकिन यह भी स्पष्ट है कि अन्तरराष्ट्रीय संचार की व्यवस्थाएँ बिना सरकारी अनुमोदन और सहयोग के नहीं हो सकतीं। भारत भवन जैसा संस्थान इस तरह के आयोजनों को हाथ में ले सके तो वह सरकारी और अन्तरराष्ट्रीय सहयोग भी आसानी से पा सकता है और ऐसे आयोजनों के सम्भाव्य जोखिमों से बचे रहने की व्यवस्था भी कर सकता है।...'

एशियाई कविता समारोह करने की बात पहले से मन में थी। मैंने फौरन उत्तर देकर अपनी सहमति डॉ. आहसान तक पहुँचाने के लिए अज्ञेय को लिखा। यह समारोह हुआ भी 1988 में, पर तब तक अज्ञेय दिवंगत हो चुके थे। हमने

उन्हें आयोजन के आरम्भ में कृतज्ञतापूर्वक याद किया।

मार्च 1987 के अन्तिम सप्ताह में भारत में पहली 'कवि भारती' हुई, जिसमें अज्ञेय के साथ-साथ मराठी कवि विन्दा करन्दीकर, उर्दू कवि अख़्तर उल ईमान, बांग्ला कवि सुभाष मुखोपाध्याय आदि बुजुर्गों को मिलाकर देश की प्रायः सभी भाषाओं के लगभग पचास कवि एकत्र हुए। इसी अवसर पर मध्य प्रदेश शासन द्वारा भारतीय कविता के लिए स्थापित पहला कबीर सम्मान कन्नड़ कवि गोपालकृष्ण अडिग को अज्ञेय के हाथों कवि की अनुपस्थिति में दिया गया।

ऐसे अनेक कवि थे जिन्होंने उस रोज अज्ञेय को पहली बार देखा था। ऐसे भी बहुत थे जो पहली बार उनसे मिलकर कुछ बात कर पा रहे थे। वे एक भव्य आकर्षण बने हुए थे। कई बार वे बूढ़े और थके हुए-से लगते थे, पर उनमें कुछ अप्रत्याशित-सा चाव था, मानो वे जानबूझकर अपना इस तरह सुलभ्य हो जाना पसन्द कर रहे हों। अपने वक्तव्य में उन्होंने भारत भवन में एक एशियाई कविता केन्द्र विकसित करने का सुझाव भी दिया। उनका कविता-पाठ खुले में शाम को एक वृक्ष के नीचे होना प्रस्तावित था। जब सुभाष मुखोपाध्याय उसी स्थान पर पिछली शाम कविताएँ सुना रहे थे और अज्ञेय बिलकुल पीछे की पंक्ति में बैठे सुन रहे थे, मुझे उनका एक छोटा-सा पत्र मिलाः 'यदि बहुत अधिक कठिनाई के बिना यह परिवर्तन सम्भव हो तो मुझे कल सबेरे वाले सत्र में वाचन करने के लिए रख दें – रात की इस रोशनी में पढ़ना मेरे लिए कष्टकर होगा। यदि ऐसा करें तो आज ही इसकी घोषणा भी कर दें जिससे जो सुनने आना चाहें वे उसी के अनुसार आवें। कठिन हो तो रहने दें।' चूँकि कोई कठिनाई नहीं थी, यह परिवर्तन घोषित कर दिया। अगली सुबह भारत भवन की अन्तरंग रंगशाला में श्रोताओं की खचाखच भीड़ में अज्ञेय ने अपनी कविताएँ सुनाईं। वहाँ समवेत कवि-रसिक समाज पर उनकी कविताओं और वाचन का बहुत अच्छा प्रभाव पड़ा।

'कवि भारती' तो 29 मार्च को समाप्त हो गयी, पर अज्ञेय भोपाल में रंगश्री की सामान्य सभा की बैठक के लिए रुके रहे, जो अगले दिन हुई। शाम को रवीन्द्र भवन के खुले लॉन पर लिटिल बैले ट्रूप का एक अनौपचारिक प्रदर्शन भी हुआ, जिसमें अज्ञेय देर तक बैठे रहे। उसी दौरान उन्होंने मुझसे कहा कि वे चाहते हैं मैं वत्सल निधि का एक न्यासी बन जाऊँ। मैंने सहर्ष हामी भर दी। शाह साहब और मैं उन्हें छोड़ने स्टेशन गये। गाड़ी आने में देर थी सो हमने प्लेटफॉर्म पर चहलकदमी की। एक संयुक्त उपन्यास कई लेखकों के मिलकर लिखने पर कुछ बात हुई। अज्ञेय को, थोड़ी ही देर बाद गाड़ी आ जाने पर, जो कि आधी रात के बाद ही आयी थी, हमने विदा दी। हममें से कोई नहीं जानता था कि यह हम सब की

आखिरी मुलाकात होने जा रही है। विदा लेते समय उन्होंने आग्रह किया कि अगली बार जब दिल्ली आऊँ तो उनसे जरूर मिलूँ।

अगली चार अप्रैल को, यानी कुल पाँच दिनों बाद, मैं एक सांस्कृतिक केन्द्र की बैठक में भाग लेने गया हुआ था। राजभवन में बैठक से लौटा तो पता चला कि *नवभारत टाइम्स* से मेरे लिए कई बार सरकिट हाउस में फोन आ चुका है। खबर लगी कि अज्ञेय का देहावसान हो गया। मुझे अगले दिन भोपाल लौटना था। मैंने अपना टिकट बदलवाया और अगले दिन दिल्ली भागा। हवाई अड्डे से सीधे कैवेंटर लेन की तरफ गया तो उनकी शवयात्रा घर से अभी निकली ही थी। मैं भी उसमें शामिल हो गया। भारत के एक शीर्षस्थानीय लेखक की इस अन्तिम यात्रा में थोड़े ही लोग थे। निगम बोध घाट पर अलबत्ता बहुत बड़ी संख्या में लेखक जमा थे। भारत सरकार की ओर से एक फूलमाला लेकर आने की किसी को याद या फुरसत नहीं थी। मानो सरकार की नीयत पर जिन्दगी भर शक करने वाले लेखक की मृत्यु पर अपनी बेरुखी से सरकार उस शक को सत्यापित कर रही हो। कई शहरों से लेखक, जिन्हें खबर और गाड़ी मिल गयी थी, आये थे।

जल्दी ही चिता की लपटें ऊपर उठने लगीं। पास ही खड़ी इला 'अकेली न जैयो राधे जमुना के तीर' शीर्षक अज्ञेय की एक कविता की पंक्तियाँ बुदबुदा रही थीं मानो कि वह प्रार्थना हो। मैं सोच रहा था कि भारत भवन का आयोजन उनका अन्तिम सार्वजनिक आयोजन सिद्ध हुआ। शायद उनका वह पत्र भी उनका अन्तिम पत्र ही हो। राग-विराग के तीस वर्ष मेरे अन्दर जैसे धीरे-धीरे खाक हो रहे थे। कुछ था जो मेरे भीतर भी जलकर भस्म हो रहा था। भरी दोपहर में मैं सूर्यास्त देख रहा था। *आँगन के पार द्वार* और *द्वार के पार आँगन...* उस आँगन के भी पार अज्ञेय जा चुके थे। हममें से कई उनकी देह को भस्मावशिष्ट होते देखते हुए मन ही मन पा-लागन कर रहे थे।

35

पेड़ों में लोग

|| गिरिराज किशोर

वात्स्यायन जी अपने विरुद्ध खड़ी भ्रान्तियों का जीवन-भर सामना करते रहे। अब उनके बाद उनमें से कितनी रहेंगी और कितनी तिरोहित हो जाएँगी, यह तो वक्त ही बताएगा। यह भी कौन कह सकता है उन सब भ्रान्तियों और विरोधों की पृष्ठभूमि में उनका अपना बहुआयामी व्यक्तित्व था, या अनेक लोगों का सीमित सोच। हो सकता है कुछ भी न हो। फिर क्या था? उनका आभिजात्य या उनके व्यक्तित्व की भव्यता? बकौल राजेन्द्र यादव, रवीन्द्रनाथ ठाकुर के बाद अज्ञेय भारतीय साहित्य के दूसरे बड़े व्यक्तित्व थे। लोग शायद इस बात को उनके व्यक्तित्व की भव्यता से भी जोड़ें। लेकिन भव्यता को छोड़ भी दें तो वे चिन्तक, विचारक, कथाकार, उपन्यासकार, कवि, चितेरे, कलाविद्, भाषाविद्, डिजाइनर सब कुछ थे। इतने बहुआयामी सम्भावनाओं वाले व्यक्तित्व कई बार प्रतिस्पर्धा के पात्र हो जाते हैं, पर ईर्ष्या के नहीं। पर कभी-कभी उन भ्रान्तियों में ईर्ष्या के अक्स भी तैरते नजर आते थे। उन्होंने यह जग छोड़ा तब भी उनमें ये सब सम्भावनाएँ यथावत थीं। निरन्तर जीवित। नामवर जी ने यह तो ठीक कहा है कि उन्होंने पूरी उम्र पायी। पर काम अभी अधूरा था। सवाल उठ सका है कि इतना कर चुकने के बाद अभी और क्या करना शेष था? यह बात साहित्यकार के बारे में नहीं पूछी जाती। क्योंकि वह कब क्या कर गुजरे यह कोई नहीं जानता। साहित्य इसीलिए बड़ा है। सम्भावनाएँ वहाँ कभी अशेष नहीं होतीं। न रचनाकार की और न रचना की। इस बात को शायद गुंजाइश से ही समझा जा सकता है। बिना गुंजाइश के नहीं।

अज्ञेय जी एक उपन्यास लिख रहे थे। शायद *छायामेखल*। *मरुथल* काव्य शृंखला तो लिख ही रहे थे। उपन्यास के अंश पत्र-पत्रिकाओं में छपते भी रहे। लेकिन उस उपन्यास का जिक्र वे कम करते थे। मैंने एक बार उनसे पूछा कि आपने इतना समृद्ध कथा साहित्य लिखने के बाद उधर से मुँह क्यों मोड़ लिया। वे मुस्कुराकर चुप हो गये थे। थोड़ी देर बाद बोले, "गिरिराज जी, यह मुँह मोड़ना

नहीं...बस लिखता नहीं...लिख भी सकता हूँ।" कुछ दिन बाद उन्होंने उस उपन्यास का जिक्र किया। एक बार शायद वह प्रकाशक तक जाकर लौट भी आया था। वे उससे सन्तुष्ट नहीं थे। दरअसल, अज्ञेय स्वभाव से 'परफेक्शनिस्ट' थे। ऐसा होना कुछ लोगों को आभिजात्य लगता था। अभी पिछले दिनों जब भारत के वैज्ञानिकों ने हरिकोटा से एक अन्तरिक्ष-यान छोड़ा था, जिसकी यात्रा आकाश से सागर में गिरकर समाप्त हुई, तो एक भौतिक-विज्ञानशास्त्री ने मेरे पूछने पर बड़े दुख के साथ कहा– हमारे देश का दुर्भाग्य यही है कि हम 'परफेक्शनिस्ट' नहीं हैं। कितना भी महत्त्वपूर्ण काम क्यों न हो, फूहड़पन के साथ करते हैं। आप लोग जैसे अर्थ और शब्द के बीच चूल बैठाए बिना रचना नहीं कर सकते और करें तो पिट जाएँ। इसी तरह विज्ञान का क्षेत्र होता है। जब तक हम छोटे-से-छोटे नट-बोल्ट का स्थान और महत्त्व नहीं समझेंगे, तब तक यही होता रहेगा। वात्स्यायन जी अगर 'परफेक्शनिस्ट' थे, तो इसी दृष्टि से। इस दृष्टि से उनमें पारंगत वैज्ञानिकों वाली निपुणता थी। इसीलिए उनकी कोई भी कृति ऐसी नहीं जिसे आप उनके साहित्य से निकाल कर फेंक सकें और न कोई शब्द ऐसा है, जिसे अपनी इच्छा से बदला जा सके।

वात्स्यायन जी शायद सबसे अधिक गलत समझे जाने वाले व्यक्ति रहे। उनका कम बोलना, कम कहना – अपने और दूसरों के सुख-दुख के बारे में न्यूनतम अभिव्यक्ति – ने उनको गलत समझने में सबसे ज्यादा मदद की। यह विडम्बना हर कमजोर इनसान के साथ होती है। वात्स्यायन जी के साथ यह अक्सर होता था कि उनके पास बैठने वाला आदमी यह अनुभव करता था वे कुछ कहें। और जितना वे स्वाभाविक रूप से बोलें, उससे भी कुछ ज्यादा बोलें।

जिन दिनों आई.आई.टी. से मेरा झंझट चल रहा था और जनता सरकार के शिक्षामन्त्री प्रतापचन्द्र चुन्दर भी उस झंझट में एक पार्टी हो गये थे, तो वात्स्यायन जी के हाव-भाव से लगा था वे इस आयाम के जुड़ जाने से खुश नहीं। कुछ कहते तो नहीं थे, परन्तु जब भी मैं उनसे मिलता तो लगता था कि वे एक अजीब-सी असुविधा का सामना कर रहे हैं। यद्यपि मैंने कभी उनको धर्म संकट में नहीं डाला। वे पूछते जरूर थे, क्या हो रहा है। मैं जब उन्हें बताने लगता तो चुप हो जाते थे। अन्त तक चुप ही बने रहते थे। यह स्वाभाविक है कि हर आदमी अपनी परेशानी में किसी-न-किसी रूप में दूसरों की हिस्सेदारी चाहता है। इला जी ज्यादा रुचि लेती थीं। पूछती और कहती भी थीं।

नन्दन भी उन दिनों मेरे मामले को लेकर वात्स्यायन जी के सम्पर्क में रहते थे। एक दिन नन्दन जी के पास वात्स्यायन जी का फोन पहुँचा, आप कितनी जल्दी आ सकते हैं। नन्दन अविलम्ब पहुँच गये। वात्स्यायन जी ने जाकर

प्रतापचन्द्र चुन्दर से कहा कि आई.आई.टी. कानपुर के रजिस्ट्रार गिरिराज किशोर एक लेखक हैं। उन्हें परेशान किया जा रहा है, आप कुछ कीजिए। चुन्दर उनसे बदले हुए अन्दाज में बोले कि लेखक होकर भी वे आई.आई.टी. में राजनीति कर रहे हैं।

वात्स्यायन जी तुरन्त बोले— लेखक तो आप भी हैं। आप भी राजनीति के बल पर ही यहाँ पहुँचे हैं। वात्स्यायन जी चुन्दर साहब को अपने ढंग से जो कह सकते थे कहा और चले आये। यह बात वात्स्यायन जी ने मुझे कभी नहीं बताई।

उन दिनों वे *नवभारत टाइम्स* के सम्पादक थे। उसमें भी उन्होंने इस मामले को काफी महत्त्व दिलाया। *टाइम्स आफ इंडिया* ने भी छापा। यह मेरे लिए आश्चर्य की बात थी कि इतनी खामोश मुद्रा बनाये रखने के बावजूद वे मेरे संघर्ष में इतना ज्यादा शरीक थे। शायद यह उनका तरीका था। खामोश रहकर भी गहराई से जुड़ना।

यही बात मैंने अपने मित्र शानी के सन्दर्भ में महसूस की थी। वे शानी को *नवभारत टाइम्स* में ले गये थे। लेकिन जब उन्होंने *नवभारत टाइम्स* छोड़ा तो शानी को भी उससे अलग हो जाना पड़ा। मध्य प्रदेश से वे काफी निराशा की स्थिति में दिल्ली आये थे। *नवभारत टाइम्स* में काम मिलने के बाद जब उन्हें फिर बेरोजगारी का सामना करना पड़ा तो मुझे लगा कि अन्दर ही अन्दर एक भीषण परीक्षा से जूझ रहे हैं।

एक दिन वात्स्यायन जी से कहा कि आप ही उन्हें *नवभारत टाइम्स* में ले गये थे, अब आप ही कुछ कीजिए। वे खामोश बैठे रहे। कभी-कभी जब वे किसी प्रश्न पर व्याकुल होते थे तो उनकी उँगलियाँ आपस में चलने लगती थीं। थोड़ी देर बाद बोले, "मैं उनकी कठिनाई समझ रहा हूँ। देखिए क्या होता है।"

उसके बाद जब भी भेंट होती तो वे इस मसले पर चुप रहे थे। कभी-कभी पूछते जरूर कि शानी जी ठीक हैं। फिर शानी साहित्य अकादेमी में *समकालीन भारतीय साहित्य* के सम्पादक हो गये तो वे एक दिन बोले, "शानी जी को काम मिल गया, अच्छा हुआ। मुझे चिन्ता थी।"

मुझे यह आशा कदापि नहीं थी कि उन्हें मेरी बात इस सीमा तक याद होगी और ऐसा भी नहीं कि वह सब कुछ उन्होंने मात्र कहने के लिए ही कहा। उनके चेहरे पर निश्चिन्तता का भाव भी था।

यात्राओं के दौरान भी मैंने यह अनुभव किया कि वात्स्यायन जी चाहे बोलते और कहते कम हों, परन्तु उनका सरोकार निरन्तर बना रहता है। जो बताने की बातें होती थीं, वे काफी मुखरता के साथ बताते थे। हम लोग जानकी-जीवन यात्रा

पर थे। बिहार के रास्ते से जनकपुरी जाते हुए रास्ते में एक जंगल पड़ा। तरह-तरह के वृक्ष। एक से एक ऊँचे। हमारे आगे-आगे चल रहे थे शंकरदयाल सिंह, 'फील्ड मार्शल'। यह नाम वात्स्यायन जी ने ही उन्हें दिया था। एक जगह गाड़ियाँ रुक गयीं। वहाँ ठण्डे पानी का एक सोता था। सब लोग इधर-उधर टहलने लगे। वात्स्यायन जी जंगल की तरफ चल दिये। प्रभाकर द्विवेदी को भी पेड़ों में रुचि है। वे भी उनके साथ हो लिये। थोड़ी देर में मैं भी पहुँच गया। उन्होंने धीरे-धीरे वृक्षों के बारे में बताना शुरू किया। इस तरह नहीं जैसे अपनी शान बघारी जाती है, बल्कि विचार-विमर्श के स्तर पर। वनस्पति और वृक्षों के बारे में हमारा जानना ही कितना होता है। नीम, पीपल, बबूल, सप्तपर्णी, बरगद, अमलतास, जामुन... दो-चार-दस वृक्ष, बस। उस दिन मुझे पहली बार पता चला कि जंगल के वृक्ष भी मनुष्य की तरह भाँत-भाँत के हैं। जो उन्हें पहचानता है, वही उनके निकट पहुँच सकता है। वरना आप भरे-पूरे जंगल से गुजर जाइए। न आप वृक्ष को पहचानेंगे, न वृक्ष आपको। जंगल से मेरी जो भी थोड़ी-बहुत पहचान हुई, वह वात्स्यायन जी ने ही कराई। वात्स्यायन जी जैसे पेड़ों को लोगों की तरह जानते थे। वृक्षों, वनों, पर्वतों, झरनों और नदियों से उनका कितना अपनापन था, यह उनके पास बैठकर ही पता चलता था।

वात्स्यायन जी का बागवानी का शौक तो जग-विदित है। जब वे कैवेंटर लेन वाले बँगले में आये थे तो वहाँ एक छोटा-मोटा जंगल था। बस उसमें वही एक बँगला था जो उस जंगल के ऊपर तैरता नजर आता था। उस बँगले में वे काफी दिन तक सोच-विचार करने के बाद गये थे। वह भी इला जी की इच्छाशक्ति के चलते। धीरे-धीरे वात्स्यायन जी ने उस बँगले को फूलों से खिलखिलाता एक देदीप्यमान चेहरा बना दिया। हाँ, बड़ा हिस्सा उन्होंने नैसर्गिक जंगल-सा भी रहने दिया। ब्रिटिश ढंग का वह बँगला मुझे हमेशा आकर्षित करता रहा। वात्स्यायन जी के उसमें इतने वर्ष रह लेने के बाद उसे और अधिक गरिमा मिल गयी थी। अपनी उस फुलवारी से उन्होंने मुझे कुछ ग्लाइडोलियस के बल्ब दिये थे। वे हर वर्ष जाड़ों में आज भी खिलते हैं।

36

निर्झर की धार

॥ नन्दकिशोर आचार्य

वात्स्यायन जी से पहले-पहल मैं जोधपुर में मिला था – 1971 में। उससे पहले मैंने अपनी पुस्तक *अज्ञेय की काव्यतितीर्षा* उन्हें भेजी थी – तब वे बर्कले में थे – और कुछ अरसा बाद एक पत्र भी मुझे मिला था, जो आज भी मेरी निधि है। चारों ओर अज्ञेय के कथित अहंवाद और स्वकेन्द्रिकता और असामाजिकता का प्रचार बहुत जबरदस्त था और उसी कारण जब वे जोधपुर आ गये तो भी कुछ दिन मैं इसी ऊहापोह में रहा कि मिलूँ या नहीं। एक तरह का 'अहंवाद' मुझ में भी रहा है और मैं सोचता था कि उनका व्यवहार ठीक नहीं रहा तो शायद फिर मैं जीवन भर उनके प्रति उस सम्मान को अक्षत नहीं रख पाऊँगा जो उनके लिए मेरे मन में था। पर मेरा मन उन पर लगाए गये आरोपों को स्वीकार नहीं कर पाता था – यदि लेखक का साहित्य उसकी मानसिकता का कोई प्रमाण है तो। मेरा मन कहता था कि जो व्यक्ति प्रकृति के सूक्ष्मातिसूक्ष्म स्पन्दन के प्रति इतना संवेदनशील और भावप्रवण है, वह मनोवैज्ञानिक दृष्टि से अहंवादी या 'अपनी ही दुम का पीछा करता हुआ कुत्ता' (यह यशपाल का कथन है) नहीं हो सकता। *नदी के द्वीप* में अज्ञेय ने किसी कवि को उद्धृत किया है: "सरोवर के पानी में झाँककर जो घास और शैवाल देखता है, वह भगवान का मुँह देखता है, और जो अपनी परछाईं देखता है, वह एक मूर्ख का मुँह देखता है।" जो लेखक प्रकृति में अपनी परछाईं की बजाय उसके छोटे-से-छोटे स्पन्दन को अद्‌भुत संवेदनशीलता के साथ ग्रहण और अंकित कर सकता हो, उसे कौन से मनोविज्ञान के आधार पर अहंवादी मानूँ? उन आँखों के मनोविज्ञान के आधार पर ही तो न, जो हर जगह अपना मुँह देखने के अलावा कुछ नहीं देख पातीं!

पहली ही मुलाकात ने मेरे मन के तर्क को अनुभव की प्रामाणिकता दे दी। मेरी पुस्तक पढ़कर वात्स्यायन जी ने अनुमान लगाया था कि मैं लगभग चालीस वर्ष का हूँगा। जोधपुर में जब मैं उनसे मिला और अपना परिचय दिया तो वे कुछ क्षण मुझे सस्मित देखते रहे। मैं उस समय पच्चीस वर्ष का दुबला-पतला लड़का

था। कुछ समय बाद उन्होंने मुझे बताया कि अपने अनुमान के गलत होने पर सुखद आश्चर्य उन्हें हुआ था। उनकी उस स्मिति में से फूटते स्नेह निर्झर की धार को मैंने उसी क्षण महसूस किया और मैं 'भीगा' तो भीगता ही चला गया। उस मुलाकात से लेकर अब तक उनके साथ रहने की बहुत-सी स्मृतियाँ हैं। वे कई बार मेरे बुलाने पर बीकानेर आये, *एवरीमेंस* और *नया प्रतीक* में मैं उनका सहयोगी रहा और लगभग एक वर्ष तक उन्हीं के घर रहा। तब वे वसन्त विहार में रहते थे। उसके बाद भी प्रतिवर्ष अपनी छुट्टियाँ मैं उन्हीं के साथ बिताता था – चाहे पहाड़ पर, चाहे दिल्ली में। अनेक यात्राएँ उनके साथ कीं। देहावसान से कुछ पहले उनके साथ चिरगाँव और ओरछा की यात्रा का सुयोग बनते-बनते रह गया; नवीन सागर के अस्वस्थ हो जाने के कारण हम दोनों को भोपाल से सीधे दिल्ली लौटना पड़ा। इस लम्बे सम्बन्ध में उनका और इला जी का भी जो स्नेह और विश्वास मुझे मिला है, उसकी सार्वजनिक चर्चा नहीं करना चाहता। उनकी लेखकीय प्रतिभा को समझने के लिए शायद इस साथ की कोई जरूरत न भी होती, पर एक व्यक्ति के रूप में जो खूबियाँ मुझ पर उजागर हुईं, वे न होतीं और मैंने जो कुछ उनसे सीखा, वह भी नहीं सीख पाता – यदि वह साथ, स्नेह और विश्वास मुझे न मिला होता।

वात्स्यायन जी के गहरे मौन और व्यक्तित्व के आभिजात्य की हिन्दी संसार में बहुत चर्चा रही है। मैं भी कई बार इस मौन का साक्षी रहा हूँ – यद्यपि मेरे साथ उनकी काफी बातचीत होती थी, लगभग हर विषय पर। लेकिन मैंने कभी भी उस मौन को बोझिल नहीं पाया। कई बार उनके साथ मौन बैठा रहा हूँ और उन क्षणों में प्रत्येक वस्तु की ओर बहती हुई एक अन्तःसलिल धारा की तरलता मैंने महसूस की है। वह मौन कुछ-कुछ जैन साधकों का-सा था जो शब्दों के बिना ही सृष्टि के मर्म को आप तक अभिव्यक्त कर देता है, अगर आप भी उसे ग्रहण करने के लिए तत्पर हों।

आभिजात्य भी उनके व्यक्तित्व में था – लेकिन वह कुल और पद-प्रतिष्ठा का आभिजात्य नहीं था। मनुष्य मात्र की समानता और स्वतन्त्रता में वात्स्यायन जी का गहराई से विश्वास था – वह गहराई जहाँ विश्वास संस्कार में रूपान्तरित हो जाते हैं। उनका आभिजात्य मनुष्य होने की गरिमा के इस बोध से प्रसूत था कि अपने को अपने आचरण में मनुष्य बनाये रखना भी अन्ततः अब हमारी अपनी ही जिम्मेदारी है। आज के मानव-विरोधी परिवेश में हम मनुष्य की दीन-हीन छवि के इतने अभ्यस्त हो चुके हैं कि इस परिवेश से अनातंकित और सहज आत्मविश्वास से खड़ा व्यक्ति हमें आभिजात्य का प्रतीक लगने लगता है। इस 'आभिजात्य' के कारण ही वात्स्यायन जी हमारी तकलीफों-पीड़ाओं पर रोने-बिलखने में हमारा साथ देने के बजाय उन्हें एक समस्या की तरह रखकर विचार की प्रेरणा

देते और उसके समाधान की दिशा का अपनी ओर से संकेत भी करते। मैंने जब भी अपनी कठिनाइयों की चर्चा उनसे की, उन्होंने कभी सीधे कुछ नहीं कहा, बल्कि अपने व्यवहार से मुझमें उठ रहे बेचारगी के भाव को आत्मविश्वास में बदल लिया। शायद ही हिन्दी के किसी और लेखक ने दूसरों – और खासकर लेखकों के लिए – इतना किया हो जितना वात्स्यायन जी ने किया है। लेकिन मैंने कभी उनसे उस सबकी चर्चा नहीं सुनी – बल्कि कभी वैसा कोई प्रसंग किसी और की वजह से उठ भी खड़ा होता हो वात्स्यायन जी बिना किसी को महसूस कराए चुपके-से विषयान्तर कर देते थे।

उनके जिस गुण ने मुझे सर्वाधिक प्रभावित किया, वह था उनकी ऋजुता और निश्छलता। बच्चों की-सी अबोध निश्छलता नहीं, अनुभव की भट्ठी में पकी हुई दुःसाध्य निश्छलता, जो हमें उच्च कोटि के विचारकों-कलाकारों में दिखाई देती है। और कभी-कभी गाँधी जी जैसे राजनीति कर्मियों में भी। उनका व्यवहार कभी किसी को किसी भ्रान्ति में नहीं रखता था। अपने मन्तव्य की विनम्र, किन्तु स्पष्ट और दृढ़, अभिव्यक्ति ही उनकी वह ताकत थी जो उनके बड़े-बड़े विरोधियों के इरादों को ध्वस्त कर देती थी। कपटपूर्ण व्यक्तित्व इसी कारण उनकी उपस्थिति में अनाश्वस्त महसूस करते थे और लल्लो-चप्पो करने लगते थे क्योंकि वात्स्यायन जी की मर्म-भेदी निश्छलता उनके कपट को बेधकर उन्हें अपने ही सम्मुख निरावृत्त कर देती थी। अपने इस निरावृत्त होने के बोध को वे वात्स्यायन जी की उपस्थिति में इस लल्लो-चप्पो से ढाँपने की कोशिश करते थे। वात्स्यायन जी के साहित्य और व्यक्तित्व का बहुत निम्न स्तर पर जाकर विरोध करने वालों को मैंने उनकी उपस्थिति में गद्‌गद भाव से प्रशंसा करते देखा है। यह कोई शिष्टाचार का तकाजा भी नहीं होता था, क्योंकि किसी की उपस्थिति में उसकी तारीफ के पुल बाँधना किसी शिष्टाचार की मर्यादा में भी नहीं आता। यह या तो आत्महीनता है या खालिस कपट।

वात्स्यायन जी की इस निश्छलता का रहस्य सीधा-सादा था – दूसरे के, मानव मात्र के व्यक्तित्व के प्रति उनके मन में गहरे सम्मान का भाव। इतने लम्बे साथ में मैंने कभी नहीं पाया कि उन्होंने कभी किसी को अपने लिए इस्तेमाल करना चाहा या कभी अपना कोई विचार किसी पर थोपना चाहा हो। कई बातों पर मेरी असहमति को वे ध्यान से सुनते, सहज भाव से तर्क करते और फिर भी मेरे सहमत न होने पर सहज भाव से ही मुझे अपने रास्ते पर चलने देते। यह गुण मैंने उनके सम्पादन में भी पाया। कभी उन्होंने मेरे विचारों को बदलने की कोशिश नहीं की – बल्कि मेरे आलेख के मूल भाव को समझते हुए उसे कुछ इस तरह

सम्पादित करते कि मूल कथ्य और अधिक सुग्राह्य, प्रभावी और सुन्दर ढंग से उभर आता। उनके सम्पादन ने ही मुझे सिखाया कि थोड़ी-सी मेहनत और ध्यान और देकर हम अपने कथ्य को कितना प्रभावी बना सकते थे। वात्स्यायन जी न हमारी भाषा को बदलते, न विचारों को – वे केवल यत्किंचित् सुझावों के द्वारा ही उन्हें और गहरे और बृहत्तर परिप्रेक्ष्य में रख देते। *दिनमान, नवभारत टाइम्स* और *एवरीमेंस* में उनके सम्पादन में लिखने वालों को भी अधिकांशतः यह अहसास होता रहा है।

लेखक सामान्यतया अपने कृतित्व के प्रति एक मुग्ध-भाव रखते हैं। लेकिन अज्ञेय में अपने ही लेखन के प्रति एक आलोचनात्मक रुख मैंने बराबर पाया – सम्भवतः यही कारण था कि आलोचकों के कटु प्रहारों को भी वे सहजता से झेल सके। क्योंकि आत्मालोचन की प्रवृत्ति के कारण अपनी कृति की मर्यादा और सामर्थ्य की पहचान उनको हो जाती थी। अपनी आलोचना को वे गौर से पढ़ते-सुनते और उस पर सोचते थे। कई बार मैंने उनकी कविताओं में झलक जाने वाली व्याख्यात्मकता पर आपत्ति की थी। *दस्तावेज* में छपे एक साक्षात्कार में मैंने उनसे 'असाध्य वीणा' जैसी कविता के अन्त में आ गयी व्याख्यात्मकता की

शिकायत की। तब तो उन्होंने इस आपत्ति को टाल दिया – लेकिन इस साक्षात्कार को लेने के कुछ अरसे बाद ही *जनसत्ता* द्वारा लिए गये एक साक्षात्कार में उन्होंने स्वीकार किया कि सम्भवतः 'असाध्य वीणा' में कुछ अंश कम किए जा सकते थे, जबकि *जनसत्ता* ने 'असाध्य वीणा' के बारे में उनसे कोई सीधा सवाल नहीं किया था। एक अन्य सवाल के जवाब में उन्होंने उदाहरण के रूप में ही यह बात कही थी। मैं दंग रह गया। इतना बड़ा कवि मेरे जैसे एक छोटे कवि की बात पर इतने दिन विचार करता रह सकता है, और अन्ततः उसको स्वीकार कर लेता है। आज के असहिष्णु माहौल में यह बात और भी विस्मित कर देने वाली थी। इसी तरह उनकी इस धारणा को जब मैंने मार्क्सवाद से प्रभावित बताया कि सम्प्रेषण के साधनों गें परिवर्तन से कविता की संरचना में परिवर्तन सम्भव होता है, तो उन्होंने न केवल प्रशंसाभरी नजरों से मेरी ओर देखा बल्कि इसकी विस्तृत व्याख्या की। मैंने यह पाया कि मेरी इस तरह की आलोचनात्मक टिप्पणियों से मेरे प्रति उनका स्नेह और प्रगाढ़ होता था। मैं जब-तब उनसे बहस में उलझ जाता और वे इसे प्रोत्साहित करते थे। शीन काफ निजाम इसीलिए अक्सर कहते रहे कि वात्स्यायन जी ने मुझे सर चढ़ा रखा है।

लेखकों – विशेषतया युवा लेखकों – के प्रति वात्स्यायन जी में मैंने हमेशा एक वत्सल-भाव पाया। वत्सल निधि द्वारा आयोजित लेखक शिविरों में नये से नये लेखक के साथ जिस सहजता से वे बातचीत और विनोद करते, उसे देखे बिना

विश्वास करना मुश्किल है – खास तौर से उनके बारे में प्रचारित अफवाहों को देखते हुए। निजाम, रमेशचन्द्र शाह और मैं अक्सर 'कैवेंटर्स ईस्ट' में या शिविरों में इकट्ठे हो ही जाते और तब हम तीनों में जो चुहलबाजी चलती, उसे देखकर वात्स्यायन जी उसी तरह खुश होते, जिस तरह बच्चों की शरारतें देखकर घर के बड़े-बूढ़े खुश होते हैं, कभी-कभी तो खुद उसमें हिस्सा लेने लगते। 'कैवेंटर्स ईस्ट' में ही एक बार शाह निजाम को छेड़ रहे थे कि वे जोधपुर आने को तो राजी हैं, शर्त यह है कि उस समय नन्दकिशोर यानी मुझे न बुलवाया जाए। मैंने कहा– 'रमेश जी, बर्लिन का रास्ता वियना होकर जाता है।' (यह जर्मनी के कैसर का वाक्य था जो उसने रूस के जार को कहा था – जिसका तात्पर्य था कि जर्मनी से मैत्री के लिए आस्ट्रिया से मैत्री जरूरी होगी – जबकि आस्ट्रिया व रूस एक-दूसरे के विरोधी थे।) रमेश जी ने तुरन्त नहला मारा, 'वही, वियना जहाँ दुनिया का सबसे बड़ा पागलखाना है।' 'वही', वात्स्यायन जी का दहला आया, 'जहाँ से सब पागल ठीक होकर जाते हैं।'

वात्स्यायन जी की बहुप्रचारित 'आतंककारी छवि' से प्रभावित लोगों को उनकी सहज निश्छलता, विनोदप्रियता और आलोचना-सहिष्णुता की बातें विश्वसनीय नहीं लगेंगी। लेकिन मैं कह सकता हूँ कि उनकी उपस्थिति मेरे लिए सदैव उन्मुक्तिकारक और प्रेरक होती थी। आतंक यदि वह होती होगी तो कपट के लिए, क्योंकि उनकी निश्छलता का पैनापन कपट को बेधकर मर्म तक पहुँचता था। इसीलिए वह अजूबा, आतंक या अभिजात तभी लगते थे जब कोई अपनी कुण्ठाओं, पूर्वग्रहों और किसी छल की नीयत से उनके पास जाता। अन्यथा वे एक खुली पुस्तक थे, लेकिन एक साहित्यिक कृति... जिसे समझने के लिए पाठक का भी कुछ तो दीक्षित होना आवश्यक समझा जाना चाहिए।

यह नहीं है कि वात्स्यायन जी में कमजोरियाँ नहीं रही होंगी। निश्चय ही थीं, लेकिन यह भी उनका आभिजात्य था कि वे उनकी कोई सफाई नहीं देते थे – क्योंकि वे कमजोरियाँ ऐसी अमानवीय नहीं थीं जिन्हें लेकर शर्मिन्दा होने की जरूरत महसूस होती हो। वे सामान्य मानवीय कमजोरियाँ थीं जो उनको और मनुष्य बनाती थीं, क्योंकि उनकी पहचान और उनके अतिक्रमण का प्रयास वे बराबर करते रहे।

हिन्दी साहित्य के आधुनिक युग में अज्ञेय से अधिक बहुआयामी सर्जनात्मक व्यक्तित्व दूसरा नहीं है – न प्रेमचन्द, न प्रसाद, न निराला और न मुक्तिबोध। निराला और मुक्तिबोध के बिना हिन्दी उपन्यास की कल्पना सम्भव है। प्रेमचन्द के बिना हिन्दी कविता सम्भव है। और प्रसाद के बिना हिन्दी ललित निबन्ध, यात्रा वृत्तान्त और पत्रकारिता की कल्पना सम्भव है। लेकिन अज्ञेय के बिना

सम्पूर्ण हिन्दी साहित्य की कल्पना असम्भव है। हिन्दी कविता, कहानी-उपन्यास, नाटक, आलोचना, सम्पादन, ललित निबन्ध, वैचारिक चिन्तन और यात्रा-वृत्तान्त एवं संस्मरणात्मक साहित्य तक में अज्ञेय की कृतियाँ शिखर की तरह सिर उठाए नये मानदण्ड का रूपायन कराती हैं। मैंने अपनी पुस्तक में जब अज्ञेय को भारतीय साहित्य में रवीन्द्र से आगे की कड़ी बताया था तो बहुत-से मित्रों ने नाक-भौं सिकोड़ी और मुझे अज्ञेय से अभिभूत बताया था। मैं तो अज्ञेय से अभिभूत था और हूँ और इसीलिए आज भी राजेन्द्र यादव की इस बात से सहमत हूँ कि रवीन्द्रनाथ के बाद भारतीय साहित्य में अज्ञेय से बड़ा व्यक्तित्व दूसरा नहीं है।

37

दूर से ही पहाड़ पहाड़ लगता है

॥ चन्द्रकान्त देवताले

मार्च 1987 में भारत भवन, भोपाल में आयोजित 'कवि भारती' में अज्ञेय की उपस्थिति कई कारणों से ध्यान आकर्षित कर रही थी। वे भारतीय आधुनिक कविता के प्रथम कवि और विचारक होने को ही नहीं, सृजन और चिन्तन में जुटे जीवन्त रचनाकार होने को निरन्तर प्रमाणित कर रहे थे। यह इसलिए कि उम्र के इस मोड़ पर और विपुल सृजन के बाद भी थकान का कोई चिह्न न उनकी देह पर था न उनके विचारों में। प्रायः इस अवस्था में सम्मानोन्मुखी विश्रान्ति का भाव आ जाता है। इसके विपरीत वे ऐसे कवि लग रहे थे जो कविता को अपना युवा रक्त देता है और बदले में कविता जिसे युवा बनाये रखती है। देश की लगभग सभी भाषाओं के करीब 50 कवियों के बीच वे एकदम अलग और अप्रतिम लग रहे थे। बहुत सरल-सहज और बीच-बीच में जिज्ञासा भरे भी, पर विचार प्रकट करते वक्त बेहद नपे-तुले और दृढ़। यह इसलिए नहीं लिख रहा कि मैं यहाँ उनका शब्द-चित्र प्रस्तुत करने की असफल कोशिश कर रहा हूँ, बल्कि इसलिए कि उपस्थित अज्ञेय अनुपस्थित अज्ञेय सम्बन्धी अनेक भ्रान्त धारणाओं का निरन्तर खण्डन कर रहे थे।

भोपाल से लौटकर 31 मार्च को हुई स्कूटर दुर्घटना के कारण मैं कई दिन बिस्तर पर रहा और इस बीच अनेक मित्रों से, जिन्होंने भारतीय कवियों की पहली त्रैवार्षिकी के बारे में कुछ जानना चाहा, मैंने जो कुछ कहा उसमें यह बात अवश्य शामिल थी कि सभी भारतीय कवियों के बीच अज्ञेय को देखना-सुनना एक अलग अनुभव था। वे पूरी सहजता और उतनी गरिमा के साथ वाग्देवी के सच्चे उपासक और राष्ट्रभाषा के ज्येष्ठ प्रतिनिधि कवि लग रहे थे।

और चार तारीख को देर रात मैंने जाना अज्ञेय नहीं रहे। यह लगभग अविश्वसनीय लगा। पर आखिर इस क्षुब्ध कर देने वाली खबर पर यकीन करना ही पड़ा। बाद में उस दिन के उनके नीम के पेड़ पर बने कक्ष के कविता-पाठ द्वारा उद्घाटन आदि का सुनकर मन बहुत डूबता रहा। और पिछले तीन दिनों की स्मृतियाँ-छवियाँ लगातार कौंधती रहीं। रिल्के की इस बात को अज्ञेय अच्छी तरह

जानते होंगे– 'एवरी वन कैरीज हिज डेथ विदिन हिमसेल्फ', और यह भी कि एक रचनाकार के लिए मृत्यु का अर्थ अन्य जनों से सदैव भिन्न रहता है क्योंकि मृत्यु-बोध से वह निरन्तर जीवन के सत्य और अपनी सृष्टि के रूपाकारों को प्राप्त करता रहता है। फिर भी अज्ञेय के प्रसंग में मुझे अपनी उस कविता की ये अन्तिम पंक्तियाँ बार-बार याद आती रहीं, जिसे मैंने 30 मार्च को कवि-भारती में सुनाया था– *'जल्दी की गयी और थोड़ी ज्यादती भी/सात नवम्बर को तो मुझे मरना ही था/और तीन को ही यह हादसा हो गया।'*

अज्ञेय को मैं दूसरी बार देख रहा था। पहली बार तेरह-चौदह वर्ष पूर्व रतलाम स्टेशन के प्लेटफॉर्म पर मैं सम्मोहित-सा लगभग दो घण्टे उनके साथ रहा था। वे उज्जैन से कार द्वारा आये थे और उन्हें 'डी-लक्स' से दिल्ली जाना था, जो सौभाग्य से उस रात लेट थी। मुझे गाड़ी रवाना होने तक उनके साथ रहना था। उन्होंने थोड़ा-सा कुछ खाया था। हमने चाय-कॉफी साथ पी और देर तक प्लेटफॉर्म पर टहले थे। उन्होंने कुछ प्रश्न किए, कुछ कहा भी। पर मेरे पास सुरक्षित स्मृति केवल इतनी भर है कि मैंने अज्ञेय को देखा है। और यह केवल शब्द-स्मृति नहीं, बल्कि चाक्षुष बिम्ब स्मृति – अज्ञेय चुस्त पैंट की जेब में हाथ डाले सीधे खड़े बोल रहे थे। वाणी गम्भीर है, पर देह स्थिर नहीं है। मुझे लगा जैसे उनके जूतों में स्प्रिंग है। फिर यह भी कि जैसे उनका आकर्षण आक्रामक है। उनका संयम सहज नहीं होने दे सकता।

28 मार्च की दोपहर थोड़ी देर मैंने उनसे बातें कीं तो उनकी याददाश्त से चकित रह गया। मैंने अपना परिचय देते हुए नमस्कार के साथ कहा– 'वर्षों बाद आपको देखने का अवसर जुट पाया'। वे बोले– 'हाँ रतलाम स्टेशन के प्लेटफार्म पर मिले थे।' मैंने कहा– 'आज भी आपसे बातें करते हुए संकोच, डर-सा लगता है।' हँसकर उन्होंने कहा– 'दूर से ही पहाड़ पहाड़ लगता है, पहुँच जाओ तो पहाड़ नहीं रह जाता।' मेरे कविता-संग्रहों के बारे में भी उन्होंने पूछा। फिर मैंने उन्हें बताया मैं आजकल उज्जैन में हूँ और कहा– 'आप वर्षों से उज्जैन नहीं आये' तो उन्होंने *वीणा* पत्रिका के आयोजन के अवसर पर इन्दौर आने के साथ ही एक दिन अवश्य उज्जैन भी आने का वादा किया। पर अब ये सब बातें कपूर हो गयी हैं। महाकाल के खाते में इस यायावर का भ्रमण-चक्र इस तरह एकाएक पूरा हो जाएगा तब कौन जानता था, सिर्फ सात दिन पहले!

4 तारीख को मैंने लिखा– *'भीतर ही भीतर/मौत से खेलते रहने का खेल/अपने आप से अलग होने का सुख/यही तो फूटता रहा कोपलें बन सतत/मौन की दरारों से/...रात में सिरहाने सूरज/और सूर्योदय के ठीक सामने/रात से आलिंगन/नीम के पेड़ पर चढ़कर कविता पढ़ने के पहले/चन्दन की लपटों के साथ सफर का चमत्कार।'*

30 मार्च को दोपहर में कविता पाठ का सत्र समाप्त होने पर सहज उत्सुकतावश मैंने उनसे पूछ लिया– 'मेरी कविताएँ आपको कैसी लगीं?' वे मुस्कुराकर बोले– 'बच्चों जैसा पूछ रहे हो; अच्छी थीं!' फिर मेरे नये संग्रह के सम्बन्ध में पूछा। मैंने उन्हें अगस्त में स्वयं संग्रह देने की बात कही। उन्होंने कहा– 'यह तो बहुत अच्छी बात होगी।' अगस्त आते-जाते रहेंगे। पर इस सुख से मैं तो सदा के लिए वंचित हो गया।

यह छोटी-सी टिप्पणी इस बात के बिना अधूरी ही रहेगी कि अज्ञेय अपनी कविताओं और विचाराभिव्यक्तियों के दौरान न तो कभी *नदी के द्वीप* लगे न 'गर्व भरे मदमाते अकेले दीप'। इसके विपरीत हिन्दी, भारतीयता, अपनी जमीन और परिवेश के प्रति उनकी गहरी चिन्ता भारतीय लेखक की अस्मिता को तलाशती-कुरेदती-सी ही लगती रही। मैंने तय किया था कवि-भारती में अपनी कविताओं के अंग्रेजी-अनुवाद भी प्रस्तुत करूँगा। पर अज्ञेय ने जब केवल हिन्दी ही में पाठ किया और विचार भी हिन्दी में ही प्रकट किए तो अपने को पहले ही सुधारने की प्रेरणा मिल गयी।

भारतीय कवियों की इस पहली त्रैवार्षिकी का उद्घाटन करते हुए अज्ञेय ने भारत भवन में भारतीय कविताओं के अनुवाद केन्द्र की स्थापना पर जोर दिया था। एशियाई लेखकों के सम्मेलन की बात भी कही थी। इस प्रसंग में वे इतने गम्भीर थे कि उपस्थित कविगण इस हेतु कोई प्रस्ताव तैयार करें, यह भी उनका सुझाव था। वागर्थ के अन्तर्गत अनुवाद हुए हैं और होते रहते हैं यह तो उन्हें भी पता था। पर उनका आग्रह वागर्थ के अन्तर्गत निरन्तर सक्रिय स्थायी अनुवाद प्रकोष्ठ से था। प्रस्ताव तो आ नहीं पाया। पर अज्ञेय के इस सुझाव को क्रियान्वित कर निश्चय ही भारतीय कवियों के लिए एक व्यापकतर क्षितिज खोला जा सकता है। अनुवाद केन्द्र होने पर 'मॉडर्न पोएट्री इन ट्रांसलेशन' के ढंग पर *समकालीन भारतीय कविता* जैसी पत्रिका भी प्रकाशित की जा सकती है।

कविता के रूप (फॉर्म) के प्रसंग में अज्ञेय ने एक बहुत सहज किन्तु सटीक बात कही थी, जिसने कइयों को सोचने के लिए विवश किया होगा। उन्होंने कहा था– हम भारतीय कविता के रूप की चर्चा पश्चिम की कविता के फार्म को आधार बनाकर कर रहे हैं, जिससे हमें कुछ भी प्राप्त नहीं होगा। हमारी जमीन और संस्कार से ही हमें अपनी कविता का रूप प्राप्त होता है। इसी प्रसंग में उन्होंने वाचिक परम्परा का भी उल्लेख किया था।

आज लगता है जैसे वे अपनी बिरादरी के लोगों से मिलने और विदा लेने ही आये थे। कवि-भारती में शामिल सभी रचनाकारों के लिए ये तीन दिन और

अधिक स्मरणीय हो गये, विशेषकर उनके लिए जो पहली बार अज्ञेय को देख-सुन रहे थे।

एक शाम वे निर्विकार भाव से तालाब की दिशा में देखते अकेले दिखाई पड़े। मैं उन्हें देखते हुए देख रहा था। एकाएक एक शब्द मेरे भीतर चमका– 'अवधूत'। इससे मुझे सिद्ध कुछ भी नहीं करना है, और न इसके लिए मेरे पास कोई तर्क है। बस यह उस एक क्षण की अनुभूति भर है।

अज्ञेय के पास मौन की विस्मयकारी शक्ति थी, जिसके आगे उनके विरुद्ध बापरे जाने वाले सारे शस्त्र पालतू पक्षी हो जाते थे। ऐसे अज्ञेय नहीं रहे। फिर वही पंक्ति उमच आती है– *जल्दी की गयी और थोड़ी ज्यादती भी।*

अन्त में एक कविता, जो मैंने 4 अप्रैल, 1987 को लिखी थी– जिस रोज अज्ञेय का अवसान हुआ। यह कविता बाद में मैंने 2010 में प्रकाशित अपने कविता-संग्रह *पत्थर फेंक रहा हूँ* में सम्मिलित कीः

नीम के पेड़ पर चढ़कर कविता पढ़ने के पहले

(अज्ञेय के प्रति)

भीतर ही भीतर
मौत से खेलते रहने का खेल
अपने आप से अलग होने का सुख

यही तो फूटता रहा कोपलें बन सतत
मौन की दरारों से

काल के शून्य में
कविता का गूँजता काल
नहीं होने के बीच
होने का चरम अर्थ

रात में सिरहाने सूरज
और सूर्योदय के ठीक सामने
रात से आलिंगन

समुद्र ही में छिपी होती है
मरुस्थल की आत्मा
और मरुस्थल ही में चमकती
समुद्र की प्यासी आँख

दरवाजा खोलने के लिए
दरवाजा ही नहीं होने का करिश्मा
नीम के पेड़ पर चढ़कर कविता पढ़ने के
पहले
चन्दन की लपटों के साथ
सफर का चमत्कार...

नाद को आच्छादित करता विराट मौन
बजाता है आहिस्ता-आहिस्ता
नाद ही के भीतर छिपे उस कुछ को
जिसके बारे में यम तक कह देता
'उत्तर मत पूछो'...

38

ये तेरे प्रतिरूप

॥ तोशियो तनाका

डाक देर से पहुँचती है। समाचार तो किसी-किसी को जल्दी मिल भी जाता है। पर मुझे तो देर से ही मिला।

वात्स्यायन जी के देहान्त का समाचार छह तारीख को मिला था। उसी दिन यहाँ के दैनिक 'असाहि शिंबुन' सायंकालीन संस्करण में ए.पी. का समाचार छपा था कि अब वे नहीं रहे। सहसा विश्वास नहीं हुआ। दिल्ली में रहने वाले दोस्त ने पाँच तारीख वाले दस दैनिक और चार साप्ताहिक इकट्ठा करके भिजवाने का कष्ट किया। तब विश्वास करना ही पड़ा।

वात्स्यायन जी की स्मृतियाँ एक-एक करके आ जाती हैं और उनकी आवाज कान में गूँजने लग जाती है। उनकी याद में स्वयं भावुक हो उठना या भावुकता में बह जाना बड़ा आसान है, पर वह जितना आसान है उतना ही गलत है। निरी भावुकता उन्हें पसन्द नहीं थी। जो बात वे पसन्द नहीं करते थे, वह मैं यहाँ नहीं करूँगा।

किसी महानुभाव के देहावसान के बाद श्रद्धांजलियों की बाढ़ आ जाती है। अक्सर देखने और सुनने में आता है कि कई लोग देवता की तरह पूजने लग जाते हैं। पर मूर्तिपूजक तो कभी मूर्तिभंजक भी बन जाता है। मैं उन लोगों के साथ नहीं बैठूँगा। कई लोग ऐसे भी होते हैं जो दावे के साथ कहते और लिखते हैं कि हम उनके बहुत ही निकट थे, हम पर उनका वरदहस्त रहा, हम उनके कृपा पात्र और विश्वासभाजन थे। पर मैं ऐसा कहने का दुस्साहस नहीं करूँगा। एक दैनिक में आयी रामकुमार जी की बात से मैं अभिभूत हो गया हूँ। उन्होंने कहा, मैं उनके निकट था, अब कुछ कहने की स्थिति में नहीं हूँ। थोड़ी देर मौन रहने के बाद इतना जोड़ दिया कि वे अपने शरीर को आराम देते रहते तो...

सन् 65 से 67 तक अपने दिल्ली प्रवास के दौरान, सन् 71, 73, 82 में अपनी भारत यात्रा के अवसर पर और सन् 72, 84 में वात्स्यायन जी के

जापान-भ्रमण के दौरान मैंने देखा और जाना कि वे अपनी भाषा और सांस्कृतिक परम्परा के प्रति कितने आस्थावान और निष्ठावान हैं। एक दिन *दिनमान* के दफ्तर जाना हुआ। जापान से आये फोटोग्राफर दोस्त साथ थे, जिन्हें हिन्दी नहीं आती थी। वात्स्यायन जी ने हमें बिठाया। कोई बीस मिनट बाद अनुमति लेकर हम दोनों बाहर निकले तो दोस्त ने आवेश के साथ कहा कि मुझे मालूम न था कि हिन्दी इतनी सुन्दर हो सकती है।

वात्स्यायन जी कहा करते थे कि मैंने पढ़कर हिन्दी सीखी है। उनकी सीखी हुई हिन्दी मुझ जैसे विदेशी छात्रों को मोह लेती थी। याद आता है पिताजी के थप्पड़ खाते हुए भी हिन्दी में बोलने के अपने संकल्प पर अडिग रहने वाला बालक शेखर। याद आता है वह बूढ़ा खिलौनेवाला। उसे कल कमरा खाली करना है और मकान मालिक के बच्चों को अपने बचपन की बात तमिल में बताने लगता है। पर तमिल हिन्दी में बदल जाती है। वात्स्यायन जी ने ऐसे बहुत से अविस्मरणीय पात्रों को हमें दिया है जो उनके प्रतिरूप भी थे।

वात्स्यायन जी अपने प्रकृति प्रेम, घुमक्कड़ी और यायावरी के लिए भी जाने जाते हैं। अपनी पुस्तक *भवन्ती* में उन्होंने जापान के इजु प्रदेश के बारे में याद करते हुए लिखा है–

"सागर मुझे बहुत अच्छा लगता है। पहाड़ भी मुझे अच्छे लगते हैं। कभी जब फुरसत में कहीं बसने के दिवास्वप्न देखता हूँ, तो सोचता हूँ कि कहीं सागर-तट पर रहूँ जहाँ घण्टों सागर की हलचल देखता रह सकूँ – फिर एकाएक सोचता हूँ कि तब क्या पहाड़ छोड़ दूँगा? नहीं, पहाड़ तो कभी नहीं छोड़ सकता – पहाड़ पर ही रहूँगा, समुद्र पर जब-तब चला जाया करूँगा। इजु प्रायद्वीप की यही विशेषता है।"

इजु की विशेषताएँ बताते हुए आगे लिखते हैं– "इजु प्रदेश ही ऐसा देखा जो मेरे दिवास्वप्नों की प्रायः सब शर्तें पूरी कर देता है। अगर वह देश में होता – या उस पर रहने वाले हिन्दी-भाषी होते, तो सचमुच वहाँ जा बसता – क्योंकि पहाड़ और सागर की तरह हिन्दी भी मेरे दिवा स्वप्नों का अंग रहती है: पहाड़ के पास रहूँगा, सागर के पास रहूँगा, और हिन्दी में रहूँगा।"

हमने देखा है कि वात्स्यायन जी में हिन्दी के प्रति कितनी आस्था और निष्ठा थी। वे कभी भी संकीर्ण और तथाकथित हिन्दी वाले नहीं रहे। वे उसके परे थे। एक उदाहरण प्रस्तुत करना चाहता हूँ।

सन् 57, 58 के जापान प्रवास के बाद 18-20 जून, 61 को अल्मोड़ा की अपनी कॉटेज में उन्होंने एक लम्बी कविता लिखी थी – 'असाध्य वीणा'। चीन के ताववाद के एक कथानक 'वीणा वादन' और जापान के कलाप्रेमी कजुओ

ओकाकुरा की व्याख्या के आधार पर उन्होंने 317 पंक्तियों वाली कविता लिखी थी। इस कविता को ध्यान से पढ़ने के बाद हम लोग जान जाएँगे कि 'असाध्य वीणा' को साधनेवाला प्रियंवद केशकंबली और कोई नहीं स्वयं वात्स्यायन जी हैं।

वे शब्द और अर्थ या मौन और अर्थ के खोजी और साधक रहे हैं।

वीणा मौन हो जाती है। साधक वात्स्यायन जी मौन हो गये हैं। पर अनुगूँज तो मिटेगी नहीं। हमें प्रेरणा और बल देती रहेगी।

39

इजु के सागर तट पर

॥ लक्ष्मीधर मालवीय

सच कहूँ तो वात्स्यायन जी से मेरा परिचय अज्ञेय ने कराया! बात कुछ लम्बी हो जाए, तो हो जाने दें।

मैं हाईस्कूल में रहा हूँगा। ननिहाल में दूसरी मंजिल पर पत्थर के गोल खम्भों का लम्बा दालान था। उधर कोई कम ही आता-जाता। वहाँ बड़ा पुराना तख्त था, ऊपर गर्द भरा मोटा गद्दा बिछा हुआ। वह तख्त मेरा परम प्रिय शरण्य था। उस गद्दे पर खम्भे के सहारे पीठ टिकाकर या अधलेटे हो, मैंने उधर के एक सम्बन्धी के पुस्तक संग्रह से लेकर कितनी पुस्तकें पढ़ी होंगी, ठीक-ठीक गिना न पाऊँगा! हाँ, उसी दालान में मामा ने एक कहानी सुनाई थी, वह याद है — एक बूढ़ा पिता युद्ध के मोर्चे पर मारे गये अपने बेटे का शव ताबूत में लेकर लौट रहा है; नदी किनारे की चौकी पर तैनात पहरेदार ताबूत की जाँच उसे खुलवाकर...माल्विन जीलास की यही कहानी बरसों बाद *एनकाउंटर* नामक पत्रिका में न पढ़ी होती तो इस कथानक पर मैं स्वयं एक कहानी लिखता।

हाँ, दोस्तोयेवस्की का *अपराध और दंड, परिंदे* कहानी, *एक क्रान्तिकारी की आत्मकथा* भी मैंने वहीं पढ़ीं। पढ़ी हुई पुस्तकों में एक उपन्यास ने मुझ पर मानो जादू कर दिया! मुझे लगा यह तो मेरे अपने ही जीवन की कहानी है।

इंटर में था, तब एक बार भोर पहर घर से भागा था, घर कभी न लौटने का पक्का इरादा कर। कि साइकिल से विश्व भ्रमण करूँगा! यमुना का पुल पार कर, रींवा रोड पर तीसरे पहर बगल से गुजरे हुए इक्के पर से पके फल की खुशबू लगी तो वापस जा, उसे रोक कर दाम पहले चुकाकर अमरूद खरीदे — चलने को हुआ कि उसने फिर दाम माँगा, कि मैंने उसे पैसे दिए ही नहीं! भूखे पेट कुछ किलोमीटर आगे जाने पर एक कुआँ दीख पड़ा। जगत के नीचे खड़ा हो पानी खींच रही औरत से पानी पिलाने को कहा तो उसने मेरी जात पूछी। बताने पर वह बोली, वह नरक में नहीं पड़ना चाहती! रात दूधिया चाँदनी छिटकी थी। नथुनों में भीनी-सी सुगन्ध आयी! साँस खींच-खींचकर उस पौधे को इधर से उधर जाकर

ढूँढ़ता फिरा – कोई दो सौ कदम दूर पर एक खेत की मेंड़ पर चाँदनी की झीनी श्वेत चादर के नीचे ऊँघता हुआ-सा पौधा था, रजनीगन्धा का। भोर पहर ऊँघ गया हूँगा, मैं भी। सूरज ऊपर चढ़ आया था और मैं जा रहा था वापसी की दिशा में – विश्व भ्रमण पूरा कर...

बहुत से कठिन-कठिन शब्द थे उस उपन्यास में, मगर कितना सजीव था उसका वर्णन! 'पंख कटा हुआ पक्षी...' उपन्यास के आकर्षक अंश मैंने अपनी नोटबुक में उतारे थे – वह पुरानी नोटबुक अब भी मेरे पास यहाँ जापान में सुरक्षित है, उसी से उतार देता हूँ:

शेखर उठकर बाहर चला गया। सारा दिन सड़क पर बेमालिक के कुत्ते की तरह भटका किया। शाम को थका हुआ-सा घर आया था कि पिता ने...

हाईस्कूल से इंटर, फिर युनिवर्सिटी में पहुँचने तक 'दक्खिन का दालान' जैसे कि मेरे अँगूठे-तर्जनी की पकड़ के बीच से फिसलता हुआ छूट गया!

निकट में भारती भवन का बड़ा पुस्तकालय था – अब भी है। वहाँ का सदस्य बन गया तो पुस्तकें उधार ले, घर लाकर पढ़ता – *शेखरः एक जीवनी* मैंने पाँच-छह बार तो पढ़ा होगा! कभी बीच से, उपन्यास खोलने पर जहाँ भी खुल जाए! *नदी के द्वीप* की प्रति मैंने खरीदी थी – और उसे आदि से अन्त तक एक बैठक में पढ़ गया था! उसमें वर्णित फाफामऊ का पुल, जिसे दर्जनों बार उसे पार किया था, वे 'द्वीप' एक-एक मेरे पहचाने हुए थे! रसूलाबाद गंगा तट के कछार में आयल पेंटिंग के तामझाम से लदा-फँदा, मई और जून में घूमा किया था! मैं ही तो था, भुवन! इस उपन्यास के कितने सारे प्रिय अंश मैंने उतारे! सर्जन, हुः, हत्यारा!

मैंने लिखना शुरू ही किया था। पहली कहानी पटना की *ज्योत्स्ना* में प्रकाशित हुई थी। मगर अज्ञेय की भाषा-शैली, कथा शिल्प, मेरी स्पृहा थे! परिमल की एक गोष्ठी में मैंने अपने पहले उपन्यास का एक अंश सुनाया था। नरेश मेहता वहाँ थे, दिल्ली से आये थे, उसे माँगकर ले गये थे। वह *कृति* में निकला था। मगर मैं अज्ञेय की तरह लिखना चाहता था। *धर्मयुग* और *कल्पना* में कहानियाँ छपने पर भी मुझे स्वयं से छटपटाता हुआ असन्तोष था!

इलाहाबाद से भागकर गया था, जयपुर! मगर जैसे कि मेरे पहने हुए सारे वस्त्रों से लपटें उठ रही थीं! मैं वह सारी लपटें उगल देना चाहता था, कलम से कागज पर – जब कि मेरे मुँह में काँच की किरचें भरी थीं!

बापू नगर तब बस रहा था। मंगल मार्ग पर जिस किराए के घर में रहता था, वहाँ मेरे कमरे से दिखलाई देती, राजस्थान युनिवर्सिटी के पीछे की पर्वत शृंखला, धुन्ध में हलकी नीली। प्रायः मानसिक सन्तुलन खो बैठने के निकट, (पढ़ाने के अलावा!) लिखना ही मेरा जीने का सहारा था! लिखता (*स्फटिक* का आधे से

अधिक अंश उन्हीं दिनों का लिखा हुआ था!) और बिना पूरा पढ़े फाड़ देता!

मेरे 'मैं' ने आकर मुझे समझाया, तुम तो हर दूसरे से भिन्न हो! तुम्हारा जन्मस्थान, वहाँ का माहौल, लालन-पालन, यहाँ तक कि तुम्हारी मातृभाषा तक भिन्न है! अब समझ आ जाने से समझ सकता हूँ, 'स्टाइल इज द मैन' का गूढ़ अर्थ! मैं अज्ञेय नहीं, भिन्न 'मैन' हूँ! ऐसे एकाधिक हिन्दी लेखकों को जानता हूँ – नाम न लूँगा! –जो छठे-छमासे *शेखरः एक जीवनी* का पारायण करते थे, मानो कोई ताबीज हो!

अक्तूबर 63 की बात होगी। सारनाथ गया था। ट्रेन आधी रात के बाद काशी स्टेशन पर चंद मिनटों के लिए रुकी। स्टेशन से बाहर निकला तो वरुणा नदी के किनारे-किनारे आदिकेशव के मन्दिर तक जाने को मन मचला! बचपन से किशोर वय तक मैं बनारस रहा हूँ। स्कूल भेजा न जाता था, दिन भर डंडा गोपाली करता! एक बार नगवा से भदैनी, माछोदरी आदि पार करता हुआ पैदल वरुणा के किनारे आदिकेशव के मन्दिर तक घूम आया था! सन् 57-58 में देव के हस्तलेख पढ़ने के लिए रामनगर मँगनी की साइकिल से जाना होता, बरसात के मौसम में इसी रास्ते, फिर राजघाट का पुल पार कर उलटे रामनगर किले में।

मगर अब आधी रात का वक्त। सारनाथ की राह पकड़ी। छह-आठ किलोमीटर होगा। बहुत दिनों बाद स्वच्छ आकाश में इतने सारे तारे देखे! मुँह अँधेरे वहाँ पहुँचा था...

यदि कहूँ कि बोधि वृक्ष से उठकर मैं सारनाथ पहुँचा तो मैं ही इसे बड़बोलापन कहूँगा! सत्य तो यह है कि मैंने आत्म-साक्षात्कार किया था – अज्ञेय की भाषा शैली के पीछे भागना मृगमरीचिका थी! माँ हँसी में मुझे 'कस्तूरीमृग' यों ही नहीं कहा करती थी!

अज्ञेय से मैंने बहुत पाया, आज भी देखता हूँ अनजाने में उनके गद्यांश (कविता अंश तो बहुत-से!), की सुष्ठ छाया में लिख रहा हूँ। मेरे लेखन में जो भी परिष्कार है – यदि है तो! – उसका बहुलांश उनके लेखन से मेरे द्वारा अर्जित किया हुआ है। अब वह नितान्त मेरा है और अपने चुने हुए पथ से अपने ही पैरों पर चलकर उपलब्ध किया हुआ! और हाँ, मैं उनसे पच्चीस बरस छोटा हूँ, इस अर्थ में उनका अग्रगामी हूँ, और अपने जीवन भर रहूँगा! 'सर्वत्र जयमिच्छते पुत्रात् शिष्यात् पराजय' का यही अभिप्राय है!

पता चला, वात्स्यायन जी पिछले ही सप्ताह सारनाथ आये थे, एक या दो दिन रुके थे – जैसे कि मैं भी दूसरे रोज लौटा था! उसी कमरा नं. 4 में एक रात बितायी! सोने के लिए शयनीय, काठ की चौकी, भी वही मिली!

जयपुर लौटकर, जैसा कि मेरा क्रम था, लिखा– जिसे डायरी कहा जा सकता है और न कहानी रिपोर्ताज या अन्य कुछ! वह भी एक संग्रह के बस्ते में चला गया। इसके कई वर्ष बाद, सन् 70 के आसपास, मैं उसी संग्रह से *स्फटिक* का संकलन सम्पादन कर रहा था।

नया प्रतीक प्रकाशित होने लगा था। *स्फटिक* के उस अंश का, जो मैंने छह-सात बरस हुए सारनाथ से लौटकर लिखा था, बहुत ही काट-छाँट और संशोधन के बाद, 'आत्मा की परतें' शीर्षक से मैंने *नया प्रतीक* को भेजा। उत्तर मिला–

110 गॉल्फ लिंक्स
नयी दिल्ली 110003
6 अक्तूबर 1976

प्रियवर,

कुछ दिन पहले स्वदेश लौटा; अभी आपका 21-9 का पत्र और साथ कहानी देखी। कहानी गहरी छाप छोड़ गयी है: 'अच्छी लगी' यह कहना काफी नहीं होगा। नवम्बर के अंक में दे रहा हूँ। छपने पर आपके दिये पते पर भी प्रतियाँ भिजवा दूँगा, आपके पास तो पहुँचेगी ही।

जर्मनी में जर्मन साहित्य का अनुवाद भी करता रहा; अपने व्याख्यानों का काम तो था ही। इस सब को प्रकाशन के लिए तैयार कर रहा हूँ। थोड़ी सी आशा थी कि वहाँ से जापान होते हुए लौटना हो सकेगा – पर वह हुआ नहीं। अब अगले वर्ष पर आशा टिका दी है – देखें यदि सुयोग बने! चाहता था कि वहाँ तीन-चार व्याख्यानों और महीना-छह सप्ताह रहने की व्यवस्था हो तो उधर जाने की योजना बनाऊँ।

आशा है आप प्रसन्न हैं और कार्य व्यस्त हैं। कहानियाँ और भी हों तो भेजें – जरूर जरूर। तनाका जी से बात हो तो उन्हें मेरा सप्रीत नमस्कार दे दें।

अभिवादन, आपका
स.ही. वात्स्यायन

अपनी लिखी हुई रचना (आलोचना और पाठ सम्पादन अपवाद है!) प्रकाशित होने पर मैं उसे नहीं पढ़ता – यह कोई दम्भ नहीं, बल्कि इसलिए कि बारम्बार

उससे जूझ चुकने से उससे उपरति हो चुकी होती है! *आत्मा की परतें* मैंने पढ़ी, इस कुतूहल से कि सम्पादक को यह 'अच्छी लगी' तो क्या कोई विशेष कारण से! मैं समझ गया, अज्ञेय तब से पच्चीस वर्ष बाद युवतर होने पर स्वयं भी *'बन्द मुँह में काँच की किरचें भरी'* शैली में लिखते!

निष्कपट भाव से इतना और जोड़ना चाहूँगा – *शेखरः एक जीवनी* उसके बाद पढ़ने का प्रयास मैंने किया तो, पर चंद पृष्ठों से आगे बढ़ न पाया! इसका कारण बताने को क़हा जाए तो यही कहूँगा कि बड़े लेखक का कद घटता नहीं – पाठक ही, कभी-कभी, 'बड़ा' हो जाता है!

वात्स्यायन जी जापान सन् 72 के नवम्बर में आये थे। मैं तब तोक्यो में निवसित था। रहता था महानगर के बाहर अति रम्य स्थान तामाबोचि कब्रिस्तान से लगी हुई छोटी-सी बस्ती में। वात्स्यायन जी टिके थे एशिया सेंटर में – महानगर के ऐन बीच रोप्पोंगी नामक जन संकुल इलाके में।

मैंने उन्हें अपने घर आमन्त्रित किया। मेरे पास दो कमरे थे। फिर, वैसे सुरम्य स्थान में होते हुए घर में भला कौन बैठेगा! पूरे एक दिन तो तामाबोचि ही में घूमते-भटकते लग जाएगा! रास बिहारी बोस, रिहार्द जोर्गे, रूस जापान युद्ध के विजेता जनरल नोगी, मिशिमा, ओकामोतो तारोओ और उनकी कवयित्री माता कानोको, मलाया में जापानी सेना के मुखिया जनरल सुगियामा गेन! प्रसिद्ध व्यक्तियों को छोड़ें, वहाँ तो किसी भी पल्ली में निकल जाइए, पतझर की शुरुआत, हर ओर मेपिल, केयाकि, इच्यो आदि कितने ही प्रकार के वृक्षों की पीले से लाल से कत्थई रंग के पत्तों से लदी तरु पंक्तियाँ!

मैंने दूसरी बार भी वात्स्यायन जी से अनुरोध किया, पर वे केवल मन्द मुस्कुराकर रह गये! भारत में तो मौन को स्वीकृति का लक्षण माना गया है न। फिर मेरा ध्यान गया कि वात्स्यायन जी तो इस समय हैं जापान में! जापानी लोकोक्ति है, 'चिम्मोकु दे कोरोसु' (चुप्पी से काम तमाम करना!) पर वस्तुतः ऐसा न था। तनाका जी की यात्रा योजना स्वीकार किए होने से, वात्स्यायन जी ने मात्र संकोचवश मेरे प्रस्ताव को वरीयता न दी होगी।

तनाका जी विश्वविद्यालय में प्राध्यापक थे और आधुनिक हिन्दी साहित्य के मर्मज्ञ, विशेषज्ञ। वात्स्यायन जी के पुराने परिचित; यशपाल, भगवती बाबू, नागर जी आदि के मिलनहार।

तनाका जी ने मुझे भी साथ चलने को आमन्त्रित किया था। वे हमें इजु

प्रायद्वीप घुमाने ले जा रहे थे। 27 नवम्बर से 29 तारीख तक का कार्यक्रम था।

जापान में सारे काम पूर्व निश्चित, पूर्व निर्धारित योजना के अनुसार किए जाते हैं! दूध पैक का मुँह किधर से खोलना है, डाक टिकट लिफाफे पर किस स्थान पर चिपकाया जाना है, चाहे जल्दी के मारे दौड़ते-भागते ही क्यों न हों, प्लेटफॉर्म की निकासी के समय चुटकी में पकड़े हुए टिकट का कौन-सा हिस्सा टिकट बाबू की ओर होना चाहिए – सब निश्चित है!

बुलेट ट्रेन से अतामि, उतर कर इजुक्यू लाइन से शिमोदा; वहाँ से टैक्सी और फलाँ बजे की बस से इरोजाकी, रात-दिन वहाँ ठहर कर इजुक्यू शिमोदा, फिर टैक्सी पर सवार होकर नानाताकि, जहाँ के सात जलप्रपात प्रसिद्ध हैं – तनाका जी ने सब कल-काँटा चुस्त-दुरुस्त कर दिया था!

इजु प्रायद्वीप का रूपाकार समझने के लिए भारतवर्ष का नर्मदा-विंध्य माला से नीचे का भाग ध्यान में रखें। तोक्यो से अतामि तक तो बुलेट ट्रेन से गये। बीस-पच्चीस मिनट की यात्रा थी। अतामि से इतने बजकर इतने मिनट पर इजु एक्सप्रेस पर सवार हो सागर तट से लगी-लगी लाइन से शिमोदा पहुँचे। डेढ़ या दो घण्टे का सफर था – बीच में बिना रुके!

अब सोचकर अचरज होता है, तनाका जी जैसे आतिथ्य-कुशल व्यक्ति, और उन्होंने एक बात पर ध्यान कैसे न दिया! अब तो, जापान में वयोवृद्धों की संख्या में भारी बढ़ती होने से, पैसेंजर और लोकल ट्रेनों के अन्दर भी, एकदम पीछे के डिब्बे में शौचालय होता है; मगर तब ऐसा न था! वात्स्यायन जी की क्या कहूँ, खुद मेरा बुरा हाल था! शिमोदा पर ट्रेन के रुकते ही मैंने वात्स्यायन जी से कहा, "वात्स्यायन जी, आइए, पहले उधर हलके हो लें!" शिमोदा से हमें धुर दक्षिण (रामेश्वरम समझें!) इरोजाकि जाना था।

पूरा इजु प्रायद्वीप का प्राकृतिक सौन्दर्य बेमिसाल है। अन्दर की ओर पर्वतों का चित्ताकर्षक दृश्य; समुद्र तट की शोभा का तो कहना ही क्या। इरोजाकी से कुछ पहले चट्टानों वाला तट, वहाँ से कुछ ही दूर समुद्र से निकली हुई छोटी बड़ी नोकदार शिलाएँ; छोटे द्वीप; दूर पर कई बड़े और आबाद द्वीप।

वात्स्यायन जी ने एक बार कहा था, "मुझे पर्वत उतना ही प्रिय है, जितना कि सागर तट। यदि मुझे कहीं बसने के लिए स्थान चुनना हो तो मैं इजु को चुनूँगा – यहाँ दोनों ही एक साथ देख सकते हैं।"

मेरी अपनी पूछें तो मुझे इतने बजे इस ट्रेन पर सवार वाली यात्रा कम ही रास आती है और न इतने दिन के भीतर अमुक-अमुक स्थान का 'भ्रमण' कर आना! एक कारण तो यह कि पिछले चालीस बरस से ऊपर हुए जापान में रहते, गन्तव्य स्थान का निश्चय मैं प्रायः रेलवे स्टेशन पर पहुँचकर करता हूँ। बड़ी मोटर

साइकिल लेने के बाद और भी स्वच्छन्द हो गया था! दूसरे, पेइंग गेस्ट न सराय-होटल, मैं बिच्छु का डेरा पीठ पर, अपना टेंट लेकर यात्रा पर निकलता हूँ।

इजु मैं दो या तीन बार गया हूँ, मगर वह प्रायद्वीप वाला भाग मुझे 'जनखा' मालूम देता है। मुचमुचहा पुरुष हो या स्त्री अथवा जगह, मुझे पसन्द नहीं, इजु के परे ओओशिमा द्वीप है, जहाँ का मिहारा ज्वालामुखी जब-तब फुफकार मारता है! एक बार वहाँ तम्बू खड़ा करने का उपक्रम कर ही रहा था कि चौकीदार ने आकर डाँट लगाई – यह सोचकर कि मैं ज्वालामुखी में कूदकर आत्महत्या करने आया हूँ!

तनाका जी ने इरोजाकि में हमारे ठहरने की व्यवस्था की थी एक मछुआरे के घर, बतौर पेइंग गेस्ट। किफायती होने के साथ-साथ इसमें यह अतिरिक्त आकर्षण भी है कि सामान्य जापानी परिवार के दैनिक रहन-सहन से परिचित हुआ जा सकता है। भोजन के वही व्यंजन परसे जाते हैं जो वे स्वयं खाते हैं; वैसा ही बिछावन – बस, कमरा आपका अपना होगा। यदि जापानी भाषा में गति हो तो सोने में सुगन्ध।

जापान में साँझ होते-होते स्नान करने का चलन है। परिवार के बड़े से छोटे तक सब निर्वस्त्र हो इकट्ठे स्नान करते हैं। गाँवों में जलकुण्ड गर्म करने में ईंधन की बचत के विचार से मुहल्ले के घरों में पारी बँधी होती है और एक घर के स्नानागार में कई परिवार के सदस्य आकर नहाते हैं। कोई वयोवृद्ध हुआ तो बगल का व्यक्ति कहेगा, "पीठ इधर कीजिए, मैं मल देता हूँ!" बदले में वह बार-बार असीसेगा। पड़ोसियों में मेल-जोल बढ़ाने का इससे अधिक कारगर उपाय भला और क्या होगा! लोग हौद से गर्म पानी ले-लेकर अपना सारा शरीर, कोने-आँतर तक, रगड़-रगड़कर साफ करते हैं, तब कहीं कुण्ड में कानों तक गहरे में पैठकर देह सिझाते हैं!

सरे-साँझ मालकिन ने आकर सूचित किया कि ओफुरो (स्नानकुण्ड) तैयार है। तनाका जी तो जन्मना जापानी हैं, मुझे भी औरों के साथ ओफुरो में स्नान करते तनिक भी संकोच नहीं होता, मगर वात्स्यायन जी इसके आदी न थे, उनसे हमने कहा, वह पहले स्नान कर आएँ।

तनाका जी के और मेरे 'रोजा' खोलने का समय भी हो गया था। मेरे मित्र तनाका जी को कणाद ऋषि का पटु शिष्य कहना होगा – यह मैं व्याजस्तुति अलंकार में कह रहा हूँ– 'पीत्वा पीत्वा पुनः पीत्वा यावत् पतति भूतले। पुनरुत्थानाय पुनः पीत्वा पुनर्जन्म न विद्यते!'

मेरी बात एकदम्मै दूसरी! मैं ठहरा कट्टर हिन्दू ब्राह्मण – गीता कहती है न, 'देहिनोऽस्मिन्यथा देहे कौमारं यौवनं जरा। तथ देहान्तरप्राप्तिर्धीरस्तत्र न मुह्यति!' भला बताइए, मैं अनन्तर जन्म से लिए क्यों न बचा रखूँ, दुर्दे तहे जाम तक!

वात्स्यायन जी स्नान कर जापानी सूती वस्त्र धारण कर लौटे – और उनके पीछे-पीछे आयी मालकिन, यह कहने को कि स्नान करने को बचे हुए हम दो मेहमान घण्टे भर बाद स्नान करें, क्योंकि उन्हें काठ के हौद का गर्म जल फेंककर कुण्ड साफ करना, फिर से उसमें पानी भर कर गरम करना होगा – वात्स्यायन जी ने अज्ञानवश साबुन लगाये-लगाये हौद में नहा कर दूसरे स्नानार्थियों के लिए उसे अनुपयोगी कर दिया था!

वात्स्यायन जी ने तो भला क्या समझा होगा, हमने भी उनसे कुछ न कहा। जापान वे उसके पहले आ चुके थे। पर हो सकता है, किसी जापानी घर में रहने का अनुभव उन्होंने पहले न किया हो!

तनाका जी वाइन की एक बोतल वात्स्यायन जी के लिए विशेष रूप से ले आये थे। भोजन परसा गया तो तनाका जी ने वात्स्यायन जी से उनके आगे रखा हुआ खाली गिलास उठाने को कहा।

वात्स्यायन जी जायका लेते हुए चुस्कियाँ लेते रहे। कुछ देर बाद वे थोड़ा मुखर हो गये (उनके निजी पैमाने से मापें तो!)। थोड़ी इधर-उधर की हलकी चर्चा। उन्होंने किंचित् मुस्कुराते हुए कहा, "मदिरापान से मनुष्य थोड़ा अधिक सामाजिक हो जाता है!"

तनाका जी मेरे प्याले में ओसाके ढालने को हुए तो वात्स्यायन जी ने उनके हाथ से वह छोटी शीशी लेते हुए कहा, "लाइए, मुझे परसने दीजिए।"

जापान में ब्यारी भी जल्दी ही कर लेते हैं क्योंकि घरों में सोना जल्दी पड़ता है; सभी कामकाजी, किसान-मजदूर हो कि मछुवारा-दफ्तरिया, सुबह होते ही अपने-अपने काम-काज पर निकल पड़ते हैं।

हमें परसे गये भाँति-भाँति के व्यंजन, पर सभी कोई न कोई जल-जन्तु और प्रधान डिश मछली का बीच से चीरा हुआ साबुत कतला। मांस हो कि मछली, यदि उसे निराकार ब्रह्म के रूप में रूपायित कर दिया जाए तो मैं आपत्काल जानकर उसे खा लेता हूँ, अन्यथा मुझे ऊबासाँसी होती है। हमारे परिवार में मांस-मछली तो क्या, गोभी तक वर्जित थी – उसमें 'गो' होने से! बरसों पहले, दक्षिणी जापान की यात्रा सपरिवार करते हुए सराय में पहुँचा प्रायः रात दस बजे। रसोई तो कब की उठ चुकी थी। जो कुछ बचा-खुचा था, हमें परसा गया। ठण्डा भात और कटोरों में पनिहा रसे में अधडूबा मछली का कटा सिर! मेरे कटोरे वाली मछली की गोल-गोल आँख। लगा, कालनेत्र के समान मुझी को घूर रही है। दस-बारह बरस की मेरी बेटी मधु साथ में थी। उसने मछली वाले कटोरे की ओर दोनों हथेलियों से फूल चढ़ाने की मुद्रा में इशारा किया, 'पा पा आ!' तानाशाह

पिता की घुड़की, बेचारी कौर-कौर उगलती-निगलती खा गयी! हर कौर जीती मक्खी निगलने-सा ही लगा हमें!

देखा, वात्स्यायन जी तो जापानी सलाइयों से कौर बना-बनाकर खा रहे हैं। मेरे सामने रखी मछली की सफेद रीढ़ के दोनों बगल निकली बारीक पसलियाँ, मैंने वह रकाबी धीरे से तनाका जी की ओर सरका दी। वे जापानी मुस्कान मुस्कुराए – बिल्ली के भाग!

सुबह की हलचल के साथ हम भी उठकर नित्यकर्म से निवृत्त हो बाहर निकलने को उत्कंठित थे। मेरे पास कैमरे कई थे, पाँच कि छह। सभी अपनी कोटि के सबसे बढ़िया। पर्याप्त अर्थ सौकर्य होने से खरीद सका था। दो सेट हैसेलब्लाड, एक मिनोल्टा, तीनों 6 × 6 से.मी. के; दो निकोन-एफ, इनके बदलाऊ लेंस। मैंने वात्स्यायन जी को आने के पहले लिख दिया था कि अपना कैमरा लेकर वे न आएँ, मेरे कैमरे का उपयोग कर लें। इजु मिनोल्टा और निकोन लेकर गया था, कि दो में से एक वे अपने लिये चुन लेंगे। मेरा अनुमान सही निकला। उन्होंने अपने लिए मिनोल्टा चुना, कदाचित् उसके निगेटिव का आकार बड़ा होने से उससे बड़तर एन्लार्जमेंट निकाले जाने की सम्भावना को ध्यान में रखकर।

निकोन कैमरा मैं स्वयं बरतना चाहता था। फिल्म मैं खुद धोता, चार गुना पतले डेवलपर में फिल्म धोने पर काफी बड़े एन्लार्जमेंट किए जा सकते हैं – वात्स्यायन जी ही के कई फोटो मैंने अखबार की नाप के स्वयं बनाकर उन्हें ले जाकर दिए थे।

हम इकट्ठा बाहर निकले थे, फिर मानो मन ही मन एक-दूसरे से कह, अलग होते हुए दो विपरीत दिशाओं में निकल गये – वात्स्यायन जी सागर के किनारे की सड़क पर, मैं दूसरी ओर टीले की दिशा में। पीछे-पीछे मेरे लगे रहने से उन्हें बन्धन मालूम देता; मुझे भी फोटोग्राफी के बीच टोकाटाकी नापसन्द है।

वात्स्यायन जी से अलग हटकर स्वच्छन्दतापूर्वक उनके फोटो लेना चाहता था – निकोन कैमरा चुनने की वजह यही थी! कैमरे के बस्ते में निकोन के 500 मि. मी. और 1000 मि. मी. टेलीफोटो लेंस का 'तोपखाना' था – कितना भी अज्ञेय रहे हों वह, मेरे फाइंडर से हटकर 'अदृश्य' तो हो ही नहीं सकते थे!

इजु के सागर तट पर चट्टानों के बीच भटकते हुए से अधिक खोजते हुए वात्स्यायन जी के बहुत सारे फोटो मैंने प्रायः एक किलोमीटर दूर से लिये – वे मेरे लिए सन्तोषजनक हैं, क्योंकि वे 'न जाने क्या' की मेरी निजी खोज को भी अंकित करते हैं।

अधिक वाचस्पत्य न करूँगा – फोटोग्राफी मेरे निकट हाथ में लिया हुआ वह शस्त्र है, जो काल के मेरे द्वारा चुने हुए सूक्ष्मतम क्षण को जड़ीभूत कर देता है –

निरन्तर झरते हुए प्रपात की एक अकेली बूँद को 'अत्रैव स्थीयताम्' कहने के समान!

अगली सुबह मैं जल्दी उठकर दबे पैर बाहर निकल गया, अकेला दूसरी ओर, जहाँ से काले सागर जल से उभरे हुए प्रस्तर खण्डों के शीर्ष पर पड़ती सूर्य की पहली-पहली किरणें मैं देखना चाहता था!

मैं लौटा तो वात्स्यायन जी बाहर निकल रहे थे, गले में मिनोल्टा कैमरा लटकाये। कुछ दूर उनके पीछे चलते हुए उनके कई फोटो लिये – उनमें से एक-दो मुझे अब भी उस प्रातः और वात्स्यायन जी के मनोभाव को सफलतापूर्वक चित्रित करते लगते हैं। इजु में तो यों भी हवा खूब तेज बहती है, फिर सागर तट पर होने से सामने दिखलाई दे रही थीं विक्षुब्ध लहरें, तट पर पछाड़ खातीं!

लौटती बार सागर किनारे की अपेक्षा मध्य भाग से होते हुए, एक रात रुके थे नानाताकि ('सप्त प्रपात') में। पर्यटकों के लिए एक आकर्षक स्थल। मन्दिर, उद्यान – जैसे कि प्रसिद्ध पर्यटन स्थलों में हुआ करते हैं।

वहाँ वात्स्यायन जी मुझ पर एक बार झुँझला उठे – प्रगट में! (और मैं उन पर, मन में!) वह बाएँ हाथ में लटकाया हुआ अपना थैला पीठ पर डालकर चलते-चलते ठिठककर आगे की ओर सिर नवाते हुए मुझसे बोले, "मेरा एक फोटो ले लीजिए, ऐसे!"

ठेठ यायावरी मुद्रा! मैंने कहा, "वात्स्यायन जी, जरा दो कदम और आगे बढ़ जाएँ!"

वे तीन-चार पग पीछे हटकर फिर आगे बढ़े – और ठीक उसी स्थान पर, उसी मुद्रा में ठहर गये!

"एक कदम और!"

उन्होंने तनिक रुखाई से कहा, "आप लीजिए न!"

मैंने मन ही मन कुढ़कर शटर दबा दिया– सन्तुष्ट हो वे आगे बढ़े, तब मैंने दो और फोटो लिए, उसी यायावरी मुद्रा के। इन बाद वाले फोटो में से एक *अरे यायावर रहेगा याद* के नये संस्करण की जैकेट पर छपा है।

था यह कि वात्स्यायन जी जहाँ आकर खड़े होते थे, उस स्थान और कैमरे के बीच जालीदार चौकोर बड़ा-सा खाँचा था, घूरे का, और उसके पीछे आकर उनके खड़े होने से ऐसा भ्रम होता कि वे घूरे के ढेर पर से उठ रहे हैं!

हम तोक्यो लौट रहे थे। बातों के प्रसंग में उन्होंने मुझसे पूछा, मैं कितने अरसे पर स्वदेश लौटता हूँ। फिर अपनी ओर से बोले, "आपको दो वर्ष में एक बार अवश्य हो आना चाहिए! अपनी भाषा से सम्पर्क ताजा हो जाता है।"

तोक्यो में तो पुराने परिचितों का भी मिलना नदी-नाव संयोग के समान होता है!

एक बार उनके ठिकाने पर गया था, एशिया सेंटर में। उस दिन वात्स्यायन जी मुझे विशेषतः फोटोजेनिक लगे! कमरे के अन्दर उजाला कम था। कैमरे का ट्राइपॉड मैं नहीं लिये था। नौ-दस फोटो, उनके केवल चेहरे के, मैंने उतारे – उनमें से एक के समान भाव भरा पोर्ट्रेट वात्स्यायन जी का कदाचित् ही कोई दूसरा होगा!

सन् 75 के वसन्तकालीन अवकाश में स्वदेश घूम आने को मन बना रहा था। अपने ही देश का दक्षिणी भाग मैंने नहीं देखा था। वात्स्यायन जी को आगामी यात्रा की सम्भावना पत्र द्वारा सूचित की। उनका उत्तर आया–

25-1-75

प्रियवर लक्ष्मीधर जी,

आपका पत्र पाकर बहुत प्रसन्नता हुई। पत्र मेरे नागपुर जाने से पहले ही मिला था – थोड़ी सम्भावना थी कि वहाँ श्री दोई के साथ तनाका भी हों तो आपके पत्र का उत्तर देने से पहले कुछ स्मृतियाँ फिर से जगा ले सकूँगा। वह नहीं हुआ पर आप मार्च में आ रहे हैं। यह बड़ी सुखद सूचना है। पहली मार्च को अवश्य ही दिल्ली रहूँगा। किस उड़ान से आएँगे, सूचना दीजिएगा तो हवाई अड्डे पर से लिवा लाऊँगा। जहाँ रहता हूँ वह स्थान पालम अड्डे से छह मिनट के रास्ते पर है; और मुझे लिवाने आना अच्छा भी लगता है। आगे का जो कार्यक्रम हो उसका कुछ संकेत दें – कितना अवकाश लेकर दिल्ली/भारत आएँगे? मैं चाहूँगा कि आकर दो-चार दिन मेरे पास ही ठहरें। तब और योजना भी बना लेंगे और चाहूँगा कि कहीं पहाड़ की तरफ भी साथ चलें। पर ये सब बातें आपके आने पर। मैं कदाचित् 4-5 मार्च को सप्ताह भर के लिए बाहर जाऊँ। अभी निश्चित नहीं है, पर अब तक तो यहीं हूँ। आपके आने की पक्की सूचना की प्रतीक्षा रहेगी।

मेरे लिए फोटो लाएँगे, अनुगृहीत हूँ। यदि पिछली बार के कुछ निगेटिव भी साथ ले आवें तो अच्छा है – मैं दो-चार बड़े एन्लार्जमेंट बनवाना चाहता हूँ। वहाँ बनवाने में भेजने-लाने की कठिनाई होगी। दो-एक मुझे बहुत अच्छे लगे। अपने परिचित वर्ग में मैं ही फोटोग्राफर हूँ न, इसलिए मैं तो औरों के फोटो लेता हूँ, पर मेरे फोटो नहीं हैं मेरे पास!

हाँ, आप अपना कैमरा साथ न लाना चाहें (कैमरा या कैमरे?) तो मुझसे अपने काम के लिए ले सकेंगे। मेरे पास 35 mm और $2\frac{1}{2} \times 2\frac{1}{2}$ *दोनों हैं।*

और तो ठीक है। आपके आने की सूचना की उत्कंठ प्रतीक्षा रहेगी। आप कई वर्ष बाद आ रहे हैं न, देश काफी बदला हुआ देखिएगा। थोड़ी-सी पंडागिरी मैं भी

कर सकूँ तो अच्छा लगेगा।
सप्रीत अभिवादन के साथ

आपका
स. ही. वात्स्यायन

मैं वात्स्यायन जी के कई फोटो (पोर्ट्रेट और सागर तट वाले) दैनिक समाचार-पत्र जितने बड़े एन्लार्जमेंट कर अपने साथ ले गया था। मेरे मन में कचोट इस बात की रह गयी कि उनसे भेंट नहीं हो पायी, मैं दो-चार दिन उनके साथ उनके घर में रहने का उनका न्योता स्वीकार न कर पाया! मैंने जनवरी ही में स्वदेश के भीतर घूमने की लम्बी-चौड़ी योजना बनाकर टिकट खरीद लिये थे – डेढ़ माह में कश्मीर से लेकर पुरी, मदुराई, रामेश्वरम, अजंता-एलोरा, जयपुर-उदयपुर (मैं कुछ नाम भूल से छोड़ रहा हूँ!) देश में परदेसी की भाँति घूमता रहा! इतना और जोड़ दूँ: मेरे देशभाइयों ने मुझे 'पहचानने' में भूल न की! दिल्ली में मैं कैनेडियन समझा गया, ("ओ, दैट्‌ आई न्यू फ्रॉम यो अक्सेंट्‌!") और खजुराहो में मेक्सिकन (चमड़ी पर तेज धूप की झाँई पड़ जाने से!)। मुझे तो कहीं भी बदला हुआ न लगा, अपना देश!

तो क्या अपने *स्मृति लेखा* को यहीं पर विराम दे दूँ? पर केवल 'लेखा' मात्र ही को न! कवि अश्वघोष से ढिठाई कर रहा हूँ: 'गतं गतं नैवतिसत्रिवर्तते!' जी नहीं कविवर, स्मृतियाँ अन्तःसलिला के समान होती हैं: वे लौट-लौटकर आती हैं, बार-बार आती हैं...।

40

जीने का वैभव

॥ मानस मुकुल दास

"शबीह (पोर्ट्रेट) एक आत्मा का वह अक्स है जो दूसरी आत्मा के आईने में झलकता है।"

चार्ल्स मॉर्गन, *पोर्ट्रेट इन ए मिरर*

"मेरे ऐसे जीवन का क्या अर्थ है, मृत्यु जिसे पोंछ कर मिटा देगी?" यह प्रश्न अज्ञेय की लेखनी में बार-बार सिर उठाता है – *शेखरः एक जीवनी*, जिसका पहला खाका उन्नीस बरस की उम्र में लिखा गया था, से लेकर मरणोपरान्त छपी *मरुथल* (1989) काव्य शृंखला तक, जिसमें ग्यारह कविताएँ और एक असमाप्त कविता सम्मिलित है। मृत्यु के बरक्स अपनी अस्मिता की लम्बी खोज में अज्ञेय को समय-समय पर अलग उत्तर हासिल हुए। वह प्रश्न जो अपने ही अन्तःकरण से या किसी अव्यक्त से, शायद अनुपस्थित ईश्वर से, लगातार मुठभेड़ करता रहा, किसी दिये हुए या बने-बनाये उत्तर से सन्तुष्ट नहीं होने वाला था। उसे वही उत्तर स्वीकार्य था जो अस्तित्व की कसौटी पर खरा उतर सके, जो अनुभूत सत्य हो। जब उत्तर उपलब्ध नहीं था तब प्रश्न ही वह सत्य बन गया, जिसे जिया जाना था।

मुझे अज्ञेय के धीर-गम्भीर, स्वतन्त्र, दूसरे पर खुद को कतई आरोपित न करने वाले और बगैर दिखावे के दूसरे के प्रति अत्यन्त संवेदनशील रहने वाले व्यक्तित्व को नजदीक से जानने का बचपन से ही मौका मिला। मैं भी उनके जीवन के अर्थ को जानना चाहता हूँ, दोनों तरह से – उनके अपने सन्दर्भ में और दूसरी तरह से भीः उस जीवन का अर्थ क्या है जिसे मृत्यु खत्म कर देगी? औरः उस जीवन की गुणवत्ता जो अपने चारों ओर निर्बाध स्वतन्त्रता, खुलेपन, शान्ति, गरिमा, मैत्री, लावण्य, घरोपे और सर्जनात्मकता का वातावरण बुनती है। क्या इन गुणों को सिरजना ही उसकी अर्थवत्ता हो सकता है? क्या इस अर्थवत्ता को सम्प्रेषित किया जा सकता है? क्या उसे जज्ब किया जा सकता है? एक जीवन के गढ़े जाने में दूसरे अर्थान्वेषी जीवन की क्या भूमिका हो सकती है?

कुछ लोग हैं जो निधन के बाद भी मेरे बीते हुए जीवन की स्मृति मात्र का हिस्सा

नहीं बने। उन्होंने मेरे होने को शब्दों से नहीं, अपने होने से रचा था। मेरा दिमाग आज भी उन्हें स्मृतिशेष के बजाय जीवन्त उपस्थिति के रूप में ही दर्ज करता है – एक ऐसी उपस्थिति जो मृत्यु द्वारा प्रत्यारोपित अनुपस्थिति से प्रांजल और सघन हो उठी है। मृत्यु शरीर को ले जाती है, किन्तु जिये गये जीवन से उत्पन्न अर्थ, जीवन के अर्क को नष्ट नहीं कर पाती। मरणोपरान्त उपस्थितियाँ काल निर्धारण के परे जाते हुए अमर पितरों की कोटि में आ जाती हैं; 'नश्वरता के दाग से उन्मोचित' क्षण, जो अनन्त बन जाते हैं। दिवंगत उपस्थितियों को हम अवसाद, पछतावे, या रह-रहकर उठने वाली हूक या 'वे दिन जो अब नहीं रहे' की स्मृति से बनने वाली छायाओं की तरह नहीं याद करते, बल्कि 'ईश्वर की पवित्र आभा में खड़ी दीप्त देहों' के रूप में याद करते हैं, जो मस्तिष्क को उस क्षण के उत्सव को जीना सिखाती हैं जिस क्षण में वे थे। मेरे जीवन में अज्ञेय ऐसी ही उपस्थिति हैं। दूसरी उपस्थिति हैं मेरी माँ। इनके अलावा मेरी इस सूची में मेरे पिता तथा चार-पाँच लोग और हैं। उनमें से एक से मैं कभी नहीं मिला क्योंकि वे मेरे जन्म से कुछ सप्ताह पहले इस पृथ्वी से विदा ले चुके थे; किन्तु जो वे थे वह उनके गीतों में हमेशा के लिए रचा-बसा है।

अर्थवत्ता की तलाश में, मृत्यु बार-बार उठने वाला एक विषय हो सकता है, इसलिए नहीं कि अर्थान्वेषी मृत्यु से भयाक्रान्त है, बल्कि इसलिए कि उसे जीवन से बेलाग प्यार है, कि वह अपनी इन्द्रियों, भावनाओं और विचार द्वारा इस चराचर, मानव ज़गत से अपने सम्बन्ध के सौन्दर्य का कायल है। मृत्यु का अहसास पंगु करने के बजाय जीवन के उल्लास की अनुभूति को अधिक गहराता है। और मृत्यु जो हमें हमारे जीवन के प्रेम से सम्पूर्ण रूप से विलगाने आती है, उससे हमारे गरिमामय साक्षात्कार में एक सौन्दर्य पनपता है। क्या जीवन से प्रेम, अगाध प्रेम सम्भव है बिना उसे खो देने के भय के, बिना उसके मोहपाश में बँधे?

एक दिन भोपाल में विवेक दत्त ने हमें एक दास्तां सुनाई थी। वे और अज्ञेय रेल से यात्रा कर रहे थे और बातचीत राग-विराग, आसक्ति-अनासक्ति पर चल रही थी। अज्ञेय ने कहा कि जीवन से पलायन अनासक्ति नहीं, बल्कि जीवन का भय है या उससे भागना है। जब कि उत्सव, लगाव, संवेदनशीलता गहरे अर्थों में केवल अनासक्ति से ही सम्भव हैं। रेल अपने गन्तव्य पर पहुँचने को थी। अज्ञेय ने अपना पश्मीना एक महँगे से बैग में तह करके रख दिया। वे अच्छी चीजों के शौकीन थे; बैग में दूसरी कीमती वस्तुएँ – कैमरा आदि – भी रही होंगी। विवेक उठे और अचानक वह बैग गुजरती हुई नदी में फेंक दिया। विवेक दत्त ने बताया, "उस व्यक्ति का आन्तरिक अनुशासन इतना प्रबल था कि चेहरे पर शिकन तक न आयी।"

एक वाकया मुझे भी याद आता है। एक बार दिल्ली में उनके घर पर जापान से लाया हुआ एक सुन्दर पोर्सलेन का गुलदान मेरे हाथों टूट कर चकनाचूर हो गया। वे अगले कमरे में शान्त भाव से पढ़ते रहे। अपना-सा मुँह लिये मैं उनके पास गया और सारी बात बताई। वे बोले ''तुम चप्पल पहन लो'', और फिर अपनी किताब पढ़ने लगे। ''कोई बात नहीं'' कहे बगैर उन्होंने मुझे फिक्र के बोध से उबार लिया था।

1955 के आसपास, परीक्षाओं के बाद, अपनी शीतकालीन छुट्टियाँ मैं उनके पास दिल्ली में बिता रहा था। उनकी पुस्तकों के भण्डार को खँगालते हुए मुझे डेविड पेट्रिक द्वारा सम्पादित चेम्बर्स के *अंग्रेजी साहित्य विश्वकोश* के मोटी जिल्द वाले तीन सुन्दर भाग दिखाई पड़े। दूसरे और तीसरे भाग की भीतरी जिल्द पर लिखा था – ''मद्रास क्रिश्चियन कॉलेज के द्वितीय वर्ष, 1926-27 के छात्र एस.एच. वात्स्यायन को जूनियर मिलर पुरस्कार के बतौर भेंट''। पहले भाग की भीतरी जिल्द पर लिखा थाः ''हीरानन्द शास्त्री, 16 नवम्बर 1930ः अपने तीसरे बेटे (या पाँचवें, चूँकि दो की मृत्यु हो गयी थी) सच्चिदानन्द के लिए, जिसे दुर्भाग्य से आज ही गिरफ्तार कर लिया गया है। विधि का खेल देखिये, अन्य दो भाग उसे पुरस्कार में प्राप्त हो गये थे।'' मैं इस खजाने को देखकर खुश था। हर दिन मैं इनमें कभी यहाँ से तो कभी वहाँ से घण्टों पढ़ता रहता। रवाना होने वाले दिन मुझे अपने सामान के ऊपर मोटे खाकी कागज और मजबूत डोरी से बँधा एक बण्डल मिला, जिसे उठाने के लिए बाकायदा उसी डोरी का हैण्डल भी बना दिया गया था। क्रिश्चियन कॉलेज, मद्रास के इतिहास में पहली बार किसी विज्ञान के छात्र को दिया गया आर्थर मिलर पुरस्कार चुपचाप मुझे हस्तान्तरित हो चुका था।

कुछ वर्ष बाद 1964 में मैंने इलाहाबाद विश्वविद्यालय से एम.ए. अंग्रेजी की परीक्षा दी। परिणाम अभी आना बाकी था। अज्ञेय कैलिफोर्निया विश्वविद्यालय, बर्कले में पढ़ा रहे थे। उन्होंने मुझे लिखा– ''तुम्हारी विश्वविद्यालय की पढ़ाई पूरी हो रही है, मैं तुम्हें सौ पुस्तकें भेंट करना चाहता हूँ। जल्दी से किताबों की सूची या अपनी दिलचस्पी के विषय मुझे लिख भेजो।'' जल्द ही विविध विषयों पर किताबें आने लगींः काव्य संग्रह, कथा साहित्य, डायरियाँ, पत्र, मिथक, नृतत्वशास्त्र, कला, दर्शन, धर्म और सौन्दर्यशास्त्र से जुड़ी पुस्तकें। उनका आना सौ के आँकड़े पर समाप्त नहीं हुआ। उन्होंने परीक्षा में मेरे अव्वल आने का इन्तजार भी नहीं किया। उनके लिए बस इतना पर्याप्त था कि मुझे पुस्तकों से प्रेम है। वे अपनी प्रिय पुस्तकों का दूसरे से साझा करना चाहते थे। एक बार – जब मैं बड़ा हो रहा था, उन्होंने मुझे बचपन की किताबें बच्चों में बाँट देने की सलाह दी। मैंने उन्हें बाँट तो दिया, लेकिन बड़े भारी मन से।

अज्ञेय को सुन्दर चीजों से लगाव थाः खुद के डिजाइन किये हुए सुघड़ फर्नीचर,

कपड़े, पुरानी वस्तुएँ, पोर्सलेन और क्रिस्टल की चीजें, हाथ के बुने मोजे; बढ़िया चमड़े के जूते, वाइन के गिलास, क्रॉकरी, चाँदी और पीतल की वस्तुएँ, कैमरा और तरह-तरह के उपकरण, विश्व-साहित्य, दर्शन व कला की पुस्तकों के पुस्तकालय संस्करण, कवियों द्वारा पढ़ी गयी कविताओं की रिकार्डिंग, अनेक लोगों, प्राकृतिक दृश्यों, पुरातात्त्विक इमारतों और कलाकृतियों के छायाचित्रों का संकलन, स्याहीवाले पेन, कॉपियाँ, अगरबत्तियाँ, फूल-पौधे, स्वादिष्ट भोजन, सबसे बढ़िया रेस्तरां में खाना, यात्राएँ।... वे हर चीज का आनन्द लेते, लेकिन लालसा किसी चीज की नहीं पालते। या कहना चाहिए किसी वस्तु को अपने अधिग्रहण में लेने के मोह से सर्वथा मुक्त रहते। चीजों को खुद अपने पास रखने के बजाय लोगों को देने या उनसे साझा करने में उन्हें शायद ज्यादा सुख मिलता था।

अपने अपने अजनबी (1961) में सेल्मा के प्रसंग में अन्त में जब सेल्मा और यान को टूटे हुए पुल पर से बचाने के लिए दल आता है, तब निविड़ अकेलेपन से धुला उसका मन दुनिया को 'बैरी अन्य' (हॉस्टाइल अदर) की तरह देखना भूल दूसरे के साथ सब-कुछ का साझा करने की उत्कंठा से भर जाता है, और जेन की तरफ देखते हुए सेल्मा के भीतर जीवन के एक नये अर्थ का उन्मेष होता है। अब जीवन कहीं — नहीं से कहीं — नहीं को जाता टूटा पुल नहीं रह जाताः

"नहीं, अन्त वहाँ पुल पर नहीं था; अन्त यह था जो कि नया आरम्भ था — अन्धी गली वह नहीं थी, मोड़ का कोई सवाल ही नहीं था, क्योंकि रास्ता ही नहीं था, क्योंकि यह आरम्भ तो खुला आकाश था ... जिसमें-से एक नया जीवन उपजा — एक नया अनुभव, एक नयी गृहस्थी, तीन सन्तानें; सुख-दुःख के साझे का एक जाल जिसमें जीवन की अर्थवत्ता के न जाने कितने पंछी उन्होंने पकड़े ... फिर वह दिन आया कि यान नहीं रहा; पर वह अर्थवत्ता नहीं मिटती, पाये हुए सारे अर्थ चाहे छिन जावें।"

अज्ञेय शायद सबसे अधिक महत्त्व मानवीय रिश्तों की बहुपरतीयता को देते थे और इसे बचाते थे। वे असली, ठोस और मूर्त, हाड़-मांस के बने लोगों से जुड़ते थे, शब्दों, निराकार विचारों और समाजशास्त्रीय अवधारणाओं से निकली जन, दलित, सर्वहारा, शोषित, हाशिए के लोग जैसी अमूर्त कोटियों से नहीं। साहित्य मानवीय अनुभवों की सघनता, सबका प्रतिनिधित्व कर सकने वाली ठोस सर्वव्यापकता की तलाश से बनता है; दर्शन इससे उलट होता है जो हालाँकि ज्यादा समग्र मगर भंगुर और अमूर्त सर्वव्यापकता के जरिए शायद सैद्धान्तिक खोज करता है। अज्ञेय एक सृजनशील लेखक की तरह रहते, सोचते, अनुभव करते और लिखते थे, न कि एक सामाजिक दार्शनिक की तरह। और राजनैतिक कार्यकर्ता की तरह तो और भी कम। किसी

विचारधारा से मुक्त वे सबसे सहज रूप से संवाद करते थे। मुझे उनके यहाँ नौकर के होने का अहसास कभी नहीं हुआ। गोविन्द सिंह एक भरे पूरे व्यक्तित्व की तरह याद आते हैं।

एक बार अज्ञेय के साथ यात्रा करते हुए रेल और पुलिसकर्मियों को एक गरीब असहाय को मारते और फिर हवालात में धकियाते हुए देखा। अज्ञेय ने इसका प्रतिरोध करते हुए कहा, "एक जुर्म के लिए किसी को दो बार सजा नहीं दी जा सकती। तुम उसे थप्पड़ मार चुके हो। अब उसे हवालात में नहीं डाल सकते।" वे दृढ़ता से बोले थे। पुलिस कर्मचारी नहीं समझ सके कि क्या जवाब दें। शायद उन्होंने अज्ञेय को कोई महत्त्वपूर्ण व्यक्ति समझा हो, जिसकी अनदेखी नहीं की जा सकती थी। उनमें से एक बोला, "जनाब, क्या यह बात आप हमें एक कागज पर लिख कर दे सकते हैं?" उन्हीं से कागज लेकर अज्ञेय ने बाकायदा हस्ताक्षर के साथ वह बात लिख दी। वह आदमी छोड़ दिया गया।

जरूरत पड़ने पर अज्ञेय एक मित्र की तरह खड़े-पैरों मदद करना जानते थे। बिना इसका तनिक अहसास कराए। शिवमंगल सिंह सुमन डी.लिट्. के लिए अपना शोधकार्य पूरा नहीं कर पा रहे थे। शोध जमा करने की अन्तिम तिथि घोषित हो चुकी थी। इसके बाद भी काम की चाल सुस्त बनी हुई थी; सिर्फ अठारह दिन बचे थे। वाराणसी में वे लिख नहीं पा रहे थे क्योंकि वहाँ मिलने-जुलने वाले अधिक थे। परेशान हो सुमन अज्ञेय के पास इलाहाबाद पहुँचे। अज्ञेय तब कई अन्य लेखक मित्रों के साथ एक सृजनशील समुदाय बनाकर 14, हेस्टिंग्स रोड पर रह रहे थे। उस इमारत में आजकल उत्तर मध्य क्षेत्रीय सांस्कृतिक केन्द्र है। हम भी तब 28 कमरों और आसपास पाँच एकड़ जमीन वाले उसी घर में रह रहे थे। बच्चों में मैं और मेरे भाई ही थे और हमें सुमन जी से बड़ा लगाव था। हमें घर पर आने-जाने वाले लोगों को सुमन के वहाँ होने का सुराग न लगने देने की जिम्मेदारी सौंपी गयी थी, यानी मिलने वालों को चकमा देने का काम!

अठारह दिन तक सुमन जी को एक कमरे में कैद रखा गया। यदि कोई आकर कहता कि उन्होंने सुमन को मय सामान के रिक्शे में आते देखा था, तो हम खाँसने लगते या गोलमोल बातें करने लगते। माँ सुमन जी को चाय, नाश्ता, भोजन उनके कमरे में ही पहुँचातीं। पिता दरवाजे तक जाकर उनकी हौसला अफजाई कर आते। अज्ञेय उन दिनों *नेहरू अभिनन्दन ग्रन्थ* और *प्रतीक* का सम्पादन कार्य कर रहे थे। उन्होंने अपने टाइपिस्टों को सुमन की सेवा में लगा दिया, जो रात दिन लिखते जा रहे थे। न बात, न चीत, न किसी से मेल-मुलाकात, न अखबार, न खान-पान की फिक्र – सुमन बस लिखते जाते थे। जो लिखा जा रहा था अज्ञेय उसे पढ़ते, सुधारते और अन्तिम रूप देते जाते। सत्रहवें दिन पूरी तरह से थके हारे सुमन ने अन्ततः

दाढ़ी बनाई, नहाये और घोड़े बेच कर सो गये। उधर अज्ञेय ने शोध ग्रन्थ की अपेक्षित प्रतियाँ निकलवा कर उनकी जिल्द बँधवाई। अगली सुबह श्रीपत राय की कार में सुमन को मय शोधग्रन्थ बिठा कर अन्तिम अवधि बीतने से पहले खुद कार हाँकते हुए वाराणसी पहुँचाया।

अज्ञेय के समूचे जीवन को देखता हूँ तो मुझे उनके भीतर बन्धुत्व की गहरी अभीप्सा नजर आती है; मिल-जुलकर रहता, साझा करता एक सृजनशील समुदाय। शायद इस बन्धुत्व की तलाश में और नये लेखकों को स्थापित करने की गरज से ही उन्होंने *तार सप्तक,* अन्य सप्तकों, *प्रतीक, नया प्रतीक* का सम्पादन किया। फिर अपने जीवन के सन्ध्याकाल में वत्सल निधि की स्थापना कर लेखक शिविर तथा अलग-अलग सृजनात्मक क्षेत्रों में काम कर रहे लोगों को साथ लेकर जातीय स्मृति में बसे स्थलों की महत्त्वपूर्ण यात्राएँ आयोजित कीं। उन्होंने अपनी कमाई का बड़ा हिस्सा सुन्दर किन्तु अलग-थलग सी जगहों पर सृजनात्मक सांस्कृतिक गतिविधियाँ आयोजित करने में लगाया जिसमें एक साथ नये और स्थापित कवियों, लेखकों, कलाकारों, आलोचकों, बुद्धिजीवियों को एक सहज और आत्मीय वातावरण में संवाद करने का मौका सुलभ हो सके। मुझे उन्होंने तीन शिविरों में आमन्त्रित किया। मैं केवल वृन्दावन के शिविर में जा पाया। जब शिविर में पढ़े गये पत्र *साहित्य और समाज* नाम से प्रकाशित हुए तो उसमें उन्होंने 'कूदा दादुर' शीर्षक से स्वयं मेरे निबन्ध (फ्रॉग जम्प्स इन) का अनुवाद किया। बहरहाल, सब चीजों से ऊपर उनकी मानव साहचर्य को पाने की चाह उनके जीवन में व्याप्त थी। घर की तलाश में, उन्होंने सदैव अपने इर्द-गिर्द घर-सा माहौल रच दिया।

वे जीना और जीवन का साझा करना जानते थे, बदले में बिना कुछ पाने की चाह रखे; देने की खुशी उनके लिए बड़ी होती थी। वे राजा हर्षवर्धन की बात करते हुए हमेशा खुशी से भर उठते, जो हर बारहवें वर्ष अपनी सकल सम्पत्ति यज्ञ द्वारा लोगों को बाँट देते और फिर अपनी बहन राज्यश्री से अपने पहनने के लिए वस्त्र माँगते थे। मुझे अज्ञेय से अनगिनत सौगातें मिलीं, जिनमें सिर्फ कुछ का जिक्र यहाँ सम्भव है। वे हमेशा चीजों की शक्ल में नहीं होती थीं। कभी-कभी वे लीक से हटकर एक उत्सव की शक्ल में भी सामने आती थीं।

मैं स्कूल में पढ़ रहा था। ''तुम्हारी गर्मी की छुट्टियाँ शुरू होने वाली होंगी, चलो पहाड़ों पर छुट्टियाँ बिताएँ'', ऐसा उन्होंने एक बार इलाहाबाद आने पर कहा। जल्द ही मैं उनके और कपिला जी के साथ अल्मोड़ा की यात्रा पर था; यहीं से आरम्भ हुई एक छुट्टी की सौगात। दिल्ली में वे मुझे गद्दों के लिए कपड़ा खरीदने और खोल सिलवाने ले गये, जिनका एक सिरा खुला छोड़ा गया। रुई नहीं भरी जाएगी? नहीं, उसकी जरूरत नहीं पड़ेगी, वे बोले।

अल्मोड़ा में स्नो-व्यू एस्टेट में एक बँगला उन्होंने किराये पर लिया हुआ था, जो अल्मोड़ा से काली मठ और आगे बिनसर जाने वाली सड़क पर शहरी क्षेत्र से तीन मील दूर था। कुछ दूरी पर दो बँगले और थे। एक में विवेक दत्त रहते थे, जिनका उन्हीं दिनों मारिया से विवाह हुआ था, जो – अगर मुझे सही याद है – एक टेप रेकार्डर लेकर कुमाऊँ के लोकगीत संग्रहित करने वहाँ आयी थीं। दूसरे बँगले में सफेद बालों वाली गरिमामय वृद्धा जीन लायन और एक नवयुवक रहते थे। युवक का सदैव शान्त, मुस्कुराता, संयत व्यक्तित्व मुझे आकर्षित करता था। अज्ञेय का उपन्यास *अपने अपने अजनबी*, 'जीन लायन की स्मृति को' समर्पित है, जिनके किसी अनुभव के आधार पर ही योके व सेल्मा के एक घर में बफर्बारी में दब जाने की घटना विकसित की गयी है।

बँगले में बिजली नहीं थी। रात में हम लालटेन जलाया करते थे। पानी के लिए भी थोड़ी दूर जाना पड़ता था। अज्ञेय और मैं पैदल वहाँ जाते, वहीं नहाते और लौटते वक्त दो बाल्टी पानी लेते आते। घर के चारों तरफ चीड़ का जंगल था। दिन को खिलने और शाम को बन्द हो जाने वाले लिली के जंगली फूल भी चारों ओर थे। मैं अपने साथ उनके कुछ बल्ब इलाहाबाद ले आया; आज साठ साल बाद भी वे हर गर्मियों में मेरे बगीचे में खिलते हैं।

अल्मोड़ा पहुँचने के अगले दिन मुझे गद्दों के खोल लेकर चलने के लिए कहा गया। हम जंगल में निकल गये। वहाँ चीड़ की सुई-नुमा पत्तियों को खोल में भरने के बाद बाकायदा गद्दे तैयार हो गये, जिन्हें हम घसीटते हुए घर तक लाये। हम जंगल से अक्सर अलाव जलाने के लिए चीड़ के शंख (कोन) भी लाया करते थे।

दिल्ली से बेकार बोझा ढोने की जरूरत नहीं थी। अज्ञेय ने मुझसे कहा था कि पढ़ने के लिए ज्यादा वक्त नहीं मिलेगा – मैं अपने साथ दो किताबें रख सकता हूँ। एक किताब जो उन्होंने सुझाई, वह थी आर.एल. स्टीवेन्सन की *ट्रेवेल्स विद ए डंकी एंड एन इनलैंड वॉयेज*। मुझे दोपहर जंगल में चीड़ के तने से टिककर वह किताब पढ़ना और उस अध्याय पर पहुँचना अभी भी याद है, जिसका शीर्षक था – 'चीड़ों के बीच एक रात'। वहाँ उसे पढ़ना कितना आह्लादकारी था! उस रोज मेरी जेब में जो दो-चार सिक्के थे, लौटते वक्त उन्हें मैंने भी पगडंडी पर पहाड़ी बच्चों के लिए छोड़ दिया था।

अज्ञेय और कपिला जी ने कुछ मित्रों को उनकी सुविधानुसार वहाँ कभी भी चले आने का खुला आमन्त्रण दे रखा था। मुझे ऐलीजाबेथ गॉबा और रिचर्ड बार्थोलोम्यू का आना याद है। वहाँ आने वाले मेहमानों का जिस आत्मीयता और गरमाहट से सत्कार होता, वह मुझे बहुत अच्छा लगता। उसमें उनके एकान्त का भी पूरा खयाल रखा जाता था। सुबह की कॉफी और दोपहर की चाय का सुन्दर अनुष्ठान वह समय

था, जब मैं चुपके-चुपके उन सबकी बातचीत सुनने-समझने की कोशिश करता। कभी विवेक दत्त आते या हम उनके यहाँ चले जाते। मुझे उन्हें अज्ञेय के साथ बातें करते देखना बहुत अच्छा लगता था। उनकी बातचीत में लम्बे-लम्बे अन्तराल होते, जब उनकी आँखें किसी एक जगह केन्द्रित न होकर कहीं दूर या कहीं नहीं या जमीन पर गड़ी होतीं; कोई कुछ नहीं बोल रहा होता, तब भी उनके बीच एक भरे-पूरे संवाद का रचाव होता था।

हम लोगों के वहाँ पहुँचने के कुछ महीने पहले तक ब्रूस्टर नामक एक खब्ती चित्रकार कुछ वर्ष उस बँगले में रहे थे। उसने खिड़कियों, दरवाजों और अलमारियों के पल्लों पर चमकीले रंगों में बेलबूटे बना दिए थे। बरामदे के खम्भों पर जंगली हनीसकल की बेल फूलों के साथ लदी थी। छुट्टियों की उस सौगात की छोटी-छोटी बातें मुझे ठीक से याद हैं। एक दिन मैं कपिला जी और आंटी मारिया के साथ बैठा था। अचानक कपिला जी ने मुझे गाना सुनाने को कहा। कुछ सकपकाते हुए मैंने 'ब्यूटीफुल ब्यूटीफुल ब्राउन आईज, आइ शैल नेवर लव ब्लू आईज अगेन' सुना डाला। गाना खत्म हुआ तो कपिला जी धीरे से बोलीं – अब एक रवीन्द्र गान सुनाओ!

बाद में भी मैंने अज्ञेय के साथ पहाड़ों और नदियों के किनारे जो छुट्टियाँ बिताईं और दिल्ली में उनके तमाम घरों में जो समय बिताया, उस सबके जिक्र के लिए न यहाँ जगह होगी, न जरूरत ही है। मुझे याद नहीं कि मैं कितनी बार उनके अन्तिम आवास कैवेंटर्स ईस्ट और और पहले 23 डी-1 चाणक्यपुरी में रहने गया। पर उन सारी जगहों पर, उस सुन्दर वातावरण का अहसास मुझे होता था जिसे वे अपने होने से रचते थे, साथ में इसका अवकाश भी कि दूसरे अपने होने को अपने ढंग से जी सकें। वे आपको बिना किसी पूर्वग्रह या तुलना के आपके स्वत्व में ग्रहण करते थे। एक पारम्परिक संस्कृत का विद्वान, बर्कले का अलंकारशास्त्र का प्रोफेसर, एक नवयुवक जिसे अभी अपनी दिशा पानी है, उनकी उपस्थिति में बड़े सहज होकर संवाद कर सकते थे।

मैं प्रोफेसर लियोनार्ड नाथन को ध्यान से सुन रहा था, जो बता रहे थे कि कैसे अज्ञेय और पं. विद्यानिवास मिश्र की मदद से उन्होंने और कुछ साथी अमरीकी कवियों ने नितान्त अपरिचित भाषाओं यानी संस्कृत तथा हिन्दी की कविताओं का अंग्रेजी में अनुवाद नहीं, बल्कि एक तरह की पुनर्रचना की। अज्ञेय और विद्यानिवास मिश्र इन कविताओं का पहले एक कामचलाऊ अनुवाद करके देते और फिर उसके बाद मूल कविता को कई-कई बार पढ़ के सुनाते, ताकि छन्द और लय का अहसास हो सके। इसके बाद वे उसके स्वर-सौन्दर्य, व्युत्पत्ति मूलक विशेषताओं, मिथकीय या अन्य सन्दर्भों का हवाला देते। इसके बाद वे अमरीकी कवि अपना काम शुरू करते थे। काम पूरा करने के बाद वे उनका पाठ करते, यदि टीम के भारतीय सदस्य

स्वीकृति दे देते तो उन्हें मूल कविताओं की पुनर्रचना मान लिया जाता, नहीं तो वे उनकी अपनी मौलिक रचनाएँ हो जातीं! नाथन ने मुझे 'असाध्य वीणा' का अद्भुत अनुवाद 'द अनमास्टर्ड ल्यूट' पढ़कर सुनाया। मुक्तक छन्द और अतुकान्त छन्द के जोड़ से वह लम्बी कविता एक आख्यान की भव्य चाल से आगे बढ़ती है।

'जिजीविषा' अज्ञेय के पसन्दीदा शब्दों में एक था। जीने की प्रबल चाह। उन्होंने अपनी समस्त इन्द्रियों, बुद्धि और संवेदन, अपने सम्पूर्ण स्वत्व से प्रकृति और मनुष्य द्वारा प्रदत्त सब कुछ का आनन्द लिया; पहाड़, चट्टानें, रेगिस्तान, पानी, मौसम और वनस्पति; साहित्य, शब्द और भाषा का सौन्दर्य; वास्तुकला, दूसरी कलाएँ, संगीत और दर्शन; और स्त्री, पुरुष और बच्चों के साथ मानव सम्बन्धों की तमाम बारीकियों का।

आमोद-प्रमोद के लिए भी उनके जीवन में खूब जगह थी। हम साथ-साथ बैडमिंटन, स्क्रैबल और ब्रिज खेलते; बाहर खाने जाते, पिकनिक मनाते। और अक्सर कोई बिलकुल अनूठी बात उन्हें सूझती। जब वे सत्तर पार कर चुके थे, मैं कुछ दिनों के लिए कैवेंटर्स ईस्ट पहुँचा तो उन्होंने मुस्कुराते हुए पूछा, ''क्या तुमने थियोफिलस का घर देखा है?'' मैंने ना में सिर हिलाया। ''आओ, दिखाता हूँ।'' हम बँगले के उस ओर गये जहाँ बहुत सारे पेड़ थे। एक पेड़ की डाल दो भागों में विभक्त होती थी। उसी पर उन्होंने एक घर बना दिया था। वहाँ तक पहुँचने के लिए बाँस की एक लम्बी सीढ़ी लगा दी थी। मैंने उसके बत्तीस पायदान चढ़े और 'मचान' तक पहुँचाः उसकी छत ढलुआ थी। उसमें तीन खिड़कियाँ थीं और भीतर एक मेज और दो कुर्सियों के लिए पर्याप्त जगह। पिछली शताब्दी के तीसरे दशक में जब अज्ञेय क्रान्तिकारी गतिविधियों के चलते जेल में थे, तब थियोफिलस उनकी पालतू गिलहरी थी। उनकी जेब में बैठकर वह जेल से बाहर आ गयी थी। ट्रेन यात्रा के दौरान एक दिन अचानक लगे ट्रेन के झटके से घबराकर वह खिड़की से कूदकर एक पेड़ पर जा बैठी। अब, पचास से भी अधिक वर्षों के बाद, पेड़ पर थियोफिलस का 'घर' तैयार था। पेड़ पर बने उस घर में बहुत-सी गिलहरियाँ आती थीं। कई बार वे खिड़की पर बैठीं उन्हें दी जाने वाली चीजें खाती रहतीं। क्या थिंयोफिलस पुनर्जन्म लेकर वहाँ आ गयी थी?

अस्सी के दशक में मेरी कैवेंटर्स ईस्ट की एक अन्य यात्रा के दौरान अज्ञेय ने मेरे एक मित्र को तार भेजाः "इला और वात्स्यायन डॉ. हरीश त्रिवेदी को नाश्ते, भोजन, चाय, रात्रिभोज या चारों पर फलां-फलां-फलां तारीख में किसी भी दिन या तीनों दिन डॉ. मानस मुकुल दास – जो इन दिनों यहाँ हैं – से बात करने, स्क्रैबल खेलने या बगीचे में साथ बैठने के लिए सादर आमन्त्रित करते हैं।''

रचनात्मकता मानव-मन का एक विशेष गुण है। उसकी अभिव्यक्ति शब्दों में

ही हो, यह जरूरी नहीं। अज्ञेय की रचनात्मकता सिर्फ उनके लिखे तक सीमित नहीं थी। वह उनके जीने, अनुभव करने के तरीके का हिस्सा थी। रंग, गन्ध, बुनावट, संरचना, स्वर, गति के हलके से हलके आभास पर उनकी पकड़ अचूक थी। वे चेहरे पर उभरने वाले संवेगों की छोटी-सी हरकत भाँप लेते थे। एक कौर चखकर भोजन में इस्तेमाल हुए विविध मसालों का पता बता सकते थे। छायाओं को देख दिन का प्रहर बता देते थे। कितने ही पक्षियों की आवाजें निकाल सकते थे। वे जानते थे कि कौन-से मौसम में किस पेड़-पौधे पर पत्तियाँ आएँगी, कौन-से फूल, कौन-सी सुगन्ध, कौन-से पक्षी, कैसी रोशनी, रंग छायाएँ, आकाश और धरती पर दिखेंगे।

उनका जीवन उनके लेखन की ही तरह इस धरा की वनस्पति, जलराशि, चट्टानों और रेगिस्तानों का उत्सव मनाता रहा। उनके साथ कितने ही पहाड़ों को पैदल नापने, नदी में नाना प्रकार की जलक्रीड़ा करने, रेत में किले बनाने, पहली बरसात में भीगने, गीली रेत भरे डिब्बों में लाल मखमली कीड़े पकड़ने, आवाजें निकाल बसन्त के पक्षियों को चिढ़ाने, बिना केंचुओं को चोट पहुँचाए जमीन खोद कर पौधे रोपने और फिर बगीचे में उनकी बहार की कल्पना करने की असंख्य स्मृतियाँ मेरे साथ हैं। उन्होंने मुझे शरीर की लययुक्त गति से नाव खेना सिखाया, ताकि चप्पू के पानी की सतह छूने से छींटे न उड़ें। मैंने उनसे हर किए जाने वाले काम का आनन्द लेना और करते हुए उसे सजग रूप से देखने का गुर सीखा कि जो कर रहा हूँ, उसे कैसे कर रहा हूँ। मुझे याद है एक बार बचपन में उन्होंने मुझसे कहा, "चलो देखें कि बिना आवाज किये, बिना उँगलियाँ साने, अन्त में प्लेट साफ छूटे ऐसे खाया जा सकता है क्या?" धीरे-धीरे मैंने छोटी-छोटी चीजों पर इस तरह गौर करना सीखा।

एक घटना तब की है जब मेरा दिमाग राजा आर्थर और उसके शूरवीरों की कहानियों के जबरदस्त प्रभाव में था और मैं बीसवीं शताब्दी में शूरवीरों के गुणों को आत्मसात कर रहा था। किसी महिला के कार में बैठने या उतरने के वक्त उनके लिए आगे बढ़कर कार का दरवाजा खोलना मेरे लिए एक वीरोचित काम था। एक कार का पिछला दरवाजा मुझसे कभी नहीं खुल पाता था। एक रोज, मेरे दुर्भाग्य से, मैंने खुद को कार के उसी बेढब दरवाजे के सामने खड़े पाया जब दो महिलाएँ कार की ओर बढ़ी चली आ रही थीं। अगले ही क्षण अज्ञेय चुपचाप आये और दरवाजा बस एक इंच खोलकर बगल से आगे बढ़ गये। दरवाजे का हत्था थाम मैंने बड़े अन्दाज के साथ उसे खोला। अटल विपदा की घड़ी से 'मर्लिन के हाथ की जादूगरी' ने मुझे छुटकारा दिला दिया था। और इस प्रक्रिया में मर्लिन ने मुझे एक अद्भुत सौगात भी दी, बशर्ते मेरे पास उसे देखने की दीठ हो: मनुष्य की झेंप के प्रति संवेदनशील होने की सौगात, बच्चे के आत्मसम्मान को ठेस न पहुँचाने की संवेदनशीलता। मैं उनकी संवेदनशील, रचनात्मक, स्नेहभरी ऐसी छोटी-छोटी बातों

का कायल था। इससे भी गहरा आश्चर्य मुझे तब होता जब वे अपने को समेटकर पूरी तरह मौन को समर्पित हो जाते, अपने चारों ओर से पूरी तरह अनभिज्ञ। तब वे सिर्फ और सिर्फ अपने साथ होते। सृजनशीलता सम्बन्धों में पैदा होती है या मौन में? या सम्बन्धों के उस नर्तन में जिसे सिर्फ मौन में गुना जा सकता है?

अज्ञेय अपने ही सत्य को जीते और रचते थे; उस बिन्दु पर सत्य की उनकी समझ जैसी होती उस आधार पर। किन्तु समझ बदलती है और परिष्कृत भी होती है। ममेतर से द्वन्द्व में अपनी अस्मिता की तलाश (*शेखरः एक जीवनी*) से आगे बढ़ते हुए यह तलाश अन्य (*अपने अपने अजनबी* में सेल्मा) के साथ साझा करने में रूपायित होती है। इसके आगे, अपनी इयत्ता की तलाश सम्पूर्ण सृष्टि के साथ साझा सम्बन्ध कायम करने में परिलक्षित होती है (*आँगन के पार द्वार* में 'असाध्य वीणा') और फिर भीतर कहीं दो समान्तर अस्तित्वों की अनुभूति से उपजा द्वन्द्वः एक वह अस्मिता जो स्थायी नहीं रहेगी, और दूसरी सम्पूर्ण की अस्मिता, जिसमें घुल गयी, लीन हो गयी अस्मिताएँ क्या कोई वजूद रखती हैं? कैसा? (*मरुथलः* मरणोपरान्त प्रकाशित कविता संग्रह)।

शेखरः एक जीवनी की शुरुआत मृत्युदण्ड की घोषणा से होती है। और इसी बिन्दु से शेखर की अपनी अस्मिता की तलाश शुरू होती है। यह व्यक्तित्व नकार से, और अधिक धारदार और मुखर होकर विलोम से, संघर्ष में ही अपने वजूद का अहसास पाता है। व्यक्तित्व की खोज का यह तरीका आधुनिक समय में पश्चिमी साहित्य द्वारा की गयी खोजों जैसा ही है जिनमें कामू का उपन्यास *लीत्रोंजे* (अजनबी) या हेमिंग्वे की 'मनुष्य को खत्म किया जा सकता है किन्तु हराया नहीं जा सकता' जैसी स्थापनाएँ आ जाती हैं।

अपने अपने अजनबी में सेल्मा अन्य के प्रति द्वेष की भावना रखने से ऊँचे उठकर अन्य के साथ साझा करने में अपना अर्थ और प्रामाणिकता ग्रहण करती है 'अन्तहीन आकाश में फैले उजास की तरह।' द्वन्द्व में अपने व्यक्तित्व की तलाश से आरम्भ कर वह रिश्ता कायम करने में, क्षमा और गरिमा में अपना व्यक्तित्व तलाशती है। द्वितीय विश्वयुद्ध के बाद दिमागी सन्तुलन खो बैठी योके किसी भले मनुष्य की उपस्थिति में आत्महत्या करना चुनती है। क्यों? और जो नेक दिल इंसान उसे मिलता है, उसका नाम जगन्नाथन – सृष्टि का कर्ता-धर्ता – क्यों है?

'असाध्य वीणा' में एक कथा वर्णित है। किंवदन्ती बन चुके एक तपस्वी साधक ने राजा को एक वीणा भेंट की जिसे उसने एक विराट वृक्ष – किरीट-तरु – के तने से बनाया था, जिसमें अनगिनत जीव-जन्तुओं ने आश्रय पाया था और जिसका फैलाव पाताल को बादलों के पार आकाश से जोड़ता था। पर इस वीणा को बजायेगा कौन? उसे कोई नहीं बजा पाता। तब राजा एक 'केशंकंबली गुफागेह' को आमन्त्रित

करते हैं जो वीणा पर माथा टेक, अपने को उसके प्रति समर्पित कर, उस वृक्ष के ध्यान में लीन हो जाता है। ध्यान में स्वयं को तिरोहित करते ही वीणा अपने आप झंकृत हो उठती है। और उससे फूटने वाला संगीत सृष्टि का संगीत है, जिसे हर व्यक्ति अलग तरीके से सुनता है। जिस अस्मिता की तलाश यहाँ हो रही है, वह त्रासद नहीं है बल्कि अपने आत्म को सृष्टि की अखण्डता में तिरोहित करने वाली एक गुह्य अस्तित्व की तलाश है। वही जिसे कबीर ने कहा है: ''जब मैं था तब हरि नहीं, अब हरि है मैं नाहिं।'' यह शब्द ब्रह्म की तलाश है, ओहम् से सोहम् तक की यात्रा है। किन्तु, यह महत्त्वपूर्ण है कि कविता के अन्त में कवि सीधे अपने पाठक को सम्बोधित करता है: ''प्रिय पाठक, यों मेरी वाणी भी मौन हुई।''

क्यों अज्ञेय आत्म के रहस्य का सन्धान प्रगीतात्मक कविता के प्रथम पुरुष एकवचन में नहीं करते, जैसे रवीन्द्रनाथ करते हैं? क्यों उन्हें वृत्तान्त की ओर मुड़ना पड़ता है और अपने पाठक को सम्बोधित हो, याद दिलाना पड़ता है कि वह जो सुन रहा था वह एक कथा थी। 1845 में नाटकीय एकालापों के लिए ख्यात रॉबर्ट ब्राउनिंग ने एक पत्र में एलिजाबेथ बैरेट को लिखा था: ''तुम स्वयं बोलती हो, मैं केवल स्त्री-पुरुषों से बुलवाता हूँ, इस तरह सत्य को उसकी इन्द्रधनुषी छटाओं में पकड़ता हूँ और सफेद रोशनी की शहतीर से घबराता हूँ।" सफेद रोशनी, अविभक्त सम्पूणर्ता के अनुभव को वही बखान सकता है जिसने उसका साक्षात्कार किया हो। रहस्यवाद के प्रति अज्ञेय के मन में गहरा खिंचाव था; किन्तु वह उनका अनुभूत सत्य नहीं था। वे अपनी प्रथम पुरुष एकवचन में लिखी गयी कविताओं में अपने अनुभूत सत्य के संघर्ष के प्रति वफादार रहते हैं। जब कि रहस्यवाद के आनन्द को वे एक बाहरी की तरह, किसी कथावाचक द्वारा सुनाई जा रही कथा के रूप में, अद्भुत बिम्बों और शब्दों की ध्वन्यात्मक अनुगूँजों की सृष्टि से एक पौराणिक आख्यान के रूप में सिरजते हैं।

अज्ञेय का स्वयं का सत्य रहस्यवाद के मौन तक तो नहीं पहुँचा, किन्तु आत्मा के आगे पसरे रेगिस्तान की अँधेरी रात (डार्क नाइट ऑफ द सोल) की यात्रा तक अवश्य पहुँचता है, जहाँ आत्म स्वयं अपनी मृत्यु की शून्यता का साक्षी है। अज्ञेय की मरुथल शृंखला की कविताओं में हमें त्रासद संवेदना के उच्चतम शिखर – जो लगभग रहस्य के दरवाजे खटखटा रहा है – का एहसास होता है। गुजरते कारवां के वे कौन-से पदचिह्न हैं, जो रेगिस्तानी अन्धड़ों में खो गये?

''कैसे करें हम
कि वह उतरे

उतर कर वही हो जो कि वह है?
अगर हम नहीं हो पाते वह
कि जो हमें होना है?
मरु में उसने रचा है – हमको
क्या हम उसमें रचेंगे – एक मरु?"

मरुथल शृंखला की कविताओं में हमें अज्ञेय की सादगी का सर्वोत्कृष्ट रूप देखने को मिलता है; एक त्रासद दृष्टि-विन्यास के कवि के रूप में, जो अपने देवता को नहीं छोड़ सका, जिसने अपने मरु देवता से संघर्ष किया कि वह खुद मरुथल में विलीन हो जाए, अपने मरु देवता का मरुथल बन जाए। स्वीडी लेखक पेर लागरक्विस्त, जिनकी उपन्यास-त्रयी का उन्होंने *महायात्रा* नाम से अनुवाद भी किया था, की तरह अपनी कविता में अज्ञेय ईश्वर के प्रतिद्वन्द्वी की मुक्ति तलाश रहे हैं। पाषाण ईश्वरत्व से टकराकर वे विदा होते हैं, किन्तु अपने जीवन की बालू पर अपनी फूँक से लिख चुकने के बाद। क्या ईश्वर वह मरुथल है जो दूसरों को मरुथल में तब्दील करने के लिए ही उन्हें नष्ट करता है?

अज्ञेय की यह यात्रा एक आश्चर्यचकित करने वाली यात्रा है, अपने विकास के हर पड़ाव में अत्यन्त ईमानदार। उन्होंने वही लिखा, जो वे थे। और उन्होंने अपने सत्यों को अपनी लेखनी और अपने जीवन – दोनों से – सत्यापित किया। किशोरावस्था में लाहौर विश्वविद्यालय से अंग्रेजी में स्नातकोत्तर परीक्षा देने के दौरान उनका सत्य क्रान्ति था और इसलिए वे एक गुप्त क्रान्तिकारी दल के सदस्य बन गये। दिल्ली षड्यंत्र मुकदमे में अभियुक्त होने के नाते उन्नीस वर्ष की उम्र में अंग्रेजी हुकूमत के विरुद्ध षड्यंत्र रचने तथा दूसरे गम्भीर आरोपों में उन्हें जेल में डाल दिया गया (1930-34)। जिस मृत्युदण्ड के उल्लेख से *शेखरः एक जीवनी* का आरम्भ होता है, वह एक निकट की आशंका थी। मृत्यु से यह नजदीकी साक्षात्कार और इतने मनमाने ढंग से कट जाने के कगार पर खड़ी एक युवा जिन्दगी का अर्थ ढूँढ़ने की ऊहापोह ही इस अधूरी रह गयी त्रयी की विषयवस्तु बने, जिसका पहला और दूसरा भाग क्रमशः 1941 और 1944 छपे। द्वितीय विश्वयुद्ध के दौरान फासीवाद दुश्मन के रूप में उभरा और मानव स्वतन्त्रता वह मूल्य बना जिसके लिए जीवन जीना और उत्सर्ग कर देना जरूरी हो गया। *नदी के द्वीप* के भुवन की तरह 1943 में अज्ञेय सेना में भर्ती हो गये। फासीवाद के विरुद्ध बोलना पर्याप्त नहीं था। उनके क्रान्तिकारी इतिहास को देखते हुए पहले उन्हें नकार दिया गया। लेकिन जब सीमा पर जापान के हमले का खतरा बना, तब उन्हें लोगों में दुश्मन के प्रति प्रतिरोध की जागरूकता लाने के काम के लिए कप्तान बना कर शिलंग भेजा गया। यहीं पहली

बार उनकी मेरे पिता से मुलाकात हुई।

फासीवाद का सक्रिय विरोध करने की गरज से अज्ञेय सेना में भर्ती हुए थे। फासीवाद की हार के साथ युद्ध के समाप्त होते ही उन्होंने सेना से इस्तीफा भी दे दिया। उन्होंने अपने जीवन में कई साहसिक कार्यों का बीड़ा उठाया, लेकिन आजीविका की गरज से नहीं; सदैव इसलिए कि वह कार्य उनकी दृष्टि में जरूरी था।

वे *दिनमान* के पहले सम्पादक बने और उसे ऐसी पत्रिका की शक्ल प्रदान की जो राष्ट्रीय और अन्तरराष्ट्रीय गतिविधियों के हर पहलू पर आलोचनात्मक विवेचन प्रस्तुत करती थी। हिन्दी में इसके पूर्व ऐसी कोई पत्रिका नहीं थी। उन्होंने सहयोगी पत्रकारों और लेखकों को चुना और अपने साथ जोड़ा। नयी पत्रिका की सफलता के लिए अपने समूह के सदस्यों के साथ मिलकर हिन्दी गद्य का एक लचीला पठनीय स्वरूप भी तैयार किया। उस दौर में मैं जब दिल्ली जाता तो उन्हें *दिनमान* के सहयोगियों के साथ काम करते देखता। हालाँकि मैं स्वयं कोई सहयोग करने की उम्र में नहीं था, पर चाव से देखता कि किस तरह वे सौहार्द, उत्साह और शालीनता के साथ सहयोगियों से अंक की हर सामग्री पर चर्चा करते। उनका व्यवहार जताता था कि सहयोगी बराबर के सहकर्मी हैं, निरे मातहत नहीं।

वे *नवभारत टाइम्स* के भी सम्पादक हुए। जेपी के *एवरीमेन्स वीकली* का भी सम्पादन किया। बिना किसी आर्थिक सहयोग के उन्होंने *प्रतीक* और *नया प्रतीक* के कई अंक तथा *वाक्* नामक अंग्रेजी पत्रिका के कुछ अंक निकाले। पाठकों के चंदे से मिलने वाली राशि उसे छापने पर आने वाले व्यय से हमेशा कम रहती। जब उनका अपना आर्थिक स्रोत सूख गया तो पत्रिकाएँ बन्द हो गयीं; पर हिन्दी साहित्य और आलोचना में अपना समुचित योगदान स्थापित करने के बाद। वैशाख से शुरू होने वाली भारतीय कालगणना के अनुसार ग्रीष्म से लेकर बसन्त तक छह ऋतुओं के लिए *प्रतीक* के छह अंक साल में निकलते थे। मुखपृष्ठ पर उस ऋतु पर केन्द्रित चित्र होते जैसे कि ग्रीष्म अंक में अमलतास का चित्र, वर्षा में कदम्ब, बसन्त में टेसू। मुखपत्र के भीतरी पृष्ठ पर *प्रतीक* के विचार को स्पष्ट करते हुए एक टीप छपती थी:

प्रतीक पत्र भी है, पुस्तक भी। वह पत्र की नियमितता से प्रकाशित होगा और पत्र की भाँति सामयिकता, नूतनता और विविधता लिए हुए होगा।... वह पुस्तकोचित गम्भीरता और स्थायित्व लिए रहेगा और पुस्तक की मर्यादा के अनुकूल उसमें आत्यंतिक मूल्य रखने वाली स्थायी रचनाएँ ही स्थान पाएँगी। प्रतीक युगीन चेतना का प्रतीक होगा किन्तु समकालीन साहित्य-रचना को प्रेरित और प्रभावित करने की क्षमता भी उसमें होगी।

जैसे पत्रिका की घोषणा न हो, किसी सृजनात्मक समुदाय का घोषणा-पत्र हो। *प्रतीक* में छपने वाली कविताएँ, कहानियाँ, आलोचनात्मक लेख, पत्रिका का आवरण

और प्रस्तुतीकरण सब इस स्तर के थे कि लगता था वह साहित्य में नव-आन्दोलन की ही आवाज हो। मुखपृष्ठ के भीतरी पृष्ठ पर सम्पादकीय व दफ्तरी पता 14, हेस्टिंग्स रोड का दिया रहता था, जो एक छत के नीचे रह रहे लेखक समूह का साझा पता भी था। गुप्त क्रान्तिकारी दल की सदस्यता, जेल में एकान्तवास का चुनाव ताकि मौन और नितान्त अकेला रहा जा सके, फासींवाद से लड़ाई में मित्र देशों की सेना में कप्तान के नाते भर्ती होना और फिर लड़ाई के उपरान्त सेना से निवृत्ति ले एक बार फिर उस समय के अपने सत्य को समर्पित हो जानाः रचनात्मक जीवन में स्वयं के निमित्त जो है उसका दूसरों के साथ साझा। किन्तु अज्ञेय सिर्फ एक साहित्यिक आन्दोलन की अगुवाई नहीं कर रहे थे। उनकी कोशिश लगातार खुद को मनुष्य के रूप में विकसित करने की, जीवन और मृत्यु के अर्थ को तलाशने की रही। इस परिवर्तन के क्या कारण रहे होंगेः *शेखर* के सौन्दर्यात्मक शून्यवाद और अक्खड़ मानववादी व्यक्तिवाद से होते हुए *अपने अपने अजनबी* में क्षमा और साझा करने में गरिमा और अर्थवत्ता का बोध और फिर ईश्वर के प्रतिद्वन्द्वी का मरुथल के देवता से दो टूक संवाद?

अज्ञेय पढ़ते खूब थे। उन्होंने मुझे रिल्के और लागरक्विस्त की *आफ्तोनलैण्ड* का डब्ल्यू.एच.ऑडन और लीफ जोबर्ग द्वारा किया गया अनुवाद पढ़वाया थाः

ईश्वर जो नहीं है
वही मेरी आत्मा को जलाता है,
मेरी आत्मा को जो उजड़ बना देता है
एक जलती जमीन, एक झुलसी हुई धरती, आग से तपी हुई
क्योंकि वह नहीं है।
वही है जो मेरी आत्मा को बचाता है, उसे मरु बनाकर
और झुलसाकर।
ईश्वर जो नहीं है
वह भयावह देवता।

किन्तु आन्तरिक परिवर्तन शायद पढ़ने मात्र से नहीं, सहानुभूति और तादात्म्य के द्वारा, गहरे व्यक्तिगत अनुभव अथवा किसी आदरणीय, घनिष्ठ के ऐसे परिवर्तन से गुजरने से सम्भव होता है। 1956 से 1958 के बीच लिखी कविताओं का संग्रह *अरी ओ करुणा प्रभामय,* जो 1959 में छपा, शायद अज्ञेय के मानसिक विकास में आ रहे बदलाव का प्रमाण है। पुस्तक का समर्पण इस प्रकार हैः

गुरुस्थानीया बउदि को –
हाँ, विस्मय विभोर
सब जैसे हैं मैं भी हूँ
किन्तु जानता हूँ रहस्य मैं अंतरतम में
धरणी शुभदा, भरणी है
पर यह प्रणाम मेरा
है तुमको, केवल तुमको

'गुरुस्थानीया बउदि' मेरी माँ थीं। वे अपने चारों ओर, हर किसी का ध्यान बहुत सहज, सरल, गरिमापूर्ण रूप से रखती थीं। अपने बड़े बेटे की मृत्यु की गहरी वेदना में भी उनका अपने कठोर देवता से सम्बन्ध टूटा नहीं। वे छोटे से छोटे काम को भी ईश्वर की उपस्थिति महसूस करते हुए करती थीं। उनका देवता उन्हें ढाढस नहीं बँधाता था, बल्कि स्वयं से अधिक प्रेम करने की प्रेरणा देता था। वे अपने इर्दगिर्द होने वाली अनर्गल कानाफूसियों और कारस्तानियों से पूरी तरह अप्रभावित रहती थीं। उनकी आध्यात्मिक डायरी, जिसमें कृष्ण की बाँसुरी के निराकार-अपरिमित संगीत की तरह एक प्रवाह था, जिसका एक भी शब्द कटा-छँटा नहीं होता था, लिखित ध्यानावस्था में, अपने ईश्वर के साथ उनके संवाद का दस्तावेज है।

पिताजी की पढ़ाई शान्तिनिकेतन में हुई थी। यह रवीन्द्रनाथ ठाकुर को नोबल पुरस्कार मिलने के थोड़े बाद का समय रहा होगा। फिर उन्होंने चिकित्साशास्त्र की पढ़ाई की। माँ से विवाह के बाद 1932 में शिलंग आकर बस गये। वहाँ डाक्टरी का काम शुरू कर दिया। वहीं 1936 में मेरे भाई का और 1941 में मेरा जन्म हुआ। चालीस के दशक में हम 'गिरिमाया' नामक छोटे, सुन्दर से बँगले में रहते थे जो एक पहाड़ी की पीठ पर था। वहाँ से एक सड़क ऊपरी शिलंग की ओर जाती थी और दो सड़कें नीचे कस्बे की ओर। माँ घर के सारे कामकाज करती थीं।

खाना बनाने, घर की साज-सँभाल करने और बागवानी में माँ का जवाब नहीं था। एक बार शिलंग घूमने आये डच लोगों के दल ने उनके बगीचे की तस्वीरें यह कह कर खींची थीं कि किसी घर में इतना सुन्दर बगीचा उन्होंने कभी नहीं देखा। वे बुनाई करतीं, कढ़ाई करतीं और बाद में चमड़े की अद्भुत चीजें भी बनाती थीं, जो हुनर उन्होंने दरअसल अज्ञेय से सीखा था। भोजन की मेज खासी बड़ी थी, उस पर दस लोग बैठकर खा सकते थे। हर शाम घर पर मेहमान होते और उन्हें हमेशा रात्रिभोजन के लिए रुकने को कहा जाता। शान्तिनिकेतन का वसुधैव कुटुम्बकम् का सूत्र हमारे घर पर पूरी तरह से लागू होता था। पिता को लोगों की आवभगत

करना अच्छा लगता था। उस सुन्दर पहाड़ी शहर में आने वाले मित्र और मित्रों के मित्र हमारे यहाँ ही रुकते। कुछ मशहूर शख्सियतें भी हमारे यहाँ ठहरी थीं। किशोर सत्यजित राय अपनी माँ के साथ एक महीने हमारे यहाँ ठहरे। उनकी माँ ने कई स्वादिष्ट व्यंजन माँ को सिखाये। मेरे पिता के गुरु क्षितिमोहन सेन भी हमारे यहाँ ठहरे। सुधीर खास्तगीर आये और आठ दीवार वाली बैठक की चार दीवारों पर उन्होंने बुद्ध के जीवन की कुछ घटनाएँ भी चित्रित कीं।

एक शाम पिता अपने दवाखाने से लौटे तो साथ में अज्ञेय को घर लेकर आये। वे फौजी वर्दी में थे। तब मैं चार साल का था और मेरा भाई नौ साल का। अज्ञेय से हमारा परिचय 'कैप्टन काकू' के रूप में करवाया गया। पिता के तमाम मित्र जो उनसे उम्र में छोटे होते, उन्हें हम 'काकू' और उनसे बड़ों को 'जेठू' कह कर बुलाते थे। उनकी पत्नियों को हम काकीमा या जेठीमा न कह कर पीशीमा कहते थे। अज्ञेय पिताजी को डॉक्टर या आशा दा कहकर सम्बोधित करते थे। पिताज़ी उन्हें आजीवन कैप्टन कहकर बुलाते रहे, जब कि कुछ समय बाद अज्ञेय ने सेना से निवृत्ति ले ली थी। थोड़े अरसे बाद, जब ग्यारह बरस की खासी बड़ी उम्र में मेरा स्कूल में दाखिला हुआ, तब मेरे पास एक ऑटोग्राफ-बुक थी। उसके पन्नों के एक कोने पर मैंने पक्षियों और जानवरों के चित्र चिपका रखे थे। जब मैं उस कॉपी को अज्ञेय के पास लेकर गया तो उन्होंने उसमें गिलहरी वाला पन्ना चुना और हस्ताक्षर के साथ अंग्रेजी में जो लिखा उसका अनुवाद कुछ इस तरह होगाः

थियोफिलस गिलहरी जहाँ दिखती है
वहीं रहता है जंगल का खतरनाक डाकू;
और नीचे जो हस्ताक्षर तुम देखोगे
उसके मायने हैं तुम्हारे कैप्टन काकू।

— एस.एच. वात्स्यायन

उन्हें जब कैप्टन काकू के रूप में हम दोनों से मिलवाया गया तो उनकी मुस्कुराहट देखकर उसी घड़ी हमें लगा कि हम उन्हें शायद अपने साथ खेलने के लिए आमन्त्रित कर सकते हैं। वे राजी हो गये। हम उन्हें बगीचे में ले गये जहाँ हमारे अन्य मित्र ताप्शु, झोन्टू और जॉली भी आ गये थे। जल्द ही हम मौज-मस्ती में खो गये। अज्ञेय ने अपनी उँगलियाँ एक-दूसरे में फँसा कर सिर के पीछे रख लीं। हम उनकी बाँहों से लटक गये और वे हम पाँचों को लटकाकर मैरी-गो-राउंड की तरह घूमने लगे। जब हमारी पकड़ ढीली होने लगी, तब हम एक-एक कर घास पर हँसते-हँसते लुढ़क कर गिर गये। हमने उनसे पूछा कि क्या उन्हें कोई करतब भी

आते हैं? वे सिर के बल खड़े हो गये और फिर हमें हाथों पर चलकर दिखाया। अपने रूमाल का चूहा बना कर भी कुदाते रहे। उस दिन के बाद से वे अक्सर हमारे घर आने लगे। काम से लौटते समय अमूमन वर्दी में ही होते। एक दिन मैंने उनसे पूछ लिया – ''क्या आपके पास एक ही पोशाक है?'' उन्होंने पूछा, ''क्या तुम अपनी कुछ पोशाकें मुझे दोगे?'' मैंने उन्हें ऊपर से नीचे तक देख कर कहा, ''वे तो आएँगी नहीं आपको।''

हम पिकनिक मनाने के लिए चेरापूंजी जा रहे थे। हमें वह जगह बहुत पसन्द थी। वहाँ के झरने, जिनमें एक नकालिकाई झरना दुखद प्रेमगाथा से जुड़ा था, चट्टानें, फर्न और अन्य पत्तियाँ, कुछ डरावनी-सी मानव अनुपस्थिति, वह नदी जिसका नाम हम नहीं जानते थे और जिसे पिता साइलन्ट रिवर (नीरव नदी) कहते थे, दोपहर बाद अचानक आने वाली बाढ़ों के कारण वह खतरनाक समझी जाती थी। उस जगह के प्रति मेरा एक रूमानी खिंचाव था, मुझे बार-बार याद आती थी जब बाद में मैंने कॉलरिज की कविता 'कुबला खान' की कुछ पंक्तियाँ पढ़ीं।

अज्ञेय हमें गाड़ी में बैठा कर चेरापूंजी ले जा रहे थे। पाँच साल का मैं बगल में बैठा था। जंगल के एक गेस्ट हाउस में गाड़ी रुकी, जहाँ उन्होंने हमारे लिए नाश्ते का इन्तजाम करवा रखा था। हम एक मेज के इर्द-गिर्द बैठे थे। खानसामा अण्डे लेकर आया और सबसे पहले मेरी तश्तरी में दो तले अण्डे रख दिये। चौंक कर माँ बोली, ''क्या यह जायंट (दैत्य) है जो दो अण्डे खा लेगा?'' पिता हँसकर बोले, ''उसके साथ एक जायंट काकू भी तो हैं!'' उस दिन बाद कई सालों के लिए 'कैप्टन काकू' हमारे लिए 'ज़ायंट काकू' हो गये और अज्ञेय भी मुझे कई वर्ष तक 'जायंट' कह कर पुकारते रहे। वे बहुत खयाल रखने वाले व्यक्ति थे, इस बात का खयाल रखने वाले भी कि बड़े हो गये बच्चे को उनके व्यवहार से झेंप न हो। जब उन्हें लगा कि अब मुझे लोगों के सामने जायंट कहलाना अच्छा नहीं लगेगा, उस रोज से, बिना इसका अहसास दिए, मैं 'मानस' हो गया।

लड़ाई समाप्त हो चुकी थी। इसी बीच पिताजी को दिल का दौरा पड़ा। लेकिन तबीयत सँभल गयी। शायद उनके लिए पहाड़ पर और रहना ठीक नहीं था। अज्ञेय सेना से त्यागपत्र दे चुके थे। उनके साथ उत्तर भारत की यात्रा का कार्यक्रम बना। इसका एक उद्देश्य यह भी था कि अगर हमें पहाड़ छोड़कर रहना है तो पिताजी उपयुक्त नयी जगह ढूँढ़ सकें।

बनारस पहुँचकर हम गदोलिया में श्रीपत राय के घर पर रह रहे थे। मेरे जन्म के समय माँ के मन में बेटी की चाह थी। इसलिए उन्होंने मेरे बाल कटवाये नहीं। वे मेरे कन्धों पर झूलते रहते थे। एक रोज मैं सबके सामने कैंची लेकर अज्ञेय के

पास गया और उनसे मेरे बाल काट देने को कहा। वे मुस्कुराकर राजी हो गये और माँ को चिढ़ाते हुए बोले कि पहले-पहल बाल उतारने के लिए बनारस सबसे उपयुक्त जगह रहेगी, बाल की सारी लटें सीधे स्वर्ग को जाएँगी। लटों के स्वर्ग पहुँचने का तो पता नहीं, पर यह दावे से कह सकता हूँ कि इतना खासुलखास पहला नाई किसी दूसरे को नसीब नहीं हुआ होगा!

शिलंग से अमृतसर और लाहौर तक पूरे उत्तर भारत की यात्रा करते हुए हम इलाहाबाद पहुँचे। युद्ध की समाप्ति के बाद अज्ञेय के मन में समानधर्माओं के साथ एक सृजनात्मक साहचर्य का विचार चल रहा था। अज्ञेय, श्रीपत राय, भारतभूषण अग्रवाल, बिन्दु अग्रवाल, नेमिचन्द्र जैन, रेखा जैन, उनकी बेटी रश्मि और अन्य लोग 14, हेस्टिंग्स रोड पर साथ रहने लगे। उस समय *प्रतीक* का सम्पादन इलाहाबाद से ही किया जा रहा था और उसकी छपाई श्रीपत राय के बनारस स्थित सरस्वती प्रेस नामक छापेखाने में होती थी। हम लोग अज्ञेय के पास उस घर में शायद 1947 की शुरुआत में पहुँचे और कुछ माह रुके। बाद में हम वहाँ फिर आये।

शिलंग में रहना पिताजी के लिए अब ठीक नहीं था तो हम इलाहाबाद में रह सकते थे। पर पिताजी उस पहाड़ी शहर को एक और मौका देना चाहते थे जहाँ उन्होंने जीवन के सोलह खुशगवार वर्ष बिताये थे। किन्तु शिलंग लौटने पर उन्हें दिल का दूसरा दौरा पड़ा और वे समझ गये कि अब पहाड़ों पर रहना उनके लिए दुष्कर होगा। जीवन में उन्होंने जोड़ा कुछ खास नहीं था। कमाया तो खर्च भी खुले हाथ से किया। अज्ञेय ने हमें 14, हेस्टिंग्स रोड में रहने का आमन्त्रण दिया। आर्थिक और भावनात्मक रूप से कठिन दौर से गुजरते हुए मेरे माता-पिता अज्ञेय के सम्बल के चलते हम बच्चों को लेकर दिसम्बर 1947 में इलाहाबाद आ गये। उस जगह का माहौल कुछ ऐसा था कि हम बच्चों को कठिन दौर की भनक ही नहीं हुई। हर परिवार उस विशाल बँगले के अलग-अलग हिस्सों में रहता था। शुरुआत में अज्ञेय और श्रीपत राय अविवाहित थे। बाद में श्रीपत राय का विवाह उसी घर में सम्पन्न हुआ। रसोई एक ही थी और उसका जिम्मा मेरी माँ के पास था।

1947 से मई 1950 के बीच हम उनके साथ रहे। शिलंग के कुछ महीनों को छोड़कर ज्यादातर 14 या फिर 18 हेस्टिंग्स रोड के घर में, जहाँ कई और परिवार साथ रहने को आते और जाते रहे। पूरी सूची देना उबाऊ होगा। किन्तु उसी दौर में पहली बार मैं इलाहाबाद के प्रसिद्ध कॉफी हाउस गया। घर के अन्य लोग वहाँ रिक्शे से पहुँचे। मैं अज्ञेय की हम्बर साइकिल पर गया। वे जमीन पर पैर जमाये सीट पर बैठे और मैं उनके कन्धे पकड़ कर केरियर पर खड़ा हो गया। कॉफी हाउस पहुँचने पर मैं वीर-दर्प के साथ साइकिल से कूद कर उतरा। साइकिल की मेरी वह पहली सवारी थी। पहाड़ों में साइकिल कोई नहीं चलाता था। जब हम दूसरे वाले घर में रहने आये,

उस वक्त श्रीपत राय अपनी पत्नी के साथ 6, ड्रमंड रोड पर चले गये। उस घर को उन्होंने बाद में खरीद लिया। उनके साथ हमेशा दोस्ती बनी रही। वे और शिवमंगल सिंह सुमन जब बीच में कुछ समय के लिए हम लोग वापस शिलंग चले गये थे, हमारे यहाँ कुछ दिनों के लिए आये।

प्रतीक दो साल चला और पैसे खत्म हो जाने पर बन्द हो गया। मई 1950 तक सारे परिवार भी इधर-उधर चले गये। कुछ गहरी दोस्तियाँ बनी रहीं और एक बच्चे के दिमाग में कुछ अमिट सुप्त स्मृतियाँ, जिनका करीब छह दशकों बाद एक अलग ही रूप में, सृजनात्मकता की और स्थान की एक अलग ही अवधारणा लिए पुनः प्रस्फुटन हुआ। सृजनात्मकता अभिव्यक्ति की चाह की उपज है या दिमाग की एक विशिष्ट अवस्था? क्या 'स्थान' धरती पर फैला, नापा जा सकने वाला विस्तार है या मनुष्य की चेतना में न नापा जा सकने वाला विस्तार? किन्तु यह एक अलग कहानी है, आकाश के संग मेरे संवाद और कार्य करते हुए जीवन से सीखने की कहानी। उस अभी भी घटित हो रही अद्‌भुत कहानी का वृत्तान्त कभी और कहा जाएगा।

1950 में अज्ञेय दिल्ली चले गये। पिता हम सबको लेकर बेली रोड स्थित 'बसुधा' नाम के सुन्दर-से छोटे घर में रहने आ गये, जिसमें पहले कभी हरिवंश राय बच्चन और सुमित्रानन्दन पन्त रह चुके थे। पन्त ने ही इस घर का नामकरण किया था, जो वहाँ एक संगमरमर की पट्टिका पर खुदा थाः बच्चन से 'ब', सुमित्र से 'सु' और धाम से 'धा'। पन्त ने ही मकान मालिक से पिता की मुलाकात करवाई थी। अज्ञेय का अक्सर इलाहाबाद आना होता था और वे हमारे साथ 'बसुधा' में ही ठहरते थे।

हम 4 मई, 1950 को 'बसुधा' में रहने आये। अगले तैंतालीस वर्ष वही मेरा घर रहा। दो अक्टूबर को मेरी माँ का जन्मदिन पड़ता है। एक बार दो तारीख की रात लगभग बारह बजे अज्ञेय घर पहुँचे। जो हमेशा तोहफों को बहुत सलीके से कागज में लपेटकर दिया करते थे, उस रोज उनके हाथों में बेतरतीब चिंदियों से लिपटा एक बण्डल था। उसे उन्होंने माँ के हाथों में सौंपा। माँ हाथ में लेते ही समझ गयीं कि उसमें क्या है। उन्होंने हौले से चिन्दियाँ खोलीं: भीतर एक मुस्कुराते, बंशी लिये कृष्ण की संगमरमर की मूर्ति निकली।

माता-पिता जन्म से ब्रह्मसमाजी थे, जिसमें मूर्तिपूजा और पूजा-पाठ आदि की मनाही थी। लेकिन बचपन से माँ का कृष्ण के प्रति गहरा झुकाव था। उन्होंने मूर्ति के लिए अलग से कोई मन्दिर नहीं बनाया, पर कमरे की अलमारी के सबसे ऊपरी खण्ड के बीच उसे रख दिया। कभी-कभी उसके पास वे गुलदान में फूल सजाकर रख देतीं। भगवान वहाँ मुस्कुराते खड़े रहते। उनके आसपास कोई तामझाम नहीं होता था। न कोई उन्हें प्रसाद चढ़ाता, न अगरबत्ती जलाता। कोई उनके आगे बैठ

प्रार्थना भी नहीं करता था। वे मुस्कुराते वहाँ खड़े रहते; सुन्दर पत्थर के शोभित बुत। अलमारी के ऊपरी हिस्से में वे प्रतीक्षारत खड़े रहते; अभ्यर्थना की प्रतीक्षा में।

15 अगस्त, 1951 की स्वतन्त्रता दिवस की परेड देख कर लौटने के बाद मेरा भाई बीमार पड़ गया। तब वह पन्द्रह साल का था – लम्बा, मजबूत, जीवन्त और शरारती, प्रेम से भरपूर और सारे आस-पड़ोस का चहेता। फादर जॉर्ज भी उसे चाहते थे, इसके बावजूद कि उसकी पढ़ने में रुचि नहीं थी और स्कूल से भाग कर स्केटिंग करता या नदी किनारे जा बैठता। उसकी बीमारी डॉक्टरों की समझ के बाहर थी। शहर के छह बड़े डॉक्टर और पिता के मित्र, रोगी के खून, थूक, एक्स-रे आदि की जाँच में लगे थे। क्या टी.बी. है? नहीं। फिर क्या हो सकता है? रेडियोलोजिस्ट मेजर डे ने फेफड़े के एक्स-रे में दिखती विचित्र छाया की ओर इशारा किया: फफूँद की छाया। रोग पकड़ में आया: मोनीलिएसिस। चिकित्सा के इतिहास में इसके गिने-चुने मामले तो दर्ज थे, पर इलाज कहीं नहीं था।

भाई माँ के कमरे में बिस्तर पर लेटा रहता: कभी-कभी पीड़ा में और खून की उल्टियाँ करते हुए, पर अक्सर खुश और मुस्कुराता चेहरा लिये हुए। माँ हर वक्त उसके पास बैठी महाभारत-रामायण की कहानियाँ सुनातीं या रवीन्द्रनाथ का पाठ करतीं, जिनका नाम हमारे परिवार का हिस्सा था। उसकी बीमारी की खबर पाकर लोग उससे मिलने आते। गहरी मित्रताएँ कायम हुईं, जिनमें से कुछ आजीवन बनी रहीं। कभी-कभी बिस्तर पर लेटे-लेटे वह संगमरमर की उस मूर्ति की ओर मुस्कुराता और हाथ से पास बुलाने का इशारा करता। माँ का इस पर ध्यान गया और उन्होंने पूछा, "क्या मैं उसे तुम्हारे तकिये के पास रख दूँ?" वह खुश हो गया। उस दिन से 11 सितम्बर, 1951, भादों की शुक्ल एकादशी, को उसकी मृत्यु के दिन तक, वह मूर्ति वहीं रखी रही। जिस दिन उसकी मृत्यु हुई उस सुबह भाई माँ से बोला, "रोना मत माँ, मुझे जाना होगा, कृष्ण मुझे लेने आये हैं।"

उस शाम मूसलाधार बारिश के साथ बादलों की गर्जन हो रही थी। बिजली रह-रहकर आसमान के भाल को चीर जाती थी। पर घर उसे देखने आये लोगों से भरा था। वह स्वयं उठ पाने में असमर्थ था, सो माँ को सहारे के लिए कहा। फिर हाथ जोड़ कर मिलने आये लोगों से विदा ली। शाम पौने सात बजे तीन बार अपने प्रिय देवता का नाम लेकर वह माँ की गोद में सदा के लिए सो गया। मैं तब दस बरस का था। मैं रोता हुआ बाहर की ओर दौड़ गया। एक पड़ोसन ने मुझे अपनी बाँहों में ले लिया। उस रात बाद में माँ भाई के शरीर को लेकर बैठी नहीं रहीं। भावनाओं के ज्वार से रह-रहकर टूटती आवाज में वे रवीन्द्रनाथ के मृत्यु गीत गाती रहीं और शव को श्मशान ले जाने दिया। फिर अपने कमरे का दरवाजा बन्द कर वेदना में कृष्ण की मूर्ति के सामने बैठ गयीं, जिसमें अब उनके बेटे के यों चले जाने

से प्राण प्रतिष्ठित हो गये थे। बगल के कमरे से मुझे कभी उनके रोने की आवाज सुनाई पड़ती, कभी निविड़ सन्नाटा।

भाई बीमार पड़ा, तब अज्ञेय कश्मीर में थे। उन्होंने कमल के फूलों से आच्छादित झील का एक पिक्चर पोस्टकार्ड भेजा और लिखा – "बापी, जल्दी ठीक हो जाओ। फिर हम साथ-साथ कश्मीर आएँगे।" कार्ड देर से पहुँचा। पिता का तार पाते ही अज्ञेय तुरन्त इलाहाबाद आये। जब घर पहुँचे – मौन और गम्भीर – तो माँ बोल पड़ीं, "बापी नहीं रहा। अब वह तुम्हारे साथ कभी कश्मीर नहीं जा सकेगा।" वे मृत्यु की शून्यता के सामने खड़ी थीं जिससे आगे भी उनका कई बार साक्षात्कार होना था, पर उन्होंने अपने ईश्वर को कभी नहीं छोड़ा। अक्सर वे अकेली अपने कृष्ण के आगे बैठी रहतीं। वे गहरे अकेलेपन के दौर से गुजर रही थीं, जिसमें किसी भी चीज का सहारा नहीं था। उस अकेलेपन में उनका संवाद केवल अपने देवता से था – कभी मौन, कभी गीतों के जरिए। पिता भी अवसाद में डूबे थे। अज्ञेय चुप खड़े रहे। सान्त्वना देने की कोशिश उन्होंने नहीं की। उनका मौन मुझे कहीं किसी गहराई में छूता था। उन दिनों जब माँ के चेहरे को देखता तो लगता था कि प्रतिदिन एक प्रशान्त सौन्दर्य वहाँ छा जा रहा था।

भाई की मृत्यु के साथ एक तरह से मेरे बचपन का अन्त हो गया। वह मेरा मित्र था। मैं उसके साथ ही झगड़ता, खेलता था। अब वह सब कुछ खत्म हो गया था। पड़ोस में भले बच्चे थे, जिनके साथ मैं शाम को खेलने चला जाता था। लेकिन पुराना समय लौट कर नहीं आता। सम्बन्ध की वह गहराई अब नहीं थी। अब मैं अकेले रहने और परोक्ष में बड़ों की बातें सुनने में आनन्द पाता था। मैं छत पर, बगीचे के पेड़ पर, गंगा किनारे या अपने छोटे कमरे में बैठा किताबें पढ़ना पसन्द करता था।

पिता दिल के दौरे झेलने के बाद पैंतालीस वर्ष की उम्र में रक्तचाप के मरीज बनकर इलाहाबाद आये थे। उन्हें शहर में नये सिरे से अपनी डॉक्टरी जमानी थी। वे गरीबों और मित्रों से फीस नहीं लेते थे। और उनका स्वभाव ऐसा था कि उनके मरीज बहुत जल्दी उनके मित्र बन जाते थे। अतिथियों की खातिर करने के दिन अब गुजर चुके थे। किन्तु अब अगर उनके पास पैसा देने वाले मरीजों की कमी थी तो कई गहरे-गम्भीर मित्र थे जो भोजन न सही, माँ द्वारा परोसे गये चाय-नाश्ते के साथ संवाद में शरीक होने आते रहे। एक बड़े समूह ने मिलकर 'विचित्रा' नामक एक संस्था बनाई थी, जिसकी बागडोर पिताजी के हाथों में थी। वे पिता से रवीन्द्र संगीत सीखने आते थे। उनमें कई प्रतिभाशाली लोग थे जो अलग-अलग साज बजाते थे। साल में दो-तीन बार वे किसी बड़े हॉल या स्कूल के मैदान में रवीन्द्र-नृत्य-संगीत उत्सव का आयोजन वर्षा, या नव-वर्ष के आगमन, या ऐसे ही किसी मौके को लेकर करते थे।

माँ मेल-जोल से, घर के बाहर की गतिविधियों से दूर रहती थीं। पर हर वर्ष 11 सितम्बर को मेरे भाई की पुण्य तिथि और बुद्ध पूर्णिमा के दिन उसका जन्म दिवस अवश्य मनातीं। इन मौकों पर पिता युवाओं को रवीन्द्र संगीत सिखाते तथा वे और उनके मित्र मिलकर माँ के चुने गीत, जो अक्सर रवीन्द्रनाथ के होते, गाते थे। यहाँ मैं उनमें से केवल एक को उद्धृत करूँगाः

जिस रात मेरे घर के दरवाजे तूफान में टूटे थे
क्या जानता था मैं कि वह तुम आये थे।
सब कुछ कालिमा में डूब गया
दीया बुझ गया
किसके लिए मैंने हाथ आसमान की ओर उठाया?
अन्धकार को ताकता रहा स्वप्न मानकर
तूफान जो तुम्हारी जय ध्वजा है क्या मैंने जाना?
भोर, जागने पर पाया मैंने
वहाँ तुम्हें खड़ा
घर पर छाये शून्यता के वक्ष पर
जाना नहीं तुम मेरे आये घर में।

घर के सारे कामकाज निपटाकर, पेड़-पौधों की देखभाल, सिंचाई आदि के बाद सन्ध्याकाल माँ बरामदे की सीढ़ी पर बैठे आकाश के बदलते रंग और पेड़ों का डोलना चुपचाप देखती रहती थीं। आसमान में तारों के आने तक वे वहाँ शान्त बैठी रहती थीं। फिर उठकर एक दीया जलाकर मुक्त आकाश के नीचे एक चौकोर पत्थर पर रख देतीं। एक दिन उनके पास बैठे मैंने ऐसा करने की वजह पूछी तो वे बोलीं, "जब मैं देखती हूँ हर रात कोई मेरे लिए हजारों तारों से अन्धकार को सजा रहा है तो उसके उद्देश्य में मैं एक प्रदीप जलाती हूँ।"

दूसरा एक दिनः मेरे भाई का जन्मदिवस था। लोग आने को थे, संगीत शुरू होने वाला था। माँ के कमरे के सामने से गुजरते हुए मैंने पर्दों के बीच से देखा, माँ घर के सारे काम करने वालों के साथ थीं। माली, कहारिन, धोबिन, पिताजी का रिक्शावाला, स्नानघर आदि साफ करने वाली। वे हर एक को मिठाई का डिब्बा और फूलमाला देते हुए उनके पैर छू रही थीं। रात में जब मैंने उनसे ऐसा करने का कारण पूछा तो वे बोलीं– "मैं अपने देवता को, जो उनके अन्दर रहकर मेरा सब कामकाज करते हैं, प्रणाम कर रही थी।"

माँ का धर्म किसी संस्कृति विशेष का नहीं था। उन्होंने आराधना के अपने अनुष्ठान रचे थे। अनन्त से उनकी अन्तरंगता वैसी ही थी, जैसी हमारी अपने मित्रों

से हुआ करती है। जब वे गातीं तो जैसे उनका सम्पूर्ण अस्तित्व गा रहा होता था। उनका गान अपने ईश्वर के लिए था, श्रोताओं के लिए नहीं। वे घर में कामकाज करते हुए या फिर सदा से बंसी बजा रहे अपने आराध्य के आगे बैठकर गाती थीं।

दुख के समय वे लोगों के हृदय को स्पर्श कर सकती थीं, और आनन्द के क्षणों को अधिक समृद्ध बना सकती थीं। जिसे वे गलत समझती थीं, उसके खिलाफ दृढ़ता से अपने को व्यक्त करती थीं। एक बार मैंने लापरवाही से एक लिफाफे पर पता लिखा था। उसे देख वे बोलीं, "यह मत भूलो कि तुम्हारी यह लापरवाह लिखावट पोस्टमैन के रूप में उस ईश्वर का अपमान है, जिन्हें यह पढ़ना पड़ेगा।"

माँ की तरह पूजा-स्थल या घर के हर कोने को शायद ही कोई सजा सकता होः अल्पना, दीये, फूलों की सजावट, गमलों का सलीके से रखा जाना, हाथ के कढ़े मेजपोश, चादरें, तकियों के खोल, जमीन पर बिछाने की सफेद जाजम या हाथ की बुनी हुई दरियाँ। और यह सब कुछ वे गाते गुनगुनाते हुए किया करती थीं। ओने-कोने, ऊपर-नीचे रंगों, आकारों का आपसी खेल और सन्तुलन इत्यादि कला की तमाम अवधारणाएँ स्वाभाविक और स्वतःस्फूर्त ढंग से उनके हर काम में समाई हुई थीं। भाई के मृत्यु-दिन पर, जिसे वे कृष्ण के घर आगमन के रूप में देखती थीं, कृष्ण की मूर्ति पर केन्द्रित कर वे सारा घर सजाती थीं। अज्ञेय अक्सर इस अवसर पर हमारे यहाँ होते। चुपचाप वे शाम के उत्सव के लिए दिन भर की जा रही तैयारियों को देखते। वे उसमें जुड़ भी जाते। गुलदान में फूल या फर्श को कालीनों से सजाने में।

फूल सजाना उनकी खास रुचियों में था। जापान से लौटते वक्त वहां फूल सजाने की विभिन्न विधियां इकेबाना आदि पर बहुत सारी पुस्तकें लाये थे। वे विदेश से सुन्दर से सुन्दर गुलदान भी लाये। जापान से जेड, चेकोस्लोवाकिया से कट-ग्लास। इन उत्सवों के लिए वे चुन कर खास-खास धूप-अगरबत्ती भी लाते थे। हर 11 सितम्बर को शाम पौने सात बजे प्रेम और भक्ति से सजाए एक कमरे में, धूप की सुगन्ध के बीच मीरा के भजन ''सुनी मैं हरि आवन की आवाज'' और शंखनाद से संगीत सन्ध्या का आरम्भ होता। इसके बाद पिता के सिखाए गायकों के कंठों में, विशेष कर रवीन्द्रनाथ के गीत गाये जाते थे। सभी के योगदान से श्रद्धा का ऐसा शान्त वातावरण बनता जिसमें मानव-मन की सीमाएँ असीम में खो जातीं। अज्ञेय चुपचाप किसी कोने में बैठे सुनते रहते। समारोह की समाप्ति पर भी वे मौन ही बने रहते थे। कभी-कभी गान आदि के आरम्भ से पहले वे कैमरा निकाल कर तस्वीरें ले लेते। वे तमाम तस्वीरें अब उन स्मृतियों का सुन्दर दस्तावेज हैं।

अज्ञेय को सबसे गहरे मौन में डूबते मैंने तब देखा जब माँ ने घर पर आनन्दमयी माँ को बुलाया था। आनन्दमयी माँ की उपस्थिति अत्यन्त सहज, निर्दोष और पारदर्शी

थी। उनकी आँखें बिना दोष-गुण देखे सिर्फ और सिर्फ करुणा से सबको देखती थीं। वे जहाँ भी जातीं बिना शब्दों के, अपने परिवेश से एक हो जाती थीं। उसके दुख-सुख उनके होते। उसमें कोई विभेद न होता। उनका होना ही अभिव्यक्त होता था। समग्र अस्तित्व के आनन्द और विशाद में अनन्य होकर, अपने होने की परिपूर्ण सरलता, सहजता में वे गातीं, बोलतीं या मौन रहती थीं। कुछ भी करते हुए उनकी उपस्थिति अनाम बनी रहती, अनेच्छ और अनेपक्ष, सृष्टि के असीम बहाव में बहती हुई, उससे एकरूप, महज एक साक्षी।

मेरी माँ ने बगीचे में लोगों के बैठने के लिए इन्तजाम किया था। अज्ञेय से कहा था, उन्हें जरूर रहना है। अज्ञेय देखने के लिए रुके और देखकर ऐसे गहरे मौन में उतर गये जैसा मैंने उन्हें पहले कभी नहीं देखा था। वे सबके जाने के बाद घंटों तक बगीचे में अकेले अपने में निमग्न बैठे रहे। वे अपने गहन अनुभवों के बारे में बात नहीं करते थे। उनके ऐसे अनुभव शब्दातीत मौन में अनकहे रहते थे।

बउदि (भाभी) के प्रति अगाध श्रद्धा और आदरभाव के कारण उनकी अस्तित्व की यात्रा का प्रभाव अज्ञेय पर भी गहरा पड़ा होगा। अन्याय के विरुद्ध संग्राम में अभिव्यक्ति पाने वाले *शेखर* से लेकर *अपने अपने अजनबी* में सम्बन्धों के बीच प्रेम-करुणा में अपनी पहचान पाने तक या 'असाध्य वीणा' में सृष्टि की अविभाज्यता से एकाकार होने या *मरुथल* की कविताओं में आत्मा की अँधेरी रात में मरुभूमि के देवता में मरु बनकर मिटने की पीड़ा तक का सफर अस्तित्व की एक कठिन यात्रा ही रही होगी जिसमें किन पगडंडियों से आत्मा गुजरी होगी, चेतन से अधिक अचेतन अवस्था में, इसके बारे में कोई कम ही जान सकता है।

एक शाम कैवेंटर्स ईस्ट में अज्ञेय और मैं अनुभूत सत्य की अस्तित्ववादी अवधारणा पर बात कर रहे थे। जब स्कूल में फादर डी' मेलो ने कक्षा में प्रश्न रखा था कि "ईश्वर है, इसका प्रमाण क्या है?" मैंने जवाब में कहा था, "उन पर विश्वास करने वाले लोगों के जीवन और व्यक्तित्व में जिस करुणा और प्रेम का जन्म होता है, सिर्फ वही ईश्वर के होने को प्रमाणित करता है।" मेरे मन में शायद माँ की छवि थी। कुछ देर तक चुप रहने के बाद अज्ञेय बोले, "सत्य जो अनुभूति में जन्म लेता है, शब्द से अधिक मौन में व्यक्त होता है।" फिर देर तक चुप रहने के बाद उन्होंने एक कहानी सुनाई। वे यूरोप में रेल से यात्रा कर रहे थे। रेल एक छोटे-से स्टेशन पर रुकी। उन्हें न जाने क्यों वहाँ उतरने की प्रबल इच्छा हुई। यह इच्छा इतनी प्रबल हो गयी कि वे उतर गये। रेल चली गयी। प्लेटफॉर्म पर कोई नहीं था। जरा ही देर बाद एक ईसाई तपस्वी वहाँ आये और अज्ञेय के पास आकर बोले, "मैं तुमसे मिलने आया हूँ।" अज्ञेय को वे तपस्वी एक निर्जन मठ में गये। वहाँ दो दिन तक दोनों निरे मौन में निमग्न रहे। किसी के पास बोलने को कुछ नहीं था।

मैंने सोचाः क्या यह वही सत्य की अनुभूति थी जिसे शब्द नहीं छू सकते, जो मौन में भी अभिव्यक्त होती है? माँ रवीन्द्रनाथ की ये पंक्तियाँ अक्सर गाया करती थीं:

मेरे गान के पार खड़े हो तुम,
मेरे स्वर तुम्हारे चरणों को पाते हैं, मैं तुम्हें नहीं पाता।

लोग अक्सर संवाद के दौरान अज्ञेय के चुपचाप सुनने को गलत समझते थे। उन्होंने मुझे एक वाकया बताया था। रघुवीर सहाय लखनऊ में आयी बाढ़ से गोमती के पुराने मंकी ब्रिज के कुछ हिस्से के बह जाने और बचे हिस्से पर मूँगफली बेचने वाले द्वारा दाम दुगुने कर देने का किस्सा सुना रहे थे। किस्से के बीच ही रघुवीर सहाय बोले, "मैं आपको इतनी दिलचस्प घटना सुना रहा हूँ, किन्तु आपका ध्यान कहीं और है!" अज्ञेय ने यकीन दिलाने की चेष्टा करते हुए कहा, "मैं बहुत ध्यान से आपकी बात सुन रहा हूँ, किन्तु मेरा दिमाग कहीं और भी है।" आखिरकार उन्हें *अपने अपने अजनबी* का सम्पूर्ण ढाँचा सूझ गयाः टूटे पुल पर गिरफ्तार कुछ लोगों का प्रसंग मिल रहा था उस प्रसंग से, जिसमें दो स्त्रियाँ बर्फबारी के दौरान एक टपरे के भीतर कैद हो गयी थीं।

अज्ञेय के साथ मेरे संवाद का सम्बन्ध कब आरम्भ हुआ? ठीक-ठीक तो नहीं बता सकता। शायद 1964 में। या फिर '59 में? या '59 से '64 के बीच जो एक तरह से मेरे लिए संक्रमण काल था? इसके पहले मेरा दिमाग एक नवागत के तीव्र, यद्यपि सुप्त, रचनात्मक दौर से गुजरा, जिसमें उसने अनेक धाराओं को अपने अन्दर समा लिया, विचारों, दृष्टियों, सर्जनात्मक भावनाओं के आपसी संवादों से रचे वातावरण से, जिसको उसने घर, विद्यास्थल एवं अन्य गृहवत स्थानों में पाया। 1951 में मेरे भाई की मृत्यु ने मुझे अन्तर्मुखी और एक साक्षी, एक नीरव श्रोता बना दिया था। मुझे खेलों में अपने से पलायन करना जँचता नहीं था। अपने से सयाने लोगों की सोच मुझे कहीं अधिक आकर्षित करती थी। बाहर का 'मैं' एक बालक ही था, पर भीतर का 'मैं' कुछ और था। मैं चुपके से उन्हें सुना करता, अपने अन्दर अकेले में संवाद करता; जो सुनता था उससे अनुत्तरित प्रश्नों को दिमाग में कैद रखता। ये कैदी मेरे दिमाग की चहारदीवारी में छेद करते रहते। मुझे अज्ञेय की बातों को परोक्ष में सुनना अच्छा लगता था और मैं उनके इलाहाबाद आने या खुद के दिल्ली जा पाने की राह देखता था।

पिता से मेरा संवाद सीधे होता था, खाने की मेज पर रात का भोजन समाप्त कर हम घंटों बातें करते रहते थे। उनके पास कहानियों, गीतों का खजाना था। उनका रवीन्द्र साहित्य में गहरा अध्ययन था और शान्तिनिकेतन में पढ़ते समय उन्होंने

रवीन्द्रनाथ को एक समग्र व्यक्ति के रूप में भलीभाँति देखा था। माँ, जो बुद्धि के धरातल से परे 'होने' के धरातल पर जीती थीं, ने मुझे सूक्ष्म एवं व्यापक रूप में प्रभावित किया। उन्हें देखना या सुनना एक बिलकुल ही अलग अनुभूति होती थी। उनसे सुने गान और पिता से सुनी कहानियाँ, रवीन्द्रनाथ – जिनकी मृत्यु मेरे जन्म के तीन सप्ताह पूर्व हो चुकी थी – को एक जीवन्त अनुपस्थिति में मौजद उपस्थिति बनातीं। 'बसुधा' में मेरा छोटा-सा कमरा छुपकर बैठक में हो रही बातें सुनने के लिए ठीक जगह स्थित था। शिलंग के 'गिरिमाया' और फिर हेस्टिंग्स रोड के दोनों बंगलों में खेलकूद की उम्र बिताकर 'बसुधा' और दिल्ली में मेरे दिमाग की दीक्षा कई वर्षों तक, लोगों की नजरों से ओझल, किसी कोने की कुर्सी पर बैठ, बड़ों के आपस में चलते अन्तविहीन रचनात्मक संवादों को चुपचाप सुनने में हुई।

उस दौर में मेरे पिता के मित्रों को लेकर मेरी स्मृति उन्हें प्रत्यक्ष सुनने की नहीं, बल्कि परोक्ष में सुनने की है। मेरा छोटा-सा पढ़ाई का कमरा बैठक से लगा हुआ था, जहाँ बैठ कर वे लोग पुराने किस्से, कहानियाँ, साहित्य, कला, संगीत, सौन्दर्यशास्त्र, धर्म, दर्शन, मूल्यों या भारतीय नवक्रान्ति, स्वतन्त्रता संग्राम और राष्ट्र निर्माण आदि पर चर्चा किया करते थे। मैं उन तमाम चर्चाओं को बड़े ध्यानपूर्वक अपने कमरे से सुनता, भले ही आधी बातें मेरी समझ में न भी आतीं। स्वरों में कोई जल्दबाजी नहीं होती थी, वाक्यों के बीच अक्सर मौन होता था; और होता था गम्भीर चिन्तन, गरमाहट और कभी-कभी अट्टहास; परनिन्दा कभी नहीं। बचपन के उस घर में और एक छोर से आती थी मन को गहरे में छूने वाली माँ की गाने की आवाज। घर के तमाम कामकाज करते हुए वे गाती रहती थीं रवीन्द्रनाथ की पंक्तियाँ या कभी रजनीकान्त, रामप्रसाद और मीरा की। उनके लिए कोई काम उबाऊ नहीं होता था; काम उनके लिए पूजा थी। वे काम करते हुए गाती रहती थीं, अपने और अपने ईश्वर के लिए, और सब कुछ भूलकर। पता नहीं मेरे कानों में जो पहुँचते थे कितने शब्द थे और कहाँ तक स्वर। किन्तु स्वर भी पोषण करते हैं।

अब मुड़ कर देखने पर, मुझे लगता है, इतिहास में से उभरता हुआ भारतीय मानस का प्रतीक अनेक आवाजों के साथ होने में है – आवाजें, जो गहरे संवाद में जुटी हैं, जिसकी व्याप्ति और विरासत विराट है, जो विश्लेषण में गहन है, जो गहरे श्रवण की मुखर चुप्पी में विन्यस्त हैं, और जिसमें संस्कृति के दूसरे एक छोर से भक्ति और श्रद्धा के स्रोत आकर मिले हैं। मेरे संरक्षक बुजुर्गों का वह बन्धुत्व मेरे लिए संस्कृतियों के संगम पर बने एक आधुनिक भारतीय मानस का प्रतिनिधित्व करता है। बहुत-सी संस्कृतियों का इस भू-भाग से नाता जुड़ा और उन्होंने अपनी तमाम भाषाओं – शाब्दिक और गैर-शाब्दिक, जिनमें उनका अर्क संचित था – का इससे साझा किया।

एक गूढ़ वाक्य जिसे मैंने छुपकर कभी सुना था और जो मुझे सदा उद्वेलित करता रहा, वह था ''मौन के अतिरिक्त जो सबसे बड़ी उपलब्धि हमें हो सकती है, वह है भाषा।'' इस वाक्य के बाद एक लम्बा मौन था। उसके बाद एक युवा आवाज ने जोड़ा था, ''निश्चित ही भाषा, किन्तु शाब्दिक और गैर-शाब्दिक दोनों। नृत्य भी तो एक भाषा ही है, बल्कि शायद शब्दों से भी ज्यादा पूर्णता लिए भाषा है। कविता और संगीत की तरह वह भी मौन की लय से उपजती है -- अनहद नाद की तरह।'' कुछ देर बाद माँ के गाने का दूर से आता स्वर कानों में पड़ता, ''तुम्हारी स्वर लहरी मुझ पर बरसती है, ओ प्रिये, मैं अवाक् सुनती हूँ। केवल सुनती हूँ।''

कुछ ऐसा था माँ, पिता, अज्ञेय व उनके अन्य साथियों द्वारा रचा गया वातावरण जिसमें मेरा किशोर मन भीगता, खिलता और ताका-झाँकी किया करता था। ये संवादरत सयाने मेरे मानस में सदा यात्रा करते हुए मिथक चरित्र जैसे बन गये हैं। परोक्ष में सुनी उन आवाजों ने ही मुझे अपने को जानने, रचने, सचाई की तथा विभिन्न संस्कृतियों के क्षितिजों की खोज में अन्तहीन यात्रा के लिए प्रवृत्त किया। क्या इसी प्रेरणा में दीक्षा देने के लिए 1964 में अज्ञेय ने मुझे सौ पुस्तकों की भेंट देने का सोचा था?

कविता वह विधा है जिसमें भाषा की सबसे सघन अभिव्यक्ति होती है। अज्ञेय हिन्दी, संस्कृत और अंग्रेजी की कविताओं का पाठ करते समय इन भाषाओं की ध्वन्यात्मक अनुगूँजों का, तथा कविता में छन्द और सपाटपन के सूक्ष्म खेल को भी अपनी आवाज में उतार लाते थे। हेस्टिंग्स रोड वाले घर पर मैंने उनसे बारम्बार अनुरोध कर कथित रूप से रावण द्वारा रचित 'शिव स्तुति' इतनी बार सुनी थी कि मुझे उसके कुछ शुरुआती पद जुबानी याद हो गये थे। मुझे हू-ब-हू अज्ञेय की तर्ज में कविता दोहराना अच्छा लगता था। मैं उनके रॉबर्ट ब्राउनिंग की कविता 'कैवेलियर सांग' को पढ़ने के तरीके की भी नकल करता था और ब्रिटिश इंडियन आर्मी जिस धुन से अपने सैनिकों को नाश्ते के लिए बुलाती उसकी भीः 'गरम आलू, गरम आलू, गरम आलू, आलू गरमागरम!!' बचपन के दिनों में मैंने उनसे 'हाउ दे ब्रॉट दि न्यूज फ्रॉम घेन्ट टु ऐक्स' और 'पाइड पाइपर ऑफ हैमलिन' अनेक बार सुनी होंगी। उनकी स्वयं की कविताओं और निराला की 'राम की शक्तिपूजा' का उनके मुख से पाठ मैंने बाद में सुना।

निराला की कविताओं को पढ़ने का सुमन और अज्ञेय का तरीका बिलकुल अलग था। सुमन अपने नाटकीय वाचन से श्रोताओं को आनन्दविभोर कर देते। अज्ञेय का जोर निराला के शब्दों की लय में निहित उस महाकाव्यात्मक आभा पर होता था, जो मस्तिष्क को ध्यान की ऐसी अवस्था में ले आता है, जो कार्य करने

की शक्ति को बटोर कर, घनीभूत कर अपने वश में कर लेता है। उनके काव्यपाठ के ढंग से ही मैंने जाना कि लय ही कविता की आत्मा है। और यह भी कि कैसे महान कविता अपने रूप की आन्तरिक मर्यादा और सौष्ठव से संवेदना के ज्वार को चेतस दृष्टि के द्वारा समग्र दृश्य की तरह देखती है, न सिर्फ पीड़ा को बल्कि उस पीड़ा से उपजी करुणा और समझ को भी। कविता के स्वभाव के बारे में जो अन्तर्दृष्टि मुझे पहले परोक्ष में सुनकर, बाद में संवाद से प्राप्त हुई, वह कविता की पश्चिमी आलोचनात्मक समझ से भिन्न थी।

1983 में मैकमिलन से मेरी पुस्तक *टॉमस हार्डीः पोयट ऑफ ट्रेजिक विजन* छप कर आयी। अज्ञेय ने उसकी पांडुलिपि देखी थी और पुस्तक का बेहतर शीर्षक सुझाया था 'द रूटेड एलियन', जो पुस्तक से ही चुना गया वाक्यांश था। मुझसे बिना पूछे सम्पादक ने उसका नाम बदल दिया। उनके अनुसार शीर्षक में टॉमस हार्डी का नाम आना ज्यादा जरूरी था। पता नहीं उन्हें 'टॉमस हार्डीः द रूटेड एलियन' शीर्षक क्यों नहीं सूझा! खैर, पुस्तक को पर्याप्त सराहना मिली और मुझे 1986, 88 तथा 92 में इंग्लैंड में अन्तरराष्ट्रीय हार्डी कान्फ्रेंस में बोलने के लिए निमन्त्रण मिला। 1992 में 'हार्डीः एक धार्मिक कवि' को संगोष्ठी का श्रेष्ठ परचा घोषित किया गया। अनेक सम्मानित विद्वान जैम्स गिब्सन से सहमत थे जब उन्होंने मुझे बोला, "आप हार्डी को एक धार्मिक कवि के रूप में इसलिए देख पा रहे हैं क्योंकि आपके पास एक अत्यन्त भिन्न और परिपक्व सांस्कृतिक दृष्टि है।" अपनी किताब की भूमिका में, मैंने अज्ञेय के योगदान का उल्लेख बहुत अपर्याप्त ढंग से किया थाः 'इस अध्ययन में निहित कई मूल्यों और स्थापनाओं का श्रेय उन अनौपचारिक वार्ताओं को जाता है जो वर्षों तक अज्ञेय के साथ होती रहीं।' यदि वे मेरे भीतर पश्चिम की दृष्टि से नितान्त भिन्न एक आलोचनात्मक दृष्टि जगा सकते थे तो स्वयं उनकी दृष्टि का फलक क्या रहा होगा?

अज्ञेय में कई सांस्कृतिक दृष्टियों के समावेश की क्षमता थीः उनके भिन्न अनुभवों से अस्तित्वपरक ढंग से गुजरने की क्षमता; और उन तमाम संस्कृतियों की मिट्टी व लोगों से सीधे ऐन्द्रिक और भावनात्मक रूप से जुड़ने की क्षमता। यह पूछना कि उनका संवेदन तंतु पूर्व का था या पश्चिम का, किपलिंग की तरह पूर्व और पश्चिम को परस्पर विरोधी के रूप में देखना होगा। रवीन्द्रनाथ और अज्ञेय ने संस्कृतियों से ग्रहण किया और संस्कृतियों का समावेश किया। वे सम्पूर्ण मानवता को जोड़ने वाले नायाब लोगों की परम्परा में से थे। भारतीय साहित्य के इतिहास में उनके युग को मैं औपनिवेशिक या उत्तर-औपनिवेशिक जैसे रूप में नहीं, बल्कि रचनात्मक सांस्कृतिक सन्धिकाल के रूप में देखता हूँ, मानवता के बढ़ते क्षितिज और अनेक संस्कृतियों के मध्य समकक्षीय वैश्विक संवाद के रूप में, जिसमें बाजार

की एकरंगीय, एक ही साँचे में ढली अर्थशास्त्रीय संस्कृति को उखाड़ फेंकने की शक्ति हो। संस्कृतियों के बीच इस संवाद को शायद बुद्धि के आभिजात्य से बुद्धि के प्रजातंत्र की ओर बढ़ना है। इतिहास को कोई नहीं रचता। इतिहास या वैश्विक चेतना, या नीलवर्णी देवता की बांसुरी, या हम उसे जो भी नाम देना चाहें उसने अज्ञेय के भीतर बुद्धि का ऐसा ऐश्वर्य रचा जिसमें कई संस्कृतियाँ आपस में संवादरत हुईं। इस मन्थन से निकला सारतत्त्व सम्भवतः संवेदन के रूप में किसी अनाम, अकिंचन आकाश की तरह रिक्त अर्थात स्वयं आकाश और लोक चेतना सम्पृक्त लोकतान्त्रिक समुदाय को हस्तान्तरित हो पाएगा।

अज्ञेय को नापसन्द करने वाले लोगों ने उन्हें तरह-तरह से देखा है। सरासर चरित्रहनन करने वालों को छोड़ भी दें तो उन्हें अभिजातवादी, अहंकारी, व्यक्तिवादी, प्रभुत्ववादी शक्तियों के हाथ की कठपुतली, जासूस, जन-शत्रु, प्रगतिशीलता विरोधी प्रतिक्रियावादी पुनरुत्थान-धर्मा तक कहा गया।

सृजनधर्मा लोगों का एक समुदाय उन्होंने 14, हेस्टिंग्स रोड के अहाते में जोड़ा था जो एक परिवार की तरह वहाँ रहता था, शायद इस उम्मीद में कि एक दिन उसमें से बृहत्तर मानव परिवार का अंकुरण होगा। वह स्वप्न बिखर गया। पर उनकी बुद्धि सरहदों को लाँघना जानती थी। वे व्यक्तियों से मिलते थे – बिना किसी अहंकार के, उनके लिए कुछ भी करने को तत्पर, और गहरी मैत्री में – 'जन की अवधारणा' से नहीं। बचपन के वे दिन मुझे याद हैं जब बीमारी से पस्त मेरे पिता को मैदानी भू-भाग में बस कर नये सिरे से अपनी डॉक्टरी जमानी थी। माँ अत्यन्त सादगी से रहतीं, बिना थके लगातार काम में जुटी रहतीं, खाना पकातीं, कपड़े धोतीं, इस्त्री करतीं, बुनाई, बागवानी, झाड़-पोंछ आदि-आदि, ताकि हमें किसी तरह की परेशानी का अहसास न हो। उस समय अज्ञेय सम्बल थे। मुझे नहीं पता कितने समय तक। बिना रत्ती भर अहसास कराये उन्होंने मदद की, इस बात का सदैव खयाल रखते हुए कि दूसरे की गरिमा को कहीं ठेस न पहुँचे। एक दिन मैंने सुना, वे माँ से कह रहे थे, "बउदि, आप ऐसा क्यों सोचती हैं कि मैं मदद करता हूँ। आपका ईश्वर ही तो सबका खयाल रखता है। कितने मरीज हैं, जिनकी देखभाल आशा दा करते हैं। हम सब तो सिर्फ माध्यम हैं।" मैं अन्त तक उन्हें 'काकू' कह कर सम्बोधित करता था। काकू के आगे लगा 'कैप्टन' बहुत पहले छूट गया था। मुझे कभी किसी दूरी का अहसास नहीं हुआ। मेरे बचपन से लेकर उनकी मृत्यु तक, या शायद उसके पार भी वे मेरे लिए उम्र में कुछ बड़े, एक मित्र थे जिनसे मैंने लगातार पाया और बदले में सिर्फ एक नीरव श्रद्धा और प्रेम दिया।

14, हेस्टिंग्स रोड की बात है, अज्ञेय एक दिन एक अजनबी के साथ दोपहर

बहुत देर से घर लौटे। यह सोचकर कि घर में सम्भवतः दो व्यक्तियों के लिए पर्याप्त भोजन नहीं होगा, उन्होंने माँ से उन अनजान व्यक्ति के लिए थाली परोसने को कहा। वे कोई लेखक थे जिनकी पांडुलिपि एक प्रकाशक ने क़ुछ समय पहले सिर्फ सवा सौ रुपये देकर खरीद ली थी। उन्होंने पिछले तीन दिनों से कुछ भी खाया नहीं था, क्योंकि उनके पास पैसे नहीं बचे थे। अज्ञेय ने अगर उनके लिए कुछ किया – जो उन्होंने किया ही होगा – तो इसकी भनक किसी को नहीं लगी। वे ऐसे ही थे।

जब उनकी कविताओं के अंग्रेजी अनुवाद की पुस्तक *नीलाम्बरी* छप कर आयी तो 'आभार' वाले पन्ने पर मुझे एक पूरा पैरा मिलाः ''प्रारम्भ से इस किताब की तैयारी में, इसे पुस्तकाकार रूप देने और प्रेस के लिए पांडुलिपि तैयार करने में मानस मुकुल दास ने मेरी सहायता की। मैं इसे आभार प्रदर्शन के लिए नहीं, बल्कि गर्व और लगाव से कह रहा हूँ, यह वे समझ जाएँगे।"

1971 में *आलवाल* प्रकाशित हुई। पुस्तक तैयार होने से पहले इसके कुछ लेख उन्होंने मुझे पढ़ने के लिए दिये थे। पुस्तक की प्रकाशित प्रति भिजवाते हुए उन्होंने उसके भीतरी आवरण पर लिखाः ''मानस, यह पुस्तक की पहली प्रति है जो मुझे मिली है। इसलिए यह साधिकार तुम्हारी है, जैसा कि तुम पन्ने पलटने पर जानोगे।'' मैंने पृष्ठ पलटे और पाया कि वह पुस्तक मुझे ही समर्पित की गयी थीः ''मानस मुकुल के लिये''। 1972 में उन्होंने राजस्थान युनिवर्सिटी में प्रोफेसर ए.जी. स्टॉक स्मृति व्याख्यानमाला के अन्तर्गत ''कला, अनुभव व अवधारणा में काल का अन्वेषण'' विषय पर अंग्रेजी में चार व्याख्यान दिये। ऑक्सफोर्ड युनिवर्सिटी प्रेस ने इसे 1981 में *ए सेंस ऑफ टाइम* नाम से छापा। उसकी पहली प्रति मुझे भेजते हुए उन्होंने लिखाः ''मानस के लिए, जिसने इस पुस्तक का मेरी तरह लम्बा इन्तजार किया!'' काल और साहित्य सम्बन्धी उन विचारों को बाद में उन्होंने नये सिरे से मूल हिन्दी में *संवत्सर* नामक पुस्तक में लिखा।

उन्हें 1978 में ज्ञानपीठ पुरस्कार के लिए चुना गया। भारतीय ज्ञानपीठ ने पुरस्कार के अंग्रेजी ब्रोशर के लिए मुझे अज्ञेय पर एक लेख लिखने को कहा। हिन्दी ब्रोशर के लिए आलेख विद्यानिवास मिश्र ने लिखा। 1980 के शुरुआती दशक में अज्ञेय ने मुझे अपनी अदिनांकित डायरी का अंग्रेजी अनुवाद करने में सहयोग के लिए आमन्त्रित किया। *भवन्ती* का अनुवाद *ट्रक्यूलेन्ट क्ले* नाम से 1982 में छपा; और *अन्तरा* का *प्रिपैरिंग द ग्राउंड* नाम से 1984 में। *शाश्वती* के अनुवाद का काम हम शुरू करने ही वाले थे कि उनका देहावसान हो गया। इस दौरान मैं उनके समस्त लेखन को गम्भीरता से पढ़ रहा था और उनके व्यक्तित्व और कृतित्व के बीच गहरे सम्बन्ध को अनुभव कर रहा था।

साठ का दशक खत्म होने को था जब अज्ञेय और कपिला जी अलग हुए। 1970 में

कैलिफोर्निया से लौटने के बाद वे इला जी के साथ रहने लगे। मेरी माँ को यह अच्छा नहीं लगा। 1968 से लेकर 1972 के खत्म होने के कुछ महीने पहले तक अज्ञेय इलाहाबाद नहीं आये। उसके बाद जब वे फिर इलाहाबाद आने लगे – और वे बहुत बार आये – तब वहाँ वे 'बसुधा' में अकेले ही ठहरे। इला जी या तो दिल्ली से आयी नहीं, और जब-जब आयीं तब उमा राव के घर ठहरीं। अज्ञेय का इलाहाबाद न आना मुझे अच्छा नहीं लगा था। एक बार जब मैं जोधपुर जा रहा था, मैंने माँ को कहा कि मैं काकू के यहाँ जाऊँगा। माँ ने कहा कि तब मैं कपिला जी के घर भी जरूर जाऊँ।

मैं जब चाणक्यपुरी में कपिला जी के यहाँ गया तो वे वहाँ थीं नहीं। वहाँ उनके पिताजी से मिल आया। वसन्त विहार में अज्ञेय और इला जी नहीं थे, वे दिल्ली से बाहर थे। गोन्विद सिंह मुझे देखकर बहुत खुश हुए। उन्होंने मेरे लिए बहुत ही स्वादिष्ट भोजन बनाया और रुकने के लिए जिद की। अगर वे मुझे दिल्ली में रोक न सके तो 'साहब' से क्या कहेंगे? जोधपुर से लौटते हुए रुकने का वायदा करके मैं चल पड़ा। जब मैं लौट कर आया, अज्ञेय ने दरवाजा खोला। उन्हें मैंने इतना प्रसन्न पहले कभी नहीं देखा था। इला जी ने बताया कि वे बेचैन थे और मेरी वापसी की बेसब्री से प्रतीक्षा कर रहे थे। अक्तूबर, 1972 में मंजू से मेरे विवाह के दो दिन पहले अज्ञेय बिना बताए 'बसुधा' पहुँचे। पिताजी का देहान्त 1971 में हो चुका था। उन्होंने *अपने अपने अजनबी* का बांग्ला में अनुवाद किया था। उसकी पांडुलिपि 1969-70 के उधेड़बुन के दिनों में कहीं गुम हो गयी।

अज्ञेय ने लेखन को अपने जीवन से कभी अलग नहीं किया। उन्होंने वह लिखा, जो जिया। उन्होंने लोगों और धरती के साथ अपने सम्बन्ध के बारे में लिखा, और अपनी आन्तरिक खोज के बारे में। उनकी कविताओं में शब्दों से रची छवि और छन्द में यह वसुन्धरा, जिससे उनका गहरा प्रेम था, को सारी इन्द्रियों से उपभोग करने की प्रखर क्षमता अभिव्यक्त होती है। साथ ही साथ इस ऐन्द्रिकता में छाये और इसमें बसे, एक ध्यानस्थ खोज भी है जो जीवन का अर्थ और मूल्यों के धरातल को तलाशती है।

अपने होने को परिभाषित करने की सदैव चेष्टा अज्ञेय की शब्द रचना के केन्द्र में है। अपनी लेखनी में उन्होंने प्रश्न उठाए, जवाब ढूँढ़े, और स्पष्टता की ओर बढ़े। उन्होंने अपने को रचने में अपनी लेखनी की रचना की; और अपनी लेखनी को रचने में अपनी रचना की। ये दो आपस में अविच्छिन्न और समान्तर प्रक्रियाएँ अज्ञेय की कविता, उपन्यास, गद्य, डायरी यहाँ तक कि उनकी आलोचना में भी सदैव सक्रिय रही हैं।

अज्ञेय से मिलना हमेशा आनन्ददायक अनुभव होता था – हलकेपन और खुलेपन का। उनका मस्तिष्क कोई बोझ लेकर नहीं चलता था। वे हर आते हुए क्षण से उसी तरह मिले, बिना कोई पूर्वग्रह लिए। नाश्ता करते समय वे फकत नाश्ता

करते। उनके साथ नाश्ता करना एक सुखद अनुभव होता थाः उजला साफ कमरा, खिड़कियों से आता भोर का उजाला, साफ उजले नैपकिन, मेज के कोनों पर झालर बनाता मेजपोश, चमचमाते चीनी के बर्तन, चम्मच आदि। अज्ञेय की कुर्सी से लगी एक छोटी-सी टेबल पर टोस्टर और ब्रेड का डब्बा। इला जी, अज्ञेय और मेहमान खाने की मेज पर लगभग एक साथ पहुँचते। यदि कोई न आया होता, तो अज्ञेय गिलासों या कटोरियों में अलग-अलग मात्रा में पानी डालकर उन पर चम्मच के प्रहार से धुन बजाना आरम्भ कर देते। एक बार जब मुझे मेज पर पहुँचने में विलम्ब हुआ तो वे बचपन की मेरी प्रिय धुनः 'गरम आलू, गरम आलू, आलू गरमागरम' बजा रहे थे।

ताजी तैयार की गयी फिल्टर कॉफी रसोई से आती तो कमरा उसकी महक से भर जाता। अशोका, वेंगर्स या निरूलाज से लायी गयी चोकर सहित आटे की ब्रेड के दो-दो टुकड़े एक साथ सेंक कर, गर्म रहते उन पर मक्खन लगा कर ताकि अन्दर तक सोख जाए, बारी-बारी से तश्तरी में रखकर, अज्ञेय नाश्ता करने वालों को गरमागरम देते। अलग-अलग पसन्द के अनुसार टोस्ट को कड़ा, कम कड़ा या नरम सेंक कर परोसने में उन्हें खुशी होती थी। यदि किसी को काली मिर्च पसन्द हो तो वह भी लकड़ी के छोटे से हैंड ग्राइंडर से ताजा पिसकर मिलती। कभी-कभी काँच के मर्तबानों में आड़ू, खुबानी, प्लम, नारंगी आदि के जैम, जैली, मार्मलेड या प्रिजर्व्स होते। यदि इस बीच कोई विदेश से आया होता तो सभी को डच या स्विस चीज का आनन्द लेने को मिलता। मुझे अज्ञेय के घर के नाश्ते के अनुष्ठान का सौन्दर्य बहुत प्रिय था। वहाँ कोई टीवी नहीं चलता था। न मेज पर कोई अखबार पढ़ता। कोई हड़बड़ी नहीं रहती, टोस्ट धीरे-धीरे सिंकते, बीच में भीनी-भीनी महक वाली कॉफी का दूसरा दौर चल पड़ता।

अगर कार्तिक पूर्णिमा की रात आप अज्ञेय के साथ हों तो पिसे चावल को दूध में पकाकर तैयार की गयी फिरनी, जिसे केसर और बादाम-पिस्ते की गिरी डाल कर खुली चाँदनी में ठंडाया जाता, खाने को मिलती। उसका आनन्द सब लोग चाँदनी में बैठकर ही लेते।

यदि जाड़ों में आप उनके साथ हों और कमरे में अलाव हो तो चीड़ के शंकु और छाल उसे जरूर गर्म करते। कमरे में रोशनी बुझा दी जाती और सब अलाव की रोशनी और लकड़ियों की तिड़तिड़ाहट के बीच खामोश या बातचीत में मग्न बैठे होते। और इस तरह के दूसरे भी कई अनुष्ठान होते – बारिश का, वृक्षारोपण का, बसन्त, होली, दीवाली, नवम्बर में पौधे लगाने का ताकि फरवरी में बगिया फूलों से लद जाए, जाड़े में पिकनिक, दोस्तों को निमन्त्रण और उत्सव मनाने के ऐसे कई मौके वे निकालते थे। अज्ञेय शायद खुला, निश्छल उत्सव मनाना और आस्वादन करना जानते थे। अज्ञेय जिन्होंने हिन्दी में कविता और गद्य के नये आन्दोलन का

सूत्रपात किया, उन्होंने अपने लेखन से विरासत में मिली भाषा को उसके घिसे-पिटे मुहावरे से मुक्त करने का काम भी किया। यदि जीवन के क्षणों के सौन्दर्य का साझा करने के लिए वे अनुष्ठान की भाषा का इस्तेमाल करते तो वह भाषा भी जीवन्त, कल्पनाशील अनुष्ठानों की थी, न कि मृक्त पारम्परिक अनुष्ठानों की। यदि वे पारम्परिक अनुष्ठानों को व्यवहार में लाते तो उनमें भी जान फूँक कर उन्हें पुनर्जीवित करते।

किन्तु एक मौके पर अज्ञेय आज के बड़े, आधुनिक अनुष्ठान की कसौटी पर खरे न उतर सके थे। उन्होंने मुझे यह घटना सुनाई थी। उन्होंने एक नया ड्राइवर रखा था जिसने उन्हें और इला जी को अपने जन्मदिन के समारोह में बुलाया। इला जी और अज्ञेय बाकायदा सुन्दर से पैकेट में भेंट लेकर उसके घर पहुँचे। बैठे, चाय-नाश्ता किया। जब चलने के लिए विदा ली तो बुलाने वाले ने शिकायत की — "लेकिन आपने तो 'हैप्पी बर्थ डे टू यू' गाया नहीं!"

काल के प्रति अज्ञेय का रुख उनके सोच को समझने के लिए परम आवश्यक है जो फिर उनके लेखन और जीवन में भी प्रतिबिम्बित होता है। काल का साक्षात्कार वे क्षण के रूप में, एक घनीभूत अखंडित मूर्त के आकार में करते थे, न कि प्रवहमान स्रोत के रूप में। वे हर क्षण के सत् को स्वीकार करते थे, न कि क्षणों के आपस में सम्बन्ध की शृंखला को और न ही भूत, वर्तमान और भविष्य के बीच कार्य-कारण सम्बन्ध को। अज्ञेय काल को कारण की तरह नहीं देखते थे। उनके मुख्य चरित्र खुद का निर्माण करते हैं, बजाय कार॰ द्वारा निर्मित होने के। वे वह बनते हैं जो वे बनना चाहते हैं। होना, बनने से कहीं अधिक महत्त्वपूर्ण है। गुण बस होता है; संख्या कम-ज्यादा होती है। शेखर के अनुभवों की स्मृतियाँ भी अपने में समाहित, दूसरे क्षणों से पृथक मूर्तों में बसी हैं।

शेखरः एक जीवनी के पहले भाग के 'प्रवेश' तथा 'उषा और ईश्वर' नाम्क पहले सर्ग में ऐसे अनेक घनीभूत अनुभव दर्ज हैं, जिनका सम्बन्ध कई बार प्राकृतिक सौन्दर्य से है तो कई बार दमन के आगे मानवीय गरिमा के सौन्दर्य से है। यह गुणधर्मी अमर क्षणों से ही शेखर के मन एवं अस्मिता में रचे हुए हैं। समय, जो मानव-मन के बाहर प्रवाह है, मन में प्रवेश करने पर, व्याप्ति के घेरे में एक कर बाँधने का गुण पा जाता है। मस्तिष्क में काल के दूरान्त बिन्दु सहअस्तित्व में रहते हैं। कविता या गीत की टेक उसकी कथावस्तु का हिस्सा नहीं होती, किन्तु वह कविता में कुछ ऐसे बुनी रहती है कि उसकी उपस्थिति बखूबी महसूस होती है। इसी तरह शेखर के तीव्र अनुभूति से जिये हुए क्षण उसके जीवन के कालक्रम से छिटककर उसके वजूद को बनाने वाले, पदार्थ में तब्दील हो जाते हैं। सत्तर के दशक में शेखर को दुबारा पढ़ते हुए मैंने अज्ञेय से कहा था कि शेखर जिस काल बोध से अनुभव

ग्रहण करता है और फिर अपने जीवन की कथा कहता है, उसके चलते यह उपन्यास एक कविता पढ़ने की-सी अनुभूति देता है। इसके बाद हमारी 'साहित्य में कालबोध' पर यादगार बातचीत हुई थी।

काल के क्रम में स्मरण, संघर्ष और उम्मीद करना और सघन क्रमातीत चिरन्तन क्षणों में जीना दो भिन्न संवेदनाओं को व्यक्त करता है। काल की गति की अनुभूति त्रासदी की अनुभूति है, जबकि सघन, निरे क्षण की अनुभूति गीतात्मक और जीवन के रहस्य का अहसास कराने वाली है। काल की अवश्यम्भावी गति को उपन्यासों और त्रासद नाटकों में दर्शाया गया है। जबकि निखालिस क्षणों के दैवीय, रहस्यमय अनुभव ने जेन महारथियों की हाइकू यानी आशु कविताओं को जन्म दिया; बाशो की उस हाइकू को, जो पुराने पोखर में मेढक के कूदने पर उनके मन को मुक्त कर तूर्य (सटोरी) अवस्था में पहुँचा देने के क्षण को बिना आडम्बर व्यक्त करती है, का अनुवाद अज्ञेय ने हिन्दी में किया था:

ताल पुराना
कूदा दादुर
गुड़प !

पचास के दशक के आखिरी दिनों में जापान से लौटने के बाद 'बसुधा' में मेरे छोटे-से कमरे से लगी बैठक में अज्ञेय माँ-पिताजी को जापानी हाइकू कविताओं के अंग्रेजी तथा हिन्दी अनुवाद सुना रहे थे। पिता ध्यान से सुनते रहे और जापान की अपनी यात्रा के बाद रवीन्द्रनाथ की कुछ कविताओं से उनके साम्य जोड़ने के अनुभव बताने लगे। माँ बोली, ''क्या बेवकूफी है, ऐसी कविता तो मैं भी लिख सकती हूँ. ..।'' ''सच में, तो फिर लिखती क्यों नहीं?'' माँ ने तुरन्त अपने बचपन में देखी छवियों को छन्द में गूँथ कर सुना डाला:

शूक्नो डिंगी, खाल बील
पद्दोफूल
डाके चील
(सूखी नाव/पोखरें/कमल दल/पुकारती चील)

अज्ञेय ने कहीं माँ की सुनाई इस हाइकू का जिक्र किया है, पर याद नहीं आता कहाँ। ''एक चीर का फांका'' नामक हाइकू समूह, जिसमें कुछ अज्ञेय द्वारा अनूदित, कुछ रचित थे – *अरी ओ करुणा प्रभामय* कविता संग्रह में संकलित हुए, जो माँ को समर्पित था।

अपनी अदिनांकित डायरियों में भी अज्ञेय इस बात की छानबीन करते रहे कि कैसे मनुष्य का कालगति से सम्बन्ध उसकी अनुभूति की गुणवत्ता को तय करता है। मैं दिल्ली में था। हम *भवन्ती* के एक हिस्से के अनुवाद पर चर्चा कर रहे थेः "निश्छाय। नहीं, छाया-रहित मनुष्य नहीं। छाया-रहित मानव तो मानसिक लुंजा होगा। छाया-आत्मा की चेतना तो बनी रहनी होगी ... केवल छाया-रहित क्षणः वह सघनतम अनुभूति का क्षण जिस में अतीत और भविष्यत् नाम की दोनों छायाएँ सिमट कर तेजोदीप्त घटमान में सोख ली जायें ..."

क्या अज्ञेय जिद्दू कृष्णमूर्ति से संवाद कर रहे थे– मनुष्य के मन में स्थित बीते कालों की स्मृतियों और भविष्य में निक्षिप्त आशाओं के मिट जाने देने के खिलाफ? अज्ञेय ने पचास और साठ के दशकों में कृष्णमूर्ति को सुना था और उनके मन में सदैव उनके प्रति श्रद्धा का भाव रहा। किन्तु वे स्मृति की छायाओं से च्युत मनुष्य के विचार को मान नहीं पाते थे। सम्भवतः कृष्णमूर्ति का तात्पर्य ठीक-ठीक यही न रहा हो, किन्तु हम सभी को मिलकर भाषा को अधिक सटीक बनाने पर काम करना होता है। सही शब्दों के चुनाव करने की जद्दोजहद से एक प्रांजलता और समझ उभरती है। स्मृतियाँ दो तरह की हो सकती हैंः एक लालसा भरी स्मृति जो बीते हुए से चिपटने, उसे सदा अपने पास रखने की कामना करती है और दूसरी स्मृति वह जो अर्थगर्भित पलों के सौन्दर्य का उत्सव मनाती है। स्मृति का पहला प्रकार ही व्यक्ति को कमजोर बनाता है। यदि कृष्णमूर्ति इस संवाद में शामिल होते तो वे शायद कहते, "महोदय, जब आप शक्तिशाली हैं तो फिर शक्ति की आवश्यकता ही कहाँ है? क्या हम मन से स्मृति, डर, आशा, सब कुछ को जाने दे कर, बस वर्तमान में जी कर देख सकते हैं? ऐसा करके देखें, इसलिए नहीं कि मैं कह रहा है, बल्कि अन्दर की प्रेरणा से। कृष्णमूर्ति, जिनसे मैं केवल एक बार वाराणसी में उनके सप्ताह भर के अन्तिम प्रवास के दौरान मिला था, वे भी मेरे मन में जीवन्त उपस्थितियों में शामिल हैं।

अध्यापन कर्म से मिली छुट्टियों में मैं अज्ञेय के साथ *अंतरा* के अनुवाद के काम में सहयोग करने के लिए दिल्ली में था, तब *नदी के द्वीप* फिर से पढ़ा। मुझे लगा कि 1952 में उसके छपने के बाद से ही अज्ञेय को सिर्फ उसके शुरुआती आधे भाग के आधार पर सराहा गया या तिरस्कृत किया गया और इसलिए उसका मूल्यांकन अधूरा रह गया। अज्ञेय को घेर कर जो बेबुनियाद आलोचना खड़ी हुई, उसमें मुझे बचपना दिखता था, गाम्भीर्य की कमी। लोग उन्हें या तो पसन्द करते हैं या नापसन्द; शायद इसलिए कि उन्होंने अपने दिमाग दायें या बायें गिरवी रख छोड़े हैं।

अज्ञेय ने जो जिया और लिखा, उससे इन विवेचनों का कोई खास सम्बन्ध नहीं दिखता। *नदी के द्वीप* कई आपस में जुड़े प्रश्नों से जूझता हैः आचरण की शुद्धता का, स्वतन्त्रता का, त्याग का, काल के साथ नाते का, प्रतीक्षा का, सम्बन्ध का, पश्चाताप, साक्षी और क्षमा का। यदि हम उपन्यास में एकत्व लाने वाला तार ढूँढ़ें और उपन्यास में उठाई गयी सारी समस्याओं, प्रश्नों को जोड़ कर देखें तो एक प्रश्न उभर कर आता हैः क्या हैं वे तथ्य जिनसे मनुष्य के विभिन्न सम्बन्ध बनते हैं, वह सम्बन्ध भी जो अपने से अपना सम्बन्ध है? जब तक कोई स्वयं की अस्मिता ढूँढ़ नहीं लेता, कोई जुड़े कैसे?

उपन्यास के मध्य में कहीं एक लम्बी काव्यात्मक घटना है, जिसमें प्रेम में समर्पण और पूर्णता के अहसास का वर्णन है ... रेखा डी.एच. लॉरेन्स को उद्धृत करते हुए भुवन से कहती है, "आइ एम फुलफिल्ड"। लेकिन उपन्यास यहाँ समाप्त नहीं होता। मैंने अज्ञेय से कहा था कि मुझे लगता है इस उपन्यास की चिन्ता सामाजिक वर्जनाओं को तोड़ने तथा कथा में दैहिकता के चित्रण से कहीं अधिक गहरी है। यह लॉरेन्स के उठाये प्रश्नों के आगे जाकर प्रश्न उठातीः क्या परिपूर्णता बिना उसमें से उभरी जिम्मेदारियों को स्वीकारे सम्भव है, चाहे वह कैसी भी कीमत माँगती हो, कितनी ही कठिन क्यों न लगती हो? उस सम्बन्ध का क्या होता है, जो स्वेच्छा से वरण किये गये कर्म के फल के प्रति जिम्मेदारी की उपेक्षा करता है? जहाँ उस सम्भावित नवजीवन को आने के पहले ही नकार दिया जाता है। अपनी जिम्मेदारी से मुँह मोड़ने की ग्लानि का प्रायश्चित्त कैसे सम्भव है? ग्लानि से मुक्ति कैसे मिलती है? वह साक्षी कौन होगा जिसके आगे सब स्वीकारा जा सकता है? कहाँ से मिलेगी क्षमा? कैसे अनुपस्थिति और प्रतीक्षा सम्बन्धों को गहराई देते हैं? कैसे नदी के द्वीप, नदी पर के सेतु बन जाते हैं?

मैंने अज्ञेय से कहा कि मैंने उपन्यास को इन सब प्रश्नों को उठाते पाया; और मुझे उपन्यास के बाद के हिस्से में भुवन का गौरा से सम्बन्ध, उनके रेखा से सम्बन्ध से अधिक आकर्षक लगता है। उपन्यास के बारे में मेरी समझ की उत्साहित अभिव्यक्ति को अज्ञेय सुनते रहे। फिर धीमे से बोले, "मैं चाहता तो था कि उपन्यास ये तमाम प्रश्न उठाये।" वे अपनी सहमति प्रायः बगैर अतिरंजना के जताते थे।

एक मुस्तैद, जागरूक, प्रश्न उठाती, स्वयं अपना मूल्यांकन करती परम्परा के बजाय एक मृत परम्परा के नाम पर दिये गये मूल्य इस कृति के पात्रों को स्वीकार्य नहीं हैं। भुवन और रेखा शारीरिक नैतिकता का उल्लंघन करते हैं। गौरा नहीं करती। उस परिस्थिति में गौरा अपनी परम्परा को मर्यादा देती मानसिकता से, दूसरी ही राह लेती। किन्तु वह भी उस उल्लंघन को रूढ़िगत रूप से पाप की तरह नहीं देखती। एक-दूसरे से पृथक होने के बावजूद उपन्यास के तीनों पात्र अपने लिए मूल्य गढ़ते

हैं और उन मूल्यों के लिए कठिन से कठिन त्याग उन्हें स्वीकार है। उपन्यास के अन्त में भुवन, जो इस बीच एक प्रसिद्ध वैज्ञानिक बन गया है, बर्मा बॉर्डर पर जापानियों से चल रहे युद्ध में शामिल होता है। अपने मूल्यों की रक्षा करना – और स्वतन्त्रता एक मूल्य है – विज्ञान या कला से बड़ी जिम्मेदारी है। हमें उसके लिए प्राणों की आहुति देने को तैयार होना चाहिए। भुवन गौरा को एक पत्र लिखता है। आसपास विमानों के चक्कर काटने और बमों के फटने का शोर है, किन्तु चिन्ता की फिलहाल कोई वजह नहीं है। पत्र अभी डाकघर में छोड़ा नहीं गया। उपन्यास का अन्तिम अनुच्छेद है:

'सम्पर्क के क्षण? हाँ, विरह के क्षण, किन्तु सम्पृक्त क्षण; पत्र अभी गया नहीं है, उत्तर की प्रतीक्षा न जाने कितनी लम्बी होगी, लेकिन उत्तर आएगा; क्या उत्तर आएगा यह भी वह जानता है – वह प्रतीक्षा करेगा, जैसे कि गौरा भी प्रतीक्षा करेगी ... क्योंकि प्रतीक्षाएँ भी अजस्र अनाद्यन्त काल की नदी में स्थिर, शिलित समय के द्वीप हैं।'

इन पात्रों का अपना आन्तरिक जीवन है। उनके मौन की शालीनता उन्हें बेहतर इंसान बनाती है। उनमें है भावुकता की गहराई, चिन्तन और ध्यान की गहराई; फिर अपनी भावनाओं और चिन्तन को, गहरे मौन में रोपन कर छोड़ रखने की क्षमता। उस मौन में रोपित भावनात्मक चिन्तन के बीच उनके व्यक्तित्व में पल्लवित होकर उसे एक महावृक्ष के गुण प्रदान करती है, जो सुरक्षा कर सकता है क्योंकि सह सकता है।

एक संकटापन्न सदी में जन्मे, और मूल्यरहित दुनिया में अपने को धकेले हुए पाये, ऐसे लेखक नयी जमीन तलाशने में अपना सर्वस्व न्योछावर कर देते हैं जिस पर मूल्यों को स्थापित किया जा सके। उनकी डायरियों में, जिनका प्रकाशन 1971 में *भवन्ती* से प्रारम्भ हुआ, अज्ञेय मानव मूल्यों की खोज और प्रतिष्ठान के कार्य में लग जाते हैं, जो बुद्धि को अपने तर्क से, और मन को अपनी निष्ठा से, आकर्षित करता है। डायरी के इन पन्नों को साहित्यिक विधा की दृष्टि से देखें तो वे सम्भवतः छिट-पुट, असंगठित टिप्पणियाँ-सी जान पड़ेंगी; किन्तु उन्हें टाँकने वाला मस्तिष्क बेहद संघटित था। अज्ञेय के दिमाग में विकसित होती निश्चितताओं, जो इन टूटी-बिखरी टिप्पणियों में निहित हैं, ने अज्ञेय के उस मानस को रचा जिसने श्रेष्ठ गीतात्मक कविता को जन्म दिया।

युवावस्था की भावनाओं के उद्वेग को ही सिर्फ व्यक्त करने वाले कवि उम्र के साथ सिकुड़ जाते हैं। वे, जो अपने मन की गहराइयों और क्षितिजों को गिद्ध जैसी तीखी नजर से देखते हुए जीवन का अर्थ ढूँढ़ते हैं, क्रमशः स्पष्टतर दृष्टि को उपलब्ध कर अपने काव्य को भी अर्थवत्ता से समृद्ध कर रचना के श्रेष्ठ शिखर की ओर बढ़ते हैं। ऐसे कवियों का सर्वप्रथम ध्येय होता है उनके अपने जीवन पर काम करना, उसे

अपने मूल्यों की दृष्टि में सचाई से जीना। इस साधना के दौर में ही उनके काव्य की रचना होती है। येट्स, रिल्के, ऑडन और लागरक्विस्त की तरह अज्ञेय के बाद का लेखन उनके पहले के लेखन से श्रेष्ठ है, क्योंकि उनकी अर्थ की खोज कभी समाप्त नहीं हुई, उनका आगे बढ़ना कभी थमा नहीं।

अपनी विशिष्ट प्रतिभा की अभिव्यक्ति के लिए एक सजग लेखक साहित्य के कोई एक विशिष्ट रूप को उसकी यथेष्टता और सुप्त सम्भावनाओं को टटोलने के बाद चुनता है। अज्ञेय ने अपने को मूलतः लिरिक काव्य के माध्यम से अभिव्यक्त करना चुना और उसमें अपनी श्रेष्ठ रचना रची। अपनी सर्वोच्चतम अभिव्यक्ति में यह काव्यरूप उनके लिए है जिन्होंने मानवता की सफेद रोशनी को, न कि उसके प्रिज्म से निकली रंगीन किरणों को, प्राप्त और प्रेषित करने के लिए अपने को स्थितप्रज्ञ किया है। मैथ्यू आर्नोल्ड ने अपनी बहन 'के' (श्रीमती विलियम इ. फोस्टर, शादी से पहले जेन आर्नोल्ड) को लिखा थाः ''मेरी कविताएँ टूटी हुई बिखरी हुई पंक्तियाँ हैं – अर्थात् ... मैं टूटा हुआ, बिखरा हुआ हूँ।'' एक लेखक जो अपने को समन्वित कर स्थितप्रज्ञ नहीं हो पाता, वह सम्पूर्ण का अवलोकन कर उसके सम्प्रेषण का माध्यम नहीं बन सकता। अभिव्यक्ति के लिए प्रथम पुरुष में बात को कहने का चुनाव कर वह या तो शोकगीत के टुकड़े या लघु संवेगों के गीत ही लिख सकता है। महान लिरिक कविता भीतर चलते नाट्य की बाह्य प्रस्तुति है। लिरिक कवि को अपने अन्तर मन के द्वन्द्वों का अन्वेषण और संघटन करना होता है। उसकी कविता जीवन, मृत्यु, पीड़ा, नैतिकता, कला, ईश्वर (इस शब्द का जो भी अर्थ हो) के अर्थ की खोज है जो दरअसल अस्मिता की खोज है। अपनी कविता को तराशने और परिपूर्ण बनाने में वह स्वयं को परिपूर्णता की ओर बढ़ाता जाता है, और स्वयं को तराशने और पूर्ण करने में लगकर, क्योंकि एक लिरिक कवि स्वयं को सीधे व्यक्त करता है, अपनी कविता को पूर्णता की ओर ले जाता है और अपने मानवीय श्रोताओं से सीधे जुड़ना पड़ता है। वह हर मनुष्य के सम्मुख अपनी अनुभूति को व्यक्त कर सकता है जब वह अपनी पीड़ा और उससे पार पाने की अनुभूति को सबकी पीड़ा और उससे उठने की यात्रा तक बना सकता है। अपने को एक सम्पूर्ण व्यक्ति बनाने में अज्ञेय मानव मात्र के प्रतिनिधि भी बने।

अज्ञेय की प्रगीतात्मकता एक संयत प्रगीतात्मकता है, एक साथ ऐन्द्रिक भी और कठोर भी। उनके बौद्धिक अनुशासन की कठोर सादगी, जो उनके गद्य में मिलती है, उनकी कविताओं में भी है। उनकी कविताओं का गठन सूक्ष्म तर्क का आकार लेता है; समूची कविता में एक महीन तर्क का रेशा हर ब्योरे का स्थान तय करता है। समग्र कविता की संरचना स्थापत्य कला जैसे मजबूत बन्धनों में होती

है, न कि किसी धुँधली मनःस्थिति के ढीले बँधे, तैरते बिम्बों और पंक्तियों का संगुंफन। किन्तु यह कठोर बौद्धिक अनुशासन संवेदना के उस धरातल पर काम करता है जो जीवन के हर क्षण का भावावेग से रस लेना जानता है। अपनी कविता में वे बुद्धि द्वारा खोजी गयी और इन्द्रियों द्वारा भोगी गयी दोनों संवेदनाओं को एकजुट करते हैं। एक अन्तर्मुखी मन और एक ऐन्द्रिक रसों का भोक्ता एक होकर सम्मिलित होते हैं कवि में।

अज्ञेय की कविता में ही, जो आह्लाद और ध्यानमग्नता के सुन्दर सन्तुलन से रची है उनके मन की साम्यावस्था की सूक्ष्मतम और पूर्णतम अभिव्यक्ति है। यदि डायरियों में यह सन्तुलन अवधारणात्मक रूप से प्राप्त किया गया है तो कविता में उत्सव मनाने वाले का आह्लाद और अन्तर्मुखी के ध्यान का समागम, दोनों अवधारणात्मक और स्थूल देह लिए मौजूद हैं, जिसमें देह की उपस्थिति अधिक है। अज्ञेय की कविता को पढ़कर पहला असर कविता में व्यक्त विचार के गठन का न होकर ध्वनियों के सामंजस्य का होता है; उसके सूक्ष्म तर्क-निर्मित विधान पर पहले ध्यान न जाकर कविता की लय और कवि के भीतर अंतर्गुंफित आह्लाद व ध्यानावस्था को धारण करने वाले मौन पर जाता है। कविता की लय पाठक को मुखर मौन के कगार पर ले जाती है।

एक दिन मैं अज्ञेय के साथ बातचीत कर रहा था शब्द और मौन की भाषा पर, विज्ञान और धर्म पर, तर्क और अन्तःप्रेरणा पर, सीमाबद्ध और असीम पर, परिमेय और अपरिमेय पर, सीमाओं और सीमान्तों पर, अस्मिता और अस्मिता की विलुप्ति पर, जीवन में संधान और मृत्यु की समाप्ति पर। बात कई दिशाओं में फैलती गयी। बाद में उन्होंने मुझे रेडियो बेलग्राद से जून 1966 में प्रसारित 'शब्द, मौन, अस्तित्वः एक लेखक का सम्प्रदाय' विषय पर अपनी वार्ता के अंग्रेजी अनुवाद की प्रतिलिपि दी थी। बाद में यह आलेख उनकी पुस्तक *आलवाल* (1971) में पहले निबन्ध के रूप में छपा। उसमें वे कहते हैंः

पूर्व की एक परम्परा के उत्तराधिकारी के नाते मैं यहाँ तक कह सकता हूँ कि कविता भाषा में नहीं होती, वह शब्दों में भी नहीं होती; कविता शब्दों के बीच की नीरवताओं में होती है। और कवि सहज बोध से जानता है कि उससे दूसरे तक पहुँचा जा सकता है, उससे संलाप की स्थिति पाई जा सकती है, क्योंकि वह जानता है कि मौन के द्वारा भी सम्प्रेषण हो सकता है।

मुझे लगता है अज्ञेय ने *आलवाल* का समर्पण मेरे नाम शायद हमारे उस संवाद को याद रखते हुए किया होगा।

अज्ञेय के समस्त लेखन के केन्द्र में व्यक्ति है – स्वतन्त्र, संवेदनशील, मानव मात्र

का प्रतिनिधि मूल्यों का सृजनकर्ता। उन्हें अपने कर्म और विचार के हर क्षण को सजग होकर जीना है ताकि अपने होने के द्वारा मूल्यों का सृजन कर सके। अज्ञेय की शैली में लक्षित होता है एक हर पल सजग जिम्मेदारी से जीने का तनाव जो पश्चिमी आधुनिकता में अक्सर पाया जाता है। उन सन्त कवियों की सहज सरलता जो सब कुछ ईश्वर के हवाले छोड़ निश्चिन्त रह सकते थे, अज्ञेय की कविता में नहीं है। किन्तु अज्ञेय की बाद की कविताओं में बार-बार आते वे दीप्त क्षण जिनमें व्यक्तिगत पहचान मिट जाती है अस्तित्व मात्र की अविभाज्य सम्पूर्णता में। इसमें आश्चर्य नहीं, अपनी मृत्यु के पहले के कुछ दिनों में वे रेगिस्तान को प्रतीक बनाकर, कविताओं की एक शृंखला *मरुथल* पर काम कर रहे थे। इला जी मुझे बोली थीं कि उन दिनों वे अक्सर मीरा की एक आधी पंक्ति गुनगुनाते थेः ''ऊँचे चढ़ि-चढ़ि पंथ निहारूँ"; अगली कड़ी है ''कब आवेंगे महाराज''। *मरुथल* शृंखला की सातवीं कविता 'बदली' में मीरा के गीत को इंगित करते हुए कई शाब्दिक इशारे हैंः

कोई नहीं
कि पन्थ निहारे

11 सितम्बर को हर वर्ष 'बसुधा' में होने वाली प्रार्थना सन्ध्या का आरम्भ मीरा के भजन ''सुनी मैं हरि आवन की आवाज'' से होता था। अज्ञेय का ईश्वर या मरुथल का ईश्वर या अनुपस्थित ईश्वर, एक अनुपस्थिति में उपस्थिति है। 'तुम कौन हो जो मेरे हृदय को अपने न होने से भर देते हो? अपने न होने से सारे विश्व को भर देते हो।'

अज्ञेय की मृत्यु 4 अप्रैल, 1987 को हुई। इला जी ने मुझे खबर दी और आने को कहा। माँ ने खबर मौन रहकर सुनी। बाद में बोलीं: ''भीतर से वे संन्यासी थे, एकदम अनासक्त। उनके जैसे कोई दे नहीं सकता था। अपने दायें हाथ से जो देते, बायां नहीं जान पाता।"

मैं ट्रेन से अगले दिन सुबह दिल्ली पहुँचा। किसी ने बैठक का दरवाजा खोला जहाँ से सब फर्नीचर हटा दिया गया था, बस जमीन पर उनकी देह रखी थी। जिन्होंने मेरे लिए दरवाजा खोला, मेरे अन्दर आने पर चले गये। इला जी स्नानघर में थीं। कुछ समय के लिए मैं देह के साथ अकेला था। उनके निकट एक दीया और लोबान जल रहे थे। मैं जमीन पर उनके पैरों के निकट बैठ गया। सब भावनाओं से शून्य, मैंने मृत्यु के सन्नाटे का अहसास किया। सड़क से दूर, पेड़ों के घेरे में बसे, उस घर में जीवन का शोर अभी नहीं घुसा था। मेरी आँखें अपने आप मुँद गयीं, और मस्तिष्क सतेज और सचेतन हो उठा। कमरे में पंखे के चलने की आवाज के बावजूद हलकी से हलकी आवाज को दिमाग दर्ज कर रहा था और फिर भी एकदम शान्त थाः हवा

में पत्तियों की सरसराहट; बगीचे में बजरी पर कदमों की आहट, वृक्षों की खुरदरी छाल पर गिलहरियों के दौड़ने की खड़खड़ाहट; दूर से आते पक्षियों के स्वर, अखबार वाले की साइकिल के बजरी पर से आने की आवाज, उसका थमना, मेज पर अखबारों का रखना और लौटते साइकिल के बजरी पर, और फिर धरती पर गिरी पत्तियों पर से जाने की आवाज।

दिमाग प्रबल रूप से सजग, निश्छल, बिना कुछ दर्ज किये सब सुन रहा था। यद्यपि मुड़ कर देखने पर, एक-एक चीज याद आ गयी। इला जी मुझसे मिलकर रोयीं, हृदय के घातक दौरे के बारे में बताया, और फिर तैयारियों का निरीक्षण करने चली गयीं। सन्नाटे ने दिमाग को घेर लिया। मैं, शरीर से कुछ दूर दीवार के निकट बैठ गया, ताकि आने वाले लोगों के रास्ते में बाधा न बनूँ। स्तब्ध, निष्क्रिय, सतेज मस्तिष्क ने एकाएक अज्ञेय के होने की अर्थवत्ता को प्रखर और गहरे तरीके से महसूस किया। मेरा चालीस वर्षों से अधिक उनको जानना जीवन्त हो उठाः हमारी असंख्य चर्चाएँ सजीव हो उठीं; अज्ञेय की कविता, उपन्यास, गद्य, डायरी का पठन प्राणवन्त हो उठा। श्मशान ले जाने के पहले के कुछ घण्टे, जब मैं आँखें मूँदे लगातार आते लोगों के बहाव के बीच अकेला बैठा था, मेरा दिमाग उनके साथ जिये और उनके साहित्य में रचे गये समय के दशकों को जीता चला गया। दिमाग को आसपास होती हलचल का भास था; किन्तु आँखें मूँदे वह किसी को दर्ज नहीं कर रहा थाः सिवाय विगत आत्मा के सारतत्त्व के। उनका सारा अस्तित्व जाग उठा न होकर होने में। कुछ भी खोया नहीं था। क्या मृत्यु का क्षण अमरत्व का क्षण भी हो सकता है? मृत्युदंड की सजा के सम्मुख खड़े शेखर में क्या अज्ञेय ने ऐसे ही एक सम्पूर्ण जीवन को अपने आगे खड़ा देखा होगा? जीवन की अर्थवत्ता के उस घनीभूत अहसास के सामने मैंने दुख को नहीं जाना, क्योंकि मैंने उनके न होने को नहीं जाना। यहाँ तक कि मैं कमरे में उनके शरीर की मौजूदगी तक को भूल गया था। उनकी उपस्थिति उनके जीवन के सारतत्त्व की उपस्थिति हो गयी थी, जीवन को जीने की वह शानदार धारा जो अज्ञेय थे।

सिर्फ एक बार मैं अपने माथे पर किसी हाथ के स्पर्श के प्रति सचेत हुआ — एक हाथ जो धीरे-धीरे मेरे बालों को सहला रहा था। मैंने आँखें खोलीं। सामने कपिला जी थीं। उनके चेहरे पर गरिमा और पीड़ा छायी थी। उनके हाथ को अपने दोनों हाथों में लेकर मैंने उनकी ओर देखा। उन्हें मेरे चेहरे पर क्या दिखा? क्या था वह जिसने उस भीड़ में उन्हें मेरे पास आकर मेरे माथे पर बालों को सहलाने के लिए प्रेरित किया? देर दोपहर में जब शवयात्रा निकलने को थी और लोग डलिया से एक-एक माला ले कर शव पर रख रहे थे, इला जी एक माला कपिला जी के पास ले गयीं। कपिला जी ने इनकार किया। इला जी बोलीं, "लीजिए, ले लीजिए!" कपिला जी

ने हाथ में माला ले ली और अज्ञेय के चरणों में रख दी। मैंने दोनों को बहुत ही सुन्दर व्यक्तित्व के रूप में जाना है।

भीड़ के बीच, आँख बन्द कर उस कमरे में जब मैं अकेला बैठा था, बहुत कुछ दिखा। *अपने अपने अजनबी* का अर्थ, और स्पष्ट, और गहरा होकर सामने आया। जब इस उपन्यास के अंग्रेजी अनुवाद का संशोधित संस्करण 1974 में छपा, तब अज्ञेय ने इस पुस्तक पर लिखे मेरे निबन्ध में से कुछ पंक्तियाँ फ्लैप पर उद्धृत की थीं: "अज्ञेय मृत्यु को पूरी तरह निरावृत्त करके देखते हैं – एक भीषण स्थिति का सामना करने के रोमांच से ढाँक कर नहीं, अस्मिता को नकार कर परिभाषित करते हुए नहीं, जिजीविषा को सघन बनाते हए नहीं – मृत्यु एक दार्शनिक तथ्य जैसा निरा, समय के स्रोत से हटकर एक क्षण के अकेलेपन में आबद्ध।" इस निरी मृत्यु के परे कैसे जाया जाए? शायद अनुभूति के भीतर से इसका उत्तर मुझे अब मिल रहा था। अज्ञेय, चालीस वर्षों से अधिक मेरे अभिभावक और बन्धु, आज भी मुझे सिखा रहे थे। परोक्ष में बातें सुनने के वर्षों में मैं अक्सर उनसे अपने सन्नाटे में संवाद किया करता था। आज मैं सन्नाटे के एक और दरवाजे के पीछे खड़ा मौन संवाद कर रहा था ... तब तक मैंने *मरुथल* शृंखला की कविताएँ नहीं पढ़ी थीं। उनमें से एक रचना की प्रक्रिया में आबद्ध, अधूरी हर गयी। मुझे वह लेख याद आया जो मैंने ज्ञानपीठ पुरस्कार समारोह के लिए छपी अंग्रेजी पुस्तिका के लिए लिखा था। उसका अन्तिम अंश था:

"अज्ञेय के लिए मेरा प्रतीक कुछ यों बनता है कि एक कवि वीणावादक हैं और स्वयं वीणा भी है। भारत में रहस्यात्मक काव्य परम्परा में, जिसमें रवीन्द्रनाथ भी शामिल हैं, कवि तो खाली वीणा होता है, वादक होता है उनका देवता। क्या मेरा अभिप्राय यह है कि अज्ञेय अपने को समर्पित नहीं करते? मैं पक्का नहीं जानता। वे आसानी से समर्पित नहीं होते और ईश्वर को अपना बनाकर समर्पित होना तो हरगिज नहीं। शेखर और योके ईश्वर से लड़ाई करते रहते हैं और जख्म सह-सहकर खत्म हो जाते हैं। मैं उन्हें निरीश्वरवादी नहीं कह सकता, क्योंकि ईश्वर के प्रति उनका नकार पीड़ा से युक्त है। ईश्वर के कई चेहरे हैं। अज्ञेय की यात्रा मरुथल के रहस्य की ओर हुई। वे भी समर्पण करते हैं। पर किन युद्धों के बाद? किन ऊँचे, सुन्दर मरु प्रान्तों पर? किस ईश्वर के आगे? मुझे 'असाध्य वीणा' की पंक्तियाँ याद आयीं...

संगीतकार
वीणा को धीरे से नीचे रख, ढँक ...
उठा खड़ा हुआ ...
बोला:

"श्रेय नहीं कुछ मेराः
मैं तो डूब गया था स्वयं शून्य में—
वीणा के माध्यम से अपने को मैंने
सब कुछ को सौंप दिया था—
सुना आपने जो वह मेरा नहीं,
न वीणा का थाः
वह तो सब कुछ की तथता थी—
महाशून्य
वह महामौन
अविभाज्य, अनाप्त, अद्रवित, अप्रमेय
जो शब्दहीन
सब में गाता है।"

मैं उनके शरीर के साथ श्मशान गया और एक जीवन से उपजी हुई अनश्वर अर्थवत्ता को महसूस करते हुए चिता की आग में शरीर को राख बनते देखा। इला जी ने अस्थियाँ एकत्र कीं और दो दिन बाद उन्हें विसर्जित करने हम हरिद्वार से कुछ आगे कनखल के लिए रवाना हुए। नदी के किनारे खड़े मुझे स्मरण हुआ कि वर्षों पहले इन्हीं जगहों पर मैं अज्ञेय के साथ एम.एन. राय की गाड़ी में आया था। यादें जीवित हो उठीं और मेरा मन पानी में जाने को हुआ। नदी में उतरने से पहले बचपन में माँ से जैसे सीखा था, मैंने अंजुलि में पानी भर कर माथे और चेहरे पर छिड़का और नदी में समाई दिव्यता को प्रणाम किया। काँच-सी चमकती पानी की तेज धार मेरे हाथों के चारों ओर भँवर बना रही थी। सहसा मैंने देखा कि सैकड़ों कणों ने नृत्य और क्रीड़ा करते हुए मेरे हाथों को घेर लिया और फिर बहते हुए आगे निकल गये। मैंने देखा, कुछ ऊपर इला जी ने अस्थियाँ विसर्जित की थीं। तब मैंने जाना कि जो मेरे हाथों को घेरकर नृत्य कर रहे थे, वे अज्ञेय की अस्थियों के कण थे। तब आँसू उमड़े। किन्तु वे दुख या खुशी के आँसू नहीं थे। वे एक नैसर्गिक अर्थवत्ता के आँसू थे, एक अनजान दुनिया से उतरा स्पर्श। क्या उनकी देह के अन्तिम कण जीवन की नदी से बहकर अनन्त सागर में विलीन होने से पहले मुझसे अलविदा कह रहे थे?

अनुवादः शम्पा शाह

41

पेड़ पर कविता

॥ रामकुमार

किसी बड़े लेखक के साथ पहली भेंट ऐसी होगी, यह कल्पना मैंने नहीं की थी। हालाँकि आज सोचता हूँ कि क्या उसे भेंट कहना ठीक होगा! मैंने उन्हें सिर्फ देखा था। पर वह देखना एक ऐसी घटना थी जिसे भुलाया नहीं जा सकता।

किस्सा कुछ यों है – दिल्ली में कनाट सर्कस के मकान नं. 5/90 का अपना इतिहास है। सत्यवती मलिक वहाँ रहती थीं – कपिला वात्स्यायन की माँ। यह दूसरे विश्वयुद्ध के दिनों की बात है। राष्ट्रवादी आन्दोलन उन दिनों उभार पर था। सत्यवती मलिक का घर अतिथि सत्कार के लिए खास तौर से जाना जाता था। वह घर उन दिनों सामाजिक और साहित्यिक-सांस्कृतिक गतिविधियों का केन्द्र था। तमाम विचारधाराओं के लोग वहाँ एक छत के नीचे इकट्ठा होते थे। पीसी जोशी से लेकर शेख अब्दुल्ला तक। बड़े गुलाम अली खाँ, अच्छन महाराज, उदय शंकर घर की बैठक में कार्यक्रम पेश करते थे। 'शनिवार समाज' नाम से हर सप्ताहान्त होने वाली बैठक दिल्ली में साहित्यिक मजलिसों की अपनी तरह की अलग शुरुआत थी। मैथिलीशरण गुप्त, हजारीप्रसाद द्विवेदी, सुमित्रानन्दन पन्त, जैनेन्द्र कुमार, फैज अहमद फैज, यशपाल, बनारसीदास चतुर्वेदी, भगवतीचरण वर्मा आदि वहाँ देखे जाते थे। बच्चन जी की पहली मुलाकात तेजी कौर से इसी जगह हुई। खैर, तो हम जैसे युवकों का वहाँ जाना होता था। उनके यहाँ किताबें बहुत थीं। एक मोह यह भी था कि सत्यवती जी उदारता से किताबें पढ़ने के लिए दे भी दिया करती थीं।

उस दिन सत्यवती जी के घर में कोई साहित्यिक गोष्ठी थी। ड्राइंगरूम में हम लोग बैठे थे। अचानक एक लम्बे-चौड़े व्यक्ति ने घर में प्रवेश किया। खास बात उनका लम्बा-चौड़ा होना नहीं थी, दिलचस्प बात यह थी कि वे फौजी वर्दी में थे। वे हमारे सामने से गुजरते हुए दूसरी तरफ निकल गये। मैंने गौर से उन्हें देखा। वे कौन हो सकते हैं, इसे लेकर मैं कोई अनुमान लगा पाता, इससे पहले बगल में बैठे सज्जन ने मेरे कान में फुसफुसाते हुए कहा– जानते हैं ये कौन हैं? मैंने उतने ही धीमे स्वर में कहा– नहीं। तब उन्होंने कुछ रहस्य खोलने के अन्दाज़ में बताया– ये अज्ञेय हैं!

मेरे अन्दर एक अजीब-सी झुरझुरी उठी, जैसा कि रोमांच की घड़ी में होता है – अज्ञेय? *शेखर* के लेखक? उन दिनों *शेखर: एक जीवनी* (1931) छप चुका था। हिन्दी जगत में उसकी काफी चर्चा थी। मैं उसे एक बार पढ़ चुका था, बाद में और पढ़ा। तब मैं कॉलेज में ही था। लिखना मैंने शुरू कर दिया था, पेंटिंग अभी शुरू नहीं की थी। सत्यवती मलिक से परिचय लेखक के नाते था। उन दिनों कपिला जी भी दिल्ली विश्वविद्यालय में थीं। मैं सेंट स्टीफंस में पढ़ता था और कपिला जी हिन्दू कॉलेज में। वे अंग्रेजी की विद्यार्थी थीं, मैं अर्थशास्त्र का। कपिला जी कुछ पीछे थीं। लड़ाई के उस दौर में वात्स्यायन जी फौज में चले गये थे। मेरे खयाल में उस रोज वे दिल्ली आये होंगे और सत्यवती जी के यहाँ गोष्ठी में पहुँच गये होंगे। अगर आप इसे मुलाकात मानें तो वह उनसे मेरी पहली मुलाकात थी – एक लेखक से, फौजी पोशाक में।

पर वास्तव में जिसे मुलाकात कहा जाए, वह उनसे इलाहाबाद में हुई। तब वात्स्यायन जी *प्रतीक* का सम्पादन करते थे। इलाहाबाद में हमारी बहन रहती थीं। मैं उनके पास गया था। मुझे मालूम था कि वात्स्यायन जी *प्रतीक* के दफ्तर में मिलते हैं। एक दिन एक कहानी लेकर मैं 14 हेस्टिंग्ज रोड पहुँच गया। उन्होंने तुरन्त बुलाया और पूछा– कहिए? मैंने अपना परिचय दिया और बताया कि कहानियाँ लिखता हूँ, *प्रतीक* के लिए कहानी लाया हूँ। उन्होंने कहा– दे जाइए। पढ़ कर आपको सूचना देंगे कि उपयोगी है या नहीं। इससे ज्यादा वे कुछ नहीं बोले। मैंने इसे इशारा माना कि अब मुझे चलना चाहिए। यों भी सुन रखा था कि वे ज्यादा बात नहीं करते। इसलिए चला आया। यहाँ तक कि सत्यवती जी के घर उनसे दूर से हुई उस 'भेंट' के बारे में भी नहीं बता पाया, क्योंकि यह परिचय की शुरुआत थी और अपनी ओर से मैं ज्यादा खुल नहीं सकता था। हालाँकि फौजी वर्दी में उन्हें देखने की बात मैंने बाद में बताई, जब उनसे घनिष्ठता हो गयी।

मेरी कहानी *प्रतीक* में छप गयी। *प्रतीक* में वह मेरी पहली कहानी थी। हालाँकि उससे पहले *हंस* वगैरह में मेरी कहानियाँ छप चुकी थीं। लेकिन *प्रतीक* में कहानी छपना बड़ी प्रतिष्ठा की बात थी। यों समझिए कि एक तरह से लेखक होने की तत्काल मान्यता मिल जाती थी।

पाँचवें दशक के शुरू की एक घटना है। दिल्ली में एशियाई लेखक सम्मेलन हुआ था। सम्मेलन में दूर-दूर से बहुत सारे लेखक आये थे। तब लेखक दो गुटों में बँटे हुए थे। अब तो प्रगतिशील लोगों के भी अनेक गुट बन गये हैं, पर हिन्दी साहित्य में एक गुट प्रगतिशील लेखकों का था तो दूसरा अज्ञेय, धर्मवीर भारती वगैरह का – यानी 'परिमल' वालों का। इस लेखकीय गुटबाजी की तस्वीर तब और साफ हो

गयी जब एक दफा वात्स्यायन जी ने हमें छोड़ कर अपने लोगों को अलग छाँट लिया था। हम कई लोग बैठे थे। वात्स्यायन जी आये और उन्होंने इशारे से खास लोगों से अन्दर कमरे में आने को कहा, जहाँ वे लोग कोई बैठक कर रहे थे। बैठा मैं भी था पर उन्होंने मुझे नहीं बुलाया, क्योंकि हम लोग प्रगतिशील खेमे में थे। एक तरह से हम उनके खिलाफ ही थे, तो हमें भला क्यों बुलाते।

पर एक दिन रिश्तों में अचानक आश्चर्यजनक मोड़ आया। जब सोचता हूँ, उनसे मित्रता या घनिष्ठता कब हुई तो वह एक घटना याद आ जाती है। तब हम लोग मथुरा रोड पर रहते थे और वात्स्यायन जी गॉल्फ लिंक्स में। एक दिन अचानक ही उन्होंने खाने पर अपने घर बुला लिया। मुझे इसकी सूचना मिली तो आश्चर्य हुआ। कुछ देर बाद ही निर्मल (वर्मा) का फोन आ गया। उन्होंने बताया कि उन्हें भी बुलाया है। तब हम दोनों ने तय किया कि निर्मल मेरे घर आ जाएँगे और वहाँ से दोनों साथ जाएँगे। शाम तक हम लोग अनुमान लगाते रहे कि बहुत सारे लोग बुलाए गये होंगे। रघुवीर सहाय उनके करीबी मित्र थे, वे तो होंगे ही। और भी ऐसे उनके बहुत से करीबी मित्र थे।

लेकिन जब उनके घर पहुँचे तो हमारे आश्चर्य का ठिकाना नहीं रहा। वहाँ हम दोनों ही थे। वात्स्यायन जी ने भोजन कराया। हमारे फोटो खींचे। मैं आश्चर्य और जिज्ञासा के बावजूद यह नहीं पूछ पाया कि उन्होंने खाने पर हम दोनों को ही क्यों बुलाया? बाद में मुझे लगा कि शायद इसका कारण यह रहा हो कि उन दिनों रघुवीर सहाय और सर्वेश्वर जी वगैरह उनसे कुछ खिंचने भी लगे थे।

सच पूछा जाए तो हमारे साथ इला जी की आत्मीयता वात्स्यायन जी से ज्यादा थी। इला जी हर काम को बड़े ही सुरुचिपूर्ण ढंग से करती थीं। इसका श्रेय वे खुले मन से वात्स्यायन जी को देती थीं और कहती थीं कि यह सब उन्होंने उन्हीं से सीखा है।

बाद में एक वक्त आया जब निजामुद्दीन में वे लोग हमारे घर लगभग हर हफ्ते आते थे। जब कभी वात्स्यायन जी की कोई नयी पुस्तक आयी हो या कोई और मौका हो, वे कहते थे– चलो रामकुमार के घर पर 'सेलिब्रेट' करेंगे। ऐसे अवसरों पर हम निर्मल को भी बुला लेते थे। मेरे साथ उनके सम्बन्ध शायद साहित्यकार के रूप में नहीं थे। वे मुझे चित्रकार ज्यादा मानते थे। निर्मल के साथ भी मित्रता तो नहीं थी, पर उनसे जो सम्बन्ध था वह दो साहित्यकारों का रिश्ता था।

पहाड़ों से वात्स्यायन जी को गहरा लगाव था। उत्तराखंड के भीमताल में उन्होंने छब्बीस हजार रुपये में एक घर खरीदा था। उससे पहले अल्मोड़ा के काली मठ में भी घर खरीदा था – कसारदेवी के पास। छह हजार रुपये में। उस घर को उन्होंने जिसे बेचा, उससे एक बार हमने पूरी गर्मियों के लिए किराए पर लिया था। जब

वे भीमताल वाले घर को बेचने की फिक्र में थे तो मुझसे उसका जिक्र किया। मैंने तुरन्त कहा– हम लोग खरीद लेते हैं। वे बोले, मैं भीमताल जा रहा हूँ, कार में जगह भी है, आप चलना चाहें तो चले चलिए। घर देख लेंगे तो तय कर सकते हैं कि खरीदना चाहेंगे या नहीं। जाना तय हो गया और हम लोग चल पड़े। वे ड्राइवर के साथ आगे बैठे थे। पीछे मैं और इला जी। अभी हमें चले दो घंटे ही हुए होंगे कि वे बोले– रामकुमार जी, मैंने घर बेचने का इरादा तो बदल दिया है। फिर भी आप सैर के लिए तो चलें। आशय शायद यह था कि अगर मेरा उद्देश्य सिर्फ मकान खरीदना ही हो तो वह काम तो अब होगा नहीं। उनके इरादा बदलने से मैं चौंका जरूर, पर मैंने कहा कि कोई बात नहीं अब तो आ गये, घूम आएँगे। बहरहाल, रास्ते भर बातचीत होती रही।

बोलते-बतियाते हम लोग भीमताल पहुँचे। वहाँ दो दिन रहे। लेकिन वात्स्यायन जी के घर में नहीं। वह घर तो चौकीदार होते हुए भी रहने लायक हालत में नहीं था। खिड़कियों के शीशे टूटे हुए थे। बल्कि आश्चर्यजनक बात यह है कि घर तो उन्होंने भीमताल में खरीद लिया था, लेकिन एक दिन भी उसमें रहे नहीं थे। हम लोग ठहरे थे लोठार लुत्से के घर में, जो वात्स्यायन जी के घर के नीचे था। वहाँ से

भीमताल की झील दिखाई देती थी। लुत्से वहीं रहते थे, हालाँकि उस दौरान वे वहाँ नहीं थे। वात्स्यायन जी से उनकी मित्रता थी, इसलिए घर की चाबी वात्स्यायन जी को मिल गयी। उन दिनों भीमताल में आबादी बहुत कम थी। अब तो, वहाँ इतने मकान बन गये हैं कि देख कर बहुत खराब लगता है। हमने इधर एक बार वात्स्यायन जी का घर ढूँढ़ने की कोशिश की, पर वह उस घनी आबादी में खो जाने के कारण अब दिखाई ही नहीं दिया।

पहाड़ों पर शाम जल्दी होती है। सूरज पहाड़ी की ओट होने को हुआ तो वात्स्यायन जी ने सामान की सूची बना डाली थी कि बाजार से क्या-क्या लाना है। उन दिनों भीमताल में रोजमर्रा की जरूरत का सामान नहीं मिलता था। मैं और इला जी सामान लेने कुछ किलोमीटर दूर भवाली गये। वात्स्यायन जी को मिष्ठान का बड़ा शौक था। इसलिए सूची में भोजन के बाद के लिए फल-मिठाई भी शामिल की गयी। भीमताल में वात्स्यायन जी ने यह भी तय किया कि रमेशचन्द्र शाह से मिलने अल्मोड़ा चला जाए। जब हम लोग सँकरे पहाड़ी रास्तों से होते हुए तकरीबन दो-ढाई घण्टे में अल्मोड़ा पहुँचे तो मैंने वात्स्यायन जी से कहा– आप लोग रुकिए, मैं शाह जी को वहीं बुला लाता हूँ। मैंने उनका घर देखा था, जो गंगोला मुहल्ले में था। रमेशचन्द्र शाह के घर गया तो पता चला वे रानीखेत गये हुए हैं। मैंने जब वापस आकर वात्स्यायन जी को यह जानकारी दी तो उन्हें निराशा हुई। बोले– चलिए, अब वापस चलते हैं।

लौटते हुए हमने और इला जी ने कहा कि अब भीमताल के रास्ते न जाकर ज्योलीकोट से होते हुए काठगोदाम-हल्द्वानी निकलना ठीक रहेगा। लेकिन वात्स्यायन जी बोले भीमताल से ही जाएँगे। वे जिद्दी बहुत थे। उन्होंने जो ठान लिया या कह दिया उसी पर अड़े रहते थे। इसलिए हम लोग भीमताल होते हुए ही गये। उधर से जाते हुए हम नौकुचिया ताल की तरफ भी निकल गये थे। जंगल के बीच में वह बहुत शान्त और अछूती जगह थी। वात्स्यायन जी को वह जगह पसन्द थी।

उन्हें पहाड़ों पर घर बनाने का और वहाँ रहने का मन बहुत होता था। बिनसर में भी विवेक दत्त के गेस्ट हाउस में उन्होंने कहा था, मैं दो कमरे बनवा लेता हूँ और यहाँ आकर रहूँगा। विवेक दत्त उनके मित्र थे। बिनसर में ही रहते थे। दिल्ली आते थे, पर कभी-कभार। गये दिनों उनका निधन हो गया। बिनसर में उनकी काफी बड़ी एस्टेट है। विवेक ने एक दिन कह दिया – वात्स्यायन जी, सर्जनात्मक लेखन की उम्र तो बहुत कम होती है। पाँच साल से ज्यादा नहीं होती। यह सुन कर वात्स्यायन जी को बहुत बुरा लगा। बोले– आप ऐसा कैसे कह सकते हैं? दरअसल, विवेक दत्त उन्हें छेड़ते भी बहुत थे। पर उनकी दोस्ती भी उतनी ही गहरी थी, क्योंकि वह बहुत लम्बी थी और लगातार चलती रही।

सच पूछें तो वात्स्यायन जी का मन पहाड़ों पर ही ज्यादा रमता था। लेकिन
उनका सारा काम और समूची गतिविधियाँ दिल्ली, इलाहाबाद और बम्बई जैसे बड़े शहरों में केन्द्रित थीं। वैसे भी, उन्हें एकान्त में जो लिखना था वह लिख चुके थे। *शेखरः एक जीवनी* और *नदी के द्वीप* दोनों कृतियाँ तब तक आ चुकी थीं। *नदी के द्वीप* ज्यादातर उन्होंने शायद नैनीताल में ही लिखा था। इसके अलावा एक और बात भी थी। वात्स्यायन जी ने सोचा जरूर था पहाड़ों पर रहेंगे, पर जो सोचते थे सब कर नहीं पाते थे। असल में उनके पास योजनाओं की कभी कमी नहीं होती थी!

एक बार अपने परिवार के साथ मैं कश्मीर में था। गर्मियों में हम लोग प्रायः श्रीनगर चले जाया करते थे और दो-तीन महीने वहाँ रहते थे। जिस दौरान हम वहाँ थे उसी दौरान वात्स्यायन जी भी किसी बैठक में भाग लेने श्रीनगर आ गये। वहाँ उनसे मुलाकात हुई तो हम लोग खूब साथ घूमे। वे अपना वह मकान भी दिखाने ले गये जहाँ उनका बचपन बीता था। वह बड़ा-सा घर था। उस घर के बारे में उन्होंने जिस तरह बताया उससे लगा कि कश्मीर से भी उनका बड़ा लगाव था। पहाड़ों की तरफ उन्हें जाने कौन-सी जिज्ञासा, कौन-सी ऐसी खोज खींचती थी हमारे समक्ष यह एक सवाल ही था। इतना तो था कि यह पलायन नहीं था। पहाड़ उनका कभी अन्तिम पड़ाव नहीं बना। वे जाते थे, आते थे और फिर-फिर जाते थे।

मकबूल फिदा हुसेन और वात्स्यायन जी की मुलाकात का एक वाकया मुझे

अक्सर याद आता है। हुसेन हमारे घर आया करते थे। वात्स्यायन जी तो आते ही थे। एक दिन वात्स्यायन जी ने हुसेन और उनकी मित्र राशदा सिद्दिकी को घर पर बुलाया। महिलाएँ वात्स्यायन जी को खास तौर पर आकर्षित करती थीं। खैर, एक बार इंडिया इंटरनेशनल सेंटर में शाम को वात्स्यायन जी का कोई कार्यक्रम था। मैंने हुसेन को कार्यक्रम की जानकारी देते हुए कहा कि तुम्हें आना हो तो आ जाना। हुसेन उस दिन खाली थे इसलिए चले आये। कार्यक्रम खत्म हुआ तो लोग हुसेन के पीछे भागे। हुसेन साहित्यिक कार्यक्रमों में आते नहीं थे। आम तौर पर ऐसे आयोजनों में प्रायः लोग वात्स्यायन जी को घेरे रहते थे। लेकिन उस दिन आकर्षण का केन्द्र हुसेन बन गये। सारे लोगों को इस तरह हुसेन के पीछे भागते देखकर वात्स्यायन जी का चेहरा ज्यादा गम्भीर हो गया।

इला जी बताती थीं कि वात्स्यायन जी काफी पेचीदा व्यक्ति हैं। जर्मनी ले जाना है तो यह नहीं कहते थे कि तुम भी चलो। कहते थे– देख लो, अगर तुम्हें चलना हो तो। इला जी कहती थीं, अगर उन्हें मेरी जरूरत है तो साफ कहें, तब मैं चलूँगी। मुझे लगता है इसके पीछे वात्स्यायन जी का सबकी आजादी का खयाल रखने का सोच भी काम करता होगा।

पेंटिंग को लेकर उनके साथ विस्तार से मेरी बात कभी नहीं हुई। एक बार श्रीधराणी दीर्घा में सतीश गुजराल के चित्रों की प्रदर्शनी पर थोड़ी बात हुई थी। पेंटिंग में दिलचस्पी उनकी जरूर थी। पेंटिंग देखते थे और खरीदते भी थे। मेरी एक पेंटिंग उन्होंने खरीदी थी।

जब हमारे घर आते तो बातचीत का कोई एक विषय नहीं होता था। विमला जी उनसे ज्यादा सवाल पूछती थीं और उन्हें अपने बारे में बताने के लिए उकसाती थीं। ऐसे वे खुलते थे और इस तरह कभी अपने बचपन के बारे में या किसी घटना के बारे में बताने लगते। मुझे उनके साथ बातचीत का सिलसिला बनाने में दिक्कत होती। वे कम बोलते थे, पर जब खुल जाते थे तो खूब बोलते थे। उनके घर पर भी सर्दियों की कई शामें बाहर खुले में जमी बैठकी के बाद घर के अन्दर सिम्ट आती थीं और देर तक हम लोग उनके साथ बिताई घड़ियों की स्मृतियों को कुरेदते रहते।

उनका 'सेंस ऑफ ह्यूमर' नायाब था। पैदल चलना उन्हें पसन्द था। पहाड़ों पर खूब पैदल चलते थे। इसी तरह खान-पान का भी उन्हें बहुत शौक था। पीने का कम था। साथ देने भर के लिए ही पीते थे। मेजबान वे बहुत अच्छे थे। लेकिन खिलाते वक्त जिद नहीं करते थे। उनकी एक खास बात यह थी कि एक बार मित्रता हो जाने पर वे उसे पूरी तरह निभाते थे। वैचारिक मतभेद और बीच-बीच में सम्बन्धों में आये तनावपूर्ण क्षणों को भुला कर मित्रता को पुनर्जीवित करने में उनको कभी कोई परेशानी नहीं होती थी।

एक और शौक उन्हें था फर्नीचर बनाने का। एक बार उनका फोन आया कि रामकुमार जी जब आप पेंटिंग करते हैं तो ब्रश और रंग वगैरह दाएँ हाथ की तरफ रखते हैं या बाएँ हाथ की तरफ? बात मेरे पल्ले नहीं पड़ी। समझ नहीं पा रहा था कि आखिर ऐसा क्यों पूछ रहे हैं? फिर भी मैंने बता दिया कि मैं दायीं तरफ रखता हूँ। उनके इस सवाल का रहस्य कुछ समय बाद खुला जब उन्होंने मुझे एक मेज भेंट की। उसकी दराज दायीं तरफ थी। वह मेज आज भी मेरे पास है। वे बढ़ई को भले घर बुला लेते थे पर उसके साथ मिल कर खुद रंधा चलाते थे। डिजाइन वगैरह तो खैर उनका ही होता था। पर रंधा लगाने से लेकर ठोंक-पीट तक का काम भी वे खुद कर लेते थे।

कैवेंटर्स ईस्ट के बँगले में पेड़ पर उन्होंने जो घर बनाया था, उसमें भी उन्होंने खुद मेहनत-मशक्कत की थी। उस घर को हमने देखा था। बाद में उन्होंने उसका विधिवत 'प्रवेश' भी तय किया और हमें आमन्त्रण दिया। तारीख थी 4 अप्रैल, 1987। समय शाम 4 बजे। वे वहाँ अपना काव्य पाठ करने वाले थे। हम लोग शाम को उनके घर जाने की तैयारी कर रहे थे। विमला जी ने मट्ठियाँ बनाई थीं, जो वात्स्यायन जी को बहुत पसन्द थीं। तभी इला जी का फोन आया। मैं कुछ खीझ-सा गया था कि शाम को तो मिल ही रहे हैं, फिर इला जी क्यों फोन कर रही हैं! फोन उठाया तो उधर से इला जी ने टूटे स्वर में कहा– राम, वात्स्यायन जी नहीं रहे।

पेड़ पर वात्स्यायन जी के बनाये उस घर पर चढ़ने-बैठने की हसरत आज भी मेरे मन में है। लेकिन वात्स्यायन जी अपने कविता-पाठ की हसरत लेकर चले गये। उनकी अनुपस्थिति में उस पेड़ पर चढ़कर अब मैं क्या करूँगा?

42

कला की दुनिया

॥ प्रयाग शुक्ल

दिल्ली आने पर वात्स्यायन जी से मेरी पहली भेंट कब और कहाँ हुई थी, यह तो अब याद नहीं है, क्योंकि वह छवि शुरुआती मुलाकातों के बीच कहीं खो गयी है। पर इस सिलसिले में उनकी दो छवियाँ मन में सहज ही उभरती हैं: एक तो विलिंगडन हॉस्पिटल (जो अब राममनोहर लोहिया अस्पताल है) में श्रीकान्त वर्मा के साथ उनसे मिलने जाने की है, दूसरी मुक्तिबोध की शवयात्रा में उनके शरीक होने की।

दिल्ली मैं अगस्त 1964 में आया था। *दिनमान* निकलना शुरू नहीं हुआ था। पर, वह वात्स्यायन जी के सम्पादन में निकलेगा, यह तय हो गया था। दो नियुक्तियाँ और हो चुकी थीं – श्रीकान्त वर्मा और श्यामलाल शर्मा की। और ये दोनों 10, दरियागंज की *टाइम्स ऑफ इंडिया* बिल्डिंग में बैठने भी लगे थे। मैं भी श्रीकान्त जी के साथ ही वहाँ कभी-कभी चला जाता था। मैं *कल्पना* पत्रिका छोड़कर दिल्ली आया था। दिल्ली में क्या करूँगा, यह तय नहीं। पर, मन में कहीं यह दबी हुई इच्छा थी कि अगर नौकरी न करनी पड़े, और कुछ लिख-पढ़कर ही काम चल जाए तो बहुत अच्छा हो। इसमें ज्यादा कठिनाई भी नहीं दिख रही थी – जाहिर था कठिनाई का न दिखना, युवा दिनों की अनुभवहीनता और रूमानी भावनाओं के कारण भी था। कठिनाई के न दिखने का एक कारण और भी था – और वह किसी हद तक तो वाजिब था – कि *दिनमान* निकल ही रहा है, क्या उसमें मुझे लिखने-पढ़ने का काम नहीं मिल जाया करेगा, और इतना मानदेय भी नहीं मिल जाएगा कि मैं अपना खर्च चला सकूँ? स्वयं से पूछे गये इस प्रश्न का उत्तर मिलता था – 'हाँ, मिल जाएगा। भला मिल क्यों नहीं जाएगा?' और इसका आधार यही था कि वात्स्यायन जी तुम्हें जानते हैं, तुम्हारे कामकाज से परिचित हैं, उनके साथ तुम्हारा पत्र-व्यवहार भी है, *कल्पना* जैसी पत्रिका में काम कर चुके हो, और हिन्दी की प्रायः सभी प्रमुख पत्र-पत्रिकाओं में लिखते रहे, तो *दिनमान* के लिए भी कुछ लिख ही सकते हो।

पर, श्रीकान्त जी शायद यह चाहते थे कि मैं *दिनमान* के स्टाफ में ही आ जाऊँ तो अच्छा हो। उनकी इच्छा यह भी थी कि मैं वात्स्यायन जी से ही जल्दी मिल लूँ, उतना ही मेरे लिए ठीक रहेगा। मुझे मिलना तो उनसे यों भी था ही। जब मैं *कल्पना* में था तो वात्स्यायन जी वहाँ 'सभा प्रसंग' नाम से एक कॉलम लिखा करते थे, और उनकी कविताएँ भी *कल्पना* को प्राप्त होती थीं। उन सबके सिलसिले में मेरा पत्र-व्यवहार उनसे आरम्भ हो चुका था। मैंने इलाहाबाद छोड़ने से पहले सम्भवतः उन्हें *कल्पना* छोड़कर दिल्ली आने की बात भी लिखी थी। और तभी ज्ञानपीठ से रघुवीर सहाय का *सीढ़ियों पर धूप में* संग्रह आया था और सर्वेश्वर दयाल सक्सेना का *काठ की घंटियाँ*। उस शृंखला के लिए मेरे संग्रह की पाण्डुलिपि भी वात्स्यायन जी के पास थी – उस सम्बन्ध में भी उनसे बातें करने का मन था। बहरहाल, श्रीकान्त जी के साथ अस्पताल में उनसे मिलने जाने की बात के अधिकांश ब्योरे अब मैं भूल गया हूँ: उस वक्त की वात्स्यायन जी की छवि में यही याद है कि सम्भवतः उनका कमरा ग्राउंड फ्लोर पर था, और उसके साथ खुली जगह भी थी – घास, दूब, फूल-पौधे। और हमारे वहाँ पहुँचने पर वह बिस्तर में लेटे नहीं रहे हैं, उठकर बैठे हैं, और फिर चहलकदमी करते हुए ही हमसे बातें की हैं: उनका धीरे-धीरे बोलना, धीरे-धीरे डग भरना, और मुझसे मेरा हाल-चाल पूछना, तथा उस पाण्डुलिपि की भी संक्षेप में चर्चा करना जिसका जिक्र ऊपर कर आया हूँ – ये बातें ध्यान में टँकी हुई हैं।...जाहिर है कि हम उन्हें ज्यादा थकाना नहीं चाहते और पन्द्रह-बीस मिनट बाद बाहर आ गये।

मेरे भीतर अवश्य बहुत कुछ चलना शुरू हो गया है। कलकत्ता में पन्द्रह-सोलह वर्ष की उम्र में *शेखर* पढ़ने की, और उसकी एक गहरी छाप की बात ऊपर तैर आयी है। *शेखर* के बाद ही, *इत्यलम्, हरी घास पर क्षण भर* और *इन्द्रधनु रौंदे हुए ये* संग्रह भी पढ़े थे, *प्रतीक* की फाइलें देखी थीं, वात्स्यायन जी के बारे में भी पढ़ा-सुना था, 'और लेखक हो तो ऐसा' जैसी छवि मन में बैठा ली थी। देख रहा हूँ कि उनसे मिलकर वही छवि पुष्ट हुई है! अभिमान, अहं तो कहीं दिखाई नहीं पड़े। सहृदयता और सह-अनुभूति (सहानुभूति नहीं) के पर्याप्त प्रमाण थोड़ी ही देर में मिल गये हैं। 'क्या यह सब उनकी अस्वस्थता की वजह से है, (रोग-शोक मन को करुण बना देते हैं), और जब फिर मिलूँगा तो वह कोई दूसरे ही वात्स्यायन होंगे' जैसे विचार जरूर अपनी आशंकाएँ फेंक रहे हैं, और मैं श्रीकान्त जी के साथ, कुछ एक्साइटेड, कुछ कलकत्ता के किशोर दिनों की यादों में खोया, और कुछ 'एक जाने-माने लेखक को इतने पास से देखने-सुनने के अनुभव को लिये हुए वापस लौट रहा हूँ।'

अगली 'छवि' यह है मुक्तिबोध की शवयात्रा में बहुतेरे लोग हैं, कई पीढ़ियों के लेखक-कवि, प्राध्यापक, पत्रकार, कलाकार आदि। दिल्ली गेट के पास वात्स्यायन जी एक गाड़ी से कपिला जी के साथ उतरे हैं, और प्रायः सभी की निगाहें उनकी ओर उठ गयी हैं। पर, वे हैं कि मानो अपने में ही हैं, अपनी भाव-स्थितियों के साथ, और मुक्तिबोध के न रहने पर, उनके चेहरे पर गहरे दुख की छायाओं को मैं मानो कुछ दूर से भी पढ़ सकता हूँ...वह दुख उनकी मुद्रा और चाल में भी व्याप्त है...

पास ही चल रहे डॉ. नगेन्द्र को किसी से यह कहते हुए सुनता हूँ, 'वात्स्यायन जी खुद अभी बीमारी से उठे हैं, उन्हें ऐसी हालत में नहीं आना चाहिए था...'

अगली 'छवियाँ' बहुतेरी हैं। और पाता हूँ कि मैं *दिनमान* में प्रायः रोज ही जाने लगा हूँ। मनोहर श्याम जोशी वहाँ सहायक सम्पादक हैं, और मुझे कुछ न कुछ काम सौंप रहे हैं, वात्स्यायन जी से चर्चा के बाद। और स्वयं वात्स्यायन जी मुझे प्रायः याद कर लेते हैं। एक दिन बुलाकर पूछते हैं: 'आपने मुकुल डे का काम देखा है?' मैं इस सवाल का जवाब 'नहीं' में देता हूँ, 'कभी अवसर नहीं मिला।' उनके चेहरे पर 'कोई बात नहीं' का भाव है, और वे मेरी ओर एक निमन्त्रण पत्र सरका देते हैं: मुकुल डे की प्रदर्शनी का है वह। प्रदर्शनी आइफैक्स में लगी है। 'जाइए, देख आइए। आपको अच्छी लगेगी। फिर, उस पर कुछ लिखिएगा भी।' मैं 'जी' कहकर उठ आया हूँ।

बाहर निकलकर मनोहर श्याम जोशी से इसकी चर्चा करता हूँ। मैंने इससे पहले *दिनमान* में कला पर कोई टिप्पणी नहीं लिखी है। वह अपने खास अन्दाज में मुस्कुराते हैं और कहते हैं, 'घबराते काहे हो। पहले नहीं लिखी तो अब लिखो।' मैं निरुत्तर हो जाता हूँ। और सोच में डूब जाता हूँ। कला पर रपटों के रूप में कुछ लिख तो चुका हूँ, *धर्मयुग* में रामकुमार जी के कहने पर। भारती जी ने उन्हें चिट्ठी लिखी थी कि वे दिल्ली से कोई नाम सुझाएँ जो कला-गतिविधियों के छोटे-छोटे वृत्तान्त दिल्ली से भेज सके। रामकुमार जी ने मेरा नाम सुझा दिया है और मुझसे कहा है, 'तुम प्रदर्शनियाँ तो देखते ही हो, कलाकारों से भी तुम्हारा मिलना होता ही है, छोटी-छोटी टिप्पणियाँ भेज दिया करना।' निश्चय ही वे भी मुझ जैसे फ्रीलांसर की मदद ही करना चाह रहे हैं। उन दिनों मैं रामकुमार जी के गोल मार्केट वाले स्टूडियो में ही रह रहा हूँ। वहाँ रहने का प्रसंग यह है कि अभी मैंने कोई कमरा किराए पर नहीं लिया है – वह मिला नहीं है, और सम्भवतः मैंने ढूँढ़ लेने का पक्का संकल्प किया भी नहीं है। अवश्य ही मन में कहीं यह चोर रहा होगा कि 'पहले कुछ जम तो जाओ। कुछ कमाने-धमाने लगो तब लेना किराए पर कमरा।'

सो मित्रों के साथ रह रहा हूँ – कभी करोल बाग में, कभी मॉडल टाउन। मेरी यह स्थिति निर्मल वर्मा जी को पता चली तो उन्होंने रामकुमार जी से कहा, 'प्रयाग के लिए कोई व्यवस्था करो।' रामकुमार जी की ओर से प्रस्ताव यह आया कि वे तो सुबह आकर गोल मार्केट के स्टूडियो से प्रायः बारह बजे के करीब करोल बाग वाले घर लौट जाते हैं। सो, मैं उनके स्टूडियो में रहूँ। एक चाबी उनके पास रहेगी, एक मेरे।

इससे अच्छी व्यवस्था की तो मैं कल्पना भी नहीं कर सकता था। गोल मार्केट से आकाशवाणी और अखबारों के दफ्तर सब पास ही थे, और कनाट प्लेस तो पैदल के रास्ते, जहाँ कॉफी हाउस-टी हाउस में सबसे सम्पर्क भी सुलभ था, और सुलभ थे चर्चा-बहस आदि के अनेकों अवसर। बहरहाल, या तो *धर्मयुग* में कला पर मेरी कुछ टिप्पणियाँ देखकर वात्स्यायन जी को लगा होगा कि मुझे वे मुकुल डे जैसे कलाकार की प्रदर्शनी कवर करने का काम सौंप सकते हैं, या फिर यह एक और असाइनमेंट ही था जो मुझे मिल गया था। वात्स्यायन जी के ही कहने पर उन्हीं दिनों कभी इब्राहिम अल-काजी का इंटरव्यू करने की बात याद है और शंभु मित्र के दिल्ली आने पर आइफैक्स में उनकी कुछ प्रस्तुतियों पर टिप्पणी लिखने की भी! पर, मुकुल डे की प्रदर्शनी पर लिखने की बात को कुछ विस्तार से याद कर रहा हूँ तो इसीलिए कि इस प्रदर्शनी को कवर करने के बाद से मानो मेरे जीवन की एक दिशा और तय हो गयी थी। वह टिप्पणी मैंने काफी तैयारी के साथ लिखी थीः दो-तीन बार प्रदर्शनी देखने गया था, बंगाल स्कूल शैली पर जो चीजें वात्स्यायन जी ने पढ़ने को दी थीं, वे पढ़ गया था। प्रदर्शनी के कैटलॉग को भी ध्यान से देखा-पढ़ा था। कुछ मदद जोशी जी ने की ही थी।

वह टिप्पणी *दिनमान* के कला स्तम्भ में छपी। सम्भवतः वह वात्स्यायन जी को पसन्द भी आयी थी, तभी मुझे कला का स्तम्भ सौंप दिया गया था – जो मैंने 1981-82 में *दिनमान* छोड़ने के समय तक, बारह-तेरह बरस लिखा और जिसके कारण देश के शीर्षस्थ कलाकारों से लेकर युवतर कलाकारों के साथ बहुतेरा समय बिताने का मौका मिला। कई कलाकारों से निकट मैत्री हुई, और कला की कई विधियों-तकनीकों को जानने-समझने के साथ ही कला के कई मर्म भी जान और बूझ सका। *दिनमान* के दिनों में ही स्वामीनाथन, परमजीत सिंह, अर्पिता सिंह, शान्ति दवे, हिम्मत शाह, अंबादास, जेराम पटेल, जैसे कलाकारों से पारिवारिक सम्बन्ध बने। और रामकुमार जी के कारण तैयब मेहता, कृष्ण खन्ना, गायतोंडे आदि के निकट सम्पर्क में आया। हुसेन साहब से तो मेरा परिचय *कल्पना* के दिनों (1963-64) में ही हो गया था, पर दिल्ली आ जाने पर और *दिनमान* के कला-स्तम्भ से जुड़ जाने पर वह मानो और प्रगाढ़ होता गया।

वात्स्यायन जी द्वारा दिए गये एक और असाइनमेंट की याद मुझे प्रायः हो आती है। उन्होंने *दिनमान* में एक परिचर्चा आयोजित की थी, विषय था सन् 2001 में कला, साहित्य, राजनीति, विज्ञान आदि क्षेत्रों की स्थिति क्या होगी? मसलन, कला की दुनिया कैसी दिखाई पड़ेगी? एक दिन मुझसे उन्होंने पूछा, 'क्या आपका परिचय स्वामीनाथन से है?' मैंने उत्तर दिया, 'है तो थोड़ा-सा, कॉफी हाउस में भेंट हुई है, वहाँ वे अक्सर आते हैं।' 'तो फिर उनसे पूछ देखिए कि कला के बारे में अगली सदी की उनकी भविष्यवाणी क्या है?' 'भविष्यवाणी' पर वात्स्यायन जी ने थोड़ा-सा जोर दिया। कुछ मुस्कुराए भी, एक चुहल का-सा भाव उनके चेहरे पर तैर आया। मुझे यह समझने में देर न लगी कि मजे-मजे में वे स्वामीनाथन के बहुरंगी व्यक्तित्व पर भी टिप्पणी कर रहे हैं, और मुझे उनके साथ होने वाली बातचीत के प्रति कुछ उत्सुक भी बना रहे हैं। मेरा अनुमान गलत न था, क्योंकि इसके आगे उन्होंने जोड़ा कि 'उनसे (स्वामीनाथन से) कुछ निराली चीजें हाथ लग सकती हैं।' फिर बातचीत को एक गम्भीर रुख देते हुए उन्होंने कहा, 'वे कुछ मौलिक सोचते रहने वाले व्यक्ति हैं। हाँ, उन्हें आपको कुछ घेरना पड़ेगा, नहीं तो वे आपको झटका भी दे सकते हैं।'

सम्पादक के रूप में वात्स्यायन जी के गुणों को आज मैं बेहतर ढंग से समझ सकता हूँ, और कुछ चीजों के पीछे छिपे अर्थ और आशयों को आज ज्यादा अच्छी तरह पढ़ और पकड़ सकता हूँ। पर तब भी वे अपनी बात मुझ जैसे युवा और नौसिखिए तक पहुँचा ही देते थे – इसे यों भी कह सकते हैं कि उन्हें इसके गुर पता थे कि किससे क्या काम कैसे कराया जा सकता है। किसी असाइनमेंट के वक्त उन्होंने कोई लम्बी चर्चा कभी की हो, इसकी याद नहीं है। वे अक्सर अपनी बात नपे-तुले शब्दों में ही रखते थे। पर संकेतों, भंगिमाओं और कुल हाव-भाव से तथा शब्दों और स्वर के आरोह-अवरोह से भी बहुत कुछ व्यंजित कर देते थे।

यह कुछ वैसा ही है, जैसे कोई निपुण तैराक पहले तो किसी को धारा में उतारने से पहले जाँचे-परखे, फिर यह भाँपकर कि उस व्यक्ति को किसी ठिकाने तक भेजने का खतरा उठाया जा सकता है, उसे पानी और धारा के प्रति आकर्षित कर दे – उत्सुक बना दे, और जब वह ऐसा कर ले तो उस व्यक्ति को संकेतों में कुछ बता-समझा दे, सौंपे गये काम की गम्भीरता का अहसास भी करा दे, और एकाध सुरक्षा-कवच भी चुपचाप थमा दे! आज मैं वात्स्यायन जी द्वारा सौंपी गयी जिम्मेवारियों को सचमुच कुछ इसी रूप में देखता हूँ। किसी असाइनमेंट के वक्त वात्स्यायन जी के दिए हुए संक्षिप्त संकेतों-सुझावों, और सन्दर्भ-सामग्री के रूप में दी गयी पुस्तकों आदि की याद अब इसी रूप में आती है।

सन्दर्भ-सामग्री और पुस्तकों से याद एक और प्रसंग की आ रही है। एक दिन मनोहर श्याम जोशी ने मुझसे कहा कि वात्स्यायन जी चाह रहे हैं उनके घर पर जो पुस्तकें हैं, कोई उनकी कैटलॉगिंग कर दे, उन्हें विषय-वार जमा दे, और यह काम करते हुए पुस्तकों का उपयोग भी कर लेः यानी उनके पुस्तकालय को जमाए और उसका पूरा लाभ उठाए। वहीं बैठकर लिख-पढ़ ले। सोल्लास उन्होंने यह भी बताया कि इस काम के लिए उन्होंने वात्स्यायन जी को मेरा नाम सुझाया है, और उन्हें उनका यह सुझाव अच्छा लगा है, अतः मैं इस काम के लिए हाँ कर दूँ। अब तक मैं रामकुमार जी के स्टूडियो से शिफ्ट होकर करोल बाग (सन्तनगर) में एक कमरा लेकर रहने लगा था। तीन कमरों का वह फ्लैट चित्रकार हमदम, रवीन्द्र कालिया और गंगाप्रसाद विमल ने किराए पर लिया था। कालिया *धर्मयुग* में चले गये थे, और विमल विवाह करके पास ही अन्यत्र चले गये थे। सो, दो कमरे खाली हुए थे वहाँ, जिनमें से एक मैंने ले लिया था।

तब वात्स्यायन जी और कपिला जी सत्य मार्ग पर रहते थे। मैंने जोशी जी से कहा कि करोल बाग से बस में रोज सत्य मार्ग जाना और वहाँ से लौटना मेरे लिए कुछ मुश्किल ही होगा। फिर नाटकों-प्रदर्शनियों-फिल्मों आदि के लिए मैं समय कब निकाल पाऊँगा, और इससे कहीं मेरा *दिनमान* में और अन्यत्र लिखना न बाधित हो जाए। लिखने का और लोगों से मिलकर लिखने-पढ़ने के असाइनमेंट लेने के अवसर मैं भला कब निकालूँगा, आदि। पर जोशी जी के पास मेरी हर बात का तोड़ मौजूद था। उन्होंने कहा, 'तुम अजीब घनचक्कर हो, यहाँ अज्ञेय से लोग मिलने को तरसते हैं, वे तुम्हें अपना पूरा घर सौंप रहे हैं – मजे से लिखो-पढ़ो वहाँ। शाम को इस तरफ आ जाया करना!' सो, मैं करोल बाग से रोज सत्य मार्ग आने-जाने लगा। एक दिन तो सुबह-सुबह ही पहुँचकर मैंने वात्स्यायन जी से पुस्तकों आदि की जानकारी ले ली – वे सैकड़ों में थीं। क्या करना है यह भी समझ लिया। कुछ रजिस्टर आदि भी पुस्तकों की एंट्री के लिए मँगा लिये गये। फिर मैं दस-ग्यारह बजे तक सत्य मार्ग पहुँचने लगा। तब तक वात्स्यायन जी-कपिला जी दोनों ही घर से जा चुके होते। घर में जो नौकर था उसे हिदायत दे दी गयी थी, वह बीच-बीच में चाय-कॉफी आदि के लिए पूछ जाता। दोपहर को वात्स्यायन जी-कपिला जी, दोनों, भोजन के लिए घर आते और साथ में मुझसे भी भोजन करने का आग्रह करते।

सत्य मार्ग तब सुनसान-सा इलाका था। और अब चाणक्य प्लेस में जैसी चहल-पहल और दुकानें हैं, तब थी कहाँ! सो मैं यह भी नहीं कह सकता था कि मैं भोजन करके आया हूँ, या मैंने तो भोजन की व्यवस्था कहीं अन्यत्र कर रखी है। अपनी ओर से तो उन लोगों ने मान ही लिया था कि भोजन मुझे उनके साथ

करना है। मेरे लिए उलझन और साँसत की बात केवल यही नहीं थी कि मेरे भोजन की ऐसी 'अलिखित' व्यवस्था कर ली गयी है। साँसत की बात यह भी थी कि एक बेहद सजी-सजाई मेज पर, अत्यन्त सलीके से भोजन करने की मेरी आदत रह नहीं गयी थी! और मैं तब स्वभाव से भी बेहद संकोची था, जितना सहज व्यवहार मुझे कर सकना चाहिए था उतना कर नहीं पाता था। दो-एक दिन में मैंने यह भी लक्ष्य किया कि वे लोग तो खा चुके हैं, पर मैं भोजन समाप्त कर लूँ इस प्रतीक्षा में बैठे हैं। मैं बेहद धीरे-धीरे खाने का आदी था, अब भी हूँ, पर उन दिनों तो मानो 'कुछ गलत न कर बैठूँ' के अन्दाज में और भी धीरे-धीरे खाता था। सो एक अपराध बोध भी हुआ।

मैंने यह भी पाया कि पुस्तकों को कुछ रुचि और उत्सुकता से उलटते-पलटते ही मैं काफी समय बिता देता, उन्हें जमाने की तो बारी ही नहीं आ रही। और रजिस्टर में कुछ पुस्तकें दर्ज करने के अलावा, काम को कोई गति नहीं मिल रही है। अपनी यह आशंका भी सही उतरती लगी कि यही हाल रहा तो दिल्ली की सांस्कृतिक गतिविधियों का मैं कोई लाभ न उठा पाऊँगा, फिर कॉफी हाउस-टी हाउस का 'शोर' भी अपनी ओर बुलाता हुआ लगता था। मैंने जोशी जी से एक दिन यह कह ही डाला कि 'मुझे लगता है मैं इस काम के लिए उपयुक्त नहीं हूँ। और अपने लिखने-पढ़ने में भी कुछ पिछड़ता ही जा रहा हूँ।' जोशी जी के चेहरे पर कुछ भाव आये-गये, फिर अपने चिर-परिचित अन्दाज में बोले, 'मैं जानता हूँ जीवन में तुम्हारा कभी कुछ बनने वाला नहीं है। नहीं तो ऐसा मौका...' मैंने बुझे मन से उनकी बात स्वीकार कर ली। मालूम नहीं, वात्स्यायन जी से मेरी ओर से उन्होंने क्या कहा, पर मेरी दिनचर्या फिर पहले जैसी हो गयी और वात्स्यायन जी के यहाँ जाने के वे आठ-दस दिन स्मृति में टँगे रह गये।

दो-तीन बरस पहले की बात है, इन्दिरा गाँधी राष्ट्रीय कला केन्द्र के एक आयोजन में कपिला जी से भेंट हुई तो उन्होंने कहा, 'प्रयाग जी, आज सुबह मैं आपको याद ही कर रही थी। बताइए किसलिए याद कर रही थी?' उनकी बात कुछ पहेली-सी लगी। मैंने कहा, 'यह जानकर तो बड़ा अच्छा लग रहा है कि आप याद कर रही थीं, पर प्रसंग तो आपके बताने से ही जान पाऊँगा।' वे बोलीं, 'एक रजिस्टर देख रही थी...।' पलक झपकते ही मुझे सब कुछ याद आ गया। छूटते ही मैंने कहा, कुछ हँसते हुए, 'अब मैं समझ गया...' वे भी हँसीं। वर्षों बाद वह रजिस्टर स्मृति में फिर कौंध गया, जिसमें मैंने वात्स्यायन जी के पुस्तक-संग्रह की पुस्तकें दर्ज करनी शुरू की थीं...

नवम्बर या दिसम्बर 1968 की बात है। मैं कलकत्ता गया हुआ था। मेरी बडी बेटी

का जन्म हुआ था। पत्नी वहीं अपनी बड़ी बहन रूबी दी के पास थीं, जो उन दिनों कलकत्ता के शिक्षायतन स्कूल की वाइस प्रिंसिपल और स्कूल के छात्रावास की वार्डन थीं। एक दिन वात्स्यायन जी का तार मिला। 'इंटरव्यू के लिए अमुक तारीख को आइए।' *दिनमान* में जगह खाली हुई थी, सम्पादकीय विभाग में और जाहिर है कि यह *दिनमान* जॉइन करने का निमन्त्रण था। बेटी के जन्म के बाद से ही मैं भी सोचने लगा था कि अब स्वतन्त्र लेखन और स्वतन्त्र पत्रकारिता से काम चलने वाला नहीं है।...मैं नौकरी की सोच ही रहा था कि यह मुँह-माँगी मुराद मिली। मैंने इंटरव्यू में उपस्थित रहने का मन बना लिया। 1967 में मैंने विवाह किया था और पत्नी ज्योति की शिक्षायतन स्कूल की अध्यापकी छुड़ाकर दिल्ली ले आया था। खुद तो स्वतन्त्र लेखन कर ही रहा था, पत्नी की लगी-लगाई अच्छी नौकरी छुड़ा देने का जो दुस्साहस कर बैठा, वैसा दुस्साहस फिर करना नहीं चाहता था।

दिल्ली आया, इंटरव्यू हुआ, और मैं *दिनमान* के स्टाफ का अंग बन गया। जनवरी 1969 में रघुवीर जी *नवभारत टाइम्स* से *दिनमान* में सहायक सम्पादक होकर आ गये थे। जोशी जी इस्तीफा देकर *साप्ताहिक हिन्दुस्तान* में चले गये थे। वात्स्यायन जी मुझे तो बाकायदा *दिनमान* में ले आये, पर स्वयं कोई छह महीने बाद अमेरिका चले गये और फिर न तो *दिनमान* में लौटे और न ही सत्य मार्ग वाले घर में। उनसे मेरा सम्पर्क टूट-सा गया। और वर्षों हमारी कोई ऐसी भेंट नहीं हुई, जिसकी याद अलग से बनी रहे। हाँ, जब रघुवीर जी पचास के हुए और डॉ. लोठार लुत्से ने अपने यहाँ उनके अभिनन्दन में एक पार्टी की, तो वात्स्यायन जी से भेंट हुई। जो वाक्य उन्होंने उस भेंट के दौरान कहा, वह आज भी कानों में गूँजता है। मैं रम का गिलास हाथ में लिये हुए खड़ा था कि सामने से वात्स्यायन जी आते हुए दिखाई पड़े। मैंने पूरे सम्मान के साथ उन्हें नमस्कार किया, प्रत्युत्तर में उन्होंने भी 'नमस्कार' कहा, पर जोड़ा– 'अच्छा हुआ, आपने पहचाना तो!' निश्चय ही उसमें उलाहना था, और मैं कुछ दुखी हुआ। कहा इतना ही, "ऐसा आप क्यों कह रहे हैं? आपको नहीं पहचानूँगा!' वे ठिठके, मुस्कुराए, और आगे बढ़ गये। उस शाम वे पार्टी में मौजूद तो रहे, पर फिर बात करने का कोई अवसर नहीं आया।

1984 में मैं आयोवा इंटरनेशनल राइटिंग प्रोग्राम से भाग लेकर लौटा ही था कि एक शाम त्रिवेणी में एक प्रदर्शनी में वात्स्यायन जी से भेंट हो गयी। उनके साथ इला जी भी थीं। वात्स्यायन जी ने पूछा कि आयोवा में मुझे कैसा लगा? और वहाँ मैंने क्या लिखा-पढ़ा? मैंने बताया कि वहाँ का अनुभव बहुत अच्छा रहा और मैंने एक छोटा-सा उपन्यास *गठरी* भी वहीं पूरा किया है। कुछ ही दिनों बाद मानसर (जम्मू) में वत्सल निधि का लेखक शिविर आयोजित था। मुझसे भी

उन्होंने चलने का आग्रह किया। वात्स्यायन जी से सम्बन्ध-सुधार का जो यह मौका मिल रहा था, उसे देखते हुए मैंने 'हाँ' कर दी। कहा इतना ही कि आयोवा में मुझे चार महीने रहना था। दो महीने की लीव विदाउट-पे लेकर गया था। छुट्टियाँ अभी इकट्ठा नहीं हुई हैं। मैं लौटा ही हूँ, इसलिए पूरा समय शिविर में न रह पाऊँगा। पर दो-तीन दिन के लिए जरूर चलूँगा।

वे कुछ सोचने लगे, फिर बोले, 'चलिए तो। भले दो-तीन दिन के लिए ही!'

शिविर में वर्षों बाद उनसे बहुतेरी बातें हुईं। उनकी इच्छा थी कि शिविर में मैं उपन्यास-विधा के बारे में अपना एक वक्तव्य दूँ। वह मैंने दिया भी, जिसे रेकॉर्ड कर लिया गया। अनन्तर उन्होंने मुझे उसकी एक प्रति भी भेजी और एक संक्षिप्त-सा पत्र भी लिखा कि उसे मैं संशोधित करके वापस भिजवा दूँ। यह जानकर सन्तोष हुआ था कि वह वक्तव्य उन्हें पसन्द था।

मानसर शिविर के बाद उनसे प्रायः भेंट होने लगी, कैवेंटर्स ईस्ट वाले उनके निवास पर महीने में दो-तीन बार जाने लगा। वहाँ लॉन में टहलते हुए दो-तीन बार उनसे विविध विषयों पर चर्चा भी हुई। जब उनका पचहत्तरवाँ जन्म-दिन मनाया जाने वाला था तो एक दिन मैं नाश्ते के वक्त पहुँचा और उन्हें बिना बताए हुए, उनका एक 'इंटरव्यू' कर डाला, जो उनके जन्मदिन पर ही प्रकाशित हुआ *नवभारत टाइम्स* में। मेरे इस कौशल पर वे प्रसन्न ही हुए थे और इंटरव्यू के प्रकाशित होने पर उन्होंने मुस्कुराकर कहा था, 'अरे, आपने बताया क्यों नहीं था, मैं आपको और विस्तार से इंटरव्यू देता।' उनके विनोदपूर्ण स्वर से अपने लिए यह प्रशंसात्मक टिप्पणी सुनकर अच्छा लगा था।

एक शाम उनसे मिलने गया। हम चाय पीकर बातें करते हुए बैठे थे। तभी वे अचानक उठे, बोले, 'अभी आता हूँ।' भीतर गये और पार्कर पेन का एक सेट लेकर वापस लौटे। उसे सप्रेम मुझे सौंपते हुए बोले, 'यह आपके लिए है।' मैंने कहा, 'यह तो आज बहुत अच्छी भेंट मिली।' वह सेट अभी भी मेरे पास है।

1985 से 1987 के बीच का जितना समय उनसे सम्पर्क-संवाद का मिला, उसे मैं अपने लिए महत्त्वपूर्ण मानता हूँ। जाहिर है कि इस अवधि तक आकर मैं कई संकोच और दुविधाएँ छोड़कर उनसे बातें करने लगा था और *दिनमान* के दिनों के मेरे 'चुप्पा' दिन समाप्त हो गये थे। उन दिनों तो कभी-कभी यह होता था कि अगर मैं *टाइम्स ऑफ इंडिया* बिल्डिंग से बाहर निकल रहा होता था और हाल में या सीढ़ियों पर वात्स्यायन जी से भेंट हो जाती थी तो वे चलते-चलते पूछ लेते थे, 'आप कहाँ जा रहे हैं?' मैं प्रायः मंडी हाउस ही जा रहा होता था – यानी त्रिवेणी या रवीन्द्र भवन या सप्रू हाउस की तरफ। और मेरे 'मंडी हाउस' कहने पर कहते थे, 'चलिए, वहाँ आपको छोड़ देता हूँ।' रास्ते में हमारे बीच प्रायः कोई बात

नहीं होती थी। वह तो कम बोलने वालों में थे ही, मैं भी तब निकट मित्रों के साथ बोलने-बतियाने के अलावा, बहुत कम बोला करता था। पर उनकी 'मुखरता' हो या मौन, आज यह क्यों लगता है कि उनसे एक 'संवाद' चला ही करता था। पर अन्तिम वर्षों में, उनसे मुखर ढंग से भी कुछ सुन-कह सका और कभी कलकत्ता, कभी हिन्दी की पुरानी पत्रिकाओं और कभी उनकी यात्राओं आदि से सम्बन्धित बातें कर सका, इसकी सुखद स्मृति मन में है। वात्स्यायन जी के बचपन, किशोरावस्था और युवावस्था के बहुतेरे दिन चेन्नई, लाहौर, श्रीनगर, जम्मू, कोलकाता, दिल्ली, आगरा आदि शहरों में बीते थे। अनन्तर वे असम में भी रहे। सचमुच कश्मीर से लेकर कन्याकुमारी तक के भू-भाग से वे परिचित हुए थे। लखनऊ, इलाहाबाद, वाराणसी आदि से भी उनके सम्बन्ध रहे ही थे, उन्होंने बहुतेरी विदेश यात्राएँ भी की थीं। सो, उनसे विविध अंचलों और शहरों पर बातें करने का एक अलग आनन्द था। एक बार उनके कोलकाता प्रवास को लेकर देर तक बातें की थीं। एक बार यह जानकर मुझे कुछ अचरज भी हुआ था कि वे कुछ दिन फतेहपुर (उ.प्र.) में भी रहे थे, जहाँ हमारा भी घर है। जरूर ही वह उनके क्रान्तिकारी जीवन के दिन रहे होंगे, क्योंकि यह पूछने पर कि वहाँ वे किस सिलसिले में गये थे, उन्होंने केवल इतना कहा था कि 'बस, एक संयोग बन गया था।' मुझे याद है, एक शाम रामकुमार जी के घर पर उनसे अनायास भेंट हो गयी थी। तभी बातों-बातों में यह फतेहपुर प्रसंग भी निकला था।

जब उनका देहान्त हुआ तो मैं चायल (हिमाचल प्रदेश) में था। जहाँ कला पर एक सेमिनार में भाग लेने के लिए गया हुआ था। कई चित्रकार वहाँ इकट्ठा थे – कृष्ण खन्ना, स्वामीनाथन, मनजीत बावा, परमजीत सिंह और अन्य। उनके देहान्त की खबर पाकर हम सब विचलित हुए। और मन में उनसे जुड़ी हुई कितनी ही स्मृतियाँ घुमड़ने लगीं।

वे आज भी घुमड़ती हैं। हैं तो ढेरों। दर्ज यहाँ कुछ ही हो पायी हैं।

43

सम्प्रेषण का विश्वास

॥ अजित कुमार

4 अप्रैल, 1987 को अन्तिम प्रणाम करते समय मैंने देखा – अज्ञेय के मुख पर वही मोहक, शान्त-संयत, गम्भीर भाव था, जिसने सन् पचास के लगभग इलाहाबाद में उनसे पहली भेंट के मौके पर मुझे उनके प्रति आकर्षित किया था। इस लम्बी अवधि में, उनके साथ सम्पर्क और सहयोग के अनेक अवसर मुझे मिले और सदैव मैंने उन्हें वैसा ही पाया – मोहक, शान्त-संयत, गम्भीर! हमारे बीच सम्बन्ध भी प्रायः वैसा ही बना रहा, न बहुत दूर, न बहुत पास। एक अनकही मर्यादा में बँधा हुआ, जिसके उल्लंघन की चूक मुझसे तो जरूर कई बार हुई होगी, कोई-न-कोई अटपटी बात मेरे बैसवाड़ी मुँह से निकल ही जाती थी! पर वे स्थिर बने रहते थे।

उनके इस स्वभाव को लोग दूसरों के प्रति उनकी उदासीनता समझ बैठते थे, और अकसर आहत भी होते थे। एक बार स्वर्गीय लेखक कृशनचंदर ने शिकायताना लहजे में मुझे बताया था कि इलाहाबाद में वे कई महीने तक एक ही कमरे में अज्ञेय जी के साथ रहे, लेकिन उसके बाद जब दिल्ली में भेंट हुई तो अज्ञेय जी ने बात करना तो दूर उन्हें पहचाना तक नहीं।

शायद ऐसे ही कुछ अनुभवों के नाते, एक समय हिन्दी में यह मजाक चल निकला था कि कोई लेखक महोदय अज्ञेय जी से मिलने उनके घर गये। परस्पर अभिवादन हुआ। अज्ञेय जी ने कहा, 'आइए!' वे ड्राइंगरूम में बैठ गये। कुछ देर तक दोनों मौन रहे। फिर आगन्तुक ने यह सोच कर अपना परिचय दिया कि शायद अज्ञेय जी ने उन्हें पहचाना नहीं। अज्ञेय जी का उत्तर था– 'जी!' बातचीत शुरू होने की निष्फल प्रतीक्षा करने के बाद आखिर वे महाशय उठ खड़े हुए और बोले, "अच्छा अब मैं चलता हूँ।" अज्ञेय जी भी 'अच्छा' कह कर खड़े हो गये। और इस तरह यह भेंटवार्ता 'आइए!', 'जी!' और 'अच्छा!' इन तीन शब्दों तक सिमट कर रह गयी। हो सकता है यह एक गढ़ा हुआ किस्सा हो। लेकिन इसमें कोई शक नहीं कि तपाक से आगे बढ़ कर हाथ मिलाना या गर्मजोशी से गले लग जाना अज्ञेय जी के स्वभाव में नहीं था। मैं ऐसे किसी व्यक्ति को नहीं जानता, जिसे उन्होंने 'आप' छोड़ 'तुम' कहा

हो। यह भी याद नहीं आता कि कभी किसी से कोई इसरार किया हो। लेकिन इसका यह मतलब तो नहीं कि वे किसी का या किसी बात का खयाल ही नहीं रखते थे। सिर्फ यह कि उनका अपना ढंग या ढर्रा था, जो दूध-पानी जैसा घुल-मिल कर पतला बन जाने वाले ठेठ हिन्दुस्तानी ढर्रे से कुछ अलग था।

कई साल पहले जाड़े की एक शाम मैं उनसे मिलने गया था। लौटते समय कुछ देर हो गयी थी। स्कूटर की 'किक' से मुझे उलझते देख उन्होंने सिर्फ इतना ही पूछा– "आपके पास कार भी तो है न!" मैं समझ नहीं सका कि यह प्रश्न था या केवल कथन। इसलिए संक्षिप्त 'जी हाँ' कह कर चल पड़ा। लेकिन रास्ते में मैंने सोचा कि कदाचित उनकी वह टिप्पणी विदा समय के नमस्कार का एक औपचारिक विस्तार भर न थी। शायद उसमें यह इशारा भी मौजूद था कि इतनी सर्दी में स्कूटर की जगह कार का इस्तेमाल करना मेरे लिए अधिक सुविधाजनक हो सकता था। उनका अभिप्राय जो भी रहा हो, अपने तईं मुझे बखूबी मालूम था और पूरे रास्ते मैं इसका आनन्द लेता रहा कि यदि कियी भी अन्य लेखक या परिचित के साथ यह प्रसंग छिड़ा होता, तो मैं वहीं ठहर, पुरानी कार के मुकाबले नये स्कूटर की सहूलियतों और खूबियों का बखान शुरू कर देता। जबकि अज्ञेय जी के साथ ऐसी फालतू गपशप की 'गुंजाइश' मुझे नजर नहीं आयी थी।

'गुंजाइश' से जुड़ी एक और घटना याद आ गयी है। दिल्ली विश्वविद्यालय के तत्वावधान में प्रयोगशील कविता पर हमने एक संगोष्ठी का आयोजन किया था। श्रीकान्त वर्मा और बालस्वरूप द्वारा पक्ष-प्रतिपक्ष की प्रस्तुति होने जाने के बाद अज्ञेय जी ने सटीक टिप्पणी की कि भिड़न्त कराने के विचार से जो दो गाड़ियाँ विरोधी दिशाओं से छोड़ी गयी थीं, वे अपनी-अपनी पटरियों पर भागती चली गयीं। उनमें कोई टक्कर नहीं हुई। अज्ञेय जी के भाषण के दौरान माइक्रोफोन खराब हो गया और खचाखच भरा सभाकक्ष उनकी बात न सुन पाने के कारण व्यग्र हो उठा। पर अज्ञेय जी ने अपनी आवाज तनिक भी ऊँची नहीं की। वे अपने स्वाभाविक स्वर में, जो उन दिनों बहुत धीमा हुआ करता था, बोलते रहे। तब 'जोर से बोलिए' की माँग करने वाले श्रोताओं को तत्कालीन हिन्दी विभागाध्यक्ष डॉ. नगेन्द्र ने यह बताना जरूरी समझा कि इससे ज्यादा जोर की 'गुंजाइश' नहीं है। आप अज्ञेय जी को सुनना चाहते हैं, तो आपको स्वयं चुप रहना और ध्यान देना होगा। आखिरकार श्रोताओं ने यही किया।

सम्भवतः ऐसे ही प्रकरणों को लक्षित कर अज्ञेय जी के विषय में यह सामान्य धारणा बन गयी थी कि वे अपनी ही शर्तों पर रहते और जीते हैं। कुछ समय तक मैं भी इस भ्रम में रहा। फिर धीरे-धीरे समझ में आया कि किन्हीं अंशों में यह एक प्रवाद था जिसके फैलने के पीछे, मुमकिन है, कुछ दूसरी वजह भी रही हो। सोचने

की बात है कि जिस व्यक्ति ने इतने अधिक और इतनी तरह के लोगों के साथ इतने लम्बे समय तक इतने विभिन्न क्षेत्रों में सफलतापूर्वक काम किया हो, उन्हें सहयोग दिया हो, उनका सहयोग पाया हो, वह और जो भी हो, अंतर्गुहावासी तो कदापि नहीं हो सकता।

अफ्रीका को छोड़ दुनिया का शायद ही कोई हिस्सा हो, जहाँ वे नहीं गये। स्वदेश में भी वे कितना घूमे और भटके हैं। जूता गाँठने से लेकर, जहाज उड़ाने तक की ऐसी कौन-सी विधा थी, जिसके बारे में थोड़ी-बहुत जानकारी उन्हें न थी। मधुर गानवाला कंठ तो अवश्य प्रकृति ने उन्हें नहीं प्रदान किया था, पर संगीत की परख और अन्य ललित कलाओं के अभ्यास को उन्होंने किस कदर साधा था! भाषा की बारीकी और प्रकृति के विस्तार का माप उनके लिए जितनी सहज हो सकी थी, शायद उतनी ही स्वाभाविकता के साथ वे भावात्मक सम्बन्धों की गहराई और जटिलता को भी आत्मसात कर लेते थे। जीवन की ऐसी सर्वांगीणता में रचे-बसे व्यक्ति पर 'स्वरति' या 'एकांतिकता' का आरोप शायद चालू फैशन के तहत ही लगाया जा सकता है। *मैं मरुँगा सुखी, क्योंकि मैंने जीवन की धज्जियाँ उड़ायी हैं* हिन्दी के बड़े लेखकों की महान परम्परा के अनुरूप, लेकिन अपने ढंग से और अपनी जीवन और कर्मगत आवश्यकताओं को समझते हुए, सचमुच ही अज्ञेय जी ने जीवन की धज्जियाँ उड़ायी थीं। फिर भी यह कहना बहुत आवश्यक है कि वे भरपूर अपने विश्वासों के अनुरूप जिये और उसी तरह सुख से गये। एक स्वप्न को मूर्तिमान करने के उदात्त प्रयास में उनकी आँखें मुँदीं।

अन्त कब, कहाँ और कैसे आएगा, इस पर किसी का वश नहीं चलता। लेकिन अन्तिम क्षणों में हम क्या कह, कर और सोच रहे होते हैं, उससे कुछ पहले हम क्या बनने और होने की दिशा में बढ़ते हैं। महत्त्वपूर्ण बात यह है और इस दृष्टि से वत्सल निधि बनने के बाद से अज्ञेय जी की सघन सक्रियता के प्रति मेरे मन में विशेष सम्मान की भावना रही है। वे जो अनुभव करते थे, उसे चिन्तन की धार पर पैना करने और जीवन की मुट्ठी में तपाने के अवसर उन्होंने इस अवधि में निरन्तर खोजे थे। जैसे भवानी भाई अपने दिल के मर्ज से नहीं, बल्कि दिल की आवाज से परिचालित हो काव्य-प्रेमियों की पुकार अनसुनी नहीं कर पाते थे, उसी तरह अज्ञेय जी में भी एक तरह का व्यक्तित्वान्तरण हो गया था। सांस्कृतिक यात्राओं, लेखक शिविरों, व्याख्यानमालाओं और अन्य आयोजनों ने उनमें एक नयी ऊर्जा या आवेग का संचार कर दिया था।

अज्ञेय जी की तथाकथित 'धूमधाम' के पीछे मुझे पिछले वर्षों के दौरान अमरत्व की एक अनोखी प्रतीति झलकती नजर आती थी। आँखों में चमक, उजले दाँतों से फूटती हँसी और अद्‌भुत वक्तव्य क्षमता मैंने उनमें पहले लक्षित नहीं की

थी। वे खुल कर बातें करते थे, हँसते और हँसाते थे, स्वयं तो आयोजन करते ही थे, अन्यों के निमन्त्रणों को भी यथासम्भव स्वीकार कर लेते थे। भारत भवन जाना भी उन्होंने मंजूर कर लिया था, जहाँ वे पहले कभी नहीं गये। वहाँ भाषण के दौरान बोले कि "वैसे तो हिन्दी में मुझे अप्रासंगिक मान लिया गया है, लेकिन मैंने सोचा कि जो थोड़ा-सा समय मेरे पास बचा है, उसमें अपने मन की कुछ बातें आपके सामने कहने का अवसर खोज निकालूँ।"

लेखक और व्यक्ति के तौर पर अज्ञेय के जिस महत्त्वपूर्ण पक्ष की ओर मेरा ध्यान सबसे पहले जाता है – वह है उनका नागर, सुसंस्कृत, शालीन, शिक्षित-दीक्षित, अभिजात आचरण जो हिन्दी के तत्कालीन अक्खड़, निराले मिजाज से तो अलग था ही, स्वयं अज्ञेय द्वारा स्वीकारे 'काव्यगुरु' के देसी, गँवई स्वभाव से या अन्य छायावादी-उत्तरछायावादी कवियों के ढंग-ढर्रे से मेल नहीं खाता था। हिन्दी के सामान्य लेखकों की चिर-परिचित छवि से अज्ञेय की यह भिन्नता कदाचित् औरों से उनको अलगाने वाली पहली विशेषता थी, जिसने उनके उपनाम को सबसे अधिक सार्थक किया।

उनके सम्बन्ध में मालूम शुरुआती तथ्यों...कि क्रान्तिकारी आन्दोलन से जुड़े होने के कारण वे जेल में भेजे गये...कि वहाँ भेजी रचना के साथ लेखकीय नाम न होने के कारण वह उस नाम से छपी जो कालान्तर में उनका प्रकृत नाम बन गया ...कि जेल से छूटने पर विश्वयुद्ध के दौरान वे भारतीय सेना के साथ मोर्चे पर गये ...कि हर तरह की तंगी और किल्लत के बावजूद उन्हीं दिनों अमेरिकी सौजन्य से प्राप्त कागज पर *तार सप्तक* के प्रकाशन की व्यवस्था हुई – ये और इस तरह के अन्य कितने ही तथ्य-प्रवाद उनसे जुड़ी रहस्यात्मकता को जितना बढ़ाते थे, उतना ही तूल उसे देती थी उनकी वह सुचिन्तित मितभाषिता, जिसकी व्याख्या वे कभी-कभी इस तरह करते थे कि उसे लोग उनका अहंकार समझते हैं। वह, दरअसल, औरों के सामने उनकी बोलती का बन्द हो जाना हैः जबकि यह किसी से छिपा न रहता था कि अपनी बात को संयम से ही नहीं, शान्त प्रभावशाली विधि से कहने में वे शुरू से दक्ष थे। यही नहीं हिन्दी, अंग्रेजी या अपनी मातृभाषा पंजाबी के बीच घालमेल किए बिना इन सभी भाषाओं में स्वतन्त्र रीति से अपने को अभिव्यक्त कर सकने में वे माहिर थे। इस स्तर पर राहुल सांकृत्यायन जैसे बहुभाषाविद् विद्वान के समान अज्ञेय को अखिल भारतीय लेखक-चिन्तक मानना वाजिब रहा, बावजूद इसके कि उन पर बहुधा यह आरोप लगा कि उन्होंने पाश्चात्य लेखन का बहुत कुछ हिन्दी में आयात किया है। यही नहीं, माना गया कि घुमा-फिराकर वे हिन्दी लेखन का पश्चिमीकरण करने के षड्यन्त्र में भागीदार हुए, जिसका यह सन्दर्भ प्रासंगिक है कि जिसे आधुनिक चेतना कहा जा सके,

वह प्रमुखतः अज्ञेय के नाते हिन्दी में सम्भव हुई।

यों तो लेखन में उनका धमाकेदार प्रवेश उनकी लगभग आरम्भिक रचना *शेखरः एक जीवनी* (1941) से हुआ था, जिसे नामकरण के बावजूद उपन्यास के रूप में ख्याति मिली और जो तब तक उपन्यास का मानक बन चुके भारतीय जीवन की महागाथा 'गोदान' से इस मायने अलग था कि लेखक ने उसे 'घनीभूत वेदना की केवल एक रात में देखे हुए 'विजन' को शब्दबद्ध करने का प्रयत्न' बताया था; जिसके इस पक्ष की ओर ध्यान दिया जाना अब भी शेष है कि यह कृति जहाँ एक तरफ प्रसादकृत *आँसू* की घनीभूत पीड़ा को, वहीं दूसरी तरफ जेम्स जॉयस कृत *युलीसीज* की शाश्वत लेकिन स्थिर यायावरी को परस्पर जोड़ना चाह रही थी। बाद में दूसरा खण्ड भी प्रकाशित हुआ, लेकिन अपने आसपास रहस्यात्मकता का जो वृत्त अज्ञेय ने सदा बनाये रखा, उसके इस पहलू को अनदेखा नहीं किया जा सकता कि *शेखर* का चिर प्रतीक्षित तीसरा खण्ड अब तक सामने नहीं आया, जबकि उसे देखने या पाण्डुलिपि की शक्ल में उसे पढ़ चुकने का दावा करने वालों के बरक्स अज्ञेय के कई निकटस्थों का मानना है कि चाहते हुए भी अज्ञेय यह रचना कभी पूरी नहीं कर सके। एक तीसरी सम्भावना को भी खारिज नहीं किया जा सकता कि लिखे गये सब कुछ की जगह उसके चुने हुए अंश के ही प्रकाशन में विश्वास करने के नाते उन्होंने आखिरकार उसे 'गोपनीय' ही रखने का फैसला किया हो – जैसा कि *डि प्रोफंडिस* के ऑस्कर वाइल्ड सहित अन्य अनेक लेखक पहले कर चुके हैं।

जो हो, यह लगभग निर्विवाद है कि हिन्दी नवलेखन की अगुआई अज्ञेय ने लगभग 1950 के आसपास की, जब उन्होंने उस समय की सर्वप्रमुख साहित्यिक पत्रिका *प्रतीक* का पहले द्वैमासिक, फिर मासिक प्रकाशन आरम्भ किया और उसके अनुषंग की भाँति 1951 में *दूसरा सप्तक* छपा। इस क्रम में, दस साल पहले छपे *तार सप्तक* को नयी रोशनी में देखा-परखा गया।

मासिक *प्रतीक* बन्द होने और *नया प्रतीक* आरम्भ होने के बीच की अवधि में नवलेखन के अगुवा अज्ञेय ने उसे गतिशील बनाये रखने के लिए, अपनी सृजनशीलता के अलावा जो दो अन्य प्रमुख कार्य सम्पन्न किए, वे थे...*तीसरा सप्तक* (1959) का प्रकाशन और भारतीय ज्ञानपीठ के वास्ते 'नये साहित्य स्रष्टा' पुस्तक माला के अन्तर्गत 1960-62 के बीच *सीढ़ियों पर धूप में, काठ की घण्टियाँ* और *अंकित होने दो* का सच्चिदानन्द वात्स्यायन के नाम से सम्पादन। इन आयोजनों के ऐतिहासिक महत्त्व से हिन्दी जगत भलीभाँति परिचित है। *तीसरा सप्तक* ने जहाँ 'सप्तक' योजना की उत्कृष्टता पर अन्तिम मोहर लगाई थी, वहीं

'नये साहित्य स्रष्टा' पुस्तक माला ने नवलेखकों की पुस्तकों के मात्र सहयोगी-सम्मिलित नहीं, बल्कि स्वतन्त्र प्रकाशन का मार्ग प्रशस्त किया था। इन पुस्तकों की तलस्पर्शी भूमिकाओं में जहाँ अज्ञेय ने सम्बद्ध युवा लेखकों का गम्भीर विवेचन किया था कि यदि "समवर्ती रचनाकार प्रायः एक से अधिक माध्यमों में रचना करते हैं" तो यह 'बहुमुखता' उनकी निष्ठा तथा रचनात्मक संघर्ष को भी प्रतिबिम्बित करती है। सम्पादकीय निष्कर्ष यह था:– "एक पुस्तक एक साथ ही एक साहित्यकार का पूरा प्रतिनिधित्व भी करे, और नाना रस-व्यंजनों से पाठक की रसना को लुभाए और तृप्त भी करे, यह सम्भावना इस ग्रन्थमाला को न केवल अपने ढंग का एकमात्र प्रयास बना देती है। वरन आज की स्थिति में एक महत्त्वपूर्ण और मूल्यवान प्रयोग भी।"

विविध लेखकीय विधाओं का समावेश करने वाली उक्त पुस्तकें चूँकि लम्बे समय से अनुपलब्ध रही हैं, इसलिए सार्वजनिक स्मृति के हित में बताना उचित होगा कि उनमें से पहली दो नायाब किताबें – *सीढ़ियों पर धूप में* और *काठ की घण्टियाँ* जहाँ दूसरा-तीसरा सप्तक के कवियों – रघुवीर सहाय और सर्वेश्वर दयाल सक्सेना की प्रथम प्रकाशित पुस्तकें थीं, वही तीसरी पुस्तक *अंकित होने दो* से कुछ पहले मेरा एक कविता संग्रह छप चुका था तथापि इस भिन्नता को सम्पादक ने लेखकीय 'नयेपन' का विस्तार मानते हुए न केवल उसे योजना का हिस्सा बनाया बल्कि भूमिका में रेखांकित किया था कि "अन्ततोगत्वा किस प्रकार अजित कुमार के बदले उनकी बहन कीर्ति चौधरी *तीसरा सप्तक* में संकलित हुईं, उसकी अलग कहानी है और कारण-परम्परा है।" वह कहानी और कारण बताते हुए उन्होंने अपनी भूमिका में यह अप्रत्याशित भी जोड़ा जो उनके जैसा खरा, अनुशासित, वस्तुनिष्ठ व्यक्ति ही जोड़ सकता था– "प्रस्तुत संकलन को पाठक के सम्मुख लाते हुए मैं अपनी भूल स्वीकार करना चाहता हूँ। उससे आगे यह भी कहना चाहता हूँ कि यह मेरे लिए आनन्द का विषय है कि मेरा अनुमान गलत साबित हुआ।" यह टिप्पणी मेरे लिए अप्रत्याशित ही नहीं, प्रीतिकर भी थी।

यह पुस्तक 1962 में लगभग उसी समय प्रकाशित हुई थी, जब मैं विदेश मन्त्रालय की अनुवादकी छोड़ अध्यापन के अपने प्रिय क्षेत्र में दोबारा लौटा था। उन्हीं दिनों मेरे बहाने उनके प्रति जो अन्याय हुआ, उसकी खबर मुझ तक भले बीसों बरस बाद पहुँची लेकिन मेरी ग्लानि आज तक बनी हुई है कि समूचे प्रसंग में, अनजाने-अनचाहे मेरा इस्तेमाल एक मोहरे के तौर पर किया गया था। वह क्षोभ तब और बढ़ा था, जब मेरा ध्यान अज्ञेय की इस शालीनता और गम्भीरता की ओर गया कि सब कुछ जानते हुए भी उन्होंने न कभी यह प्रसंग छेड़ा, न उसके नाते मुझसे कोई दुराव रखा।

आगे चलकर प्रकाशित *चौथा सप्तक* की भी नींव पड़ी। इस बीच हिन्दी में और स्वयं अज्ञेय के लेखन कर्म में भी बहुत कुछ घटित हो चुका था। उनके कुछ खास समर्थक उनसे दूर जा पड़े थे और नवलेखन पर अज्ञेय की अचूक पकड़ भी ढीली पड़ती गयी थी। लेकिन उनके प्रयोगशील, योजना-विश्वासी मन की प्रखरता में आजीवन कोई कमी नहीं आयी।

कविता, कहानी, यात्रावृत्त, ललित निबन्ध, टीप, आलोचना, प्रबन्ध, संकलन-संचयन – यहाँ तक कि नाट्य-लेखन भी – साहित्य की शायद ही कोई विधा बची होगी, जिसमें उन्होंने महत्त्वपूर्ण योग न दिया हो।

उनके लेखन और जीवन के विषय में यही कहा जा सकता है कि आधुनिक जीवन की अफरातफरी के बीच एक रिनेसां व्यक्तित्व की भाँति उन्हें याद किया जाए। यह तो समय बताएगा कि कालान्तर में उनके किस अवदान को विशेष रूप से रेखांकित किया जाएगा। लेकिन उनकी जिजीविषा और आत्मनिर्भरता ने उन्हें जो ऊर्जा दी थी कि पीछे छूट गयों के बावजूद नयों-नयों को साथ जोड़कर वे निरन्तर आगे बढ़ते रह सके, उसकी आशंसा करते हुए कहने का मन होता है कि लेखन और जीवन को सर्वांगीणता में अपनाने वाले बीसवीं सदी के वे सर्वप्रमुख हिन्दीकर्मी थे।

इसके साथ ही अज्ञेय साहित्य के अध्ययन-विश्लेषण-आलोचन का एक नया दौर हिन्दी और अन्य भाषाओं में शुरू होगा। वे उन सौभाग्यशाली लेखकों में थे, जिनका अधिकांश कार्य व्यवस्थित रीति से सामने आ चुका है।

उनसे जुड़ी दो यादों का जिक्र जरूरी है।

एक उनके रूपनगर वाले घर और दूसरी सत्य मार्ग, चाणक्यपुरी के घर से सम्बद्ध है।

हम दोनों रूपनगर के घर से उनकी बिना हॉर्न वाली मोटर में बैठ कहीं के लिए निकल ही रहे थे कि वे ठिठक गये और घर के सामने रखे बड़े से गमले की पत्ती पर बैठती, फिर सहसा उड़ जाती चिड़िया को क्षण भर निहारने के बाद ही गाड़ी चलाई। काफी बाद उनकी कविता 'उड़ गयीं चिड़िया, काँपी फिर थिर हो गयी पत्ती' और उस पर उनकी प्रसिद्ध टिप्पणी पढ़ने पर वह समूचा नजारा मेरी आँखों में तिर आया और अब भी कभी-कभी मँडराता है। यह उनकी इस मान्यता के साथ मिलता और टकराता भी है कि अनुभव से गुजरने के बाद का संवेदन पहले वाले से भिन्न हो चुकता है, साथ ही यह कि अनुभव के क्षण में सम्भव हुई रचना अपने टटकेपन में ही अपना प्रमाण आप होती है।

दूसरी याद थोड़ी विनोद भरी है। उनके चाणक्यपुरी वाले घर में हम अक्सर इकट्ठा हुआ करते थे। अलग से एक बार मैं वह टेप सुनकर खिन्न हो चुका था, जिसमें अज्ञेय जी ने अपने स्वर में अपनी गीत रचनाएँ रेकॉर्ड की थीं!

एक अन्य अवसर जब वहाँ एक नियमित काव्य-गोष्ठी हुई, जिसमें नेमिचन्द्र जैन, भारतभूषण अग्रवाल, ओंकारनाथ श्रीवास्तव, सर्वेश्वर, रघुवीर सहाय, मनोहर श्याम जोशी समेत अनेक कवि-लेखक मौजूद थे। मैंने गोष्ठी शुरू होने से पहले अज्ञेय जी से अनुरोध किया कि उनका वह गायन सुन लेने के बाद ही कार्यक्रम आगे बढ़े। आशा के विपरीत, अज्ञेय जी ने मेरा अनुरोध मानकर टेप रेकॉर्डर चालू कर दिया और स्वयं घर के भीतर चले गये। फिर तभी वापस लौटे, जब हम पूरा टेप सुन चुके थे। तब सर्वेश्वर और रघुवीर सहाय तो खामोश रहे, लेकिन अज्ञेय जी के लौटने से पहले नेमि जी और भारत जी ने जब मेरी टाँग खींची कि अकारण ही मैंने क्यों सबको इसमें फँसा दिया, तो उत्तर मेरे पास यही था कि जो 'सुख' मैं अकेले पा चुका था, उससे भला आप सबको कैसे वंचित रहने देता?

आज भी जब उस महान गीत 'कतकी पूनो' की वे पंक्तियाँ याद आती हैं—*छिटक रही है चाँदनी/मदमाती उन्मादिनी/कलगी मौर सजावले/कास हुए हैं बावले* तो एक मधुर स्मिति से भर उठता हूँ कि काव्य-पाठ की अवधारणा को क्रान्तिकारी रूप से बदल देने वाले हमारे युग के इस महान कवि ने अपने गीतों का कितना मनोरम कबाड़ा किया था।

लेकिन इस तथाकथित 'मनोरम कबाड़े' का एक गम्भीर और व्यापक सन्दर्भ भी है। काव्य-पाठ की जो शोचनीय स्थिति हिन्दी में हो गयी है, उसे मात्र अज्ञेय के नहीं, पारम्परिक-ऐतिहासिक आलोक में भी जाँचने-परखने की जरूरत है। मध्ययुगीन हिन्दी कविता पराधीनता और उपेक्षा के लम्बे दौर में भी यदि जीवित-संचरित रही, तो काफी कुछ इसलिए भी कि बृहत्तर जनसमुदाय की स्मृति-चेतना-मुख-कण्ठ आदि में वह ध्वनित-प्रतिध्वनित होती रही थी। सूर, कबीर, तुलसी, मीरा, देव, बिहारी, भूषण, मतिराम, रहीम, रसखान, सेनापति आदि-आदि कवि हमारे बहुसंख्यक अशिक्षित-निरक्षर समाज में भी गाये, सुने, दोहराए जाते थे। मुद्रण-प्रकाशन के युग में यह प्रक्रिया तीव्र हुई या क्षीण, यह पूरे निश्चय के साथ नहीं कहा जा सकता।

हाँ, अनुमान किया जा सकता है कि जैसे-जैसे पाठ को आँखों से पढ़ने के साथ अधिकाधिक जोड़ा जाने लगा, वैसे-वैसे स्मृति और कण्ठ की भूमिकाएँ कदाचित् शिथिल हो चली होंगी। सम्भव है, हिन्दी जगत में कवि-सम्मेलनों का आरम्भ इसी कमी को पूरा करने के लिए हुआ हो। या मुमकिन है, उर्दू में पहले से चली आ रही मुशायरे की संस्था ने हिन्दी में भी वैसा ही कुछ शुरू करने की प्रेरणा दी थी, जिसका आरम्भिक रूप समस्यापूर्तियों के विभिन्न आयोजनों में झलका हो। मूल स्रोत जो रहा हो, बीसवीं सदी में कवि-सम्मेलनों के माध्यम से हिन्दी कविता का जो रूप सामने आना शुरू हुआ, उसकी एक विशेषता यह थी कि छोटे-बड़े प्रायः सभी कवि अपनी रचनाएँ मंच पर सुनाना पसन्द करते थे। वहीं धीरे-धीरे यह तथ्य भी

उजागर होने लगा कि जिन कवियों के पास मंच-प्रस्तुति की दक्षता अधिक थी, वे तो अपेक्षया लम्बे समय तक कवि-सम्मेलनी मंच पर अधिकार जमाए रहे, और जिनमें वह कौशल या उत्साह न था, वे क्रमशः उससे उदासीन होते गये।

यों तो यह इतिहास लम्बा और पेचीदा है – जिसके भिन्न-भिन्न अनेक पाठ भी अवश्य होंगे – लेकिन अज्ञेय के बिन्दु से देखा जाए तो तर्क यह था कि कविता का मूल पाठ या 'टेक्स्ट' ही प्रामाणिक या प्रासंगिक होना चाहिए और वह कविता के पाठक या ग्राहक तक बिना किसी बाहरी बैसाखी का सहारा खोजे पहुँचाया जाना चाहिए। दूसरे शब्दों में, कविता केवल उस तरह ग्रहण की जाए, जिस तरह वह छपे पृष्ठ पर होती है – सादी, अनलंकृत, ग्राहक के अन्तर में खुलने-खिलने को समुद्यत, जो तभी सम्भव होगा – जब उसका 'वाचन' भावहीन रीति से किया जाए, उसे किसी अतिरिक्त उपकरण या वैयक्तिक पृष्ठभूमि से संयुक्त न किया जाए।

सच तो यह है कि यह विवाद बढ़ने के क्रम में जहाँ व्यावसायिकता के दबाव ने कविता को मात्र मनोरंजन के स्तर पर उतार देना चाहा, वहीं शिष्ट-विशिष्ट के आग्रह ने उसे मुखरित-गुंजरित होने, होते रहने से दूर ले जाते हुए उसकी उम्र घटाने में, उसके अल्पजीवी होने में, योग दिया। बेशक, अज्ञेय के सन्दर्भ में स्वीकारना होगा कि आरम्भिक वर्षों में यदि वे तटस्थ रीति से कविता का वाचन करते थे, तो कालक्रम में उन्होंने उसमें आवेग या भावना का थोड़ा संचार करना जरूरी समझा। "आज तुम शब्द न दो, न दो, कल भी मैं कहूँगा" सदृश तमाम रचनाओं के वाचन में 'बलाघात' का समावेश वे जिस तरह करते थे, उसका श्रवण-सुख अविस्मरणीय होता था। इसलिए और भी कि उसे उन्होंने नाटकीय, 'भोंडा' या 'लाउड' कभी नहीं होने दिया।

कहना अनावश्यक है कि कविता के शान्त, शिष्ट, साथ ही प्रभावी वाचन का जो प्रतिमान उत्तरकालीन अज्ञेय ने स्थिर किया, उसे कतिपय अन्य आधुनिक कवियों ने मान्य तो ठहराया ही, कुछ ने उसका अनुकरण भी करना चाहा।

44

मानव की तीसरी आँख

॥ विश्वनाथ प्रसाद तिवारी

22 मार्च, 1987। मैं अपनी पत्नी के साथ सोमनाथ-द्वारका से लौटते हुए दिन-भर के लिए अहमदाबाद में था। भोलाभाई पटेल और रघुवीर चौधरी से मालूम हुआ, 'वात्स्यायन जी आज ही अहमदाबाद आने वाले हैं। कल वे शमशेर बहादुर सिंह, जो गम्भीर रूप से अस्वस्थ हैं, को देखने सुरेन्द्रनगर जाएँगे। इसी निमित्त आ रहे हैं।' रघुवीर चौधरी ने यह भी बताया कि वे यहीं रुकेंगे। मैंने कहा कि यह तो तीसरी मंजिल है। वात्स्यायन जी दिल के मरीज हैं। यहाँ तक कैसे चढ़ेंगे। मैंने कहा कि सीढ़ियाँ गिन लीजिए। उनसे नीचे ही पूछ लीजिएगा, तब ऊपर चढ़ने के लिए कहिएगा।

वात्स्यायन जी का जहाज रात आठ बजे अहमदाबाद पहुँचने वाला था और मेरी गाड़ी ठीक उसी समय अहमदाबाद से छूटने वाली थी। मेरे मन में बार-बार आ रहा था कि रुक जाऊँ और कल वात्स्यायन जी के साथ शमशेर जी को देखने जाऊँ। पर गुजरात से गोरखपुर को जाने वाली वह एक ही गाड़ी थी और उसमें इतनी भीड़ होती है कि गर्मियों में दो-तीन महीने पहले आरक्षण करा लेना पड़ता है। मैं सपत्नीक था और आगे आरक्षण की दिक्कत को ध्यान में रखकर मैंने न रुकने का ही फैसला किया। चलते समय मैंने रघुवीर भाई से कहा, 'वात्स्यायन जी को मेरा नमस्कार कह दीजिएगा।' मैं क्या जानता था कि वात्स्यायन जी के जीवनकाल में उनको सम्बोधित यह मेरा अन्तिम नमस्कार होगा।

24 मार्च को मैं गोरखपुर पहुँचा। आते ही तार और चिट्ठियाँ पड़ी थीं कि 26 मार्च को दिल्ली विश्वविद्यालय में एक मौखिक परीक्षा लेनी है, नहीं तो छात्र को डिग्री नहीं मिलेगी। सो 26 मार्च को दिल्ली पहुँचा। 28 मार्च को फोन करने पर पता चला कि वात्स्यायन जी भोपाल गये हैं। मुलाकात का यह अवसर भी खाली गया। 30 मार्च को मैं गोरखपुर लौट आया। चार दिन बाद अर्थात् 4 अप्रैल को अपराह्न मालूम हुआ कि वात्स्यायन जी नहीं रहे। सहसा विश्वास नहीं हुआ। वात्स्यायन जी की अवस्था तो 76 वर्ष की हो चुकी थी, पर उनका स्वास्थ्य इतना

अच्छा था कि यह खबर अत्यन्त आकस्मिक लगी। स्थानीय रेडियो स्टेशन फोन करके पुष्टि की और रात में दिल्ली रवाना हो गया। 5 अप्रैल को दो बजे दिन में नयी दिल्ली पहुँचा, फिर तीनमूर्ति पर सामान रखकर अपने छोटे भाई राजेन्द्र के साथ उसी स्कूटर से निगमबोध घाट। 4 बजने में 15 मिनट कम थे। वात्स्यायन जी का पार्थिव शरीर चिता पर रखा जा चुका था। ऊपर लकड़ियाँ सजा दी गयी थीं। यह वात्स्यायन जी का अन्तिम दर्शन था।... तेज हवा में चिता धधक रही थी और अपने समय की न केवल सबसे बड़ी रचनात्मक प्रतिभा, बल्कि सबसे सुन्दर काया भी जल रही थी। हम लोग आपसी बातचीत में कहा करते थे कि वात्स्यायन जी जिस दिन जिस शहर में होते हैं, उस दिन वहाँ उनके जैसा व्यक्तित्व कोई दूसरा नहीं होता। चार महानगरों को छोड़ दें तो भारत के अन्य किसी भी नगर में उनके जैसा बाह्य व्यक्तित्व भी किसी का दिखाई नहीं पड़ता था।

ठीक-ठीक याद नहीं है पर यह सम्भवतः 1959 की बात है, जब मैंने अज्ञेय का उपन्यास – *शेखरः एक जीवनी* पढ़ा था। तब मैं बी.ए. का छात्र था और मुझे वह उपन्यास पूरी तरह समझ में नहीं आया था। उसके बाद *नदी के द्वीप* पढ़ा। मेरे भीतर अज्ञेय की कृतियों के प्रति आकर्षण उनके उपन्यासों से ही पैदा हुआ। खासतौर से *शेखरः एक जीवनी* से, जिसे दुबारा-तिबारा पढ़ा। आत्ममन्थन, विचारों की गहराई, मानव-मन की सूक्ष्मतम पकड़ और दुनिया भर के महान रचनाकारों की मूल्यवान पंक्तियाँ – पढ़ते महसूस होता था कि अनुभव और विचार की एक उच्च-भूमि पर पहुँच गया हूँ। पंक्तियों और अनुच्छेदों को बार-बार पढ़ने को इच्छा होती थी, यहाँ तक कि कुछ पंक्तियों को गुनगुनाने की भी। लिखित भाषा का सबसे बड़ा प्रभाव यह होता है कि एक बार पढ़ने पर याद हो जाए। *शेखरः एक जीवनी* की तमाम पंक्तियाँ मुझे तभी याद हो गयी थीं और अब तक याद हैं। मन की रागात्मक भावनाओं को स्पर्श करने वाली, तारवाद्यों की झंकार लिये हुए वह एक अजीब भाषा थी – कम से कम उन दिनों मुझे वह ऐसा ही लगा। बाद में अज्ञेय की कविताएँ भी पढ़ीं। यह आकर्षण बढ़ता ही गया, जिसका मुख्य कारण उन दिनों का साहित्यिक परिदृश्य था। उन दिनों जो अतुकान्त नयी कविता लिखी जा रही थी और जिस तरह की कविता मैं भी लिखना चाहता था, वह अज्ञेय के काव्य संकलनों में पढ़ने को मिलती थी। उनमें एक नवीनता थी और एक बौद्धिक गम्भीरता। (यहाँ यह स्वीकार करना उपयुक्त होगा कि अज्ञेय के गद्य की तुलना में उनकी कविताएँ मुझे तब भी उतनी अच्छी नहीं लगी थीं और आज भी नहीं लगतीं) अज्ञेय का नाम बड़ा था – बहुचर्चित था। पुस्तकों और पत्र-पत्रिकाओं में बार-बार पढ़ने को मिलता था। उनके प्रति एक सहज आकर्षण तभी से शुरू हो गया था और उनकी तब तक प्रकाशित लगभग सभी

पुस्तकें मैंने एम.ए. पास करते-करते, अर्थात् 1961 तक पढ़ ली थीं।

गद्य साहित्य पर अपने शोधकार्य के सिलसिले में मैंने अज्ञेय की गद्य कृतियाँ – उपन्यास, कहानी, निबन्ध, यात्रा-संस्मरण आदि पुनः पढ़ीं। उन पर अलग से एक लेख भी लिखा, जिसका शीर्षक था– 'भोगने वाला मन और रचने वाली मनीषा'। वात्स्यायन जी उन दिनों अमेरिका में थे। मैंने वह लेख अमेरिका भेज दिया। वात्स्यायन जी का कोई उत्तर नहीं मिला। न वह लेख उस रूप में कभी कहीं छपा ही। बाद में उसका संशोधित रूप कई जगह प्रकाशित हुआ। यह अज्ञेय से सम्पर्क बढ़ाने और उनसे मिलने की इच्छा थी जो इस रूप में प्रकट हुई थी।

अज्ञेय से मेरी पहली मुलाकात कब और कहाँ हुई थी, यह ठीक-ठीक याद नहीं। मेरी डायरी में उनसे मुलाकात की जो पहली तिथि अंकित है वह है 25 सितम्बर, 1968। उस दिन लोक सेवा आयोग, दिल्ली में इंडियन कोआपरेशन मिशन नेपाल के लिए लेक्चरर पद का एक साक्षात्कार था। मैं एक अभ्यर्थी था। साक्षात्कार के बाद अज्ञेय जी से मिलने गया। लेकिन उस मुलाकात की कोई स्मृति इस समय शेष नहीं है। इसके बाद मैंने अज्ञेय पर एक पुस्तक सम्पादित करने की योजना बनाई। कुछ लोगों ने सुझाव दिया कि ग्रन्थ उनकी षष्टिपूर्ति के अवसर पर प्रकाशित हो। वह ग्रन्थ उनकी षष्टिपूर्ति के अवसर पर तो नहीं, पर बहुत बाद में प्रकाशित हुआ। एक अभिनन्दन ग्रन्थ के रूप में नहीं बल्कि एक मूल्यांकन ग्रन्थ के रूप में। इस ग्रन्थ के सम्बन्ध में जब मैंने अज्ञेय जी को सूचित किया था अपने उत्तर में उन्होंने लिखा– "षष्टपूर्ति का अवसर टल गया, अच्छा ही हुआ। आयु से जूझना भी तो व्यक्ति का निजी कर्म ही है, उसे सार्वजनिक रूप देना अच्छा नहीं लगता।" 8 अप्रैल, 1971 को दिल्ली से लिखा गया यह पत्र मेरे नाम अज्ञेय का पहला पत्र था।

30 मार्च, 1972 को साहित्य अकादेमी का वार्षिक पुरस्कार वितरण समारोह था। नामवर सिंह को *कविता के नये प्रतिमान* पर उस वर्ष का पुरस्कार मिला था। मैं उस दिन संयोग से दिल्ली में था। अकादेमी दफ्तर में प्रभाकर माचवे और भारतभूषण अग्रवाल से मिला। अज्ञेय सम्बन्धी उपर्युक्त पुस्तक की चर्चा की तो माचवे जी हिन्दी की साहित्यिक गुटबन्दी और अज्ञेय-विरोध पर देर तक बोलते रहे। भारतभूषण अग्रवाल ने बताया कि मैं तो अज्ञेय पर एक पूरी पुस्तक लिखना चाहता हूँ। एक बार राजकमल प्रकाशन से अनुबन्ध भी हुआ था, पर जब वात्स्यायन जी को यह बात मालूम हुई तो उन्होंने मुझसे कह दिया कि मैं उन पर कोई पुस्तक न लिखूँ। साहित्य अकादेमी के पुरस्कार वितरण समारोह में वात्स्यायन जी भी थोड़ी देर के लिए आये थे। उस दिन शीला सन्धू ने नामवर सिंह को

पुरस्कार मिलने के उपलक्ष्य में अपने घर पर साहित्यकारों को रात्रि-भोज दिया था। उसमें भी वात्स्यायन जी आये और काफी देर तक रहे।

25 दिसम्बर, 1974 को मैं दिल्ली में था। अरुणेश नीरन और वागीश शुक्ल के साथ वात्स्यायन जी से मिलने गया। वहाँ उस दिन विद्यानिवास मिश्र भी ठहरे हुए थे। वात्स्यायन जी कोट-पैंट में निकले – अपनी मासूम मुस्कुराहट के साथ हम लोगों का स्वागत किया। उस दिन देर तक उनके साथ बहुत सारी बातें होती रहीं – अभिव्यक्ति स्वातन्त्र्य पर, समकालीन रचना पर, साहित्यिक गुटबन्दियों पर, सरकारी तन्त्र के बढ़ते हुए दबाव पर और इन सबके साथ उनके अपने रचनात्मक अनुभवों पर। प्रसंगवश वे कई आपबीती मनोरंजक घटनाएँ सुनाते रहे। इसी बीच विद्यानिवास जी से मैं वात्स्यायन जी के बारे में अपनी पुस्तक की चर्चा करने लगा। मैंने कहा कि इस पुस्तक का प्रकाशन राजकमल प्रकाशन से होगा। वात्स्यायन जी ने बीच में टोक कर पूछा, "क्या यह बातचीत मेरे सम्बन्ध में लिखी जा रही पुस्तक के बारे में हो रही है?" मेरे 'हाँ' कहने पर वात्स्यायन जी ने कहा, "मैं चाहूँगा कि मेरे बारे में लिखी गयी पुस्तक छपने के लिए राजकमल को न दी जाए।" मैं चाहता था कि पूछूँ– 'क्यों'। पर मैं जानता था और कई मित्रों से सुन चुका था कि वात्स्यायन जी अपने बारे में दूसरों को उतना ही जानने देते हैं, जितना खुद चाहते हैं। मैं चुप हो गया। एक बार दो वर्ष पूर्व ठीक इसी प्रकार की घटना का जिक्र भारतभूषण अग्रवाल ने मुझसे किया था। उस समय तो नहीं, पर पिछले कुछ वर्षों से यह सन्देह मेरे मन में लगातार उठता रहा है कि क्या राजकमल प्रकाशन या उससे जुड़े हुए लोगों से वात्स्यायन जी का कोई व्यक्तिगत विरोध था? यदि 'हाँ' तो दूसरे पक्ष के मन में भी उनके प्रति ऐसा ही भाव होगा। यह एक रहस्य है जिसकी छानबीन प्रबुद्ध पाठक को करनी चाहिए।

11 अक्टूबर, 1976। मैं हिन्दी शिविर, जयपुर से लौटते हुए दिल्ली में दो-तीन दिन के लिए रुका था। हम लोग (मैं, परमानन्द श्रीवास्तव, केदारनाथ सिंह और वागीश शुक्ल) जवाहरलाल नेहरू विश्वविद्यालय में नामवर सिंह के कमरे में बैठे थे। मैंने केदार जी से धीरे से कहा कि वात्स्यायन जी को फोन करना है। किताब के लिए उनका एक इंटरव्यू लेना है। केदार जी ने मजाकिया अन्दाज में नामवर जी से पूछा, "बाई द वे, नामवर जी, आपका फोन क्या वात्स्यायन जी से मिलता है?" नामवर जी ने मुस्कुराते हुए कहा, "देखिए कोशिश करता हूँ।" उन्होंने फोन मिलाकर चोंगा मेरे हाथ में थमा दिया। मैंने वात्स्यायन जी से मिलने और बातचीत के लिए समय माँगा तो उन्होंने तुरन्त बुला लिया। उस वक्त दिन के लगभग बारह बजे थे और हममें से किसी ने भोजन नहीं किया था। मैंने टैक्सी ली और हम सभी उनके निवास स्थान गॉल्फ लिंक्स पहुँचे। बातचीत लगभग

डेढ़-दो घण्टे चली। सभी लोग बातचीत में शामिल रहे। वात्स्यायन जी सबके प्रश्नों-प्रतिप्रश्नों का उत्तर देते रहे। यह साक्षात्कार बाद में संशोधित और परिवर्द्धित रूप में एक-दो पुस्तकों में प्रकाशित हो चुका है। बातचीत के बीच में अज्ञेय जी सबके लिए चाय लेकर आये और कुछ और खाने के बारे में पूछा। केदार जी ने सहज भाव से कह दिया कि हम लोगों ने अभी खाना नहीं खाया है। वात्स्यायन जी की मुद्रा कुछ दयनीय हो गयी। असल में उस समय उनके बँगले पर कोई नहीं था। ड्राइवर भी नहीं था कि बाहर से कुछ मँगाते। वे एकदम अकेले थे। नौकर भी कहीं बाहर गया था। हम लोग इस स्थिति से वाकिफ नहीं थे। वात्स्यायन जी फ्रिज से दूध में भिगोया कुछ तालमखाना लेकर आये। हम लोगों को थोड़ा-थोड़ा दिया। उस समय की स्थिति देखकर हम लोगों की मुद्रा स्वयं दयनीय हो गयी।

1968 से 1976 तक पहुँचते-पहुँचते वात्स्यायन जी से सम्बन्ध ऐसा हो गया था कि वे जब भी गोरखपुर या कुशीनगर आते, मेरे अनुरोध पर मेरे घर भी अवश्य पहुँचते। 30 जनवरी, 1977 को वे पहली बार मेरे घर आये थे। एक दिन पहले उन्हें कुशीनगर कॉलेज में दीक्षान्त भाषण करना था। वात्स्यायन जी काफी दिनों बाद गोरखपुर आये थे, अतः उन्हें देखने और सुनने के लिए काफी भीड़ इकट्ठी हो गयी थी। मेरे ड्राइंग रूम में जगह नहीं थी। कुछ लोग बरामदे में खड़े थे और कुछ लोग सड़क पर। भीड़ को देखकर मैं थोड़ा परेशान था। मेरे एक मित्र ने कहा, 'आप इतने परेशान क्यों हैं?' वात्स्यायन जी का स्वागत करते हुए मैंने जवाब दिया, "लोगों के घर राज्यपाल और मुख्यमन्त्री जाते हैं तो लोग व्यस्त और परेशान दिखते हैं। मेरे लिए तो वात्स्यायन जी राज्यपाल और मन्त्रीगण से बहुत बड़े हैं। अतः मेरी हड़बड़ाहट स्वाभाविक है।" इस गोष्ठी में नगर के साहित्य-प्रेमियों के अतिरिक्त विभिन्न अनुशासनों के लगभग सभी विद्वान उपस्थित थे। विश्वविद्यालय के मनोविज्ञान, समाजशास्त्र, इतिहास, प्राचीन इतिहास, राजनीतिशास्त्र आदि विषयों के विभागाध्यक्ष और विद्यानिवास मिश्र आदि। गोष्ठी में वात्स्यायन जी ने 'भारतीय अस्मिता और काल' विषय पर अपना गम्भीर वक्तव्य दिया और फिर विद्वानों के प्रश्नों का उत्तर भी। 30 जुलाई, 1977 को जब अगली बार वात्स्यायन जी गोरखपुर आये तो उन्होंने मेरे निवास पर आयोजित एक गोष्ठी में अपनी प्रसिद्ध कविता 'असाध्य वीणा' का पाठ किया। बीच में बिजली चली गयी तो मोमबत्ती का प्रबन्ध किया गया और उन्होंने मोमबत्ती की रोशनी में पूरी कविता पढ़ी। इस गोष्ठी में विद्यानिवास जी और डॉ. रघुवंश भी उपस्थित थे।

27 मार्च, 1978, ग्यारह बजे दिन में मेरे घर की घण्टी बजी और जब मैंने दरवाजा खोला तो देखता हूँ, वात्स्यायन जी खड़े हैं – हाथ में ब्रीफकेस लिये हुए। मैं अवाक्। वे हवाई अड्डे से रिक्शे द्वारा सीधे मेरे घर पर पहुँचे थे। जैसा सभी शहरों

में होता है, यहाँ भी हवाई अड्डा शहर से बाहर है और मेरे घर से छह किलोमीटर दूर। अज्ञेय जी को जितना समय दिल्ली से गोरखपुर आने में लगा लगभग उतना ही हवाई अड्डे से मेरे घर पहुँचने में। दरअसल यह गड़बड़ी इसलिए हुई कि हम लोग अगले दिन उनके आने की आशा कर रहे थे। यहाँ 'भाषा और समाज' शीर्षक संगोष्ठी में उन्हें भाग लेना था। उन्होंने हम लोगों को तार दिया था, लेकिन वह समय से नहीं मिला। इसीलिए कोई हवाई अड्डे नहीं पहुँचा। वात्स्यायन जी ने उतरकर पहले फोन करना चाहा। मेरा नम्बर पूछा। एक्सचेंज वालों ने एक गलत नम्बर भी बता दिया। मेरे यहाँ तब फोन था ही नहीं। वे काफी देर तक सम्पर्क करने की कोशिश करते रहे और अन्त में हारकर रिक्शे पर बैठ गये। रास्ता उनका देखा हुआ था, अतः कोई असुविधा नहीं हुई। पर मेरे यहाँ उन्हें जो असुविधा हुई उसके लिए आज भी सोचता हूँ तो न केवल तकलीफ होती है, बल्कि अपनी मूर्खता पर गुस्सा आता है। वह भोजन का समय था। वात्स्यायन जी ने मेरे साथ ही भोजन किया। वही सादा भोजन जो हम लोग रोज करते हैं। मेरी अक्ल उस समय कहाँ चली गयी थी कि मैंने उनके लिए कुछ विशेष भोजन की व्यवस्था नहीं की?

फिर वे एक सोफे पर बैठ गये और लगभग पाँच घण्टे उसी पर बैठे रहे। भोजन के बाद मैंने उनके आराम की व्यवस्था क्यों नहीं की, यह सोचता हूँ तो अपने को आज भी क्षमा नहीं कर पाता। दरअसल इस रूप में उनके अचानक पहुँच जाने से मैं किंकर्त्तव्यविमूढ़ हो गया था। वात्स्यायन जी मितभाषी प्रसिद्ध हैं। मैं सोच नहीं पा रहा था कि उनसे क्या-क्या बातें करूँ। गोष्ठी अगले दिन होनी थी और उस दिन का पूरा समय खाली था। उनसे कोई व्यक्तिगत बात की नहीं जा सकती थी, क्योंकि वे दूसरों के व्यक्तिगत जीवन में न घुसते थे और न अपने व्यक्तिगत जीवन में किसी को घुसने देना चाहते थे। उनके सामने लन्तरानिया झाड़ी नहीं जा सकती थीं, क्योंकि मौन का एक अभेद्य कवच वे लगाये रहते थे। उनके सामने परनिन्दा पुराण सुनाया नहीं जा सकता था, क्योंकि वे निजी चर्चा को एक प्रकार की अश्लीलता मानते थे और केवल हलकी मुस्कुराहट मात्र से उसका उत्तर देते थे। कहा जा सकता है कि उनके व्यक्तित्व के अनेक आकर्षणों में गोपनीयता का भी एक आकर्षण था। वात्स्यायन जी ने अगले दिन की गोष्ठी के बारे में कुछ बातें कीं। फिर चुप हो गये। कुछ देर बाद बोले, 'यहाँ कोई ताल है?' मैंने बताया कि बीस-पच्चीस किलोमीटर पर एक बड़ा-सा ताल है। उन्होंने पूछा, 'क्या वहाँ पक्षी आते हैं?' मैंने बताया कि आते तो होंगे, पर मैं वहाँ एक ही बार गया हूँ, ठीक से बता नहीं सकता कि इस समय स्थिति क्या है। फिर उन्होंने मिट्टी की मूर्तियाँ बनाने वाले कुम्हार के बारे में पूछा और उसके घर चलने की इच्छा व्यक्त की। मैंने एक जीप मँगाई और उनको लेकर विद्यानिवास मिश्र के घर

गया जो अगले दिन के समारोह के लिए तब तक आगरा से पहुँच चुके थे। फिर हम लोग उस कुम्हार के गाँव गये। वहाँ वात्स्यायन जी ने मिट्टी की मूर्तियाँ खरीदीं। इस यात्रा में उन्होंने अपनी पुस्तक *संवत्सर* की एक प्रति भी मुझे भेंट की।

मई 78। शिमला जाते हुए मैं दिल्ली में दो-तीन दिन तक रुका था। तब वात्स्यायन जी *नवभारत टाइम्स* के सम्पादक थे। उनसे एक दिन दफ्तर में मिला और कह दिया था कि कल-परसों में घर पर आऊँगा। 31 मई को सायंकाल उनके निवास पर पहुँचा। मेरे साथ गोरखपुर के ही एक युवक अरुण कुमार भी थे। घण्टी बजायी तो इला जी निकलीं। वे मुझे पहचानती थीं। उन्होंने मुझे बैठाया और कहा, "जब से वात्स्यायन जी ने *नवभारत टाइम्स* का कार्य शुरू किया है, तब से उन पर कार्य बोझ बहुत हो गया है। वे अभी-अभी आये हैं। घण्टी की आवाज सुनकर उन्होंने कहा है, यदि विश्वनाथ जी हों तो बैठाइए, और कोई हो तो कह दीजिए घर में नहीं हैं।" मैं अपने ऊपरः वात्स्यायन जी की इस कृपा से गौरवान्वित हुआ। वैसे इस कृपा का मुख्य कारण यही रहा होगा कि मैंने उनसे पहले ही घर पर मिलने के लिए कह दिया था।

थोड़ी देर बाद वात्स्यायन जी निकले – श्वेत कुर्ते-पाजामे में। उनके शरीर पर कोई पोशाक बहुत खिलती थी और किसी पहनावे में वे सुरुचि और आभिजात्य की विशिष्ट मूर्ति लगते थे। उनके उठने-बैठने, खाने-पीने सब में एक सलीका दिखाई पड़ता था। कमरे की सजावट से लेकर आसपास की सारी चीजों तक पर उनकी सुरुचि की छाप होती थी। उस दिन यद्यपि वे थके हुए थे, फिर भी दो घण्टे तक बहुत सारी बातें होती रहीं। मुझे दो-तीन दिन बाद शिमला जाना था अतः इस प्रसंग में 'पहाड़' की भी चर्चा शुरू हुई। वात्स्यायन जी को 'सागर' बहुत प्रिय था। उनकी कविताओं और अन्य रचनाओं में 'सागर' बार-बार आता है। एक जगह उन्होंने लिखा है कि मनोवैज्ञानिकों के अनुसार जो सागर को प्यार करता है वह मृत्यु को प्यार करता है। मैंने वात्स्यायन जी से पूछा कि पहाड़ को प्यार करने वाले व्यक्ति का मनोविज्ञान क्या हो सकता है? क्या पहाड़ को प्यार करने वाला व्यक्ति महत्त्वाकांक्षी होता है? वे मेरी व्याख्या से सहमत नहीं हुए। फिर कविता के मूल्यांकन को लेकर चर्चा हुई कि उसके मूल्यांकन का क्या आधार होना चाहिए। फिर कविता के पाठ और उसके अध्यापन की समस्या पर भी बातचीत हुई। मैंने उन्हें एक कैसेट दिया था उनकी कविताओं और गद्य-रचनाओं को रेकॉर्ड कराने के लिए। उन्होंने उसे जल्दी रेकॉर्ड करके भेजने को कहा, लेकिन शर्त यह लगाई कि किसी दूसरे व्यक्ति को उसे पुनः रेकॉर्ड करने न दूँ। हाँ, सुना जरूर सकता हूँ।

6 मार्च, 1980। अपने सत्तरवें जन्मदिन पर कुशीनगर जाते हुए वात्स्यायन जी

गोरखपुर पहुँचे थे। मुझे उसी दिन उनका पत्र मिला था। सायंकाल विश्वविद्यालय अतिथि-गृह पहुँचा। अज्ञेय जी आ गये थे। उनसे दूसरे दिन के कार्यक्रम की चर्चा हुई। मेरे अनुरोध पर उन्होंने देवरिया जिला पत्रकार संघ के उद्घाटन के लिए समय दिया था। उद्घाटन के बाद देवरिया से वे कुशीनगर आये, जहाँ अपराह्न उनका जन्मदिन समारोह मनाया गया। एक छोटी-सी कवि-गोष्ठी भी हुई। समारोह की अध्यक्षता पं. श्रीनारायण चतुर्वेदी ने की। इस अवसर पर अज्ञेय जी की बड़ी बहन, इला डालमिया, लोठार लुत्से, विद्यानिवास मिश्र, भवानीप्रसाद मिश्र, जगदीश गुप्त, केदारनाथ सिंह, रामकमल राय आदि बाहर से आये थे। बाहर से आये लोगों के हाथों अज्ञेय की जन्मभूमि पर पाँच वृक्ष भी लगाये गये। मैंने लक्ष्य किया कि अज्ञेय जी अपने संकोची स्वभाव के विपरीत अपने जन्मदिन समारोह में बहुत रुचि ले रहे थे। बच्चों की तरह। उन्होंने कई चित्र खींचे और खिंचवाये। भवानी भाई को खुद ही पकड़कर ले गये और अपने जन्मस्थान पर उनके साथ भी चित्र खिंचवाया। मैंने कई अवसरों पर यह लक्ष्य किया है कि अज्ञेय के व्यक्तित्व में एक ओर यदि गम्भीर मौन, संकोच और तटस्थता या रिजर्वेशन था तो दूसरी ओर एक बालसुलभ उत्साह और चापल्य भी।

वात्स्यायन जी के निधन पर जब रेडियो बार-बार बोलता था कि वे देवरिया जिले के कसया नामक स्थान पर पैदा हुए थे तो खुद भी देवरिया जिले का होने के नाते मुझे लगता था वे देवरिया जिले को गौरवान्वित कर रहे हैं। यह तो महज संयोग था कि देवरिया जिले में उनका जन्म हुआ। उनके पुरातत्त्ववेत्ता पिता उस समय बुद्ध के महापरिनिर्वाण स्थल कुशीनगर की खुदाई करा रहे थे और यहीं एक शिविर में वात्स्यायन जी का जन्म हुआ था। जिस दिन उनका जन्म हुआ था, उसी दिन वहाँ खुदाई में बुद्ध की एक महत्त्वपूर्ण प्रतिमा मिली थी जिसे यहाँ के स्थानीय लोग 'माथा कुँवर' कहते हैं। इस अंचल के रहने वाले लोग जानते हैं कि यहाँ आसपास के ग्रामीण इलाके में कुशीनगर को भी 'माथा कुँवर' के ही नाम से जाना जाता है। कुशीनगर में बुद्ध पूर्णिमा को जो मेला लगता है उसे भी यहाँ के ग्रामीण लोग 'माथा कुँवर का मेला' कहते हैं।

अपने जन्म स्थान कुशीनगर से वात्स्यायन जी का बहुत लगाव था। जब भी अवसर मिलता वे वहाँ जाने का कार्यक्रम बना लेते थे। इसके पीछे शायद यह भी मनोवैज्ञानिक रहस्य हो कि वात्स्यायन जी ने कोई घर नहीं बनाया। जीवन भर परिवार से दूर रहे। बार-बार घर बदलते रहे। अनवरत यात्राएँ करते रहे। परिणामतः अपनी कविताओं में 'स्थूल घर' की तुलना में 'सूक्ष्म घर' को महत्त्व देते रहे। पर घर की चर्चा तो करते ही रहे। उनके आखिरी काव्य संग्रह का शीर्षक है–*ऐसा कोई घर आपने देखा है*। इस संग्रह की 'घर' शीर्षक कविता में वे लिखते हैं–

घर
मेरा कोई है नहीं
घर मुझे चाहिए
घर के भीतर प्रकाश हो
इसकी भी मुझे चिन्ता नहीं है
प्रकाश के घेरे के भीतर मेरा घर हो—
इसी की मुझे तलाश है

वात्स्यायन जी ने अपने अन्तिम दिनों में एक घर बनाया भी तो उसमें प्रवेश नहीं कर सके। जिस दिन उस घर में प्रवेश करने वाले थे, उसी दिन प्रातः उन्हें दिल का दौरा पड़ा और वे उस सूक्ष्म घर में जाने के लिए मजबूर हुए जहाँ से फिर कोई लौटता नहीं है। 5 अप्रैल को निगमबोध घाट पर उन्हें अन्तिम प्रणाम करके अगले दिन जब मैं उनके निवास पर गया तो मैंने उनका वह घर देखा, जिसे उन्होंने एक नीम के पेड़ पर बनाया था। वह लकड़ी का एक कमरा था जिसमें दीवारों की जगह तार की जाली लगी थी और दरवाजा भी जाली का था। नीचे लकड़ी का फर्श और ऊपर लकड़ी की एक तिकोनी छाजन। चढ़ने के लिए लोहे की पाइप से बनाई सीढ़ी। यह हवामहल उन्होंने अपने बँगले में व्यर्थ पड़े सामानों को जोड़कर खड़ा कर लिया था। इसका शिल्प उन्होंने स्वयं तैयार किया था। प्रसंगवश यहाँ उल्लेखनीय है कि वात्स्यायन जी केवल शब्द शिल्पी नहीं थे। वे अनेक कलाओं में पारंगत थे। कपड़े सिलने, जूते गाँठने और चटाई बुनने से लेकर चित्रकारी-फोटोग्राफी और बम बनाने तक उनके तकनीकी रूप को देखकर कोई भी व्यक्ति हैरत में पड़ जाएगा। *आत्मनेपद* में उन्होंने उन तमाम कलाओं की चर्चा की है जिनमें उनकी दिलचस्पी थी। उनके 'हवामहल' को देखते हुए मुझे उन्हीं की एक कविता की कुछ पंक्तियाँ याद आ रही थीं—

सुनो मैंने कहीं हवाओं को बाँधकर
एक घर बनाया है
फूलों की गन्ध से उसकी दीवारों पर
मैं तुम्हारा नाम लिखता हूँ
हर बसन्त में

गुजरे जमाने में एक और बड़े शायर ने 'बेदरो दीवार का एक घर' बनाने की चाह की थी। वात्स्यायन जी के हवामहल को देखकर बहुत इच्छा हुई कि उस पर चढ़ूँ। पर एक तो वह अवसर नहीं था और दूसरे उस मनहूस घर की सीढ़ियों को

छूने में भी डर लगता था।

5 फरवरी, 1983। फिर पीछे की ओर लौटता हूँ। वात्स्यायन जी 'जय जानकी-जीवन यात्रा' करते हुए 3 फरवरी को कुशीनगर पहुँचे थे। वहाँ से गोरखपुर सूचना कार्यालय में भगवतीशरण सिंह का फोन आया कि अगले दिन अज्ञेय जी गोरखपुर पहुँचेंगे और मुझसे मिलना चाहते हैं। दूसरे दिन पता चला कि वे गोरखपुर पहुँच गये हैं। पर कई जगह फोन करने के बाद भी उनका पता नहीं चला। रात नौ बजे भगवतीशरण सिंह ने फोन पर बताया कि वात्स्यायन जी आपके स्वास्थ्य के बारे में चिन्तित हैं और कई बार कह चुके कि आपके यहाँ जाना चाहते हैं। वे इसी समय जाने वाले थे, लेकिन गाड़ी खराब होने से न जा सके। कल सुबह आपके यहाँ पहुँचेंगे। उन दिनों पैर की हड्डी टूट जाने के कारण मैं डेढ़ महीने तक अस्पताल में था। हाल ही में घर आया था और बैसाखी के सहारे घर के भीतर चल-फिर रहा था।

वात्स्यायन जी सुबह पहुँचे। साथ में इला डालमिया, लक्ष्मीकान्त वर्मा, शंकरदयाल सिंह, भगवतीशरण सिंह और ओ.पी. शर्मा भी थे। वे बारह बजे दिन तक मेरे यहाँ बैठे रहे। मेरी जिज्ञासा पर अपनी यात्रा के कुछ संस्मरण भी सुनाए। वे लुम्बिनी होकर लौटना चाहते थे, पर रास्ता खराब होने के कारण उसी दिन यहाँ से फैजाबाद होते हुए दिल्ली के लिए रवाना हो गये। इस बार वात्स्यायन जी का अपने घर आना मुझे कुछ आश्चर्यजनक लगा क्योंकि इसके पहले मैं कई बार दिल्ली गया था, लेकिन उनसे नहीं मिला था। मेरे दिल्ली जाने की खबर उन्हें न हो, यह सम्भव नहीं है। उनके जैसे संवेदनशील व्यक्ति को 'फील' करने के लिए इतना कम नहीं था। लेकिन फिर भी वात्स्यायन जी आये, यह उनकी शालीनता और महानता थी। वे न केवल आये बल्कि उनके कई साथी जो गोरखनाथ मन्दिर जाना चाहते थे, उनसे उन्होंने कहा, "आप लोग गोरखनाथ, मैं विश्वनाथ।" अर्थात् आप लोग गोरखनाथ जाएँ और मैं विश्वनाथ जी के पास जाऊँगा! और सचमुच वे गोरखनाथ नहीं गये। मेरे यहाँ बैठे रहे। जबकि मेरे ही घर से इला जी, शंकरदयाल सिंह आदि गोरखनाथ मन्दिर गये। यह सहज मनुष्यता वात्स्यायन जी के स्वभाव की विशेषता थी। इसके बारे में मैं कई लोगों से सुन चुका हूँ और स्वयं देख चुका हूँ।

रेणु जब बीमार थे तो वात्स्यायन जी सिर्फ उन्हें देखने के लिए पटना गये थे। अपनी मृत्यु के दस दिन पहले वे सिर्फ शमशेर बहादुर सिंह को देखने सुरेन्द्रनगर गये थे। ऐसे सैकड़ों उदाहरण हैं, जिनसे उनके निकट के लोग वाकिफ हैं। वात्स्यायन जी अपने परिचितों के दुर्दिन में जरूर पहुँचते थे और यथासम्भव उनकी सहायता भी करते थे। उनके इस मानवीय गुण पर उन लोगों को गौर करना

चाहिए जो शब्द में तो जुड़ाव और लगाव की बात करते हैं, पर कर्म में इसका साक्ष्य नहीं प्रस्तुत करते।

17 अक्टूबर, 1983। मैं दिल्ली में था। सायंकाल अपने एक सहयोगी चितरंजन मिश्र के साथ उनके निवास पर मिलने गया। वे यूगोस्लाविया का प्रसिद्ध स्वर्णमाल पुरस्कार प्राप्त कर 10 अक्टूबर को वहाँ से लौटे थे। बहुत प्रसन्न थे। उन्होंने यूगोस्लाविया के पुराने गिरजाघर में तथा झील के पुल पर हुए काव्य-पाठ समारोह का विस्तार से पूरा वर्णन किया। इस अवसर पर जो पुस्तक प्रकाशित हुई थी, उसे भी दिखाया। बहुत ही सुन्दर कागज पर छपी हुई नायाब पुस्तक जिसमें उनकी कविताएँ एक ओर हिन्दी में छपी थीं और दूसरी ओर उनके अनुवाद मक्दूनी भाषा में। उन्होंने वह स्वर्णमाल भी दिखाया, जो उन्हें पुरस्कार रूप में प्राप्त हुआ था। उन्होंने और इला जी ने बड़े स्नेह से जलपान कराया – गुलाब जामुन, केक, मठरी आदि। केक वे स्वयं काटकर दे रहे थे। चलते समय पूछा, आप कहाँ रुके हैं। मैंने बताया, मण्डी हाउस। बोले, आप लोगों को यहाँ से जाने में भटकना पड़ेगा। उन्होंने अपनी गाड़ी से मण्डी हाउस छुड़वाया। यह उनका अत्यन्त सहज रूप था। दूसरों को सम्मान देने वाला रूप। वात्स्यायन जी जितने 'स्नाब' थे, उतने ही विनम्र। किसके साथ क्या प्रदर्शित करना है, इसे वे बहुत अच्छी तरह जानते थे। अपने से छोटों के सामने विनम्र, बड़ों के सामने तने हुए। उन्हीं की एक कविता की दो पंक्तियाँ हैं–

मैं सभी ओर से खुला हूँ
वन सा, वन-सा अपने में बन्द हूँ

प्रसंगवश एक घटना सुना दूँ। बात 10 मई, 1975 की है। वे प्रान्तीय हिन्दी सम्मेलन, बस्ती की अध्यक्षता के लिए आये थे। इस अवसर पर 'समकालीन कविता' पर विचार गोष्ठी भी आयोजित थी, जिसमें मुझको विषय प्रवर्तन करना था। ज्यों ही यह गोष्ठी समाप्त हुई, उसी मंच से पं. कमलापति त्रिपाठी को भाषण देना था। त्रिपाठी जी जैसे ही मंच पर आये, अज्ञेय जी उठ गये। त्रिपाठी जी ने बड़ी विनम्रता से अनुरोध करते हुए अज्ञेय जी को बैठाना चाहा। उन्होंने कहा, "अज्ञेय जी आपके दर्शन नहीं होते। बैठिए।" पर अज्ञेय जी क्षमा माँगकर वहाँ से तुरन्त चल दिए। उनके निकट के लोगों के पास ऐसे सैकड़ों संस्मरण होंगे। गोरखपुर में दो बार तो मैंने ही देखा है, रेडियो वाले उनसे बार-बार चिरौरी करते रहे कि अपनी कुछ कविताएँ रेकॉर्ड करा दें। पर उन्होंने मना कर दिया। एक बार जब वे कुशीनगर से लौटते हुए गोरखपुर में थे तो हम लोगों ने विश्वविद्यालय में काव्य-पाठ के लिए आग्रह किया, पर वे तैयार न हुए और वहीं मेरे घर पर मोमबत्ती की रोशनी में पूरी

'असाध्य वीणा' का पाठ किया। उन्होंने अपने जीवन में जितनी नौकरियाँ छोड़ीं उनमें से किसी भी एक को पाकर कोई अपने को धन्य समझेगा।

वात्स्यायन जी ने कभी सत्ता की चापलूसी नहीं की, न शब्द में न कर्म में। एक स्वतन्त्र स्वाभिमानी लेखक के रूप में जो उचित समझा वही लिखा। आपातकाल में बराबर सत्ता का विरोध करते रहे। आपातकाल के अपने एक भाषण में उन्होंने कहा था, "इस समय देश की प्रवृत्ति अनुशासन पर जोर देने की है। जो कह दिया उसे मान लेना अनुशासन है। क्या सोचना अनुशासन नहीं है? जो देश या समाज स्वतन्त्र ढंग से सोच नहीं सकता वह स्वतन्त्र नहीं हो सकता।" स्वाधीनता को जीवन का चरम मूल्य स्वीकार करने वाले वात्स्यायन जी अपनी शर्तों पर जिये और अपनी शर्तों पर मरे। जितना शानदार रहा उनका जीवन, उतनी ही शानदार मिली उन्हें मौत।

20 सितम्बर, 1984 को साहित्य अकादेमी दिल्ली में मेरा काव्य-पाठ था। दिल्ली के लगभग पचास साहित्यकार श्रोता उपस्थित थे। मुझे बहुत आश्चर्य हुआ देखकर कि वात्स्यायन जी भी श्रोताओं में बैठे थे। काव्य-पाठ समाप्त होने के बाद जब मैं मिला तो बोले, आज अखबार में आपका कार्यक्रम पढ़ा था। गाड़ी नहीं थी। टैक्सी लेकर आया। मेरे भाई अस्पताल में भर्ती हैं, वहीं से सीधे आ रहा हूँ। वात्स्यायन जी फिर टैक्सी लेकर सीधे अस्पताल गये। मैं उनके इस व्यवहार को उनका स्नेह ही मानता हूँ। बार-बार सोचता रहा हूँ कि वात्स्यायन जी का मुझ पर स्नेह का क्या कारण हो सकता है? उनके प्रति अपने व्यवहार का विश्लेषण करते हुए पाता हूँ कि मैंने कभी उन्हें उतना आदर नहीं दिया जितने के वे अधिकारी थे।

मैं प्रायः दिल्ली जाता था और उनसे नहीं मिलता था। अपनी दिल्ली यात्राओं में मैं जवाहरलाल नेहरू विश्वविद्यालय जाता था और या तो वहीं ठहरता था या उसी के गोमती गेस्ट हाउस में। जब वात्स्यायन जी पूछते आप कहाँ रुके हैं तो उन्हें बता भी देता था। *दस्तावेज* का पहला विशेष अंक मैंने जिस जीवित साहित्यकार पर केन्द्रित किया वे रामविलास शर्मा थे। जब वात्स्यायन जी से उन पर अंक केन्द्रित करने की चर्चा की तो उन्होंने पूछा, 'और किस-किस पर अंक केन्द्रित करने की योजना है?' मैंने जिन कुछ लोगों का नाम लिया, उनमें नामवर सिंह का भी नाम था। फरवरी 1982 में आबू (राजस्थान) के वत्सल निधि लेखक शिविर में वात्स्यायन जी ने मुझे आमन्त्रित किया था। मैं दिल्ली तक गया भी था। लेकिन वहीं से लौट आया। उनसे मिला भी नहीं और लेखक शिविर में भी नहीं गया। अगस्त 1986 में वत्सल निधि की ओर से वाराणसी में मैथिलीशरण गुप्त पर एक आयोजन था जिसमें मुझे परचा पढ़ना था और एक गोष्ठी का संचालन भी करना था। लेकिन मैं उसमें नहीं गया और जवाहरलाल नेहरू विश्वविद्यालय में एक मौखिक परीक्षा लेने चला गया।

तात्पर्य यह है कि मेरे व्यवहार में वात्स्यायन जी को नाराज करने के लिए काफी सामग्री थी और मैंने उनके प्रति किसी प्रकार का अतिरिक्त आदर-भाव या भक्ति प्रदर्शित नहीं की। उनसे कभी किसी काम के लिए नहीं कहा। अपना एक तटस्थ और स्वतन्त्र रूप बनाये रहा। मिलता था तो यों ही एक सहज साहित्यिक लगाव से और जब कभी मिलता था उनके घोषित विरोधी लेखकों की भी चर्चा करता था। लेकिन वात्स्यायन जी ने इसका कभी बुरा नहीं माना। यह सही है कि उन्होंने मुझे अपना अन्तरंग नहीं माना। मेरे साथ कोई अतिरिक्त लगाव नहीं जाहिर होने दिया। न अपने को ज्यादा खोला। यहाँ तक कि *दस्तावेज* को कभी अपनी रचनाएँ भी नहीं भेजीं। पर मुझे अपने सहज स्नेह का पात्र जरूर स्वीकार किया, और जितना नहीं किया उसके लिए शायद मैं ही जिम्मेदार हूँ।

वात्स्यायन जी से मेरी इतनी ही मुलाकातें नहीं हैं जितनी ऊपर मैंने चर्चा की है। पिछले बीस वर्षों में अनेक बार अनेक गोष्ठियों-यात्राओं आदि में उनसे भेंट होती रही है। उनके साथ जुड़ी हुई अनेक स्मृतियाँ हैं। उन सब की चर्चा आवश्यक नहीं है। यहाँ केवल दो प्रसंगों की चर्चा और करना चाहूँगा। जब वे आखिरी बार मेरे घर आये थे और जब आखिरी बार उनसे मेरी मुलाकात हुई थी।

3 सितम्बर, 1986 को दिल्ली से लिखा उनका पत्र मिला था जिसमें उन्होंने वाल्मीकिनगर में होने वाले वत्सल निधि के सातवें लेखक शिविर में मुझे आमन्त्रित किया था। उसके बाद वे जर्मनी चले गये थे और बीच में कोई पत्र-व्यवहार नहीं हुआ। मैंने शिविर में जाने की स्वीकृति तो भेज दी थी, पर बीच में लगातार पेट की गड़बड़ी से अस्वस्थ था और न जाने का फैसला कर चुका था। लेकिन जब वात्स्यायन जी इला जी के साथ गोरखपुर (वाल्मीकिनगर का रास्ता गोरखपुर से ही होकर जाता है) पहुँच गये तो संकोच में जाना ही उपयुक्त समझा। अब की अगर नहीं जाता तो स्वाभाविक रूप से समझा जाता कि मैं पेट की गड़बड़ी का बहाना बनाकर उनकी उपेक्षा कर रहा हूँ। यही सब सोचकर अस्वस्थ होते हुए भी वाल्मीकिनगर गया। अब उनके न रहने के बाद सोचता हूँ कि यदि उनका वह आखिरी निमन्त्रण अस्वीकार कर देता तो बाद में अपने को अपराधी महसूस करता।

वात्स्यायन जी के चुनाव का जवाब नहीं होता। कोई न कोई विशिष्टता उनके हर चुनाव में दीख जाएगी। इस छोटे से निर्जन स्थान के चुनाव में भी उनके शान्तिप्रेमी, प्रकृतिप्रेमी व्यक्तित्व का परिचय मिल जाता है। यहाँ नदी भी हैं, पहाड़ भी, जंगल भी। तीनों का शान्त, शालीन रूप। नदी जिसे यहाँ 'बड़ी गण्डक', 'नारायणी', 'शालिग्रामी', 'तुलसी' आदि कई नामों से पुकारा जाता है और जिसका पुराना नाम 'सदानीरा' (इसी नाम से वात्स्यायन जी की सम्पूर्ण कविताएँ दो खण्डों में प्रकाशित हुई हैं) है, यहाँ बहुत ही मस्ती के साथ बहती है – पुराने कवियों की

गजगामिनी नायिका-सी। पहाड़ भी बहुत निकट नहीं है यहाँ। लेकिन किरणों में हिमालय का प्रसिद्ध धौलागिरि शृंग चमकता रहता है दिनभर। जंगल भी प्रायः खामोश जंगल है, लेकिन प्रातःकालीन हवा जब वृक्षों और पत्तियों से होकर गुजरती है तो एक बहुत ही मन्द, मीठा, आनन्ददायक शोर कानों को सुकून देता है। सायंकाल यहाँ का विराट् परिदृश्य, क्षितिज पर नदी-जल में डूबता हुआ सूरज और धीरे-धीरे घिरती हुई साँझ आकर्षित करती है।

वत्सल निधि के इस लेखक शिविर में चर्चा का केन्द्रीय विषय था – 'पुराण, विज्ञान और रचनात्मक साहित्य', जिस पर लगातार सात दिनों तक मूल्यवान चर्चा होती रही। शिविर के लेखकों के प्रति वात्स्यायन जी का व्यवहार बहुत ही आत्मीय था। वे उनकी सुख-सुविधाओं का बराबर खयाल रखते थे। समय के वे इतने पाबन्द थे कि जिस समय पर जो कार्यक्रम होना था, ठीक उस समय से पाँच-दस मिनट पहले वात्स्यायन जी वहाँ उपस्थित। प्रायः रोज ही ऐसा होता कि अभी मैं स्नान आदि की प्रक्रिया में हूँ कि वात्स्यायन जी तैयार होकर मेरे कमरे के दरवाजे पर खड़े दीख जाते। उनके भीतर एक गम्भीर अनुशासन था। उनकी उपस्थिति में हर गोष्ठी में एक गम्भीरता बनी रहती थी। लफ्फाजी वहाँ नहीं चल सकती थी। वात्स्यायन जी चीजों पर गम्भीरता से विचार करते, धीरे-धीरे बोलते, कम बोलते और विचारों को पचाकर स्पष्ट ढंग से प्रस्तुत करते। उनके वाक्य-विन्यास, प्रस्तुति और सोच में एक नवीनता की चमक बराबर दिखाई पड़ती थी। तार्किक इतने थे कि बहसों में पूछे गये प्रश्नों को ही उलटकर उत्तर बना देते थे। मैंने देखा, पूरे शिविर में उन्होंने किसी वक्ता पर अपने को लादने की कोशिश नहीं की, न किसी की बात में कोई हस्तक्षेप किया। बराबर सुनते रहे और जब उनसे अनुरोध किया जाता तभी बोलते या बहुत जरूरी समझते तभी कुछ कहते। किसी प्रकार के गुस्से या आक्रमण की कोई मुद्रा नहीं।

हमेशा एक बड़े लेखक की गरिमा के अनुकूल बोलना और व्यवहार करना वात्स्यायन जी को अन्य तमाम लेखकों से अलग करता था। दूसरों की बातों को बहुत ध्यान से सुनना और बहुत गौर से बोलने वाले की मुद्राओं को भी ध्यान में रखना वात्स्यायन जी की विशेषता थी। गोष्ठी में एक दिन रमेशचन्द्र शाह किसी चर्चा के दौरान बार-बार कह रहे थे कि "इस बात को आगे बढ़ाने की जरूरत है।" वे 'आगे बढ़ाने' पर बहुत जोर दे रहे थे और अपनी सहज आदतवश दोनों हथेलियों को गोलाई में घुमाते हुए (जैसे दाल दरने वाली चक्की घुमाई जाती है) अपनी बातें कहते जा रहे थे। वात्स्यायन जी ने मजाक में टोकते हुए कहा, "रमेश जी, आप बात को 'आगे बढ़ाने' पर बार-बार जोर दे रहे हैं। पर अपनी हथेलियाँ ऐसे घुमा रहे हैं जैसे 'लीपापोती' करने के लिए कह रहे हों।" सूक्ष्म पकड़ जो

किसी भी रचनाकार की बुनियादी विशेषता होती है वात्स्यायन जी में बेमिसाल थी। वे चीजों के प्रति, बाह्य दुनिया के प्रति इतने चौकन्ने रहते थे और उनकी इन्द्रियाँ इतनी सचेत रहती थीं कि कभी-कभी आश्चर्य होता था।

एक दिन हम लोग जंगल में घूमने के लिए निकले थे। तय हुआ था कि एक-दो गोष्ठियाँ गोष्ठी स्थल से दूर कहीं अन्यत्र हों। हम लोग जंगल में चार-पाँच किलोमीटर दूर एक पुराने मन्दिर के चबूतरे पर बैठे। इस मन्दिर को नरदेवी का मन्दिर कहा जाता है। बातें हो रही थीं कि इसी बीच किसी पक्षी की हलकी-सी आवाज आयी। किसी ने सुनी, किसी ने नहीं। वात्स्यायन जी ने वहाँ के एक व्यक्ति से पूछा, "यह किस पक्षी की आवाज थी?" वहाँ कोई यह नहीं बता सका क्योंकि किसी ने उस आवाज पर ध्यान ही नहीं दिया था। पशु-पक्षियों और वनस्पतियों के बारे में जितनी जानकारी वात्स्यायन जी को थी, उतनी मेरी जानकारी में हजारीप्रसाद द्विवेदी को छोड़कर शायद ही किसी हिन्दी लेखक को रही हो।

अपनी मितवादिता के लिए वात्स्यायन जी प्रसिद्ध थे। मैंने इसके अनेक उदाहरण अनेक अवसरों पर लक्ष्य किए हैं। वे एक वाक्य में धीरे-से कुछ ऐसे उत्तर देते जिसमें हलका-सा व्यंग भी होता, विनोद भी और प्रश्न की गहराई से दिया गया निरुत्तर करने वाला उत्तर भी। एक गोष्ठी में श्रीराम वर्मा बार-बार 'ईश्वर' के बारे में जिज्ञासा करने लगे। वे बार-बार जोर देकर कहने लगे, "इस पर बहस होनी चाहिए। यह मेरी जिज्ञासा है।" बहस को देर तक खिंचती देख वात्स्यायन जी ने धीरे-से कहा, "श्रीराम जी, इस सवाल का उत्तर आपको ईश्वर ही दे सकता है।" वात्स्यायन जी प्रयोगों के लिए विख्यात रहे हैं। नयी कविता से लेकर 'हवामहल' (जो वास्तुशिल्प का और उनके जीवन का शायद आखिरी प्रयोग था) तक रचना के क्षेत्र में जितने नये प्रयोग उन्होंने किए हैं, उतने शायद ही किसी रचनाकार ने किए होंगे। सिर्फ भारतेन्दु ने अपने जमाने में किए थे। गद्य की अनेक नयी विधाओं को जन्म देने का श्रेय वात्स्यायन जी को ही है। इधर उन्होंने कविता में एक प्रयोग किया था – कई कवियों द्वारा मिलकर कविता लिखने का प्रयोग। जब श्रीकान्त वर्मा जीवित थे तो उनके घर अज्ञेय, आक्टेवियो पाज और श्रीकान्त वर्मा ने मिलकर एक कविता लिखी थी। बाद में वह प्रकाशित भी हुई थी। मेरा खयाल है, यह विचार वात्स्यायन जी का ही रहा होगा। इस शिविर में भी उन्होंने इस प्रकार का प्रयोग करने को कहा। नरदेवी मन्दिर के चबूतरे पर उन्होंने इसका एक प्रारूप बनाया और कहा कि चार कवि मिलकर एक कविता लिखें – विश्वनाथ प्रसाद तिवारी, रमेशचन्द्र शाह, नन्दकिशोर आचार्य और अज्ञेय। कविता की पहली पंक्ति लिखें विश्वनाथ प्रसाद तिवारी। फिर सभी लोग एक-एक पंक्ति लिखकर क्रम से उसे आगे बढ़ाएँ। कविता की अन्तिम दो-दो पंक्तियाँ लिखेंगे

क्रमशः विश्वनाथ प्रसाद तिवारी और अज्ञेय। ऐसा ही हुआ और एक अच्छी कविता बन गयी। मैं स्वीकार करता हूँ कि मेरे द्वारा पूरी की गयी अन्तिम दो पंक्तियाँ अज्ञेय द्वारा पूरी की गयी अन्तिम दो पंक्तियों से काफी कमजोर थीं। इस कविता के लिखने में मैंने भी एक प्रयोग कर दिया था। मैंने जानबूझकर कविता की पहली पंक्ति की जगह अपनी एक पहले लिखी गयी कविता की पहली पंक्ति रख दी। यह देखने के लिए कि एक ही कविता के एक कवि द्वारा लिखने और कई कवियों के मिलकर लिखने में क्या फर्क पड़ जाता है। बाद में मैंने अपनी वह कविता वहाँ सबको सुनाई भी। दोनों कविताओं में एकदम अन्तर आ गया था। यह एक व्यक्ति की रचना प्रक्रिया और मिली-जुली रचना प्रक्रिया का स्वाभाविक अन्तर था।

इस शिविर के दौरान मुझे ज्यादा समय तक अज्ञेय को निकट से देखने का अवसर मिला। मैं बार-बार सोचता रहा कि लेखकों में उनका इतना विरोध क्यों है? नये लेखक क्यों उनके नाम से ही बिदक जाते हैं और कुछ तो उन्हें 'प्रतिक्रियावादी', 'पूँजीवादी' और यहाँ तक कि 'सी.आई.ए.' से जुड़ा हुआ लेखक क्यों कहने लगते हैं? क्या इसका कोई आधार है या यह केवल प्रचार मात्र है? अज्ञेय-विरोध का एक कारण तो उनका स्वभाव ही हो सकता है। वे एक विशिष्ट अभिजात स्वभाव के शालीन संस्कारों वाले मितभाषी गम्भीर व्यक्ति थे। सबसे उसके स्तर पर उतर कर हिल-मिल नहीं सकते थे। सबकी चालू लफ्फाजी वाली लन्तरानियों में हिस्सा नहीं ले सकते थे। भावुकता में या स्वार्थ में किसी के मुँह पर उसकी प्रशंसा नहीं कर सकते थे। किसी लेखक या लेखकों के साथ बैठकर उन्हें घण्टों परनिन्दा का रस नहीं पिला सकते थे। इससे वे अपने आप अपने चारों ओर एक लक्ष्मण-रेखा खींच लेते थे और लेखकों के बीच उनके व्यक्तित्व का साधारणीकरण नहीं हो पाता था। उनके विरोध का दूसरा कारण यह लगता है कि वे मार्क्सवादी नहीं थे। जो लोग दलीय प्रतिबद्धता को ही लेखन की सबसे बड़ी कसौटी मानते हैं उन्हें ज्यों ही पता लगता है कि अमुक लेखक हमारे दल का नहीं है, त्यों ही उसका विरोध शुरू कर देते हैं। किसी लेखक के व्यक्तित्व या कृतित्व से परिचित हुए बिना उसके विरोध का यह अद्भुत तरीका है। इसमें सबसे ज्यादा काम करता है प्रचार। इस प्रचार का प्रभाव यह है कि आपको छोटे-छोटे कस्बों में ऐसे-ऐसे युवतर लेखक अज्ञेय को गरियाते मिल जाएँगे, जिन्होंने उनका न तो कुछ पढ़ा है, न कभी उनसे मिले हैं। है न यह आश्चर्य की बात! अज्ञेय-विरोध के सम्बन्ध में ऐसे लेखकों की चर्चा तो व्यर्थ है। पर इस प्रसंग में मैं समकालीन साहित्य के मान्य आलोचक नामवर सिंह के तीन बयानों की चर्चा करना चाहूँगा—

(1) नामवर जी ने कुछ दिन पूर्व अपने दो-तीन भाषणों में कहा है कि गुलशन नन्दा और अज्ञेय ने भाषा का व्यवसायीकरण (कॉमर्शियलाइजेशन) किया है। (2)

उन्होंने टेलीविजन पर अपने इंटरव्यू में कहा है कि अज्ञेय का हिन्दी साहित्य में वही स्थान है जो रीतिकाल में बिहारीलाल और आधुनिक काल में महादेवी वर्मा का है। (3) जबलपुर के अपने एक भाषण में (विवरणिका, मध्य प्रदेश हिन्दी साहित्य सम्मेलन, भोपाल, मार्च 1987) गद्य के पतन के लिए जिम्मेदार लेखकों के असहज व अस्वाभाविक व्यक्तित्व व कृतित्व पर प्रहार करते हुए कहा है, "गद्य का पतन जिनके कारण हुआ वे इतने गम्भीर आदमी हैं! अज्ञेय चिड़ियाघर के किसी चिंपाजी के समान गम्भीर व मनहूस दिखाई देते हैं।" जाहिर है कि नामवर जी भाषा के व्यवसायीकरण और गद्य के पतन के लिए अज्ञेय को जिम्मेदार ठहराते हैं और उनका नाम कवियों में बिहारीलाल और गद्यकारों में गुलशन नन्दा के साथ रखते हैं। भाषा की पवित्रता के लिए जीवन-भर लड़ने वाले, न केवल रचनात्मक लेखन बल्कि हिन्दी पत्रकारिता को भी एक समर्थ भाषा देने वाले तथा भाषा का अत्यन्त नैतिक उपयोग करने वाले अज्ञेय जैसे लेखक के लिए ये टिप्पणियाँ उपयुक्त नहीं हैं। नामवर जी को अपने इन बयानों पर पुनर्विचार करना चाहिए। मैं थोड़ा बहक गया हूँ। मैं वात्स्यायन जी का मूल्यांकन करने नहीं बैठा हूँ, उनके बारे में अपने संस्मरण लिख रहा हूँ। मैं 19 अक्टूबर को उनके साथ वाल्मीकिनगर गया था और 26 अक्टूबर को साथ ही लौटा। उस दिन सायंकाल शिविर के सभी लेखक मेरे निवास पर अल्पाहार के लिए आमन्त्रित थे। संयोग से उस दिन विद्यानिवास जी भी गोरखपुर में थे और वे भी आये थे। मैंने वाल्मीकिनगर में एक कैमरा खरीदा था जिसका उद्‌घाटन वहीं वात्स्यायन जी से ही कराया था। उस कैमरे से अपने निवास पर वात्स्यायन जी के कई चित्र खींचे। फिर हम लोगों (रामचन्द्र तिवारी, चितरंजन मिश्र आदि) ने उन्हें वैशाली ट्रेन से दिल्ली के लिए विदा किया। यह वात्स्यायन जी की मेरे घर पर आखिरी उपस्थिति थी।

11-13 जनवरी, 1987। भोपाल के भारत भवन में *समवाय* (आलोचना त्रैवार्षिकी) का पहला आयोजन था। अज्ञेय पहली बार भारत भवन के किसी आयोजन में शरीक हुए थे। आयोजन में शरीक होने वाले सभी लेखकों ने महसूस किया कि पूरे आयोजन पर आद्योपान्त अज्ञेय ही छाए रहे। यह स्वाभाविक भी था। अज्ञेय का अनुभव और अध्ययन व्यापक था और उनका अपना एक मुकम्मल तर्कशास्त्र भी है। अपनी बातें वे इतने व्यवस्थित और सन्तुलित ढंग से रखते थे कि उनका विरोध तत्काल तो सम्भव नहीं होता था। इसीलिए जिस भी गोष्ठी में वे होते थे, छाए रहते थे। इस गोष्ठी में अज्ञेय ने एक बात बड़ी पीड़ा के साथ कही और अधिकांश लोगों ने इसे महसूस भी किया। उन्होंने कहा— "आपको अज्ञेय के नाम से परहेज है तो उसका नाम काट दें। लेकिन उसका लिखा हुआ एक बार पढ़ तो लें! मैं उन प्रश्नों पर वर्षों से विचार करता और लिखता आ रहा हूँ जिन पर

आप यहाँ चर्चा कर रहे हैं। आपसे यह अनुरोध करने के लिए मेरे पास तो अब अधिक वक्त नहीं रह गया है, पर आपको उन सवालों से टकराना ही होगा जिनकी चर्चा मैं बार-बार करता रहा हूँ।" अज्ञेय की उम्र का स्मरण करके उनके इस कथन से गोष्ठी में उपस्थित तमाम लेखक हिल गये थे। अज्ञेय की यह पीड़ा सच्ची पीड़ा थी। जैसा कि मैं कह चुका हूँ, अज्ञेय को बिना पढ़े गाली देने वालों की संख्या हिन्दी में कम नहीं है। मैं खुद अपने अनुभव से कह सकता हूँ कि जब-जब मैंने अज्ञेय को दूसरों की जुबान से देखा है, वे एक खराब लेखक दिखाई पड़े हैं और जब-जब अपनी आँख से देखा है उनके व्यक्तित्व और लेखन दोनों से बहुत कुछ पाया है।

समवाय में बहुत से दूसरे भाषा-भाषी लेखक नहीं आ सके थे, इसलिए गोष्ठी एक दिन पहले समाप्त हो गयी। श्रीराम वर्मा ने मुझसे कहा कि भीमबेटका चलने के लिए वात्स्यायन जी को प्रेरित करूँ तो गाड़ी की व्यवस्था हो जाएगी और हम लोग उनके साथ देख लेंगे। मैंने वात्स्यायन जी से कहा। वे तैयार हो गये। अशोक वाजपेयी ने गाड़ी की व्यवस्था कर दी। 14 जनवरी की प्रातः जाने का कार्यक्रम बन गया था। 13 जनवरी को सायंकाल इला जी ने मुझसे कहा कि पता चला है भीमबेटका देखने के लिए पहाड़ी चढ़नी पड़ती है। वात्स्यायन जी का कहना है कि जब विश्वनाथ जी को वादा कर दिया है तो चलूँगा ही। मैं नीचे बैठा रहूँगा और आप लोग जाकर देख आइएगा। इला जी ने कहा कि अब आप ही वात्स्यायन जी को मना कर दें, तभी काम बन सकता है। मैंने वात्स्यायन जी से कहा कि मौसम बहुत खराब है, कुहरीला है और मैं कल प्रातः ही गोरखपुर जाना चाहता हूँ अतः आप से अनुरोध है कि भीमबेटका की यात्रा स्थगित कर दें। वे मान गये और इस प्रकार मैंने झूठ बोलकर वह यात्रा स्थगित कराई। यह घटना प्रमाण है कि वे दूसरों की सुविधा और अपने वादे का इतना खयाल करते थे कि खुद भारी असुविधा उठाने को तैयार हो जाते थे।

अज्ञेय ऐसे लेखक न थे जो अपने एकान्त कमरे में बैठकर शब्द और अर्थ की साधना करते रहते हैं। उन्होंने देश की आजादी के लिए क्रान्तिकारियों के साथ काम किया। एक निर्भीक पत्रकार के रूप में अनेक पत्रों के माध्यम से देश की समस्याओं को बहस का मुद्दा बनाया।

दिनमान के सम्पादक के रूप में उन्होंने बिहार के सूखाग्रस्त इलाकों की यात्रा की। अनेक साहित्यिक आयोजनों और पत्र-पत्रिकाओं द्वारा न केवल लेखकों को लिखने की प्रेरणा दी, बल्कि उन्हें संगठित और प्रकाशित भी किया। हिन्दी के अनेक प्रतिष्ठित लेखकों – जिनमें मार्क्सवादी लेखक भी हैं – को उनका यह ऋण स्वीकार करना चाहिए जिनकी निर्मिति में वात्स्यायन जी का महत्त्वपूर्ण योगदान है। यह सच है कि उनमें से कई अब चुक गये हैं, लेकिन स्वयं

वात्स्यायन जी मृत्यु के आठ घण्टे पहले तक शब्द और कर्म की दुनिया में सक्रिय रहे। उनकी इस अनवरत सक्रियता का अक्षय स्रोत मानव-विवेक में उनकी दृढ़ आस्था थी, जिसे वे अपने सम्पूर्ण लेखन में बार-बार रेखांकित करते रहे। वे मानते थे कि "सब प्रतिमानों का, सब मूल्यों का स्रोत, मानव का विवेक है।" मानते थे कि "मानव ही मानव की तीसरी आँख है।" वे जानते थे कि "योद्धा पिछड़ भी जा सकता है, पर जाग्रत आत्मा कभी नहीं पिछड़ती।" केवल प्रचार के वशीभूत हो वात्स्यायन को व्यक्तिवादी और कलावादी मानने वाले पाठकों को उनका लिखा हुआ स्वयं पढ़ना चाहिए और उस पर खुद अपनी आँख से विचार करना चाहिए। और अन्त में कहना चाहूँगा कि कुछ व्यक्तियों की कोई स्मृति नहीं बन पाती। कुछ की स्मृति बनी रहती है। वात्स्यायन जी एक ऐसे व्यक्तित्व-सम्पन्न लेखक थे, जिनकी स्मृति बहुत समय तक बनी रहेगी।

45

मुस्कान की बोली

॥ रामगोपाल विजयवर्गीय

उनसे मेरी पहली मुलाकात उस समय हुई, जब वे 28 वर्ष की उम्र में होंगे। मैं तब 34 बरस का था। मुलाकात बनारस में राय कृष्णदास जी के घर में हुई थी।

शहर के राजघाट पर स्थित सरकार जी (राय कृष्णदास) का यह घर उन दिनों साहित्यकारों और कलाकर्मियों की सरगर्मियों का प्रमुख केन्द्र था। न जाने कितने ही साहित्यिक, कितने ही कला रसिक सरकार जी का आशीर्वाद लेने उनके पास पहुँचे थे। कविवर मैथिलीशरण गुप्त, सियारामशरण, मुंशी अजमेरी, डॉ. मोतीचन्द्र, बृजमोहन व्यास, एन.सी. मेहता उनके घर पर अक्सर आते थे और सरकार जी के मैत्री, वात्सल्य और स्नेह का आनन्द लेकर जाते थे। साहित्य, चित्रकला, संगीत आदि पर लम्बी-लम्बी बहसें होती थीं। सरकार जी विनोदी तबीयत के थे – वे हँसी की झलक दिखाकर कोई लतीफा जड़ देते या कविता की कोई सटीक पंक्ति सुनाकर बहस को रसीला कर देते थे। मुझे उनकी ऐसी कई महफिलों में बैठने का सुयोग मिला था।

उस दिन भी ऐसी ही एक महफिल जमी थी कि एक सज्जन बड़ी गम्भीर मुद्रा में आकर बैठ गये। उनकी पदचाप भी कोई न सुन पाया था। वे झुकी हुई नजरों से आगे आये मानो कोई भटककर यहाँ आ गया हो।

उनका व्यक्तित्व बड़ा आकर्षक था। गौरवर्ण, सुगठित शरीर और आँखों में सहज संकोच की नम्रता। वे आकर एक ओर बैठ गये थे। किन्तु उनके व्यक्तित्व का प्रकाश कुछ ऐसा दिप रहा था कि सभी लोग आगन्तुक की ओर एकटक देखने लगे थे। तत्काल राय कृष्णदास जी ने जैसा कि उनका स्वभाव था, हँसी का ठहाका लगाते हुए आगन्तुक का परिचय दियाः “अरे, आप लोग परिचित नहीं हैं! ये हैं सच्चिदानन्द वात्स्यायन। उपनाम ‘अज्ञेय’। उपन्यासकार और कवि। अपनी रचनाओं में अभिव्यक्ति के नये आयाम उपस्थित किए हैं। कविता में एक नयी धारा को जन्म दे रहे हैं।”

अज्ञेय उस समय इतने ज्ञेय नहीं हुए थे। इसलिए लोग उनके इस अल्प परिचय से सन्तुष्ट नहीं हुए। वे उनके सम्बन्ध में विस्तार से जानना चाहते थे। दो-चार प्रश्न भी किए गये, पर अज्ञेय जी अपनी मृदु मुस्कुराहट के साथ गरदन झुकाए कुछ नहीं बोले। लगता था लोगों को उनकी इस मुस्कुराहट से ही सन्तुष्ट होना पड़ा। यद्यपि राय साहब उनकी तरफ से बीच-बीच में उत्तर देते रहे थे। कुछ देर वहाँ बैठकर अज्ञेय जी ने उसी विनम्र मुद्रा से विदा ली और चले गये। उनके जाने के बाद राय साहब ने उनके लेखन की विशेषता पर बहुत देर तक चर्चा की और लोगों की जिज्ञासाओं के उत्तर दिए।

यह अज्ञेय जी के मुझे पहले दर्शन थे।

उनसे दूसरी भेंट भी बनारस में राय साहब के यहाँ हुई। इस बार राय साहब ने उनको मेरा विस्तार से परिचय दिया था। अज्ञेय अपनी उसी मौन मुद्रा में सुनते रहे थे।

समय भागता चला गया। वर्ष-दर-वर्ष बीत गये। मैं दिल्ली गया था। तब राय साहब दिल्ली में एक मारवाड़ी सज्जन के यहाँ रुके हुए थे। मैं राय साहब से मिलने गया तो संयोग से वहाँ अज्ञेय जी भी उपस्थित थे। मैंने पहचाना। अज्ञेय जी ने भी हमारी पुरानी पहचान का संकेत अपनी मौन मुद्रा में दिया। इस बार उनके चेहरे पर दाढ़ी थी – प्रौढ़ आयु की छाप उनके पके हुए बालों से लग रही थी। परन्तु आँखें उसी तरह चमकती हुई और चेहरे पर वही सौम्य मुस्कुराहट। मैंने बातचीत के जरिए कुछ खुलने का यत्न किया था, पर अज्ञेय जी ने मुस्कुराते हुए कृतज्ञता का परिचय दिया और मौन रहे। केवल जाते समय कुछ नपे-तुले शब्दों से उन्होंने उस परिचय को दोहराया। हमने एक-दूसरे से विदा ली।

चौथी मुलाकात उनसे जयपुर में हुई, जब वे ओम थानवी के साथ मेरे घर पर आये। जयपुर में वत्सल निधि के तत्वावधान में राय कृष्णदास जी की स्मृति में व्याख्यानमाला का आयोजन था। उन्होंने इस व्याख्यानमाला में मेरा भाषण भी रखा था। उसी का निमन्त्रण देने वे आये।

खादी का कुर्ता-पाजामा। उस पर जैकेट। प्रसन्न मुद्रा में उन्होंने मुझसे हाथ मिलाया और बोले, "आपने पहचाना?"

मैंने कहा, "सूरज की रोशनी कोई न देख सके तो उसकी आँखों का दोष है। सारी दुनिया आपको जाने और मैं जानते हुए न जानूँ, क्या यह सम्भव है!"

उनकी दाँतों की चमक वैसी ही थी। उनकी मुस्कुराहट में सौम्यता थी जो मैं बरसों पहले देख चुका था। मैं जानता था वे अधिक नहीं बोलेंगे। इसलिए मैंने ही चाहा कुछ बातें की जाएँ, ताकि उनका सामीप्य कुछ देर बना रहे। मैंने प्रश्न

किया, "आप आज की कविता के बारे में क्या सोचते हैं?" मैंने कुछ अप्रीतिकर बातें हिन्दी की नयी कविता को लेकर कहीं। अज्ञेय जी जरा भी विचलित नहीं हुए। सारी बातें सुनकर थोड़ा रुककर वे संक्षेप में बोले, "वह लँगड़ा गद्य ही है। पहले कविता याद रखने के लिए होती थी – समूह के लिए होती थी। आज कविता पढ़ने के लिए होती है। उसमें वैचारिकता अधिक है। अभिव्यक्ति की तीव्रता पर बल दिया जाता है।"

हमने वार्तालाप का विषय बदला। कुछ पुरानी यादों को दोहराया। अज्ञेय जी ने बड़ी आत्मीयता से बातें कीं और विदा ली।

दूसरे दिन व्याख्यानमाला का कार्यक्रम हुआ।

अभी गये महीने में ही टी.वी. पर 'ग्रेट मास्टर्स' में उन्हें फिर देखा था – वही प्रसन्न मुद्रा, वैसी ही गति, जरूरत के वक्त चुप्पी, जरूरत के वक्त मुखरता, बोलने का वही अन्दाज उम्र के छिहत्तर वर्षों का प्रभाव जैसे उन्होंने स्वीकार नहीं किया था – न मन से, न तन से।

46

लड़ते रहने का जीवन

।। चन्द्रकान्त बान्दिवडेकर

शेखरः एक जीवनी में शेखर खोज करता है अपने जीवन की मूलभूत प्रेरणाओं की। इस आत्मान्वेषण के सिलसिले में जिन सूत्रों को उसने पाया, वे और अज्ञेय के जीवन के सूत्र भी लगभग यही थे। इससे अधिक घटना-प्रसंगों का और अज्ञेय के व्यक्तिगत जीवन का साम्य देखना अतिरिक्त उत्साह ही होगा। निरन्तर अपनी आत्मा को स्वाधीनता के लिए सजग रखना, स्वाधीनता का दायरा बढ़ाना, हर प्रकार के भय से अपने को ऊपर उठाना, आदिम प्रवृत्तियों – हिंसा और काम को अनुशासित कर व्यक्तित्व विकास की राह में मोड़ देना, करुणा की आर्द्रता से जीवन को देखना, भोग के अतिरेक के साथ विरक्ति के अतिरेक से भी बचकर समृद्ध जीवन जीने की भरसक कोशिश करना और अपने चुने हुए क्षेत्र में कार्यरत रहते हुए आन्तरिक उमंग, उल्लास और आनन्द से समस्त जीवन को झोंक देना, ये कुछ ऐसे तत्त्व थे, जिनसे अज्ञेय जी का समूचा व्यक्तित्व संगठित हुआ था।

फिर भी अज्ञेय एक विवादास्पद व्यक्ति रहे। अज्ञेय के विचारों से पूर्णतः विरोध करने वालों और विचार-विरोध को समस्त व्यक्तित्व-विरोध का पर्याय समझने वालों के लिए वे विवादास्पद रहे ही, कभी-कभार उनके साथ वैचारिक सहमति रखने वालों के लिए भी कुछ मामलों में वे निगूढ़ रहे, अज्ञेय रहे। यह मानना कि कोई व्यक्ति पूरी तरह समझ में आ जाए, अपनी समझ की क्षमता पर अतिरिक्त विश्वास है। खासकर आज के युग में जब मनुष्य का मन जटिल हुआ है, इसलिए मनःस्थितियाँ भी जटिल हो गयी हैं, परिवेश एक व्यक्ति से हजारों तरीके से प्रतिक्रिया की माँग करता है। और व्यक्ति की एक ही प्रतिक्रिया से हजारों देखने वाले हजारों तरह के निष्कर्ष निकालने के लिए तैयार बैठे हैं। फिर व्यक्ति जितना बड़ा उतना आज के सार्वजनिक गपबाजी के युग में उसको लेकर सच-झूठ का आडम्बर भी बड़ा। ऐसे में किसी भी व्यक्तित्व के बारे में वस्तुनिष्ठ मूल्यांकन का दम भरना असम्भव है। केवल अपनी दृष्टि से ही अपने अनुभव की बात कही जा सकती है। फिर लेखक के लिए, खासकर जिसके व्यक्तित्व के प्रति

कुछ सम्मोहन भी है, भीड़ से अपने को बचाये रखने के लिए, एकान्त में भी रहना पड़ता है और अपने लेखन के माध्यम से लोगों के बीच उपस्थित रहा जा सकता है। यह आज के युग के बड़े लेखक की विवशता है।

वात्स्यायन जी में कुछ बातें ऐसी थीं, जिनके कारण वे कुछ निगूढ़ प्रतीत होते थे। सम्भवतः वे उन विरल व्यक्तियों में से थे जो अपने वैयक्तिक दुख का किसी के साथ साझा नहीं करना चाहते। सम्भवतः स्वयं अज्ञेय ने भी कभी किसी के वैयक्तिक जीवन के बारे में विशेष रुचि दर्शाई हो, ऐसे उदाहरण मिलना मुश्किल हैं। वे जिस तरह अपनी नितान्त निजी व्यथा को स्वयं सहना-पचाना, उससे ऊपर उठना, तटस्थ हो जाना एक खास वैयक्तिक बात समझते थे, उसी तरह दूसरों की निजता में दखल देना शायद अशिष्टता मानते थे। अज्ञेय ने शायद ही किसी मित्र से शादी-विवाह, बाल-बच्चे, नौकरी आदि के बारे में पूछा हो और शायद ही किसी से अपने परिवार के सम्बन्ध की, जब तक बाध्यता न हो, जानकारी दी हो। सामान्य जन की दृष्टि से इसको औपचारिक रहने की एक सीमा माना जा सकता है। अज्ञेय में दुख को पचाना एक अभ्यास बन गया था – वह शारीरिक हो या मानसिक। खौलते दूध का नौकर की किंचित् लापरवाही से हाथ पर गिर जाने पर भी वे 'सीऽऽऽ' तक नहीं करते थे। उसी तरह आन्तरिक स्नेह से गहरे स्तर पर जुड़े व्यक्ति की मृत्यु की वार्ता सुनकर तीव्र मानसिक आघात के क्षण को चुपचाप झेल लेते थे। लोगों को यह हृदयहीनता का लक्षण लग सकता है। लेकिन यह एक गहन अनुशासन था। अपनी सुविधा के लिए किसी को कष्ट न हो वात्स्यायन जी में इसका आग्रह सम्भवतः हठ की सीमा तक अतिरेकपूर्ण था। बोलने में व्यावहारिक विषयों का दखल जब सम्भव नहीं था, तब यह भी स्वाभाविक था कि आसपास के लोगों को यह खीझ हो कि आखिर बोला किस विषय पर जाय। उनका मौन उनके लिए सहज स्वभाव की बात थी, परन्तु औरों के लिए वह असमंजस की, खीझ और बोझ की बात होती।

पहली बार जब अज्ञेय हमारे घर आये तो घर से वापस टैक्सी में हम जा रहे थे। मैं कुछ बोलता था, फिर मौन, फिर एकाध प्रश्न, नपा-तुला उत्तर, फिर मौन, फिर एकाध प्रश्न, छोटा-सा उत्तर। उनके निवास स्थान पर पहुँचने के बाद कुल अनुभव पर गहरी प्रसन्नता उन्होंने व्यक्त की। मैं अन्दर से पुलक उठा। उसी टैक्सी में बैठकर वापस आ रहा था। टैक्सी वाले ने पूछा, "साहब, कौन साब बैठे थे?" मैंने कहा, "भारत के बहुत बड़े राइटर थे।" टैक्सी वाले ने सीधे प्रतिक्रिया व्यक्त की। "साब, राइटर बहुत बड़े हों, लेकिन घमण्डी बहुत लगते हैं।" मैंने कुछ अन्दर से खीझकर लेकिन बाहर से उत्सुकता से पूछा, क्यों भाई? तुम्हारे साथ तो ऐसी कोई हरकत उन्होंने नहीं की। "साब बात ऐसी है। आप पूरे घण्टा भर उनसे बात करते जा रहे थे, वो साब तो घुन्ने की तरह चुप बैठे थे।" मुझे हँसी आयी।

जो समय मेरे लिए उत्कट आनन्द का था, शायद वात्स्यायन जी के लिए प्रसन्नता का था। टैक्सी वाले की दृष्टि से उसका भाष्य कितना भिन्न था।

वात्स्यायन जी में मौन के साथ अजीब प्रकार का संकोच था। बम्बई में जब भी हमारे घर आते हमारे लिए वह एक उत्सव का अवसर होता था। लेकिन वात्स्यायन जी एक ही कुर्सी पर बैठे रहते 3-4 घण्टों तक। जब तक बार-बार पूछा नहीं जाय कि क्या कोई तकलीफ तो नहीं है वे उसी प्रकार बैठे रहते। वे जानते तो थे कि हमारे यहाँ दुराव, संकोच अनावश्यक है। लेकिन एक विचित्र संकोच उनके स्वभाव में था। हमारे परिवार में उनको निश्चय ही सुख मिलता था। वह शब्दों में कम व्यक्त होता था, पर मुद्रा में अवश्य छलकता था। एक बार हमारे घर उनके साथ वीरेन्द्र जी थे। वीरेन्द्र जी ने मेरी पत्नी से कहा, "लीला जी, आज पूरा दिन आपने हमारी सुविधा का इतना खयाल रखा, ऐसा प्रबन्ध किया"...अज्ञेय जी ने एक ही वाक्य कहा, "इसके पीछे कितना परिश्रम रहा है।" वह वाक्य लीला के लिए एक अद्भुत टॉनिक था।

एक घटना याद आ रही है। नागार्जुन जी हमारे घर आये थे। हिन्दी के जिन कवियों को मैं मन से प्यार करता हूँ उनमें नागार्जुन भी एक हैं। बात ही बात में अज्ञेय जी को लेकर प्रसंग चला। नागार्जुन ने एक अनुभव बताया। "भाई वह अद्भुत व्यक्ति है। लोग उसे अहंकारी कहते हैं। लेकिन अहंकार उसमें है नहीं। वह तो ऐसा व्यक्ति है कि तुम उसके सामने बैठकर गालियाँ सुनाओ, वह प्रतिवाद नहीं करेगा। असह्य हुआ तो स्थान से उठकर चला जाएगा, लेकिन अपनी जीभ को भ्रष्ट नहीं करेगा।" मैंने कुछ और जिज्ञासा व्यक्त की। नागार्जुन ने अपनी बात कही, "भाई *दूसरा सप्तक* में मुझे शामिल करने की बात थी। पत्र मिला। बड़ा विनम्र निमन्त्रण। सन्तुलित, अनुरोधपूर्ण। लेकिन कुछ जवानी का जोश, कुछ विचारधारा का अतिरिक्त आग्रह। किसी मित्र ने कुछ उत्तेजित भी किया था। मैंने इनकार तो कर ही दिया। उनके पास जाकर बड़ी भर्त्सना करके भी आया। लेकिन उस व्यक्ति ने प्रतिवाद में एक भी कठोर शब्द नहीं कहा। चेहरे से पता चल रहा था कि मेरे वाग्बाणों से कष्ट हो रहा है। लेकिन शब्द एक भी बाहर नहीं निकला।" मैंने पूछा, "नागार्जुन जी, आज कैसा लग रहा है?" "सच कहूँ तो बड़ा दुख लग रहा है। इस बात का नहीं कि *सप्तक* में नहीं गया। इस बात का कि एक भले आदमी का मन दुखाया – किसी के उकसाने पर।" शब्द मेरे हैं, आशय नागार्जुन का है। इस बात का जिक्र मैंने अज्ञेय से किया। अज्ञेय जी ने कुछ भी प्रतिक्रिया व्यक्त नहीं की। मुस्कुराकर टाल गये।

विचार से विरोध, विरोधी विचार वाले व्यक्ति से विरोध नहीं, यह भी अज्ञेय के शील का एक महत्त्वपूर्ण वैशिष्ट्य रहा है। एक छोटी घटना की ओर ध्यान

आकर्षित करना चाहूँगा, क्योंकि व्यक्तित्व ऐसी छोटी घटनाओं में ही अधिक ईमानदारी से व्यक्त होता है। पुणे विश्वविद्यालय का एक छात्र अज्ञेय पर पीएच. डी. कर रहा था। अज्ञेय जी के प्रति आरम्भ में उसमें लगाव कहाँ तक था, इसका पता नहीं। परन्तु जैसे-जैसे अज्ञेय के साहित्य का गहराई में पठन करता गया वैसे-वैसे अज्ञेय में श्रद्धा बढ़ती गयी। अज्ञेय ने उसकी निर्मलता, निष्पापता और लगन देखकर काफी सहायता की। अज्ञेय ने उसे काफी समय दिया। लेकिन यह भी बताया, 'शोध कार्य में श्रद्धा नहीं, वस्तुनिष्ठ आकलन चाहिए।' उस शोध छात्र को अज्ञेय जी ने कुछ दिन अपने घर टिकाया भी, उसकी जिज्ञासाओं का समाधान भी किया। उससे यह कहा, "तुम उनके पास भी जाओ जिनके पास मेरे साहित्य को देखने का एक दूसरा दृष्टिकोण है। हो सकता है कि वह तुम्हें एकांगिता से बचाये। तुम शोधार्थी हो, भावना से नहीं सन्तुलन से काम लेना चाहिए। तुम डॉ. नामवर सिंह, केदारनाथ सिंह और विष्णु खरे से अवश्य मिलो।"

मुझे एक और बात भी याद आ रही है। अज्ञेय जी को ज्ञानपीठ पुरस्कार मिलने के पहले एक व्यक्ति ने उसका घोर विरोध किया। लेकिन अज्ञेय ने उस व्यक्ति के प्रति कटुता नहीं बरती। उसको यथासम्भव सहयोग भी दिया। मैं सोचता हूँ कि ज्ञानपीठ पुरस्कार जैसे प्रतिष्ठित पुरस्कार को लेकर विरोध करने वाले व्यक्ति का विरोध न करना, न उसके प्रति कोई कटुता रखना व्यक्तित्व की अलौकिकता का सबूत है। वात्स्यायन जी अनेक दोषों के बावजूद संसदीय प्रणाली को उपयोगी मानते थे और संसदीय प्रणाली के मूल में कहीं विरोध को महत्त्वपूर्ण मानना और प्रतिष्ठा की बात है। अज्ञेय में यह जनतंत्रवादी शील का बहुत बड़ा वैशिष्ट्य मौजूद था। रामस्वरूप चतुर्वेदी, नन्दकिशोर आचार्य, रमेशचन्द्र शाह अज्ञेय के काफी निकट रहे हैं। रामकमल राय, शीन काफ निजाम और रमेश मेहता भी काफी निकट आ गये थे। विद्यानिवास मिश्र तो उनके सर्वाधिक अन्तरंग मित्र थे। मेरा विश्वास है कि इनमें से किसी एक के पास एक भी उदाहरण ऐसा नहीं मिलेगा कि अज्ञेय ने किसी व्यक्ति को लेकर कटुता की बात कही हो।

अपने मित्रों के प्रति उनमें एक आस्थापूर्ण आत्मीयता अवश्य रहती थी। आबू शिविर में विजयदेव नारायण साही आये थे, सर्वेश्वर दयाल सक्सेना भी आये थे। शिविर समाप्ति के बाद चर्चा चल रही थी। वात्स्यायन जी गहरी चिन्ता में व्याकुल होकर बोले, "सर्वेश्वर जी अभी सावधान नहीं हुए तो..." उनके चेहरे को देखकर मैंने पूछा "तो?" उन्होंने बड़ी उदासी में कहा, "मुश्किल है। दो वर्षों से अधिक नहीं चल पाएँगे।" मैंने उन्हें बहुत परेशान देखा। लेकिन मुझे नहीं लगता कि अज्ञेय जी ने सर्वेश्वर जी को प्रत्यक्षतः कभी सावधानी के लिए कहा हो। वे कहीं गहरे में

मानते थे कि ऐसी बातों में कहने-सुनने से कुछ नहीं होता। दूसरे का अपने जीवन का निर्णय करने का अधिकार वे यहाँ तक मानते थे कि अमुक करो, अमुक मत करो यह किसी से कहना उनको शायद दूसरे के व्यक्तित्व पर आक्रमण करना लगता था। वे अपने सामने बैठे हुए व्यक्ति का सम्मान करते थे। फिर वह व्यक्ति लेखक हो या न हो। हाँ, उनके अत्यधिक मौन रहने के स्वभाव से उपस्थित व्यक्ति कष्ट पाया हो तो दूसरी बात है।

मुझे एक घटना याद आ रही है। शायद 1975 की बात है। अज्ञेय जी बम्बई आये थे। उन्होंने मुझे फोन किया। एक बार शायद 1972 के आसपास दिल्ली में विश्व पुस्तक मेले में मैंने उनको पहली बार देखा था। अज्ञेय जी ने फोन कर निवास स्थान पर बुलाया। मेरे लिए यह सुखद आश्चर्य था, लेकिन कहीं भीतर बड़ा संकोच भी था। मैं वीरेन्द्र कुमार जैन के साथ उनसे मिलने गया। बातें बहुत ही कम हुईं। अज्ञेय जी अपने छोटे कैमरे के साथ कुछ करते रहे। मैंने कुछ व्यंग्य से पूछा, "अज्ञेय जी, लगता है कैमरा आज कुछ ज्यादा ही तकलीफ दे रहा है।" मुझे अज्ञेय जी के मितभाषी होने की बात तो मालूम थी, लेकिन उसका असली मर्म उस समय ज्ञात न था। अज्ञेय जी ने कैमरा तो दूर रखा, कुछ बातें हुईं भी। साथ में वीरेन्द्र भाई थे। अतः विषयों की कमी नहीं थी। इतने में अज्ञेय जी ने धड़ाधड़ तीन-चार तस्वीरें लीं। मैं कुछ लज्जित हुआ।

उनके मौन के सन्दर्भ में मुझे एक किस्सा याद आया। महाराष्ट्र में दो सन्त एक दूसरे से काफी दूर रहते थे और एक दूसरे से मिलने के लिए बहुत व्याकुल थे। आखिर लम्बी दूरी तय करके एक दूसरे के रूबरू हो गये, बोले कुछ भी नहीं। एक दूसरे का हाथ हाथ में लेकर घण्टों बैठे रहे और विदा हो गये। यह एक मौन के माध्यम से किया हुआ उत्कट सम्प्रेषण था। अज्ञेय जी के मौन का परिचय धीरे-धीरे हो गया, झेलने की ताकत भी आयी, मौन को तोड़ने के लिए विषय प्रश्न, जिज्ञासाएँ क्या हो सकती हैं, इसका भी कुछ अनुमान हुआ। उनको लेकर हमारे घर में आदर और भक्ति से ही बातें होती थीं। हमने उनको प्यार से किंचित् शरारतपूर्ण नाम भी दे रखा था – 'मौनी बाबा'। इस मौनी बाबा के साथ रहने में किसी व्यक्ति को क्या कुछ झेलना पड़ा होगा, इसकी कल्पना ही कर सकता हूँ।

मौन अज्ञेय जी के लिए एक आवश्यक बात थी। अगर वे अपने शिष्यों का दरबार लगाते तो निश्चय ही दसवाँ हिस्सा भी काम न कर पाते जितना कर चुके हैं। हम लेखन युग में जी रहे हैं, लेकिन अपेक्षाएँ कुछ पुराने युग की हैं। हम लेखक को उसके लेखन के माध्यम से मिलने की अपेक्षा प्रत्यक्ष उसके समय पर, शक्ति पर कब्जा करना चाहते हैं और कोई लेखक अपने समय को बचाना चाहता है तो हमारे लिए वह एकान्तप्रिय, व्यक्तिवादी बन जाता है।

अज्ञेय जी प्रतिकूल समीक्षा से विचारणीय अंश ग्रहण करते थे, लेकिन प्रभावित बहुत नहीं होते थे। अनुकूल समीक्षा से भी सन्तुष्ट होते थे, लेकिन उसका भी महत्त्व तभी मानते थे जब समीक्षा में तर्क का बल हो, विश्लेषण का पैनापन हो, तथ्यों को तोड़ा-मरोड़ा न हो, आँख ओट न किया हो। उनके प्रति अनुकूल लिखकर उनकी निकटता पाना मुश्किल था, प्रतिकूल लिखकर उन्हें विचलित करना और भी मुश्किल था। इसका कारण यह था कि अपनी क्षमता के प्रति उनमें जबर्दस्त आत्मविश्वास था। विरोध के पीछे वे तर्क का बल तो देखते ही थे। यह भी देखते थे कि विरोध के मूल में बौद्धिक लगाव या प्रतिबद्धता है, ईमानदारी है या केवल ईर्ष्या, वैयक्तिक राग-द्वेष, पूर्वग्रह अथवा विशिष्ट विचारधारा के प्रति समर्पण। अगर ऐसा ही कुछ है तो 'इदं न मम' कहकर उपेक्षा कर जाते थे। अपनी शक्ति के प्रति भरोसा था, उसे अहंकार कहना गलत होगा। झूठा विनय भी उनमें नहीं था। कई बार वे बोल चुके हैं, "हिन्दी जगत में सबसे अधिक विरोध हुआ मेरा या जैनेन्द्र का। लेकिन उससे क्या हुआ? हमारा क्या बिगड़ा?" इस आत्मविश्वास की पैनी धार से विरोध को झेलने का सम्बल उनको प्राप्त होता था। हाँ, उन्हें तब दुखी मैंने देखा है जब किसी निकट के मित्र ने विरोध के लिए साहित्य का क्षेत्र छोड़कर व्यक्तिगत चारित्र्य को लेकर सार्वजनिक प्रश्न उठाये हों।

वात्स्यायन जी ने एक पत्र में लिखा था (वैसे उनके पत्र बहुत कम आते थे, पत्रों में वैयक्तिक स्पर्श बहुत ही क्षीण रहता था, परन्तु विलक्षण विनम्रता और पढ़ने वाले के प्रति आदर-भाव से लिखे गये होते थे) कि मुझे हिन्दीतर प्रान्तों में सही ढंग से समझा गया है। एक घटना का जिक्र यहाँ आवश्यक है। वात्स्यायन जी सांगली में सम्पन्न एक द्वैभाषिक गोष्ठी के लिए आये थे। वहाँ उन पर सीधे या अप्रत्यक्षतः शाब्दिक आक्रमण हुए। वात्स्यायन जी ने उसका प्रतिवाद नहीं किया। समापन के भाषण में एक व्यंग्य अवश्य किया। "यहाँ सुना है कि सांगली के निकट गाणगापुर में मनुष्य के शरीर में आने वाले भूतों को उतारा जाता है। संगोष्ठी में भी कुछ लोगों पर चढ़े भूत उतर जाते हों तो संगोष्ठी की एक विशेष सफलता होगी। श्रोताओं ने संकेत समझकर भरपूर तालियाँ बजाकर अपनी सहमति व्यक्त की। निरपवाद रूप में श्रोता अज्ञेय के सम्मोहन में रहे। आभार मानते हुए सांगली कन्या महाविद्यालय के प्राध्यापक ने अज्ञेय को 'ऋषितुल्य महापुरुष' कहकर सम्बोधित किया, तब वे संगोष्ठी के सभी श्रोता-वर्ग की भावना को ही वाणी दे रहे थे।

इसी सांगली में दो वर्ष पूर्व प्राचार्य हानकणगलेकर (अंग्रेजी के प्राध्यापक एवं विलिंगडन कॉलेज के प्राचार्य) की अध्यक्षता में अज्ञेय के कृतित्व पर मेरा व्याख्यान हुआ था। अध्यक्षीय भाषण करते हुए मेरे भाषण की सफलता पर धन्यवाद देते हुए प्रो. हानकणगलेकर ने यह सन्देह अवश्य प्रकट किया था कि इतना बहुआयामी

व्यक्तित्व और इतना समृद्ध साहित्य हो सकता है (सो भी हिन्दी में?)। लेकिन सांगली की संगोष्ठी के बाद वात्स्यायन जी के तीन-चार भाषण हिन्दी और अंग्रेजी में हुए। भाषणों में प्रो. हानकणगलेकर उपस्थित थे। कुछ दिन बाद उन्होंने मेरे सांगली में हुए भाषण का सन्दर्भ देते हुए कहा कि "बान्दिवडेकर जी, ये तो सचमुच ही महान व्यक्तित्व हैं।" बाद में बम्बई के विश्वविद्यालय में टैगोर चेयर के तत्वावधान में अज्ञेय जी का व्याख्यान और कविता पाठ हुआ। बम्बई विश्वविद्यालय का वह ऑडिटोरियम खचाखच भरा था और कविता पाठ के उपरान्त अनेक विद्वानों, लेखकों ने आकर अपनी गहरी संतृप्ति व्यक्त की। इसके पूर्व टाटा थियेटर के छोटे हाल में भी वात्स्यायन जी का एक घण्टे का कविता पाठ हुआ था और मराठी के प्रख्यात लेखक ज्ञानेश्वर नाडकर्णी ने दूसरे दिन के *टाइम्स ऑफ इंडिया* में काव्य-पाठ की सफलता पर गहरा सन्तोष प्रकट करते हुए कुछ कविताओं पर मार्मिक टिप्पणियाँ भी की थीं। श्रोताओं में मराठी के अनेक सशक्त कवि और लेखक भी बैठे थे।

मुझे याद आता है, सांगली से लौटते समय अज्ञेय जी ने पुणे विश्वविद्यालय के हिन्दी विभाग की ओर से आयोजित सभा में भाषण दिया था। अपराह्न ढाई बजे के उस कार्यक्रम में खेर वाङ्मय भवन का बड़ा हॉल इतना भरा था कि कितने ही लोगों को खड़े होकर व्याख्यान सुनना पड़ा। पुणे के प्रतिष्ठित अखबारों ने भी बहुत उत्साह के साथ सभा का विवरण दिया था। गुजराती में डॉ. भोलाभाई पटेल ने तो वात्स्यायन जी पर ग्रन्थ ही लिखा है। गुजराती के जाने-माने लेखक रघुवीर चौधरी भी अज्ञेय के साहित्य के मर्मज्ञ पाठक हैं। आबू शिविर से लौटते समय उन्होंने गुजराती साहित्य परिषद की ओर से वात्स्यायन जी का कविता पाठ रखा था, जिसमें गुजराती के बहुत से लेखक उपस्थित थें। अहमदाबाद से कुछ छात्राएँ अज्ञेय पर शोध कार्य कर रही थीं। वे मुझसे मिलने आयी थीं। चर्चा के दौरान मुझे लगा कि सचमुच वात्स्यायन जी को पूरी गहराई के साथ उन्होंने पढ़ा और समझा है। उनकी पकड़ अच्छी थी, जिज्ञासाएँ प्रामाणिक और निष्पक्ष थीं।

असल में लेखक को उसके लेखन के माध्यम से ही देखना चाहिए। यद्यपि सिद्धान्त यह माना जा सकता है प्रतिभा के अद्‌भुत सक्रिय क्षण में लेखक के लौकिक अनुभव का साहित्यिक अनुभव से सीधा रिश्ता नहीं रहता, फिर भी काव्यानुभूतियों से कवि-व्यक्तित्व को पकड़ा जा सकता है और कुछ अपवाद को छोड़ दें तो कवि-व्यक्तित्व का और लौकिक व्यक्तित्व का सम्बन्ध सामान्यतः जुड़ा हुआ ही रहता है। इस सन्दर्भ में मैं अज्ञेय की एक कविता को उद्‌धृत करने का मोह संवरण नहीं कर सकता। यह कविता अनेक आयामी है और उसमें से अनेक अर्थ निकल सकते हैं। कविता की रचना प्रक्रिया पर भी यह लागू हो सकती है। लेकिन मुझे यहाँ उसकी अभिधा में ही स्वीकार्य है।

मैंने पूछा
यह क्या बना रही हो?
उसने आँखों से कहा
धुआँ पोंछते हुए कहाः
मुझे क्या बनाना है! सब-कुछ
अपने आप बनता है
मैंने तो यही जाना है।
कह लो मुझे भगवान ने यही दिया है।

मेरी सहानुभूति में हठ थाः
मैंने कहाः कुछ तो बना रही हो
या जाने दो, न सही–
बना नहीं रही–
क्या कर रही हो?
वह बोलीः देख तो रहे हो
छीलती हूँ
नमक छिड़कती हूँ
मसलती हूँ
निचोड़ती हूँ
कोड़ती हूँ
कसती हूँ
फोड़ती हूँ
फेंटती हूँ
महीन बिनारती हूँ
मसालों से सँवारती हूँ
देगची में पलटती हूँ
बना कुछ नहीं रही
बनता जो है – यही सही है–
अपने आप बनना है
पर जो कर रही हूँ–
एक भारी पेंदे
मगर छोटे मुँह की
देगची में सब कुछ झोंक रही हूँ

दबा कर अँटा रही हूँ
सीझने दे रही हूँ।
मैं कुछ करती भी नहीं–
मैं काम सलटती हूँ।

मैं जो परोसूँगी
जिनके आगे परोसूँगी
उन्हें क्या पता है
कि मैंने अपने साथ क्या किया है?

इसमें जो गृहस्थ जीवन की वेदना, त्याग, निर्माण का समग्र चित्र इतने स्नेहपूर्ण उष्ण शब्दों से रचा हुआ है कि जिसने यह व्यथा, करुणा, सहानुभूति और समझ अनुभव की है उसकी धुँधली छाप भी लौकिक क्षणों में रह पाये तो कितना बड़ा व्यक्तित्व-परिष्कार है। मेरा अनुभव है कि अज्ञेय के लौकिक जीवन में भी इस करुणा और समझ का स्पर्श बड़ा तीव्र था। उनकी अनेकानेक कविताओं में यह मानवीय स्पर्श इतना प्रबल, गहरा और तरल है कि अनुभव को मूलतः पकड़ने वाला संवेदनशील मन लौकिक जीवन में भी उसकी आर्द्रता से कैसे वंचित रह सकता है। उनके निकट रहने का सौभाग्य जिनको मिला है, वे इस बात की दुहाई अवश्य देंगे।

आठवें दशक की कविता का एक वैशिष्ट्य यह बताया जाता है कि उसमें सामान्य जीवन के छोटे-छोटे प्रसंगों से मानवीय संवेदना की सीधी और निश्छल अनुभूति व्यक्त हुई है। असल में वात्स्यायन जी के काव्य में बहुत पहले से यह विद्यमान है।

वात्स्यायन जी जवानी में देश की स्वाधीनता की लड़ाई में सक्रिय रहे और फाँसी की सजा से हिन्दी साहित्य के सौभाग्य से बचे। द्वितीय महायुद्ध के दौरान जीवन-मरण की चुनौती स्वीकार कर सेना में भरती हुए। वात्स्यायन जी ने लड़ाई शब्दों से ही नहीं लड़ी, मृत्यु का सामना करने का अवसर जब आया, तब सामना भी किया। पीछे नहीं हटे। लेकिन स्वाधीनता के बाद अपनी जेल यात्रा का कोई लाभ उन्होंने नहीं उठाया। इतना ही नहीं जहाँ बड़े से बड़ा विद्रोही हथियार डालता है, वहाँ – सिक्युरिटी के लिए नौकरी के क्षेत्र में – भी वात्स्यायन जी ने अपने को लगातार दाँव पर लगाया। ज्ञानपीठ पुरस्कार किसी भी राजनैतिक पुरुष के हाथ से नहीं, किसी कलाकार के हाथ से स्वीकारने की शर्त रखी; रुक्मिणीदेवी अरुंडेल के हाथों सम्मान ग्रहण किया। दुर्गम यात्राओं में प्राण संकटों से रूबरू हुए। लेकिन कहीं भी उसका पूँजी के रूप में इस्तेमाल नहीं किया। वे व्यवस्था विरोधी रहे और यह व्यवस्था विरोध शब्द से अधिक प्रत्यक्ष आचरण से किया। आपातकाल

के बाद जो पहला वत्सल निधि शिविर आबू में हुआ, उसकी अध्यक्षता के लिए उन्होंने आपातकाल में सरकारी निमन्त्रणों का हर क्षण प्राणपण से विरोध करने वाली महाराष्ट्र की विख्यात लेखिका दुर्गा भागवत को आमन्त्रित किया। लेकिन उसको कहीं भी 'एक्सप्लाइट' नहीं किया।

असल में एक कलाकार के आत्मसम्मान और गौरव को किसी भी क्षण उन्होंने क्षति पहुँचने नहीं दी। बल्कि मैं कहूँगा कि एक लेखक या कलाकार आज के युग में अपनी बिरादरी की शान कैसे बढ़ा सकता है, इसका एक मानक उन्होंने प्रस्तुत किया। लड़ाई, जूझ, संघर्ष, युद्ध आदि शब्दों का प्रत्यक्ष इस्तेमाल उन्होंने बहुत कम किया। लेकिन अपनी संवेदना और काल (छिछले अर्थ में समसामयिकता की अनुगूँज नहीं) के बीच बराबर गति और संगति रखने की कलाकार की लड़ाई वे लड़ते रहे। (इससे उत्तरोत्तर साहित्य की समस्याएँ भी पैदा होती गयीं) अपनी लेखक-बिरादरी के आत्मसम्मान को धारदार रखने की लड़ाई, अपने पाठकों की आन्तरिकता को विस्तार और गहराई के सौन्दर्य-बोधों से समृद्ध करते रहने की लड़ाई, उसके लिए हर क्षण स्वाधीनता की कीमत माँगने वाले परिवेश के साथ लड़ाई, पाठकों तक अपने को सम्प्रेषित करते रहने की लड़ाई, मृत्यु के क्षण तक जीवन को समग्र आयामों में जीने की लड़ाई, हर प्रकार की सक्रियता से जड़ता को भेदकर जीवनबोध को अधिक उत्कट, तीव्र और सार्थक रखने की लड़ाई। यह कलाकार, साहित्यकार और सांस्कृतिक चिन्तक की लड़ाई का क्षेत्र है, जिसमें शत्रु पर प्रहार करने के पहले अपनी ही आत्मा को जड़ित करने वाली आन्तरिक और बाह्य ताकतों से लड़ना पड़ता है और शतशः आत्मबिद्ध भी होना पड़ता है। इस रूप में अज्ञेय का जीवन एक निरन्तर लड़ाई का जीवन था।

स्वतन्त्रता के लिए लड़ना बहुत कठिन होता है, विचारों की स्वतन्त्रता के लिए और भी कठिन और व्यक्तित्व को जड़ित करने वाली शक्तियों के विरोध में आत्मा की स्वाधीनता के लिए लड़ते रहना महा कठिन होता है। मैं अज्ञेय को इस योद्धा के रूप में देखता हूँ।

47

सहज मनस्विता, स्वकीय रूप

॥ कृष्ण बिहारी मिश्र

जापान से लौटे थे वात्स्यायन जी और अंग्रेजी त्रैमासिक *वाक्* का सम्पादन-प्रकाशन शुरू किया था। साहित्य की दुनिया में *वाक्* की बड़ी चर्चा थी। शिवप्रसाद सिंह ने पहला अंक दिखाया था, जिसमें उनकी कहानी 'पापजीवी' को अज्ञेय जी ने स्वयं अनुवाद कर छापा था। शिवप्रसाद जी बड़े प्रसन्न थे। उन्हीं दिनों कलकत्ता की प्रसिद्ध संस्था भारतीय संस्कृति संसद ने अज्ञेय को आमन्त्रित किया। अज्ञेय जी ने व्याख्यान के बाद जापान के सांस्कृतिक पक्ष से जुड़े कुछ मूल्यवान दृश्य भी अपनी व्याख्या-टिप्पणी के साथ परदे पर दिखाए। दूसरे दिन उस होटल में मैं उनसे मिलने गया, जहाँ वे ठहरे थे। घर से निकलने से पहले मैंने फोन किया। "हाँ, आ जाइए।" और जरा रुककर अपने जवाब में उन्होंने संशोधन किया, "मैं तो कल की बातचीत के मुताबिक आपकी प्रतीक्षा करूँगा, आप अपनी सुविधा देख लीजिए।" उनका सजग उत्तर था तो उनके निजी अनुशासन के अनुरूप, पर मुझे थोड़ा असहज लगा। किंचित् असमंजस में था कि ऐसे सजग आदमी से क्या और कितनी बतकही हो सकेगी। मेरे गँवई संस्कार के लिए वह मुद्रा सचमुच विजातीय थी, और काशी के मेरे विदग्ध गुरुओं की व्यवहार-शैली से सर्वथा भिन्न। आशंका के विपरीत बातें काफी देर तक हुईं। विविध प्रसंगों पर और बड़े सहज ढंग से।

सागर का प्रसंग बीच में उठा, जहाँ कुछ दिन पहले वे गये थे। आचार्य नन्ददुलारे वाजपेयी के सम्पादन में *आलोचना* का 'काव्यालोचनांक' प्रकाशित हुआ था, जिसमें अज्ञेय की कविता पर एक निबन्ध छपा था। लेखक के बारे में उन्होंने मुझसे पूछा। जवाब में मैंने कहा, "पण्डित हजारी प्रसाद द्विवेदी के कृती छात्र हैं।" "मगर निबन्ध पढ़ने से तो ऐसा नहीं लगता। सन्दर्भ से तोड़कर कविता पर रायजनी करना काव्य-विवेक का परिचायक तो नहीं!" मूल्यांकन-विधि से अज्ञेय जी बेहद असन्तुष्ट थे। मैंने दूसरे प्रसंग को पकड़ना जरूरी समझा, "आप सागर गये थे पिछले दिनों, वाजपेयी जी से भेंट हुई?" "नहीं, मिलने जा रहा था, मगर आधी राह से लौट आया। जीप में मेरे साथ सागर के जो नये कवि थे, उन्होंने बताया कि मेरे सागर आने से

वाजपेयी जी दुखी हैं। मेरे साहित्य की उन्होंने तीखी आलोचना की है। अपने पक्ष से मैंने उनके निष्कर्षों की आलोचना की है। पर व्यक्तिगत स्तर पर हम एक-दूसरे का सम्मान करते रहे हैं। उनसे मिलकर उनका दुख और भारी करूँ, यह उचित नहीं जान पड़ता। इसीलिए बीच रास्ते से मैंने जीप लौटा दी।" मैंने जानना चाहा कि क्या वे वही युवा कवि थे, जिनसे बातचीत करते आपने उनके आँगन के पेड़-पौधों के कुल-शील के बारे में पूछा था और उनकी चुप्पी से उनकी अज्ञता का आपको परिचय मिला था। अज्ञेय जी चुप थे, पर उनका अमर्ष उनकी सौम्य मुद्रा में मुखर था। सागर वाला अप्रीतिकर प्रसंग मुझे काशी में डॉ. शम्भुनाथ सिंह ने सुनाया था। अज्ञेय जी के मुँह से सुनने की सहज इच्छा थी।

शाम को उन्हें विदा करने हावड़ा स्टेशन पहुँचा। प्रथम श्रेणी के डिब्बे के सामने सफेद कुर्ता-पाजामा पहने वात्स्यायन जी टहल रहे थे। मुझे देखकर मुस्कुराए और साथ लेकर डिब्बे में घुसे। अपनी बर्थ के नीचे वाली बर्थ पर बिछे होलडाल को कायदे से मोड़कर किनारे किया और मुझे साथ लेकर बैठे। तभी गोष्ठी-संयोजकों की ओर से एक सज्जन रजनीगन्धा की अत्यन्त सुन्दर माला लिये उन्हें औपचारिक विदाई देने आ पहुँचे। वात्स्यायन जी प्लेटफॉर्म पर उतर आये। अपने तरीके से वे वात्स्यायन जी के प्रति आभार प्रकट कर रहे थे। वात्स्यायन जी कुछेक मिनट उन्हें झेलते रहे। बोलना तो दूर, उनके चेहरे पर आगन्तुक की बातों की प्रतिक्रिया तक नहीं प्रकट हो रही थी। मूर्तिवत खड़े थे। उनकी चुप्पी से पराजित होते आगन्तुक ने उनके गले में माला पहनाई, चरण स्पर्श किए और चलते बने। वात्स्यायन जी ने राहत की साँस ली। माला वात्स्यायन जी के हाथ में थी। "सौन्दर्य की यह नृशंस अवमानना है।" माला को लक्ष्य कर उन्होंने खीझ प्रकट की। फिर डिब्बे में घुसे। नीचे की बर्थ पर फिर होलडाल बिछा दिखाई पड़ा। बड़े कायदे से उसे मोड़कर ऊपर की अपनी बर्थ पर रख दिया। "बैठिए।" उनकी धीमी आवाज में तीखी ठसक और तेजस्वी मनस्विता मैंने लक्ष्य की।

बेहद स्वत्व-संचेत अज्ञेय जी दूसरों के सम्मान के प्रति उतने ही सम्मानशील थे, यह और बात है कि उनका मौन और अभेद्य आभिजात्य उनके मूल भाव के बारे में भ्रम रचता था। डॉ. रामविलास शर्मा का एक बयान वात्स्यायन जी की प्रकृति का सटीक परिचय देता है— "अज्ञेय से बहुत बार भेंट हुई। दिल्ली में, लखनऊ और आगरा में। मिलनसार थे। अपने बारे में अपने अनुभवों के बारे में काफी बातें करते थे। एक बार वह मुझे लखनऊ में फिल्म दिखाने भी ले गये थे। आगरा में विद्यापीठ में मैंने कुछ दिन काम किया। उसके बाद विद्यानिवास मिश्र उसके निदेशक हुए। मिश्र जी से अज्ञेय की घनिष्ठता थी। वहाँ साहित्यकारों के चित्र लगाकर उस चित्रावली का उद्घाटन करने के लिए मिश्र जी ने अज्ञेय को बुलाया। उस समय फिर मुलाकात हुई। मालूम हुआ कि उन्हें रक्तचाप रहता है। परन्तु दिल्ली से अपनी

कार चलाते हुए वह आगरे तक आये थे। विद्यापीठ के अतिरिक्त मिश्र जी के घर पर भी उनसे भेंट हुई और देर तक बातें होती रहीं। यद्यपि मैंने उनकी बहुत बार आलोचना की थी, परन्तु मिलने पर वह कभी उसका जिक्र न करते थे और ऐसे मिलते थे जैसे *तार सप्तक* के पुराने सहयोगी मिल रहे हों। और बीच में कोई फासला न हो।"

उस दिन हावड़ा स्टेशन पर मैं वात्स्यायन जी के साथ बैठा हिन्दी गद्य-लेखकों के बारे में बात कर रहा था। महादेवी वर्मा, हजारी प्रसाद द्विवेदी और अमृतराय के गद्य की उन्होंने अच्छे गद्य के रूप में चर्चा की। एक अन्तराल के बाद अज्ञेय जी के दर्शन हुए थे। उनके आग्रह पर भारतीय ज्ञानपीठ ने पुरस्कार-समारोह कलकत्ते में आयोजित किया था। यह भी अज्ञेय जी का ही आग्रह था कि पुरस्कार कोई राजनेता न दे, इसलिए रुक्मिणी देवी अरुंडेल को आमन्त्रित किया गया था। समारोह में संगीत कला मन्दिर का सभा-कक्ष ऊपर से नीचे तक खचाखच भरा था। तब कलकत्ते में वही सबसे बड़ा सभा-कक्ष था। मुद्रित अंग्रेजी भाषण का आशु अनुवाद करते परिनिष्ठित हिन्दी में वात्स्यायन जी का व्याख्यान पहली बार सुना था। और गर्व-स्फूर्त हुआ था हिन्दी की समृद्धि को लक्ष्य कर। अनुष्ठान का समापन करते उन्होंने लक्ष्मीचन्द्र जैन के अनुरोध पर 'असाध्य वीणा' का पाठ किया था। उनके काव्य-पाठ की कला भी विशिष्ट और अद्वितीय थी। समारोह में उनके दर्शन-भर हुए थे, भेंट नहीं हुई थी। उनकी व्यस्त चर्या को देखते मैंने कोशिश भी नहीं की मिलने-बतियाने की। और वैसा अन्तरंग परिचय भी नहीं था कि वे मुझे खोजते।

फिर भँवरमल सिंघी के अभिनन्दन-समारोह में शरीक होने वात्स्यायन जी आये। निमन्त्रण-पत्र से जानकर थोड़ा अचरज हुआ था, क्योंकि दोनों के आत्मीय सम्बन्धों की खबर मुझे नहीं थी। अज्ञेय को सुनने की सहज उत्सुकता थी। उनका भाषण सुनकर समझ पाया कि व्यक्तिगत सम्बन्धों के प्रति वात्स्यायन जी कितने संवेदनशील हैं, और दूसरे के गुण को गौरव देना उनकी सहज प्रकृति है। उसी कलकत्ता-यात्रा में वात्स्यायन जी के साथ कुछ प्रश्नों के माध्यम से आकाशवाणी के लिए बातचीत की थी। उनके सामने वे सारे प्रश्न मैंने पढ़ दिए, जिनके माध्यम से बतियाना चाहता था और पूछा कि "आपका आदेश हो तो कुछ प्रश्न छोड़े भी जा सकते हैं।" सहज भाव से उन्होंने जवाब दिया, "प्रश्न तो सारे अच्छे हैं, रेडियो की समय-सीमा है। उसे देखते जितना सम्भव हो उतने से सन्तोष करना पड़ेगा।" और अधिकांश प्रश्नों पर हम लोगों की बातचीत हुई, मगर प्रश्नों पर केन्द्रित मर्यादित बातचीत — मुक्त बतकही नहीं। वात्स्यायन जी का अपना निजी अनुशासन था, जिसके प्रति वे सदा सचेत रहते थे। मुझे विदा करने वे अपने आतिथेय के मुख्य द्वार तक आये। और तब भी उनके सौजन्य ने मुझे अभिभूत कर दिया था।

आकाशवाणी की उस बातचीत में उन्होंने साहित्य में सम्प्रेषण को लेकर अपनी

चिन्ता प्रकट की थी। उनका कहना था— सम्प्रेषण को मैं रचना का और अभिव्यक्ति का अनिवार्य अंग मानता हूँ। दूसरे तक पहुँचना साहित्य का लक्ष्य है। इस बात को पर्याप्त महत्त्व नहीं दिया जाता। उन्होंने वाचिक परम्परा का जिक्र करते हुए कहा था कि तब साहित्य व्यापक समाज तक पहुँचता था, निरक्षर तक भी। आधुनिक शिक्षा ने साहित्य की जगह और दायरा दोनों सीमित कर दिए हैं। सम्प्रेषणीयता को लेकर उनका यह सरोकार बाद में और प्रगाढ़ होता गया। वत्सल निधि की तरफ से साहित्य और सम्प्रेषण को लेकर एक लेखक शिविर तक आयोजित किया।

वात्स्यायन जी की मनस्विता के तेज के साक्षात्कार का दो बार कलकत्ता में ही अवसर मिला। कलकत्ते के रचनाकारों की एक गोष्ठी आयोजित की गयी थी, जिनसे मिलने-बतियाने के लिए वात्स्यायन जी आग्रहशील थे। बातचीत के बीच में ही एक युवा कवि ने आक्रामक मुद्रा में उन पर आरोप लगाया कि 'मुक्तिबोध की हत्या का आपके हाथों में खून लगा है, जो अब धुलने वाला नहीं है।' और वात्स्यायन जी ही नहीं, सारी गोष्ठी स्तब्ध रह गयी थी। मगर बिना विचलित हुए वात्स्यायन जी ने पूरी गरिमा के साथ अपना पक्ष स्पष्ट किया था। उनकी कैफियत में नैसर्गिक मनस्विता का तेज मुखर था। प्रश्नों के जवाब में उन्होंने कुछ प्रश्न किए, जिनका उत्तर चुप्पी के रूप में मिला। एक प्रश्न प्रासंगिकता की प्रासंगिकता पर केन्द्रित था। कलकत्ता वात्स्यायन जी का कार्य-क्षेत्र रहा है। यहाँ प्रवास करते उन्होंने महत्त्वपूर्ण रचनात्मक काम किया था और रिश्तों की नयी दुनिया अर्जित की थी। अपने प्रिय नगर की नयी रचनाकार-पीढ़ी के अन्तरंग परिचय की उनकी इच्छा सहज थी। उन्हीं के आग्रह से मिलन-गोष्ठी आयोजित की गयी। अनौपचारिक तरीके से फर्श पर बैठकर बातचीत हुई। मैंने लक्ष्य किया, वात्स्यायन जी बहुत आश्वस्त नहीं हुए थे।

भारतीय संस्कृति संसद ने रजत-पर्व के अवसर पर एक राष्ट्रीय संगोष्ठी आयोजित की थी। वात्स्यायन जी उसके उद्‌घाटन के लिए आहूत थे। साहित्य की दुनिया के अनेक पांक्तेयजन की उपस्थिति से समारोह-मंच सम्पन्नता-दीप्त था। जाड़े का मौसम था। विशिष्ट शैली का ऊनी कुर्ता-पाजामा पहने वात्स्यायन जी अपने गरिमा-सौन्दर्य में मंच के केन्द्रीय पुरुष के रूप में बरबस पूरी सभा को अपनी ओर आकृष्ट किए बैठे थे। उनके हाथ में *अपरोक्ष* नामक पुस्तक थी जो शायद अपने प्रीतिभाजन डॉ. चन्द्रकान्त बान्दिवडेकर को देने के लिए लाये थे। संयोजक ने अनुरोध किया, 'दीप प्रज्वलित कर वात्स्यायन जी समारोह का उद्‌घाटन करें।' और वात्स्यायन जी ने दीप प्रज्वलित किया। माइक के सामने खड़े हुए, 'निर्देशानुसार दीप प्रज्वलित कर अनुष्ठान के उद्‌घाटन की विधि मैंने पूरी की। आप सबको नमस्कार।' और अपनी जगह आकर चुपचाप बैठ गये। मंच और श्रोता-मण्डली हतप्रभ। उनके मौन के साथ सारी उपस्थिति अचम्भे की मुद्रा में मूक थी। किसी को सूझ नहीं रहा

था कि चुप्पी टूटे कैसे। सभी एक-दूसरे का मुँह ताक रहे थे। उनके अन्तरंग सखा पं. विद्यानिवास मिश्र के अलावे पं. भवानीप्रसाद मिश्र, डॉ. जगदीश गुप्त, डॉ. चन्द्रकान्त बान्दिवडेकर मंच पर विराजमान थे। और भी अनेक लोग। मैं वात्स्यायन जी के करीब ही पीछे बैठा था। वातावरण स्तब्ध था। भवानी भाई ने समाधान रचा, "भइया, आपको सुनने के लिए हम सब व्याकुल हैं। आप थोड़ी देर के लिए माइक के साथ खड़े हों।" और वात्स्यायन जी ने जिस अनुद्वेलित मुद्रा में स्तरीय लम्बा वक्तव्य रखा, प्रबुद्ध श्रोता जैसे समृद्ध हो गये। एक उपलब्धि-दीप्ति सबके चेहरे पर मुखर थी। पर किसी को यह स्पष्ट नहीं था कि वात्स्यायन जी की उस जटिल मौन-मुद्रा के मूल में कौन-सी खरोंच थी। शायद संयोजकीय अनवधानता का ही कुछ अन्यथा स्पर्श था, उनके निजी अनुशासन-छन्द पर।

अपरोक्ष नामक पुस्तक बान्दिवडेकर जी को देकर वात्स्यायन जी मंच से उतर गये और पूरे समारोह में फिर दिखाई न पड़े। जैसे उद्‌घाटन-वक्तव्य के साथ ही उनकी कुल भूमिका पूरी हो गयी हो। पर पूरे समारोह पर उनका वक्तव्य, जो साहित्यिक मूल्यों पर केन्द्रित था, छाया रहा; और उनकी मनस्वी मुद्रा भी चर्चा का विषय बनी रही। तब तक वात्स्यायन जी मेरे लिए दूर के देवता थे।

उन्हीं दिनों मेरे ललित निबन्धों का पहला संकलन *बेहया का जंगल* छप रहा था। जाने किस अज्ञात प्रेरणा से मन में साध जगी कि अज्ञेय जी की संस्तुति मेरे निबन्ध-संग्रह को हिन्दी जगत के सामने प्रस्तुत करती तो पुस्तक को अपेक्षित प्रवेश मिलता। और साहस बटोरकर उनसे पुस्तक की भूमिका लिखने का अनुरोध किया। अविलम्ब उनका जवाब आया– "आपके निबन्धों की भूमिका मैं लिख तो सहर्ष देता, पर परसों ही छह सप्ताह के लिए विदेश जा रहा हूँ। आपकी किताब तब तक छप चुकी होगी, और देर करना क्षतिकर होगा।... मैं नवम्बर में लौटकर भी महीना-डेढ़ महीना पिछला भुगतान करने में लगा रहूँगा – इस प्रकार आपका काम जनवरी के अन्त तक लटक जाएगा। *मणिमय* का प्रकाशन होगा तो क्या दो प्रतियाँ भेज सकेंगे?" पत्र के उपसंहार में वात्स्यायन जी ने मधुर कटाक्ष किया था– "आप बड़े सुन्दर अक्षर लिखते हैं – मेरा दुर्भाग्य कि आँखों के कष्ट के कारण मुझे बड़ा दिखाने वाले लेंस के सहारे पढ़ना पड़ता है!"

कलकत्ते की लघु पत्रिका *मणिमय* के सम्पादक रामव्यास पाण्डेय के हठीले आग्रह से मैंने एक बड़ी परिकल्पना हाथ में ली थी। पाण्डेय जी मेरे सम्पादन में *मणिमय* का एक विशेषांक प्रकाशित करने के लिए आग्रहशील थे। शोध-प्रबन्ध तैयार करते हिन्दी पत्रकारिता के व्याज से हिन्दी विषयक बंगीय विरासत की मैंने पड़ताल की थी। उस समृद्ध परम्परा को व्यवस्थित रूप से उजागर करने का सपना तभी से मेरे मन में घुमड़ रहा था। पाण्डेय जी के प्रस्ताव को रूपायित करने का मैंने

संकल्प लिया, और *हिन्दी साहित्यः बंगीय भूमिका* शीर्षक आकलन-ग्रन्थ का प्रारूप तैयार किया। कलकत्ता में रहते हुए अज्ञेय जी ने कभी *विशाल भारत* का सम्पादन किया था, कई साहित्यिक योजनाएँ रची थीं और दूसरे-दूसरे रचनात्मक कार्य किए थे। उस प्रवास-काल की स्मृति टाँक देने के लिए मैंने वात्स्यायन जी से अनुरोध किया। उनके नाम मेरा वह पहला पत्र था, जिसका अनुकूल उत्तर अविलम्ब मिला। कार्याधिक्य के चलते वात्स्यायन जी ने निबन्ध तैयार करने के लिए कुछ समय माँगा था। एक छोटी प्रतीक्षा के बाद मैंने उन्हें अपने अनुरोध का स्मरण दिलाया, जिसके जवाब में लम्बे निबन्ध के साथ लम्बा पत्र भेजाः

"पत्र के साथ कलकत्ते के संस्मरण भेज रहा हूँ। तैयार करने में जो देर हुई, उसके लिए क्षमा चाहता हूँ। देर मेरे आलस्य के कारण नहीं हुई। एक के बाद एक इसी तरह के काम पूरे करता आ रहा हूँ। यों मैंने जून में भेजने की बात नहीं कही थी। जहाँ तक मुझे स्मरण है, मैंने यह लिखा था कि जून तक तो यह काम उठाने की भी सम्भावना नहीं है। 29 जून को बाहर से लौटा और तब लिखने-लिखाने का सिलसिला फिर से शुरू हुआ। कह नहीं सकता कि संस्मरण आपको पसन्द आएँगे या नहीं। इतना ही है कि कुछ बातें पाठकों को नयी अवश्य जान पड़ेंगी। लेख यदि लम्बा जान पड़े तो उसमें कोई अंश आप छोड़ भी दे सकते हैं। लेख के भीतर परिच्छेद के चिह्न तो स्पष्ट ही हैं। कोई भी परिच्छेद आप छोड़ सकते हैं। एक फोटो भी लेख के साथ रख दी है। यह फोटो तो इधर की है, कलकत्ते के समय की नहीं। पुरानी ही फोटो आप चाहते हों तो लौटती डाक से लिखें, मैं भेज दूँगा, लेकिन वह फिर इस शर्त के साथ कि उसे आप ब्लॉक बनवाने के बाद तुरन्त लौटा दें।"

औदार्य के इस रूप से मेरा यह प्रथम परिचय था। संस्मरण-निबन्ध विशेष उपलब्धि थी। पर कार्य-व्यस्तता के चलते प्राप्ति-सूचना भेजने में दो-चार दिन की देर हो गयी। कृतज्ञता का पत्र पाते ही वात्स्यायन जी ने पत्र लिखा– "मैं चिन्ता ही करने लगा था कि लेख कहीं खो तो नहीं गया कि आपका पत्र मिला। वह आपको पसन्द आ गया यह जानकर सन्तोष हुआ।... फोटो सचमुच रखना भूल गया। आज भेज रहा हूँ।"

उनकी 'भूमिका' के प्रति आग्रहशील था, इसलिए प्रतीक्षा का धैर्य मुझमें था। 22 जनवरी, 1982 को वात्स्यायन जी का पत्र मिला, "आपका 19 नवम्बर का पत्र, उसके साथ भेजी हुई आपकी भूमिका मैंने विदेश से लौटते ही पढ़ ली थी, लेकिन जो काम आपने सौंपा वह अभी तक नहीं कर पाया। पिछले तीन-चार दिन से सोच रहा था कि लिखकर भेज दूँ, लेकिन आपका पत्र फिर पढ़ा तो उसमें गुंजाइश दीखी कि अपने मनोनुकूल काम कर सकूँ। इसके लिए पुस्तक के छपे हुए अंश आप से मँगा सकता हूँ। केवल इंगित के आधार पर मैं कुछ लिख तो सकता, लेकिन स्वयं

मुझे उससे सन्तोष न होगा। आपकी पुस्तक का जितना अंश छप गया हो वह भेज दें तो मैं अब और विलम्ब किए बिना भूमिका लिखकर भेज दूँगा। विदेश से लौटते ही जो काम सिर पर थे उनसे अब मैंने छुट्टी पा ली है और इस समय मन से काम करने की कुछ सुविधा है।"

वात्स्यायन जी के निजी अनुशासन से जो परिचित हैं, जानते हैं कि उनका विवेक जिस काम की अनुमति देता था उसे ही हाथ में लेते थे। बड़ा-से-बड़ा प्रलोभन भी उनके अनुशासन को शिथिल नहीं कर सकता था। उनके इस पक्ष से जो अपरिचित थे, वे उनकी बौद्धिक मनस्विता को दर्प मानकर अप-प्रचार की भित्ति रच लेते थे। कलकत्ते की एक बड़ी संस्था के अधिकारीगण वात्स्यायन जी के सम्मान के व्याज से अपने प्रांगण में उनका भाषण कराना चाहते थे। उनके आग्रह की मैंने संस्तुति की। मगर उनके विवेक को मेरा अनुरोध मंजूर नहीं था। सहज सौम्य मुद्रा में उन्होंने मुझे जवाब लिखा था, निजी पक्ष स्पष्ट करते। पत्र में यह निर्देश भी था कि संस्था-अधिकारियों को मैं समझा दूँ कि न आने का अर्थ यह न लगाया जाए कि उनके प्रति मन में किसी प्रकार का अवज्ञा-भाव है।

वे मुझे अपने आशीर्वाद से प्रीत करना नहीं चाहते थे, मन से भूमिका लिखना चाहते थे, मेरे लिए यही बड़ी बात थी। और वह भूमिका न केवल मेरी निजता को रेखांकित करती है, बल्कि व्यक्तिव्यंजक निबन्ध पर एक गम्भीर टिप्पणी के रूप में बौद्धिक वर्ग द्वारा स्वीकार की गयी है। पुस्तक में संकलित ललित निबन्धों में 'गाँव की मिट्टी के महत्त्व' की चर्चा करते हुए भूमिका में उन्होंने लिखा था: " 'ललित निबन्ध' नाम मुझे पहले भी अपर्याप्त लगा है... इन निबन्धों को व्यक्तित्वपरक निबन्ध कहना तो ठीक है, लेकिन केवल ललित कह देने से उनके समर्थतर पक्ष की उपेक्षा हो जाती है। भाषा का लालित्य नहीं, आंचलिक जीवन से रागात्मक सम्बन्ध की समृद्धता ही उनका असल ऊर्जा-स्रोत है।... ललित निबन्ध एक सर्जनात्मक विधा इसीलिए है कि वह निर्बन्ध चिन्तन को ही नहीं, निर्बन्ध कल्पना को खुली छूट देता है। बल्कि वह कल्पना तो है जो चिन्तन को निर्बन्ध करती है और इसीलिए चिन्तन की निर्बन्धता व्यक्तिव्यंजक हो जाती है।"

रघुवीर सहाय और गोपालदास से आकाशवाणी अभिलेखागार के लिए बातचीत करते वात्स्यायन जी ने प्रसंगवश अपने स्वभाव के बारे में संकेत किया था– "मैं बाहर से शान्त दीखता हूँ लेकिन भीतर से बहुत बेचैन व्यक्ति हूँ। बेचैन का जो एक घटिया अर्थ भी हो सकता है उस अर्थ में नहीं। लेकिन मुझको लगता है कि भीतर मुझमें काफी ऊर्जा है, जिसको किसी-न-किसी तरफ रास्ता मिलना चाहिए। भीतर-ही-भीतर वह चक्कर काटती रहती है।"

वह बेचैन ऊर्जा जो वात्स्यायन जी के भीतर चक्कर काटती रहती थी, उन्हें कई

राहों-घाटों पर दौड़ाती रही, नित नये प्रयोग रचने के लिए प्रेरित करती रही – परिधान से लेकर साहित्य-रचना और सांस्कृतिक आयोजक तक – उनकी पूरी जीवन-चर्या में प्रातिभ स्वकीयता और अद्वितीयता मुखर थी। *विशाल भारत* जैसी पत्रिका का सम्पादन करने के बाद सेना में भर्ती होने का निर्णय, उस सरकार की सेना में जिसके विरुद्ध अपनी विप्लवी भूमिका के लिए उन्हें फाँसी की सजा हो सकती थी। हीरानन्द शास्त्री जैसे उच्च पदस्थ सरकारी अधिकारी के संस्कारी चुप्पा बेटे के लिए क्रान्तिकारियों के आग्नेय पथ को वरण करना भी कम अचरज की बात नहीं थी। मगर पिता के स्तर तक पहुँचने के लिए, पिता जैसा दिखने के लिए अज्ञेय जी को पिता से बहुत दूर जाना जरूरी लगता था–

कितनी दूर जाना होता है पिता से
पिता जैसा होने के लिए!

और उस दूरी को लाँघने का उनमें आत्मविश्वास उनकी प्रतिभा रचती थी–

है राह
कुहासे तक ही नहीं, पार देहरी के। है।
मैं हूँ तो वह भी है।

और अज्ञेय ने सारे विकट प्रत्यूहों को चीरकर अपने होने का प्रमाण दिया – अपनी सर्जनशीलता से मनीषी पिता के कृती पुत्र होने का प्रमाण। अनिकेतन अज्ञेय जी पेड़ पर अपने लिए घर बनवा रहे थे, जीवन की उपसंहार वेला जब करीब थी। हिन्दी की प्रकृति और संस्कार के लिए अज्ञेय जी कीं व्याकुल ऊर्जा थोड़ी भारी पड़ती थी, इसलिए किंचित् असह्य और उनके रचनात्मक प्रयोग – जानकी जय जीवन-यात्रा तक हिन्दी मिजाज के लिए एक अंश तक विजातीय, इसलिए उनका प्रत्येक आयोजन विवादास्पद रहा। लोग चिढ़ते-चिढ़ाते और अश्लील विद्रूप तक रचते रहे। समाज के प्रति संवेदनशील अज्ञेय अपनी स्वाधीनता के प्रति उतने ही सचेत थे। रमेशचन्द्र शाह ने वत्सल निधि के तत्त्वावधान में आयोजित कार्यक्रम में बोलते हुए बड़ी सटीक टिप्पणी की थी– समाज से स्वाधीन होना नहीं, समाज में स्वाधीन रहना अज्ञेय के विवेक का आग्रह था। जिस भाषा के कवि-लेखक थे अज्ञेय उस भाषा-समाज से उनकी संवेदना संसक्त थी। और चूँकि अतिशय सजग थे स्वयं के प्रति भी, और जैसी उन्होंने एक बातचीत में कैफियत दी है कि मौन रहते मैं आत्म-प्रशिक्षण में लगा रहता हूँ, उन्हें हिन्दी जगत की प्रतिक्रिया का प्रामाणिक ज्ञान था, क्योंकि उसके प्रति वे संवेदनशील थे और

एक चौकन्ना क्रान्तिकारी और सैनिक उनके भीतर सदा युयुत्सु मुद्रा में क्रियाशील था, जिस पर उनकी सौम्य स्मिति परदा दिए रहती थी।

अनेक आरोपों-कटाक्षों और हीन प्रयोजन से उठाये गये सवालों का अज्ञेय ने प्रत्याख्यान करते प्रखर तर्क के साथ अपना पक्ष स्थापित किया। हलकी-फुलकी छींटाकशी का जवाब देने की उनकी मनस्विता और गरिमा उन्हें अनुमति नहीं देती थी। यद्यपि कभी-कभी बड़ी व्यंजक चुटकी लेते थे। मुझे स्मरण है, मैथिलीशरण गुप्त शताब्दी-समारोह का साहित्य अकादेमी ने कलकत्ता में आयोजन किया था। वात्स्यायन जी ने बीज वक्तव्य का वाचन किया। हिन्दी के पांक्तेयजन उपस्थित थे। वात्स्यायन जी के वक्तव्य से सभी प्रभावित थे। विष्णुकान्त शास्त्री के राग में राग मिलाते नामवर सिंह ने उस वक्तव्य को 'दिव्य' कहा था। और शास्त्री जी ने वात्स्यायन जी को सम्बोधित किया था, "वात्स्यायन जी, नामवर जी भी आपके वक्तव्य को दिव्य मानते हैं।" मुस्कुराते हुए वात्स्यायन जी ने टिप्पणी जड़ी थी– "नामवर जी का दिव्य राक्षस पक्ष का दिव्य है।" और नामवर जी सहित हम सभी हँस पड़े थे।

देश-दुनिया और हिन्दी जगत की गतिविधि के प्रति वे कितने सचेत रहते थे, उनके पत्रों से भी इसका संकेत मिलता था। मुझे उलाहना देते उन्होंने 1 जून, 1982 को पत्र लिखा, "कुछ दिन पहले किसी समाचार पत्र में देखा कि आपकी पुस्तक *बेहया का जंगल* के प्रकाशन और सन्तरण का उत्सव हुआ था, जिसमें बहुत से लोगों ने भाग लिया। इस सूचना से जानकारी भी बढ़ी और प्रसन्नता भी हुई कि पुस्तक प्रकाशित हो गयी है और उसका स्वागत हुआ है। लेकिन थोड़ा आश्चर्य और खेद भी हुआ कि पुस्तक की एक प्रति मुझे भेजने का ध्यान आपको अथवा आपके प्रकाशक को न रहा। कुछ छपे हुए फरमे आपने पहले अवश्य भेजे थे, बल्कि उन्हें पढ़कर ही मैंने भूमिका लिखी थी, लेकिन सम्पूर्ण पुस्तक देखने का चाव तो बना ही रहा।" मेरी अनवधानता के चलते वात्स्यायन जी को पुस्तक भेजने में थोड़ी देर हो गयी थी। इसी पत्र के बन्द लिफाफे पर उन्होंने लिखा था– "पत्र डाक में छोड़ने से पहले पुस्तक मिल गयी। धन्यवाद।" इसी तरह 13 नवम्बर, 1983 के पत्र का उपसंहार करते उन्होंने लिखा था, "सुनता हूँ कि कलकत्ते में दिसम्बर में कई आयोजन हो रहे हैं – जैसे दिल्ली में नवम्बर में।" यह एक पंक्ति बहुत अर्थगर्भ है। उद्धृत पत्रांश से इतना स्पष्ट है कि हिन्दी जगत की गतिविधि के प्रति वात्स्यायन जी हर वक्त संवेदनशील रहते थे और उनका मानसतन्त्र अत्यन्त चौकन्ना था।

पैतृक सम्पत्ति के अपने हिस्से से सच्चे निस्पृह व्यक्ति की तरह हाथ खींच लेने वाले और नैसर्गिक मनस्विता के आग्रह से उस घर में जिस घर में कभी लौटकर नहीं आना है, अपनी मूल्यवान सामग्री – विशिष्टजनों के पत्र इत्यादि अनासक्त भाव से छोड़कर चल देने वाले वात्स्यायन जी अपनी रचना की हिफाजत के प्रति बहुत जागरूक

थे। *सदानीरा* के रूपायन में लगे थे, तब उन्हें मेरी याद आयी थी। "जिन दिनों मैं कलकत्ता रहता था उन दिनों *विश्वमित्र* में मेरी एक रचना छपी थी 'चाँदपाल घाट'। पता नहीं इसके विषय में मैंने पहले भी आपको लिखा था या नहीं, लेकिन इस रचना की कोई मुद्रित अथवा अमुद्रित प्रति मेरे पास नहीं है और उसकी मुझे अत्यन्त आवश्यकता है। क्या यह सम्भव होगा कि आप कहीं से मासिक *विश्वमित्र* की फाइल से इस रचना की मेरे लिए प्रतिलिपि करा दे सकें? टंकित प्रतिलिपि हो तो भी मेरा काम चल जाएगा, अथवा फाइल लेकर आप उसकी फोटोस्टेट प्रति बनवा लें तो भी ठीक रहेगा। यदि आपको कहीं से फाइल अथवा वह अंक उपलब्ध हो सके तो मेरे खर्चे पर यह काम कराकर मुझे रजिस्ट्री अथवा वी. पी. से भिजवा दें – अनुगृहीत हूँगा।"

पत्रकारिता विषयक शोध-कार्य करते समय यहाँ के सारे पुस्तकालयों और पत्र-पत्रिकाओं के कार्यालयों को मैंने बड़ी जागरूकता से हलकोरा था। राह-घाट से परिचय अन्तरंग हो गया था। वात्स्यायन जी के आदेश को सौभाग्य मानकर सारे केन्द्रों की नये सिरे से पड़ताल की और निरुपाय होकर वात्स्यायन जी को 'सरस्वती भवन' फतेहपुर से पता लगाने के लिए पत्र लिखा। मेरे छोटे अक्षरों पर एक बार वात्स्यायन जी ने टिप्पणी की थी। उनका इशारा समझकर उन्हें मैं निहायत असहज तरीके से ड्राइंग पेंसिल से बड़े-बड़े अक्षरों में पत्र लिखने लगा था। अनवधानता में एक बार अपनी सहज लिखावट में पत्र लिख दिया। डाक में पत्र छोड़ देने के बाद ध्यान आया तो तुरन्त अपनी अनवधानता के लिए क्षमा-याचना का पोस्टकार्ड लिखा। लौटती डाक से उन्होंने जवाब दिया। उसी बीच उन्हें *हिन्दी साहित्यः बंगीय भूमिका* की दो प्रतियाँ भी मिल गयी थीं। 13 नवम्बर, 1983 का पत्र मिला, "आपके दो पत्र मिल गये थे, पीछे कोई पुस्तक की दो प्रतियाँ भी छोड़ गया। आभारी हूँ। देर तो हुई, पर पुस्तक सुन्दर है और सामग्री मूल्यवान – निश्चय ही यह ग्रन्थ हिन्दी जगत में सम्मान पाएगा। दूसरे नगर अनुकरण भी करना चाहेंगे... लिपि की बात आपको याद रही। आपके अक्षर तो बड़े सुन्दर और सधे हुए होते हैं, मुझे छोटे अक्षरों से भी कष्ट होता है, पर अधिक कष्ट फीकी रोशनी से होता है – कभी-कभी तो अक्षर देख ही नहीं पाता। पर पिछला पत्र और उसकी लिपि देखकर तो चित्त प्रसन्न हो गया।"

बंगीय भूमिका को सारे हिन्दी जगत ने सार्थक प्रयास के रूप में स्वीकार किया, जो कि मेरे लिए प्रेरक था, पर वात्स्यायन जी की संक्षिप्त सम्मति सचमुच विशेष उपलब्धि थी। हार्दिक इच्छा थी कि वात्स्यायन जी के हाथों ही उक्त आकलन-ग्रन्थ का लोकापर्ण कराऊँ। मेरे कई अनुरोध-पत्र जब अनुत्तरित रह गये तो दिल्ली-प्रवासी अपने एक आत्मीय को वात्स्यायन जी से सम्पर्क कर फोन से सूचना देने का दायित्व सौंपा। वात्स्यायन जी को फोन करते भी थक गया था। खबर मिली कि वात्स्यायन जी विदेश गये हैं और घर में एक प्रहरी के अलावा कोई नहीं है। पुस्तक तैयार हो

गयी थी। प्रभाकर माचवे, प्रतापचन्द्र चन्द्र, विश्वनाथ अय्यर, पाण्डुरंग राव और विष्णुकान्त शास्त्री की मुखर उपस्थिति में लोकार्पण-अनुष्ठान सम्पन्न हुआ। दो-तीन सप्ताह बाद एक दिन शाम मेरे फोन की घण्टी बजी। छोटे बेटे ने बताया, दिल्ली से किसी का फोन है। आवाज पहचानकर बोले, "नमस्कार, वात्स्यायन बोल रहा हूँ। विदेश से लौटने पर आपके पत्र मिले। पत्र तो लिख दिया है, पर सोचा कि पहुँचने में समय लगेगा। आपका अनुष्ठान अभी सम्पन्न न हुआ हो तो उसके अनुसार कार्यक्रम बनाऊँ। वैसे बहुत विलम्ब हो गया है।" मैंने किंचित् संकोच के साथ अपनी स्थिति स्पष्ट की। बतकही का समापन करते वात्स्यायन जी ने कहा, "सम्भव हो तो पुस्तक की दो प्रतियाँ मेरे पते पर भिजवाइएगा।"

एक दिन मैंने लक्ष्य किया कि अपने सहज औदार्य से वात्स्यायन जी कभी-कभी गहरे संकोच में डाल देते थे। *स्मृति-लेखा* के निबन्ध *साप्ताहिक हिन्दुस्तान* में क्रमशः छप रहे थे। रेणु विषयक संस्मरण पढ़कर मैंने वात्स्यायन जी को पत्र लिखा। पत्र का जवाब देते उन्होंने लिखा, "*स्मृति-लेखा* माला आपको पसन्द आ रही है, यह जानकर सन्तोष हुआ। पुस्तक छप रही है और सितम्बर के अन्त तक तैयार हो जानी चाहिए।" 22 जनवरी, 1982 का लिखा दूसरा पत्र मिला, "*स्मृति-लेखा* छप चुकी है और प्रकाशक से कुछ प्रतियाँ मुझे अगले सप्ताह मिल जाएँगी। पुस्तक आते ही आपको भेजूँगा। आशा है आपको पसन्द आएगी। यदि वैसी प्रेरणा हो तो कहीं उसकी समीक्षा भी कर देंगे, आभारी हूँगा।" और पत्र पढ़कर मैं चमत्कृत हो गया कि मेरे जैसे अदना आदमी को ऐसी गुरुता वात्स्यायन जी की उदारता ही दे सकती है। पुस्तक प्रीतिपूर्वक उन्होंने भेजी और मनस्थ होकर मैं पढ़ गया। पर समीक्षा लिखने का साहस अपने भीतर नहीं जगा सका। पुस्तक की भूमिका वात्स्यायन जी के अन्तरंग सखा पं. विद्यानिवास मिश्र ने अपने 'भाई' का मन रखने के लिए लिखी है, पर गहरे संकोच के साथ। समीक्षा लिखने की मैं हिम्मत कैसे करता! सो वात्स्यायन जी का आदेश अनुत्तरित रह गया। उनका बड़प्पन था कि फिर कभी मुझे उन्होंने इस सम्बन्ध में टोका नहीं। इस कोटि का गरिमा-बोध कदाचित् प्रसाद में ही रहा होगा।

सहज संकोच के चलते ही वात्स्यायन जी का आग्रह मेरी ओर से अनुत्तरित रह गया था और गहरे संकोच ने एक बार और दबाया था जब 'मैथिलीशरण गुप्त शताब्दी समारोह' की भीड़ से खोजकर वात्स्यायन जी ने मुझे अपने निकट बुलवाया था और अपनी बगल में मेज पर बैठने का मुझे आदेश दिया था, साथ में फोटो लेने के उद्देश्य से। मुझे उनकी ऊँचाई का होश था, सकुचाते हुए बगल में खड़ा हो गया था। महीन स्मिति के साथ उन्होंने आग्रह किया, 'ऐसे नहीं, यहाँ बैठिए।' और मैं निरुपाय था। बाद में उस चित्र की एक प्रति मेरे एलबम के लिए उपलब्ध हो गयी थी।

भारतीय भाषा परिषद के सहयोग से 1986 में साहित्य अकादेमी ने कलकत्ता में मैथिलीशरण गुप्त शताब्दी समारोह का आयोजन किया था, जिसमें तब के अधिकांश पांक्तेय हिन्दी लेखक और विचारक सम्मिलित हुए थे। उद्‌घाटन बांग्ला कवि सुभाष मुखोपाध्याय ने किया और उद्‌घाटन-सत्र में ही अज्ञेय जी ने बीज-वक्तव्य के रूप में अपने आलेख का वाचन किया। उस वक्तव्य का सब पर गहरा असर था। मगर मैं जटिल असमंजस में पड़ गया। राष्ट्रकवि की महत्ता को रेखांकित करते प्रसंग-विशेष में वात्स्यायन जी ने जिस कवि और आलोचक को उद्धृत किया था, मेरे आलेख में भी वही उद्धरण था। मेरे असमंजस का यही बिन्दु था कि कहीं मुझे अन्यथा न समझा जाए। उद्‌घाटन सत्र के ठीक बाद यानी दूसरे दिन के प्रथम सत्र में ही मुझे अपना आलेख प्रस्तुत करना था, जिसे छपवाकर साहित्य अकादेमी के अधिकारी अपने साथ दिल्ली से लाये थे। परिवर्तन-संशोधन की गुंजाइश नहीं थी। मेरे अन्तरंग कवि-मित्र शंकर माहेश्वरी ने मेरा असमंजस तोड़ा और वात्स्यायन जी के बीज-वक्तव्य को स्मरण करते हुए मैंने आलेख-पाठ पूरा किया।

शाम को श्रद्धेय पं. विद्यानिवास जी ने प्रीत कण्ठ से मुझे बताया कि "भाई तुम्हारे आलेख की बड़ी प्रशंसा कर रहे थे।" और प्रीत होकर अवसर का लाभ उठाते मैंने पूछा था, "मगर आपको कैसा लगा पण्डितजी?" मुस्कुराते हुए पण्डितजी ने जवाब दिया था, "भाई की सनद के बाद मेरी सम्मति का क्या मोल?" मंच से आलेख बाँचते इतना तो मैंने भी लक्ष्य किया था कि एक किनारे बैठे वात्स्यायन जी मनस्थ होकर मुझे सुन रहे थे। मेरा वाचन पूरा होते ही सभा-कक्ष से निकल गये थे, जबकि मंच पर उनके प्रिय निर्मल वर्मा थे, जो मेरे बाद ही अपना आलेख पढ़ने वाले थे और देवराज जी का अध्यक्षीय वक्तव्य अन्त में था। बाद में देवराज जी ने अपनी पत्रिका के लिए मेरा आलेख माँगा था और निर्मल जी ने दूसरे सत्र में भेंट होते ही मेरे आलेख की प्रशंसा की थी। मगर वात्स्यायन जी ने अपनी प्रतिक्रिया मेरे सामने न प्रकट कर पं. विद्यानिवास मिश्र को बताई। उनकी सहज मनस्विता का यह स्वकीय रूप कई प्रकार के भ्रम भी जब-तब रच देता था।

मगर अपनी ही नहीं दूसरों की स्वतन्त्रता के प्रति वात्स्यायन जी जैसी संवेदनशीलता-सहिष्णुता उनकी पीढ़ी में भी विरल थी। आज के स्वार्थ-सजग अन्धे युग में तो वह संस्कार नामावर हस्तियों में भी, जो मूल्यों के जागरूक प्रहरी के रूप में प्रचारित किए जाते हैं, क्षीण रूप में भी नहीं दिखाई पड़ता। कनिष्ठतम पीढ़ी तक में उन्हें जहाँ प्रातिभ प्रकाश दिखाई पड़ता था, उसे सही राह पर नियोजित करने की संवेदना और अपेक्षित प्रोत्साहन देने का जागरूक विवेक उनमें बराबर कायम रहा। उनके साहित्यिक-सांस्कृतिक आयोजनों में दलबन्दी की हीन मति नहीं थी, जैसा शिविर विशेष कूट मन्तव्य से आरोप रचता और प्रचारित करता रहा। उनके सारे

आयोजन उनकी समष्टिप्रियता को द्योतित करते हैं। द्वीप कभी नदी की महत्ता को अस्वीकार नहीं करता, उसके स्वैराचार का दृढ़ता से प्रतिरोध करता है।

पूर्वग्रहमुक्त होकर विचार करने पर तथ्य स्पष्ट होगा कि कृति उद्योक्ता वात्स्यायन जी की कोटि के लोकपरक सांस्कृतिक आयोजन की प्रचेष्टा हिन्दी रचनाकारों में कदाचित् केवल भारतेन्दु हरिश्चन्द्र में ही दिखाई पड़ती है। आचार्य महावीर प्रसाद द्विवेदी के नायकत्व की दिशा दूसरी थी। उनकी चिन्ता का स्वर निस्सन्देह ऊँचा था, पर कर्म-सरणि केवल *सरस्वती* पत्रिका तक ही सीमित थी, जिसकी भूमिका ऐतिहासिक महत्त्व की है और जो संस्कार-निर्माण की दृष्टि से एक मूल्यवान आयोजन था। प्रेमचन्द की पीढ़ी के कवि-लेखक रचना-कर्म से हटकर जब-तब स्वतन्त्रता संग्राम से तो जुड़े, पर संस्कृति की उस जमीन से नहीं जुड़े, जो रचना-संस्कृति का ही एक जरूरी और मूल्यवान धरातल था और समग्र अभ्युत्थान के लिए जिसकी एक गुरुतर मूल्यवत्ता भी थी। कालान्तर में प्रगतिशील लेखक संघ के उद्योक्ताओं के आयोजन की प्रेरणा साहित्यिक-सांस्कृतिक मूल्यों से नहीं, राजनीतिक विचार से जन्मी थी। इसलिए स्वाभाविक रूप में उस पर राजनीति का ही वर्चस्व था। कदाचित् इसे लक्ष्य कर प्रथम अधिवेशन की सदारत करते प्रेमचन्द ने उद्योक्ताओं के मनोभाव को बड़ी साफगोई के साथ टोका था। साहित्य में राजनीति का हस्तक्षेप प्रेमचन्द को स्वीकार्य नहीं था। उस वर्चस्व की बात तो वे सोच भी नहीं सकते थे, जो परवर्ती काल में प्रगतिशील लेखक संघ की नियति के रूप में साहित्यिक मूल्यों के पक्षधर की आलोचना का विषय बना।

इस बिन्दु पर देश की आजादी की लड़ाई में विप्लवी भूमिका में क्रियाशील अज्ञेय बेहद संवेदनशील और सचेत थे। उनकी कर्म-चर्या के अनेक आयाम थे। सर्जनशील ऊर्जा इकहरी होती भी नहीं। अपने तमाम सांस्कृतिक आयोजन में वात्स्यायन जी विवेक के सहज आग्रह से उन लोगों से जुड़े और सहज सद्भाव के साथ उन्हें अपना सहयात्री बनाया, जिनसे उनका वैचारिक विरोध था। सम्बन्धों के प्रश्न पर रघुवीर सहाय से बातचीत करते उन्होंने अपना पक्ष स्पष्ट किया है, "विचारों में टकराहट हो और सहज सम्बन्ध बने रहें, ऐसे तो मेरे कुछ-एक मित्र हैं। ऐसे भी हैं जिनसे मेरी ओर से सम्बन्धों में कोई परिवर्तन नहीं आया, इसलिए कि उनका और मेरा वैचारिक मतभेद है और ऐसे भी लोग हैं जिनसे वैचारिक मतभेद नहीं है, लेकिन जिनसे सहज सम्बन्धों को मैं बढ़ाता नहीं हूँ।" रघुवीर सहाय ने प्रश्न किया, "लेकिन जहाँ सहज सम्बन्ध हैं, वहाँ आप किसी दूसरे व्यक्ति के जीवन में किसी तरह का दखल देना अच्छा या उचित या गैर-जरूरी, क्या मानते हैं?" वात्स्यायन जी का जवाब था– "मेरी जो व्यक्तित्व की और उसके विकास की अवधारणा रही है उसमें मैं किसी दूसरे व्यक्तित्व के सहज़ या कि प्रकृत विकास में बाधा देना गलत

मानता हूँ। उसमें अगर सहयोग हो सकता है, तो वह सहयोग भी दूँ या न दूँ, इसमें भी इस बात का विचार उचित मानता हूँ कि उसे इसकी कोई अपेक्षा है या नहीं। तो उसकी स्वाधीनता को बनाये रखते हुए या बने रहने देते हुए अगर सहयोग मैं दे सकता हूँ तो उसके लिए अपने को मुक्त मानता हूँ, नहीं तो और नहीं मानता।"

वात्स्यायन जी की यह कैफीयत, अहंकार तथा जटिल आभिजात्य के रूप में प्रचारित और काफी हद तक बदनाम उनकी मनस्विता को भी तथा उनके विवेक-धरातल और नैसर्गिक औदार्य को भी सही रूप में समझने में सहायक हो सकती है। मुक्तिबोध और शमशेर बहादुर सिंह के प्रति उनका सद्भाव जग-जाहिर है। और जाहिर है, अज्ञेय का उस विचारधारा के प्रति अन्यथा भाव था, जिस राजनीतिक विचारधारा से मुक्तिबोध और शमशेर का सम्बन्ध था। इस पक्ष के मर्म को सटीक कोण से न देखकर विपरीत प्रत्यय से प्रतिबद्ध लोग तरह-तरह के आरोप रचकर विभिन्न कोणों से उन पर आक्रमण करते रहे। वात्स्यायन जी की सर्जनशीलता तो अशिथिल रही, पर उनके मानसतन्त्र पर अप-प्रचार और निराधार लांछन का असर होता था। किंचित् अमर्ष के साथ उन्होंने साहित्यिक साक्षात्कारों में जब-तब प्रतिक्रिया भी प्रकट की है।

स्वाधीनता वात्स्यायन जी की दृष्टि में सबसे बड़ा मूल्य था। यही उनका सत्य था, जिसे नाना विधाओं और सांस्कृतिक परिकल्पनाओं में रूपायित करने की साधना वे करते रहे – आजीवन। उनके जीवन की सान्ध्य वेला में उनके कुछ करीब पहुँचा था। व्यक्तित्व और व्यक्तित्व के सर्जनशील अनुशासन को पढ़ना शुरू ही किया था कि वात्स्यायन जी ने लोकयात्रा की राह छोड़कर परलोक की राह पकड़ ली।

48

लेखक की बिरादरी

॥ गोविन्द मिश्र

अज्ञेय से पहली मुलाकात मेरे घर पर हुई थी। मैं तब दिल्ली में नेताजी नगर में रहता था। वे इला जी के साथ विदेश से लौटे ही थे और वसन्त विहार में रहते थे। *नया प्रतीक* या तो निकलने वाला था या एक-दो अंक निकले थे। वे कहानी माँगने मेरे घर आये। मैं ठहरा करीब-करीब नया लेखक। साहित्य जैसे स्वयं मुझमें गौरव भरने चला आया था। भव्य रूप, स्वच्छता और सौन्दर्य छलक-छलक पड़ता। मैंने जब इस बात का जिक्र अपने साहित्यकार मित्रों से किया तो वे मुझे तरह-तरह से आगाह करने लगे– तुम *नया प्रतीक* में छपोगे तो बदनाम हो जाओगे, उनसे जुड़ोगे तो तुम्हारी छवि प्रतिक्रियावादी की हो जाएगी...वगैरह-वगैरह। साहित्य-जगत की राजनीति का यह पहला झटका था, जो मुझे लगा। मैं तो इसी बात से अभिभूत था कि अज्ञेय नये से नये लेखकों के रचनाकर्म में दिलचस्पी रखते हैं, उन्हें पढ़ते हैं। मैं इसी बात पर अड़ा और *नया प्रतीक* में धड़ल्ले से छपता रहा, मेरी छवि जो बने बनती रहे। उस दौरान हिन्दी कहानी की लेखमाला के अन्तर्गत मैंने अज्ञेय जी की आलोचना भी की...पर वह लेख भी बिना किसी संशोधन के अज्ञेय जी ने छापा।

उनसे मिलना-जुलना होता रहा। तभी मेरा उपन्यास *लाल पीली जमीन* प्रकाशित हुआ। अज्ञेय जी ने न केवल उसे पढ़ा, उस पर साहित्यकारों की एक अन्तरंग गोष्ठी अपने घर पर आयोजित की (तब वे गॉल्फ लिंक्स में आ गये थे), जिसमें जैनेन्द्र कुमार, नेमिचन्द्र जैन, चन्द्रगुप्त विद्यालंकार, विष्णु प्रभाकर, निर्मल वर्मा आदि शीर्षस्थ लेखक सम्मिलित हुए। गोष्ठी में सब दरी पर बैठे थे और अज्ञेय जी कैमरे को स्टैंड पर फिट करके फोटो ले रहे थे। जहाँ जैनेन्द्र समेत अन्य साहित्यकार *लाल पीली जमीन* की प्रशंसा कर रहे थे, अज्ञेय जी ने उपन्यास की खासी आलोचना की। एक बार तो मुझसे सीधा सवाल किया– "आपने उपन्यास का पहला अध्याय सबसे बाद में लिखा है क्या"...जो कि सही था। उस रास्ते उपन्यास की रचना-प्रक्रिया में जाकर उन्होंने उपन्यास को कठघरे

में खड़ा किया। अलबत्ता उपन्यास की भाषा की उन्होंने तारीफ की। आज सोचता हूँ तो लगता है लेखकों की आपसी बैठक (जिसमें श्रोता न हों) ऐसी ही होनी चाहिए, जिसमें एक किताब के माध्यम से, उसकी रचना-प्रक्रिया में उतरकर हम एक-दूसरे के मार्गदर्शक तो नहीं, एक-दूसरे को संस्कारित करने का काम कर सकते हैं।

लेखकों के इस तरह के आपसी साहित्यिक वार्तालाप के आग्रही अज्ञेय जी हमेशा रहे। ज्ञानपीठ मिलने के बाद उस पैसे में कुछ अपने भी मिलाकर उन्होंने वत्सल निधि की स्थापना की, जिसके अन्तर्गत लेखकों की यात्राएँ और लेखक-शिविर भी आयोजित किए। यात्राओं में तो मैं नहीं जा सका, वृन्दावन और बरगीनगर के दो शिविरों में जरूर शामिल हुआ। बरगीनगर शिविर के लिए मैंने अज्ञेय जी को प्रियंवद और महेश कटारे के नाम सुझाए। वे इन लेखकों से परिचित नहीं थे, लेकिन उन्होंने मेरी अनुशंसा पर दोनों को शिविर में सम्मिलित किया। यह वत्सल निधि की प्रजातन्त्रात्मकता को दर्शाता है। बरगीनगर में मैंने वरिष्ठ लेखकों के बीच हाल ही में लिखी अपनी कहानी 'पगला बाबा' पढ़ी। कहानी के विषय और संवेदनात्मकता के कारण कहानी-पाठ की समाप्ति पर सभी साहित्यकार चुप... अज्ञेय जी सभी को टिप्पणियों के लिए उकसा रहे थे...उनके अनुसार वैसी अन्तरंग गोष्ठी में आलोचनात्मक टिप्पणियाँ होनी ही चाहिए...फिर भी सब चुप रहे। आखिर डॉ. रामस्वरूप चतुर्वेदी ने कहा– 'इस मौन को कहानी का अभिनन्दन मान लिया जाए?' बात अज्ञेय जी के गले न उतरी। पर चतुर्वेदी जी की बात का मान रखते हुए फिर वे भी कहानी पर कुछ न बोले, जबकि उनका लेखकीय कद वहाँ सबसे ऊँचा था।

एक बात...बल्कि दो बातें मैं अपने अनुभव से कह सकता हूँ। एक– कि अज्ञेय जी के इन आयोजनों में कहीं अपना घेरा या ग्रुप बनाने जैसी बात दूर-दूर तक नहीं थी। दूसरे– जो हलका अन्देशा मुझे हुआ था, जब अज्ञेय जी मेरे घर आये, कि शायद वे मुझ जैसे लोगों का पत्रिका के विज्ञापन आदि के लिए इस्तेमाल करें। एक बार भी साहित्यिक सहयोग के अलावा अज्ञेय जी ने कभी किसी चीज का जिक्र तक नहीं किया। यह बात जैनेन्द्र कुमार जी के लिए भी मैं कह सकता हूँ, जबकि उनके पुत्र का पूर्वोदय प्रकाशन तब आर्थिक संकट में था। वे सचमुच बड़े लोग थे।

अज्ञेय जी में आत्मसम्मान की भावना कूट-कूट कर भरी थी। कभी-कभी तो वे अति भी करते थे। सालों बाद मुम्बई में मेरे घर पर नरेन्द्र शर्मा, डॉ. बान्दिवडेकर और मेरी अनौपचारिक बातचीत रेकॉर्ड हो रही थी। उसके बाद मेरी पत्नी ने भोजन के लिए सबसे कहा, अज्ञेय जी ने मना कर दिया– 'आपने भोजन के लिए कहाँ

निमन्त्रित किया था, मैं तो सिर्फ बातचीत रेकॉर्ड कराने के लिए आया हूँ।' कितना कहा, उन्होंने नहीं ही खाया।

यह कहना गलत होगा कि अज्ञेय जी का सब कुछ मुझे अच्छा लगता था। किसके साथ हो पाता है ऐसा? कुछ तो खासा खराब लगता था। पर उन्हें लेकर बहुत ही अनायास ढंग से ऐसा हो जाता कि मैं देखता कि ये जो दीगर बातें हैं वे वात्स्यायन जी के चलते चोले की हैं, उसकी नहीं जिससे मेरा साक्षात्कार है। इस दृष्टि में उनके नाम वात्स्यायन और अज्ञेय उपयुक्त, कम से कम मेरे लिए बहुत सुविधाजनक थे। मेरा यह दो स्तरों का सम्प्रेषण वे समझते थे। तभी ऐसा हो सका कि अपनी तरफ से गलतफहमी के दर्जनों मौके देने के बावजूद उन्होंने मुझे कभी गलत नहीं समझा, उनका स्नेह बराबर मुझे मिला।

फ्रैंकफुर्त मेले में जाने के पहले वे बम्बई आये थे। उनके साथ डॉ. बान्दिवडेकर और मेरी एक वार्ता टी.वी. पर रेकॉर्ड हुई थी। उसमें अनायास ही वे ऐसा कुछ बोल गये– उन्हें अब यह भी सोचना है कि कितना समय उनके पास है...और मैं भी ऐसा कुछ पूछ गया कि वे क्या सोचते हैं जीवन में क्या कुछ छूटा, क्या वे नहीं कर पाये। यह शायद उस परमशक्ति के पदचाप की आहट थी जो कुछ ही महीनों में उन्हें लेने आनेवाली थी।

टी.वी. की रेकॉर्डिंग के बाद हम तीनों मेरे घर आ गये। इस दफा भोजन की बात पहले हो चुकी थी। भोजन के बाद किस निश्चिन्तता से बैठे थे...अज्ञेय जी ऊपर सोफे पर, हम दोनों फर्श पर नीचे, कितनी बातें, यात्रा की योजनाएँ, योजनाओं पर चर्चा। उस निश्चिंत भाव से उनका इतनी देर बैठना, बोलना भी बराबरी से। शायद पहले ऐसा हम दोनों के बीच कभी नहीं हुआ था।

जीवन की यह सबसे बड़ी विडम्बना है कि हम खो कर ही समझ पाते हैं। ऋषि भाव और सौन्दर्यपूजा। परम्परा में आस्था और आधुनिकता की स्वतन्त्रता भी। फक्कड़ी और वातानुकूलित स्टडी। लहर की तरह बह भी जाना और अपनी शक्तियों के सही संचय और सही उपयोग के लिए जबरदस्त अनुशासन...कितने विरले संगम मिलते हैं उनके यहाँ। आम हिन्दी लेखक की तस्वीर से कितनी भिन्न तस्वीर...सौन्दर्य, समृद्धि, गरिमा जैसे मूल्यों को स्वयं से चिपकाये हुए। किसी एक हिन्दी लेखक ने साहित्यकार की गरिमा को इतना नहीं उठाया, जितना अज्ञेय ने।

जीवन में सिर्फ एक बार अज्ञेय जी के साथ पीने का सौभाग्य मिला। तब वे इला जी के साथ कैवेंटर्स ईस्ट में रहते थे। वहाँ एक पेड़ के ऊपर अज्ञेय जी ने अपनी कल्पनानुसार एक बैठकी भी बनाई थी। उस दिन जब मैं पहुँचा तो बारिश

हो रही थी। इला जी ने मुझे ड्राइंग रूप में बिठाया, कमरे से अज्ञेय जी झाँककर अंग्रेजी में बोले– "केयर टु हैव सम विस्की?"

मैं हैरान, गद्गद भी। बाहर बारिश, नशिस्त में अज्ञेय जी की सोहबत। थोड़ी देर में उन्होंने अपना सिर बाहर निकालकर फिर पूछा–

"विद सोडा ऑर वाटर?"

क्या नफासत...ड्रिंक्स का पूरा मैनरिज्म, अंग्रेजी भाषा के इस्तेमाल से लगाकर थोड़ी देर में सजी सजाई छोटी ट्रॉली को ढिनगाते हलके मुस्कुराते अज्ञेय जी आये। ट्रॉली में बढ़िया शराब, खूबसूरत गिलास, बर्फ का बाउल आदि करीने से सजे थे। उन्होंने लिया होगा मुश्किल से एक पेग...दो बार में...लेकिन अदाएँ पूरी थीं। शायद वह उनका, पीछे-पीछे मेरा बारिश को नमन था। फैज ने भी तो कहा था– "आये कुछ अब्र, कुछ शराब आये"!

वही कैवेंटर लेन का बँगला। मुम्बई में सूचना मिली कि वे नहीं रहे। वहाँ से बान्दिवडेकर और मैं प्लेन से पहुँचे। थोड़ी दूर तक मैंने भी कन्धा दिया। तब एक ही बात मन में उठ रही: उनके मानवीय सरोकार, साहित्य को सर्वोच्च मानने की जिद। वैसे संस्कार मेरे भीतर भी बराबर बने रहे। साहित्यकारों की बिरादरी कैसे बिखर गयी है...अलग-अलग वर्गों में, खेमों में...जबकि सभी अपने-अपने ढंग से उस साहित्यकर्म में लगे हुए हैं, जिसके प्रति प्रभावशाली वर्गों में उपेक्षा है...साजिश की हद तक। सभी अपने अलग-अलग विचारों-तरीकों से हिन्दी-साहित्य को समृद्ध करते हैं। बिरादरी-भाव न होने की पीड़ा अज्ञेय जी को अन्तिम दिनों तक सालती रही थी...

खाइयाँ बढ़ती जाती हैं...अपने तईं मैं लेखन कर्म में गम्भीरता से लगे सभी लेखकों के लिए स्नेह महसूस करता हूँ। जो बढ़िया लिखते हैं, उनके लिए आदर भाव जागता है...वे छोटे हों या बड़े।

ये जैनेन्द्र और अज्ञेय के संस्कार हैं, जो मुझमें उतरे हैं – यह खबर मुझे है।

49

सपनों का रंग

॥ मुकुन्द लाठ

मैं संस्मरण लिखने के मामले में अपने को बहुत समर्थ नहीं समझता – मेरी अपने और अपने से जुड़े विगत में उतरने की, उसे टटोलने की वृत्ति ही शायद क्षीण है। अपनी आपबीती मुझमें कोई रुचि-विशेष नहीं जगाती, न किसी महत्त्व की जान पड़ती है। पर ओम जी का इसरार है। तो जितना हो सके, अज्ञेय जी की यादों को कुछ बटोरता हूँ। एक सिलसिले की कोशिश करूँगा, पर साल, तिथि में बँधा कोई क्रम सामने नहीं ला पाऊँगा। अज्ञेय जी की कविता को मैं महत् समझता हूँ। पर कवि और कविता का सम्बन्ध मेरे लिए कभी घनिष्ठ नहीं हो पाया। जिस चेतना से कविता उतरती है, उसका कवि व्यक्ति से क्या सम्बन्ध है – यह मेरे लिए एक पहेली ही है। काव्य-चेतना व्यक्ति से अलग खड़ी ही दीखती है। अज्ञेय जी के अपने काव्य-बोध में भी इस बात की घनीभूत उपलब्धि देखी जा सकती है। अपने काव्य-कर्म के ही अन्तरंग स्वरूप पर लिखी गयी *'पहले मैं सन्नाटा बुनता हूँ'* कविता को ही लीजिए।

अपने सामने घटती घटना के प्रति मेरी श्रद्धा की क्षीणता से अज्ञेय जी नाखुश भी हुए। भागवत-भूमि यात्रा में उन्होंने और इला ज़ी ने मुझे भी बुलाया था, बड़ी खातिर-तवज्जो से रखा था। मैं यात्रा-मण्डली से गुजरात जाकर मिला। कृष्ण के जीवन का – विशेषकर, उनके प्रौढ़, कर्मशील जीवन का – बड़ा भाग गुजरात में ही बीता था। वहीं उन्होंने द्वारिका में यादव, वृष्णि आदि के राजन्यों के संघराज्य को रूप दिया, शक्ति-समृद्धि दी, और वहीं उसे अपनी आँखों के आगे संघ के ही भीतर पत्नी-द्वेष और अहंकार की आग से मिटते भी देखा। वहीं निर्विकार व्याध के तीर से मारे गये – जिस घटना पर अज्ञेय जी की मार्मिक कविता है; शायद दो कविताएँ हैं। भागवत यात्रा में भाग लेने वालों से अपेक्षा थी कि हम यात्रा के संस्मरण लिखेंगे। यात्रा का अनुभव था भी विविध और पैना। पर मैंने जो लेख लिखा, उसमें यात्रा पर बहुत थोड़ा, एक छोटी नगण्य-सी भूमिका के रूप में ही कुछ था। लेख का असल विषय कृष्ण और उनका द्वारिका का संघराज्य था। कृष्ण

की राज्य-दृष्टि राजा के नहीं, संघ के प्रति आस्था की दृष्टि थी। अज्ञेय जी को लेख यात्रा के उपयुक्त नहीं लगा। उन्होंने इला जी के माध्यम से कहलवाया कि मैं उसे अधिक यात्रा-योग्य बनाने के लिए कुछ करूँ। मैंने अन्त में यात्रा-प्रसंग से ही कुछ लेकर चस्पां तो किया, पर पता नहीं उन्हें उपयुक्त लगा या नहीं। उस यात्रा पर लेख-संग्रह उनके जीते-जी नहीं निकला, मरणोपरान्त निकला है। अगर वे उसकी कोई भूमिका लिखते तो मालूम होता कि उन्होंने मेरे लेख को कैसे आँका-परखा था।

इसके पहले भी – कितना पहले मुझे ध्यान नहीं, बल्कि सोचता हूँ तो पहले-पीछे ही मेरे मन में गड्डमड्ड है अज्ञेय जी ने मुझे इलाहाबाद बुलाया था। मैंने वहाँ संगीत-बोध और रस की धारणा को लेकर एक परचा पढ़ा था, जिसे उन्होंने अपनी सम्पादित पुस्तक *भारतीय कला-दृष्टि* में छापा भी। इलाहाबाद में मैं दो-चार दिन उसी होटल में था, जहाँ अज्ञेय जी भी ठहरे थे। एक दिन उन्हें हिन्दी साहित्य की आधुनिकता पर और उसमें उनके अपने स्थान पर एक अनौपचारिक, पर अच्छा लम्बा-सा व्याख्यान देते सुना। वे हमें महादेवी जी से मिलाने भी ले गये। वहाँ की एक और छोटी-सी बात मुझे याद है, जो जाने क्यों मन में उतरकर ठहर गयी है। भोजन के समय एक रात अज्ञेय जी ने विचित्र-सा प्रश्न उठाया। हम सबसे पूछा कि हमें सपना रंगीन आता है या सादा-काला? प्रश्न के पीछे कोई आशय भी था या केवल कुतूहल था, समझ में नहीं आया। हालाँकि इससे जुड़े किसी कल्पना-सम्बन्धी सिद्धान्त की भी शायद उन्होंने चर्चा की थी। और जहाँ तक मुझे याद है, यह भी कहा था कि सपने रंगीन नहीं होते – या यह कि उन्हें सपने रंगीन नहीं आते। इस अनुभव के अर्थ पर भी कुछ विचार-सा उन्होंने किया था। मैंने कभी इस बात पर कुछ सोचा नहीं था; इसका कोई महत्त्व अब तक मुझे नहीं दीखा है। पर मुझे कुरेद हुई और मैंने अपने सपनों को देखने की कोशिश की – सपने के बाहर रहकर आत्मचेतन भाव से यह देखने की कोशिश कि वह रंगीन होता है या नहीं। ऐसा देखना एक तरह का ध्यान – या पड़ताल कहिए – चाहता है जो बहुत यत्न-साध्य नहीं। मैंने पाया कि मुझे सपने रंगीन ही आते हैं – स्वप्न-लोक वैसा ही वर्णमय दिखता है जैसा नागर-लोक। पर इसका अर्थ क्या है? यह जानने की कुरेद मुझे नहीं हुई। अज्ञेय जी से भी इस विषय में कभी बात नहीं हुई – वे बताते तो शायद इसका कोई अन्तर्गर्भ अर्थ बताते। या शायद उन्होंने कुतूहलवश ही बात छेड़ी हो! आज सोच रहा हूँ तो यही ज्यादा सम्भव जान पड़ता है।

पर अज्ञेय जी से मेरा परिचय और भी पुराना था। अज्ञेय जी के पुराने मित्र थे, विवेक दत्त। उनके समीप के मित्र थे। प्रो. दयाकृष्ण, रामस्वरूप जी, सीताराम जी गोयल, ये विवेक जी के कॉलेज के दिनों के मित्र थे; इन्हें मैं छुटपन से जानता था

— किशोर हुआ तब से। विवेक जी (पश्चिम) बर्लिन में एक संस्था के उपाध्यक्ष थे। संस्था पश्चिमेतर देशों के संगीत के संरक्षण और अध्ययन पर केन्द्रित थी। संगीत का प्राचीन ग्रन्थ है, *दत्तिलम्*। संस्था के संस्थापक-अध्यक्ष अलें दान्येलू उस ग्रन्थ में बहुत रुचि रखते थे। मैंने उन्हीं दिनों संस्कृत में एम.ए. पूरा किया था। संगीत में मेरी रुचि बचपन से थी। विवेक जी ने प्रस्ताव दिया कि मैं बर्लिन आकर *दत्तिलम्* का अनुवाद करूँ — शोध सहायक बनूँ। बर्लिन जाने से पहले विवेक जी मुझे अज्ञेय जी और कपिला वात्स्यायन से मिलाने कपिला जी के सरकारी आवास पर ले गये। क्या बातें हुईं मुझे याद नहीं। पर अज्ञेय जी का मौन याद है। बाद में भी मैंने उन्हें चुप ही पाया। इधर-उधर की गपशप में उनकी रुचि नहीं रहती थी। बात की बात करना ही पसन्द करते थे, अन्यथा निर्विकार, स्वस्थित से रहते थे। विवेक जी एक किस्सा अक्सर सुनाया करते थे। ऐसे किस्से अज्ञेय जी के बारे में और भी मिलेंगे। विवेक जी का सुनाया जितना, जैसा मुझे याद है, दोहराता हूँ। विवेक जी अज्ञेय की अटल, अचंचल-सी चुप्पी से अक्सर परेशान हो जाते थे। एक बार दिल्ली से इलाहाबाद जाते हुए ट्रेन के डिब्बे में ये दोनों थे। अज्ञेय जी चुप, और अपनी चुप्पी में अडिग। विवेक जी बड़े क्षुब्ध और विचलित हुए। उन्होंने अज्ञेय से कहा, 'तुम्हारा बिस्तर उठाकर फेंक दूँ तो क्या करोगे?' अज्ञेय जी फिर भी चुप, न टस न मस। विवेक जी ने आव देखा न ताव, अज्ञेय जी का बिस्तर उठाया और चलती गाड़ी से बाहर फेंक दिया। अज्ञेय जी वैसे ही बैठे रहे, उनकी मौन समाधि नहीं टूटी।

50

छायारूप

॥ ओम थानवी

अज्ञेय को 'अज्ञेय' नाम पसन्द नहीं था। जीवन के अन्तिम वर्षों तक वे कहते रहे कि यह उनका 'ओढ़ा हुआ' नाम है। उनके हाथ से जो पाण्डुलिपि तैयार होती, हरेक पर 'अज्ञेय' लिखा रहता था। मुझे उनकी कुछ किताबें उन्हीं के हाथों भेंटस्वरूप पाने का सौभाग्य मिला है। उन सब पर 'अज्ञेय' ही लिखा है। उद्धरण-चिह्न में। उन्हें फोन पर पूछा जाता कि अज्ञेय जी हैं, तो जवाब होताः नहीं, मैं वात्स्यायन बोल रहा हूँ! यह उनकी चुहल होती थी। वे अपने रचनाकार रूप का नाम 'अज्ञेय' स्वीकार कर चुके थे, लेकिन व्यक्ति के नाते सच्चिदानन्द वात्स्यायन थे। इतना ही नहीं, कविता-कथा यानी रची हुई कृति तो 'अज्ञेय' नाम से छपवाते थे; पत्र-पत्रिकाओं के लिए लिखे लेख, विचार-मन्थन या आलोचना आदि सब असल नाम से।

लेकिन यह भी सच है कि उपनाम ने उनके जीते-जी हिन्दी समाज में असल नाम की प्रतिष्ठा पा ली थी। उनके उद्धरण-चिह्न देखते-न-देखते निरर्थक हो गये।

अब यह बात जगजाहिर है कि किस तरह विकट परिस्थिति में यह नाम उनके पल्ले अनचाहे आ पड़ा। दिल्ली जेल (1930-1933) में लिखी 'साढ़े सात कहानियाँ' वात्स्यायन जी ने वहीं से जैनेन्द्र कुमार को भिजवाईं, आगे *जागरण* और *विशाल भारत* के सम्पादक प्रेमचन्द और बनारसीदास चतुर्वेदी को पहुँचाने के लिए। लेखक की इच्छानुसार जैनेन्द्र जी ने कहानियाँ भिजवा दीं। प्रेमचन्द को दो राजनीतिक कहानियाँ पसन्द आयीं। उन पर कोई नाम नहीं था। पहले उन्हें संशय हुआ कि अनाम कहानियाँ जैनेन्द्र जी की ही न हों। उन्होंने पूछा तो जैनेन्द्र जी ने लेखक के नाम की जगह एक विशेषण 'अज्ञेय' का प्रयोग किया। यानी लेखक ऐसी परिस्थिति में नहीं है कि उसका नाम उजागर किया जा सके। बाद में प्रेमचन्द ने निर्णय किया कि क्यों न लेखक के नाम की जगह 'अज्ञेय' ही लिख दिया जाए। और 'अमरवल्लरी' कहानी उन्होंने *जागरण* में इस 'नाम' से प्रकाशित कर दी।

लेकिन कोई तीन दशक पहले, 1981 में, दिल्ली में मुझे अपने घर के 'जंगल' की सैर कराते हुए अज्ञेय जी ने जब बड़े सहज भाव से कहा कि ऐसा 'बेहूदा' नाम वे खुद कभी न रखते, बल्कि किसी तरह का उपनाम ही न रखते – तो मैं चौंक गया था।

वह उनका कैवेंटर्स ईस्ट वाला घर था। छह साल बाद वहीं उनका प्रयाण हुआ। कभी इला डालमिया के पिता रामकृष्ण डालमिया का उद्यम रही कैवेंटर डेयरी के आमने-सामने बने दो बँगलों में यह पूर्वी ठिकाना उजड़ी जायदाद की दास्तान आप कहता था। मगर वात्स्यायन जी ने इसमें एक तरतीब ढूँढ़ ली थी। बागवानी में वे सिद्धहस्त थे। यह लगाव उन्हें विरासत में पिता से मिला था। उस घर में आगे की तरफ उन्होंने एक खूबसूरत बगीचा विकसित किया। पर पीछे का हिस्सा निपट उजाड़ रहने दिया।

"उस तरफ जाने की इजाजत हर किसी को नहीं होती", कुछ चंचल मुद्रा में मुझ नाकुछ को जैसे विशिष्टता का अनुभव कराते हुए उन्होंने कहा। इशारा उठने का था।

उनकी पसन्दीदा दार्जीलिंग चाय की महक तब तक मेरे 'रसबोध' का हिस्सा नहीं बनी थी। उसे उसी साँस में सुड़ककर मैं उठ खड़ा हुआ। उनकी नजर पैनी थी। उठते हुए प्याली को निहारकर बोले, आप चाय पीते हैं या दूध? मुझे सवाल तत्काल समझ में नहीं आया। या, कहना चाहिए, उनके मजाकिया स्वभाव का अभ्यस्त नहीं हुआ था। बाद में समझा कि अच्छी चाय का दूध और चीनी से दुश्मनी का नाता होता है। बहरहाल, हम बगीचे से निकले और घर के बाएँ खड़ी दो कारों – एक फिएट, दूसरी एम्बेसडर – की बगल से होते हुए पिछवाड़े के जंगल में प्रवेश कर गये।

वह सचमुच छोटा-मोटा जंगल ही था। दिल्ली के बीचोबीच किसी घर की चारदीवारी में ऐसा नजारा मेरे लिए तब भी अजूबा था, आज भी है। अलसाए पेड़, बेतरतीब झाड़-झंखाड़। घर के सामने तराशे हुए बगीचे में तो अजीब-सी चुप्पी थी, पर इस जंगल का सन्नाटा मोहक था और सुनाई पड़ता था। जैसे अज्ञेय के व्यक्तित्व के दो रूपों की छाया हो। दो चेहरों की तरह घर का आगा-पीछा उन्होंने दो नितान्त भिन्न ध्रुवों पर रच रखा था। जिस तरह अपने रूपों को वे चाव से जी लेते थे, वनस्पतियों की यह दूरी भी चाव से पाटे रखते थे। पर उनका मन शायद पीछे के एकान्त में ज्यादा रमता था।

उस सन्नाटे को अचानक पक्षियों की चहचहाहट वेधती और फिर जैसे उसी सन्नाटे में विलीन हो जाती। प्रकृति पर अज्ञेय की हजार कविताएँ होंगी, पर उनके घर में प्रकृति-प्रेम का वह जीता-जागता रूपाकार मेरे दिलोदिमाग पर आज भी

ज्यों-का-त्यों छाया है।

उसी वनप्रान्तर में उन्होंने अपने नाम को हलके अन्दाज में बेहूदा कहा और मैं चौंका। दरअसल, उनका नाम – यानी उपनाम – जेहन में इस तरह जम चुका था कि उस पर सोचने की कभी जरूरत महसूस नहीं हुई थी। नामों-उपनामों के साथ अक्सर ऐसा ही होता है। उनमें अर्थ कौन ढूँढ़ता है? लेकिन जब उन्होंने अज्ञेय नामकरण की दास्तान – जो मुझे तब ज्ञात न थी – सुनाई तो उनका तंज भी समझ में आया।

अज्ञेयः जिसे कभी जाना न जा सके। पर अभिव्यक्ति में रत जो लेखक हमेशा सम्प्रेषणीयता की वकालत करता आया हो, अपने आप को अज्ञेय कैसे कह सकता है! भले उनके विरोधी उन्हें अहंवादी करार देते रहे हों, अज्ञेय अत्यन्त विनम्र और सहज थे। एकान्त और निजता की चाह रखने वाला हमेशा अहंकारी नहीं होता। अपने साहित्य में वे 'अहं के विलय' की बात करते थे। और तो और, वे आत्मकथा-लेखन को भी 'अहंकारी उद्यम' मानते थे। अपने जीवन को कोई इतना अहम क्यों माने कि उसकी दास्तान दूसरों को सुनाने लगे। फिर – वे कहते थे – आत्मकथाएँ सच को बयान करने के लिए कम, छुपाने के लिए ज्यादा लिखी जाती हैं।

जाहिर है, ऐसे व्यक्ति के लिए अपने आप को अज्ञेय कहना ज्यादा अहंवादी ही अनुभव होता, जो कि वे नहीं थे। फिर प्रयोगशीलता की मानसिकता में 'अनपुजी परती तोड़ने वाला' घोर आधुनिक रचनाकार पीछे छूट गयी शैली में अपना उपनाम धरता ही क्यों! जो हो, अज्ञेय नाम वात्स्यायन जी को जँचा नहीं। पर हिन्दी और हिन्दीतर समाज के लिए वह उनके नाम का अभिन्न हिस्सा बनता चला गया। और खुद लेखक के लिए सदा उद्धरण-चिह्न में दुबका एक उपनाम!

लेकिन वात्स्यायन जी के यहाँ उनके नाम-उपनाम या जैनेन्द्र-प्रेमचन्द वाला प्रसंग छिड़ा कैसे?

उस शाम वत्सल निधि का एक खास आयोजन था। त्रिवेणी सभागार में अज्ञेय के पिता हीरानन्द शास्त्री की स्मृति में स्थापित व्याख्यानमाला का पहला कार्यक्रम। गोविन्दचन्द्र पाण्डे 'भारतीय संस्कृति के मूल स्वर' पर बोलने वाले थे। जैनेन्द्र कुमार को अध्यक्षता करनी थी। मैं इसी कार्यक्रम के लिए जयपुर से आया था। कैवेंटर्स ईस्ट में उमंग का माहौल था। इला ज़ी खुद मंच की सजावट का सामान ज़ुटाने-सँवारने में लगी थीं।

वात्स्यायन जी ने मेरा जिम्मा जैनेन्द्र जी को उनके दरियागंज के घर से मण्डी हाउस लिवाने में लगाया। विनोदी अन्दाज में यह कहते हुए कि टैक्सी का खर्च याद से हमें देना होगा, "इस मामले में जैनेन्द्र जी शुरू से अल्पव्ययी

हैं!" और इसी के आगे-पीछे जैनेन्द्र जी से उनके आधी सदी से ऊपर के सम्बन्ध की बात निकली। कैसे सम्भव था कि जैनेन्द्र के हाथों 'अज्ञेय' बन जाने की हुड़क उनकी जबान पर न चढ़ आती?

दरियागंज की एक गली में जैनेन्द्र जी रहते थे। उसी घर में कभी अज्ञेय और प्रेमचन्द की पहली मुलाकात हुई थी। सामने ही कहीं कुछ समय के लिए वात्स्यायन जी ने भी यहीं पर घर लिया था। जैनेन्द्र जी को लेकर गद्‌गद भाव से हम त्रिवेणी की ओर रवाना हुए तो पाया कि वे चुप के लिए मशहूर अज्ञेय से कहीं ज्यादा चुप्पे हैं। उनकी मुख-मुद्रा बेहद गम्भीर थी, पर चेहरे पर उम्र की सलवटों के बीच अपनापे की रेखाएँ नुमायाँ थीं। एक और सज्जन साथ थे, जिनका नाम याद नहीं आ रहा। उन्हीं से बातचीत होती रही। पर मन में सुबह की बात घुमड़ रही थी। किसी मोड़ पर जैनेन्द्र जी ने आयोजन के बारे में कुछ पूछा।

मौका देखकर मैंने कहा– अज्ञेय नाम तो आपका ही दिया हुआ है न? उन्होंने सहज भाव से कहा– हाँ, मैंने 'ये और वे' में इस प्रसंग का उल्लेख किया है। वे फिर चुप लगा गये। उनकी चुप्पी को मैंने यों समझा कि बाकी वहाँ पढ़ो!

कहना मुश्किल है, जैनेन्द्र जी को यह मालूम था या नहीं कि अपूर्व लोकप्रियता के बावजूद अज्ञेय जी की 'अज्ञेय' के बारे में कमोबेश वही राय है, जो पचास साल पहले उन्होंने जैनेन्द्र जी को बड़ी 'वितृष्णा' के साथ व्यक्त की थी!

अज्ञेय को पहले-पहल मैंने सितम्बर 1972 में बीकानेर प्रौढ़ शिक्षण समिति की एक संगोष्ठी में देखा। नामवर सिंह और महावीर दाधीच से अविचलित उलझते हुए। समिति ने समकालीन हिन्दी कविता पर एक परिसंवाद आयोजित किया था। उसकी रूपरेखा नन्दकिशोर आचार्य ने बनाई थी। आचार्य जी ने लड़कपन के दिनों में *अज्ञेय की काव्य-तितीर्षा* पुस्तक लिखी। आलोचना के नीरस और अक्सर दुराग्रही पाठ के बरक्स वह कवि-मन से कविता को समझने की ईमानदार कोशिश साबित हुई। उस एक कृति ने हमेशा के लिए अज्ञेय को राजस्थान से एक आत्मीय रिश्ते में जोड़ दिया।

यों अज्ञेय पहली बार 1965 में बीकानेर आये। सम्भवतः राजस्थान में किसी साहित्यिक आयोजन में उनकी वह पहली यात्रा रही हो। राजस्थान साहित्य अकादमी का कोई सम्मेलन था। उनके साथ विद्यानिवास मिश्र, रघुवीर सहाय और सर्वेश्वर दयाल सक्सेना भी थे। पहली ही यात्रा में देसी ठाठ के शिक्षाविद् डॉ. छगन मोहता से उनकी गहरी दोस्ती हो गयी। डॉ. मोहता के आग्रह पर उन्होंने 'असाध्य वीणा' का पाठ भी किया। 1971 में वे फिर बीकानेर आये। नागरी भण्डार संस्थान में उन्होंने आधुनिक भारतीय कविता पर व्याख्यान दिया। अगले साल दो यात्राएँ और। वह उस

साल की दूसरी यात्रा थी, जिसमें मैंने उन्हें देखा और सुना।

फरवरी 1978 में वात्स्यायन जी नवांकुर लेखक सम्मेलन के उद्घाटन के लिए फिर बीकानेर आये। इस बार निर्मल वर्मा साथ थे। तब तक मैं छिटपुट लिखने लगा था और सम्मेलन के 'नवांकुर' लेखकों में शरीक था। कुछ अतिरिक्त उत्साह में जैसी-तैसी कविताएँ भी वहाँ सुना डालीं। जब चाय का वक्त हुआ तो धर्मशाला के हॉल के बाहर चौकी पर अज्ञेय बोले, आपको लिखते रहना चाहिए। उन्हें हैरानी हुई जब पता चला कि मैं वाणिज्य का विद्यार्थी हूँ। हालाँकि हैरानी की खास गुंजाइश नहीं थी, क्योंकि कॉलेज के भीतर और बाहर मैं पाठ्य सामग्री को छोड़कर सब चीजें पढ़ता था। वाणिज्य न ठीक से पढ़ा, न सीखा। हिन्दी पढ़ाने वाले संजीदा शिक्षक डॉ. आदर्श सक्सेना के कहने पर कॉलेज की पत्रिका का सम्पादन जरूर किया। अज्ञेय की कविताएँ मुझे कण्ठस्थ थीं। एक छोटी कविता स्कूल के जमाने से बहुत पसन्द थी, जिसे उस रोज खुद उनको मैंने अपने स्वर में सुनायाः *'चुप-चाप, चुप-चाप/झरने का स्वर/हममें भर जाय...!'* तब नहीं सोचा था कि यह कवि के साथ कभी न खत्म होने वाले एक रिश्ते की शुरुआत है।

इसके बाद उनसे दिल्ली में मिला। नन्दकिशोर जी के बाबा – पिता के बड़े भाई, जिन्हें राजस्थान में बड़े पिता कहते हैं – बहुत बीमार थे। एक दवा दुर्लभ थी। आचार्य जी के कहने पर दिल्ली की गाड़ी पकड़ी। वे अपेक्षया खुशनुमा दिन थे। आपातकाल उठ चुका था। अज्ञेय *नवभारत टाइम्स* का सम्पादन कर रहे थे, पूरी आजादी के साथ और अपने अन्दाज में (हजारीप्रसाद द्विवेदी का निधन हुआ तो अखबार के पहले पेज पर और कोई दूसरी खबर न थी!)।

मैं उनके दफ्तर पहुँचा। पहचानने में उन्हें देर नहीं लगी। कुछ लिख रहे हैं न, उन्होंने पूछा। फिर अपने निजी चिकित्सक को फोन मिलाया। उनकी गाड़ी से मैं चिकित्सक के घर पहुँचा। उन्होंने एक दुकान पर जाने को कहा। दुकानदार ने दवा की जगह वितरक का पता दिया। वितरक ने सहानुभूति से मेरी बात सुनी और एक छोटे दुकानदार को फोन कर कहा कि संकट का मामला है। जो माल भेजा है उसमें से एक डिब्बा इन्हें दे दो, कल भरपाई कर देंगे। उस दुकानदार से आखिरकार दवा मिल गयी।

मुझे जैसे संजीवनी हासिल हुई। गाड़ी वापस करने अज्ञेय जी के दफ्तर पहुँचा। चश्मा उतारकर उन्होंने उस दवा के डिब्बे की इबारत पढ़ी। कोई दिक्कत तो नहीं हुई, मुझसे पूछा। उनकी कार दिन भर मेरे पास थी, इस अपराध-बोध को थोड़ा हल्का करने की गरज से मैंने एक साँस में सारी रामकहानी सुना डाली। वे थोड़ा-सा मुस्कुराए और कहा– चक्कर न कटवाए तो दिल्ली क्या हुई! चलिए, काम तो हो गया। उनके चेहरे पर राहत का भाव था। जैसे दवा की जरूरत स्वयं

उन्हें रही हो! मैंने धन्यवाद कहा, तो बोलेः खुद का धन्यवाद नहीं करते! चला, तो कमरे के बाहर तक छोड़ने आये। हाथ जोड़ते हुए विदा दी। उनके इस मानवीय पहलू ने मुझे उनका और मुरीद बना दिया।

पढ़ाई पूरी कर आठवाँ दशक लगते-न-लगते मैं पत्रिका समूह के साप्ताहिक *इतवारी पत्रिका* में काम करने जयपुर आ गया। छह महीने के भीतर समूह के संस्थापक कर्पूरचन्द कुलिश ने मुझे साप्ताहिक के सम्पादन का जिम्मा सौंप दिया। हालाँकि सम्पादक के रूप में नाम नहीं छपता था, पर काम की मुझे पूरी छूट थी। मैं तब तेईस वर्ष का था। *इतवारी* के राजनीतिक स्वरूप में थोड़ा घालमेल करते हुए संस्कृति यानी साहित्य, कला, रंगमंच, संगीत-नृत्य, दर्शन, शिक्षा आदि की सामग्री मैंने बढ़ा दी। साप्ताहिक की बीस-बाईस हजार प्रतियाँ बिकती थीं। ज्यादातर राजस्थान में ही। लेकिन लिखने वालों में अनेक बाहर के थे। जैसे राजकिशोर, रमेशचन्द्र शाह, बनवारी, पंकज आदि। रघुवीर सहाय, प्रयाग शुक्ल और वागीश कुमार सिंह स्तम्भ लिखते थे, जो लम्बे अरसे तक चले। कला-परख पर प्रयाग जी की अनूठी किताब *देखना* उस वक्त छपे लेखों का ही संकलन है।

जयपुर ने मेरे लिए दिल्ली की दूरी घटा दी। अब अज्ञेय जी से उनके घर में मिलना शुरू हुआ। सरदार पटेल मार्ग पर कैवेंटर लेन में पूरब का बँगला – कैवेंटर्स ईस्ट!

दिल्ली में *इतवारी पत्रिका* के बहुत-से पाठक थे। पर मुझे यह जानकर ज्यादा खुशी हुई कि अज्ञेय *इतवारी* बराबर पढ़ते हैं। इला डालमिया भी पढ़ती थीं। इला जी ने बाद में स्त्री-समाज की समस्याओं पर हमारे लिए एक पाक्षिक स्तम्भ लिखा। पता नहीं क्यों, 'गीर्वाणी दास' नाम से। वात्स्यायन जी ने उस स्तम्भ को नाम दिया – 'समान्तर संसार'। मैं 'समानान्तर' शब्द से ज्यादा परिचित था, सो वही सुना। उन्होंने फौरन साफ किया कि जब समान्तर कहने से काम चल सकता है तो एक अक्षर फिजूल क्यों खर्च करें! लेखन में शब्दों-अक्षरों की और कला में रंग-रेखाओं की फिजूलखर्ची उन्हें गवारा न थी।

उसी वक्त यह भी समझ आया कि महिला और स्त्री, नारी या औरत शब्द एक अर्थ के नहीं हैं। सम्भ्रान्त स्त्री को महिला कहा जा सकता है, लेकिन पत्थर तोड़ने वाली मेहनतकश औरत को तो नहीं। सब महिलाएँ स्त्रियाँ होंगी, लेकिन सब स्त्रियों को महिला करार देना उनके साथ अन्याय होगा। शब्दों की परतों में इस तरह की आमदरफ्त वात्स्यायन जी का खब्त था। यह राग मेरे पिताजी में भी था – अब भी है – जो 'तबियत' और 'तबीयत' के बीच तब तक उलझे रहते, जब तक पुख्ता प्रमाण न जुटा लाते कि 'तबीयत' ही सही है (हिन्दी में; अरबी/उर्दू में 'तबीअत' रहता है)।

शब्दों को लेकर अपनी मगजपच्ची का एक दिलचस्प वाकया अज्ञेय ने खुद बयान किया है। अस्पताल में भरती थे। मार्फिया का इंजेक्शन लगा था। नीम-बेहोशी में डॉक्टर की आवाज कान में पड़ी कि दर्द कैसा है? जवाब दिया– बहुत है। डॉक्टर ने फिर पूछा इंटालरेबल (असह्य) है? अज्ञेयः सीवियर (तीखा) है। डॉक्टरः क्या सहन नहीं होता? अज्ञेयः "कहा तो, डॉक्टर, कि सीवियर है। इंटालरेबल का मतलब है कि या तो चीखूँ-चिल्लाऊँ, या फिर बेहोश हो जाऊँ। आप देख रहे हैं कि होश में हूँ, और सह रहा हूँ।" डॉक्टर को कोफ्त हुई। बाहर जाकर बोले कि अजीब मरीज है, दिल के दौरे में और मार्फिया के नशे में भी लफ्जों पर बहस करता है। किस्सा बयान कर अज्ञेय की टीपः "क्यों न करूँ ? इंटालरेबल, यानी जो सहा न जाय। सह तो रहा हूँ – भाषा के साथ आपका अन्याय भी तो सह ही रहा हूँ!"

ऐसा ही एक प्रसंग आचार्य जी बताते हैं। *नवभारत टाइम्स* के दिनों में, जब अज्ञेय गॉल्फ लिंक्स में रहते थे, शहर में कहीं रेतीला चक्रवात आया। एक जगह तो मोटरसाइकिल उड़कर पेड़ पर जा टँगी। हक्का-बक्का हर शख्स कहता, साहब क्या तूफान था। अज्ञेय का सुधारः तूफान नहीं, घूर्णावात (वर्लविंड) रहा होगा। (राजस्थानी में इस किस्म के बवण्डर के लिए 'भूतोलिया' शब्द है।)

शब्दों पर उनका सोच-विचार चलता रहता था। कोई शाम नमस्कार कर विदा हुआ तो पूछते, आपको पता है प्राचीन भारत में सुबह-शाम के अभिवादन क्या थे? फिर बताते– 'प्रातः स्वस्ति' और 'सायं स्वस्ति'! शब्दों के रूढ़ प्रयोगों में भी वे संशोधन खोजते थे, मसलन मितव्ययिता की जगह सीधे मितव्यय, पूर्वाग्रह के बदले पूर्वग्रह, अपेक्षाकृत की जगह अपेक्षया। कभी-कभार जानबूझकर प्रयोगों में बाँकपन ले आते; जैसे प्रत्यक्ष या रू-ब-रू की जगह कहते– अपरोक्ष!

हिन्दी में अनेक शब्दों को अज्ञेय चलन में लाये। मसलन यायावर, जिजीविषा, पूर्वग्रह, लोकार्पण। लोकार्पण के लिए विमोचन कहना उन्हें निरर्थक लगता था। एक दिन बोले, पुस्तक के विमोचन (मुक्ति) की क्रिया तो छापेखाने में ही सम्पन्न हो जाती है! शायद 'विमोचन' के विकल्प की खोज शुरू हो चुकी थी। कुछ रोज वे 'संतरण' पर अटके। फिर शब्द दिया 'लोकार्पण'। आज हिन्दी में हर पुस्तक का 'लोकार्पण' होता है। भोपाल में भारत भवन के एक आयोजन समवाय-एक में अशोक वाजपेयी द्वारा सम्पादित *पूर्वग्रह* के विशेषांक का लोकार्पण नामवर सिंह ने किया था। अंक की प्रति पहले-पहल अज्ञेय को सौंपते हुए नामवर जी ने कहा था– यह अंक उनके हाथों में देता हूँ, जिन्होंने हमें 'पूर्वग्रह' और 'लोकार्पण' दोनों शब्द दिए हैं।

ऐसे अज्ञेय के करीब पहुँचकर लगा कि ज्ञान की एक नयी खिड़की खुल गयी है। बीकानेर में पिताजी से, डॉ. छगन मोहता और आचार्य जी से बहुत सीखने को

मिला। जयपुर में विद्वान बहुत थे, पर किसी से इतनी घनिष्ठता कायम नहीं हुई। फिर उमंगों भरी उम्र में सम्पादक बन जाने से लगी गाँठ हरेक के आगे कहाँ खुलती है। यों वात्स्यायन जी खुद हरेक से नहीं खुलते थे। लेकिन जिससे खुल गये, सब दीवार-खाइयाँ ढहा देते थे। उनकी और मेरी उम्र में लगभग आधी सदी का फासला था। वे सम्पादकी में भी अछूती ऊँचाइयाँ कायम कर चुके थे। लेकिन इस दूरी का अहसास उन्होंने मुझे कभी नहीं होने दिया।

हमारे साप्ताहिक के लिए उन्होंने कई सुझाव दिए। उसमें सुधार हुआ सो हुआ, मैंने बहुत सीखा भी। उनके कई सुझाव याद आते हैं। जैसे यह कि एक ही विचार के लोग आपके यहाँ क्यों लिखते हैं, अखबार कोई मुखपत्र तो नहीं होता। यह गलती रघुवीर सहाय ने की। इससे सीखिए। अन्तरराष्ट्रीय मामलों पर आपके यहाँ कुछ नहीं होता। अपने पाठकों को कुछ दुनिया की खबर भी दीजिए। कविताओं की आपको समझ है (उन्हें खुशफहमी रही होगी!), सो कविताओं के चुनाव का जिम्मा सिर्फ अपने पास रखिए, वरना कविताओं की जगह लंगड़ा गद्य छपने लगेगा। अब तो छपाई के साधन बेहतर हैं, तस्वीरें बढ़ा सकते हैं। इत्यादि।

उनके इस लगाव और सरोकार से अभिभूत मैं तरह-तरह की सलाह माँगकर लेने लगा। जैसे एक दफा मैंने समस्या बताई कि हमारा चिट्ठियों का स्तम्भ बेजान है। सामान्य अभिव्यक्ति के पत्र ही आते हैं कि अमुक लेख अच्छा या बुरा लगा। अज्ञेय ने सुझाया, कुछ समय के लिए 'मॉडल' (फर्जी) पत्र अपने सहयोगियों से लिखवाइए। छद्म नामों से छापिए। उन्हें पढ़कर बाद में पाठक वैसे पत्र भेजने लगेंगे। उन्होंने बताया, यह प्रयोग उन्होंने *दिनमान* में 'मत और सम्मत' के लिए किया था। लम्बे और बेहतर पत्र आने लगे।

लेखकों के चुनाव को लेकर उनकी दृष्टि बड़ी उदार थी। वे मानते थे कि हर लेखक छापा जाना चाहिए, 'जो छपने लायक हो'। विचारधारा या मत विशेष के आधार पर सम्पादक की पसन्द-नापसन्द को वे 'जातिवादी' पूर्वग्रह की संज्ञा देते थे। पत्रकारिता ही नहीं, साहित्य में भी नाम देखकर यानी पहले लेखक की विचारधारा जाँच कर उसे अच्छा या बुरा लेखक मान लेने की वृत्ति को भी वे एक किस्म का जातिवाद ही मानते थे। कलकत्ता में जब *विशाल भारत* के सम्पादक हुए तो कार्यभार सौंपते हुए बनारसीदास चतुर्वेदी ने लेखकों की दो सफे की लम्बी सूची उन्हें थमा दी थी, यह कहते हुए कि इन्हें कभी मत छापना क्योंकि उनके साथ हमारे सम्बन्ध अच्छे नहीं हैं। वात्स्यायन जी ने उसी वक्त चतुर्वेदी जी को कहा कि सम्पादक के नाते आपका अनुभव विशद है और मैं उसका अनुसरण करूँगा, लेकिन आपकी यह बात मुझे नहीं जमती। रचना को पढ़े बगैर और उस

पर विचार किए बगैर उसे प्रकाशित न करने का निर्णय सम्पादक करे यह उचित नहीं लगता, चाहे लेखक से सम्बन्ध खराब ही क्यों न हों।

वक्त कभी-कभी बहुत धीमी गति से चलता है। *विशाल भारत* का जमाना गुजरे अस्सी बरस हो रहे हैं। पर नाम देखकर टीका लगाने या मिटाने की मनोवृत्ति अब भी देखने में आ जाती है। कुछ ही समय पहले दिल्ली के एक प्रतिष्ठान में समूह सम्पादक ने लिखित आदेश जारी किया कि समूह के पत्र या पत्रिकाओं में सोलह लेखकों का लिखा कुछ भी नहीं छपेगा। लेखकों की सूची में विष्णु खरे, अरुंधति राय, कात्यायनी, प्रभाष जोशी, राजकिशोर, रामशरण जोशी जैसे जाने-माने नाम भी थे। यह मामला *जनसत्ता* में उठा जिसकी बुद्धिजीवी वर्ग से लेकर संसद तक में व्यापक प्रतिक्रिया हुई। अन्ततः समूह सम्पादक को ही पद से हटना पड़ा।

वात्स्यायन जी के कद और रुतबे को भूलकर एक दफा मैंने कहा, आप *इतवारी* के लिए क्यों नहीं लिखते? वे बोले, शब्दों की सीमा बताइए। मैंने कहा, आपके लिए क्या सीमा! जितना लिख देंगे, हम पर अनुग्रह होगा। और उन्होंने सचमुच लिखा। कभी चिन्तनपरक, कभी ललित।

एक अप्रकाशित उपन्यास का अंश हमें दिया। उसका शीर्षक था – *हेम और केतकी*। निधन के बाद वह (अधूरा) उपन्यास *बीनू भगत* के नाम से छपा। नोबेल पुरस्कार पाने वाले स्वीडी कथाकार पेर लागरक्विस्त की उपन्यास-त्रयी के नायाब अनुवाद (अब *महायात्रा* नाम से एक साथ उपलब्ध) के अंश भी उन्होंने दिए, जो हमने चार किस्तों में प्रकाशित किए। जब साम्यवादी युगोस्लाविया में 'गोल्डन रीथ' सम्मान लेने गये तो उस यात्रा का लम्बा संस्मरण *इतवारी* के लिए खास तौर पर लिखा। एक दफा मैंने उनसे जिक्र किया कि स्त्री-समाज की समस्याओं पर अच्छी सामग्री नहीं मिल पाती। मेरा खयाल है, इसी हवाले से शायद उन्होंने बाद में इला डालमिया को हमारे लिए नियमित स्तम्भ लिखने को प्रेरित किया होगा।

ऐसे लेखक भी थे जिन्हें मैं पत्र पर पत्र लिखता, पर उनसे जवाब तक नहीं मिलता था। अनेक लेखकों से बहुत सहयोग मिला भी। पर अज्ञेय का स्नेह अपूर्व और अपरिमेय था।

आप सोचते हों कि अज्ञेय जैसा दिग्गज साहित्यकार और सिद्ध सम्पादक एक कमइल्म युवक से इतना कैसे खुल सकता है। असल में अज्ञेय के व्यक्तित्व की यह खूबी वे लोग अच्छी तरह जानते हैं, जिन्होंने उन्हें करीब से देखा। वे ऐसे ही थे। *सारिका* में कमलेश्वर के सम्पादन में छपी शृंखला *लेखकः अपनी निगाह में* के तहत उन्होंने खुद लिखा कि एक सीमा है जिसके आगे वे अस्पृश्य रहना पसन्द करते हैं; जैसे कि एक सीमा के आगे वह दूसरों के जीवन में भी प्रवेश या हस्तक्षेप नहीं करते। "इस तरह का अधिकार (अज्ञेय) बहुत थोड़े लोगों से चाहता

है और बहुत थोड़े लोगों को देता है। जिन्हें देता है उन्हें अबाध रूप से देता है, जिनसे चाहता है उनसे निर्बाध भाव से चाहता है।"

उनके व्यक्तित्व के जैसे दो रूप थे, वैसे ही दो सिरे भी थे। वे घोर आधुनिक थे और पुराणों की बात करते हुए जय-जानकी या भागवत-भूमि यात्रा पर भी निकल पड़ते थे। वे अपने में सिमटे लगते थे, पर बहुत खुल भी जाते थे। चुप रहते थे और अपनों में होते तो खूब बतिया लेते थे। मितव्ययी थे, और फिजूलखर्च भी। हँसते नहीं थे। और हँसते तो इतना हँसाते हुए कि हँसोड़ भी रश्क करें।

अज्ञेय ने कमोबेश हर विधा में लिखा और ऐसा कि अलग-अलग कोण से हमेशा चर्चा में बने रहे। कवि, कथाकार, यात्रा-लेखक, नाटककार, डायरी-लेखक, आलोचक, निबन्धकार, व्यंग्यकार, स्तम्भकार, सम्पादक, अनुवादक! फिर देश-विदेश में प्रोफेसरी की। इसके अलावा जब उन्होंने अपनी रुचियों में चित्रकारी, मूर्तिकारी, छायाकारी के साथ चर्म-कर्म, बढ़ईगीरी, सिलाई और बागवानी आदि 'बहुत-सी दस्तकारियों में थोड़ी-बहुत कुशलता' का जिक्र भी कर डाला तो, बकौल मनोहर श्याम जोशी, हिन्दी में एक फिकरा मुकम्मल हो गया कि एक कुरुक्षेत्र चूक गये, वरना अज्ञेय किस क्षेत्र में नहीं कूदे।

मगर एक क्षेत्र शायद छूट रहा था। आयोजन का। थोड़ा-बहुत आयोजन तो काव्य-सप्तकों, *दिनमान* आदि के सम्पादन और छिटपुट गतिविधियों में भी रहा होगा। लेकिन जीवन के आखिरी दशक में उन्होंने बाकायदा एक संस्था बनाई — वत्सल निधि। हालाँकि संस्था में कोई स्टाफ नहीं था, न जरूरत के दूसरे साधन। दो पहियों पर निधि की गाड़ी खड़ी हुईः एक अज्ञेय खुद थे, दूसरी संगिनी इला डालमिया, जो अज्ञेय को घर में वत्सल कहकर पुकारती थीं।

आपको खयाल होगा, ज्ञानपीठ पुरस्कार में मिली बड़ी धनराशि को अज्ञेय ने 'अनुपार्जित' धन मानते हुए एक संकल्प के साथ स्वीकार किया था कि उतनी ही राशि अपनी जेब से मिलाएँगे और लेखकीय आयोजनों के लिए एक न्यास बना देंगे। हालाँकि उनकी जेब उतनी भारी न थी, जितनी कार-बँगले या दूर देशों की यात्राओं को देखकर लोग कयास लगाते थे।

वत्सल निधि की स्थापना 1980 में हुई। शुरू में तीन मोटे कार्यक्रम तय किए गयेः लेखक शिविरों, व्याख्यानमालाओं और यात्राओं का आयोजन। वत्सल निधि के लेखक शिविरों का स्वरूप यह होता था कि नामवर लेखकों और नवतर लेखकों को एक साथ रहने, खाने, बोलने, घूमने का मौका दिया जाए। ऐसा पहला शिविर मार्च 1981 में लखनऊ में आयोजित हुआ, साक्षरता निकेतन में। शिविर के निदेशक अज्ञेय खुद थे। छह रोज मुझे भी लखनऊ में अनेक बड़े लेखकों की

छाया में रहने का मौका मिला।

सचाई तो यह है कि उस तादाद में किसी शिविर में नये लेखकों के साथ पाए के लोग मैंने न पहले देखे, न बाद में। कुछ नाम बरबस याद आते हैं: अमृतलाल नागर, डॉ. देवराज, श्रीनारायण चतुर्वेदी, कुँवर नारायण, निर्मल वर्मा, रघुवीर सहाय, श्रीलाल शुक्ल, विजयदेव नारायण साही, विद्यानिवास मिश्र, विपिन कुमार अग्रवाल, शिवानी, रमेशचन्द्र शाह, गिरिराज किशोर, नन्दकिशोर आचार्य, लीलाधर जगूड़ी, शीन काफ निजाम, भूदेव मिश्र...।

आयोजन कर्म भी अपने आप में मामूली कौशल नहीं है। उसमें समय और उद्यम का पूरा अनुशासन चाहिए। और भी, जब पीछे शासन या किसी प्रतिष्ठान का जोर न हो। आयोजनों के निमन्त्रण वात्स्यायन जी और इला डालमिया मिलकर तैयार करते थे। लिफाफों पर पते इला जी हाथ से लिखती थीं। एक कॉपी में आयोजन के खर्च का हिसाब अज्ञेय दर्ज करते। लखनऊ के बाद हुए एक शिविर में स्टेशन रवानगी से पहले मैं कैवेंटर्स ईस्ट में था। मैंने देखा कि अज्ञेय नौकर के साथ बैठकर रुपहली पन्नी के छोटे-छोटे चौकोर खाँचों में अल्पाहार की चीजें खुद सजा रहे हैं – चीजें जो रेल में लेखकों को प्रस्तुत की जानी थीं। आजकल ऐसे पैकेट चलती रेल में ही मिल जाते हैं।

लखनऊ शिविर के लिए सब लेखक गोमती एक्सप्रेस से रवाना हुए। निर्मल जी और रघुवीर सहाय आदि से लेकर नयों में (स्मृतिशेष) संजीव मिश्र और मुझ नाचीज जैसे पचास से ऊपर सम्भागी। लन्दन से आये ओंकारनाथ श्रीवास्तव भी, जिन्होंने बीबीसी के लिए अज्ञेय से रेल-पटरियों की खटरखट के बीच गुफ्तगू रेकार्ड की। विद्यानिवास मिश्र रास्ते में कानपुर स्टेशन से सवार हुए।

खादी का कुरता-पाजामा और बण्डी तब तक अज्ञेय की पसन्दीदा वेश-भूषा बन चुके थे। टाई-सूट में कम से कम मैंने उन्हें नहीं देखा। लेकिन उस रोज गोमती एक्सप्रेस के कुर्सीयान में वे कादरे की जीन्स-मार्का पतलून पर फौजी जैकेट पहने थे। सिर पर एक तरफ झुकी हुई गोल टोपी थी। यानी पूरी तरह सफरी पोशाक और खुली रंगत। जब थोड़े सफर, थोड़े नाश्ते और कुछ गम्भीर बातों से लोग सुस्त-से दीखने लगे, वात्स्यायन जी ने ताली बजाकर सबका ध्यान खींचा। फिर सबसे आगे पहुँच गये।

मुड़े तो एक बाजीगर की-सी चंचलता और फुर्ती उनके चेहरे पर चढ़ चुकी थी। बोले, हमारे दौर के अनेक कवियों को सुनने का मौका आपको शायद न मिला होगा। हम उनकी कुछ झलक दिखलाए देते हैं। और वे दरवाजे के साथ दीवार से निकले मेज-नुमा फट्टे पर चढ़कर बैठ गये। ये खुलाऊ मेजें कुर्सीयान में सबसे आगे की पंक्ति के मुसाफिरों की सुविधा के लिए बनी होती हैं। वहीं पालथी

मार उन्होंने एक-एक कर कुछ प्रसिद्ध कवियों के पाठ की 'सस्वर' नकल उतारी।

सबसे मजेदार, बल्कि हँसा-हँसा कर लोटपोट कर देने वाली नकल भगवतीचरण वर्मा के गीत की थी। उसे पेश करने से पहले उन्होंने अपने दाँत दिखाए, फिर ऊपर-नीचे के होंठ जाने किस मशक्कत से मसूढ़ों की तरफ उमेठे। शायद कवि की गोल मुख-मुद्रा का रूप धारण करते हुए। फिर ये पंक्तियाँ चेहरे की लचक और शरीर की मटक के साथ कुछ ऊँचे स्वर में गुनगुनाने लगेः

हम दीवानों की क्या हस्ती
हैं आज यहाँ, कल वहाँ चले
मस्ती का आलम साथ चला
हम धूल उड़ाते जिधर चले...

गुरु गम्भीर से लेकर घुन्ने-मनहूस जैसे दर्जनों दुर्विशेषणों से 'शोभित' अज्ञेय की हस्ती को इतनी सहज, प्रांजल और ललित मुद्रा में देखना मेरे लिए एक जीवन-भर का अनुभव साबित हुआ। उसके बाद उनके साथ और यात्राएँ भी कीं। लेकिन वह मस्ती हू-ब-हू दुबारा देखने को नहीं मिली। हमेशा वैसा माहौल, दोनों तरफ से, एक साथ कायम नहीं होता। पर उनकी इस प्रतिभा की झलक जब-तब जरूर मिल जाती थी।

रेल के उस सफर में लेखक बतियाते, सोते-जागते रहे। आचार्य जी ने गाड़ी के मामूली हिचकोलों की परवाह न कर *इतवारी* के लिए अपना उस हफ्ते का 'जायते-जायते' स्तम्भ लिख डाला। मैं वात्स्यायन ज़ी की गतिविधियों, भंगिमाओं पर गौर करता था। या खिड़की के बाहर सुन्दर-असुन्दर दृश्यावली निहारने लगता। ऐसी ही किसी घड़ी पास की सीट पर वात्स्यायन जी आकर बैठ गये। मुझे इसका भान तब हुआ जब कान में उनकी धीमी, लय-बद्ध आवाज पड़ी— 'अपने से छूटते हुए से दृश्यों को देखने का अपना ही सुख है!'

इतनी सन्निकट उपस्थिति कि मुझसे उनके कथन का मर्म ही फिसल गया। मेरा असमंजस ताड़ उन्होंने साफ किया कि आम तौर पर कुर्सीयान की सारी कुर्सियाँ इंजिन की दिशा में, यानी सीधी, होती हैं। यही डिब्बा उलटा लगा है। सीधा होता तो हम आते दृश्यों को पकड़ रहे होते। उलटी दिशा में दृश्य हमसे छूटकर दूर भागते हैं। उनका कोई रूप बने उससे पहले वे रपटकर दूर हो जाते हैं! पर उन्हें इस तरह आते और जाते देखने का अपना अनुभव है। नहीं?

क्यों नहीं। आप समझ सकते हैं, अज्ञेय ने कुर्सीयान की दोनों दशाओं की गति में भी लुत्फ का सबब ढूँढ़ लिया था!

बाद में कभी जैनेन्द्र कुमार का एक संस्मरण प्रेमचन्द के बारे में पढ़ा। 1929 का, जब लखनऊ में जैनेन्द्र प्रेमचन्द से पहली बार मिले। घर से दफ्तर के लिए प्रेमचन्द ताँगे की जगह इक्का ही किराए करते थे। वजह जैनेन्द्र जी को उन्होंने यों बतायी थी– ताँगे में सीट उलटी होती है। यानी हम आने वाली दुनिया और खुद ताँगे वाले की तरफ पीठ करके बैठते हैं। जबकि इक्के में दुनिया मंजर दर मंजर सामने रहती है!

लखनऊ शिविर के दौरान ही वात्स्यायन जी ने सत्तर वर्ष पूरे किए। सबने बधाई दी। उन्हीं दिनों छपी *अपरोक्ष* उन्होंने हस्ताक्षर कर मुझे स्नेहस्वरूप दी। पुस्तक डॉ. छगन मोहता को समर्पित थी। उसी शाम अपने काव्य-नाटक *उत्तर प्रियदर्शी* का पूरा पाठ स्वर में किया। पाठ के दौरान मैंने लक्ष्य किया कि उनकी सदा तनी रहने वाली गर्दन थकान के बाद कुछ छोटी हो जाती है, यानी झुक जाती है। गर्दन और हाथ पर नसों का उभार भी शायद बढ़ने लगा था। नाटक का लम्बा पाठ पूरा होने के बाद – पहले नहीं – उन्हें कुछ लेखकों ने सलाह दी कि दिन भर के काम के बाद अब कुछ आराम के बारे में सोचना चाहिए। बहरहाल, *उत्तर प्रियदर्शी* के सर्जक का अपना वाचन मैंने उस दिन रेकॉर्ड कर लिया था।

जिन्होंने *नदी के द्वीप* पढ़ा है, उन्हें खूब याद होगा कि लखनऊ के कॉफी हाउस की उपस्थिति उपन्यास में एक पात्र की सी ही है। सो शिविर में शरीक सहृदय पाठक-लेखकों की फरमाइश पर सदय अज्ञेय लेखक-समूह को कॉफी पिलाने हजरतगंज ले गये। कॉफी हाउस का नक्शा उस जमाने में भी वही रहा होगा – ऊँची छत, बड़े दरवाजे, कुछ कोटर। लेकिन बाहर की चिल्ल-पों नयी सभ्यता के साथ दाखिल हुई होगी। प्रवेशद्वार के दायीं तरफ एक अखबार विक्रेता की दुकान थी। वात्स्यायन जी बोले – यह तब से है, बाकी ज्यादातर कारोबार तो बदल ही गया है!

कॉफी हाउस में एक दिलचस्प बात हुई। उम्रदराज बेयरे से वात्स्यायन जी ने कुशलक्षेम पूछा। अदब से जवाब देकर वह जाने लगा तो आचार्य जी ने उसे पूछ लिया, आप भी पहचानते हैं ये (अज्ञेय) कौन हैं! बेयरे ने विनय से कहा, अच्छी तरह हुजूर। पहले डॉक्टर साहब (राममनोहर लोहिया) के साथ इसी टेबल पर तो बैठा करते थे। बाद में अज्ञेय बोले, इसको ठीक याद है। आपने तो परीक्षा ले ली।

लखनऊ प्रवास का एक वाकया और। शिविर के किसी सत्र में एक पहाड़ी युवा कवि आये। तब उत्तर प्रदेश का विभाजन नहीं हुआ था और वे वहीं एक अहम महकमे में नियुक्त थे। गोस्वामी तुलसीदास पर चल रही चर्चा के दौरान उन्होंने दखल करते कहा– लेकिन तुलसीदास के मन में जो बात थी, उसे लेकर

आप...। वात्स्यायन जी ने झिड़कते हुए सिर्फ एक वाक्य कहा और युवा कवि ने बात वहीं समेट दी। अज्ञेय ने कहा था— मैं आपको बधाई देना चाहता हूँ कि आपको मालूम है तुलसीदास के मन में क्या था! 'मन में' शब्द वे जोर देकर बोले थे।

इस तरह के नियोजित-अनियोजित हस्तक्षेप उनके कार्यक्रमों में होते रहते थे। दरअसल अज्ञेय और उनके समानधर्मा लेखकों का हिन्दी समाज में असर व्यापक था। तत्कालीन सोवियत राजनीति की प्रेरणा और साधनों से गोलबन्द हुए लेखक संगठनों के एजेंडे में मानो एक अहम लक्ष्य अज्ञेय की छवि को ध्वस्त करना भी जुड़ गया था। इतनी अफवाहें और आक्षेप अन्य किसी लेखक को शायद ही झेलने पड़े हों, जितने अज्ञेय को।

उन ओछे आरोपों की सूची बनाई जाए तो उसके आधार पर छोटा-मोटा शोध-प्रबन्ध तैयार किया जा सकता हैः अभिजात और व्यक्तिवादी थे, पूँजीवादी और दक्षिणपन्थी थे, प्रतिगामी और प्रतिक्रियावादी थे, सीआईए के एजेंट थे, फोर्ड फाउंडेशन और कांग्रेस फॉर कल्चरल फ्रीडम से अमेरिकी धन ऐंठते थे, अंग्रेजों के पिट्ठू थे, दूसरों की चीजें अपने नाम से छपवाते थे, प्रगतिहीन और समाज-विरोधी साहित्य के प्रणेता थे...आदि-इत्यादि। कुछ परस्पर विरोधी आक्षेप भीः जैसे कभी नपुंसक ठहराये गये, कभी एक नाजायज सन्तान के पिता! इस तरह के नियोजित दुष्प्रचार से अज्ञेय का कितना नुकसान हुआ, कहना मुश्किल है। व्यथा को वे झेल गये और इतना कुछ सार्थक काम कर गये कि चरित्र-हनन की पहुँच से ऊपर उठ गये। लेकिन उस अभियान से उन पाठकों का नुकसान जरूर हुआ होगा जो प्रचारकों के बहकावे में आ गये। एक पीढ़ी जैसे अँधेरे में धकेल दी गयी। कइयों ने अज्ञेय का साहित्य पढ़ा तक नहीं और दूसरों की राय ओढ़ ली, कुछ ने पढ़ा तो अपने पूर्वग्रहों का चश्मा चढ़ाकर।

1977 की बात है। कलकत्ता में वे अपनी लेखन प्रक्रिया पर बोल रहे थे। कल्याणमल लोढ़ा सभा के अध्यक्ष थे। एक युवा लेखक ने उनके वक्तव्य के बीच शोर मचाना शुरू कर दिया— आपकी तरह रईसी में जीने वाला लेखक रचनाधर्मी कैसे हो सकता है? वात्स्यायन जी ने कहा कि अपनी पूरी बात कह लूँ, उसके बाद सवाल रखें तो अच्छा होगा। बात पूरी होने से पहले ही युवा लेखक फिर शुरू हो गये, इस बार कुछ ज्यादा उग्र होकर। बोले, सुविधाजीवी लेखकों ने हिन्दी का बहुत नुकसान किया है। आपने सबसे ज्यादा। आपके हाथों में मुक्तिबोध का खून लगा है। आप चाहते तो मुक्तिबोध की असमय मृत्यु न होती!...

अज्ञेय ने जीवन में तरह-तरह के आरोप सुने और झेले होंगे, पर मुक्तिबोध के नाम पर वह बेहद घिनौना आरोप था। आम तौर पर इस तरह की बातें वे चुप रह कर दरगुजर कर दिया करते थे, लेकिन उस रोज उन्होंने अपनी प्रतिक्रिया जाहिर

की। भले ही दो पंक्तियों में। उन्होंने कहा कि यह विचार ही अपने में क्रूर और बेमानी है। मुक्तिबोध का मैं सम्मान करता था और उनके लिए जो कर सकता था किया, उसका ब्योरा देने की जरूरत नहीं है। लेकिन उस शोर-शराबे में वह कार्यक्रम चौपट हो गया। शोर मचाने वाले युवक को और क्या चाहिए था!

कहना न होगा, ऐसे पूर्वग्रह ज्यादातर वामपन्थी लेखकों में देखे गये। लेकिन इससे यह निष्कर्ष निकालना भूल होगी कि सभी वामपन्थी खयालतन अज्ञेय-विरोधी रहे हैं। मुझे अज्ञेय और कुछ वामपन्थी रचनाकारों का पत्राचार देखने का मौका मिला है। उनमें शमशेर और मुक्तिबोध के पत्र भी शामिल हैं। अज्ञेय के प्रति दोनों कवियों का आदर और भरोसा कई लेखकों को हैरान करेगा। तीसरा उदाहरण त्रिलोचन का है। उस घटना का मैं गवाह हूँ। आठ के दशक में जयपुर के रवीन्द्र मंच पर प्रगतिशील लेखक संघ का अधिवेशन चल रहा था। युवा लेखकों पर बेबात अज्ञेय-निन्दा का जुनून सवार था। त्रिलोचन आयोजन के मुख्य अतिथि थे। उनसे रहा नहीं गया। अपने सम्बोधन में बेहद दुखी स्वर में बोले भाई (अज्ञेय) के बारे में ऐसे शब्द सुनकर मन व्यथित हो गया है। या तो आप लोगों ने उन्हें पढ़ा नहीं है, या आप उन्हें जानते नहीं। मेरे मन में उनके प्रति बहुत आदर है और मैं उनके बारे में हल्की बात सुन नहीं सकता। उम्मीद करता हूँ कि (सम्मेलन में) आगे ऐसी बात नहीं होगी।

दूसरे कई लेखकों-आलोचकों के उदाहरण दिए जा सकते हैं जिनके विचार अज्ञेय से नहीं मिलते थे, पर उनके साहित्य की वे बड़ी कद्र करते आये हैं। केदारनाथ सिंह इनमें अव्वल हैं। वे मानते हैं अज्ञेय के योगदान का सही मूल्यांकन अब तक हुआ नहीं है; उनके साहित्य में व्यक्तिवाद या प्रतिक्रियावाद ढूँढ़ना निराधार है। राजेन्द्र यादव और विजयमोहन सिंह दोनों का कहना है कि रवीन्द्रनाथ ठाकुर के बाद भारतीय साहित्य में अज्ञेय से बड़ा व्यक्तित्व नहीं हुआ। समाचार-पत्रों में सम्पादकीय नाम से नहीं छपते, पर यह जगजाहिर है कि अज्ञेय के निधन पर *नवभारत टाइम्स* में सम्पादकीय विष्णु खरे ने लिखा और उसे आज भी याद किया जाता है। राजेश जोशी की हाल में प्रकाशित कृति *समकालीनता और साहित्य* की भूमिका कविता पर अज्ञेय के एक उद्धरण से शुरू होती है। एक वरिष्ठ वामपन्थी आलोचक के कथन से क्षुब्ध होकर – कि हिन्दी में भारत-पाक विभाजन पर गद्य तो लिखा गया, काव्य नहीं – जोशी ने *पूर्वग्रह* में अज्ञेय की *शरणार्थी* काव्य-शृंखला पर लेख भी लिखा। उन्होंने कहा, ये कविताएँ 'अज्ञेय के सेक्युलर दृष्टिकोण का साक्ष्य हैं।' बाद में दिल्ली में अज्ञेय जन्मशती संगोष्ठी में मैनेजर पाण्डेय ने शरणार्थी शृंखला के हवाले से अज्ञेय की तारीफ की और कहा कि इस बात (शरणार्थी शृंखला) की ओर सबसे पहले ध्यान उन्हीं ने दिलाया था।

अज्ञेय के काव्य की धुरन्धर आलोचना करने वाले नामवर सिंह ने कुछ ही

समय पहले *अकार* में अज्ञेय की खूब तारीफ की और *शेखरः एक जीवनी* को हिन्दी के पाँच महान उपन्यासों में एक बताया। दिल्ली में अपना एक व्याख्यान अज्ञेय की कविता 'नाच' से शुरू कर उन्होंने श्रोताओं को चौंकाया। फिर अज्ञेय जन्मशती के दौरान पटना में दिए एक व्याख्यान में कहा कि अज्ञेय नागार्जुन से बड़े कवि हैं। लौटकर दिल्ली के हिन्दू कॉलेज में बोले कि अज्ञेय काव्य वैभव में मुक्तिबोध से आगे हैं। यह भी कहा कि अज्ञेय प्रयोगवादी नहीं हैं; उन्हें जन-विरोधी समझ लेना अधूरी समझ होगी। जन्मशती के मौके पर उन्होंने नेशनल बुक ट्रस्ट के लिए *अज्ञेयः संकलित कविताएँ* का सम्पादन भी किंया। उसकी भूमिका में अज्ञेय को 'अमृत पुत्र' बताते हुए उन्होंने लिखा कि अज्ञेय की "अप्रतिहत सृजन-यात्रा प्रयोग के पड़ाव से आगे... और सभी वादों से ऊपर है, और टिकाऊ भी"। साहित्य अकादेमी में हुई अज्ञेय जन्मशती संगोष्ठी में उदय प्रकाश ने अपने वक्तव्य में यह रेखांकित करने की कोशिश की अज्ञेय वामपन्थी थे, दक्षिणपन्थी नहीं। इस बात पर कट्टर वामपन्थी बहुत बिदके।

हाल के कई कार्यक्रमों में मैंने लक्ष्य किया कि नयी पीढ़ी अज्ञेय को बासी आग्रह-दुराग्रहों से हटकर पढ़ने-समझने को उद्यत दिखाई देती है। क्या हिन्दी समाज में अज्ञेय के सहृदय पाठ की यह कोई नयी आहट है?

एक बार रघुवीर सहाय ने अज्ञेय से पूछा था कि जीवन में आप क्रान्तिकारी रहे, आपका सारा कृतित्व मूलतः क्रान्ति या परिवर्तन लाने वाला है। लेकिन आज जो लोग अपने को क्रान्तिकारी मानते हैं, उनके लिए आप लगभग असह्य क्यों हो गये हैं? वात्स्यायन जी ने स्पष्ट जवाब दिया थाः अब आप मुझे केवल व्यवस्था-विरोधी या नॉन-कन्फर्मिस्ट कह सकते हैं। आज के क्रान्तिकारी के पास तो दूसरी व्यवस्था का बँधा-बँधाया ढाँचा होता है। सफल हो गये तो दूसरे ढाँचे में पहुँच या लोगों को पहुँचाकर फिर यथार्थवादी हो जाते हैं।

जाहिर है, ऐसी 'क्रान्ति' से उनका विश्वास उठ चुका था। वे साफ कहते थे कि देश में जो दल अपने को क्रान्तिकारी या प्रगतिवादी मानते हैं, वे अपने ढाँचे के अलावा किसी दूसरी प्रगति को प्रगति मानने को भी तैयार नहीं होते, "जो कि सामाजिक अत्याचार का एक रास्ता है।"

विचारधारा की लीक पर चलने-लिखने वाले अज्ञेय से छड़क खाते थे। लेकिन अज्ञेय की अपनी विचारधारा क्या थी?

दरअसल, अज्ञेय किसी एक विचारधारा के पिछलग्गू होने के खिलाफ थे। व्यावहारिक राजनीति को लेकर उनके विचारों में बदलाव आता रहा, लेकिन स्वतन्त्रता और समता में उनकी मूल्यगत आस्था हमेशा कायम रही। एक दफा

उन्होंने कुछ ऐसा कहा था कि विचार में मैं अगर अपना ही खण्डन करता हूँ तो समझिए जड़ होकर एक जगह रुका नहीं हूँ, विकासमान हूँ; मेरे बाद के कहे (या किए!) को प्रमाण मानिए।

बहरहाल, अज्ञेय के विचार या विश्वास की गति देखिए। दस-ग्यारह वर्ष के थे तब नारा लगाया—"गाँधी जी का बोलबाला, दुश्मन का मुंह हो काला"। विदेशी कपड़ों की घर में होली जला दी। फिर सशस्त्र क्रान्ति की ओर उन्मुख हुए। अन्त में फिर गाँधी जी के अहिंसा के विचार पर आ गये।

भगत सिंह और चन्द्रशेखर आजाद वाले क्रान्तिकारी दस्ते के वे सदस्य थे। लाहौर में आजाद के कहने पर भगत सिंह और अन्य साथियों को जेल से भगा लाने के लिए तीन रोज में ट्रक चलाना सीखा। बाद में वह योजना स्थगित हो गयी और धीरे-धीरे उनका संगठन भी बिखर गया। दूसरा विश्वयुद्ध छिड़ने पर जब देश पर संकट मँडराया और पूर्वी सीमा पर जापानी सेना की घुसपैठ का खतरा महसूस किया गया तो फौज में भरती हो मोर्चे पर चले गये। असम, बंगाल और बर्मा की सीमा पर हमले का प्रतिरोध करने वाले नागरिकों का भूमिगत संगठन तैयार करने का जिम्मा लेकर। एक क्रान्तिकारी देशभक्त कैसे ब्रितानी – या युद्ध की भाषा में मित्र राष्ट्रों की – फौज में शामिल हो गया, यह बात कई लोगों को आज भी हैरान करती है। हालाँकि इस बारे में सवाल चालीस के दशक में उठा दिए गये थे, जिनका जवाब अज्ञेय ने दिया।

उनका कहना यह था कि युद्ध समर्थक न था, न हूँ; लेकिन यह तर्क मुझे ग्राह्य नहीं लगता था कि भारत क्योंकि पराधीन है, इसलिए शत्रु (जापानी सेना) से देश की रक्षा का काम हमारा नहीं है। दरअसल, युद्ध की राजनीति को सामान्य स्थितियों से जोड़कर नहीं देखा जा सकता। अज्ञेय तब दिल्ली में भी फासिस्ट-विरोधी आन्दोलन में शरीक होते थे, प्रगतिशील लेखक संघ को समर्थन देते थे। नहीं भूलना चाहिए कि दूसरे विश्वयुद्ध में जर्मनी, जापान और इटली के फासिस्ट गुट के आक्रमण के खिलाफ लोकतान्त्रिक देश तो एक थे ही, भारतीय कम्युनिस्ट पार्टी भी ब्रितानी सेना का समर्थन कर रही थी।

फिर अज्ञेय मानवेन्द्रनाथ राय के नव-मानववाद से प्रभावित हुए। राय उनके दोस्त भी थे। कुछ समय अज्ञेय जवाहरलाल नेहरू के करीब रहे। कविता की उनकी एक किताब (*प्रिजन डेज एंड अदर पोएम्ज*) की भूमिका नेहरू ने लिखी। बाद में वे *नेहरू अभिनन्दन ग्रन्थ* के सम्पादक मण्डल में भी शरीक हुए। लेकिन, दरअसल, एम.एन. राय के बाद नेहरू के बजाय वे राममनोहर लोहिया से ही प्रभावित दिखाई देते हैं। वे नेहरू के आजादी से पहले के संघर्ष और 'खतरनाक जीवन' के खयाल से जरूर प्रभावित थे। लेकिन आजादी के बाद नेहरू के आर्थिक विचारों, खासकर विशाल पैमाने के उत्पादन और केन्द्रीकरण के विरोधी हो गये।

लोहिया के हवाले वे अक्सर देते थे। 1980 में जोधपुर में मैंने उनसे *इतवारी* पत्रिका के लिए भाषा पर बातचीत की। उन्होंने जोर देकर लोहिया के इस नजरिए को समुचित बताया कि 'चाहे पवित्र जीवन हो चाहे छिनाली, भाषा ऐसी हो जो सबके काम पूरी तरह आये।'

1983 में जबलपुर के पास बरगीनगर में हुए वत्सल निधि शिविर के उद्घाटन के वक्त उन्होंने नेहरू के विचारों की कटु आलोचना की। बरगी में नर्मदा पर बाँध का निर्माण जोर-शोर से चल रहा था। परियोजना के कर्मचारी ही हमारे मेजबान थे। अज्ञेय आधुनिकता की नेमतों पर बोलते हुए नेहरू के बाँध सम्बन्धी विचारों पर आ गये। बोले, इन बाँधों को 'आधुनिक भारत के मन्दिर' बताया गया है। यह आने वाला वक्त बताएगा कि ये सचमुच 'मन्दिर' साबित होते हैं या 'शैतान का घर'। ठीक यही शब्द थे। उनका कहना था कि आधुनिक विकास की अवधारणा यान्त्रिक विकास की अवधारणा है, जो बुनियादी तौर पर लोक का हित नहीं अहित साधती है।

बरगी परियोजना पूरी हुई, तब तक अज्ञेय चल बसे। लेकिन तारीख गवाह है कि बरगी बाँध पूरा खड़े होते ही बयासी गाँवों का जीवन लील गया; एक सौ साठ गाँव बाँध की डूब से आहत हुए।

जयप्रकाश नारायण से उनकी बड़ी निकटता रही। सम्पूर्ण क्रान्ति आन्दोलन के दौर में, आपातकाल से पहले, गाँधी शान्ति प्रतिष्ठान से निकलने वाले जयप्रकाश जी के पत्र *एवरीमेन्स वीकली* का उन्होंने सम्पादन किया। जेपी के विचारों में वे एम.एन. राय की छाया देखते थे। राय को भले उन्होंने कोई पुस्तक समर्पित नहीं की, लेकिन उनकी छोटी मगर महत्त्वपूर्ण किताब *स्रोत और सेतु* जेपी के नाम है... "निरन्तर सेतु बनाते रहकर जो स्रोत को कभी नहीं भूले, उन लोकनायक जयप्रकाश को सादर निवेदित"। उनके इस वक्तव्य में भी उनकी लोकतांत्रिक विचारधारा का अक्स साफ दिखाई देता है: "सैद्धान्तिक रूप से मैं लोकतन्त्र को कम्युनिज्म से अच्छा समझता हूँ। और लोकतन्त्र को बुनियादी (रेडिकल) अथवा प्राथमिक (प्राइमरी) रूप दिया जा सके, ऐसी चेष्टा का अनुमोदन करता हूँ। एम. एन. राय के विचारों की यही दशा थी, विनोबा के विचारों की भी यही है, जयप्रकाश नारायण की भी।"

अज्ञेय इन्दिरा गाँधी की नीतियों के ज्यादा मुखर आलोचक होकर सामने आये, खासकर आपातकाल में। उन्होंने उस दौर में 'आतंक' और 'बौद्धिक बुलाए गये' जैसी अनेक कविताएँ लिखीं, जबकि बहुत सारे बौद्धिक, साहित्यकार-पत्रकार तब मौन थे या दमन के आगे घुटने टेक चुके थे।

आपातकाल के दौरान ही, नवम्बर 1976 में, अज्ञेय बीकानेर आये। रामपुरिया कॉलेज में 'सभ्यता का संकट' विषय पर बोलते हुए उन्होंने कहा कि स्वतन्त्रता परम मूल्य है और दमघोंटू माहौल में उसकी महत्ता सबसे ज्यादा अनुभव होती है। उन्होंने यह भी कहा, "देश आतंक के साये में जी रहा है और बौद्धिक समुदाय मौन है।" असल में अनेक बौद्धिक उस वक्त मौन ही नहीं थे, वे आपातकाल के हक में दस्तखत कर और करवा रहे थे।

प्रो. आनन्द कृष्ण ने भी एक लेख में लिखा है कि आपातकाल में अज्ञेय "बहुत क्षुब्ध थे और अपने स्वभाव के अनुसार आक्रोश व्यक्त करते थे।" एक बार आनन्द जी को वात्स्यायन जी ने (सम्भवतः हल्के अन्दाज में) कहा कि वे पशुपालन पर एक शास्त्रीय पुस्तक लिखना चाहते हैं, जिसमें आपातकाल पर टीका होगी कि किस तरह मनुष्य पशुवत् बना दिया जा सकता है! आनन्द कृष्ण के अनुसार, "अक्सर वे अपने यहाँ आने-जाने वालों को (भी) इस तरह का साहित्य लिखने के लिए उत्साहित करते रहते थे।"

मेरे पास बरगीनगर शिविर के वक्त की एक रेकॉर्डिंग है। एक दोपहर अज्ञेय हमें सैर पर भेड़ाघाट ले गये। सम्भागियों के आग्रह पर संगमरमरी चट्टानों पर बैठे-बैठे धुआँधार प्रपात के नाद के बीच उन्होंने अपनी चुनिन्दा कविताओं का पाठ किया। एक कविता 'सम्भावनाएँ' सुनाने से पहले उन्होंने कहा, "यह कविता इमरजेंसी में लिखी थी, हालाँकि इस उल्लेख की कोई उपयोगिता नहीं है, या शायद हो भी...!" कविता यों है:

अब आप ही सोचिए
कितनी सम्भावनाएँ हैं।
— कि मैं आप पर हँसूँ।
और आप मुझे पागल करार दे दें;
— या कि आप मुझ पर हँसें
और आप ही मुझे पागल करार दे दें;
— या आप को कोई बताए कि मुझे पागल करार दिया गया
और आप केवल हँस दें...
— या कि
हँसी की बात जाने दीजिए
मैं गाली दूँ और आप —
लेकिन बात दोहराने से लाभ?
आप समझ तो गये न कि मैं कहना क्या चाहता हूँ?
क्योंकि पागल

न तो आप हैं
न मैं;
बात केवल करार दिए जाने की है –
या, हाँ, कभी गिरफ्तार किए जाने की है।

तो क्या किया जाए?
हाँ, हँसा तो जाए –
हँसना कब-कब नसीब होता है?
पर कौन पहले हँसे?
किबला, आप!
किबला, आप!

अज्ञेय कविता का पाठ बहुत जानदार करते थे। पर गाते बेसुरा थे। पर गा लेते थे, यह अहम बात है। जैसा कि किसी ने कहा है, जो गा सकता है वह निर्मल है। काव्य-पाठ के वक्त कभी अपने रचे गीत का पन्ना खुलता तो उनका स्वर भी खुल जाता था। पाठ के लिए एक कॉपी में उन्होंने अपनी सुघड़ – साथ में उतनी ही स्वच्छन्द – हस्तलिपि में चुनिन्दा कविताओं के बीच कुछ गीत करीने से लिख रखे थे। आचार्य जी के आग्रह पर उन्होंने जब अपनी कुछ कविताएँ रेकॉर्ड करवायीं, तब 'अरे ऋतुराज आ गया' गीत भी गाया। जम्मू गये तो वहाँ खड़ी कविताओं के बीच 'पूर्णिमा की चाँदनी सोने नहीं देती' गा आये। वात्स्यायन जी को मैंने दो-तीन बार मन्द स्वरों में अकेले गुनगुनाते भी देखा। जैसे कुछ खुद को सुना रहे हों।

बहरहाल, लोहिया-जयप्रकाश के असर और तानाशाही के दौर के बाद अज्ञेय अपने को गाँधी-विचार के ज्यादा करीब पाते थे। ऐसा मैंने पहले-पहल उनके घर एक चहलकदमी के दौरान अनुभव किया। मैंने उनसे पूछा था कि क्या आप कभी गाँधी जी से मिले? उन्होंने मेरी तरफ देखे बगैर हँसते हुए कहा, "अरे! हमारे जैसे कार्यकलाप थे, तब हम गाँधी जी के सामने होते तो हमें देखते ही मारने को दौड़ते!" बाद में उन्होंने साफ कहा कि "तब हमें अपना (हिंसा का) रास्ता सही लगता था। अब लगता है गाँधी जी का रास्ता ही सही था।" वे गाँधी जी के 'नैतिक बल' को ज्यादा बड़ा समझते थे और इस दृष्टि से उनके व्यक्तित्व को 'महान' मानते थे।

उस रोज मुझे लगा कि एक नायाब जानकारी हाथ लग गयी है। जबकि – बाद में पढ़ा – 1977 में दिल्ली में राजेन्द्र प्रसाद स्मारक व्याख्यान देते हुए वे कह चुके थे: "गाँधी जी लगातार राजनीति को एक बृहत्तर सन्दर्भ देने का प्रयत्न करते

रहे और उसमें सफल भी हुए: सफल हुए अपनी निष्ठा, प्रतिभा और त्रिकालदर्शिता के कारण...आजादी हमें मिली; लेकिन यह हमारा दुर्भाग्य था कि आजादी पाने के साथ-साथ हमने गाँधी जी को खो दिया।"

उसी व्याख्यान में उन्होंने अफसोस की मुद्रा में कहा कि "गाँधी जी का कोई उत्तराधिकारी नहीं हुआ।" फिर गाँधीवादियों और जनसंघियों दोनों पर टीका: "कुछ थे जिन्होंने 'सर्व-सेवा' और सर्वोदय के नाम पर अध्यात्म की भूमि पर बल दिया; लेकिन उनका अध्यात्म भी इतना थोथा और संकीर्ण था कि उससे किसी दूसरे को प्रेरणा मिलना तो दूर, गाँधी जी की संचित आत्मबल की पूँजी धीरे-धीरे चुका कर वे स्वयं बौने हो गये।... कुछ दूसरे थे जिन्होंने संस्कृति की बात की; लेकिन उनकी राष्ट्र की कल्पना भी वैसी ही संकीर्ण और थोथी थी। बल्कि उनकी धर्म की और संस्कृति की नैतिक आधार-भित्ति की अवधारणा भी संकीर्ण और थोथी रही।"

1984 में आकाशवाणी अभिलेख के लिए हुई बातचीत में भी वात्स्यायन जी ने स्वीकार किया कि वे गाँधी जी के जीते-जी तो विरोधी थे, लेकिन अब 'गाँधी जी के विचारों के समर्थक' हैं।

494 अब फिर कुछ आपबीती।

यह जिक्र पीछे कर आया कि अज्ञेय के व्यक्तित्व में जिस बात ने मुझे अपनी ओर ज्यादा खींचा, वह थी मानवीय सम्बन्धों में उनकी उत्कट आस्था। यह एक निराला अनुभव था जो उनके चुप्पे-घुन्ने-एकान्तिक होने की प्रचलित धारणाओं के सर्वथा विपरीत था।

लखनऊ लेखक शिविर के बाद दिल्ली लौटे तो अपने घर ले गये। यहाँ तक ठीक था। मुझे जयपुर की राह पकड़नी थी। दिल्ली जरूरी पड़ाव था। नहा-सँवरकर झोला उठाकर मैंने इजाजत माँगी तो बोले— ड्राइवर आपको बीकानेर हाउस के बस अड्डे छोड़ आएगा। आइन्दा आप जब दिल्ली आएँ, यहीं ठहरिए। अगर मालूम हुआ कि कहीं और ठहरे हैं तो मुझे अच्छा नहीं लगेगा। मैंने कहा, जी जरूर। हमेशा की तरह, बाद में अहसास हुआ कि उन्होंने क्या कहा। आज तक सोचता हूँ। दिल्ली में रहते ऐसे लोगों से दिल्लगी हुई कि उनके घर का हुलिया देखने को तरसता हूँ! और एक कालजयी साहित्यकार दिल से किसी कस्बाई युवक को मेहमानी का स्थायी न्योता देता था!

धीरे-धीरे मैं उनसे खुल गया। झिझक जाती रही। वे हँसी-मजाक भी करने लगे। मेरी भाषा की अशुद्धियों पर भी इशारे से ध्यान दिलाते। मसलन, राजस्थानी के असर में मैं पता चला को 'पत्ता पड़ा' बोलता था। वे मौका देखकर अशुद्ध उच्चारण ठीक मेरे अन्दाज में दुहराते और मुझे, देर-सबेर, भूल समझ आ जाती।

दिल्ली में मेरी वजह से उन्हें परेशानी भी जरूर हुई होगी। रेस्तरां में खाना खाने जा रहे हैं। मैं मेहमान बन कर पहुँच गया हूँ। 'हम कहीं जा रहे हैं, देर से लौटेंगे, आप यहीं रहिए' जैसा शहरी छल वे नहीं कर सकते थे। वे मुझे साथ ले जाते। एक शाम वे किसी के घर खाने पर जाने वाले थे कि मैं बगैर इत्तला दिल्ली आ पहुँचा। उन्होंने चाय पिलाई और अपनी मेजबान – इतिहासकार डॉ. देवहूति – को फोन किया कि हमारे एक मेहमान भी साथ आएँगे। मुझमें ना कहने की सलाहियत नहीं थी। सो साथ हो लिया। चाणक्यपुरी के शान्ति पथ पर फिएट को वात्स्यायन जी ने फर्राटे की गति दी। इला जी तो चुपचाप सड़क की ओर देखती रहीं, पर मैं चकित और पूरी तरह रोमांचित होकर कभी रास्ते को देखता था, कभी अज्ञेय की ओर।

खाने से पहले डॉ. देवहूति ने हमें घर पर टंगी कलाकृतियों से परिचित कराया। एक कृति में कोई चेहरा भी था। मैंने औचक पूछ लिया– कैरिकेचर (विद्रूप) है? इला जी प्रगट तौर पर सन्न रह गयीं और थोड़ा मुझे घूरा, शायद इसलिए कि और नादानी न कर बैठूँ। वात्स्यायन जी सहज थे, सहज भाव में ही बोले– नहीं, फिगरेटिव (रूपाकार) है...।

उनसे सम्पर्क बढ़ता गया। *राजस्थान पत्रिका* में मेरे एक सहयोगी महेश शर्मा ने कैलास-मानसरोवर की यात्रा की। उनके संस्मरण प्रौढ़ शिक्षण समिति ने पुस्तक रूप में प्रकाशित किए। यात्रा संस्मरण के लोकार्पण के लिए यायावर अज्ञेय से ऊँचा नाम नहीं सूझा। सुधेन्दु पटेल के साथ – जो तब समिति से जुड़े थे – दिल्ली आकर हमने वात्स्यायन जी से गुजारिश की। उन्होंने हमें कालाजाम खिलाए और मान गये।

कार्यक्रम से एक रोज पहले फोन कर मैंने उनसे पूछा कि आप किस उड़ान से जयपुर पहुँचेंगे? वे बोले– प्रौढ़ शिक्षा का काम करने वाली संस्था पर विमान का बोझ क्यों? बस का भाड़ा मैं वहन कर सकता हूँ और कल सुबह राजस्थान रोडवेज की दस बजे की बस से आऊँगा। ठहरने का बन्दोबस्त करने की जरूरत भी नहीं है, (राजस्थान) विश्वविद्यालय के गेस्ट हाउस में दयाकृष्ण जी ने कमरा करा दिया है। यानी हमारे जिम्मे कोई काम नहीं छूटा था, सिवाय आयोजन के कार्ड बाँटने के। कार्यक्रम हुआ। इतना सफल कि किसी लोकार्पण में इतनी भीड़ मैंने उसके पहले या बाद में जयपुर में नहीं देखी।

जयपुर वे कई बार आये। जैसे बीकानेर, उदयपुर, जोधपुर और जैसलमेर भी। एक दफा इला जी साथ थीं। वे रघुवीर सहाय के बेटे वसन्त को भी साथ लाये। इला जी ने कहा, ये आपके साथ जयपुर घूमेंगे। मेरे पास तब मोटरसाइकिल होती थी। हम उसी पर घूम आये।

लेकिन अगली दफा मुश्किल पेश आयी। वात्स्यायन जी ने कहा, सुबह बड़े तड़के की उड़ान है। आप छोड़ आएँगे? तपाक से बोला, क्यों नहीं! बाद में सोचता रहा, निकट के किसी मित्र के पास कार नहीं है! वात्स्यायन जी के पास सामान भी है! हिम्मत कर दफ्तर में बात की। गाड़ी का बन्दोबस्त हो गया। सुबह चार बजे देखता हूँ, अखबारों के बण्डलों से भरी एक जीप-नुमा 'ट्रेकर' गाड़ी सामने खड़ी है। उसमें सिर्फ ड्राइवर के बगल वाली सीट खाली थी। कोई चारा न देख वात्स्यायन जी को आगे बिठाया, पीछे अखबारों और सामान के बीच खुद लदकर किसी तरह हवाई अड्डे पहुँचा कर आया!

मेरे परिवार के साथ उनकी आत्मीयता जयपुर में ही पनपी। बच्चों के साथ खेलते, उनके हाथ से मिठाई खाते, धूप सेंकते दर्जनों तस्वीरें – जो मित्र रमेश मेहता की मेहरबानी से अब इंटरनेट पर चली गयी हैं – जयपुर की ही हैं।

जयपुर एक बार वे रायकृष्ण दास व्याख्यानमाला के आयोजन के लिए भी आये। जुलाई 1985 में। व्याख्यान नरेश मेहता, आनन्द कृष्ण और भूमित्र देव ने दिए। उन सत्रों की अध्यक्षता प्रदेश के विद्वानों – दार्शनिक डॉ. दयाकृष्ण, चित्रकार कृपालसिंह शेखावत और कवि नन्द चतुर्वेदी – ने की। जयपुर के प्रसिद्ध चित्रकार रामगोपाल विजयवर्गीय से उन्होंने आयोजन के उद्घाटन का आग्रह किया। विजयवर्गीय जी से उनका पुराना परिचय था। फिर भी चाहते थे उनको निमन्त्रण घर जाकर दें। मैं उनके साथ गया।

दोनों जाने कितने बरसों बाद मिले होंगे। वात्स्यायन जी ने मिलते ही कहा– आपने पहचाना? विजयवर्गीय जी ने बड़े छायावादी अन्दाज में जवाब दिया– कोई सूरज की रोशनी न देख सके तो उसी का दोष होगा। सारी दुनिया आपको जानती है। मैं जानते हुए न पहचानूँ, क्या यह सम्भव है? फिर वहाँ आधुनिक कविता पर बात चल पड़ी। एक मोड़ पर अज्ञेय ने कहा, आज की कविता में कविता कम है, वह प्रकारान्तर से 'लँगड़ा गद्य' ही है!

व्याख्यानों से पहले राजस्थान के साहित्य-प्रेम की अज्ञेय ने बड़ी तारीफ की। उन्होंने कहा, "जिस समाज में हम रह रहे हैं उसमें यह लग सकता है कि साहित्य का कोई प्रयोजन नहीं रहा। मेरा मानना है, ऐसा है नहीं। मेरी इस मान्यता को जब मैं राजस्थान के जनजीवन को देखता हूँ तो और भी बल मिलता है। अगर कहूँ कि यहाँ के जनजीवन से मुझे लगता है कि साहित्य का सचमुच प्रयोजन है तो गलत न होगा।"

1987 में वात्स्यायन जी की मृत्यु हुई तब *इतवारी* का एक विशेष अंक मैंने उनकी स्मृति को समर्पित किया। रघुवीर सहाय, गिरिराज किशोर, बनवारी, पंकज आदि कई लेखकों के साथ रामगोपाल विजयवर्गीय ने भी उसमें एक मार्मिक

संस्मरण लिखा। बाद में एक प्रसंग उन्होंने अज्ञेय के प्रसिद्ध 'मौन' पर व्यक्तिशः सुनाया। कहीं कोई कला प्रदर्शनी साथ-साथ देखते हुए अज्ञेय और राय कृष्णदास में घण्टों कोई बात नहीं हुई। बेचैन होकर विजयवर्गीय जी ने इसका सबब पूछ लिया था। अज्ञेय तब भी चुप रहे, पर राय कृष्णदास जी ने जवाब दिया— हमारी बातचीत तो लगातार होती रही थी, आप ही नहीं सुन पाए होंगे! यानी, आपसी समझ रखने वालों को शब्दों की फिजूलखर्ची की जरूरत नहीं पड़ती!

अज्ञेय के साथ मैंने जो यात्राएँ कीं, उनमें माउंट आबू और उदयपुर-नाथद्वारा की याद ताजा है। फरवरी 1982 की बात है। माउंट आबू में वत्सल निधि का शिविर प्रौढ़ शिक्षण समिति के सन्दर्भ केन्द्र के जरिए आयोजित हुआ था। दुर्गा भागवत से लेकर विजयदेव नारायण साही, सर्वेश्वरदयाल सक्सेना, रामस्वरूप चतुर्वेदी, विपिन कुमार अग्रवाल आदि अनेक लेखक-आलोचक वात्स्यायन जी के बुलावे पर राजस्थान आये। गोष्ठियों की कार्यवाही तो सब जगह एक-सी चलती है। जो अलग से याद है, वह उनका बोलना नहीं, दत्तचित्त होकर सुनना!

अज्ञेय ढलान पर बनी कुटिया में ठहरे। आलोचक मोहनकृष्ण बोहरा ने उनसे दिल्ली में मिलने का समय माँगा था। वात्स्यायन जी को राजस्थान का भूगोल बेहतर मालूम था। उन्होंने पत्र लिखा कि मैं माउंट आबू आ रहा हूँ, जो आपके सिरोही जिले में ही पड़ता है। आप वहाँ आ जाएँ तो यात्रा का कष्ट बचेगा। बोहरा जी आये और एक शाम एलियट पर अपनी किताब का वह हिस्सा वात्स्यायन जी को सुनाने लगे। शब्द-दर-शब्द।

शालीन और विद्वान बोहरा जी से तब मेरा परिचय नहीं था। वात्स्यायन जी होंठों पर दोनों हाथ की तर्जनी रखे गौर से सुन रहे थे। न घड़ी की तरफ देखा, न मेरी तरफ। इला जी उस वक्त कहीं हवाई चप्पल खरीदने गयी थीं। वहाँ होतीं तो शायद कुछ बोलतीं। दशा देखकर मुझे कोफ्त हुई। पूरा अध्याय सुनाकर बोहरा जी ने वात्स्यायन जी की ओर देखा। अज्ञेय पर एलियट के प्रभाव और सम-भाव की उन्होंने लम्बी और बारीक व्याख्या की थी। अध्याय पूरा हुआ तो वात्स्यायन जी ने मुस्कुरा कर गर्दन एक तरफ लचकाते हुए सिर्फ इतना कहा— 'देयर इज नथिंग अनफेयर इन इट!' और आदर के साथ उन्हें विदा दी। बोहरा जी के जाने के बाद मैंने छेड़ की, आपकी हालत तो उन्होंने पस्त कर दी! पर अज्ञेय सहज थे — "(उनका) बरसों का परिश्रम है। सुनाना चाहते थे; सो सुना!"

इस दर्जे का धैर्यवान और सहृदय श्रोता मैंने दूसरा नहीं देखा।

माउंट आबू की एक और याद। सर्किट हाउस में कवि प्रकाश आतुर ठहरे हुए थे। उनकी कविता का तो पता नहीं, पर आदमी उम्दा थे। कांग्रेसी झुकाव के

चलते राजस्थान साहित्य अकादमी के अध्यक्ष थे। मुझसे प्रेम रखते थे। उस रोज उनका जन्मदिन था। बोले, अज्ञेय जी यहाँ हैं। तुम उनसे आग्रह करो तो शाम को यहीं आ जाएँगे। तुम्हारी बात टाल नहीं सकते।

मैं बहकावे में आ गया। हवाई गुरूर का बोध था। मैंने कहा, जरूर आएँगे। और जाकर वात्स्यायन जी को बुलावा सुपुर्द किया। वे कुछ सोचने लगे। तब तक मैं भी जमीन पर आ चुका था। अपराध-बोध से ग्रस्त-सा-बोला– चलेंगे? उन्होंने कहा– आपने आतुर जी को क्या यह कहा कि मैं आऊँगा? मैंने कहा– जी! बोले– इनकार कर दूँ तो इसमें आपकी हेठी होगी। शाम को साढ़े सात बजे आइए, चलेंगे। मुझे थोड़ी राहत तो मिली, पर मन खिन्न रहा।

अज्ञेय, दरअसल, साहित्य के क्षेत्र में सरकारी संरक्षण के खिलाफ थे। मानते थे कि कुछ कलाओं में सरकारी संरक्षण की जरूरत हो सकती है, पर साहित्य का उससे अहित होता है क्योंकि वह लेखक को परमुखापेक्षी बनाता है। सरकारी सहायता के साथ राजनीतिक दलों का हस्तक्षेप चला आता है। राजस्थान साहित्य के मामले में यह बात सौ फीसदी सही थी; भाजपा सरकार आयी तो प्रकाश आतुर की जगह दक्षिणमार्गी दयाकृष्ण विजय ने ले ली! आगे उसी दिशा में लेखकों के जुड़ाव-सम्मान का सिलसिला चल पड़ता था।

फिर वात्स्यायन जी को लेखक समाज की शाम की बैठकों की हकीकत भी मालूम रही होगी। बहरहाल, शाम को जब हम पहुँचे तो आतुर जी के कमरे में डॉ. मनोहर प्रभाकर और सावित्री परमार भी आमन्त्रित थे। बीच में टेबल पर शराब की बोतल रखी थी। मेरे होश उड़ गये। मांस-मदिरा को छूना मैं बुरा समझता था। गद्‌गद आतुर जी ने मदिरा पैमाने में ढाल दी। मैंने वात्स्यायन जी की सेवा में पानी उँड़ेलने का उद्यम किया। वात्स्यायन जी ने बहुत आहिस्ता हथेली हिलाते कहा– कुछ इसका जायका भी रहने दीजिए! वे बोले तो मेरी जान में जान आयी। चाय से दूध की तरह शराब से पानी की दूरी भी समझ आई।

उनसे बड़ा रसिक भी मैंने नहीं देखा।

पीने के तो खास नहीं, पर अच्छे खाने के वात्स्यायन जी बहुत शौकीन थे। जयपुर आते तो मिर्जा इस्माइल रोड वाले 'नीरोज' रेस्तराँ जरूर जाते। वहाँ का कीमा उन्हें पसन्द था, उन्हें पता था कि मांस-मछली मैं नहीं छूता, तो मुझे कभी पूछते नहीं थे। रेस्तराँ में रोटी की तश्तरी बायीं तरफ रखने को वे मिथ्याचार का नमूना मानते थे। एक दफा बोले कि दरअसल पश्चिम में लोग छुरी दाएँ हाथ में रखते हैं और खाना बाएँ हाथ के काँटे से खाते हैं। पर हम भारतीय तो सीधे हाथ से खाना खाते हैं। तब उलटे हाथ की तरफ रोटी रखकर उसे सीधे हाथ से उठाने में क्या तुक है! सीधे उठाना है तो तश्तरी भी सीधे हाथ को रखो!

अज्ञेय व्यवस्थित यायावर थे। मगर कभी-कभी तयशुदा यात्रा के साथ कुछ फौरी भटकन भी यात्रा में आ जुड़ती थी। जैसलमेर की यात्रा में सम-लुद्रवा या बीकानेर में देशनोक-गजनेर जा पहुँचना तो सहज है। लेकिन जून 1985 में राजस्थान साहित्य अकादमी सम्मेलन के उद्घाटन के लिए माउंट आबू आये तो एक दोपहर अचानक बोले, नाथद्वारा चलेंगे? और हम उदयपुर की ओर रवाना हो गये। वहाँ रजिया तहसीन के घर स्थानीय लेखकों के साथ एक अनौपचारिक बैठक हुई। फिर अगले रोज नाथद्वारा। खाने-पकाने के शौकीन अरुण कुमार (अब पानीबाबा) तब *राजस्थान पत्रिका* के उदयपुर संस्करण के सम्पादक थे। वे भी हमारे साथ हुए। नाथद्वारा मन्दिर में पहले दर्शन किए। घड़ी भर के लिए खुलने वाले मन्दिर के पट के सामने वात्स्यायन जी निश्चल खड़े रहे – न आस्तिक की तरह, न नास्तिक की बेरुखी में। उसके बाद हमने विराट रसोईघर के आँगन में पालथी मारकर 'प्रसाद' यानी भोग वाली पत्तल को ग्रहण किया।

नाथद्वारा परिसर में शुद्ध घी के 'कुएँ' हैं। 'ठाकुर जी' के लिए छप्पन भोग बनाने में इतना घी लगता है कि उसे कुओं में ही जमा किया जा सकता है। पानी की तरह घी बाल्टी से उलीचा जाता है। मैं मन्दिरमार्गी तो नहीं, पर नाथद्वारा के उन व्यंजनों का स्वाद यकीनन दिव्य होता है। तीनों ने पत्तल के सारे व्यंजन चट कर डाले। हमने मुँह साफ भी कर लिया, पर अरुण कुमार जी खाली पत्तल में अभी भी कुछ खोज रहे थे। देखा, वे सूखे पत्तों में फँसी एक-एक सींक निकालकर उसमें सने खाद्य का सेवन कर रहे हैं। इससे पहले कि मैं अपनी हैरानी प्रकट करूँ, वात्स्यायन जी ने शायद मेरे कान में कहा– वैष्णव सम्प्रदाय के आस्थावान लोग प्रसाद को गहरी भावना से लेते हैं, इसलिए सींक का प्रसाद जाया नहीं होने देते। मुझे अपने अल्पज्ञान पर खीझ अनुभव हुई।

जैसे अज्ञेय से निखालिस पेय का सलीका पाया, दक्षिण भारत – जहाँ वे किशोरावस्था में रहे – के व्यंजनों की समझ भी अर्जित की। अपनी एम्बेसडर कार तेजी से हाँकते हुए खान मार्केट के पास स्थित एम्बेसडर होटल पहुँचते और भीतर चलने वाले दक्षिणी भोजन के रेस्तराँ 'दासप्रकाश' (अब बन्द) में ले जाते। शायद मेरे शाकाहार की कद्र में! डोसा-वड़ा को छोड़कर वहाँ कुछ भी आजमाने की सूझ देते। वहाँ हम तीन बार गये। इला जी – वे भी शाकाहारी थीं – हर बार साथ थीं। दक्षिणी रसोई कितनी विविध है, मैंने तभी जाना। या बाद में कभी दक्षिण जाने पर। एक बार मोटापे की चिन्ता में मैंने खाने में कमी की। पर वजन घटता न था। यों वात्स्यायन जी भी अच्छी-खासी कद-काठी के थे। वजन घटाने के मेरे प्रयासों में उन्होंने एक उपाय का इजाफा किया। उन्होंने सुझाया, खाने से पहले खूब मट्ठा पीया करें तो उसके बाद खाने की मात्रा आप कम होगी!

अभिजात कहे जाने का खतरा है, फिर भी बता दूँ कि ब्राउन-ब्रेड नामक रोटी के दर्शन सबसे पहले वात्स्यायन जी के घर खाने की मेज पर किए। बीकानेर में तो मैदे की सफेद डबलरोटी भी खास चलन में न थी, आटे (या आटों) की भूरी-मटमैली ब्राउन-ब्रेड कहाँ से आती। वात्स्यायन जी मशीन में उस ब्रेड का कतला खुद सरकाते। सेंक कर, अदा से उस पर मक्खन फैलाकर मेहमानों को पेश करते। वे श्रेष्ठ ब्राउन-ब्रेड का ठिकाना बताना भी नहीं भूलते थे कि वह (तब) अशोका बेकरी में मिलेगी। अब इन चीजों की थोड़ी जानकारी मुझे हो गयी है।

कहना यह कि चिन्तन और सृजन में ही नहीं, खाने-पीने, पहनने-ओढ़ने, चलने-फिरने, सुनने-बोलने और यहाँ तक कि न बोलने में भी मैंने अज्ञेय में एक अनूठी सुरुचि के दर्शन किए।

ऐसी सुरुचि का धनी व्यक्ति कभी रूखा या बेजौक नहीं हो सकता। कहने वाले भले कहें।

उनमें छायाकारी की भी खूब गति थी। यात्राओं में तो कैमरा साथ रहता ही था, घर के अहाते में भी किसी पंछी की मोहक अदा देख भीतर से कैमरा तुरन्त उठा लाते
500 थे। जैसे शिकारी की बन्दूक हर वक्त तैयार रहती है, उनके कैमरों पर लम्बे लेंस तने रहते थे। *सुनहले शैवाल* में कविताओं के बीच उनके खींचे कई चित्र हैं। बेवजह दुष्प्रचार का शिकार हुई मित्र लेखकों की सांस्कृतिक यायावरी – जय जानकी-जीवन यात्रा और भागवत-भूमि यात्रा – के दौरान उन्होंने सैकड़ों तस्वीरें खींचीं। इनमें कुछेक सामूहिक वृत्तान्त के साथ प्रकाशित हुई हैं।

एक बार उन्होंने मुझे अपनी खींची बहुत-सी तस्वीरें देखने का मौका दिया जिनकी उनके पास एकाधिक प्रतियाँ थीं। मुझे उनकी एक प्रति *इतवारी* के लिए ले लेने की छूट थी। मैंने उन तस्वीरों को बार-बार देखा। कुछ मेरे दिलोदिमाग पर आज तक अंकित हैं। जैसे मृत्यु-शैया पर अशक्त लेटे प्रेमचन्द, शून्य निगाहों से कैमरे की ओर तकते हुए। युवावस्था में हजारीप्रसाद द्विवेदी, काली दाढ़ी और गाँधी-चश्मे में। या, कार की खिड़की के पार होंठों में पाइप दबाए विजयदेव नारायण साही। कोई एक तस्वीर साधारण चप्पलों में दो भारी-भरकम पाँवों की थी। 'ये साही जी के ही चरण हैं', वात्स्यायन जी ने बताया था।

मैथिलीशरण गुप्त, प्रेमचन्द, निराला, सियारामशरण गुप्त, पन्त, महादेवी, जैनेन्द्र, फणीश्वरनाथ रेणु, राहुल सांकृत्यायन, अमृतलाल नागर, राय कृष्णदास सब अलग-अलग मुद्राओं में उनके कैमरे में कैद थे। एक बड़े डिब्बे में वात्स्यायन जी के अपने 'पोर्ट्रेट' थे। उनके ये चित्र मशहूर छायाकार ओ.पी. शर्मा ने एक विशेष बैठक आयोजित कर खींचे थे। बाद में शर्मा लम्बी यात्रा में अज्ञेय के साथ भी गये

और बहुत सुन्दर तस्वीरें उतारीं। इनमें कई चित्र वात्स्यायन जी के निधन के बाद पत्र-पत्रिकाओं और किताबों पर छपते रहे। शायद इला जी से मिले हों। लेकिन ओ. पी. शर्मा को उनके सृजन का श्रेय शायद ही दिया गया। जन्मशती समारोह के वक्त किसी तरह मैंने ओ.पी. शर्मा जी का ठिकाना ढूँढ़ा। अशोक (वाजपेयी) जी के साथ उनसे त्रिवेणी के तहखाने में भेंट की, जहाँ शर्मा जी एक प्रशिक्षण केन्द्र चलाते हैं। वक्त बेहद कम था, पर हमारे आग्रह पर उन्होंने अज्ञेय की चुनिंदा तस्वीरों के बड़े प्रिंट बनवा कर दे दिए। हमने उन चित्रों की एक प्रदर्शनी साहित्य अकादेमी परिसर में लगवायी। इस प्रदर्शनी का खर्च रजा फाउंडेशन ने वहन किया और नब्बे की वय में पहुँच चुके सैयद हैदर रजा आयोजन में खुद मौजूद रहे।

अज्ञेय पढ़ते खूब थे। अक्सर लेटे-लेटे; आराम और इत्मीनान की मुद्रा में। यों यह सिलसिला उनकी हर मेज पर देखा जा सकता था। एक बार उनकी बैठक की गोल मेज पर रखी किताबों को मैं उलट-पलट कर देख रहा था। एक किताब सूसन के. लेंगर की *फीलिंग एंड फार्मः ए थियरी ऑफ आर्ट* थी, दूसरी चेखव की प्रेमिका लिडिया एविलोवा के संस्मरणों का अनुवाद *चेखव इन माइ लाइफ*। बाद में अज्ञेय जी से पता चला कि दोनों किताबें माँगी हुई हैं, जबकि घर में अपनी किताबें रखने को ठौर न थी! पहली किताब निर्मल वर्मा के यहाँ से आयी थी, दूसरी पर राजेन्द्र यादव नाम लिखा था। अज्ञेय बोले— हिन्दी में ये दोनों 'सबसे वेल-रेड' लेखक हैं!

बरसों बाद राजेन्द्र जी से मैंने इस प्रसंग का जिक्र किया। उन्होंने बताया कि अज्ञेय जी से वे ज्यादा मिले तो नहीं, लेकिन वह किताब उनसे शायद रघुवीर सहाय या सर्वेश्वर दयाल ले गये थे।

एक किताब वात्स्यायन जी को देने का सौभाग्य मुझे भी प्राप्त हुआ। वह थी उनकी अपनी पहली काव्यकृति *भग्नदूत*। हनुमान चालीसा की तरह गुटके के आकार में लाहौर से छपी किताब मुझे बीकानेर के लेखक-अनुवादक रामनरेश सोनी ने दी थी। मैंने वात्स्यायन जी से अपने उस कीमती स्वामित्व का जिक्र किया। एक दिन इला जी ने कहा— ओम, वह किताब तुम वत्सल (अज्ञेय) को दे दो! उनके पास नहीं है। मैंने एक रोज ले जाकर खुशी-खुशी दे दी। उन्हीं की तो थी!

वात्स्यायन जी नये लेखकों को बहुत पढ़ते थे। तभी अधिकार से कह सकते थे कि 'आज की कविता बहुत बोलती है, जबकि कविता का काम बोलना है ही नहीं।' युवा लेखकों की चिट्ठियाँ भी उन्हें बहुत आती थीं। कुछ युवकों से सिलसिलेवार पत्राचार चलता था। पता नहीं कैसे, पर कमोबेश हर चिट्ठी के जवाब के लिए वक्त निकाल लेते थे। रोज नहीं। फुरसत का कोई एक रोज। जवाब देकर मूल पत्र पर

दर्ज करते 'उत्तरित' और साथ में तारीख! उनके घर से निजी कागजात-पाण्डुलिपियों आदि के जो बीसेक बक्से मिले हैं, उनमें ज्यादातर पत्र-व्यवहार है। एक पत्राचार छप्पन साल पुराना देखिए: विजयमोहन सिंह (अब प्रतिष्ठित आलोचक) ने इलाहाबाद के इरविंग क्रिश्चियन कॉलेज के छात्रावास से उन्हें लिखा:

शेखर पढ़कर मैं आपको अपने काफी निकट महसूस कर रहा हूँ...मेरे प्रिय लेखक शरतचन्द्र रहे हैं, पर मेरी सबसे प्रिय पुस्तक *शेखर* है... *शेखर* की आलोचनाओं को भी पढ़ता रहा हूँ। मुझे दुख होता है कि आपने इनका मुँहतोड़ उत्तर क्यों नहीं दिया। यदि आप आज्ञा दें तो मैं अपनी अल्पमति से इनका उत्तर देने की चेष्टा करूँगा। यदि आप मेरी इसमें सहायता करें... विजयमोहन सिंह (10.11.54)

उस जमाने में साधारण डाक भी आज की कूरियर व्यवस्था से पहले पहुँचती होगी। दस नवम्बर के पत्र का जवाब अज्ञेय ने तेरह नवम्बर को 'उत्तरित' कर दिया: "रचना किसी को प्रिय लगे, इससे हर लेखक प्रसन्न होता है...आलोचना की हिन्दी में बहुत गिरी हुई अवस्था है। प्रशंसा और निन्दा दोनों ही निराधार या बहुत कम आधार लेकर होती है...लेकिन साहित्य का मूल्यांकन अन्ततोगत्वा पेशेवर आलोचक नहीं, विवेकशील पाठक करते हैं।...कृतिकार का श्रेष्ठ साधन (और कह लीजिए अस्त्र) उसकी कृति ही है: अगर वह कोई काम नहीं कर सकती तो उसकी पैरवी से वह काम कैसे होगा?"

वात्स्यायन जी को कलाओं की गहरी समझ थी। कला की दुनिया में बहुत उठना-बैठना रहा। लेखक की जगह उन्होंने पहले चित्रकार और बाद में मूर्तिकार बनने के सपने देखे थे। बचपन में संगीत सीखने भी गये पर उसमें दाल गली नहीं। हालाँकि संगीत में रुचि जीवन भर बनी रही। घर पर चलने वाली शौकिया कारीगरी में एक फर्नीचर के आधुनिक रूपाकार तैयार करने का काम भी था। अपनी बनायी एक मेज उन्होंने चित्रकार रामकुमार को भेंट की थी।

सतीश गुजराल की पहली चित्र प्रदर्शनी के लिए दिल्ली में जब कोई दीर्घा नहीं मिल रही थी, उनके बड़े भाई इन्द्रकुमार गुजराल ने अज्ञेय के घर पहुँचकर मदद की गुजारिश की। वात्स्यायन जी ने युवक सतीश की कलाकृतियाँ मँगवाईं और बाद में जनपथ पर प्रदर्शनी की व्यवस्था कराई। इस प्रसंग का जिक्र सतीश गुजराल ने अपनी जीवनी में और इन्द्रकुमार गुजराल ने अज्ञेय की मृत्यु पर लिखे एक लेख में किया है, जो *नवभारत टाइम्स* में छपा था।

वात्स्यायन जी का घर अनेकानेक कलाकृतियों से सुसज्जित था। बैठक में ठीक सामने की दीवार पर एक कृति चित्रकार-कथाकार रामकुमार की थी। उसके बारे में एक बार उन्होंने बताया कि अपने जन्मदिन पर वे कहीं बाहर थे। इला जी

भी घर पर नहीं थीं। पीछे रामकुमार अचानक आये और यह कलाकृति रखकर लौट गये! रामकुमार ने वात्स्यायन जी के कहने पर उनकी कविताओं के अंग्रेजी अनुवाद संग्रह *नीलाम्बरी* के लिए अनेक रेखांकन भी बनाये थे। *मरुथल* शृंखला की एक हस्तलिखित पुस्तिका में भी रामकुमार के रेखांकन हैं।

कलाकार मकबूल फिदा हुसेन से भी उनका याराना था। नृत्य-संगीत की दुनिया के अनेक दिग्गज कलाकारों से भी। ज्ञानपीठ पुरस्कार अपनी शर्तों पर नृत्यांगना रुक्मिणी देवी अरुंडेल के हाथों स्वीकार किया। मंडी हाउस में उनकी आमदरफ्त बहुत रहती थी, खासकर राष्ट्रीय नाट्य विद्यालय के प्रदर्शनों में। उनकी पचहत्तरवीं वर्षगाँठ पर देशभर के लेखक इंडिया इन्टरनेशनल सेंटर में जमा हुए। उन्होंने वहाँ अज्ञेय के साहित्य पर परचेबाजी नहीं की, बल्कि गुरु केलुचरण महापात्र और माधवी मुद्गल का कुचिपुडी नृत्य आयोजन देखा।

पचहत्तर वर्ष पूरे होने पर कुमार गन्धर्व ने स्वेच्छा से कैवेंटर्स ईस्ट की बगिया में गाने की इच्छा जाहिर की। घरेलू महफिल जमना तय हो गया। अभी इला जी बैठने के बन्दोबस्त को सलीका दे रही थीं कि कुमार जी संगीतकारों के साथ शाम ढलने से पहले आ पहुँचे। व्यवस्था के निरीक्षण में उन्होंने खुद हाथ बँटाया और फिर अनवरत तीन घण्टे निर्गुण संगीत की धूनी रमाई।

अन्त में फिर थोड़ी घर की बात। पिछले दिनों बेटे का जयपुर में विवाह हुआ। वहीं पर चिकित्सक है। विवाह की घड़ी में तीन दिवंगतों की याद ने मुझे बहुत सताया। अपनी दादी की, जो पोते को गोद खिलाने की आस लगाये उसके जन्म से कुछ पहले चल बसी थीं। प्रभाष जोशी जी की, जो उसे एम.बी.बी.एस. पूरा करते ही सम्भावनाओं और ठिकानों की राह सुझाते थे। और वात्स्यायन जी की, जिन्होंने बेटे का नाम रखा था – 'मिहिर'!

अपनी मृत्यु से कुछ रोज पहले इला जी ने हम सबको घर बुलाया था। पत्नी को उन्होंने एक आभूषण – नेपाली मंगलसूत्र – दिया। बेटी को धन। बेटे के सिर पर हाथ फेरा और फिर उसे एक नीले रंग का जैकेट देते हुए बोलीं: यह वत्सल का है। बड़े हो गये हो, तुम्हें अब यह पूरा आएगा।

वह वस्त्र हम सबको पूरा आया है। हमारे लिए घर में अज्ञेय की वह शाश्वत मौजूदगी है। उसकी गरमाई घर में हमें हरदम महसूस होती रहेगी।

□□□

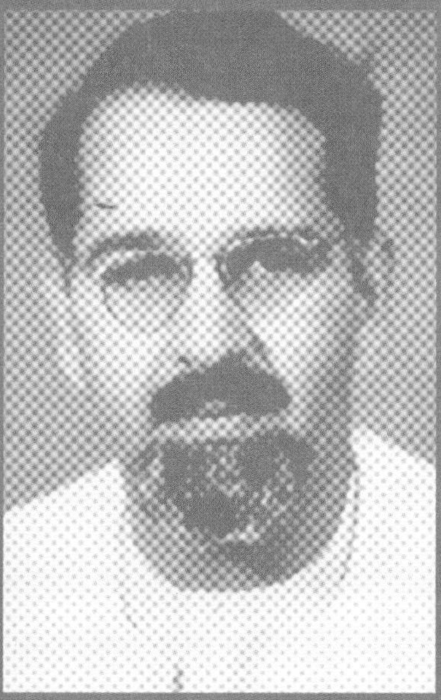

अपने अपने अज्ञेय

भाग-दो

अपने अपने अज्ञेय

भाग-दो

सम्पादक

ओम थानवी

वाणी प्रकाशन

वाणी प्रकाशन

4695, 21-ए, दरियागंज, नयी दिल्ली 110 002

शाखा

अशोक राजपथ, पटना 800 004

फ़ोन: +91 11 23273167 फ़ैक्स: +91 11 23275710

www.vaniprakashan.in
vaniprakashan@gmail.com

APNE APNE AGYEY PART-2
Edited by Om Thanvi

ISBN : 978-93-5000-917-8
Memoirs

मूल्य : ₹ 1500 (दो भाग)

जैको प्रिंटर्स, नयी दिल्ली 110 002 में मुद्रित

वाणी प्रकाशन का लोगो मक़बूल फ़िदा हुसेन की कूची से

अनुक्रम

मैंने गंगाजल ले जा कर कन्याकुमारी का अभिषेक नहीं किया; न रामेश्वरम् के शंकर अथवा सेतु(बं) अथवा बदरीकेदार के मन्दिरों में चढ़ाया। पर कश्मीर से कुछ पेड़ मैं अपने साथ ले गया था जो मैंने कन्याकुमारी की अन्तिम चट्टान से महासागर में फेंके (इसे विनयपूर्वक 'अर्पित करना' भी कह सकता हूँ, पर प्रक्षेप पूरे बल के साथ किया गया था!); उस से भी अधिक उल्लेखनीय काम यह किया कि वृन्दावन से अश्वत्थ ले जा कर प्रभास क्षेत्र में रोप दिया। कहाँ-कहाँ से पेड़-पौधे ले जा कर कहाँ-कहाँ लगाता रहा हूँ, इसे याद करके कभी-कभी सुख पाता हूँ। इस बात को यथार्थतः भी लेता हूँ, प्रतीकवत भी: मैं आजीवन कहीं का पौधा कहीं और रोपता रहा हूँ फिर उसे सींचता-पोसता रहा हूँ। वे पौधे बढ़े हैं; उन्होंने छाया दी है, जो फलने वाले थे वे फले हैं। उनके फल भी दूसरों को मिले हैं। लोग भी हैं जो पूछते हैं कि मुझे इस से क्या मिला? जो यह पूछ सकते हैं उन्हें इस प्रश्न का कोई उत्तर दिया ही नहीं जा सकता; क्यों कि, वहाँ 'मिलने' की परिभाषा ही दूसरी है। मैं जानता हूँ कि मैं इसी से समृद्ध हुआ — मेरे पास कुछ है तो वही सब है मिला हुआ ही है, नहीं तो मैं निःस्व हूँ। निःस्व और अकेला। और इसे अगर पाया हुआ गिनता हूँ — ऐसा कि मैं गिनता हूँ — तो मैं अकेला भी नहीं हूँ, निःस्व भी नहीं हूँ। यह भी नहीं मानता कि जीवन से मुझे आघात नहीं मिला। मैं ऋणी हूँ — और आभारी हूँ कि इतनी मार के बीच भी इतना दुर्दान्त ऋण मुझे मिलता रहा।

* * *

अज्ञेय की हस्तलिपि में गद्य का एक अंश

1

सूखा क्षेत्र में सम्पादक

॥ फणीश्वरनाथ रेणु

पिछले कई वर्षों से सैकड़ों शब्द, नाम, देश, समस्याएँ और समाचार मेरे लिए बेमानी हो रहे हैं, होते जा रहे हैं, उनमें डेमोक्रेसी, चाइना, चुनाव, रेल-दुर्घटना, खाद्यान्न, भ्रष्टाचार, जनता, सत्यमेव जयते, कर्फ्यू, फायरिंग, बाढ़-फ्लड, दहाड़, सूखा-जरी-सुखाड़ जैसे नित्य के समाचारों में इस्तेमाल होने वाले शब्द भी हैं, जिनके बिना आजकल किसी का काम नहीं चल सकता।

रोजाना अखबार के पन्नों में खोजकर निकालता हूँ – धनबाद के 'डबल-मर्डर' यानी दुहरी-हत्या अर्थात् दो बहनों के खून की रहस्यपूर्ण कहानी...किस तरह उनकी प्रेतनियाँ, सड़क से आने-जाने वाले प्रतिष्ठित और भद्रजनों की कार को रोककर अपने घाव दिखलाती हैं। दुहाई देती हैं– 'बचाओ...पुलिस...इंसाफ' और फिर लोप हो जाती हैं।

...इसी कारण, कलकत्ते के एक प्रसिद्ध बांग्ला (अंग्रेजी) दैनिक का विशेष संवाददाता – जिसको विशेष रूप से 'ड्राउट' देखने के लिए भेजा गया था – मेरी बातें सुनकर 'हतप्रभ' हो गया (हुँ! ड्राउट देखने आये हैं मानो छत्तर-सोनपुर का मेला देखने आये हैं।)

दीपावली के तीन दिन पहले पाँच बजे शाम से हजारों पटाखे हमारे शहर, यानी बिहार की राजधानी, पटने की सड़कों, गलियों, फुटपाथों, हमारे फ्लैट के मुँडेरे, गलियारे में धूम-धड़ाके और धमाके से छूट रहे थे और मुझसे सवाल पूछा जा रहा था, "मोशाय? खाबेन की?...खाइएगा क्या? उधर गाँवों में जो कुछ देखकर आ रहा हूँ...।"

उसके जाने के बाद मुझे भी अपने 'लेखक' पर अचरज मिली दया आ गयी। मेरा लेखक जो इस हद तक कुंठित और पतित हो गया है कि हर अहम सवाल और समस्या पर मुँह बिदकाकर एक ही बात कहता है– "सब झूठ है। बकवास है।

आल फ्रॉड! स्टंट!"

आईने में अपनी काया की छाया से पूछता हूँ– "तुमने कभी कोसी-कवलित जनों, अकाल-पीड़ितों और शरणार्थियों के दुःख-दर्द को भोगकर जीती-जागती छवियाँ आँकी थीं? क्या हो गया तुझे जो इस तरह 'बोतल प्रसाद' हो गया तू?"

इस सवाल के जवाब में मुझसे सवाल किया जाता है– "कौन कहता है सूखा पड़ा है? सरकार? सोशलिस्ट (प्रजा-संयुक्त)? कम्युनिस्ट? कांग्रेसी? कौन बोलता है? कोई मिनिस्टर? कोई जनता का सेवक?...आल फ्रॉड।"

किन्तु, दूसरे ही दिन लेखक जी यानी 'बोतल प्रसाद' ने देखा कि सूखे के नाम पर राजधानी के 'बार' और सब्जी बाजार में सुरा से लेकर बैंगन तक की कीमतें अचानक बढ़ गयी हैं तो उसका माथा ठनका, तब वह पटना की सड़कों पर 'ड्राउट' देखने निकला।

नगीनाराम सब्जी वाले ने हँसते हुए कहा, "सूखा नहीं हुजूर, बाढ़! बाहर से पाँच हजार 'बाबू लोग' पटना आये हुए हैं। गर्दनीबाग, आर. ब्लाक से शुरू करके भिखना पहाड़ी तक के सभी होटलों में जाकर देखिए – एक भी कुर्सी खाली नहीं मिलेगी आपको।"

कल्लू अण्डे वाले ने बात में जरा पेच लगाकर कहा, "ज्यादा दिन नहीं सर। बस, पचीस तारीख तक!...उसके बाद सभी लोग अपने-अपने घर लौट जाएँगे। भाव खुद-ब-खुद गिर जाएगा। यह कमाई तो समझिए कि बाढ़ का पानी..."

(...बाढ़! दुग्धोज्ज्वल खादी की टोपियों की बाढ़, ज्वर-भाटा! तरंग! एक लहर इधर से आती है, एक लहर उधर से आती है...जय हे-ए-ए, जय हे-ए-ए-ए-भारत...!)

'बार' का बैरा अब्दुल सूखा जवाब देता है, "साहब! व्हिस्की कोई भी नहीं। न स्कॉच, न देशी, न नेपाली..."

होटल के मैनेजर ने सुनाया, "तन्दूरी क्या, कोई भी चिकन नहीं। डेढ़ सौ मुर्गियों के ऑर्डर तो रोज 'उधर' से यानी बाहर से मिलते हैं....प्लीज वेट टिल ट्वेंटी फिफ्थ।"

(सूखा पड़ा है 'बार' में। अकाल है, होटलों में...पड़ गया बंगाले में काल, भरी कंगालों से धरती – पटी कंकालों से धरती...)।

रोज दिल्ली अर्थात् केन्द्र से कोई-न-कोई 'अन्नदाता' उड़कर आता है 'ड्राउट' देखने। (छत्तर का मेला हो गया यह ड्राउट!) रोज राज्य का कोई-न-कोई मालिक (बड़ा, छोटा, मँझला, सँझला, पाँचू, छठू, सत्तो...मालिकों का अकाल है यहाँ? एक पर एक मालिक हैं) 'भयानक' और 'भीषण' बयान दे डालता है, केन्द्र के अन्नदाता कहते हैं, पहले इन चूहों का अन्त करो जो अन्न-वस्त्र को ही नहीं –

सारे राज्य की जनता की आत्मा को कुतर रहे हैं।

अखबारों की मोटी सुर्खियाँ रोज-रोज एक ही बात को विभिन्न शब्दों में दुहराती हैं। राजधानी में, शहरों में दीपावलियाँ सजती हैं। पटाखे फूटते हैं, फुलझड़ियाँ छूटती हैं।...उधर, गया के गाँवों में, मुंगेर के दक्षिणी हिस्से में, पलामू और हजारीबाग की पहाड़ियों और जंगलों की धरती की छातियाँ दरकती जाती हैं, पानी पाताल की ओर खिसकता जा रहा है। आदमी भूख से ऐंठ-ऐंठकर मरने लगते हैं।

'आदमी मर रहे हैं' – खबरें आने लगीं!

दिल्ली से *दिनमान* के सम्पादक का तार आया है। वे सूखा क्षेत्र देखने आ रहे हैं। (मानो छत्तर का मेला देखने आ रहे हैं!) क्या मैं कुछ दिन उनके साथ चल सकूँगा? किन्तु तार पाकर मुझे तनिक भी खुशी नहीं हुई। मुझे अपनी 'अच्छी फसल' काटने के लिए गाँव जाना है...उनके आने के पहले ही 'कट पड़ो बन्दे!'

लेकिन लाख कोशिश करने के बाद भी 'बन्दा' कट नहीं सका। *दिनमान* के सम्पादक वात्स्यायन जी ही नहीं, आ रहे हैं एक पुराने क्रान्तिकारी, कवि-उपन्यासकार और चिन्तक – अज्ञेय यानी यायावर! सूखी धरती पर भूख से तिलमिलाकर मृत्यु से साक्षात्कार करने वालों से साक्षात्कार करने के लिए।

भारी मन लेकर हवाई-अड्डे पर जाता हूँ। हवाई जहाज से करीब डेढ़ दर्जन स्थानीय असन्तुष्ट कांग्रेसी नेता उतरते हैं। सबसे बाद में अज्ञेय जी दिखलाई पड़े। राजनीतिक पहलवानों की टुकड़ी मार्च करती हुई आगे बढ़ी। मैंने वात्स्यायन जी को छूकर रोक दिया...इन्हें जाने दीजिए! वे मुस्कुराये!

मैं अपने चेहरे पर सूखे-से-सूखे हुए आदमी का मुखौटा लगाना चाहता था। किन्तु, हड़बड़ी में जो मुखौटा लगाया, वह एक अपराधी का था। झुकी हुई निगाहें और बुझा हुआ दिल!

अज्ञेय प्रसिद्ध मितभाषी हैं। किन्तु मुझे हमेशा यही लगा है कि उनका मौन ज्यादा मुखर होता है। उन्होंने मुझसे कोई सवाल किए बिना – चुप रहकर ही – पूछना शुरू कर दिया – आप सूखा क्षेत्र में हो आये हैं? क्यों नहीं? लेखक क्या समाज के बाहर का प्राणी है? क्यों? ऐसी उदासीनता क्यों? तुम इस हद तक बीमार हो? क्यों? जवाब दो– क्यों?

मैं सिर झुकाकर चुप रहता हूँ। कोई जवाब नहीं दे सकीं, मेरी आँखें।

पटना, गया, मुंगेर, हजारीबाग, पलामू जिले के नक्शे सामने बिछे हुए हैं, पचास-साठ अथवा सौ बरस पहले आँके गये नक्शे।...मैं यह भी नहीं जानता कि पटना से

जमुई कौन-सी सड़क जाती है। गया से चतरा तक जाने वाली सड़क कैसी है। मुझे नहीं मालूम कि छतरपुर किस जिले में पड़ता है। मैं चश्मा लगाकर भी नक्शों के नन्हे अक्षरों को नहीं पढ़ सकता। अज्ञेय नक्शा देखते समय चश्मा उतार लेते हैं। वे बीच-बीच में कोई सवाल करते हैं। मैं सुनकर भी नहीं सुनने का भाव दिखलाता हूँ। जवाब देते हैं पत्रकार-मित्र जितेन्द्र सिंह। सोचता हूँ यदि आज जितेन्द्र नहीं होते तो...?

मैंने सोचा था, अज्ञेय सबसे पहले बिहार के मुख्यमन्त्री से मिलेंगे। फिर कृषि मन्त्री से। तब सरकारी हवाई जहाज अथवा हेलिकॉप्टर या जीप पर सवार होकर सरकार की मर्जी से सूखा-क्षेत्र में जाएँगे। जहाँ-जहाँ जाएँगे, वहाँ के सरकारी अधिकारी पहले से ही उनकी यात्रा के उद्देश्य की पूर्ति के लिए तत्पर और प्रस्तुत रहेंगे। किन्तु, उनकी डायरी में सबसे ऊपर जयप्रकाश नारायण का नाम था – जो एक दिन पहले पटना से गया चले गये थे और अज्ञेय उनसे मिलने के बाद ही संकटग्रस्त क्षेत्रों में जाएँगे। अतः तुरत गया चल पड़ना उचित समझते हैं।

सोचा था, भोजन के बाद एक घण्टा विश्राम करेंगे तो अपनी भी दिवानिद्रा में कोई व्याघात नहीं होगा। दोपहर के भोजन के बाद भोजन-पान-शयनविलासी तन-मन को तनिक सुख-नींद तो चाहिए ही। किन्तु, मैं नींद-भरी आँखों और अनमना मन लेकर ओढ़ना-बिछावन, तहमत-तौलिया वगैरह समेटकर तहियाने लगा। और जिसकी निगाह में संसार का सर्वश्रेष्ठ आलसी हूँ यानी 'आलस्य-श्री', 'आलस्य भारती' और 'आलसी-बिहार का प्रतीक' आदि हूँ – वह मेरी दयनीय दशा देखकर खुशी से हँस-हँसकर मरी जा रही थी, क्योंकि मेरे चेहरे पर बांग्ला का एक 'छड़ा' (फिकरा) स्पष्ट लिखा हुआ था – 'पड़ेछि मोगलेर हाथे, 'खाना' खेते हबे साथे...'

जितेन्द्र बिना टैक्सी के निराश वापस लौटे तो भरोसा हुआ, कम-से-कम कुछ घण्टों की मोहलत मिली। पर सवाल उठा कि अगर टैक्सी से नहीं चलना है तो गया जाने वाली गाड़ी में अब ज्यादा देर नहीं। सिर्फ बीस मिनट। मेरी राय ली जाती तो कल सुबह के पहले किसी गाड़ी से चलने का प्रोग्राम नहीं बनाता। किन्तु 'यायावर' ने तुरन्त कन्धे पर कैमरा लटकाया – एक हाथ में अटैची और दूसरे में बास्केट...मेरा अब तक बिस्तर भी नहीं बँधा है, बैग में डाली जाने वाली चीजें चारों ओर 'छत्राकार' बिखरी हुई हैं। मैं एक पाँव में पाताबा डालकर, पाजामा में पहनाई जाने वाली डोरी खोज रहा हूँ, और मन-ही-मन मना रहा हूँ कि यदि मेरे 'अयात्रीसुलभ संस्कारों' को यात्रा के लिए अशुभ मानकर – अथवा नाराज होकर भी – मुझे मुक्ति दे दें तो मुझे दुःख नहीं होगा। (उनके जाते ही लम्बी तानकर चैन से सो रहूँगा) एक बार ऐसा लगा कि वे चुप रहकर जो कुछ कह रहे हैं,

उसका आशय है, "तो, आप आराम कीजिए। मैं चला।"

लेकिन, मुस्कुराकर बोले, "मैं मदद करूँ?"

मैं चुप रहा। घर का दूसरा प्राणी मदद करने के साथ बड़बड़ा रहा था, "भाईजी तो एक बेकार का बोझ ले रहे हैं अपने साथ..."

समझने वाले ने मुझे 'बोझा' समझकर भी 'बेकार का' नहीं समझा।

(समझते तो अच्छा होता! और मुझे लगा कि अब देर करूँगा तो दरवाजे के पास खड़ी विशाल काया मुझे अपने दूसरे कन्धे पर लटकाकर चुपचाप चल पड़ेगी।)

कार्तिक पूर्णिमा से एक दिन पहले – 'छोटी नहान' का दिन। बिहार में हर पर्व के एक दिन पहले एक छोटा पर्व मनाया जाता है, छोटी होली, छोटी दीवाली! 'नहान' का दिन अर्थात् छत्तर के मेले का दिन और पटना-गया लाइन (पी.जी. ट्रेन) की रेलवे यात्रा! दुर्गा का नाम लेकर निकला था। स्टेशन पहुँचकर 'काली' का नाम जपने लगा...गाड़ी में कहीं भी तिल धरने की जगह नहीं। दोनों फर्स्ट क्लास के डिब्बों पर पुण्यार्थियों का पूर्ण अधिकार। हमें कम्पार्टमेंट के अन्दर क्या, पाँवदान पर भी पैर रखने देना नहीं चाहते थे। मुझे पन्द्रह-बीस दिन पहले की एक घटना याद आयी। आसाम मेल पर इसी तरह मेला देखने वालों ने पूरा कब्जा कर लिया था और सबसे तेज चलने वाली उस गाड़ी को बरौनी से खगड़िया तक ही पहुँचने में दस घण्टे लग गये थे। चेन खींचने से लेकर घनघोर 'रोड़ेबाजी' तक हुई थी – जमकर। पचासों निरपराध यात्री घायल हुए थे और अन्त में 'फौजी पैसेंजरों' को राइफल निकालकर 'लोड' करने की जरूरत महसूस हुई थी...मुझे 'पटना-गया लाइन' की अपनी उन यात्राओं की याद आयी, जिनमें रोड़े से लेकर रगड़-झगड़ और गालियों का मुकाबला करना पड़ा था।...आज भी यही सारे लक्षण उपस्थित हैं। प्लेटफॉर्म पर चहलकदमी करता हुआ पुलिस का सिपाही हमारी कोई मदद करने में असमर्थ है। जितेन्द्र हार गये तो 'अज्ञेय' आगे बढ़ गये और अपनी दोनों भुजाओं को पसारकर भीड़ को ठेलने लगे– "आप बाहर नहीं निकलेंगे तो मैं गाड़ी को आगे नहीं बढ़ने दूँगा। चलिए..."

कहते हैं, यात्रा शुभ हो तो पद-पद पर संयोग भी बढ़िया जुटता जाता है। इस स्टेशन से हमें बुनियादगंज मुहल्ले में – जे.पी. के पड़ाव पर जाना था। प्लेटफॉर्म पर पाँव रखते ही मेरी एक पुराने साथी पर नजर पड़ी, जो रेलवे कर्मचारी है। ज कभी गया स्टेशन पर पहुँचा हूँ, उससे मुलाकात हो गयी है और हर बार वह पुराना 'कामरेड' (रेलवे यूनियन का!) मेरे काम आया है। इस बार उसकी नजर बचाकर,

कतराकर एक ओर से गुजर जाना चाहता था। किन्तु, उसने देख लिया। सलाम का 'चलता-फिरता जवाब' देकर आगे बढ़ जाना चाहा, मगर उसने हाथ थाम लिया– "इस तरह खब्तुलहवास...कहाँ...जे.पी. से मिलने? यार, कहाँ जा रहे हो? जे.पी. अभी स्टेशन आ रहे हैं। सच कहता हूँ, उनकी गाड़ी लगी हुई हे...एडिटर साहब को रोको; नाहक कहाँ परेशान होने जाएँगे? बनारस जा रहे हैं. जे.पी. ।..."

मैं दौड़कर स्टेशन के बाहर गया। हमारा सामान टैक्सी के मुँडेरे पर रखा जा चुका था। वे हमारी प्रतीक्षा कर रहे थे।

मैंने यह सूचना दी। सामान उतार लिया गया। जितेन्द्र ने बुनियादगंज टेलीफोन करके पता लगाया, बात सच थी। वह प्लेटफॉर्म की ओर गये और हड़बड़ाकर लौटे– "बुला रहे हैं आप लोगों को। गाड़ी खुल रही है..."

गाड़ी और प्लेटफॉर्म के आखिरी छोर तक हम दौड़ गये। दूर से ही देखा – एक कम्पार्टमेंट के दरवाजे के फ्रेम में जड़ा-सा एक व्यक्ति खड़ा है। मद्धिम रोशनी में भी चेहरे को एक प्रसन्न मुस्कान आलोकित कर रही है– "कब आये?...मैं तो अभी बनारस जा रहा हूँ, तीस तारीख को झुमरी तलैया में रहूँगा...उसके बाद ही दो-तीन-चार लगातार पटना।"

मुझे देखकर हँसकर बोले– "अच्छा...तो आप भी हैं।"

मैं चुपचाप मुस्कुराता रहा। जवाब दिया जितेन्द्र ने हाथ जोड़कर– "जी! हिन्दी के दो... ।"

जयप्रकाश जी ने गया, जमुई, हजारीबाग और पलामू के कई इलाकों और गाँवों के नाम बताकर कहा– "वहाँ जरूर जाइए...हाँ, वह इलाका भी सबसे ज्यादा 'एफेक्टेड' है...वहाँ तो पीने को पानी भी नहीं। वहाँ जरूर जाइए... ।"

गाड़ी खुली तो मैंने पढ़ा, जे.पी. के ओठों पर हमारे लिए यह सन्देश साफ अंकित थाः नाभिनंदेत मरणंनाभिनंदेत जीवितम्, कालमेव प्रतीक्षेत निर्देशं मृतक यथा...

एक नयी (प्राइवेट) टैक्सी लेकर तीन अपटूडेट जवान सरदार किसी गाँठ और परिवार के पूरे हिन्दू या बौद्ध पुण्यार्थी की ताक में घात लगाकर बैठे थे। हमें देखकर उनके दिमाग में कोई बात नहीं आ रही थी। एक मेरे लम्बे केशों की ओर देखता, दूसरा अज्ञेय की दाढ़ी को और तीसरा जितेन्द्र के गोरे एवं गोल मुखमण्डल को। इसीलिए, बुनियादगंज मुहल्ले तक जाने का भाड़ा उन्होंने हमसे 'फकत' बीस रुपये माँगा था। और, लौटकर जब बुनियादगंज के बदले 'सर्किट हाउस' पहुँचाने का किराया पूछा तो वे अवाक् होकर एक-दूसरे को देखने लगे।

अज्ञेय को चाय से प्रीति नहीं। किन्तु, उन्होंने खानसामा को बुलाकर मेरे लिए 'बेड टी' का ऑर्डर देते हुए मुझसे समय पूछा तो मुझे लगा कि मैं सचमुच

इन पर बेकार का बोझ हूँ, मिनमिनाकर जवाब दिया– "साढ़े छह बजे!" (ईमान की बात है, घर में साढ़े सात से पहले कभी नहीं...!)

...अज्ञेय आज तक 'बोधगया' कभी नहीं गये, बोधि का दर्शन नहीं किया। फिर कहाँ पायी करुणा?...मैं भी बोधगया कभी नहीं गया...बोधगया के रास्ते के गाँव संकटग्रस्त हैं। बौद्धधर्म स्वीकार करता है कि दुःख है और इतना ही पर्याप्त है कि हम दुःख से मुक्ति पा सकते हैं। सुख पाएँगे या नहीं, हम नहीं जानते... बौद्ध संसार से परे कोई वस्तु नहीं मानते। बुद्ध ईश्वर के विषय में पूर्णतया अज्ञेयवादी हैं, किन्तु हमारे धर्म ईश्वर का हर जगह उपदेश देते हैं– सगुण-निर्गुण दोनों का...।

मैं रामकृष्ण का स्मरण करता हूँ...देवघर में भूखे-नंगे सन्थालों को देखकर, काशी-यात्रा स्थगित करके बैठे हैं। –"पहले इन्हें भरपेट भोजन दो...चूल्हे में जाय तुम्हारी काशी की गंगा...मैं तीर्थ करने नहीं जाता...इन्हें भरपेट खाने दो, ये ही शिव हैं। ये ही नारायण...।"

खानसामा 'बेड टी' लेकर जिस समय आया – असली नींद का समय वही था। ऐसी नींद कि आँखें मूँदे रहिए और फिर भी सब कुछ देखिए-सुनिए।...अन्दर से दरवाजा खोला गया। खानसामा आकर चला गया। दो-तीन मिनट के बाद चम्मच और प्यालियों के टकराने की तुनुक-टुन-टुन आवाजें हुईं। और तब समझा कि 'बेड टी' का एक अर्थ 'जागिए कृपानिधान' भी होता है।

इस बार भी गया आकर यहाँ के प्रसिद्ध तिलकुट की, देव के मगही पान, गया की ठुमरी और यहाँ के साहित्यिक मित्रों की यादें आयीं। ऐसी सुहावनी सुबह में. ..नीबू-चाय पीते हुए...गया के सांस्कृतिक पक्ष पर कोई समाजशास्त्रीय 'गपशप' शुरू करके सूरज उगाया जा सकता था। किन्तु, 'यायावर' अपने कैमरे के लेंस, फिल्टर और जूम का हिसाब-किताब बैठाने में व्यस्त थे, चुपचाप...जिसका मतलब साफ था...'जागिए ही नहीं। तैयार हो जाइए। कृपानिधान!'

बोधगया जाने के पहले स्थानीय किसी अधिकारी से सरकारी लेखा-जोखा ले लेना उचित समझा गया। हम ए.डी.एम. के बँगले पर पहुँचे। युवक हाकिम ने हमें बैठाकर अपने रिलीफ अफसर के सहयोग से बीस-पच्चीस मिनट में– "हमें पूर्ण विश्वास है कि इस लड़ाई में हमारी ही जीत होगी।"

बातचीत के सिलसिले में मैंने शुरू से ही लक्ष्य किया था, ए.डी.एम. साहब किसी भी अंग्रेजी शब्द और वाक्य के पहले उसका हिन्दी रूप बोलते थे...कठिन श्रम योजना, लघु सिंचाई, अनाज-वितरण, अभियान, निर्माण...हमें मालूम था कि

युवक और नये अफसर लोग जन-सम्पर्क के महत्त्व को समझते हैं। जानते हैं, किस वर्ग के लोगों से कैसी बातें करनी चाहिए! लेकिन, बाद में जब पता चला कि वे बंगाली हैं तो अचरज हुआ! निष्ठापूर्वक हिन्दी बोल रहे हैं...'किस' वर्ग के लोगों से 'कैसी' बातें ही नहीं...किस 'भाषा' में बातें करनी चाहिए, ए.डी.एम. यह भी जानते हैं।

बोधगया में मन्दिर और बोधि का दर्शन सामूहिक रूप से किया। मन्दिर के प्रांगण में घूमते हुए मुझे रह-रहकर...रिपुंजय, बिंबिसार, अजातशत्रु, शिशुनाग, महापद्मनन्द, चन्द्रगुप्त, अशोक, शून्यपुराण और कम्युनिस्ट मैनिफेस्टो की याद आयी...राहुल जी, भदंत और नागार्जुन की याद आयी।...वर्षों पहले पढ़ी बातें, 'वज्रयान' और 'वज्रत्व' की व्याख्या : वज्रत्व-लाभ करना मनुष्य का जन्मसिद्ध अधिकार है। मनुष्य का अधिकार ही सबसे बड़ा है। मनुष्य ही सत्य है, और सब मिथ्या।... महासुख ही महाप्रभु, महाशून्य, वही करुणा, वही सर्व-देवता।...एक्क न किज्जई मंत न तंत, निअ घरनी लई केलि करंत। निअ घर घरनी जाव न मज्जई, ताव कि पंचवर्ण बिहरिज्जई...!!

साहित्यिक मित्रों के प्रसन्न-विदा-सम्भाषण का सम्बल लेकर हम आगे बढ़े। और यहीं से हमारी असली यात्रा शुरू हुई! 'यायावर' जो अब तक पीछे वाली 'सीट' पर थे, सामने ड्राइवर के पास अपने 'लटकन-छटकन' के साथ जा बैठे। मेरे ठीक सामने। किन्तु, मैं उनकी 'पीठ' नहीं...देख रहा था, उनका सिर। जो स्वयंचालित यन्त्र की तरह, काँच के 'वाइपर' की तरह...बायें से दाहिने और दाहिने से बायें घूम रहा था। टोह लेती हुईं आँखें। ड्राइवर के बायें कन्धे पर उनकी उँगली पड़ी...ड्राइवर गणेश ने 'ब्रेक' लिया।...'यायावर' उतर पड़े। घास 'गढ़' कर यानी खोदकर लौटती हुई औरतें...सिर पर टोकरियाँ। धान का बोझा नहीं, सूखी झुनाई घास! साथ में वह नन्ही बच्ची...क्लिक! अब एक 'कलर' चाहिए, शायद। गाड़ी में दूसरा कैमरा लेकर 'यायावर' को दौड़ना पड़ा।...मगध की छोरियाँ कुछ गोरियाँ (कुछ कारियाँ भी!) कुछ भोरियाँ...बाजरे की कलगी नहीं, बिछली-घास भी नहीं... सिर पर घास की टोकरियाँ लेकर तेजी से चली जा रही हैं। 'यायावर' ने कैमरे का बटन दबाना चाहा कि सबसे अगली (जो पहले भी बच निकली थी!) मुँह पर कपड़ा डालकर अचानक इस तरह 'फिरकी' की तरह मुड़ गयी कि 'यायावर' हारकर भी हँस पड़े।

ऐसा लगता है, बोधगया जाते समय ही 'यायावर' की दृष्टि में कई 'ऑब्जेक्ट' या 'सब्जेक्ट' पड़ चुके थे। दो फर्लांग के बाद, जहाँ से हमारी गाड़ी फिर गया शहर की ओर मुड़ी...ड्राइवर गणेश के कन्धे को छूकर गाड़ी रोकी गयी। देखा — वहाँ,

एक खेत में काला-कलूटा, दुबला-पतला, भूखा-प्यासा, थका-हारा बूढ़ा धान के सूखे पौधों को हँसिया से काट रहा है, यदि हमारी 'यात्रा' कंडक्टेड किस्म की होती तो मैं यह कदापि विश्वास नहीं करता कि यह बूढ़ा सचमुच कोई बूढ़ा है जो संकट से लड़ रहा है – उसने कई ऐसे 'पोज' दिए जो कुशल-सफल कोई चरित्र-अभिनेता भी नहीं दे सकेंगे। भगवान सफल नाटककार ही नहीं, 'डायरेक्टर' भी हैं। (देखिए *दिनमान*, 9 दिसम्बर, पृ. 24-27)।

गया शहर छोड़कर हम नवादा की ओर जा रहे हैं। ग्राम गुरुचक्र और बुद्ध-गैरे के नाम पढ़कर हमें गाँवों और जगहों के नामों पर एक समाजशास्त्रीय 'गप्प' शुरू करने का अवसर मिलाः इस रास्ते से बुद्ध गये होंगे। और ग्राम गुरुचक्र में 'श्रीचक्र' की तरह कोई अनुष्ठान सम्पन्न हुआ होगा। वात्स्यायन जी भी मुस्कुराकर इस बातचीत में शरीक होना चाहते थे कि अचानक सड़क के दोनों ओर भू-भाग – लैंडस्केप – सपाट, सू-खा-आ-आ...!! – यह क्या? जहाँ तक दृष्टि जाती है – एक तृण नहीं। कहीं एक तिनका भी हरा नहीं। बंजर-परती धरती नहीं...धान के खेत हजारों एकड़। प्रकृति के प्रकोप की मारी धरती! – यह क्या देख रहा हूँ? यह किसका शाप है?...किसका पाप...?

हँसुआ पहुँचते-पहुँचते बोतल प्रसाद यानी लेखक जी न जाने कहाँ हवा में 'बिला' गये। उनकी जगह पर रह गया – बिहार के एक गाँव का एक किसान का बेटा, जो सिर्फ यही सोच रहा है कि यदि उसके जिले में, इलाके में ऐसा सूखा पड़ा होता तो उसकी जमीन, उसके गाँव, गाय-बैल, औरत-बच्चे ऐसे ही...इसी तरह...।

गाँवों के आसपास थोड़ी हरियाली देखकर आँखों को ही नहीं, जलते हुए दिल को भी राहत मिलती है।...जिन्दगी गाँवों को अगोरकर सिमटी-सिकुड़ी पड़ी हुई है।

अब हमारी आँखें और कुछ नहीं देखतीं...सिर्फ सूखा और अकाल!...आने-जाने वालों की गठरियों में क्या है – गेहूँ, मकई, बाजरा? गाड़ियों पर क्या है, बोरे में? अनाज या चारा?...अन्न के बोरे नहीं, सूखा पुआल। दुकानों के सामने क्या है – मकई? पंजाबी मकई?...इधर कहाँ जा रहे हैं – सभी लोग? वह बूढ़ी बकरी लेकर कहाँ जा रही है? जरूर बेचने जा रही होगी। ...गाँवों के आसपास बच्चे खेलते-भागते तो हैं। वह छोटा-सा लड़का हमारी गाड़ी को देखकर, हाथ हिलाकर 'हो-य-य' कहकर खुश तो हुआ!...वह लड़की हमारे गाँव की सुरती की तरह लगती है। यह बूढ़ा नयी लालटेन खरीदकर ले जा रहा है।...उस गाँव में निश्चय ही किसी की शादी हुई है या गौना हुआ है, रँगे हुए कपड़े सूख रहे हैं। शादी या गौने में 'भोज' हुआ होगा! बच्चे पढ़ने जा रहे हैं? क्या खाकर जा रहे हैं? स्कूल में मुफ्त दूध मिलता होगा? हाल ही, थोड़ी-सी वर्षा हुई है – इससे कुछ फायदा तो हुआ होगा!

लेकिन, कहाँ? देखता हूँ, कहूँ– हाँ, वहाँ...वहाँ हरियाली की पतली-सी रेखा। रबी का रंग...दूर-दूर खेतों में लोग दिखाई पड़ते हैं, हल जोतते हैं, कुदाल चलाते हुए...वह रहा 'एंटिएयरक्राफ्ट'...कच्चे कुएँ की डोल के लम्बे-लम्बे बाँस – सूखी धरती और आसमान की पृष्ठभूमि में ऊपर-नीचे गिरते हुए लट्ठे – लोग लड़ रहे हैं। वहाँ भी – वहाँ कुछ खोदा जा रहा है – आहर, पैन या कूप? कुछ भी हो...वे लड़ रहे हैं।...

यह, एकदम करीब ही कच्चे कूप पर तीन लट्ठे चल रहे हैं। डोरियों की लम्बाई से जल के तल – वाटर-लेवल – का पता चलता है – सचमुच पानी पाताल की ओर भागा जा रहा है। ...तीन जन पानी भर रहे हैं। एक 'पैन' ठीक कर रहा है। एक हल जोत रहा है। लड़ रहे हैं, सभी!...ड्राइवर के कन्धे पर अब उँगली रखने की जरूरत नहीं होती–एक 'हुँ' पर ही गाड़ी रोक देता है।

हल जोतने वाले भाई जी से नाम पूछा तो उसने सुनकर भी कोई जवाब देने की जरूरत नहीं समझी! (सड़क से गुजरने वाले हर आदमी के सवालों का जवाब देने लगे तो वह खेत कब जोतेगा?) बैलों को एक भद्दी गाली देकर हाँकते हुए उसने हमें भी अपने हाथ के 'पैने' से हाँकने की कोशिश की। हम हाँके नहीं गये और उसके काम में बाधा डाले बिना उसकी प्रतीक्षा करने लगे। बस, दो मिनट में ही उसका हल खेत के उस किनारे से इस किनारे की मेंड़ तक 'रेह' फाड़ता हुआ करीब आ जाएगा – और करीब – 'तोहार नाम की हो भाय?' –नाम? नाम हमर –जागो! –क्लिक!...जागो ने अपनी दुलहिन को – जो खेत के उस मेंड़ के पास खड़ी थी – इशारे से कुछ कहा। उसकी 'दुलहिनियाँ' पेड़ की आड़ में चली गयी।

रेपुरा-सिरसा गाँव के इस हलवाहे ने अपना नाम 'जागो' बतलाकर हमारे सभी सवालों का एक ही जवाब दे दिया था! उधर, खेतों में काम करने वालों के हाथ रुके नहीं। एक आदमी हमारे पास आया – हाथ की मिट्टी झाड़ता हुआ। हमें देखकर मुस्कुराया। फिर पूछा– 'क्या देखने आये हो? यह सूखा?...ऐसा कभी नहीं हुआ – लेकिन, हम लोग लड़ रहे हैं। थोड़ा-सा पानी पड़ा है। और बाकी कूप-कुआँ से – जहाँ तक हो सके आदमी जान रहते तो हिम्मत नहीं हारेगा।... अब, भगवान की मर्जी।...अच्छा तो – परनाम!'

'यायावर' फोल्डर खोलकर नक्शा देखते हैं। पूछते हैं– 'क्या नाम बताया था उस गाँव का?...आपने लिखा था, हाँ, कोसला!' हँसुआ से राजगिर रोड की ओर मुड़कर छह माइल पर है, कोसला गाँव। उसके बाद मियाँबीघा...उससे पूरब कछुआरा...।

'यायावर' पूछते हैं– 'कछुआरा या कहुआरा?' –हाँ, कहुआरा! कवि कथाकार-आलोचक- पत्रकार मित्रों ने उन गाँवों के नाम लिखवाए हैं जहाँ भूमिहीन-जनों की – खेत-मजदूरों की 'बस्तियाँ' हैं!

'यायावर' हँसुआ पहुँचकर बायीं ओर गाड़ी मोड़ने को कहते हैं– "राजगिर जाने वाली सड़क यही है... ।"

रास्ते में, भेलुवा गाँव के खेतों में कुछ कम उम्र के लड़के भी काम करते हुए दिखलाई पड़े। कूप खोदा जा रहा है।...बृजनन्दन सिंह, बिपिन बिहारी शर्मा, बिजेन्दर, विजयकुमार और लटना। मुसहर का नंग-धड़ंग बालक।...जब हम गाड़ी की ओर लौट रहे थे, तब सुना बिजेन्दर या विजयकुमार हँस-हँसकर कह रहा था– "सार! लटनो के फोटो खिंचा गेलइ। फोटो में सार लँगटे ठाड़ रहते...?"

"कोसला और कितनी दूर?" हर आने वाले राही से पूछते हैं हम।

"बस, आगे।...डेढ़-दू कोस।"...हर जवाब देने वाला जवाब देकर खड़ा हो जाता है और बहुत देर तक हमारी गाड़ी की ओर अचरज से ताकता रहता है।

पक्की सड़क से उतरकर, कुछ दूर तक 'कच्ची' पर गाड़ी जहाँ तक जा सकी, गयी। हम गाड़ी से उतर पड़े। पगडंडी के दोनों ओर सूखी 'बारी-झारी' की क्यारियाँ – जंगली 'भुटके' का साग भी नहीं। मिट्टी के छोटे-छोटे घर, उजड़े-अधउजड़े झोंपड़े...हवा में श्मशान-जैसी 'चिड़ाइन' गन्ध...छप्पर पर सूखती चिरकुट-कथरी... फूटे हुए मिट्टी के बर्तन-बासन – कुत्ते का डोलता और हाँफता हुआ एक कंकाल बिना-भूँके एक ओर चला जाता है। एक माता अपने बच्चे को गोदी में लेकर आ रही है, हमें देखकर ठिठक गयी। उसका बच्चा अ-वाक्-उदास आँखों से हमारी ओर देखता रहता है। माँ मुँह फेर लेती है। काले-काले होंठों के बीच, सफेद दाँतों पर बिजली-सी कौंध गयी – मैंने 'मूलमन्त्र' जपना शुरू किया।

हम गाँव के मध्य भाग में पहुँचे। एक मिट्टी की गिरी-पड़ी दीवार के पास एक 'खुनखुन' बूढ़ी बैठी थी। हमें देखते ही बड़बड़ाने लगी। क्रोध से उसके नथुने के आसपास की सिकुड़ी-सिमटी चमड़ी थर-थर काँपने लगी – उसकी घुड़कती आँखें और टूटी दन्त-पंक्तियाँ ...मैं मन-ही-मन 'कालिका सहस्रनाम' जपने लगा– घोररूपा, घोरदंष्ट्रा, घोरा, घोरतरा, शुभा ...कोटराक्षी...बहुभाषिणी...प्रचंडा...चंडी... चंडवेगिनी, यक्षिणी, योगिनी, जरा, राक्षसी, डाकिनी, वेदमयी, वेदविभूषणा...निष्ठुरवादिनी माँ...!!

एक झोंपड़े से झाँकती हैं एक जोड़ी गुस्से से भरी तेज आँखें – एक सात-आठ साल की बच्ची की। उसकी अधेड़ माँ हड़बड़ाकर उठ बैठती है, कपड़े से अपनी देह ढँकती है। गुस्से में कुछ बुदबुदाती है। दूसरे, तीसरे, फिर चौथे झोंपड़े के प्राणी भी कुनमुनाकर निकलते हैं – बच्चे, बूढ़ियाँ, अधेड़ और जवान औरतें। मर्द एक भी नहीं – एक नंग-धड़ंग, चित्ती कौड़ियों-जैसी आँखों वाले, दुबले-पतले-पीले बीमार बालक के सिवा!

हममें से कोई भी 'मगही' बोलना नहीं जानता। लेकिन मेरा विश्वास है कि जो थोड़ी-सी भी मैथिली या बांग्ला अथवा भोजपुरी – यहाँ तक कि ठेठ हिन्दी – बोल ले सकते हैं, वे समय पड़ने पर 'मगही' बोल-समझ सकते हैं। बोली के 'लय' को पकड़कर मैं न जाने कौन-सी 'भाषा' बोलने लगता हूँ। मगही जानने वाले इसे शुद्ध मगही नहीं मानें, समझ सब कुछ लेंगे।

मैं बोला, "गाँव में कौनो मरद-पुरुखवन केर पता न है! कहाँ गेल हो, ई सब?"

"जइते कहाँ? कमावे कोड़े ला।" –तुरत जवाब मिला।

"चुल्हवा में की पक्कत हलै? धुँइयाँ देखैहियेक्।"

"पक्के के की है जे पकतई! लड़कोरिया लेल गोइठवा में अगिया सुलगत हय – ओकरे धुँइयाँ...।"

"पक्के के कुछ नअ हउ-त ई बचवा सब की खइतउ? की गे – तोर की नाम हौ? बोल ना, लजावे है काहे? ई लइका केक्कर है?...बीमार है? ओ?...भुक्खल है – खाए बिना एकर एइसन दसा है...ओ...।"

–मेरी बातचीत सुनकर तनाव कम हुआ। मुझे लगा, चारों ओर तनी हुई

कमानियाँ अचानक ढीली हो गयीं। वे करीब आयीं, आने लगीं। आधा दर्जन से अधिक भूखी माताओं के बीच मैंने अनुभव किया – गाँव की दादी, फूफी, काकी, मौसी चारों ओर से दौड़कर आयी हैं – मेरे आने की खबर सुनकर – बाल-बच्चों को लेकर!

"पाँच जन केर मजदूरी – पाँच मुट्ठी एहे खेसारी – देखऽ!"

"खसरियो निपट्ट घुनायेल – से देखऽ!!"

"मलिकवन के कौन फिकिर? घर में अनाज-पानी भरल है।"

"हमनिये के उपजायेल, ओसायल-बरायल और घर में सँइतल अनजवा – देखल अनजवा कहाँ चल जइतै, भैया?"

"अपने बिजली के कुइयाँ खना रहलन हैं...।"

"गरीबन के देखे वाला केयो नहीं।"

"सात दिन केर लड़कोरिया के एह खेसारी के घाठा? हे परमेसर, एसन कभ्भी न देखली।"

"माइए के ना खाएला मिलतइ तऽ बचवा जीयतय कैसे?"

"दुधवे न होइ है...।"

"कीप ऑन टाकिंग...।" –'यायावर' अपने कैमरे के 'व्यूफाइंडर' में देखते हुए कहते हैं।

"तोहर की नाम हौ गे...?" –मैं पूछता हूँ उस तेज और गुस्से-भरी आँखों

वाली सात-आठ साल की लड़की से, जो अपनी बेटी-जैसी लगती है।

"बोल ने गे। बता दहिक् ने गे, जसोधिया।"

"जसोधा।"

"वाः जसोदा माई...!" जितेन्द्र कहते हैं।

सूखे मुखड़ों पर मुस्कुराहट खेल गयी। मैं यशोदा का हाथ पकड़कर अपनी ओर खींचता हूँ। वह नाराज और कुछ डरी-सी (ठीक अपनी बेटी-जैसी!) मुँह से सिर्फ 'बक्-बक्' उच्चारण करके – घुड़कती हुई निगाह से देखती है। सौरघर से झाँककर देखती है – एक सूखी, पीली, युवती-माता। चिथड़े में लिपटे हुए शिशु की ओर दिखलाकर अपनी बहन से हँसकर कहती है– "ई अकलवा के भी छापी उतरवा दे...।"

अकाल और सूखा में जन्मे हुए बच्चों के सही नाम 'अकालू' और 'सुखाड़ी' नहीं तो और क्या होंगे?

पूछता हूँ– "अकलवा केर छट्ठी कहिया भेलय?"

"कल ही त।"

"कीप ऑन टाकिंग...।"

"अकलवा के महतरिया केर की नाम?"

"बच्ची देवी।"

"अकलवा के ई मौसी है न? एक्कर की नाम?"

"कलेसरी देवी।"

"भात खइला कतेक दिन भेलउ?"

इस सवाल पर सभी हँस पड़ीं। एक बोलीः ऐ-हे-ए...

"आसिने में भात खैलिए...।"

"तोहर की नाम हो रे बबुआ?"

"पिनोदपा...।" –चित्ती कौड़ी-सी आँखों वाला बीमार बालक चें-चें कर बोला।

"बिनोदवा नाम है।"

"बिनोदवा केर बाप कहाँ?"

"कलकत्ता में बहनोय बिजली कम्पनी में काज करत हइ ओकरे लग...।"

"कौनो सरकारी 'कार्ड-उर्ड' भैटलै है केकरों ई गाँव में? लाल रंग केर 'काट'...?"

इस सवाल पर वे फिर हँसीं। इस बार शुष्क हँसी– "कहाँ मिलल है 'कटवा' और 'कटवा' भेटओ करतय त दुकनवाँ में अनाज नहिं...।"

"मलिकवन के करेजा में तनिको दया-धरम नहिं।"

"जेकरा खातिर बाप-दादा से लेकर हमर लइका-पोता हड्डी गला के राँगा

कइलक – ओकरा सबके नजर में पानी नहिं।"

मालिक-टोले का एक आदमी बहुत देर तक चुपचाप गप सुन रहा था। मौका मिलते ही बोल उठाः "आरे! आदमी को खिलाने वाला कौन बाप का बेटा जनम लिया है। भगवान जिसको चाहें खिलावें चाहे...!"

उसकी बात पूरी नहीं हो पायी। बिनोदवा की माँ बोली– "अरे, भगवान... भगवान मलिकवने सबके ओर...नहित भगवानो आन्हर है कि बहिर...हाय रे... एसन अनियाव? तीन-तीन दिन पर हमन के एकगो मडुओ के रोटी न मिले हुनकर हवेली में पुरनमासी के सतनरैनजी के कथा में पूड़ी-बुँदिया केर जेवार...और रूआब ऐसन कि बोलो मत। चोरी में पकड़ा देगा। डकैती में फँसा देगा। जेहल में देगा।...जेहल में देगा, त उहे दे दो। जेलवा में खाए के त मिलतई?...हः हः, गरीब के देखे वाला को-य-न-हीं...।"

"ठीक बात।" –जितेन्द्र ने आँख मूँदे, सिर झुकाए कहा।

"मलिकवन के घर हैजा-फौती मइसो...।"

मैं सिहर पड़ा, इस शाप से! जितेन्द्र ने भी सिर हिलाकर 'हुँहु' किया। बूढ़ी रुक गयी– "पेटवा जरैहै त मुँह से गरिया निकसय है।"

"थारियो-लोटवो बेचलइए, बकरी-बकरा सब...।"

"ई जाड़ा त केतना के...।"

"अगिया जरतय कइसे?"

"लकड़ियो-जलावनो सब मलिकवने के...।"

"आग लागो हुनकर...।"

"बिनोदवा। इधर आ। यहाँ सामने...।"

'यायावर' के कैमरे को उसकी आँखें छेद देंगी – ऐसा लगा। रोशनी एकदम कम हो गयी थी।...फ्लैश चमका तो बिनोदवा के चेहरे पर आतंक की एक हलकी झलक देखने को मिली, जिसे देखकर सभी हँस पड़े।

"जशोदा माई? बिनोदवा...!" इससे आगे क्या कहूँ? क्या कहना चाहिए? कह दूँ– जाकर खाना भेज दूँगा? दूध भेज दूँगा? दवा भेज दूँगा? क्या कह दूँ? हम यहाँ क्यों आये? यह क्या देखा?

अज्ञेय अब चुपचाप खड़े हैं। जितेन्द्र का मुँह एकदम लाल हो गया है। मैं 'विदा' माँगने के लिए शब्द ढूँढ़ रहा हूँ– "तब?...अब हम सब चलित हैं। फेर आएब...।"

"अच्छा त– परनाम!...परनाम!!...पन्नाम!!!"

हम न जाने कहाँ आये थे!...इनफेरनो? नरक में? या 'पाराडिसो' में यानी स्वर्ग में? हम कौन हैं? यह कौन 'लोक' था? यह कौन-सा युग है? हम कहाँ हैं?

उलटकर देखा: सभी एकटक हमारी ओर देख रही थीं...गाँव से 'बिदाई' के दिन गाँव के हर टोले की औरतें – गाँव के आदमी को इसी तरह खड़ी होकर देखती हैं। न हाथ हिलाती हैं और न रूमाल।...चित्ती कौड़ी-जैसी आँखों वाला दुबला-पतला भूखा बिनोदवा, भूखी जशोदा, सूखी बच्चीदेवी, दाने को तरसती कलेसरी और सूखी माँ की छाती को चूसता हुआ सात दिन का शिशु – अकलवा!...इनसे मैंने क्यों कह दिया कि फिर आऊँगा?

मैं कोसला गाँव फिर कभी नहीं आना चाहता। कभी नहीं आऊँगा, यहाँ। क्योंकि जानता हूँ...जब लौटकर आऊँगा तो देखूँगा...जशोदा नहीं है। अथवा अकलवा अपनी माँ को खाकर चल बसा है। सुनूँगा– बिनोदवा को आखिरी दिन घुनी खेसारी का 'घाठा' भी नहीं मिल सका था।...मैं खोजूँगा– यहाँ कहीं कोसला गाँव था! जहाँ जशोदा थी!...जशोदा मा-ई-ई!...जशोदा बेटी-ई-ई!

गाड़ी में आकर हम सभी चुप बैठे रहे, घण्टों। गाड़ी आगे बढ़ी – मियाँबीघा गाँव की ओर। किन्तु गाँव के बाहर पहुँचकर हमारी हिम्मत नहीं हुई, गाँव में प्रवेश करने की।...हमारी गाड़ी लौट चली। रास्ते में, कोसला गाँव की ओर, खिड़की से झाँककर देखा– साँझ का अन्धकार घना हो गया था। एक नन्ही-सी रोशनी भी कहीं नहीं थी।...किन्तु, लगा बिनोदवा की आँखें 'दपदपा' कर जल उठीं!

यदि कोसला गाँव की भूखी-प्यासी औरतें हमें गालियाँ देकर, झाड़ू-बुहारन से मार-मारकर, हमारे कपड़े-लत्ते नोच-खसोटकर गाँव से विदा करतीं तो हम अपने बचाव के लिए न उँगली उठाते और न मुँह से 'चूँ' शब्द निकलता।...हमारे पेट में अन्न भरा था, देह पर जरूरत से ज्यादा कपड़े थे। हमसे बढ़कर और कौन अपराधी होगा?...

वही अच्छा होता। क्यों कह आया कि लौटकर फिर आऊँगा?...क्या लेकर आऊँगा? खाली हाथ–भरे पेट, किस मुँह से आऊँगा यहाँ...अज्ञेय मुझे कहाँ ले आये?

"हम कहाँ आये?...छह बज गये?"

"नवादा।"

"हम आज रात कहाँ ठहरेंगे?"

"यहीं। लेकिन, सबसे पहले यहाँ के एस.डी.ओ. से मिलना आवश्यक है। अभी, तुरन्त...।"

जितेन्द्र ने घड़ी देखकर कहा– "मेरी 'बस' में अभी एक घण्टा-भर देरी है। चलिए...।"

नवादा के एस.डी.ओ. जनाब अब्दुल खैर के बँगले पर जब हम पहुँचे, रोशनी

जल चुकी थी। बरामदे पर, बाहर में कई कारिंदे, क्लर्क और चपरासियों के अलावा तीन-चार 'व्यापारी-कम-नेता' किस्म के लोग भी थे। हमें 'चेम्बर' में बैठाकर चपरासी अन्दर से खबर ले आया कि 'साहब' नमाज पढ़ रहे हैं।...इस समय 'मगरिब की नमाज' (यानी सूर्यास्त के समय पढ़ी जाने वाली) पढ़ रहे हैं या 'नमाजे-इस्तरका' (अकाल और सूखा के समय वर्षा के लिए पढ़ी जाने वाली)?

हम 'अरदास' लगाकर बैठे। जिन्दगी में बहुत बार बहुत-से 'हुजूरों' के दरबार में दीदारी के इन्तजार में बैठा हूँ। इसलिए, ऐसे लोगों को अच्छी तरह पहचानता हूँ जो मिलने वालों को 'अन्दर हवेली' से खबर भेजते रहते हैं– मालिक पूजा कर रहे हैं या साहब नमाज पढ़ रहे हैं।

कोने की दीवार पर गया जिले का बड़ा नक्शा टँगा था। अज्ञेय और जितेन्द्र कोने में खड़े होकर नक्शा देखने लगे। मैं बैठा सोच रहा था कि हाकिम साहब अभी आएँगे तो उनके चेहरे पर कैसे भाव होंगे। पूजा-ध्यान और रोजा-नमाज के बाद आदमी का तन-मन पिघला-सा रहता है। लेकिन हाकिम परदा हटाकर प्रकट हुए और मारे अचरज के अवाक् हो गये। शायद, पूछना चाहते थे– आप लोग कौन हैं जो इस तरह मेरी गैर-हाजिरी में मेरे दफ्तर का नक्शा देख रहे हैं? लेकिन हकलाते हुए बोले– "आप लोग कौन...आप लोगों को पहचाना नहीं।"

जितेन्द्र बोले– "आदाब अर्ज। अभी बतलाता हूँ। आप हैं *दिनमान* के सम्पादक...मैं जितेन्द्र...और आप हैं। हम 'ड्राउट-एफेक्टेड' इलाके में घूम रहे हैं।"

"ओ-ओ-ओ! मैंने समझा कि आप लोग कोई रिलीफ देने आये हैं।...खैर! तो, महाशय, रिलीफ यानी 'सहाय' का काम देखने के लिए तो...और हाँ, 'रिलीफ' का क्या मतलब समझते हैं, आप? सहायता? जी नहीं! गलत! रिलीफ का सही माने है 'स-हा-य!'...समझा?" ('सहाय' – बिहार के तत्कालीन मुख्यमन्त्री कृष्णबल्लभ सहाय)

जितेन्द्र आँखें मूँदकर और सिर झुकाकर खैर साहब के तर्जे-बयाँ का मजा ले रहे थे। अज्ञेय मेरी ओर देखते हैं: आदमी जिन्दादिल हैं...

हमें पद-यात्रा के लिए सहर्ष प्रस्तुत देखकर उनको फिर अचरज हुआ। कहने लगे– "सहाय का कार्य और 'कार्यक्रम' तो वही है जो आप लोगों ने पढ़ा होगा या यहाँ आने के पहले सुना होगा।...अंचल अधिकारी अर्थात् अंचलाधिकारी...अर्थात्. ..मतलब समझते हैं न?" –अज्ञेय जी से इस बार पूछा गया।

"हाँ साहब, समझने की बात है। आजकल, हर बात का सही और गलत मतलब होता है। अब तक मैं जानता था कि 'प्रधानमन्त्री' का मतलब 'प्राइम मिनिस्टर' होता है। मगर, यहाँ आकर मालूम हुआ कि यहाँ भी एक 'प्रधानमन्त्री' रहते हैं...।"

मैंने अचरज से पूछा– "दूसरे प्रधानमन्त्री कौन हैं?"

उन्होंने हँसकर मेरी ओर देखा और एक स्थानीय सार्वजनिक संस्था का नाम लिया। यह पूछने पर कि विधानसभा में इस क्षेत्र से प्रतिनिधि कौन हैं, जवाब मिला– "साहब, यहाँ 'कांग्रेस-राज' नहीं। यह 'जनसंघी' पाकेट है।...'जन-प्रतिनिधि' विधानसभा में हमेशा गलत सवाल करते हैं और उनको जवाब भी हमेशा गलत मिलता है।"

हम खैर साहब को मान गये!

हमें बाहर से आने वाले खाद्यान्न के दैनिक आँकड़े पूछने की जरूरत नहीं पड़ी। हाकिम ने बा-तकल्लुफ हम लोगों से माफी माँगकर टेलीफोन उठाया और उस छोर पर बैठे किसी 'साहब' को पिछले कई दिनों के आँकड़े देने लगे– "हाँ, लिखिए! लिख रहे हैं न? तारीख पचीस नवम्बर...पाँच वैगन मकई...जनाब, यहाँ से तिलैया स्टेशन की लाइन 'जाम' है। वैगन खाली हो जल्दी तब तो...रात में हमारे सिपाही पहरा तो करते हैं, मगर...कल ही रात कई मुसहरों को पकड़ा है – बोरे से अनाज निकाल रहे थे...और सब ठीक है...उधर का क्या हाल है...आज का 'स्टेटमेंट' तो स्टेशन से आदमी आने पर ही दिया जा सकेगा...आदाब अर्ज!"

एस.डी.ओ. साहब से 'रेड कार्ड' के बारे में पूछा। जवाब देते समय उनके होंठों पर फिर 'वक्र मुस्कुराहट' खेल गयी। बोले– "रेड कार्ड! रिलीफ कोड 188? – हाँ, साहब। कार्ड बँट रहे हैं। जहाँ अब तक नहीं बँटे हैं, आशा है कि शीघ्रा-ति-शीघ्र...!"

हमने कोसला और मियाँबीघा का नाम लिया और सूचना दी– "वहाँ रेड कार्ड नहीं मिला है किसी को।...वहाँ की हालत चिन्ताजनक है।"

इतनी देर में पहली बार खैर साहब को गम्भीर होते देखा। उन्होंने न जाने क्यों, हमारी ओर बारी-बारी से देखा और फिर गर्दन हिलाते हुए कहा– "हाँ, उधर नहीं बँटा है।...मैं हँसुआ के अंचलाधिकारी को कल ही ताकीद करता हूँ।...हालत चिन्ताजनक नहीं रहेगी।...और मेरे 'योग्य' कोई सेवा?"

हम नवादा के 'इंसपेक्शन बँगला नम्बर वन' के अहाते में दाखिल हुए। पास ही बस-स्टैण्ड है, जहाँ आने-जाने वाली गाड़ियाँ पन्द्रह मिनट तक रुकती हैं। बहुत बार इस सड़क से हजारीबाग गया हूँ। हर बार, इस 'इंसपेक्शन बँगले' में एक रात गुजारने की ख्वाहिश हुई है। लेकिन, यहाँ आकर लगता है कि यहाँ बहुत बार रह चुका हूँ। यहाँ ही नहीं, किसी भी 'इंसपेक्शन' या 'डाक' अथवा 'हाल्टिंग'-बँगले में पहुँचकर लगा है, इसमें पहले भी रात बिता चुका हूँ। यहाँ खानसामा-बावर्ची के एक ही जैसे चेहरे। हर जगह की 'छोटी' और 'बड़ी हाजिरी' के एक ही स्वाद और

कमरों में एक ही तरह की गन्ध। हर 'बँगले' में देखा है, मच्छरदानी लगाने वाले डण्डे और खूँटे इसी तरह, हिलते-डुलते रहते हैं।...

ऐसे पड़ाव पर पहुँचते ही 'साहब लोग' सबसे पहले बावर्ची को बुलवाते हैं: ब्रेकफास्ट या लंच अथवा डिनर में क्या दे सकता है? और, हर बावर्ची एक ही जवाब देता है– "जो ऑर्डर दीजिएगा, बन जाएगा।...स्पेशल-डिश भी बन जाएगा।"

हमने पहुँचते ही एक 'पॉट' गर्म पानी का ऑर्डर दिया।

कॉफी पीने के बाद, कुछ देर तक बाहर अकेला खड़ा पूर्णिमा के चाँद को देखता रहा। याद आयी: उत्तर बिहार के भारत-नेपाल सीमावर्ती अंचलों में आज की रात 'सामाचकेवा' पर्व मनाया जा रहा होगा। हिमालय से उतरने वाले पंछियों का स्वागत कर रही होंगी – हर गाँव की कुमारी कन्याएँ – दल बाँधकर गीत गाती हुईं...! जिस साल धान की फसल मारी जाती है, एक भी मुर्गाबी या लालसर की आवाज नहीं सुनाई पड़ती – हालाँकि कभी-कभी पचासों एकड़ धान को एक ही रात में 'चुग' कर साफ कर देती हैं, इनकी टोलियाँ। फिर भी, इन चिड़ियों के आगमन को शुभ समझा जाता है।...

एक पवित्र-मधुर सुगन्ध ने मन में सन्ध्या-आरती की वेला का शंख फूँक दिया, मन के कोने में। कमरे में लौटकर देखा, 'यायावर' अपने दिन भर के काम का 'लेखा-जोखा' ले रहा है – चुपचाप।...यात्री को मनपसन्द धूपबत्ती का एक पैकेट हमेशा साथ रखना चाहिए। हर जगह – जहाँ भी जाइए – अपने ही कमरे की गन्ध मिलेगी...हर पड़ाव पर अपना घर।

बावर्ची से जिस चीज के बारे में पूछा, एक ही जवाब मिला– 'फस्टक्ला-स!' आटा बढ़िया होगा न? –फस्टक्ला-स! फुलके यानी चपाती बनाना जानते हो न? –फस्टक्ला-स! बगैर-मिर्च-मसाले की सब्जी? –वेजिटेबल-स्टिउ? फस्टक्ला-स!

बावर्ची से इस इलाके के सूखा और अकाल के बारे में कुछ पूछने का साहस नहीं हुआ। एक ही जवाब मिलेगा– फस्टक्ला-स।

रात्रि-भोजन के समय मुँह में पहला कौर डालते समय – बिनोदवा और जशोदा की याद आयी। नर्म-नर्म फुलके की तारीफ नहीं कर सका। मुझे लगा, अज्ञेय की आँखों के सामने भी उन्हीं की मूर्तियाँ प्रकट हुईं। 'वेजिटेबल-स्टिउ' के बारे में कुछ कहना चाहते थे। नहीं कह सके।...हम कुछ क्षण तक हाथ में रोटी के टुकड़े लेकर बैठे रहे।

...मड़ुआ की आधी रोटी और खेसारी का घाटा खाकर बच्चे चिरकुट-कथरी के नीचे घुटने से ठुड्डी लगाकर सो गये होंगे।...खैर साहब ने कहा है, शीघ्रातिशीघ्र उन इलाकों में रेड कार्ड बँट जाएँगे।...विदेशों से मिल्क पाउडर, विटामिन की गोलियाँ और 'जैम-जेली' के हजारों-हजार डिब्बे आ रहे हैं।...कोई भूख से नहीं मरेगा।

"चपाती सचमुच फस्टक्लास बनाया है।"

"और स्टिउ भी।"

"अंचल अधिकारी अर्थात् अंचलाधिकारी।"

"रिलीफ का अर्थ सहायता!"

"गया के ए.डी.एम., आर.एन. घोष बहुत निष्ठापूर्वक हिन्दी बोलते थे।"

"खैर साहब का प्रश्न?...क्या रिलीफ देने आये हैं, आप लोग?"

"प्रतिनिधि ऐसे हैं कि हमेशा गलत सवाल पूछते हैं और गलत जवाब मिलता है।"

"बाहर पटाखे...कैसे छूट रहे हैं? पूर्णिमा...लक्ष्मीपूजा के उपलक्ष्य में?"

"पता नहीं।"

"धान के पौधों को काटने के बाद धरती में जो हिस्सा रह जाता है, उसको यहाँ क्या कहते हैं?"

"खुट्टी।"

"आपने पूछा था कब भात खाया, तो क्या जवाब दिया?"

"आसिन महीने में ही।"

"मुसहर नाम क्यों?"

"शायद 'मूषक' के बिल से अनाज निकालकर ख़ाने के कारण। शायद, मूषक का शिकार करके खाने के कारण।"

"मरते हैं और मरेंगे तो ये...भूमिहीन लोग ही।"

"हुँ...। कल हम लोग किस समय चलेंगे?"

"यह आपके ऊपर है। आप जब तैयार हो जाएँ।"

सुबह जल्दी उठने के लिए रात को जल्दी ही सो गया।

हमारी गाड़ी नवादा छोड़कर कौआकोल की ओर बढ़ी जा रही है। और मेरी स्मृतियाँ मुझे तेज गति से पीछे की ओर लेकर भागी जा रही हैं—1940, 41, 42 की ओर।

...देवली कैम्प-जेल से एक लेख लिखकर बाहर भेजा है जे.पी. ने। उसे पुस्तिका के रूप में प्रकाशित किया गया है– "क्या यह युद्ध अविभाज्य है? देवली कैम्प-जेल से, प्रभावती जी के हाथ भेजते समय एक चिट्ठी पकड़ी जाती है। अंग्रेजी सरकार देश-विदेश के पत्रों में उस चिट्ठी को प्रकाशित करके जे.पी. को 'बदनाम करने की चेष्टा करती है। लेकिन वह चिट्ठी ऐतिहासिक महत्त्व की हो जाती है।' 'अगस्त क्रान्ति' में जे.पी. की चिट्ठी में बताए गये प्रोग्राम ही कारगर साबित हुए. ..जे.पी. का जेल से पलायन। आजाद दस्ते का संगठन। हनुमाननगर (नेपाल) में गिरफ्तारी। फिर, आजाद दस्ते के सैनिकों द्वारा हनुमाननगर जेल पर हमला...

बहुत-सी घटनाएँ।

...जेल में हमारे एक 'मिलिटैंट कॉमरेड' ने एक 'प्रतिदल' के कार्यकर्ता को उठाकर पटक दिया था और छाती पर बैठकर पूछ रहा था– "फिर जे.पी. को रिएक्शनरी कहेगा?...जान से मार डालूँगा।"...पगली-घण्टी बज गयी थी।

...जेल से रिहा होने के बाद मेरे एक मित्र ने जे.पी. की शान के खिलाफ कुछ कह दिया तो बचपन के उस लँगोटिया यार से फिर मेरी कभी बातचीत नहीं हुई– "आई हेट टु टाक विद यू...।"

गाड़ी रुकी। 'यायावर' को भूखे-प्यासे बैल-गायों का एक झुण्ड मिल गया है।. ..वहाँ, उस खेत में हल जुता हुआ एक जानवर गिर पड़ा है।...आकाश में गिद्धों की टोली डैने पसारकर 'भाँवरी' ले रही है।...सड़क के दाहिनी ओर छोटी-मोटी पहाड़ियों और चट्टानों पर कुहरा-सा छाया हुआ है। धरती पर एक ही रंग पुता हुआ है–धूसर, उदास। शस्यहीना धरती पर – दरारें।...'पतरंगा' चिड़िया पास ही किसी झाड़ी में बैठकर अपने जोड़े को पुकार रही है।

एक लड़के के हाथ में अच्छी जाति का ऊख देखकर मैं समझ गया, सोखोदउरा आश्रम अब नजदीक है। आश्रम पहुँचने के पहले एक बार फिर पीछे की ओर मन भागा...प्रथम आम चुनाव के बाद, पटना के अंजुमन-इस्लामिया-हॉल में चुनाव में हार-जीत के कारणों पर विचार करने के लिए 'पार्टी' की आम सभा बैठी है – सैद्धान्तिक सवालों के अलावा व्यक्तिगत आक्षेप और आरोपों के तीर एक-दूसरे पर छोड़े जा रहे हैं।...जे.पी. आँखों में आँसू भरकर सभा भवन से बाहर निकल गये और तभी से निकले हुए हैं।...ऐसे लोगों की एक बड़ी जमात है जो जे.पी. से नाराज हैं। जो मानते हैं कि जे.पी. ने उनकी 'जवानी' को मुफ्त में बर्बाद कर दिया। भारत में ही नहीं, एशिया के समाजवादी आन्दोलन को जे.पी. ने नुकसान पहुँचाया है...मैं भी उनसे नाराज लोगों में से एक हूँ। लेकिन, मेरी नाराजगी के ये कारण नहीं।

आश्रम पहुँचते ही कई 'प्रस्तर-मूर्तियों' पर आँखें पड़ीं।...रानीपतरा सर्वोदय आश्रम और इस आश्रम में क्या अन्तर है, वह इन कलाकृतियों को देखकर समझ गया।

आश्रमवासियों के साथ डेढ़-दो घण्टे तक रहकर – हमें जो कुछ जानना और पूछना था – जान लिया। बिना कुछ पूछे जो कुछ जाना जा सकता था, जान लिया। आश्रम के कृषि-विशेषज्ञ ने हमें पाँच पके हुए अमरूद दिए – जे.पी. के आश्रम का फल। सूँघकर देखा, अच्छी जाति का है।

परसामा गाँव के पास खेत में करीब दो-तीन सौ मजदूर काम कर रहे थे। मिट्टी का काम। पानी का खजाना! हमारी गाड़ी रुकी। ऐसा लगा, कोसला और

मियाँबीघा के सभी भूमिहीन मुसहर रजवार ही अपने बाल-बच्चों के साथ यहाँ काम पर जुटे हुए हैं। यहाँ भी 'बोली' ने हमारी मदद की। मुंगेर के इस अंचल में अपभ्रंश 'अंगिका' बोली जाती है।...भात को यहाँ की बोली में 'भता' कहा जाता है।...यहाँ भी वही आक्रोश, वही गुस्सा। किन्तु यहाँ भी उन्होंने अपना दिल खोलकर हमारे सामने रख दिया।...भैया, छिपावे के की बात तोहरा से? ऐहन दिन...जितिए में 'भता' खै लिए...।

जयप्रकाश जी के आश्रम के पाँच फलों में से दो हमने बंगाली मुसहर (उस नामहीन नारायण) के पाँच साल के पुत्र को दिया...तुम्हारा फल, तुम्हीं को समर्पित...!

अज्ञेय जी ने हाथ में अमरूद लेकर बंगाली मुसहर के बच्चे को बुलाया तो पहले वह झिझका। उसको विश्वास ही नहीं हुआ। फिर 'हुलसता' हुआ दौड़ा आया। उस समय उसके सूखे-मुरझाए चेहरे पर एकाएक आनन्द की आभा देखकर लगा—कोई 'अलौकिक' दृश्य देखा! ऐसा लगा, मिट्टी की मूर्ति अचानक...(नहीं, इतना अधिक भावुक होने की आवश्यकता नहीं! भावुकता के 'दौरे' में ही 'नक्षत्र मालाकार' ने...!)

कल शाम से ही रह-रहकर 'नक्षत्र मालाकार' की याद आ रही है।...1949 में पूर्णिया-भागलपुर के कुछ इलाकों में अकाल पड़ गया था। सभी बड़े किसानों और गल्ले के व्यापारियों ने अनाज छिपा लिया था। 'हाहाकार' मचा कि बंगाल के बाद इस बार बिहार की बारी है। किसान-मजदूरों की पार्टियाँ आवश्यक बैठक बुलाकर अकाल की समस्या पर विचार करने का प्रोग्राम तय ही कर रही थीं। उधर, नक्षत्र मालाकार ने हजारों भुक्खड़ों की टोली लेकर बड़े किसानों और व्यापारियों के 'बखार' और 'गोले' को लुटवाना शुरू कर दिया। रोज-रोज खबरें आने लगीं – आज मोहनपुर में...आज ढोलबाजा में...आज पीरपैंती के हाट पर...। उसका नाम सुनते ही गरीबों के गाँव में खुशी की लहर दौड़ जाती; अमीरों की हवेलियों में सन्नाटा छा जाता और अधिकारियों का आराम हराम!...फरार नक्षत्र पर पाँच हजार रुपये का इनाम 'बोला' गया। 'हमारी' पार्टी ने स्पष्ट कर दिया कि वह हमारे दल का सदस्य नहीं, उसे पार्टी से निकाल दिया गया है!...मैं नक्षत्र को बहुत नजदीक से जानता था। एक गरीब माली का बेटा, जिसके पिछवाड़े में बस एक धुर जमीन थी, जिसमें फूलों की खेती होती थी। जवानी में कदम रखने से पहले ही सत्याग्रहियों के शिविर में चला गया। जेल गया। फिर 1937-38 में जयप्रकाश जी द्वारा परिचालित 'समर स्कूल ऑफ पॉलिटिक्स' सोनपुर में समाजवाद का मन्त्र

पाया। (नक्षत्र मालाकार नाम जयप्रकाश जी ने ही दिया था। नहीं तो उसका नाम नछत्तर माली ही रहता या नछतरा...)।

1942 की क्रान्ति में जिसकी बहादुरी की कहानियाँ सुनकर बूढ़ों की हड्डियाँ भी कसमसाने लगती थीं, गोरे फौजी तक जिसके नाम को सुनकर घबराते थे...ऐसे साथी को लुटेरा और डकैत कहने का साहस हममें नहीं था। हमने उसे 'गुमराह' कहा। उन्हीं दिनों, साप्ताहिक *जनता* (पटना) में अकाल पर मेरा एक लम्बा रिपोर्ताज 'हड्डियों का पुल' प्रकाशित हुआ, जिसमें नक्षत्र के 'कृत्यों' की आलोचना और निन्दा की गयी थी...नक्षत्र अपने विरोधियों और दुश्मनों की 'नाक' काट लेता था। (पूर्णिया-भागलपुर में आज भी दर्जनों ऐसे नकटे-कनकटे हैं, जिन्हें नक्षत्र ने ही सजा दी थी।) रिपोर्ताज प्रकाशित होने के कई सप्ताह बाद मेरे पास नक्षत्र ने जो संवाद भेजा, उसका आशय था: जिस नाक-कान पर तुम सुनहले फ्रेम का चश्मा लगाकर लिखते-पढ़ते हो, उसको काटने के लिए जब रात में पहुँचा, तब तुम लिख रहे थे। उस समय तुम्हारा चेहरा मुझे फूल-जैसा लगा। तुम जो मन में आये, लिखो। मुझे गालियाँ दो। मगर, एक बार इन गाँवों में आकर देखो। सब कुछ भूल जाओगे।...आदमी इतना बेदर्द हो सकता है?... सात दिन के भूखे बच्चों के मुँह

पर हँसी देखकर जेल-फाँसी और नरक सब कबूल करके तुम भी वही शुरू करोगे जो मैं कर रहा हूँ।...

दस-पन्द्रह वर्षों के बाद, अब लगता है कि साथी नक्षत्र ने ठीक ही कहा था— जेल, फाँसी और नरक सब कबूल...(नहीं, इतना अधिक भावुक होने की आवश्यकता नहीं!)

जमुई पहुँचते-पहुँचते मेरे मन की वेदी पर फिर एक मूर्ति आकर विराज गयी। जिसकी प्रतिमा को तोड़ चुका था, उसी जयप्रकाश की एक नयी मूर्ति...(नहीं, इतना अधिक भावुक होने की आवश्यकता नहीं!) लेकिन, मेरा विश्वास है, यदि यह 'आदमी' नहीं होता तो यह सूखी धरती आज लहू की धारा में नहाती रहती।

'यायावर' मरे हुए पशुओं के कंकालों के पास लड़ते हुए कुत्तों, उड़ते हुए गिद्धों और कागों के झुण्ड को देखकर उतर पड़ते हैं। मैं अपने मन में सद्यःस्थापित मूर्ति को फिर हिलाता-डुलाता हूँ। (भावुक होने के बदले 'साइंटिफिकली' सोच-विचारकर जे.पी. को 'क्रान्ति' की राह का रोड़ा क्यों न कहा जाए? क्योंकि 'शास्त्र' कहता है... ।)

किसी नयी जगह में रात में पहुँचना मुझे हमेशा अच्छा लगता है। सुबह सूर्य की रोशनी में नयी जगह का रूप धीरे-धीरे उजागर होता है और एक अमिट छाप छोड़

जाता है, मन पर। किन्तु, सुबह झड़ी लगी हुई थी। सब कुछ ढँका-ढँका हुआ था।

सब कुछ इसी तरह रहता तो अच्छा होता। हम कहीं नहीं जा पाते। कुछ नहीं देखते। गया और जमुई के गाँवों में खेतों में लड़ते हुए लोगों को देखकर बल मिला था। भूखी औरतों और बच्चों की आँखों में क्रोध की चिनगारी देखकर मन में एक श्रद्धा-सी उमड़ आयी थी। किन्तु पलामू में जो कुछ देखा...?

...24 जुलाई, 1966 को सुखाड़ी महतो ने भूख-प्यास से डाल्टनगंज में दम तोड़कर भुखमरी की घोषणा कर दी। 26 जुलाई को सुखदयाली भूइयाँ। 27 को जितन भूइयाँ।

...मन्नू माँझी की औरत। एक औरत तीन बच्चों के साथ कूप में गिरकर मर गयी। एक अज्ञात व्यक्ति...एक औरत...एक बच्चा...!!

दिन खुला। हम गाँवों की ओर निकले। बसना गाँव में भारत-सेवक समाज की ओर से 'मुफ्त लंगर' चालू किया गया है। डी.सी. उद्घाटन करेंगे। आयोजकों ने हमें भी निमन्त्रित किया है। बसना पहुँचकर देखा, सैकड़ों भूखी आत्माएँ एक जगह एकत्रित होकर हाकिम के आने की प्रतीक्षा कर रही हैं।...रोटियाँ सिंक रही हैं। भाजियाँ कतरी जा रही हैं। प्रवेश-द्वार पर अशोक के पत्ते बाँधे जा रहे हैं। 'माइक' टेस्ट किया जा रहा है। भाषण देने वालों के नाम नोट किए जा रहे हैं। कौन स्वागत करेगा, कौन धन्यवाद देंगे – सब ठीक किया जा रहा है और भूखों की भीड़ रह-रहकर सड़क की ओर देखती है– 'इस गाड़ी में कौन आये?'

गया और मुंगेर के लोग हाथ-पाँव मार रहे थे। उबरने की जी-तोड़ कोशिश कर सके थे। यहाँ लोगों ने हिम्मत हारकर – अपने को छोड़ दिया है...अब जो हो! क्या चारा है! हर आदमी के चेहरे पर मौत की छाया, जिसे देखकर अब वे डरते नहीं। डर-भय, सुख-दुःख, भूख-प्यास, हँसी-रुदन कुछ भी नहीं।...ठहर जाइए। प्यारे भाइयो! अब आपके सामने श्री...रिपोर्ट प्रस्तुत कर रहे हैं। इसके बाद प्रीतिभोज। जरा सब्र कीजिए।...बैठ जाइए।...खड़े हो जाइए। इधर भीड़ मत लगाइए। सुनिए...प्यारे भाइयो!

...ये लोग कौन हैं जो 'प्यारे भाइयों' को इस तरह 'प्यार' से सम्बोधित करके समझा रहे हैं? क्या ये नहीं जानते कि 'प्यारे भाइयों और बहिनों' को भाषण सुनाना व्यर्थ है?

अति-नाटकीय ढंग से एक महिला (जो निश्चय ही अध्यापिका होगी) हाथ में माला लेकर बेसुरी आवाज में– "नैनों के तारे हमारे पधारे-हृदय में हमारे" गाती हुई प्रकट हुई। मुझे लगा, डी.सी. साहब अब रोकेंगे। लेकिन, हम कुढ़ते रहे और यह महिला एक-एक पंक्ति पर एक-एक पग बढ़ाती गाती रही।...उसके हाथ की

माला...उसकी नायलन की साड़ी...उसके गीत की पंक्तियाँ – वातावरण को और भी कुरूप बनाती रहीं।

अन्त में, पत्तल पड़े। हर पत्ते में एक रोटी और एक मुट्ठी सोयाबीन की घुघनी।...'यायावर' तस्वीरें खींचने में व्यस्त हैं। उनका कैमरा जिस पंक्ति की ओर मुड़ता है – उधर के पत्तों में रोटी तुरत डाल दी जाती है।...जिसके पत्ते में कुछ नहीं पड़ा है, वह माँग नहीं रहा है कुछ। चुपचाप देख रहा है। बच्चे टूट पड़े हैं मगर किसी ओर न हँसी है, न खुशी।

मैंने जीवन में ऐसे लोगों की भीड़ कम देखी है, चलते-फिरते मुर्दों की टोली। मुझे लगा, मुँह में ग्रास डालकर चबाते हुए बिना कोई स्वाद पाये ही लोग निगलते जा रहे हैं।

आयोजकों में से एक 'चौधरी किस्म' का आदमी किसी कार्यकर्ता से कह रहा था: "साइनबोर्ड का कपड़ा ठीक से खींच दीजिए।...फोटो में ठीक से नाम उतरेगा नहीं।"

हम 'बसना' से भागे – पहाड़ी गाँवों की ओर। नावा, खेंगरा, केंडा, तुकबरो गाँव। जंगलों में झरबेरियों की झाड़ियों के नीचे खड़ी निराश औरतें। 'गेंठी' खोजते हुए जवान...।

ओकराहा गाँव के रत्तूसिंह ने हमें प्रेम से पाँच बेर लाकर दिए। 'बसना' में जो कुछ देखा था – रत्तूसिंह की एक सरल मुस्कुराहट ने ही सबको पोंछ-मेट दिया। उससे पूछा गया कि जब यह बाजरा भी नहीं मिलेगा तो क्या करोगे? क्या होगा?

उसने उसी तरह सरलता से जवाब दिया– "होतै की? खायला न मिलतै – त मरतै।" खाने को नहीं मिलेगा, तो मरेंगे। और क्या होगा?...और क्या होगा?

रत्तूसिंह मर जाएगा तो क्या होगा? इतने लोग मर गये तो क्या हुआ?...क्या होगा? कुछ नहीं होगा।

2

सीखने के दिन

॥ रघुवीर सहाय

अगर आप किसी को उस वक्त से जानते हैं, जबसे आपने लिखना शुरू किया तो शायद कुछ भी लिखते वक्त आपको याद आएगा कि वह आपका लिखा पढ़ रहा है। वात्स्यायन जी से मेरा परिचय तब हुआ था, जब मैंने पचास-साठ कविताएँ जहाँ-तहाँ छपने भेजकर अन्दाजा कर लिया था कि मैं कविता लिखने का अभ्यास जारी रख सकता हूँ – कोई हर्ज नहीं है। उन दिनों रेडियो नये लिखने वालों को पूछता था और वह भी मुझे मौका दे चुका था। हिम्मत करके मैंने अपनी तरक्की के मनसूबे बाँधे और इलाहाबाद के *प्रतीक* द्वैमासिक में कुछ नयी कविताएँ विचारार्थ भेज दीं। पोस्टकार्ड आया कि 'सायंकाल' पावस अंक (अगस्त) में छपेगी। यह 1948 की बात है।

1951 में *प्रतीक* नयी दिल्ली से मासिक होकर निकला। इस बीच वात्स्यायन जी से लखनऊ में जो मेरा वतन है और इलाहाबाद में जहाँ मैं पढ़ाई आधी छोड़कर नौकरी खोजने गया था, भेंट हुई। उन्होंने कहा, अगर बहुत जरूरी न हो तो पहले एम.ए. पूरा कर लो। मैं वापस लखनऊ आकर कविताएँ लिखने लगा। वात्स्यायन जी की कविताएँ मुझे नकल से परे जान पड़ती थीं और उनके जैसी कविता लिखना मुझे चोरी करके पकड़े जाने जैसा लगता था। पर हर समय ध्यान रहता था कि मैंने जो लिखा है, उसको पढ़ा जाएगा। और एक ऐसा पढ़ने वाला बैठा हुआ है जो फौरन पकड़ लेगा कि मैं जो लिख रहा हूँ वह पहले से अच्छा है या खराब। *प्रतीक* द्वैमासिक में कविताएँ स्वीकार करने के कोई साल भर बाद वात्स्यायन जी ने कविता की मेरी कॉपी माँग कर पढ़ी और उसमें से *दूसरा सप्तक* के लिए कविताएँ चुनीं। यह करीब-करीब वही समय था, जब पढ़ाई से भागने पर उन्होंने वापस लौट जाने की सलाह दी।

1950 के दिसम्बर में बुलावा आया कि इम्तहान पूरा करके मैं उनके साथ दिल्ली में काम करने की सोचूँ और मैंने तुरन्त स्वीकार कर लिया। फिर तो मासिक *प्रतीक* के कार्यालय में सहायक सम्पादक होकर अपने विकास की पहचान

करते रहने का लम्बा सिलसिला चला, जिसमें साहित्य का ही नहीं, व्यक्तित्व का विकास भी शामिल है।

ऐसे शिक्षक और परीक्षक के सामने जब ये पंक्तियाँ जातीं जो इस समय लिख रहा हूँ तो वह क्या कहता, यह विचार मन में आते ही देश, काल और तर्क की समझ उलट-पुलट जाती है, क्योंकि यह असम्भव है कि ये पंक्तियाँ उस व्यक्ति के सामने पहुँच सकें।

ऐसा नहीं कि वात्स्यायन जी अपने सब छोटे-बड़े साथियों का लिखा सब कुछ पढ़ ही लिया करते थे। परन्तु कुछ व्यक्तियों के भीतर के लेखक की पहचान उन्हें एक बार हो चुकती थी, तब उसके विकास की सम्भावनाएँ वे अपने सहज मन से पहचानने में निरन्तर संलग्न रहते थे। निश्चय ही कई पुराने साथियों से उनका साहित्यिक संलाप इसी पहचान के बदलने के कारण बदला होगा। कुछ में यहाँ उनको नयी पहचानें भी बनी होंगी, वे हर रचनात्मक सम्भावना के प्रति सजग रहते थे और जब तक कहीं संवाद का सेतु बिलकुल टूट ही न गया हो, उसको बार-बार देखकर आँकने के प्रति कोई नकारात्मक भाव उनको रोकता नहीं था। और याद तो वह रखते ही थे, क्योंकि याद रखना उनके अपने अस्तित्व के लिए अनिवार्य था – याद रखना और सूत्रों को जोड़े रहना। यह व्यक्तिगत मनोदशाओं की बात नहीं कर रहा हूँ, कलात्मक उपलब्धियों की बात कह रहा हूँ। जिनके प्रति सिखाने और सिखाए हुए को जाँचते रहने का भाव उनके मन में देर तक बना रहा हो, ऐसे व्यक्तियों को सौभाग्यशाली मानना चाहिए।

जिनसे उन्होंने सीखने और अपना विकास करते रहने की आशा छोड़ दी हो, उनकी बात और है, पर जिनको वात्स्यायन जी से कुछ सीखने लायक मिलने पर संवाद और मतभेद का अवसर मिलता हो, उन्हें कुछ-न-कुछ सीखने को हमेशा ही मिलता रहा। यहाँ तक कि एक समय वे अपने विकास के एक बिन्दु पर पहुँचकर अपनी निजी डगर पर हो लिए। यह डगर पगडंडी थी या खुला मैदान – यह तो उनके अपने काम से ही पाठकों ने जाना होगा। पर यह तय है कि उनको बाँधकर रखने का प्रयत्न वात्स्यायन जी ने नहीं किया। वह स्वभाव से स्वतन्त्र निर्णय करने वाले व्यक्ति को पसन्द करते थे। यह और बात है कि जैसा बहुधा समाज में होता है अक्सर बड़ों के सामने ऐसे ही लोग पड़ा करते हैं जो घोर सहमति से ही अपने को प्रिय बना लेते हैं। मासिक *प्रतीक* के जमाने में हमारा दफ्तर पहले फिरोजशाह रोड पर एक बँगले में था।

वात्स्यायन जी वहाँ दस-ग्यारह बजे तक आते और जितना काम होता उतनी देर तक बैठते। मैं आयी हुई चिट्ठियों और रचनाओं को पढ़कर रखता, सिवाय अत्यन्त

निजी डाक के बाकी सब पर अपनी कार्य सम्बन्धी टिप्पणी संलग्न करके रखता और सारी सामग्री व्यवस्थित कर डालता। यह छोटा-सा अनुशासन निभाना मेरी शिक्षा की परीक्षा ही नहीं, मेरे व्यक्तिगत सम्मान का भी प्रश्न था – यदि कोई ढील होती या लस्टम-पस्टम तरीका दिखता तो मुझे मालूम था कि वात्स्यायन जी कोई दण्ड तो नहीं देंगे, पर मैं उनकी नजरों में गिर जाऊँगा। यह आशंका ही मुझे भरसक सजग रखती थी।

बीच-बीच में किसी सम्पादकीय समस्या पर वात्स्यायन जी की राय मिलती तो वह भी निरा आदेश नहीं होती, एक साथ एक प्रश्न, एक विकल्प और एक सुझाव होती – अन्त में चुनाव मुझे ही करना होता और ऐसा नहीं कि मेरा चुनाव कभी दुःसाहस या मतभेद या इतना ही नहीं निपट अनुभवहीनता से भरा हुआ नहीं होता था – पर अब जब याद करता हूँ तो हर बार मुझे ऐसे अवसरों पर शिक्षक के धैर्य की ही याद आती है, अपने किसी सूझ के अनोखेपन की नहीं। कार्यालय में तीन व्यक्ति रहा करते थे। सम्पादक और सहायक सम्पादक के अतिरिक्त सचिव लिपिक जो सिर्फ काम पड़ने पर पास के कमरे से बुलाए जाते थे, जहाँ प्रगति प्रकाशन के पुस्तक व्यवसाय का प्रसार और लेखा विभाग था। दूसरे-तीसरे सप्ताह सम्पादक और उनके साथ मेरा कार्यालय से बाहर निकलकर मिलने-जुलने का कार्यक्रम बनता। कपिला जी से प्रायः प्रतिदिन भेंट हो जाती या तो कार्यालय पर समय के बाद चाय पीने के लिए कनाट प्लेस में या वात्स्यायन जी के डेरे पर। बाहर निकलकर जिन साहित्यकारों से *प्रतीक* के सन्दर्भ में वात्स्यायन जी के साथ मिलने का अवसर मिला उनकी परिधि बड़ी थी।

पर किसी बैठक में कोई कृत्रिम शिष्टाचार जैसा आवश्यक नहीं लगा। एक बार की मुझे विशेष प्रकार से याद है, जब चित्रकार कुमारिल स्वामी का ठिकाना खोजते हम लोग किंग्सवे कैम्प के किसी इलाके में कड़ी धूप में पहुँचे थे। रास्ते में यह कहकर वात्स्यायन जी ने मुझे चकित कर दिया था कि ताजा गन्ने का रस पी लिया जाए, क्योंकि मैं सोच नहीं सकता था कि बाहर से कठोर दीखने वाला यह व्यक्ति रसना के लिए इतना कोमल भी हो सकता है – मैंने तो यही देखा था कि वक्त-बेवक्त कुछ भी चखते रहना वात्स्यायन जी की प्रकृति में था ही नहीं।

परन्तु उन्होंने सड़क के किनारे गन्ने का रस पिया, जैसे हम सब अक्सर पीते हैं। और ताजा होकर कुमारिल स्वामी के चित्र देखे, बातें कीं। कई चित्र माँग कर लाये, जिनमें से एक *प्रतीक* के आवरण पर छपा – भीतर कुमारिल की कला पर बड़ा लेख था। ऐसे ही हमने अवनी सेन के कृतित्व को उनके गोल मार्केट वाले सरकारी क्वार्टर में जाकर देखा और उनके चित्रों में से भी अन्ततः लेख और आवरण के लिए चुनाव करके लाये। गिरिजाकुमार माथुर अमेरिका प्रवास से लौटे

ही थे कि उनको घर पर जा पकड़ा। करोल बाग का रास्ता फटफट पर तय करना पड़ा था, क्योंकि यही सहज साधन था। वात्स्यायन जी के पास साइकिल थी, जो वह *प्रतीक* कार्यालय आने-जाने के काम तब लाते थे, जब वह कुछ महीनों के लिए अंसारी रोड पर रहने लगे थे।

प्रतीक में वात्स्यायन जी का सहायक होने का एक असाधारण पक्ष वह समझ थी जो नयी रचनाओं को मँगाने और आने वाली चीजों को पढ़कर स्वीकृति तय करने के मामले में मिलती थी। वात्स्यायन जी का अपना निर्णय यह सिखाता कि किन मूल्यों के आधार पर यह किया गया है। यहाँ वात्स्यायन जी की प्रशिक्षण पद्धति पर लेख नहीं लिखा जा रहा, उनको स्मरण किया जा रहा है। उन बातों से जो उनसे सीखी थीं। वात्स्यायन जी से 40 वर्ष के सम्बन्ध में उनका मेरे विकास में रुचि लेना और जहाँ जरूरी हो, वहाँ उसमें साझा करना मेरे जीवन की उपलब्धि है। उनके सिखाए अनेक गुण मैंने बहुत जल्दी खो दिए। कुछ जरा देर तक बने रहे और कुछ दुर्गुण पहले से थे बढ़ा लिए, कुछ नये पाल लिए। उन्होंने या तो इनमें से अनेक की अनदेखी की होगी या अपना मन बदला। परन्तु मैं यह सोचकर सन्तोष करता हूँ कि ऐसे अनेक अन्तरंग क्षण उनके पारिवारिक और व्यक्तिगत दोनों स्तरों पर बीते हैं, जहाँ उनके स्निग्ध व्यक्तित्व ने मुक्ति और स्वच्छन्दता का अनुभव कराया। जिस बोझिल आतंककारी अज्ञेय की बहुत शिकायत की जाती है, उसे मैं जानता नहीं।

3

मिंक कोट और हीरों के हार

॥ मनोहर श्याम जोशी

अगर जैनेन्द्र गाँधी स्मारक निधि हैं तो सच्चिदानन्द हीरानन्द वात्स्यायन 'अज्ञेय' नेहरू अभिनन्दन-ग्रन्थ हैं। जिस तरह नेहरू *डिस्कवरी ऑफ इंडिया* और *ग्लिम्प्सेज ऑफ वर्ल्ड हिस्ट्री* का और गाँधी और मार्क्स का समन्वय करके भारतीय राजनीति में छा गये, उसी तरह अज्ञेय पूर्व और पश्चिम, लोक-मानस और अभिजात मानस, अतीत और भविष्य, परम्परा और प्रयोग को घोलकर पी और पिला गये। यह सही है कि हिन्दी साहित्य में अज्ञेय का वैसा एकछत्र राज न हो सका जैसा नेहरू का भारतीय राजनीति में हुआ, मगर यह भी सही है कि हिन्दी साहित्य में और किसी का अज्ञेय जितना भी नहीं हुआ। अज्ञेय फिलहाल साहित्यिक संघर्ष के टेस्ट मंच से 'रिटायर्ड हर्ट' हैं और उनकी मुद्रा यह बताती है कि हर्ट का तर्जुमा 'चोट खाकर' नहीं 'रुसा कर' किया जाना चाहिए। जब मैंने पहली बार उनसे इस लेखमाला का प्रसंग छेड़ा तो उन्होंने कहा, "आप लिख दीजिए कि जब मैंने अज्ञेय से पूछा कि दिल्ली की साहित्यिक राजनीति के बारे में आपके क्या विचार हैं, तब उन्होंने दोनों हाथ मेज पर रखकर, और त्यौरियों पर बल डालकर यह कहा– 'ओ, दिल्ली! आपसे किसने कह दिया कि मैं दिल्ली में रहता हूँ' ऐसा लिखने से आपकी शैली भी निभ जाएगी और सम्पादक भी सन्तुष्ट होंगे।"

अज्ञेय व्यक्तिवाद के स्तम्भ बताए जाते हैं, लेकिन शायद उनकी कोशिश एक अलग व्यक्ति होने की उतनी नहीं रही है, जितनी कि एक अलग हस्ती और एक अलग संस्था बनने की। अज्ञेय का हस्तीवाद साहित्य पर कुछ ऐसा छाया कि जिसने कलम सँभाली उसने हस्ती बनने के लिए पिछली हस्तियों के साहित्य-शीर्ष पर हस्त-कौशल सिद्ध करना शुरू कर दिया। अज्ञेय इस नाते भी अपने को हस्तियों की हस्ती मान सकते हैं कि सबसे ज्यादा हस्तियाँ उनके खिलाफ हैं। इसके बावजूद अज्ञेय की यश-यात्रा की राह में कोई बड़ी रुकावट नहीं पड़ी है और कुछ लोग इस रुकावट के न पड़ने को अज्ञेय के अज्ञेय होने का प्रमाण मानते हैं। जो लोग अज्ञेय के समर्थकों और विरोधियों द्वारा निर्मित लोक-प्रतिमाओं में पूरी

आस्था रखते हैं, उन्हें अज्ञेय का आचरण अक्सर बहुत निराश या बहुत आश्चर्यचकित कर जाता है। इससे यह सिद्ध होता है कि अज्ञेय व्यावहारिक हैं।

साहित्य में उनके इर्द-गिर्द जितने लोग आते रहे हैं, उनमें से कुछ शुद्ध व्यावहारिकता के नाते आये हैं और कुछ उनके महिमामण्डित आभिजात्य से आकर्षित होकर। पहले वर्ग ने यह पाया है कि अज्ञेय सौदा करने में बहुत भोले नहीं हैं। दूसरे वर्ग को यही दुःख लगा रहा है कि अज्ञेय का सौदागरों से सम्बन्ध ही क्यों है? जिज्ञासा और भक्ति में बुनियादी बैर है। इसलिए अज्ञेय के भूतपूर्व भक्तों की संख्या बहुत बड़ी है। अज्ञेय ने साहित्य अकादेमी पुरस्कार स्वीकार किया तो भक्तों को घोर निराशा हुई और भूतपूर्व भक्तों ने यहाँ तक कहा कि उन्होंने कोशिश करके लिया है, अस्वीकार करने का तो सवाल ही नहीं उठता।

अज्ञेय पर जो आरोप लगाया जाता है, वह इतना टुच्चा होता है कि अज्ञेय की महानता से मेल नहीं खाता। कुल मिलाकर मिंक कोट और हीरों के हार वाला मामला हो जाता है। आरोप लगाने वाला ही कुछ छोटा हो जाता है। अज्ञेय कोई प्रत्युत्तर नहीं देते और आरोपकर्ता से अधिक शालीनता से पेश आते हैं। इससे आरोपकर्ता भी घबड़ा जाता है। साहित्यिक राजनीति में सत्ता का विघटन होने पर जब से लोहियावादी मूर्तिभंजन की बन आयी है, अज्ञेय अपनी मूर्ति हिन्दी साहित्य सभा उद्यान से उठाकर विश्व वाङ्मय उद्यान में रख आये हैं और हिन्दी के एकमात्र निर्यात-योग्य लेखक के रूप में प्रतिष्ठित हुए हैं।

अज्ञेय हिन्दी साहित्य में 'बायोग्राफी पॉइंट ऑफ व्यू' के आद्याचार्य रहे हैं। पुस्तकों के पीछे प्रकाशित उनका संक्षिप्त परिचय भी सामान्य पाठक के लिए विस्मय और लेखक-पाठक के लिए ईर्ष्या की सामग्री जुटा जाता है। अज्ञेय को कायदे-करीने में बड़ी आस्था है और वह अपना छोटे-से-छोटा काम भी बड़े सलीके से और खूब सोच-विचार करके करते हैं।

अज्ञेय की सारी बायोग्राफी में यही सलीका और सोच-विचार झलकता है। इस दिलचस्प बायोग्राफी में इतनी विविधता है कि नट-विद्या का धोखा होता है। और लुत्फ यह है कि इसके बावजूद शील का तर्क कहीं भंग नहीं हुआ है। अज्ञेय ने जमाने भर के काम किए हैं और दुनियाभर की यात्रा की है। छोटा-मोटा आदमी होता तो इसमें से कोई एक काम या कोई एक यात्रा करके या करते रहकर घटिया हो गया होता। अज्ञेय ब्रितानी शासन में आतंककारी भी रहे हैं और एम.एन. राय के चेले होने के कारण सेना-अधिकारी भी। अज्ञेय अमेरिका भी गये हैं और सोवियत संघ भी। उन्होंने जहाँ भी कुछ काम किया है, कुछ अलग ढंग का और कुछ अलग तरह से किया है। रेडियो में कर्मचारी रहे तो समाचार विभाग में, समाचार विभाग में रहे तो सिर्फ भाषा-सलाहकार होकर, साहित्य में जमे तो *प्रतीक*

के सम्पादक होकर, प्राध्यापक हुए तो बर्कले कैलीफोर्निया में, पत्रकारिता में लौटे तो हिन्दी के पहले समाचार-साप्ताहिक के सम्पादक होकर, आन्दोलन चलाया तो नयी कविता का, संस्था बनाई (या बिगाड़ी?) तो परिमल और भक्तों में से कोई भक्त चुना तो वह भी सर्वेश्वर।

ज्ञान-विज्ञान और शौक-शगल के मामले में अज्ञेय ने अपने को सर्वतोमुखी प्रतिभा के पुराने ब्रितानी मॉडल पर ढाला है। *सारिका* में जब अज्ञेय 'अपनी दृष्टि में' उजागर हुए थे तो यह फिकरा मुकम्मल हुआ था कि एक कुरुक्षेत्र से चूक गये वरना अज्ञेय किस क्षेत्र में नहीं कूदे? अज्ञेय अपनी इस विविधता का आवश्यकतानुसार और सीमित मात्रा में प्रदर्शन करते हैं इसलिए प्रभाकर माचवे बन जाने के खतरे से बरी रहे हैं।

अज्ञेय अपने अनुभव और अपने ज्ञान की बातें जिस सीमित भक्त मण्डली में करते हैं, उसे बार-बार अपने अज्ञान का तीव्र बोध होता है। बहुत आग्रह और अनुरोध पर किसी विषय पर प्रसंगात दो शब्द कहते हुए अज्ञेय और इन दो शब्दों को आतुरता से सुनते हुए भक्तों के चित्र को (बिलकुल बायें मनोहर श्याम जोशी बैठे हैं) जनता ने सटीक शीर्षक दिया है, बुद्ध और बुद्धू।

अज्ञेय 'एनेकडोट पॉइंट ऑफ व्यू' में भी किसी से पीछे नहीं रहे हैं और छोटी से छोटी बात में भी उन्होंने इतनी खास भंगिमा अपनाई है कि किस्सागो का कल्याण हो गया है। टेलीफोन के मामले में ही उनकी कई बारीकियाँ हैं। मसलन 'हलो' के बजाय 'जी' कहना। इससे दूसरी ओर वाला विस्मित हो जाता है और अगर इस कारण वह अज्ञेय को कोई जाहिल देहाती समझकर अंग्रेजी में रौब गालिब करने लगता है तो अज्ञेय उसकी हिन्दुस्तानी-अंग्रेजी के मुकाबले में अपनी अंग्रेजी-अंग्रेजी दागकर उसे और अधिक विस्मित होने का अवसर प्रदान करते हैं। अगर टेलीफोन पर वार्तालाप दूसरी ओर से शुरू हुआ है और अंग्रेजी में तो 'कुड आई स्पीक टु मिस्टर वात्स्यायन' का जवाब अज्ञेय 'दिस इज ही' में देकर सही अंग्रेजी में बोलने और अंग्रेजदाँ-हिन्दुस्तानी से कुछ अलग होने का सुख लूट लेते हैं। हिन्दी में कोई पूछ बैठे कि 'अज्ञेय जी हैं', तो जवाब मिलता है– 'मैं वात्स्यायन बोल रहा हूँ।'

वात्स्यायन बोलते हैं और अज्ञेय लिखते हैं, यह भेद आम जनता की समझ में नहीं आता। यों वात्स्यायन भी कभी-कभी लिख देते हैं, कभी अज्ञेय के बारे में और कभी अज्ञेय के भक्तों के बारे में। अज्ञेय के बारे में जो उन्होंने लिखा है उसे 'स्वरति और स्वप्रचार' का उदाहरण माना गया है। बल्कि कहना चाहिए 'आदर्श' माना गया है क्योंकि उनके बाद के बहुत से साहित्यिकों ने 'और इन पंक्तियों के

लेखक ने...' का जमकर प्रयोग किया है। यह द्रष्टव्य है कि वात्स्यायन ने अज्ञेय के बारे में जो कुछ लिखा है, उसमें से कोई गलत-सी बात चुनकर यार लोगों ने गलत ढंग से अज्ञेय को विवादास्पद बनाया है। इन गलतियों और गलतफहमियों से भी अज्ञेय की लोकप्रतिमा को चार चाँद लगे हैं। वात्स्यायन ने अज्ञेय के भक्तों के बारे में जो कुछ लिखा है, वह भक्तों की बायोग्राफी बिगाड़ने में ही सहायक हुआ है।

फिलहाल वात्स्यायन के इर्द-गिर्द टेस्टिमोनियल पाने वालों की कोई भीड़ नहीं है। *सप्तकों* के स्वर सो चुके हैं और *प्रतीक* इतिहास में खो चुका है। और जिस अज्ञेय पर विद्रोही प्रयोगशीलता का आरोप था उसके *उत्तर प्रियदर्शी* के *"स्मरण करो! स्मरण करो!! उस दया-नमित, करुणा विगलित को वरण करो!"* से परम्पराप्रेमी निरुत्तर हुए जा रहे हैं। आज के आधुनिक लेखक की कल के आधुनिक अज्ञेय से पटरी बैठ नहीं पाती।

अज्ञेय भी आज के आधुनिक को उतना नहीं पढ़ते जितना 'तब पढ़ता जबकि किसी साहित्यिक पत्रिका का सम्पादन कर रहा होता।'

कहानी से तो खासकर उनका इधर एक अर्से से कोई सम्बन्ध या सम्पर्क नहीं रहा। यों *कथादशक* उन्होंने ध्यान से पढ़ा था और उस पर कुछ लिखने की सोच भी रहे थे। मगर और कई योजनाओं की तरह इसकी भी बारी लग नहीं पायी। जो थोड़ा-बहुत पढ़ा है, उससे यही लगा कि "फिजूलियात को लेकर बहस हो रही है। पश्चिम के प्रभाव का सवाल उठाया जाता है अक्सर। अगर कोई कहे कि उसके लेखन पर प्रभाव ही नहीं है तो झूठ बात है। और प्रभाव न होना भी कोई बड़ी बहादुरी या बुद्धिमानी की निशानी नहीं है। सवाल यह होता है कि जो प्रभाव हुआ उससे हमने बनाया क्या? न तो मैं इससे आधुनिक हो जाता हूँ कि मुझ पर रोब्ब ग्रिये का प्रभाव है और न इससे पुराना हो जाता हूँ कि मुझ पर कालिदास का प्रभाव है।"

फिजूलियात पर बहस क्यों है? इसलिए कि "मान निर्धारित करने वाले लोग या तो संस्कृत की परम्परा में ढले हुए थे या पश्चिम की परम्परा में। दोनों में से कोई भी मानदण्ड आज के भारतीय साहित्यिक के काम का नहीं है। इस स्थिति में हर कोई अपने लिए जो भी चाहे दावा कर सकता है। जब तक कि कोई साहित्य अपने को अपने सन्दर्भ में देख नहीं सकता। तब तक वह महत्त्वपूर्ण हो नहीं सकता। हिन्दी साहित्य की भी यही दशा रही है। कुछ संकट व्यावसायिकता के बढ़ने से भी पैदा हुआ है। साहित्यकार व्यावसायिक हो सकता है, लेकिन साहित्यिक प्रतियोगिता व्यावसायिक प्रतिद्वन्द्विता में बदल जाए तो वही हो सकता है जो आज हिन्दी में हो रहा है। चार गालियाँ दूसरों को दीजिए और दे लेने पर अपने को बड़ा मान लीजिए। विषय-वस्तु को लेकर इतनी बहस कीजिए कि कोई आपसे

यह न पूछ सके कि आपको लिखना आता भी है? यह जवाब तो हो नहीं सकता कि अच्छे विषय पर लिखा है इसलिए अच्छा है।"

यह पूछे जाने पर कि अगर नया साहित्यिक यह कहे कि उसने वही सब किया जो आप लोगों ने अपने समय में किया था और आप उस पर वैसे ही खीझ रहे हैं जैसे आपसे पहले के आप लोगों पर खीझे थे तो? अज्ञेय ने उत्तर दिया, "अगर नये वही सब कर रहे हैं जो हमने किया था तो नया क्या कर रहे हैं? या तो हमें वे अमान्य घोषित करें या फिर प्रमाण बनाएँ।"

देश की स्थिति और साहित्य की राजनीति में कोई सम्बन्ध आप देखते हैं, इसका जवाब यों मिला– "सतह पर नकार है और सतह से नीचे स्वीकार है। हिन्दुस्तान एक विराट झूठ जी रहा है। असल में एलिनियेशन यही है कि हिन्दुस्तानी न हिन्दुस्तान में रह पाया है और न पश्चिम में घुस पाया है।"

मेरे यह कहने पर कि "इस तरह की बात आपके सन्दर्भ में कही जाती है।" अज्ञेय बोले, "मुझे कोई आपत्ति नहीं। आई नो आई डोंट हैव ए लैक ऑफ सेंस ऑफ बिलांगिंग। जिनमें ऐसा अलगाव है उनके कारण साहित्य का स्तर गिरेगा और फिर उग्र संकीर्ण राष्ट्रवाद का विस्फोट होगा। ऐसा एशिया के दूसरे देशों में हुआ है। इस देश में होना जरूरी नहीं था, मगर होता यही दीखता है।"

अज्ञेय इन दिनों पद्य नाट्य की सम्भावनाओं से साक्षात् कर रहे हैं और दो-ढाई सौ पृष्ठ का एक उपन्यास भी लिख रहे हैं, जिसके विषय को वह 'मिस्ट्री' (रहस्य) ही रहने देना चाहेंगे।

जनता का कहना है कि अज्ञेय के बायोग्राफी पॉइंट ऑफ व्यू का चरमोत्कर्ष तब होगा, जब उन्हें कोई ऐसा पद (राजदूत?) या पुरस्कार (नोबल?) मिल जाएगा, जो सामान्यतः भारतीय लेखक को न मिलता हो। दूसरा चरमोत्कर्ष कुमाऊँ में अपना सेब-उद्यान खोलने और वानप्रस्थ का सुख लूटने से हो सकता है, लेकिन इसके लिए "पैसे नहीं जुटा पाते।" क्योंकि "खर्चने की कला जरूरत से ज्यादा सीख ली है।"

4

दो पत्तर अनारां दे

॥ कृष्ण बलदेव वैद

छिलके के
भीतर छिलके के
भीतर छिलका
क्रम अविच्छिन्न
तो क्या?
यह कैसे है सिद्ध
कि भीतर तम
है, होगा ही,
बाहर से भिन्न?
मैं अनन्य
एकाकार
जैसे प्यार।

और आखिर एक शाम अचानक वे मुझे अकेले दिखाई दे ही गये। एक महावृक्ष के नीचे खड़े आकाश को यों देख रहे थे जैसे वहीं उनकी धरती हो। उनके कदम में किसी हरी घास पर हजार क्षण, भंगुर बिखरे पड़े तड़प-दमक रहे थे। एक ओर सागर अपनी मुद्रा में मुग्ध था तो दूसरी ओर नदी की बाँक पर एक अनूठी छाया का आतंक सवार था – इस छोर से उस छोर तक और न जाने कितनी नावें कितने नाविकों को कितनी बार बुला-बुलाकर हार चुकी थीं। बालू के घर अपने आप बनभुर रहे थे, मानो हर किसी से पूछ रहे हों, हम किसके हैं? समीर में उन फूलों की सुगन्ध उड़ रही थी जिनके नाम मुझे नहीं आते। अपने इस मनोनुकूल माहौल के बीचों-बीच वे अकेले खड़े मुस्कुरा रहे थे और किसी ऐसे बावरे अहेरी से नजर आ रहे थे जो बावरा कम और अहेरी अधिक हो और अपने शिकार पर झपट पड़ने से पहले सन्नाटा बुन रहा हो और दूर से आ रहे एक अलौकिक गीत को चुपचाप सुन रहा हो। दो पत्तर अनारां दे...।

मैं बरसों से उनके बारे में तरह-तरह की अफवाहें और फब्तियाँ और प्रशंसाएँ सुनते-सुनते अब कमोबेश सुन्न हो चुका था। उनके तथाकथित असाधारण व्यक्तित्व के प्रति मैं हमेशा उदासीन रहने की कोशिश करता रहा था। इस कोशिश के बावजूद मैंने मन-ही-मन उनके बारे में अनेक भ्रम और पूर्वग्रह पाल रखे थे। उनकी रचनाएँ पढ़ते समय हमेशा यह सन्देह मन से चिपका रहता था कि मैं उनकी मार्मिकता से आतंकित होने की बजाय उनके व्यक्तित्व के आतंक को अपने ऊपर से उतार फेंकने में ही अपना विवेक नष्ट कर रहा हूँ, कि शायद मैं कभी भी पूर्वग्रह मुक्त होकर उन्हें पढ़-गुढ़ नहीं सकूँगा और इसीलिए शायद उनके अर्थ से वंचित रह जाऊँगा, और उनकी अहमियत के बारे में आशंका ग्रस्त।

इसलिए भी उस शाम जब वे मुझे वहाँ मस्त खड़े नजर आ गये तो मेरा माथा ठनक उठा। एक क्षण के लिए तो लगा कि वह विचित्र और मर्म-मारू माहौल मेरे ही पूर्वग्रहों का हवा-महल हो। जब से वे गायब हुए थे मैं अपना अपराध बोध कम करने के लिए अनमना-सा उन्हें खोज रहा था। जब तक वे गायब नहीं हुए थे मैं उनसे दूर रहा था – कुछ परिस्थितियों के कारण, कुछ अपनी भीतरी बाधाओं के कारण और कुछ उनके अकड़े हुए आव-ताव के कारण। वैसे उनसे बात करने – या कहूँ कि बात न कर पाने – के कुछ एक अवसर मुझे भी यदा-कदा मिलते तो रहे थे, लेकिन वे हमेशा अपने ही किस्म के नकाबपोशों से घिरे रहते थे। इसलिए किसी भी मुलाकात से मुझे न कोई तसल्ली हुई थी न कोई खुशी, न कुछ हासिल। उस शाम उन्हें अकेला देखकर मैंने सोचा गनीमत है। फिर सोचा अब इस गनीमत की छानबीन नहीं करनी चाहिए और छूटते ही उनसे उनके भेद की सारी बात पूछ लेनी चाहिए, अपनी बुनियादी शिकायत कर लेनी चाहिए। उधर वे मेरी आवाज सुनते ही किसी कड़े इशारे से मुझे जतला देंगे कि उनके पास मुझ जैसे धराशायी, शंकालुओं के साथ बात करने का अवकाश अब नहीं।

मुझे खतरा था कि मेरी बात के जवाब में वे अपने प्रिय शेखर के प्रिय कवियों – रोजेटी, टेनिसन, लारेंस वगैरह की कविताएँ हिन्दी अनुवाद सहित सुनाना शुरू कर देंगे और मैं मारे ऊब के वहीं मर जाऊँगा। मुझे खतरा था कि वे पूछ लेंगेः आपको कितने फूलों, पर्वतों, पक्षियों, वृक्षों, उपनिषदों, व्यंजनों, छन्दों, नदी-नालों के नाम आते हैं। मुझे खतरे थे। मुझे खतरों की कभी कोई कमी नहीं रही। लेकिन उनके बावजूद मैं काफी देर तक दम साधे उनकी बगल में खड़ा उनका रुख बदलने की प्रतीक्षा करता रहा और उन्हीं की नकल में आकाश की सैर भी करता रहा जहाँ सितारे अनगिनत अजनबी द्वीपों की तरह अपनी-अपनी वेदना के नूर में डूबे झिलमिलाते रहे थे – एक-दूसरे के पास, एक-दूसरे से दूर। फिर सहसा मुझे एक बड़ा खतरा हुआ कि अगर यही आलम रहा तो शाम रात में बदल जाएगी

और वे किसी बुत में और मैं किसी असफल बुतशिकन में। मैंने हिम्मत बाँधी और कह दिया– सुनिए, मैं आपसे कुछ कहना-पूछना चाहता हूँ।

उन्होंने तत्काल अपना रुख आकाश से उतारकर मेरी तरफ मोड़ते हुए अपनी मशहूर मीठी आवाज में कहा– कहिए, पूछिए।

मुझे तो जैसे साँप सूँघ गया हो, मैं निःशस्त्र-शब्द हो गया। लेकिन फिर कुछ ही देर बाद मेरे शस्त्र और शब्द लौट आये और मैंने किसी कदर कसी हुई आवाज में कह दिया– पहले आप अपना नकाब उतार दीजिए। अब तो आपको इसका सहारा नहीं चाहिए।

वे फिर मुस्कुराए और बोले– आप कुछ कहने-पूछने आये हैं या आदेश देने? देखिए, मैं राग-द्वेषादि से परे आ पहुँचा हूँ।

–इसलिए तो आपको अब बेनकाब हो जाना चाहिए। निष्कवच हो जाना चाहिए।

वे हँसे और बोले– अब तो मैं बेहिसाब हो गया हूँ, इसलिए बेनकाब भी। आप मानें न मानें।

मैं उनकी ऐसी जिन्दादिल जुमलेबाजी के लिए तैयार नहीं था। मैं सतर्क हो गया। सोचा, वे मुझे मोह लेना चाहते हैं। पेश्तर इसके कि मैं कुछ और कहूँ या सोचूँ, वे बोले– वैसे जिसे आप लोग नकाब समझते रहे, वही मेरा असली चेहरा था।

–मैं नहीं मानता, मैंने झट से कह दिया।

–मत मानिए, मैं व्यक्ति की, विशेष तौर पर रचनाकार की सम्पूर्ण स्वतन्त्रता में विश्वास रखता हूँ।

अपनी इस बात पर इन्हें हँसता देखकर मुझे घोर आश्चर्य हुआ, घोर अविश्वास के दामन को छूता हुआ जिसे दबा कर मैंने सख्त स्वर में कहा– सुनिए, मैं इस वक्त सीरियस हूँ और आप विनोदानन्द ले रहे हैं।

मेरे लहजे का लिहाज-सा करते हुए वे यकायक गम्भीर हो गये और बोले– क्षमा कीजिए, मैं तो भूल ही गया था कि मेरा इमेज एक गुरु-गम्भीर चिन्तक- कवि-उपन्यासकार का है।

मैं आश्वस्त तो हो गया, लेकिन उनकी चतुराई मैंने पकड़ ली। मैंने कहा, बात इमेज की नहीं, सत्य की है। अगर आप सचमुच एक गुरु-गम्भीर चिन्तक-कवि-उपन्यासकार नहीं थे तो वैसे इमेज का नकाब क्यों पहने रहे उम्र भर?

मैंने देखा कि वे फिर मनमोहक अन्दाज में मुस्कुरा रहे थे। मुझे लगा कि अगर मैं खबरदार न रहा तो वे मुझे भी अपने मायाजाल में फाँस लेंगे। मैं उनका

नकाब उतारकर उनके चेहरे को नंगा करना चाहता था। उसकी सुन्दरता की तारीफ नहीं करना चाहता था। सो मैंने अपना चेहरा मुक्के की तरह बाँध लिया।

उधर से पूछ रहे थे– आप इमेज की बात कर रहे हैं या नकाब की या दोनों की?

मैं पूछ रहा था कि आप अब अपना नकाब उतार क्यों नहीं देते? इमेज को तो आप ही ले आये बीच में, जिससे मेरे मन में यह शंका पैदा हो गयी कि आपका नकाब आपके इमेज से जुड़ा हुआ है – शायद उसका कारण, परिणाम भी।

वे बड़े सुधीर स्वर में बोले– देखिए, मैं और कुछ हूँ या नहीं, धुँधले दिमाग का नहीं। मेरा नकाब अगर है तो वह भी धुँधला नहीं। कारण और परिणाम का अन्तर मैं जानता हूँ। इमेज और नकाब का भी। आप पहले यह...

–आप पहले यह बताइए कि आप इस समय नकाब पहने हुए हैं या नहीं।

–इस समय तो मैं कुछ भी नहीं पहने हुआ, क्षमा करें महिलाएँ...।

और यह कहकर वे यों हँस दिए जैसे आचार्य हजारीप्रसाद द्विवेदी हों।

–तो आपका चेहरा नंगा है?

–कहा न मेरा सब कुछ नंगा है।

–मैंने उनकी इस शेखी या शोखी को मसलते हुए पूछा– गायब हो जाने से पहले भी आप नकाब नहीं पहने थे?

–क्यों नहीं। अक्सर पहनता था। पहनना पड़ता था। गायब हो जाने से पहले मैंने बहुत कुछ किया, वह सब कुछ जो मुझे अपने काम की रक्षा के लिए आवश्यक या अनिवार्य या उचित लगा। मैंने जीवन की धज्जियाँ उड़ाईं क्योंकि मैं सुखी मरना चाहता था।

और वे फिर हँस दिए, आपने अपना मजाक उड़ाना कब से शुरू किया? गायब हो जाने के बाद? काश कि उससे पहले भी आपने ऐसा किया होता।

कभी-कभी सकुचाए हुए ढंग से करता तो था, लेकिन हालत ऐसी थी कि जब मैं अपना मजाक उड़ाता था, तब भी यार लोग यही समझते थे कि मैं अपनी उपासना कर रहा हूँ।

–तो क्या यह झूठ था?

–अच्छा खण्डित सत्य...।

हमने तो सुना है कि आप अपनी उपासना करते भी थे, करवाते भी थे।

–आपने सुना वह आपको मुबारक। हमको हैं प्यारी हमारी सखियाँ, नहीं हमारी गलियाँ।

अब की बार मैं भी अनायास उनकी हँसी में शामिल हो गया। अपने भीतर एक परिवर्तन-सा होता महसूस हुआ। लगा जैसे एक खूबसूरत नकाबपोश ने आखिर मुझे जीत लिया हो। नकाब की शिकायत अपने में एक वहम-सी नजर आयी। नकाब पहनना कोई ऐब नहीं, सभी लोग पहनते हैं, और कलाकार को तो पहनना ही चाहिए – एक नहीं अनेक नकाब पहनने चाहिए। येट्स का ख्याल आया। और जायस का। और पिकासो का। और द्यूशां का। और भी कितने ही कलाकारों का। फिर ख्याल आया कि इस शख्स से मेरी असली शिकायत यह नहीं थी कि यह नकाब पहनता था बल्कि यह कि इसका नकाब मुझे नापसन्द था। और शायद यह भी कि इसके चरित्र भी नकाबपोश थे और शायद इसे उनके नकाब उनके चेहरों से ज्यादा प्यारे थे। लेकिन अब इससे यह शिकायत भी नहीं रही। पहले शिकायत थी कि यह हँसता नहीं, मैं तो यह अफसोस कर रहा हूँ कि यह शख्स क्यों अपने इमेज का शिकार होता रहा, क्यों इसने अपना यह चेहरा, अपना यह हँसता हुआ चेहरा, पहले मुझे नहीं दिखाया और अगर यह भी इसका नकाब ही है तो पहले इसने इसे क्यों नहीं, या क्यों इतना कम पहना।

मैंने सर उठाया तो वे मेरी प्रतीक्षा में खड़े मुस्कुरा रहे थे।

—काश कि आप गायब होने से पहले भी इसी तरह बात कर सकते, अपना मजाक उड़ा सकते, अपने चरित्रों का मजाक उड़ा सकते, काश कि...।

—मेरे चरित्रों को कुछ मत कहिए। वे मेरे तो हैं, मैं नहीं।

—मैंने यह तो नहीं कहा। मैं तो यह सुझा रहा था कि वे सबके सब अति मार्मिक हैं, अति भावुक हैं, अति आत्मविभोर हैं, आत्मसजग नहीं, इसीलिए वे न खुद हँसते हैं न उनके तोते।

—यानी कि वे भी बेनकाब नहीं होते?

—जी हाँ। उनसे भी शिकायत न होती अगर वे कहीं-न-कहीं अपने इस दोष से सजग होते।

—यह सजगता आप उनके लिए क्यों जरूरी समझते हैं?

—उनके लिए न सही, आपके लिए तो जरूरी थी ही। मुझे लगता है कि आप अपने नकाब के कारण उन्हें बेनकाब करने से कतराते रहे, बल्कि कभी-कभी तो ऐसा लगता है कि आपने उनका नकाब देखा ही नहीं।

मैं फिर गर्म हो रहा था।

—कतराता नहीं रहा। शायद मैं उन्हें बेनकाब करना ही नहीं चाहता था। बात यह है कि मैंने वैसे ही चरित्र रचे जैसे मैं रच सकता था, जैसे मैं रचना चाहता था। आप क्यों मुझमें उस गुण के अभाव पर अफसोस कर रहे हैं जो मेरी नियति में ही नहीं था।

मैंने बात बिगड़ती देखी। अगर ये नियति को ले बैठे तो इनसे पीछा छुड़ाना मुश्किल होगा। मैं सोच ही रहा था कि क्या करूँ कि वे बोले– आप कॉमिक दृष्टि की बात कर रहे हैं जो मुझमें नहीं थी।

—मैं आपके मुँह से यही कहलवाना चाहता था।

—सो मैंने कह दिया।

मैंने बीच के अँधेरे को चीरकर उनकी आँख से आँख मिलाना चाही। कहीं वे फिर मेरी या अपनी टाँग तो नहीं खींच रहे? लेकिन उनका मुँह पक्का नजर आया। उनकी आवाज में किसी रंज की गूँज नहीं थी। वे शायद सच बोल रहे थे, मैं आश्वस्त भी हुआ, निराश भी। उन्होंने मेरी निराशा देख ली होगी। बोले– आप यकायक बुझ क्यों गये?

मैंने कहा– काश कि यह बातचीत आपसे पहले हुई होती।

वे चुप रहे।

मैंने पूछा– अब आपमें कॉमिक दृष्टि कैसे आ गयी?

वे बोले– अब मैं परमात्मा को प्यारा हो गया हूँ। सुनता हूँ कि परमात्मा हँसता है और इन्सान सोचता है।

कुछ देर खामोश रहने के बाद फिर बोले– और वैसे भी अब तो मैं वही कर सकता हूँ जो आप मुझसे करवाएँगे, क्योंकि अब तो मैं आप ही की कल्पना का कलपुरजा हूँ। हूँ कि नहीं?

उनकी आवाज में अजीब-सी जिद्द का जोर था। मैं चुप रहा। मैं उन्हें चोट नहीं पहुँचाना चाहता था। और तभी अचानक वे फिर फूट पड़े। खूब जोर-जोर से। दोहरे-तिहरे होकर। घुटनों पर हाथ मार-मारकर। कुछ इस तरह से कि अगर उनके चेहरे पर उनके नकाब का कोई धागा भी बचा रह गया होता तो जरूर गिर जाता।

5

धूल और परछाईं

॥ श्रीराम वर्मा

1950-51 की बात है, मैं आठवें दर्जे में पढ़ता था। अपने मित्र लालता प्रसाद पाण्डेय के पास मैंने गद्य साहित्य का एक संकलन देखा था, जिसमें एक लेख सच्चिदानन्द हीरानन्द वात्स्यायन का था। उस लेख का प्रभाव मुझ पर अप्रतिम रूप से पड़ा था। इस तरह स.ही. वात्स्यायन से मेरा अप्रत्यक्ष परिचय हुआ।

अज्ञेय के सर्वप्रथम दर्शन 'परिमल' के आयोजन के समय हुए। ऐनी बेसेंट हॉल के सामने अज्ञेय एक खटारा साइकिल चलाते आये थे। कुर्ते-पाजामे में जब वे साइकिल से उतरे तो मैंने समझा इलाहाबाद के किसी कैथलिक चर्च के फादर हैं। बाद में पता चला 'फादर' नहीं, अज्ञेय हैं।

जब उन्होंने 'प्रेत बोलते हैं' कविता यह कहकर पढ़ी कि इसे आप चाहें तो गद्य भी कह सकते हैं, तो पढ़ने के ढंग और मुद्राओं से वे सुन्दर तान्त्रिक की तरह लग रहे थे, सचमुच जिसके जगाने से प्रेत जागते हैं। शायद विचार-गोष्ठी थी, जिसमें अज्ञेय जी ने कहा थाः आप समझते हैं आप सब उत्तर प्रदेश के हैं और मैं नहीं हूँ। पर मैं अकेला भी आप सबके लिए काफी हूँ। किन विरोधों पर कहा था, याद नहीं। यह गोष्ठी और अज्ञेय का कविता-पाठ वाला रूप निर्मला और प्रेमलता को भी याद होगा। उस गोष्ठी में वे भी थीं।

फिर भेंट हुई भारती जी के घर पर। मैं अन्दर गया। कान्ता जी पंजाबी ड्रेस में किचन में थीं। बरामदे में भारती जी अज्ञेय जी के साथ बतियाते बैठे थे। भारती जी ने ही अज्ञेय जी से मेरा प्रथम परिचय कराया। मैं दोनों को नमस्कार तो कर चुका था लेकिन संकुचित खड़ा था। भारती जी ने बड़े प्रेम से बैठाया। मैं बैठ भी गया। भारती जी ने कहाः आप कुर्सी थोड़ी इधर खिसका लें तो धूप लगे। अज्ञेय जी का उत्तर थाः कुर्सी खिसकाने की जरूरत है कहाँ, धूप तो लग रही है। भारती जी ने अज्ञेय जी को सप्रश्न देखा। अज्ञेय जी बोलेः क्यों, धूप न लगती तो मेरी यह परछाईं इधर कैसे बनती? यह सहज स्वभावगत वैज्ञानिक दृष्टि मुझे पहली ही

भेंट में अज्ञेय से मिली।

कुछ दिनों बाद पता चला कि अज्ञेय जी अकेले टैगोर टाउन में रहने लगे हैं। एक दिन मैं उनसे वहाँ जाकर मिला। उन्होंने पूछाः आप अध्यापक हैं? वे *चक्रव्यूह* पढ़कर अन्दाजे हुए थे। मैंने कहाः नहीं, विद्यार्थी हूँ।

उस दिन अज्ञेय जी के यहाँ मैंने *प्रतीक* की तीन मोटी फाइलें देखीं। संक्षिप्त बातचीत दोनों ओर से हुई। मैंने पढ़ने के लिए *प्रतीक* की फाइलें माँगीं। अज्ञेय जी ने कहाः मेरे पास इनकी अन्य फाइल है नहीं, इसलिए पढ़कर लौटा जरूर दीजिएगा। मैंने शर्त स्वीकार की। जब चला तो मेरे हाथ में हिन्दी की ऐतिहासिक पत्रिका के कुल अंक थे, जिन्हें मैं सीधे सम्पादक से लिये आ रहा था। खुशी का, अज्ञेय से मिलने और *प्रतीक* के पाने की दुहरी खुशी का आलम था।

पन्द्रह दिन में पढ़कर मैं फिर पहुँचा। उसी समय कान्ता जी को ढूँढ़ते हुए भारती जी आये और न पाकर जल्दी से चले गये। उस दिन मैं *किरणों की खोज में* माँगकर लाया। अज्ञेय जी ने बतायाः यह एक यात्रा-संस्मरण का हिस्सा है जिसे श्रीपत जी ने छापा है। तब मैं श्रीपत जी को नहीं जानता था। *किरणों की खोज में* मैंने देर से लौटाई। मुझे वह खोज कम समझ में आयी। घर गया तो उस दिन लौटाते हुए सीधे एक व्यक्तिगत प्रश्न पूछ लियाः 'अकेले आप ऊबते नहीं? क्या आपका परिवार नहीं है?' बोले, 'नहीं तो, अकेले अच्छा ही लगता है।' थोड़ी देर बाद वे अन्दर से सदरी पहनकर लौटे और कहाः आइए, चलें। मैं पीछे-पीछे उनके साथ। जॉर्ज टाउन में प्रवेश करते हुए उन्होंने रुककर एक लता के उजले लाल फूलों की ओर उँगली उठाते हुए पूछाः इनका नाम क्या है? 'मुझे नहीं मालूम।' मैंने उत्तर दिया।

भारती जी के द्वार पर पहुँचे। खटखटाया। कान्ता जी ने द्वार तनिक-सा खोला, नमस्कार किया। अज्ञेय जी ने मुस्कुराकर पूछाः गुरुजी हैं? कान्ता जी समझीं नहीं। पूछाः जी, कौन गुरुजी? अज्ञेय जी ने व्यंजना छोड़ अभिधा में पूछाः भारती जी हैं? 'हाँ' सुनते ही अज्ञेय जी ने मुड़कर मुझे देखा। 'अच्छा' उन्होंने कहा। मैंने नमस्कार किया और उनके अन्दर होते ही द्वार बन्द।

अब तक प्रेमलता और निर्मला को भनक लग चुकी थी कि मैं अज्ञेय जी से मिलता हूँ। दोनों ने उन्हें घर आमन्त्रित करने को कहा। मलयज उन दिनों पहाड़ पर थे। मैंने अज्ञेय जी को आमन्त्रित किया। वे तैयार हो गये। हम तीनों ने उस कमरे की पूरी पुताई की जिसमें अज्ञेय जी को बैठना था। प्रेमलता और निर्मला ने उस कमरे को सजाया-सँवारा। और मैं फिर अज्ञेय जी के यहाँ उमंगों में उड़ता हुआ पहुँचा। उनकी मेज पर *जहाज का पंछी* रखा हुआ था। और एक कविता रखी हुई थीः 'अच्छा खण्डित सत्य'। मैं बैठ गया। कविता पढ़ गया। बहुत अच्छी लगी। फिर *जहाज का पंछी* पलटा। 'भूमिका' में अज्ञेय ने एक जगह एक शब्द गोल घेर

रखा था। शब्द गलत लिखा गया था। मैंने वह गलती अक्सर देखी है। नौकर ने आकर बतायाः अज्ञेय जी हैं नहीं। सुनते ही अफसोस हुआ। सारा उत्साह ठण्डा। नौकर ने ही बतायाः दो बजे तक मिल जाएँगे। जान में जान आयी। डेढ़ बजे फिर पहुँचा। मिल गये मेज के सामने ही बैठे। मेरे-उनके बीच *जहाज का पंछी* था, अच्छा खण्डित सत्य नहीं। उन्हें नौकर ने पूर्व सूचना दे दी। वे थोड़ी ही देर में तैयार हो गये। *जहाज का पंछी* एक बार उठाया, फिर मेज पर पटक दिया और कहा, 'आइए, चलें।'

प्रेमलता और निर्मला ने अज्ञेय को सकुतूहल देखा। याद नहीं कि नमस्कार किया कि पैर छुए। बड़े अदब से उन्हें बिठाया गया। शायद अज्ञेय ने सलज्ज संकुचित मौन भंग किया और सहजता व्याप गयी। निर्मला उनके सामने उस दिन जो बच्ची-सी हो गयी तो आजीवन बच्ची ही बनी रही। बाद में उसने अज्ञेय के गीतों को स्वर भी दिया। अज्ञेय और निर्मला का पितृ-पुत्री सम्बन्ध सदैव सतत बना रहा। चाय-नाश्ते के बाद प्रेमलता ने ऑटोग्राफ के लिए कॉपी बढ़ाई। पहले तो उन्होंने देखा। फिर एक छन्दोबद्ध (शायद) रुबाई लिख दी, जिसकी आखिरी पंक्ति थीः *तीर जा पहुँचा हृदय के पार*। मुझे अटपटा-सा लगा। निर्मला ने पढ़ते ही चौंककर कहाः 'हाय रे!' प्रेमलता प्रसन्न। खिली हुई।

मैंने अज्ञेय जी से पूछाः 'आप ईश्वर को मानते हैं या नहीं?' बोले— ईश्वर के विषय में कुछ कहा नहीं जा सकता, क्योंकि वह पकड़ में आता नहीं।' चलते समय उन्होंने घर आने के लिए कहा। हम लोग गये भी, पर भेंट नहीं हुई। दुबारा गये तो मिले। हँसकर बतायाः 'उस दिन मैं अलोपी बाग चला गया था, मेला देखने।' निर्मला चौंककर तुरन्त बोलीः 'हे भगवान! इतने बड़े हो गये, मेला देखते हैं।' चकित प्रेमलता और मैं भी हो गये थे। हमारे साथ प्रेमलता की छोटी बहन नीलू भी थी।

उस दिन हमने देखा अज्ञेय जी अकेले रहकर भी कितने सुव्यवस्थित गृहस्थ हैं। हमें प्यास लगी थी। एक-सी गिलासें सबके लिए अज्ञेय जी स्वयं ले आये। लेकिन नीलू के लिए एक छोटा गिलास लाये। वहाँ फिर साहित्यिकों का ताँता लग गया। प्रेमलता वहाँ से उठकर टैरेस पर संकुचित खड़ी हो गयी। भर गयी कुर्सियों के बाद अज्ञेय जी मूढ़े पर बैठ गये। मैं कुर्सी पर था। मैं उठ गया और बोलाः 'आप इस पर बैठें।' अज्ञेय जी ने कहाः 'आप बैठिए। यह तो मेरा घर है, मैं चाहे जहाँ बैठूँ!' प्रेमलता के संकेत पर हम लोग उस साहित्यिक जमावड़े को छोड़कर चले आये। घर पर किसी दिन चलते समय प्रेमा या निर्मला या दोनों ने अज्ञेय के पाँव छुए। अज्ञेय जी ने तुरन्त टोका। बोलेः 'पैर मत छुआ कीजिए। जिस मनुष्य के आज पैर छू रही हैं, कल वह पैर छूने योग्न न लगे तो?' नेहरू जी को पैर छूने वाले से बड़ी चिढ़ थी।

फिर तो मैं अक्सर ही मिलता। विश्वविद्यालय से एक दिन बारिश में भीगता हुआ उनके यहाँ पहुँचा। बोलेः 'आप भीगकर आये हैं या भीगना अच्छा लगता है?' मैंने बतायाः 'भीगना अच्छा लगता है।'

एक दिन मैं पहुँचा तो नौकर ने बतायाः 'राव साहब के यहाँ बैठे हैं।' मैं तब राव साहब को जानता नहीं था। नौकर ने उन्हें दिखाया। दो महिलाएँ, एक पुरुष और उनके साथ पौरुषेय अज्ञेय, वह भी धोती-कुर्ते में। मैंने अज्ञेय को खादी की बनियाइन, कुर्ते और पाजामे, पैंट और शर्ट में देखा था। धोती में बंगाली मोशाय प्रतीत हुए। आये तो एक सुन्दरी गौर वर्ण प्रलम्ब महिला भी साथ में थी। वह सीधे अन्दर चली गयी। अज्ञेय जी मुझे बिठाकर अन्दर गये और थोड़ी देर में आकर बैठ गये। बाद में पता चला कि वे कपिला जी थीं जिनसे हाल ही में अज्ञेय जी ने विवाह किया था।

एक दिन लक्ष्मीकान्त जी ने विश्वविद्यालय के पास मुझसे कहा कि वे दो-पात्रीय नाटक लिखना चाहते हैं – अज्ञेय जी पर। लेकिन नाटक शुरू कैसे हो? अज्ञेय जी बोलते ही नहीं और नाटक में संवाद जरूरी है। और हम दोनों हँसते रहे।

उस वर्ष होली में परिमलीय बन्धुओं और मार्कण्डेय ने कपिला जी को रंग से सराबोर कर दिया।

मलयज जब पहाड़ से लौटे थे, तब अपनी अनुपस्थिति में अज्ञेय के आगमन से गद्गद तो हुए थे, किन्तु अपनी उपस्थिति में पुनः आमन्त्रित करना चाहते थे। मेरे साथ टैगोर टाउन गये थे। पहली बार मिले। अज्ञेय जी ने बातचीत के बाद उनसे कहाः 'आप लोग यहाँ आइए। मैं तो हो आया हूँ।' लेकिन फिर मलयज के आग्रह पर आने के लिए मान गये। उस दिन प्रेमलता ने स्वयं मछली तली थी, मीट बनाया था। उसी दिन अज्ञेय को हाथ धोते मैंने पहली बार देखा। कभी-कभी मांसाहार कर लेते हैं, यह भी पता चला।

अचानक एक दिन पाया कि उनके घर में ताला बन्द है और वे लापता हैं। पता चला कपिला जी के साथ दिल्ली चले गये। फिर एक दिन आशा मुकुल दास के यहाँ इनके होने का समाचार मिला। सर्वेश्वर जी भी थे। मलयज सहित हम लोग गये थे – प्रेमलता, निर्मला और मैं। द्रौपदी घाट घूमने का प्रोग्राम अज्ञेय जी ने बनाया।

जब हम डोंगी से उतरे तब अज्ञेय जी ने जेब से पैसे निकाले और सर्वेश्वर से चवन्नी माँगी तो बेचारे सर्वेश्वर जी इधर-उधर देखने लगे। तब तक मलयज ने आगे बढ़कर चवन्नी दे दी। नाव से उतरते ही रेती का विस्तार था। आगे अज्ञेय जी, फिर सर्वेश्वर, मलयज, प्रेमलता, मैं और निर्मला। रेती में चलते पाँव खूब

धँसते थे। अज्ञेय के पैरों की छाप गहरी थी, जिस पर कुछ आश्चर्यमिश्रित चुटकियाँ भी ली गयीं। फिर *नदी के द्वीप* में जैसे सूर्य को पकड़ने के लिए एक नायिका दौड़ती है, वैसे प्रेमलता संझाते सूर्य की ओर दौड़ी, निर्मला ने भी पीछा किया। सूर्य की शान्त लालिमा में धुली इस शान्त गति को लालिमाच्छायित देखते रहे मुग्ध सर्वेश्वर! अज्ञेय जी इस बीच अपना ऑटोमेटिक कैमरा ठीक-ठाक करते रहे। दोनों लौट आयीं। रेती में अज्ञेय जी अपने पैर का कीचड़ रेत से साफ करते हुए बोलेः 'रेगिस्तान में पानी नहीं होता। वहाँ रेत से ही शुद्धि करके वजू करते हैं।' उन्होंने कैमरा एक बार हम पर सेट किया। देखा, एक जगह रखकर ऑन किया और झट से हमारे बीच आ गये। हमारे आग्रह पर उन्होंने वहाँ दो कविताएँ भी सुनाईं।

हमारे बैठने से रेत गड्डमड्ड हो गयी थी। अचानक अज्ञेय जी के मुँह से निकलाः 'इस तरह रेत को डिस्टर्ब करना अच्छा नहीं लगता।' शायद निर्मला ने कोई गीत गाया था। सूर्य डूब गया। हम फिर उसी डोंगी से किनारे आये।

एक बार वे आये। संयोग से लक्ष्मीकान्त जी भी थे। मैंने पूछाः 'आपने *तीसरा सप्तक* के लिए लक्ष्मीकान्त जी को क्यों नहीं चुना? साही जी ने उनकी कविताएँ आपको स्वयं दी थीं।' बोलेः 'लक्ष्मीकान्त जी की संवेदना बड़ी है, पर उनकी कविता में आ नहीं पाती। बिखर जाती है।' लक्ष्मीकान्त जी कतई सुनना भी पसन्द नहीं करते थे कि कोई अज्ञेय की इस बात को लेकर आलोचना करे कि उन्होंने उन्हें क्यों नहीं चुना। बाद में तो स्वयं लक्ष्मीकान्त जी ने मुझे बताया कि किसी संकट में अज्ञेय जी से पाँच सौ रुपये भी सदाशयी भाव से प्राप्त किए।

इसी तरह जब अज्ञेय जी ने अंग्रेजी में आधुनिक हिन्दी साहित्य पर लेख लिखा और उसमें शमशेर का जिक्र तक नहीं किया तब शमशेर ने हमारी आपत्ति पर स्वयं कहाः 'मैंने इधर लिखा ही क्या है? अज्ञेय जी जिक्र क्यों करते?' मैंने सीधे अज्ञेय से पूछा। अज्ञेय जी टाल गये। बाद में हिन्दी में जब वही लेख छपा, तब उन्होंने शमशेर को कवियों का कवि लिखा!

एक बार मैंने प्रिय कवि केदारनाथ सिंह के बारे में पूछा थाः आपने *दूसरा सप्तक* में भारती जी को चुना है, केदारनाथ सिंह को क्यों नहीं चुना?' उनका उत्तर थाः 'भारती जी में पर्याप्त सम्भावनाएँ हैं, पर क्या कहूँ, केदारनाथ जी को चुन लेना था, यह भूल हो गयी।' और *तीसरा सप्तक* में केदारनाथ सिंह वैसे ही थे, जैसे *दूसरा सप्तक* में शमशेर, जो *तार सप्तक* में रह गये थे।

यह नहीं कि अज्ञेय 'परिमल' से दूर थे। वे प्रायः सर्वेश्वर जी के साथ 'परिमल' में, कॉफी हाउस में, साही जी, रामस्वरूप जी, भारती जी के घर पर देखे जा सकते थे। वे गोष्ठियों में भाग लेते थे, कविताएँ पढ़ते थे, सुनते थे, बहस में खूब भाग लेते थे। साही जी और अज्ञेय जी में बहुत देर-देर तक चलती थी और

बड़ी गर्मजोशी महसूस होती थी। पहली बार विदेश जाने से पहले 'परिमल' की चार दिन तक चलने वाली अनेक गोष्ठियों का प्रारूप देर रात तक जितेन्द्र सिंह के यहाँ तैयार होता रहा था, जिसमें अज्ञेय जी को झपकी भी आने लगती थी और बीच-बीच में अपनी सुनहली कमानी वाला चश्मा उतार-उतार आँखें मलते थे और अपने विचार रखते थे। उन गोष्ठियों के लिए कपिला जी ने पाँच सौ रुपये खर्च किये थे।

उन गोष्ठियों में पी.ई.एन. के पाध्ये जी का बड़ा विरोध हुआ था, जिन्हें अज्ञेय जी ही – कहा जाता था कि – ले आये थे। उन्हीं गोष्ठियों में रघुवीर सहाय से निकटता हुई। उन्हीं गोष्ठियों में दयाकृष्ण जब अंग्रेजी का उद्धरण देते थे तो हिन्दी भूल अंग्रेजी बोलने लगते थे और जब हिन्दी का उद्धरण देते थे तब फिर हिन्दी बोलने लगते थे। अज्ञेय जी और कपिला जी के इतने निकट हैं, पहली बार देखा। उन्हीं गोष्ठियों में साही का एक स्मरणीय वाक्य सुना गयाः सबसे बड़ा आधुनिकतावादी सबसे बड़ा परम्परावादी होता है। वीरेन्द्र कुमार भट्टाचार्य, ताराशंकर वन्द्योपाध्याय और एक प्रसिद्ध गुजराती कवि भी आये थे। कई प्रस्ताव किए गये, लेकिन उन्हें पारित नहीं किया गया। हम रेडियो के अंग्रेजी प्रपत्र पर हस्ताक्षर नहीं करेंगे – अज्ञेय का यह प्रस्ताव स्वीकृत हुआ और सबको हिन्दी में हस्ताक्षर करने की भी हिदायत की। किसी समय अज्ञेय के मंच पर पहुँचते ही यह भी कहा गया कि उनके अन्तिम कथन को परिमल का निष्कर्ष न माना जाय। रात में विजयनगरम् के लॉन में भोजनोपरान्त अनेकभाषी कवियों के कविता-पाठ हुए। अज्ञेय जी कॉपी नहीं लाये थे, इसलिए पढ़ा नहीं। कान्ता जी और कपिला जी पास-पास दूब पर बैठी निंदासी थीं।

विदेश से लौटने पर चैथम लाइन्स में रघुवंश जी के घर पर अज्ञेय जी ने यात्रा-संस्मरण सुनाया। बहुत-से प्रश्न किए गये। प्रश्नकर्त्ताओं में साही जी के परम मित्र ज्योति भी थे। अज्ञेय ने यूरोपीय प्रकृति परिवेश पर लिखी कुछ कविताएँ भी सुनाईं। प्रकृति तो सर्वत्र एक-सी है। मन कविताओं में भारतीय ही था।

जिन दिनों वे जापान से लौटे थे, एक दिन बैंक रोड पर जेन सन्तों का-सा वस्त्र पहने देखे गये। उन दिनों गिरिजाकुमार माथुर इलाहाबाद रेडियो के डायरेक्टर थे। मैं अज्ञेय जी से मिलने पहुँचा तो देखा वे पेट के बल लेटे गावतकिये का सहारा लिए कुछ लिख रहे हैं। रेडियो के लिए हाइकू पर एक टिप्पणी लिख रहे थे। वह टिप्पणी *आत्मनेपद* में है।

विदेश से ही लौटने पर उन्होंने 'साँप' शीर्षक कविता सुनाई थी, जिसके विरुद्ध उमाकान्त ने *कल्पना* में एक पत्र छपवाया। *निकष* में *जर्नल* शीर्षक से उनकी डायरी भी छपी। इसी समय के आसपास *कुट्टिचातन* ने जन्म लिया। अज्ञेय जी को भारती जी का *अन्धा युग* तो नहीं पसन्द था, लेकिन *कनुप्रिया*

उन्हें अच्छी लगी थी। उन्होंने एक लम्बा पत्र भी भारती जी को लिखा था, जिसे उन्होंने *कल्पना* में शायद अविकल छपा दिया था। अज्ञेय जी को यह प्रीतिकर नहीं लगा। व्यक्तिगत पत्र को सार्वजनिकता देना, वह भी अननुमति के, उन्हें कभी प्रीतिकर नहीं रहा।

शमशेर जी एक दिन मुझे आशा मुकुल दास के घर के करीब मिले। मैं माथुर जी के यहाँ से होकर अज्ञेय जी से मिलने जा रहा था। शमशेर जी ने देखते ही पूछा थाः 'आप इधर कहाँ घूम रहे हैं?' मैंने तथ्य बताया। बोले– तुम माथुर जी से बहुत मिलते हो। मैं निरुत्तर। फिर हम दोनों साथ गये। अज्ञेय जी शमशेर जी को पाकर निहाल। शमशेर जी अपने बहादुरगंज वाले मकान में उन्हें आमन्त्रित कर रहे थे ताकि अज्ञेय जी उनके कुछ चित्र देखें और अपनी राय जाहिर करें। अज्ञेय ने प्रसन्न मुद्रा में कहा, "आई लव टु डू दैट।" बाद में पता चला अज्ञेय जी गये थे। वहाँ प्रेमलता भी थीं, शायद श्रीमती निर्मला भी।

शमशेर और अज्ञेय में परस्पर आकर्षण और विकर्षण दोनों था। शमशेर अज्ञेय को रोमांटिक मानते थे, उनके 'प्रेम' को गृहस्थ व्यक्ति के 'प्रेम' से नितान्त भिन्न रोमांटिक मानते थे। लेकिन उनकी उदारता, 'सुरुचि', कर्मठता, दूरदृष्टि और अभ्यस्ति तथा अध्ययन की प्रशंसा करते थकते न थे। पर उन्हें मौलिक नहीं मानते थे। यहाँ तक कि *अरी ओ करुणा प्रभामय* में 'प्रभामय' को व्याकरण-सम्मत मानने को किसी कदर तैयार न थे, वे 'प्रभामयी' शुद्ध मानते थे। उधर अज्ञेय जी शमशेर के विषय में जो धारणाएँ रखते थे, वे स्वयं अपनी किसी अन्तःप्रक्रियात्मक पुस्तक में इस तरह दर्ज कर गये हैं कि वे रामविलास जी के ही निकट जान पड़ते हैं। शमशेर जी ने मुझसे अकेले अज्ञेय के सम्बन्ध में बड़े खुले मन से बातें की थीं। उनमें दुर्भाव की गन्ध मात्र न थी। दुःख में, गरीबी में कइयों को अज्ञेय ने पैसे दो शर्तों पर भिजवाए कि एक तो लौटाना नहीं है, दूसरे बताना नहीं है कि किसने दिए। शमशेर ने मुझे यह बताया था और यह भी कि वे अभ्यास, अध्ययन और सतर्कता के बल पर 'मास्टर' हुए हैं।

रोडार्मल अमेरिका में अज्ञेय जी के प्रबुद्ध शिष्य रहे थे। इलाहाबाद युनिवर्सिटी में मैं उनका ट्यूटर था। जब निराला व्याख्यानमाला में अज्ञेय जी पहले दिन नयी कविता पर व्याख्यान दे रहे थे, जिसमें त्रिलोचन के सानेटों और पन्त की झंझा में नीम आदि तथा निराला के प्रयोग पुरस्कर्ता होने का उल्लेख था, हम दोनों एक साथ ही बैठे थे और एक साथ ही एक-सी विनयशीलता से मिले भी थे। लेकिन एक घटना से रोडार्मल अत्यन्त क्षुब्ध थे। उनके द्वारा अनूदित *गोदान* (अंग्रेजी) के कवर पर अनुवादकों में पहले अज्ञेय का नाम छपा था, बाद में उनका। जबकि अज्ञेय ने उस पुस्तक की सिर्फ भूमिका लिखी थी। वे अश्क जी से मिलकर मेरे घर

आये थे और मेरी पत्नी के सामने ही सब कुछ उगल दिया था। हम दोनों ने उन्हें शान्त किया। मैंने उनसे अज्ञेय जी से मिलकर तथ्य जानने को कहा। वे उनका मुँह तक देखने को तैयार नहीं थे। उस दिन उन्होंने कपिला जी का भी अजब ढंग से उल्लेख किया कि 'मैंने सिगरेट पीने का आदेश माँगा और उन्होंने मना कर दिया, बताइए ये सुरुचि, ये नृत्यकला, ये कला-शास्त्रज्ञान एक सिगरेट को टैबू मान बैठे, यह भी कोई बात हुई।' शायद उन्होंने मुकदमा दायर भी कर दिया था। रोडार्मल को बुलाकर समझाकर, प्रकाशक से मिलकर अज्ञेय जी ने कवर बदलवाया, अकेला नाम रोडार्मल का छपा और मुकदमा उठा लिया गया।

लेकिन अज्ञेय जी अपने 'फैनों' के भी दुश्मन बने। जब उन्हें साहित्य अकादेमी पुरस्कार मिला, तब अशोक वाजपेयी गद्‌गद भावेन उनसे मिले। वे अब तक उनके पक्के चहेते थे। उन्हें सागर भी बुला चुके थे। अब उन्होंने प्रस्ताव रखा कि जैसे सार्त्र ने नोबल पुरस्कार लौटा दिया, आपको भी लौटा देना चाहिए था। लेकिन आपने ले लिया है, तो मुझे दे दीजिए इस शर्त पर कि मैं नये कवियों के संग्रह छपवा सकूँ। अज्ञेय ने अशोक की यह बात ठुकरा दी और अशोक अज्ञेय-विमुख ही नहीं हो गये, दोनों का संवाद भी नहीं रहा। एक नितान्त अस्वीकृति का भाव दशकों व्याप्त रहा, जो 'समवाय' में जाकर दूर हुआ। 'कवि भारती' में वह सम्बन्ध पुनः इतना स्थापित हो गया कि भरवारी लेखक शिविर में वत्सल निधि की विवरणिका में न्यासधारी मंडल में अशोक वाजपेयी का नाम आ गया।

भारती जी शुरू में इस बात से अज्ञेय से नाराज थे कि अज्ञेय ने 'परिमल' की गोष्ठी के लिए कपिला जी के माध्यम से जो पाँच सौ रुपये दिए थे, वे उन्होंने कुछ दिन प्रतीक्षा करने के बाद लौटाने को लिखा था। *कनुप्रिया* सम्बन्धी पत्र के प्रकाशन से तो स्वयं अज्ञेय जी ही अप्रसन्न थे। *धर्मयुग* में भारती जी ने अज्ञेय के खिलाफ लिखा और लिखवाया। लेकिन एक बात आज तक समझ में नहीं आयी। *धर्मयुग* में नोबल पुरस्कार प्राप्तकर्ताओं में तीन की सम्भावना छपी थीः लारेंस डरेल और अज्ञेय के नाम याद हैं। बाद में नोबल पुरस्कार किसी चौथे को मिला था। अज्ञेय जी से दिल्ली में मैंने इसके आधार के विषय में पूछा था। अज्ञेय जी ने अपने सर्वथा अज्ञान की स्पष्ट सूचना दी। उन्होंने *धर्मयुग* का वह अंक भी नहीं देखा था।

समवाय में वे 'जहांनुमा' के अपने कमरे से मुझे रोज रात को फोन करते थे और खाने की मेज पर बुला लेते थे। कभी-कभी साथ में लोठार लुत्से भी रहते। मेज से उठकर हम तीनों चाँदनी में संगमरमर के उस 'मेंशन' को देखते और भोपाल ताल में पहाड़ियों के रोशन लट्टुओं की सर्पिल छायाएँ भी।

यह सही है कि समवाय के बाद वे चिरगाँव और ओरछा जाना चाहते थे। नवीन सागर ने इसकी व्यवस्था भी की थी और सागर इस बात से बड़े गद्‌गद भी

थे। पर शायद इला जी अज्ञेय जी के स्वास्थ्य को ध्यान में रखते हुए उन्हें इस बार की यायावरी से बचाना चाहती थीं।

समवाय के दौरान मैंने अशोक जी से भीमबेटका देखने की तीव्र इच्छा व्यक्त की। अशोक जी ने इसे व्यर्थ की इच्छा कहकर टाल दिया। मैंने विश्वनाथ प्रसाद तिवारी को पहले ही यह कह दिया था और वे भी उत्सुक और उदग्र थे। तिवारी जी ने कहा: 'यदि इसके लिए अज्ञेय जी को तैयार कर लिया जाए, और वे तैयार हो भी जाएँगे, तब अशोक जी मान जाएँगे।' तिवारी जी ने बात की, और अलग से मैंने भी। अज्ञेय जी ने अविलम्ब निस्संकोच सहज स्वीकृति दे दी। रात में शाह साहब के सामने इला जी ने भारत भवन परिसर में मुझे बताया कि भीमबेटका में चढ़ाई बहुत है। आप अज्ञेय जी को ऊपर से जैसा समझ रहे हैं, भीतर से वे ऐसे नहीं हैं कि चढ़ाई उनके लिए उचित मानी जाए। आपके लिए भी ठीक नहीं है। और वह यात्रा नहीं हुई।

जब अज्ञेय जी चाँदनी रात में लुत्से जी के साथ बाहर टहलते हुए बातें करते थे, मैं दोनों के बीच श्रोता होता था और प्रायः मूक ही रहता था। लुत्से जी ने एक बार पूछा: आपकी कोई पुस्तक रूसी में अनूदित हुई है? अज्ञेय जी ने बताया: *नदी के द्वीप* का अनुवाद हो रहा था। आधा हो भी गया था कि तब तक रूस ने चेकोस्लोवाकिया में अपने टैंक भेजे। मैं इसके विरोध में (मुस्कुराते हुए) लेखकीय हस्ताक्षर अभियान में जुट गया। रूस को सूचना मिल गयी और अनुवाद वहीं रोक दिया गया। शायद अब पूरा होने जा रहा है। यह मेरे लिए नयी जानकारी थी। मैंने अज्ञेय जी का सवक्तव्य कविता-पाठ भर मास्को से अपने रेडियो पर सुना था और टी.वी. पर फ्रैंकफुर्त में आयोजित पुस्तक-मेले के दौरान उनका व्याख्यान सुना और उन्हें बोलते देखा था। मैंने नीलाम्बरी के अनुवाद के विषय में जब पूछा तो उन्होंने बताया: मैंने स्वयं किया है। मुझे याद आया इलाहाबाद में निर्मला को अज्ञेय जी ने एक छोटी सुन्दर पुस्तिका भेंट की थी, जो लुत्से जी ने अज्ञेय जी की सहायता से अनूदित की थी। एक ओर अज्ञेय जी की हस्तलिपि में उनकी कविताएँ थीं, दूसरी ओर जर्मन में छपा अनुवाद।

वाल्मीकि नगर में अज्ञेय जी ने मुझसे यह कहा था कि इस शिविर की एक विस्तृत रिपोर्ट आप जरूर लिखें। मैंने सातों दिन नोट्स लिखे और घर लौटकर संस्मरणात्मक ढंग से पर्यावरण के सौन्दर्य और सांस्कृतिक कार्यक्रमों सहित विचार-गोष्ठियों के विवरण तैयार कर भेज दिए थे। वे संस्मरणों के पक्ष में नहीं थे। केवल गोष्ठी विवरण और सांस्कृतिक कार्यक्रमों के उल्लेख के पक्ष में थे।

दिल्ली में मैं अज्ञेय जी से मिलने उनके घर पहुँचा। मैंने आजमगढ़ घर आने के

लिए आमन्त्रित किया। उन्होंने बाबतपुर हवाई अड्डे से आजमगढ़ की दूरी पूछी, यातायात का साधन पूछा और 'बड़ा कठिन है' की मुद्रा बनाई। मैंने बताया: यदि आपके आने का पता हो, तो मैं कार से आपको ले चलूँ। वे मौन रहे। ताजे रैक्स में रखी ढेरों किताबें, गावतकिये, सोफे, चमकदार तिपाइयाँ, घोर गर्मी में ठण्डा कमरा और एक ओर ग्रथित अँगुलियों के साथ चैक पहने चुप्पी के अवतार अज्ञेय जी बैठे हुए। मैं तिपहिये में मॉडल टाउन से वहाँ तक पैंतालीस रुपये में पहुँचा था। जाते ही कार ड्राइव करती एक महिला रुके हुए तिपहिये से टकराती-टकराती बची थी और 'देखकर नहीं चलाते' की उलटी तोहमत लगाते सर्र से निकल गयी थी। मैंने अज्ञेय जी से पूछा: 'क्या अभी इला जी कार से बाहर गयी हैं?' 'नहीं।' उन्होंने संक्षिप्त उत्तर दिया। मैंने बस की असुविधा का जिक्र करते हुए तिपहिये और कार की कथा बतायी। बोले: 'नीचे उषा नेल्सन रहती हैं।' मुझे याद आया वे इलाहाबाद विश्वविद्यालय के गेट पर मिली थीं। उषा प्रियंवदा नाम से कहानियाँ लिखती रही हैं। तीन बहनों में वही याद हैं और उनकी कहानी 'वापसी'। विदेश में विवाह किया, यह सूचना मुझे थी। अज्ञेय जी ने बताया: 'पहले कमलेश जी पास में कहीं रहते थे। मेरे आते ही कहीं और चले गये।'

दिल्ली में अज्ञेय जी से उनके घर में मिलने से पहले मैं उनसे *नवभारत टाइम्स* के उनके सम्पादकीय कक्ष में मिला था। तब उन्होंने मुझसे कहा था: *चौथा सप्तक* प्रेस में चला गया है। बहुत अच्छा छपेगा। सारी देर मेरी ओर से हो रही है। भूमिका अभी तक नहीं लिखी जा सकी। लेकिन अब देर न होगी, जल्द ही लिख सकूँगा। इस बीच आपकी *शब्दों की शताब्दी* प्रकाशित हो गयी, यह अच्छा नहीं हुआ। यह संग्रह बाद में आता तो हितकर होता। फिर समर्पण भी आपने मुझे ही किया, यह भी आपके लिए हितकर नहीं हुआ। मुझे अच्छा नहीं लगा।

उसके बाद *दिनमान* गया। नन्दन जी बाहर थे। रघुवीर सहाय चले गये थे। सर्वेश्वर जी, प्रयाग और विनोद भारद्वाज मिले। सर्वेश्वर जी ने पूछा: 'कहाँ से आ रहे हो?' 'अज्ञेय जी से मिलकर *नवभारत टाइम्स* से।' मैंने बताया। सर्वेश्वर जी बोले: 'दिल्ली में तो उनसे कोई नहीं मिलता।' 'पर आप तो मिलते होंगे?' मैंने तपाक से पूछा। तपाक से बोले: 'बिलकुल नहीं। जमाना हो गया।' मैंने उन्हें अविश्वास से देखा। उन्होंने संजीदगी से कहा: 'अज्ञेय से मोह धीरे-धीरे छूटता है।'

मैं इस बात से दुखी लौटा कि सर्वेश्वर जी अज्ञेय जी से बिलकुल कट गये हैं। एक समय था जब सर्वेश्वर जी की कल्पना अज्ञेय जी के बिना की ही नहीं जा सकती थी। मलयज भी मुझे और शाह को मोहग्रस्त मानते थे, अज्ञेय जी के सन्दर्भ में।

याद नहीं कि मैंने कहाँ अज्ञेय जी से पूछा था कि आप आचार्य द्विवेदी पर

सप्रू हाउस में कुछ बोलेंगे न! सप्रू हाउस में नामवर जी ने एक बहुत बड़ी गोष्ठी आयोजित की थी। विषय याद नहीं। पर अज्ञेय जी का कहना था कि मैं जाऊँगा अवश्य, पर बोलूँगा नहीं। क्योंकि उस विषय पर कई बार पहले ही लिख चुका हूँ। निर्मल जी से उनके घर पर मैंने जब यह बताया तो उन्होंने आश्चर्य व्यक्त किया। मलयज, मैं, त्रिलोचन जी और शमशेर जी एक बस से सप्रू हाउस गये थे। वहीं इला जी के प्रथम दर्शन हुए। परिचय नहीं। अज्ञेय जी पूर्ण तटस्थ थे। पुनः अज्ञेय जी से मिलना हुआ कैवेंटर्स ईस्ट में – मलयज की मृत्यु के बाद। मैंने अजित जी के यहाँ से अज्ञेय जी को फोन किया और अज्ञेय जी ने मिलना स्वीकार कर लिया। एक शोध छात्र के साथ मैं सड़क पर आया। शोध छात्र मार्क्सवादी था और अज्ञेय से घृणा करता था। उसे आश्चर्य था कि मैं अज्ञेय जैसे घिनौने व्यक्ति से क्यों मिलने जा रहा हूँ। अज्ञेय जी का घर बाहर से ही बता रहा था कि किसी राजा ने एकान्त वास के लिए बनवाया होगा। दरवाजे सभी बन्द थे। ऊँचे-ऊँचे दरवाजे जिनमें लकड़ी की हल्की तिरछी पट्टियाँ ऊपर से नीचे तक होती हैं। घड़ियाल की मरी चमड़ी की चमक लिये। घण्टी बजाई। नौकर आया। मैंने परिचय दिया, फोन पर मिलने की बात बताई। उसने बाहर ही बेंच पर बैठाया। स्वयं अज्ञेय जी को फोन किया। थोड़ी देर बाद अज्ञेय जी ने दरवाजा खोलते ही कहाः 'अरे, आप अभी तक बाहर बैठे हैं। आइए-आइए!' हम दोनों नमस्कार कर चुके थे। अन्दर गये। बड़े बढ़िया सोफे थे। बैठते ही धँस गया। कब आये, अमितकुमार जी कैसे हैं, आदि से बात शुरू हुई। मैंने उत्तर दिया, शोध छात्र का परिचय दिया।

फिर *चौथा सप्तक* की आलोचनाओं पर बात छिड़ गयी। मैंने कहाः आपने श्रीकान्त वर्मा, विष्णु खरे, अशोक वाजपेयी, मलयज, ऋतुराज और देवताले को क्यों नहीं चुना? नाम तो और भी ले सकता हूँ जैसे राठी, प्रयाग, विनोदकुमार शुक्ल और विनोद भारद्वाज का। यह भी गोरखपुर में सुना कि परमानन्द जी को आप इसमें लेने वाले थे। उन्होंने उत्तर दिया– श्रीकान्त जी के तो अनेक संग्रह हैं। ऋतुराज शायद चयन ही न स्वीकार करते। मलयज, कविता का जहाँ तक सवाल है, जहाँ के तहाँ हैं। अशोक जी कवि रहे कहाँ, वे तो पैट्रोनेज का कार्य कर रहे हैं। शुक्ल जी के भी संग्रह हैं, शेष के विषय में क्या कहूँ। सात ही को चुनने का बन्धन था। कवि आज अधिक हो सकते हैं। मैं स्वयं कुछ नाम बता सकता हूँ, जिन्हें चुना जाना चाहिए, जिनका नाम आप याद नहीं कर पा रहे हैं। शोध छात्र ध्यान से सुन रहा था। मैंने पूछाः 'क्या आपकी समस्त आलोचना पर लिखने के लिए *संवत्सर* को छोड़ दिया जाए। केवल *शाश्वती, भवन्ती, अन्तरा* से काम चला लिया जाए और *आलवाल* का अन्तिम लेख पढ़ लिया जाए तो कोई हर्ज तो नहीं?' बोलेः 'नहीं, *संवत्सर* तो जरूरी है।' फिर मैंने बतायाः 'देखिए गोविन्द द्विवेदी *तेवर*

का एक आलोचना विशेषांक निकाल रहे हैं। वे मलयज की मृत्यु के समय ही मेरे घर आये थे। उन्होंने मुझसे आपकी आलोचना पर लिखने के लिए कहा था। मेरे पास *आलवाल* या *संवत्सर* को छोड़कर आपकी सारी पुस्तकें मुझे मिल गयीं और मैंने *तेवर* को लेख भेज दिया है। वे सर्वेश्वर द्वारा की गयी अपनी एक पुस्तक की समीक्षा की चर्चा करने लगे, जो उन्हें समीक्षा लगी ही न थी।

अचानक *दिनमान* में अज्ञेय जी द्वारा लिखित फादर बुल्के के एक संस्मरण में आये 'ताताचार्य' शब्द की मुझे याद हो आयी। मैंने पूछाः 'रेवरेंड फादर' के लिए आपने 'ताताचार्य' शब्द का प्रयोग किस आधार पर किया है? उन्होंने बौद्ध धर्म में 'गुरु' के लिए, 'सिद्धपुरुष' के लिए 'ताताचार्य' शब्द के प्रयुक्त होने की चर्चा के साथ यह भी बताया कि रांगेय राघव को 'ताताचार्य' कहा जाता था। फिर याद दिलाया कि मैंने बुल्के जी के लिए 'तात आचार्य' लिखा है, 'ताताचार्य' नहीं। फिर इसी सन्दर्भ में वे वाल्मीकि की सविस्तार चर्चा करने लगे। मैं उनकी बात को *मानस* से जोड़ बैठा तो उन्होंने स्पष्ट कियाः आप तुलसी की बात कर रहे हैं, मैं वाल्मीकि की।

तब तक मेज पर पड़ी एक शीशी पर शोध छात्र का ध्यान गया। उसने अज्ञेय जी से पूछाः 'यह क्या है?' प्रसन्न मन से अज्ञेय जी ने बतायाः 'सवेरे चन्द्रकान्त बांदिवडेकर आये थे। ये गैस की आयुर्वेदिक गोलियाँ हैं। शायद जाते समय भूल गये।' शायद यह भी बताया कि कत्थे की छाल से ये गोलियाँ बनाई जाती हैं।

अचानक मुझे वत्सल निधि का स्मरण हो आया। काशी में रायकृष्ण दास से मैं मिला था, प्रायः उनके अन्तिम दिनों में। वे अज्ञेय जी के इस न्यास की प्रशंसा कर रहे थे। मैंने यह प्रशंसा उन्हें सुनाई। वे गद्‌गद 'जय जानकी-जीवन यात्रा' की योजना बताने लगे। चार प्रकार के विशिष्ट आयोजनों की भी चर्चा की। विदेश से लौटते ही उन्हें यह यात्रा आरम्भ करनी थी। उन्होंने भाग लेने वाले यात्रियों का हवाला भी दिया।

मैंने कहाः 'अब चलना चाहिए। आप आराम करें।' उन्होंने पूछाः 'कहाँ जाना है?' मैंः 'अभी तो साहित्य अकादेमी।' उनका प्रश्नः 'किससे मिलना है?' मेरा उत्तरः 'विष्णु खरे से।' उन्होंने कोई नाराजगी नहीं जाहिर की। जबकि विष्णु खरे ने अकादेमी में यह जानकर कि मैं अज्ञेय से मिलकर आया हूँ, मुँह बिचकाया।

उनसे विदा होते ही शोध छात्र के विचार उनके बारे में बदल चुके थे।

दिल्ली में अज्ञेय से मेरी वह आखिरी मुलाकात थी।

मैं उन्हें 'तात अज्ञेय' कहने लगा था। एक बार 'ताताचार्य' लिखा था तो उन्हें 'आचार्य' पर एतराज था। लेकिन तात स्वीकरणीय था। मैंने तब से उन्हें 'तात' कहकर सम्बोधित करना शुरू कर दिया था।

6

दूर दूर दूर मैं सेतु हूँ

॥ कृष्णदत्त पालीवाल

सच्चिदानन्द हीरानन्द वात्स्यायन अज्ञेय जी को स्मरण करते हुए अचानक मेरा ध्यान दादा माखनलाल चतुर्वेदी की ओर जाए बिना रह नहीं पाता। इसका कारण यह है कि उनकी अपार अनुकम्पा से ही मैं अज्ञेय जी तक पहुँचा था। मैं सन् 1964-65 के आसपास हिन्दू कॉलेज, दिल्ली विश्वविद्यालय में व्याख्याता के पद पर काम करने लगा और कॉलेज के हॉस्टल में रहने लगा। मैंने दादा को नौकरी मिलने की सूचना दी और दिल्ली बुलाया। मेरा पत्र पाकर दादा गद्गद हो गये और लगभग एक माह बाद दिल्ली आये। मेरे साथ हॉस्टल में ठहरे और हरे-भरे 'रिज' का शान्त इलाका उन्हें पसन्द आया। दादा को लेकर मैं दरियागंज में जैनेन्द्र कुमार के पास गया। उन दिनों वे एक तंग गली के मकान में रहते थे। सीढ़ियाँ चढ़कर उन तक पहुँचना पड़ता था। दादा साँस के मरीज। बड़ी मुश्किल से चढ़कर जैनेन्द्र जी के कमरे में दाखिल हो पाये। काफी देर तक बातचीत के बाद दादा को भोले कवि भवानीप्रसाद मिश्र की याद आने लगी। उन दिनों भवानी भाई गाँधी की समाधि के पास गाँधी प्रतिष्ठान के घर में रहते थे। हम दोनों वहाँ पहुँचे। बहुत गरमजोशी से भवानीप्रसाद मिश्र ने माखनलाल चतुर्वेदी का स्वागत किया। दादा ने परिचय कराने के बाद मुझे भवानी भाई को सौंप दिया।

अचानक पौ-सी फटी। आँखों के सामने जादू यह कि वहाँ अज्ञेय जी आ गये। अज्ञेय जी को देखकर दादा फूल हो गये। अज्ञेय जी के भव्य व्यक्तित्व को देखकर मैं चकित। उनके व्यक्तित्व का आतंक ऐसा कि बहुत देर तक मैं सिकुड़कर चुप बैठा रहा। दादा से अज्ञेय जी बहुत धीमी-धीमी आवाज में बात करते रहे। अज्ञेय जी ने दादा से जापान से लौटने के बाद की व्यस्तताओं की भी चर्चा की और जेन-दर्शन की साधना का मर्म भी शायद बताया। मैं अज्ञेय जी के शालीन संस्कारी आभिजात्य से अपूर्वानुभव की स्थिति में। इतने सुघड़-स्वस्थ सुन्दर-विद्रोही स्वभाव, ऊँची कदकाठी का कवि-व्यक्तित्व मैंने पहली बार देखा था। तब तक मैं उनके दो उपन्यास *शेखरः एक जीवनी* और *नदी के द्वीप* पढ़ चुका था और दस-बारह

कहानियाँ। उनकी तमाम कविताएँ मेरी स्मृति में बोल-बज रही थीं। दादा और भवानी भाई दोनों अज्ञेय जी से रमकर बातचीत करते रहे और मैं उन्हें एकाग्र-भाव से देखता ही रहा।

दादा ने बातचीत में अवसर पाकर अज्ञेय जी से मेरा परिचय कराते हुए कहा– 'इसे भी अपनी अभय छाया दीजिए।' यह सुनकर अज्ञेय जी के चेहरे पर हलकी मुस्कान फैल गयी। बोले तो कुछ नहीं, लेकिन आँखों की भाव-व्यंजना से कहा– 'ठीक है।' वहाँ से लौटने पर दादा ने बड़ी गरमाहट से कहा कि तुम अज्ञेय के सामने ठिठके-चमत्कृत क्यों बैठे रहे। मैंने कहा, 'उन्हें देखकर ही मेरी सिट्टी-पिट्टी गुम हो गयी थी।' दादा हँस दिए। दादा थोड़ी देर बाद बोले– 'अज्ञेय एकदम क्रान्तिकारी रहे हैं, इन्होंने बम ढोए हैं – जेल यातनाएँ सही हैं और गरम दल की क्रान्तिकारी विचारधारा से जुड़े रहे हैं। दुख की बात यह है कि हिन्दी की विशेष दलबन्दी में बँधे लोग इस कीमती व्यक्तित्व का मूल्य नहीं जानते।' मैंने पाया कि दादा तो अज्ञेय जी को लेकर भीतर तक भीगे हुए हैं।

चार-पाँच दिन रहने के बाद दादा खण्डवा चले गये। उसके बाद फिर श्रीकान्त जोशी का पत्र आया कि दादा ने तुम्हें जैनेन्द्र जी, भवानी भाई और अज्ञेय जी से मिलाया था – उन सभी के सम्पर्क में रहना। मेरे मन में भी इन रचनाकारों के लिए बहुत लगाव था – ऐसी स्थिति के कारण आना-जाना शुरू कर दिया। धीरे-धीरे पता नहीं कैसे मेरी अन्तरंगता भवानीप्रसाद मिश्र से बढ़ती गयी और वही अन्तरंगता मुझे अज्ञेय जी तक ले जाने में सहायक हुई। यह भी जाना कि अज्ञेय जी अपना स्थानीय गुरु दद्दा मैथिलीशरण गुप्त को मानते हैं। यह जानकर भी आश्चर्य हुआ कि अधिकांश लोग मैथिलीशरण गुप्त को कवि ही नहीं मानते या फिर तुकाराम, सत्ता-प्रतिष्ठान से जुड़े हिन्दू-कवि मानते हैं। लेकिन अज्ञेय जी तो गुप्त जी को क्रान्तिकारी कवि मानते हैं और कहते हैं कि बचपन में जब से हिन्दी पढ़ना-लिखना सीखा – उन्हीं की कविता पर पलकर किशोर हुआ। *नीलाम्बर परिधान हरित पट पर सुन्दर है* या *निज मातृभूमि स्वदेश के गोदी भरे हम लाल हैं* आदि से हिन्दी-काव्य से और देश-भूमि, देश-प्रेम से परिचित हुआ। फिर *जयद्रथ-वध* अथवा *पंचवटी* के माध्यम से भारतीय वाङ्मय और परम्परा के आकर-ग्रन्थों से परिचय पाया।

मैंने पाया कि अज्ञेय जी जब आगरा से निकलने वाले क्रान्तिकारी पत्र *सैनिक* में काम करते थे – तो प्रायः दद्दा से मिलने उनके गाँव चिरगाँव जाते। दद्दा के परिवार से अज्ञेय जी की निकटता इतनी बढ़ी कि वे उस परिवार के ही अंग हो गये। हालाँकि दद्दा से पत्र-व्यवहार जेल जीवन के समय से ही था – और *भारत-भारती* दद्दा ने मुल्तान जेल के दिनों में भेजी थी। अज्ञेय जी ने एक बार गुलमुहर पार्क वाले घर में कमला शास्त्री के साथ जाने पर चाय के समय यह संस्मरण भी सुनाया था

– जब मैं *शेखरः एक जीवनी* की प्रशंसा कर रहा था। हर बार मैं *शेखर* की प्रशंसा करता तो एक बार वे बोल ही पड़े– "पालीवाल जी, आपको पता है या नहीं, मैं नहीं जानता। लेकिन मुझे याद है कि *शेखरः एक जीवनी* को पढ़कर दद्दा तो किसी तरह हजम कर गये। शेखर से दद्दा के संस्कारों को तगड़ा झटका लगा था और क्रोध भी आया। लेकिन दद्दा उसके नयेपन से प्रभावित भी हुए थे।" मेरे यह पूछने पर कि "*शेखर* पर अश्लीलता का आरोप लगा – तब?" काफी देर मौन रहे अज्ञेय – फिर आँखों से चश्मा उतारकर उसे साफ करते हुए बोले– "निन्दा सहने की मुझे तो आदत है, उससे क्या घबराना। पिछड़ी दृष्टि वाली नैतिकता की जड़ता ने कुछ को भड़काया जरूर था और कुछ मेरे नाम से ही भड़के हुए थे। अश्लीलता का आरोप लगाकर दिल्ली के एक साप्ताहिक ने मेरे और उपन्यास के विरुद्ध एक अच्छा-खासा अभियान ही चला दिया था। यह अभियान काफी समय तक चला। इतना ही नहीं, दिल्ली और ग्वालियर, आगरा और कानपुर की सभा-गोष्ठियों में *शेखर* की प्रतियों को आग के हवाले किया गया। इस पर भी चैन न मिला तो निन्दा-प्रस्ताव पास किया।" मैंने पूछा इस निन्दा-भर्त्सना का आप पर क्या प्रभाव पड़ा?

अज्ञेय जी ठहरकर काफी देर चुप रहे – ऐसा लगा कि बोलेंगे नहीं। लेकिन धीरे-से बोल पड़े– "इस निन्दा-प्रस्ताव के पीछे व्यक्तिगत कारण थे। मैंने *विशाल भारत* में सम्पादन कार्य शुरू किया था। कुछ समय बाद पं. बनारसीदास चतुर्वेदी ने निराला-विरोधी अभियान का झण्डा उठाया। मेरी गलती यह थी कि मैंने चतुर्वेदी का साथ दिया। बड़ी भूल की थी। मैंने एक लम्बा लेख *विश्वभारती*–(अंग्रेजी की पत्रिका) में 1937 के अगस्त-अक्टूबर अंक तथा जनवरी 1938 के अंक में 'मॉडर्न हिन्दी पोएट्री' शीर्षक से लिखा था। वहाँ मैंने भूलवश यहाँ तक लिख दिया था कि– *निराला इज डैड*। यह मेरी कच्ची समझ की अनुभवहीनता थी, जिसका मलाल मुझे जीवन भर रहा। हालाँकि बाद में निराला की *तुलसीदास* जैसी अद्‌भुत सांस्कृतिक संवेदना से सम्पन्न कृति को पढ़कर मेरा मन बदल गया था। *तुलसीदास* विलक्षण कृति है और निराला विलक्षण कवि। यह कवि-विरल शक्ति निराला जी में ही थी कि सांस्कृतिक चेतना को सर्जनात्मक रूप में साकार कर सकते थे।" मैंने अज्ञेय जी को पश्चात्ताप की भारी मुद्रा में पहली बार देखा था कि अपने लेख को लेकर वह भीतर से कितने पीड़ित थे। एक तरह के अपराध-बोध की दुखती गाँठ के शिकार थे – अज्ञेय। उन्हें लगता था अनजाने ही ऐसी चूक हो गयी है जो 'हूक' बन चुकी है और जिसके सुधार का उपाय नहीं रहा। निराला जी ने अज्ञेय की भूल को माफ कर दिया था क्योंकि निराला दिल्ली में अज्ञेय के घर आते थे और प्रसन्न भाव से कविताएँ सुनाते थे। फिर इलाहाबाद में भी मिलते ही रहे, लेकिन उस समय तक निराला 'मैं अकेला' के अवसाद में डूब रहे थे। उनकी कविता में *बह रही है हृदय*

पर केवल अमा इसी मनोभूमिका का व्यंजक है।

एक दिन दद्दा मैथिलीशरण गुप्त के संसद वाले निवास पर मैं गया हुआ था – अचानक अज्ञेय जी आ गये। चुपचाप बैठे रहे, मैंने चुप्पी तोड़ने के लिए धृष्टतावश प्रसाद जी वाला 'चिन्ता' प्रकरण उठाया। मैंने पाया अज्ञेय जी यह सुनकर तन गये उनके गम्भीर चेहरे पर कई भाव आये-गये। मेरी बात का उत्तर नहीं दिया दो-चार बार घूरकर टाल गये। मैं भी अपनी जिज्ञासा पर शर्मिन्दा हुआ। लेकिन झेंप मिटाने के लिए मैंने *शेखर* के प्रथम संस्करण के आवरण पर छपे मनु जैसे व्यक्तित्व की बात याद की। दृढ़ मांसपेशियों वाले पुरुष का चिन्ताग्रस्त चित्र। उसके हृदय में उमड़ता अथाह प्रलय-प्रवाह। मन के भीतर – कवि-आलोचक विजयदेव नारायण साही का यह कथन भी मथता रहा कि वे सारे प्रश्न, सारे अभिप्राय, वे सारे प्रतीक जो *कामायनी* में निहित हैं – अज्ञेय के कृतिकार मानस में उमड़ते-घुमड़ते रहते हैं। प्रसाद-समरसता की अनुभूति को दर्शन में परिवर्तित करते हैं – अज्ञेय उसे दर्शन से फिर अनुभूति में परिवर्तित कर देते हैं। दर्शन को अनुभूति में घुलाने की राह अज्ञेय निकालते अवश्य हैं, लेकिन प्रसाद जी से छूट नहीं पाते।

मेरे मन में अज्ञेय से जुड़ी न जाने कितनी स्मृतियाँ हैं। कालक्रम की दृष्टि से ये कुछ गड्डमड्ड हो गयी हैं और उन्हें प्रामाणिक-ऐतिहासिक क्रम में रख पाना मेरे लिए आज कठिन है। जबकि मानता हूँ कि उन्हें प्रामाणिक ऐतिहासिक क्रम में रखने की कोई आवश्यकता नहीं है। इन स्मृतियों का एक अनुभव यह है कि अज्ञेय 'चुप्पा' नहीं थे – जिनसे खुलते थे खूब हिल-मिलकर बतियाते थे। हाँ, बातचीत में संयम बरतते थे और परनिन्दा करते हुए मैंने उन्हें पाया नहीं। उनकी निन्दा के पहाड़ ही मेरे सामने थे और प्रतिबद्ध लोग तो हर जगह अज्ञेय जी को 'व्यक्तिवादी', 'विदेशी दलाल' कहकर बदनाम करते थे। ग.मा. मुक्तिबोध को प्रगतिशील-मार्क्सवादी सिद्ध करने के लिए विश्वविद्यालयों के गलियारों में हर साँस में अज्ञेय को पूँजीपतियों का दलाल, प्रतिक्रियावादी सोच का सर्जक सिद्ध किया जाता था। अज्ञेय-विरोधी सुनियोजित अभियान की कसकती स्मृतियाँ हिन्दी आलोचना का एक बड़ा परिदृश्य घेरे हुए हैं। *नदी के द्वीप* कविता और उपन्यास को आगे रखकर मनचले अज्ञेय जी पर हर तरह के व्यंग्य प्रहार करते थे। 'कांग्रेस फॉर कल्चरल फ्रीडम' से सम्बन्धित अज्ञेय पर रामविलास शर्मा का लेख क्या छपा, लोगबाग सीना तानकर अज्ञेय की मूढ़ आलोचना करने लगे।

इस तरह अज्ञेय का स्वतन्त्र-चिन्तन और 'व्यक्ति-स्वातन्त्र्यवाद' का सिद्धान्त उन्हें ठुकराने का बहाना था। कवि-आलोचक लक्ष्मीकान्त वर्मा ने *नयी कविता के प्रतिमान* और *नये प्रतिमान पुराने निकष* पुस्तकों में 'लघुमानववाद' की जो चर्चा की थी उसका सम्बन्ध भी अज्ञेय जी के सृजन-चिन्तन से जोड़ दिया गया। वह तो भला

हो कवि-आलोचक तथा नयी कविता के सिद्धान्तकार विजयदेव नारायण साही का कि उन्होंने अज्ञेय का गौरव यह कहकर स्थापित किया कि आधुनिक हिन्दी साहित्य में अज्ञेय ने ही नयी कविता को पुनः सम्भव बनाया है। क्या हो जो आज भी प्रतिबद्ध लोग 'कांग्रेस फॉर कल्चरल फ्रीडम' वाले एजेंडा पर डटे हैं – जबकि उनके पास कोई ठोस प्रमाण नहीं हैं। अज्ञेय और कांग्रेस फॉर कल्चरल फ्रीडम को लेकर जो अनुसन्धान कार्य किया गया है, वह भी कहीं की ईंट कहीं का रोड़ा ही बनकर रह गया है। इस तरह अज्ञेय जी की हृदयहीन आलोचनाओं का भी एक लम्बा-चौड़ा पंचतन्त्र है। इन आघातों से आहत होकर भी वे भरसक प्रयत्न करते रहे कि आघात दिखे नहीं। अचानक ही कभी-कभार उनका दर्द उभर आता था – तो अपनी डायरियों में उनका संकेत देकर वाणी को विराम दे लेते थे। उनमें अपमान झेलने की शक्ति अद्भुत थी। वह अपमान झेलकर भी अपने संकल्प में न टूटे, न झुके, न भयभीत रहे। अपनी रचना-प्रयोग और स्मृति के सर्जनात्मक सम्प्रेषण में उनका इतना प्रबल विश्वास था कि ऐसे सभी प्रहार झेलकर और शक्ति संचय कर लेते थे।

अपमान-लांछन से आहत होकर भी अविचल भाव से संयमित रहना उनका स्व-भाव था। उनका 'स्वाधीनता' और 'स्वाधीन-चिन्तन' की वकालत करने वाला रचनाकार गुलाम मानसिकता वाले लोगों को चिढ़ाता रहा। विद्रोही-स्वर और अस्वीकार का साहस किसी भी विचारधारा की गुलामी से उन्हें दूर रखता रहा। उन्होंने हर कोण से औपनिवेशिक आधुनिकता का विरोध किया और निरन्तर संस्कारित करने वाली भारतीय आधुनिकता को अपनाया। उनके अखण्ड व्यक्तित्व के लिए स्वाधीनता एक विविधता भरा अनुभव रहा। नतीजतन उनके सृजन-चिन्तन और आचरण में स्वाधीनता का एक समग्रबोध जाग्रत रहा। वे न अस्तित्ववाद को पूरी तरह स्वीकार कर सके न आधुनिकतावाद को, न मानवेन्द्रनाथ के रेडिकल मानववाद को। गाँधी-विवेकानन्द-लोहिया-जयप्रकाश नारायण के चिन्तन से प्रभावित होकर भी वे किसी एक के समर्थक नहीं बने। उनके चिन्तन का लोकतन्त्र निरन्तर नये क्षितिजों का निर्माण करता रहा। वे जीवन भर रूपण और निरूपण के द्वन्द्व में जिए। अज्ञेय जी को स्मरण करते हुए सोचता हूँ कि स्वाधीनता की खोज का दहकता सत्य उन्होंने एक भूमिगत क्रान्तिकारी आन्दोलन के सदस्य के रूप में, एक राजनीतिक बन्दी के रूप में, एक सैनिक अधिकारी के रूप में पाया। स्वाधीनता की इस पहचान ने आगे कवि, कृतिकार, यायावर, सम्पादक, निबन्धकार, प्रकृत संस्थान विरोधी के रूप में भी नया राग-दीप्त तेज पाया और वे लोक के कल्याण में प्रवृत्त एक संस्कारवान मानव का प्रतिमान बनते गये।

जीवन में देश-विदेश के विविधता भरे और कभी-कभार परस्पर विरोधी अनुभवों ने उनकी स्वाधीनता की समझ को विस्तार और गहराई दी। इस समझ से ही उन्होंने

पाया कि स्वाधीनता कोई स्थिर वस्तु नहीं है न ऐसी अवधारणा, जिसे सरलता से परिभाषित किया जा सके। हाँ, उन्होंने यह आत्मज्ञान अवश्य पाया कि स्वाधीनता ही एक ऐसा सर्वोच्च मूल्य है, जिसे पीढ़ियाँ प्राण देकर पाती हैं। फिर स्वाधीनता निरन्तर संघर्ष और आविष्कार माँगती है। जाने कितना तनाव-यातना झेलकर इस रचनाकार ने पाया कि स्वाधीनता का सारतत्त्व है – स्वाधीनता के लिए निरन्तर ललक।

अज्ञेय को अनेक-अनुभवों से स्वाधीनता की समझ ही प्राप्त नहीं हुई – उस समझ ने स्वाधीनता को एक वृहत अर्थ सन्दर्भ दिया। वे सत्य को सन्दर्भ में गूँथने का कार्य इसी समझ से करते रहे। उन्होंने दिल्ली विश्वविद्यालय के एक भाषण में इंग्लैंड की उस घटना की चर्चा की थी कि कैसे वह वहाँ पर एक उद्यान में मुक्त घूम रहे थे। एक हरी घाटी पार करके दूसरी हरियाली के शिखर तक पहुँचकर अचानक उन्होंने पाया था खुली हरियाली में खड़ा एक झूमता-इठलाता वृक्ष। एक महाकाय पेड़ – एक खुले में खड़ा अकेला वृक्ष। उस वृक्ष-बोध ने नया जीवन दर्शन दिया – बिना किसी बाधा के सम्पूर्ण परिपक्वता को प्राप्त वृक्ष। उसका अक्षत-डालियों से भरा तन-मन। अपने विकास की चरम-सम्भावनाओं को प्राप्त वृक्ष। उस वृक्ष को देखकर यह अनुभव हुआ – स्वाधीन-विकास, स्वाधीनता में विकास, स्वाधीनता की ओर विकास, अपनी चरम सम्भावनाओं की सम्पूर्ण उपलब्धि। वह वृक्ष-अनुभव अज्ञेय के अन्तर्मन में रच-बस गया और भीतर-ही-भीतर पनपता रहा। अज्ञेय ने इस काव्यात्मक-अनुभव के आधार को लेकर अपने निबन्ध में कहा है कि *"स्वाधीन होना अपनी चरम सम्भावनाओं की सम्पूर्ण उपलब्धि के शिखर तक विकसित होना है।"* उन्होंने जीवन-भर यही पाया कि वह वृक्ष उनके भीतर नयी-नयी शाखाओं-प्रशाखाओं से विकसित होता रहा है। इस अनुभव के साथ 'वन का बोध' भी पनपता रहा। महावृक्ष के नीचे यह भी बोध जाग्रत हुआ कि क्या कोई अकेला स्वाधीन हो सकता है? क्योंकि कोई भी व्यक्ति अपनी सम्पूर्ण सम्भावनाओं को ऐसे ही परिवेश में पा सकता है जिसमें दूसरे भी अपनी चरम सम्भावनाओं को पूरी तरह प्राप्त करने के लिए समान रूप से स्वाधीन हों।

इस तरह स्वाधीनता का बोध एक तपस्या है – बहुजनहिताय की व्यावहारिकता। बहुजन सुखाय की लोक मंगलकारी दृष्टि। मानवमात्र की समान स्वाधीनता का प्रयत्न ही अज्ञेय के सर्जक मन का संकल्प है, संकल्पनात्मक अनुभूति। अज्ञेय का परिचय बहुत जल्दी गौतम बुद्ध के जीवन-वृत्त से हो गया था। उन्होंने उस ज्योति पुरुष, उस बोधिसत्व की कथा सुनी थी जिसने मानव-मात्र की मुक्ति के लिए स्वयं अपनी मुक्ति का उत्सर्ग कर दिया था। यह भी पाया कि उत्सर्ग ही एकमात्र स्वाधीन कर्म है। यह भी पाया कि स्वाधीनता की सच्ची कसौटी 'मैं' नहीं 'ममेतर' है। दूसरे

की स्वाधीनता के लिए अपनी स्वाधीनता का बलिदान। कोई भी कवि-कलाकार दार्शनिक-सम्पादक स्वाधीनता के नाम पर केवल बौद्धिक स्वातन्त्र्य की बात करके नहीं जी सकता। उसका एक विशेष प्रकार का सामाजिक दायित्व है। इस तरह रचनाकार की स्वाधीनता एक विशेष प्रकार की स्वाधीनता है। वैज्ञानिक एक ऐसे समाज में भी स्वाधीन हो सकता है जो स्वाधीन नहीं है। लेकिन रचनाकार-कलाकार ऐसे समाज में स्वाधीन नहीं हो सकता जो स्वाधीन नहीं है। इसलिए रचनाकार का दायित्व है कि वह समाज की स्वाधीनता के लिए संघर्ष करे – सजा से युद्ध करे।

इस तरह अज्ञेय के लिए सर्वोच्च मूल्य है – स्वाधीनता। वह अपनी स्वाधीनता को सम्पूर्ण समाज की स्वाधीनता से जोड़कर ही सुख पाते हैं। ग.मा. मुक्तिबोध कहते रहे 'याद रखो कभी अकेले में मुक्ति नहीं होती' और यही बात प्रसाद जी 'औरों को हँसते देखो मनु' के सन्दर्भ से कहते हैं। यही विचार अज्ञेय की 'स्वाधीनता' का सार-सर्वस्व है। उन्हें व्यक्तिवादी कहना पूरी तरह से गलत समझना है। अज्ञेय कहते रहे हैं कि यह दीप अकेला स्नेह भरा, गर्व भरा मदमाता अवश्य है, पर इसको भी पंक्ति को दे दो। मूल विचार यह कि व्यष्टि का समष्टि में विलय ही परम लक्ष्य है।

मैंने सन् 1970 के बाद पाश्चात्य सैद्धान्तिक समीक्षा का हिन्दी की सैद्धान्तिक समीक्षा पर प्रभाव खोजने के क्रम में शोध-कार्य शुरू किया तो फिर अज्ञेय याद आये। अज्ञेय जी से जाकर मिला और इस विषय पर समय लेकर बात की तो पता चला कि वे प्रभाव को नकल नहीं मानते। उनसे साहित्यिक मान्यताओं के बारे में खुलकर बातचीत भी हो सकी। इस तरह उनके व्यक्तित्व और कृतित्व के प्रति मेरा सम्मान निरन्तर बढ़ता गया। अपने को भीतर-से खूब टटोलकर मैं इस निष्कर्ष पर पहुँचा कि यह सम्मान उचित और तर्कसंगत है। उन जैसा बहुश्रुत और बहुपठित व्यक्तित्व भी मेरे सामने दूसरा नहीं रहा। फिर प्रयोग परम्परा, आधुनिकता, भाषा के बारे में अज्ञेय जी बेहद सजग थे – और थे भी प्रश्नाकुल रचनाकार। अज्ञेय ने पश्चिम को रमकर पढ़ा था किन्तु वे पश्चिम के आतंक से मुक्त थे। अपनी 'भारतीयता' के तेजबल के साथ पश्चिमी वादों-आन्दोलनों, विचारधाराओं, प्रवृत्तियों, व्यक्तियों को समझा और उन पर प्रतिक्रियाएँ व्यक्त की हैं।

अज्ञेय पर मैथिलीशरण गुप्त, जयशंकर प्रसाद, निराला, माखनलाल चतुर्वेदी, नवीन जी, हजारीप्रसाद द्विवेदी, राय कृष्णदास के चिन्तन का गहरा प्रभाव पड़ा। भारतीय स्वाधीनता आन्दोलन की लय से निर्मित वे देशभक्त रचनाकार हैं। माखनलाल चतुर्वेदी के काव्य-संस्कार उनमें 'चुपचाप मधुर-विद्रोह बीज' बोने वाले बनकर नया रंग लाये। यही साहित्यिक यात्रा में उनके विवेक के परिष्कार चरण रहे। 'एक भारतीय आत्मा' के कवि का सन्दर्भ 'भारतीयता' का ही सन्दर्भ था। 'भारतीयता' की भाषागत समस्या का पहलू 'राष्ट्रभाषा' के नाम पर 'सरल-भाषा' के नाम पर

अरबी-फारसी बघार देना नहीं था। इस समस्या को न 'हिन्दुस्तानी' वादी हल कर पाये थे न सरल हिन्दी को संस्कृत की चाशनी में पाक करने वाले। न ही नयी काट के 'कॉस्मोपालिटन' हिन्दी के समर्थक उसे चुस्त अंग्रेजी-अमेरिकी जाकेट पहनाकर कोई समाधान दे पाये। यह नारा कि भारतीय संस्कृति क्योंकि मिश्र संस्कृति है, इसलिए जिस भाषा में वह अभिव्यक्ति पाएगी वह मिश्र-भाषा ही होगी। अज्ञेय जी का मानना रहा है कि हिन्दुस्तानी के सारे आन्दोलन के मूल में यह प्रतिज्ञा रही थी।

अज्ञेय जी ने ध्यान दिलाया कि दूसरी प्रतिज्ञा खिचड़ी संस्कृति में मिश्रण की रही है। भाषा में मिश्रण अरबी-फारसी तथा संस्कृत से आये शब्दों का हुआ भी। यह मान्यता भी व्यक्त की गयी कि संस्कृति एक मिश्रण या संकर को नहीं कहते, एक समन्वित और एक समग्र रूप को ही कह सकते हैं। यह भी सच है कि समन्वित भारतीय संस्कृति में इस्लाम का योग भी रहा और इसके साथ ही न जाने धाराओं का संगम हुआ और अनेक धाराएँ उसमें लोप होती रही हैं। लेकिन उसे मिश्र-धारा न बना सकी। केवल दो संस्कृतियों को सामने रखकर विचार करना – प्रवाह को अधूरा देखना है। हिन्दी ने लगभग चालीस से अधिक भाषाओं के शब्द ग्रहण किए तो उन्हें पचाकर भी वह हिन्दी ही बनी रही मिश्र-भाषा नहीं। मुझे याद है कि अज्ञेय जी ने जोर देकर समझाया कि मैं किसी भी प्रभाव को केवल बाहर का होने के कारण अग्राह्य नहीं मानता। अनेक प्रभावों के प्रति अपने को बन्द रखना भी वे ठीक नहीं मानते थे। साथ ही दो सत्ताओं के मिश्रण का प्रयत्न भी गलत मानते थे। उनका विचार था कि मिश्रण की अवस्था संस्कृति से पहले की अवस्था है। वह परस्पर आदान-प्रदान और परस्पर संघात की अवस्था है। इस संघात से ही संकटत्व की असहजता से मुक्त गतिमान और सर्जनात्मक सत्ता-सम्पन्न रूप प्रकट होता है। संकरता अपने में संस्कृति नहीं है। संस्कृति तो संस्कारवान होने की सतत प्रक्रिया है।

मुझे ध्यान है कि अज्ञेय जी ने अपने सम्पूर्ण सृजन-चिन्तन, पत्रकारिता और सम्पादन कर्म में लगातार भारतीय अस्मिता को भारतीय आधुनिकता को रूपायित करने का प्रयत्न किया। आज सोचता हूँ कि स्वाधीनता-संघर्ष के युग-सन्दर्भ में यह कोई अचरज की बात नहीं। पर समाज को आत्मवान बनाये रखने में वे अनथक भाव से लगे रहे। उनकी मानसिकता ने 'सेकुलरिज्म' को छल मानकर पूरी तरह नकार दिया। साथ ही हर तरह का जोखिम उठाकर कहा कि हम धर्मनिरपेक्ष कभी नहीं हो सकते। क्योंकि धर्म की हमारी धारणा पश्चिम के 'रिलीजन' का पर्याय नहीं है। हमारे धर्म की अवधारणा में 'संस्कृति' समाहित है। धर्म को संस्कृति से अलग नहीं किया जा सकता और न हमारे बहुदेववाद, लीलावाद, अवतारवाद की खिल्ली ही उड़ाई जा सकती है। हमारा धर्म हमारे मिथक-पुराण चिन्तन में निवास करता है। इसी तरह हमारा काव्यशास्त्र भी दर्शन और व्याकरण से दूर रखकर सोचा तक नहीं

जा सकता है। इस तरह अज्ञेय की भारतीयता एक अखंडित व्यक्तित्व वाले अपने समकालीनों के सामने एक आदर्श, एक चुनौती खड़ी करती है। आज अज्ञेय जी याद आते हैं तो हमें लगता है कि किसी भी समाज-संस्कृति-देश के लिए अज्ञेय जैसा अखण्ड व्यक्तित्व एक बड़ी उपलब्धि होता है। मैंने इस भेंट में पाया कि अज्ञेय जी आँखों में हँस रहे हैं और पूरे विश्वास से कह रहे हैं कि मैं स्वाधीन आदमी हूँ और स्वाधीन चिन्तन में विश्वास रखता हूँ। खण्डित व्यक्तित्व का रचनाकार आजाद नहीं हो सकता – आजाद होना तो अखण्ड व्यक्तित्व के नसीब में ही होता है।

इस स्वाधीन अखण्ड व्यक्तित्व की सर्वाधिक प्रबल अभिव्यक्ति अज्ञेय जी के निबन्धों में मिलती है। उनका इन निबन्धों में एक 'कमिटमेंट' है। उनकी प्रतिबद्धता श्रमरत, कर्मरत मानव के प्रति है। श्रम-संस्कृति में आस्था का अर्थ है मानव को उसकी अखण्ड महानता-उदात्तता में ग्रहण करना। अज्ञेय राजनीति से प्रभावित रहे लेकिन आकण्ठ राजनीति में डूबे व्यक्तित्व नहीं रहे। सत्याग्रह-युग के क्रान्तिकारी, साम्राज्यवाद विरोधी रचनाकार होने के नाते नैतिक-सांस्कृतिक-स्वतन्त्रता के प्रति समर्पित रहे। उन पर रवीन्द्रनाथ का प्रभाव रहा, टी.एस. एलियट, लॉरेन्स, पाउंड, हेडेगर का प्रभाव रहा और मानवेन्द्रनाथ राय के चिन्तन प्रवाह में भी वे रहे। साथ ही लोहिया-नेहरू-गाँधी और जयप्रकाश नारायण का भी रंग रहा लेकिन उनके चिन्तन की मौलिकता इससे बाधित नहीं रही। उनका 'अकेला चल' का भाव-विस्तार नयी राहों का अन्वेषी रहा। साथ ही संस्कारशील और प्रयोगशील मन की रगड़ से उन्होंने नया जीवन प्रकाश पाया।

अज्ञेय जी से जब-तब मिलने पर मैंने यह भी अनुभव किया कि अज्ञेय जी केवल कृतिकार-कवि-कथाकार नहीं थे – एक कृती रचनाकार थे। उनकी स्नेह-छाया में न जाने कितनी प्रतिभाएँ पनपीं। अपनी रचना के बाहर ऐसा प्रभाव भारतेन्दु हरिश्चन्द्र का भी रहा और स्वनामधन्य आचार्य महावीर प्रसाद द्विवेदी का भी। इनमें तीसरा नाम मैं प्रभाव और प्रेरणा की दृष्टि से अज्ञेय जी का जोड़ना चाहता हूँ। अज्ञेय जी ने स्नेह और वात्सल्य से सींचकर नयी पौध को बढ़ाया और फूलने-फलने का अवसर दिया। युवतर-प्रतिभाएँ 'बराबर' न होकर भी कभी उनके निकट छोटी नहीं हुईं। रघुवीर सहाय, सर्वेश्वर दयाल सक्सेना, रमेशचन्द्र शाह, नन्दकिशोर आचार्य, निर्मल वर्मा न जाने कितनों को उन्होंने अपना स्नेह दिया। *त्रिशंकु* के निबन्ध मुझे नये चिन्तन के तेजोदीप्त प्रकाशस्तम्भ लगते हैं और मैं आज भी उस साधक को आगे की साधना में चित्त समाधि लगाकर रचते-सोचते पाता हूँ। 'पूर्व-अज्ञेय' में छायावादी संस्कारों की छाप है, लेकिन 'उत्तर-अज्ञेय' में प्रौढ़ गहन चिन्तन की सागर-मुद्रा है।

अज्ञेय जी के स्मरण में मेरे लिए सांस्कृतिक-अस्मिता का एक भाषा-वैविध्य से

जुड़ा सन्दर्भ अनिवार्य रहा है। भाषाओं और साहित्यों के सन्दर्भ में भावात्मक एकता की बात प्रायः वे अंग्रेजीदाँ लोग करते हैं जिनका भारतीय भाषाओं से सम्बन्ध न के बराबर है और जिनका भारतीय साहित्यों का ज्ञान भी नगण्य है। ये लोग अंग्रेजी के वातावरण में पलकर देश के जीवन जगत से दूर हो गये हैं और जिनके लिए भारतीय अस्मिता का बोध आकाश कुसुम बन गया है। ये लोग भारत का आजाद होना तो स्वीकार करते हैं – लेकिन जिनको अपने भारतीय होने के बारे में सन्देह है जो भारतीय परम्परा-संस्कृति के संस्कार से अपने को जोड़ने में कठिनाई का अनुभव करते हैं। इसलिए भारतीय-चिन्तन पर उनका भरोसा नहीं है। ये लोग चिन्ताकुल होकर पूछते हैं – कि आधुनिक भारतीय संस्कृति से क्या तात्पर्य है? अंग्रेजीदाँ लोग भारतीय भाषाओं को 'वर्नाक्युलर' मानते रहे – नतीजा यह हुआ कि उनमें बहुत से पूर्वग्रह गहरे होते रहे। अज्ञेय जी ने बड़ी पीड़ा से स्वीकार किया है कि भारतीय भाषाओं को 'वर्नाक्युलर' मानने का भान तो अब उठ गया, लेकिन उन्हें प्रादेशिक भाषाएँ कहना शुरू हो गया। यही संकट की जड़ है। हम भूल रहे हैं कि सांस्कृतिक एकता का आधार एक अस्मिता-बोध होता है और अस्मिता का गहरा रिश्ता भाषा से है।

अज्ञेय ने हिन्दी को विद्रोहों की भाषा कहकर उसमें लिखना अपना सौभाग्य समझा है। इसी भाषा में उन्होंने एक मौलिक समीक्षाशास्त्र रचना चाहा है – न जाने कितनी नयी अवधारणाओं को बहस के केन्द्र में ला खड़ा किया है। हमेशा मेरे जैसे शोधार्थी से कहा है कि बड़ा कवि वाक्-सिद्ध होता है और उससे भी बड़ा कवि रस-सिद्ध होता है। रस-सिद्ध माने जीवन के समग्र-सौन्दर्य को सामने लाने वाला कवि। यह कवि सहज अभ्यास और प्रतिभा-व्युत्पत्ति के योग से जानता है कि कविता भाषा में नहीं होती, शब्दों में भी नहीं होती, शब्दों के बीच की नीरवताओं में होती है। इसलिए मैं जब भी अज्ञेय जी को काव्यशास्त्रीय सन्दर्भों में याद करता हूँ तो उन्हें एक नया अभिनवगुप्त कहता हूँ। एक ऐसा नया अभिनवगुप्त, जिसने हमारी 'सभ्यता समीक्षा' का इतिहास ही बदल दिया है।

मुझे स्मरण है कि आपातकाल के समय में अज्ञेय जी ने सत्ता-शक्ति के सामने घुटने नहीं टेके। जबकि बहुतेरे प्रतिबद्धों ने जेल-जीवन से घबराकर माफी माँग ली और सत्ता-कीर्तन में जुट गये। इस आपातकाल में निर्मल वर्मा, भवानीप्रसाद मिश्र जैसे लेखक अडिग रहे। अज्ञेय जी ने इस दौर को सामने लाने के लिए 'चुप ही दहाड़' जैसा लेख लिखा। यहाँ भी जोर देकर कहा कि मौन अभिव्यक्ति का एक साधन होता है और बहुत ही समर्थ साधन होता है। यह बात वह काव्य के और रचनात्मक साहित्य के सन्दर्भ में निरन्तर कहते रहे हैं, लेकिन उनकी यह बात उसी क्षेत्र तक सीमित नहीं है। मौन भी अभिव्यंजना है और वह राजनीतिक युद्ध का अस्त्र

है। गाँधी जी मौन या चुप को सविनय-विरोध का एक उत्तम साधन मानते थे। आपातकाल में साहित्य क्षेत्र में सन्नाटा पसरा रहा। इस काल में चुप रहने वालों की भी सूचियाँ बनीं। प्रजातन्त्र का लोप काले कानूनों ने कर दिया। अज्ञेय जी ने कहा है कि लोकतन्त्रात्मक स्वाधीनता का एक अत्यन्त महत्त्वपूर्ण अंग यह है कि हम सक्रिय राजनीतिककर्मी न होने को भी स्वतन्त्र हैं। बल्कि जनसाधारण का साधारणत्व इसी में है कि वह जब वैसा अनुभव नहीं करता, तब तक राजनीतिक सक्रियता की ओर प्रेरित नहीं होता। साधारण जन चुप रहकर मतदान से अत्याचारी शासक को हटाता है और आजादी की पुनः प्रतिष्ठा करता है। हमारा काम चुप के सहारे भी हो सकता है और शायद उसी के सहारे ज्यादा अच्छी तरह होता है। आपातकाल में जनसाधारण चुप थे – लेकिन उनका चुप रहना अत्याचार के विरोध में था। आपातकाल की घोषणा के साथ देश पर जो सर्वसत्तावादी तन्त्र लादा गया – उसकी निरंकुशता का अज्ञेय जी ने डटकर विरोध किया। उन्हें जर्मनी में नात्सी-युग के अत्याचार याद आये। यह भी ध्यान रहा कि भारत की बौद्धिक परम्परा पश्चिम की बौद्धिक परम्परा से भिन्न रही है। उनका यह कथन गूँज छोड़ता मिलता है कि ऐसे मौके होते हैं, जब चुप भी एक दहाड़ होती है, और अधिनायक अगर सुन सकता है तो उसी से उसकी नींद हराम हो जाती है।

मैं कभी भी अज्ञेय जी के स्मरण में यह नहीं भूल सकता हूँ कि वह आजादी के संघर्ष-युग के सांस्कृतिक नायक थे। वे आजादी के युग को 'स्वातन्त्र्योत्तर युग' न कहकर उसे 'स्वातन्त्र्य युग' ही कहना उचित समझते थे और मानते थे कि आज की जन्मना आजाद पीढ़ी जो पकी-पकाई खा रही है उसमें उनकी पीढ़ी का योग भी कम न था। किन्तु आजादी की पहली पीढ़ी असन्तोष की पहली पीढ़ी थी। यह पीढ़ी पाती है कि उसका चेहरा बुढ़ाया हुआ है या उसका कोई चेहरा है ही नहीं। ऐसी स्थिति में इस असन्तोष की पीढ़ी से संवाद करना आसान नहीं है लेकिन मैंने हर अवसर पर अज्ञेय जी में पाया है कि वे कृत संकल्प हैं कि उस पीढ़ी से संवाद स्थापित करके रहेंगे। बिना चेहरे का युवक बोलेगा और अज्ञेय जी उसे धैर्य से सुनेंगे। मैं अभी याद करता हूँ कि मेरे विद्यार्थी अज्ञेय जी से अत्यधिक निकट का संवाद करते रहे हैं। उनके साथ लेखक शिविरों में गये और अज्ञेय से वात्सल्य पाया। आज भी मेरे लिए उन स्मृतियों का एक जीवन्त इतिहास है। मेरा अध्यापक-स्वभाव ऐसा है कि मैं अज्ञेय के कथनों में धँसकर पाता हूँ कि वे कह रहे हैं कि मुझे शिक्षा मिली, शिक्षा का आधार है – भाषा। पर भाषा मुझे नहीं मिली। लोग भाषा सीखकर एक भाषा में वाक्‌सिद्ध होते हैं; मैं कम से कम दो भाषाओं में गूँगा हूँ। जिस समय मैं अपनी सहज बोली में सोचना सीख रहा होता, उस समय मैं पराये शब्द-समूह को रटना सीख रहा था; जिस समय मुझे गर्व होता कि मैं अपने को पहचानता हूँ, अपना

निर्माता बल्कि अपना रचयिता हूँ – उस समय मैं गर्व कर रहा था कि मैं परायी लादी ओढ़ और ढो सकता हूँ कि मैं अपना अनुवादक हूँ। यों शिक्षा मुझे मिली, लेकिन बे-पेंदे की! मुझे सभी कुछ मिला, पर सब बे-पेंदे का। शिक्षा मिली पर उसकी नींव भाषा नहीं मिली; आजादी मिली, पर उसकी नींव आत्मगौरव नहीं मिला, राष्ट्रीयता मिली, लेकिन उसकी नींव अपनी ऐतिहासिक पहचान नहीं मिली। इतना ही क्यों मुझे व्यक्तित्व मिला पर चेहरा नहीं मिला। इस तरह अज्ञेय की तलाश अस्तित्व और अस्ति की रही है। इतिहास और स्वातन्त्र्य-बोध के प्रश्न से वे जीवन भर जूझते रहे। उन्होंने हर बार अपने निबन्धों-भाषणों में कहा है कि हमारे साहित्य ने ही आत्म-बोध, आत्म-दान और स्वतन्त्रता का उपयोग और उपभोग को सम्भव बनाया, आत्म-प्रत्यभिज्ञा को व्यावहारिक बनाया है। अज्ञेय ही हैं जो मेरठ के एक कन्या महाविद्यालय के दीक्षान्त-समारोह में निरन्तरता और स्वतन्त्रता पर गहराई से प्रकाश डालते रहे हैं। शिक्षा केवल नौकरी पाना मात्र रह जाए, यह जीवन-मूल्यों का कैसा विकृत-बोध है।

मुझे स्मरण है कि एक बार उनसे मिलने पर काल-चिन्तन पर बात चल पड़ी। उन्होंने रचना-कर्म में काल-चिन्तन की 'अपूर्व' व्याख्या की। मुझे ध्यान है कि हिन्दी में काल-चिन्तन की चर्चा का प्रथम प्रवर्तन ही अज्ञेय जी ने किया। मैंने पाया कि काल-चिन्तन चर्चा में वह विशेष रस पाते थे। *आलवाल* के लेखों की चर्चा उनकी कवि मानसिकता का बिम्बलोक है। इसी मानसिकता का सर्जनात्मक विस्फोट *संवत्सर* में नये चिन्तन-आयामों के साथ सामने आया है। अज्ञेय जी ने माना है कि धुनी लोगों का काल-बोध विशिष्ट प्रकार का होता है तथा काल-बोध काल के साथ उतना नहीं बँधा होता, जितना कि बोध के साथ। प्रश्न उठता है कि कालगति क्या है? गति है तो उसकी दिशा भी होगी। सच तो यह है कि काल की नदी दिग्विहीन बहती है। रवीन्द्रनाथ 'काल के महाप्रांगण' की बात कहते थे। विदेशी 'रिवर ऑफ टाइम, स्ट्रीम ऑफ कांशसनेस' की बात करते हैं। काल-नदी, काल-निर्झर। टॉमस मान का काल-प्रपात। अब तो भौतिक विज्ञान, गणित तथा मनोविज्ञान ने काल की और काल-बोध की हमारी अवधारणा और समझ में इतने परिवर्तन कर दिए हैं कि, बर्गसाँ, मैकटैगार्ट, फ्रायड और आइनस्टाइन ने बहुत-सी पुरानी परिकल्पनाओं में नयी जान डाल दी है। काल अथवा चेतना की धारा के साथ 'आइलैंड ऑफ टाइम' वगैरह भी सामने आये। इबान बूनिन का संस्मरणात्मक उपन्यास *द वेल ऑफ डेज* (दिनों का कुआँ) काल के प्रति अतिरिक्त सजगता लेकर आया। लेकिन फ्रायड ने लक्षित किया अवचेतन में संचित स्मृतियाँ कालातीत हो जाती हैं। जैसे सिद्धियों में एक सिद्धि जल स्तम्भन की होती है – ऐसे ही कृतिकार की एक सिद्धि यह होती है कि वह कालधारा का स्तम्भन करके उसका कलेवर देख ले और दिखा दे, सम्प्रेषित कर दे। इस अर्थ में

हर कविता एक स्फटिक-समाधि होती है, क्योंकि नश्वर अनुभूति को एक पारदर्शी मंजूषा में अजर-अमर कर सुरक्षित कर देती है। नदी और कूप, सरिता और सरोवर – काल के दोनों रूप हमारे अनुभव का अंग हैं। अच्छा हो वाक् के लिए एक नदी नाम सरस्वती प्रचलित हो जाए। क्या साहित्य देवता वाक् (कल्याणी वाक्) सरस्वती नहीं है। जो अनेक स्रोतों को हमारी चेतना में रूपायित करती है।

हमारी कल्पना में दिक् हमेशा चौखूँटा – वर्गाकार और काल वृत्ताकार होता है। साहित्य का दोहरा धर्म होता है। एक ओर तो वह वर्तमान की सटीक पहचान कराता है – दूसरी ओर गृहीता समाज को अर्थवत्ता के बृहत्तर सन्दर्भ से जोड़ता है। इस विचार का अर्थ हुआ कि एब्सर्ड या अर्थहीनता का कोई साहित्य नहीं होता। साहित्य-आलोचना यह काम 'जड़ों की खोज' या मूल स्रोतों की ओर, परम्पराओं की ओर, मिथकीय स्रोतों की ओर ले जाकर करती है। जीवन की समस्त पहचान या प्रत्यभिज्ञा भी साहित्य का अनिवार्य कर्त्तव्य है। संस्कृतियों की टकराहट में सांस्कृतिक स्मृति-भ्रंश होता है तो दोनों पक्षों को क्षति पहुँचती है। स्मृति का विघटन बुद्धि-मनीषा-व्यक्तित्व का नाश करता है। लेकिन साहित्य स्मृति-चिन्तन-अनुभव को जोड़कर जीवन की समग्रता का बोध कराता है। संस्कृत नाटकों में मंगलाचरण और नान्दीगान सामाजिकों को उस देश-काल में ले जाता है जिसमें नाटक की घटना घटित होती है। मंगलाचरण सामाजिक को काल के एकाधिक आयामों में अवस्थित करते हुए काल की प्रतीति कराता है और उसे वर्तमान की पहचान से जोड़ देता है। यही विचार 'काल का डमरू नाद' निबन्ध व्यक्त करता है। डमरू की कटि वर्तमान है उसमें दाएँ-बाएँ भूत-भविष्य बजते हैं।

हमारे यहाँ निरवधि महाकाल का महावृत्त है और नीचे और भीतर सावधिकाल का छोटा-सा बुलबुला। हमारा 'संवत्सर' मानता है – पत्ता भी झरता है वनप्रपात भी झरता है – वन झरने की धार ही अनन्त प्रक्रिया है। अज्ञेय जी ने देखा है *झरना: झरता पत्ता/हरी डाल से अटक गया।* यह प्रकृति का बहुत निकट से अनुभव है। ध्यान-परम्परा के श्रमण भी प्रकृति के निकट रहते थे और प्रकृति से उन्हें क्षणभंगुरता-नश्वरता का सन्देश मिलता था। यह सतंत आवर्तन की याद को बनाये रखना है। यह सनातन आवर्तन प्रक्रिया ही शिव भी है, शक्ति भी, प्रकृति भी, काल भी, ऋत भी, सत्य भी। द्रष्टा के लिए संवत्सर प्रजापति है। संवत्सर ही अग्नि है – प्राण-यज्ञ है। देश-काल का सातत्य भी। यह बात 'स्मृति के परिदृश्य' के दो व्याख्यानों में भी अज्ञेय जी ने उठाई थी जब वह साहित्य अकादेमी की संवत्सर व्याख्यानमाला में बोले थे। मुझे अज्ञेय के उस चिन्तक रूप की याद है, जिसमें वह नचिकेता-भाव से प्रश्न उठा रहे थे। वे वहाँ थे उन व्याख्यानों में जहाँ हम ऋतु में न जीकर काल में जीते हैं – यज्ञ के यजमान न रहकर प्रजापति हो जाते हैं। इसी

चित्र-समाधि से 'काल मृगया' का चिन्तन फूटा है। चौकड़ी भरते हिरण का गति बिम्ब अज्ञेय जी में इससे सुन्दर कोई कल्पना नहीं है। एक दार्शनिक मुद्रा में अज्ञेय जी कहते रहे हैं कि जो स्थिर है वही तो सब गतियों का सनातन स्रोत है और जो गतिमान है वही तो अव्याहत-अशेष का सनातन बिम्ब। इस युगनद्ध की परस्पर भेदक-गतिमयता का प्रतीतिमान रूपायन ही साहित्य सर्जक की चिरन्तन समस्या है।

स्मृति में उठती कौंध मुझे उस अज्ञेय के पास ले जाती है जो कलकत्ता विश्वविद्यालय की बिड़ला व्याख्यानमाला के अन्तर्गत नवम्बर 1975 में चार व्याख्यान देते हैं– 'काल की अवधारणा, प्रतीति और सम्प्रेषण।' इसी तरह अज्ञेय जी ने राजस्थान विश्वविद्यालय में भी ए.जी. स्टॉक स्मृति व्याख्यानमाला के अन्तर्गत काल-चिन्तन पर अंग्रेजी में चार भाषण दिए थे – पूरा शीर्षक थाः 'ए सेन्स ऑफ टाइमः एन एक्सप्लोटेशन इनटू ह्यूमन टाइम, द टाइम डाइमेन्शन इन लिटरेचर एंड सम प्राब्लम्स ऑफ नैरेटिव रियलिज्म।' अज्ञेय के इन व्याख्यानों का स्मरण मेरे जीवन की एक बड़ी उपलब्धि रही है। उन्होंने एक रचनाकार की हैसियत से विषय का विश्लेषण या भाष्य किया था – दार्शनिक या शास्त्रविद् पण्डित की तरह नहीं। शाश्वतकाल इतिहास का क्रम या ऐतिहासिक वर्तमान। लेकिन साहित्य में काल की प्रतीति की समस्याएँ मानवीय काल से जुड़ी रहती हैं। साहित्य के वर्तमान काल में संस्कृति का समूचा काल निहित रहता है।

रचनाकार अज्ञेय का वह चिन्तन क्या भुलाने की चीज है जिसमें वे समकालीन साहित्य को लेकर गहरी चिन्ता प्रकट करते हैं। काल-चिन्तन की एक समान्तर धारा साहित्य में बहती है और साहित्यकार वैज्ञानिक से दो कदम आगे रहता है। काल की सत्ता और प्रकृति का कोई भी परिवर्तन, साहित्य सर्जक की प्रतिभा से मनुष्य को परिभाषित करता है। अज्ञेय ने पूरे बोध से 'आधुनिक-जगत' को पश्चिमवाद का पर्याय माना है। उनके मन में 'आधुनिक' 'आधुनिकता' को लेकर कोई पूर्वग्रह नहीं है। लेकिन उन्हें यह निष्कर्ष तो निकालना ही पड़ा कि पश्चिम के ऐतिहासिकतावाद ने काफी दूर तक हमारे सोच को विकृत किया है। और यह कहा कि 'आधुनिक' और 'पश्चिमी' को पर्याय मान लेना ऐतिहासिकतावाद की देन है। यह प्रश्न भी उठाया कि जिसे पश्चिम ने 'प्रगति' कहा है क्या वही जीवन-मूल्य, जीने का रास्ता है।

पश्चिम के आधुनिक जगत में इतिहास का आयाम अनेक मौलिक सामाजिक परिवर्तनों के साथ हुआ। इन परिवर्तनों से मानवीय कर्म व्यापार और विश्वासों में क्रान्ति-सी हो गयी। विज्ञान और यान्त्रिकी का मौलिक दिशा परिवर्तन, राजनीतिक क्रान्तियों, धार्मिक सुधार और पुनः संगठन, कला और साहित्य के क्षेत्र में पुनर्जागरण, और पुनरुज्जीवन, अन्ततः वह आर्थिक-क्रान्ति जिसे 'पूँजीवादी' कहा जाता है और

उसके बाद वर्गवाद का चिन्तन काल को ऐतिहासिक प्रक्रिया मानने से सत्य का अर्थ ही बदल गया। सत्य को इतिहास के नियमों के अधीन कर दिया गया परिणाम यह हुआ कि इतिहास ने सनातन को, नित्यता को नष्ट कर दिया। 'सिटी ऑफ गॉड' को भी नष्ट किया और परलोक को बिखेर दिया। मानव केवल लौकिक में ठहरा दिया गया। यहाँ स्थिरता नहीं, परिवर्तन बुनियादी मूल्य हो गया और ऐतिहासिक में सेक्यूलर या ऐहिक को सम्मानजनक स्थान दे दिया। फिर उत्पादन की नयी प्रक्रिया ने समय का अर्थ और मूल्य बदल दिया। ईश्वर सनातन बढ़ई या विश्वकर्मा था – उसे हटा दिया, मार दिया गया। फलतः इटर्निटी का आत्म-बोध का अस्मिता-बोध खो गया और आत्म-बोध के लिए संकट उत्पन्न हुए। यह संकट साहित्य में प्रतिबिम्बित हुआ। इतिहास केवल अतीत को पीसने वाली चक्की रह गया और इतिहासवाद के बोझ से दबकर मानव बौना रह गया। मानवीय काल या अनुभव का काल ही इतिहास की मूल भित्ति है।

हेडेगर ने कहा कि काल हमारी चेतना का तात्कालिक सत्य है। मानवानुभूति काल एक प्रवाह है। अज्ञेय ने माना कि *साँस का पुतला हूँ मैं। जरा से बँधा हूँ और मरण को दिया गया हूँ।* उनके *शेखरः एक जीवनी* की पूरी कथा एक रात में देखे हुए 'विजन' का वृत्तान्त है। यहाँ भी नियामक क्रिया हमारी स्मृति की है। स्मृति का यह एक नियामक धर्म है कि वह संग्रह करती है। यही रचनात्मक धर्म है। इस तरह अज्ञेय जी स्मृति के रचनाधर्मी प्रसाद-निराला की तरह के रचनाकार हैं। स्मृति की नदी इतिहास की नदी से भिन्न है। इस भिन्नता के कारण ही स्मृति का रचनात्मक आयाम 'रचनात्मक कल्पना' का क्षण है – सर्जना का मूल्यवान क्षण। अज्ञेय जी ने बौद्धों की 'अर्थ क्रियाकारी रूप' की बार-बार चर्चा की है क्योंकि स्मृति या परम्परा पर कार्य-कारण सम्बन्ध लागू होता है। लेकिन परम्परा 'ट्रेडीशन' नहीं है – वह उससे आगे की प्रक्रिया है – द्वन्द्वात्मक प्रक्रिया जिसमें खड़ा स्थिर पैर परम्परा है और उठा हुआ पैर आधुनिकता। अज्ञेय के विचार में आधुनिकता अपने को निरन्तर संस्कारित करने की प्रक्रिया है।

कई बार अज्ञेय जी बातचीत के अन्तरंग क्षणों में यह प्रश्न स्वयं उठाते थे कि 'मैं क्यों पढ़ता हूँ?' 'क्यों लिखता हूँ?' यह भी अपने को टटोलकर कहते थे कि लेखन कर्म के साथ जुड़ा एक व्यावसायिक जोखिम है। यह प्रश्न पाठक से ही पूछा जाना चाहिए लेखक से नहीं कि लेखक क्यों लिखता है? अज्ञेय जी तो कहते थे – लिखना मेरे लिए भगवद्-भजन का एक रूप है और पढ़ना जानकारी के विस्तार के लिए, नयी जानकारियों से जुड़ने के लिए, भीतर की जड़ता को काटने के लिए, भाव-संस्कार एवं भाव-परिष्कार के लिए। साथ में यह भी जोड़ना नहीं भूलते थे कि मैं कवि हूँ – मूलतः कवि हूँ। अवधारणा कर सकता हूँ, प्रतीक रच सकता हूँ,

मिथकों-आख्यानों का उपयोग जानता हूँ – उनका ग्रहण और सम्प्रेषण कर सकता हूँ। इसलिए मैं लगातार अपनी जानकारी का मूल्यांकन भी करता चलता हूँ और अपने परिणामों को दूसरे के लिए ग्राह्य भी बनाना चाहता हूँ। दूसरे के परिणामों को ग्रहण करते हुए उनकी कसौटी भी करता चलता हूँ। साहित्य, कला, इतिहास, शास्त्र जो चिन्तन-मूल्यांकन में सहायता करते हैं – उनके संस्कार से अपने को चमकाना चाहता हूँ। इस तरह अच्छा पाठक केवल आलोचक पाठक नहीं है – वह उससे आगे जाता है। मुझे याद है कि कई वर्ष पहले जब मैं जापान में विजिटिंग प्रोफेसर था – तब प्रोफेसर तोशियो तनाका वहाँ मेरे विभागाध्यक्ष थे – बड़े ही ज्ञान-विशारद, जिज्ञासु और अज्ञेय जी के अनन्य सखा-सहचर। प्रो, तनाका मुझे उन जेन-बगीचों, पर्वतीय स्थानों पर ले गये जहाँ अज्ञेय जी रम कर रहे थे और उन्होंने जापानी साहित्य के अध्ययन के साथ जेन दर्शन-साधना का अभ्यास और चिन्तन किया था। जापानी प्रकृति (पर्वत-सागर) पर अज्ञेय जी मुग्ध थे और जापानी मन्दिरों को देखकर विस्मित। तनाका जी कहते थे कि जापानी-हाइकू तथा नाटक-उपन्यासों पर अज्ञेय जी ऐसे रीझे कि उनका अनुवाद किया – एक जापानी साहित्य का अंक निकाला। जापानी साहित्य-गोष्ठियों में यायावर अज्ञेय ने अपनी कविताएँ पढ़ीं – जिन्हें तनाका जी ने कैसेट-बद्ध किया। भेंट में एक कैसेट मुझे भी दिया। मैंने पाया कि अज्ञेय-चर्चा का प्रो. तनाका को व्यसन है – इस व्यसन लय में मैं डूबा रहा। प्रोफेसर तनाका ने जो स्मृतियाँ अज्ञेय जी की मुझे धरोहर रूप में दी हैं वे मेरे लिए बहुत मूल्यवान हैं। मेरी स्मृति में अद्वितीय अनुभव के रूप में दर्ज हैं।

7

जो लीक डाल देते हैं

॥ शंकर दयाल सिंह

उन्हें मैं कभी समग्र रूप से याद नहीं कर पाता। जब भी वे मुझे याद आते हैं खण्डों में। मैं प्रायः उन खण्डों को जोड़ने का प्रयास करता हूँ तो लगता है कि यह मानो कठिन काम है। उन्होंने अपना नाम ही रखा था अज्ञेय, जिसे ज्ञेय बनाना सच में कठिन है।

दिल्ली की कैवेंटर लेन से जनकपुर, वाल्मीकि नगर, गोरखपुर, अयोध्या, कुशीनगर, प्रयाग, चित्रकूट, जमदेशपुर, कलकत्ता, वाराणसी और पटना – यादों के कई पड़ाव हैं, वैसे ही जैसे उनके व्यक्तित्व के कई आयाम। प्रायः मैं उनके सम्बन्ध में कहा करता था कि कोई देखने में अच्छा लगता है, कोई सुनने में और कोई पढ़ने में, लेकिन अज्ञेय जी तीनों रूपों में नायाब थे। गंगा-यमुना और सरस्वती की त्रिवेणी।

अनायास ही मैं उनसे जुड़ गया था। हालाँकि मेरे उनके बीच आयु से लेकर लेखन तक की इतनी बड़ी असमानता थी कि वे जहाँ सूरज की किरण की छाँव थे वहीं मैं एक टिमटिमाता-सा दीया। लेकिन उनका स्नेह कुछ ऐसा था जिसे मैं बराबर अपने आसपास जलते हुए देखता हूँ, टिमटिमाने और बुझने का सवाल ही नहीं उठता। मुश्किल से 10-12 वर्षों का साथ रहा उनका और मेरा, लेकिन हर वर्ष को मैं युग के समान अपने में लपेटकर उन्हें याद करता रहता हूँ।

लिच्छवी-साम्राज्य के खँडहरों को निहारकर वैशाली के आस-पास से गुजर रहा था। रात हो आयी थी। हम तीन गाड़ियों में सवार थे। अनायास आगे-पीछे की मोटरसाइकिल सवार और गाड़ियाँ हमसे भिड़ने लगीं। मेरा माथा ठनका। अपने बिहार को अच्छी तरह जानता हूँ, अतः अपहरण से लेकर लूट-हत्या तक की आशंका से मन घिर गया।

तभी दो नवजवानों ने मोटरसाइकिल हमारी गाड़ी से आगे बढ़ाकर मेरी जीप के आगे रास्ता ब्लॉक कर दिया।

—आप लोग कौन हैं? —एक नवजवान ने कड़कती आवाज में पूछा।

—क्यों, क्या बात है? —मैंने जानना चाहा।

—हम लोगों को सूचना मिली है कि अज्ञेय जी इधर से गुजरने वाले हैं। पीछे के चौराहे पर हम लोग तीन-चार घण्टों से उनकी प्रतीक्षा कर रहे थे। अभी जब ये गाड़ियाँ निकलीं तो हमने पीछा किया। यदि वह हैं तो कहाँ हैं? —एक युवक ने अपनी बात बताई तो हम कुछ आश्वस्त हुए।

तब तक पीछे की गाड़ी से उतरकर अज्ञेय जी सामने हुए — मैं ही अज्ञेय हूँ।

रात की उस काली छाया में अपने सामने किसी कद्दावर व्यक्तित्व को देखकर नवजवानों की वह मण्डली ठिठक गयी।

क्या बात है कहिए! —कुछ सौम्य, लेकिन दृढ़ आवाज में अज्ञेय जी ने मौन तोड़ा।

अज्ञेय जी, हम लोग इस क्षेत्र के बेरोजगार-बुद्धिजीवी-मंच के सदस्य हैं। हम लोग आपके पाठक भी रहे हैं। सुना कि आप इधर से गुजर रहे हैं तो श्रद्धा के साथ यहाँ आपकी प्रतीक्षा कर रहे थे। माला और चाय-पान की व्यवस्था पीछे है। आपको कोई कष्ट न हो तो लौटें और हमारा स्वागत स्वीकार करें। —एक भलेमानुस ने अपनी बात कही।

देखिए, पीछे लौटना तो सम्भव नहीं है। —यात्रा-प्रभारी की हैसियत से मैं बोला।

तो अज्ञेय जी यहीं अपनी कविताएँ हमें सुनाएँ, साथ ही अन्य लोग भी। —उनमें से एक उद्धत-नवजवान ने कहा।

देखिए यह कोई कविता का माहौल नहीं है और हमें अभी सीतामढ़ी पहुँचना है। आप सभी जाने दें। —मैंने कहा।

बिना कविता सुने तो हम आगे नहीं बढ़ने देंगे। —उनमें से एक बोला।

घुप्प अँधेरा छाया था। अनुमानतः मैं समझ गया कि एक दर्जन मोटरसाइकिलें आसपास जरूर हैं। क्या करें? शिष्ट बनें या अशिष्ट? मैं सोच ही रहा था कि लक्ष्मीकान्त वर्मा, गिरिराज किशोर, बुद्धिनाथ मिश्र सभी आगे बढ़ आये— देखिए, इस तरह कहीं काव्य-पाठ होता है।

हाँ, तो यही न माँग है आपकी? —अज्ञेय जी बोले— सबसे पहले मैं बुद्धिनाथ जी से निवेदन करूँगा कि वे अपनी कविता सुनाएँ।

बात की बात में कवि-सम्मेलन शुरू हो गया। एक गाड़ी की बत्ती जला दी गयी। बारी-बारी से कई लोगों ने काव्य-पाठ किया और अन्त में अज्ञेय जी ने भी अपनी डायरी से एक कविता सुनाई। सभी नवजवान बाग-बाग हो गये। उनका आग्रह ही अस्वीकार नहीं किया गया था और उस क्षण को अज्ञेय जी ने

ऐतिहासिकता भी प्रदान कर दी थी।

हम सब आपके बहुत कृतज्ञ हैं और हमसे यदि कोई गलती हुई हो तो उसके लिए लज्जित और क्षमाप्रार्थी हैं – विदा करते हुए शाही जी नाम के सज्जन ने कहा, जो उस दल के मुखिया थे।

इनका नाम? —जनकपुर धाम में जानकी मन्दिर के पुजारी ने पूछा।

अज्ञेय। —मैंने बताया।

ये हिन्दू हैं या मुसलमान? —उसकी शंका उनकी दाढ़ी या पायजामे-कुरते पर जाकर अड़ गयी।

पण्डित जी, ये शुद्ध ब्राह्मण हैं। वात्स्यायन गोत्रीय। —मैंने कहा।

लेकिन बड़े पुजारी के साथ ही अन्य छुटभैयों के मन में शंका-पुत्र उथल-पुथल करने लगे। उन्हें लगा कि मैं झूठ बोल रहा हूँ। कई तरह के प्रश्न आने लगे। वातावरण कहीं गम्भीर न हो जाए, इसलिए मैंने कहा— पण्डित जी, यदि आपको शक हो तो कहिए मैं इनसे संस्कृत का स्तोत्र आपको सुनवा दूँ।

आप लोग कहाँ से आ रहे हैं? —उनमें से एक ने जानना चाहा।

जानकी-जीवन यात्रा के सिलसिले में सीतामढ़ी से चलकर अयोध्या-प्रयाग होते हुए चित्रकूट तक की यात्रा में हम हैं। हमारे दल के नेता सच्चिदानन्द हीरानन्द वात्स्यायन हैं, जिनका नाम अज्ञेय भी है। वही हैं आप, मैंने कहा, तो पुजारी उठ खड़े हुए— माफ कीजिएगा, कल ही मैंने नेपाली पत्र में इसके बारे में पढ़ा है। मेरा भाग्य कि आप सबों के दर्शन हुए। कहकर उन्होंने जो आवभगत की कि हम उसमें भीग गये।

कुशीनगर में आई.टी.डी.सी. का होटल, जहाँ हमारा वास हुआ। खाना लगा। बेयरे ने बड़ी प्लेट की बगल में रोटी के लिए छोटा प्लेट रखा। अज्ञेय जी ने उसे उठाकर दाहिनी ओर रख दिया। बेयरा जब दूसरी बार आया, तो कायदे के अनुसार पुनः दाहिनी ओर से उठाकर बायीं ओर रखा और रोटी भी उस पर रखी। अज्ञेय जी ने दोबारा उस प्लेट को बायीं ओर से उठाकर दाहिनी ओर रखा और हम लोगों की प्रश्नवाचक आँखों को घूरते हुए बोले— बायीं ओर रखने की विदेशी पद्धति इसलिए है कि वहाँ लोग बायें हाथ से उठाकर खाते हैं, लेकिन हमारे यहाँ तो दाहिने हाथ से खाना खाया जाता है और उठाया भी जाता है, अतः यह गलत पद्धति हम क्यों स्वीकारें?

इसी भाँति जब सलाद आया, तो उन्होंने उस प्लेट को दूसरी ओर सरका दिया। मैंने जब उनके प्लेट में उसे देना चाहा, तो रोक दिया— यह कच्चा खाने

की पद्धति तो विदेशों में है, जहाँ पका खाना खाने या बनाने का प्रचलन नहीं है। हमारे यहाँ तो पाक को एक शास्त्र माना गया है, अतः इतने अच्छे ढंग से तली, सेंकी, छ्योंकी और मसालेदार-जायकेदार खाने को छोड़कर कंद-मूल क्यों खाऊँ।

तीसरा विश्व हिन्दी सम्मेलन दिल्ली में जिन दिनों आयोजित था, उसी समय अज्ञेय जी ने वत्सल निधि की ओर से बोधगया में 'लेखक-शिविर' रखा था। इस पर कई लोगों ने कई तरह के फतवे कसे। बाद में जब उस सम्मेलन की तीव्र आलोचना हुई, तो अनेक लोगों ने, जो उछल-उछलकर उसमें हिस्सा ले रहे थे, मिलने पर अज्ञेय जी से कहा– आपने अच्छा किया जो उसमें नहीं आये। वहाँ जो भी गया, अपमानित होकर आया। हिन्दी का उससे कोई भला नहीं हुआ, बल्कि दुनिया की नजरों में उसकी छीछालेदर हुई।

इस पर अज्ञेय जी ने शान्त भाव से उत्तर दिया– मेरे उसमें सम्मिलित न होने का यह कारण नहीं है। बल्कि मेरा इससे सैद्धान्तिक विरोध यह था कि इसमें कुछ विदेशी हिन्दी जानने वाले आकर हिन्दी में कुछ बोल दें, यह सुनने के लिए कोई क्यों जाए? हम ही लोग कोई विदेशी जबान जानते-बोलते हैं तो इससे कौन बहुत बड़ा सम्मान विदेशों में हो जाता है। अतः मैं मात्र इसके लिए समय बर्बाद करना नहीं चाहता था।

जानकी-जीवन यात्रा के क्रम में किसी ने जानना चाहा– आप जैसा अत्याधुनिक कवि इस प्राचीन राह पर क्यों चल पड़ा?

"इसलिए कि यह राह साक्षर और निरक्षर दोनों के लिए परिचित है। और मेरा मानना है कि देश की अधिकांश जनता निरक्षर होते हुए भी परम्पराओं को जीवित रखती है। इन रास्तों पर आकर इस अनुभूति के और भी निकट आ सका।" –अज्ञेय जी ने कहा।

दिल्ली में तथा देश के अन्य नगरों में 1986 में अज्ञेय जी की 75वीं जयन्ती बड़े ही सारस्वत ढंग से मनाई गयी। किसी ने पूछा आपको कैसा लग रहा है?

"यह कि लोग मुझे पचहत्तरवीं वर्षगाँठ की याद दिलाकर बार-बार मेरे अन्दर यह भाव पैदा कर रहे हैं कि मैं बूढ़ा हो गया। इसके पहले कभी भी मुझे ऐसा नहीं लगा था।" –वह किंचित् मुस्कुराहट के साथ बोले।

जानकी-जीवन यात्रा के क्रम में जमशेदपुर से एक प्राध्यापक वाल्मीकिनगर में आकर अज्ञेय जी से मिले। उन्होंने अज्ञेय जी के ऊपर शोध-कार्य किया था और

अप्रतिम भक्ति रखते थे। जब भी वे अज्ञेय जी के पास जाएँ तो ऐसी लुब्ध दृष्टि से उनकी ओर देखें कि लगे मानो किसी मूर्ति को निहार रहे हैं। यह भी मैंने देखा कि घण्टा-आध घण्टा वे अज्ञेय जी के पास रहें, लेकिन बोलें एक शब्द भी नहीं। अज्ञेय जी के लिए तो मौन एक वरदान ही है, अतः बिना किसी के बात किए उनके मुँह से एक भी शब्द का निकलना मुश्किल। मैंने अज्ञेय जी के साथ उन प्राध्यापक महोदय की वैसी ही मुद्रा में एक तस्वीर ले ली।

हिन्दी के सुप्रसिद्ध पत्रकार जितेन्द्र सिंह जी एक दिन जानकी-जीवन यात्रा सम्बन्धी मेरा अलबम देख रहे थे, तो उन्होंने चुपके से उसमें से वह चित्र निकाल लिया तथा अंग्रेजी दैनिक *सर्चलाइट* में अपने स्तम्भ में अज्ञेय जी पर लिखते हुए उस चित्र का उपयोग किया, जिसके नीचे शीर्षक दिया– 'अज्ञेय जी इला जी के साथ।'

मैंने या जो कोई पहचानता था उसने जब उस चित्र को देखा तो हँसते-हँसते लोटपोट हो गया। उन प्राध्यापक महोदय की मुग्ध दृष्टि तथा स्त्रियोचित भाव के कारण यह समझ पाना कठिन होता था कि यह पुरुष हैं या महिला। जितेन्द्र सिंह जैसे सुतीक्ष्ण व्यक्ति भी इसमें मार खा गये।

दिनकर साहित्य परिषद, जमशेदपुर ने अपने व्याख्यानमाला हेतु अज्ञेय जी को आमन्त्रित किया। श्रद्धेय गंगा बाबू और मैं तथा अज्ञेय जी की त्रिवेणी बनी। आयोजकों से मैंने पहले भी कहा था– अज्ञेय अस्वस्थ रहते हैं। दिल की बीमारी हो चुकी है, अतः कार्यक्रम अधिक नहीं रखेंगे। मात्र एक।

नतीजा यह हुआ कि अज्ञेय जी वहाँ तीन दिन ठहरे, लेकिन कार्यक्रम एक ही रहा। टिस्को के 'गेस्ट हाउस' में उनके रहने की व्यवस्था थी। चलने लगे, तो आयोजकों ने पूछा– कोई तकलीफ तो नहीं हुई?

जरूरत से ज्यादा आराम में था, यही तकलीफ हुई– वे बोले।

बाद में अज्ञेय जी ने मुझसे कहा– तीन दिनों तक मैं ऐसा बन्द रहा कि क्या कहिए, समझ में ही न आये कि क्या करूँ।

पटना से अज्ञेय जी का पुराना सम्बन्ध रहा है। उनके पिताश्री महामहोपाध्याय पं. हीरानन्द शास्त्री नालंदा आदि की खुदाई के निदेशक थे और पुरातत्त्ववेत्ता होने के नाते यों भी तथा बाद में भी प्रायः यहाँ आते-जाते रहे।

जिन दिनों आचार्य नलिन विलोचन शर्मा जीवित थे, अज्ञेय जी प्रायः उनके घर ही ठहरा करते थे।

शिवचन्द्र शर्मा प्रायः अज्ञेय-नलिन प्रसंग की एक चर्चा किया करते थे। अज्ञेय जी नलिन जी के यहाँ ठहरे हुए थे। दोनों इतने शिष्ट और मितभाषी कि

आधे-पौन घण्टे साथ रहें तो एक-दो वाक्य बोलें। ऐसे ही समय में अज्ञेय जी ने नलिन जी से पूछा– आपकी तबीयत इन दिनों कैसी रहती है? –वाक्य इतने धीमे स्वर में पूरा हुआ कि मुश्किल से नलिन जी सुन सके। लेकिन उत्तर देना लाजिमी था, अतः उन्होंने और भी मद्धिम स्वर में कहा– ठीक ही है...। –वाक्य उनके मुँह से नाम मात्र को ही उच्चारित हुआ, बल्कि वह बुदबुदाहट में ही खो गया।

शिवचन्द्र जी वहाँ बैठे थे, उन्होंने हँसते हुए इस पर कहा– आप लोगों ने तो एक-दूसरे से प्रश्न भी कर लिया और उत्तर भी दे दिया, लेकिन मैं तो सुन ही नहीं सका कि आप में से कौन क्या बोला।

जानकी-जीवन यात्रा के क्रम में जनकपुर पहुँचकर मैंने उनसे कहा– आप भी कुछ लिख दें, इसके सम्बन्ध में जनकपुर आकर जानकी के बारे में आप क्या सोचते हैं?

बिना कुछ कहे, सोचे उन्होंने मेरे हाथ से मेरी डायरी ले ली, जिसे यात्रा के पहले इला जी ने मुझे भेंट की थी और बस तीन पंक्तियाँ लिख दीं–

जय जानकी-जीवन

कौन जानकी? –सीता। खेत में पड़ी हुई लीक। वह खेत कौन-सा है, कहाँ है? यह प्रजापति कौन हैं जो लीक डाल देते हैं?

'अज्ञेय'

जनकपुर धाम
26 जनवरी, 1983

उसी दिन मैंने जनकपुर में लाल रंग की एक 'शेफ़र्स' कलम खरीदी। अज्ञेय जी के पास ले आया – आप इसका उद्घाटन कर दें।

मैंने अपनी वही डायरी उनके सामने कर दी। कुछ देर तक उलट-पलटकर कलम देखते रहे, फिर निब देखी और तब जहाँ, जिस पन्ने पर ऊपर का वाक्य लिखा था, उसके ही नीचे लिखा–

"यों एक कलम का श्रीगणेश हुआ – हम कहते हैं 'लाल चिउँटी हुई।' लाल कलम की लाल चिउँटी। इससे तो बजरंगबली का बिम्ब आ रहा है जो हाथ पकड़कर रामायण लिखा देते थे। यह लाल कलम भी बार-बार दैवी शक्ति को आपके हाथ में उतारे और आपसे लिखवाता रहे–अज्ञेय।"

'जय जानकी-जीवन यात्रा' के क्रम में वाल्मीकिनगर पहुँचने पर वहाँ के विद्यालय या महाविद्यालय में स्वागत का आयोजन हुआ। हम लोग जब पहुँचे तो प्राचार्य महोदय ने हमारा स्वागत किया– बड़ी खुशी की बात है कि आज हमारे विद्यालय

में अनेक महान लेखक- साहित्यकार पधारे हैं। अज्ञेय जी, वात्स्यायन जी, लक्ष्मीकान्त वर्मा, शंकर दयाल जी, प्रभाकर मिश्र...आदि। मैं महाविद्यालय के सचिव जी से प्रार्थना करूँगा कि वे माल्यार्पण करें। पहले अज्ञेय जी को। अज्ञेय जी ने माला पहन लिया। पुनः वे बोले— अब वात्स्यायन जी को...। इधर सचिव महोदय माला लेकर वात्स्यायन जी को ढूँढ़ने लगे। अज्ञेय जी ने परिस्थिति भाँप ली। तुरन्त अपना सिर आगे बढ़ाया— इसे भी यहीं दे दें। अब जोरों का ठहाका लगा।

कहने वालों का यह कहना है कि अज्ञेय जी गुप-चुप थे, अभिमानी थे, गुरूडुम में रहते थे, बातचीत कम करते थे। आठ-दस बार की मुलाकातों तक मैं भी ऐसा ही समझता था। लेकिन उसके बाद – जब वे खुले, तो किसी जलज के समान मेरे सामने बराबर खिले रहे। मेरे सामने होते ही एक विचित्र प्रकार का सुख, सन्तोष और आनन्द उनके मुख पर छा जाता था।

फोन करते ही मुझे पता चल जाता था कि उनकी मानसिक स्थिति क्या है। प्रायः वे मेरे प्रणाम का उत्तर जय...जय...कहकर देते थे। ऐसा भान होता था मानो कोई पुरोहित अपने किसी यजमान को 'जय-जय' कहकर आशीर्वाद दे रहा हो। फोन के या सामने आने पर 'जय-जय' की जगह प्रणाम या नमस्कार का उत्तर जब वे नमस्कार या प्रणाम में देते थे तो मैं समझ जाता था कि कहीं कुछ गड़बड़ी है और पूछ बैठता था— तबीयत तो ठीक है?

– हुँ...ऊँ...। –उधर से उत्तर मिलता और मैं समझ जाता कि अन्दर ही अन्दर कहीं कुछ है।

एक दिन कैवेंटर लेन पहुँचने पर देखता क्या हूँ कि चारों ओर कमरा बन्द कर वह गम्भीर मुद्रा में एक बाँस हाथ में लिये हुए हैं। माजरा क्या है समझूँ या पूछूँ तब तक देखा एक गौरैया पंखे पर आकर बैठ गयी है और अज्ञेय जी बाँस से उसे बाहर भगाने की चेष्टा कर रहे हैं। यह क्रम जब दस-पन्द्रह मिनटों तक चलता रहा कि वे उसे इधर से भगाएँ, तो वह बाहर जाने की अपेक्षा वहीं दूसरे पंखे पर जाकर बैठ जाए, तब मैंने उनसे कहा कि दीजिए मुझे— मैं प्रयास करता हूँ। लेकिन वह नहीं माने और स्वयं बीस-पच्चीस मिनटों तक उसे भगाने में मशगूल रहे और जब उसे बाहर कर दिया तभी बैठे, बिना पंखा चलाए यहाँ बैठना मुश्किल है और वह यदि रहती तो पंखे में फँसकर जान दे देती।

एक छोटी-सी बात उनके लिए कितनी बड़ी थी।

दो-ढाई घण्टों तक बैठने के बाद जब मैं कहता कि अब जा रहा हूँ, तो चिहुँक पड़ते— यह क्या, अभी तो आये हैं और कह रहे हैं कि जा रहा हूँ! और कुछ देर बैठ जाना पड़ता। यह क्रम कई बार चलता।

मेरे सैलानी स्वभाव और विभिन्न रुचियों का वे आदर करते थे। जब भी मिलना हुआ लिखना-पढ़ना तो वे बाद में पूछते थे, पहले उनके कुछ प्रश्न इस प्रकार होते थे—

—तब, इस बीच आप कहाँ-कहाँ गये?

—हाँ, तो यह बताइए कि इधर आपने कोई फोटोग्राफी की या नहीं?

—फलाँ आदमी की मेरे बारे में फलाँ रचना आयी है, उसे देखा?

—तो बताइए, कब तक यहाँ हैं और उसमें मेरे लिए कितना समय है?

—कुमुद जी (नलिन जी की पत्नी), लतिका जी (रेणु जी की पत्नी), मुक्त जी, रामचन्द्र खान, केसरी जी, जितेन्द्र जी, कुमार विमल आदि से मिलना हुआ?

—आप एक बार 'साउथ कोरिया' के बारे में कह रहे थे, कैसी जगह है वह?

इसी तरह की अनेक बातें, जिन्हें रह-रहकर याद करता हूँ।

मेरे आमन्त्रण पर वे मेरे गाँव बोधगया शिविर के बाद आये। वहाँ उन्होंने ग्रामीण जनता के बीच 'भारत माता ग्रामवासिनी' विषय पर अद्‌भुत भाषण दिया। वह मात्र साहित्य नहीं था, उसमें उनका नया तेवर देखने का मौका मुझे मिला। सभा की समाप्ति के बाद एक ग्रामवासी ने आकर उनका पाँव छू लिया— नेताजी, आजे असली भाषण सुनने को मिला। सच में हमारा दिल का बात आपने कह दिया।

उस ग्रामीण ने उन्हें नेताजी ही समझा था। शायद ही किसी ने यह सम्बोधन उन्हें दिया हो। वे इस पर बहुत देर तक मुस्कुराते रहे।

वत्सल निधि द्वारा साहित्यिक-यात्रा के क्रम में उनकी बहुत बड़ी इच्छा थी — जमनोत्री-यात्रा की। जमुना के उद्‌गम स्थल से प्रयाग तक की यात्रा। अनेक बार उन्होंने इसका ताना-बाना बुना। विस्तार से मुझे कहते रहे। 'जय जानकी-जीवन यात्रा' और 'भागवत-भूमि यात्रा' तो हो गयी, लेकिन उनकी वह असली यात्रा नहीं हो सकी, इसका मुझे कम दुख नहीं है।

एक बार मैंने उनके पटना-आगमन पर विशेष रूप से रामेश्वर सिंह काश्यप से प्रार्थना करके भारतीय 'नृत्य कला मन्दिर' में 'लोहा सिंह' का कार्यक्रम रखवाया। वहाँ काफी भीड़ भी जुटी और अन्त तक अज्ञेय जी मुस्कुराते हुए आनन्द लेते रहे। अन्त में उन्होंने काश्यप जी को ऐसे अनूठे चरित्र के लिए बधाई भी दी। वहाँ से जब विदा हुए तो उन्होंने अपने आवास पर पहुँचकर मुझसे कहा— मैंने भी सैनिक जीवन में ऐसा प्रयोग किया था। आज मेरी बहुत इच्छा हो रही थी कि काश्यप जी के ही लहजे में आप लोगों को कुछ सुनाऊँ।

मैंने उनसे कहा भी कि सुनाते तो कितना अच्छा रहता! इस पर बोले— वादा करता हूँ कि कभी न कभी ठीक इसी प्रकार की चीज सुनाऊँगा।

वह वादा नियति ने उन्हें निभाने नहीं दिया।

8

दौड़ धूप आनन्द

॥ राय आनन्दकृष्ण

किसी बड़े उद्योगपति का दिल्ली स्थित विस्तृत गेस्ट हाउस, सूना-सूना सा। बैठक वाले कमरे में चार-पाँच व्यक्ति बैठे हैं। दो व्यक्तियों के अतिरिक्त शेष श्रोता हैं। इन श्रोताओं में एक हैं– सुप्रसिद्ध चित्रकार (आचार्य) रामगोपाल विजयवर्गीय। 'बातचीत' बड़े विलक्षण रूप में हो रही है, क्योंकि बीच-बीच में पाँच-पाँच, सात-सात मिनट कमरे में बिलकुल चुप्पी रहती है। इन दो व्यक्तियों में कभी एक पक्ष बात का कोई सूत्र उठाता है तो उस पर बोलता ही चला जाता है, दूसरा पक्ष मूर्तिवत् उसे सुनता रहता। फिर सन्नाटा, फिर इसी प्रकार का एकपक्षीय कथोपकथन। यह क्रम कोई एक घण्टे चल चुका था। बोलने वालों में पिताजी (स्व. राय कृष्णदास) और अज्ञेय जी थे। बातचीत अत्यन्त आकर्षक थी, पर इस एक घण्टे के बाद सहसा विजयवर्गीय ने मौन तोड़ा, पूछा– "एक बात पूछूँ? यह समझ नहीं पड़ता कि आप लोगों में से एक ही तरफ से बात हो रही है दूसरी तरफ से कोई उत्तर नहीं मिलता। इसी प्रकार फिर कोई नयी बात भी शुरू हो जाती है।"

भाई (अज्ञेय जी) ने सिर्फ अपनी एक भौंह हल्की सी उठाई, फिर जैसे उसी मुद्रा से आत्म-सन्तुष्ट से हो गये। पिताजी ने समाधान किया: "हम लोग आपस में जब बातें करते हैं तो यह भी समझ लेते हैं कि दूसरी ओर की क्या प्रतिक्रिया होगी।"

पिताजी का पं. हीरानन्द शास्त्री से सख्य था, यद्यपि शास्त्री जी उनसे प्रायः दस वर्ष बड़े थे। अज्ञेय जी क्रान्तिकारी जीवन से अवतरित होकर भारत दर्शन करने निकले थे। काशी में 1938 के लगभग प्राच्य विद्या का कोई राष्ट्रीय सम्मेलन हो रहा था, जिसमें शास्त्री जी पधारे थे, साथ में अज्ञेय जी थे। काशी नागरी प्रचारिणी सभा के अन्तर्गत तत्कालीन भारत कला भवन के कार्यालय में जब अज्ञेय जी ने पाया कि स्थानीय लोग पिताजी को 'सरकार' द्वारा सम्बोधित करते हैं तो स्वभावतः अज्ञेय जी को इस 'सामन्तवादी' वातावरण से वितृष्णा हुई। सामन्तवादी व्यवस्था के विरुद्ध तो उन्होंने जिहाद छेड़ रखा था। पर उन्होंने क्षण

भर में देख लिया कि पिताजी भी सामन्तवाद के उतने ही विरोधी थे। 'सरकार' वाला सम्बोधन तो एक सहज आदरसूचक संज्ञा थी। वहीं से अज्ञेय जी पिताजी के निकट हो गये।

उन दिनों की एक अन्य घटना भी साहित्य के इतिहास से जुड़ी है। अज्ञेय जी ने मैथिलीशरण गुप्त को एकलव्य की भाँति अपना साहित्यिक गुरु मान लिया था। अतः *शेखरः एक जीवनी* की पाण्डुलिपि के साथ वे चिरगाँव आये। यह पूर्ण वृत्तान्त दद्दा (मैथिलीशरण जी), बापू (सियाराम शरण जी) और स्वयं अज्ञेय जी से टुकड़े-टुकड़े में प्राप्त हुआ था। अपने पूरे रूप में काफी रोचक है। उस समय अजमेरी जी भी वर्तमान थे। चिरगाँव की 'बखरी' के एक प्रमुख आकर्षण मुंशी जी (अजमेरी) थे। अज्ञेय जी बताते कि पहले तो लगातार तीन दिन और तीन रात अजमेरी जी तरह-तरह के वृत्तान्त सुनाते रहे। इनमें कितने गीत, काव्य, कहानियाँ, वार्ताएँ, चुटकुले, नकलें आदि थीं। फिर वह पक्ष पूरा हुआ तो उसी प्रकार अज्ञेय जी ने अपना जीवन वृत्तान्त, विशेष रूप से क्रान्तिकारी जीवन का वृत्तान्त शुरू किया। वह भी लगातार दो-तीन दिन और रात चलता रहा। इसके बाद साहित्य चर्चा का अध्याय खुला और *शेखर* की पाण्डुलिपि पहले पढ़ी गयी, फिर उस पर चर्चा प्रारम्भ हुई। अज्ञेय जी बताते कि *शेखर* में उठाए गये मूल्यों और गुप्त-परिवार के परम्परागत मूल्यों में बहुत बड़ा अन्तर था। एक बार तो दद्दा ने खीझकर कह डाला, "दुःशासन के हाथ में बल था, उसने भी निर्वस्त्र कर डाला था।" पर दद्दा और बापू तभी से अज्ञेय जी की प्रतिभा और कलम के कायल थे। अब बापू की बारी थी। वे दिन-दिन भर अज्ञेय जी से एक-एक बिन्दु को लेकर बहस करते रहे। दोनों पक्षों के निष्कर्षों में तर्क के बाल पर बाल निकल रहे थे, पर साथ-साथ परस्पर आदर और स्नेह भी बढ़ता जा रहा था। अज्ञेय जी किसी प्रकार भी सहमत होने की मुद्रा में न थे। फिर बापू ने अन्तिम अस्त्र निकालाः "इस प्रकार के आत्मकथात्मक लेखन आक्रामक नहीं होने चाहिए, जैसा *शेखर* में दिखलाई पड़ता है। पर इनमें कनफेशन (स्वीकारोक्ति) होनी चाहिए।" बापू निश्चय ही पाश्चात्य मापदण्डों के अनुसार यह तर्क दे रहे थे। पर यह तर्क अज्ञेय जी पर काम कर गया और उन्होंने *शेखर* से बहुत से ऐसे अंश निकालना स्वीकार किया जो आक्रामक वर्ग के थे। मुझे यह वृत्तान्त दद्दा और बापू ने बताया था। वर्षों बाद मैंने अज्ञेय जी से इसकी पुष्टि चाही, कुछ संकोच के साथ उन्होंने इसकी पुष्टि की।

इस साहित्य विवाद के साथ जो मधुर सम्बन्ध स्थापित हुआ, वह उत्तरोत्तर बढ़ता ही गया। अज्ञेय जी के प्रति दद्दा कुछ-कुछ अभिभावक-सा व्यवहार करते थे और अज्ञेय जी (एक सीमा तक) उसे स्वीकार भी करते थे। बापू के कृतित्व से वे बहुत प्रभावित थे। एक बार (प्रायः 1960 में) उन्होंने बापू से उलटकर यह प्रश्न

कर चकित कर दिया, "आपने कैसे मान लिया कि ईश्वर में विश्वास नहीं करता?" बापू इस उक्ति को बराबर दुहराते रहे।

चिरगाँव की उक्त यात्रा के समापन की घड़ी आयी। बातें कुछ अधिक उत्तेजित रूप में ही हुई थीं। अज्ञेय जी में एक अद्‌भुत गुण मैंने पाया: वे कभी-कभी बड़ी धारदार भाषा का प्रयोग करते पर उनकी मुख मुद्रा बिलकुल तटस्थ-सी रहती और स्वर तो वैसा ही शान्त बना रहता। चिरगाँव से जब वे विदा लेने लगे तो परम्परागत रूप में दद्दा उनके पैर छूने के लिए बढ़ेः "आप जैसे भी हों, अन्ततः ब्राह्मण कुल में उत्पन्न हैं, हमारे तो पूज्य ही हैं।" इस प्रकार इस गुरु-शिष्य सम्बन्ध का पहला दृश्य समाप्त हुआ और वह इतना विकसित हुआ कि कोई ढाई दशक बाद एक बार अज्ञेय जी की किसी कृति की एक हिन्दी प्रोफेसर आलोचना कर रहे थे, भरी सभा में दद्दा ने कहाः "तुममें अज्ञेय के मूल्यांकन की योग्यता भी है?" और इस पर उस पूरी सभा में सन्नाटा छा गया।

दद्दा का अज्ञेय जी पर निसर्ग स्नेह था और दद्दा ऐसे व्यक्तित्व के धनी थे कि जिसे अपना लिया, उसके सौ खून माफ। वे अज्ञेय जी को हृदय से चाहते थे, पर कभी-कभी उनके व्यवहार की आलोचना करते तो मेरे पिताजी कहते, "मैथिलीशरण, खुराफात तो उसकी घुट्टी में है।" दद्दा को शान्त करने के लिए इतना काफी था। वस्तुतः मेरे पिताजी की यह उक्ति स्वयं अज्ञेय जी को बहुत प्रिय जान पड़ती और वे इसे बार-बार उनके मुँह से सुनकर भी न अघातेः बस एक शर्मीले बालक की भाँति हलका-सा मुस्कुरा देते या सर नीचा कर कुछ हलका-सा हस्त चापल्य-सा दिखाते।

यहाँ मैं दद्दा का अज्ञेय जी के साथ एक संस्मरण नहीं दे रहा हूँ। इसे दद्दा ने स्वयं अज्ञेय जी को भी नहीं बताया था। बरसों बाद मैंने अज्ञेय जी से इसकी चर्चा की तो अवाक् रह गये और उन्हें दद्दा की महानता का एक नया आयाम दीख पड़ा। पर मैं साधिकार इतना कह सकता हूँ कि ऐसी चूक, जो बिलकुल अनजाने में ही हुई थी, यदि किसी इतर व्यक्ति के यहाँ हुई होती तो दद्दा आसमान-पाताल एक कर डालते।

प्रायः 1946 से अज्ञेय का काशी आना-जाना बढ़ गया था। तब वे स्थानीय रामापुरा मुहल्ले में स्थित श्रीपतराय जी के घर में, जहाँ उनके सरस्वती प्रेस का निचली मंजिल में कार्यालय भी था, टिका करते। परन्तु सबेरे-सबेरे ही हम लोगों के गंगा तट वाले निवास स्थान पर आ जाते और देर रात तक गोष्ठी चलती रहती। उन दिनों की कुछ घटनाएँ अविस्मरणीय हैं। मेरे पिताजी यों तो बड़े सजग व्यक्ति थे पर नामों में गड़बड़ी कर दिया करते और यदि एक बार उनकी जुबान

पर कोई नाम चढ़ गया तो वही चलता रहता। आश्चर्य यह है कि बाद में उनमें यह असम्बद्धता न रह गयी थी। उन दिनों काशी में एक-न-एक साहित्यिक समारम्भ होते जिनमें बाहर के कुछ साहित्यकार भी उसी कुटिया में ठहरते। अब न जाने कैसे पिताजी ने एक बार अज्ञेय जी को 'जैनेन्द्र जी' कहकर सम्बोधित किया: अज्ञेय जी चौंके पर उस असमंजस को ऐसे सहज रूप में 'पी' गये मानो कुछ हुआ ही नहीं। इधर पिताजी महीनों तक उन्हें 'जैनेन्द्र जी' कह कर सम्बोधित करते रहे और अज्ञेय जी सहज ही उत्तर देते रहे। वर्षों बाद मैंने उन्हें इसकी याद दिलाई तो उन्होंने मुस्कुराकर इसकी पुष्टि की।

उन दिनों काशी में दो आन्दोलन चल रहे थे। उनकी चर्चा मेरी उक्त कुटिया पर भी बराबर होती रहती। इनमें एक तो रामचन्द्र वर्मा का मानक हिन्दी वाला आन्दोलन था जो उनके सुप्रसिद्ध ग्रन्थ अच्छी हिन्दी द्वारा लोक प्रसिद्ध हुआ। पर दूसरे का प्रभाव सीमित था। उसे यहाँ के प्रबुद्ध हिन्दी साहित्यिकों का भी अनुमोदन न था; यह था नागरी लिपि का सुधार जिसे अभिजात वर्ग के एक बुजुर्ग चला रहे थे। यह मानना होगा कि इस दिशा में उन्होंने गहराई से अध्ययन किया था, पर उनका दृष्टिकोण बहुत कुछ यान्त्रिक था। उनके निकट के व्यक्ति भी इस 'सुधारी हुई' नागरी लिपि को स्वीकार करने के लिए तैयार न थे।

हम लोगों का आश्चर्य न रहा जब अज्ञेय जी ने इन दोनों आन्दोलनों को बड़ी गहराई से परखा। इतना ही नहीं वे उक्त दोनों सज्जनों से ऐसे-ऐसे विकट प्रश्न करने लगे कि कभी-कभी निरुत्तर ही कर देते। पर ये तर्क केवल तर्क-वितर्क के लिए नहीं थे वरन् उस दिशा में सार्थक प्रगति मूलक थे। अज्ञेय जी में सकारात्मक निष्कर्ष तक पहुँचने की क्षमता थी। इसे देखने के मुझे अनेक अवसर मिले, यहाँ एक उदाहरण देना चाहूँगा। दस-बारह वर्ष पूर्व आकाशवाणी (इस नाम से उन्हें अनख था) ने नीति परिवर्तन किया। इसके अनुसार अंग्रेजी समाचारों के पहले हिन्दी समाचार आने लगे। इस पर हिन्दी विरोधी और अंग्रेजी समर्थक वर्ग ने बड़ा हो-हल्ला मचाया। अंग्रेजी लॉबी का निरर्थक हिन्दी विरोध अज्ञेय जी को सदैव दुराग्रह मात्र दीखता था। मैंने दिल्ली में उनके निवास स्थान पर यह चर्चा छेड़ते हुए इस अंग्रेजी-दाँ वर्ग की आलोचना की। इस पर उन्होंने कहा, "पत्रकारिता का पहला नियम है कि जो अंक जितनी देर में प्रकाशित हो, उसे अधिक समय मिल जाता है। अतः अंग्रेजी वर्ग को तो प्रसन्न होना चाहिए कि उनकी बुलेटिन बाद में आया करेगी।"

मैं एक परम्परागत परिवार का हूँ। पिताजी एवं उनके मित्रगण में भारतीयता की भावना प्रधान रूप से थी। कुछ ऐसे भी बुजुर्ग थे जिनमें यह आक्रामक रूप में थी। इसका अर्थ यह भी होता कि अन्य धर्मों और संस्कृतियों को हेय दृष्टि से

देखा जाता। इस्लाम के प्रति 'म्लेच्छ' वाली भावना और यूरोप-अमेरिका की संस्कृति को उच्छृंखलता-मय समझा जाता। मैं प्रायः अज्ञेय जी से उसी प्रचलित तेवर में ऐसी बातें करता रहता, मुझे तब तक पाश्चात्य जगत को स्वयं देखने का अवसर न मिला था। अज्ञेय जी वहाँ की विशिष्ट परम्पराओं का तुलनात्मक विवेचन किया करते परन्तु न तो भारतीय संस्कृति और परम्परा का निरर्थक यशोगान करते न पाश्चात्य संस्कृति का अनावश्यक निरादर। उनकी बातचीत में दोनों ही संस्कृतियों के प्रति समान रूप से समादर झलकता रहता, अध्ययन या जानकारी के अभाव में भ्रान्त धारणा के आधार पर पाश्चात्य संस्कृति के अतीत और वर्तमान पर प्रहार करने वाले गैर-जिम्मेदाराना वक्तव्यों की बड़े सुसंस्कृत ढंग से हँसी उड़ाया करते। उन्हें आधुनिक पाश्चात्य समाज के प्रति कुछ आदर भी था कि वह सचमुच प्रकृति से जुड़ा है, उसकी जानकारी की परिधि व्यापक है अथवा जिज्ञासु प्रवृत्तिमूलक है। उसके विपरीत सामान्य भारतीय समाज की 'कस्बाई संस्कृति', जो कुछ सीमा तक कूपमण्डूकता तक सीमित है, उन्हें कोई विशेष लगाव न था। दशकों पहले वे प्रायः कहा करतेः "कब कौन फूलता है, इसका भी ध्यान हिन्दी काव्य में रखा नहीं जाता।" हिन्दी के एक यशस्वी लेखक अपनी अमेरिका-यात्रा पर लिख रहे थे, जो एक सुप्रसिद्ध साप्ताहिक में धारावाहिक छप रहा था। उसका शीर्षक होता '...पाताल गये।' एक अंक में पाश्चात्य जगत के स्वच्छन्दतापूर्ण जीवन के कुछ उत्तेजक दृश्य थे। मैंने अज्ञेय जी को वह दिखलाया तो बड़े सहज भाव से उन्होंने टिप्पणी कीः "इसका शीर्षक होना चाहिए थाः '...रसातल गये'।"

अज्ञेय जी को साधारणतया बड़ा शुष्क व्यक्ति माना जाता था। पर वे जब तरंग में होते तो बिलकुल बालक-सुलभ उक्तियाँ कहते न अघाते। मैं दिल्ली में उनके मोती बाग वाले घर में अतिथि था। बीकानेर जाते हुए रास्ते में रुका था। उसके लिए दो बुज़ुर्ग, सोढानी जी और रामेश्वर टाँटिया स्थानीय व्यवस्थाएँ कर रहे थे। सोढानी की 'व्युत्पत्ति' उन्होंने सूडान देश से की। टाँटिया जी को वे 'तात्या टोपे' कहते। उसकी व्यवस्था थी टाँटिया अर्थात् तात्या और गाँधी टोपी युक्त अतएव टोपे। प्रैक्टिकल जोक्स के अद्‌भुत किस्से सुनाते और कभी-कभी कर भी बैठते। कुछ समय तक वे दद्दा के एम.पी. आवास, 6 नार्थ एवेन्यू की 'बरसाती' में रहा करते थे। उन दिनों वे ठौर-ठिकाना ढूँढ़ रहे थे। दबी जबान उन्होंने दद्दा से अनुरोध किया और वह तत्काल स्वीकृत भी हुआ। वहाँ परिवार के एक व्यक्ति अज्ञेय जी की अल्ट्रा-मॉडर्न सामग्रियों को बड़ी ललक के साथ देखा करते, जैसे वे कोई पहुँच के बाहर के फल-फूल हों। इनमें शैम्पू की एक बोतल थी, जिसे उक्त महाशय

कोई दुर्लभ केश तेल समझा करते थे। एक दिन अज्ञेय जी ने उस बोतल को ऐसे स्थान पर रखा जो उक्त सज्जन के लिए उपलब्ध हो गयी। भली-भाँति स्नान कर, गीले बालों में उसे उँडेलकर जब वे अपना सिर थपथपाने लगे तो उसमें हल्का-हल्का झाग आ गया; इस पर उन्होंने वितृष्णा से कहा, 'जान पड़ता है तेल सड़ गया है।' अज्ञेय जी छत पर एक कोने में चुपचाप यह काण्ड देखकर भी अनदेखी करते रहे।

अज्ञेय जी एक पूर्ववर्ती घटना सुनाते। उन दिनों खुफिया पुलिस वालों ने उनके पीछे एक 'छाया' (शैडो-मैन) लगा रखी थी। अज्ञेय जी ने उस 'छाया' को आश्वस्त किया कि मैं आँख में धूल डालकर भाग न निकलूँगा, पर उस व्यक्ति को अपनी डियुटी (ड्यूटी) बजानी ही थी।

प्रारम्भिक दिनों में अज्ञेय जी की सन्ध्या की बैठक जैनेन्द्र जी के यहाँ, दिल्ली में उनके दरियागंज स्थित निवास पर हुआ करती थी। इस मकान में पीछे भी एक द्वार था। उससे जो रास्ता चलता था, वह अत्यन्त सँकरा, ऊबड़-खाबड़ तो था, उसके दोनों ओर गँदला पानी भरा रहता। जाड़े की रात थी, अज्ञेय जी जैनेन्द्र जी के यहाँ से निकले। उनका 'शैडो' अपनी साइकिल लिए प्रतीक्षा कर रहा था। अज्ञेय जी बाहर निकले, प्रतीक्षा में निंदाए उस व्यक्ति से उन्होंने कहा "अब मैं पिछले रास्ते से जा रहा हूँ।" स्वभावतः वह उनके पीछे-पीछे साइकिल से चला। अँधेरा रास्ता था। अज्ञेय जी तो उससे परिचित थे, वे उसे पार कर सड़क पर आ गये, बेचारा शैडो तनिक ही आगे बढ़ा था कि छपाक से उस पानी में गिरा। फिर अज्ञेय जी ने उसे बाहर निकाला।

रामघाट वाले हमारे घर पर महाकवि 'दिनकर' जी टिके थे; अज्ञेय जी भी आये थे। उन दिनों उन्होंने एक सेकेंड-हैंड फोर्ड कार भी खरीद रखी थी। उधर हिन्दू-मुसलिम दंगे के कारण कर्फ्यू लगा था। उन दिनों दिनकर जी बिहार सरकार में एक उच्च-पदस्थ अधिकारी थे। उन्हें अपने दफ्तर में पहुँचना ही था। एक कांग्रेसी हिन्दी प्रेमी अपना कर्फ्यू-पास लिये आया करते। उन्होंने आश्वासन दिया था कि दिनकर जी के लिए भी पास प्राप्त कर लिया जाएगा और फिर वे आसानी से अपनी गाड़ी पकड़ लेंगे। गलियों के भीतर-भीतर आवागमन में कोई रुकावट थी नहीं, अतः रोज वाली साहित्यिक मण्डली इकट्ठी हो गयी थी। एकाएक दिनकर जी रवाना होने के लिए उद्धत हुए। तब लोगों को ध्यान आया कि 'पास' तो आया नहीं। अब सभी चिन्तित। दिनकर जी की हैरानी का अन्त नहीं। कांग्रेसी सज्जन ने तो सिर झुकाकर अपनी भूल मान ली कि बस 'समाज-सेवा' में ध्यान ही न रहा। अनेक प्रकार की योजनाएँ बनने लगीं और उनके बारे में समस्याएँ भी उठने लगीं। किसी ने कहा, "नाव से गंगा पार कर ली जाए, फिर कर्फ्यू क्षेत्र से बाहर!" तो किसी ने उत्तर दिया, "और उस पार सवारी कहाँ मिलेगी?" इत्यादि।

समय बीतता जा रहा था, दिनकर जी की परेशानी बढ़ती जा रही थी।

अज्ञेय जी बिलकुल निश्चेष्ट बैठे थे। समय होते ही बोले, "उठिए, चलिए मेरी कार खड़ी है।" इतना आनन्द लेने के बाद उन्होंने बताया कि अपने 'पास' के अतिरिक्त दिनकर जी का भी 'पास' उन्होंने प्राप्त कर लिया था।

अज्ञेय जी का जिस प्रकार जीवन विविधतापूर्ण था, वैसे ही उनकी 'रहनी' भी। दिल्ली में गॉल्फ लिंक्स कॉलोनी में उन्होंने मकान ले रखा था। किराया-अधिनियम के अनुसार मकान-मालिक उन्हें छोड़ने के लिए बाध्य नहीं कर सकता था। पर उसने कुछ अपनी विवशता दिखलाई थी कि यदि आप खाली कर देंगे तो ऊपर वाली मंजिल खाली कराने में सुविधा होगी। परन्तु वास्तविकता क्या थी, पता नहीं। भाई मंगलनाथ जी तो अपने चिर-परिचित तेवर में 'युद्ध देहि' वाली मुद्रा में थे। वहाँ से हटकर मथुरा रोड दिल्ली के निजामुद्दीन वाले उपांग में अज्ञेय जी किस शोरशराबे में रहें, उसे झेलना उन्हीं का काम था। इस पर अज्ञेय जी ने सूखी मुस्कान के साथ कहा, "यों ही बैठे सोच रहा था, अब तक एक सौ पते बदल चुका हूँ।" फिर वही निरपेक्षता।

दिनमान निकलने की कहानी बड़े विस्तार से बताया करते। फिर वे दिन थे जब वे जयप्रकाश जी के अनुरोध पर अंग्रेजी साप्ताहिक निकालने की योजना बना रहे थे। टिके तो हम लोगों के स्थान 'सीता निवास' में थे, पर उनका अधिकांश समय स्थानीय गाँधी संस्थान, राजघाट में बीतता। अगली यात्राओं में तो वे वहीं टिकते, हम लोगों के पास खाली समय बिताते। दो-तीन यात्राओं में उनका चिर-परिचित सन्नाटा यह रहस्य ही रहा। जानकारी प्राप्त करने के प्रयास की निष्फलता, जानी हुई थी। अज्ञेय जी अपनी मित्र मण्डली को उतनी ही सूचना देते, जितनी वह उचित समझते और जब उसका समुचित अवसर मानते। इस प्रसंग में कई यात्राओं के बाद उन्होंने पत्र निकालने की अपनी योजना धीरे-धीरे बतलानी शुरू की। जयप्रकाश जी तो अपने कार्यक्रमों में व्यस्त रहते, इस योजना पर बहुत थोड़ी देर बात हो पाती।

एक दिन जयप्रकाश जी एक विचारगोष्ठी में अज्ञेय जी को ले गये। अज्ञेय जी सारे दिन एक कोने में चुपचाप बैठे रहे, मानो निरासक्त। फिर जब गोष्ठी समाप्त हुई तो धीरे से उन्होंने जयप्रकाश जी को कागज के कुछ पन्ने दे दिए। उसमें सुन्दर अक्षरों में, सधी हुई लिखावट में, जो कुछ अंकित किया गया था, जयप्रकाश जी एक साँस में पढ़ गये। बस उसी समय उन्होंने निश्चय कर डाला कि उक्त पत्र निकलेगा। अज्ञेय जी बताते कि उन्होंने सारे दिन एक संवाददाता का काम किया, दूसरी ओर उस संवाद का सम्पादित रूप भी तैयार करते गये। इसके अतिरिक्त उस गोष्ठी पर उन्होंने एक सम्पादकीय भी लिख दिया, जिसमें

विचार के बिन्दुओं पर सम्पादकीय दृष्टिकोण था और उस गोष्ठी में जो बातें छूट गयी थीं, उनका भी उल्लेख था, आदि-आदि। गोष्ठी के उपरान्त उन्होंने जयप्रकाश जी को जब ये सब दस्तावेज दिए होंगे तो इस प्रकार निर्विकार मुद्रा में जैसे कोई हरकारा भी किसी दूसरे की वस्तु लक्ष्य तक न पहुँचाता होगा – इसकी मैं कल्पना कर सकता हूँ। शायद उन्होंने दुहराया हो या न दुहराया हो, इसे भी नहीं कह सकता क्योंकि एक बार उन्होंने कहा, "भला अपनी लिखी चीज (मसविदे या ड्राफ्ट) को दुबारा पढ़ना! इससे उबाऊ और क्या हो सकता है।" यह उक्ति उन्होंने तब कही थी जब वे और कपिला जी हम लोगों के अतिथि थे और कपिला जी पीएच. डी. की अपनी मौखिक परीक्षा के लिए अपना शोध ग्रन्थ जल्दी-जल्दी उलट रही थीं।

फिर बाद में उन्होंने नमूने का एक अंक निकाला था। इसमें अथ से इति तक, सभी स्तम्भ चित्रों आदि के साथ, दिए गये थे मानो टटका अंक बाजार में जाने ही वाला हो। मुझे स्मरण है कि उसमें उदयपुर की सूखी हुई झील का वृत्तान्त और दरारों से भरी उसकी फटी हुई छाती का चित्र भी था। कुछ ही लोगों को उन्होंने उसकी एक प्रति दी थी। उनमें से संयोगवश कार्यालय में उपस्थित होने के नाते एक मैं था, इस निश्चित आदेश के साथ कि वह और किसी को न दी जाएगी। मैंने पूछा, "जब इतना परिश्रम किया गया तो इसे फिर प्रकाशित क्यों नहीं किया?" उनका वही आत्मपरक मौन उत्तर।

इतने पर भी वह पत्र, उसका टाइप इतना छोटा था कि मैं चार-पाँच अंकों को खरीदकर ठण्डा हो गया। पर मैंने अज्ञेय जी से पूछा, "आप जयप्रकाश जी के आन्दोलन में किस प्रकार भागी हैं?" वे एम.एन. राय के विचारधारा वाले थे। मैं यह समझता था कि ये दोनों बिलकुल भिन्न दृष्टिकोण होंगे। पर अज्ञेय जी ने बताया, "आज जयप्रकाश जी जो आन्दोलन चला रहे हैं, ठीक वही एम.एन. राय का था।" पर उन्होंने इस बात की व्याख्या न की। यह इमरजेन्सी लगने के पहले की बात थी।

इमरजेन्सी काल में अज्ञेय जी बहुत क्षुब्ध थे और अपने स्वभाव के अनुसार आक्रोश व्यक्त करते। वे कहते कि मैं 'पशुपालन' पर एक पुस्तक लिखना चाहता हूँ जो शास्त्रीय होगी, पर उसमें इमरजेन्सी का भी गहरा प्रहार होगा कि किस प्रकार मनुष्य पशुवत् बना दिया जाता है। अक्सर वे अपने यहाँ आने-जाने वालों को इस प्रकार का साहित्य लिखने के लिए उत्साहित करते रहते।

यों उनमें लेखकों को तैयार करने की अद्‌भुत शक्ति थी। यह क्रम *प्रतीक* के प्रथम प्रकाशन वाले स्तर से ही चल पड़ा था। किसी प्रकार मैं भी उस जमात में

पाँचवाँ सवार बनकर शामिल कर लिया गया। वे मुझे कहानीकार बनाना चाहते थे। *प्रतीक* को वे सम्भवतः अपनी प्रतिष्ठा का मुद्दा बना चुके थे। वर्षों बाद उन्होंने उसका प्रकाशन *नया प्रतीक* के नाम से किया। तब तक वे कोई आधे दर्जन पत्रों से किसी न किसी प्रकार सम्बद्ध रह चुके थे। मैंने उन्हें बहुत समझाया कि इसमें आर्थिक हानि ही हानि दीखती है। पर वे निश्चय के पक्के थे। *नया प्रतीक* काफी समय तक चलता रहा। हारकर उन्होंने उसे बन्द किया। *नया प्रतीक* में उन्होंने मेरे दो-एक लेख छापे। एक या दो अप्रकाशित उनके पास पड़े रह गये थे। मेरा लेखन क्रम सूखता गया, इससे उन्हें असन्तोष था; इसी प्रसंग में मैंने उनसे कहा कि आजकल श्रीनारायण चतुर्वेदी इस ढिलाई को लेकर मुझसे असन्तुष्ट हो सकते हैं अतः मैं उनकी सेवा में जाने से कतराता हूँ क्योंकि मुझे भय है कि वे मुझे अच्छी फटकार देंगे। इस पर अज्ञेय जी बोले, "मैं भी असन्तुष्ट हूँ।" उन्हें बड़ी चिन्ता थी कि पिताजी की पुस्तक *प्रसाद की याद* क्यों नहीं प्रकाशित हो रही है।

उनमें अनेक शैलियों में लिखने की क्षमता थी और छद्मनामों से लिखने का शौक। मुझे उनके लेखन के मौलिक स्वरों की पहचान हो गयी थी। अतः कई बार छद्म नाम होते हुए भी उनकी लेखनी पहचान ली। इस पर वे वितृष्णा से मुँह फेर लेते। पर बाद में यह बात अच्छी तरह फैल भी जाती। मैंने 'कुट्टिचातन' नाम से छपे लेखों के विषय में उनसे बात करनी शुरू की तो वे बोले, "बेचारा 'कुट्टिचातन' तो बड़ा निरीह व्यक्ति है।" प्रायः 1950 में जवाहरलाल जी पर एक लेख (सम्भवतः) मुहम्मद हुसैन के नाम से प्रकाशित हुआ। मुझे स्वप्न में भी भान न था कि वह अज्ञेय जी की लेखनी होगी। बस इतना ही लगा कि यह अत्यन्त उत्कृष्ट लेखन है। मैंने पिताजी का उस ओर ध्यान दिलाया, वे प्रभावित तो हुए, पर ऐसा न जान पड़ा कि उन पर कोई छाप पड़ गयी हो। संयोगवश इसके थोड़े ही बाद अज्ञेय जी हम लोगों के यहाँ रहे। तब हम लोग अपने एक सम्बन्धी के आश्रय में, उनके विस्तृत बाग में टिके थे। गंगातट वाला घर ग़िर चुका था। अज्ञेय जी लॉन में बैठे थे। मैंने उक्त मुहम्मद हुसैन के विषय में उनसे पृच्छा की। वे बार-बार पूछने लगे कि उस लेखन के विषय में स्वयं मेरी क्या धारणा है। उधर मेरा नवयुवक मन। मैं तारीफ के पुल पर पुल बनाता जा रहा था, उत्साहवश यह भी कहता जाता कि पिताजी पर तो कोई विशेष प्रभाव नहीं पड़ा। इस पर वे गम्भीर होकर लॉन में टहलने लगे, देर तक चुप्पी बनी रही। वर्षों बाद मुझे किसी अन्य सूत्र से ज्ञात हुआ कि उन्होंने छद्मनाम से उक्त लेख लिखा था।

हिन्दी साहित्यकारों के साथ यदि वे छेड़छाड़ करते तो 'सुमन' जी के साथ ही। सुमन जी शालीनतावश हर बार यही कहकर उत्तर दे देते, "मुझे भी कभी मौका मिलेगा, तब एक-एक का बदला लूँगा।" यह क्रम दो-तीन दिनों तक,

अज्ञेय जी के लखनऊ प्रवास में चलता रहा। मैंने अज्ञेय जी की इस प्रकार बाल-सुलभ चंचलता कहीं और न देखी। हाँ, वे अपने प्रियजनों से कटाक्ष करते रहते जिसका लक्ष्य स्वयं मैं भी अनेक बार हुआ हूँ।

गाँधी जी के अस्थि-विसर्जन के अवसर पर सियाराम शरण जी के साथ मैं अज्ञेय जी की विशाल कोठी में, इलाहाबाद में टिका था। उसके अनेक संस्मरण हैं। एक बार तो मेरे साथ ही अज्ञेय जी अपने प्रकाशक के पास गये और एक सौ रुपये रॉयल्टी के अग्रिम लाये, उसी से काम चला था। यह बात और है कि उन दिनों सौ रुपयों की कीमत थी और दूसरे-तीसरे दिन ही अज्ञेय जी पुनः उसी स्थिति में पहुँच गये जिसमें वे अग्रिम माँगने गये थे। पर यहाँ सुमन जी वाली बात मूल है। सुमन जी अनेक साहित्यिकों के स्वर में गाँधी हत्याकाण्ड पर अत्यन्त विचलित होकर एक लम्बी कविता लिख रहे थे। दो-एक दिनों से कुछ विचलित से लगते थे। संयोगवश हम लोग बैठक में साथ-साथ प्रवेश कर रहे थे। सुमन जी अपना हाल बताते जा रहे थे। सहसा उन्होंने तीन पंक्तियाँ सुनाईं और बोले, "चौथी नहीं बन रही है।" अज्ञेय जी ने पूछा, "आप क्या कहना चाहते थे?" और सुमन जी ने उत्तर दिया, "मैं दूर-दूर तक लाल-लाल देखना चाहता हूँ?" छूटते ही अज्ञेय जी ने उसी भाव को, उसी छन्द में पूरा कियाः "अक्षितिज महोदधि लाल लाल!" सुमन जी ने इसी के साथ उस कविता को पूरा किया।

अब मैं और संस्मरणों को देने का लोभ संवरण कर रहा हूँ। एक बार वे प्रायः सप्ताह भर पिताजी के पास रह गये। उन दिनों वे विश्राम करने प्रायः चले आते थे। उस बार वे घर के बालकों से ही खेलते से रहते, जादू के खेल भी दिखाया करते, पक्षियों की बोली बोलकर हाथ के पंजों से दीवार पर छाया-चित्र बनाकर तरह-तरह से उनके मनोरंजन किया करते। मेरे पुत्र कल्याण कृष्ण ने उन्हें अपनी ऑटोग्राफ बुक दी। बाद में कलाभवन दफ्तर में रखी नीली-लाल स्याही से उन्होंने उस पृष्ठ पर गिलहरी का चित्र बनाया जो दो पैरों पर बैठकर कुछ कुतर रही है और लिखाः "सबेरे सबेरे दौड़ धूप आनन्द", दूसरी पंक्ति थीः "जीवन भर कल्याण।"

सम्भवतः यही उनका जीवन-दर्शन था।

9

सच लिखता हूँ

॥ विजयमोहन सिंह

इस संस्मरण में कोई भी घटना, तिथि या प्रसंग ठीक-ठीक किस वर्ष घटित हुआ, उसका उल्लेख करने से पहले मुझे हमेशा 'शायद' कहना पड़ेगा। क्योंकि उन बातों से सम्बन्धित स्मृतियाँ इतनी धुँधली पड़ चुकी हैं कि वर्षों और तिथियों का ठीक-ठीक लेखा-जोखा अब कठिन है।

शायद 1952 या सन् 53 का वर्ष रहा होगा जब अचानक *शेखर* के दोनों खण्ड मेरे हाथ लग गये थे। बनारस में चौक की ओर जाने वाली सड़क के मोड़ पर पुस्तकों की एक दुकान थी। दुकान सरस्वती प्रेस की थी। तब मैं बनारस के यू. पी. कॉलेज में नौवीं कक्षा में पढ़ता था। उपन्यास पढ़ने का चस्का मुझे बुरी तरह दबोचे हुए था। शरत् और बंकिमचन्द्र को तो पढ़ ही चुका था। अपने घर में ही मुझे प्रेमचन्द के कुछ उपन्यास मिल गये थे: *गोदान, रंगभूमि* और *प्रेमाश्रम*। पर उन दिनों जैनेन्द्र की *सुनीता* मुझ पर हावी थी। *त्यागपत्र* कुछ बाद में पढ़ पाया।

लेकिन उस दिन उस दुकान में पहुँचा तो काउंटर पर बैठने वाले पण्डित जी ने मुझे देखते ही *शेखर* के दोनों खण्ड मेरे सामने रख दिए– "इस बार इसे ले जाकर पढ़िए, इसकी बहुत चर्चा है।" *शेखर* का वह चौथा या पाँचवाँ संस्करण था और सरस्वती प्रेस से ही छपा था। अज्ञेय के नाम से तब मैं परिचित तो हो चुका था, पर पढ़ी शायद कुछ कहानियाँ ही थीं।

तभी स्कूल में छुट्टियाँ हो गयीं और मैं अपने गाँव आ गया।

पहली या दूसरी रात ही, जब मैं हमेशा की तरह सिरहाने स्टूल पर मिट्टी के तेल वाला लैम्प रखकर पढ़ने के लिए बिस्तर पर लेटा, तो मेरे हाथ में *शेखर* का पहला भाग था।...

जब मैं उसके आखिरी बचे-खुचे पन्ने पढ़ रहा था तो अचानक पाया कि मुझे पढ़ने के लिए लैम्प की जरूरत नहीं रह गयी थी। बरामदे में सूरज की रोशनी फैल गयी थी। मैं पहले भाग के किशोर शेखर को अपने भीतर देख रहा था। मेरी उम्र भी तब शायद उतनी ही थी। ... निहायत चुप्पा, झेंपू, हमेशा नाराज 'शेखर', जिसे

हर चीज अटपटी लगती थी, अपना शरीर बेडौल लगता था। खासतौर पर उस दिन जब वह अपनी पड़ोसी और सहपाठी प्रतिभा के घर आमन्त्रित होकर खाना खाने पहुँचा तो हाफ-पैंट से बाहर निकली अपनी टेढ़ी-मेढ़ी सी टाँगों को लेकर बेहद शरमाया हुआ था। लेकिन हद तो तब हो गयी जब वह उस परिवार के साथ खाना खाने बैठा। वहाँ प्लेटें थीं, छुरी-काँटे थे, नेपकिन था। शेखर को छुरी-काँटे से खाना नहीं आता। प्रतिभा हँसती है, उसकी बड़ी बहन हँसती है। शेखर खाने की कुर्सी से उठकर चला आता है।...

क्या कभी-कभी मेरे साथ भी कुछ ऐसा ही घटित होता है क्या? मैं भारमुक्त-सा हो गया। शायद प्रत्येक किशोर के साथ ऐसा होता है। शेखर की वह 'एक रात' मेरे लिए कोई 'विजन' वाली रात तो नहीं साबित हुई, न मैं 'शेखर' में बदल गया। हाँ, गालिब के शब्दों में मैं न अच्छा हुआ, (पर) बुरा न हुआ।

लगभग वर्ष भर बाद एक पत्रिका *कहानी* में अज्ञेय जी का पंता देखकर मैंने उन्हें एक बचकाना-सा पत्र लिख दिया, जिसका उत्तर भी मुझे चार-पाँच दिनों में मिल गया।

अभी पिछले दिनों ओम थानवी ने न जाने कहाँ से (प्रायः एक चमत्कार की तरह) मेरा वह पत्र और अज्ञेय जी के उत्तर की एक प्रतिलिपि मेरे पास भेज दी तो मैं आश्चर्यचकित रह गया।[1] यहाँ तक कि चूँकि उन दिनों मैं इलाहाबाद के इर्विंग क्रिश्चियन कॉलेज में पढ़ रहा था तो मेरे पत्र के नीचे मेरे हॉस्टल का नाम और कमरा नं. भी लिखा था – जिसे मैं स्वयं न जाने कब का भूल चुका था। शायद इतना ही काफी नहीं था। उन्होंने मेरे उस पत्र और अज्ञेय जी के उत्तर के कुछ अंश भी *जनसत्ता* में प्रकाशित कर दिए। अपने उस बचकाने, प्रायः भावविस्मित, पत्र को इस तरह सार्वजनिक होता देखकर मैं 'बेपानी' तो नहीं, पर 'पानी-पानी' जरूर हो गया।

शेखर के बाद जब मैंने सन् 53 या 54 में *नदी के द्वीप* पढ़ा तो अज्ञेय जी को एक अपेक्षाकृत लम्बा पत्र लिखा जिसमें कुछ समीक्षात्मक जिज्ञासाएँ भी की गयी थीं। उस पत्र का उत्तर मुझे काफी विलम्ब से मिला, जिसका कारण भी उत्तर में ही स्पष्ट कर दिया गया था। उत्तर एक लिफाफे में था। और लिफाफे के भीतर एक अन्तर्देशीय भी था और एक पैड के पन्ने पर लिखा हुआ दूसरा पत्र भी। अन्तर्देशीय वाले पत्र के अन्त में लिखा था, देखिए यह तो भर गया! और साथ के लेटरपैड वाले पन्ने पर बाकी जिज्ञासाओं के उत्तर दिए गये थे। तब मैं काशी विश्वविद्यालय में पढ़ने लगा था और पास के दूसरे छात्रावास में कवि केदारनाथ

1. देखें पृष्ठ 502 (भाग-1) भी। –सं.

सिंह भी रहते थे, जिनसे प्रायः रोज मुलाकात होती थी। एक दिन वे अज्ञेय जी की सद्यः प्रकाशित पुस्तक *आत्मनेपद* लेकर आये और कहने लगे, विजयमोहन जी देखिए, आपके पत्र का उत्तर इस पुस्तक में भी प्रकाशित हो गया है। पहले तो इसे मजाक समझा। पर जब उन्होंने निबन्धनुमा उस उत्तर वाला पृष्ठ खोलकर सामने रख दिया तो मैंने देखा कि मुझे दिया गया उत्तर वहाँ यथावत प्रकाशित था और नीचे फुटनोट में लिखा थाः "काशी के एक विद्यार्थी के प्रश्न के उत्तर में लिखे गये पत्र का अंश।" उस छोटे से निबन्धांश का शीर्षक थाः '*नदी के द्वीप का समाज*।'

इसके बाद कई वर्ष गुजर गये और अज्ञेय जी से उस बीच पत्रों का आदान-प्रदान नहीं हुआ। एम.ए. करने के बाद मैं आरा (बिहार) के एक डिग्री कॉलेज में प्राध्यापक हो गया। एक दिन मेरे पते पर अज्ञेय जी का एक तार मिला/यदि डॉ. केदारनाथ सिंह वहाँ हों तो उन्हें तत्काल दिल्ली आने को कहें। यह फिर मुझे चकित करने वाला तार थाः केदार जी सचमुच कुछ दिनों के लिए आये थे और मेरे साथ ठहरे थे। वे किसी नौकरी की तलाश में थे और ठीक एक दिन पहले मैं और डॉ. शुकदेव सिंह पड़ोस के एक दूसरे कॉलेज – जैन कॉलेज – के संचालक चन्द्रेश्वर कुमार जैन से मिले थे और उन्होंने अगले दिन कॉलेज आकर

जॉइन करने के लिए कह दिया था।... पहली बात तो यह कि अज्ञेय जी को मेरा पता मिला कैसे? और दूसरी बात कि यह उन्हें कैसे मालूम था कि उन दिनों केदार जी आरा में थे और मेरे साथ थे? पर अब असली समस्या यह थी कि केदार जी क्या करें? अज्ञेय जी के उस बुलावे पर दिल्ली चले जाएँ या यह नयी नौकरी जॉइन कर लें। अन्त में तय पाया गया कि अज्ञेय जी ने उन्हें इस तरह खोज-खाज कर बुलाया है तो जरूर कोई विशेष मकसद होगा। केदार जी को भी शायद कुछ आभास था और हमने उन्हें अगली सुबह दिल्ली एक्सप्रेस से रवाना कर दिया।

लेकिन विडम्बना यह हुई, पुरानी शास्त्रों वाली वह कहावत केदार जी पर सटीक चरितार्थ हो गयी कि जो ध्रुव (निश्चित) को छोड़कर अध्रुव (अनिश्चित) की ओर भागता है, उसको 'अध्रुव' तो मिलता ही नहीं, 'ध्रुव' भी अप्राप्य हो जाता है। उसी बीच अज्ञेय जी को कॉरनेल विश्वविद्यालय (अमेरिका) का आमन्त्रण मिला था कि वे वहाँ कुछ दिनों के लिए विजिटिंग प्रोफेसर होकर आ जाएँ। केदार जी को इसलिए बुलाया था कि अज्ञेय जी को इस बीच नये-नये स्थापित कुरुक्षेत्र विश्वविद्यालय में हिन्दी विभाग का अध्यक्ष और प्रोफेसर बना दिया गया था।[1] वे केदार जी को अपने सहयोगी प्राध्यापक के रूप में वहाँ ले जाना चाहते थे। वह योजना सिरे नहीं चढ़ी।

1. केवल प्रस्ताव था। देखें केदारनाथ सिंह का ब्योरा, पृष्ठ 248 (भाग-1) –सं.

बहरहाल, इस नाटकीय विडम्बना के कुछ वर्षों बाद (शायद 1964 या 1965 में) मेरे विश्वविद्यालय के दिनों के मित्र शंकर दयाल सिंह, जिन्होंने पटना में फ्रेजर रोड पर पारिजात प्रकाशन शुरू किया था, अचानक आरा में मेरे घर आ पहुँचे। अपने चिर-परिचित अन्दाज में ठहाका लगाते हुए हाथ मिलाने के लिए मेरा हाथ तलाशने लगे, जो उस वक्त मेरी पैंट की जेब में था। उन्होंने उसे खींचकर बाहर निकाला, हाथ मिलाया और फिर एक ठहाका और लगाया। मैंने उन्हें बैठाया और नौकर से चाय के लिए कहा। वह जाड़ों की सुबह थी। धूप में बैठकर चाय पीते हुए उन्होंने कहा कि 'मैं एक विशेष कार्य से आया हूँ और वह आपको ही करना है। वह भी पन्द्रह-बीस दिनों में।' फिर उन्होंने बताया कि वे अज्ञेय जी पर एक पुस्तक प्रकाशित करने जा रहे हैं, जिसे वे उन्हें उनके जन्मदिन पर समर्पित करना चाहते हैं। 'आप अज्ञेय जी के पुराने प्रेमी पाठक रहे हैं और इधर आपने उनकी नयी प्रकाशित पुस्तक *अपने-अपने अजनबी* पर *ज्ञानोदय* में एक लम्बी समीक्षा लिखी है, जो अच्छी है, अतः आप तत्काल अज्ञेय जी पर एक छोटी-सी किताब लिखकर दे दें। मैं आपको यथोचित पारिश्रमिक दूँगा और बिक जाने पर निर्धारित रॉयल्टी भी।'

दुर्भाग्य से उनकी कुछ असमर्थताओं के कारण पुस्तक का यह पक्ष तो सम्पन्न नहीं हो सका। पर मैं जब तक अज्ञेय जी के गद्य ग्रन्थों पर आधी-अधूरी पुस्तक अभी लिख ही रहा था, एक दिन वे फिर आ धमके और जितनी किताब तब लिखी गयी थी, उसे उसी रूप में उठा ले गये। पुस्तक महीने-डेढ़ महीने में छप भी गयी। पर जब मुझे उसकी प्रकाशित प्रतियाँ मिलीं तो मैंने सिर पीट लिया। उसमें बेशुमार गलतियाँ थीं। खासतौर पर 'फुटनोट' के रूप में दिए गये अंग्रेजी उद्धरणों में। मुझे उसे लिखने में दिन-रात एक कर देना पड़ा था, क्योंकि मुफस्सिल कॉलेजों में पढ़ाना कोई आसान काम नहीं था। सुबह आठ बजे से प्रायः तीन बजे तक क्लासें लेनी पड़ती थीं। तब भी मैं जैसे-तैसे वह अधूरी किताब लिख पाया था और अब उसका यह हश्र!

फिर भी मैं उसे उसी रूप में अज्ञेय जी तक पहुँचाना चाहता था, क्योंकि तब तक अज्ञेय जी पर शायद कोई पुस्तक लिखी ही नहीं गयी थी।

यह मौका भी मुझे जल्दी ही मिल गया। मेरे सहपाठी और कहानीकार अक्षोभ्येश्वरी प्रताप (ए. प्रताप) तब दिल्ली दूरदर्शन में नये-नये प्रोड्यूसर बने थे। उन्होंने मुझे लिखा कि अगली छुट्टियों में तुम क्यों न कुछ दिनों के लिए दिल्ली आ जाओ। उन दिनों शायद दिल्ली में मौसम भी अच्छा था: न झुलसती गर्मी और न 'दिल्ली की सर्दी'।

उससे पहले मैं दिल्ली केवल एक बार गया था। वह भी प्रताप के बुलावे पर। दिल्ली मैं इसलिए भी जाना चाहता था कि उस बीच मैंने *सन् साठ के बाद की कहानियाँ* नाम की एक पुस्तक सम्पादित की थी, जिसमें चौदह प्रायः नवोदित कहानीकारों की दो-दो कहानियाँ संकलित थीं। समस्या उसे प्रकाशित कराने की थी। बनारस में उन दिनों पुराने मित्र और हिन्दी की पहली लघु पत्रिका (महज डिमाई साइज में सोलह पृष्ठों की) *कवि* के सम्पादन और स्वयं कवि-कथाकार विष्णुचन्द्र शर्मा काशी नागरी प्रचारिणी सभा के प्रकाशन प्रबन्धक थे। उन्होंने कहा कि पुस्तक मैं अपने यहाँ से छाप दूँगा, भुगतान आप सुविधानुसार धीरे-धीरे कर दीजिएगा। वह किताब भी तभी छपकर आयी थी। मैं दोनों पुस्तकें दिल्ली ले जाना चाहता था, खासतौर पर अज्ञेय जी को देने के लिए। दुर्भाग्य से कुछ मेरे प्रमाद से ये दोनों पुस्तकें अब अप्राप्य हैं। केवल अज्ञेय जी वाली पुस्तक की एक जर्जर प्रति मेरे पास बची है और उसके कवर सहित शुरू के दो-तीन प्रारम्भिक पृष्ठ दीमकें चाट चुकी हैं, इसलिए यह भी पता नहीं चल पाता कि पुस्तक किसने और कब छापी थी?[1]

जहाँ तक *सन् साठ के बाद की कहानियाँ* का प्रश्न है, उसमें चौदह कहानीकार संकलित थे। उनमें से अधिकांश अब हिन्दी के प्रतिष्ठित कथाकार बन चुके हैं जैसे दूधनाथ सिंह, ज्ञानरंजन, काशीनाथ सिंह, रवीन्द्र कालिया, महेन्द्र भल्ला, मधुकर सिंह तथा श्रीकान्त वर्मा, जो यद्यपि उस पीढ़ी के कहानीकार नहीं थे, पर उन्होंने तभी कहानियाँ लिखनी शुरू की थीं जो नयी कहानी से बिलकुल अलग किस्म की थीं। उन्होंने बाकी लोगों की तरह उन्हें संकलन में छापने की सहर्ष स्वीकृति दे दी थी। बाकी कहानीकारों में दो कहानियाँ मेरी भी थीं, जो संकलन की प्रायः सबसे कमजोर कहानियाँ थीं और जिनके बारे में स्व. बच्चन सिंह ने *धर्मयुग* में पुस्तक की अपनी लम्बी समीक्षा (एक पूरे पेज की) में लिखा भी था। बहरहाल, मुझे बाद में पता चला कि साठोत्तरी कहानी का (नयी कहानी की तर्ज पर) चलन भी तभी से शुरू हुआ था।

जब मैं दिल्ली पहुँचा तो ए. प्रताप के घर से निकलकर सबसे पहले टी हाउस पहुँचा, जो उन दिनों लेखकों के मिलने-जुलने का सहज-सुलभ ठिकाना था और बेहद सस्ता भी। जब मैं वहाँ आखिर में जाकर बैठा तो देखा कि बगल की मेज पर बैठा एक हिप्पी अपने बन्दर (या बन्दरिया) को स्ट्रॉ से कोकाकोला पिला रहा था। तभी बाहर से दिल्ली में मेरा एकमात्र पुराना मित्र (प्रताप के अलावा) कंचन कुमार हाथ में मेरा पोस्टकार्ड हिलाते हुए आता नजर आया। "देखिए, मैं ठीक तीन बजे पहुँच गया।" टी हाउस में चाय पिलाने के बाद वह मुझे अपने घर ले गया जो

1. अज्ञेय जन्मशती वर्ष में पुस्तक फिर प्रकाशित हो गयी है। —सं.

पाँच हजार पचपन नम्बर की एक पुरानी इमारत में था। वहाँ कंचन कुमार के अलावा रवीन्द्र कालिया (उन दिनों केन्द्रीय हिन्दी निदेशालय में कार्यरत), प्रयाग शुक्ल (उन दिनों फ्रीलांसिंग कर रहे थे) तथा गंगाप्रसाद विमल (दिल्ली कॉलेज में प्राध्यापक थे) आते रहते थे। उस वक्त वहाँ केवल विमल थे, जिनसे मेरा पत्र-व्यवहार होता रहता था और *सन् साठ के बाद की कहानियाँ* में उनकी भी दो कहानियाँ मैंने संकलित की थीं। मैंने विमल से कहा कि मैं अज्ञेय जी से मिलना चाहता हूँ। विमल ने बाहर निकलकर पास के टेलीफोन बूथ से अज्ञेय जी को फोन कर बताया कि आरा से विजयमोहन जी आये हैं और आपसे मिलना चाहते हैं। अज्ञेय जी ने मुझे अगले दिन बारह बजे के आसपास आने को कहा। तब वे *टाइम्स ऑफ इंडिया* बिल्डिंग में बैठते थे और *दिनमान* के सम्पादक थे।

तब तक मैं *दिनमान* का मुरीद हो चुका था और उसे नियमित रूप से पढ़ता था। उसने हिन्दी पत्रकारिता का कायाकल्प कर दिया था, वरना हिन्दी में *ब्लिट्ज* के अतिरिक्त कोई समाचार साप्ताहिक नहीं था और वह ज्यादातर सनसनीखेज खबरें ही छापता था। जबकि *दिनमान* ने पहली बार हिन्दी पत्रकारिता की एक ऐसी नयी भाषा विकसित की थी जो पूर्णतः साहित्यिक तो नहीं थी, किन्तु उसमें विश्लेषणात्मक गरिमा थी। उसमें अज्ञेय जी ने – कुछ-कुछ अंग्रेजी के विख्यात साप्ताहिक *टाइम* की तरह – संसार भर की खबरों के साथ साहित्य, कला और संस्कृति के अलग-अलग स्तम्भ शुरू किए थे, जिन्हें हिन्दी के महत्त्वपूर्ण पत्रकार ही नहीं, लेखक भी लिखते थे। इसके अलावा उन्होंने अपने सहयोगियों के रूप में जो टीम बनाई थी उसमें हिन्दी लेखकों-कवियों की प्रायः प्रखर प्रतिभाएँ थीं: रघुवीर सहाय, श्रीकान्त वर्मा, सर्वेश्वर दयाल सक्सेना आदि तो थे ही, उन्होंने अपने प्रमुख सहायक के रूप में बम्बई से बुलाकर मनोहर श्याम जोशी को रखा था, जिनका कमरा अज्ञेय जी के कमरे के ठीक बगल में था। बाकी सभी लोग सामने के हॉल में बैठते थे और उन्हें महज एक-एक मेज और कुर्सी मिली थी। अतः अज्ञेय जी से मिलने से पहले मेरी (पहली) मुलाकात रघुवीर सहाय, श्रीकान्त वर्मा और सर्वेश्वर दयाल सक्सेना से हुई, जिनका मैं पहले से प्रशंसक था। उनमें केवल श्रीकान्त वर्मा ऐसे थे, जिनसे मेरा पहले से ही पत्र-व्यवहार हो रहा था।

तभी घण्टी बजी और अज्ञेय जी ने मुझे अन्दर बुला लिया। विमल भी मेरे साथ हो गये। हमारे अन्दर पहुँचते ही वे खड़े हो गये। मैंने उनके सुदर्शन व्यक्तित्व के बारे में सुन रखा था। तब उन्होंने सफेद लबादे जैसा कुछ पहना हुआ था। उनकी अतिशय विनम्रता और मोहक मुस्कान तथा सफेद लबादे के कारण शायद मुझे वे पहली दृष्टि में किसी चर्च के फादर जैसे लगे। हमें मेज के सामने रखी कुर्सियों पर बैठाकर मेज के पीछे ही अपनी कुर्सी पर बैठ गये। मैंने वे दोनों

किताबें उन्हें दीं और कहा कि आने से पहले मैं आपको लिख नहीं सका। न मैंने और न उन्होंने यह आभास दिया कि हमारे बीच वर्षों से पत्र-व्यवहार होता रहा है। वे पुस्तकें उलट-पुलटकर देखने लगे। अब सवाल था कि बातें क्या की जाएँ: वे तो अपने मौनी रूप के लिए मशहूर थे ही। मेरे ऊपर उन दिनों निर्मल वर्मा की कहानियों का नया-नया प्रभाव था, खासतौर पर उनकी कहानियाँ *परिंदे, लन्दन की एक रात, तीसरा गवाह, माया दर्पण* और *सितम्बर की एक शाम* आदि का। अतः मैंने पूछा कि इधर आपको हिन्दी के नये कथा साहित्य में कोई परिवर्तन दीख रहा है? उन्होंने अनमने ढंग से उत्तर दिया कि हाँ, भाषा में बहुत कुछ परिवर्तन हुआ है।

मैंने पूछा कि भाषा में परिवर्तन क्या केवल भाषा में परिवर्तन का द्योतक होता है? अचानक वे गम्भीर हो गये और शायद कुछ चौकन्ने भी। पर कोई उत्तर देने के बजाय सामने टँगी घड़ी की ओर देखकर कहा कि मुझे कहीं पहुँचना है, देर हो रही है और वे कुर्सी से उठ खड़े हुए। क्षमा कीजिएगा, आप अगर कल आ सकें तो ठीक से बातें हो सकेंगी। हम भी उठे और कमरे से बाहर आ गये। बाहर आते ही रघुवीर जी और सर्वेश्वर जी ने पूछा— बड़ी जल्दी निकल आये, क्या बातें हुईं? तभी अज्ञेय जी बाहर आते दीखे और मेरे पास रुककर उन्होंने पूछा, आपको किधर जाना है? क्या मैं आपको कहीं छोड़ सकता हूँ? मेरे उत्तर देने से पहले ही गंगाप्रसाद विमल ने कहा— हमें तो करोल बाग की तरफ जाना है। ओह, अज्ञेय जी ने कहा, मुझे तो ठीक विपरीत दिशा में जाना है — चाणक्यपुरी की तरफ। और वे चले गये।

उस यात्रा में मेरी उनसे वह आखिरी मुलाकात थी, क्योंकि अगले दिन जब मैं पहुँचा तो मुझे बताया गया कि अज्ञेय जी अभी आये नहीं हैं और कब आएँगे यह पता नहीं। मनोहर श्याम जोशी मुझे अपने कमरे में ले गये और *सन् साठ के बाद की कहानियाँ* दिखाते हुए बोले, तुमने यह क्या बेवकूफी कर डाली है? चूँकि वे हँस रहे थे, इसलिए मैंने भी इसे गम्भीरता से नहीं लिया।

उस संकलन में मेरी एक लम्बी भूमिका भी थी, जिसमें उन दिनों उनकी काफी चर्चित कहानी 'एक दुर्लभ व्यक्तित्व' का जिक्र था, जो मुझे बहुत अलग किस्म की कहानी लगी थी। पर मैं उसे नये संकलन में इसलिए सम्मिलित नहीं कर सका था क्योंकि एक तो मुझे उनकी दूसरी कहानी मिली नहीं, और उसके अलावा वे उस पीढ़ी के कहानीकार नहीं थे, जिस पीढ़ी के लेखकों की कहानियाँ उसमें संकलित थीं। पर वे सम्भवतः इस उल्लेख मात्र से ही पर्याप्त प्रसन्न थे और अपनी प्रसन्नता में उस तरह की प्रतिक्रियाएँ व्यक्त करना उनका स्वभाव या प्रकृति थी। फिर उन्होंने पूछा— तुम्हें इस तरह का संकलन तैयार करने का आइडिया किसने दिया। मैंने कहा किसी ने नहीं। मुझे कुछ वर्षों से लग रहा था

कि हिन्दी कहानी में इधर कुछ वर्षों में कुछ महत्त्वपूर्ण परिवर्तन हुए हैं – भाषा, शैली और भावबोध सब में, जो नयी कहानी की कहानियों से बिलकुल अलग हैं। लेकिन मेरे अन्तर्मन में इस योजना के पीछे *सप्तकों* की प्रेरणा थी, जिसे या तो मैं कहना नहीं चाहता था या वह उस समय मेरे मन के 'चेतन' स्तर पर नहीं थी।

मैं उन दोनों पुस्तकों की दो-दो प्रतियाँ वहाँ छोड़ आया था। लेकिन *दिनमान* में उनकी समीक्षा नहीं छपी। हाँ, कुछ बाद में डॉ. बच्चन सिंह ने *धर्मयुग* में एक लम्बी समीक्षा लिखी, जिसमें कहा गया था-- संकलन तो महत्त्वपूर्ण है, पर इसमें सम्पादक (यानी मेरी) की कहानियाँ ही सबसे कमजोर हैं (जो बिलकुल सच था, क्योंकि मैंने तब तक कोई महत्त्वपूर्ण कहानी लिखी ही नहीं थी)। मेरे ऊपर तब हेमिंग्वे का जबर्दस्त प्रभाव था और मेरी वे कहानियाँ इतनी कम बोलने वाली थीं, संवाद महज हाँ-ना जैसे संक्षिप्त शब्दों वाले तथा सांकेतिक और प्रतीकात्मक थे कि उनके लिए हिन्दी में कोई पाठक वर्ग पाना मुश्किल था। फिर प्रभाव तो प्रभाव ही होता है।

हाँ, कुछ दिनों बाद मुझे यह जरूर पता चला कि नयी कहानी की तरह साठोत्तरी कहानी का एक छोटा-मोटा अभियान जरूर शुरू हो गया था। उसमें न मेरा कोई योगदान था और न उल्लेख।

यह मेरा दुर्भाग्य ही था कि बिना किसी विशेष चर्चा के वे दोनों पुस्तकें जल्दी ही भुला दी गयीं। अज्ञेय जी वाली पुस्तक का तो कहीं उल्लेख तक नहीं हुआ।

उसके बाद की कहानी भी दुखान्तक ही कही जाएगी, क्योंकि अज्ञेय वाली पुस्तक में जो बेशुमार गलतियाँ थीं उनकी वजह से उसे मैंने कहीं समीक्षा तक के लिए नहीं भेजा।

फिर वर्षों बीत गये। मैं दिल्ली विश्वविद्यालय के एक कॉलेज में कुछ वर्षों तक प्राध्यापक भी रहा। पर मेरा अज्ञेय जी से कोई सम्पर्क नहीं हुआ।

प्रायः एक दशक बाद जब भोपाल में ओ.एस.डी. बनकर गया और अशोक वाजपेयी ने मुझ पर भारत भवन के साहित्य प्रभाग 'वागर्थ' का दायित्व सौंपा तो हमने हिन्दी के प्रायः सभी महत्त्वपूर्ण कवियों को आमन्त्रित कर *समवेत* नाम का एक कार्यक्रम आयोजित किया, जिसमें प्रायः बीस-तीस कवि सम्मिलित हुए। मैंने अज्ञेय जी को भी आमन्त्रित किया था; शायद यह लिखा था कि आप नयी कविता के जनक रहे हैं, आपको तो इस कार्यक्रम में आना ही चाहिए। अज्ञेय जी का उत्तर भी तत्काल आ गया कि: मैं इधर लगातार अस्वस्थ रहा हूँ और अब जाकर कुछ पत्रों का उत्तर देने की स्थिति में आ पाया हूँ, लेकिन वहाँ आने और आपके इस महत्त्वपूर्ण कार्यक्रम में शामिल होने लायक नहीं हूँ। हो सके तो कार्यक्रम सम्पन्न हो जाने के बाद मुझे उसके बारे में लिख भेजिएगा। हाँ, आपने अपने ऑफिशियल लेटरहेड पर मुझे नयी कविता का जनक लिखा है, यह शायद आपत्तिजनक हो

सकता है या आपको शायद ऐसा नहीं लिखना चाहिए था (वह पत्र सम्भवतः मेरे पास आज भी है)।

अज्ञेय जी उसके बाद भारत भवन के कुछ कार्यक्रमों में आये जरूर, पर उन्होंने अपने को प्रायः नेपथ्य में ही रखा।

ऐसी ही एक शाम थी, जब हम सब लोग अशोक वाजपेयी या जगदीश स्वामीनाथन के निवास पर खान-पान के लिए एकत्र हुए थे। भारत भवन की परम्परा थी कि लोग प्रायः जमीन पर बिछाए गद्दों पर ही गावतकियों के सहारे बैठते थे। पर चूँकि शायद अज्ञेय जी के घुटनों में तकलीफ थी, इसलिए उन्हें कुर्सी पर बैठाया गया था।

जब हम पर्याप्त 'तरन्नुम' में आ गये और न जाने कैसे और क्यों अचानक अज्ञेय जी को उनकी ही कुछ पुरानी (और हमारी प्रिय) कविताएँ सुनाने लगे। हमने (शायद मैंने ही) उनसे कहा कि देखिए, आपसे ज्यादा आपकी कविताएँ हमें याद हैं। तब वे जाने के लिए उठ रहे थे। उन्होंने धीरे से कहा, 'सो वाट?' और सामने गाड़ी में बैठ गये। यहाँ यह बता देना जरूरी है कि ऐसे अवसरों पर अज्ञेय जी केवल गुनगुना पानी पीते थे।

अगले दिन के कार्यक्रम के बाद अशोक जी ने सभी कवियों से अनुरोध किया कि वे 'वागर्थ' की दीवार पर – जहाँ एक विशाल कैनवस का पैनल स्वामीनाथन जी ने बना दिया था – अपने हस्ताक्षर सहित कुछ काव्य पंक्तियाँ लिख दें। अज्ञेय जी ने अपनी कविता की एक पंक्ति लिखी थीः *मैं सच लिखता हूँ, लिख-लिख कर सब झूठा करता जाता हूँ।*

उसके कुछ ही दिनों बाद रेडियो पर उनके निधन की सूचना मिली। मैंने तत्काल 'वागर्थ' के हॉल में ही एक शोक-सभा आयोजित की और सामने के पैनल की ओर संकेत करके कहा– अज्ञेय जी द्वारा लिखी गयी शायद अन्तिम पंक्तियाँ वहाँ अंकित हैं।

मेरे मन में भी आज तक, अज्ञेय जी की स्मृति के रूप में, वे पंक्तियाँ अंकित हैं।

10

कविता का सौन्दर्यशास्त्र

॥ परमानन्द श्रीवास्तव

याद आता है कि कभी सन् 55-56 के आसपास इलाहाबाद में 'लेखक और राज्य' पर एक बड़े राष्ट्रीय आयोजन के पीछे अज्ञेय की संगठनात्मक शक्ति थी। ताराशंकर वन्द्योपाध्याय, मामबरेरकर, वीरेन्द्र भट्टाचार्य, यशपाल जैसे बड़े लेखकों से मिलना प्रीतिकर था। यशपाल तो लखनऊ से मेरे साथ ही आये थे। दो सत्रों में मेरा वक्तव्य था। एक के अध्यक्ष थे – ताराशंकर वन्द्योपाध्याय, दूसरे के यशपाल। जब मैं नीचे उतरा, *क्वेस्ट* के सम्पादक प्रभाकर पाध्ये ने मुझसे सम्पर्क किया। पता नोट किया। बाद में कथाकार मार्कण्डेय ने भेद खोला। ये लोग, यानी अज्ञेय भी, कांग्रेस फॉर कल्चरल फ्रीडम से सम्बद्ध हैं। इनके झाँसे में न आना। पूरा आयोजन एक अर्थ में परिमलीय था, यानी प्रगतिशील लेखक संघ के विरुद्ध।

प्रतिवाद में अमृतराय, नामवर सिंह, कमलेश्वर, मार्कण्डेय ने प्रगतिशील-जनवादी लेखकों का अखिल भारतीय सम्मेलन आयोजित किया। इसमें महादेवी वर्मा, हजारीप्रसाद द्विवेदी, रेणु, मुक्तिबोध, हरिशंकर परसाई आदि लगभग सौ लेखक थे। रपट बनाते अमृतराय। सभी परचे टंकित हुए। तय था कि *सहचिन्तन* नाम से एक बड़ा ग्रन्थ आएगा। सम्पादक होंगे– अमृतराय और नामवर सिंह। सम्पादक मण्डल में मार्कण्डेय, कमलेश्वर भी। कविता-सत्र में अध्यक्षः सुमित्रानन्दन पन्त। परचेः मुक्तिबोध, नरेश मेहता, केदारनाथ सिंह। मेरा परचा – नयी कविता में लय। वक्ताओं में नामवर सिंह, धर्मवीर भारती भी। इस योजना में *सहचिन्तन* ग्रन्थ तो आया नहीं।

मेरे पहले कविता संग्रह की योजना बनी। सर्वेश्वर ने सुझाया– हम सभी अपनी पाण्डुलिपि अज्ञेय को दिखाते हैं। पाण्डुलिपि मैंने नयी दिल्ली पते पर अज्ञेय को भेज दी। चार नाम सुझाये– उजली हँसी के छोर पर, कचनार वृक्ष के लिए, बर्फ हँसी में लिपटी, फूलों के नाम। अज्ञेय ने तत्काल लिखाः इधर विदेश में रहूँगा। पाण्डुलिपि साथ ले जा रहा हूँ। आते ही अपने सुझाव के साथ भेज दूँगा।

वे लौटे, तो चार पेज का सघन पत्र। अनेक सुझाव – 'चिड़ियाएँ' क्यों।

चिड़ियाँ क्यों नहीं। अधूरेपन को बाधक बताया। विनोदवश लिखा– प्रिय मित्र, आपका बल 'कचनार वृक्ष के लिए' नाम पर है – पर आप कब चाहेंगे – आपका 'कचनार वृक्ष' सबका हो। आपकी सूक्ष्म प्रवृत्ति के अनुरूप नाम होना चाहिए – *उजली हँसी के छोर पर।* लक्ष्मीकांत वर्मा ने लम्बी समीक्षा लिखी– सूक्ष्म पर्यवेक्षण को सराहा। प्रभाकर माचवे ने *लहर* में दस-पन्द्रह पृष्ठों की समीक्षा लिखी। और मुझे जेन दर्शन से प्रभावित बताया। चीनी कविता से प्रभावित। अज्ञेय को लक्ष्य कर मैंने सर्वेश्वर की सलाह पर छोटी-सी भूमिका लिखी– अभी तो अधूरापन ही मेरी कई अर्थों में ताकत है। पूर्णता आने पर पता नहीं कविता लिख सकूँ या नहीं।

दिल्ली पाण्डुलिपि लेकर गया। यह दिल्ली की पहली यात्रा थी। तब पुरानी दिल्ली में ताँगे चलते थे। चालक से बता दिया – शक्ति नगर चलना है। रास्ते में जिनसे पूछा – मुझे कमलेश के यहाँ जाना है। वे विश्वनाथ त्रिपाठी निकले। आप परमानन्द जी हैं – चलिए – कमलेश मेरे पड़ोस में हैं। वे इन्तजार कर रहे हैं। छोटा कमरा – दुछत्ती या फिर जमीन पर। धर्मेन्द्र गुप्त पुराने ढंग की मशीन पर संग्रह छापने को तैयार। यह एक एडवेंचर था। मैं सर्वेश्वर, कमलेश, धर्मेन्द्र के प्रेस पर। भवन तो नहीं, कुछ दो कमरे जैसे तैसे बने थे। वहीं तन्दूरी रोटी सब्जी मँगाई जाती। एक दिन काली आँधी आयी। फर्मे उड़ने लगे। सभी एक-एक पुर्जा-पन्ना पकड़ रहे हैं। फिर प्रूफ देखा गया। मार्कण्डेय ने कहा – इलाहाबाद आओ – नये सिरे से सुधार कर नया साहित्य प्रकाशन से संग्रह आ जाएगा। केदारनाथ सिंह का *अभी बिलकुल अभी,* ठाकुर प्रसाद सिंह का *पाँच जोड़ बाँसुरी*। सभी नया साहित्य प्रकाशन से। मिण्टो रोड अब नहीं है– अन्यत्र बोर्ड लगा है। कवर मार्कण्डेय डिजाइन करते। वितरक – लोकभारती।

याद है कि एक बार दोपहरी में कुशीनगर जाने के लिए अज्ञेय, कपिला वात्स्यायन, सर्वेश्वर गोरखपुर बेतियाहाता में मेरे घर आये। मेरी खुशी अकल्पनीय। चाय हुई। फिर कुशीनगर में मिलना ही था। कुशीनगर में अज्ञेय की कई यादें हैं। अज्ञेय ने नेशनल से प्रकाशित मेरी किताब *उपन्यास का यथार्थ और रचनात्मक भाषा* पढ़ कर लम्बा पत्र लिखा और वत्सल निधि के शिविर में इसी विषय पर व्याख्यान के लिए आमन्त्रित किया। मेरी दुविधाः मार्क्सवाद।

इस बीच अज्ञेय का नया संग्रह *सागर मुद्रा* आया। मैंने समीक्षा लिखी और अज्ञेय को चुका हुआ कवि बताया। सागर सागर – जैसे एक मुहावरा पिट गया हो। बालकृष्ण राव ने मेरे साहस की सराहना की। अज्ञेय से संवाद सम्भव न था। कुशीनगर गेस्ट हाउस में अज्ञेय ठहरे हुए थे। और अकेले थे। मैंने पूछा – 'इन दिनों आप क्या लिख रहे हैं!' अज्ञेय की व्यंग्योक्ति थीः "इधर चुक गया हूँ"। वे मुस्कुरा रहे थे। अज्ञेय-साहित्य पर पुनर्विचार जरूरी है। अज्ञेय की भूमिका बड़ी

है। *सप्तकों* का सम्पादन, अनेक संग्रह (*हरी घास पर क्षण भर, इत्यलम, बावरा अहेरी*), *शेखरः एक जीवनी, नदी के द्वीप, अपने अपने अजनबी* (उपन्यास), *आत्मनेपद, शाश्वती* (निबन्ध), 'असाध्य वीणा' जैसी एक कालजयी लम्बी कविता। भोला भाई पटेल की किताब *अज्ञेय एक अध्ययन* विलक्षण है। आलोचना को द्वन्द्वात्मकता प्रिय है – मुक्तिबोध की लम्बी कविता 'अँधेरे में', अज्ञेय की 'असाध्य वीणा'। तुलना असम्भव है।

मेरे एक आयोजन 'भाषा और समाज' (उ.प्र. हिन्दी संस्थान के तत्वावधान में) का अज्ञेय को उद्घाटन करना था। डी.ए.वी. कॉलेज में पण्डाल लगा – कॉलेज के सौजन्य से। हवाई यात्रा की सुविधा दी। अज्ञेय को और भाषाविद् रवीन्द्रनाथ श्रीवास्तव को। अज्ञेय से अनुरोध किया – वे अपनी बीसेक चुनी कविताओं का पाठ करें। अज्ञेय उत्साहित। स्वयं पाण्डुलिपि ले आये। एक घंटे का पाठ। सन्नाटा। कइयों ने कैसेट्स बना लिये। लहर पर लहर पर लहर। असाध्य वीणा। पार्श्वगिरि का नम्र, चीड़ों में डगर चढ़ती, बिछी पैरों में नदी ज्यों दर्द की रेखा। बावरा अहेरी। साँप। उद्घाटन भाषण अज्ञेय की किताब में मौजूद है। नामवर सिंह के कैनन में पाँच उपन्यास हैं – *बाणभट्ट की आत्मकथा, शेखरः एक जीवनी, गोदान, मैला आँचल, त्यागपत्र*। अन्तिम संग्रह *पहले मैं सन्नाटा बुनता हूँ*। एक कविता है –

लोच-भरी एड़ियाँ
लहरतीं
तुम्हारी चाल के संग संग
मेरी चेतना बिहरती रही।

अज्ञेय महाकाल को सम्बोधित करते हैं। *संवत्सर* निबन्ध संग्रह – काल-चिन्तन। अज्ञेय की कथा-भाषा में काव्यात्मकता हैः रेखा ने बिना किनारे की सफेद रेशमी साड़ी पहन रखी थी और वैसा ही ब्लाउज। रेशम की सफेदी में एक स्निग्धता होती है – जैसे हाथी-दाँत के रंग में और उस पर रेखा का साँवला रंग बहुत भला लग रहा था। आचरण-अलंकार कोई न था। केवल उसके एक ओर मुड़ने पर भुवन ने लक्ष्य किया, कि जूड़े में एक फूल है। यह था अज्ञेय का सौन्दर्यबोध।

अज्ञेय के लिए कोई काम छोटा बड़ा न था। वे अपने पैर का मोजा बुन सकते थे। जूते गाँठ सकते थे। अलमारी बना सकते थे। रँगाई-पुताई कर सकते थे। एक दोपहरी में जे.एन.यू. के भारतीय भाषा केन्द्र से पहले से पूछ कर हम चले। मैं, केदारनाथ सिंह, विश्वनाथ प्रसाद तिवारी। अज्ञेय के यहाँ पहुँचे, तो

सूना-सूना था। अज्ञेय हमारी राह देख रहे थे। इला जी कहीं गयी थीं। पहला सवाल – क्या लेंगे – भूख तो लगी होगी। 'पानी' संकोच से हमने कहा। वे रसोई में गये। सूजी का हलवा तीन प्लेट में ले आये। ट्रे में तीन गिलास पानी। इला जी आयीं, फिर उन्होंने चाय बनाई।

अज्ञेय बड़े लेखक थे। सेना में रह चुके थे। अब अज्ञेय-स्मृति-निवास है। अज्ञेय नहीं हैं। अज्ञेय जन्मशतीः *आलोचना, समकालीन भारतीय साहित्य, इन्द्रप्रस्थ भारती, अक्षर पर्व, आजकल* आदि अनेक पत्रिकाओं के विशेष अंक अज्ञेय पर एकाग्र हैं। कभी अशोक वाजपेयी ने चौंकाने वाला लेख लिखा था, जो *फिलहाल* में संकलित है, 'बूढ़ा गिद्ध क्यों पंख फैलाए'। बाद में भारत भवन के आलोचना संवाद का उद्घाटन अज्ञेय ने किया।

कभी जोधपुर विश्वविद्यालय में कुलपति वी.वी. जॉन ने नामवर सिंह को हिन्दी विभाग के प्रोफेसर-अध्यक्ष के रूप में बुला लिया। अज्ञेय को विजिटिंग प्रोफेसर। या राइटर इन रेजीडेन्स।[1] *आधा गाँव* पर आन्दोलन कि गालियाँ हैं। महादेवी वर्मा, दिनकर ने विरोध में ज्ञापन दिया। अज्ञेय-नामवर के कमरे सटे-सटे थे। अज्ञेय सुबह की पहली चाय लेकर नामवर सिंह के पास आते। यह सौजन्य

था। बातचीत 'हाँ' 'हूँ' से आगे नहीं। अज्ञेय ने नामवर सिंह के जोधपुर छोड़ने के साथ जोधपुर छोड़ दिया।[2] वी.वी. जॉन ने भी। यह दुखद अध्याय है। विश्वविद्यालयों की बौद्धिक दरिद्रता, काहिली। जे.एन.यू. अपने ढंग का पहला विश्वविद्यालय बना। 'पठार का धीरज' नामवर सिंह की प्रिय कहानी है।

हिन्दुस्तानी एकेडेमी सभागार में प्रेमचन्द पर राष्ट्रीय सेमिनार – दो दिवसीय। अज्ञेय ने उद्घाटन किया। अध्यक्ष थे – नामवर सिंह। अज्ञेय ने प्रेमचन्द्र को वहाँ मैथिलीशरण गुप्त की तरह करुणा का लेखक बताया। बौद्ध मत से प्रभावित। अध्यक्षीय वक्तव्य में पोलेमिक्स में सिद्ध नामवर सिंह ने सारा प्रभाव धो दिया – कहा – मैथिलीशरण गुप्त होंगे करुणा के लेखक। अज्ञेय की तो कृति ही है – 'अरी ओ करुणा प्रभामय'। मैथिलीशरण गुप्त करुणामग्न हो सकते हैं, प्रेमचन्द क्रोध के लेखक हैं। अज्ञेय खिन्न थे। सिविल लाइंस इलाहाबाद के कॉफी हाउस में अज्ञेय, जगदीश गुप्त, रामस्वरूप चतुर्वेदी, रामकमल राय। शब्द नहीं थे – मौन था। अज्ञेय ने इलाहाबाद छोड़ने का निर्णय किया।

एक और प्रसंग – हिन्दुस्तानी एकेडेमी सभागार में ही समकालीन हिन्दी कविता

---

1. प्रोफेसर-अध्यक्ष, तुलनात्मक साहित्य विभाग। –सं.

2. अज्ञेय ने वी.वी. जॉन के साथ विश्वविद्यालय छोड़ दिया था, नामवर सिंह ने आगरा में नियुक्ति मिलने पर छोड़ा। देखें नामवर जी का संस्मरण पृष्ठ 163 (भाग-1) पर। –सं.

पर परिसंवाद। अध्यक्ष – अज्ञेय। विषय प्रवर्तकः रामस्वरूप चतुर्वेदी। वक्ताओं में मेरे साथ लक्ष्मीकान्त वर्मा, विजयदेव नारायण साही। रामस्वरूप चतुर्वेदी ने आज की कविता को विचार-विधारधारा से आक्रान्त बताया। बड़बोलेपन की शिकायत की। अज्ञेय ने कहा– आज कविता इतना बोलती है कि किसी की भी बोलती बन्द हो जाए। मैंने कहा– मुक्तिबोध से धूमिल तक कविता एक राजनीतिक वक्तव्य है। अज्ञेय अवधारणात्मक कविता लिखते हैं – जैसे, नदी के द्वीप, यह द्वीप अकेला। आज कविता अधिक बोलती है, तो यह समय की माँग है।

केदारनाथ सिंह के बेटे के विवाह में हम पटना में थे। खगेन्द्र ठाकुर ने प्रगतिशील लेखक संघ की पटना इकाई की ओर से नागार्जुन के जन्मदिन – ज्येष्ठ पूर्णिमा – पर गोष्ठी रख ली। अध्यक्ष – नामवर सिंह।

विषय प्रवर्तन मुझे करना था। नामवर सिंह ने मुझसे कहा– प्रशस्ति नहीं। आपको क्रिटिकल होना है। मैंने कहा– नागार्जुन की महान कविताएँ अन्तर्वस्तु और रूप में विलक्षण हैं। फिर प्रशस्ति ही प्रशस्ति। अरुण कमल, आलोक धन्वा, बच्चन सिंह, खगेन्द्र ठाकुर – और तो और नामवर सिंह। बोले परमानन्द के संस्कार शहरी हैं – रघुवीर सहाय, शमशेर जैसे। बाबा नागार्जुन ठहरे गाँव के, भदेस। वे कैसे पसन्द आएँगे। उनकी राजनीतिक कविताओं से बिहार में क्रान्ति आ गयी। और अब अज्ञेय नामवर सिंह के अनुसार नागार्जुन से बड़े कवि हैं। नागार्जुन के उपन्यास सपाट हैं। कुछ कविताएँ महत्त्वपूर्ण हैं। नागार्जुन केदारनाथ अग्रवाल से बड़े हो सकते हैं।

मैथिलीशरण गुप्त सत्ता के निकट थे। दिनकर भी। बालकृष्ण शर्मा नवीन भी। बाद में श्रीकान्त वर्मा राष्ट्रीय कांग्रेस के पक्षधर। अज्ञेय कभी सत्ता के निकट न थे। एक प्रसंग। शायद विद्यानिवास मिश्र की पहल पर बस्ती में साहित्यिक आयोजन। वहाँ अज्ञेय आमन्त्रित थे। पर मुख्य अतिथि थे – पं. कमलापति त्रिपाठी। आते ही गहमागहमी। अज्ञेय मंच पर थे, पर जैसे किसी को दिखाई नहीं दे रहे थे। विद्यानिवास मिश्र भी कमलापति त्रिपाठी के ही स्वागत में विभोर। अज्ञेय अचानक बिना बोले, मंच से उतरे और हम तीन-चार लेखकों के साथ गाड़ी में बैठे। बाद में खोज हुई पर अज्ञेय का स्वाभिमान। नहीं गये, तो नहीं गये। मेरे समानधर्मा केदारनाथ सिंह ने ठाकुर प्रसाद सिंह के अनुरोध पर देवघर में कविताएँ पढ़ीं। फिर काशी में। अज्ञेय ने नोट भी कीं। फिर पत्र लिखा – मैं आपको *तीसरा सप्तक* में लेना चाहता हूँ। दस-पन्द्रह कविताएँ भेज दें। केदारनाथ सिंह इंटर में थे – यू.पी. कॉलेज में। तभी अज्ञेय-सम्पादित *प्रतीक* में छपे।

कभी मैं साहित्य अकादेमी, नयी दिल्ली की साधारण सभा का सदस्य था, दस वर्षों के लिए। अज्ञेय भी मानद सदस्य रहे होंगे। मुझे *एन्साइक्लोपीडिया ऑफ इंडियन लिटरेचर* के सम्पादक मण्डल में रखा गया। प्रविष्टियों के सम्पादन के लिए संयोजक विष्णु प्रभाकर ने अज्ञेय को समिति का सदस्य मनोनीत किया। सूची में नामवर सिंह का नाम। कृति– *कविता के नये प्रतिमान*। साहित्य अकादेमी से पुरस्कृत। अज्ञेय चुप थे। पूछने पर बोले– क्या यह कृति इस योग्य है कि साहित्य के विश्वकोश में उसे स्थान मिले। सभी भौचक। मैंने दृढ़ता से प्रतिवाद किया। मेरे लिए यह कृति आलोचना में नयी शुरुआत है। नयी समीक्षा पर अब तक की अकेली पुस्तक। विष्णु प्रभाकर ने पूछा– पर लिखेगा कौन! अज्ञेयः परमानन्द श्रीवास्तव ही लिखेंगे। मैंने ही लिखा भी। वह ग्रन्थ कई खण्डों में प्रकाशित है, अय्यपा पणिक्कर के सम्पादन में।

कहना न होगा, अज्ञेय के स्वाभिमान ने उन्हें शिखर जैसी ऊँचाई दी। *तार सप्तक* का सम्पादन एक बड़ी घटना है। अज्ञेय मार्क्सवाद-विरोधी थे। संकलित सात कवियों में चार मार्क्सवादी हैं। रामविलास शर्मा, गजानन माधव मुक्तिबोध, गिरिजा कुमार माथुर, नेमिचन्द्र जैन। *चौथा सप्तक* को मैंने अज्ञेय के सामने ही कमजोर संग्रह कहा। अपवाद हैं श्रीराम वर्मा। अज्ञेय के पूर्वग्रह थे, पर अकारण न थे। अज्ञेय प्रगतिशील लेखक संघ के इलाहाबाद वाले राष्ट्रीय सम्मेलन में मौजूद थे। नये से नये लेखक को उन्होंने पढ़ा और सराहा। एक बार वाराणसी में उन्होंने गोविन्द मिश्र का नया उपन्यास *लाल पीली जमीन* मुझे समीक्षार्थ दिया और समीक्षा *नया प्रतीक* में प्रकाशित की। जब उन्हें ज्ञानपीठ सम्मान मिला, तो मैं कलकत्ते में ही था। अज्ञेय भारतीय साहित्य के अन्यतम लेखक हैं। युवा लेखक उनसे दूर न थे। पंकज सिंह इंडिया इंटरनेशनल सेंटर में उनसे देर तक बहस कर सकते थे। यह उनके व्याख्यान के बाद सवालों की चोट थी। अज्ञेय प्रायः चुप रहे। वही कह सकते थे– 'आज तुम मुझे शब्द न दो, कल भी मैं कहूँगा'। साहित्य अकादेमी के दो संचयन मेरे सम्पादन में हैं – *समकालीन हिन्दी कविता, समकालीन हिन्दी आलोचना*। दूसरे में अज्ञेय के दो निबन्ध हैं– 'यथार्थ और यथार्थवाद', 'कविता का सम्प्रेषण'।

समकालीन कविता का सौन्दर्यशास्त्र अज्ञेय ने बनाया। प्रयोग को प्रतिष्ठित करने का श्रेय अज्ञेय और केवल अज्ञेय को है।

11

पर्वत पर समभाव

॥ नवलकिशोर

अज्ञेय जी से पहले-पहल मैं बीती सदी के छठे दशक के शुरू में मिला था। मैं एम.ए. का छात्र था। महाराजा कॉलेज, जयपुर के प्राध्यापक डॉ. देवराज उपाध्याय से छात्र-रूप में बहुत निकट सम्पर्क में आ चुका था। डॉ. उपाध्याय की हिन्दी-उपन्यास के मनोवैज्ञानिक अध्ययन से सम्बन्धित पुस्तक प्रकाशित हो चुकी थी और उन्हें कथालोचन की उस दिशा के लगभग प्रथम पुरस्कर्ता का सम्मान प्राप्त था। उस समय के अनेक बड़े लेखकों से उनकी निकटता थी। अज्ञेय जी से भी घनिष्ठ परिचय था। उपाध्याय जी ब्रज-बधिर हो चुके थे; वे स्वयं वाक्-प्रवीण थे, किन्तु अन्य के उच्चारण को लिखे रूप में ही ग्रहण कर पाते थे। अध्यापन में उन्हें कोई कठिनाई नहीं होती थी क्योंकि उनकी विद्वत्ता व्याख्यान में निर्बाध श्रवण-गोचर बनी रहती थी, चिट-लिखित प्रश्नों का वे सदा स्वागत करते थे। वे अपने पास सदा एक पैड रखते थे और उससे सामान्यतः अपना काम चला लेते थे। लेकिन विशिष्ट लोगों से मिलने के लिए और विशेषतः यात्रा-प्रसंगों में उन्हें श्रुति-सहायक की जरूरत बनी रहती थी।

एक बार दिल्ली-पटना की यात्रा में डॉ. उपाध्याय मुझे साथ ले गये। दिल्ली में वे अज्ञेय जी से मिले तो मुझे दर्शन-लाभ होना ही था। अज्ञेय कपिला जी के साथ एक बड़े सरकारी बँगले में रहते थे। अज्ञेय जी को एक स्वरूपवान प्रौढ़ होते युवा के रूप में देखा तो तब तक अरूप रहे 'शेखर' की छवि मेरे सामने मूर्तिमान हो उठी। हालाँकि उसके उद्धत विद्रोही-चरित्र की कोई छाया मैं अज्ञेय के सौम्य स्वरूप में नहीं खोज पाया। कपिला जी अपने कार्यालय जा चुकी थीं। अज्ञेय जी ने गृह-सेवक की सहायता से स्वयं चाय-नाश्ता परोसा, जिसमें कई तरह के फल थे। वे लोग लगभग घण्टा-डेढ़ घण्टा बात करते रहे।

उपाध्याय जी अपनी बात कहते, अज्ञेय उत्तर देते और मैं उसे पैड पर लिखकर उपाध्याय जी को दिखा देता। मुझे इतना ही याद है कि उपाध्याय जी ने उनकी व्यस्तताओं के बारे में ही ज्यादा पूछा। अज्ञेय जानकारी देते रहे। मैंने अज्ञेय

के अल्पभाषी होने के बारे में सुन रखा था। लेकिन उस रोज उन्होंने उपाध्याय जी को कर्ण-विकलांगता का थोड़ा भी एहसास नहीं होने दिया। उनसे खूब खुलकर बातें कीं। अज्ञेय जी को कहीं जाना था। लेकिन जब तक उपाध्याय जी ने विदा का उपक्रम नहीं किया, वे अनुद्विग्न भाव से बैठे रहे। उस बातचीत में अज्ञेय-साहित्य पर कोई खास बात नहीं हुई थी। हलकी-फुलकी निजी-सी बातें उपाध्याय जी ने बधिरता के कारण नौकरी में विरोधियों द्वारा लगातार उत्पन्न की जाने वाली बाधाओं का जिक्र किया। उपाध्याय जी में बड़े और प्रसिद्ध लोगों से सहानुभूति पाने की दुर्बलता थी, जिसे उनके संघर्ष को देखते हुए असहज भी नहीं कहा जा सकता। मैंने पाया कि अज्ञेय जैसे स्नेही को पाकर वे गद्‌गद थे।

दूसरी बार मैंने अज्ञेय को दूर से देखा और निकट से सुना उदयपुर में। यह मेरे यहाँ के विश्वविद्यालय में आने से कोई साल भर पहले की बात होगी। राजस्थान साहित्य अकादमी के एक कार्यक्रम में आमन्त्रित होकर पहुँचा था। तब जनार्दनराय नागर अध्यक्ष थे और शान्ति भारद्वाज सचिव थे। गोष्ठी की अध्यक्षता के लिए आचार्य नन्ददुलारे वाजपेयी बुलाये गये और व्याख्यान के लिए अज्ञेय। अज्ञेय ने, जहाँ तक मुझे याद है, सम्प्रेषण की समस्या पर वक्तव्य दिया था और उसमें कुछ ऐसा वे बोल गये थे, जिसे सुनकर आचार्य जी का चेहरा तमतमा गया था। लेकिन तब भी एक सहभागी की अमर्यादित टोका-टाकी पर उन्होंने उसे लताड़ दिया था। अध्यक्षीय वक्तव्य में उन्होंने अवश्य अज्ञेय जी का प्रतिवाद किया। अज्ञेय उन्हें अनुत्तेजित व शान्त भाव से सुनते रहे। मेरे जैसे श्रोता के लिए यह सुखद विस्मय की बात थी, क्योंकि गोष्ठी प्रसंगों में प्रतिवाद-असहिष्णुता ही मुझे ज्यादा देखने को मिली थी। उस अवसर पर नागर जी ने दोनों मुख्य अतिथियों को एक तरह से अपने लिए रिजर्व-सा कर लिया था, इसलिए दोनों से अनौपचारिक बातचीत का मौका मुझे नहीं मिला।

लेकिन कुछ ही समय बाद आबू पर्वत पर उनके नजदीक रहने का मौका मिला। अवसर था वत्सल निधि द्वारा आयोजित लेखक शिविर। शिविर में शामिल होने के आमन्त्रण से अधिक मैं उनके हस्तलिखित पत्र भेजने के सौजन्य से प्रभावित हुआ था। शिविर में संगोष्ठियों में वे तभी हस्तक्षेप करते, जब बहस विषय से भटकने लगती। वहाँ मैंने उन्हें एक कुशल आयोजक और एक कुशल संचालक के रूप में देखा। वत्सल निधि उनके द्वारा स्थापित संस्था ही थी और वहाँ शामिल लोगों के वे श्रद्धास्पद थे, तब भी उन्होंने अपने को केन्द्र में नहीं रखा। लगभग दो दर्जन सहभागी थे। दुर्गा भागवत, रघुवीर चौधरी, विजयदेव नारायण साही, सर्वेश्वर दयाल सक्सेना जैसे प्रख्यात लेखकों के साथ मेरे जैसे अपेक्षया नये लोग भी। यह विशेष

ध्यान रखा गया था कि राजस्थान में होने वाले शिविर में प्रदेश के लेखकों की ठीक अनुपात में सहभागिता रहे। शिविर की व्यवस्था में इला जी के साथ अज्ञेय जी भी व्यस्त रहते थे। मुझे जिस बात ने सर्वाधिक प्रभावित किया वह थी बड़े-छोटे सभी लेखकों के प्रति अज्ञेय जी का समान सम्मान-भाव।

उसके बाद अज्ञेय फिर उदयपुर आये। विद्यापीठ में उनका व्याख्यान था। शाम को एक जगह (ठीक से याद नहीं) एक बँगले के बगीचे में उनके साथ अनौपचारिक चाय-बैठक थी। नन्द चतुर्वेदी और पूनम दईया भी थे। उस बैठक में अज्ञेय के स्वातन्त्र्य-संघर्ष के दिनों के बारे में किसी ने कुछ जानना चाहा। तभी हमें पता चला कि अज्ञेय स्वाधीनता-सेनानी वाली पेंशन नहीं लेते। पेंशन लेना वे अनैतिक तो नहीं मानते थे, लेकिन सिद्धान्ततः मानते थे कि चूँकि उन्होंने संघर्ष में स्वेच्छा से भाग लिया था, इसलिए उसका कोई प्रतिदान उनको नहीं लेना चाहिए, खासकर इसलिए कि जीवनयापन के लिए उन्हें इसकी जरूरत भी नहीं है। मुझे उस समय महसूस हुआ था कि ऐसे स्वाधीनता-सेनानी को जो आज के दौर में भी अपने नैतिक उसूलों पर जीता है, उसे 'पूँजीवादी दलाल' और 'अमेरिकी एजेंट' के अपशब्दों के साथ भी देखा जाता है। थोड़े समय के लिए वे प्रगतिशील लेखक-संघ से भी जुड़े रहे थे, लेकिन तब भी वे साम्यवाद-समर्थक नहीं थे। सोवियत-संघ के दुश्मन भी वे कभी नहीं रहे। वे 'राइटर्स-फोरम' (कांग्रेस/कमेटी फॉर कल्चरल फ्रीडम) से जुड़े थे, जिसके तब 'फोर्ड फाउंडेशन' से भले सम्बन्ध रहे हों, सीआईए से कोई रिश्ता उजागर नहीं हुआ था, जैसा कि *एनकाउंटर* पत्रिका का हुआ था। उससे पहले तक दुनिया भर में बहुत-से ग़ैर-कम्युनिस्ट नामी लेखकों का उस कांग्रेस से सम्बन्ध था – अज्ञेय कोई अपवाद नहीं थे।

उनका आरम्भ में वैचारिक नाता एम.एन. राय से था और उससे पहले नेहरू से भी। बाद में वे जयप्रकाश के करीब हो गये थे – आपातकाल में भी रहे। जयप्रकाश जी के साप्ताहिक *एवरीमेंस वीकली* का उन्होंने सम्पादन भी किया। ऐसा व्यक्ति न पूँजीवाद-समर्थक हो सकता था, न पश्चिम के तथाकथित नव-साम्राज्यवाद का स्वागतकर्ता। वे अन्त तक मानवीय स्वातन्त्र्य के आराधक रहे और इसलिए लोकतन्त्र-समर्थक भी। उन्होंने लोकतन्त्र पर कभी गम्भीर आलोचनात्मक टिप्पणी नहीं की तो शायद इसलिए कि उसका ऐसा विरूपण भी उन्होंने नहीं देखा था, जैसा आज हम देखते हैं। जनतान्त्रिक प्रक्रियाओं में सुधार-सम्भावना के प्रति बुद्धिजीवियों में जो एक निराशावाद इस समय है, वह तब तक इतना प्रबल नहीं हुआ था। इस निराशावाद से हमारा निस्तार भी नहीं हो पा रहा है क्योंकि जनतन्त्र का कोई उन्नत मॉडल भी हमारे सामने नहीं है। बहरहाल, अज्ञेय जी को अन्त तक वामपंथियों के अन्ध-विरोध का सामना जरूर करना पड़ा।

बीकानेर में उनसे 'असाध्य वीणा' का पाठ सुनने की याद भी मेरे जेहन में कायम है। उनके वाचन में न कोई नाटकीयता थी और न सांगीतिक पुट था। लेकिन आरोह-अवरोह के सन्तुलन के साथ सधे स्वर में उनसे उनकी कविता सुनना एक आह्लादकारी अनुभव था। लम्बी कविता के लिए श्रोताओं में कुछ का अधीर होना समझ में आता था क्योंकि कवि के प्रति आदर के बावजूद उनका काव्य-प्रेम सावधि था। संगीत, शेरो-शायरी, सस्वर गीत-पाठ आदि के लिए जैसी रात-रात भर की दीवानगी देखने को मिलती है, वैसी किसी कविता-पाठ-संगोष्ठी में देखने को शायद ही मिले – क्योंकि कविता पाठ एक *अमिश्र* कलास्वादन है, जबकि अन्य के साथ सुरीले स्वरों का मिश्रण रहता है। *अमिश्र* कलानन्द की एक कालावधि होती ही है। खैर, यह सुखद लगा कि अज्ञेय केवल लिखने वाले बड़े कवि नहीं, उसे बाँचने वाले बड़े वाचक भी हैं।

इसी से जुड़ी है अज्ञेय जी के साथ कार में करणी माता के मन्दिर की यात्रा। यह मन्दिर पूजा-अर्चना के लिए कम, मन्दिर में मौजूद असंख्य चूहों और संगमरमरी स्थापत्य के कारण ज्यादा जाना जाता है। मन्दिर बीकानेर के पास देशनोक नामक स्थान पर स्थित है। संयोग से मुझे उसी कार में बैठाया गया, जिसमें अज्ञेय और निर्मल वर्मा सवार थे। यात्रा के दौरान *उत्तर प्रियदर्शी* के प्रसंग में मैंने उसके एक अवर नाट्य-रचना होने के बारे में अपनी राय रखी। अज्ञेय जी ने पूछा तो अपना तर्क भी निस्संकोच रख दिया। बाद में निर्मल जी ने कहा कि आपकी दाद देता हूँ आप इतने बेधड़क होकर अज्ञेय जी से बात कर लेते हैं, मैं तो नहीं कर पाता!

निर्मल जी की बात सुनकर मुझे लगा कि शायद ज्यादा बोल गया था। लेकिन अज्ञेय जी के चेहरे पर कोई अस्वस्तिकर भाव नहीं था। अपनी आलोचना के प्रति भी सहिष्णु अज्ञेय के साथ मैं इतनी बातचीत कर सका – इसे मैं एक अनायास प्राप्त स्वर्णावसर मानता हूँ। बीकानेर की यह गोष्ठी इसलिए भी स्मरणीय है कि अज्ञेय जी का सान्निध्य मैंने नन्दकिशोर आचार्य और ओम थानवी के सौजन्य से पाया। ये दोनों अज्ञेय के आत्मीय थे और इन्होंने ऐसा माहौल बनाने में योग दिया, जिसके कारण मेरे जैसे लोग अज्ञेय को उनके सर्वोत्तम रूप में देख-सुन सके। यह सब याद करते हुए मुझे अपने मित्र हरीश भादानी की याद भी आ रही है। वे तब शायद कलकत्ता गये हुए थे। मेरी तरह वे भी अज्ञेय के मुरीद तो नहीं थे, पर बहुत आदर करते थे, उन्हें बहुत बड़ा कवि और उतना ही बड़ा लेखक मानते थे। आज लगता है कि मैं अज्ञेय को जितना मानता था, उससे कहीं ज्यादा मानना चाहिए था।

12

मम् और ममेतर

॥ केशव चन्द्र वर्मा

'अज्ञेय' का कहीं होना या न होना मात्र ही साहित्य की तमाम गतिविधियों को एक सार्थकता देता था, सोच में उथल-पुथल पैदा करता था और सवालों के नए सिलसिले शुरू कर देता था। अज्ञेय के होने के मायने ही था तमाम निष्क्रियता को एक चुनौती और साहित्य के हाशिए पर मँडराने वालों के लिए एक गहरी बेचैनी।

अज्ञेय की तमाम निजी छवियाँ मेरे मनपटल पर उभर रही हैं। 50-51 के बाद अज्ञेय का दुबारा इलाहाबाद से जुड़ना। अज्ञेय का *प्रतीक* वाला दौर चुक चुका था, वे लेखक जो *प्रतीक* के दौर में उनसे जुड़े रह चुके थे, वे अब सहज ही उनसे या तो उदासीन थे या गुपचुप उनका विरोध कर रहे थे। यह विरोध बाद में अज्ञेय के 'तार सप्तकी नेतृत्व' को चुनौती देता हुआ खूब उभरा। इलाहाबाद में 'परिमल' साहित्यिक मित्र मण्डल के रूप में अपनी तीखी पहचान बना रहा था, जिसका अहसास हिन्दी से जुड़े समाज में सबको उत्तरोत्तर हो रहा था। उसके सदस्य खूब लिख रहे थे और अपनी छाप अलग-अलग विधाओं पर छोड़ भी रहे थे। परिमल की सीमित सदस्यता होने के नाते जो युवा रचनाधर्मी तत्काल परिमल में प्रवेश नहीं पा सकते थे, उन्होंने 'सहपरिमल' बनाया और परिमल के साथ-साथ चलते रहे। इसी दौर में अज्ञेय परिमल के नजदीक आये, परिमल में धर्मवीर भारती, विजयदेव नारायण साही, सर्वेश्वर दयाल सक्सेना, जगदीश गुप्त, केशव– बाद में रघुवंश, रामस्वरूप चतुर्वेदी, लक्ष्मीकान्त वर्मा, विपिन कुमार अग्रवाल आदि आये– सहपरिमल में कमलेश्वर, दुष्यन्त, मार्कण्डेय, ओंकारनाथ श्रीवास्तव आदि अनेक नयी प्रतिभाएँ एकत्र थीं। दिल्ली से लेकर इलाहाबाद तक बालकृष्ण राव से भी वात्स्यायन की अपने ढंग की लाँगडाट वाली 'मुहब्बत' चलती रही।

अज्ञेय उस दरम्यान अक्सर से ज्यादा इलाहाबाद आते– बेली रोड पर डॉ. आशा मुकुल दास के यहाँ ठहरते– परिमल के 'लड़कों' के बीच ज्यादा वक्त गुजारते– उन आयोजनों की रूपरेखा बनाते जिनसे हिन्दी साहित्य को फिर से

भारत के नक्शे पर उभारने का अवसर मिलता। परिमल के माध्यम से उन योजनाओं को कार्यान्वित करने की तरकीबें भी वही सुझाते। अक्सर उन बृहत्तर योजनाओं की प्रस्तावना वही लिखते। उस पर 'परिमल' में बड़ी बहस और गहमागहमी होती, काट-छाँट होती तब उसे मान लिया जाता। परिमल द्वारा आयोजित 'व्यक्ति स्वातन्त्र्य और सामाजिक दायित्व' विषयक गोष्ठी में उसकी प्रस्तावना में एक शब्द चलाया था— 'वनौकस यूथ'। शब्द नया-नया सा था और उस समय सबकी जुबान पर वह मजाकिया लहजे में खूब चला हुआ था। बड़ी उठापटक हुई थी उस गोष्ठी में। प्रगतिशील खेमे के अनेक पुरोधा विचारक प्रकाशचन्द्र गुप्त, भगवतशरण उपाध्याय, अमृत राय, प्रभृति तमाम लोग मौजूद थे। दाढ़ी मुड़ाए अज्ञेय को देखकर प्रकाशचन्द्र गुप्त ने हँसकर कहा था— 'आपको तो पहचानना मुश्किल हो रहा है।' अज्ञेय ने ठहाकों के बीच जवाब दिया था— आपके लिए तो मुझको पहचानना हमेशा ही मुश्किल रहा है।

1956 में कपिला मलिक से अज्ञेय ने दूसरा विवाह कर लिया। तब स.ही. वात्स्यायन अज्ञेय और श्रीमती कपिला वात्स्यायन ने इलाहाबाद में टैगोर टाउन की बारह बंगलिया में रहना शुरू किया। यह दौर अपेक्षाकृत संक्षिप्त था। उनकी जिन्दगी का यह अंश उनके लिए उत्तरोत्तर चाहे जैसा अनुभव बना हो, किन्तु परिमल के तमाम लोगों को उनके निकटतर ले गया। भारती अक्सर उनके पास जाते। साही भी। मुहल्लेदारी के कारण मैं और मेरी पत्नी सरोज भी उनके घर प्रायः जाते रहते। इसी दौर में वात्स्यायन अज्ञेय को कुछ और पास से देखने का मौका मिला। अज्ञेय जब-जब नये परिचय का दायरा बनाते थे तो प्रायः कुतूहल, आतंक और प्रभाव का क्रमशः ठप्पा लगाते थे (यही प्रभाव अक्सर पूजा में परिवर्तित हो जाया करता)। यह सब अपनी ओर से कुछ विशेष करके नहीं, सिर्फ अपने मौन, अत्यन्त सीमित, मर्यादित आचरण और भाषा में अपने शब्द चयन के जरिए वे उक्त छाप लगा देने में सिद्धहस्त थे। जो उनके करीब पहुँचने का दुस्साहस कर बैठता था और उनके साथ 'बेहयाई' से बात करने का जोखिम उठा लेता था (जिसमें एक वक्त मैं बहुत आगे तक बढ़ चुका था) उसके साथ अज्ञेय खुलते भी थे। लेकिन सीप का मुँह कब बन्द हो जाएगा, इसके बारे में कुछ कहना कठिन था।

एक शाम मैं पहुँचा। बरामदे में चढ़कर घण्टी बजाने वाला ही था कि जालीदार खिड़की से देखा जाँघिया-बनियाइन में झाड़ू लिए वात्स्यायन फर्श बुहार रहे थे। फिर उसी तेजी से कमरे की पुछाई और सफाई। फिर वे भीतर नहाने चले गये। कुछ देर में कुर्ता-पाजामा पहने आते दिखे। मैंने तब घण्टी बजा दी। उन्होंने दरवाजा खोला— चाय को पूछा। मेरे इनकार करने पर बोले— 'चलिए चौक चलते हैं, घर में पर्दे टाँगने के लिए कील-काँटा लाते हैं।' रिक्शे में साथ-साथ जाना,

वापस आना। अक्सर कॉफी हाउस जाना। छोटे-छोटे हँसी-मजाक और कभी-कभी कुछेक के लेखन या व्यवहार की निन्दा – फिर उनके अनेक उदाहरण। इनमें देवेन्द्र सत्यार्थी और दिनकर के किस्से ज्यादा होते। मैं उन्हें यहाँ दुहराऊँगा नहीं।

वात्स्यायन को पहली बार नये लेखकों की ऐसी जमात मिली थी जो उनके लेखन को, उनकी समझ को, उस समय के पूरे हिन्दी जगत की तरह नकार नहीं रही थी। वे इस नयी पीढ़ी के तमाम लेखकों को अपनी कलम से प्रतिष्ठित करना चाह रहे थे, क्योंकि इनकी मान्यता से ही वात्स्यायन की प्रतिष्ठा स्थायी बन सकती थी। अतः अपने सहज शंखद्वीपी स्वभाव के विपरीत वे अतिरिक्त ढंग से सबसे मिलते-जुलते रहे। नियमित साहित्यिक गोष्ठियाँ समाप्त हो जाने के बाद भी, मध्य रात्रि तक चलने वाली चबाब गोष्ठियों में, जिन्हें 'उच्छिष्ट गोष्ठियाँ' कहा जाता था– अज्ञेय शामिल रहते और हरेक की टाँग खिंचाई में रस लेते। उनका खींचा हुआ एक ऐसा ही आधी रात का चित्र है – इलाहाबाद की सड़कों पर व्याप्त सन्नाटे को चुनौती देता हुआ – 'परिमल के तिलंगों का अट्टहास' – 'सब हैं' उसमें साही, जगदीश, भारती, सर्वेश्वर, केशव और नये-नये शामिल विपिन अग्रवाल भी।

इन्हीं ठहाकों के बीच परिमल ने आजाद हिन्दुस्तान में लेखक और राज्य के रिश्ते को लेकर एक जोरदार बहस की शुरुआत की। वात्स्यायन ने उसकी रूपरेखा बनाने, एक प्रश्नावली तैयार कराने और राष्ट्रीय महत्त्व के लेखकों को उसमें बुलवाने में बड़ी मदद की। बांग्ला के ताराशंकर बनर्जी, असमिया के वीरेन्द्रकुमार भट्टाचार्य, कन्नड़ के शिवराम कारंथ, मराठी से तर्कतीर्थ लक्ष्मणशास्त्री जोशी, गुजराती से सुन्दरम आदि तो आये ही थे, हिन्दी के अनेक प्रतिष्ठित साहित्यकार यशपाल और सुमित्रानन्दन पन्त से लेकर उस वक्त के नये और आज के मान्य लेखक इस सम्मेलन में शरीक हुए थे। प्रयाग के साहित्यिक जगत की वह एक घटना थी। गोष्ठी बड़ी सुनियोजित थी। वात्स्यायन के टैगोर टाउन वाले बँगले में हम लोग रात-दिन काम करते। परचे 'साइक्लोस्टाइल' होते; बहस के सारांश हर गोष्ठी में बँटा करते। राजाश्रय को लेकर तेज-तर्रार बातें हुईं। यशपाल ने पन्त को 'सरकार के पाँव में फिट आता हुआ जूता' कहा तो पन्त ने अपनी तमाम शालीनता छोड़कर 'बिके हुए गद्दारों' की बात कही।

उस सम्मेलन में दो कड़वी बातें हुईं– एक तो यह कि वात्स्यायन ने बिना परिमल की संयोजन समिति से स्वीकृति लिए एक मराठी लेखक प्रभाकर पाध्ये को निमन्त्रित कर दिया जो, उस समय 'कांग्रेस फॉर कल्चरल फ्रीडम' वाली अमेरिकी एजेंसी के एक सक्रिय कारकुन माने जाते थे। उन्होंने इस आयोजन के लिए कुछ रकम देने की बात भी वात्स्यायन के जरिए कहलाई। बस फिर क्या था,

इस पर 'नकचढ़े परिमली दिमाग' ने न केवल थू-थू की, बल्कि प्रकारान्तर से पाध्ये को अपमानित भी किया। इस बदनामी को परिमल ने बहुत दिन ढोया। कम ही लोगों को पता चला कि परिमल के मनचले युवकों ने अपनी तनख्वाह तक लगाकर इस उत्सव को सफल बनाया था। वात्स्यायन ने भी अपनी निजी जमा पूँजी का काफी हिस्सा इसमें लगाया था। बाद में उसका कर्ज चलता रहा। इस सम्मेलन के संयोजक बनाए गये थे प्रसिद्ध भाषाविद् डॉ. हरदेव बाहरी, जिन्हें पूरी कथा मालूम है। थोड़ी-बहुत कपिला जी को भी। दूसरी कड़ुवाहट तब आयी, जब वात्स्यायन ने इस सम्मेलन के अन्तिम सत्र में एक सर्वसम्मत प्रस्ताव रखने की कोशिश की, जो पहले से ही तय था कि नहीं रखा जाएगा। साही (विजयदेव नारायण) ने इसका विरोध किया। फिर औरों ने भी यह प्रस्ताव वापस लेने की बात कही। वात्स्यायन ने खीझकर प्रस्ताव की जिद छोड़ दी।

पाध्ये का अपमान, प्रस्ताव पास करने का विरोध और परिमल के भीतर से उभरता हुआ अपने को मुक्त करने का अन्दाज वात्स्यायन को कहीं गहरे स्तर पर परिमल के तमाम कार्यकलापों से काट गया। उन्हें सदा आँखें मूँदकर साथ चलने वालों की तलाश थी, जो परिमल से अन्ततः उन्हें नहीं मिला। इलाहाबाद से वात्स्यायन को विरक्ति हो गयी– यहाँ का तेवर उन्हें रास नहीं आया। उन्होंने दिल्ली को अपने कार्यक्षेत्र के लिए चुना– जहाँ ऐसी घनिष्ठता का कोई माहौल ही नहीं था। जो उन पर या उनकी चुनी हुई जीवन पद्धति पर प्रश्नचिह्न लगा सके।

सर्वेश्वर अज्ञेय के निकटतम हो चुके थे। वे भी दिल्ली पहुँच गये थे। सर्वेश्वर के ही माध्यम से अज्ञेय से मिलना होता रहा। दिल्ली जाना – सर्वेश्वर से मिलना – सर्वेश्वर का 'भाई' (अज्ञेय) को फोन – 'केशव आये हैं'। फिर कनॉट प्लेस के 'आल्प्स' रेस्तराँ में साथ-साथ दुपहरी बिताना– 'कोना कॉफी' शीशे के पारदर्शी फ्लास्क में बनकर आती। वही 'कोना कॉफी' याद रह गयी। अक्सर चुटकुले सुनाते–हँसाते। उस दुपहर वे काफी प्रतीक्षा के बाद आये। बैठे– बोलेः

सड़क भी पार करना कठिन है। इधर सिग्नल देख रहा हूँ उधर एक सज्जन हाथ पकड़कर पूछ रहे हैंः 'आप अज्ञेय जी हैं ना? आजकल हिन्दी को क्या दे रहे हैं?' 'अभी तो सिर्फ गाली दे रहा हूँ...,' अज्ञेय हँसते हुए बताते हैं।

मोती बाग में अपने कमरे में मुझे और सर्वेश्वर को एक दुपहर बिठाकर बोलेः 'अब मैं अपनी कविता गाकर सुनाता हूँ। टेप चला दूँगा, फिर भाग जाऊँगा। केशव जी के सामने गा नहीं सकता।'

उसी भारी भोंडी आवाज में कविता-पाठ सुनाकर फिर पत्थर के प्यालों में आलू और मटर मक्खन की अपनी बनाई हुई सब्जी खिलाई। सद्यः प्रकाशित *एक बूँद सहसा उछली* मुझे अपने हस्ताक्षरों से दी। उनकी छोटी-सी बगिया खूब हरी-भरी

थी। तारीफ की तो बोले–

लोग बच्चों को रोते से चुप कराते हैं। इलाहाबाद से कुछ पौधे रेलगाड़ी से लेकर आ रहा था। साथी यात्री का छोटा बच्चा रोने लगा। उसके पिताश्री ने कहा– चुप हो जा बेटे, तुझे तो कम्पनी बाग में टहलाता हुआ दिल्ली लिये चल रहा हूँ!

उनके वनस्पति प्रेम की अनेक कथाएँ हैं। इसी में कवि-धर्म समझाकर हमारे मित्र जगदीश गुप्त से उन्होंने एक बार अपने बगीचे में घास तक खुदवाई।

इलाहाबाद का साहित्यिक माहौल निरन्तर बदलता जा रहा था। महादेवी वर्मा के नेतृत्व में पुरानी पीढ़ी भी इलाचन्द्र जोशी, पन्त और बालकृष्ण राव आदि को लेकर अनेक समसामयिक प्रश्नों पर संघर्ष करने को उद्यत थी। राष्ट्रभाषा हिन्दी लागू करने की अवधि बढ़ाने का सवाल गरम था। परिमल अपनी अलग गोष्ठी जमाव के साथ इन आन्दोलनों में भी सक्रिय था – पर इस साहित्यिक माहौल में एक अन्तर क्रमशः रेखांकित हो रहा था। परिमल में लिखने-पढ़ने वाले लोग जीवन के अनेक मूल्यों को किताबों से निकालकर अपनी निजी जिन्दगी और आचरण में उतारने के लिए कृतसंकल्प दीखते थे। साहित्यकार के तत्कालीन बाने को – आवारा जीवन, गैरजिम्मेदार पारिवारिक रिश्ते, लम्बे बाल, दारू – सिगरेट – तमाम ऐसे 'कलाकारी' उपकरण जो उस वक्त चालू थे – परिमल ने एक अलिखित अनकही, अनबहसी समझ से सहज ही नकार दिए थे। एक सामान्य ढंग का सद्गृहस्थ ही शायद उनकी कल्पना का आदर्श रचनाकार था। वात्स्यायन जब कपिला जी को लेकर एक सहज वैवाहिक जीवन बिताने इलाहाबाद आये थे तो परिमल ने उन्हें सीने से लगा लिया था – इस ललक के पीछे अज्ञेय के साहित्य का आकर्षण भले ही उतना नहीं था।

फिर बहुत कुछ टूटा, उसमें से नया भी बना। अज्ञेय दिल्ली जा चुके थे। सर्वेश्वर भी दिल्ली गये, गिरधर गोपाल गये, फिर धर्मवीर भारती बम्बई चले गये। हो सकता था कि परिमल के सभी कार्यकलाप उसी समय खत्म हो गये होते। लेकिन वस्तुतः परिमल की मुख्य अन्तर्धारा कुछ और ही थी जो उसे चलाती रही।

परिमल के साथ अज्ञेय का नाम जोड़कर उसे उनकी जेबी संस्था कहने वाले केवल 'कम्युनिस्ट' दोस्त ही नहीं थे – हिन्दी के तमाम अग्रज पीढ़ी के लोग भी ऐसा ही मानने में अपनी सुविधा समझते थे। इस 'भरम' को परिमल ने कई तरह से तोड़ा। परिमल ने नाट्य आन्दोलन से लेकर कहानी गोष्ठी तक 'साहित्य की सार्थकता' पर साठ के दशक में महत्त्वपूर्ण आयोजन किये। 1954 में आयोजित कहानी गोष्ठी में हिन्दी के शीर्ष कहानी लेखक और उनकी मण्डली के तमाम लेखक शामिल हुए (विवरण उपेन्द्रनाथ अश्क की पुस्तक *हिन्दी कहानी और*

फैशन में देखें)। इसमें अज्ञेय नहीं थे। परिमल की रजत जयन्ती पर 'साहित्य क्यों' विषय पर ज्वलंत बहस हुई। इसमें हिन्दी के मूर्धन्य लेखक तो थे ही, नेपाली के विश्वेश्वर कोइराला भी इस सम्मेलन में शामिल हुए। अज्ञेय इसमें भी कहीं नहीं थे। वे दूर से परिमल की 'वयस्कता' पर व्यंग ही करते रहे। परिमल के केन्द्र में वात्स्यायन कभी आ ही नहीं सके। परिमल के ही सदस्यों ने इलाहाबाद में अनेक आयोजन किए: कभी नाट्य जगत में 'नाटक संस्थान' से, कभी 'रूपसत्र' से सभी ललित कलाओं के केन्द्रीय मूलस्रोत की तलाश की गोष्ठियाँ और प्रस्तुतियाँ कीं और कभी देशव्यापी प्रभाव डालने वाली साहित्यिक बहसें। अज्ञेय को इनमें कहीं नहीं देखा गया, यद्यपि श्रीमती कपिला वात्स्यायन, जो जाहिरा तौर पर अज्ञेय से अलग हो चुकी थीं, अक्सर इन आयोजनों में बुलाई गयीं और उन्होंने उसमें सक्रिय हिस्सेदारी की। उस वक्त तक पहले भारती और बाद में सर्वेश्वर भी वात्स्यायन से अलग हो चुके थे। क्रमशः परिमल को इलाहाबाद में परिमल के सदस्यों ने ही उसकी अतीत प्रासंगिकता को समझते हुए समाप्त करने का निर्णय ले लिया था। वरिष्ठ सदस्य साही ने तो कॉफी हाउस की एक गोष्ठी में यहाँ तक कह दिया कि परिमल की सदस्य सूची, उसके छपे हुए कार्य विवरण, उसका संविधान, उसकी नियमावली सब कुछ ले चलकर गाजे-बाजे के साथ संगम में उसका अस्थि-प्रवाह संस्कार मनाते हुए कर देना चाहिए। एक लक्ष्मीकान्त वर्मा ने परिमल को इस तरह खत्म करने से इनकार किया था – बाद में वे भी चुप हो गये। जिन लोगों ने परिमल को पहले अज्ञेय और फिर भारती की जेबी संस्था समझ रखा था, उन्हें इन तमाम आयोजनों के आन्तरिक तेवर से परिमल और उसके कार्यकलाप को उसके सही परिप्रेक्ष्य में समझने में फिर दिक्कत हुई।

परिमल अब संस्थागत न रहकर उत्तरोत्तर अपनी सदस्यगत पहचान को रेखांकित कर रहा था। हिन्दी के नाम पर खाने-कमाने वाले नये 'मठाधीशों' का उदय हो चुका था – बहसों को आयोजित करने वाले नये सरकारी दलाल सामने आ रहे थे। लम्बे भत्ते और गोष्ठीबाजी पर ही जीवन-यापन करने वाले 'बुद्धिजीवियों' का नया सम्प्रदाय उभर रहा था। हिन्दी क्षेत्र में तरह-तरह की डफली बज रही थी। ऐसे माहौल में एक राग जो फिर से कुछ संशोधन के साथ गाया-बजाया गया, वह था वात्स्यायन अज्ञेय के साहित्यिक कृतित्व और उनके नवसंगिनी-व्यक्तित्व की इलाहाबादी परिवेश में पुनःप्रतिष्ठा। साही ने इसकी शुरुआत अपनी कविता पुस्तक *मछलीघर* में यह लिखकर की थी: 'अज्ञेय को, जिन्होंने हिन्दी कविता को एक बार फिर सम्भव बनाया...'। फिर उसी क्रम का जैसे विस्तार होता गया। इलाहाबाद में ही कुछ नये आलोचकों ने अपनी किताबों में अज्ञेय की भाषा और संवेदना की नयी तलाश शुरू कर दी। कुछ ने हिन्दी 'दकियानूसीपन' से 'मुक्ति' के लिए

अज्ञेय की बैसाखी का इस्तेमाल किया, कुछ ने पुराने वैर-ईर्ष्याभाव भूलकर अपनी उम्र के साठवें साल के जलसों में अज्ञेय की उपस्थिति से अपने को धन्य माना और कुछेक ने उन पर ग्रन्थ रच-रच कर पुष्प चक्र ही चढ़ा दिया। इस तरह इलाहाबाद में अज्ञेय का आवागमन फिर सार्वजनिक हुआ।

विश्वविद्यालय की ओर से प्रेमचन्द-शती के अवसर पर अज्ञेय का उद्घाटन भाषण इलाहाबाद से बहस की एक नयी शुरुआत बना।

फिर उनको अनेक पुरस्कार मिलते रहे। इलाहाबाद में उनके प्रशंसकों ने काव्य-पाठ के कार्यक्रम आयोजित किए। इस तरह की एक अनौपचारिक गोष्ठी में उन्होंने मेरी नयी कविता पुस्तक *उज्ज्वल नीलरस* का विमोचन भी किया। वात्स्यायन इलाहाबाद आते रहे। उनकी वह पहले वाली आत्मीयता न तो सहज प्राप्य थी और न परिमल के बचे-खुचे खांटी लोगों में उसके लिए कोई खास आकर्षण ही था। फिर भी उनका आना-जाना, बोलना-बतियाना निरर्थक न हो – ऐसा वात्स्यायन सहज ध्यान रखते थे।

दिल्ली में उनके घर पर आखिरी मुलाकात में मैंने उनसे कहा था– 'आम आदमी की जिन्दगी में कविता को वापस लौटाने के लिए कुछ कीजिए, अब यह काम आप ही कर सकते हैं।' हँसकर बोलेः 'भोपाल में तो कविता की वापसी हो गयी है।' मैंने कहा, 'आप उसी में से कुछ निकाल दीजिए।' गम्भीर हो गये, बोलेः 'भोपाल के किसी प्राइमरी स्कूल के आयोजन में भले ही चला जाऊँगा, लेकिन भारत भवन के सरकारी तामझाम में जाना सम्भव नहीं है।' बहरहाल, अपने अन्तिम दिनों में अज्ञेय गये तो वहाँ भी – पता नहीं वहाँ के 'तामझाम' से उनके व्यक्तित्व में कविता कितनी कुछ और जुड़ी और भोपाल को आम आदमी तक कविता की वापसी करने में अज्ञेय से कितनी मदद हासिल हुई? काल ने प्रतीक्षा के लिए कोई वक्त नहीं छोड़ा।

हैरानी की बात ये है कि अज्ञेय जैसा विविध अनुभवधनी, भाषाविद्, काव्यकला मर्मज्ञ, दार्शनिक समझ वाला, दुनिया भर के श्रेष्ठ साहित्य से साक्षात्कार करने वाला, भाषा सम्प्रेषण के अनेक स्तरों पर साझेदारी का दावा करने वाला रचनाकार – अपनी सम्पूर्ण सृजनयात्रा में सार्वभौम रूप से हिन्दी पाठक की महज स्वीकृति नहीं पा सका। अपने ही समसामयिक प्रेमचन्द या मैथिलीशरण गुप्त को छोड़ भी दें तो भी हजारीप्रसाद द्विवेदी, दिनकर या बच्चन जैसी सहज स्वीकृति भी अज्ञेय के लिए सदा अनुपलब्ध रही। वे अन्ततः केवल एक विशिष्ट वर्ग के पाठकों के ही लेखक रहे, यों भी समझ सकते हैं कि वे लेखकों या सम्भावित लेखकों के ही लेखक रहे। अज्ञेय इस मायने में बड़े लेखक थे कि वे अपने समकालीन लेखक

समाज को भीतर से उत्तेजित करने में सक्षम थे और अपने 'स्वधर्म' को पहचानते भी थे। उन्होंने जो कुछ कहा, सोचा-समझा, सब कुछ शब्द के ही माध्यम से किया। लेकिन ऐसा कौन-सा अभाव था जो इस कठिन तप के बावजूद उन्हें शब्द साधकों की उस कोटि में नहीं ले जा सका, जहाँ सूर-तुलसी से लेकर रवीन्द्रनाथ तक मौजूद थे। अज्ञेय के इस पक्ष पर चर्चा उठाते हुए, आज के सन्दर्भ में आम भारतीय लेखक के सृजन कार्य और उसकी सार्थकता पर गहरा सवाल सामने आता है।

अज्ञेय का रचना संसार उनकी मानसिक बनावट, परिवेश से जूझने की उनकी क्षमता सब कुछ उनकी भाषा की धुरी पर केन्द्रित था। उनका सारा संघर्ष उस भाषा के माध्यम से हुआ जो सीखी हुई भाषा थी। इसी भाषा में 'हरी घास' से लेकर 'मरुथल' तक की यात्रा हुई। इसी में सागर मुद्रा का मुखर मौन भी है। यह सुष्ठ भाषाविवेक सम्मत होकर एक तटस्थ प्रांजलता को निर्मित करती है। यह भाषा लगाव पैदा करने में हिचकती है। भाषाजन्य तटस्थ प्रांजलता जहाँ तक रचना को अनुभव का अंश बना पाती है, वहाँ तक अज्ञेय का रचना संसार किसी कमी का एहसास नहीं होने देता। यह प्रक्रिया कृति को यदि 'वाक्‌सिद्ध' नहीं तो 'शब्दसिद्ध' जरूर बना देती है।

दुखद स्थिति यह है कि यह 'सिद्धि' रचना में भाषा को गला नहीं पाती। उल्टे उसे वह अधिक ठोस, मर्यादित और सत्तापोषी बनाती जाती है। देखना यह है कि रचनाकार के सृजन में वह रसायन कहाँ से उत्पन्न होता है, जो उसमें प्रयुक्त शब्दों की भाषा को गलाकर – भावक या रसिक के अन्तर्मन में अनुभव के स्तर पर जाग्रत होता है। यही भावक की असली कमाई होती है। यह प्रक्रिया जटिल भी है और सिद्ध कवि के लिए अत्यन्त सहज भी।

जो बात यहाँ कही जा रही है वह गाँधी की भाषा शैली के अध्ययन से बड़े रोचक ढंग से सामने आती है– कैसे एक नितान्त टूटी-फूटी, अशुद्ध, व्याकरण दूषित अटपटी भाषा अपरिचित की परिधि को लाँघती हुई। हिमाचल से कन्याकुमारी तक और द्वारिका से लेकर सुदूरपूर्व असम तक समरस होकर सम्प्रेषित होती थी। जबकि ठीक उसके विपरीत अलंकृत, सुष्ठ, और परिमार्जित भाषा का उपयोग करने वाले डॉ. सर्वपल्ली राधाकृष्णन सम्प्रेषण के सीमित घेरों में बँधे ही रह गये। भाषा का एहसास बना रहने पर बात में केवल चमत्कृत करने की शक्ति बनती है। भाषा तब उस गहन अनुभव को – जो चित्त से संस्कारित हुआ रहता है – सम्प्रेषित नहीं कर पाती; केवल अपनी सत्ता का बोध कराती रह जाती है। सर्जक अज्ञेय के साथ भाषा ने ऐसा ही छल किया है। उनके सीमित अनुभवों की गहराइयों को भी भाषा ने न तो उन्मुक्त किया और न उन्हें अनावृत किया, बल्कि

हुआ यह कि इस परदे की सफाई में ही अज्ञेय को स्वयं बहुत कुछ लिखना और कहना पड़ा। अनुभव का उनसे निर्मित होने वाले रसमय द्रवणशील सम्बन्धों का – व्यक्तिगत स्तर से लेकर आध्यात्मिक स्तर तक – कोई स्पष्टीकरण नहीं हुआ करता, बल्कि जितना स्पष्टीकरण दिया जाता है, वह रचना और रचनाकार को अपेक्षाकृत छोटा ही करता है। आचार्य आनन्द के. कुमारस्वामी ने स्पष्टीकरण की इस प्रक्रिया पर सटीक बातें कही हैं।

सर्जक के द्वारा इस तरह अपने रचना संसार की सफाई देना या उसका स्पष्टीकरण अक्सर 'कला दृष्टि' के नाम से जाना गया है। परन्तु विश्व या भारत के ही सर्वमान्य श्रेष्ठतम रचनाकारों को अपने सम्प्रेषण की भूमि छोड़कर अपने कृतित्व की निरन्तर सफाई ही देनी पड़ी हो, ऐसा हमारी जानकारी में नहीं है। अज्ञेय की रचनाओं पर 'व्यक्तिनिष्ठ' का ही ठप्पा बराबर लगता रहा है और उसे 'समाजनिष्ठा' के पैमानों पर सही नहीं आँका गया है। यह व्यक्तिनिष्ठा की घेराबन्दी हमेशा भाषा की खड़खड़ाहट से उत्पन्न होती है। वह केवल अपने रचने वाले को ही सम्बोधित करने के यत्न में चुक जाती है। लेकिन यदि वह भाषा सही ढंग के द्रवणशील रसायन से युक्त है तो वह अपने आप ही व्यक्तिगत से मुक्त होकर लोक भाषा का स्वरूप ग्रहण करने लगती है। भाषा की भावप्रेषणशील क्षमता उस रचना को सामाजिक बनाती है और साथ ही उसे उपदेशक होने से ही बचा देती है। भाषा साधकों के प्रचुर उदाहरण इस क्षेत्र में मिलेंगे।

रचनाधर्मी अज्ञेय के चित्र की निर्मिति उनकी भाषा को उसी परम रसायन से सदा वंचित करती रही, चित्त की निर्मिति केवल अनुभव की प्रामाणिकता पर ही सौ फीसद निर्भर नहीं करती। भारतीय चिन्तन ने इसे योग द्वारा समाहितचित्त का अनुभूत सत्य बताया है। इसे प्राप्त करने के लिए भारतीय जीवन-दर्शन ने अनेक उपायों और उपकरणों की खोज की है और उनका सार्थक उपयोग भी किया है। उस स्थूल कार्यकरण अनुभव को सूक्ष्म से सूक्ष्मतर करने के लिए भाषा के कलेवर में उसे ढालकर, फिर भाषा के कलेवर का विसर्जन कर अनुभवस्वरूप में ही दूसरे तक अपने चित्त के पूर्णांश को पहुँचाने में संगीत का साधन भी प्रयोगसिद्ध माना गया है।

उपलब्ध प्रमाणों के अनुसार अनेक शब्द-साधकों ने भाषा को गलाने के लिए या उसे अधिक सम्प्रेषणीय ऊर्जा से मण्डित करने के हेतु संगीत के साधन का प्रयोग किया है – चाहे वे सूरदास हों या चाहे तुलसीदास, चाहे कबीर, मीरा या तुकाराम, नामदेव हों या चाहे आधुनिक कवियों में स्वयं रवीन्द्रनाथ। यह एक दुखद स्थिति थी कि अज्ञेय का संगीत का सही संस्कार कभी हुआ ही नहीं। संगीत की इस क्षमता का बोध उन्हें अपने जीवन के अन्तिम समय में हुआ, जब बहुत

देर हो चुकी थी। उसके पहले वे भाषा में संगीत का उपयोग सार्थक कविता के लिए घातक मानते रहे और इसी कारण 'गीत' को हमेशा दूसरे दर्जे की कविता कहते रहे। लेकिन सूर या मीरा के पद इस कसौटी पर कसने का वे साहस न कर सके। संगीत का एक सार्थक उपकरण जो उनके सम्पन्न अनुभव को द्रवित बना सकता था, अज्ञेय से हमेशा छूटा हुआ ही रहा।

भाषा में ही अन्तर्निहित दूसरा द्रवणशील तत्त्व है अलौकिकता या परम तत्त्व की वह अनुभूति, जो अलंकृत भाषा को रचना मूल पर हावी होने से बचा ले जाती है। यह प्रयोग भी आजमाया हुआ माना गया है। अपनी सामाजिक और राजनीतिक समझ की सीमाओं के कारण अज्ञेय के भीतर का रचनाकार इस अलौकिक अनुभूति के प्रति केवल चमत्कारी उक्तियों तक सीमित होकर रह गया था– 'जो पुल बनाएँगे इतिहास में बन्दर कहलाएँगे' या 'मेरे ही बाण से विद्ध...इस भेस मिले नारायण' आदि। ऐसे उदाहरणों की कमी नहीं) अज्ञेय के रचना संसार में अलौकिकता की अनुभूति केवल चौंकाती है। वह एक खास मकसद के लिए इस्तेमाल की जाती है और वहीं खत्म हो जाती है। वह हमारे संस्कारजनित अनुभव का न तो अंश बनती है और न वह जीवन में काव्य की सार्थकता को ही किसी स्तर पर रेखांकित करती है। इस प्रकार संगीत की घुलनशील प्रक्रिया से छूटा हुआ रहना और तर्कातीत अलौकिकता को कमाई हुई बुद्धि के माध्यम से पकड़ने का प्रयास – परिणामतः अज्ञेय की भाषा ही उनकी व्यापक सृजनशीलता पर हावी होती चली गयी। इसी भाषा को वे अपनी उपलब्धि मानते रहे – यद्यपि इस परिनिष्ठित चौके में वे यदा-कदा 'डाँगर' भँसाते रहे और उस पर 'बाजरे की कलगी' भी सजाते रहे।

भाषा का यह व्यामोह उन्हीं के समकालीन (अत्यन्त आश्चर्यजनक रूप से) ब्रजभाषा के कवियों में डॉ. रामशंकर शुक्ल 'रसाल' जी की काव्यसाधना के अत्यन्त निकट है और जगन्नाथदास रत्नाकर से सर्वथा भिन्न है जिन्हें अपनी काव्यभाषा को बुलाने की सिद्धि प्राप्त थी। ब्रजभाषा के इन दोनों कवियों द्वारा रचा हुआ *उद्धवशतक* काव्यभाषा की द्रवणशीलता की क्रमशः अनुपस्थिति और उपस्थिति के प्रमाण हैं। अज्ञेय की भाषा यदि कुतूहल से परे ले जा सकती तो इस समर्थ रचनाकार की कलम भारतीय चेतना की नयी झलक के साक्षात्कार कराती। भाषा या शब्द पर अवांछनीय आग्रह इस तत्त्व पर ध्यान नहीं देता कि शब्द वस्तुतः बाह्य स्थिति से जन्म लेता है जबकि उसे ग्रहण करने वाला इन्द्रिय 'वाक्' भीतर ही स्थित है। इन झरोखों को क्रमशः बन्द कर देने से वात्स्यायन की जो छवि हिन्दी साहित्य में बनी, वह विदेशी या पश्चिमी साहित्यकार की प्रतिनिधि की बनी। भारतीय अस्मिता में ही अनुस्यूत उसकी रचनात्मकता की झलक को वे अपने

जीवन के अन्तिम दौर में ढूँढ़ते हुए लगते हैं। वे निरन्तर हिन्दी के मूलप्रवाह से अपने को जोड़ने की कोशिश करते रहे – मैथिलीशरण से लेकर वे अद्यतन नये कवियों तक बराबर एकरस हो जाना चाहते थे। किन्तु वे भारतेन्दु, प्रसाद या निराला की तरह प्रेमचन्द या हजारीप्रसाद द्विवेदी की तरह हिन्दी के केन्द्रीय मूलप्रवाह के कभी अंश नहीं बन पाए, सदा *नदी के द्वीप* बने रहे। अज्ञेय की सम्पूर्ण सृजनशीलता और उनके अपने रहस्य भरे संसार की कुंजी – *नदी के द्वीप* ही है – कविता भी और उपन्यास भी। साहित्य का केन्द्रीय प्रवाह निरन्तर सम्पूर्ण जीवन और उसका स्पंदन ही रहा है। चमत्कृत करने वाली उक्तियाँ केवल 'दृष्टिकोण' होकर रह जाती हैं। इसीलिए सम्पूर्ण जीवन का प्रवाह ओझल होने का खतरा पैदा करती हैं।

हिन्दी का यह समर्थ सिद्ध कवि यह सब मानते हुए भी अपने लिए वह श्रोता क्यों नहीं जुटा सका जो निराला को, पन्त को, महादेवी को दिनकर और बच्चन को अपने अभ्यासरत कवि जीवन में ही उपलब्ध हो गया था? सम्प्रेषण के इस अन्तराल भरे शून्य को मात्र श्रोता के संचित कर्म तक ही बाँध कर सन्तोष नहीं किया जा सकता – इस पक्ष पर ध्यान देते ही अज्ञेय के सृजन संसार और उनकी काव्य प्रक्रिया पर पहले कही हुई बातों के सन्दर्भ में कुछ गहराई में जाने की जरूरत महसूस होगी। सम्भवतः इस कवि के चित्त की निर्मिति ही उस स्तर पर नहीं हुई थी, जहाँ भोगा हुआ मानवीय अनुभव आन्तरिक द्रवणशील रसायन के प्रयोग से भाषा के अस्तित्व को तिरोहित करता हुआ भावक तक निर्बाध पहुँच जाता है।

स.ही. वात्स्यायन 'अज्ञेय' भारतीय मनीषा में नेहरू युग की मानसिकता की विशिष्ट उपज थे। गाँधी का जीवन-दर्शन, आचरण-दृष्टि तथा राजनीति की समग्र-समझ वात्स्यायन के अपने सृजनकाल में बहुत रास नहीं आये। गाँधी की तरफ जो थोड़ा-बहुत रुझान हुआ भी, वह उनकी रचनात्मकता में कोई भूमिका अदा करने के लिए न सिर्फ नाकाफी था – वरन् उसके लिए देर भी बहुत हो चुकी थी। लेकिन जवाहरलाल नेहरू वाली भारतीयता की समझ, उसी प्रकार के जीवन दर्शन और दृष्टि और उसी पैमाने के आचरण से भारत की मिट्टी और पूरी संस्कृति को पकड़ने की कोशिश – उनके पूरे सोच में कहीं मुखरित और कहीं मौन में सहज ही देखी जा सकती है। उन्होंने ही *जवाहरलाल नेहरू अभिनन्दन ग्रन्थ* तैयार करवाया था। अपनी पुस्तक *प्रिजन डेज एंड अदर पोएम्स* पर नेहरू से भूमिका भी लिखवाई। आजाद हिन्दुस्तान में नेहरू के सम्पर्क से वे जो कुछ पाना चाहते थे, उसकी पूर्ति में बाधक उनके दो समकालीन कवि – दिनकर और बच्चन – उनके कोपभाजन भी रहे। ये दोनों सांसद भी थे और नेहरू के

आस-पड़ोस में मँडरा रहे थे और हर तरह से अपने साहित्यिक कृतित्व पर नेहरू का अधिक गहरा ठप्पा लगवाते रहते थे। भारतीय राजनीति में नेहरू के अतिरिक्त कोई अन्य नेता उनके दिमाग पर छाप नहीं छोड़ पाया। उनके राजनीतिक गुरु और साथी मानवेन्द्रनाथ राय भी अन्ततः नेहरू-प्रशंसक हो गये थे। वह एक आभिजात्य किस्म की राजनीति और उसके अन्तरराष्ट्रीय हो जाने का मोह था। सशस्त्र क्रान्ति के दो साझीदारों – स.ही. वात्स्यायन और यशपाल – ने जब अपना रचना-संसार निर्मित किया तो किस-किस गैल में गये – यह किसी शोध करने वाले के लिए दिलचस्पी का विषय होगा। अज्ञेय को नेहरू के प्रति आकर्षण कहीं गहरे से पकड़ रहा था। नेहरू की ही तरह वे भी युवा जगत के कण्ठहार बनते गये। नेहरू की ही तरह उनके वटवृक्ष के नीचे कोई दूसरा पनपकर उनके बराबर हो सकने का दावा न कर सका, नेहरू की ही तरह के हिन्दुस्तान की खोज केवल पश्चिमी देशों की दृष्टि में 'महत्त्वपूर्ण' बनाने के लिए करते रहे और उसी में अपनी सम्पूर्ण कला और पौरुष का श्रेय मानते रहे। नेहरू की ही तरह वे भी विदेशी मूल्यांकन को खास तरजीह देते रहे और उसी के लिए दौड़ते भी रहे। नेहरू की ही तरह वे साइंस के विद्यार्थी थे और साहित्य और कला पर अपनी आखिरी राय देने का दम्भ पाले रहे। नेहरू की ही तरह वे सदा ऐसे मंच से बोलने की कोशिशें करते रहे, जहाँ उनके समकालीन उनसे छोटे दिखें।

उन्होंने यह कोशिश कभी नहीं की कि अपने से बड़े किसी महत्त्वपूर्ण लेखक/कवि पर कोई विस्तृत ग्रन्थ लिखकर उसकी स्वीकृति के साथ अपने अस्तित्व या रचनाधर्मिता की सार्थकता पहचानी हो। नेहरू की ही तरह अज्ञेय सब बड़े काम व्यवस्थित ढंग और साफ दिमाग से करते। उनकी अलग पंचवर्षीय योजनाएँ हुआ करती थीं और उसका लक्ष्य प्राप्त करने में वे कुशल भी थे। वे अपने अन्तर्विरोधों की अच्छी वकालत कर लेते थे – वे व्यवस्था का विरोध करते थे, लेकिन रंगरूटों की भरती के लिए सेना की कप्तानी ले सकते थे। 'इमरजेंसी' का विरोध अपने 'मौन' से करने का दावा कर सकते थे, लेकिन रेणु की तरह जयप्रकाश नारायण का साथ नहीं दे सकते थे। अज्ञेय भी नेहरू की तरह 'नायक पूजा' के विरोध का पाखण्ड करते थे और स्वयं अतिशय करके ऐसे परिवेश को अपने चारों ओर हमेशा जुटाते रहते थे।

यह परिवेश बनाना – अज्ञेय के लिए यावज्जीवन एक निरन्तर अभ्यास बन गया था। इसी कारण उनके सहज मित्रों की संख्या नगण्य थी। वे हर काम को योजनाबद्ध तरीके से करना ही पसन्द करते थे। लस्टमपस्टम काम और आदमी – दोनों ही अज्ञेय की कार्य प्रणाली में वर्जित थे। अज्ञेय के जीवनीकार रामकमल राय ने अपनी पुस्तक *शिखर से सागर तक* में अज्ञेय के एक घनिष्ठ मिलने वाले की

बात उद्धृत करते हुए बड़े मार्के की बात पकड़ी है– 'अज्ञेय अपने मित्रों को छोड़ते नहीं – बस वे छूट जाते है' इस वाक्य के मर्म में एक बड़ा रोचक तथ्य छिपा हुआ है। जैसा कहा गया है, अज्ञेय का समस्त कार्यकलाप सदा योजनाबद्ध रहता। उस योजना में जिस व्यक्ति की जो भूमिका जितनी दूर तक हो सकती थी, उसकी सही और सटीक परख अज्ञेय को बराबर थी। उस विशिष्ट योजना में उस व्यक्ति विशेष की जब भूमिका समाप्त हो जाती तो वह व्यक्ति निश्चित ही 'छूट' जाता था, उसको छोड़ने के लिए किसी अतिरिक्त विशेष प्रयास की आवश्यकता ही नहीं रहती थी। स्वयं उस व्यक्ति को ही अज्ञेय के सन्दर्भ में अपनी निरर्थकता या अप्रासंगिकता का बोध उचित समय पर हो जाता था।

13

वा घर सबसे न्यारा

॥ प्रभाष जोशी

अपनी दाहिनी मुट्ठी में अज्ञेय के पार्थिव शरीर की भस्मि मैं भर लाया हूँ। वैसे रख तो दिया है उसे मैंने मिट्टी की एक कुलिया में, लेकिन जब तक वह मेरी मुट्ठी में थी मैं मना रहा था कि अज्ञेय का सत्व उस भस्मि में से मेरे खून में मिल जाए। ऐसा सिर्फ दो और व्यक्तियों के लिए मैंने किया है – पिता और दूसरे भवानीप्रसाद मिश्र। ये दोनों नर्मदा को अपनी माँ और विन्ध्य को पिता मानते थे। पिता की मुट्ठी-भर भस्मि मैंने नर्मदा में उस जगह प्रवाहित की, जो इस सदानीरा की मेखला मानी जाती है। भवानी बाबू की भस्मि भड़ौच में उस जगह जहाँ नर्मदा समुद्र से मिलती है। मालूम नहीं अज्ञेय की भस्मि कहाँ से विसर्जित करूँगा।

अज्ञेय यायावर थे। शायद किसी एक जगह की मिट्टी, या किसी नदी और पहाड़ को वे उस माने में अपना नहीं कह सकते थे जिसमें भवानी बाबू नर्मदा और विन्ध्य की बात करते-करते धाराधार हो जाते थे। या मैं जब भी मीरा का भजन 'चालां वाही देस' सुनता हूँ तो लगता है कि मालवा की गहन-गम्भीर धरती की कोख में लौट रहा हूँ। अज्ञेय तो अपने को नदी का बनाया हुआ द्वीप मानते थे। गंगा, यमुना, शिप्रा, गोदावरी या कृष्णा। अज्ञेय की नदी 'बृहद् भूखण्ड से हमको मिलाती है। और वह भूखण्ड अपना पितर है।' लेकिन यह पितर भूखण्ड कोई एक निश्चित जगह नहीं है। अज्ञेय की नदी शायद अनादि अनन्त काल है और पितर भूखण्ड इस पूरे देश भर की मिट्टी, जिसमें वे बने थे। लगता है किसी दिन अज्ञेय की मुट्ठी भर भस्मि को चुपचाप उज्जैन में महाकालेश्वर पर भस्मारती के समय चढ़ा आऊँगा। इस भाषा में लिखने वाला मुझ जैसा कलम-घसीट एक पितृ-पुरुष के ऋण से और कैसे उऋण हो सकता है।

उस दिन रामनवमी थी और सुबह छह बजे ही निगमबोध घाट के लिए निकला था, और जब उनके फूल लेकर जाने वाले हरिद्वार और घर लौटने वाले घर लौट गये थे, तब अज्ञेय की भस्मि भरी अपनी मुट्ठी को कसे हुए मैं घर आया। मेरे संस्कार एक पारम्परिक ब्राह्मण परिवार के हैं जिसमें श्मशान से लौटने के बाद घर में घुसने

के पहले स्नान करके सारे कपड़े बाहर छोड़ देने पड़ते हैं। लेकिन अज्ञेय की भस्मि मुट्ठी में लिये मुझे कभी नहीं लगा कि प्रेत-भावना से मुक्त होना है। बल्कि इसके ठीक विपरीत मुझमें पवित्रता देने वाला रामनवमी के पर्व का सहज उल्लास था। सबसे पहले मैंने कुमार गन्धर्व का गाया कबीर का– 'राम निरंजन न्यारा रे, अंजन सकल पसारा रे' सुना और फिर मुकेश का गाया रामचरित मानस का सुन्दरकाण्ड। नहा-धोकर खुद अपने लिए फरियाल यानी साबूदाने की खिचड़ी बनायी और पत्नी को कहा– "आज मैं व्रत करूँगा।" मुझ जैसे पापात्मा की इस घोषणा से वह बेचारी हैरान रह गयी। फिर मैंने बिलकुल नयी खादी की धोती पहनी और रेशम का नया कुर्ता और फिर कबीर का कुमार गंधर्वी भजन सुना–

सखियाँ वा घर सबसे न्यारा। जहै पूरण पुरुष हमारा॥
जहँ नहीं सुख-दुख, साँच-झूठ नहीं। पाप न पुण्य पसारा॥
नहीं दिन रैन चन्द नहीं सूरज। बिना ज्योति उजियारा॥
सखियाँ वा घर सबसे न्यारा।
नहीं तहँ ज्ञान-ध्यान नहीं जप-तप। वेद कितेब न बानी॥
करनी-धरनी रहनी-सहनी। ये सब जहाँ बिरानी।
सखियाँ वा घर सबसे न्यारा।
घर नहीं, अधर न, बाहर-भीतर। इन्द्र ब्रह्माण्ड कछु नाहीं॥
पाँच तत्त्व गुन तीन नहीं तहै। साखी शब्द न ताहीं॥
सखियाँ वा घर सबसे न्यारा।
मूल न फूल, बेलि नहीं बीजा। बिना बुच्छ फल सोहे॥
ओहम् सोहम् अर्ध उर्ध्व नहीं। वा सब देख न कोहे॥
सखियाँ वा घर सबसे न्यारा।
जहाँ पुरुष तहँ बहँ कछु नाहीं। कहे कबीर हम जाना॥
अमर सेन लखैं जो कोई। पावे पद निर्वाणा॥
सखियाँ वा घर सबसे न्यारा।

अज्ञेय जी पूर्ण पुरुष के उस सबसे न्यारे घर में पहुँच गये हैं जहाँ बिना ज्योति उजियारा है। शायद इसीलिए उनके भस्मशेष बटोरने का दिन रामनवमी का पर्व था। और मुझे सूतक में रहने के बजाय पर्व में रहने की इच्छा हो रही थी। क्या यह अज्ञेय की भस्मि का असर था? अज्ञेय नदी के द्वीप थे और नदी जब भी उन्हें मिटा देती तो 'हमें स्वीकार है वह भी। उसी में रेत होकर फिर छनेंगे हम, जाएँगे हम। कहीं फिर पैर टेकेंगे। कहो फिर भी खड़ा होगा नये व्यक्तित्व का आकार। मातः उसे फिर संस्कार तुम देना।' अज्ञेय निश्चित ही भस्मि होकर फिर कहीं छन रहे होंगे, जग

रहे होंगे, पैर टेक रहे होंगे, उनके नये व्यक्तित्व का आकार बन रहा होगा, और वे नदी से कह रहे होगे– 'मातः, फिर मुझे संस्कार दो।' अज्ञेय में निश्चित ही ऐसा कुछ कालजयी है जो बार-बार द्वीप बनेगा, नदी जिसे संस्कार देगी, जो फिर रेत होकर बह जाएगा और नदी फिर उसे द्वीप बना देगी। महाकाल की यह शाश्वती क्या अज्ञेय में नहीं थी?

इसी तरह कोई चार साल पहले गर्मी के किसी एक दिन अज्ञेय जी को इला डालमिया के साथ नयी दिल्ली के लोदी गार्डन्स में टहलते देखा था। और उन्हें देखकर अचानक मैंने अपने से पूछा था कि क्या है इस आदमी में जो उसके किसी भी सम्बन्ध को काण्ड नहीं होने देता? अज्ञेय से यह सवाल पूछने की मेरी इच्छा या हिम्मत कभी नहीं हुई। वे एक बहुत निजी, चुप और खोले न जा सकने वाले व्यक्ति लगते थे। सोलह साल में सिर्फ दो बार ही मैंने उनसे बातचीत की थी। और जिसे हिन्दी के लेखक अन्तरंग संवाद कहते हैं, वैसा उनसे शायद कभी नहीं हुआ। इसलिए यह असम्भव था कि किसी दिन जाकर पूछूँ कि जो सम्बन्ध इस देश में आम तौर पर सनसनीखेज और पतित करने वाला काण्ड हो जाता, वह इतना सहज, गरिमामय और पाप-पुण्य से परे क्यों लगता है?

अज्ञेय जी को मैंने अक्सर भवानी बाबू के यहाँ देखा। भवानी बाबू के साथ और उनके घर में जिस खुले अधिकार से मेरा प्रवेश था और है, उस नाते मुझे अज्ञेय जी से बात करनी चाहिए थी, लेकिन कभी नहीं की। मैं मानता हूँ कि जो आदमी अपने को बिखेरता फिरे, उसे बातचीत में समेटने की जरूरत नहीं। और जो अपने को खोला न जाने दे, उसे अन्तर्दृष्टि की लेसर किरणों से भेदने की सिद्धि अपने पास होनी चाहिए। मैं समझ से अज्ञेय को 'खोलना' चाहता था, बातचीत या सवाल-जवाब से नहीं। अज्ञेय को इण्डियन एक्सप्रेस बिल्डिंग में जे. पी. और रामनाथ गोयनका के साथ भी कई बार पाया और यहाँ भी अज्ञेय से बात कर सकता था। नहीं की। गाँधी शान्ति प्रतिष्ठान में *एवरीमेंस* के सम्पादक के नाते भी वे आते-जाते और काम करते थे। तब मेरा भी वही दफ्तर था। लेकिन मैंने अज्ञेय से कुछ नहीं पूछा।

अज्ञेय कवि होते हुए भी अगर मानते थे कि– 'शब्द में मेरी समाई नहीं होगी। मैं सन्नाटे का छन्द हूँ।' और भवानी बाबू ने 'शब्दों के तल्प पर' कहा कि 'शब्दों की प्रवहमान धारा के किनारे बसा हूँ। मैं भी कभी-कभी अपनी इस मूर्खता पर हँसा हूँ।' तो सत्ताईस साल पत्रकारिता करने के बाद भी मैं मानता हूँ कि सवाल किसी को समझने के सही माध्यम नहीं है। और बातचीत में हम अक्सर लकीर को साँप समझकर पीटते रहते हैं। किसी को खोलना और समझना एक विकट

प्रक्रिया है जिसमें सवाल-जवाब और बातचीत बिलकुल अनुपयोगी तो नहीं है, लेकिन दूसरी और भी कई चीजें हैं जो किसी को समझने में मदद करती हैं और वे अज्ञेय के सन्दर्भ में मेरे पास नहीं थीं।

लेकिन जरा दुनियादारी की नजर से देखिए। अज्ञेय ने बलराज साहनी के कहने और मनाने पर उनकी मित्र सन्तोष से विवाह किया। पहले ही दिन इस सम्बन्ध की गाँठ ठीक नहीं पड़ी। विवाह की इस गाँठ को खोलने के लिए अज्ञेय ने अपने ऊपर ऐसे आरोप ओढ़ लिये जो कोई पुरुष शायद ही कभी मान पाये। तलाक हो गया। फिर कोई चौदह साल बाद अज्ञेय ने प्रेयसी कपिला मलिक से माता-पिता के विरोध के बाद भी 1956 में फिर विवाह किया। विवाह के पहले और बाद के कोई तेरह साल तक दोनों साथ रहे और फिर अलग हो गये। दोनों ने औपचारिक रूप से कोई तलाक नहीं लिया। कपिला जी अपने नाम के आगे अब भी वात्स्यायन लगाती हैं। लेकिन कपिला जी से अलग होने के बाद वात्स्यायन जी इला डालमिया के साथ रहने लगे। दोनों में कोई चौंतीस साल का अन्तर था। पाखण्ड वाले स्वतन्त्र भारत में अज्ञेय इला जी को बेटी या बेटी के समान कह सकते थे। लेकिन उन्होंने कभी इस सम्बन्ध को ऐसे पारम्परिक और औपचारिक रूप में प्रचारित नहीं किया। वे इस खुले हुए सम्बन्ध को ऐसी सहज गरिमा से जीते रहे कि वह कभी काण्ड नहीं बना। न अज्ञेय जी किसी दुनियादारी या औपचारिकता में पड़े, न इला डालमिया। अज्ञेय जी तो फिर भी शिखर-पुरुष थे, लेकिन इला जी ने अपनी पारम्परिक मारवाड़ी पृष्ठभूमि के बावजूद इस सम्बन्ध को एक खुली आधुनिकता से जिया।

अज्ञेय जी उनका परिचय सिर्फ 'ये इला हैं' कहकर करवाते थे। पिछली 28 से 30 मार्च तक जब वे भोपाल में कवि-त्रैवार्षिकी के सिलसिले में गये थे तो मैं भी भोपाल में था। वहाँ मैंने सुना कि किसी 'समझदार' ने उनसे पूछा कि क्या ये (इला जी) आपकी बेटी हैं, तो अज्ञेय जी ने कहा– 'नहीं, पत्नी हैं।' लेकिन कपिला वात्स्यायन भी थीं और इला डालमिया भी, और अज्ञेय जी का काण्ड नहीं हुआ। तीन महिलाओं के साथ रहते हुए भी अज्ञेय जी काण्डों में नहीं आये। वे अपने व्यक्तित्व की सहज गरिमा से सम्बन्धों को अर्थवान् बनाते रहे। मैं अक्सर सोचता हूँ कि सारा ज्ञान-विज्ञान और साहित्य अगर मनुष्य से मनुष्य के सम्बन्धों को समझने और उन्हें समृद्ध करने के लिए नहीं है तो किस मतलब का है?

अज्ञेय जी के बराबर ज्ञान-विज्ञान और साहित्य जानने वाले लोग मुट्ठी-भर भी नहीं रहे होंगे। जैसा साहित्य उन्होंने लिखा, वैसा वही लिख सकते थे। और उनका लिखा – स्त्री-पुरुष सम्बन्धों को औपचारिकता, दुनियादारी, बल्कि शरीर से भी परे ले जाकर समझाता है। मैं मानता हूँ कि सम्बन्धों के बारे में कबीलाई

और सामन्तीय ढंग से पेश आने वाले भारतीय समाज को अज्ञेय ने स्त्री-पुरुष सम्बन्धों की नयी पहचान दी। उन्होंने बताया कि घर वहीं नहीं है जहाँ स्त्री-पुरुष नर-मादा की तरह, पति-पत्नी की तरह और माता-पिता की तरह रहते हैं। एक और घर है जो सबसे न्यारा है। उन सखियों का जो 'पूरण पुरुष' की तलाश में है। वह उन पुरुषों का भी है जो पूरण स्त्री की तलाश में है। और यह घर कबीर के सबसे न्यारे घर से अलग नहीं है। टी. एस. एलियट ने कहा है कि घर वह है जहाँ से हम यात्रा शुरू करते हैं। मैं कहना चाहता हूँ कि घर वह है जहाँ हम यात्रा से लौटते हैं। यायावर अज्ञेय सबसे न्यारे घर में लौट गये हैं।

14

आपनार मुखे एकटि कोबिता

॥ स्वदेश भारती

'अज्ञेय' से मेरी पहली भेंट 11 जनवरी, 1977 को कलकत्ता में विश्वम्भर दयाल सुरेका के यहाँ हुई। उन्होंने प्रो. कल्याणमल लोढ़ा को फोन कर मिलने के लिए मुझे सन्देश भेजा था। वे रानीगंज में आयोजित एक साहित्य संगोष्ठी में भाग लेने आये थे। कलकत्ता में एक-दो दिन ठहरना था। मैं बस उन्हें रचनाकार के रूप में जानता था। उन्होंने मेरी कविताएँ पढ़ी थीं, *नया प्रतीक* में तीन वर्ष पहले प्रकाशित भी की थीं। फिर मेरी कुछ कविताएँ *पश्यन्ती* में छपीं। इस बीच अज्ञेय का पत्र मिला कि मुझे वे *चौथा सप्तक* में सम्मिलित करना चाहते हैं।

अपने ही शहर में अज्ञेय से मिलने का अवसर पाकर मैं बेहद उत्साहित था। मुझे सुबह-सुबह साढ़े छह बजे सुरेका जी के निवास पर पहुँचना था। बड़े रचनाकार से कैसे पहली बार मिला जाता है, इसके लिए मैंने मानसिक रूप से अपने को तैयार किया। लाल, पीले, बैंगनी, सफेद गुलाबों का ताजा गुच्छ लेकर पहुँचा। वे प्रतीक्षा कर रहे थे। जब मैंने कहा प्रणाम तो वे सोफे से उठ खड़े हुए। किंचित् मुस्कान होंठों पर खिल आयी और उन्होंने भी दोनों हाथ जोड़ दिए। मैंने पाँव छूकर नमन करना चाहा। उन्होंने मुझे उठाया और एक अर्थपूर्ण चितवन के साथ कहा– ऐसा न करें!

बैठने के बाद क्षण भर का मौन हम दोनों के बीच आत्मीय सम्बन्धों का सेतु गढ़ता रहा। फिर उन्होंने ही अपनी चुप्पी को एक तरफ हटाते हुए पूछा– आप तो बहुत दिनों से कलकत्ते में हैं? मैंने कहा– हाँ, कोई बीस वर्ष हो गये होंगे। उन्होंने कहा कि मैं भी कलकत्ते में रहा हूँ। आपको शायद मालूम हो। मैंने कहा हाँ, मालूम है। चुप्पी का क्षण फिर घिर आया। मैंने ही पूछा– आपको यह महानगर अच्छा लगा? बोले– हाँ, मुझे पहले भी यहाँ आना अच्छा लगता था और आज भी अच्छा लगता है। और यहाँ के जीवन के प्रति मेरा लगाव भी है। मैंने कहा– यह रवीन्द्रनाथ और शरत का शहर है। बंकिमचन्द्र और जीवनानन्द दास का नगर है। मैं इसकी मिट्टी की गन्ध से इस तरह से अभिभूत हुआ हूँ कि अब यह नगर मुझे

अपना-सा लगने लगा है, हालाँकि मैंने इस नगर में बहुत संघर्ष झेले हैं। उन्होंने हँसते हुए पूछा— ऐसी क्या बात है?

मैंने कहा— इसलिए कि यहाँ आदमी अपने अस्तित्व के संघर्ष को अच्छी तरह झेल सकता है, जी सकता है। खण्ड-खण्ड हुए जीवन के जितने प्रतिमान यहाँ दिखाई देते हैं, उतना और कहीं मुझे दिखाई नहीं देते। उन्होंने मुझे बताया कि जब वे कलकत्ता में रहते थे तो रवीन्द्रनाथ की कविताओं को मूल बांग्ला में पढ़ने की इच्छा थी। प्रयत्न किया कि बांग्ला सीख लूँ। समय का अभाव था। कुछ और कामों में व्यस्त भी हो गया। फिर यहाँ से मुझे जाना पड़ा। वह भी अचानक। फिर भी यहाँ से जाने के बाद मैंने वह प्रयत्न छोड़ा नहीं। लेकिन यहाँ कुछ और अधिक दिनों तक रहता तो शायद अच्छी बांग्ला सीख और बोल लेता।

आप यहाँ से कहाँ गये, मैंने पूछा। वे बोले— यहाँ से इलाहाबाद चला गया। वे गम्भीर बैठे रहे। मन में आया कह दूँ— और इलाहाबाद में छला गया। पर उन्हीं के साथ चुप रहा। उन्होंने कहा— मैं तो बातें करने बैठ गया। आप कुछ लीजिए। मैंने देखा वे जीवन सन्दर्भ की गहरी परतों में जाते-जाते कैसे अचानक मुड़ गये। मैं हाथों में जो गुलाब के फूल लिये था, उन्हें अब तक दे ही नहीं सका था। उनके व्यक्तित्व के प्रभामण्डल ने बाँध रखा था। हालाँकि उन्होंने कई बार लक्ष्य किया। शायद सोचा भी हो कि अजीब आदमी है, फूल देने के लिए लाया है पर दिए नहीं हैं! उन्होंने इस क्षण पैनी दृष्टि से उन ताजा गुलाब की पंखुड़ियों के सौन्दर्य को आन्तरिक भाव से निहारा। इस तरह उन्होंने देखा न होता तो मैं शायद भूल ही जाता। मैंने फूलों का गुच्छा उनकी ओर बढ़ा दिया— गुरुवर! ये गुलाब आपके लिए!

प्रसन्न भाव से बोले— इतने रंगों के फूल कहाँ मिले? मैं कुछ बोलता इससे पहले ही एक पीला गुलाब निकालकर मुझे देते हुए कहा— मुझे पीला गुलाब बहुत पसन्द है। मैंने कहा— मुझे भी, इसीलिए इस गुच्छे में पीले गुलाब अधिक हैं। अज्ञेय जी ने हँसते हुए कहा— आपने सात लिए। मैंने कहा— सात भारतीय संस्कृति और जीवन दर्शन के सुन्दर अंक हैं, इसलिए सोचा कि सात ही फूल आपको दूँ। उनमें से एक आपने मुझे दे दिया। अब छह रह गये! मैं एक का क्या करूँगा? आप अनुमति दें तो इस एक को छहों के साथ यथावत गुलदस्ते में सजा दूँ। वे खिलखिला उठे। इतनी सुन्दर हँसी कि हिमालय भी छोटा पड़े। सुन्दर सफेद चमकीले दाँतों की पंक्तियाँ। प्रसन्न मुद्रा में उठे। कमरे में लगी घंटी बजायी। नौकर आया तो उसे कहा— देखो अन्दर कह दो कि मैं स्वदेश भारती जी के साथ नाश्ता लूँगा। जो है, यहीं भेज दें।

वे फिर मेरी ओर मुखातिब हो गये— इस नगर में कौन-कौन लोग लिख रहे हैं? मैंने कुछ नाम गिनाए। अपनी पीड़ा व्यक्त करते हुए यह भी कहा कि बांग्ला

के लेखक जिस तरह लेखन को सुलझे हुए ढंग, कठिन मेहनत और लगन से करते हैं, उतनी लगन हिन्दी लेखकों में नहीं है। यह अभाव मुझे कभी-कभी हताश करता है कि मैं जिस भाषा का लेखक हूँ, उस भाषा में लोग साहित्य को साहित्य की तरह क्यों नहीं अपनाते, जीते और लिखते। बस, साहित्य को खेमों और दायरों में बाँटते हुए अपने को कई-कई टुकड़ों में बाँट लेते हैं और फिर उन टुकड़ों के अहं की सुरक्षा के लिए तरह-तरह के उपाय खोजते हैं।

वात्स्यायन जी काफी गम्भीर होते हुए बोले– इसमें एक विसंगति है। लेखक अपने जीवन को जीता है और फिर उसे क्या लिखना है, क्या सोचना है, उस पर काम करता है। टुकड़ों में बँटना साहित्य-कर्म नहीं है। अहं की सचाई के अन्दर रहकर भी लेखक लिख सकता है। मैं इलाहाबाद में था तो कई सन्दर्भ ऐसे भी आये। जैसे परिमल। और भी कई छोटे दायरे थे, जिनमें मैंने अपना योगदान देना चाहा। लेकिन अलग-अलग बँटे लोगों ने शायद ऐसा नहीं चाहा कि मैं उन सबके साथ सम्पर्क रखूँ। इसलिए वहाँ भी अक्सर विरोध-अवरोध की चर्चा होती रही है कि वात्स्यायन तो इलाहाबाद में रहकर भी स्वयं को अलग किए हैं। हालाँकि मैं अलग नहीं रहना चाहता था। कुछ को मुझमें अहंकार जैसा लगता है, पर उसका मैं क्या करूँ? ऐसा तो कुछ नहीं है। सबके साथ रहने की इच्छा रहती है। विरोधों के विरुद्ध कौन तलवारें भाँजे? इसलिए मैं चुप हो जाता हूँ।

नौकर नाश्ता लेकर आ गया था। उन्होंने पूछा– आप क्या लेंगे? मैंने कहा– बस मैं एक सैंडविच। उन्होंने सैंडविच रखकर प्लेट मेरी ओर बढ़ा दी। दूसरी प्लेट में पकौड़े रखकर मैंने भी उनके लिए यही किया। दूध का गिलास उनके सामने रख दिया। कॉफी मैंने ले ली। मैं अन्दर सोच रहा था कि लोग कितने कुछ आरोप लगाते हैं इन पर। लेकिन कहीं अहं का घटाटोप, कोई मिथ्या जाल, दीवार नहीं। बड़े लेखक होने का घमण्ड भी नहीं। मैंने उनसे पूछा– आप 'वेज' हैं या 'नानवेज'? थोड़ा मुस्कुराये, फिर बोले– कभी-कभी खा लेता हूँ, पर यहाँ शाकाहारी हूँ। विशेष अवसर हो तो असुविधा नहीं होती।

मैंने सोचा कि कुछ और भी व्यक्तिगत बातें करूँ। सुन रखा था कि वे बहुत अच्छे पाकशास्त्री हैं। पर मुझे लगा कि पहली मुलाकात में ऐसी चर्चा उद्दण्डता होगी। फिर भी रहा नहीं गया। मैंने पूछ ही लिया– घर में इला जी खाना बनाती होंगी। वे तो शाकाहारी ही हैं। वे हँसे– असल में नौकरों का बनाया खाना खाने का रिवाज बहुत अधिक घरों में है। पर वे भी बनाती हैं और कभी-कभी मैं भी साथ देता हूँ। जब मैं कलकत्ते में अकेला रहता था तो यहीं खाना बनाना सीखा। उसके पहले क्रांतिकारी क्षणों में तो थोड़ा-बहुत अच्छा खाना बनाता था। पिताजी को भिन्न-भिन्न स्वाद अच्छे लगते थे। परिवार में ही स्वादों की विविधता मैंने अनुभव

की। शायद इसका कारण पिताजी का निरन्तर नयी-नयी जगहों पर स्थानान्तरण भी रहा था।

मैंने पूछा— भोजन की विविधता का शौक क्या अब भी है? वे कुछ क्षण तक विचारों में खोए रहे, फिर प्रसंग को बदलते हुए बोले— आप कलकत्ता में काफी दिनों से हैं। परिवार होगा? मैंने संक्षिप्त-सा उत्तर दिया— जी हाँ, पत्नी और दो बच्चे हैं। एक बेटा ढाई साल का है, दूसरा छह महीने का। फिर मैंने प्रश्न किया— कलकत्ता आप कितने रहे? वे बोले— बहुत कम समय रह पाया। *विशाल भारत* का प्रकाशन अनियमित-सा था और मेरा मन भी नहीं लगा। मैंने पूछा— *विशाल भारत* में या कलकत्ते में? प्रश्न के उत्तर में मुस्कुराते हुए वे बोले— कई सन्दर्भ ऐसे थे, जिनके कारण कलकत्ता में मन नहीं लगा। यह भी था कि यहाँ काफी अकेलापन महसूस करने लगा था।

तभी नौकर ने आकर बताया कि विष्णुकान्त शास्त्री आये हैं। अज्ञेय जी संयत होते हुए बोले— ठीक है। शास्त्री जी ने आकर नमस्कार किया। अज्ञेय जी ने उठकर उनका अभिवादन। नौकर हमारे सामने फलों की प्लेट रख गया। उन्होंने शास्त्री से पूछा— क्या लेंगे? यह तो नाश्ते का समय है। शास्त्री जी बोले— मैं नाश्ता लेकर आ रहा हूँ। आप तकलीफ न करें। वैसे आपकी तरह मेरी तन्दुरुस्ती नहीं कि जी भर कर खाऊँ! कह कर वे ठठाकर हँस पड़े। मैंने सोचा, अब विदा लेनी चाहिए। घड़ी देखी तो साढ़े दस बज रहे थे। वे बोले— शाम को गोष्ठी रखी गयी है। उसमें आप आएँ। फिर शास्त्री जी से पूछा— कहाँ है, आपको मालूम होगा। शास्त्री जी बोले— सावित्री पाठशाला में। शाम को छह बजे। मैंने कहा— आऊँगा। वे उठकर खड़े हो गये। मैंने पाँव छूकर प्रणाम किया और बाहर निकल आया।

संगोष्ठी, सावित्री पाठशाला, बड़ा बाजार में शाम छह बजे शुरू हुई। अज्ञेय समय पर पहुँच गये। कलकत्ता के लगभग सभी हिन्दी साहित्यकार उपस्थित थे। आचार्य कल्याणमल लोढ़ा ने इस संगोष्ठी की अध्यक्षता की थी। अज्ञेय जी का परिचय बड़े भव्य ढंग से कराया गया। उनसे कुछ बोलने और कविताएँ सुनाने का आग्रह भी किया गया। अज्ञेय जी ने बहुत ही संक्षिप्त और सारगर्भित वक्तव्य दिया। लेखक की प्रक्रिया पर।

वे बोल ही रहे थे कि बीच में एक युवा कवि ने टोका— क्या आपकी ही तरह जीवन जीने वाला लेखक रचनाधर्मिता से जुड़ सकता है? जिनके पास इतना सारा आराम, सुख, अच्छे से जीने के साधन नहीं हैं, क्या उनका लेखन तृतीय श्रेणी का है? क्या मुक्तिबोध, निराला की जीवन प्रक्रिया घटिया थी? यदि थी तो उनका लेखन इतना महान कैसे बना?

अज्ञेय जी ने संयत स्वर में उत्तर दिया– मुझे आपने बोलने के लिए कहा। आपका आदेश मानकर मैंने कुछ कहना प्रारम्भ किया तो बीच में आपने टोकना प्रारम्भ कर दिया। मैं यहाँ विवाद करने नहीं आया हूँ। यदि आपको कुछ बोलना ही है तो मैं जब बोलना समाप्त कर लूँ, आप बोल लें। परन्तु आपने एक प्रश्न मेरे बोलने के बीच में कर दिया। तो फिर मेरे अधिक बोलने की आवश्यकता अब नहीं रही है। मैं आपके प्रश्न का उत्तर इस प्रकार देना चाहता हूँ कि लेखक और लेखक के बीच दूरी है ही नहीं। ऐसा मैं यदि मानता तो यही कहता कि जीवन कैसे भी जिया जा सकता है और कैसा भी लिखा जा सकता है। निराला, मुक्तिबोध ने अपने जीवन के अनुभवों तथा अस्तित्व-संघर्षों के बीच ही समय-सत्य देखा। उसमें ही उन्होंने लिखा। यदि किसी लेखक के पास अच्छे से, सुविधा सम्पन्न तरीके से जीने के लिए साधन जुट गये हैं, या पहले से थे, तो ऐसे में अच्छी रचना लिखना सुविधा-सम्पन्नता का दायरा नहीं। मेरा यही आशय है कि लेखक जैसा कुछ जिएगा, भोगेगा, और उसके बीच अनुभव करेगा, सोचेगा वही उसके लेखन का आधार है। ''प्लैटोनिक'' लेखन भी होता है। मौलिक लेखन भी। हिन्दी में तीसरा लेखन भी है।

बीच में फिर उसी युवा कवि ने आवाज तेज करते हुए कहा– सुविधापरस्त लेखकों ने हिन्दी-लेखन का बहुत अहित किया है। आपने भी किया है। आज भी आपके हाथों में मुक्तिबोध का रक्त लगा है। यदि आप चाहते तो मुक्तिबोध की अकाल मृत्यु न होती...। अज्ञेय जी का चेहरा तमतमा गया। शान्त सौम्य प्रभामण्डित चेहरे पर आक्रोश की रेखाएँ फैल गयीं। उन्होंने कहा– आपको स्वतन्त्रता है, कुछ भी बोलने की। परन्तु यह तो हिन्दी-साहित्य का इतिहास ही बताएगा कि मैंने मुक्तिबोध को कितना मान दिया, आदर किया। अन्तिम दिनों में भी मैंने यत्न किया, जितना कुछ कर सकता था, कि वे स्वस्थ हो जाएँ। मेरे और मुक्तिबोध के सम्बन्ध बहुत ही आत्मीय थे। मैं उनकी कविताओं का प्रशंसक रहा हूँ। फिर पता नहीं आप कैसे कह रहे हैं कि मेरे हाथों में मुक्तिबोध का रक्त लगा है। यह विचार ही अपने आप में बहुत क्रूर, वीभत्स और बेमानी है।

लोढ़ा जी ने बीच-बचाव किया। परन्तु संगोष्ठी का स्वाद तीता हो चुका था। माहौल की गर्मी चिन्तन की जड़ों को काटने लगी थी। सभा में कुछ और प्रश्न अज्ञेय जी से किए गये जो उनके व्यक्तिगत जीवन से सम्बन्धित थे। कुछ का उत्तर उन्होंने एक या दो शब्द यानी हाँ-नहीं में दिया।

संगोष्ठी के बाद उन्होंने मुझसे कहा– आपसे कुछ काम था। यदि कल मिल लें तो–। मैंने कहा– किस समय आऊँ? वे बोले– सुबह के समय। शाम की उड़ान से दिल्ली वापस जाना है। मैं अज्ञेय जी की समयबद्धता से थोड़ा परिचित

था। पूछ लिया— आठ बजे आने से आपको कोई असुविधा तो नहीं होगी? उन्होंने कहा— नहीं तो। आप आ जाएँ।

मैं दूसरी बार फिर सुबह ठीक आठ बजे 6, लाउडन स्ट्रीट पहुँच गया। अज्ञेय अपने कुछ प्रशंसकों से घिरे थे। कमरे में कोई कुर्सी खाली नहीं थी, अतः बिस्तर पर बैठना पड़ा। उन्होंने बैठे लोगों से कहा— "मुझे स्वदेश भारती जी से कुछ काम है।" वे उठकर मेज पर रखी पुस्तकें सहेजने लगे। प्रशंसक समझ गये कि अज्ञेय जी अब अधिक बोलेंगे नहीं। वे नमस्कार कर विदा लेकर चले गये। विदा देने अज्ञेय दरवाजे तक गये और फिर आकर सोफे पर बैठ गये। मुझसे पूछा— नाश्ता लेंगे? मैंने कहा— जी, नाश्ता तो लेकर चला हूँ। फिर पूछा चाय या कॉफी? मैंने उत्तर दिया— चाय ले लूँगा।

मैंने अज्ञेय जी से पूछा— कल गोष्ठी में आपको मानसिक क्लेश हुआ, मुझे भी तकलीफ हुई। वे मौन रहे। मैंने फिर अपनी बात को आगे बढ़ाते हुए कहा— कलकत्ते में कुछ लोग अपने को हिन्दी-साहित्य का झंडाबरदार समझते हैं, हालाँकि मौलिक लेखन से कोसों दूर हैं। कविता क्या है, इसे जानते भी नहीं। जो मुक्तिबोध, निराला, धूमिल को उछाल रहे हैं, उन्होंने उनकी रचनाएँ तक नहीं पढ़ी हैं। वे नहीं जानते कि साहित्य में विभाजन रेखा बनाने की कोशिश गलत बात है। बेमतलब तनाव के चिन्तन से ग्रसित हैं। ...आप क्या सोचते हैं? अज्ञेय आखिर बोले— विभाजन किसी भी स्थिति में सार्थक शर्त नहीं है। उससे न व्यक्ति का, न समाज या देश अथवा साहित्य का भला होगा। परन्तु यह तो व्यक्ति-व्यक्ति पर निर्भर करता है। मैंने कभी मुक्तिबोध की आलोचना नहीं की। उनकी कविताओं, लेखन या चिन्तन को लेकर कटु बात सोचना तो बहुत दूर की बात है। मुक्तिबोध *तार सप्तक* में साथ थे। वे मेरे प्रिय कवि रहे हैं। व्यक्तिगत स्तर पर मुक्तिबोध मुझसे जीवन भर जुड़े रहे। एक रचनाकार दूसरे रचनाकार का अहित अगर करता है, तो वह अपने लेखक से नीचे गिर जाता है। आज पता नहीं कुछ लोग क्यों अजीब बातें कर रहे हैं। मुझे न सही, वे शायद मुक्तिबोध को भी नहीं जानते हैं।

मैंने अनुभव किया कि अज्ञेय जी के मस्तिष्क पर कल की गोष्ठी की घटना का असर है। मैंने सोचा इस तनाव से मुक्ति पाने का एक ही तरीका है कि मुक्तिबोध की कविताओं पर बातचीत शुरू करूँ। मैंने पूछा— आपको यह नहीं लगता कि मुक्तिबोध की कविताओं को एक खास किस्म के बौद्धिक पाठक ही पढ़कर पचा सकते हैं। सर्वसाधारण पाठकों को उसमें उतना कुछ नहीं मिलता, जिसकी प्रेमी पाठक चाह करते हैं। अज्ञेय बोले— मुक्तिबोध समय-चेतना के कवि रहे। प्रत्येक कवि की सोचने, लिखने की अहमियत होती है। कविताओं की सम्प्रेषणीयता ही पाठक के साथ उस कवि का सम्बन्ध स्थापित करती है। मैंने

पूछा— आपकी कविताओं में जो विविधता है, भावबोध-चिन्तन, शिल्प और प्रयोग के स्तर पर, वैसा आपके समकालीन कवियों में किनके पास है? वे कुछ क्षण चुप रहे। फिर कहा— अपने जीवन का यथार्थ तथा चिन्तन के विविध आयामों को कवि जब कविताओं का आधार बनाता है, तभी कविता का स्वस्थ रूप निखरता है। परन्तु, आज तो एक खास किस्म की कविताएँ लिखने का रिवाज-सा चल पड़ा है। कविता में कविता की आत्मा न सही, एक स्वरूप तो होना चाहिए। मैंने कहा— मैं मानता हूँ कि छन्द, भाव, चिन्तन विहीन कविता, कविता नहीं हो सकती। अज्ञेय जी बोले— हाँ, यह तो है।

चाय आ गयी तो अज्ञेय जी ने ट्रे में से दो प्याले निकालकर उनमें चाय डाली। मैंने चीनी और दूध मिलाया। तभी उन्होंने मुझसे पूछा— क्या आप अपनी बीस-पच्चीस कविताएँ चुनकर मुझे आज दे सकते हैं? मैंने कहा— आज ही इतनी कविताएँ चुनना और टाइप कराना तो सम्भव नहीं, फिर भी मैं प्रयत्न करूँगा। अज्ञेय जी ने पूछा— कहाँ रहते हैं आप? मैंने बताया— प्रतापादित्य रोड। फिर उन्होंने पूछा— यहाँ से तो अधिक दूर नहीं है, अभी मेरे पास काम भी नहीं है। चलें, कुछ टहलना हो जाएगा। असुविधा न हो तो आप मुझे आज ही कविताएँ दे दें। मैं उनके इस आग्रह से आश्चर्यचकित रह गया। भय भी हुआ कि जल्दबाजी में अच्छी कविताएँ चुनना शायद सम्भव नहीं हो पाएगा। अज्ञेय जी उठ खड़े हुए। हम दोनों कमरे से निकलकर बाहर आ गये। उन्होंने दरबान से गाड़ी लगाने के लिए कहा। हम दोनों मेरे घर की ओर चल पड़े।...

मैंने उस रोज उन्हें पच्चीस कविताएँ सौंप दीं। पूछा नहीं कि वे इन कविताओं का क्या करेंगे। पर यही *चौथा सप्तक* में मेरे शामिल होने की पूर्व भूमिका थी। और अज्ञेय जी से मिलने, उन्हें व्यक्तिगत रूप से जानने-समझने का प्रथम अवसर भी, जो बाद के गहरे सम्बन्ध की पीठिका बना।

दो साल बाद 1979 में *चौथा सप्तक* छपा। उसमें छह अन्य कवि अवधेश कुमार, राजकुमार कुम्भज, नन्दकिशोर आचार्य, सुमन राजे, श्रीराम वर्मा और राजेन्द्र किशोर शामिल थे। मेरी उन्नीस कविताएँ संग्रह में प्रकाशित हुईं। *चौथा सप्तक* पर पत्र-पत्रिकाओं में कई समीक्षाएँ भी प्रकाशित हुईं, लेकिन ज्यादातर निष्पक्ष या वस्तुनिष्ठ नहीं थीं। हाँ, डॉ. विनय, विवेकी राय, विश्वनाथ प्रसाद तिवारी, चन्द्रकान्त बांदिवडेकर आदि आलोचक भी थे जिन्होंने संकलन को आधुनिक हिन्दी कविता का महत्त्वपूर्ण दस्तावेज माना और कविताओं पर भी आलोचनात्मक दृष्टिपात किया।

1979 में अज्ञेय को ज्ञानपीठ सम्मान से सम्मानित करने की जब घोषणा हुई तो उन्होंने ज्ञानपीठ को सुझाव दिया कि सम्मान समारोह कलकत्ता में होना

चाहिए। कला मन्दिर सभागार में भव्य समारोह सम्पन्न हुआ, जहाँ अज्ञेय जी को ज्ञानपीठ से विभूषित किया गया। वे रामकृष्ण अतिथि भवन गोलपार्क में ठहरे थे। कलकत्ते में यह बेहद शान्त और अलग तरह का स्थान है। मैं सम्मान समारोह के दूसरे दिन सबेरे उनसे मिलने अतिथि भवन गया। उनके साथ इला जी भी थीं। घंटी बजाते ही अज्ञेय जी दरवाजा खोलकर बाहर आये। मैं ने कहा– गुरुवर, ज्ञानपीठ सम्मान के लिए मेरी हार्दिक बधाई। अज्ञेय जी के होंठों पर मन्द मुस्कान फैल गयी। बोले कुछ नहीं। मुझे भीतर ले गए। कुर्सी पर बैठने के लिए कहा। फिर अन्दर गये और एक डिब्बे में लड्डू लेकर आये। मेरी ओर बढ़ाते हुए कहा– लीजिए। मैंने एक लड्डू लिया। उन्होंने फोन कर कॉफी मँगवायी।

उन्होंने पूछा– कल का समारोह कैसा लगा? मैंने कहा– बहुत भव्य था। मैंने यह भी कहा– आपने जो सिल्क का कुर्ता और चूड़ीदार पहना था, शाल ओढ़ा था, वह बहुत ही सुन्दर दिख रहा था। वे मुस्कुराए। मैंने फिर कहा– आपने सम्मान के स्वीकार में जो कहा था कि यह साहित्य सम्मान उन सभी साहित्य प्रेमियों, पाठकों, मित्रों का है जिन्होंने मुझे लिखने की प्रेरणा दी, तो सभा भवन में उपस्थित समूह ने खड़े होकर करतल ध्वनि से आपको अपनी शुभकामनाएँ अर्पित कीं, यह और भी भव्य लगा। मैंने यह भी कहा कि कलकत्ता के हिन्दी साहित्य प्रेमियों, हिन्दी भाषियों को बहुत अच्छा लगा कि ज्ञानपीठ सम्मान आपने कलकत्ता में ग्रहण किया।

सप्तक आने के दो साल बाद 4 सितम्बर, 1981 को मैं अज्ञेय जी से दिल्ली में मिला, उनके कैवेंटर्स ईस्ट वाले घर पर। उन्होंने सुबह आठ बजे का समय दिया था। मैं जब पहुँचा तो देखा अज्ञेय जी बगीचे में रंग-बिरंगे फूल चुनकर हाथ में ली एक छबिया में एकत्र कर रहे थे। मुझे देखते हुए पास आये। मैंने प्रणाम किया। बोले, कलकत्ता से कब आये? मैंने उत्तर दिया, कल सबेरे राजधानी से। उनका दूसरा प्रश्न– कहाँ ठहरे हैं? होटल यात्री निवास में, मैंने बताया। बोले– आइए, चलते हैं। क्या लेंगे? मैंने कहा, चाय। उन्होंने बैठक में मुझे बैठने के लिए कहा और नौकर से चाय तथा कुछ नमकीन मँगवाया। फिर कुछ सोच कर उठे और कुछ देर में बड़ी प्लेट में कई तरह की मिठाइयाँ ले आये। टेबल पर रखते बोले– स्वदेश जी, कलकत्ता की तरह स्वादिष्ट मिठाइयाँ दिल्ली में नहीं मिलतीं। मुझे भीतर बड़ी ग्लानि हुई कि कलकत्ता से चलते समय कुछ मिठाई ले आ सकता था। उन्होंने पूछा कि *चौथा सप्तक* कैसा लगा। मैंने कहा– आपका सम्पादकीय काफी विवेचनापूर्ण है और कवियों के लिए मार्गदर्शक भी। किन्तु संकलन की समुचित आलोचना नहीं हुई। कुछ देर मौन के बाद उन्होंने कहा– हिन्दी में सतही आलोचना के कारण सर्जनात्मक साहित्य उभरकर आगे नहीं आ पा रहा है।

24 दिसम्बर, 1982 को अज्ञेय एक कार्यक्रम में कलकत्ता आये। उनका फोन

आया– कल सबेरे मिल सकते हैं? मैंने कहा– जरूर मिलूँगा। कितने बजे ठीक रहेगा? अज्ञेय ने कहा– आठ बजे आ जाएँ। सुबह मैं रामकृष्ण मिशन इंटरनेशनल हॉस्टल, गोलपार्क पहुँचा। वहाँ इला डालमिया भी थीं। शायद उन्हें कुछ अटपटा-सा लगा, क्योंकि वे फौरन भीतर के कमरे में चली गयीं। अज्ञेय को भी उनके व्यवहार से कुछ अजीब-सा लगा होगा, ऐसा मैंने अनुभव किया। कॉफी के साथ मैंने कहा *चौथा सप्तक* की उतनी आलोचना तो नहीं हो सकती, जितना अन्य सप्तकों की हुई। फिर भी आलोचकों का रवैया बहुत उत्साह भरा नहीं रहा है। इस पर उन्होंने कहा– जो अच्छा लिख रहे हैं, वे दलबन्दी के कारण आहत और उदासीन हो रहे हैं। फिर वे बोले कि आप *तीसरा सप्तक* पढ़ें और विचार करें कि उसकी तुलना में *चौथा सप्तक* किस श्रेणी में आता है।

मैंने अज्ञेय जी से पूछा– आपने सप्तकों की योजना जब बनाई, तब आपके दिमाग में यही रहा होगा कि हिन्दी के नये कवियों को प्रकाशित कर उन्हें प्रोत्साहित किया जाए। किन्तु सप्तकों में शामिल कुछ कवियों ने यह भी कहा है कि हमने तो उलटे अज्ञेय को धन्य किया। अज्ञेय जी मुस्कुराए, कुछ बोले नहीं। देर बाद उन्होंने कहा कि काव्य लेखन एक साधना है और जब साधना से जुड़ेंगे तभी काव्य से भी जुड़ेंगे। तभी इला जी अन्दर से आयीं और अज्ञेय जी से कहा– क्या आपको देरी नहीं हो रही है? जाना है। मुझे लगा कि अज्ञेय से विदा लेकर चलना चाहिए।

घर आकर मैंने *तीसरा सप्तक* फिर पढ़ा। अज्ञेय ने उसकी भूमिका में लिखा था– काव्य के आस्वादन के लिए कवियों की सामाजिक प्रवृत्ति, राजनैतिक सरोकार, भाषा, छन्द के विषय से ऊपर उठकर कवि कर्म के प्रति गम्भीर उत्तरदायित्व बोध, अपने उद्देश्यों में निष्ठा और उस तक पहुँचने के साधनों के सदुपयोग की लगन होनी चाहिए। यह स्वीकार किया जाए कि नये कवियों में ऐसों की संख्या कम नहीं है जिन्होंने विषय वस्तु समझने की भूल की है और इस प्रकार स्वयं भी पथभ्रष्ट हुए हैं एवं पाठकों की नयी कविता के बारे में अनेक भ्रान्तियों के कारण बने हैं। पर नकलची कवियों से कहीं अधिक संख्या और अनुपात नकली आलोचकों का है – धातु उतनी छोटी नहीं है, जितनी कि कसौटियाँ ही छोटी हैं।

बाद में मैंने *तीसरा सप्तक* पर अज्ञेय जी को लम्बी टिप्पणी भेजी। उसके उत्तर में उन्होंने तीन वाक्य लिखे, जिनमें मुख्य था – आपका सोच सही है और काव्य के बारे में नये सिरे से चिन्तन, लेखन की जरूरत है।

1985 में अज्ञेय कलकत्ता में आयोजित एक साहित्य संगोष्ठी में आये। भाषा परिषद में कविता, कहानी, आलोचना के विविध विषयों पर विचार-विमर्श चल रहा

था। वे वक्ताओं के बेतुके वक्तव्यों से ऊब जाते और सभा भवन के बाहर आकर मौन भाव से एक कोने खड़े हो जाते। मैं भी कभी-कभी उनके साथ उठकर आ जाता था। वे खड़े हुए थक जाते थे तो पीछे की सीट पर बैठने के लिए मुझे कहते थे। हम दोनों जाकर पीछे बैठ जाते थे। एक दिन बोले– आप जानते हैं काँसे के बर्तन कलकत्ता में कहाँ मिलते हैं? काँसे के बर्तन में खाना काफी स्वास्थ्यप्रद होता है। पहले गाँवों में काँसे के बर्तन ही चलते थे। अब तो स्टील आ गया। मैंने कहा कालीघाट में शायद मिल जाएँ। उन्होंने कहा थोड़ा समय अभी है, चलिए घूम आते हैं। गाड़ी आ गयी तो हम दोनों कालीघाट की दुकानों में काँसे के बर्तन खोजने निकल पड़े। वहाँ कई दुकानें देखीं परन्तु जो बर्तन वे चाहते थे, उन्हें नहीं मिले। हम वापस आ गये। रास्ते में साहित्य चर्चा होती रही, जिसके बीच उन्होंने बताया कि मैं कविताएँ लिखते-लिखते जब बोरियत अनुभव करता हूँ तो अन्य विधा में काम शुरू कर देता हूँ!

28 जनवरी, 1987 को अज्ञेय जी बांग्लादेश होकर कलकत्ता आये। रात में फोन आया। बोले, मैं तीन दिन कलकत्ता ठहरूँगा। पुस्तक मेला भी देखना है। मैंने अगले दिन चार बजे कलकत्ता पुस्तक मेले में आयोजित 'हिन्दी-मण्डप' में आने के लिए अनुरोध किया। वे विश्वम्भर दयाल सुरेका के निवास पर ही ठहरे थे। मैंने कहा कि चार बजे आपको लेने आ जाऊँगा। अज्ञेय जी ने नपीतुली आवाज में कहा– मैं स्वयं आ जाऊँगा, पाँच बजे शाम।

29 जनवरी को रूपाम्बरा हिन्दी मण्डप में अज्ञेय जी की पुस्तकों का एक अलग खण्ड सजाया गया। नामपट्टिका भी लगा दी गयी – 'अज्ञेय साहित्य'। मण्डप में दिल्ली के हिन्दी प्रकाशकों की पुस्तकों के लिए अलग-अलग स्टाल उपलब्ध कराए गये थे। उनके प्रतिनिधियों को सूचना दे दी गयी कि वे शाम को स्टालों पर रहें। कलकत्ता के साहित्यिक मित्रों को भी सूचित कर दिया कि मण्डप में अज्ञेय जी से मिल सकते हैं।

अज्ञेय जी ठीक पाँच बजे विश्वम्भर दयाल और श्रीमती कुसुम खेमानी के साथ पहुँचे। मैंने उनका स्वागत किया। पत्नी उत्तरा से परिचय कराया। उन्होंने परिवार, बच्चों के बारे में पूछा। बाद में आधे घण्टे तक मण्डप में सजायी गयी पुस्तकों का अवलोकन करते रहे। फिर अचानक गम्भीर होते हुए बोले– कलकत्ता में तो हिन्दी पुस्तकें इतनी ज्यादा नहीं बिकती होंगी! मैंने कहा– कलकत्ता में ही हिन्दी पुस्तकें सबसे अधिक बिकती हैं, यह जरूर है कि लोग पढ़ने से ज्यादा संग्रह करना पसन्द करते हैं। प्रत्येक साहित्यिक अभिरुचि वाले व्यवसायी के घर एक पुस्तकालय होता है, जहाँ प्रति वर्ष पुस्तकें खरीद कर सजा दी जाती हैं। अज्ञेय जी मुस्कुराए। कुछ देर वे रवीन्द्रनाथ के अनुवादों को पलटते रहे। मैंने पूछा

कि चाय या कॉफी लेंगे तो बोले चाय का समय तो है।

हम मण्डप से निकल कर बाहर गेट पर रखी कुर्सियों पर आ बैठे। तब तक सविता बनर्जी और उनके पति आ गये थे। मैंने सविता जी का परिचय कराया। कुसुम खेमानी और सुरेका जी मेला परिदर्शन कर आ गये थे। पाँच मिनट में चाय भी आ गयी। साथ में समोसे तथा बिस्कुट थे। मैंने पूछा— क्या लेंगे? बस एक बिस्कुट— अज्ञेय जी ने धीरे से कहा। फिर बोले— तेल भाजा कम खा पाता हूँ।

सविता जी ने पूछा— अज्ञेय जी आप बांग्ला भी जानते होंगे, 'तेल भाजा' तो बांग्ला शब्द ही है! अज्ञेय जी— हाँ कलकत्ते में काफी पहले कुछ अरसे रहा। यही भवानीपुर में। बांग्ला सीखने का प्रयास भी किया था। तब तो टूटी-फूटी बांग्ला बोल भी लेता था। किन्तु किसी भी भाषा को बिना अच्छी तरह जाने गलत बोलना एक तरह से अपराध है। भाषा का सम्मान हर हालत में करना चाहिए। मैं रवीन्द्रनाथ, शरतचन्द्र और बंकिमचन्द्र को पढ़ना चाहता था। इसलिए बांग्ला सीखने का यत्न किया। परन्तु कलकत्ता से इलाहाबाद जाने के बाद जो कुछ सीखा था, भूलता गया। कोई बांग्ला बोलता है तो समझ लेता हूँ। अभी बांग्लादेश में मेरी कविताओं का बांग्ला अनुवाद जिन सज्जन ने किया, कुछ शब्दों को छोड़ दिया, कुछ अपने आप जोड़ दिया। मैंने उन्हें टोका। हिन्दी कविता का बांग्ला अनुवाद करना कोई कठिन बात नहीं। दोनों भाषाएँ बहुत करीब हैं। शब्दावली में भी कुछ खास भिन्नता नहीं। बांग्ला, संस्कृत और हिन्दी से ही बनी है। भाषा तत्त्व भी दोनों में लगभग एक से हैं।

तब तक कॉलेज की कुछ छात्राएँ हाथों में अज्ञेय-साहित्य लिये खड़ी थीं। एक ने मेरे कान में कहा— सर जी का ऑटोग्राफ दिलवा दीजिए न! मैंने उन्हें कहा— एक-एक कर किताबें देती जाओ। फिर अज्ञेय जी से अनुरोध किया। एक छात्रा ने *आत्मनेपद* आगे बढ़ाई। उस पर अज्ञेय जी ने लिखाः

''भर लो आलोक किरण मन में
जिनमें बाँट सको उसे ही
जन जन में''

फिर हस्ताक्षर कर दिए। दूसरी छात्रा ने *आँगन के पार द्वार* थमा दी। वे क्षण भर सोचते रहे, फिर आशीर्वचन लिखेः

''पहचान से सहमना—
सहमने की पहचान से झिझकना
मन को खुली नाव मत समझना''

तीसरी छात्रा के हाथ में *नदी की बाक पर छाया* तथा *महावृक्ष के नीचे थी*। अज्ञेय ने पहली पुस्तक में लिखा, ''प्रसन्नता ही जीवन का अर्थ, बाकी सब व्यर्थ''। दूसरी पुस्तक पर शायद केवल हस्ताक्षर कर दिए। उन्होंने कहा– बस। छात्राएँ उन्हें प्रणाम कर प्रसन्न मन चली गयीं। नमस्कार कर सविता बनर्जी भी श्री बनर्जी के साथ चली गयी।

अब तक मैंने देखा कलकत्ता के 'चपरकनाती' साहित्यकार गिरोह बनाकर दूर खड़े हमारी ओर देख रहे थे। वे अज्ञेय को बस देखने आये थे, मिलने नहीं। उस देखने में अजीब-सा संकोच, हीनभावना और बौनापन दिखाई दे रहा था। छह बज गये थे। कलकत्ता पुस्तक मेले में ऐसे समय भीड़ बढ़ जाती है। अज्ञेय अब तक मौन भाव से बैठे थे। उन्होंने ही मौन तोड़ा– कलकत्ता में शम्भुनाथ भी रहते हैं। मैंने कहा– हाँ, यहीं विश्वविद्यालय में प्राध्यापक हैं। फिर कुछ पल का मौन।

तभी बांग्ला के सुप्रसिद्ध कवि शक्ति चट्टोपाध्याय, उनकी पत्नी मीनाक्षी अपने तीन-चार कवि मित्रों के साथ आये।

''स्वदेश, कैमन आछो?''

''भालो। तुमि अज्ञेय जी के जानो तो?''

''कोबिता पोड़ेछि, भालो लागे। देखा ह्वायनी''। मैंने अज्ञेय से शक्ति का परिचय कराया। साथ आये अन्य मित्रों का परिचय भी हुआ। अज्ञेय शक्ति के काव्य से अच्छी तरह परिचित थे। वे उठकर खड़े हो गये। उस दिन मुझे लगा अज्ञेय किस तरह से शिष्टाचार और लेखकों के साथ समरसता का सम्बन्ध निभाते हैं। अज्ञेय जी के भव्य व्यक्तित्व और अनावश्यक न बोलने के कारण भी उनका कद काफी ऊँचा हो जाता था। मैंने देखा हिन्दी के साहित्यकार अभी भी गिरोहबद्ध कुछ दूरी पर खड़े अज्ञेय की चर्चा-विचर्चा में मगन थे। मुझे कोफ्त हुई। बांग्ला का लेखक अज्ञेय जी से मिलकर प्रसन्नता अनुभव करता है। हिन्दी का लेखक दूर खड़ा तमाशा देखता है! कैसी विसंगति थी। जीने और लिखने में, व्यवहार और सदाचार में, सम्बन्धों को छोटा करने में, दिमागी ग्रन्थि पालकर हमेशा अपने ही दायरे में सोचने-समझने में। शक्ति ने हमारे मौन की जड़ता तोड़ी– ''खूब भालो हो तो... यदि अज्ञेय जी संगे कोबिता आसार हए जाए।''

अज्ञेय मुस्कुराए। अब तक कुछ और कुर्सियाँ आ गयी थीं। सभी बैठ गये। शक्ति चट्टोपाध्याय जीवनानन्द दास के बाद बांग्ला कविता में दूसरा बड़ा नाम हैं। उन्हें बांग्ला वाले माताल, उद्दण्ड, निशाचारी और जाने किन-किन विशेषणों से अंकित पंकित करते रहे। शक्ति एक जानदार कवि ही नहीं, बड़े इन्सान भी थे। वे बोले– ''समस्तो भाषा एक दुजेर दीदी, शब्द शुधु निधि, रचना तार विधि'': सभी भाषाएँ एक दूसरे की बहनें हैं, शब्द हमारी सम्पत्ति, निधि हैं और रचना

उसकी विधिशक्ति।

शक्ति ने अज्ञेय जी से पूछा– ''आपनि तो बड़ो एक कोबि, बोलुन ना, जारा कोबिता, गल्पो लिखते पारे ना, ताराई किन्तु आमादेर पिछुने लागे आजे-बाजे लिखे। ता के बोले आलोचक'': आप तो एक बड़े कवि हैं, बताइए न, जो लोग कविता-कहानी नहीं लिख पाते, वही हमारे पीछे पड़े रहते हैं, अंट-शंट लिखते रहते हैं। उन्हें आलोचक कहा जाता है। अज्ञेय जी मुस्कुराए। फिर गम्भीर होते हुए बोले– आप उनकी चिन्ता क्यों करते हैं? मौलिक रचनाकार को आलोचक का कुचक्र समझना चाहिए। उन्हें ज्यादा महत्त्व नहीं देना चाहिए। हम उन्हें महत्त्व देते हैं, इसीलिए वे हम पर मास्टरी करते हैं और यह बड़ी विचित्र बात है कि आलोचना करने वाले प्रायः प्राध्यापक होते हैं। हम तो साहित्य के विद्यार्थी बने रहते हैं, किन्तु वे हमारे मास्टर बनना चाहते हैं। हम उन्हें नहीं मानते तो वे हमारा तिरस्कार अपनी आलोचना के माध्यम से करते हैं। ऐसे लोग टी.एस. एलियट या अन्य विद्वानों के उदाहरण देते हैं, किन्तु उन जैसे सहृदय वस्तुनिष्ठ, यथार्थ लेखन और चिन्तन के दौर से गुजर नहीं पाते। अपने भीतर-बाहर सन्नाटा बुनते हैं अथवा सन्नाटे को चीख में बदलते हैं। किसी खास नजरिए से बँध कर उससे छूट नहीं पाते, फिर भी स्वतन्त्रचेता कहलाते हैं।

इसी बीच आचार्य विष्णुकान्त शास्त्री के आ जाने से चर्चा पर विराम लग जाता है। अज्ञेय जी उठकर शास्त्री जी के अभिवादन को ससम्मान ग्रहण करते हैं। शास्त्री जी भी एक कुर्सी पर बैठ जाते हैं। शक्ति चट्टोपाध्याय की ओर किंचित् मुग्ध मुस्कान बिखेरते हुए पूछते हैं– ''आपानि हिन्दी मंडपे एसे छेन एई सौजन्य सौहार्द बांग्ला साहित्येर विशिष्टता?'' शक्ति ने कहा– ''आपनार काछे तो महापंडितेर जोर आछे'': आपके पास तो महापंडित की शक्ति है। शास्त्री जी जोरों से ठठाकर हँस पड़े। अज्ञेय जी गम्भीर-से थे। मैंने गम्भीरता को तोड़ने की खातिर शास्त्री जी से कहा– गुरुवर, लगता है शक्ति आज किसी सभा में आलोचकों और विरोधियों से कट-पिट कर आये हैं।

शास्त्री जी ने कहा– ''कोथाय कि होयछे?'' कहाँ क्या हुआ?

शक्ति ने पहली बार साहित्य पर गम्भीर होकर कुछ कहने का मन बनाया। ''आपनार सामने किछु बोलते हबे ना। जा भावबो लिखबो, आलोचक के?'' आपके सामने क्या बोलूँ, जो सोचूँगा लिखूँगा। आलोचक कौन है? शास्त्री जी फिर हँस पड़े। अज्ञेय भी हँसे। मीनाक्षी ने चुटकी लेते हुए कहा– स्वदेश, तोमार संगे शक्ति किछु बेशी गंभीर हए जाए।

शक्ति ने सुझाया– ''अज्ञेय जी एकटि अनुरोध आछे। आपनार मुखे एकटि कोबिता शोनते चाइ।''

यहाँ पर? अज्ञेय ने कहा! शास्त्री जी बोले– कलकत्ता पुस्तक मेले में काव्य-पाठ न हो, ऐसा हो ही नहीं सकता। यहाँ तो बांग्ला के प्रायः प्रत्येक स्टाल पर कोई न कोई कवि अपना हस्ताक्षरित कविता-संकलन उपन्यास पाठकों को देता है या कविता सुनाता है। इसी से बांग्ला की साहित्य-प्रियता बढ़ी है। कविवर, आपकी कविताएँ बहुत दिनों से नहीं सुनीं। आज इससे वंचित न करें।

अज्ञेय बोले– ठीक है, किन्तु कोई कविता संकलन तो चाहिए! मैं जाकर स्टाल से उनके तीन कविता संकलन चुनकर लाया– *इत्यलम्*, *हरी घास पर क्षण भर* और *अरी ओ करुणा प्रभामय*। सभी अज्ञेय की ओर देख रहे थे। अज्ञेय ने अपनी शैली में काव्य-पाठ इस तरह आरम्भ किया:

मैंने देखा
एक बूँद सहसा
उछली सागर के झाग से:
रंग गयी क्षण-भर
ढलते सूरज की आग से

मुझको दीख गया:

सूने विराट् के सम्मुख
हर आलोक-छुआ अपनापन
है उन्मोचन
नश्वरता के दाग से!

अब शक्ति ने बेहद गम्भीर होते हुए कहा–"दारुण! आरो शोनान, अद्भुत!"

अज्ञेय जी ने कहा– छोटी कविताएँ ही सुनाऊँ। शायद लम्बी यहाँ ठीक नहीं। उन्होंने हरी घास पर क्षण भर खोली और पढ़ने लगे:

पार्श्व गिरि का नम्र चीड़ों में
डगर चढ़ती उमंगों-सी।
बिछी पैरों में नदी ज्यों दर्द की रेखा।
विहग-शिशु मौन नीड़ों में।
मैंने आँख भर देखा।
दिया मन को दिलासा – पुनः आऊँगा।
(भले ही बरस-दिन – अनगिन युगों के बाद!)
क्षितिज ने पलक-सी खोली,

तमक कर दामिनी बोली–
'अरे यायावर! रहेगा याद?'

इसके बाद बोले– बस! अभी तो इतना ही।

स्वयं भारी आरोह-अवरोह वाले ओजस्वी स्वर में कविता पढ़ने वाले शक्ति अज्ञेय के शान्त, सरल पाठ पर मुग्ध हुए, ऐसा उनके चेहरे से लगा। अचानक मेरी ओर मुड़कर बोले– "स्वदेश, अज्ञेय जी संगे एक कोबिता आसार करो न!" (अज्ञेय जी के साथ एक कविता-बैठकी करो न) अज्ञेय ने कहा– इस बार नहीं। फिर आऊँगा तो। काफी समय हो गया है। मुझे सात बजे दिल्ली फोन भी करना है। अब चलता हूँ।

थोड़ी देर में सबको नमस्कार करते हुए अज्ञेय चले गये। लेकिन उसके बाद वे कभी कलकत्ता नहीं आ सके।

मार्च 1987 के आखिरी दिनों में अज्ञेय भोपाल के काव्य उत्सव 'कवि भारती' में भाग लेने गये थे। वहाँ से दिल्ली लौटकर कुछ अस्वस्थ अनुभव कर रहे थे। मैंने फोन किया तो बोले, शरीर अब थकान सह नहीं पा रहा है। लम्बा आराम करने की इच्छा है, परन्तु अभी कई काम अधूरे पड़े हैं। मैंने विनम्रतापूर्वक कहा कि कुछ दिनों के लिए कलकत्ता आ जाएँ या नैनीताल अथवा दार्जीलिंग जाकर विश्राम कर लें। उत्तर में उनकी शान्त, बुझी हुई आवाज आयी– स्वदेश जी, अब तो मुश्किल है। मैं उनकी असमर्थता समझ नहीं पाया। जल्दी ही – चार अप्रैल को – वे सचमुच लम्बे आराम को चले गये।

15

अखबार ओढ़कर भी सोया हूँ

॥ प्रभाकर श्रोत्रिय

अज्ञेय जी से पहली बार तब स्मरणीय सम्पर्क हुआ जब मैंने उन्हें भोपाल विश्वविद्यालय अनुसन्धान परिषद की एक संगोष्ठी में आमन्त्रित किया। वे कृपापूर्वक आये और शोध और सृजन के अन्तर्सम्बन्धों पर भाषण दिया। शोध की अवमानना से असहमत होते हुए अच्छे शोध की साहित्य में उपयोगिता पर रौशनी डाली। उनका यह भाषण प्रायः हू-ब-हू उनकी पुस्तक *अद्यतन* में प्रकाशित है। संगोष्ठी की भूमिका के रूप में मैंने एक छोटा-सा पर्चा पढ़ा, जिसमें शोध के लिए भी वही प्रतिमान रखने का आग्रह किया जो अच्छी रचना के लिए होता है। क्योंकि अच्छा शोध भी अच्छी रचनाओं की तरह अल्पसंख्यक होता है और साहित्य तथा शोध के महत्त्व को उन्हीं से आँका जाता है। अज्ञेय को वह पर्चा वस्तुनिष्ठ लगा था, यह मेरे जैसे नये लेखक के लिए उत्साहवर्धक था। बड़ी संख्या में उपस्थित श्रोताओं ने खुली छत पर बैठकर एक खुशनुमा वातावरण में अज्ञेय की शान्त, गम्भीर और विचारशील वाणी का आस्वादन किया। उस समय की एक उल्लेखनीय घटना यह है कि अज्ञेय आमन्त्रित करने पर कला परिषद में गये, चित्र प्रदर्शनी देखी, पर परिषद के बड़े आग्रह पर भी उन्होंने वहाँ काव्य-पाठ नहीं किया।

ऐसी ही घटना बालकृष्ण शर्मा 'नवीन' की जन्मभूमि शाजापुर में आयोजित जयन्ती के अवसर पर भी हुई। अज्ञेय का नवीन जी पर भाषण होना था। वहीं उनके सम्मान में एक काव्य-गोष्ठी रखी गयी थी, जिसमें कवि-सम्मेलनी कवि आये थे और मेले जैसा जनसमूह हजारों की संख्या में था। शाजापुर नरेश मेहता की भी जन्मभूमि है। अतः उस आयोजन में वे भी उपस्थित थे। मंच और श्रोताओं के उस परिवेश में अज्ञेय के साथ बैठे नरेश मेहता अत्यधिक संकोच और असुविधा अनुभव कर रहे थे। अज्ञेय के स्वभाव, सुरुचि और सोच से हिन्दी का कौन प्रबुद्ध पाठक अपरिचित होगा? अज्ञेय मंच के बीचोबीच सर्वथा अविचल, निस्पृह भाव से बैठे थे। अभिवादन करने वालों को अपनी परिचित मुस्कान से प्रत्युत्तर देने के अलावा उन्होंने कोई प्रतिक्रिया प्रकट नहीं की। मैं भी विचलित था,

क्योंकि उस निमन्त्रण में मेरी भी भूमिका मध्य प्रदेश साहित्य परिषद के सचिव के नाते थी। फिर कस्बाई मानसिकता के अनुसार विभिन्न संस्थाओं की ओर से हार पहनाने का सिलसिला शुरू हुआ। अज्ञेय की परेशानी समझकर नरेश जी ने इसे बन्द करवाया। किसी तरह मंच पर हुई भीड़ को वापस किया।

जब अज्ञेय से भाषण के लिए अनुरोध किया गया तो अपनी स्वाभाविक शान्त मुद्रा में उन्होंने सम्भवतः पौन घण्टे तक नवीन जी पर अत्यन्त गम्भीर और आत्मीय व्याख्यान दिया। इस बीच जनता शान्ति से सुनती रही, यह हम लोगों का सौभाग्य और अज्ञेय की प्रतिष्ठा, भाषण की स्निग्धता, नवीन जी के प्रति जनता का प्रेम और सम्मान था।

कवि-सम्मेलन प्रारम्भ हुआ, अज्ञेय उन कविताओं को चुपचाप, बिना प्रतिक्रिया के सुनते रहे जिसका वे आजीवन तिरस्कार करते आये थे। नरेश मेहता ने भी, अत्यधिक आग्रह के कारण, असुविधा और असहमति के भाव से एक छोटी-सी कविता पढ़ी। अज्ञेय से बार-बार निवेदन किया गया तो भी वे अविचल रहे और उन्होंने कविता नहीं ही पढ़ी। एक कवि का इन दोनों अवसरों पर कविता न पढ़ना क्या सूचित करता है? अपनी कविता का मान रखना अज्ञेय के लिए व्यक्तित्व के मान का पर्याय था। बिना पूर्व योजना और समुचित वातावरण के अज्ञेय ने सार्वजनिक रूप से शायद ही कभी कविता पढ़ी हो! इस सन्दर्भ में उन्होंने अपनी पीढ़ी को भी अनकहे प्रशिक्षण दिया था। अज्ञेय जैसा नपा-तुला बोलते और लिखते थे, वैसे ही अपने प्रतिरोध और अस्वीकार को भी उन्होंने मौन अर्थवत्ता दी थी।

मध्य प्रदेश शासन ने तब 'शिखर सम्मान' प्रारम्भ किया था, जो मध्य प्रदेश के किसी शीर्षस्थ रचनाकार को प्रतिवर्ष दिया जाता था। श्रीकान्त वर्मा, शानी आदि को पुरस्कार दिया जा चुका था, पर भवानीप्रसाद मिश्र, नरेश मेहता, वीरेन्द्र कुमार जैन जैसे अनेक महत्त्वपूर्ण और वरिष्ठ रचनाकारों की अनदेखी कर दी गयी थी। मध्य प्रदेश का लेखक समाज इससे क्षुब्ध था। ऐसी स्थिति में हम कुछ मित्रों ने सम्मान की समान्तर विधि खोजी। कैलाशचन्द्र पन्त ने अपने पाक्षिक पत्र *जनधर्म* की ओर से 'सारस्वत सम्मान' की स्थापना की। सम्मान की राशि शासन द्वारा दिए गये इक्कीस हजार से काफी कम होने के बावजूद जन-समर्थन की अभिव्यक्ति के कारण उसका महत्त्व बढ़ गया था। पन्त जी के साथ रमेश दवे और मैं भी था। सम्मानित लेखक पर निकलने वाले *जनधर्म* का विशेषांक मैं सम्पादित करता और समारोह में मूल्यांकन लेख भी पढ़ता था। पहले वर्ष भवानीप्रसाद मिश्र, दूसरे वर्ष नरेश मेहता, तीसरे वर्ष वीरेन्द्र कुमार जैन को सारस्वत सम्मान दिया गया। इससे सम्मान प्रतिष्ठित हो गया। शायद यही प्रभाव था कि इन तीनों ही लेखकों को अगले वर्षों में क्रमशः शासन को भी पुरस्कृत करना पड़ा हो।

आम तौर पर समझा जाता था कि अज्ञेय और नरेश मेहता के बीच फाँक है। यह जानते हुए भी हमने नरेश मेहता को सम्मान देने के लिए अज्ञेय जी को आमन्त्रित किया। अज्ञेय ने प्रसन्नतापूर्वक निमन्त्रण स्वीकार किया। और आयोजन में महत्त्वपूर्ण वक्तव्य दिया। पहला वाक्य उन्होंने कहा कि 'हमने यानी नरेश जी ने और मैंने जब कविता लिखना शुरू किया तो हमारे पास भाषा नहीं थी। हमें भाषा का अन्वेषण करना पड़ा। आदि।' इस बहुत ही आत्मीय और मार्मिक संगम से नरेश जी अभिभूत हुए, सम्भवतः अज्ञेय को भी इन क्षण की वर्षों से प्रतीक्षा थी। इस अवसर पर भोपाल के सभी साहित्यिक खेमों के लेखक मौजूद थे और बड़ी संख्या में प्रबुद्ध श्रोता भी।

उस समय के दो प्रसंगों का उल्लेख करना चाहूँगा। अज्ञेय जी को पर्यटन विभाग के एक अतिथि आवास में ठहराया गया था। आयोजन में जाने के लिए हम लोगों ने एक कार का प्रबन्ध किया था, जो बहुत पुरानी थी। उसी समय चमचमाती एक सरकारी गाड़ी आयी। स्वाभाविक था कि अज्ञेय जैसे सम्भ्रान्त समझे जाने वाले सलीकेदार लेखक अपनी प्रतिष्ठा के अनुरूप उसी गाड़ी में बैठते। पर वे हमारी लाई उसी पुरानी-धुरानी गाड़ी में बैठे और आयोजन स्थल पर आये। वह चमचमाती कार पुरानी कार के पीछे चल रही थी! अज्ञेय के लिए स्नेह और आत्मीय सम्मान का मूल्य साधनगत सुविधा या प्रदर्शन से अधिक था।

दूसरा प्रसंग अतिथि-आवास का है। अज्ञेय के लिए एक अच्छे से कमरे की व्यवस्था थी। रात आठ बजे तक हम लोग उनके पास ठहरे और सारी व्यवस्था देखी। हलकी ठण्ड का मौसम था। सुबह हमें पता चला कि रात को अज्ञेय के कक्ष में कम्बल नहीं था। रात को जिस कर्मचारी की ड्यूटी थी, वह उनके कमरे में कम्बल रखना भूल गया। रामकमल राय उस आयोजन में विशेष आमन्त्रित थे। अज्ञेय को आमन्त्रित करने में उनकी अहम भूमिका थी। उन्हें अज्ञेय के पास वाले कमरे में ठहराया गया था। अज्ञेय प्रातःकाल जल्दी उठकर घूमने जाते थे। नियमानुसार उठे। अज्ञेय की आदत जानने वाले राय जी भी उठ गये और उनके साथ घूमने निकल गये। रास्ते में अनौपचारिक बातचीत में अज्ञेय ने उन्हें बताया कि रात उनके कमरे में कम्बल नहीं था। रामकमल जी बड़े विचलित हो गये और उन्होंने अपनी स्वाभाविक हड़बड़ी में यह बात हमसे कही। हम बहुत दुखी और लज्जित हुए। पर हमने पूछा कि अज्ञेय जी ने घंटी बजाकर किसी को बुलाया क्यों नहीं? रामकमल जी को ही कह दिया होता। कम्बल का प्रबन्ध तुरन्त हो जाता। यह बात मैंने उनसे भी कही कि आपने किसी को सूचित क्यों नहीं किया? वे सहज मुस्कान के साथ बोले कि 'कोई बात नहीं, मैं तो अखबार ओढ़कर भी सोया हूँ।

आपने कल जो शाल भेंट की थी, वह काम आ गयी।'

यहीं एक आनुषंगिक प्रसंग है। अज्ञेय प्रायः मौन रहते थे या बोलना होता तो ऐसे बोलते जैसे शब्द कहीं खर्च न हो जाएँ। एक बड़बोले लेखक आये और उन्होंने अपने ज्ञान का प्रदर्शन करने के लिए इधर प्रकाशित कुछ अंग्रेजी पुस्तकों का जिक्र किया। उन्होंने अज्ञेय से पूछा— फलाँ लेखक की फलाँ पुस्तक आपने देखी? अज्ञेय कुछ नहीं बोले, उन्होंने उनके द्वारा बताये लेखक का नाम बस सुधारकर बोल दिया।

दूसरे दिन मेरे निमन्त्रण पर अज्ञेय मेरे टी.टी. नगर स्थित छोटे से घर में आये। मेरी बेटी अनामिका उस समय शायद दो-तीन साल की थी। वह घर के बाहर दालाननुमा बगीचे में खेल रही थी। अज्ञेय ने बड़े स्नेह से उसे एक बढ़िया सेब दिया। उसने हाथ में लेते-न-लेते उसे आँगन में फेंक दिया जैसे उसके हाथ में सेब नहीं, कोई अस्पृश्य-सी चीज रख दी गयी हो। हम लोग बहुत लज्जित हुए, पर अज्ञेय सहज मुस्कान के साथ घर में आ गये। बैठक में रखे तख्त पर वे नरेश जी के साथ बैठे चर्चा करते रहे। फिर मेरी पत्नी ज्योति ने नाश्ते के लिए उन्हें रसोईघर में बुलाया। रसोईघर में ही एक ओर भोजन की टेबल लगी थी। जाने-आने में कुछ कठिनाई तो होती ही थी। अज्ञेय जी और नरेश जी बड़े सुख से वहाँ बैठे। उन्होंने मेरी पत्नी द्वारा बनाये व्यंजन और विशेषकर दार्जीलिंग चाय का बड़ा आनन्द लिया और प्रशंसा में दो प्याले चाय पी। मूंग की दाल का हलुवा खाते हुए धीरे-से बोले— "यह भी एक रचना है।" उस छोटे से घर में कोण साधते हुए मेरे किशोर पुत्र आवेश ने इस अवसर के ढेरों चित्र क्लिक किए। बाद में भी हमने नरेश जी के साथ साँची जाते हुए कई चित्र खींचे। पर जब रील धुलाने के लिए फोटोग्राफर को कैमरा दिया गया तो पता चला कि उसमें रील ही नहीं थी! स्मृति की ऐसी हत्या शायद ही कभी हुई होगी! आयोजन की गहमागहमी में मैंने एक व्यक्ति को रील डलवाने का काम सौंपा था, राशि भी दी थी। दो दिन बाद मुझे उसने यह कहकर कैमरा लौटाया था कि इसमें फिल्म लोड की जा चुकी है। एक से दूसरे, दूसरे से तीसरे... हाथों में पहुँचते हुए उसने दन्त कथाओं का रूप धर लिया था।

अज्ञेय जब विश्वविद्यालय में निमन्त्रित होकर आये थे तब भी मेरे निमन्त्रण पर मेरे घर आये थे। मकान वही था, पर उसमें सामने का कक्ष मेरा अध्ययन और स्वागत-कक्ष दोनों था। कोने में टेबल, उसके पीछे और सामने पुस्तकों की रैक। चारों ओर पुस्तकों से घिरा एक कोने में सिमटा-सा तख्त था और बाजू से सोफा रखा था, बीच में छोटी-सी टेबल, वहीं से घर में प्रवेश का मार्ग भी था। अज्ञेय तख्त पर बैठे। उन्होंने तब भी घर में बने व्यंजन का आनन्द लिया था।

अज्ञेय जी का वत्सल निधि शिविर हिन्दी में प्रसिद्ध हो रहा था। उसमें कुछ लेखक नियमित आमन्त्रित होते थे। पर हर बार कुछ नये लेखकों को भी बुलाया जाता। बरगीनगर (मध्य प्रदेश) में आयोजित पाँचवें लेखक शिविर में मुझे भी अज्ञेय जी ने आमन्त्रित किया। यह शिविर 'समकालीन कविता में छन्द' पर केन्द्रित था। इसी विषय पर मेरा एक लेख उन्होंने *नया प्रतीक* के एक अंक में प्रथम पृष्ठ पर छापा था। सम्भवतः वह उनके स्मरण में रहा हो, तभी इस विषय पर केन्द्रित शिविर में उन्हें मेरी याद आयी। इसी अवसर पर उनकी आयोजन शैली से परिचित हुआ। लगभग एक वर्ष पूर्व उन्होंने बाकायदा पत्र लिखा और बीच-बीच में मिलने पर भी स्मरण कराते रहे कि आपको इस विषय पर विस्तृत आलेख देना है। मैंने कहा कि इसी विषय पर मेरा लेख मेरी पुस्तक *कविता की तीसरी आँख* में छप चुका है, जो इससे पूर्व *नया प्रतीक* में भी छपा था। उन्होंने उसी लेख में संशोधन-संवर्द्धन कर देने को कहा। मैं उनके सौजन्य से गहरे संकोच का अनुभव कर रहा था। मैंने कुछ कहा तो नहीं, पर शायद मेरे चेहरे में उन्हें दिख गया था कि पूर्व लिखित लेख में फेरबदल करना मेरे बस का नहीं है।

मैं शिविर में शामिल हुआ और मैंने वह लेख ज्यों-का-त्यों पढ़ा। इस अवसर पर रामस्वरूप चतुर्वेदी, रमेशचन्द्र शाह, विद्यानिवास मिश्र, विष्णुकान्त शास्त्री, गोविन्द मिश्र, गिरिराज किशोर, ओम थानवी आदि वहाँ उपस्थित थे। पन्द्रह-बीस अन्य भी चुने हुए लेखक थे। पर्चा पढ़ने के बाद उस पर बहस होती थी। अज्ञेय ने लेखकों को विमर्श के लिए आमन्त्रित किया। सभी चुप...सन्नाटा। पर्चा मैंने कोई डेढ़ घण्टे तक पढ़ा। पर प्रतिक्रिया में कोई भी दो शब्द तक न बोला। शायद सभी अज्ञेय को सुनने का समय खोना नहीं चाहते थे।

अज्ञेय के वक्तव्य ने खामोशी तोड़ी। बड़ी सहजता से उन्होंने मेरा सामान्यीकरण 'हिन्दी के आलोचक' के रूप में करते हुए, दो-एक आक्रमण किए। एक तो मुझे स्मरण नहीं रहा, दूसरा यह था कि हिन्दी के आलोचक उद्धरणों को 'मिस कोट' करते हैं। स्पष्टतः मुझे दोनों बातें खलीं, पर ज्यादा तो 'मिस कोट' करने वाली बात। इसीलिए वह अब तक याद है। इसे आगे बढ़ाने से पहले बता दूँ कि अपने प्रवाह में अज्ञेय ने छन्द और लय पर एक लम्बा भाषण दिया, जो इस विषय पर उनका प्रमुख भाषण था। इसमें उन्होंने कई मौलिक मान्यताएँ भी रखीं। शायद कुछ औपचारिकताएँ हटाकर यह टेपांकित भाषण ज्यों-का-त्यों उनकी सम्पादित पुस्तक *समकालीन कविता में छन्द* में छपा है।

दूसरे दिन अज्ञेय फुरसत के क्षणों में बैठे थे, कुछ लेखक भी उनके आसपास बैठ गये। मुझे इन लेखकों में गोविन्द मिश्र, गिरिराज किशोर, श्यामसुन्दर दुबे जैसे दो-तीन लेखकों की ही याद है। मेरे मन में चूँकि कल की बात खल रही थी,

इसलिए मैं भी बैठ गया। अवसर मिलते ही मैंने अज्ञेय जी से पूछा कि आपने जो 'वह' बात कही थी (जिसका अब मुझे स्मरण नहीं) वह ठीक हो सकती है, पर मैंने कौन-सा सन्दर्भ 'मिस कोट' किया? तो अज्ञेय ने बिना अधिक देर किए कहा कि "उसमें 'भी' आपकी गलती नहीं थी। वस्तुतः वह मेरी अनूदित कविता है, जिसका उल्लेख करना मैं भूल गया था और वह मेरे मौलिक काव्य-संग्रह में छप गयी।" यह कविता उनके काव्य संग्रह *सागर मुद्रा* में 'तुम क्या जानो' नाम से छपी है। (मुझे अनायास रामविलास शर्मा का अज्ञेय पर लिखा लेख – 'अज्ञेय और नव रहस्यवाद' याद आ रहा है, जिसमें उन्होंने ऐसा कुछ लिखा है कि अज्ञेय के *अरी ओ करुणा प्रभामय* संग्रह में कुछ विदेशी कविताओं के अनुवाद भी हैं, पर यदि नाम हटा दें तो उनमें और अज्ञेय की कविताओं में अन्तर नहीं मालूम होता। बहरहाल।)

मैंने अपने लेख में अज्ञेय के जो दो-चार उद्धरण दिए थे, उनमें से सिफ़्र इसी कविता में छन्द-लय के सिलसिले में अज्ञेय की खुलकर सराहना कर पाया था। विचित्र संयोग निकला कि यह कविता अज्ञेय की नहीं थी। बहरहाल उन्होंने कहा कि "मैंने दूसरे संस्करण में इसमें संशोधन कर दिया है।" मैंने कहा कि मैं अपनी पुस्तक के अगले संस्करण में इस उद्धरण के साथ टीप दे दूँगा ताकि भूल सुधार हो जाए। मैंने *कविता की तीसरी आँख* के तीसरे संस्करण में इस उद्धरण के साथ यह पाद टिप्पणी दी– 'अज्ञेय के अनुसार यह उनके द्वारा अनूदित कविता है। पहले संस्करण में वे इसका उल्लेख नहीं कर सके थे। बाद के संस्करण में उन्होंने संशोधन कर दिया था – बरगी में कवि ने लेखक से कहा था।' यद्यपि यह स्वीकार अज्ञेय के बड़प्पन को दिखाता है, परन्तु मुझे यह बात चुभती रही कि यह स्वीकारोक्ति उन्होंने बाद की किसी गोष्ठी में क्यों नहीं की।

उस शिविर का सबसे स्मरणीय प्रसंग है – 'असाध्य वीणा' का मार्मिक एवं अर्थव्यंजक पाठ। मौन ग्रहणशीलता के बीच उनका यह पाठ एक अद्वितीय अनुभव था।

बरगीनगर की एक रोचक घटना याद आती है। एक दिन वहाँ के प्रबन्धकों ने रात को कवि-सम्मेलन का आयोजन किया। उसमें जबलपुर से रामेश्वर शुक्ल 'अंचल' तथा अन्य कवि आने वाले थे। देर तक वे नहीं आये।

किसी को अब अंचल जी के आने की उम्मीद नहीं थी। इसलिए सभी अपने-अपने कक्ष में सोने चले गये। अप्रत्याशित रूप से अंचल जी अपने तरंगित साथी कवियों के साथ दस बजे बाद बस से अतिथि परिसर में उतरे, जहाँ पहला कमरा मेरा ही पड़ता था। स्वाभाविक रूप से वे झूमते-झामते मेरे कक्ष में घुस आये। मैंने उन्हें प्रणाम किया और हाथ पकड़कर आरामकुर्सी पर बिठाया। उन्होंने

लकड़ी दोनों पैरों के बीच टिकाकर आरामकुर्सी पर पैर फैला दिए और हुंकार लगाई "अज्ञेय को बुलाओ।" तब तक अन्य कुछ लेखक भी मेरे कक्ष में आ गये थे। अब इतनी रात गये विश्राम करते अज्ञेय को जाकर कौन जगाए? किसी की हिम्मत नहीं पड़ रही थी। पर यह जरूरी भी था। हिम्मत कर दो-एक लेखक गये और धीरे-धीरे अज्ञेय का कक्ष खटखटाया। अज्ञेय जी बाहर आये, उन्हें अंचल जी के आने की सूचना दी गयी और यह भी कि अंचल उन्हें बुला रहे हैं। अंचल आयु में अज्ञेय से जेठे थे। अज्ञेय जी अपने पूरे कपड़े पहने बाकायदा तैयार होकर आये। अभिवादन कर सामने पड़े पलंग पर सीधे बैठ गये। अंचल तरन्नुम में थे। उसी में उन्हें जाने क्या सूझा उन्होंने दोनों हाथों के बीच लकड़ी दबाते हाथ जोड़ते हुए कहा– "मैं अंचल।" अज्ञेय जी सीधे बैठे ही थे, उन्होंने अपने हाथ पूरे और सीधे जोड़ते हुए कहा– "मैं अज्ञेय।" दो पूर्व परिचित वरिष्ठ कवियों की यह रोचक भेंट आज भी मेरी आँखों में घूमती है।

अंचल और उनके दल को सम्भवतः 'रसरंजन' के बाद भूख लग आयी थी। उन्होंने भोजन की माँग की। ऐसे समय कैसा भोजन! शिविर के नियमानुसार भोजन का समय निकल चुका था। रसोई बन्द हो चुकी थी। खैर, फिर भी आयोजकों ने किसी तरह कुछ व्यवस्था की। भोजन के बाद अंचल जी स-दलबल बस से मंच की ओर चले। सौजन्यवश अज्ञेय और शिविरार्थी भी गये। जब उन्होंने मंचासीन कवियों की डाँवाडोल हालत देखी और उनका आलाप-प्रलाप, दहाड़ सुनी तो वे वहाँ टिक न सके। बिना कविता पढ़े लौट आने में खैर मनाते हुए सभी अज्ञेय के साथ लौट आये। सोने का उपक्रम करते कानों में मंच की दहाड़ें पड़ रही थीं। सुबह पता चला कि अंचल और उनके साथियों ने अज्ञेय और शिविरार्थियों को खूब 'भला-बुरा' कहा और अपने को जनकवि के रूप में प्रस्तुत किया... उन्होंने कैसे-कैसे अलंकरण और उपाधियाँ दी होंगी – इसका अनुमान लगाना मुश्किल नहीं।

अज्ञेय जी का मुझ पर स्नेह था यह *दस्तावेज* में छपे अन्य लेखकों को लिखे पत्रों से पता चला। मेरे पास भी उनके कई पत्र आये पर संग्रह मेरी आदत नहीं है, न चित्रों के संग्रह की, न पत्रों के। इन पत्रों में एक ऐसे पत्र का उल्लेख करना चाहता हूँ जिसे पाकर मेरे मन में अज्ञेय की छवि विशालतर हो गयी। मैं पुणे विश्वविद्यालय में प्रोफेसर और अध्यक्ष के पद के लिए साक्षात्कार देने जा रहा था। सन्दर्भ में मैंने अज्ञेय का नाम भी लिखा था और उनसे अनुरोध किया था कि अगर वे मेरे बारे में एक पत्र दे दें तो मुझे सहायता मिलेगी। अज्ञेय ने पहले तो कहा कि लेखक को विश्वविद्यालयों में पूछता कौन है? फिर भी उन्होंने पत्र मुझे लिखकर

दिया वह मेरे अध्यापकीय और आलोचकीय जीवन का असाधारण प्रमाण-पत्र है। उसकी इबारत बताना मुझे उचित नहीं लगता, क्योंकि इसमें मेरी प्रशंसा ही नहीं, उनकी कृपा का बड़ा योगदान था।

अज्ञेय के इतने स्नेह के बाद भी मेरा मन आगे बढ़कर उनसे मिलने का नहीं होता था। उनका मौन और गरिमामय व्यक्तित्व मुझे निकट जाने योग्य नहीं लगता था। उनके जीवित रहते मैं कई बार दिल्ली गया, पर मैंने एक बार भी फोन कर उनके घर जाकर मिलने का समय नहीं माँगा। उनके घर की, सलीके की मैंने बड़ी तारीफ सुनी थी। पर जाना न हुआ सो न हुआ। हाँ, एक बार मैं उनसे *नवभारत टाइम्स* के कार्यालय में जाकर मिला। उसी सहज मुस्कान से उन्होंने मुझे लिया ('स्वागत' शब्द का इस्तेमाल मुझे बड़बोला लगता है)। अज्ञेय काँच के केबिन में बैठते थे और उनके ठीक सामने दोनों ओर सहायकों की कतार बैठी होती थी। मेरे उठकर जाने पर वे पूरे खड़े हुए, उन्होंने सीधे हाथ जोड़े और तब तक वैसे ही खड़े रहे जब तक मैं सहायकों की कतार पार कर मुड़ नहीं गया। मैंने मुड़ते वक्त एक बार घूमकर निगाह डाली, तब भी अज्ञेय वैसे ही खड़े थे। अपने से छोटी पीढ़ी के प्रति एक बड़े लेखक के इस व्यवहार ने मुझे जीवन भर के लिए सिखाया, कह नहीं सकता। बहरहाल अज्ञेय की छवि मेरी आँखों में और बड़ी हो गयी।

एक प्रसंग उनके *नवभारत टाइम्स* सम्पादन-काल का। भोपाल के एक लेखक द्वारा दिल्ली में भटकने के दौर में उन्होंने उसे एक स्तम्भ दे दिया। एक बार उस लेखक ने मुझ पर आरोप और व्यंग्य भरा लेख लिखा। इस असत्य से मैं तिलमिला गया। मैंने मात्र तीन-चार लाइन का पत्र कुछ इस तरह लिखा कि क्या किसी राष्ट्रीय समाचार-पत्र में, अज्ञेय के सम्पादन में, विकृत मानसिकता की अभिव्यक्ति और लेखक के विरूपीकरण से जुड़ी ऐसी झूठी सामग्री प्रकाशित होना चाहिए?

अज्ञेय ने कोई उत्तर नहीं दिया, पर अगले अंक से वह स्तम्भ बन्द हो गया।

16

दुख सबको माँजता है

॥ रामगोपाल बजाज

तब मैं राष्ट्रीय नाट्य विद्यालय में विद्यार्थी था। 1964-65 की बात है। मण्डी हाउस के पास ही सप्रू हाउस में उन दिनों अक्सर गोष्ठियों और सांस्कृतिक कार्यक्रमों का आयोजन हुआ करता था। उस दिन शायद बाला सरस्वती के भरतनाट्यम का विशेष प्रदर्शन था। पहले तल पर। कार्यक्रम के अन्तराल में बाहर निकला तो हमारे आधुनिक भारतीय नाट्य साहित्य के अध्यापक नेमिचन्द्र जैन मिल गये। वे मुझे विशिष्ट दीखते एक व्यक्ति के पास ले गये। उनसे बोले, 'ये उत्तर बिहार के मिथिलांचल से आये बजाज हैं। आपको पढ़ते रहते हैं।' फिर मेरी तरफ मुखातिब हुए थे, 'ये अज्ञेय जी।' मैं अवाक्। अपलक उन्हें देखता रहा।

अचानक ध्यान आया अपने हाथ में पकड़ी उनकी पुस्तक *आत्मनेपद* का। विशिष्ट की नजरें मेरे हाथ की पुस्तक पर थीं। मेरी ओर देखा। चेहरे पर एक मुस्कान और कहीं देखती अनझिप दृष्टि में एक स्मिति थी। मैंने उन्हें प्रणाम किया। उनकी दृष्टि से ही ध्यान आया कि मेरे हाथ में *आत्मनेपद* है। अभिभूत था मैं। पुस्तक उनकी ओर बढ़ा दी। उन्होंने स्निग्ध हाथों से किताब की जिल्द पलटी और दूसरे पन्ने पर हस्ताक्षर अंकित कर दिए।

इस तरह मैं अज्ञेय से पहली बार मिला।

कार्यक्रम से निकला तो रवीन्द्र भवन की तरफ चलता रहा। मन में अपने ग्रामीण पुस्तकालय का दृश्य घूम गया। छात्र जीवन के सफे-दर-सफे खुलने लगे थे।... अपने ग्रामीण विद्यालय के मित्रों – रामेश्वर प्रेम, राजकुमार नीलकंठ – के साथ *शेखरः एक जीवनी* का पाठ याद आया, फिर *दुख सबको माँजता है...*। दोस्तों के साथ हुई बहसें और चुहल भी आकार लेती रहीं– 'अरे यार, दुख कोई राख या रेत है जो बर्तन की तरह माँजेगा।' मैं चुप। सोचता रहा। फिर कहा, 'स्व' को भी माँजना पड़ता है।... नहीं क्या?' दूसरी तरफ से कोई जवाब नहीं। 'वही तो... उसी के प्रक्षालन की बात है।'

लगा कि बातचीत कुछ भारी हो गयी। हम लोग खेलकूद के लिए निकल पड़े

थे। यह 1956 की बात होगी। पन्द्रह-सोलह साल की उम्र रही होगी हम लोगों की। लेकिन तब भी मन में एक शब्द कहीं भीतर खुभ गया था – 'फाँसी'।

कॉलेज पहुँचते-पहुँचते हम अज्ञेय के मुरीद हो चुके थे। 1958-59 की बात है। दरभंगा मिथिला महाविद्यालय में पढ़ रहे थे। एक दिन राजकुमार मंडल नीलकंठ ने दूर से चिल्लाते हुए सूचना दी थी, अरे गोपलवा सुनः 'साँप।'

'साँप?'

'अज्ञेय की कविता निकली है *निकष* में, बनारस से।...'

साँप! तुम सभ्य तो हुए नहीं –
नगर में बसना भी तुम्हें नहीं आया।
एक बात पूँछूँ – (उत्तर दोगे?)
तब कैसे सीखा डंसना – विष कहाँ पाया?

'बाप रे बाप! आँय रे, सभ्य और नागर होना हमें विषैला बना देता है?'

'बना दे सकता है।' नीलकंठ ने कहा था।

'...ये 'अज्ञेय'! पूरा नाम क्या है? ये तो कलमी नाम है न?'

फिर हीरानन्द शास्त्री का परिचय-पत्रक खुलता गया था। सच्चिदानन्द वात्स्यायन के बारे में जानकारियाँ मिलीं।

पटना की स्मृतियाँ।

दरभंगा हाउस के हिन्दी विभाग के अध्यक्ष थे पण्डित नलिन विलोचन शर्मा। साठ-इकसठ की बात है। हम हिन्दी विषय लेकर एम.ए. कर रहे थे। पाठ्यक्रम में *शेखरः एक जीवनी* भी था। नलिन जी पढ़ाते थे। स्वतन्त्रता आन्दोलन के बदलते सामाजिक प्रभाव और परिवेश में युवा होते शेखर के बड़े होते घुटनों और उसके असमंजस पर नलिन जी लम्बी चर्चा करते हुए हमें टालस्टाय की *अन्ना* तक ले गये थे।

उन्हीं दिनों *हरी घास पर क्षण भर* पढ़ी। उसके बाद *आँगन के पार द्वार*। मेरे मन में सच लिख-लिख कर झूठा करते जाते कवि का जीवन्त सामाजिक रूप निर्मित हो गया था।

उस व्यक्तित्व से सप्रू हाउस के सभागार में पहली बार इस तरह साक्षात् हुआ!

उसके बाद अज्ञेय जी से मिलने का सिलसिला-सा बन गया था। आज जब याद करता हूँ तो मन में उन मुलाकातों के दृश्य उभरते हैं।

उन दिनों रवीन्द्र भवन में एक कैंटीन हुआ करती थी। मैं कविताएँ सुनाने का

आग्रह करता। बदले में संगी-साथी अक्सर चाय या कोकाकोला पिलाने की माँग करते। मेरे पास जो धेला-आना होता, उनके समक्ष हाजिर करता। ऐसी ही एक बैठक में एक दिन मैंने अपने उस्ताद अल-काजी से कहा, 'सर, आपने ब्रेख्त की कविताएँ सुनाईं। कुछ हिन्दी के आधुनिक कवियों को भी सुनेंगे?' उन्होंने तब तो नहीं कहा पढ़ने को। मगर अगले दिन सुबह पाँच-छह बजे बुलाकर उन्होंने अज्ञेय, भारती, मुक्तिबोध, सर्वेश्वर, रघुवीर सहाय आदि की कुछ कविताएँ मुझसे सुनीं। कुछ नोट्स भी लिये थे।

फिर एक दिन सूचना टँग गयी – कुछ चुने हुए छात्रों के संग स्टूडियो में अज्ञेय जी का भोजन होगा। हालाँकि यह सिलसिला बाद में दूसरे लोगों के साथ भी चलता रहा, मगर अज्ञेय के साथ का भोज अविस्मरणीय रहा।

फिर नाट्य विद्यालय के 1966 के दीक्षांत समारोह में अल-काजी साहब ने सम्बोधन के लिए अज्ञेय को आमन्त्रित किया था। इस अवसर पर आईफैक्स में ओम शिवपुरी के निर्देशन में गिरीश कर्नाड का *तुगलक* खेला गया। उसमें गिरीश भी आये थे। तब वे पच्चीस-छब्बीस साल के रहे होंगे। अज्ञेय जी और कपिला जी ने नाटक के प्रदर्शन के बाद गिरीश और ओम शिवपुरी समेत सभी प्रतिभागियों को गॉल्फ लिंक्स की तरफ किसी जगह रात्रि भोज पर आमन्त्रित किया था। वहाँ 'भावनागरी' जैसी महत् उपस्थिति भी थी।

अज्ञेय जी और कपिला जी उस नाटक के महत्त्व को सारे भारतीय चिन्तन जगत में जतलाना चाहते थे। उसके बाद *तुगलक* का क्या महत्त्व रहा, उसे कितनी शोहरत मिली, सब जानते हैं। हिन्दी का एक कवि किसी दूसरी भाषा की रचना का ऐसा सम्मान करे, उसके लिए इतनी चेष्टा करे, बड़े अचरज की बात थी। ऐसी चेष्टा अज्ञेय के अलावा मैंने किसी और में नहीं देखी। ...दूर दूर दूर *मैं वहाँ* हूँ।

1965-66 की बात है। हम राष्ट्रीय नाट्य विद्यालय के रंगमंडल के सदस्य थे। उन्हीं दिनों लक्ष्मीनारायण लाल अज्ञेय का *उत्तर प्रियदर्शी* कर रहे थे[1]। कनॉट प्लेस के पुराने कॉफी हाउस के पास, जहाँ आजकल पालिका बाजार है, 'हिन्दी भवन' जैसी कोई जगह थी, जहाँ उसका पूर्वाभ्यास चल रहा था। अज्ञेय और कपिला जी वह अभ्यास देखने आये थे। मैं भी गया था। अज्ञेय जी उस अभ्यास से खुश नहीं थे। अज्ञेय जी मिले तो मुझसे पूछा, 'क्या तुम भाग नहीं ले रहे?' राजेन्द्र वर्मा सुपरिचित रेडियो नाट्य कलाकार थे। वही उसमें मुख्य भूमिका निभा रहे थे। त्रिवेणी सभागार में उसका प्रदर्शन हुआ था। उसमें मैंने भी अमात्य जैसी कोई

[1] मंचन दिल्ली में त्रिवेणी कला संगम के खुले रंगमंच पर 6 मई, 1967 को हुआ।– सम्पा.

छोटी-सी भूमिका निभाई थी। प्रवेश भर के लिए। शायद अज्ञेय जी को यह दिखाने के लिए कि मैं भी हिस्सा ले रहा हूँ।

मगर उसका नतीजा यह हुआ कि रानावि रंगमंडल का सदस्य होने के नाते दंड झेलना पड़ा। रानावि के बाहर की किसी प्रस्तुति में हिस्सा लेना वर्जित था। अल-काजी साहब ने मुस्कुराते हुए पाँच दिन का वेतन काटकर छोड़ दिया था।... मगर फिर कहा, तुम और मोहन वगैरह मिलकर कविता पाठ का कार्यक्रम यहाँ भी करो। हमने किया। अज्ञेय के साथ विजयदेव नारायण साही, सर्वेश्वर जी आदि छह अन्य कवियों की कविताओं का पाठ। सात अभिनेताओं ने पाठ किए। पाठ सप्तक!

उसके बाद अज्ञेय जी मुझे कनॉट प्लेस में 'एम्बेसी' नामक एक छोटी-सी जगह पर प्रायः ले गये थे। वहाँ बैठना उन्हें प्रिय था। वहीं मुझे समोसा खिलाते हुए एक बार कहा– "वाचिक बहुत महत्त्व रखता है। खासकर जब कविताएँ आज की सम्मेलनी कविताओं से भिन्न हों। अभिनेता और आधुनिक कविता का सम्बन्ध होना चाहिए।"

उसके बाद इस जगह पर हमारे आने, बैठने और बातचीत करने का सिलसिला-सा बन गया। अज्ञेय तब *दिनमान* के सम्पादक थे। *दिनमान* के दफ्तर से निकलकर हम यहाँ आ जाते। यहीं अज्ञेय रोजाना मुझे कोई लघुकथा, कोई प्रसंग सुनाते, किसी योजना पर बात करते। वे ऐसी लघुकथाएँ भी सुनाते जो मौखिक चली आती थीं – उनके शब्दों में 'अवान्तर कथाएँ'।... वह गान्धारी का शवों के ऊपर चढ़कर बेर खाने का प्रसंग।... कृष्णोपदेश के बाद चिड़िया के पंजा फैलाने का प्रसंग, जो उसने युद्ध रोकने के लिए उठाया था।... यहीं उन्होंने कबीर और सेंट फ्रांसिस पर गद्य नाटक लिखने की योजना बताई थी। बताया था, 'मेरे कबीर झण्डा उठाकर आन्दोलन करने वाले नहीं, बल्कि चिन्तक विद्रोही होंगे।...' मैं चुपचाप सुनता रहा। समझ नहीं पाया था, जो वह कह रहे थे।... उनकी वे पाण्डुलिपियाँ अब कहाँ हैं, पता नहीं। कहीं नहीं मिलीं। यह बहुत बड़ी क्षति है। शायद उनके छोड़े किसी सन्दूक में मिलें!

1967-68 का प्रसंग। ओम शिवपुरी, सुधाजी, मोहन महर्षि और पाँचवाँ सवार – अकिंचन मैं – प्रायः एक साथ रानावि रंगमंडल से बाहर आ गये थे। मैं संकट में था। मित्र-संगिनी चन्द्रकला खेमचन्द्र प्रकाश कथक नृत्य के सिलसिले में लन्दन गयी थीं। वहाँ कुव्यवस्था के चलते वे मुसीबत में फँस गयी थीं। लौटने का टिकट नहीं था। मैं परेशान। क्या करूँ।

अज्ञेय जी के पास गया। सारी बात बताई। उन्होंने पूछा, 'तुम्हारे पास कितना

पैसा है?' मैंने कहा, 'जी, सतासी रुपये।' वे उठे। मुझे लेकर पार्लियामेंट स्ट्रीट पर पंजाब नेशनल बैंक पहुँचे। टिकट के लायक, करीब चार हजार रुपये निकलवा कर दिये।

मैं बाहर भागा। इस तरह कि सड़क पार करते हुए एक टैक्सी से टकराते-टकराते बचा। वे खड़े मुझे इस तरह जाते देख रहे थे। पलटकर देखा तो उन्होंने हाथ के इशारे से मुझे रोका। मुझे अपनी कार में बिठाकर बंगाली मार्केट के रेलवे क्वार्टर तक छोड़ दिया। ऐसा आश्वासन!... मैं सोचता रहा *तार सप्तक* के एक प्रमुख कवि की कही बात के बारे में – 'अज्ञेय बड़े आत्मकेन्द्रित हैं।' यह बात कहने वाले मेरे गुरु भी थे।... मगर उनकी बात में कितनी सचाई थी, यह मैं अब तक तय नहीं कर पाया हूँ।

उसके बाद का एक प्रसंग। अज्ञेय विदेश जा रहे थे। हम उन्हें विदा करने हवाई अड्डे गये। तब सफदरजंग हवाई अड्डा ही हुआ करता था। सर्वेश्वर जी और कैलाश वाजपेयी सपत्नीक अज्ञेय जी को छोड़ने आये थे। पीत चन्दन का टीका लगाए कपिला जी तो थीं ही। अज्ञेय जी हवाई पट्टी की ओर बढ़े। हम सब खड़े रहे, कपिला जी थोड़ा आगे बढ़ीं। फिर रुक गयीं। यान उड़ा तो कपिला जी ने हाथ हिलाकर मंगल विदा दी। अजब मौन में डूबे सब बाहर निकले। अपनी-अपनी सवारी पर वापस लौटे। सर्वेश्वर जी के साथ ऑटो में बैठकर मैं प्रेस क्लब आया था। वहीं उन्होंने कहा: "अज्ञेय अब *दिनमान* नहीं लौटेंगे।"

'जी क्या हुआ?'

'समर्थों के बारे में हमें कोई जिज्ञासा नहीं करनी चाहिए।' सर्वेश्वर जी ने बात टाल दी।

इस बारे में कालान्तर में कुछ हम सबने जाना, पर मैं पूरी तरह अब भी कहाँ समझ पाया हूँ।

उत्तर प्रियदर्शी को मैं हिन्दी ही नहीं, सम्पूर्ण भारतीय नाट्य साहित्य की उपलब्धि मानता हूँ। उसे मैं देश के तीन महान नाटकों में एक समझता हूँ; बाकी दो हैं – रवीन्द्रनाथ ठाकुर का *मुक्तधारा* और धर्मवीर भारती का *अन्धायुग*। अब मुझे यह बात जाहिर करनी चाहिए कि राष्ट्रीय नाट्य विद्यालय में *उत्तर प्रियदर्शी* का मंचन मैं चाह कर भी नहीं कर पाया। हमारे गुरु नेमिचन्द्र जैन अज्ञेय को लेकर बड़े पूर्वग्रही थे। *तार सप्तक* के लिए अज्ञेय को हासिल हुए श्रेय से वे आहत थे, हालाँकि अज्ञेय जी खुद कई बार कह चुके थे कि *तार सप्तक* एक सामूहिक प्रयास था। यही बात नेमि जी कहते थे, पर इसके पीछे उपेक्षा के कई पहलू निकल आते थे। विचारधारा का आग्रह भी शायद इस दुराव का एक कारण रहा

हो। यह दूसरों में भी बहुत प्रबल था। *उत्तर प्रियदर्शी* को लेकर नेमि जी ने ही हतोत्साह नहीं किया। जब मैं विद्यालय के रंगमंडल का प्रमुख बना, तब *उत्तर प्रियदर्शी* की बात उठाई तो हमारे परामर्शदाता नामवर सिंह सहमत नहीं हुए, बोले– उसे छोड़िए!

नामवर जी, नेमि जी का वैचारिक आग्रह अपनी जगह, यह भी याद आता है कि अशोक वाजपेयी भी उन दिनों अज्ञेय को लेकर उत्साही नहीं थे। मैंने ज्ञानपीठ के साथ मिलकर बड़े हिन्दी कवियों की कविताएँ पढ़ने, सस्वर पाठ को रिकॉर्ड कराने की योजना बनाई थी। अशोक जी कॉफी हाउस में मुक्तिबोध को लेकर बहुत उत्साहित थे, पर अज्ञेय के नाम पर स्पष्ट उदासीन थे। आज मुझे यह देखकर सुखद आश्चर्य होता है कि नामवर जी और अशोक जी दोनों अज्ञेय के गुण गाते हैं।

खैर। *उत्तर प्रियदर्शी* न सही, रंगमंडल में मैंने बाद में *अपने अपने अजनबी* को जरूर मंचित कराया। उसका निर्देशन देवेन्द्रराज अंकुर ने किया था। नाटक के पोस्टर पर दो हाथ जुड़े हुए हैं – वे अज्ञेय जी के ही हाथ हैं। वह फोटो प्रसिद्ध छायाकार ओ.पी. शर्मा ने खींचा था। हमें वह इला जी से मिला।

दिलचस्प बात यह है कि बहुत बाद में नेमि जी भी *उत्तर प्रियदर्शी* की प्रशंसा करने लगे थे। उन्होंने एक रोज मुझसे बात भी की कि तुम उस वक्त सही थे, वह अपने समय से आगे की नाट्य-कृति है। दरअसल, गिरीश कर्नाड जैसे अनेक रंगकर्मी हैं जो नाटक के आलेख में 'एक्शन' की तलाश रखते हैं। जबकि, मैं मानता हूँ, नाटक में शब्द और अनुभूति सर्वाधिक महत्त्वपूर्ण होते हैं। अभिनेता को उसी से आधार और बल प्राप्त होता है। यही नाट्यशास्त्र की अवधारणा है। अगर हम दृश्य-विधान पर ही जरूरत से ज्यादा जोर देते रहेंगे तो सिनेमा-टीवी और कम्प्यूटरी तिकड़मों के आगे कहाँ टिक पाएँगे। प्रसंगवश, बाद में गिरीश कर्नाड ने स्वयं भारती के *अन्धायुग* को शूद्रक के बाद श्रेष्ठतम नाटक ठहराया!

बहरहाल, *उत्तर प्रियदर्शी* को लेकर हिन्दी समुदाय के जो आग्रह-दुराग्रह रहे हों, उसकी उन्मुक्त प्रशंसा सुदूर पूर्वोत्तर के रतन थियम ने की, जब मैंने उनके समक्ष नाटक का सस्वर पाठ किया। बाद में उन्होंने उसका जो मंचन किया, वह तो अन्तर्राष्ट्रीय स्तर की उपलब्धि बन चुका है। उसके मंचन के लिए थियम को प्रेरित करने वालों में अशोक वाजपेयी भी थे।

जब मैं नाट्य विद्यालय का निदेशक हुआ तो 'श्रुति' नाम से साहित्य के पाठ का एक कार्यक्रम शुरू किया था। वह अब भी कायम है। यह कार्यक्रम अज्ञेय की प्रेरणा से ही शुरू हुआ। हमारी वाचिक परम्परा पर सदा उनका जोर रहा। एक रोज मुझसे बोले कि नया गद्य और पद्य हमारे यहाँ विकसित हुआ, लेकिन उसके पाठ

की पद्धति नहीं। कवि-सम्मेलनी परम्परा तो बची है, लेकिन नयी कविता को किस शैली में पढ़ा जाए, इस पर विद्यालय को अमल करना चाहिए। 'आप ही शुरू कीजिए।' मुझे वक्त तो लगा, पर अब सोचता हूँ कविता-कहानी-नाटक ही नहीं, अन्य विधाओं – निबन्धों तक – को प्रभावी शैली में पढ़ा और सुना जा सकता है।

एक बार मैंने बाबा नागार्जुन से मैथिली में पूछा, "अज्ञेय आपको कैसे लगते हैं?" हम खाना बना रहे थे। उन्होंने तरकारी काटते चाकू को रोककर थोड़ी रुखाई के साथ, मगर समझाते हुए कहा, "देखो, समवयस्कों और समानधर्माओं से पारस्परिक मूल्यांकन कभी मत पूछना। ये गाँठ बाँध लो। नीति-उपदेश समझो। उनके सम्बन्ध, धारणाएँ, पूर्वग्रह पूछकर तुम उन्हें असमंजस में डालोगे। वे तुमसे नाराज होंगे। तुम मेरे गाँव के पास के हो, इसलिए तुम्हें माफ है।"

फिर तरकारी बनी। तोरई और आलू का चोखा। मैं सोच रहा था, अज्ञेय भी तो अच्छा पकाते हैं।

फिर एक प्रसंग 1975-76 का। मैं अज्ञेय की कविताएँ अपने अन्दाज में इधर-उधर सुनाता रहता था। वसन्त कुंज में अज्ञेय जी के साथ बैठा था। उन्होंने अचानक कहा, 'आप लोगों को मेरी कविताएँ सुनाते हैं, तो अभिनेता-वाचिक की दृष्टि से अपनी पसन्द की मेरी कविताएँ छाँट दें। उनका अलग संग्रह प्रकाशित करूँगा।' मैं विनत। नहीं, मेरी मजाल कहाँ। मैं तो नट हूँ। सुधी समीक्षक पहचानें, चुनें। मना कर दिया या टाल गया। और अब उनकी बात मन पर भारी है।

कई अन्य प्रसंग बरबस याद आते हैं। कैवेंटर्स ईस्ट। इला जी। वो पेड़। फिर उनका इसरार – मुझे सुनाओ। अज्ञेय जी के सामने मैं उनकी कोई कविता कभी नहीं सुना सका। मेरी इस प्रवणता पर कवि मित्र पंकज सिंह कई बार हँसे भी हैं। मगर मैं नहीं सुना सका।

अप्रैल 1987। निगमबोध घाट के ऊँचे चबूतरे पर अज्ञेय का शव।... अपार जन-समूह।... चिता पर लकड़ियाँ जमाते अश्रुपूरित वामपंथी पंकज सिंह।... घर पर शव अरथी पर रखने से पहले कपिला जी का वहाँ आना और इला जी का धीरे से हटना।... फिर आगत जन का 'राम नाम सत' जैसे मौन में चले जाना।... 'काल की दुर्वह गदा' को कौतुक भरा बालक्षण तौल पाया या नहीं!

स्मरण करो
ओ स्मरण करो...

मेरे यहाँ एक शिशु पैदा हुआ। उन्होंने नाम दिया— 'ऋजु'। ऋजुता का अर्थ भी बताया। अब ओम जी के संस्मरण से जाना कि 'अज्ञेय' को खुद उनका नाम जैनेन्द्र जी ने दिया था। पर रहे 'अज्ञेय' सचमुच अज्ञेय।

रोको पुकारो मत मुझे...
चढ़ गयी नीलिमा मुझको
निरन्तर खुले जाते आकाश की...

मैं उदग्र ही बना रहूँ... वह न जाने
कब मुझे सोख ले।

तुमने देश को क्या दिया

कितनी झीनी ओट में झरते रहे
आलोक के सोते अवदात...
और मुझे घेरे रही — अँधेरे अकेले घर में
अँधेरी अकेली रात...

उस बावरे अहेरी की दर्द-रेखा से सब शब्द ओछे ही पड़ते हैं।

17

अरण्य-यात्रा

॥ सतीश जायसवाल

अज्ञेय अपना पैंसठवाँ जन्मदिन विदिशा में मनाना चाहते थे। उन्होंने बताया कि वहाँ 'वाराह' प्रतिमा की भव्यता उन्हें सम्मोहित करती है। उनसे पहले इला डालमिया विदिशा पहुँच चुकी थीं और अज्ञेय को हमने यहाँ अमरकण्टक में अटका रखा था। यदि गाड़ी के वक्त तक उन्हें पेण्ड्रा रोड तक पहुँचाने में हमसे चूक हो जाती तो इला वहाँ प्रतीक्षा ही करती रहतीं।

उस वर्ष, भारतीय तिथि-गणना के अनुसार अज्ञेय की जन्म-तिथि 20 मार्च को पड़ रही थी।

उन्हें बिलासपुर लाने के लिए हमने अमरकण्टक का प्रलोभन दिया था और अपने प्रपंच-तन्त्र में रायपुर के डॉ. राजेन्द्र मिश्र का भरपूर सहयोग लिया था।

लगभग सत्रह बरस पूर्व भी, अज्ञेय एक बार बिलासपुर आ चुके थे। तब मुक्तिबोध, प्रभाकर माचवे भी उनके साथ आये थे। राजेन्द्र मिश्र उस समय बिलासपुर में ही थे, और श्रीकान्त वर्मा को बिलासपुर छोड़े बहुत समय नहीं हुआ था।

अचानकमार के जंगल से होकर अमरकण्टक लगभग 128 किलोमीटर है।

रास्ते के लगभग आधे पर 'लमनी' का विश्राम-गृह है। यह बिलासपुर जिले का सबसे ठण्डा स्थान बताया जाता है। सोचा था कि यहाँ रुककर भोजन करेंगे, फिर आगे बढ़ेंगे। लेकिन अहाते से भीतर दाखिल होने पर विश्राम-गृह सुनसान और निर्जन मिला। दरवाजों पर बाहर से ताले पड़े थे और खिड़कियाँ भी बन्द थीं।

वहाँ एक अनवरत सन्नाटा मुखर था, जिसका स्वर प्रधान था। कुछ अलग हटकर, अज्ञेय चहल-कदमी कर रहे थे। सामने चन्द्रमा और पीछे परछाईं। शायद वे कोई सन्नाटा बुन रहे थे।

रास्ते भर वे किसी शेर के दिख जाने की प्रतीक्षा में थे। इस जंगल में शेर अचानक मिल जाते हैं। इसलिए इसका नाम अचानकमार पड़ा। पिछले वर्ष तक यहाँ शेर के शिकार 'बिग गेम' के लिए वन विभाग अनुज्ञा-पत्र दिया करता था। अब वह बन्द कर दिया गया है। हमारे रास्ते कोई शेर नहीं आया। हाँ, यह जरूर

मालूम हुआ कि अज्ञेय को कभी शिकार का भी शौक रहा और कुछ हरिण उन्होंने मारे हैं।

तय हुआ कि अब 'केंवची' पहुँचकर ही भोजन करें। मालूम हुआ कि रास्ते में एक होटल भी है जो रात-दिन, चौबीसों घण्टे खुला रहता है। यहाँ ट्रक-ड्राइवर खाना खाते हैं और आगे बढ़ जाते हैं। यहाँ से 'कबीर-चौतरा' अठारह-बीस किलोमीटर रह जाता है। यह अमरकण्टक का एक सुरम्य विश्राम-गृह है।

छत्तीसगढ़ में पतझड़ का मौसम मारक होता है। शाल-पलाश, महुआ-तेन्दू के वनों के बीच से होकर गुजरना – मालूम भी नहीं पड़ता कि किन क्षणों में किस वृक्ष के साथ आत्मीयता स्थापित हो गयी। वह एक जीवित काल-खण्ड होता है। उसे पीछे छोड़कर हम आगे बढ़ते रहे और वह पीछे से बराबर आवाज देता रहा। कितनी बार ऐसा हुआ कि डाल से टूटकर नीचे गिरने वाले एक-एक पत्ते की आवाज तक अलग-अलग सुनाई पड़ती। एक आहट होती, फिर अनसुनी हो जाती।

अगल-बगल मैकल पर्वत श्रेणियों का फैलाव था। पुराने जंगलों के बीच वन विभाग ने 'अग्नि रेखा' (फायर लाइन) बना रखी थी। वह सर्पिल चाल ऊपर से नीचे चल रही थी और सम्मोहन पैदा कर रही थी। दूर तक रोशनी हो रही थी और नीलगिरि वृक्षा रोपण परियोजना के नये तैयार होते सफेद-हरे वृक्ष आग की लौ पाकर मधु-सुवर्ण रंगों में बदलते जा रहे थे। समतल पर, अग्नि-पुरुषों से लदे-फँदे, पलाश भी थे। वृक्षों के नीचे झरे हुए पुष्प कुछ ऐसे बिछे थे कि भ्रम हो जाए – अभी थोड़ी देर पहले तक कोई दो जन इस एकान्त को प्यार करते थे, हमने उनका एकान्त भंग कर दिया। आगे कुछ आदिवासी आग जलाकर बैठे थे, बदन सेंकते हुए। दहकते हुए अंगारों से टेसू का भ्रम होता था और आग तापते हुए लोग छाया-चित्र का प्रभाव दे रहे थे। अज्ञेय अपने मौन को गहराइयाँ दे रहे थे। सम्भवतः वे सौन्दर्य के साथ एकात्म हो रहे थे। यह उनकी दृष्टि का सौन्दर्य-विस्तार है।

सौन्दर्य के साथ एकात्म होना पूर्व की समस्त काव्य-दृष्टि का संस्कार है। पश्चिम विश्व-सौन्दर्य के साथ द्वन्द्वात्मक अनुभूतियाँ लेकर चलता है। पूर्व और पश्चिम के दृष्टि-भेद का यही बुनियादी आधार है कि जहाँ पूर्व का मानव सौन्दर्य के साथ तादात्म्य स्थापित करने की चेष्टा करता है, पश्चिमी व्यक्ति प्रकृति पर विजय के उपक्रम में लीन होता है।

अज्ञेय प्रकृति के उपासक दिखाई पड़ते हैं। उनके समस्त सौन्दर्य के बिना मनुष्य की कल्पना अधूरी है। लेकिन यह एक अद्भुत अन्तर्विरोध है कि उनके विषय में सामान्यतया कहा जाता है– अज्ञेय नास्तिक हैं।

शायद इसी टोह में राजेन्द्र मिश्र ने बड़ी दूर के रास्ते से घुमाकर एक प्रश्न अज्ञेय के सम्मुख रखा, जो कार की आवाज में साफ तो सुनाई नहीं दिया, लेकिन वह निरपेक्ष ईश्वरवाद के संस्कारों से सम्बन्धित था। अज्ञेय ने उसे एक सागर-शान्ति के मौन में डुबो दिया और बता दिया कि मौन पर मेरा राजसी अधिकार है। अज्ञेय का मौन इतना सन्तुलित है कि आपका अपना सन्तुलन प्रभावित होने लग जाए!

केंवची के रास्ते हमारी तलाश वाला होटल एक छोटे-से पहाड़ी नाले के किनारे है। नाले पर पक्की पुलिया है और सड़क पर तीन-चार ट्रक खड़े, घड़ी भर दम ले रहे थे। हमारी उपस्थिति उस छोटे से 'रास्ते-राहत' पर एक हमला था, जिसने वहाँ की सहजता को थोड़ी देर के लिए असहज कर दिया। लेकिन हमारे अपने बीच सहजता का प्रवाह शुरू हो गया और अज्ञेय अपने मौन-साम्राज्य से बाहर निकलकर सामान्यों से आ मिलने को तत्पर दिखे। अपने कैमरे की तरफ इशारा करके उन्होंने मुझसे कहा– 'क्यों न यहाँ इसका उपयोग किया जाए?'

मैंने कैमरा उनके पास रख दिया। कच्ची दीवारों पर फूस के छप्पर वाले उस 'रास्ते-राहत' में बैठकर पत्तल-दोने में सफरी भोजन करते हुए हम लोगों के चित्र जैसे भी आये हों, इससे अज्ञेय की आदर्श छायाकार-दृष्टि का तात्कालिक परिचय जरूर हुआ। अज्ञेय एक अच्छे छायाकार हैं, चित्रकार भी। उनके सम्बन्ध में कहा जाता है– 'एक साथ इतनी कलाओं और विधाओं पर अधिकार अज्ञेय के अतिरिक्त भारतीय साहित्य के किसी व्यक्ति में नहीं।'

यह एक रोचक तथ्य है कि अज्ञेय जीविकोपार्जन से सम्बन्धित बीस कलाओं में निपुण हैं। इन कलाओं में बाल काटना, जूते सिलना जैसे काम भी शामिल हैं!

राजस्व की दृष्टि से अमरकण्टक का तीन-चौथाई से अधिक हिस्सा रीवा सम्भाग के अन्तर्गत आता है। लेकिन दोनों नदियाँ – नर्मदा और शोणभद्र – बिलासपुर जिले से होकर बहती हैं। अमरकण्टक इन दोनों नदियों का उद्गम-स्थल है और यही उद्गम-स्रोत अमरकण्टक को तीर्थ का महत्त्व प्रदान करता है।

रात के डेढ़ बज गये थे जब हम कबीर चौतरा पहुँचे। इससे पहले वन विभाग का विश्राम-गृह पड़ता है और खाली रहता है, क्योंकि यात्रियों के लिए नहीं है। राजेन्द्र मिश्र ने बताया कि रामपुर के जिलाधीश ने, शहडोल के जिलाधीश के मार्फत, हमारे ठहरने की व्यवस्था यहीं की है। लेकिन यहाँ बाहरी दरवाजे पर ताला लटक रहा था और भीतर प्रकाश था।

देर तक हॉर्न बजाने के बाद भी जब किसी की आहट नहीं मिली तो मैं और रामबाबू सोन्थलिया दरवाजा फलाँग कर भीतर दाखिल हुए। किसी तरह हमने सोते हुए चौकीदार को उठा लिया और कार को भी अहाते के भीतर दाखिल होना मिल गया। लेकिन बन्द दरवाजों को खुलवाने में न हमारा प्यार काम आया, न

हमारे तेवर। अलबत्ता चौकीदार ने एक रास्ता यह सुझाया कि हम उसके छोटे अफसर से बात कर लें तो शायद बात बने।

छोटा अफसर सुख की नींद सो रहा था और हम विचार कर रहे थे कि इस रात हमारी नींद के लिए छत का आसरा होगा या नहीं, इसका निर्णय इसी सोते हुए व्यक्ति की हाँ या ना पर निर्भर करता है। हमारी चिन्ता अज्ञेय के लिए थी। उधर के बरामदे में अज्ञेय अकेले टहल रहे थे। राजेन्द्र मिश्र का कहना था– 'अगर यह व्यक्ति बी.ए. भी पास हुआ तो अज्ञेय को जरूर जानता होगा।'

रामबाबू का कहना था– 'यही दिक्कत है कि बी.ए. पास हो या न हो, जंगल का वह अफसर अज्ञेय को नहीं जानता होगा।'

प्रश्न बना कि क्या अज्ञेय को जानने की न्यूनतम अर्हता बी.ए. पास होना ठहरती है? वस्तुतः इस प्रश्न को लोकप्रिय साहित्य और उच्च साहित्य से जुड़ना था। क्या यह मान लिया जाए कि जिस साहित्य को समझने के लिए बी.ए. पास होना अनिवार्य ठहरे, वह उच्च साहित्य हुआ और बाकी सब लोकप्रिय साहित्य?

इसका सरल उत्तर अज्ञेय के पास मिला– 'लोकप्रिय साहित्य एक काल्पनिक सुख-संसार की रचना करता है। पाठक उसे पढ़ता है, भूल जाता है – बस। वहीं उच्च साहित्य का भाव-जगत पाठक के मन में स्थायी तौर पर बना रहता है।' जो व्यक्ति अपनी सुख की नींद छोड़कर बाहर निकला उसे हमारी किन्हीं भी समस्याओं से सरोकार नहीं था। और किसी भी जिलाधीश ने यहाँ अज्ञेय के लिए कोई सन्देश नहीं भेजा था। हमने बारहा समझाने की कोशिश की कि हमारे कारण उस पर कोई संकट नहीं आएगा, लेकिन मानने न-मानने का निर्णय फिर भी उसका अपना था। राजेन्द्र मिश्र ने भाई-भतीजावाद का एक झूठा अस्त्र भी आजमाया कि वन मंत्री के भतीजे हमारे साथ हैं। मैंने खादी के कपड़े पहन रखे थे, राजेन्द्र मिश्र इसी का सिक्का चलाना चाहते थे। लेकिन इसमें भी छोटा अफसर इक्कीस बैठा। उसने बताया– 'हमारी इक्कीस बरस की नौकरी हो गयी है, साहब! जरूरत पर कोई काम नहीं आता।'

अब एक आखिरी चारा था, मुद्राराक्षसी, कि– 'देखो भाई, दो-चार रुपये जो भी किराया होगा वह हम दे देंगे।'

इस युक्ति ने काम किया और हमारे बीच संवाद स्थापित हो गया। उसने कहा– 'साहब, दो-चार रुपयों की बात नहीं है।' हमने कहा– 'कोई बात नहीं, दस-पाँच सही।'

वह हमारी भाषा समझ रहा था, हम उसका आशय समझ रहे थे। आखिर पन्द्रह रुपयों के ठहराव पर बन्द दरवाजे खुल गये। तब तक रात के दो बज चुके थे।

सुबह हमसे पहले तैयार होकर अज्ञेय बाहर लॉन में निकल आये थे। कल का मौन-साधक, चिन्तक कोई और था। जैतूनी हरे रंग की पतलून-कमीज में यह तो कोई यायावर था – यात्रा को तत्पर।

कल सुबह बिलासपुर में एक बेतुकी बात हो गयी थी। अज्ञेय के साथ बातचीत के लिए एक गोष्ठी आयोजित की गयी थी। इसमें हिन्दी साहित्य के अति-उत्साही छात्र ने कुछ पूछना चाहा था, लेकिन प्रश्न की जगह वह अज्ञेय पर अपनी टिप्पणी देने लगा। वह अत्यधिक उत्तेजित था और उसका संयम उसका साथ छोड़ चुका था। उसने कहा– 'नहा कर आये अज्ञेय एक ईसाई पादरी नजर आ रहे थे। ऐसा लगा जैसे वे जीवन से मुक्त हो गये हैं।'

सम्भव है वह किसी पवित्र-भाव को स्थापित करना चाहता हो या जीवन-मुक्ति की बात कर रहा हो। लेकिन उससे प्रश्न-संयोजन नहीं बना, अर्थ का अनर्थ हो गया।

जल्दी-जल्दी चाय पीकर हम 'कपिलधारा' की ओर निकल पड़े। यह प्रपात विश्राम-गृह से पाँच किलोमीटर पर है। यहाँ पचहत्तर फीट की ऊँचाई से जल-धारा नीचे गिरती है। वर्षा के दिनों में इसका वेग अपने पूरे उफान पर होता है। नीचे 'दूध धारा' है। लगभग पचीस फीट की ऊँचाई से गिरने वाली दूधिया जल-धारा के नीचे बैठकर स्नान करना आनन्ददायक होता है। कपिलधारा को जाने वाला रास्ता ऊँचा-नीचा है। चट्टान खोदकर बनाई गयी सीढ़ियों और अनगढ़ पत्थरों के जमाव से होकर निकलता है। इन पर चौंसठ वर्षीय वय के पुरुष को एकदम सीधी कमर किये चलते देखना भी एक अनुभव रहा। चारों ओर हरियाली है और अज्ञेय के भीतर का छायाकार सक्रिय। यायावर विस्मित था। शेली की कल्पना में ऐसा ही कोई सागरिक रहा होगा और हरियाली के ऐसे ही द्वीप – *'कई हरे-भरे द्वीप अवश्य होंगे/व्यथा के गहरे और फैले सागर में/नहीं तो थका-हारा सागरिक/कभी ऐसे यात्रा करता न रह सकता...'*

तीर्थ-महत्त्व और प्राकृतिक सौन्दर्य के अतिरिक्त अमरकण्टक में पुटका पहाड़ में बाक्साइट का विपुल भण्डार है। यहाँ भारत एल्युमीनियम निगम का एक कार्यालय भी है। अमरकण्टक के आकाश पर अब रज्जु मार्ग खुल चुका है।

कपिलधारा से सोनमुड़ा जाते हुए हमने उस पंथागार को, जहाँ रात के कुछ घण्टे गुजरे थे, एक बार फिर पार किया। आगे, दाहिनी तरफ, अमरकण्टक का शून्य मील का पत्थर है। उस पर अज्ञेय की नजर पड़ी तो आगे निकल चुकी कार को रुकवाकर वे बाहर आये और शून्य मील के पत्थर के साथ बैठ गये। यहाँ मैंने उनके कैमरे से उनका एक चित्र लिया। 'सोनमुड़ा' छत्तीसगढ़ी बोली का शब्द है।

शोणभद्र का स्थानीयकरण हुआ – सोन और मूड़ से बना मुड़ा। मूड़ का अर्थ हुआ शीश। कुल अर्थ निकला – शोणभद्र का शीर्ष। अमरकण्टक से निकलकर शोणभद्र पूर्व की ओर प्रवाहित होती है और नर्मदा पश्चिम की यात्रा करती है। लगभग साढ़े तीन सौ फीट गहरी उपत्यका के प्रसार में शोणभद्र की प्रवाह-रेखा इस ऊँचाई से स्पष्ट दिखाई देती है। सुबह के प्रथम प्रहर का सूर्य सम्पूर्ण उपत्यका में सुनहरी चमक बिखेर रहा था।

जिन्होंने अगले मैदान में नर्मदा का विस्तृत पाट देखा है, उनके लिए अमरकण्टक में उसका उद्गम देखना एक अविश्वसनीय आश्चर्य होगा। नर्मदा यहाँ एक पतली नाली की तरह बहती है। 'माई की बगिया' में एक कुण्ड दिखाया जाता है कि यही नर्मदा का मूल उद्गम है। ऊपर, एक किनारे बैठकर साधू-सन्त गाँजे का दम लगा रहे थे और चिलम पर संगत कर रहे थे। गुल-बकावली के दुर्लभ पुष्प भी यहाँ पाये जाते हैं। अभी उनके फूलने का मौसम जा चुका है। कुण्ड के किनारे अज्ञेय ध्यान में लीन होकर बैठ गये। एक पुजारी ने प्रसाद और नर्मदा जल का चरणामृत लाकर उन्हें दिया। चलते-चलते उन्होंने सवा रुपये की दक्षिणा वहाँ छोड़ दी।

ईश्वर और आस्था के प्रश्न को नये घुमाव से उठाने के लिए यह एक और अवसर हुआ। लेकिन बात फिर नहीं बनी। ऐसा लगा कि इस सम्बन्ध में पूछे गये किसी भी प्रश्न को अज्ञेय टाल जाते हैं अथवा एक दुविधापूर्ण उत्तर में बहका देते हैं। जैसे – 'ऐसा नहीं कहा जा सकता कि मैं नास्तिक हूँ।'

किसी भी जिज्ञासु को लग सकता है कि अभी अज्ञेय के अध्यात्म की परिभाषा होनी बाकी है। सम्भवतः यह स्थिति एक विश्वास की मृत्यु और दूसरे के पुनर्जन्म के बीच की है।

हमारे पथ पर पतझड़ प्रधान था। धराशायी सूखे पत्ते प्रकृति माध्यम से जीवन के अध्यात्म की कोई परिभाषा कर रहे थे। वह कोई काव्य-यात्रा थी। पहले तो हम उस भाव-भूमि के साथ दूर तक चलते रहे, फिर उसे आत्मसात् करने लगे। कृतित्व के स्तर पर यह पन्त और अज्ञेय के काव्य-संसारों का अन्तर है। अज्ञेय एक रोचक संस्मरण सुना रहे थे, जयपुर का कोई प्रसंगः किसी ने कहा – 'अज्ञेय की रचनाओं को पढ़कर ऐसा लगता है कि कोई ग्रामीण शहर आ पहुँचा है और विस्मित होकर इधर-उधर देख रहा है।' मैंने (अज्ञेय ने) कहा, 'इसमें एक संशोधन कर लीजिए कि ग्रामीण नहीं बल्कि एक जंगली शहर आ पहुँचा।' अज्ञेय का आशय जंगल की ताजगी से था।

'माई की बगिया' से वापसी में दूसरा नर्मदा कुण्ड मिलता है। यहाँ पक्के मन्दिर बने हैं और अष्ट शिवलिंग की स्थापना है। काले पत्थर का एक छोटा-सा

हाथी है, जिसके नीचे से सरककर निकलना पाप और पुण्य का विचित्र परीक्षण बन गया है। जो युक्तिपूर्वक निकल गया, वह तो पुण्यात्मा प्रमाणित हो गया और जो अटका सो छोटा। यहाँ के मन्दिरों को देखकर पत्थर के प्राचीन मन्दिरों और तराशी गयी मूर्तियों को चूने से रंगने-पोतने की प्रवृत्ति पर बात चल पड़ी। अज्ञेय बताते हैं कि मूर्तियों को रंगने की प्रथा व्यापक है और इसके पीछे कुछ निश्चित दृष्टिकोण हैं। हमारे यहाँ मूर्तियों का उत्कीर्णन सौन्दर्य-तुष्टि के लिए किया जाता है। वस्तुतः यह भी पूर्व-पश्चिम का एक दृष्टि-भेद है। भारतीय मानस का ईश्वर मूर्ति की आत्मा में स्थापित होता है। लेकिन पश्चिम की दृष्टि में यीशु की प्रतिमा ही ईश्वर है।

एक सैयाह के लिए समय पर नजर रखते हुए चलना दुनिया की सबसे बड़ी मजबूरी हो सकती है। अज्ञेय ने इस मजबूरी को, अपने लिए दूसरे मौसम का कार्यक्रम बना लिया कि, 'किसी एक स्थान को एक ही मौसम में पूरे का पूरा नहीं देख लेना चाहिए।'

पर्यटन विभाग ने अमरकण्टक को अभी तक अपने मानचित्र के विस्तार से बाहर रखा है। एक दृष्टि से इसे शुभ कहा जा सकता है कि इस बहाने आने वाले शहरी प्रदूषण से वह बचा रह सका है। यहाँ निवास के लिए वही धर्मशालाएँ हैं और भोजन आदि के लिए सड़क किनारे के झोंपड़ी-होटल। यहाँ की दही-कचौड़ी यात्रियों में प्रसिद्ध है। ऐसे ही एक छोटे-से होटल में घुसकर हम दही-कचौड़ी का भोग लगा रहे थे, तभी एक आदिवासी छात्र अपनी एक पुरानी-सी कॉपी लेकर अज्ञेय के सामने आ खड़ा हुआ। वह उनके हस्ताक्षर लेने आया था। यह एक विस्मय ही था कि वहाँ कोई ऐसा निकल आया जो अज्ञेय को जानता है।

अमरकण्टक से पेण्ड्रा रोड के लिए दो रास्ते हैं – एक पैंतालीस किलोमीटर और दूसरा कुल पच्चीस किलोमीटर। लेकिन पैंतालीस किलोमीटर वाला रास्ता अपेक्षाकृत साफ है। अज्ञेय 20 मार्च की सुबह हर हाल में भोपाल पहुँचना चाहते थे, इसलिए हमने छोटे रास्ते की जोखिम नहीं ली। इस पर कार कहीं फँस भी सकती थी।

पेण्ड्रा रोड पहुँचने पर यह रहस्य हाथ लगा कि 7 मार्च अज्ञेय की जन्मतिथि है और भारतीय तिथि-गणना से उस वर्ष यह दिन 20 मार्च को पड़ता था। इस तिथि को अज्ञेय विदिशा में होना चाहते थे जहाँ उनकी प्रतीक्षा हो रही थी।

दिन में टेसुओं के बीच से गुजरना रात से एकदम अलग अनुभव रहा। रास्ते भर गुलदस्तों की कतार थी और उनमें दहकते हुए कोयलों की सजावट। अग्निपुष्प की एक भरी-पूरी टहनी तोड़कर हमने अज्ञेय को भेंट की। विदा लेते यायावर के

लिए हमारी ओर से इससे अच्छा कोई उपहार हो सकता है, हमें नहीं सूझा।

जितना समय गाड़ी आने में था, हमारे बीच अनौपचारिकताओं के विकास में काम आया। इसी दौरान अज्ञेय के नामरकण का रहस्य मालूम हुआ।

पिछली रात्रि हमने प्रकृति की ओर एक यात्रा प्रारम्भ की थी। अब पूरी होने आयी। इस बीच आत्मीयता के सेतुबन्ध हमारे बीच निर्मित हुए। इन्हें छोड़कर अज्ञेय आगे निकल जाएँगे और हम पीछे लौटेंगे।

हम देर तक स्टेशन पर खड़े हाथ हिलाते रहे। और जब तक गाड़ी दृष्टि से ओझल नहीं हो गयी, हमने अज्ञेय को दरवाजे पर खड़े देखा।

18

वात्सल्य का प्रसाद

॥ पुष्पा भारती

पचास के दशक में इलाहाबाद में एक बहुत बड़ा साहित्यिक समारोह हुआ। विषय था 'साहित्य और राज्याश्रय'। इस महत्त्वपूर्ण परिसंवाद को डॉ. धर्मवीर भारती और अज्ञेय जी ने मिलकर आयोजित किया था। सारे देश से बड़े-बड़े लेखक आये थे। ताराशंकर बन्द्योपाध्याय, शिवराम कारन्त, यशपाल, रघुवीर सहाय, फादर कामिल बुल्के, प्रभाकर माचवे, फणीश्वरनाथ रेणु, बीरेन्द्र कुमार भट्टाचार्य, अमृतलाल नागर, इलाचन्द्र जोशी आदि। अपने इलाहाबाद के डॉ. धीरेन्द्र वर्मा, रामकुमार वर्मा, रघुवंश, विजयदेव नारायण साही, सुमित्रानन्दन पन्त, जगदीश गुप्त, फिराक गोरखपुरी, लक्ष्मीकान्त वर्मा, रामस्वरूप चतुर्वेदी आदि। दिग्गज लेखकों की उपस्थिति से सारा आयोजन साहित्य के महाकुम्भ जैसा था। वहीं पहली बार अज्ञेय जी को देखा। *शेखरः एक जीवनी* और *नदी के द्वीप* की मैं घनघोर प्रशंसक थी।

प्रयाग विश्वविद्यालय से 1955 में एम.ए. करने के बाद मैंने शोध कार्य शुरू किया। विषय था – 'नाथ और सिद्ध साहित्य का तुलनात्मक अध्ययन'। विभागाध्यक्ष डॉ. धीरेन्द्र वर्मा ने बता दिया था कि इस विषय के गहरे जानकार धर्मवीर भारती हैं, किन्तु वे कनिष्ठ प्राध्यापक हैं इसलिए गाइड के तौर पर उनकी नियुक्ति नहीं की जा सकती। कागज पर आपके गाइड उदय नारायण तिवारी होंगे, पर असली सहायता भारती जी से लेनी होगी। डॉ. वर्मा ने मेरी सिफारिश भी कर दी। उसी सिलसिले में मुझे अक्सर भारती जी के घर जाना होता था। वहाँ मैंने पाया कि भारती जी तो कभी खाली होते ही नहीं थे। हर समय उनके मित्र वहाँ मौजूद रहते थे। बड़ी विशाल थी उनकी मित्र मण्डली। विजयदेव नारायण साही, रामस्वरूप चतुर्वेदी, केशवचन्द्र वर्मा, जगदीश गुप्त, शान्ति मेहरोत्रा, लक्ष्मी नारायण लाल आदि तो लगभग रोज आने वालों में थे।

बहुत ही कम ऐसे अवसर मिले जब मैं डॉ. भारती से दो टुकड़ा बात कर सकी। हमेशा यों ही लौट आना पड़ता। पर जब जान लिया कि रोज-रोज इस तरह वापस होती रहूँगी तो खाक गाइडेंस ले सकूँगी, तो मैंने भारती जी से अनुमति ले ली कि

आप लोगों की बातों में बिना विघ्न डाले मैं एक कोने में बैठ अपना काम करती रहूँगी। सच बात यह थी कि मेरा यों काम करना बहाना मात्र था – असल में उन लोगों की बातें सुनकर मैं जान गयी थी कि इस तरह साहित्य की जो समझ मुझे मिलेगी वह दसियों किताबें पढ़कर भी नहीं मिल पाएगी।

उन्हीं बातों के दौरान मैंने अक्सर पाया कि वे सब किसी को 'भाई' नाम से सम्बोधित करते हैं। बाद में समझ में आया कि 'भाई' से मतलब था सच्चिदानन्द हीरानन्द वात्स्यायन 'अज्ञेय'। अज्ञेय जी की प्रशंसक होने के नाते मुझे वहाँ और अच्छा लगने लगा। यह भी देखा कि कभी कोई मित्र अज्ञेय जी का जिक्र जरा से हलकेपन से कर दे तो भारती जी तुरन्त उसे बड़ी विनम्रता से डपट देते और कहते कि अगर भाई ने अमुक बात कह भी दी है तो बजाय उसे खारिज करने के हमें उस पर गम्भीरता से विचार कर निष्कर्ष निकालना चाहिए। अक्सर मित्रों को यह भी कहते सुना था कि ... "हाँ भई तुम तो उनके विशेष प्रिय पात्र ठहरे!" उस समय के साहित्यिक पटल पर अज्ञेय जी का नाम बड़ी सघनता से छाया हुआ था और भारती जी सचमुच उनके प्रिय अनुज सरीखे थे।

अपने समय के बड़े साहित्यिक अनुष्ठान सप्तक के दूसरे चरण में अज्ञेय जी ने भारती जी की कविताएँ शामिल की थीं। और बाद में *सूरज का सातवाँ घोड़ा* की भूमिका में तो अज्ञेय जी ने भारती जी के विषय में बहुत कुछ लिखा भीः "धर्मवीर जी केवल एक अच्छे, परिश्रमी, रोचक लेखक ही नहीं हैं, वे नयी पौध के सबसे मौलिक लेखक भी हैं।... मैं मानता हूँ कि भारती हिन्दी की उन उठती हुई प्रतिभाओं में से हैं, जिन पर हिन्दी का भविष्य निर्भर करता है।" अपने किसी अग्रज से इस प्रकार का सर्टिफिकेट पा लेना किसी भी लेखक के लिए गौरव की बात होती। भारती जी ने श्रद्धावनत होकर लिखाः "वे मेरे अन्तर की आस्था और ईमानदारी को पहचानते हैं और आज के युग में किसी भी लेखक को इससे अधिक क्या चाहिए। मेरे प्रति उन्होंने जो कुछ अनुशंसात्मक वाक्य लिखे हैं, पता नहीं मैं उनके योग्य हूँ या नहीं, पर मैं उन्हें स्नेह आशीर्वादों के रूप में सिर झुका कर ग्रहण करता हूँ। और चाहता हूँ कि अपने को उनके योग्य सिद्ध कर सकूँ।"

समय का चक्र चलता जाता है। अज्ञेय जी से फिर मेरी मुलाकात इलाहाबाद में ही हुई। भारती जी से सम्पर्क बढ़ता चला गया था। इस बीच मैं कोलकाता (तब कलकत्ता) के शिक्षायतन डिग्री कॉलेज में पढ़ाने लगी थी। 1957 की बात है। मैं अचानक गम्भीर रूप से बीमार हो गयी। भारती जी मुझे इलाहाबाद ले आये। एक दिन तपते बुखार में नीम बेहोशी जैसी हालत थी कि भारती जी ने बताया – "तुम्हारे सबसे प्रिय लेखक आये हैं। बाहर बैठक में बैठे हैं। मिलोगी?" नाम लेने की जरूरत

ही नहीं थी। मैं समझ गयी अज्ञेय जी होंगे। उठने लगी कि चक्कर आ गया। भारती जी बोले – "तुम लेटी रहो, उन्हें यहीं ले आता हूँ।" अज्ञेय जी आये। कई क्षणों तक चुपचाप देखते रहे। मैंने देखा, बगैर कोई शब्द बोले वे एक बार मेरी ओर देखते, दूसरे क्षण भारती जी की ओर। ऐसा कुछ देर चला। माहौल में बोझिल-सी चुप्पी व्याप्त हो गयी। कहीं से कोई शब्द नहीं।... मैंने डबडब आँखों से भाई की ओर देखा और अपने कमजोर दोनों हाथ जोड़े। बिना एक शब्द बोले उन्होंने मेरे सिर पर हाथ फेरा और बाहर चले गये। उन्हें छोड़कर जब भारती जी आये तो बताया कि कह कर गये हैं – "आपको असुविधा न हो तो शाम को आपकी मित्र से फिर मिलने आना चाहूँगा।" भारती जी तो अनुज थे। 'असुविधा' शब्द ही बेमानी था।

शाम हुई और लीजिए तमाम सामान लिये अज्ञेय जी मौजूद! सामान था – एक प्रोजेक्टर, स्क्रीन और ढेर सारी स्लाइडें। पता चला कि परसों ही जापान से लौटे हैं, वहाँ खींचे चित्र दिखाएँगे। मेरे बिस्तर के सामने ही परदा लगाया गया। प्रकृति का अनोखा सौन्दर्य जब एक संवेदनशील कवि अपने कैमरे में पकड़े तो उस खूबसूरती की कल्पना करना कठिन नहीं होता। सोने में सुहागा यह कि हर चित्र के बारे में वे टिप्पणी भी देते। कुछ नायाब फूलों को दिखाते समय अज्ञेय जी जिस तरह उनका वर्णन कर रहे थे, उससे फूल का रंग और रूप तो दिखाई देता ही था, महक भी अनुभव हो रही थी।

मेरे बीमार चेहरे पर अचानक मुस्कान खिल आयी थी। अज्ञेय जी ने हुलस कर भारती जी को दिखाया और बोले– "इसीलिए तो पुष्पा जी के लिए पुष्पगुच्छ लेकर आया हूँ!"

इस अनोखी भेंट का क्षण जीवन के सुन्दरतम क्षणों में एक था! सुख की एक और लहर आयी, जो हमेशा हमेशा के लिए उनका ऋणी बना गयी। अपनी इस पहली ही भेंट में उन्होंने मुझे अपनी सद्यःप्रकाशित पुस्तक *इन्द्रधनु रौंदे हुए ये* दी। बुकमार्क की तरह उसमें लगा था भारती जी का प्रिय फूल नैस्टरशियम! पृष्ठ पर देखा तो एक कविता थी – 'एक रोगिणी बालिका के प्रति':

"सीखा है तारे ने उमगना
जैसे धूप ने विकसना,
हरी घास ने पैरों में लोट-लोट
बिछलना-बिलसना,
और तुमने – पगली बिटिया –
हँसना हँसना हँसना,
सीखा है मेरे भी मन ने उमसना,

मेरी आँखों से बरसना,
और मेरी भावना ने
आशीर्वाद के सुवास-सा
तुम्हारे आस-पास बसना!"

अज्ञेय मेरे भीतरी मन में सदा-सर्वदा के लिए आशीर्वाद के मानवीकृत रूप में बस गये।

जनवरी 1959 में वे कलकत्ता के एक साहित्यिक समारोह में आये। सारे शहर में उनकी चर्चा थी। एक दिन दोपहर मेरे एक कमरे के छोटे से घर की कुंडी खड़की। मैंने चकित होकर देखा कि अज्ञेय जी थे। सादर भीतर बुलाया। उन्होंने कुशलक्षेम पूछी। एक गिलास ठण्डा पानी पिया और बोले, "जहाँ ठहरा हूँ वहाँ के अत्यधिक आदर-सत्कार मान-सम्मान से घबरा गया हूँ। मखमली गद्दों पर दो दिन से नींद ठीक से नहीं आयी, थोड़ा सोना चाहता हूँ।" मेरे कमरे में एक खूँटी लगी थी। जो झोला बगल में लटकाए थे, उसे उस पर टाँगा और बोले –"आशा करता हूँ, आपको असुविधा नहीं होगी।" "असुविधा! मेरा तो अपने ऊपर इतराने का मन हो रहा है।" मैंने कहा तो अपनी बहुत कंजूस मुस्कान में वे किंचित विस्तार लाये और एक साधारण-सी दरी बिछे मेरे तख्त पर ऐसे सोये जैसे कहीं से लम्बी कैद से छूट कर, निश्चिन्त मन से खुली हवा में साँस ले रहे हों।

मैं अपनी एक छात्रा सुशील गुप्ता (अब बांग्ला से हिन्दी की जानी-मानी अनुवादिका) की बड़ी-सी बिल्डिंग में एक कमरा किराए पर लेकर रहती थी। सुशील ने सखियों को सूचित कर दिया – दीदी के घर अज्ञेय जी आये हैं। फिर क्या था बीए में हिन्दी साहित्य में ऑनर्स का कोर्स करने वाली आठ-दस छात्राएँ वहाँ आ धमकीं और सोये महाकवि को देखकर निहाल हो गयीं। मैंने सबको सुशील के घर बैठने को कहा – जागने पर बुला लूँगी, यह वादा लेकर ही वे वहाँ से टलीं। बीच-बीच में वे चुपचाप झाँक जाती थीं। डेढ़ घण्टे बाद जब अज्ञेय जी सोकर उठे तो बोले – "बहुत स्वस्थ और ताजा अनुभव कर रहा हूँ।" छात्राओं का आना शायद इस समय उन्हें पसन्द न आये, इसलिए डरते-डरते इजाजत माँगी कि क्या वे सिर्फ एक मिनट के लिए प्रणाम करने आ सकती हैं?

छात्राओं के आने पर जो माहौल बना, उससे लगा कि वक्त थम गया है। वे साहित्य की अच्छी-खासी समझ रखती थीं। भाई का मन भी उन बातों में ऐसा रमा कि फिर वे घण्टों अपनी यादें छात्राओं के साथ बाँटते रहे। मैंने भी उस दिन पहली बार जाना था कि उनके पुरातत्त्ववेत्ता पिता कुशीनगर में प्राचीन भग्नावशेषों की खुदाई

करवा रहे थे, वहीं एक तम्बू में उनका जन्म हुआ था। बताते रहे कि हर बरस उस स्थान पर जाने का मन होता है। खुले आसमान के नीचे जन्मे अज्ञेय की यायावरी की शुरुआत तो मानो पहली साँस के साथ ही हो गयी थी।

उस रोज भी उन्हें अपना बचपन याद आ रहा था। बोले कि एक दिन स्कूल में एक अंग्रेज लड़के ने हिन्दुस्तानी सहपाठी को गाली दी। उनसे सहन नहीं हुआ और उस अंग्रेज की जमकर ठुकाई कर दी। स्कूल से निकाल दिए गये। डरे कि कठोर स्वभाव के पिता दण्ड देंगे। लेकिन उन्हें सुखद आश्चर्य हुआ – पिता ने सिर पर हाथ फेरा और बोले कि कोई चिन्ता नहीं, वह स्कूल इस योग्य नहीं है कि वहाँ तुम्हें शिक्षा मिले। घर पर तुम्हारी शिक्षा का प्रबन्ध होगा। शीघ्र ही एक संस्कृत के पण्डितजी विधिवत पढ़ाने भी आने लगे। यह सुनकर एक चंचल बालिका टुप से बोली – "अब हम समझे कि आपकी भाषा इतनी कठिन क्यों होती है।" अज्ञेय जी के सौम्य और गम्भीर चेहरे पर मुस्कान खिल आयी। बोले, इसके बाद तो मैंने विज्ञान की पढ़ाई भी की थी। शायद उसके पीछे स्कूल से निकाले जाने की टीस रही होगी। "हम विज्ञान सीखकर ऐसे रसायनों का ज्ञान पाना चाहते थे जिनके द्वारा बम बना सकें और उनका प्रयोग उद्दण्ड अंग्रेजों के खिलाफ कर सकें।"

क्रान्ति का बीज बचपन में ही अज्ञेय जी के मन में उग चुका था। किशोर वय के होते-होते तो हिन्दुस्तान रिपब्लिकन आर्मी के सदस्य बन गये। भगवतीचरण वोहरा, चन्द्रशेखर आजाद और सुखदेव के दल में पहले से थे। वहाँ कई बार बम बनाये। एक बालिका पूछ बैठी – "इस सबके बीच ये कविता कहानी वाले संस्कार कहाँ से मिल गये?" वे कुछ पल को गम्भीर हो गये और बोले – देखिए, यह तो वह उम्र होती है जब हमारा स्वयं अपने साथ पूरी तरह साक्षात्कार भी नहीं हो पाता। हम स्वयं को खोज रहे होते हैं। कई तरह की बातें सोचते और समझते चल रहे थे। विज्ञान पढ़ कर बम बनाए और किसान मोर्चे पर भी काम किया। फिर विश्वयुद्ध के दौरान कुछ समय तक वर्दी पहन कर सेना में भी रहा। उन्होंने यह भी बताया कि किस तरह तमाम प्रकार की यन्त्रणाएँ झेलते हुए कई बरस जेल में भी गुजारे। मन्द-मन्द मुस्कुराते यह भी बताया कि वहीं उन्होंने दर्जीगीरी सीखी, जूते गाँठने सीखे। चप्पल बहुत अच्छी बनाते थे। बढ़ईगीरी भी सीखी थी। अपनी किताबें रखने की पहली अलमारी उन्होंने खुद बनाई थी। अपने भीतर की तमाम तरह की उथल-पुथल और खुद को पहचानने की चहल-पहल के बीच ही उन्होंने यह भी जान लिया था कि स्वयं को अभिव्यक्त और सम्प्रेषित करने के लिए वह भाषा को अच्छा माध्यम बना सकते हैं। धीरे-धीरे उन्होंने अपनी लेखकीय क्षमता को आत्मरंजन का साधन नहीं, बल्कि सामाजिक दायित्व की तरह अपनाया। और इस क्षमता को कभी और किसी काम से अलग या बड़ा नहीं समझा। बताने लगे कोई भी काम छोटा नहीं

लगता, उसी मनोयोग से बर्तन माँज लेता हूँ, खाना पका लेता हूँ। बोले – ''हलुआ मैं बहुत अच्छा बना लेता हूँ। कहिए तो आप लोगों को अभी बना कर खिलाऊँ!''

अब तक बालिकाएँ भी उनसे खुल गयी थीं। बेझिझक बोलीं – ''हलुआ तो हमें कोई भी खिला देगा। आप तो अपनी कुछ कविताएँ सुनाइए ना!'' मैं फिर डरी कि भाई परेशान न हो जाएँ। पर नहीं, वे सचमुच तरोताजा हो गये थे। उन्होंने कई कविताएँ सुनाईं – कुछ तो सस्वर भी। अज्ञेय तो अल्पभाषी प्रसिद्ध रहे हैं, बहुत धीमे और बहुत कम बोलने वाले। भारती जी ने बाद में उन छात्राओं की गवाही के बाद ही विश्वास किया था कि अज्ञेय जी इतने मुखर और बातूनी भी हो सकते हैं।

कलकत्ता के दिनों में मैंने वहाँ एक बड़ी संगोष्ठी का आयोजन किया था। उसकी रूपरेखा भाई को भेजी। वे दिल्ली से देहरादून अपनी बहन के यहाँ गये हुए थे। उम्र और अनुभव के इतने फासले के बाद भी किसी काम में मदद की कोई आत्मीय अपेक्षा करे तो उनका रवैया कैसा होता था, इसका एक प्रमाण उनका वह पत्र है जो उन्होंने मेरी रूपरेखा के जवाब में भेजा। कहना न होगा, वे स्वयं बाद में कलकत्ता भी आये, बगैर मेरे द्वारा किसी अनुनय-विनय के। वह पत्र इस प्रकार थाः

13, मोहिनी रोड, देहरादून
18 अगस्त

स्नेहशीला बहिन पुष्पा,

आपके दोनों – नहीं, अढ़ाई पत्र मिले हैं, पहले उत्तर नहीं दे पाया क्योंकि 'बीमारी' से मुक्त होकर भी उसके परवर्ती 'भोग' से मुक्त नहीं हो पाया था – और साथ ही पीड़ा से अत्यधिक त्रस्त होने के कारण लिखने भी बैठ गया था और एक पुस्तक पूरी करके प्रेस को भेज कर ही उठा – उस बीच सोने-जागने जीने-मरने का कुछ पता नहीं था – या बीच-बीच में जब अपने शरीर का बोध होता था तो केवल उसके कष्ट का; जिससे फिर पुस्तक में लौट जाता था ...

अब तो ठीक हूँः बिलकुल ठीकः शरीर कुछ शिथिल पड़ गया है, पर उसका इलाज तो दौड़धूप से होता रहेगा...

आपका निमन्त्रण सिर आँखों पर। 'साहित्य-बोध' का ठीक-ठीक अभिप्राय क्या है यह तो नहीं समझा, पर फिर भी जितना जो समझा उसके बारे में कुछ कहना मुझे रुचेगा और सुनना कुछ लोगों के लिए उपयोगी होगा – चाहे इसीलिए कि उन्हें चिढ़ाएगा!

आप जब आने को कहेंगी आ जाऊँगाः सितम्बर का अन्तिम सप्ताह मुझे भी सर्वथा अनुकूल है। अक्टूबर में कठिनाई कुछ अधिक होगी -- पर जब कह दिया कि आऊँगा तो आप जब भी कहेंगी तभी आ जाऊँगा। इतना ही है कि पक्का निर्णय भरसक जल्दी कर दीजिएगा, क्योंकि यह भी सम्भव है कि मैं पहले ही निकल पड़ूँ

और सीधा न आकर घूमता-फिरता आऊँ – आदतन् लाचार! और कलकत्ते के बाद उधर से ही नेपाल चला जाना चाहता हूँ – और वहाँ भी सूचना देनी होगी और आगे चलने का प्रबन्ध करना होगा, इसलिए जल्दी निर्णय ठीक होगा। आप तो मेरी तरह सुस्त या प्रमादी नहीं हैं, आपको तो इसमें देर न लगेगी!

आपने जो अनुक्रम रखा है, उसमें कुछ हेर-फेर विचार के लिए सुझा सकता हूँ?

पहला भाषण – हजारी प्रसाद द्विवेदी – शाश्वत और आधुनिक – (ठीक है)

दूसरा – क्यों न भारती जी का उन्हीं के विषय पर हो – विश्व साहित्य में आधुनिक संकट और नये मूल्य।

तीसरा – 'आधुनिक साहित्य के मूल तत्त्व और हिन्दी' अज्ञेय को दीजिए – मैंने इसमें 'और हिन्दी' और इसलिए जोड़ा है कि जो कुछ कहूँ उसे उस पर घटित करना भी चाहूँगा।

चौथा – डॉ. देवराज – विषय वही जो आपने दिया है, पर उन्हें कहिए कि तुलनाएँ भी भरसक करें – हिन्दी और इतर भारतीय, या हिन्दी और विदेशी की।

पाँचवाँ – विषय तो ठीक है। पर क्या वह साही जी का ही विषय है? मुझे कुछ लगता है कि विषय उनके साथ, और वह विषय के साथ, न्याय न कर पाएँगेः साहित्य-शिल्प के बारे में कुछ कहना उन्हें कम ही अच्छा लगेगा। पर सहसा दूसरा नाम भी नहीं सुझा सकता हूँ। या कि आप डॉ. नगेन्द्र से पूछने की कल्पना कर सकती हैं?

मैं मानता हूँ कि भाषण ही भाषण न होगा। प्रत्येक के साथ कुछ प्रश्नोत्तर भी, चर्चा भी होगी। या कि नहीं?

सितम्बर-अन्त न हो तो दिसम्बर भी हो सकता है शायद – यद्यपि मेरे साथ बहुत दूर की कोई योजना बनाना जोखम का ही काम होता है – चार महीने में न जाने क्या हो जाय! और लोगों से पूछ लीजिए, फिर मुझे आज्ञा दीजिए।

काम की बात समाप्त करके अपनी कहूँ। आज पूर्णिमा का दिन आपको विशेष रूप से समर्पित है; पत्र लिखने बैठ कर ध्यान आया कि देखो, मेरे द्वारा अपने-आप कैसा ठीक काम कैसे ठीक समय पर हो रहा है! है न? राखी तो जिस घर में ठहरा हूँ उसका माली आकर बाँध गया है; राखी के साथ मिठाई बहिन आकर खिला गयी हैं – वह भी साथ आयी थीं और यहाँ स्कूल में अध्यापिका हो गयी हैं कल से – उन्हीं के साथ तो आना हुआ – और अब प्रणाम आपको करता हूँ। आप शायद छोटे-बड़े की बहस शुरू करेंगी; पर सभी बहिनें मेरे लिए सर्वदा और सभी के लिए आज प्रणम्य हैं...

पुस्तक मैं भेजता-भेजता रह गया क्योंकि पहली वाली प्रतियाँ तो सभी लुट गयीं और और आती-आती अभी नहीं पहुँचीं – हर सप्ताह 'सप्ताह भर में' भेजने का

आश्वासन आ जाता है। वही आपको भी दे दूँ?

कपिला जी भी आयी थीं, कल रात वापस गयी हैं क्योंकि आज उन्हें दफ्तर भी जाना था और 51 भाइयों की बहिन होने के नाते आज दिल्ली होना भी जरूरी था – 51 में से 18-19 दिल्ली में हैं इस समय!

आपका स्वास्थ्य अब कैसा है? आशा है अब फिर ऐसा न होगा कि सितम्बर में जब आएँ तो आपको वैसे साथ लाना पड़े – यों साथ लाना तो बड़ा अच्छा है और उन दिनों शायद ठीक समय भी होगा – पर वैसे नहीं... स्वास्थ्य का पूरा ख्याल रखें – कलकत्ता है ऐसा ही शहर...

आपके अगले पत्र की प्रतीक्षा करूँगा।

सस्नेह
आपका
वात्स्यायन

कम लोग जानते हैं कि भारती जी के *धर्मयुग* में जाने के पीछे अज्ञेय जी की क्या भूमिका थी। इंटरव्यू दे आने के बाद भारती जी उखड़े हुए थे, लेकिन भाई ने उन्हें समझा-बुझा कर *धर्मयुग* की सम्पादकी स्वीकार करने को प्रेरित किया। हुआ यों कि 1959 में लक्ष्मीचन्द्र जैन के अनुरोध पर भारती जी रमा जैन और शान्ति प्रसाद जैन से मिले। उनका प्रस्ताव था कि भारती जी *धर्मयुग* के सम्पादक होकर बम्बई (मुम्बई) चले जाएँ। भारती जी उन दिनों प्रयाग विश्वविद्यालय में थे और हिन्दी विभाग के अपने काम से खुश थे। लेकिन किशोरावस्था में ही *अभ्युदय* में पं. पद्मकान्त मालवीय से और *संगम* में काम करते समय इलाचन्द्र जोशी से सम्पादन कला के जो संस्कार ग्रहण किए, वे भी जोर मारते रहते थे। शायद इन्हीं संस्कारों की प्रेरणा से उन्होंने *निकष* नाम की पत्रिका निकाली थी। *आलोचना* के सम्पादन मण्डल में भी उन्होंने काम किया।

जब *धर्मयुग* के लिए इंटरव्यू देने दिल्ली बुलाए गये तो वहाँ *टाइम्स ऑफ इंडिया* के जनरल मैनेजर जे.सी. जैन ने कुछ अजीब-सी शर्तें रखीं। "चेक बुक पीली हो या लाल, दाम सिक्के हों या शोहरत, कह दो उनसे जो खरीदने आये हों तुम्हें, हर भूखा आदमी बिकाऊ नहीं होता" जैसी पंक्तियों के लेखक भारती जी ने स्पष्ट कहा – "मैं आपके योग्य नहीं हूँ, आप अपने लिए कोई दूसरा व्यक्ति तलाश लीजिए।" बिना जैन साहब का उत्तर सुने वे उठे और बाहर निकल आये। वहाँ से सीधे पहुँचे वात्स्यायन जी के घर। उन्हें सब बातें बताईं। अज्ञेय जी ने सब सुना और कहा, "आपने बिलकुल ठीक किया, पर एकदम से तिनका तोरी करने की बात मत सोचिए। अब देखिए कि वहाँ से क्या जवाब आता है।" बाद में जब संस्थान ने

अपनी शर्तें वापस ले लीं, तब भी भारती जी यही कहते रहे कि शायद उस माहौल में मैं निश्चिन्त होकर काम नहीं कर पाऊँगा। इसलिए ज्यादा ठीक होगा कि मैं यह काम स्वीकार न करूँ। अज्ञेय जी के बहुत समझाने पर उन्होंने कहा कि ठीक है, फिलहाल मैं विश्वविद्यालय से एक वर्ष की छुट्टी लेकर आऊँगा – यहाँ मन न लगा तो अपने अध्यापन के काम पर वापस चला जाऊँगा। भाई को भी उनकी यह बात स्वीकार हो गयी और भारती जी ने सम्पादन का काम सँभाल लिया। शुरू में दोनों घण्टों बैठ कर आगामी योजनाओं पर बातें किया करते थे।

मैंने एक रोचक बात देखी। दोनों का प्रेम बड़ा धूपछाँही किस्म का भी था। कभी-कभी जब अज्ञेय जी भारती जी की किसी बात से असहमत होते तो नाराज हो जाते थे। यों इसे 'नाराज होना' न कह 'रूठना' कहना ज्यादा उपयुक्त होगा, क्योंकि वे अपनी नाराजगी का इजहार अनबोले होकर करते थे। कई-कई दिनों तक बात नहीं करते थे। पर भारती जी कई तरह से प्रयत्न करके उन्हें मना लेते थे।

भारती जी के पुराने कागज सहेजते-सँभालते हुए मुझे अज्ञेय जी का एक पत्र मिला। देखा – बर्कले विश्वविद्यालय में *सूरज का सातवाँ घोड़ा* अमेरिका में पढ़ाने योग्य समझ कर उसकी प्रति मँगवा रहे हैं। पत्र में परस्पर प्रेम तथा विश्वास भी नजर आता है और भाषा देखें तो एक विशिष्ट तल्खी भरा व्यंग्य भी। वह पत्र इस तरह थाः

बर्कले, 4 जनवरी 1962

श्रीमतेषु सम्पादक प्रवरेषु,

मैं 'प्रिय भारती जी' से आरम्भ करने वाला था, पर आपने सम्पादक का नाता इतना जकड़ कर ओढ़ लिया है कि और किसी नाते का उल्लेख करने का साहस नहीं होताः जब आप दिवाली-दशहरे की शुभकामनाएँ भी 'धर्मयुग के लेखक के नाते' मुझे 'सम्पादक के नाते' अपनी ओर से भेजते हैं, तब अपने धर्मयुग-लेखकेतर अस्तित्व के बारे में ही संकोच हो आता है... इसीलिए पद-वन्दना (चरणवन्दना नहीं, पद-वन्दना मात्र!) से आरम्भ करता हूँ। नया वर्ष आपके लिए – अब 'आप' का अर्थ-विस्तार या संकोच 'आप' के ही हाथ में है – शुभ हो, यह मनाता हूँ।

आगे निवेदन यह है कि यहाँ दूसरे सत्र में (फरवरी-जून) मैं 'भारतीय साहित्य' वाले पाठक्रम में जो दो चार अनूदित उपन्यास पढ़ाना चाहता हूँ, उनमें सूरज का सातवाँ घोड़ा भी रखना चाहता हूँ। अनुवाद के लिए मैंने 'थॉट' को लिखा है, पर अनुभव से जानता हूँ कि उतना काफी नहीं और उसके भरोसे बैठ रहने से पुस्तक आएगी ही नहीं। क्या इसमें आपकी मदद मिल सकती है कि मुझे जनवरी के अन्त तक पूरी अंग्रेजी प्रतिलिपि मिल जाए – चाहे पत्र की कटिंग चाहे उससे टंकित प्रति? और यदि इसके साथ ही मूल हिन्दी पुस्तक भी हवाई डाक से आ जाय तो

क्या कहना ... आपके पास दोनों चीजें होंगी। या आप शीघ्र प्राप्त कर सकेंगे, और तकाजा करना होगा तो वह भी कर सकेंगे... ये चीजें प्राप्त करके भेज रहे हों तो ठीक ही है; अभी तुरत सूचना मिल जाय कि कब क्या कर रहे हैं तो उससे कुछ पता भी लग जाएगा कि मुझे और क्या प्रयत्न करना होगा या नहीं करना होगा...

'अपने-अपने अजनबी' सुना, छप गया। देखें, तो जानना चाहूँगा कि कैसा लगा। यों मेरे लिखे की जो गति होती है सो तो जानता ही हूँ; इस उपन्यास की या नये कविता संग्रह की ('आँगन के पार द्वार' की) कुछ भिन्न होगी ऐसा क्यों सोचूँ?... पर उपन्यास पढ़ने को इसलिए भी कहूँगा कि शायद वह अनुवाद के लायक जान पड़े। " 'अज्ञेय जी' तो लिखते ही हैं पहले अंग्रेजी में, फिर हिन्दी में अनुवाद करते हैं"!!

आशा है आप प्रसन्न हैं। बम्बई रुच गया या नहीं, यह नहीं पूछता; मान लेता हूँ कि रुच ही गया है। रुच ही जाता है यदि पहले वर्ष के पार हो जाय — और फिर बड़े शहर में कौन किससे कम है — या ज्यादा है?

साभिवादन
आपका
वात्स्यायन

(पुनश्च) हाँ, ध.यु. का दीवाली अंक मिला। तो माचवे जी रसातल से लौटे नहीं: अमेरिका में तो जो देखा सो देखा ही, लौटते हुए सारे यूरोप में भी उन्हें नालियाँ ही देखने को मिलीं! हाँ, म्यूजियम भी देखे, पर ध्यान उन पर भी तो नहीं टिका, टिका जहाँ वहीं. ..! मैं तो लेख न छापता। पर मैं शायद 'युग' में खोया हूँ न, धर्म में कम पैठ है!

भाई जब-जब बम्बई आते तो हमारे घर जरूर आते। अनेक संस्मरण हैं, सब बयान करने को जगह पूरी न होगी। एक प्रसंग अक्सर याद करती हूँ। यह 1967 की बात है। वत्सल निधि नाम से तो साहित्य जगत अब खूब परिचित है, लेकिन उनका वत्सल रूप जैसा हमने देखा था उसका वर्णन शब्दों में नहीं किया जा सकता। तब हमारे घर में एक खूब बड़ा टैरेस होता था, जिसे भारती जी ने एक छोटी-सी बगिया जैसा बना लिया था। उस दिन भाई अचानक आ गये। भारती जी को फोन किया तो बोले मुझे तो थोड़ी देर लगेगी, लेकिन तुम एक बात का ध्यान रखना कि बच्चे ज्यादा धमा-चौकड़ी न करें। अज्ञेय जी को ज्यादा शोर-शराबा पसन्द नहीं है। पर मैंने तो कुछ और ही देखा — बच्चों से ज्यादा धमा-चौकड़ी और शोर तो खुद भाई कर रहे थे! सात-आठ बरस की केका और तीन बरस के किंशुक के साथ खुली छत पर दौड़ा-दौड़ी और लुका-छिपी जिस तरह खेली जा रही थी, उसका वर्णन तो सूरदास भी न कर पाते, मैं किस खेत की मूली हूँ। दौड़ने-भागने के बाद तीनों वहीं जमीन

पर बैठ कर गपिया रहे थे। दूर से मैंने देखा कि किंशुक उनकी गोद में बैठकर उनकी दाढ़ी पर हाथ फेर रहा है। मैंने सोचा अब इन बच्चों को भगाना होगा। वहाँ गयी तो भाई ने बताया कि इन्हें हमारी दाढ़ी बहुत पसन्द आ रही है, कहते हैं चुभती भी नहीं है और पूछ रहे हैं कि इसे कहाँ से लाया हूँ? मैंने बता दिया है कि एक मेले में खरीदी थी, अगली बार एक ले आऊँगा!

मैंने किंशुक को उनकी गोद से उठाते हुए कहा – अच्छा अब तुम दोनों अपने कमरे में जाकर खेलो, मैं वादा करती हूँ कल तुम्हारे लिए ठीक ऐसी मऊ-मऊ (कोमल) दाढ़ी खरीद लाऊँगी। तो किंशुक तपाक से बोला – ''अंकल ऐसा कीजिए, यह वाली दाढ़ी आप मुझे दीजिए, कल जो मम्मी लाएँगी, उसे आप ले लीजिएगा।'' तो भाई जिस तरह ठठा कर हँसे, उसकी कल्पना आप शायद नहीं कर सकेंगे। मेरे कानों में तो उस हँसी का नाद आज तक समाया है।

यों, उनके वात्सल्य का प्रसाद भारती जी को तो कई बरस पहले मिल चुका था। कलकत्ते की चौरंगी में 'नीरा' नाम का एक रेस्तरां था, जिसके पास किताबों की एक छोटी-सी दुकान थी। उस दुकान पर दुनिया भर की नयी से नयी किताब सबसे पहले आ जाती थी। *डॉक्टर जिवागो* इलाहाबाद तब तक पहुँची नहीं थी। मैंने उसी दुकान

से खरीद कर भारती जी को वहाँ भेजी थी। वे चकित रह गये और बड़े खुश हुए। कलकत्ता आने पर भारती जी उस दुकान पर जरूर जाते थे। उस दिन हम उसी दुकान पर गये। भारती जी दुकान के सामने खड़े एक पुस्तक हाथ में लिये बार-बार उलट-पलट रहे थे। कभी यह पृष्ठ देखें, कभी वह – किताब छोड़ने का मन नहीं हो रहा था। पर हताश थे। मन में अजीब-सी ऐंठन अनुभव कर रहे थे क्योंकि हम दोनों के पास मिलाकर भी इतने पैसे नहीं थे कि वह किताब खरीदी जा सके।

अकस्मात् देवदूत सरीखे प्रगट हुए भाई। यह दुकान उन्हें भी बहुत प्रिय थी। उन्होंने भारती जी के हाथों में वह रेनिया मारिया रिल्के की सम्पूर्ण कविताओं का संग्रह देखा तो बोले, अरे इसी की खोज में तो मैं यहाँ आया हूँ! यह सुनना था कि भारती जी ने किताब को कलेजे से लगाया और एक लम्बी साँस ली। भाई ने जिस दृष्टि से मेरी ओर देखा, उसमें हैरानी और प्रश्न थे। मैंने उन्हें बताया कि असल में भारती जी बहुत खुश हैं कि यह किताब आप ले लेंगे। विक्रेता के पास केवल एक ही यह प्रति बची है। तो भाई बोले, अरे ऐसी बात है तो आप लोग ले लीजिए, मैं फिर ले लूँगा। इस पर जब असली परेशानी की बात पता चली तो अज्ञेय जी के चेहरे पर जो वात्सल्य की चमक कौंधी, उसका वर्णन नहीं कर सकती। आप खुद अनुमान लगाइए। बगैर एक शब्द बोले भाई ने वह किताब खरीदी, उस पर लिखा 'भारती के लिए सस्नेह – अज्ञेय' और किताब मेरे हाथों में थमा दी। बोले, "चलिए! 'नीरा' में कॉफी पीते हैं।"

मुझे और भारती जी को उनके आशीर्वाद पहले से प्राप्त थे, पर आज तो आशीर्वादों से भरी पोटली साथ थी! बाद में जब मेरी लिखी प्रेमकथाएँ छपीं तो उस पुस्तक का नाम मैंने रिल्के और बेनवेनुटा के प्यार के आधार पर ही रखा था – *शुभागता*।

अनगिनत हैं यादें। फिलहाल अन्त में सिर्फ एक खत की बात और बताती हूँ। खत के अन्त में भाई ने लिखा था: "इसके बाद से आपके पत्र की प्रतीक्षा आरम्भ करता हूँ – ठीक उस बच्चे की तरह जो गुठली बोकर उसे एक गिलास पानी से सींच कर एक-टक खड़ा देखने लगता है कि कब आम फलेंगे!"

पत्र पढ़ते वक्त मुझे लग रहा था, जैसे कोई कविता पढ़ रही हूँ।

ऐसे ही थे एक अबूझ पहेली जैसे भाई, अज्ञेय!

19

कल, परसों, तरसों

॥ हरीश त्रिवेदी

अज्ञेय जी के दर्शन पहली बार 1964 में हुए, जब वे सद्यः स्थापित 'निराला व्याख्यान माला' के प्रथम व्याख्याता के रूप में इलाहाबाद विश्वविद्यालय आये। तब मैं वहाँ बीए द्वितीय वर्ष में पढ़ता था। म्योर कॉलेज के आलीशान विजयनगरम हॉल में खचाखच भरे श्रोताओं में एक मैं भी था। दूर से ही देखने पर भी तुरन्त पहली भावना यह जागी कि क्या भव्य और गरिमामय व्यक्तित्व है – उन्हें देखना सचमुच दर्शन करना था। क्योंकि वे सर्वथा दर्शनीय थे ही। फिर वे खड़े हुए और उन्होंने सहज भाव से बोलना शुरू किया। हम सब घण्टे भर मन्त्रमुग्ध सुनते रहे। बाहर आये तो एक सहपाठी बोलाः 'दिव्य पुरुष हैं!' फिर उस अनुभव की विशिष्टता से अभिभूत हम दोनों काफी दूर चुपचाप चलते रहे। हमारे विश्वविद्यालय में तब एक से एक दिग्गज प्रोफेसर थे, पर उनमें से किसी ने पहली छाप ऐसी नहीं छोड़ी थी। यह धरातल ही अलग था।

इसी पहली छवि को जल्दी ही एक हलका-सा धक्का भी लगा। अन्तिम व्याख्यान के बाद प्रश्नोत्तर के दौरान अज्ञेय जी ने कहाः 'पिछले कुछ वर्षों में श्री 'क' की जो कविताएँ छपी हैं उनसे मुझे अधिक सन्तोष नहीं है, और श्री 'ख' की रचनाओं से तो मुझे और भी कम सन्तोष है।' इस सन्दर्भ में 'सन्तोष' शब्द का प्रयोग कुछ विचित्र लगा, और यह थोड़ा अखरा कि वे दोनों कवि अज्ञेय के समक्ष पहली या दूसरी पंक्ति में साक्षात् विराजमान थे। पर अज्ञेय ने जिस संयत और निरपेक्ष स्वर में यह बात कही उससे यह भी लगा कि जैसे उस कथन का स्वयं उनसे या उन दोनों कवियों से कोई, किसी प्रकार का व्यक्तिगत सम्बन्ध न हो। ऐसा लगा कि जो अज्ञेय यह बात कह रहे हैं वे हमारे सामने भी खड़े हैं और कहीं बहुत दूर से भी बोल रहे हैं।

उसके बाद बरसों उनके दर्शन नहीं हुए। अगले ही वर्ष उनकी पुस्तक *आँगन के पार द्वार* आयी, जिसे खरीदने मैं कॉफी हाउस के बगल में स्थित लोकभारती प्रकाशन की दुकान में गया जहाँ पाया कि पुस्तक चार रुपये की है। लगा कि ऐसे

महापुरुष की कृति का ऐसा तुच्छ मूल्य! और जब बिना कुछ कहे ही उस पर चार आने का 'कंसेशन' भी मिला तो लगा कि जैसे अज्ञेय की अवमानना हुई है।

बाद के वर्षों की अज्ञेय की जो अनेक स्मृतियाँ हैं वे साफ दो भागों में विभाजित हैं – एक तो सार्वजनिक स्थानों में उनको देखने-सुनने के अनेक अवसर और दूसरे उनके दिल्ली के घर 'कैवेंटर्स ईस्ट' में उनके और इला जी के साथ उठने-बैठने, खाने-पीने आदि के कई प्रसंग, जो मुझे सर्वथा संयोगवश सुलभ हुए।

तो पहले दो-तीन सार्वजनिक छवियाँ। इलाहाबाद में ही 1982 में हिन्दुस्तानी एकेडमी के एक आयोजन के अन्त में चलते-चलते अज्ञेय कह रहे हैं कि कल सुबह तो आप सब पढ़ ही लेंगे तो अभी बता दूँ कि इस वर्ष का ज्ञानपीठ पुरस्कार मेरे बगल में बैठे व्यक्ति को मिलना निश्चित हुआ है – जो थीं महादेवी जी! इसके कुछ मिनट बाद प्रयाग संगीत समिति के तिराहे पर रिक्शे की तलाश में मेरे साथ खड़े निर्मल वर्मा हँसते-हँसते दोहरे हुए जा रहे हैं कि अभी-अभी किसी व्यक्ति के स्कूटर की पिछली सीट पर कुछ इस प्रकार बैठकर कि जैसे रोज ही यह करते हों अज्ञेय हमारे सामने से फुर्र से निकल गये हैं! यानी कहाँ अज्ञेय और कहाँ स्कूटर, जैसे कि ठेले पर हिमालय!

या, राजस्थान विश्वविद्यालय के गेस्ट हाउस के लॉन पर शाम चाय के वक्त बीच में अज्ञेय खड़े हैं। चारों ओर प्रशंसकों का घेरा है और अंग्रेजी के एक वरिष्ठ प्रोफेसर अज्ञेय से निवेदन कर रहे हैं कि आप मेरा मार्ग-निर्देशन करें – अंग्रेजी तो पढ़ाता ही हूँ, अनेक विषयों में मेरी दक्षता है। आलोचना-पद्धति में विशेष महारत है, 'न्यू एक्सेंट्स' सीरीज की लन्दन से छपी सभी महँगी किताबें आप मेरे निजी पुस्तकालय में पाएँगे; तो अब मेरी हिन्दी की सेवा करने की बड़ी इच्छा है और आप समझ ही रहे हैं कि मैं कितना बड़ा योगदान कर सकता हूँ इस क्षेत्र में – आप बस इतना करें कि कोई अच्छा-सा विषय बता दें जिस पर मैं काम करने लगूँ। अज्ञेय के चेहरे पर महीन-सी मुस्कान है और वे चुपचाप खड़े सुन रहे हैं और यह अहंमन्य मूर्खाधिराज बोले ही जा रहे हैं। मेरी उत्कण्ठा प्रबलतर होती जा रही है कि देखें अब अज्ञेय इसे क्या संक्षिप्त और चुटीला उत्तर देते हैं, जिससे यह व्यक्ति महीनों बिलबिलाता रहे। पर अज्ञेय सुनते रहते हैं, मुस्कुराते रहते हैं और यह व्यक्ति बोलता ही जाता है, पाँच मिनट और दस मिनट – जो किसी के काटे नहीं कट रहे हैं और फिर अन्ततः वह हारकर, खिसियाकर खिसक लेता है और अज्ञेय सहज स्वर में बगल में खड़े किसी अज्ञात व्यक्ति से कहते हैं: "आप यहीं जयपुर में रहते हैं?" अज्ञेय अपने मौन के लिए कुख्यात थे, पर अज्ञेय का मौन कितना मुखर और कितना कारगर सिद्ध हो सकता था, इसके ऐसे ही अनगिनत प्रमाण होंगे।

अज्ञेय का घर, 'कैवेंटर्स ईस्ट'। कुछ लुटियंस की शैली में नयी दिल्ली के

बीचोबीच बने बड़े सरकारी बँगलों की तरह काफी बड़े अहाते में खड़ा। बड़े गोल खम्भों से घिरे बरामदे वाला, अपने शान्त परिवेश में ही पर्याप्त और निमग्न, एकाकी-सा बँगला था, जहाँ वे अपने अन्तिम वर्षों में संगिनी इला डालमिया के साथ रहे; बँगला उन्हीं की पारिवारिक सम्पत्ति का भाग था। (पास ही 'कैवेंटर्स वेस्ट' भी था – पर फिर दूर तक कुछ और नहीं था।) दिल्ली के जनसंकुल कोलाहल से दूर अज्ञेय का यह अन्तिम निवास उनका अपना भले न रहा हो (और यायावरी अनिकेतन जीवन जीने वाले अज्ञेय का स्वयं अपना घर भी कभी कहीं था, यह पता नहीं) पर वह उनके अपने स्वभाव और प्रकृति के सर्वथा अनुकूल लगता था।

उस घर तक मेरी रसाई कैसे हुई इसका इतिहास यह है कि इलाहाबाद में मेरे एक अन्तरंग मित्र हैं, मानस मुकुल दास, जो मुझसे कुछ ही वर्ष बड़े हैं। वहीं विश्वविद्यालय में हम दोनों पढ़े भी साथ-साथ और फिर पढ़ाने भी लगे थे। मानस वहीं बने रहे और मैं दिल्ली चला आया। यहाँ सेंट स्टीफेंस कॉलेज में पढ़ाने लगा। बहरहाल, मानस के प्रति अज्ञेय का अगाध और विशेष स्नेह था क्योंकि अज्ञेय मानस के माता-पिता को 1945 से शिलंग से जानते थे, जब मानस बस चार साल के थे और फिर वे सब साथ ही इलाहाबाद आये थे और *प्रतीक* वाले वर्षों में एक ही बड़े घर में (बल्कि एक के बाद एक दो घरों में) कुछ वर्ष साथ-साथ रहे थे। तो मानस जब भी दिल्ली आते तो अज्ञेय के घर ही ठहरते, मोतीबाग में भी और फिर कैवेंटर्स में भी।

सन् 1978-79 से लेकर पाँच-छह वर्षों तक मानस का दिल्ली आना कुछ अधिक ही हुआ, जिसके दो मुख्य कारण थे। एक तो उनका अपना शोध ग्रन्थ, टॉमस हार्डी की कविता पर, यहाँ मैकमिलन से छप रहा था (1983) और उसके अन्तिम प्रूफ में भी लगभग हर पृष्ठ पर एक ऐसी भूल रह गयी थी, जिसे बार-बार कुछ शब्दों को कतर-ब्योंत कर ही सुधारा जा सकता था, जो एक लम्बी और श्रमसाध्य प्रक्रिया थी। दूसरे, उन्हीं दिनों मानस और अज्ञेय मिलकर *अन्तरा* और *भवंती* के कुछ अंशों का अंग्रेजी अनुवाद कर रहे थे जो 1984 में *प्रिपेयरिंग द ग्राउंड* नाम से पुस्तकाकार छपा।

तो मानस जब भी कैवेंटर्स आते तो मेरी गोहार होती। अधिकतर तो वे मुझे सूचना देकर आते, नहीं तो कोई और माध्यम पाया जाता मुझे बताने के लिए। तब मेरे जैसे महज प्राध्यापकों के घर फोन तो होता नहीं था और मोबाइल का तो आविष्कार भी नहीं हुआ था। ऐसे ही एक अवसर पर अज्ञेय ने मुझे एक तार भेजा, जिसमें अंग्रेजी में लिखा था: कल, परसों, तरसों जब भी सुविधा हो – चाय, दोपहर या रात के खाने, पर घर आइए। बाद में मानस ने मुझे बताया कि जब

अज्ञेय इला जी को डिक्टेट करके यह तार लिखवा रहे थे जो बढ़ता ही जा रहा था जैसे (अज्ञेय के ही विनोदात्मक बिम्ब में) वह 'शैतान की हो आँत' तो मानस और इला जी एक-दूसरे की ओर देखकर मुस्कुराने लगे कि यह तार भेजा जा रहा है या किसी और विधा में ही रचना हो रही है!

मानस की अपनी पुस्तक की जब प्रूफ रीडिंग चल रही थी तब तो मानस और मैं रोज ही कई-कई घण्टे साथ डटे रहते। मानस को कुछ आँख की शिकायत तभी से थी और प्रूफ पढ़ना ही नहीं था, पाठ में लगातार काट-छाँट करते भी चलना था, जिसमें सलाह-मशविरे की जरूरत थी। एक बार लंच के बाद अज्ञेय मानस के कमरे में आकर झाँक गये कि हम दोनों को काम करने की पूरी सुविधा तो है। फिर ढाई-तीन घण्टे बाद जब चाय के लिए बुलाने फिर आये तो यह भी पूछाः "किस पेज तक पहुँच गये आप लोग?" हम लोगों ने पृष्ठ संख्या बताई तो कुछ झुँझलाकर और फिर हँसी में झुँझलाहट को दबाते हुए बोले, "तो तीन घण्टे में बस पाँच पेज हुए!"

होता यह था कि मानस और मैं बैठते तो काम करते-करते जल्दी ही जग-चर्चा होने लगती। कुछ दिल्ली की, कुछ इलाहाबाद की और खुलकर ठहाके लगने लगते। काम धरा रह जाता।

शायद यही कारण था कि जब अज्ञेय और इला जी ने देखा कि मानस की और मेरी कितनी गहरी छनती है तो मानस के प्रति जो उनका सहज स्नेह और वत्सल भाव था वह कुछ मेरी ओर भी छलक आया। मानस बताते हैं कि जब भी वे इलाहाबाद से कैवेंटर्स पहुँचते तो अज्ञेय खुद ही इला जी से कहतेः "बुलाओ, हरीश को बुलाओ!" कारण कि मानस के ही शब्दों में, ही रीविल्ड इन आल ऑफ इन बीइंग टुगेदर, इन दैट वार्म्थ (हम सब साथ मिलते-बैठते तो उस आत्मीयता में अज्ञेय रंग में आ जाते थे।) यह तो सच है कि ठहाके भले न लगाते हों पर हमारी बतकही और क्रिया-कलाप में वे सर्वथा मुदित-मन से शरीक होते थे।

अनेक बार कठिन परिस्थितियों से उन्होंने सहज ही मुझे उबारा भी। एक बार हम कई लोग बाहर बैठे चाय पी रहे थे तो मैं रहीम के बारे में अपना ज्ञान बघारने लगा। विद्यानिवास जी ने जब कुछ कहा तो मैंने उनसे मतान्तर प्रकट किया। विद्यानिवास जी मुझसे कुछ दूर बैठे थे और अज्ञेय बिल्कुल बगल में तो मेरी ओर बिना देखे वे फुसफुसाए, "इन्होंने रहीम-रचनावली सम्पादित की है" यानी कि बेटे, अब बात न बढ़ाने में खैरियत है।

एक दूसरे स्तर का प्रसंग है कि शुरू में ही एक रात खाना खाने के बाद करीब दस बजे मैं खड़ा हुआ कि अब चलूँगा तो अज्ञेय बोले, कैसे जाएँगे? मैंने कहा, "धौला कुआँ तक पैदल और फिर मुद्रिका मिल जाएगी।" बोले, "आपके अनुमान से

धौला कुआँ यहाँ से कितनी दूर है?" मैंने तौलकर कहा, "पौन किलोमीटर" तो उन्होंने मुस्कुराकर कन्धे पर हाथ रखा और कहा, "आइए! वैसे तीन किलोमीटर है।" गाड़ी निकाली गयी, इला जी साथ चलीं, और धौला कुआँ बस स्टॉप पर दोनों मेरे अगली मुद्रिका में सकुशल दाखिल होने तक खड़े रहे।

छोटे-बड़े अनुग्रहों के ऐसे प्रसंग तो अनेक हैं, पर अज्ञेय से कभी-कभार कुछ साहित्य चर्चा भी होती रही। सच तो यह है कि मानस के माध्यम से मेरा उनके साथ जैसा घरेलू सम्बन्ध बना उसमें उनके साथ मैं साहित्य चर्चा शुरू करूँ यह सर्वथा अनर्गल होता और वैसे शायद हिम्मत भी न पड़ती। तो अनायास ही कुछ बातें हो गयीं तो हो गयीं।

एक दिन मैंने उनसे कुछ विनोद के स्वर में कहा कि आप पर छपी पुस्तकों में एक का शीर्षक कुछ विचित्र है – *अज्ञेय की काव्यतितीर्षा* (नन्दकिशोर आचार्य)! मैंने जोड़ा कि कालिदास ने तो 'तितीर्षु दुस्तरं मोहादुडुपेनास्मि सागरम्' लिखा था, पर इस तरह शब्द का प्रयोग कुछ हैरान करता है! (इलाहाबाद में मैंने बीए तक संस्कृत पढ़ी थी, यह प्रदर्शित करना भी अवश्य ही मेरा अभीष्ट रहा होगा।) तो, मेरी उद्दण्डता पर बिना हँसे या मुस्कुराए अज्ञेय ने मुझे विस्तार से समझाया कि वह सचमुच ही अच्छी किताब है और 'तितीर्षा' को किस या किन-किन अर्थों में समझा जा सकता है और कैसे उनकी अपनी काव्य यात्रा के लिए यह शब्द उनकी अपनी दृष्टि में अनुपयुक्त नहीं है। दरअसल, 'ओ निस्संग ममेतर' कविता में उन्होंने "सह-तितीर्षु" का खुद बड़ा सुन्दर प्रयोग किया है और यूनान के प्रवास में लिखी कविता 'यात्री' में भीः *कि तीर्थों को तेरी ही तितीर्षा गढ़ती रही। मन्दिरों में कहाँ कुछ होता है?...*

इसी तरह, 1980 की बात होगी जब जैनेन्द्र के *त्यागपत्र* का अज्ञेय का किया अंग्रेजी अनुवाद हिन्द पॉकेट बुक्स द्वारा पुनः प्रकाशित हुआ और मेरे पास समीक्षा के लिए आया। मैंने अज्ञेय से इस बात का उल्लेख किया तो वे बोले कि आपने ध्यान दिया होगा कि एक अध्याय तो मैंने अनुवाद में छोड़ ही दिया है। मुझे लगा कि यह उनकी सूक्ष्म समझ है और उनका बड़प्पन है कि वे जान गये कि उनसे उस अनुवाद के बारे में मैं क्या प्रश्न करना चाहूँगा और मेरे संकोच के बन्धन काटते हुए उन्होंने स्वयं ही उसका उल्लेख कर दिया। तब तो सरल हो गया मेरा उनसे पूछना कि ऐसा क्यों? वो बोले, 'इट डिड नाट गो वेल इन इंगलिश।' बस इतना ही!

तब से बीते तीस वर्षों में मैंने स्वयं कुछ अनुवाद किए हैं, एम.फिल. में अनुवाद-शास्त्र पर पूरे सेमेस्टर का कोर्स कई वर्ष पढ़ाया है, और अनुवाद पर थोड़ा-बहुत लिखा-छपाया भी है। अब सिर धुनने का मन होता है कि तब मैं उनसे

यह पूछने का इतना सामर्थ्य और इतना साहस क्यों नहीं जुटा पाया कि हिन्दी और अंग्रेजी नामक दो भाषाओं, दो संवेदनाओं और दो संस्कृतियों के बीच 'डज नाट गो वेल' का अभिप्राय क्या होता है? हिन्दी की कुछ बातें अगर अंग्रेजी में खपती नहीं, तो क्या कारण है कि नहीं खपतीं? हाल ही में मैंने स्वयं अज्ञेय के *शेखर* के कुछ अंशों का अनुवाद अंग्रेजी में किया (साहित्य अकादेमी की पत्रिका *इंडियन लिटरेचर* के लिए) और मुझे लगता रहा कि उस उपन्यास का काफी कुछ अंग्रेजी में (या कम से कम मेरी अंग्रेजी में) नहीं खपता। शायद इसीलिए अज्ञेय ने अपने बाकी दो उपन्यासों का अंग्रेजी अनुवाद तो स्वयं किया, पर *शेखर* को मुझ जैसे अल्पमति दुस्साहसी के मत्थे छोड़ गये। तो इस विषय में अज्ञेय से मैंने स्वयं उनके हिन्दी अंग्रेजी अनुवाद के बारे में तब विस्तार से पूछा होता तो शायद हम सभी का कुछ भला होता। क्योंकि हिन्दी में अंग्रेजी-हिन्दी दोनों विधिवत बरतने वाले लेखक कम ही हुए हैं। वैसे तो निर्मल वर्मा और कृष्ण बलदेव वैद भी पूर्णतः समर्थ हैं या थे, पर सब में अग्रगण्य तो अज्ञेय ही थे।

अनुवाद के ही सन्दर्भ में एक और बड़ा प्रश्न मेरे मन में तभी कुलबुलाता रहा है, खासकर इसलिए कि अज्ञेय से परोक्ष रूप में भी यह प्रश्न उठाने की मेरी हिम्मत कभी नहीं हुई। यह प्रश्न था कि उनके स्वयं के लिए *नदी के द्वीप* और *अपने-अपने अजनबी* के आत्मानुवाद कुछ नीरस से क्यों लगते हैं? लेकिन यह तो उनसे तभी पूछ पाता तब अज्ञेय अज्ञेय न होते या मैं मैं न होता – "दे और दिल उनको जो न दे मुझको जुबां और!"

वैसे यह प्रश्न मुझे तभी से इतना परेशान किए है कि मैंने 'अपरोक्ष' नहीं, किन्तु परम-परोक्ष रूप से एक बार अज्ञेय से यह जरूर पूछा कि आप इतने व्यस्त रहते हैं, *नवभारत टाइम्स* के मुख्य सम्पादक हैं, तो अपनी पुस्तकों के अनुवाद के लिए समय कैसे निकाल पाते हैं? उनका उत्तर था कि सम्पादकीय काम तो वे रोज घण्टे-दो घण्टे में ही निपटा देते हैं, उसके बाद स्टेनो को बुलाकर और हिन्दी मूल सामने रखकर वे धाराप्रवाह आशु-अनुवाद लिखवाते रहते हैं। (पाठक समझेंगे कि यह मेरी शब्दावली है, उनकी नहीं।) मुझे लगा कि लेखक अपनी ही कृति के प्रति इतना निस्पृह कैसे हो सकता है कि अनुवाद तो क्या बस उल्था करके रख दे, पर मैं क्या कहता।

आखिरी प्रसंग के रूप में एक और बात का जिक्र करना चाहता हूँ जो मुझे तभी से परेशान किए है और जिसका इस शताब्दी वर्ष में मुझे समय निकालकर कुछ समाधान ढूँढ़ना ही चाहिए। एक दिन अज्ञेय और मैं उनके घर के पिछवाड़े के इलाके में टहल रहे थे, जिसे उपवन नहीं सीधे वन ही कहने का मन होता था, तो

मैंने उनसे कहा कि मेरी बहुत दिनों से इच्छा है कि *शेखर* के दोनों खण्डों में अंग्रेजी कविता के जो अनेक उद्धरण आते हैं कुछ गवषेणा करके मैं सूची बनाऊँ कि वे कहाँ-कहाँ से लिये गये हैं। मैंने यह भी कहा कि मुझे यह भी पता है कि यह करना कोई आसान नहीं होगा।

यह सुनकर मुझे लगा कि उन्हें काफी अच्छा लगा – अनेक कारणों से। वे मद्रास में बी.एससी. करने के बाद लाहौर में अंग्रेजी में एम.ए. कर रहे थे, पर एक ही साल बाद पढ़ाई छोड़कर क्रान्तिकारी दल में शामिल हो गये थे। रहा मैं, तो इलाहाबाद से अंग्रेजी में एम.ए. पूरा करने के कुछ ही साल बाद ब्रिटेन जाकर वहाँ के एक विश्वविद्यालय से वर्जीनिया वुल्फ जैसी गहन और दुरूह लेखिका पर पीएच.डी. करके लौटा था और अब सेंट स्टीफेंस कॉलेज में पढ़ा रहा था – जिसकी ठसक ही कुछ थी जो अब भी बरकरार है। तो ऐसा मैं उनके अपने अंग्रेजी-कविता के ज्ञान की विस्तृत पड़ताल करना चाहता था और इस प्रक्रिया को कठिन बता रहा था – यह उन्हें स्पष्टतः ही सुखद लगा।

मैं कोई अनजान शोधार्थी होता तो पता नहीं वे क्या कहते। पर मैं मानस का सुहृद उनसे यह कह रहा था तो उन्होंने मुझे दो काफी मनोरंजक बातें बताईं। पहली यह कि जब *शेखर* पहली बार छपा तो अंग्रेजी के उद्धरण बस अंग्रेजी में ही छपे – यह तो बाद के संस्करणों में प्रकाशक के आग्रह पर हुआ कि उन उद्धरणों के अर्थ हिन्दी में पाद-टिप्पणियों में दिए गये – स्वयं अज्ञेय के ही अनुवाद में।

दूसरी बात अज्ञेय ने और भी विचित्र बताई। कुछ मुस्कुराते हुए, कुछ झुँझलाते हुए – जो उनके साथ कई बार होता था – वे बोले कि जब *शेखर* को मंगला प्रसाद पारितोषिक दिया गया (और अगर पारितोषिक का नाम अब मुझे तीस साल बाद गलत याद हो तो सुधी पाठक पूरे प्रसंग को ही अप्रामाणिक न मानें!) तो संस्तुति में लेखक के जिन गुणों की प्रशंसा की गयी उनमें से एक था लेखक का 'पाण्डित्य'।

मुझे तुरन्त समझ में आ गया कि पारितोषिक मिलने के लगभग चालीस साल बाद भी अज्ञेय संस्तुति के इस शब्द से झुँझलाए हुए क्यों थे। वह यह कि 'पाण्डित्य' आलोचकों और विद्वानों का गुण भले हो, कवियों और उपन्यासकारों को, यानी सर्जनात्मक लेखकों को, उससे क्या काम! 'पाण्डित्य' से तो यह ध्वनि आती है कि आपने औरों का पहले से ही लिखा कितना पढ़ रखा है, जो इसका साफ उलटा है कि आपका लेखन मौलिक कितना है। अज्ञेय इस शब्द से तब तक किंचित् त्रस्त ही क्यों बने रहे, इसका सहज औचित्य था।

उनको जो बात चुभी थी वह मुझे भी तुरन्त ही चुभी। भला यह भी किसी सर्जनात्मक लेखक की प्रशंसा करने का कोई ढंग हुआ? अवश्य ही निर्णायक

समिति में जिस किसी सदस्य की सहमति नहीं रही होगी उसी ने यह बेढंगा शब्द सुझाया होगा। अज्ञेय तो चले गये, पर उनकी ब्याज प्रशंसा में उच्चारित यह शब्द अब भी मुझे इस शब्द की समुचित व्याख्या करने का मन होता है और इसकी नकारात्मक ध्वनियों का समुचित निराकरण करने का भी।

व्याख्या में पहली बात यह कि हमारे महान लेखक भी पढ़े-लिखे होने चाहिए कि नहीं? सीधे आकाश से ही बिजली कौंधेगी क्या उनके माथे पर या सरस्वती के वरदहस्त का साक्षात् स्पर्श पाकर ही वे अपने अज्ञान और तन्द्रा से सहसा जागेंगे? पश्चिम में जिसे क्लासिकल और हमारे यहाँ जिसे शास्त्र-सम्मत परम्परा कहते हैं उसमें तो यह अनिवार्य शर्त है कि अब तक जितना भी अच्छा लिखा गया है वह सब समाहित करके ही हममें यह विवेक जाग सकता है कि अब मौलिक क्या लिखा जा सकता है। रही दूसरों का लिखा अपने लिखे में उद्धृत करने की बात तो चोरी-छुपे मार लेने से तो यह सीनाजोरी कहीं श्रेष्ठ है। खुला खेल फर्रुखाबादी। इसके लिए भी बहुज्ञता होनी चाहिए और कलेजा तो होना ही चाहिए, बल्कि इसे ही तो आजकल अन्तर्पाठीयता (इंटरटेक्सचुअलिटी) कहते हैं।

बहरहाल, अज्ञेय के सन्दर्भ में पाण्डित्य शब्द का नकारात्मक उल्लेख होते ही मैं कितना झुँझला जाता हूँ यह तो स्पष्ट हो ही गया होगा। टी.एस. एलियट हार्वर्ड विश्वविद्यालय में दर्शन-विभाग में पीएच.डी. कर रहे थे तो वे पाण्डित्य के अभियोगी नहीं थे क्या, और उनकी कविता में बृहदारण्यक उपनिषद के, धम्मपद और भगवद्गीता के जो उद्धरण आते हैं वे उनके सकारात्मक पाण्डित्य का प्रमाण नहीं, तो क्या हैं?

हाल ही में मैंने *शेखर* के एक अंश का अनुवाद किया जिसमें बीमारी की अन्तिम अवस्था में शशि बिस्तर में लेटी हुई अपनी ठोड़ी से इंगित करके शेखर को कहती है कि उस अलमारी से वह नोट बुक निकालो और यह कविता पढ़कर सुनाओः

आई वांट टू डाई वाइल यू लव मी
वाइल यट यू होल्ड मी फेअर

यह उद्धरण साढ़े आठ पंक्तियों तक चलता है, इसकी लेखिका एक प्रायः विस्मृत नीग्रो महिला थीं, जॉर्जिया डगलस जॉनसन और यह कविता पहली बार शायद सन् 1922 में छपी थी, *शेखर* के दूसरे भाग के छपने के बस बीस वर्ष पहले। इसी तरह *नदी के द्वीप* में लम्बा उद्धरण है एक और अंग्रेजी कविता का, जिसका सन्दर्भ मैं अब तक ढूँढ़ नहीं पाया हूँ – इस इंटरनेट के जमाने में भी और देश-विदेश के अपने अनेक सहयोगियों और छात्र-छात्राओं को खटखटाने के बाद भी। आज अज्ञेय होते तो अपने किंचित् प्रफुल्ल मन से और स्वभावगत मन्द स्मित से

अवश्य मुस्कुराते और सहज आत्मीयता से स्वयं बता भी देते कि उद्धरण है कहाँ से!

पर अज्ञेय को गये दो दशक से ऊपर हो गये और अब वे बस स्मृतिशेष हैं। उनका कृतित्व भी शेष है, बल्कि इस जन्मशती वर्ष में बाकायदा रचनावली के रूप में सम्पादित होकर आ रहा है। नहीं है हमारे पास अब तो वह सर्वथा अनूठा व्यक्ति और अतुलनीय व्यक्तित्व।

बीच-बीच में कैवेंटर्स जाते रहने का मेरा सिलसिला अज्ञेय के निधन के थोड़ा पहले ही टूट चुका था, जब मैं 1985 में पुनः इंग्लैण्ड चला गया और तीन साल बाद लौटा। विदेश में समाचार मिला तो अकस्मात् एक दृश्य याद आया कि वत्सल निधि के पहले या दूसरे आयोजन में त्रिवेणी सभागार के मंच पर अज्ञेय खड़े हैं और कह रहे हैं कि अब मैं सत्तर पार कर चुका तो कुछ वर्षों में आपके सामने नहीं रहूँगा, पर चाहूँगा कि इस निधि की गतिविधियाँ चलती रहें। जिस समभाव से वे अनेक तथ्यात्मक बातें कहते थे उसी निस्पृह और लगभग अवैयक्तिक भाव से कह रहे थे कि अब शीघ्र ही नहीं रहूँगा। काल गति और नश्वरता के प्रति उनका बौद्धिक और दार्शनिक दोनों ही प्रकार के बोध से जन्मा एक सहज भाव था।

अब कैवेंटर्स के उन दिनों के बारे में सोचता हूँ तो जितने अज्ञेय याद आते हैं उतनी ही इला जी याद आती हैं – जिनकी ओर तब इतना ध्यान नहीं जाता था। वे अज्ञेय से काफी छोटी थीं, उनकी दीठ और पूरे हाव-भाव से स्पष्ट व्यक्त होता था कि वे अज्ञेय पर कितनी मुग्ध हैं, उनके प्रति (शाब्दिक अर्थ में भी) कितनी दत्तचित्त हैं, पर वे अज्ञेय को बस बैठी निहारने वाली मुग्धा नायिका नहीं थीं। घर तो वही चलाती थीं – दिल्ली और हिन्दी साहित्यिक जगत की तुमुल नदी में स्थित किसी छोटे से मनोरम द्वीप जैसा वह घर – और अज्ञेय की दिनचर्या भी वही चलाती थीं। अज्ञेय का वत्सल स्वभाव प्रसिद्ध है, पर इला जी का भी स्वयं अज्ञेय के प्रति और अज्ञेय से जुड़े सभी हम सब के प्रति स्नेही ममत्व देखते ही बनता था। कभी कुछ देर बैठे उन्हें नहीं देखा, हरदम कुछ न कुछ करती ही रहती थीं। अज्ञेय के बिना जब वे यहाँ-वहाँ दिख जाती थीं तो उनके उत्फुल्ल-उत्साही मन और किंचित् संकोची-लजीले स्वभाव की ओर ध्यान अधिक जाता था।

अज्ञेय तो कभी मेरे घर नहीं आये – उनसे कभी कहने का भी ख्याल मेरे मन में नहीं आया – पर इला जी कई बार आयीं, कभी भागते-दौड़ते और एक-आध बार कुछ देर बैठने। पहली बार आयीं अज्ञेय की कविताओं के अंग्रेजी अनुवाद की पुस्तक *नीलाम्बरी* (1981) स्वयं देने, जिसके सुन्दर प्रकाशन की व्यवस्था उन्होंने अपनी निगरानी में की थी। अज्ञेय के जाने के कुछ ही साल बाद उनका भी जब असमय निधन हो गया तो उनकी शोकसभा में एक बार फिर कैवेंटर्स जाना हुआ। निर्मल वर्मा ने अपनी श्रद्धांजलि में उन्हें उचित ही 'कर्म-योगिनी' कहा और शुभा

मुद्गल ने कबीर के जो पद गाये उनमें एक था, *बहुरि हम काहे को आवैंगे।*

इस वर्ष कायदे से अज्ञेय की कृतियाँ पढ़ रहा हूँ – कुछ दुबारा-तिबारा, कई पहली बारः तीनों उपन्यास (और वे दो अधूरे क्या बस शुरू भर किए हुए उपन्यास-खण्ड *छाया मेखल* और बड़ा विचित्र-सा और नयी तरह का मुख्य पात्र लिए हुए *बीनू भगत* जो इला जी ने ही अज्ञेय के चले जाने के बाद प्रकाशित किए थे); *सदानीरा* के दोनों खण्ड जिनमें कमोबेश हर कविता के लिखे जाने का दिन और स्थान भी दिया हुआ है; उनकी लगभग अज्ञात और अप्राप्य अंग्रेजी कविताएँ, *लौटती पगडंडियाँ,* अनेक निबन्ध। और यह भली-भाँति जानते हुए भी कि जो व्यक्ति है उसे ही लेखक नहीं समझना चाहिए, कई बार यह पूछने का मन होता है, या टोहने की इच्छा होती है कि जैसा और जितना कुछ अज्ञेय को मैंने जाना उसका उनकी पुस्तकों से – स्पष्ट ही आत्मकथात्मक *शेखर* से ही नहीं, और भी कृतियों से – क्या सम्बन्ध रहा होगा?

यह सिर्फ गपशप के स्तर की सतही जिज्ञासा नहीं है, जीवनीमूलक भ्रान्ति (बायोग्राफिकल फैलेसी) भी नहीं है। लेखक जो अनुभवों की पूँजी अर्जित करता है उसी को तो कल्पना के ब्याज के साथ अपनी कृतियों में लौटाता है। साहित्य समाज का दर्पण चाहे हो या न हो, लेखक का व्यक्तित्व और उसकी संवेदना के कोण और गोलाइयाँ (और “गलियाँ, अन्तरीप, उभार, सैकत-कूल” आदि भी!) तो समाज और युग के थपेड़ों और तरंगों से ही आकार पाते हैं।

अज्ञेय का जीवन सामाजिक, राष्ट्रीय और अन्तरराष्ट्रीय गतिविधियों और प्रभावों से जितना आन्दोलित रहा, उतना कम ही हिन्दी लेखकों का रहा होगा। वे सक्रिय क्रान्तिकारी रहे, पकड़े गये और जेल में रहे, फाँसी पाते-पाते बचे (या उनको स्वयं तो शुरू में कम से कम ऐसा ही लगा), सेना में रहे, देश के अनेकानेक भागों और शहरों में रहे, अकेले भी रहे और अनेक और लोगों के साथ सामूहिक 'कम्यून' में भी रहे, अनेक लोगों से उनके आत्मीय सम्बन्ध बने-बिगड़े और उन्होंने पूरी दुनिया देखी। उन्होंने जो लिखा और औरों का लिखा सम्पादित किया उससे हिन्दी साहित्य का पूरा नक्शा बदला। वे युग-पुरुष भी थे और युग प्रवर्तक भी। उन्होंने अपने सर्वश्रेष्ठ उपन्यास को 'जीवनी' कहा, उनकी अपनी जीवनी जब सम्यक् रूप से लिखी जाएगी तो वह किसी महाकाव्यात्मक उपन्यास से कम न होगी। उनका व्यक्तित्व जितना वैविध्यपूर्ण, गहन, (मनोवैज्ञानिक अर्थ में) जटिल और अन्तर्गुम्फित था उतना बहुत कम लोगों का होता है। कुछ ही वर्षों तक उनके जीवन और मानस में मेरा चंचुमात्र प्रवेश हो पाया, भले ही सर्वथा संयोगवश, तो इसे अपना सौभाग्य मानता हूँ।

20

कुछ शब्द अबोले

॥ गंगाप्रसाद विमल

तिथियाँ तो क्रमवार याद नहीं हैं, पर यादों को कुरेदते हुए आज भी एक ऊष्मा का बोध होता है। हो सकता है यह युवाकाल का विस्मय जैसी चीज से सामना हो। परन्तु अज्ञेय से पहली बार मिलना किसी विस्मय से कम नहीं था।

चण्डीगढ़ में साठ के आरम्भ के वे वर्ष न जाने कितने अर्थों में महत्त्वपूर्ण थे। विश्वविद्यालय परिसर में एक उमगता हुआ बौद्धिक उन्मेष था। वह सिर्फ ली कार्बूजिए के शहर के फैलाव की तरह नहीं था। उस वक्त के कुछ महत्त्वपूर्ण हस्ताक्षर चण्डीगढ़ से आ जुड़े थे। वह ए.सी. जोशी का युग था। न जाने कहाँ-कहाँ से वे नामी-गिरामी अकादमिक हस्तियों को जुटाने में सफल हो गये थे। हिन्दी में आचार्य हजारीप्रसाद द्विवेदी को इन्द्रनांथ मदान की सलाह पर काशी विश्वविद्यालय से निष्कासित किए जाने के बावजूद बुला लाये थे। बाद में टैगोर पीठ पर मुल्कराज आनन्द को, कला इतिहास में बी.एल. गोस्वामी को, अंग्रेजी में युवा अध्यापक कृष्ण बलदेव वैद को, हिन्दी में रमेश कुन्तल मेघ को।

ऐसे चण्डीगढ़ में – जो अभी बन ही रहा था – धीरे-धीरे एक बौद्धिक जमात उभर रही थी। एक शाम विभिन्न विषयों, विभिन्न भाषाओं के लोग वहाँ अज्ञेय को सुनने के लिए आ जुटे।

अज्ञेय पं. हजारीप्रसाद द्विवेदी के आमन्त्रण पर आये थे। जितने दिन वे शहर में रहे, अपने गुरु पण्डित द्विवेदी के हुक्म से मुझे उनके साथ घूमना पड़ा। उनके साथ कपिला जी भी थीं। वे अपने अधिकार से द्विवेदी परिवार की खास सदस्य थीं। अपने समय की हर हलचल से जुड़े ये लोग न सिर्फ नये लेखकों के आकर्षण का केन्द्र थे, बल्कि हिन्दी, पंजाबी, उर्दू, अंग्रेजी भाषाओं के अध्येताओं की अज्ञेय के बारे में गहरी दिलचस्पी थीः अज्ञेय जो *शेखरः एक जीवनी* जैसे उपन्यास से हिन्दी के नये शिखर के रूप में पहचाने जा रहे थे, अज्ञेय जो कविता की एक नयी धारा का नेतृत्व कर रहे थे।

चाहे सुबह का वक्त हो या दोपहर में भोजन का या शाम को शहर के किसी

हिस्से में घूमने का, कोई-न-कोई उनसे मिले के लिए व्यग्र नजर आता। चण्डीगढ़ के बाईस सेक्टर में एक अच्छे से स्टोर में कुछ लड़कियाँ उन्हें इस तरह घेर कर खड़ी थीं कि किसी कार्यक्रम में जाने की जल्दी का हवाला भी उन्हें रोक नहीं पाया। उनके पास इतने सवाल थे कि मितभाषी अज्ञेय केवल अपनी मुस्कान और आधे-अधूरे वाक्यों से पूछी गयी जिज्ञासाओं का उत्तर दे रहे थे।

कहने की जरूरत नहीं कि अज्ञेय की बातें और अज्ञेय का व्यक्तित्व प्रभावी था। वे नपे-तुले शब्दों में उत्तर देते थे। एक सन्ध्या कविता की थी। रमेश कुन्तल मेघ, कुमार विमल, प्रवीण शर्मा, जितेन्द्र मोहन, शैलेन्द्र शैल और तमाम दूसरे कवियों ने कविताएँ पढ़ी थीं। वीरेन्द्र मेहन्दीरत्ता और डॉ. सेंगर की कहानियाँ दूसरे दिन के लिए प्रस्तावित थीं। संस्कृत के देवीदत्त शर्मा और पंजाबी के अतर सिंह उन गोष्ठियों में मौजूद रहते थे। परन्तु ज्यादातर लोग दूसरे विषयों से थे। कोई समाजशास्त्र से, कोई दर्शनशास्त्र से, कुछ गणित से तो कुछ आधुनिक विज्ञान से, कुछेक लोग कैमिकल इंजीनियरिंग से भी थे। इस तरह अनेक विषय के लोग अपने-अपने अनुशासनों की सरहदों के सवालों से लैस रहते थे।

सबसे अजीब बात मुझे यह लगती थी कि अज्ञेय हमेशा तरोताजा दीखते थे।

वे अज्ञेय से मेरी मुलाकातें थीं। धीरे-धीरे साम्यवादियों की आलोचनाओं का शिकार होने के कारण अज्ञेय एक धारा के लिए सचमुच अज्ञेय हो चले थे। जब मैं दिल्ली आया और समाजवादी प्रभाव में था तो अज्ञेय को कांग्रेस फॉर कल्चरल फ्रीडम जैसी संस्था और उनके प्रकाशनों से जुड़ा मानकर उनकी चर्चा प्रगतिशील हल्कों में वर्जित-सी चीज बना दी गयी थी।

मैं अभी खुद से यह सवाल पूछता कि एक युग के क्रान्तिकारी पर यह आरोप क्या सचमुच विश्वसनीय था, कि तभी *एनकाउंटर* पत्रिका और अमेरिका से बुद्धिजीवियों और अध्यापकों को मुफ्त में मिलने वाली पत्रिकाओं के बारे में भण्डाफोड़ हुआ। सुना कि वह सारा साहित्य सी.आई.ए. जैसी संस्था के इशारे पर बुद्धिजीवियों को पहुँचाया जाता था। हम जैसे लोगों ने तत्काल 'डोनर एजेन्सी' को विरोध पत्र दिया कि हमें पत्रिकाएँ भेजना बन्द कर दें।

किन्तु दिलचस्प बात यह है कि उन पत्रिकाओं में ऐसा कुछ नहीं था जो अमेरिकी प्रचार या साम्यवादी विरोध कहा जाय। *सेवानीज रिव्यू, हडसन रिव्यू, माडर्न लिटरेचर या डिस्कवरी वेस्टर्न ह्यूमेनिटीज रिव्यू, क्वैरी,* एटलांटिक या दूसरी चीजें एकदम उदार और स्वतन्त्र पत्रिकाएँ थीं।

कुछ बरस पहले *एनकाउंटर* में छपे हिन्दी विरोधी लेख पर मैं अपना प्रतिरोध लिखित रूप में जाहिर कर चुका था। परन्तु इसके अलावा विश्वव्यापी बहस में आधुनिक साहित्य की जो चर्चाएँ थीं, वे आकर्षित करती थीं।

अज्ञेय कुछ बरस विदेश में रहकर जब लौटे तो जब-तब सभा-गोष्ठियों में दीख जाते थे। कभी-कभार ऐसा महसूस होता था कि लोग उनसे कट रहे हों। किन्तु मैं अभिवादन करना न भूलता और अगली दफे कहीं मिलने की अनुमति उनसे ले लेता। बहुतेरे लोग जो उनके गिर्द जमा होने लगे थे उनके बारे में साहित्यिक अफवाहें जोरों पर थीं। यह कानाफूसी प्रचार था कि वे अपनी नौकरियों के लिए उनके इर्द-गिर्द हैं। मुझे ऐसी कोई भी टिप्पणी बकवास लगती थी क्योंकि श्रीकान्त वर्मा, विजयदेव नारायण साही या विद्यानिवास मिश्र अपने ही ढंग के ख्यात लोग थे। वे घोषित रूप से साम्यवाद विरोधी तो थे, किन्तु अपने लिखने में वे गम्भीर और जिम्मेदार लेखक थे।

अज्ञेय जब *दिनमान* निकालने लगे तो उस साप्ताहिक ने हिन्दी पट्टी में अपनी अलग धाक कायम की, दूर-दराज के क्षेत्रों में अपनी रचनात्मक अनुगूँज से व्यापक पाठक समुदाय को आकर्षित किया। पाठकों का एक नया वर्ग पारम्परिक हिन्दी की बजाय *दिनमान* की समाजवादी हिन्दी की तरफ आकर्षित हुआ। यह वह हिन्दी थी जो नयी पत्रकारिता की हिन्दी थी और यही नहीं अब विश्व भर की सूचनाएँ एक ही साप्ताहिक में पाठकों के लिए आसानी से उपलब्ध थीं। नये स्तम्भों ने पाठकों को इस कदर मोड़ा कि उनके पत्रों से पता चलने लगा वे कैसी सामग्री चाहते हैं? एक बड़ा पाठक वर्ग आधुनिक हिन्दी की ओर अपनी ठेठ पारम्परिक पहचान बनाए हुए उभरने लगा।

अज्ञेय के पत्रकारीय प्रयोगों के लिए उनके अनेक साहित्यिक आयोजनों की ओर देखना पड़ेगा। उसमें से अपनी अलग निजी दृष्टि कैसे विकसित करते थे, यह भी अचरज में डालने वाली बात है। *एवरीमेन्स* हो या *वाक्* या *नया प्रतीक,* सब में वे अपनी अलग छाप छोड़ते थे।

नया प्रतीक के दिनों उन्होंने मुझे गाँधी शान्ति प्रतिष्ठान में बुलाया और बाकायदा एक ऐसे समाचार विश्लेषण मिश्रित स्तम्भ की बात चलाई जिसमें साहित्य के साथ-साथ बाकी चीजें भी शामिल हो जाएँ। मैं बस एक बार ही उसमें लिख पाया, फिर मेरी दिलचस्पी खत्म हो गयी। उन दिनों टेलीफोन की सुविधाएँ इतनी नहीं थीं। अज्ञेय जी के घर और दफ्तर में तो टेलीफोन था, किन्तु मुझे अपने सम्पर्क के लिए अपने घर के पास एक कपड़े की दुकान के मालिक ओमप्रकाश का नम्बर देना पड़ता था। दो बार अज्ञेय जी का यह सन्देश मिला कि मिलने आओ। मैं शायद बाहर था। उनसे मिलने के लिए काफी दिन बाद गया। बीच-बीच में साहित्यिक संगोष्ठियों, सभा-बैठकों में अज्ञेय जी से अभिवादन तक सीमित मुलाकातें हो पाती थीं। उनमें विचारों का आदान-प्रदान सम्भव नहीं था।

एक शाम ज्ञानपीठ द्वारा आयोजित एक भोज में लक्ष्मीचन्द्र जैन के विशेष

आग्रह से मैं सपरिवार सरदार पटेल रोड पहुँचा। हमारा बेटा आशीष छोटा होने पर भी आदर्श किस्म का शरारती था। उसे चुपाने की विधि के रूप में हम एक ऐसा खिलौना ले आये थे जिसमें रंग खिसका कर चारों रंगों को अलग-अलग रूपों से हटा कर एक-एक रंग का बनाना था। काम काफी मुश्किल था और बच्चे को उसमें उलझा कर हम लोग मजे में भोजन कर सकते थे।

बच्चे ने अज्ञेय जी का ध्यान अपनी ओर आकर्षित किया। वे उसके पास चले आये तथा उसके खिलौने में उसकी सहायता में जुट गये। हम जब तक वहाँ पहुँचे, तब तक अज्ञेय जी बच्चे की पहेली खुद सुलझा चुके थे। इससे बच्चे की झल्लाहट उसके गुस्से और रोने में झलक आयी थी। अज्ञेय जी उसे चुप करने के तरीकों में उलझे थे। मेरे पहुँचते ही बच्चे ने शिकायती लहजे में कहा– "अंकल ने सब रंग मिला दिए। अब मैं क्या करूँ?"

मुझे उसे चुप करने का यह तरीका सूझा कि उसके पहले से माँगे गये खिलौनों में एक को कल ही लेने का वादा कर दूँ– "अच्छा...अच्छा... अब चुप हो जाओ। मुझे अंकल ने ही कहा है कि आशीष को "स्पेलोफन" ले दो। वह कल ही ला दूँगा।"

"ला क्या देंगे, वह तो मैं लाकर अपने घर में रखे हूँ। कल आप मेरे घर आइए और ले जाइए", अज्ञेय जी ने मेरे झूठे वादे को अपनी ओर खींच लिया तो बच्चा अपनी असली मुस्कान पर तत्काल लौट आया।

उसके झूठे रुदन के दो-चार आँसू गालों पर लुढ़क रहे थे, उन्हें अज्ञेय जी ने अपने रूमाल से सुखाया और कहा, "अपने मम्मी-पापा के साथ कल आओ", फिर मेरी तरफ मुड़ कर कहा, "आप कल दोपहर बाद इसे लेकर मेरे घर आएँ तो इन्हें इनका स्पेलोफन मिल जाएगा और दो-तीन बाजियाँ हम अपने खेल की इनके और आपके साथ खेल लेंगे।" अज्ञेय को बच्चे अच्छे लगते थे।...

यह प्रकरण अज्ञेय जी की सहजता, निष्पाप के प्रति उनकी गहरी आसक्ति के रूप में देखें तो जो प्रवाद उन्हें लेकर प्रचलित थे और उनके साहित्यिक पात्रों में उद्घाटित होने के उपरान्त उन पर लागू मान लिए गये थे, वे कितने खोखले थे। आज इसका विवेचन जरूरी हो जाता है क्योंकि मार्क्सवादी अहंमन्यता एक अर्थ में अज्ञेय पर लादी अहंमन्यता से कहीं अधिक घातक थी। क्योंकि वह एक बड़े वर्ग को अपने प्रभाव में लेकर ऐसे कृपाकांक्षियों की कतार बढ़ा रही थी, जिन्हें साहित्यिक नेता अपने उद्देश्य के लिए सहमति की कतार बढ़ाने हेतु करते हैं। साहित्य जगत में ऐसे नेता केवल वामपन्थ में हों, यह फतवा देना आसान है। किन्तु अपने लक्ष्य के लिए साहित्यिक राजनीति में यह वृत्ति हर ओर इस्तेमाल की जाती रही है। इसके शिकार हमारे दूसरे बड़े लेखक निर्मल वर्मा भी हुए जब वे चेकोस्लोवाकिया पर सोवियत दखलअन्दाजी के चलते वामपन्थ से अलग हो गये।

अज्ञेय नये लेखकों के बारे में जानने के लिए, उन्हें पढ़ने के लिए बहुत तत्पर रहते थे। जब हम लोग तय समय पर अपने नवजात को लेकर उनके घर पहुँचे तो कुछ देर हो जाने के कारण उनके मौन में छिपी असहजता कुछ झलक ही आयी। उस अपराह्न उनके यहाँ पहले कन्हैयालाल नन्दन और फिर *टाइम्स ऑफ इंडिया* के कोई सज्जन आने वाले थे। घर में प्रवेश करते ही हमें बिठा कर वे आशीष विमल के साथ अन्दर गये और उसे 'स्पेलोफन' का एक नया-नकोर पैकट देते हुए बाहर आये।

यही नहीं, हमें नये लेखकों की पुस्तकों के साथ बहलाकर वे 'स्पेलोफन' पर उसकी पकड़ जाँचने के लिए ले गये। तब तक नन्दन भी विराज चुके थे और हम साहित्यिक चर्चा में तत्काल ही निमग्न हो गये। बहस का केन्द्र नये लेखक थे। नन्दन जी के अपने नये लेखक थे, मेरे पास अपने समकालीन थे। हम हिन्दी धर्मिता के कायदे से अपने-अपने पक्षों के गुणगान में लगे हुए थे कि अज्ञेय बच्चे के साथ सन्तुष्ट मुद्रा में बाहर आये और बोले, "उम्र से थोड़ा बढ़कर साबित हो रहे हैं।" नन्दन वाग्विलास के इलाहाबादी दीक्षित सम्पादक थे बोले– "पिता का असर नहीं है, क्योंकि वह अभी अपनी उम्र से काफी पीछे चल रहा है।" वात्स्यायन जी हँसे और फिर बोले– "हम सब का यही हाल है।" उनकी वह निर्व्याज्य हँसी प्रभावित करने वाली थी। साथ-ही-साथ वह विनोदपूर्वक समस्या को हल करने की उनकी सकारात्मकता भी झलकाती थी।

बच्चा अपनी नयी प्राप्ति पर खुश था। उसे हमारी बातों में क्या दिलचस्पी होती? फूलों के नाम जानने के बहाने पत्नी उसे क्यारियों की तरफ ले गयी थी। गॉल्फ लिंक्स के मकानों के छज्जों, बाल्कनियों के अलावा घरेलू लॉन के चारों तरफ फूल खिले हुए थे। उन दिनों मैं अपनी आधुनिकता वाली किताब पर काम कर रहा था। पश्चिम के बहुतेरे ग्रन्थ सप्रू हाउस लाइब्रेरी या साहित्य अकादेमी और जवाहरलाल नेहरू विश्वविद्यालय में भी नहीं थे। बातचीत में इसका रोना रो ही रहा था कि अज्ञेय जी चुपचाप उठे और करीने से सजी किताबों के बीच से दो नयी किताबें ले आये और वे मेरे हाथ में पकड़ा दीं।

"आपके काम की हों तो आप ले जा सकते हैं", उन्होंने संकोच से कहा, "लौटाना चाहते हों तो लौटा भी सकते हैं। मेरा काम तो हो गया।"

"आपकी लाइब्रेरी देखने की अनुमति चाहता हूँ", मौका देखकर मैंने अपने लहजे में कहा।

नन्दन जी को अकेले में छोड़ उस दिन मैंने उनकी ढेरों किताबें देखीं। उनके पास श्रेष्ठ किताबों का श्रेष्ठ संग्रह था। मैं इससे प्रमुदित था। मेरे सामने अद्‌भुत पुस्तकें थीं। खासकर मेरे विषय को लेकर, जिसमें मैं बुरी तरह उलझा हुआ था।

बहरहाल, उनकी अनुमति से सिलसिला शुरू हो गया। किताबें ले जाने और लौटाने का कष्टप्रद काम मुझे उनकी सुविधा को ध्यान में रखकर करना पड़ता था, वे अपनी यात्राओं में या अपने काम में इतने व्यस्त रहते थे कि फोन पर कभी-कभार ही उपलब्ध होते। उनके परिवार से जुड़े या उनके साथ काम करने वाले लोग इस सारी गतिविधि से निर्लिप्त रहते थे। फलतः सन्देश देने की हामी भी नहीं भरते थे। कुछ मुलाकातें शुद्ध किताबें लौटाने की नीयत से हुईं। कुछ उनके आमन्त्रण पर... किन्तु वे प्रयोजन पर केन्द्रित संक्षिप्त मुलाकातें कही जानी चाहिए। तथापि उन सबसे यह प्रभाव हासिल होता कि सौजन्य का एक अद्भुत लोकतन्त्र उनके यहाँ मौजूद था।

बीच-बीच में उनसे मिले लम्बा अरसा बीत जाता तो वे अपने ही ढंग से, अबोले होकर, उलाहना छोड़ते जो उनकी मितभाषिता की मजबूरी भी थी। परन्तु मिलने पर उनके चेहरे की हलकी-सी मुस्कान जैसे समय की लम्बी खाई पार कर डालती थी।

फिर भी मेरी उनसे मुलाकातों की सूची बहुत लम्बी नहीं है।

अचानक एक लेख को लेकर अज्ञेय जी से थोड़ी दूरी भी हो गयी थी। लेख तोलसतोय पर था। और अज्ञेय जी ने ही लिखने के लिए कहा था। उसे लेकर समय निश्चित कर मैं *नवभारत टाइम्स* के दफ्तर पहुँचा।

वह दोपहर मैं सर्वेश्वर जी के साथ बिताना चाहता था। पिछली शाम सर्वेश्वर जी, मैं और मुद्राराक्षस साथ थे। हम लोगों ने जनपथ पर एक चाय की दुकान बांकुरा रेस्टोरेंट के रूप में खोज ली थी। वह काटेज एम्पोरियम से लगी जगह थी। उस चाय घर में ज्यादातर विदेशी आते थे। उसके बाहर सड़क के साथ-साथ भी एक सर्वहारा किस्म का रेस्टोरेंट था। दोनों में चाय के दाम एक से थे। खाने की चीजों के दाम बांकुरा में आसमान छूने वाले थे। सर्वहारा चायघर में वे सामान्य थे। बांकुरा का जिक्र इसलिए किया कि एक दफे मैंने वात्स्यायन जी को भी अपनी किसी विदेशी मित्र के साथ वहाँ देख लिया था और इस प्रसंग की रसभरी बातें मैं अक्सर वक्त बिताने के लिए कर डालता था।

अज्ञेय जी ने तोलस्तोय वाला लेख देखा तो कहा– लेख अच्छा है पर कुछ सूचनाएँ और जोड़ें तो यह पूरा लगने लगेगा। सुझाव अपनी जगह ठीक था। परन्तु जो नाम जोड़ने के लिए वात्स्यायन जी कह रहे थे, वह सुझाव मुझे ठीक नहीं लग रहा था। वह मुझे वात्स्यायन जी के शिखर व्यक्तित्व के अनुरूप भी नहीं दीख रहा था। लिहाजा वह लेख मैंने उनसे वापिस ले लिया। उस जमाने में फोटोकापी की सुविधा नहीं थी। तास के कार्यालय का काम करने वाले टाइपिस्ट राम गोपाल भी उन दिनों कहीं गये हुए थे, जो मेरा काम भी कर देते थे।

उस घटना ने तत्काल मुझे अज्ञेय का आलोचक बना दिया। मैं उनके पास नहीं

लौटा, बल्कि गुस्से में मैंने वह लेख तास के ही किसी प्रतिनिधि को एजेन्सी के वितरण के लिए दे दिया। इसके बाद मैं वात्स्यायन जी से मिलने से कतराने भी लगा। कहीं अचानक उनसे सामना हुआ तो वे कहते, "इस बार आप लम्बा गोता लगा चुके हैं।" मुस्कान के जवाब में मैं भी मुस्कुराहट ही बिखेर देता, चाहे वह खिसियाने वाली मुद्रा में ही क्यों न हो।

उन दिनों *नवभारत टाइम्स* में वेदप्रताप वैदिक के अनुरोध से मैं समीक्षाएँ लिखा करता था। उनका प्रकाशन जारी था। किन्तु रघुवीर सहाय की एक कृति की समीक्षा के उपरान्त मुझे वह लिखना भी बन्द करना पड़ा। इसकी सचाई तो पूरे विवरण के साथ डॉ. वैदिक ही बता पाएँगे, किन्तु उस समीक्षा के प्रकाशन के बाद वे *नवभारत टाइम्स* छोड़ आये थे।

अब तो एक तरह से सम्बन्धों के खत्म होने पर मुहर लग गयी।

अपने वाम प्रभाव से भी मैं बहुत खुश नहीं था। लिहाजा मैंने वाम लोगों से मिलना भी छोड़ दिया। मैं केवल प्रोफेसर हीरेन मुखर्जी या ऐसे ही लोगों से मिलता था जिनसे ताकत के रूप में पूर्व और पश्चिम के उच्च किस्म के रचनात्मक वैभव का पता चलता और नयी किताबों के बारे में भी।

मेरे करोल बाग वाले घर में अतिवाम सखा भी आते। जैसे नियमित श्याम बिहारी राय और कभी-कभार सुरेन्द्र वर्मा। उनसे चोंच भिड़ती और बाकी शामों को टी हाउस या नये कॉफी हाउस में हिन्दी, पंजाबी, उर्दू या अलेखक समाज से घण्टों बहस होती। सबसे मजेदार चीज कथाकार जगदीश चन्द्र, सौमित्र मोहन और गौरी कपूर का साथ था जिसमें उस शाम बिल न देने के लिए पाँच मौलिक चुटकुलों का सृजन करना पड़ता था। उस दौर में पण्डित गंगाप्रसाद विमल पर मैंने सौ के करीब चुटकुले जरूर सुनाए होंगे। साथियों की टिप्पणी थी कि साहित्य में तुम्हारा नाम लेवा कोई न रहेगा, पर चुटकुलों की दुनिया में तुम बीरबल के बाद याद किए जा सकते हो। उनमें कुछ विनोदी प्रकरण अज्ञेय जी पर भी तैयार किए थे।

एक अवसर पर कमलकान्त बुधकर के प्रभाकर माचवे केन्द्रित कार्यक्रम में भाग लेने के लिए हम लोग हरिद्वार आमन्त्रित किए गये। छोटे-बड़े अनेक लेखक गये। खासकर जिनकी माचवे जी से निकटता थी। उनमें अज्ञेय, शमशेर बहादुर सिंह, स्वयं माचवे जी और अनेकानेक युवा लोग शामिल थे। हरिद्वार की पुण्यभूमि में रसरंजन में निष्णात गीतकार भी आमन्त्रित थे। ठीक से याद नहीं कि माचवे जी के निकटस्थ गुणाकर मुले, बाबा नागार्जुन और *तभी मरूँगा मरघट तक पहुँचाने कौन चलेगा* के गीतकार देवराज दिनेश के अतिरिक्त कौन-कौन वहाँ नहीं गये, परन्तु सोम ठाकुर और उनकी टोली भी उस अवसर पर मौजूद थी। यह मानकर चलिए कि उस वक्त तक साहित्यिक बिरादरी में ज्यादा फाड़ मौजूद नहीं थी।

थी। उससे पहले तो मैथिलीशरण गुप्त, बलवीर सिंह रंग, शिवमंगल सिंह सुमन और गोपाल सिंह नेपाली भी मंचों पर इकट्ठे दिखाई देते थे।

प्रभाकर माचवे का केन्द्रीय व्यक्तित्व था या कमलकान्त बुधकर की कलाकारी, कि उस जमावड़े में अत्याधुनिक युवा कवि भी थे। शायद अतिवामवादी भी, जो जनवरी की पहली तारीख को हर की पैड़ी पर भी दिखाई दिए। माचवे जी के कार्यक्रम के चलते सप्ताह भर टिकने की सुविधा कुछ लोगों के लिए मौजूद थी। यह उल्लेख मात्र इसलिए किया है कि हरिद्वार भले ही तीर्थ स्थान हो, काशी की वैदुष्य परम्परा के कुछ ऋषिवत विद्वान अभी भी वहाँ सक्रिय थे और अज्ञेय की उन लोगों के बारे में रुचि थी। व्याकरण के परम आचार्य किशोरीदास वाजपेयी वहीं थे। प्रातःकाल उद्घाटन सत्र के बाद जब मेरे बोलने की बारी आयी तो आचार्य किशोरीदास वाजपेयी ने मुझसे माइक छीन लिया। वे वर्षों पूर्व की गयी मेरी एक टिप्पणी से बेहद नाराज थे।

अपने गुरु आचार्य हजारीप्रसाद द्विवेदी के कहने से मैंने कानपुर के एक साप्ताहिक में लिखना आरम्भ किया था। एक स्तम्भ में "कवियों के लिए व्याकरण या व्याकरण सम्मत भाषा आदर्श नहीं है" जैसी टिप्पणी करने पर किशोरीदास वाजपेयी मुझे दिल्ली में भी अपना डण्डा दिखा गये थे कि बेटा गंगा, लम्बे समय से यह डण्डा तुम्हारी प्रतीक्षा कर रहा था। उनके रोष को उस समय भैया जी श्रीनारायण चतुर्वेदी ने शान्त तो कर दिया था, किन्तु हरिद्वार की पुण्यभूमि पर उनका दुर्वासा व्यक्तित्व फिर जाग पड़ा। मैंने विनम्र होकर उनसे क्षमा भी माँगी। किन्तु अज्ञेय जी के संकेत पर मैंने उस वक्त बोलने का काम स्थगित कर दिया। उस दोपहर पण्डित जी अज्ञेय जी से भी व्याकरण की कुछ व्यवस्थाओं पर रोषपूर्वक बहस करने लगे। किन्तु शास्त्र और शिष्टाचार की मर्यादा निभाते हुए वात्स्यायन जी ने विवाद को तूल नहीं दिया।

वे शायद वर्ष के अन्तिम दिन थे। संगोष्ठी खत्म होने के बाद मैं अपने मित्रों के साथ गुरुकुल कांगड़ी चला आया। लौटने पर एक अध्यापक के साथ जिस जगह पहुँचे, वहाँ आचार्य वाजपेयी बैठे हुए थे। मैंने उन्हें ससंकोच प्रणाम किया। उन्होंने मुझे अपने पास बिठा लिया। वे बोलते जोर से थे। वे बोले– "व्याकरण भाषा का अनुशासन है। हिन्दी में जिस तरह लोग गलत लिख रहे हैं, मैं उसका विरोध करता हूँ।" और इसके बाद जितनी देर हम बैठे रहे, वे बराबर व्याकरण का परिज्ञान देते रहे।

लौटते वक्त उन्होंने चुपके से मेरा हाथ थामा। अपनी तेज आवाज में बोले, "भाषा से कवि लोग ही ज्यादा छेड़छाड़ करते हैं।" उनकी तेज आवाज से मेरी धड़कन तेज हो गयी थी। मैंने सोचा वे फिर मुझ पर बरसने वाले हैं। पर अपनी

रौ में उन्होंने कहा, "है तो अज्ञेय बड़ा कवि।" मन तो हुआ था उनसे पूछ ही डालूँ कि उन्होंने अज्ञेय का लिखा क्या-क्या पढ़ा है? पर हिम्मत नहीं हुई। हरिद्वार की माचवे केन्द्रित वह संगोष्ठी इस अर्थ में ऐतिहासिक थी कि उसमें सप्तक परम्परा के चार कवि अज्ञेय, माचवे, शमशेर बहादुर सिंह और प्रयाग नारायण त्रिपाठी मौजूद थे। हरिद्वार, देहरादून, सहारनपुर और अन्य जगहों के साहित्यकारों का जमावड़ा भी था। एक ऊँघते शहर की सदियों पुरानी नींद जैसे आधुनिक के प्रवेश की घटना सरीखी थी। जगदीश चतुर्वेदी, सोम ठाकुर और न जाने कितने अन्य कवि दूसरे शहरों से आये थे। मेरे पुराने परिचित और कम्युनिस्ट पार्टी के महत्त्वपूर्ण सदस्य कामरेड मेला राम भी अचानक मुझे रायवाला में मिल गये थे। अज्ञेय को मिलने की उनकी उत्कंठा ने उनका देहरादून जाना टाला और वे मेरे साथ साधुबेला आश्रम की उस गली में चले आये, जहाँ लेखक लोग हर वक्त मौजूद रहते थे।

माचवे जी साठ बरस के हो रहे थे। अज्ञेय, शमशेर और प्रयाग नारायण त्रिपाठी कुछ बरस पहले साठ के हो गये थे। माचवे जी विनोदी स्वभाव के थे, बोले, "मैं सठिया रहा हूँ तो हम सब सठियाने वर्ग के हो गये..."। मुझे यह याद नहीं कि इस पर शमशेर, अज्ञेय, त्रिपाठी जी ने क्या कहा होगा? हरिद्वार की एकल प्रतिमा आचार्य किशोरीदास वाजपेयी भी कुछ दिन पहले साठ के हो चुके थे। दूसरे लोग भी जो वरिष्ठ थे, किन्तु अपनी कविताई में वे सब युवा कवियों की तर्ज पर जो सुना रहे थे, उसके प्रमाण यदि आज उपलब्ध हों तो उस ऐतिहासिक कवि सम्मेलन की रचनाओं से हम अन्दाजा लगा सकते हैं कि बीसवीं शताब्दी के सातवें दशक में कितना खुलापन था। वह कवि सम्मेलन खुद एक बेजोड़ मिसाल थी।

अज्ञेय कवि सम्मेलन में जल्दी आये। कविता सुनाकर वे शमशेर के साथ चले गये। कुछ देर बाद प्रयाग नारायण त्रिपाठी और माचवे भी चले गये। फिर भी कवि सम्मेलन कई घण्टे चला।

इसके कुछ समय बाद एक दिन मेरी भेंट तत्कालीन युगोस्लाविया की लेखिका ग्रोजदाना औल्जिच से हुई थी। ग्रोजदाना का उपन्यास *द वाइल्ड सीड* मैं पढ़ चुका था। पहली मुलाकात में उसका जिक्र भी हुआ। ग्रोजदाना ने इच्छा जाहिर कि कहीं दिल्ली के खास चायघर में चाय पी जाय। टी हाउस, कॉफी हाउस, युनाइटेड कॉफी हाउस, जनपथ, बांकुरा सभी जगहें उसने ठुकरा दीं तो मैं जगत सिनेमा के पास एक मामूली हिन्दुस्तानी चाय की दुकान में ले गया। ग्रोजदाना को जामा मस्जिद की इमारत काफी 'इम्पोजिंग' लगी। उसने वह सारा इलाका पसन्द किया जो यूरोपीय-अमेरिका के लिए भीड़ भरा और गन्दा था। उसे मुसलमान लोगों की,

स्थानीय भारतीयों की पोशाकें बहुत पसन्द आयीं। चाय की मेज पर उसने बताया कि वह एक जरूरी काम से आयी है। वह भारत के एक ऐसे लेखक का नाम चाहती है जिस पर स्त्रूगा समिति प्रतिष्ठित 'गोल्डन रीथ' पुरस्कार के लिए विचार कर सके। मैंने एक कागज पर अंग्रेजी में उसे लिख कर दिया कि ऐसा एक मात्र लेखक पूरे भारत में कोई है तो वे अज्ञेय हैं। बातचीत में मैंने जोड़ा कि, "हाँ उनसे मतभेद रहता है।"

ग्रोजदाना स्त्रूगा सम्मान के लिए भारतीय लेखकों की जानकारी जमा कर रही थी। पर मेरे द्वारा प्रस्तावित इकलौते नाम से सन्तुष्ट नहीं थी। पर मेरे पास सचमुच कोई दूसरा नाम नहीं था। नाम बड़े जरूर थे, पर उनकी रचनाओं के अंग्रेजी अनुवादों या विश्व की दूसरी भाषाओं में उनके अनुवादों की जानकारी भी मुझे नहीं थी। मैंने उस मामले पर फिर बात आगे नहीं बढ़ाई। वह तो मुझे दूसरे दिन महेन्द्र कुलश्रेष्ठ से पता चला कि रात में वे लोग अज्ञेय जी के घर में रात्रि भोजन के लिए जमा थे। वहाँ ग्रोजदाना ने उनको बताया कि एक लेखक का यह मत है कि भारत से अगर कोई पुरस्कार का पात्र है तो वे सिर्फ अज्ञेय हैं। इस बात से अज्ञेय हैरान थे। इसलिए भी कि मेरा उनसे मिलना लगभग बन्द सा था। तोलस्तोय के लेख के बाद तो मैं उनसे बचता था। सांगली में सीधे-सीधे उनकी बातों के विरोध से भी द्योतित हो रहा था कि कहीं दूरी जरूर है।

अनन्तर 'गोल्डन रीथ' पुरस्कार अज्ञेय जी को ही मिला। इला जी के साथ वे स्त्रूगा गये। लौटकर अज्ञेय जी ने उस पुरस्कार का हिन्दी नामकरण किया था 'स्वर्ण-माल'। एक साम्यवादी देश से यह सम्मान पाकर वात्स्यायन जी बहुत खुश थे। ऐसा स्वाभाविक भी था, क्योंकि उनसे पहले दिग्गज कवियों – मुहम्मद दरवेश, डब्लू. एच. ऑडेन, जोसेफ ब्रोड्स्की, एलेन गिंसबर्ग, पाब्लो नेरूदा आदि – को यह सम्मान मिल चुका था।

सांगली प्रकरण भी एक स्मरणीय प्रकरण है।

मुझे यह तो मालूम था कि प्रो. गोरा कुलकर्णी ने सांगली के सम्मेलन में जिन लेखकों को आमन्त्रित किया था, उसमें अज्ञेय भी थे। परन्तु इसकी परिकल्पना नहीं थी कि अल्लसुबह वाली उड़ान से वे भी जा रहे होंगे। मुम्बई जल्दी पहुँचकर मुझे कुछ दोस्तों से मिलना था और शाम को सांगली के लिए रेल टिकट के लिए एक दोस्त को कह चुका था। पर यह कार्यक्रम बाद में एकदम उलट गया था। सुबह हवाई अड्डे पर अज्ञेय अखबार पढ़ते दीखे। पास वाली जगह खाली न होने के कारण मैं दूसरी तरफ दरवाजे के पास बैठ गया था। अचानक तभी इला जी आयीं और वहाँ मुझे देखकर चौंकीं– "अरे आप!", उन्होंने कहा, "वात्स्यायन जी

भी...।" "हाँ मैं उन्हें देख चुका हूँ," मैंने बताया, "वहाँ जगह न होने के कारण यहाँ बैठ गया था।"

हम दोनों चलकर वात्स्यायन जी के पास आये। वे अब भी अखबार में तल्लीन थे। इला जी ने कुछ शब्द फुसफुसाये तो उन्होंने अखबार से मुँह धीमे-से हटा कर हमारी ओर देखा। "विमल जी भी सांगली जा रहे हैं," इला जी ने बताना शुरू किया। वे चुपचाप मुस्कुराते रहे। हम लोग उनके पास बैठ गये।

हम लोग वायुयान की ओर बढ़ चले। भीतर 'कांग्रेस फॉर डेमोक्रेसी' के लोग भरे थे। बहुगुणा उनके लीडर थे। जामा मस्जिद के इमाम मौलाना अब्दुल बुखारी भी थे। हेमवती नन्दन बहुगुणा के बारे में कॉफी हाउस की चर्चा इस तरह थी कि वे अघोषित तौर पर भारतीय मुसलमानों के एकमात्र लीडर हैं। हाँकने वाले तो यहाँ तक कहते उनकी आत्मा में रफी साहब और मौलाना की आत्मा दाखिल है! वायुयान में बहुगुणा जी ने मुझे खोज निकाला और अपने साथ बैठने का आमन्त्रण दिया। वह तो सम्भव न था। उनके सम्मेलन में भाग लेने का वादा भी मैंने इस रूप में किया कि आने वाले कल में तो सांगली में रहूँगा, उसके बाद अगर समय से लौट आया तो सम्मेलन में जरूर आऊँगा।

और मैं और अज्ञेय जी साथ-साथ बैठे।

हवाई जहाज उड़ने में अभी देर थी। अज्ञेय जी ने अपने थैले में से कुछ कागजात निकाले और कलम खोलते हुए बोले— "जरा सांगली वाले निबन्ध को पूरा कर डालूँ...।" पर तभी व्योमबाला ने घोषणा की कि सभी यात्रियों से निवेदन है अपनी कुर्सी की पेटी बाँध लें... आदि-आदि। एक आज्ञाकारी की भाँति अज्ञेय जी ने अपनी कमर पर पेटी कसी, मेज बन्द की... और मुस्कुरा कर मेरी ओर देखा। उनकी वह मुद्रा मेरी स्मृति में ज्यों-की-त्यों है। इसलिए भी कि लगातार उनके देखते रहने से मैं कुछ असहज हो चला था।

"सांगली वाला निबन्ध अब ऐसे ही पढ़ना होगा," उन्होंने फिर मुस्कुराते हुए कहा। बोलते वक्त वे प्रांजल भाषा का इस्तेमाल करते थे। अपने उर्दूदां या अंग्रेजीदां दोस्तों के बीच भी वे उर्दू मिश्रित 'हिन्दुस्तानी' नहीं बोलते थे।

"मैं यह सोच रहा था कि आप राजनेताओं के बीच बैठते तो क्या होता?" उन्होंने कुछ देर रुक कर बात शुरू की। मैं उनके कहे का अर्थ ही नहीं समझ पाया। तो खुद बोले— "सैंडविच!" उन्होंने सुनिश्चित करने के लिए फिर से मेरी तरफ देखा और जब मुझे समझ आया तो उत्तर में मैं कुछ ज्यादा ही खुलकर हँस पड़ा।

वायुयान में ही उन्होंने मुझे तैयार कर लिया था कि हम लोग दोपहर तक चन्द्रकान्त बांदिवडेकर के घर पर रहेंगे और शाम को साथ ही सांगली की ट्रेन पकड़ लेंगे।

डॉ. बांदिवडेकर हवाई अड्डे पर मौजूद थे। मुझ जैसे अनाहूत अतिथि को उन्होंने अत्यधिक प्रेम से घर चलने के लिए आमन्त्रित किया। मुझमें कुछ संकोच था कि वे और अज्ञेय जी मेरी उपस्थिति में शायद 'मुक्तता' से बात नहीं कर पाएँगे। अज्ञेय जी यद्यपि मुझे खुद ही उनके घर चलने के लिए प्रेरित कर चुके थे। हमें अकेले में बात करते देख वे आगे बढ़े और बोले, "बांदिवडेकर जी, आपने मुझे सपरिवार आमन्त्रित किया था। किया था न? तो मेरा परिवार यही है, जहाँ हम इकट्ठे रहते हैं और नहीं भी रहते हैं!"

यह अज्ञेय की वार्ता कला थी। कुछ शब्द अबोले, कुछ वाक्यों के बीच अर्थ प्रकट करने वाले और कुछ फिर मौन में विलीन हो जाने वाले।

हम बांदिवडेकर जी के साहित्य सहवास वाले डेरे पहुँचे। वहीं पहले तल पर धर्मवीर भारती का आवास था। वे शायद अपने काम के सिलसिले में नगर में थे। उन दिनों *धर्मयुग* का युग था। हम सब उसके लेखक थे। साप्ताहिक धर्मवीर भारती के कारण ही साहित्य में लोकप्रिय था। डॉ. बांदिवडेकर ने भारती जी के साथ मुलाकात का वक्त तय कर रखा था।

कुछ देर बातें चलती रहीं। बीच-बीच में चाय-पानी भी। बहुत से दूसरे लोग मिलने आते रहे। मैं कवि दिलीप चित्रे को फोन कर चुका था। वे एक शादी में जा रहे थे। दोपहर बाद उन्होंने खुद प्रस्ताव किया कि वे बांदिवडेकर के घर आ जाएँगे। वहाँ अज्ञेय जी से भी मुलाकात हो जाएगी।

मितभाषी अज्ञेय उस दिन लम्बी बातें करने वाले साबित हुए। कुछ तो मैं ही ज्यादा बोलने वाला था। किन्तु सब लोग अपने-अपने कामों में व्यस्त रहे तो खाने के वक्त से लेकर शाम पाँच बजे तक मैं और अज्ञेय न जाने कौन-कौन से मसलों पर बातचीत करते रहे। चाहे उन बातों का रेकार्ड नहीं है, स्मृति में वे जब-तब बाहर आ ही जाती हैं।

मेरे मन में अज्ञेय के वैचारिक संकल्पों के प्रति जो पूर्वग्रह निर्मित हुए थे, वे कुछ अकादमिक क्षेत्र में सक्रिय अध्यापकों द्वारा दी गयी सूचनाओं से भी निर्मित हुए थे और कुछ प्रगतिशील लेखक बिरादरी में जो आदान-प्रदान होता था उनसे भी। ऐसे पूर्वग्रहों का साहित्यिक प्रतिवाद अज्ञेय कभी-कभार अपने निबन्धों या व्याख्यानों में दे ही देते थे। तब भी सन्देह था कि क्रान्ति में सक्रिय रहा एक व्यक्ति कैसे सर्वहारा की क्रान्ति के महत्त्व के प्रति उपेक्षा प्रदर्शित कर सकता था। आश्चर्य है कि बहुत-सी शंकाओं, बहुत-से प्रश्नों के उत्तर समय की छीजन ने जुटा लिए थे। किन्तु एक लेखक होने के नाते फिर भी, मेरे उस वक्त के आकलन से, अज्ञेय जी की जिम्मेदारी बनती थी कि वे सामान्य रूप से लेखन जगत में फैले प्रवादों का सामना करें।

उस दिन बांदिवडेकर जी के घर में मैंने उनसे सीधे पूछ ही लिया था कि आप प्रगतिशीलों के विरुद्ध क्यों हैं? उन्होंने एकदम संवादी लहजे में मुझे समझाते हुए जो कहा, उसके ठीक-ठीक वाक्य तो पुनःप्रस्तुत करना कठिन है, किन्तु इस रूप में मुझे याद हैं, "आप भी जानते ही हैं कि प्रगतिशील लोग मेरे मित्र रहे हैं। जो दिवंगत हो गये, वे मेरे मित्र थे। *तार सप्तक* के जमाने से, बिना यह परवाह किए कि कौन किस किस्म के राजनैतिक पक्ष में है। हमने उस काल और काल खण्ड के सर्वोत्तम रचनाकर्म को पहचानने की कोशिश की थी। तब भी मेरा मानना वही रहा जो आज है कि सृजन धर्म ज्यादा स्वाधीनता की माँग करता है, बन्धन या राजनैतिक प्रतिबद्धताएँ उस स्वाधीनता पर दबाव डालती हैं। दबाव डालते ही वह स्वाधीनता, या स्वाधीनता का अनुभव फिर स्वाधीन नहीं रह जाता।..."

कुल मिलाकर मैंने पाया कि अज्ञेय एक स्वतन्त्रचेता लेखक थे और इसलिए वे जो वकालत कर रहे थे, उस दौर में नौजवानों का उनसे सहमत होना कठिन था। मैं स्वयं तब उनकी बातों से सहमत नहीं हो पाता था। मैंने उन्हें अपने वाक्यों से आहत करने की शायद कोशिश भी की होगी। पर वे उत्तेजित नहीं होते थे। शान्त भाव से उत्तर देते थे कि कोई भी दबाव भाषा को स्वीकार्य नहीं है। वे स्वातन्त्र्य, स्वतन्त्र कला संसार की बात कर रहे थे और मैं उनकी बात को एक प्रतिबद्ध लेखक के 'कर्त्तव्य' की तरह सामाजिक उत्तरदायित्वों से मुँह मोड़ने के रूप में व्याख्यायित कर रहा था।

जो लोग उन्हें मितभाषी मानते थे, उन्हें यही बताना पर्याप्त होगा कि वे बहस में घण्टों बोल सकते थे। बल्कि उस दिन बोल ही रहे थे और इस कदर संवाद में निमग्न थे कि उन्हें भोजन की फिक्र भी नहीं थी। गृहस्वामिनी श्रीमती बांदिवडेकर बीच-बीच में हम लोगों के आतिथ्य के लिए आगे बढ़ आती थीं, उससे भी वार्ता या संवाद का क्रम टूटता नहीं था।

मुझे नहीं याद कि किसी बड़े लेखक के साथ मेरी इतनी लम्बी बात हुई हो। वह भी बहुतेरे विषयों पर, बहुत सारे कोणों से। यह तो सब जानते हैं कि अज्ञेय बहु-पठित थे। परन्तु उनमें आभिजात्य कहें या सहज मानवीय संकोच कि उनमें जानबूझ कर या बड़प्पन झाड़ने के लिए बार-बार उद्धरणों से अपनी बात मनवाने की आदत नहीं थी। वे ऐसे लेखक भी नहीं थे जो हर वाक्य के साथ अपनी विदेश यात्राओं के बारे में सूचनाएँ दुहराते हैं। उस दिन क्या, पहले और बाद में मैंने उनकी वार्ताओं में कभी नहीं सुना कि जब कोरिया में था या लन्दन में था या अस्सी देशों की यात्रा की है, बल्कि अगर कभी अनिवार्य भी होता तो बहुत विनम्रता से विवरण किसी दूसरे के नाम से सुना डालते थे। उनमें बड़े नाम उछालने की आदत नहीं थी। यह सचमुच गम्भीर मामला है कि कैसे अत्यन्त

विचारणीय लोगों ने उन प्रवादों, अफवाहों का संबल लेकर अज्ञेय के बारे में क्या-क्या चीजें प्रचलित नहीं की थीं?

बांदिवडेकर जी के घर में उस रोज उत्सव का सा माहौल रहा। कुछेक छात्राएँ भी अज्ञेय के दर्शनों के लिए आयीं। वे अभी लौट ही रही थीं कि दिलीप चित्रे सीधे ऊपर आ पहुँचे। वे किसी विवाहोत्सव से रसरंजित होकर लौटे थे। साथ खड़े एक लेखक से लिपटते हुए उन्होंने कहा, "अरे विमल... तुम थोड़े मोटे हो गये!" पर तभी मुझे देखते ही उन लेखक को छोड़ मेरी तरफ लपके और बोले– "मैं इनको तुम समझ के मोटा बोल पड़ा। तुम तो वैसे ही हो।" दिलीप चित्रे अपने ढंग के अलग कवि के रूप में विख्यात थे। उनकी ख्याति से अज्ञेय जी परिचित ही नहीं थे, समतावादी समाजवादी स्वतन्त्रचेतना वाले जितने भारतीय लेखक थे, उनसे अज्ञेय जी का सामीप्य था।

हमारी बातों की धुरियाँ बदल गयीं। मैं दिलीप चित्रे के साथ संवाद रत हो गया और कुछ देर बाद हम अपने गन्तव्यों के लिए चलने की तैयारी में भी लग गये।

साहित्यिक हलकों में लेखकों के पारस्परिक सम्बन्धों को लेकर भी अनेक प्रवाद चलते हैं। सुनी हुई बात थी कि भारती और अज्ञेय के उतने प्रगाढ़ सम्बन्ध नहीं रहे। इस प्रवाद का कोई ठोस आधार नहीं था। शायद *धर्मयुग* में अज्ञेय जी की कम उपस्थिति से यह अटकल विकसित हुई हो। लेखकों के बीच ऊष्माहीनता की राजनीति में मेरा दखल नहीं था। मैं सहज भाव से सबसे मेलजोल रखता था। थोड़ा बहुत संकोच भी कि न कभी मिलने की पहल करता, न अपनी रचनाएँ अनाहूत भेजता और थोड़ी-सी अपनी वाम प्रतिबद्धता के कारण दक्षिणपंथियों से दूरी रखता था। किन्तु समाजवादी तथा गाँधीवादी क्षेत्रों में मेरे अनेक मित्र थे। दिल्ली में उनसे मेरी नियमित भेंट होती थी। ओमप्रकाश दीपक करोल बाग में मेरे घर के पास ही रहते थे। जनार्दन द्विवेदी भी उन दिनों समान व्यवसाय के कारण नियमित मिलते थे। नये लेखक त्रिनेत्र जोशी और मंगलेश डबराल भी। हमदम, प्रयाग शुक्ल, रवीन्द्र कालिया, भीष्म साहनी, कमलेश्वर, मोहन राकेश, हरभजन सिंह, हरनाम, जगदीश चतुर्वेदी, सौमित्र मोहन और श्याम परमार, सुरेन्द्र वर्मा, डॉ. श्याम बिहारी राय, डॉ. लक्ष्मी नारायण लाल लगभग रोज मिलने वालों में थे। परन्तु धीरे-धीरे लेखकों के बीच अघोषित किस्म की दूरियाँ पनपने लगी थीं।

ऐसी दूरियों की तरह-तरह की खबरें भी प्रचारित होती थीं। अज्ञेय और भारती की ऐसी ही दूरी की खबर थी। किन्तु उस शाम जब हम वीटी से सांगली की ट्रेन पकड़ने के लिए प्लेटफॉर्म पर जमा थे, भारती आये और उन्होंने बाकायदा अज्ञेय का पाँव छूकर अभिवादन किया था। दो बड़े लेखकों के इस आत्मीय और अहंकारविहीन

मिलन ने मुझे गहरे में प्रभावित किया। उस रोज किसी जरूरी काम में व्यस्त होने के कारण भारती जी पहले नहीं आ पाये थे।

सांगली की वह यात्रा अद्‌भुत थी। अटूट वार्ताएँ सफर में भी चलती रहीं, जब तक कि कोई नींद की गिरफ्त में न पहुँच जाए। मुम्बई से देवेश ठाकुर भी सवार हुए थे। अनेक मराठी लेखक थे। कई ख्यातिप्राप्त लेखक सांगली के सम्मेलन में भाग लेने के लिए उस एक ट्रेन पर सवार थे।

सुबह प्राचार्य गोरा कुलकर्णी सांगली स्टेशन पर अपने साथियों सहित अगवानी के लिए मौजूद थे। हम सब लोग अपने डेरे-ठिकानों की ओर बढ़े।

बस उसी घड़ी मैं अपने वाम प्रेम के चलते कुछ वामपन्थी लेखकों की टोली में शामिल हो गया। उद्‌घाटन सत्र में ही दो पक्ष साफ दिखाई देने लगे।

महाराष्ट्र का पाठक एक खास किस्म का पाठक वर्ग है। सिफ़्र मराठी पढ़ने वाले पाठकों को भी अज्ञेय के बारे में कुछ-न-कुछ पता था। ऐसा सामान्य लोगों से बातचीत में पता चला। कुछेक विज्ञ लोग जो हिन्दी-मराठी से परिचित थे, उन्हें मर्ढेकर की याद आती थी जब वे अज्ञेय की बात करते थे।

उस समागम की जितनी याद है, उनमें ख्याल आता है कि आनन्द प्रकाश दीक्षित ने नये हिन्दी लेखकों को आड़े हाथों लिया था। लोगों ने अपने ढंग से इस पर प्रतिक्रिया व्यक्त की थी। देवेश ठाकुर मुखर थे; किन्तु उनका लक्ष्य महाराष्ट्र के हिन्दी अकादमिक लोगों पर प्रहार करना था। वे इसमें सफल भी रहे। दो पक्ष खुलकर सामने आ गये थे। तब भी अज्ञेय ने बेहद संयम से अपनी बातें कहीं। इसमें सन्देह नहीं कि सांगली के समागम में कई महत्त्वपूर्ण बिन्दुओं पर बहस हुई। नये-पुराने, वाम-दक्षिण, उदार-पुरातनतावादी विभेद होते हुए भी अच्छी और सकारात्मक बातों की सराहना होती रही। आज यह कहा जा सकता है कि अज्ञेय की उपस्थिति ने हिन्दी-मराठी नैकट्य का जो अवसर जुटाया था, उसके परिणाम अच्छे थे। माधव मनोहर और दूसरे बड़े लेखकों ने उस अवसर पर भारतीय साहित्य का जोरदार समर्थन किया। अभी उचित अवसर नहीं था कि तुलनात्मक भाषा साहित्य की वकालत की जाय। किन्तु लोगों ने स्वतन्त्रतापूर्वक और जोरदार ढंग से अपनी बातें रखीं।

अज्ञेय समागम में अन्त तक रहे।

सांगली से लौटकर अज्ञेय जी से कई दिन तक भेंट नहीं हुई। एक संगोष्ठी में वे मिले तो हम दोनों को सांगली की याद आना स्वाभाविक था। यों दिल्ली के किसी-न-किसी समागम में भेंट हो जाती थी। एक दिन वे डॉ. कर्णसिंह के किसी आयोजन में प्रमुख अतिथि थे। उस दिन शाम को पास ही स्थित इंडिया

इंटरनेशनल सेंटर में आने का न्योता उन्होंने यह कहते हुए दिया कि "दो-तीन देशी और विदेशी मित्र भी रहेंगे। आप अवश्य आइए।" मैं गया। संयोगवश ज्यादातर लोग परिचित ही थे। अज्ञेय सभी लोगों पर केन्द्रित संवाद बोलने में माहिर थे और व्यक्तिगत सम्बोधन में भी। उनकी लेखन कला जैसा ही उनका मौखिक व्यवहार था।

उस दिन विदेशी युग्म के साथ वे बैठे थे तो ज्यादातर बात भारतीय साहित्य के अनुवाद पर केन्द्रित थी। अज्ञेय वर्षों से इस मुद्दे पर देश-विदेश में सक्रिय थे, लेकिन व्यवस्थित और अनुशासित ढंग से अनुवाद कार्य हिन्दी में लगभग अनुपस्थित ही रहा। इस एक बात पर चिन्तामग्न थे। वह मिलन संक्षिप्त ही रहा। मैं यह भी नहीं समझ पाया कि उन्होंने मुझे क्यों बुलाया होगा। शायद मेरी कुछ रचनाएँ अमेरिकी प्रकाशनों में प्रकाशित हुई थीं। खासकर *न्यू डायमेंशन, वेस्टर्न ह्यूमैनिटीज जर्नल, मेडिटिरिनेयन जर्नल* या *क्वैरी* जैसी प्रसिद्ध पत्रिकाओं में जिन्हें वे देख चुके थे। इससे इतना तो अनुमान होता था कि देशी-विदेशी साहित्य के रसज्ञ पाठक होने के नाते वे भारतीय साहित्य के अनुवाद को जरूरी समझते थे ताकि भारतीय – विशेष रूप से हिन्दी – साहित्य के बारे में परिपूर्ण जानकारी संसार को मिल सके।

इस प्रसंग का जिक्र मैंने इसलिए भी किया है कि मेरे देखने में हिन्दी में कोई दूसरा व्यक्तित्व ऐसा नहीं हुआ, जिसने अपने लेखन के अलावा दूसरों के लेखन के सुदूर प्रसार को लेकर गम्भीर चिन्ता और प्रयास किया हो।

21

अपनी परछाईं के पार

॥ राजेश जोशी

पुल पर झुका खड़ा मैं देख रहा हूँ
अपनी परछाईं
सोते के निर्मल जल पर —
तल पर, भीतर,
नीचे पथरीले-रेतीले थल परः
अरे, उसे ये पल पल
भेद भेद जाती हैं
कितनी उज्ज्वल
रंगारंग मछलियाँ

(जीवन छाया)

किसी-किसी रचनाकार की अपनी एक आत्मछवि ऐसी बन जाती है कि उसके व्यक्तित्व के दूसरे सारे पक्ष अदृष्ट रह जाते हैं। कभी-कभी रचनाकार स्वयं भी अपनी ही छवि में इस हद तक कैद हो जाता है कि अक्सर उसे तोड़ नहीं पाता। अज्ञेय की समस्या इससे कुछ भिन्न है। वे अपनी छवि को कई-कई बार तोड़ते हैं, अपनी प्रचलित मुद्रा से कई बार बाहर निकलते हैं। अज्ञेय की कविता 'चीनी चाय पीते हुए' की दो पंक्तियाँ हैं — *कितनी दूर जाना होता है पिता से/पिता जैसा होने के लिए!* शायद अपने मूल स्वभाव की बनक के पास आने के लिए ही अज्ञेय कई बार उससे बहुत बाहर, अपने स्वभाव की लगभग विपरीत हदों तक जाते दिखते हैं। कभी क्रान्तिकारी संगठन के साथ, कभी राहुल सांकृत्यायन के साथ किसान आन्दोलन में, कभी फासिज्म विरोधी अभियान का आयोजन करते और कभी फौज में। लेकिन उनकी एक खास तरह की गुरु-गम्भीर छवि की रेख इतनी बड़ी है कि अज्ञेय के दूसरे तमाम पक्ष, सारे मूड्स अक्सर उसकी ओट हो जाते हैं।

सत्तर के दशक में *नया प्रतीक* शुरू हुआ था। *नया प्रतीक* को वैसी प्रतिष्ठा

हासिल नहीं हुई जैसी *प्रतीक* को हुई थी। एक हद तक अज्ञेय स्वयं भी उसे वह स्वरूप नहीं दे पाये जो उन्होंने कभी *प्रतीक* को दिया था। *नया प्रतीक* में लेकिन एक स्तम्भ छपता था – 'भरती का पृष्ठ', जिसे अज्ञेय लिखते थे। यह अज्ञेय की गहन गम्भीर छवि से उन्हें कई बार बाहर लाता है। इसमें उन्होंने अनेक रचनाकारों की चुटकियाँ लीं। अशोक वाजपेयी ने उन्हीं दिनों भोपाल में एक व्याख्यान दिया था, जिसमें उन्होंने साहित्य को एक कसाईखाना कहा था। अज्ञेय ने अशोक वाजपेयी के इस कथन पर कई मजेदार टिप्पणियाँ की थीं। इसी स्तम्भ में उन्होंने हँसी की ताकत पर एक बहुत महत्त्वपूर्ण टिप्पणी लिखी थी। जो स्पेन के तानाशाह फ्रांको के आदेश और उसके हश्र के बारे में थी। कैसे सिर्फ हँसी ने उस तानाशाह के आदेश को एक हास्यास्पद लतीफे में बदल दिया और तानाशाह को वह आदेश वापस लेना पड़ा। हँसी की ताकत के बारे में ऐसी कोई दूसरी टिप्पणी कम से कम हिन्दी के किसी साहित्यकार ने लिखी हो याद नहीं पड़ता। मैंने याददाश्त के आधार पर ही उस टिप्पणी में व्यक्त किस्से को अनेक छोटी-बड़ी गोष्ठियों में सुनाया था और आज भी सुनाता रहता हूँ। इसी तरह उन्होंने रघुवीर सहाय और सर्वेश्वर पर चार-चार पंक्तियों की कुछ चुटकी लेती हुई कविताएँ भी लिखी थीं। पता नहीं उस स्तम्भ में लिखी गयीं अज्ञेय की टिप्पणियाँ और कवियों पर ली गयीं काव्यात्मक चुटकियाँ कहीं किसी किताब में संकलित हुईं या नहीं। लोठार लुत्से, उपेन्द्रनाथ अश्क या प्रभाकर माचवे पर लिखी चुटकियाँ तो उनकी डायरियों में छपी हैं। ग्रन्थावली आने के बाद ऐसी टिप्पणियों को दुबारा देखा जा सकेगा।

अज्ञेय की कविताओं में भी अनेक ऐसी रचनाएँ गाहे-बगाहे मिल जाती हैं, जो उनकी छवि को अगर पूरी तरह तोड़ती नहीं तो कहीं-न-कहीं उस पर खरोंच तो डालती ही हैं। 'एक ऑटोग्राफ' या 'रेंक रे रेंक गधे' जैसी दर्जनों कविताएँ याद कर सकता हूँ। सत्तर के दशक से आज तक मैंने अनेक मकान बदले। मकान बदलने में कई किताबें और कई पत्रिकाएँ खो गयीं। *नया प्रतीक* के सारे अंक जाने कहाँ-कहाँ छूट गये। सिर्फ जापानी साहित्य पर निकाला गया एक विशेषांक ही किसी तरह मेरे पास बचा हुआ है। जापानी कविता के प्रति अज्ञेय में एक खास किस्म का लगाव नजर आता है। उनका अकेला नाटक *उत्तर प्रियदर्शी* भी कुछ-कुछ काबुकी शैली में लिखा गया था। प्रभात गांगुली इस नाटक को खेलने के बारे में अक्सर ही अज्ञेय से बात करते थे। दुर्भाग्य से यह नाटक अज्ञेय के निधन के बाद ही प्रभात दा कर पाये।

अज्ञेय की छवि ऐसी थी कि वह सहजता से अपने निकट आने की इजाजत नहीं देती। वे आसानी से नहीं खुलते थे। उनके व्यक्तित्व की भव्यता और उनके कवि का वैभव ही नहीं, उनकी जानकारियों की बहुलता का भी एक आतंक था।

उनके निकट जाने में एक संकोच भी होता और एक किस्म का डर भी बना रहता। यह छवि साहित्यिकों के बीच शायद कम ही टूट पाती थी। साहित्य की दुनिया से बाहर लेकिन अज्ञेय को देखना शायद अलग अनुभव था। ऐसा अवसर मुश्किल से ही हाथ आता था।

रंगश्री लिटिल बैले ट्रुप 1984 में स्थायी रूप से भोपाल आ गया था। प्रोफेसर्स कॉलोनी में एक मकान किराए पर लिया गया था। लिटिल बैले ट्रुप के प्रमुख कोरियोग्राफर प्रभात गांगुली और बैले ट्रुप की सचिव और सर्वेसर्वा गुल वर्धन उस मकान में रहती थीं और उसी में बैले ट्रुप का ऑफिस भी था। बैले के कलाकारों की नियमित रिहर्सल गाँधी भवन के हाल में होती थी। अज्ञेय रंगश्री लिटिल बैले ट्रुप के अध्यक्ष थे। 1984 से 1987 में मृत्यु तक अज्ञेय ही इसके अध्यक्ष रहे। अज्ञेय का एक बहुत आत्मीय रिश्ता इस ग्रुप से, प्रभात दा और गुल दी से था। मैं भी लिटिल बैले ट्रुप से जुड़ा हुआ था। उसकी कमेटी में सदस्य था। रंगश्री लिटिल बैले ट्रुप गुल वर्धन और शान्ति वर्धन ने 1952 में स्थापित किया था। शान्ति वर्धन, गुल वर्धन, नेमिचन्द्र जैन, रेखा जैन आदि एक समय में भारतीय कम्युनिस्ट पार्टी के सेंट्रल स्क्वाड के सदस्य थे। इस सेंट्रल स्क्वाड के बाद ही इप्टा (इंडियन पीपुल्स थियेटर एसोसिएशन) का गठन हुआ था। सम्भवतः 1956 में प्रगतिशील लेखक संघ और इप्टा को विधिवत रूप से भंग कर दिया गया था। शान्ति वर्धन ने लिटिल बैले ट्रुप का गठन शायद इससे कुछ समय पहले ही कर लिया था। शान्ति दा को यक्षमा की बीमारी हो गयी थी, उस समय तक यक्षमा एक असाध्य रोग था। अपनी अस्वस्थता के बावजूद शान्ति दा ने रामायण और पंचतन्त्र जैसे कुछ अविस्मरणीय बैले तैयार किए थे। जल्दी ही शान्ति दा का निधन हो गया। तब तक लिटिल बैले ट्रुप बम्बई में था।

शान्ति दा के निधन के बाद ग्रुप को बचाने की जिम्मेदारी गुल दी पर आ गयी। शान्ति दा, गुल तथा प्रभात गांगुली, उदय शंकर के अल्मोड़ा के बैले स्कूल के साथी थे, इसलिए शान्ति दा के बाद प्रभात गांगुली रंगश्री के मुख्य कोरियोग्राफर बनाए गये। प्रभात गांगुली भी इप्टा में रह चुके थे। उसके बाद वह शान्ति वर्धन के इंडियन रिनेसाँ से जुड़े और 1959 में लिटिल बैले ट्रुप से जुड़ गये थे। गुल वर्धन के व्यक्तिगत परिचय जवाहरलाल नेहरू और इन्दिरा गाँधी से भी थे। कपिला वात्स्यायन से भी गुल दी की मित्रता थी। शायद इसी तरह अज्ञेय रंगश्री लिटिल बैले ट्रुप के सम्पर्क में आये होंगे। अज्ञेय ने अपने निजी संग्रह से अनेक किताबें रंगश्री की लाइब्रेरी को दी थीं। अज्ञेय ने अपने सम्पादकत्व में *दिनमान* के एक अंक में लिटिल बैले ट्रुप पर विशेष सामग्री प्रकाशित की थी। बम्बई के बाद

रंगश्री को ग्वालियर आना पड़ा और उसके बाद स्थायी रूप से यह संस्था 1984 में भोपाल आ गयी। रंगश्री लिटिल बैले ट्रुप से अज्ञेय के सम्बन्ध जीवन भर बने रहे। प्रभात गांगुली और अज्ञेय में दिलचस्प किस्म की मित्रता थी। प्रभात दा अज्ञेय से दो वर्ष छोटे थे। शायद इसीलिए प्रभात दा और गुल दी उन्हें अइया कहते थे। अज्ञेय बहुत कम बोलते थे और प्रभात गांगुली बहुत बातूनी थे।

शायद 1986 के अन्तिम दिनों में रंगश्री लिटिल बैले ट्रुप की वार्षिक बैठक थी। अज्ञेय जी भी आये हुए थे। मीटिंग समाप्त होने के बाद प्रभात दा और गुल दी के घर में ही सब लोग थे। ढलती दोपहर में मीटिंग के बाद रसरंजन शुरू हुआ। हालाँकि अज्ञेय जी मानते थे कि "मेरे जानते शराब पीने का समय शाम का होता है" (*'वसन्त का भग्नदूत, स्मृति-लेखा'*)। बहरहाल, मुझे इस समय अज्ञेय की एक कविता की याद आ रही है। यह कविता ग्वालियर में 1968 में लिखी गयी थी। इस कविता का कोई सम्बन्ध रंगश्री से शायद न हो, या हो भी। लेकिन इतना तय है कि यह कविता ऐसी ही किसी दोपहर को याद करते हुए लिखी गयी होगी। कविता का शीर्षक है – 'पहली बार जब शराब':

पहली बार
जब दिन-दोपहर में शराब पी थी
तब हमजोलियों से ठिठोलियाँ करते
सोचा थाः
कितने खतरनाक होते होंगे वे लोग
जो रात में अकेले बैठ कर पीते होंगे?

आज
चाँदनी रात में
पहाड़ी काठघर में अकेला बैठा
ठिठुरी उँगलियों में ओस-नम प्याला घुमाते हुए
सोचता हूँः
इस प्याले में
चाँद की छाया है
चीड़ों की सिहरन
झर चुके फूलों की अनभूली महक
बीते बसन्तों की चिड़ियों की चहकः
इसी को – और इसके साथ अपनी (अब जैसी भी है)

किस्मत को सराहिए:
और कोई हमप्याला भला
अपने को क्यों चाहिए?

यह और बात है कि लिटिल बैले ट्रूप की मीटिंग के उपरान्त रसरंजन में उनके हमप्याला अनेक थे। प्रभात दा के लिए कोई विदेश से डनहिल सिगरेट लेकर आया था। प्रभात दा एक नया पैकेट निकाल कर लाये। अज्ञेय जी की तरफ पैकेट बढ़ाया तो अज्ञेय जी ने सिगरेट के पैकेट को देखा और रुक गये। प्रभात दा ने पूछा कि क्या बिलकुल छोड़ दी है? अज्ञेय ने थोड़ी हिचक के साथ पैकेट से एक सिगरेट निकाल ली। सिगरेट जलाने से पहले अज्ञेय ने कहा कि यों तो सिगरेट छोड़ चुका हूँ, लेकिन कभी-कभी एकाध पी लेता हूँ। प्रभात दा खुश हो गये। प्रभात दा ने तत्काल लाइटर से पहले अज्ञेय की सिगरेट जलाई और फिर अपनी भी। मैं उन दिनों काफी सिगरेट पीता था। मुझे सिगरेट पीता हुआ व्यक्ति ज्यादा सहज लगता था। अज्ञेय ने सिगरेट जलाई तो मुझे बहुत अच्छा लगा। अज्ञेय को सिगरेट पीते हुए देखकर मुझे महसूस हुआ कि यह अज्ञेय, अज्ञेय की छवि जो हम लोगों के सामने बनी हुई थी उससे बाहर के अज्ञेय हैं। इनसे बातें की जा सकती हैं। हालाँकि वहाँ उनसे बात करने के लिए प्रभात दा, गुल दी के अलावा भी कई लोग थे।

अज्ञेय को कविता पाठ करते सुनने की तीव्र इच्छा मन में थी। मुझे अक्सर लगता है कि किसी कवि का कविता पाठ सुनने के बाद उसकी कविता को पढ़ने से बहुत-सी चीजें बदल जाती हैं। आँखें जब उसकी कविता को पढ़ रही होती हैं तो कान में उसकी आवाज पढ़े जा रहे शब्दों का पीछा करती है। 1973 में अशोक वाजपेयी ने सांस्कृतिक कार्यक्रमों की एक श्रृंखला उत्सव नाम से शुरू की थी। इन कार्यक्रमों के तहत एक कविता की सुबह होती थी जिसमें पाँच या छह कवि कविता पाठ करते थे। इसमें अनिवार्यतः एक वरिष्ठ कवि होता और दो-तीन युवा कवि भी होते थे। 1979 में कविता की सुबह में छह कवियों का कविता पाठ प्रस्तावित था जिसमें अज्ञेय, मलयज, सोमदत्त, विष्णु खरे, अरुण कमल और मेरा नाम था। मेरे मन में अज्ञेय को सुनने की जो ललक थी, अज्ञेय के साथ कविता पाठ करने का लालच उससे कहीं ज्यादा था। अज्ञेय को लेकर साहित्य में जैसी सहमतियों और असहमतियों का वातावरण उस समय था, उसमें यह बात खुलकर स्वीकार करने का साहस मुझमें नहीं था। लेकिन अन्तिम क्षण में अज्ञेय ने आने से इनकार कर दिया और उस कार्यक्रम में वरिष्ठ कवि के रूप में नागार्जुन ने कविता

कविता पाठ किया। मन की इच्छा मन में ही रह गयी। इसके कुछ समय बाद शायद कला परिषद में अज्ञेय का एकल कविता पाठ हुआ था। अज्ञेय का कविता पाठ सुनना एक अद्वितीय अनुभव था। उस पाठ में उन्होंने 'असाध्य वीणा' का पाठ किया था। हर शब्द और हर विराम का इतना सतर्क संयमित पाठ करते मैंने किसी भी दूसरे कवि को नहीं सुना। कविता पाठ के बाद उनसे सवाल-जवाब भी हुए।

अज्ञेय भारत भवन के कार्यक्रमों में नहीं आते थे। अज्ञेय उन रचनाकारों में थे, जिनका आना जितनी महत्त्वपूर्ण खबर होती थी, उनका नहीं आना भी उतनी ही महत्त्वपूर्ण खबर होती थी। सोमदत्त ने एक दूसरा रास्ता निकाला और साहित्य परिषद की एक व्याख्यानमाला में उन्हें व्याख्यान देने के लिए राजी कर लिया। शायद माखनलाल चतुर्वेदी व्याख्यानमाला का कार्यक्रम था। यह कार्यक्रम मध्य प्रदेश साहित्य परिषद का था, लेकिन कार्यक्रम स्थल भारत भवन का बहिरंग था। यह पहला कार्यक्रम था जो भारत भवन में हुआ और उसमें अज्ञेय ने व्याख्यान दिया। भारत भवन को लेकर भोपाल के रचनाकारों का कुट्टी और दोस्ती का सम्बन्ध चलता रहता था। अज्ञेय जी का व्याख्यान सुनने तो सब गये, मैं भी गया। लेकिन व्याख्यान समाप्त होते ही हम लोग वहाँ से बिना रुके चले आये। हमारी पीढ़ी के रचनाकारों में उन दिनों नवीन सागर अज्ञेय जी के निकट सम्पर्क में थे। वे वत्सल निधि के कुछ कार्यक्रमों में भी हिस्सेदारी कर चुके थे। दूसरे दिन नवीन सागर ने बताया कि अज्ञेय जी ने मेरे और भोपाल के अन्य युवा रचनाकारों के बारे में पूछा था। वे इस बात को लेकर दुखी थे कि हम लोग व्याख्यान सुनने आये, लेकिन उसके बाद उनसे नहीं मिले। मुझे लगा कि नवीन सागर झूठमूठ ही कह रहे हैं। अज्ञेय व्यक्तिगत रूप से मुझे जानते होंगे, इसका विश्वास नहीं होता था। लेकिन मन ही मन अपनी इस अशिष्टता का पछतावा मुझे होता रहा कि व्याख्यान के बाद मैं उनसे मिला नहीं।

एक शाम अचानक ही मैं रमेशचन्द्र शाह के घर पहुँचा। दरवाजा खुला ही हुआ था। दस्तक दी तो ज्योत्स्ना जी ने कहा आ जाइए। अन्दर पहुँचा तो बैठक में एक कुर्सी पर अज्ञेय जी बैठे हुए थे। ज्योत्स्ना जी ने मुझसे कहा आओ, रमेश बाजार गये हैं और मुझे जरा खाना बनाना है तब तक तुम अज्ञेय जी के पास बैठो। यह कहकर ज्योत्स्ना जी अन्दर चली गयीं। मैं नमस्कार करके अज्ञेय जी के सामने वाली कुर्सी पर सिकुड़ा हुआ-सा बैठ गया। इस तरह अकेले अज्ञेय जी के सामने बैठने में अजीब-सा संकोच हो रहा था। उन्होंने कहा आपकी कविताएँ तो *नया प्रतीक* में छपी हैं। मैंने बहुत धीरे से 'हाँ' कहा। फिर एक चुप्पी हो गयी। वे पत्रकारिता से सम्बन्धित किसी मीटिंग में आये थे। उन दिनों अज्ञेय *नवभारत*

टाइम्स के सम्पादक थे। वे सर्किट हाउस में ठहरे हुए थे। रमेशचन्द्र शाह का सरकारी आवास सर्किट हाउस के बगल में ही था। कुछ समय पहले ही *सारिका* ने इस घोषणा के साथ कि अज्ञेय *शेखरः एक जीवनी* का तीसरा खण्ड लिख रहे हैं, नये खण्ड के दो अंश प्रकाशित किए थे। मैं उन अंशों को पढ़ चुका था। साठ के दशक के लगभग उत्तरार्ध में मेरी फुफेरी बहन वसुमति ने मुझे *शेखरः एक जीवनी* का पहला खण्ड पढ़ने को दिया था। तब मैं लेखक नहीं हुआ था।

लगभग दस-पन्द्रह साल बाद फिर एक बार शेखर को याद करते हुए मैं अपनी स्मृति को खटखटा रहा था। बात करने के लिए ही मैंने अज्ञेय जी से पूछा कि *शेखर* का तीसरा खण्ड कब तक आ रहा है? अज्ञेय जी ने एक छोटे से अन्तराल के बाद कहा...अखबार की नौकरी में उपन्यास पर काम करना सम्भव नहीं है। अभी कुछ दिन यह काम करना पड़ेगा, इससे मुक्त होने के बाद ही उपन्यास पर काम कर सकता हूँ...सोचता हूँ कि जल्दी ही इससे मुक्त हो जाऊँगा। इसके बाद फिर चुप्प लग गयी। मैं सोच रहा था कि ज्योत्स्ना जी बाहर आ जाएँ या शाह साहब ही आ जाते तो मेरे लिए कुछ आसान हो जाता। मैंने फिर एक कोशिश की कि शेखर के दो अंश *सारिका* में प्रकाशित हुए हैं...अज्ञेय जी ने एक दिलचस्प-सा वाक्य बोला : उपन्यास को तभी आया हुआ मानना चाहिए जब वह आ जाए...। इसके बाद ही कुछ देर में शाह साहब आ गये। कुछ देर बाद अज्ञेय भी सहज हो गये। उसी दिन उन्होंने शमशेर की दो तरह की कविता लिखने और नागार्जुन की 'कालिदास सच सच बतलाना' पर कई बातें की थीं।

अन्तिम बार उन्हें मैंने भारत भवन के अन्तरंग के बाहर देखा था। अन्दर गोष्ठी चल रही थी और वे कुछ पहले ही बाहर निकल आये थे और वहाँ टहल रहे थे।

22

उस यायावरी के पथ पर

॥ अमृतलाल वेगड़

जब कॉलेज में पढ़ता था, तब *शेखरः एक जीवनी* बड़े चाव से पढ़ी थी। उसकी भाषा का मृदु संगीत मन में रच-बस गया था। दुर्भाग्य से उसके बाद अज्ञेय जी की और कोई पुस्तक नहीं पढ़ सका।

अज्ञेय जी को मैंने सर्वप्रथम शान्तिनिकेतन में देखा था। 1950 के आसपास की बात होगी। *नेहरू अभिनन्दन ग्रन्थ* का कार्य चल रहा था। अज्ञेय जी सम्पादक-मण्डल में थे। भारत के शीर्षस्थ चित्रकारों के चित्रों के प्रिंट लेकर वे आचार्य नन्दलाल बसु के पास आये थे और उनसे निवेदन किया कि आप जिन चित्रों का चयन करेंगे, वे ही इस ग्रन्थ में छपेंगे। तब मैं वहीं था।

दूसरी बार रमेशचन्द्र शाह के साथ भोपाल में मिला। उन्होंने मुझे विशेष रूप से बुलवाया था। उन्होंने मुझसे कहा कि दिल्ली मैंने जिससे भी पूछा, सभी ने आपका ही नाम बताया। आप ही तय करेंगे कि हम नर्मदा यात्रा कहाँ से आरम्भ करेंगे, हमारे पड़ाव कहाँ-कहाँ होंगे, वहाँ कितने दिन रुकेंगे और क्या-क्या देखेंगे। यात्रा हम वाहनों से करेंगे और उसमें कई लेखक, कवि, कलाकार होंगे। मेरे लिए इससे बढ़कर खुशी की बात भला और क्या हो सकती थी। मेरा एक सचित्र लेख वे आँखों के बिलकुल करीब ले आये, तब देख सके। देखकर बोले कि यात्रा के दौरान आप स्कैच करेंगे और मैं फोटोग्राफी करूँगा। मैंने उनसे प्रार्थना की कि कृपया आप मुझे एक पोस्टकार्ड जरूर लिखें, मेरे लिए वह मूल्यवान धरोहर होगा, तो उन्होंने कहा कि आपके पास मेरा एक क्या, कई पोस्टकार्ड आएँगे। भाग्य की विडम्बना देखिए कि एक भी पोस्टकार्ड नहीं आया। भोपाल से दिल्ली जाने के एक सप्ताह के भीतर ही वे किसी अज्ञात की परिक्रमा पर चले गये।

कभी अज्ञेय जी का नर्मदा के उद्गम-स्थल अमरकण्टक पर एक निबन्ध पढ़ा था। पहला ही वाक्य था – जब तक अमरकण्टक देखा नहीं था, यह काँटा मन में गड़ता रहा। मैं इस एक वाक्य से ही तृप्त हो गया था। सोचने लगा, अगर अज्ञेय जी ने नर्मदा की पूरी परिक्रमा की होती तो हमें यात्रा-वृत्तान्त

की कैसी अद्‌भुत पुस्तक मिली होती।

अगर अज्ञेय जी जीवित होते तो नर्मदात्रयी की मेरी तीसरी पुस्तक *तीरे-तीरे नर्मदा* की प्रस्तावना मैं उन्हीं से लिखवाता। वे मेरे लिए पूज्य हैं। मैं उन्हें हिन्दी का रवीन्द्रनाथ मानता हूँ – रवीन्द्रनाथ ही की तरह सुपुरुष और बहुमुखी प्रतिभा के धनी साहित्य की हर विधा में उन्होंने लिखा और हर विधा में उत्कृष्ट लिखा।

गुरुदेव रवीन्द्रनाथ की एक छोटी-सी कविता है – अस्ताचलगामी सूर्य ने कहा कि मैं तो अब जा रहा हूँ, प्रकाश देने का मेरा काम अब कौन करेगा? जब कोई कुछ नहीं बोला तो मिट्टी का छोटा-सा दीया बोला, प्रभु! आपका काम यथाशक्ति मैं करूँगा।

मुझे लगता है अज्ञेय जी मानो कह रहे थे कि नर्मदा यात्रा का मेरा स्वप्न अधूरा रह गया, उसे कौन पूरा करेगा? जब कोई कुछ नहीं बोला तो मैंने कहा— आपका काम यथाशक्ति, यथामति मैं करूँगा। अज्ञेय जी के सौ उत्तराधिकारी हो सकते हैं। उनकी यायावरी के उत्तराधिकारियों में से एक मैं भी हूँ। नर्मदा और उसकी सहायक नदियों के तट पर चार हजार कि.मी. से भी अधिक पैदल चला हूँ। मैंने नर्मदा-सौन्दर्य में सेंध लगाकर घुसने की कोशिश की है। (और नर्मदा ने मुझे इसकी इजाजत भी दी है।) नर्मदा पदयात्रा वृत्तान्त की तीन पुस्तकें लिखी हैं। क्या इतना अज्ञेय जी की यायावरी का एक (दरिद्र ही सही) उत्तराधिकारी होने के लिए पर्याप्त नहीं?

23

है अभी कुछ और

॥ ज्योत्स्ना मिलन

मनुष्य जीवन की कैसी तृष्णा थी वात्स्यायन जी में! *मैं बार-बार हठ करके/अनन्य यह मानव लोक वरूँ।* इस पंक्ति को जब पहले-पहल पढ़ा था तो भीतर एक और पंक्ति कौंधी थीः *हरिना जन मुक्ति न माँगे, जनमोजनम अवतार रे* (नरसिंह मेहता) हालाँकि बार-बार मानव जीवन की कामना की वजहें दोनों के लिए अलग-अलग थीं। अज्ञेय जी कहते हैं– *तू घड़े के घड़े अमृत बरसाया कर/मैं उसकी बूँद-बूँद के संचय हित/सौ-सौ बार मरूँ*। यहाँ मरना, जीने के पर्याय की तरह है। नरसिंह तो भक्त थे, पहले भक्त कि पहले कवि यह बता पाना कठिन है। जन्म-जन्मान्तर तक 'नित पूजा; निज ओछव' और नित नन्द कुमार को निरखने के अलावा कोई और ध्येय उनके लिए नहीं हो सकता था।

मृत्यु को भी कोई वात्स्यायन जी की तर्ज पर जीवन की तरह देख सकता हैः *सरि-सागर-सोते-निर्झर सा/उमड़े जीवन/कहीं नहीं है मरना*। दृष्टि का फर्क इसे कहा जा सकता है। इसके उलट कोई जीवन को मृत्यु की दिशा में निरन्तर गति की तरह भी देख सकता है। दोनों प्रक्रियाएँ अगर निरन्तर साथ-साथ चल रही हों तो उन्हें जीवन या मृत्यु कोई भी नाम दिया जा सकता है। वात्स्यायन जी ने उसे जीवन कहना चुना। जिस जीवन को उन्होंने 'खुले हाथों वारा' हो, जिससे 'निर्विकल्प खेला हो' बल्कि इस कदर खेला हो कि जीवन की धज्जियाँ उड़ जाएँ। ऐसे किसी जीवन का मृत्यु भी क्या कर सकती थी?

जीवन की यह उमड़न – 'लहर पर लहर, पर लहर, पर लहर' उमड़ती हुई मेरे किशोर से युवा होते दिनों में चली आयी थी, *अरी ओ करुणा प्रभामय* के साथ। उन दिनों बापूजी ने कहानी लेखन के प्रति रुचि देखकर जिस तरह *जलती झाड़ी* संग्रह लाकर दिया था वैसे ही मेरा छोटी कविताओं के प्रति रुझान देखकर *अरी ओ करुणा प्रभामय* भी लाकर दी थी। नश्वर जीवन से विरत करने के जैनों के अपने आख्यान थे, तर्क थे और वात्स्यायन जी थे कि इस नश्वर दुनिया में नश्वरता से मुक्त चीजों की तलाश में जुटे रहते थे *हर आलोक छुआ अपनापन/है*

उन्मोचन/नश्वरता के दाग से। इस पंक्ति ने एक दिलचस्प वाकये की याद दिला दी है।

कम ही साहित्यिक आयोजनों में भागीदारी करने वाली मेरा वत्सल निधि के आयोजनों में कई बार शामिल होना हुआ था। सबसे पहले आबू गयी थी। बच्चे अभी पर्याप्त बड़े नहीं थे, इसलिए वात्स्यायन जी हम दोनों को बारी-बारी से शिविरों में आमन्त्रित करते थे। इसी तर्क से आबू शिविर में मेरी बारी थी। इस तरह के आयोजन का मेरा यह पहला अनुभव था। मैं जब पहुँची, नाश्ते के पहले सब अभी बगीचे में जुट रहे थे, वात्स्यायन जी सप्तपर्णी के पेड़ के पास खड़े थे, पत्र-रचना देख रहे हो सकते थे, सात समन्दर, सात-स्वर, सप्तपदी, सप्तर्षि या सात मार्च उनका जन्मदिन। आबू में घूमते हुए मैं, इला, चन्द्रप्रभा सब एक पेड़ के नीचे ठिठके, पेड़ को गौर से देखते हुए। काहे का होगा पेड़? हममें से किसी को पता नहीं था। पीछे मित्रों के साथ आ रहे वात्स्यायन जी की प्रतीक्षा की उस पेड़ के नीचे खड़े होकर! आये तो मैंने पूछा: 'वात्स्यायन जी, यह काहे का पेड़ है?' उन्होंने आँख उठाकर देखा पेड़ को और बोले, 'इतना आम पेड़ है! आपको नहीं मालूम!' नाम पेड़ का उन्होंने नहीं बताया। इला ने कहा– लगता है उन्हें भी पता नहीं है।

बात विश्वसनीय तो नहीं थी, मगर बहरहाल!

पाँच-सात दिनों के होते थे ये शिविर। एक प्रमुख विषय होता, उसके विभिन्न पहलुओं पर पर्चे होते, चर्चा होती। रचना-पाठ होता, आसपास के दर्शनीय स्थानों पर घूमना होता। सब लोग साथ-साथ खाते-पीते रहते। वात्स्यायन जी सारे समय सबके बीच बने रहते। एक दोपहर इला के कमरे में वात्स्यायन जी, दुर्गा भागवत, रघुवीर चौधरी और मैं, बैठे थे। उन्होंने मुझसे कविताएँ सुनाने को कहा। आतंकित तो अज्ञेय जी ने कभी नहीं किया, उनके जैसे कवि की उपस्थिति में कविता पढ़ते हुए संकोच अवश्य था, इसलिए अपनी पूरी आवाज में कविता पढ़ना नहीं हो पाया था। 'कविता क्या ऐसे पढ़ी जाती है?' अज्ञेय जी का उलाहना था। जवाब इला ने दिया, 'बेचारों ने पढ़ दी यही क्या कम है?' 'कवि कभी बेचारा नहीं होता!' कवि अज्ञेय बोले थे।

आबू से लौटते हुए रास्ते में मोढेरा का सूर्य मन्दिर देखने का मौका मिला। कोणार्क के बाद यह दूसरा सूर्य मन्दिर था। इसकी परिकल्पना कोणार्क के स्थपति की परिकल्पना से एकदम भिन्न थी। अहमदाबाद रुकना भी हुआ, गुजरात विद्यापीठ के गेस्ट हाउस में। वहाँ गुजरात साहित्य अकादमी ने वात्स्यायन जी के काव्य-पाठ का आयोजन किया था। दो-एक कविताओं की फरमाइश मैंने भी की थी। उन्होंने अपने चयन में उन कविताओं को शामिल कर लिया था। पाठ के बाद जब लौटने के लिए कार में बैठने लगे तो बोले, 'अब तो आप खुश हैं?'

'बिलकुल! खुश तो हूँ, लेकिन कविता से पूरी एक पंक्ति नदारद थी!' कौन सी? मैंने अपनी पसन्द की वह छोटी-सी कविता दोहरा दी— *मैंने देखा/एक बूँद सहसा उछली/सागर के झाग से/रंगी गयी पल भर को/ढलते सूरज की आग से/मुझको दीख गया/सूने विराट के सम्मुख/हर आलोक छुआ अपनापन/है उन्मोचन/नश्वरता के दाग से।* 'सूने विराट के सम्मुख' पंक्ति गायब थी और मजा यह कि स्वयं कवि को भी इसका पता नहीं चला था। पर वे मुदित थे। यह कविता अज्ञेय जी ने विद्यानिवास जी वाले चयन से पढ़ी थी, जिसमें यह पंक्ति गायब थी!

दूसरे दिन मैं और इला बाजार गये थे। क्या खरीदा था यह तो याद नहीं, इतना याद है कि जब लौटकर आये तो अज्ञेय जी ने लाओ की मुद्रा में उँगलियों को अपनी ओर मोड़ा और 'हमारे लिए क्या लाये हैं' —बच्चों वाले उत्साह से पूछा था। पहली बार दिमाग में यह बात कौंधी कि वात्स्यायन जी को भी कुछ दिया जा सकता है! उसके बाद ऐसा कुछ ढूँढ़ती रहती थी जो उन्हें दिया जा सके। एक बार खादी भण्डार में बढ़िया ऑफ वाइट डोरिया मिल गया। बस तुरन्त ले लिया और उन्हें दे दिया। अगली बार जब वे भोपाल आये तो कुर्ता बनवाकर लाये। दूसरे रोज दिन भर वही पहने रहे।

इन शिविरों ने मुझे अकेले लम्बी यात्राएँ करने और उनका मजा लेने के अवसर दिए। आबू, बोधगया, जम्मू, भरवारी। बोधगया जाने के लिए गया स्टेशन पर मुँह-अँधेरे पहुँची थी। आते हुए दिन में अभी अँधेरे का स्वाद था और हवा में खुनकी। इक्के से जाना इसलिए चुना था कि धीरे-धीरे चलता हुआ वह मय अपने पूरे आसपास के मुझे बोधगया ले जाए। आबू में ब्रह्मकुमारी आश्रम का परिसर था और बोधगया में बोधिवृक्ष वाला परिसर! हर का एक अलग वातावरण था और अलग प्रभाव। एक शाम शिविर के सब साथी गया गये थे। गया की पिण्डदान की ख्याति से मैं परिचित थी, लेकिन उसके लाल और काले पत्थरों से बने कई आकार-प्रकार के कटोरों की ख्याति का पता वहीं जाकर लगा। वात्स्यायन जी ने भी दुकानों में जा-जाकर कटोरों का चुनाव खुद किया था घण्टों लगाकर। प्लेटें भी चुनी थीं। उनका उपयोग शिविर में होता रहा और फिर वे उन सब को वहीं छोड़ गये थे! मैं चकित थी कि जितने चाव से खरीदा था उतनी ही निस्संगता से वे उन्हें छोड़ भी गये। वे कटोरे इतने अच्छे थे कि वजन के बावजूद उनको लाने का लोभ संवरण करना कठिन था।

जम्मू शिविर में हम दोनों साथ गये थे। नवीन सागर भी हमारे साथ थे। अलग-अलग शहरों से कई सारे सहभागी लेखक दिल्ली आये थे और दिल्ली से जम्मू तक की यात्रा सबने साथ की थी। बोगी भर में जहाँ देखो लेखक ही लेखक

थे। कुछ अजब ही दृश्य था; रेल में इतने सारे लेखक एक साथ, खाते, पीते, ठहाके लगाते, गम्भीर बहसों में उलझे हुए। ऐसा लगा जैसे उनका कुनबा आ जुटा हो, देश के ओनों-कोनों से। वहाँ चाय-कॉफी पीने वाले हम लोगों के लिए कहवा एक नया और अनोखा अनुभव था। इलायची के बावजूद दालचीनी अपनी धाक जमाए रहती थी। ऐसा कहवा हमारे साथ भोपाल न आता तो ही बात अचरज की होती। जगह जहाँ ठहरे थे इतनी आह्लादक, इतनी शान्त थी जैसे अपने में पगी हो। जंगल, झील, पहाड़ सब कुछ एक साथ था।

वात्स्यायन जी से पहली बार मिलने का मौका इतनी अचानक और एकदम बगल से ऐसे गुजर गया था कि मैं देखते रहने के अलावा कुछ नहीं कर पायी थी। अल्मोड़ा में ऐसा कोई अवसर भक् से उपस्थित हो जा सकता है, इसका खयाल तो सपने में भी कभी नहीं भटका था। कासार देवी जाते हुए छोटे भाई के.पी. शाह ने कलमटिया पर एक ऊँचे-पूरे, कद्दावर आदमी को देखा और उनके मन में आशंका जाग गयी 'हो न हो ये अज्ञेय जी हैं।' आमने-सामने न देखा हो, तस्वीरों में तो देखा ही था। फिर भी तस्वीर, तस्वीर थी और धोखा भी दे सकती थी। जितनी दूरी पर वे थे, मिलान सिर्फ कद-काठी से ही सम्भव था।

पहले 'मैं' बाद में 'हम' वाले रमेश उसी शाम कलमटिया की ओर चल पड़े कि तहकीकात कर लें। हमें चकित करते हुए सच में वे वहाँ थे और रमेश की उनसे मुलाकात भी हो गयी। दूसरे या तीसरे दिन जब हम पहुँचे तो कलमटिया वाले उस घर के सामने ताला लटका देखकर भी उम्मीद नहीं छोड़ी थी, हो सकता है घूमने गये हों! 'घूमने नहीं, वो तो आज सुबह चले गये' कलमटिया से उतरते हुए मिले चौकीदार ने उम्मीद के लिए कोई जगह नहीं छोड़ी थी।

अल्मोड़ा में हम कभी बाजार या सिनेमा न जाते। जितनी जल्दी हो सके बाजार को लाँघकर इस, उस या किसी भी सिरे से बाहर जंगल की ओर निकल लेते। जब भी कभी नीचे दो पहाड़ों के बीच से बहती सुआल की झलक मिल जाती तो ये पंक्ति जरूर मन में कौंध जाती— *बिछी पैरों में नदी/ज्यों दर्द की रेखा।* इसी तरह सामने पंखुरियों की तरह खिली पहाड़ की चोटियों को देखते हुए इन पंक्तियों को दोहरा लेने का लालच कभी कम नहीं हुआ *धूप/माँ की हँसी के प्रतिबिम्ब सी/शिशुवदन पर/हुई भासित/नये चीड़ों से कँटीली पार की गिरि शृंखला पर!* अलग-अलग ऋतुओं में प्रकृति के बीच होने पर अज्ञेय की कविता साथ बनी रहती है फिर वो 'ओ पिया पानी बरसा' हो, कि *पकी ज्वार से निकल शशों की जोड़ी गयी फलाँगती/सन्नाटे में बाँक नदी की/जगी चमक कर झाँकती* हो कि *घास हरी हुलसानी* हो या *भोर-बेला! सिंची छत से ओस की तिप् तिप्* हो, इसके अलावा 'कर्म ही आघात को सहने का एकमात्र उपाय है' या,

'विश्वास पाकर धोखा देना आसान नहीं' जैसी उक्तियों ने हमेशा कर्म और मनुष्य पर मेरे विश्वास को बनाए रखा।

वात्स्यायन जी से मिलने का मौका फिर ठेठ 1975 में आया, जब वे सात मार्च, अपने जन्म दिन पर भोपाल आये। इला भी साथ आयी थीं। गाजर के हलुए और मुठिए से हमने उनका जन्म दिन मनाया था। रमेश के साथ तय हुआ था कि उन्हें लेकर वे लोग साँची-विदिशा जाएँगे। अब मैं परेशान, ये क्या बात हुई कि हर बार बाजी ये मार ले जाएँ। मैंने वात्स्यायन जी को लिखा कि 'आपने आमन्त्रित किया हो, न किया हो मैं भी साथ चलूँगी।' उन्होंने कुछ झेंप के साथ लिखा 'मैं भी चाहता था कि आप चलें। संकोच इतना ही था कि बच्ची छोटी होने से आपका चलना शायद सम्भव न हो। आप अवश्य चलें।' बस फिर तो क्या था! उन दिनों तो यों भी बात बे बात मन को पंख लग जाया करते थे! फिर तो आसमान होता और मैं होती! न मैं थकती न आसमान खत्म होता।

पहले साँची गये। वहाँ गेस्ट हाउस में चाय-शाय के बाद विदिशा महा वराह को देखने चल पड़े। साँची से विदिशा ताँगे में गये थे। लौटकर साँची में सड़क किनारे के एक ढाबे में पेड़ के नीचे चाय पीते हुए उन दिनों चल रहे क्रिकेट मैच की कमेण्ट्री सुनी थी। दूसरी बेटी कक्कू तब अभी गोद में ही थी, कुल जमा डेढ़ साल की। घूमने में किसी न किसी को उसे गोदी में लिये रहना पड़ता था। उसे गोदी लेने की अपनी बारी वात्स्यायन जी खुद ही तय करते थे। रात गेस्ट हाउस में रहना तय था। दिन भर घूमने में थककर कक्कू सो गयी थी। टीकू हमारे वाले कमरे में उसके साथ थी और खाना खा रही थी। हम लोग डायनिंग हाल में थे। वात्स्यायन जी ने बेयरा को बुलाकर कहा कि कमरा नम्बर इतने में रोटी-सब्जी पहुँचा आएँ। हमने मान लिया कि वह पहुँचा आया होगा। पर वात्स्यायन जी का ध्यान लगातार उधर था। बेयरा जब वहीं का वहीं नजर आया तो बिना बोले वे उठे, रोटी और सब्जी की प्लेटें लेकर हमारे कमरे की ओर बढ़ लिये। उनका विश्वास कर्म में अधिक था।

वे जब भी हमारे यहाँ आते, खाना खाने के बाद काफी देर तक खाने की मेज पर बैठे रहना पसन्द करते। इस बीच कई पुरानी बातें बात में से निकलती बात की तरह निकलती चली आतीं। जिसमें ऊपर जाकर चिमनी से रेत डालकर खाने में किसकिसाहट पैदा करके रसोइए को डाँट खिलवाने जैसे प्रसंग भी होते। बोलते वे कम तो थे, पर इतना कम भी नहीं। कभी सोचती हूँ तो चकित रह जाती हूँ, क्या नहीं जानते हम उनके बारे में? क्या नहीं कहा उन्होंने? हालाँकि स्वयं कवि ने कुबूल किया है कि *है, अभी कुछ और जो कहा नहीं गया/इस अहंकार के*

मारे/अन्धकार में सागर के किनारे/ठिठक गयाः नत हूँ। उस विशाल में मुझसे बहा नहीं गया/ इसी लिए जो और रहा वह कहा नहीं गया।

उनकी उपस्थिति सदा एक मुखर उपस्थिति होती थी। वे चुप शायद इसलिए भी रहते थे कि आसपास की सूक्ष्म से सूक्ष्म ध्वनियाँ उन्हें सुनाई दें और वे उनकी कविताओं में ध्वनित हों। उन्हें पता था कि– *शब्द, यह सही है, सब व्यर्थ हैं/ पर इसी लिए कि शब्दातीत कुछ अर्थ हैं।*

गाँधी जी ने सत्य को अपने जीवन में खोजा था। 'सत्य ना प्रयोगो' अपनी आत्मकथा की भूमिका में वे लिखते हैं– 'दूर दूर से सत्य की, ईश्वर की झलक भी देख रहा हूँ। सत्य ही है, उसे छोड़ कुछ भी नहीं है इस दुनिया में और फिर जो कुछ भी मेरे लिए सम्भव है, वह एक बच्चे के लिए भी सम्भव है, ऐसा मैं अधिकाधिक मानने लगा हूँ और इसके लिए मेरे पास ठोस आधार है। सत्य की खोज के साधन जितने कठिन हैं, उतने ही आसान भी हैं।'

अज्ञेय जी ने सत्य की खोज शब्दों में की। उनका सच का आग्रह, उनकी कविता गवाह है, सर्वोपरि रहा– *कहा सागर ने चुप रहो/मैं अपनी अबाधता जैसे सहता हूँ/अपनी मर्यादा तुम सहो.../जितना तुम्हारा सच है उतना ही कहो।* किसी ने उनसे पूछा हो न पूछा हो, उन्होंने अपने से अवश्य पूछा और बार-बार पूछा– *यह जो दिया लिये तुम चले खोजने सत्य/बताओ क्या प्रबन्ध कर चले/कि जिस बाती का तुम्हें भरोसा/वही जलेगी सदा/अकंपित, उज्ज्वल, एकरूप निर्धूम?* इस प्रश्न में शक से अधिक विश्वास सुनाई देता है– *यह वह विश्वास/नहीं जो अपनी लघुता में भी काँपा/वह पीड़ा जिसकी गहराई को स्वयं उसी ने नापा।* कुल भरोसा अपना और अपने शब्द का था उन्हें।

जितने, जैसे वे शब्द के साधक थे वैसे ही सजग प्रहरी भी। कभी-कभी दोनों के बीच का अन्तराल खत्म हो जाता– *कौन द्वारी/कौन आगारी/पर भीतर के देवता ने/बाहर के प्रतिहारी को बार बार किया पा लागन।* रचना की मूल शर्त अगर शब्द की जीवन्त सत्ता हो तो, शब्द साधना का मर्म भी वही हो सकती है। शब्द और सत्य का जितना सम्मोहन कवि अज्ञेय को था उससे जरा भी कम 'अनुभव अद्वितीय' और उसके उजाले का नहीं था– *मेरे छोटे से घर कुटीर का दिया/विराट के विस्तृत आँगन में/सहमा सा रख दिया गया* या *ओ तू पगली आलोक किरण/सूअर की खोली के, कर्दम पर/बार बार चमकी/पर साधक की कुटिया को/वज्र अछूता/अन्धकार में छोड़ गयी।*

साहित्य की लगभग सभी विधाओं में उन्होंने एक नयी शुरुआत की। कविता, कहानी, उपन्यास, यात्रा-वृत्तान्त सभी में उनका योगदान शीर्ष स्थानीय माना जा सकता है। नवाचार जैसे उनका स्वभाव धर्म था। जो भी काम वे करते, वह उनकी

आत्माभिव्यति की तरह होता। मानसिक थकान को उतारने के लिए वे कई तरह के शारीरिक काम करना पसन्द करते जैसे मिट्टी की या चीनी मिट्टी की चीजें बनाते, पॉटरी करते, जूते बनाते, बुनाई करते, बागवानी करते, फोटोग्राफी करते, अपने और इला के कपड़े डिजाइन करते, पकवान सहित सादा खाना भी कभी-कभी बनाते।

मुझे याद है, वे अभी वसंत कुंज के दिन थे। अल्मोड़ा से लौटते हुए हम लोग एक दिन उनके यहाँ रुके थे। इला अपने पिता की अस्वस्थता के चलते अस्पताल में व्यस्त थीं। वात्स्यायन जी ने लौकी की बरफी बनाई थी। मैंने भी इससे पहले और इसके बाद भी लौकी की बरफी तो कई बार बनाई थी। बाद में इस उम्मीद में कि क्या पता वैसी बन ही जाए। मगर लौकी, मावा और शक्कर का वात्स्यायन जी वाला वह अनुपात कभी नहीं सधा, इसलिए वह स्वाद दोबारा कभी नहीं मिला और लौकी की बर्फी खाने का वह अनुभव अभी तक अद्वितीय बना हुआ है।

लौकी सब्जी के रूप में भी उन्हें प्रिय थी। जब कभी भोपाल आते और मैं 'सब्जी क्या बनाऊँ' उनसे पूछने जाती तो पूछते क्या-क्या है? अगर लेने को दो-एक सब्जियों के ही नाम होते तो कहते 'कुछ न हो तो कविप्रिया लौकी तो है ही।' खाना पकाने के महीन गुर वे जानते थे। भाजी-हरी सब्जी के रंग को हरा कैसे रखा जाए से लगाकर सब्जी को किस सीमा तक पकाया जाए, किस सब्जी में कितना मसाला डाला जाए कि सब्जी का अपना स्वाद कायम रहा आये तक कई सारे।

उनका इतनी तरह के कामों में दिलचस्पी लेना भी कई लोगों के लिए उनसे चिढ़ की एक वजह थी। लेकिन जो जानते हैं उन्हें पता है कि इससे कम में उनकी आत्माभिव्यक्ति नहीं हो पाती थी। घर की साज-सज्जा और रख-रखाव भी इसी तरह उनकी पसन्द का एक काम था। दीवान इस बार बैठक में रहेगा या नहीं? रहेगा तो किस जगह, सोफा बेंतवाला – उसे उन्होंने डिजाइन किया था – मय कुर्सियों के किस तरफ रहेगा? कुर्सी कितनी तिरछी या कितनी सीधी रहेगी? कौन-सी दीवार पर कौन-सा शिल्प रहेगा? एक सुबह मुझे और इला को बाजार भेज दिया और खुद भृत्य के साथ जुटे रहे। हमारे लौटने तक उन्हीं चीजों के बावजूद कमरे की काया पलट हो चुकी थी। इस बार की सज्जा में कुर्सी की बगल में रखा लैम्प प्रमुखता से ध्यान खींच रहा था– 'बड़ा सुन्दर शेड है!' मेरे मुँह से निकला। 'दिस इज ऑल्सो डिजाइन्ड बाय एस.एच.वात्स्यायन।' वे बोले थे।

सुबह उठकर बगीचे में पहुँचे रहते। किस मौसम में किस पेड़ के पत्ते बदलेंगे, कौन-सा पेड़ कब फूलेगा, किस रंग में फूलेगा, कौन-सा कब फलेगा? कब

पेड़-पौधों को किस चीज की जरूरत होती है, उन्हें मालूम होता। उनके जाने के बाद तीसरे दिन सुबह बगीचे में माली से मुलाकात हुई थी, बोला– 'देखने वाला तो चला गया। किस पौधे में आज नयी कोंपल फूटी है, कली आयी है या फूल खिला है, उन्हें पता होता था।' उन्होंने खुद लिखा है, "कहाँ-कहाँ से पौधे ले जाकर कहाँ-कहाँ लगाता रहा हूँ। लगे तो नब्बे प्रतिशत, जो फूलने-फलने वाले थे वे फूले-फले भी। कुछ लोग यह सवाल भी पूछते रहे हैं– 'इस सब से आपको क्या मिला?' ऐसे सवालों का जवाब देना जरूरी नहीं लगा।"

बात उनके छिहत्तरवें जन्मदिन की है। जहाँ आयोजन हुआ था ताँबे-पीतल के बड़े-बड़े कसेरों में ढेर सारी गुलछड़ी सजी थी। उनके घर के दरवाजे पर रोली और हल्दी से सजी रंगोली रंग-सुगन्ध फैला रही थी। कुमार गन्धर्व का गायन हुआ था। खाना हुआ। बाद में हम लोग लॉन में बैठे थे। कोई फूल खरीदकर देने का विचार, जाने क्यों उनके और अपने मेल में नहीं लगा था। बहुत देर की चुप्पी के बाद मुँह से निकला– "अगर कोई आज के दिन खिले सारे फूल आपको देना चाहे तो कैसे दे सकता है?" प्रश्न यों भी उत्तर के लिए नहीं था। वे प्रसन्नता से मुस्कुराए थे।

वे कवि थे, शब्दों के बीच की चुप्पियों में अनकहे को कहने का रहस्य जानते थे। फिर भी कुछ घटनाएँ, कुछ अन्तःसाक्ष्य या साक्ष्य होंगे अवश्य जिन्हें हम-आप न जानते होंगे और यों भी अन्ततः इससे फर्क भी क्या पड़ना है! वे जो थे वो होकर ही वे जिये। जो, जैसा जब चाहा किया, किसी दबाव में नहीं आये। वे स्वभाव से ही स्वाधीन व्यक्ति थे। वे जब नहीं रहे तो उस मौके पर निर्मल जी ने कहा था– 'उन्हें फर्श पर लिटाया हुआ देखकर मुझे दुःख या विषाद नहीं हुआ बल्कि कुछ ईर्ष्या-सी हुई कि कैसा अनुभव-समृद्ध जीवन जिया इस आदमी ने!'

बहुत सारे लोगों को वे इलीट या अभिजात, अहंकारी, आत्मकेन्द्रित, पाश्चात्य आदि-आदि लगते थे। क्या वे आतंक जगाते थे? प्रदर्शन प्रिय थे? क्या वे दूसरों को लघुता-बोध कराने के लिए ही बहुत सारे काम किया करते थे या यही उनकी जरूरत थी, उनका स्वभाव था और वे स्व-भाव में रहते थे?

जिस समय जिसके साथ रहना या होना चाहा, रहे या हुए। जब मानवेन्द्रनाथ राय के साथ सोचा तो सोचा, और एक दिन सड़क किनारे की पान की दुकान पर बज रहे रेडियो से बोल रहे महात्मा गाँधी की आवाज ने रोक कर थाम लिया तो अपने को उसके हवाले कर दिया। सत्य के खोजी के केन्द्र में यह जो खुलापन है वही, उसके होने की बुनियादी शर्त है। उनकी अनुपस्थिति में सबसे बड़ी कमी जो महसूस होती है, वह इस खुलेपन की है, जो दूसरे को भी स्वयं होने का अवकाश देता है– *तुम यही जानो कि अनुक्षण मुक्त है आकाश।*

सनू 75 में वात्स्यायन जी के भोपाल आने की सम्भावना का पता जब अशोक वाजपेयी को चला तो उन्हें यह भी पता चला था कि वे हमारे यहाँ ठहरने वाले हैं तो उन्होंने फोन करके उनसे कहा कि 'आपको असुविधा हो सकती है, आप कहें तो मैं होटल में एक कमरा बुक करवा दूँ।' जहाँ तक सुविधा-असुविधा की बात है, अशोक का सोचना सही था कि जिस सरकारी घर में हम रह रहे थे, वह उस तरह सुविधाजनक तो नहीं ही था। फिर भी वात्स्यायन जी ने हमारे साथ रहना चुना, यह हमारे लिए एक अद्‌भुत खुशी का मौका था। बाद में भी वे हमारे पास आकर कई बार रहे। इस बात की ओर ध्यान बहुत बाद में गया कि जिस तख्त पर वे हमारे यहाँ सोते थे, उसकी लम्बाई उनकी लम्बाई से कम थी। जब यह बात समझ में आयी, तब तक बहुत देर हो चुकी थी। वे हमारे यहाँ ठहरकर 1 अप्रैल, 1987 की रात जा चुके थे। हमें पता नहीं था कि उनका वह आना अन्तिम बार था और अपनी गलती के सुधार की कहीं कोई गुंजाइश नहीं बची थी।

24

उन्मुक्त हँसी हँसते हुए

॥ आनन्द वर्धन ओझा

अज्ञेय अप्रतिम थे, विराट थे, भव्य थे। अतीत में प्रयासपूर्वक देखने की चेष्टा करता हूँ तो उनकी दिव्य मूर्ति की क्षीण रेखा मन में उभरती है, जब वह पटना में हमारे घर पधारे थे और पूज्य पिताजी स्व. पण्डित प्रफुल्लचन्द्र ओझा मुक्त से बातें कर रहे थे। मैं पाँच-छह वर्ष का अबोध बालक, पिताजी की किसी भी आज्ञा को तत्पर, वहीं एक किनारे खड़ा था और उन गौरांग महाप्रभु को अपलक निहार रहा था।

ग्रीक मूर्तियों की भव्यता को चुनौती देने वाले अज्ञेय जी की पिताजी से अन्तरंग और पुरानी मित्रता थी। 1940-42 में पिताजी ने अज्ञेय जी के साथ मिलकर पटना से मासिक *आरती* का सम्पादन किया था, जिसे देशव्यापी ख्याति मिली थी और जिसका प्रकाशन सन् 42 के विश्वयुद्ध में अवरुद्ध हो गया था। पिताजी अज्ञेय जी से उम्र में दो वर्ष बड़े थे। वयोज्येष्ठता का सम्मान अज्ञेय जी पिताजी को यावज्जीवन देते रहे – यह उनकी विद्वत्ता और विनयशीलता का ही परिचायक था।

अज्ञेय प्रखर प्रतिभा लेकर हिन्दी में आये थे। उन्होंने हिन्दी कविता को नवीन परिधान पहनाया, नयी ऊँचाइयाँ दीं – प्रयोग और प्रतीक की नयी अवधारणाएँ प्रस्तुत कीं। उन्होंने अपनी कहानियों और उपन्यासों की नयी उर्वरा भूमि तैयार की और यथार्थबोध की गगनचुम्बी अट्टालिकाएँ खड़ी कीं। उनकी किस्सागोई भी अनूठी थी। कालान्तर में अज्ञेय जी आकाशवाणी, दिल्ली और पिताजी आकाशवाणी, पटना के हिन्दी-सलाहकार बने। आकाशवाणी-सेवा के दौरान भी दोनों मित्रों का सम्पर्क बना रहा और यदा-कदा मिलना होता रहा। लेकिन यायावर कवि-कथाकार अज्ञेय को आकाशवाणी बहुत दिनों तक बाँधे न रख सकी। वे सेवा-मुक्त होकर स्वतन्त्र लेखन और देश-विदेश की यात्राएँ करते रहे। अब दीर्घकालिक विराम के साथ अज्ञेय जी से पिताजी का सम्पर्क हो पाता था, लेकिन 1974 के बिहार आन्दोलन को समर्थित साप्ताहिक पत्र *प्रजानीति* का सम्पादन-भार जब पिता ने जयप्रकाश जी के कहने पर स्वीकार

किया और दिल्ली जा बसे, तो अज्ञेय जी से पुनः मिलना होने लगा।

इंडियन एक्सप्रेस के रामनाथ गोयनका के स्वत्वाधिकार में प्रकाशित होने वाले पत्र *प्रजानीति* ने उस दौर में पूरे देश में, और खासकर बिहार में, खलबली मचा दी थी। पाठक अधीरता से *प्रजानीति* के अगले अंक की प्रतीक्षा किया करते थे। लेकिन पत्र अल्पजीवी सिद्ध हुआ और आपातकाल की घोषणा के साथ ही उसका प्रकाशन बन्द हो गया। गाँधी शान्ति प्रतिष्ठान, नयी दिल्ली से रात दो बजे जब जयप्रकाश जी को हिरासत में लिया गया, उस कठिन क्षण में भी उन्होंने गोयनका जी से कहा था– मुक्त जी का खयाल रखिएगा। गोयनका जी ने पिताजी का पूरा खयाल रखा। पत्र के बन्द हो जाने के बाद भी इंडियन एक्सप्रेस से उन्हें तनख्वाह मिलती रही। लेकिन दो महीने बिना कोई काम किए वेतन लेने के बाद पिताजी को ऐसी आय से विराग होने लगा। आदर्शवादी युग के वह ऐसे ही विलक्षण व्यक्ति थे। आज तो इस सत्य पर विश्वास करना भी कठिन है। उन्होंने अज्ञेय जी के सम्मुख अपनी पीड़ा व्यक्त की– महीने के प्रारम्भ में इंडियन एक्सप्रेस के द्वार पर पहुँचना मुझे ऐसा लगता है, जैसे मैं भिक्षा की याचना लिए वहाँ जा पहुँचा हूँ। अज्ञेय जी ने पिता की बात गम्भीरतापूर्वक सुनी, फिर बोले– गोयनका जी जैसे धनाधीश को आपकी तनख्वाह से कोई फर्क नहीं पड़ता। आप इसे अस्वीकार कर देंगे तो आपको फर्क पड़ेगा...और परदेस में आप संकट में पड़ जाएँगे। पिताजी ने अज्ञेय जी की बात मान ली, लेकिन पाँच महीनों तक वेतन उठाने के बाद पिताजी की आत्मा ने विद्रोह कर दिया। वे रामनाथ गोयनका जी के पास गये और उन्हें तथा एक्सप्रेस भवन को सदा के लिए नमस्कार कर आये।

अब दिल्ली दूभर होने लगी थी। पारिवारिक कारणों से ही स्नातक की डिग्री पाते ही मैंने एक निजी संस्थान में नौकरी शुरू की। लेकिन आय अत्यल्प थी, उससे कुछ होना-जाना नहीं था। अज्ञेय जी ने और इला जी ने दिल्ली-प्रवास के उन कठिन दिनों में जिस तरह से हमारी सहायता की और सहयोग को तत्पर बने रहे, उसे भूल पाना असम्भव है। इसी अवधि में अज्ञेय जी ने *नया प्रतीक* का सम्पादन-भार पिताजी को सौंप दिया था। नेहरू शान्ति प्रतिष्ठान, नयी दिल्ली से प्रकाशित होने वाली पुस्तक *सलेक्टेड वर्क्स ऑफ जवाहरलाल नेहरू/नेहरू वाङ्मय* के हिन्दी अनुवाद का काम पहले से ही पिता के पास था। पिताजी इन्हीं कामों में दिन-रात लगे रहते, किन्तु अज्ञेय जी के आवास पर सप्ताह में दो दिन मिल-बैठकर *नया प्रतीक* के लिए सामग्री-चयन का काम करना सुनिश्चित था। सप्ताह की इन दो मुलाकातों में पिताजी का दिन का भोजन और शाम की चाय अज्ञेय जी के यहाँ होती। दोनों मित्र दिन भर काम करते, साहित्यिक चर्चाएँ होतीं और शाम की चाय पीकर पिताजी घर लौट आते। *नया प्रतीक* के लिए गद्य रचनाओं का चयन

पिताजी करते और अज्ञेय जी काव्य-रचनाएँ स्वीकृत करते, क्योंकि पिताजी नाहक ही सही, लेकिन अक्सर कहा करते कि आजकल की नयी कविताएँ उनके पल्ले नहीं पड़तीं।

पिताजी को सूचित किए बिना मैंने अपनी एक कविता *नया प्रतीक* में प्रकाशनार्थ डाक से भेजी थी। कई दिनों बाद *प्रतीक* के अगले अंक की चयनित सामग्री लेकर जब पिताजी अज्ञेय जी के घर से लौटे, तो उन्होंने मुझे बताया था– तुम्हारी एक कविता को अज्ञेय जी ने प्रकाशन के योग्य माना है। यह सुनकर मुझे अतीव प्रसन्नता हुई थी। यथासमय वह कविता *नया प्रतीक* में प्रकाशित हुई और प्रकाशन के करीब सवा महीने बाद एक सौ पचास रुपये का चेक डाक से मेरे नाम आया था। उस चेक पर अज्ञेय जी का हस्ताक्षर था। मेरे लिए उस धनादेश की कीमत डेढ़ सौ रुपयों से बहुत अधिक थी। वह मेरे लिए धनादेश नहीं, प्रमाण-पत्र था। मैंने निश्चय किया था कि इसे कभी भुनाऊँगा नहीं, सहेजकर अपने प्रमाण-पत्रों में सुरक्षित रखूँगा, लेकिन दो महीनों के बाद ही धन की अत्यन्त आवश्यकता में मुझे अपना वह भावुकतापूर्ण हठ छोड़ना पड़ा था, जिसकी पीड़ा मुझे आज तक है।

एक दिन अज्ञेय जी ने पिताजी को फोन पर सूचित किया कि वह लक्ष्मीमल्ल सिंघवी जी के घर पर एकल काव्य-पाठ करेंगे। उन्होंने पिताजी को काव्य-पाठ में आमन्त्रित किया। पिताजी ने कहा– मैं तो उपस्थित रहूँगा ही, लेकिन आपकी कविताएँ सुनने की आतुरता और उनका आनन्द उठाने की ललक आनन्दवर्धन को अधिक होगी। पिताजी की बात सुनकर अज्ञेय जी ने मुझे भी साथ ले आने को कहा था।

सिंघवी जी के आवास पर आयोजित अज्ञेय जी के एकल काव्य-पाठ की वह शाम मेरे जीवन की अविस्मरणीय शाम थी। अज्ञेय जी की कविताएँ सुनने को वहाँ हिन्दी के दिग्गज रचनाकारों का जमावड़ा था, जिसमें रघुवीर सहाय, सर्वेश्वर दयाल सक्सेना, शमशेर बहादुर सिंह, त्रिलोचन शास्त्री, रामनाथ अवस्थी, भवानीप्रसाद मिश्र, कन्हैयालाल नन्दन सरीखे अनेक वरिष्ठ रचनाकार उपस्थित थे। लॉन में हलके नाश्ते और चाय-कॉफी का प्रबन्ध था। सब ने शाम की चाय पी और फिर एक लम्बे हाल में जा बैठे। श्रोताओं के सम्मुख अज्ञेय जी एक आसन पर विराजमान हुए और उन्होंने कविताएँ पढ़नी शुरू कीं। आरोह-अवरोह विहीन स्वर में गम्भीर अर्थवत्ता में लिपटे स्वच्छ-शिष्ट शब्दों के मोती अज्ञेय जी लुटाते रहे और सुधीजन नीरव शान्ति के साथ उनकी काव्य-सुधा का पान करते रहे। उनके काव्य-पाठ का सन्तुलित ढंग और उच्चारण की मानक शुद्धता पर श्रोताओं का मन रीझ-रीझ जाता था। विद्वज्जनों की उस सभा में मैं भी एक किनारे सकुचाया-सा

बैठा था। छोटी-बड़ी कई कविताओं के पाठ के बाद अज्ञेय जी ने 'सागर-मुद्रा' सुनानी शुरू की। एक पंक्ति की पकड़ बनाने में जितना वक्त लगता, उतने समय में कई पंक्तियाँ श्रवण-रंध्रों का स्पर्श करती निकल जातीं।

दो घण्टों तक अज्ञेय जी की अमृतमयी वाणी हवा की तरंगों पर थिरकती रही और सर्वत्र मौन छाया रहा। न आह, न वाह नीरव शान्ति। काव्य-पाठ की समाप्ति पर भी मौन ही प्रशंसा का साक्षी बना। धीरे-धीरे बातचीत के स्वर गूँजने लगे। पिताजी शमशेर जी और त्रिलोचन जी के साथ अज्ञेय जी के पास पहुँचे। उनके पीछे मैं भी था। पिताजी ने अज्ञेय जी को साधुवाद दिया– आज बड़ा आनन्द हुआ। आपके स्वर-सम्मोहन और काव्य-शक्ति में आबद्ध रहा मन और मस्तिष्क। त्रिलोचन जी ने भी प्रशंसा के कुछ शब्द कहे और अज्ञेय जी को प्रणाम निवेदित किया। विनय की प्रतिमूर्ति शमशेर जी ने बहुत अधिक झुककर प्रणाम किया, बोले कुछ नहीं। फिर तो कवियों, साहित्यकारों ने अज्ञेय जी को घेर लिया और उन्हें साधुवाद देने लगे। धीरे-धीरे लोग टोलियों में बँट गये और बातचीत के शोर से पूरा हाल गूँजने लगा।

सिंघवी जी के घर से अतिथि विदा होने लगे थे। भीड़-भाड़ कम हुई तो अज्ञेय जी ने पिताजी से कहा– आप मेरे साथ घर चले चलिए, वहाँ से ड्राइवर आपको मॉडल टाउन छोड़ आएगा। पिताजी ने प्रत्युत्तर में कहा– शमशेर और त्रिलोचन जी भी तो मॉडल टाउन ही जाएँगे, मैं उन्हीं के साथ चला जाऊँगा। अज्ञेय जी बोले– उन्हें भी अपने साथ ले लीजिए, कार में तो हम सभी आ जाएँगे। तभी मैंने हस्तक्षेप किया...आपने अपनी कविता-पुस्तकों का सेट, मेरे लिए निकाल रखा है, आज अगर वह भी मिल जाए तो साथ चलना बहुत सार्थक होगा, क्योंकि उन्हें मुझे बस में ढोना नहीं पड़ेगा। पुस्तकें कार से ही घर तक पहुँच जाएँगी। अज्ञेय जी मुस्कुराए और बोले– हाँ, पुस्तकें तो निकाल ली हैं, बस उन्हें बाँधना है, चलिए आज वह काम भी हो जाए। बहरहाल, अज्ञेय जी ड्राइविंग सीट पर और उनकी बगल में पिताजी बैठे, पिछली सीट पर शमशेर जी और त्रिलोचन जी के साथ मैं बैठ गया। गाड़ी सिंघवी जी के घर से बाहर निकली और हौज-खास की ओर चल पड़ी। बातचीत के बीच अज्ञेय जी गम्भीरता पूर्वक बोले– लगता है, सागर मुद्रा कई लोगों के ऊपर से निकल गयी। पिताजी हँस पड़े और बोले– ऊपर से नहीं, सिर के ऊपर से। पिताजी के कथन को शमशेर जी और त्रिलोचन जी का समर्थन मिला और कार में सबों की हँसी गूँजने लगी।

अज्ञेय जी ने घर पहुँचकर *बावरा अहेरी* से *अरे यायावर रहेगा याद* तक की अपनी समस्त पुस्तकों का एक सेट मेरे सामने रखा और उन्हें बाँधने के लिए रस्सी की तलाश करने लगे। थोड़ी देर बाद वह मूँज की रस्सी लेकर आये और मेरे आग्रह

करने पर भी स्वयं ही बड़े करीने से पुस्तक के आठों किनारों पर दफ्ती के छोटे-छोटे टुकड़े लगाकर उन्हें बाँधा, फिर मेरे हवाले किया। मैंने श्रद्धापूर्वक पुस्तकों के बण्डल को सिर-माथे से लगाकर अपनी कृतज्ञता व्यक्त की।

एक बार मैंने अज्ञेय जी से पूछा था– आप मुझे आप क्यों कहते हैं। मैं तो आपके लिए बच्चे जैसा हूँ। उन्होंने पूरी सहजता से कहा था– सच तो यह है कि मैं सबों को आप ही कहता हूँ। मेरे पिताजी ने हम सभी भाई-बहनों को ऐसी ही शिक्षा दी है। अब तो ऐसा अभ्यास हो गया है कि किसी के लिए भी तुम सम्बोधन निकलता ही नहीं। आप इसे अन्यथा न लें।

सदा धीर-गम्भीर और सजग रहने वाले महाकवि अज्ञेय के सम्बन्ध में सामान्यतया यह धारणा बद्धमूल है कि वह अत्यधिक आत्मगोपन की प्रवृत्ति के कारण सहज नहीं थे। विशाल पर्वत की तरह अटल रहने वाली उनकी गम्भीरता किसी को भी निकट आने से रोकती थी। लेकिन इस धारणा के विपरीत मैंने उन्हें बहुत सरल, सहज और उन्मुक्त हँसी हँसते हुए देखा है। अज्ञेय जी के सम्बन्ध में ऐसी धारणाओं को भ्रान्त सिद्ध करने के लिए मेरे पास एक नहीं, अनेक उदाहरण हैं। उनमें से दो का जिक्र मैं यहाँ करना चाहूँगा।

1968 में मेरी माता के निधन के बाद मेरी बड़ी बहन ने घर की रसोई सँभाली। 1973 में बड़ी बहन के विवाह के बाद यह दायित्व मेरे अनुज के कन्धों पर आ पड़ा। वर्षों तक रंधन-कर्म करते हुए वह सिद्ध पाकशास्त्री बन गये थे। अज्ञेय जी के यहाँ भोजन करते हुए पिताजी अक्सर मुग्ध-भाव से मेरे अनुज की पाक-कला की प्रशंसा किया करते थे। एक दिन अज्ञेय जी ने पिताजी से कहा– लगता है, किसी दिन आपके कनिष्ठ पुत्र के हाथ का बनाया भोजन करना ही पड़ेगा। योजना बनाकर वह इला जी के साथ हमारे घर पधारे। मेरे अनुज ने दिन के सामान्य भोजन की व्यवस्था की थी।

लेकिन हुआ कुछ ऐसा कि जैसे ही अज्ञेय जी ने इला जी के साथ मेरे घर में प्रवेश किया, मानसिक रूप से अविकसित मेरी छोटी बहन महिमा अचानक प्रकट हुई और अज्ञेय जी का हाथ पकड़कर बाबूजी-बाबूजी कहती हुई उन्हें बलात् अपने कक्ष में ले गयी। उसने अज्ञेय जी से अपने अस्त-व्यस्त बिस्तर पर बैठने का आग्रह किया, जिस पर कंकड़-पत्थर और धूल पड़ी रहती थी। साफ-सुथरी वेश-भूषा वाले अज्ञेय जी ने एक क्षण का भी विलम्ब नहीं किया, तत्काल उस गँदले बिस्तर पर बैठ गये। मेरी उस छोटी बहन की मति-गति विचित्र थी। उसके पास शब्दों की पूँजी बहुत थोड़ी थी। वह घर-बाहर से नंगे पाँव दौड़ लगाती आती और अपने बिस्तर पर बैठ जाती। बाहर से चुनकर लाए कंकड़ों से खेलना उसे प्रिय था। जब

अज्ञेय जी उसके बिस्तर पर बैठ गये तो, वह उन्हीं कंकड़ों से खेलने का उनसे आग्रह करने लगी। अज्ञेय जी की असुविधा का खयाल करके मैंने हस्तक्षेप करने की चेष्टा की तो इशारे से उन्होंने मुझे रोक दिया और महिमा के साथ कंकड़ों का विचित्र खेल खेलने लगे। प्रसन्नता से भरकर मेरी बहन किलकारियाँ भरती और अज्ञेय जी उसके साथ बच्चों की तरह उन्मुक्त हँसी हँसते। विराट व्यक्तित्व के धनी अज्ञेय जी उस दिन सचमुच छोटे-से बालक बन गये थे। आज न अज्ञेय जी हैं और न मेरी छोटी बहन, लेकिन उन दोनों की वह उन्मुक्त हँसी, बाल-सुलभ चेष्टाएँ जब भी याद आती हैं, मन में एक टीस-सी उभरती है।

तब दिल्ली के उस किराए के घर में हमारे पास सीमित साधन थे। भोजन के लिए डायनिंग टेबल और कुर्सियाँ नहीं थीं। जमीन पर चटाई बिछाकर हम सबों ने अज्ञेय जी, इला जी के साथ भोजन किया। घर से विदा होते वक्त अज्ञेय जी ने पिताजी से कहा था– बहुत दिनों के बाद वैष्णवी मुद्रा में बैठकर किया गया भोजन सचमुच बहुत तृप्तिदायक था। पिताजी और हम सभी उनकी इस प्रतिक्रिया से अत्यन्त प्रसन्न थे।...

अज्ञेय जी की उन्मुक्त हँसी के एक अन्य रोचक प्रसंग का उल्लेख करना चाहता हूँ। एक दिन पिता जी के साथ मैं सपरिवार अज्ञेय जी के निवास पर शाम के वक्त पहुँचा। हमारे साथ मेरी भाँजी शालिनी भी थी। तब वह तीन-चार वर्ष की बहुत सारी और बहुत प्यारी बातें करनेवाली बिटिया थी। जब हमने अज्ञेय जी के घर में प्रवेश किया, उसके ठीक पहले वह किसी सभा से लौटकर आये थे। टेबल पर ढेर सारी फूल-मालाएँ रखी हुई थीं। हमलोग ड्राइंगरूम में बैठ गये और हमेशा की तरह पिता जी-अज्ञेय जी की वार्ता शुरू हो गयी। इला जी चाय का प्रबन्ध करने में व्यस्त हो गयीं। थोड़ी ही देर बाद हम सबों का ध्यान शालिनी की अनुपस्थिति की ओर गया। सबसे पहले मेरी श्रीमती जी उठीं और उसे खोजने-पुकारने लगीं। फिर मैं उठा... और फिर तो अज्ञेय जी-पिता जी, इला जी सभी कमरे-कमरे उसे ढूँढने लगे और पुकार का कोई प्रत्युत्तर न मिलने से व्यग्र होने लगे। थोड़ी देर बाद अचानक अज्ञेय जी का स्वर सुनाई पड़ा– 'देखिये, शालिनी तो यहाँ है!' उनके स्वर का संधान करते हुए हम सभी उसी दिशा में बढ़े।

शालिनी अध्ययन कक्ष से बाहर खुलनेवाली बालकनी में फर्श पर बैठी थी और मनोयोगपूर्वक मालाओं से किसी एक आकृति का निर्माण करने में व्यस्त थी। अज्ञेय जी ने उससे स्नेह से पूछा– 'आप यह क्या बना रही हैं?' शालिनी ने कहा– 'मैं मन्दिर बना रही हूँ।' अज्ञेय जी ने फिर पूछा–' यह कैसा मन्दिर है?' शालिनी ने तत्काल उत्तर दिया– 'इतना भी नहीं समझते क्या, यह लेटा हुआ मन्दिर है भई!' उसके इस उत्तर से सभी हँस पड़े। अज्ञेय जी तो शालिनी के वाक्य का प्रथमांश 'इतना भी नहीं समझते क्या' उद्धृत कर बार-बार हँस पड़ते थे। उनकी इस उन्मुक्त हँसी में हम सभी सम्मिलित हो

गये थे।...

कालान्तर में अज्ञेय जी दैनिक *नवभारत टाइम्स* के प्रधान सम्पादक बने और उन्हीं के आग्रह पर सप्ताह में दो कॉलम उस पत्र के लिए पिताजी लिखने लगे। लिहाजा, सप्ताह में दो दिन *नवभारत टाइम्स* के दफ्तर में मेरा जाना तय हो गया था। पिताजी का आलेख पहुँचाने के अलावा *नया प्रतीक* के काम से भी वहाँ जाना होता था। उन दिनों मैं राजकमल प्रकाशन के सम्पादकीय विभाग से सम्बद्ध था। कभी-कभी अपने दफ्तर से फोन करके अज्ञेय जी मुझे राजकमल से बुला लेते और आवश्यक निर्देश देते हुए *प्रतीक* की सामग्री, प्रूफ आदि का पैकेट पिताजी को देने के लिए दे देते।

अब सप्ताह में दो-तीन बार अज्ञेय जी से मेरा मिलना होने लगा। अज्ञेय जी स्वभावतः अल्पभाषी थे और मैं अतिभाषी। वह मेरे बहुत सारे प्रश्नों का अत्यन्त संक्षिप्त, किन्तु सटीक उत्तर छोटे-छोटे वाक्यों में देते। जब भी मैं उनके दफ्तर में प्रवेश करता और उनके चरणों के स्पर्श को आगे बढ़ता, वह सावधान और संकुचित हो उठते तथा बस-बस कहते हुए नमस्कार की मुद्रा में खड़े हो जाते थे।

एक दिन जब मैं उनके पास पहुँचा, तो मैंने देखा कि वह बड़े मनोयोग से अपने चश्मे के शीशे के एक भाग को बहुत छोटी-सी रेती से घिस रहे हैं। मैंने पूछा– आप यह क्या कर रहे हैं? उन्होंने कहा– आज सुबह मुँह धोने के लिए बेसिन पर गया तो ध्यान ही न रहा कि चश्मा उतारा नहीं है। जल का छींटा मुँह पर मारा ही था कि चश्मा नीचे गिर पड़ा। गनीमत हुई वह बेसिन में ही गिरा, नीचे नहीं। फिर भी इसके एक कोने में खराश पड़ गयी है। उसे ही रेती से घिसकर ठीक करने की चेष्टा कर रहा हूँ। अज्ञेय जी के पास छोटे-बड़े औजारों का अनूठा संग्रह था। वह कार, कलम, घड़ी, कैमरा, चश्मा आदि जरूरत की कई चीजें स्वयं सुधार लेते थे और न जाने किस कौशल से इसके लिए समय भी निकाल लेते थे।

अज्ञेय जी को उनकी कविता-पुस्तक *कितनी नावों में कितनी बार* पर ज्ञानपीठ पुरस्कार मिला। इस पुरस्कार की घोषणा के बाद जब मैं उनसे पहली बार मिला, मैंने पुस्तक की एक हस्ताक्षरित प्रति देने का अनुरोध किया। उन्होंने बताया कि पुस्तक बहुत दिनों से आउट ऑफ प्रिंट है, फिर भी वह अपनी लाइब्रेरी में देखेंगे और यदि एक प्रति भी मिल गयी, तो मुझे अवश्य देंगे। उसके बाद करीब पन्द्रह-बीस दिन गुजर गये, इस अवधि में भी उनसे कई बार मिलना हुआ, लेकिन मैंने संकोचवश पुस्तक की कोई चर्चा नहीं की। मेरे मन में उथल-पुथल मची रही और मैं सोचता ही रहा कि देखूँ, अज्ञेय जी अपना वादा कब पूरा करते हैं। लेकिन एक सप्ताह और गुजर गया और उन्होंने पुस्तक का कोई जिक्र न किया। मुझे विश्वास

होने लगा कि उन्हें मेरे आग्रह का पूरी तरह विस्मरण हो गया है।

अगली मुलाकात में मैंने पूछा— मेरी पुस्तक का क्या हुआ? वह जैसे चौंक पड़े हों, बोले— लीजिए, मैं तो बार-बार भूलता ही रहा और आपने भी याद नहीं दिलाई। पुस्तक की प्रति तो मैं दूसरे दिन ही ले आया था। आप आज भी स्मरण न दिलाते तो पुस्तक यहीं पड़ी रहती। इतना कहकर उन्होंने दराज से *कितनी नावों में कितनी बार* की एक पुरानी प्रति निकाली और मेरी ओर बढ़ा दी। मैंने उसे उलट-पुलटकर देखने के बाद कहा— इस पर कुछ लिखकर हस्ताक्षर कर दीजिए। उन्होंने पूछा— क्या लिखूँ? मैंने कहा— आशीर्वाद। पुस्तक की जिल्द के बाद वाले पृष्ठ पर उन्होंने लिखा— प्रिय आनन्दवर्धन को—सप्रीत, अज्ञेय। अपने हस्ताक्षर के नीचे तिथि लिखते ही वह ठहर गये और मुझसे पूछा— आप कहें तो यहाँ वह तिथि डाल दूँ, जिस तिथि को पुरस्कार की घोषणा हुई थी। मैंने स्वीकृति में सिर हिलाया और उन्होंने तिथि में सुधार कर पुरस्कार की घोषणा वाली तिथि लिख दी और प्रति मेरी ओर बढ़ा दी। अज्ञेय जी की वह अनमोल भेंट मेरे संग्रह की शोभा आज भी बढ़ा रही है।

बहरहाल, अज्ञेय जी के दफ्तर में मेरा आवागमन इतना बढ़ गया था कि उनके निजी सचिव से लेकर दफ्तर का पूरा स्टाफ मुझे पहचानने लगा था। उनके चेम्बर के ठीक सामने एक विशाल हाल में सारा दफ्तर कुर्सी-टेबलों पर विराजमान रहता। अज्ञेय जी से मिलकर लौटते हुए हमेशा एक विचित्र स्थिति उत्पन्न हो जाती थी, जिससे मुझे बहुत संकोच होता था। मैं जैसे ही उनके चरण छूता, वह उठकर खड़े हो जाते और मुझसे आगे बढ़कर अपने चेम्बर का द्वार खोल देते और मुझसे कहते— चलें। मेरे बार-बार कहने पर भी वह दफ्तर के बीच से होते हुए नीचे की ओर जाने वाली सीढ़ियों तक मुझे छोड़ने चले आते, जैसे मैं कोई किशोर अबोध बालक हूँ और वह सीढ़ियों तक न आएँगे तो मैं राह भटक जाऊँगा। उनकी ऐसी प्रीति, ऐसा स्नेह और सौजन्य देख मैं मन-ही-मन पुलकित होता, लेकिन साथ ही संकुचित भी हो उठता, क्योंकि अज्ञेय जी को अपने चेम्बर से अचानक बाहर निकल आया देख पूरा दफ्तर घबराकर उठ खड़ा होता। अज्ञेय जी निर्विकार भाव से मुझसे बातें करते सीढ़ियों तक चले आते। मैं वहीं उन्हें पुनः प्रणाम करता और सीढ़ियाँ उतर जाता, लेकिन होता हर बार यही था।

राजकमल की सेवा के दौरान 1978 में मेरा विवाह हुआ था। वधू-स्वागत के दिन शाम को मेरे मॉडल टाउन स्थित आवास की छत पर कनात और शामियाना लगा था। वधू-स्वागत का वह समारोह इसलिए भी अनूठा था कि उसमें भारत-प्रसिद्ध साहित्यकार पधारे थे— वियोगी हरि, जैनेन्द्र, त्रिलोचन शास्त्री, शमशेर बहादुर

सिंह, आनंद विद्यालंकार, अजित कुमार, शीला संधू, विष्णु प्रभाकर, मार्तण्ड उपाध्याय, गिरिजा कुमार माथुर और अज्ञेय जी। उस अवसर पर लिया गया अज्ञेय जी का चित्र मेरे संग्रह में आज भी सुरक्षित है। जब मैंने अपनी नवोढा पत्नी के साथ अज्ञेय जी के चरण हुए, उन्होंने धीरे से कहा– मैं कुछ निश्चित नहीं कर सका कि आपके लिए क्या ले आऊँ। ठीक चलते वक्त यही आपके लिए उठा लाया हूँ। यह कहकर उन्होंने एक पैकेट मेरी ओर बढ़ा दिया। समारोह के बाद मैंने उस पैकेट को खोलकर देखा, उसमें उनकी कविताओं का संग्रह था– चुनी हुई कविताएँ। वधू-स्वागत की वह शाम बूँद-बूँद कर रात में ढलने लगी और मुझे ऐसा लगता रहा कि हिन्दी साहित्याकाश के उज्ज्वल सितारों के साथ मैं अपनी नयी-नयी जीवनसंगिनी के पार्श्व में खड़ा मुग्ध भाव से विचर रहा हूँ। सच कहूँ, वह शाम मेरे जीवन की अविस्मरणीय शाम थी– अविश्वसनीय शाम।

मेरी पत्नी बुन्देलखंड की हैं – झाँसी से सौ किलोमीटर दूर नौगांव छावनी, म. प्र. की। अपने माता-पिता के यहाँ जाने के लिए उन्हें हमेशा निजामुद्दीन रेलवे स्टेशन से सुबह साढ़े पाँच बजे झाँसी के लिए ट्रेन लेनी पड़ती थी। मॉडल टाउन से निजामुद्दीन की दूरी इतनी ज्यादा थी कि ट्रेन पकड़ने के लिए सुबह चार बजे ही घर से निकलना पड़ता था। कई बार ऐसा भी हुआ कि अलस्सुबह कोई सवारी न मिलने के कारण निजामुद्दीन पहुँचने में विलम्ब हो गया और ट्रेन नहीं, हम छूट गये। एक बार इस असुविधा की चर्चा पिताजी ने अज्ञेय जी से की तो उन्होंने पिताजी से आग्रहपूर्वक कहा था– आप आनन्द जी से कहें कि यात्रा की पूर्व सन्ध्या में वह मेरे घर आ जाएँ, यहाँ से निजामुद्दीन रेलवे स्टेशन तो पैदल का रास्ता है। उनकी इस सलाह पर हम जो एक बार अज्ञेय जी के हौज खास वाले निवास पर गये, तो प्रायः डेढ़-दो वर्षों तक वही क्रम चलता रहा। देर शाम तक अज्ञेय जी के घर पहुँचना, वहीं रात्रि-विश्राम करके सुबह-सुबह झाँसी के लिए प्रस्थान करना। हर बार अज्ञेय जी हमें छोड़ने स्टेशन तक कार से चले आते, इला जी भी साथ होतीं। शुरू-शुरू में एक-दो बार यह कहने पर कि आप कष्ट क्यों करते हैं, हम चले जाएँगे, वह सहजता से कहते – चलिए, मैं भी चलता हूँ। मेरी सुबह की सैर हो जाएगी। उनके इस उत्तर से हम निरुपाय हो जाते।

अज्ञेय जी जिनके लिए सहज थे, बहुत सहज थे। जिनके लिए दुरूह थे, बहुत दुरूह थे। जिनके लिए अज्ञेय जी सहज थे, उनका चयन वह बड़ी सावधानी से करते थे। ऐसे सहज सम्बन्धों वाले लोगों की संख्या अज्ञेय जी के दीर्घ जीवन में कम ही थी। पिताजी उन बहुत थोड़े लोगों में एक थे, यह मैं अपने अनुभव से जानता हूँ। उनका जो स्नेह मुझे प्राप्त था, वह तो पिताजी की अनन्य मित्रता का प्रतिफल था, लेकिन प्रायः छह-सात वर्षों तक उनके बहुत निकट रहते-रहते और

मेरी परख करते-करते अज्ञेय जी ने मुझे भी पूरी हार्दिकता से स्वीकार कर लिया था, इतना कहने में मुझे संकोच नहीं है। उनकी सहज भुलाये नहीं भूलती।...

अज्ञेय जी को मैंने अप्रतिम अकारण नहीं कहा है। अज्ञेय निस्सन्देह अप्रतिम थे। उनके जैसी मैंने दूसरी शख़्सियत नहीं देखी। मैंने कभी उन्हें क्रोध करते, झुँझलाते या आवेश में नहीं देखा। अप्रिय प्रसंगों को भी वह अपनी चुप्पी, गम्भीरता और अपनी अप्रतिम तेजस्विता से परे धकेल देते थे। उनका सामान्य सम्भाषण भी सधा हुआ और आरोह-अवरोह-विहीन किन्तु यथातथ्य होता था। इच्छा होती थी कि उनका बोलना और हमारा सुनना कभी खत्म न हो। लेकिन सच है, वह बहुत कम बोलते थे। अनावश्यक बोलना उन्हें प्रिय नहीं था। राजेन्द्र प्रसाद व्याख्यानमाला के तीन सत्रों में मैंने उनका व्याख्यान सुना है – वह भाषण नहीं करते थे, सारगर्भित व्याख्यान देते थे। शिष्ट शब्दों में तथ्यों को ऐसा सजाकर श्रोताओं के सम्मुख रखते थे कि विषय का पुंखानुपुंख ज्ञान हो जाता था।

एक बार वह अच्छे मूड में दिखे तो मैंने उनसे कहा– आपकी अमुक-अमुक कविताएँ मैंने पढ़ी हैं। वे इतनी अच्छी हैं कि मुझे लगता है कि मैं जीवन भर अपनी कलम घसीटता रहूँ तो वृद्धावस्था तक ऐसी एक कविता भी नहीं लिख सकूँगा। वह दूसरों को बोलने का पूरा मौका देते, जिन्हें देना चाहते थे। लेकिन जब उनके उत्तर की बारी आती थी तो एक वाक्य की अर्धाली भी मुश्किल से कहते थे। उन्होंने मेरी बात चुपचाप सुन ली, मीठा मुस्कुराए, फिर बोले– ऐसा क्यों सोचते हैं आप...? अब आगे कहने को क्या था?

अज्ञेय जी निरभिमानी व्यक्ति थे, लेकिन स्वाभिमान उनमें प्रचुर मात्रा में था। हिन्दी साहित्य सम्मेलन का एक वाकया याद आता है। सम्मेलन के महामन्त्री प्रख्यात साहित्यकार और पिताजी के मित्र थे। उन्होंने सम्मान समारोह का आयोजन किया था। अन्य साहित्यकारों के साथ वह अज्ञेय जी को भी सम्मानित करना चाहते थे। उनके सम्मुख संकट यह था कि अज्ञेय जी की ऐसे आयोजनों में बिलकुल रुचि नहीं थी। अज्ञेय जी हिन्दी के इन अखाड़ों से दूर ही रहते थे। उनकी मान्यता थी कि हिन्दी की दुकानें सजाने से हिन्दी का भला नहीं होने वाला है, हिन्दी में ईमानदारी से निष्ठापूर्वक काम करने की जरूरत है। सबको मालूम था कि अज्ञेय जी न तो ऐसे समारोहों में शिरकत करते हैं और न ऐसे आयोजनों को तरजीह देते हैं। बहरहाल, महामन्त्री महोदय पिताजी के पास आये। वह जानते थे कि पिताजी और अज्ञेय जी अत्यन्त घनिष्ठ मित्र हैं और अगर पिताजी जोर डालेंगे तो उनकी बात अज्ञेय जी उठा न सकेंगे। लम्बी भूमिका के साथ मन्त्री महोदय की बात पिताजी ने सुनी, फिर कहा– आपका निवेदन मैं अज्ञेय जी तक पहुँचा दूँगा।

स्वीकृति-अस्वीकृति तो उन्हीं पर निर्भर है। जैसा वह कहेंगे, फोन पर आपको सूचित करूँगा।

अज्ञेय जी से अगली मुलाकात में पिताजी ने सारी बात उनके सामने रखी। अज्ञेय जी मुस्कुराए, फिर गम्भीर होकर बोले– आपके द्वारा निमन्त्रण भेजकर उन्होंने मेरी मुश्किल बढ़ा दी है। सम्मेलन वाले मेरा सम्मान करना चाहते हैं, उनकी मर्जी, लेकिन आप उनसे साफ-साफ कह दें कि मैं सम्मान के लिए नहीं, आपके दिए आमन्त्रण की वजह से वहाँ जाऊँगा। अग्रिम पंक्ति में नहीं, जहाँ इच्छा होगी बैठूँगा और मंच से तो हरगिज कुछ बोलूँगा नहीं। यदि उन्हें मेरी शर्त मंजूर हो तो कहें, मैं आपके साथ हाजिर हो जाऊँगा।

पिताजी ने मन्त्री महोदय को फोन पर अज्ञेय जी की शर्तें और सारी बातें विस्तार से बता दीं। उन्हें शर्तें मंजूर थीं। यथासमय वह समारोह हुआ। अज्ञेय जी पिताजी के साथ वहाँ पहुँचे और विशाल हाल में पिछली पंक्ति में कहीं बैठ गये। वह एक बड़ा और भव्य आयोजन था, जिसमें हिन्दी के कई मनीषियों को सम्मानित किया जाना था। सबों का तो स्मरण नहीं रहा, लेकिन अज्ञेय जी के अलावा पण्डित किशोरीदास वाजपेयी जी भी समारोह में सम्मानित होने के लिए उपस्थित थे। कार्यक्रम का शुभारम्भ हुआ।

हिन्दी-मनीषियों के सम्मान के बाद अचानक उद्घोषक ने मंच से अज्ञेय जी को दो शब्द कहने के लिए आमन्त्रित किया। इस अप्रत्याशित पुकार से अज्ञेय जी अचकचाये और पिताजी की ओर वक्र दृष्टि डालते हुए और धीर-गम्भीर पदाघात करते हुए मंच पर पहुँचे। माइक पर उन्होंने जो पहला वाक्य कहा, वहीं से श्रोताओं के आनन्द का ठिकाना न रहा। उनका पहला वाक्य था – हिन्दी साहित्य सम्मेलन से मेरा उतना ही नाता है, जितना हिन्दी साहित्य सम्मेलन का हिन्दी से।...फिर तो अज्ञेय जी ने ऐसी फुलझड़ियाँ छोड़ीं, ऐसे कटाक्ष किए और ऐसा तीखा व्यंग्य किया कि सम्पूर्ण दर्शक समूह ठहाके लगाता और तालियाँ पीटता रहा। आयोजकों का तो बुरा हाल था, उन्हें काटो तो खून नहीं। पिताजी जब अज्ञेय जी के साथ कार से लौट रहे थे तो पिताजी ने कहा था– मुझे मालूम नहीं था कि वे शर्तें मानकर भी ऐसा व्यवहार करेंगे। अज्ञेय जी ने हमेशा की तरह संक्षिप्त उत्तर दिया– लेकिन मुझे मालूम था। पिताजी हँस पड़े और बोले– लेकिन आपने भी आज उनकी खूब खबर ली।

राजकमल से अज्ञेय जी के सम्बन्ध मधुर नहीं थे। उन्होंने अपनी पुस्तक भी वहाँ से हटा ली थी। उनका वहाँ आना-जाना भी बहुत दिनों से नहीं हुआ था। राजकमल प्रकाशन का मुख्य द्वार शीशे का था और प्रबन्ध निदेशिका का कक्ष भी लकड़ी की सुन्दर नक्काशीदार जाली का था, जिससे पूरा दफ्तर और दरियागंज की

मुख्य सड़क दीखती थी। शीला जी के कक्ष के ठीक बाहर एक बड़ी-सी मेज पर मैं काम करता था। दफ्तर के अधिकांश कर्मचारी इसी बड़े-से हाल में बैठते थे। एक दिन मैं अपनी सीट पर बैठा किसी पाण्डुलिपि से आँखें फोड़ रहा था कि कानों में बहुत धीमी आवाज पड़ी– अज्ञेय जी हैं शायद। मैंने तत्काल सड़क की ओर देखा। मेरी दृष्टि एक सफेद अम्बेसेडर कार पर पड़ी, जो राजकमल के द्वार पर आ खड़ी हुई थी। मैं उधर से दृष्टि हटा पाता, इससे पहले देखा– कार का पिछला दरवाजा खुला और उससे उतरे अज्ञेय। वे संयत भाव आगे बढ़े। उन्होंने शीशे का द्वार खोला और राजकमल में प्रविष्ट हुए। मैंने सोचा, वे शीला जी से मिलने आये हैं, लेकिन मेरे सहकर्मियों के चेहरे पर विस्मय के भाव थे। कुछ समझ सकूँ या सँभल पाऊँ अथवा अपनी कुर्सी से उठकर अज्ञेय जी की अगवानी के लिए आगे बढ़ पाऊँ, वे तो ठीक मेरी मेज के सामने आ खड़े हुए। मैं घबराकर कुर्सी से उठा और आगे बढ़कर उनके चरण छुए। वहीं खड़े-खड़े उन्होंने मुझसे कहा– मुझे आपका दो मिनट का वक्त चाहिए। क्या आप व्यस्त हैं? मेरे इनकार करने पर उन्होंने फिर पूछा– आप मेरी कार तक साथ चल सकेंगे? मैंने हामी भरी। दफ्तर स्तब्ध खड़ा था और आश्चर्य से अज्ञेय जी को और मुझे देख रहा था। मैं पुलकित भाव से उनके साथ राजकमल से बाहर निकला। कार के पास पहुँचकर अज्ञेय जी ने प्रूफ और रचनाओं का एक पुलिन्दा निकाला और मेरी ओर बढ़ाते हुए बोले– इसे मुक्त जी को दे दीजिएगा। मैं इधर से गुजर रहा था, इसलिए सोचा आपको देता चलूँ, अन्यथा शाम को आपको बुलाना पड़ता और घर पहुँचने में आपको आज भी विलम्ब हो जाता।

मुझे कागजों का पुलिन्दा देकर अज्ञेय जी तो चले गये, लेकिन मैं उनकी सज्जनता, सद्‌भाव और महत्ता को नतग्रीव हो नमन करता रहा। ठीकरे को भी महत्त्व देना कोई अज्ञेय जी से सीखता।...

1982 में मैंने नौकरी-जैसे प्रतिभानाशी व्यापार से सदा के लिए छुट्टी पायी और पटना चला आया। पिताजी तो एक वर्ष पहले ही पटना आ गये थे। अब दूरियाँ बढ़ गयी थीं और अज्ञेय जी से प्रायः प्रतिदिन का सम्पर्क छूट गया था। लेकिन बाद के वर्षों में भी वह जब कभी पटना आये, पिताजी से मिलने घर पधारे। वत्सल निधि की ओर से आयोजित जानकी-जीवन यात्रा के दौरान भी वे इला जी के साथ पटना आये थे और दिन भर पिताजी के साथ रहे थे।...लेकिन पटना लौट आने के बाद की कथा शुरू करूँ, उसके पहले एक अवान्तर कथा भी कह लूँ...।

दिल्ली-प्रवास के दौरान ही मेरे ससुराल पक्ष के लोगों का परिचय अज्ञेय जी और इला जी से हुआ था। मेरे ससुर पूज्य आर.आर. अवस्थी की प्रथम कन्या मेरी भार्या बनीं। वे कभी अपने पिता के साथ, कभी अपनी बहनों के साथ मायके जाया

करती थीं। जैसा पहले ही उल्लेख कर चुका हूँ, म.प्र. की यात्रा के लिए रात्रि-विश्राम अज्ञेय जी के घर होता था और सुबह-सबेरे हजरत निजामुद्दीन स्टेशन पर मैं अपनी गृह-लक्ष्मी को उनके परिवार-जनों के साथ झाँसी के लिए विदा कर आता, इला जी-अज्ञेय जी अनिवार्य रूप से साथ होते। ऐसे ही एक मौके पर हमारे साथ सामान कुछ ज्यादा था, अज्ञेय जी ने एक बैग स्वयं उठा लिया। मेरी श्रीमती जी और कानून की नजर में मेरी बहन अर्चना जी परेशान होने लगीं और कहने लगीं— आप बैग छोड़ दें, हम कुली ले लेते हैं। अज्ञेय जी ने शान्त स्वर में कहा— कुली भी इसे उठाएगा ही। फिर ये तो भारी भी नहीं है। हम निरुत्तर हो गये।...

मेरे ससुर जी इंटर कॉलेज के प्राचार्य थे। कार्यालयीय व्यस्तताओं के कारण वे प्रायः अपनी द्वितीय कन्या अर्चना अवस्थी अथवा तृतीय कन्या वन्दना अवस्थी को दिल्ली भेज देते, मेरी श्रीमती जी को विदा करा ले जाने के लिए। इला जी और अज्ञेय जी उन्हें भी यथेष्ट स्नेह देते और रात का भोजन आग्रहपूर्वक कराते। इला जी एक-से-एक व्यंजन बनवातीं और उन्हें बनाने का विधि-विधान मेरी पत्नी को समझातीं। एक रात उन्होंने एक सम्पूर्ण फूलगोभी छुरी-काँटे के साथ टेबल पर रखी। मेरी श्रीमती ने आश्चर्य से पूछा— यह पूरी फूलगोभी क्या बनी हुई सब्जी है? इला जी ने बताया कि इसे किस तरह वाष्प से पकाया गया है और इसे स्वादिष्ट बनाने के लिए क्या-कुछ ऊपर से डाला-छिड़का गया है। इस वार्तालाप में अज्ञेय जी की टिप्पणियाँ अलग महत्त्व की थीं। छुरी से काटकर सबों ने उसी गोभी की सब्जी के साथ रोटियाँ खायी थीं। उस सब्जी के स्वाद के क्या कहने। अज्ञेय जी की वह पसन्द की सब्जी थी और उसे बनाने का विधि-विधान भी उन्हीं का निर्धारित किया हुआ था।

कुछ मुलाकातों में ही अर्चना जी ने अज्ञेय जी इला जी की प्रीति और उनका स्नेह प्राप्त कर लिया था। तब अर्चना जी ने स्नातकोत्तर की परीक्षा पास की थी और अनुबन्ध पर आकाशवाणी, छतरपुर, म.प्र. से सम्बद्ध थीं। एक दिन अकस्मात्, अज्ञेय जी ने इला जी की उपस्थिति में पिताजी के सम्मुख अर्चना के विवाह के लिए अपने भतीजे का प्रस्ताव रखा। इस प्रस्ताव से सभी प्रसन्न-मन हुए। अज्ञेय जी के भ्रातृज गोरे-चिट्टे सुदर्शन युवा थे। पिताजी ने अवस्थी जी को इस प्रस्ताव की सूचना दी और लिखा कि बिटिया के साथ शीघ्र ही दिल्ली आ जाएँ। अवस्थी जी अर्चना जी के साथ दिल्ली आये। लड़की दिखाने और लड़के को देखने तथा वार्ताओं का दौर चला। फिर अवस्थी जी घर-परिवार की सहमति की बात कहकर अर्चना जी के साथ वापस लौट गये।...अपरिहार्य कारणों से वह सम्बन्ध हो न सका। पिताजी को इसका थोड़ा मलाल जरूर रहा, लेकिन अज्ञेय जी से हमारे सम्बन्धों में कोई अन्तर न पड़ा। सच है, दैव-योग न हो तो सम्बन्ध नहीं हो पाते।

वह सम्बन्ध-सेतु बनते-बनते रह गया...हमने यही मानकर सन्तोष कर लिया कि यह होना नहीं था।...

दिल्ली की तेज रफ्तार और तीखी धूप-भरी जिन्दगी से निकलकर हम सपरिवार पटना लौट आये थे। सम्भवतः 1986 के अन्तिम दिनों की बात है। एक दिन पिताजी के नाम दिल्ली से एक रजिस्टर्ड पैकेट पटना आया। उसमें अज्ञेय जी की सद्यःप्रकाशित पुस्तक *स्मृति-लेखा* की एक प्रति थी। पुस्तक के पहले सादे पृष्ठ पर अज्ञेय जी ने कलम से लिखा था...त्वदीयं वस्तु गोविन्द—अज्ञेय। और दूसरे पृष्ठ पर मुद्रित पंक्ति थी – परम प्रिय मित्र पं. प्रफुल्लचन्द्र ओझा मुक्त को, जो जब-तब मुझे भी मेरी याद दिलाते रहे हैं – अज्ञेय। अपने संस्मरणों का यह संग्रह अज्ञेय जी ने पिताजी को ही समर्पित किया था। अज्ञेय जी की हस्ताक्षरित प्रति होने के कारण वह मेरे लिए बड़े महत्त्व की थी और मैं उसे सहेजकर रखना चाहता था। लेकिन स्वयं पढ़ने के लिए पिताजी ने उसे अपने पास रख लिया।

प्रायः पन्द्रह दिनों के बाद पूछने पर पिताजी ने कहा था— भई, रामायण के काम में लगा रहा, अभी पूरी पढ़ नहीं सका हूँ। खत्म कर लूँ, तो ले लेना। लेकिन कुछ ही दिनों बाद मेरे फिर पूछने और खोजने पर वह पुस्तक पिताजी के सिरहाने और पूरे घर में कहीं नहीं मिली। उसे कोई पुस्तक प्रेमी बिना बताए ही पिताजी के बिस्तर से उठा ले गये थे। मुझे बड़ा क्षोभ हुआ और मैं पिताजी पर दबाव डालने लगा कि वह अज्ञेय जी को लिखें कि वही पंक्ति फिर से लिखकर *स्मृति-लेखा* की एक प्रति और भेज दें। मेरे हठ से विवश होकर पिताजी ने इसी आशय का एक पत्र अज्ञेय जी को लिख भेजा। कई दिन बीत गये, अज्ञेय जी का कोई उत्तर न आया, न प्रति आयी। तभी एक दिन ज्ञात हुआ कि पटना के अमुक प्रकाशक दिल्ली जाने वाले हैं। मैंने यह बात पिताजी को बताई और बार-बार उनसे आग्रह करने लगा कि अज्ञेय जी को एक और पत्र लिख दें कि उन्हीं प्रकाशक महोदय के हाथों *स्मृति-लेखा* की एक प्रति उपयक्रुक्त वाक्य लिखकर भेज दें। पिताजी को एक और खत लिखना प्रीतिकर तो नहीं लग रहा था, लेकिन मेरी जिद के कारण इसी आशय का एक पत्र उन्होंने पुनः लिखा। सप्ताह भर बाद प्रकाशक महोदय पटना लौट आये, पुस्तक की प्रति नहीं आयी। मैं दुखी हुआ और सोचने लगा कि अब क्या करूँ।

कुछ ही दिन बीते होंगे कि अचानक डाक से *स्मृति-लेखा* की प्रति आ पहुँची। साथ में अज्ञेय जी का पत्र भी था। उन्होंने नमस्कारोपरान्त लिखा था— आपका आदेश था कि अमुक...सज्जन के हाथों *स्मृति-लेखा* की प्रति भिजवा दूँ। यह तो ऐसा ही हुआ, जैसे बाघ के हाथों किसी को मांस की थाली पहुँचाना चाहना हो। ठीक-ठीक

स्मरण नहीं कि पिछली प्रति में क्या लिखा था, अब जो लिखा है, सम्भव है, वही लिखा हो। अज्ञेय जी ने त्वदीयं वस्तु गोविन्द...वाली पूरी पंक्ति लिखकर दस्तखत किए थे। लम्बे समय तक वह प्रति मेरे पास सुरक्षित रही, लेकिन 1995 में पिताजी के निधन के बाद घर में जो उथल-पुथल हुई, उसमें वह प्रति भी किसी बाघ के हाथों लग ही गयी। पुस्तक प्रेमियों की यह पीड़ा अज्ञेय जी खूब पहचानते थे।...

अज्ञेय जी ने *हरी घास पर क्षण भर* बैठकर कोमल टहनी से चिड़िया के उड़ जाने के बाद उसका थरथराना देखा था। उन्होंने सागर की अनेक मुद्राएँ देखी थीं और एक बूँद के सहसा उछल जाने को दुलारा था। उन्होंने साँप से सभ्य न बन पाने की शिकायत की थी, उन्होंने दोलती कलगी छरहरी बाजरे की, को प्रीति से निहारा था और नीरव संकल्प के साथ उसे शब्दों के साँचे में ढालकर अमर चित्र खींच दिया था। उन्होंने तनी हुई रस्सी पर जिन्दगी को एक छोर-से-दूसरे छोर तक नाचते देखा था और रस्सी में जरा-सी ढील होने और सन्तुलन बिगड़ने की बेफिक्र प्रतीक्षा की थी।...पर्वत उन्हें पुकारते थे, नदियाँ उन्हें बुलाती थीं, सागर उन्हें आकर्षित करता था – ये सब उनकी काव्य-सर्जना के उपादान बनते हैं। उनका काव्य-फलक इतना विस्तृत और विराट है कि उसका कोई ओर-छोर नहीं मिलता।

25

अनुपस्थिति के इर्द–गिर्द

॥ अर्चना वर्मा

बात सन् 1980 की है। अब तीस बरस बाद दिन, तारीख, महीना ठीक-ठीक तो याद नहीं, पर शायद फागुन का मौसम था। एक तार मिला, अचानक। यों तार तो सभी अचानक होते हैं, किसी न किसी शीघ्रता और व्यग्रता के दबाव से त्वरित। लेकिन यह अचानक इसलिए कुछ अधिक अचानक था कि इसका आगा-पीछा कुछ ठीक से समझ या पकड़ नहीं आया। आशय कुछ यूँ था, अनुरोध है कि वत्सल निधि लेखक शिविर में शामिल हों। भेजने वाले की जगह पर नाम न पता, सिफ़्र एक फोन नम्बर दिया गया था। उस फोन नम्बर पर बात करने से पता चला कि नयी दिल्ली रेलवे स्टेशन से गोमती से दो बजे लखनऊ को प्रस्थान है। अगर स्टेशन पहुँच जाऊँ तो बाकी व्यवस्था की जा चुकी है।

दो बजे। नौकरी के अवकाश का आवेदन, दो छोटे बच्चे, दस दिन ठहरने लायक तैयारी। 'बाकी व्यवस्था' से अलग भी यह छोटा-मोटा प्रबन्ध होना था और आनन-फानन में किया जाना था। शायद सम्भव न हुआ होता। लेकिन किया गया। मेरी दोस्त प्रभा ऐसे कितने ही आड़े मौके मेरे लिए सीधे किया करती है। इस बार भी किया। दस दिन के लिए हर चीज का दायित्व लेकर मुझे मुक्त कर दिया। मेरी हिचक मिटाते हुए जोर देकर कहा, 'जाओ, जाना चाहिए। कोई बहुत अच्छा अनुभव तुम्हारी प्रतीक्षा में है।'

इतना भर मालूम था कि वत्सल निधि अज्ञेय द्वारा स्थापित न्यास है। विस्मय था। किसने क्यों बुलाया होगा। इस अनायास, अचानक, अयाचित किन्तु मूल्यवान निमन्त्रण का कोई सिरा या सिलसिला पकड़ में नहीं आया। मैं स्वयं हिन्दी-साहित्य जगत में कोई झूठ-मूठ का भी पर्याप्त परिचित नाम नहीं थी, ऐसे किसी नाम लेने लायक सम्पर्क में भी नहीं थी जिसकी सदाशयता या अनुग्रह का परिणाम यह निमन्त्रण रहा हो सकता था। यह जरूर था कि पिछले दो-तीन वर्षों से *दिनमान* में अधिक नियमित रूप से, और बाकी छिटपुट समीक्षाएँ लिख रही थी। उसी बार की *आलोचना* में निर्मल वर्मा के तभी के ताजा छपे उपन्यास *एक चिथड़ा सुख* का

एक विस्तृत विश्लेषण भी प्रकाशित हुआ था। यों तो एक कहानी संग्रह और एक कविता संग्रह भी छप चुके थे, लेकिन बिना किसी हल्ले-गुल्ले के। उन्हें किसी ने पढ़ा-जाना होगा, ऐसा कोई मुगालता मुझे नहीं था। ये तफसीलें अपने बखान में नहीं, उस वक्त के अपने कुतूहल की बानगी के लिए। क्योंकि बुलाया तो किसी ने था ही।

रेलवे स्टेशन पर पहली बार अज्ञेय को देखा। भव्य। फिर सुना, नाम और नमस्कार के उत्तर में, तो जाना कि यही आवाज थी जिसने फोन पर दो बजे प्रस्थान के बारे में बताया और बाकी कुछ भी न बताते हुए शेष व्यवस्था हो चुकने की सूचना देकर समय से स्टेशन पहुँच जाने का अनुरोध किया था। वे मुस्कुरा रहे थे, उन्हें मेरे विस्मय का अन्दाजा था, लेकिन उसे दूर करने की कोई कोशिश उन्होंने नहीं की थी। एक ससम्मान, सस्नेह सहज स्वीकृति थी, जिसे मैं भी बिना किसी अतिरिक्त सम्भार के योग्यता-प्रमाण-पत्र मानकर खुश हो सकती थी।

सूत्र और पहले के थे। मैं जोड़ नहीं पायी थी। *नया प्रतीक* के लिए रचनाएँ जुटाने में अजित कुमार उनके सहयोगी थे। अजित जी को मैं दा कहती हूँ। 'वृत्तान्त' नाम की कहानी मैंने *नया प्रतीक* के लिए दा को दी थी। छपी भी थी। दा से ही सुना कि अज्ञेय जी ने पसन्द भी की थी। उसके भी पहले जब *नवभारत टाइम्स* का सम्पादन अज्ञेय सँभाल रहे थे, तब प्रभा ने मेरी एक कहानी 'मुक्ति' *नवभारत* में उनके साथी गौरीशंकर जोशी को दी थी। वह भी छपी थी और जोशी जी से ही सुना था अज्ञेय को वह भी अच्छी ही लगी थी। लेकिन इसके अलावा कभी कोई सीधा सम्पर्क या आमना-सामना उनके साथ नहीं हुआ था। मेरा लिखना भी इतना विरल और दूर-दूर व देर-देर में होता था कि वर्षों के अन्तराल में कभी-कभार की इक्का-दुक्का रचनाएँ अच्छी लगने के बावजूद अज्ञेय जैसे बड़े और व्यस्त व्यक्ति को लिखने वाले का नाम याद रहेगा, ऐसा सोचना मुश्किल था। लेकिन उन्हें याद था और ऐसा अयाचित अनुग्रह उनके स्वभाव का सहज अंश था। अभी पिछले दिनों *पूर्वग्रह* के अज्ञेय विशेषांक के लिए *नदी के द्वीप* के बारे में लिखते समय उसके प्रथम प्रकाशन के बारे में पूछताछ करते हुए राजेन्द्र यादव से बिलकुल संयोगवश, जो सूचना मिली उसके एक अंश का जिक्र मैं *पूर्वग्रह* के आलेख में कर चुकी हूँ, दूसरे को यहाँ दर्ज कर रही हूँ कि सन् 47-48 में कश्मीर से आये हुए दो रेशम के व्यापारियों ने प्रोग्रेसिव पब्लिकेशन खोला था, अज्ञेय को सलाहकार बनाया था और अज्ञेय ने खोज खोजकर नये-पुराने लेखकों से रचनाएँ माँगी और छापी थीं। राजेन्द्र जी के पहले उपन्यास *सारा आकाश* का प्रथम अवतार 'प्रेत बोलते हैं' अज्ञेय के ऐसे ही साग्रह अनुरोध पर दिया गया था और वहीं से छपा था। यह अलग बात है कि दो-तीन बरस में ही प्रकाशन का दीवाला निकल

गया और 'प्रेत बोलते हैं' को कर्जा लेकर मुद्रणगृह से उठाना पड़ा।

लगभग 22 वर्ष तक *हंस* और पिछले दो-तीन वर्षों से *कथादेश* के लिए मैं डाक में आयी हुई किसी अपरिचित अनामधन्य रचनाकार की कृति का केवल कृति के बूते पर चुनाव करते हुए शायद उसी निमन्त्रण की अनुगूँज अपने भीतर सुनती हूँ।

लखनऊ के बाद मैं वत्सल निधि के दो लेखक शिविरों में और शामिल हुई। जहाँ तक सीधे सम्पर्क और आमने-सामने की बात है, इन तीन लेखक शिविरों के दस-दस दिन मिलाकर कुल तीस दिन ही गिने जा सकते हैं। लेकिन अज्ञेय स्मृति का इतिहास इस सम्पर्क के पहले, बहुत पहले से शुरू और आगे, बहुत आगे तक जारी है। इस सम्पर्क के पहले और बाद में उनकी सशरीर उपस्थिति का अभाव उस इतिहास में कोई शून्य नहीं पैदा करता। मेरे दौर के हिन्दी साहित्य के हर छात्र के पास उनकी स्मृति का कोई न कोई इतिहास होगा ही, उनके प्रशंसकों और प्रेमियों से ज्यादा उनके विरोधियों ने इस बात का प्रबन्ध कर दिया है। बल्कि उस संक्षिप्त सम्पर्क के इतने दिनों बाद उसके बारे में लिखते हुए मैं इस वक्त स्मृति और संस्मरण के बीच के फासले को अचानक बहुत शिद्दत से समझ और महसूस कर पा रही हूँ। संस्मरण का एक आदि और एक अन्त होता है, एक घटनाक्रम। देश से उठ कर काल में चले जाने के बावजूद वह देश ही बना रहता है, अन्त तक। स्मृति इससे अलग संस्मरण के होने या न होने के परे कहीं तल में जा बैठती है और बोध का, अन्तश्चेत प्रवृत्ति का, मूल्याधार का अंग बन जाती है। तब उसको संस्कार कहा जाता है।

उन तीस दिनों की याद करूँ तो संस्मरण की तरह गिनाने लायक बातें गिनी-चुनी होंगी। और यह गिनाना तो बिलकुल असम्भव होगा कि कौन से लेखक शिविर में क्या हुआ और कहाँ किससे मुलाकात हुई। समूचे वातावरण से अलग अज्ञेय की उपस्थिति तो शायद और भी विरल होगी। मुझे या तो अपनी स्मरण शक्ति पर गैर-वाजिब ढंग का बेहद भरोसा रहा होगा या फिर लिखने का आलस्य, कि दर्ज करने लायक बातें रही तो होंगी, लेकिन कभी दर्ज नहीं की गयीं। संस्मरण लिखने बैठकर बस यों ही किसी अँधेरे से उठकर कोई बात कौंध जाती महसूस हो रही है। किसी शिविर में अज्ञेय मेरा परिचय रामस्वरूप चतुर्वेदी के साथ कराने जा रहे थे। उन्हें मालूम नहीं था कि मैं रामस्वरूप चतुर्वेदी की छात्रा रह चुकी थी। हमारे बीच तपाक से अभिवादन और आशीर्वाद का आदान-प्रदान देखकर उन्होंने पूछा, आप लोग परिचित हैं? चतुर्वेदी जी ने कहा, 'हाँ, यह मेरी किताब है।' मुझे यह बात कभी नहीं भूली। मालूम नहीं किसी गुरु ने अपने शिष्य का ऐसा परिचय इसके पहले भी दिया कि या नहीं, या शायद वे अपने हर शिष्य का यही परिचय देते रहे हों।

एक बार खाने की मेज पर हम कुछ शिक्षक प्रतिभागियों के बीच अध्यापकीय दिनचर्या को लेकर थोड़ी छेड़छाड़ चल रही थी। किसी गैर-शिक्षक प्रतिभागी ने बहस में शामिल होकर इस आशय का कुछ कहा था कि अध्यापक भी कहीं काम करते हैं? रमेशचन्द्र शाह ने कहा, हम पुरुष अध्यापक तो काम करते हैं, लेकिन महिलाएँ तो एक 'अनन्त अपार स्वेटर' बुनने में ही व्यस्त दिखती हैं। उनका कॉलेज एक सहशिक्षण संस्थान था। दिल्ली में उस जमाने में स्नातक-स्तर तक लड़के-लड़कियों के कॉलेज अलग-अलग थे। अब यहाँ भी कुछ कॉलेज तो केवल लड़कियों के लिए हैं, लेकिन लड़कों वाले सभी कॉलेज सहशिक्षण में जा चुके हैं। मैंने उन्हें दिल्ली विश्वविद्यालय के बारे में एक चुटकुला सुनाया। लड़कों के कॉलेज में जब भी जाओ, स्टाफ रूम में हमेशा भीड़ ही दिखती है। चाय चलती रहती है और गप्प-गोष्ठी भी। 'नीट' गप्प। कोई अखबार पढ़ता है, कोई शतरंज खेलता है। घण्टा समय पर बजता रहता है, लेकिन न कोई किसी को कक्षा की याद दिलाता है, न कोई खुद उठता है, न जाता है। एक गुपचुप समझौता है, न तू जा, न मैं जाऊँगा।

लड़कियों के कॉलेज में कक्षाएँ पूरमपूर चलती हैं। सब एक दूसरे पर नजर रखती हैं। फलाँ घण्टा बज जाने के पाँच मिनट बाद भी आखिरी सवाल जाँचती या बुनाई की सलाई पूरी करती बैठी है, ढिमाकी दस मिनट बाद तक भी आकर ही नहीं पहुँची है। नतीजा, तू भी पढ़ा, मैं भी पढ़ाती हूँ। वहाँ कॉन्सपिरेसी (षड्यन्त्र) है, यहाँ एस्पॉयनेज (गुप्तचरी)। हाँ, दोनों जगह पर्फेक्ट डेमोक्रेसी है। वहाँ कोई नहीं पढ़ाता, यहाँ सब पढ़ाते हैं।

रमेश जी ने नाक-भौंह सिकोड़कर एस्पॉयनेज को दुनिया का सबसे जघन्य कृत्य और कॉन्सपिरेसी को उससे बेहतर ठहराना शुरू ही किया था कि अज्ञेय ने तर्क में मेरी मदद को आते हुए कहा था कि षड्यन्त्र अगर है तो गुप्तचरी भी होगी ही, और पूरी तरह से न्यायोचित भी होगी। बल्कि षड्यन्त्र से ही गुप्तचरी की जरूरत भी पैदा होती है। झूठ-मूठ के झगड़े के मनोविनोद में से भी एक बारीक सूत्र खींचकर उसे एक वैचारिक तह दे देने की क्षमता ही विदग्ध-विनोद को सबसे गहरा नशा बनाती होगी। अध्यापकीय दिनचर्या की संरचना में षड्यन्त्र और गुप्तचरी का अनुपात अब, आजकल चाहे जो भी हो, बल्कि सच कहा जाए तो लड़कियों के कॉलेजों में भी षड्यन्त्र बढ़ा ही है; अपनी पर्फेक्ट डेमोक्रेसी जरूर पूरमपूर षड्यन्त्र और गुप्तचरी के हवाले होकर चल रही है।

हर शिविर में एक केन्द्रीय विषय हुआ करता था, उस पर वरिष्ठों के वक्तव्य और उनके इर्द-गिर्द कुछ बहसें, कुछ संवाद। असहमतियाँ प्रखर। उपरान्त-गोष्ठियों में अक्सर 'युद्धं देहि' की याचना में नवीन सागर, ध्रुव शुक्ल, अन्य। कविताएँ,

कहानियाँ। उन पर बातचीत। केन्द्रीय विषय या विषयान्तर पर युवजन के परचे। उन पर भी बातचीत। अनजाने ही अपनी प्रतिक्रिया को सुलझाने और कह पाने का अभ्यास और व्यायाम। कभी-कभी एक-एक जन की एक-एक पंक्ति के योग से सामूहिक कविता रचने का खेल, जिसमें शरारतन कविजन अपने से पिछली वाली पंक्ति में ऐसा कुछ जोड़ने के प्रयास में रहते कि कविता का सत्यानाश हुए बिना न छूटने पाए, जबकि अन्ततः इस खेल में से भी सीख यह निकली थी कि रचना की प्रक्रिया एक संघनित केन्द्र से परिधि की ओर या फिर परिधि से केन्द्र की ओर की यात्रा होती है, पंक्ति से पंक्ति की ओर आगे-पीछे बढ़ते हुए इस रचनात्मक केन्द्रिकता के प्रति एक सतर्क सजगता बनाए रखनी चाहिए। कविता में केन्द्रिकता को भंग करना हो, तो भी।

एक शाम वह भी याद आती है जिसमें शर्त रखी गयी थी कि अपने से अलग, किसी दूसरे की कविता याद से सुनाई जाए। हर एक से बारी-बारी से पूछते-पूछते भी शायद किसी को कोई कविता याद नहीं निकली। मेरी बारी आने पर मैंने विनयपूर्वक कोई पुर्जा-परचा निकालने की इजाजत माँगी थी। इजाजत परचे के बिना अपनी कविता सुना देने की मिली थी और जहाँ तक याद है, अपनी कविता भी परचे के बिना सुनाते नहीं बनी थी। शायद रमेशचन्द्र शाह अकेले थे जिन्होंने निराला की *बैठ लें कुछ देर/आओ, एक पथ के पथिक से,/तम-गहन जीवन घेर* सुनाई थी और दूसरे रामस्वरूप चतुर्वेदी जिन्होंने कुछ भूलते, कुछ याद करते मेरी मदद से *स्नेह निर्झर बह गया है* सुनाई थी। उस बार के शिविर से मैं अपनी और शायद अपनी पूरी पीढ़ी की इस एक बड़ी कमी के प्रति अचानक उत्पन्न हुई सजगता लेकर लौटी थी कि रचना को लेकर हम पर्याप्त गम्भीर नहीं हैं, कि उसे हमने अपने लिए ठीक से परिभाषित भी नहीं किया है, बल्कि खुद को भी स्वयं अपने अर्थ से जोड़ने की दिशा में कोई सूत्रपात नहीं किया है, कि ज्यादातर लोगों के लिए वह केवल 'यशसे अर्थकृते' (अर्थ का दूसरा अर्थ) का मामला है, छपने और दिखने का नशा।

अज्ञेय कौतुक और विनोद के साथ वत्सलभाव से इन हरकतों का आनन्द लेते बैठते थे, वत्सल निधि को शब्दशः वत्सल निधि बनाते हुए। इस मुलाकात के पहले तक अज्ञेय को पढ़कर और उनके बारे में दा व अन्य साहित्यकार दोस्तों से सुनकर उनकी एक गुरु-गम्भीर प्रतिमा बनी थी। उनके मौन के बारे में सुना था। अक्सर वह 'मौन मधु हो जाय' वाला मौन कदाचित् नहीं हुआ करता था। उनके बेहद धीमी आवाज में संवाद के बारे में सुना था। अक्सर वह सम्बोधित व्यक्ति को भी पूरा सुनाई नहीं देता था। उनके आसपास घिरे शून्य के बारे में भी सुना था,

जिसे पार करना आसपास बैठे लोगों के लिए भी सहज नहीं होता था। और अक्सर पूरी मुलाकात इसी मौन और शून्य के इर्द-गिर्द चाय-कॉफी वगैरह के स्वागत-सत्कार समेत, किसी संवाद के बिना ही पूरी हो जाती भी सुनी थी। वत्सल निधि के लेखक शिविरों में ऐसा एक दिन भी होते नहीं देखा। बल्कि लखनऊ शिविर से वापसी की यात्रा में गोमती के कम्पार्टमेंट में कुर्सियों के सामने की दीवार में लगे शेल्फनुमा पटरे पर बैठकर उसे मंच में बदल दिया और बहुत से कवियों, कलाकारों की स्मरणीय – भगवतीचरण वर्मा की विशेष रूप से स्मरणीय – 'मिमिक्री' से इस यात्रा को एक दुर्लभ अवसर बना दिया।

इस अवसर में ठहाके इस कदर सुलभ थे कि हँसने की बात हो, या न भी हो, हँसी छूटती और फूटती रहती थी और न केवल शिविर के प्रतिभागी बल्कि कम्पार्टमेंट भर के शेष सहयात्री भी उस फौव्वारे को सामुदायिक बनाने में अपना पूरा योग दे रहे थे। शिविर का एक रायता-संस्करण भी प्रस्तुत किया गया जिसमें युवा प्रतिभागियों ने भी हिस्सा लिया। अज्ञेय का रायता बनाने का सामर्थ्य जब किसी में नहीं निकला तो उन्होंने खुद अपने रायते को अंजाम दिया, यों अपनी वाक्य संरचना की पैरोडी करते हुए – कोई जरूरी नहीं कि आप रायता खाएँ। न चाहें तो न भी खाएँ। लेकिन अगर कभी आप रायता खाना ही चाहें तो उचित होगा कि पहले आप रायते के विषय में अच्छी तरह से जान लें। अन्यथा बहुत सम्भव है कि रायते की सारी सामग्री हो लेकिन फिर भी रायता न हो। जहाँ तक स्मृति पर भरोसा किया जा सकता है, उनके शब्द शब्दशः यही थे, लेकिन उद्धरण चिह्न न लगाना ही उचित है। औचित्य शायद उनके लिए भी न केवल साहित्य का ही, जीवन का भी सबसे बड़ा सिद्धान्त था। उनके इस आत्म-परिहास में भी जीवन के प्रति वैज्ञानिक के रवैए की झलक देखी जा सकती है।

वापसी की इस यात्रा में दा यानी कवि अजित कुमार और ओंकारनाथ श्रीवास्तव भी साथ में थे, जो अजित जी की माँ कवयित्री सुमित्रा कुमारी सिन्हा से मिलकर लखनऊ से दिल्ली लौट रहे थे और हमें अचानक स्टेशन पर मिल गये थे। संयोगवश उनकी सीट भी गोमती के उसी कम्पार्टमेंट में थी। इस पूरे अनुभव से गुजरते हुए वे चकित भाव से पूछ रहे थे कि अज्ञेय क्या सचमुच शिविर के पिछले पूरे दस दिन इसी मूड में रहे थे? क्या इसी सहज भाव से वे अपने समवयस्कों और कनिष्ठ-वरिष्ठों और कनिष्ठों से घुलते-मिलते रहे थे? लौट आने के बहुत दिन बाद तक भी दा उस दृश्य को याद करके अपने विस्मय का इजहार करते रहे थे, कुछ इस भाव से कि मैं खुद वहाँ मौजूद था, मैंने अपनी आँखों से देखा, फिर भी सोचता हूँ तो विश्वास नहीं होता।

मैं जानती हूँ कि बहुत दिनों तक हिन्दी के साहित्य जगत में उनके अन्तर्गत

मौन और चतुर्दिक शून्य को महज एक मुद्रा मानकर व्यंग्य का विषय बनाया जाता रहा है। पता नहीं, कभी किसी ने सोचना चाहा भी या नहीं कि ऐसा क्यों था या उनके साथ ऐसा क्या हुआ होगा जिसने उन्हें ऐसा बनाया। उस हुए/घटे में शायद व्यक्तिगत भी कुछ हुआ/घटा होगा ही, जिसके विषय में कुछ कहने लायक जानकारी मेरे पास नहीं है। लेकिन सार्वजनिक रूप से, योजनाबद्ध तरीके से भी बहुत कुछ घटित किया गया। *तार सप्तक* के समय से ही उन्होंने आयोजन-आयास को शायद एक लेखक की हैसियत से साहित्य और साहित्यिक बिरादरी के लिए अपना कर्त्तव्य और दायित्व समझा रहा होगा। हिन्दी के साहित्यिक इतिहास का भी वह एक ऐसा क्षण था जब रास्ता एक मोड़ लेने को तत्पर था और ऐतिहासिक क्षण की यह पहचान ही वहाँ संकलित कवियों को 'राहों के अन्वेषी' की भूमिका दे सकती थी या कवियों द्वारा ग्रहीत इस भूमिका को पहचान सकती थी। अन्यथा हिन्दी में ऐसे सहयोगी संकलनों की गिनती कोई कम नहीं, लेकिन *तार सप्तक* कितने हैं? और *तार सप्तक* भी कविताओं की वजह से जितना, उतना ही, अगर उससे ज्यादा नहीं तो, अपनी भूमिका की वजह से भी महत्त्वपूर्ण है।

वत्सल निधि की स्थापना उस दायित्वबोध और कर्त्तव्यभावना का ही एक और निर्वाह रहा है। वत्सल निधि का सूत्रवाक्य है, 'अत्रा सखायाः सखाय जानते।' पहली बार के शिविर में जब इस वाक्य की व्याख्या की जा रही थी, विद्यानिवास मिश्र समझा रहे थे, तो सुनने में कुछ छूट जाने की वजह से मैंने पूछा, 'क्या कहा' और पास बैठे नवीन सागर ने बताया, 'सखा ही सखाओं को जानते हैं', और रमेशचन्द्र शाह ने बेहद शरारती अन्दाज में जोड़ा, 'बिलकुल सही कहा।' रमेशचन्द्र शाह के अन्दाज में 'जानने' का एक कुटिल अर्थ निहित था जिसका आनन्द हमने कक्षा के 'बैक बेन्चर्स' की तरह लिया, लेकिन अभिप्रेत अर्थ सरल है जो बेहद कठिन है। यह भी कहा जा सकता था कि हजारों बरस से यही बिलकुल सही है कि सखा ही सखाओं को जानते हैं, और बाकायदा दर्ज भी है।

साथी, संगी, सहचर, मित्र के अर्थ में सखा में समाई हुई धातु है 'ख्या' (यानी कहनी) जिसमें से ख्यात, आख्यात, विख्यात, ख्याति, आख्यान वगैरह निष्पन्न होते हैं। कहनी में वाक् है, यानी चेतना। तब 'ख्या' में चिति और बुद्धि का अर्थ भी शामिल हो जाता है। सम्+ख्या से सखा, यानी समान बुद्धि, समान चेतना, सम्प्रेषण की सम्भवता। यहाँ; वत्सल निधि में; सखा सखाओं को खोजते, पाते, और जानते हैं।

1981 के फागुन में लिटरेसी हाउस, लखनऊ में श्रीनारायण चतुर्वेदी यानी भैया जी बनारसी ने वत्सल निधि के प्रथम शिविर का उद्घाटन किया था। जिन तीन शिविरों में मैं शामिल हुई उनमें मैंने असम्बद्ध-क्रम से अमृतलाल नागर,

श्रीलाल शुक्ल, दयाकृष्ण जोशी, भगवतीशरण सिंह, डॉ. देवराज, कुँवर नारायण, निर्मल वर्मा, रघुवीर सहाय, विजयदेव नारायण साही, रामस्वरूप चतुर्वेदी, विपिन कुमार अग्रवाल, विद्यानिवास मिश्र, शिवानी, रमेशचन्द्र शाह, गिरिराज किशोर, नन्दकिशोर आचार्य, प्रभाकर श्रोत्रिय, अजित कुमार, उमाराव, लीलाधर जगूड़ी, गोविन्द मिश्र, स्नेहमयी चौधरी, दुर्गावती सिंह, प्रयाग शुक्ल, दुर्गा भागवत, सर्वेश्वर दयाल सक्सेना, चन्द्रकान्त बान्दिवडेकर, रघुवीर चौधरी, इत्यादि के साथ समय बिताने का मौका पाया। शिविर की आयोजना दस दिन, चौबीस में से अठारह घण्टे वरिष्ठ पीढ़ी और कनिष्ठ पीढ़ी को साहित्य, भाषा, विचार, संवेदना से जुड़े विषयों को लेकर बहस, बातचीत, प्रपत्र-पाठ के जरिए एक दूसरे के सम्पर्क में रखने की थी। जैसे वरिष्ठों से कनिष्ठों को संवेदना और विचार, परम्परा और संस्कार का हस्तान्तरण भी होना हो और बहसों में उसका धुर्रा-धुर्रा उधेड़ते हुए मूल्यांकन, पुनर्मूल्यांकन और नवीकरण भी।

कनिष्ठों में जिनसे मिलना हुआ उनमें नवनीत मिश्र, नवीन सागर, ध्रुव शुक्ल, ओम थानवी, तेजी ग्रोवर, निर्मला ठाकुर, शीन काफ निजाम, (स्व.) संजीव मिश्र, अंजु ढड्ढा, विनय दास, राजेन्द्र उपाध्याय, महेन्द्रनाथ पाण्डे, राघवेन्द्र प्रताप, विद्याबिन्दु सिंह वगैरह के नाम अनायास याद आते हैं। लेकिन गिनती इससे बहुत ज्यादा बड़ी थी। इनमें सम्भावी रचनाकार और आलोचक दोनों शामिल थे और शिविर के वातावरण में किसी विचारधारात्मक आग्रह की कट्टरता के बिना और परे, खुले सम्प्रेषण की उन्मुखता और प्रस्तुतता की सम्भावनाओं के विकास की पयफ्रत्सुकता थी। बाद में यह भी पता चला कि श्रीलाल शुक्ल, सर्वेश्वर, रघुवीर सहाय आदि जिन अनेक 'प्रगतिशीलों' ने शिविर में शामिल होने का और युवतर पीढ़ी के साथ समय बिताने का निमन्त्रण स्वीकार किया उनकी तुलना में वह गिनती कहीं ज्यादा बड़ी थी, जिन्होंने आना नहीं चाहा।

आज के अपेक्षाकृत उदार वैचारिकता के वातावरण में परिभाषित 'प्रगतिशीलों' को भी अज्ञेय को पढ़ते, समझते, सराहते देखना कोई विलक्षण विस्मय नहीं रह गया है। लेकिन तब, तीस साल पहले स्थिति वस्तुतः यही थी जिसका जिक्र मैंने पिछले दिनों *पूर्वग्रह* के अज्ञेय विशेषांक के लिए *नदी के द्वीप* के बारे में एक आलेख में किया था। मानो प्रगतिमण्डप के द्वार पर पृथ्वीराज चौहान की तरह द्वारपाल की जगह पर स्थापित अज्ञेय की प्रतिमा पर प्रहार करना प्रगति-संयोगिता के वरण के इच्छुक हर प्रवेशार्थी के लिए अपनी योग्यता का प्रमाण-पत्र अर्जित करना था। मेरे संस्मरणों में इसके भी कुछ विकट उदाहरण और दारुण प्रमाण मौजूद हैं। दिल्ली विश्वविद्यालय के दौलतराम कॉलेज में आचार्य हजारीप्रसाद द्विवेदी स्मृति-व्याख्यान का वार्षिक आयोजन होता है। उस वर्ष के आयोजन में

वक्ता अज्ञेय थे और मैं भी श्रोताओं में मौजूद थी। विषयवस्तु का शब्दविन्यास तो याद नहीं, लेकिन मन्तव्य भारतीय मानसिकता का विश्लेषण था। अज्ञेय ने जो कहा था उसके तात्पर्य का एक बिन्दु यह था कि जिसे हम भारतीय मानसिकता कहते हैं, उसकी जड़ें आज भी बड़े पैमाने पर उसी सांस्कृतिकता में खुभी हैं, जिसमें 'लीला' और 'नियति' केन्द्र में है। उसके लिए पीड़ा, अपनी भी और पड़ोसी की भी, ब्रह्म की क्रीड़ा का पर्याय है। इस दृष्टि का परिणाम यह है कि पीड़ा के प्रति, अपनी भी और पड़ोसी की भी, एक तटस्थता और निरपेक्षता जीवनपद्धति बन जाती है।

श्रोता-समाज में मौजूद प्रतिबद्ध प्रगतिशील खेमे के एक युवा सदस्य (अब वे वयोवृद्ध हैं और दिल्ली युनिवर्सिटी टीचर्स एसोसियेशन के वामपंथी धड़े के सक्रिय कर्मी भी; लेकिन तब वे बिलकुल नौउम्र थे और शिक्षक भी शायद नहीं हुए थे।) ने प्रश्नोत्तर काल में अज्ञेय पर यह आरोप लगाया था कि वे पीड़ा और सहनशीलता का महिमामंडन कर रहे हैं और दुख भोगने की वकालत कर रहे हैं। अज्ञेय ने कहा कि अगर आप ने इतना ही समझा है तो मैं कहूँगा कि आप मेरे साथ अन्याय कर रहे हैं। इसके उत्तर में उन्होंने फरमाया कि आप मुझे आतंकित करने की कोशिश कर रहे हैं। यह कोई संवाद या सम्प्रेषण नहीं, कथ्य की तोड़-मरोड़ की मदद से अकारण आरोप था। प्रश्नोत्तर तो उतने में ही समाप्त हो गया। बाकी किसी को कुछ पूछने की इच्छा भी न रही। अज्ञेय बाकी वक्त मौन रहे। दोनों कुहनियाँ कुर्सी के हत्थों पर टिकी हुईं, दोनों हाथों की उँगलियाँ एक दूसरे में गुँथी हुईं, दोनों भौंहों के बीच एक गहरी रेखा। चतुर्दिक शून्य।

हमारे उन युवा सक्रिय-कर्मी के खेमे में अरसा पहले अज्ञेय वर्ग-शत्रु करार किए जा चुके थे। यह शायद सोची-समझी पार्टीलाइन थी कि अज्ञेय 'शूट ऐट साइट' कोटि के खतरनाक प्रतिपक्ष हैं और पाठक श्रोता समाज को उनके घातक जहरीले प्रभाव से बचाना एक प्रतिबद्ध प्रगतिशील का पुनीत कर्त्तव्य है। इसलिए चाहे उनकी बात बदल दी जाए, तोड़-मरोड़ दी जाए, सन्दर्भ से काटकर प्रस्तुत की जाए, क्षम्य है। उनके समक्ष यह उनके वैचारिक मकसद से जुड़ी हुई और अपने उद्देश्य के प्रति समर्पण जैसी बात थी। इसके लिए यह भुला देना भी गलत न था कि अखाड़े में तो जोड़ की होती है और अज्ञेय ने भी उन्हें यह याद न दिलाकर जोड़ का दर्जा दे दिया था।

ऐसे उदाहरण, मौखिक और लिखित दोनों, अनगिनत हैं, दर्ज हैं और बाकायदा दस्तावेज की तरह मौजूद हैं।

ऐसा क्यों हुआ होगा? हमें साहित्यिक चेतना की खेमेबन्दी अपने छात्र-जीवन के दिनों से उत्तराधिकार में मिली थी। स्वाभाविक था कि हम पहले से चले आते

इस विभाजन को दो तरह की विचारधाराओं का दो गुटों में सिद्ध और स्थापित ध्रुवीकरण मानकर चलें। लेकिन यह ध्रुवीकरण कब, क्यों और कैसे, किस प्रक्रिया से हुआ होगा? उस वामध्रुव में फिर उपरान्त-ध्रुव भी हुए, लेकिन अभी हाल के पहले तक अज्ञेय की हैसियत सभी के लिए वेध्य-लक्ष्य की बनी रही। अगर उनकी यही वेध्य-लक्ष्य सत्ता भाई लोगों के लिए तीरन्दाजी का प्रमाण-पत्र रही आयी है तो आश्चर्य की बात नहीं कि प्रतिबद्ध, प्रगतिशील खेमे के युवा रचनाकारों, आलोचकों और पाठकों के लिए यही उनकी शक्ति का आभास और अभी हाल में पुनः आविष्कार के आयास का कारण रही हो। भारतेन्दु हरिश्चन्द्र ने अपने लखनऊ-भ्रमण के संस्मरण में लिखा है कि वे इमामबाड़ा गये तो देखा कि द्वार पर याजिद की प्रतिमा थी और शिया मुसलमान लोग भीतर घुसने से पहले उस प्रतिमा को जूता मारते थे। इस दृश्य को देखने वहाँ कुछ ग्रामीण भी मौजूद थे। कुछ आश्चर्य से एक ने पूछा, यह कौन है। 'याजिद, जिसने हुसेन को मारा' भारतेन्दु से यह सुनकर उसने फिर पूछा, याजिद कौन है? याजिद और हुसेन से अपरिचित उसके दूसरे साथी ने जवाब दिया कि क्या जाने, कोई बड़ा बलवान रहा होगा। कब मारा था, आज तक रो रहे हैं।

अपने एक प्रगतिशील मित्र से इस बँटवारे के बारे में बात करते हुए सूचना मिली कि अज्ञेय का गुनाह 'कांग्रेस फॉर कल्चरल फ्रीडम' से जुड़ना था। गूगल की मदद से 'कांग्रेस फॉर कल्चरल फ्रीडम' के बारे में यह जानकारी जुटाई कि वेस्ट बर्लिन के टाइटानिया पैलेस में 26 जून, 1950 में यूरोप में साम्यवाद के विरोध के लिए सी. आई. ए. के मुखौटे की तरह इसकी स्थापना हुई थी। स्थापना के पीछे इस विचार के प्रत्याख्यान का इरादा था कि उदार जनतन्त्रवाद संस्कृति के सन्दर्भ में साम्यवाद की तुलना में कुछ कम मुआफिक/संगत था। सम्भवतः यह शुरुआत न्यूयॉर्क शहऱ के वॉल्डॉर्फ-ऐस्टोरिया होटल में मार्च 1949 में हुई, पीस कॉन्फ्रेंस के जवाब में हुई हो, जिसमें यूनाइटेड स्टेट्स के प्रमुख वामपंथी और शान्तिवादी (पैसिफिस्ट) जमा हुए थे और स्टालिन के सोवियत यूनियन के साथ शान्ति की स्थापना का आग्रह कर रहे थे। टाइटानिया पैलेस की कॉन्फ्रेंस में शामिल होने वाले कुछ आगेवान बौद्धिकों में फ्रान्ज बोर्केनो, कार्ल यास्पर्स, जॉन ड्यूवी, इग्नैजियो सिलोन, जेम्स बर्नहैम, ह्यू ट्रेवर रोपर, आर्थर, लीसिंगर जूनियर, बर्ट्रेन्ड रसेल, अर्न्स्ट रियूटर, रेमन्ड ऐरॉन, एल्फ्रेड आयर, जेम्स टी. फैरेल, रिचर्ड लॉवेनथॉल, बेनदेत्तो क्रोचे, जाक मारितें, आर्थर कोएस्लर, रॉबर्ट मॉन्टगोमरी, मेलविन जे. लास्की, टेनेसी विलियम्स और सिडनी हुकइन भागीदारों में कुछ कंजरवेटिव भी थे, लेकिन स्टालिन विरोधी वामपंथियों की गिनती उनसे कहीं ज्यादा बड़ी थी।

पैंतीस देशों में दफ्तर खोले गये, अन्तरराष्ट्रीय स्तर पर गतिविधियाँ और

प्रकाशन आयोजित किए गये, अंग्रेजी में *एनकाउंटर* और *सॉलिडैरिटी* जैसी तथा फ्रेंच में भी कई मानक पत्रिकाएँ निकाली गयीं। यूरोप के सोवियत सहानुभूतिशील बौद्धिकों को परचाने का प्रयत्न हुआ। सोवियत से स्वयं मोहभग्न बौद्धिकों की तादाद भी कुछ कम नहीं थी। इस पूरी कार्रवाई अपने खड़े होने और देखने की जगह के हिसाब से कहीं सांस्कृतिक स्वतन्त्रता के लिए सदिच्छा तो कहीं साम्यवाद के विरुद्ध षड्यन्त्र की तरह देखा गया।

1947 में केदारनाथ अग्रवाल का प्रथम कविता-संग्रह *युग की गंगा* प्रकाशित हुआ था। अब यह *गुलमेंहदी* (परिमल प्रकाशन, इलाहाबाद) में पुनः संकलित होकर उपलब्ध है। इसकी भूमिका में केदार लिखते हैं, "हिन्दी का यह युग समाजवाद, यथार्थवाद, प्रगतिवाद और मार्क्सवाद का युग है, जनता ने साम्राज्यवादी मोर्चे के विरोध में अपना नया बलवान मोर्चा बनाया है, और साम्राज्यवादी नीति का अन्तकाल आ गया है। यदि ऐसे में हिन्दी के वर्तमान कवि इस जनजीवन में अपना काव्ययोग नहीं देते, तो वे अपमानित और अवहेलित होंगे, और परम्परा अब अवरुद्ध होकर विराम ले लेगी। जो साहित्यिक इस काव्यमोर्चे के विरुद्ध मोर्चा बनाकर उसे मिटा देना चाहते हैं, वे असफल तो होंगे ही; किन्तु उन्हें अपनी भूल का निराकरण करने के हेतु 'कलंकी' की उपाधि भी लेनी होगी। आने वाली पीढ़ी के लोग उन्हें क्षमा नहीं कर सकते।"

जनजीवन और *जनता के नये बलवान मोर्चे* की शब्दावली में केदार का कवि अपने लिए एक मकसद पाकर उल्लसित और भावाभिभूत दिखाई देता है। भूमिका में उन्होंने उत्पादन-व्यवस्था के विकास और इतिहास के चौखटे में बाँधकर समाज और साहित्य के इतिहास को देखा है, लेकिन हिन्दी साहित्य में कौन 'इस काव्य-मोर्चे के विरुद्ध मोर्चा बनाकर उसे मिटा देना चाहते हैं', इसका कोई संकेत वे नहीं देते। यह कलंकी कौन है? इसे यहाँ उद्धरण चिह्नों में क्यों लिखा गया है? क्या इस विश्वास के साथ कि पढ़ने वाले पहचान ही लेंगे? इस बहुवचन में और कौन शामिल हैं? शायद यह ऐसी प्रच्छन्न चेतावनी तो नहीं कि खबरदार, अगर कोई असहमत हुआ तो उसका यही हश्र किया जाएगा लेकिन अन्तिम सत्य और एकमात्र लक्ष्य की तरह प्राप्त और परिभाषित अपने मकसद के लिए, चाहे केवल शब्दों में, समर्पण का नशा, जोश और जुनून अपने आप में असंदिग्ध होते हुए भी ऐसा है कि किसी विषयान्तर या मतान्तर या उसी विषय व मत को किसी और परिप्रेक्ष्य में देखने का रुझान भी अक्षम्य और असहनीय बना देता है। मान लिया गया है कि जो भी असहमत है वह साम्राज्यवादी मोर्चे का अंग है और 'कलंकी' की उपाधि का अधिकारी है।

लेकिन यह भूमिका 1947 में लिखी गयी है। 'कलंकी' की उपाधि के हकदारों में अगर अज्ञेय का नाम भी शामिल है तो 'कांग्रेस फॉर कल्चरल फ्रीडम' से जुड़ना इसकी वजह नहीं हो सकता। उसकी तो स्थापना ही 1950 में हुई थी। हिन्दी में 1936 से लेकर 1947 तक प्रगतिशील आन्दोलन के लगभग ग्यारह वर्ष बीत चुके थे। पिछली पीढ़ी के पन्त, प्रेमचन्द, निराला और दिनकर के अलावा राहुल सांकृत्यायन, भदन्त आनन्द कौसल्यायन, भगवतशरण उपाध्याय, हजारीप्रसाद द्विवेदी, रामविलास शर्मा, मुक्तिबोध, अज्ञेय, जैनेन्द्र आदि सभी; कहीं निर्विरोध समर्पण तो कहीं चुनौती और बहस की मुद्रा में, इस नये विचार को; अन्वय नहीं तो व्यतिरेक के द्वारा अपने चिन्तन में समायोजित करने की कोशिश कर रहे थे। परस्पर असहमतियों के बावजूद ये सभी प्रगति-पक्ष के ही लोग थे और उसे अपनी परम्परा और पृष्ठभूमि में पचा रहे थे। अक्सर इस विचार के साथ असमंजस की अभिव्यक्ति दिखाई देती है कि मानव का कुल यथार्थ अभी और यहीं तक सीमित है, कि उसकी कुल इयत्ता भौतिक है। लेकिन असहमति की गुंजाइश धीरे-धीरे खत्म होती गयी। वजह चाहे जो रही हो, 1945 से लेकर 55-60 तक के वर्षों में हिन्दी साहित्य की मानसिकता में दक्षिण और वाम की यह विभक्ति सम्पूर्ण और स्थापित हो चुकी थी। एक तरफ सी.आई.ए. और कांग्रेस फॉर कल्चरल फ्रीडम तो दूसरी ओर के.जी.बी.। शीतयुद्ध का विश्व था। दुनिया भर में देश-देश में सी.आई.ए. और के.जी.बी. के समर्थन और सम्बल से साहित्यिक पत्र-पत्रिकाओं के प्रकाशन और बुद्धिजीवियों को मत-विशेष के चुनाव और प्रचार-प्रसार के अवसर प्रच्छन्न प्रायोजन के तहत उपस्थित किए जा रहे थे।

1917 की क्रान्ति उपनिवेशों के लिए उल्लास और आत्मविश्वास का मन्त्र साबित हुई रही होगी, लेकिन 1950 का रूस स्टालिन का रूस था। स्टालिन के बारे में एक कहानी मशहूर है कि मृत्युशैया पर उसने अपने दो सम्भावित उत्तराधिकारियों को इस परीक्षा के लिए बुलाया कि उनमें कौन अधिक योग्य है। परीक्षा के लिए उसने दो पक्षी मँगाये और हाथ में पकड़ने के लिए दोनों को दिये। पहले ने पक्षी के उड़ जाने के भय से इतना कसकर पकड़ा कि वह मुट्ठी में ही मर गया। स्टालिन की मुखमुद्रा में अप्रसन्नता के चिह्न देखकर दूसरे ने पक्षी के मर जाने के भय से इतना हलके से पकड़ा कि वह उड़ गया। स्टालिन ने दोनों को सही तरीका सिखाने के लिए खुद एक चिड़िया मँगाई। उसे पंजों से पकड़कर उलटा टाँगा और एक-एक करके उसके पंख नोचे। चिड़िया जिन्दा थी लेकिन अधमरी, ठिठुरती, उड़ने में असमर्थ। स्टालिन ने अपने पाठ का निष्कर्ष बताया, अब यह चिड़िया तुम्हारी हथेली की गर्माइश भर के लिए भी शुक्रगुजार होगी।

स्टालिन के रूस में इस वक्त तक लेखकों, कवियों और बुद्धिजीवियों की एक पूरी पीढ़ी होम की जा चुकी थी। बहुतों के तो नाम भी अब बाकी नहीं। बहुतों ने आत्महत्या को जीने से बेहतर माना। वाइगोत्स्की और बाक्तिन जैसे विचारकों के अब प्रकाश में आने वाले बच रहे काम को देखकर अन्दाजा लगाया जा सकता है कि दुनिया ने क्या खो दिया। लेकिन फिर भी हिन्दी के साहित्य जगत में के.जी.बी. का आश्रय, शायद 1917 की स्मृति में, अधिक पुण्यमय था। साम्य के संसार का लुभावना स्वप्न उसका घोषित गन्तव्य था और वास्तविकताएँ खुलनी अभी बाकी थीं। लेकिन दूसरी ओर किसी के लिए तत्काल-युद्धोपरान्त वर्षों के अवसन्न हतप्रभ मूल्यात्मक कुहासे में स्टालिन के रूस में रचनाकारों की परिणति को देखते हुए सांस्कृतिक स्वतन्त्रता को एक अधिक रचनात्मक, समग्र, स्वायत्त और आकर्षक मूल्य के रूप में ग्रहण करना निश्चय ही सम्भव और काम्य हो सकता है। उसका स्वप्न मानवीय सम्भावनाओं की चरम चरितार्थता का है और 'इकोनॉमिक फिलॉसफिकल मैनस्क्रिप्ट्स' के मार्क्स के मन्तव्य के मनुष्य से मेल खाता है। बात अकेले खड़े हो सकने के साहस और दृढ़ता की है। और इस कसौटी पर अज्ञेय भरपूर परीक्षित हुए।

तो युद्धोपरान्त यह विभक्ति शीतयुद्ध का प्रायोजित सांस्कृतिक, साहित्यिक अवतार है। 1950 के बाद जब यह विभक्ति अपने पूरे जौहर पर पहुँची और प्रतिपक्षताओं को व्यक्ति बनाम समाज, अन्तर्वस्तु बनाम कला, अन्तर्जगत् बनाम बहिर्जगत् जैसे हास्यास्पद युग्मों में गढ़ने का पराक्रम दिखा चुकी तो हिन्दी के साहित्य जगत का शिजोफ्रीनिया निर्विकल्प और स्थायी जैसा होता-सा दिखाई दिया। उन वर्षों में हिन्दी के अकादमिक तथा साहित्यिक विमर्शों के लगभग हर कोने में विचारवाद का जो निर्विचार अहंकार व्याप्त और इस ओर से निश्चिन्त होता दिखाई दिया कि वह स्वयं अपने पार्टीलाइन सलूक से अपनी विचारधारा को साहित्य में केवल एक गुटवादी, जुटवादी जोड़तोड़ का बहाना बनाए दे रहा है, उसने साहित्य के अलावा खुद अपना भी नुकसान ही किया है। मैं नहीं जानती कि हिन्दी के अलावा और भी किसी भाषा में ऐसी प्रतिपक्षताओं का हास्यास्पद मानकीकरण हुआ या नहीं।

यों विचार और रचना के इतिहास में ऐसे विरोध कोई नयी बात नहीं है। एक प्रमुख उदाहरण बांग्ला में रवीन्द्रनाथ टैगोर के विरुद्ध शरत का दिया जा सकता है। ऐसा ही एक उदाहरण अंग्रेजी में एलियट बनाम येट्स का सुनते हैं। प्रतिमाकरण और मानकीकरण की प्रक्रियाओं में ऐसी प्रतिपक्षताएँ स्वाभाविक हैं। मानकीकरण के सन्दर्भ में बात वाम बनाम दक्षिण की भी नहीं, कभी वह वरिष्ठ पीढ़ी से अपने लिए जगह दखल करने की जद्दोजहद है तो कभी वटवृक्ष की छाँह से बाहर निकलकर धूप की तलाश। कभी वैकल्पिक रचनात्मक रुचियों द्वारा वैकल्पिक

मानकों की प्रतिष्ठा। उदाहरण के लिए अब विचारवाद की धुरियों के परे रचनात्मक मूल्यों के अक्ष पर एक त्रयी अज्ञेय, मुक्तिबोध और शमशेर की है जिनमें वैचारिक भिन्नता भले हो, प्रतिपक्षता नहीं है। दूसरी त्रयी नागार्जुन, त्रिलोचन और केदारनाथ अग्रवाल की है जो साहित्यिक राजनीति और रणनीति के जरिए प्रतिपक्ष भी बना दी गयी है।

फिलहाल बात अज्ञेय की हो रही है, जो इन सभी सम्भावनाओं से अलग और परे, इस राजनीति और रणनीति के सबसे कठिन शिकार हुए। और शिकार भी अपनी ही रचना के कुपाठ और अपाठ के जरिए बनाए गये। उदाहरण के लिए *अच्छी कुण्ठा रहित इकाई साँचे ढले समाज से, अच्छा अपना ठाठ फकीरी मँगनी के सुखसाज से* की व्याख्या में इकाई को समाज का प्रतिपक्ष मानकर व्यक्तिवाद का वक्तव्य घोषित किया जाता है और अज्ञेय को समाजविरोध का आरोपी, जबकि आँखों के ठीक सामने 'कुण्ठारहित' और 'साँचे ढले' भी लिखा रखा है। स्पष्ट है कि प्रतिपक्ष 'कुण्ठारहित' और 'साँचे ढले' के बीच है। इन छोटे-छोटे विशेषणों की तह में मानसिकता और सामाजिकता के, एक ओर स्वस्थ चैतन्य और दूसरी ओर दमन की सामाजिक राजनीति के दर्शनों का अस्तर है। जिसे उनकी व्यक्तिवादिता कहा गया, वह वस्तुतः 'आत्म' की दार्शनिक परिकल्पना का एक विराट अहं में कायाकल्प है, 'सूने विराट के सम्मुख आलोक छुआ अपनापन' है जो विराट के सूनेपन को अपने अस्तित्व में फ्रेम करके उसे जीवित और भरपूर बनाता है। वह देशकाल में एक साथ वास करता अस्तित्व है, इसलिए प्रतिक्षण आत्मातिक्रमण में सक्षम है।

जीवित और भरपूर। अनुपस्थिति में भी उनकी उपस्थिति का अहसास ऐसा ही है।

26

कितने ठौर-ठिकाने

॥ राजी सेठ

संस्मरण स्मृत और स्मृति को ही नहीं लिखते, लिखने वाले को भी उतना ही लिखते हैं। यह द्विमुखता ही उनके उपार्जन की सहजावस्था है। दो तटों के बीच बँधे-बहते समय प्रवाह में कब कहाँ, कौन-सा स्मृतिखण्ड चेतना से टकराएगा और उसकी प्रतिगूँज किसको किस मुद्रा में लिखेगी, कोई नहीं जानता।

अहमदाबाद से स्थानान्तरण के बाद हम लोग 1977 में दिल्ली आये थे। यहाँ आने से पहले मैं *नया प्रतीक* में कई विधाओं में छप चुकी थी। छपने की दुनिया में वह मेरा पहला प्रवेश था। एक या दो कहानियाँ छप चुकने के बाद मैंने वात्स्यायन जी को अपनी कुछ कविताएँ भेजीं। तुरन्त उत्तर आयाः

"माननीयासु! आपका पत्र और पाँच कविताएँ मिली थीं। धन्यवाद! इतनी ही कविताओं का निर्णय करना हो तो मैं कदाचित् – 'दर्द की तरह' – रखकर बाकी लौटा देता, लेकिन इन्हें देखकर मुझे लगा कि आप ही के पहले चुनाव से न बँधकर सम्भव हो तो और भी काफी सी कविताएँ देखनी चाहिए – बशर्ते कि आपने लिखी हों बहुत-सी। क्या यह सम्भव होगा कि एक साथ ही पन्द्रह-बीस कविताएँ मुझे देखने को मिलें – तब यदि उचित जान पड़ा तो एक बड़ा समूह एक साथ प्रकाशित करना चाहूँगा – कुछ 8-10 पृष्ठ तक। वैसा हुआ तो दिसम्बर के अंक में यह समूह इकट्ठा दिया जा सकेगा जैसे सितम्बर के अंक में अरुण सेदवाल की कविताएँ दी गयी हैं।"

एक नये उगते लेखक पर ऐसे किसी पत्र की प्रतिक्रिया क्या हो सकती है, इसकी कल्पना करना आसान है। जीवन के उत्तरार्द्ध में शुरू हुआ रचनाकर्म जैसे एकाएक महा-स्वीकृति पा गया हो। कविताएँ उन्हें भेजी गयीं। विचारार्थ उनके पास रहीं भी। दिसम्बर अंक में मेरी कहानी छपी, जिसके बारे में उन्होंने लिखा कि उन्हें "अच्छी लगी...उसकी स्पष्टदर्शी प्रतिभा से मैं चौंका भी।" पन्द्रह कविताओं

का समूह फिर जनवरी अंक में छपा। सुखद लगा। अभिव्यक्ति के स्तर पर तब तक मेरे मन में कविता-कहानी का कोई भेद नहीं था।

शायद उसी साल, अहमदाबाद से छुट्टी पर घर (शाहजहाँपुर) जाते समय नियत करके पहली बार वात्स्यायन जी के वसन्त विहार वाले आवास में मिलना हुआ था। मोहक, भव्य, आकर्षक व्यक्तित्व और शिष्ट, शालीन, सुस्मित स्वागत भाव। चाय-पानी के बाद इला जी ने तब तक छपी रचनाओं के पारिश्रमिक स्वरूप संकोच से एक लिफाफा भी थमाया था। उसके बाद इधर-उधर की कुछ बातें – पहले सेठ साहब के महकमे सम्बन्धी पूछताछ। फिर उस समय के छिटपुट अवलोकन जैसे– दिल्ली में हिन्दी नहीं बोली जाती, अंग्रेजी यहाँ की मूल भाषा है। या यह कि किसी विचारधारा से जुड़ाव नये लेखक के लिए किस-किस तरह के संकट पैदा करता है। स्वीकृति के लिए उसे अपना रास्ता बदल देना पड़ता है। या कि साहित्य का आम आदमी क्या वास्तविक आम आदमी है? आदि-आदि।

यह सब कुछ शान्ति से सुनते-सुनते भी मैं भीतर से अधीर थी। *नया प्रतीक* में अपने अब तक के छपे पर प्रतिक्रिया भी चाहती थी। शायद शाबाशी का लोभ रहा हो। हो सकता है उस पहली भेंट में शायद वे कुछ भी न कहते। पर मैंने थोड़ा उकसाया तो वे बोले– "आपकी कविताओं में अक्सर शब्द की खोज का श्रम दिखाई देता है। वह होता तो है, पर दीखना नहीं चाहिए। संवेदन का पैराफ्रेज करने की प्रवृत्ति भी कहीं-कहीं दिखाई देती है। कुछेक शब्द या पंक्ति छोड़ देने से बात अधिक गहरी होकर सामने आ सकती है।" यह भी बताया कि कुछ कविताएँ उन्हें बहुत अच्छी लगीं, कुछ में शाब्दिक परिवर्तन किए गये। यह भी बताया कि किन्हीं कविताओं में रघुवीर सहाय ने कुछ फेरबदल किया है।

कुछ भी अन्यथा नहीं लगा। गुरु-सम किसी के मिल जाने का भरोसा हाथ लगा। उनसे पूरे सम्पर्क काल में मेरी एक प्रशिक्षु जैसी मानसिकता ही बनी रही। कहना चाहिए उन्होंने मुझे झेला ही। लगा कि वे अच्छे गुणवान साहित्य के तरफदार हैं, इसीलिए गुण-दोष को लेकर, इतने स्पष्टवादी हैं। यह बात उनके अति शिष्टतावादी रवैए के बीच में कभी आती नहीं लगी। अपनी धारणाओं पर उन्हें सदा अडिग देखा। विद्यानिवास जी ने कहीं लिखा भी है– "सृजन के नये सोपानों पर घुटनों के बल चलते रचनाकार उन्हें बड़े अपने लगते हैं। अनगढ़ सौन्दर्य, अनगढ़ रचना से वे बड़े अभिभूत होते हैं।"

वैसे भी समय के उस दौर में मेरे मन में 'अज्ञेय वृत्तान्त' एकदम तरोताजा था। सूरत में रहते, ठेठ गार्हस्थ्य जीवन जीते, शादी के तेरह-चौदह सालों बाद मैंने फिर से पढ़ाई शुरू करने का निर्णय लिया था। छोटी-छोटी लड़कियों के साथ, रोज-दर-रोज कक्षा में बैठने के अटपटे, आहत दर्प के पीड़न के बीच मैंने दक्षिण

गुजरात विश्वविद्यालय में अंग्रेजी में एम.ए. में दाखिला लिया। वैकल्पिक विषय हिन्दी और 'विशेष कवि' के रूप में अज्ञेय को चुना था। अहिन्दी भाषी प्रदेश में विद्यार्थियों को अज्ञेय जैसे कवि की तलब नहीं थी। छब्बीस या सोलह छात्रों की कक्षा में अज्ञेय को चुनने वाले मेरे समेत दो ही विद्यार्थी थे। उस प्रौढ़ वय में, पंक्ति-दर-पंक्ति के सघन शिक्षण के दौरान मैंने सचेत रूप से उनके रचनाकर्म की आन्तरिकताओं, पार्श्वों, संकेतों, निहित अन्तरालों, जटिलताओं, सूक्ष्मताओं आदि को जानते-समझते पढ़ा।

परीक्षाएँ खत्म होते-न-होते पतिदेव सेठ साहब के सूरत से अहमदाबाद स्थानान्तरण का हुक्मनामा मिला। नये सिरे से उखड़ने-जमने की कवायद, किताबें, अध्यापक छूट जाने का अवसाद मन पर हावी था। तब अनुमान नहीं था अहमदाबाद का आवास कहीं ज्यादा अनुकूल, उर्वर और निर्णायक सिद्ध होगा। वहाँ मेरी छोटी बहिन कमलेश सिंह "आत्मकथा के स्वरूप और साहित्य" पर शोध कर रही थी। भाषा भवन के अध्यक्ष डॉ. भोलाभाई पटेल हिन्दी अध्यापन के साथ-साथ अज्ञेय जी पर अपना शोध प्रबन्ध तैयार कर रहे थे। वस्तुतः अज्ञेय का सन्दर्भ ही उनसे मेरे संवाद-सम्पर्क का कारण बना। नये सिरे से अज्ञेय जी के कृतित्व का आमना-सामना हुआ। माहौल की आवेगित निरन्तरता के चलते मैंने हिन्दी में पीएच.डी. करने का इरादा भी किया, पर अंग्रेजी में एम.ए. करने के कारण उसकी स्वीकृति नहीं मिली। मैं खिन्न हुई। तब डॉ. भोलाभाई की पहल पर, अलमारियों में धूल खाती रचनाओं का अवलोकन उद्धार हुआ। उन्हीं के द्वारा पहली कहानी *नया प्रतीक* में भेजी गयी, जो तुरन्त छपी। सिलसिला चल निकला। अब याद आ रहा है कि बहुत छुटपन में मैंने वात्स्यायन जी की पुस्तक *इत्यलम* पढ़ी थी, जिसने मेरे मन में अपने प्रिय लेखक की खोज की दिशा बहुत पहले ही तय कर दी थी। छपना-छपाना तो बहुत बाद में शुरू हुआ।

कहूँ कि मेरे संवेदन में उनसे जुड़ाव का घनत्व उनके द्वारा छपने या उनसे साक्षात् मिलने से कहीं ज्यादा था तो अतिशयोक्ति नहीं होगी। उनसे मेल-मिलाप का सिलसिला दिल्ली आ जाने के बाद ही शुरू हुआ और कई कारणों से बाधित भी रहा।

यदि मैं अपने को ठीक समझ पा रही हूँ तो उनके कृतित्व और व्यक्तित्व के बीच के सेतुओं की खोज ने उसी समय मेरे मन में जन्म लिया था। वस्तुतः उनसे मिलने पर मुझे इन दो छोरों की दूरी सदा एकरस, एकात्म होती लगी थी। कृतित्व के गाम्भीर्य और व्यक्तित्व के सौष्ठव की छाप एक दूसरे से भिड़ती हुई न होकर, खपती हुई लगती थी। दोनों के गठजोड़ से एक प्रभावी एकात्मकता की सृष्टि होती लगी। मुझे यह भी लगा करता कि इन दोनों छोरों के बीच फाँक अगर है तो वह

उनके बेहद संयत, शिष्ट, आत्मानुशासित सभ्याचार की है, जिसके चलते वे सामने वाले को अपहुँच जैसे लगते हैं। तब फिर अपनी इस असमर्थता का दोष उनके मत्थे मढ़ देता है। उन्हें घमण्डी, अहंकारी, अतिचारी कहकर अपने को राहत देता है; जबकि ऐसा आचार-व्यवहार उनके जीवन-यापन की सहज अवस्था थी।

अपनी निजता की रक्षा और दूसरे की निजता का वे भरपूर आदर करते थे। उनका चेहरा-मोहरा, हाव-भाव, दृष्टि की कोमल पर अचंचल एकाग्रता सब कुछ मिलकर एक ही छवि का समर्थन करते थे। सामने बैठे उनके जैसे धैर्यवान श्रोता को कोई यह नहीं कह सकता था कि वह उस क्षण उपस्थित नहीं हैं; यह भी नहीं कि वह उसी क्षण में लिप्त हैं। लगता था दूसरों से सुने हुए वाक्य को साथ लेकर वह सोच की किसी यात्रा में निकल पड़ते हैं और उसे बृहत्तर सन्दर्भ में रखकर तुरन्त ही लौट पड़ते हैं। व्यक्ति का देय उन्हें समाज को देय लगता। अपनी निजता के पूरे चेत के बावजूद उनका लेखक सामाजिक-सांस्कृतिक सरोकारों के बीच खुलता था। ऐसा बिरादरी भाव उन्हें बेहद प्यारा था। शब्द, सम्प्रेषण, संस्कृति, समाज, भाषा, भारतीयता जैसी उनकी चिन्ताओं को कौन नहीं जानता। एक सांस्कृतिक पुरुष की संज्ञा उन पर खूब फबती थी।

उनसे मेरा सम्पर्क दिल्ली आने के बाद से उनके अवसान काल तक रहा। लम्बे समय तक तो यह बात मेरे लिए अविश्वसनीय बनी रही थी कि मैं साक्षात् उनके सम्पर्क में हूँ। उनसे मिलना यदा-कदा, यहाँ-वहाँ, कभी समय नियत करके इंडिया इंटरनेशनल सेंटर में, कभी गोष्ठियों, व्याख्यानों, साहित्यिक जमावड़ों में होता रहा। दो-चार बार वे हमारे घर भी आये। उनसे लिये जाते साक्षात्कार के पहले दो हिस्से मेरे घर में ही सम्पन्न हुए। उन दिनों मैं इंडिया इंटरनेशनल सेंटर के पुस्तकालय में बैठकर लेखन किया करती थी। संयुक्त परिवार की ठसाठस रिहायश और जिम्मेदारी के बीच लेखन के लिए अनुकूल समय पाना कठिन होता था। पतिदेव ऑफिस जाते समय मुझे वहाँ छोड़ जाते थे; वापसी पर हम साथ घर चले आते। अंग्रेजियत से सराबोर वहाँ के माहौल में किसी कोने में बैठी हिन्दी की किसी लेखिका से किसी को कोई वास्ता नहीं था। अपरिचय का वह विस्तार मुझे अनुकूल ही लगता था। दिक्कत शुरू हुई थी जब रूपा एंड कम्पनी से अंग्रेजी में छपा मेरा अनूदित कहानी संग्रह वहाँ नयी पुस्तकों के शेल्फ में देखा गया। साथ ही साथ *एशियन एज* ने चित्र सहित मेरा एक लम्बा साक्षात्कार प्रकाशित किया।

चार-छह बार अवश्य ऐसा हुआ कि वात्स्यायन जी ने मुझे वहाँ बैठे देखा तो चाय के लिए न्योत लिया। अचानक के उस साक्षात् में वे एकदम सहज होते, पर मैं असहज हुई रहती। हड़बड़ाहट में कुछ ज्यादा ही बोल जाती। बाद में अपनी

वाचालता पर पछताती। वे मुस्कुराते रहते। फिर उन दिनों किसी अपनी पढ़ी जाती किताब या लिखे जाते लेख पर चर्चा को बीच में खींच ले आते। अक्सर मेरे कच्चे-पक्के सवालों से भी उन्हें टकराना पड़ता। कह सकती हूँ भाषा, शब्द और सम्प्रेषण की बारीकियों को मैंने उनसे सीखा – प्रूफ रीडिंग तक। बहुत-सी भाषाओं में होने और किसी एक में अपने राग-वश जमना चाहने की इच्छा से पैदा हुई कमियों को मैं तब तक पहचानती नहीं थी। जबकि भाषा की वर्तनी व्यवहार को लेकर वे मात्र सजग ही नहीं थे, उसे संस्कृति के उद्घाटन का चेहरा भी मानते थे। सिखाने को लेकर उनका धैर्य मुझे अत्यन्त मार्मिक लगता। गुरुवर डॉ. देवराज की तरफ ध्यान जाता जो पानी तो डालते ही, पल भर में पौधे के पल्लवित हो उठने की आशा-अपेक्षा में तनिक कठोर हो जाते थे। उनकी स्वभावगत वत्सलता उस समय तिरोहित हो जाती थी।

सृजन और चिन्तन की मूलगामी अवधारणाओं में अलग-अलग विश्वासों के बावजूद, उन दोनों में पारस्परिक आदरभाव का रिश्ता था। याद आता है *युग साक्षी* पत्रिका से मुझे जोड़ने की डॉ. साहब की इच्छा, आवश्यकता और आग्रह को समझते हुए भी, आनाकानी करते रहने के मेरे रुख को वात्स्यायन जी ने अन्यथा लिया था। दबी जबान डपटते हुए कहा था– "इतनी बातें कहती हैं, यह क्यों नहीं कहतीं कि जिम्मेवारी लेना नहीं चाहती।" गम्भीर कर्म को लेकर अवहेलना उन्हें पसन्द नहीं थी। मेरा फैसला डॉ. साहब के पक्ष में हो गया था। डॉ. देवराज वात्स्यायन जी के पूरे सृजनकर्म में किसी केन्द्रीय दृष्टि के अभाव की शिकायत करते हुए भी उनके योगदान को महत्त्वपूर्ण मानते थे। उनका मानना था कि अपने देश को अन्तरराष्ट्रीय कद के किसी लेखक की जरूरत है और उस अपेक्षा को केवल वात्स्यायन ही पूरा कर सकते हैं। ज्ञानपीठ पुरस्कार के निर्णय के समय डॉ. देवराज प्रवर परिषद के सदस्य थे।

वात्स्यायन जी को लेकर मैं डॉ. देवराज के मत-अभिमत से सहमत नहीं थी। मेरी समझ में यह दो प्रकार (दर्शन और साहित्य) की दीक्षाओं में पोषित होने का फर्क था। वात्स्यायन जी की मूल वृत्ति, स्वात्म और सारी सृष्टि के कण-कण में से स्वातन्त्र्य भाव के अर्जन-उपार्जन में चेष्टारत रहने की थी। उस चेष्टा में वे छोटे-से-छोटे उपग्रह तक पहुँचने और स्थितियों के महीन से महीन आयामों को छान डालने को कटिबद्ध रहते थे। अपनी अन्तस्थ ऊर्जा को उसी एक दिशा में ले जाने के लिए मैंने उन्हें सदा तत्पर देखा (उनसे सम्पर्क काल में इसी अवलोकन के चलते मैंने वह लेख– 'अज्ञेय के कृतित्व में मुक्ति कामना का प्रसार' भी लिखा, जो उनके शती वर्ष में *पूर्वग्रह* में छपा है। इस लेख में मैंने चाहे उनके काव्यकर्म को ही समेटा है, पर उनमें कीलित इस मनोभाव की केन्द्रीयता को उनके पूरे सृजनकर्म में विस्तार पाते

देखा जा सकता है)। वे स्वयं अनुशासनप्रिय होते हुए भी मुक्त चिन्तन के आवाहन के आकांक्षी थे। मेरी समझ में गुरुदेव रवीन्द्रनाथ ठाकुर की लीक के ज्यादा निकट बैठते थे। बातचीत में अक्सर रवि बाबू के आचार-व्यवहार, साधन-प्रसाधन, हाव-भाव तक की चर्चा करते रहते थे। अक्सर लगता था क्या वे रवि बाबू में अपना रोल मॉडल पा जाने के आकांक्षी हैं? *सप्तकों* की परिकल्पना से लेकर वत्सल निधि शिविरों, संवत्सर व्याख्यानों की शृंखला की परियोजनाओं के पीछे क्या विश्वभारती जैसे किसी सांस्थानिक स्थापत्य की प्रेरणा थी? अपनी पृष्ठभूमि के चलते उनसे ज्यादा कौन जान सकता था कि स्थापत्य इतिहास में जीते रहने की कितनी बड़ी गवाही है। पीढ़ियाँ सदा से उन आधारों पर पलती आयी हैं।

मेरा उपन्यास *तत-सम* उन्होंने चाव से पढ़ा। नये लेखकों को वे ढूँढ़ते-पढ़ते अपने से जोड़े रखते थे। इस दिशा में उनमें एक खोजी पहल थी। इस क्रिया को वे बिरादरी-भाव के विस्तार की तरह देखते थे। इतने बड़े और स्थापित लेखक का अहं मैंने उनमें नहीं देखा। उनसे सम्पर्क ऐसा सम्पर्क था, जिसमें न अभिन्नता थी, न अहसास में दूरी। कोई उन तक पहुँचना चाहे तो पूरी छूट, न चाहे तो उसकी शुभेच्छा। एक बार मैंने उनसे पूछा भी था कि लोग आपसे मिलने में डरते क्यों हैं? उत्तर था– "जो मुझसे बचना चाहते हैं, वे इस तर्क को ओढ़ लेते हैं – सुख भी पाते हैं।" इसी प्रसंग की निरन्तरता में, हँसते हुए उन्होंने एक और रोचक बात सुनाई थी कि कभी कोई एक लेखक उनके स्थापित और सफल होने की संस्तुति करते हुए उनसे सफलता के गुर जानने के लिए मिलने आया था, और उन्होंने उसे बता भी दिए थे– "देखिए, अज्ञेय से दूर रहिए। यही इस माहौल में जीने का सफलतम नुस्खा है"। और वह इतना आज्ञाकारी निकला कि मन-वचन-कर्म से उनकी बात मान गया; फिर कभी पास नहीं फटका। सफल हो गया होगा।

असल में उनकी निजता उनके अपने नाप का एक जरूरी कवच भी थी, जिसका होना उनके और शायद दूसरों के हित में ही था। उनकी उपस्थिति का समूचापन दूसरे को ध्वस्त कर सकता था, इस आशंका से कुछ लोग उन्हें प्रहारों से छेदकर ध्वस्त किया जाना जरूरी समझते थे। पंक्ति में लगे लोगों को अपनी जगह बनाने की जल्दी थी और वात्स्यायन जी थे कि 'अपने को पंक्ति को दे दो' के सर्वहिताय सदाशयी आवाहन में लगे थे। उनका इतना आत्मस्थ होना, शत्रु-समय की ललकारती चुनौतियों के सामने बेशक ढाल की तरह था, फिर भी इतने संवेदनशील मनुष्य की त्वचा पाया व्यक्ति इस घायल, आहत-भाव या अस्वीकार को कैसे लेता-सहता होगा, यह सदा मेरी जिज्ञासा का हिस्सा रहा। मेरी इस जिज्ञासा का उत्तर उनकी संकल्पस्थित प्रज्ञा के पास इस क्रम में था– "अवसाद-भाव नहीं आनन्द-भाव तक पहुँचने की भारतीय संस्कृति की लीक और सीख क्या इस

दिशा में सहायक-वरणीय-करणीय नहीं?" मेरी कविता 'दर्द की तरह' का उनके द्वारा इतना पसन्द किए जाना भी मुझे, उनके बारे में, अपनी समझ का विस्तार करता लगता था। उन्होंने कहीं लिखा भी था कि "भारतीय होने का एक परिणाम यह है कि वह 'सेंस ऑफ लॉस' पर नहीं 'सेंस ऑफ लिबरेशन' पर जोर देता है।"

यह बात भी मेरे देखने में आती रही कि उनके सामने बैठा कोई अपना दुखड़ा रो रहा हो तो वे अविचलित-जैसे चुपचाप बैठे सुनते रहते थे। बाद में कहते थे वह मुझसे नहीं अपने आप से बातें कर रहा था। उनके हिसाब से, 'यह किसी व्यक्ति के मानस में अपने विरेचन के लिए चल रही आत्म-सम्बोधित क्रिया है। उसे संयोगवश मैं सामने बैठा मिल गया।' सान्त्वना, समाधान, सन्देश, निर्देश वे देते नहीं थे, पर उस प्राणी को अपनी आत्मीयता के घेरे में सहृदयतापूर्वक दाखिल जरूर कर लेते थे। शायद इसीलिए उनके अलग-अलग व्यक्तियों से अलग-अलग स्तर के रिश्ते थे।

मेरे मन में कितनी ही स्थितियों, संयोगों, घटनाओं में लिपटी पड़ी ढेरों स्फुट बातें हैं जो उनके लम्बे समय तक परिदृश्य पर बने रहने के कारण अनुभव-समृद्ध जीवन-विवेक की आभा से दीप्त हैं, पर उन्हें केवल स्मृति के सहारे, देशकाल की प्रामाणिकता के बिना, किसी काया में बाँधकर इस तरह स्मरण लेखों में अँटाना नहीं हो सकता। ऐसा करना, भीतर-बाहर की एकता में आत्मस्थ हो सकने की तड़प में आजीवन जीते व्यक्ति के प्रति अन्याय करना होगा। उनकी मानें तो *"बाँधो मत... फूल झरता है तो झरने दो"*। सच तो यह है कि किसी के भी द्वारा कहे-सुने-उच्चारे गये अर्थवान शब्द अपने घनत्व के चलते स्वतः जीवित रहते हैं। किसी मंजूषा के चौखटे से मुक्त, उन्हें कभी भी, कहीं भी, एक छोटे से सन्दर्भ का सहारा देकर पाया जा सकता है। तलबगार उन्हें स्वयं पा लेता है और ऐसे बरत भी सकता है, जैसे कोई एक बल्ब जो एक छोटी-सी 'खट' के सहारे सारे प्रकोष्ठ को प्रकाशित कर सकता है।

अपने उपन्यास *तत-सम* पर लौटना चाहती हूँ, इसलिए नहीं कि वह मेरा उपक्रम था और उस कारण से मेरे लिए महत्त्वपूर्ण है, बल्कि इसलिए कि वह उस पुस्तक के माध्यम से, उनके सोच और सरोकार को जान लेने का एक अकल्पनीय अवसर रहा। उतनी लम्बी सघन बैठक और उतनी विस्तृत चर्चा फिर कभी उनसे किसी बात पर नहीं हुई। उपन्यास उनके पढ़ने में आया है, यह जानकर मुझे उनकी प्रतिक्रिया की अधीर प्रतीक्षा रहती थी। जानना चाहती थी कि पुस्तक में अन्तर्वस्तु (आत्मस्वातन्त्र्य के आविष्कार, प्रसार का संघर्ष) की तरह बुने हुए मेरे केन्द्रीय सरोकार को वे किस 'दृष्टि' से देखते हैं। मुझे सदा लगता रहा था कि उन्होंने अपनी मूल प्रकृति, प्रवृत्ति और संस्कृति (सीखे हुए के अर्थ में) के घर्षण में

तपते-तचते, इस अवधारणा को मात्र आत्मोपलब्धि की तरह ही नहीं, बल्कि मानवीय सम्भावनाओं के चरम पर खड़े सांस्कृतिक सर्वात्म की तरह कमाया है। जिसे अब वह एक अनुभव-समृद्ध सचेत लेखक की तरह अपने विश्वबोध की तरह बरत रहे हैं।

उनकी ओर से जब घोर चुप्पी रही तो मैंने फोन खटखटाया। बोले– "पढ़ तो चुका हूँ। अभी तो उसके पात्र मेरे आसपास मँडरा रहे हैं। उनसे मुक्त हो लूँगा, फिर आपसे मिलूँगा।" आगे के किन्हीं दिनों में बैठक का समय और स्थान उन्होंने खुद ही तय किया था। इंडिया इंटरनेशनल सेंटर के लाउंज के भीतर न बैठकर बाहर की कुर्सियों पर बैठने का विकल्प भी उन्होंने चुना था। सामान्यतः अन्दर ही बैठना होता था। कोई दूसरा लेखक वहाँ उपस्थित हो तो साभिवादन आकर बैठ भी सकता था। ऐसा बिरादरी-भाव उन्हें प्रफुल्लित करता था। कुछ को छोड़कर, अक्सर लोग नहीं भी बैठते थे। कनखियों से देखते हुए कतराकर निकल जाते थे। कतराने के निहित अर्थ से मैं शायद असहज हो जाती होऊँगी और उस होने को वह लक्ष्य करते रहे होंगे कि एक दिन नरमी से उन्होंने कहा– "यहाँ अच्छा-बुरा सब चलता है। चुपचाप अपने काम में लगी रहिए। जिस मन से हमें चौबीसों घण्टे काम लेना है, उसे दुलार कर शान्त रखना चाहिए।" लेखकीय जीवन के हक में मुझे उनसे मिली यह सनातन सीख है।

बहरहाल, चाय के आदेश के बाद बैठते ही उन्होंने कहा– "आप अपने पिता से बहुत प्यार करती रही होंगी?"

"आपको कैसे पता?" हर दृष्टि से इस अप्रत्याशित का कोई उत्तर होता भी होगा तो मुझे उस समय न सूझता। पुस्तक में नायिका के संवेदनाहत काल में, कहीं-कहीं स्थितिनुसार, दर्दीले उत्कट पितृ-स्मरण का उल्लेख जरूर हुआ था, पर पिता से दीर्घ संलग्नता को जताती दूसरी कोई बात उस पुस्तक में, उस समय मेरे मन में नहीं आयी।

तब पहली बार उन्होंने मेरे माता-पिता, पितृगृह के परिवेश और बीते दिनों के बारे में बात की थी। सामने बैठ ध्यानपूर्वक चुपचाप मुझे सुना था, मेरी प्रगल्भता पर अंकुश लगाए बिना। फिर बोले– "मतलब, हिन्दी आपके लिए भी सीखी हुई भाषा है।" आगे की उनकी बातों का आशय यही था कि इसीलिए पुस्तक में संस्कृत, अंग्रेजी, उर्दू, गुजराती के शब्द आये हैं और कई-कई जगहों पर वे प्रयोग-भ्रष्ट भी हैं (पुस्तक पर लगे निशानों को सामने रखकर वे बता रहे थे)। मैंने कहने की कोशिश जरूर की थी कि संस्कृत तो मुझे आती ही नहीं, सीखी भी नहीं, पर हो सकता है अपनी सूत्रात्मक मितव्ययता के गुण के कारण अनजाने ही मेरे प्रयोग में आ जाती हो। पर उनका आग्रह अटल था– "जिस किसी भाषा में लिखें,

उसके संस्कार को वहन करता कोई उपयुक्त शब्द ढूँढ़ना ही चाहिए। लिखते समय न भी बने तो बाद में स्थानापन्न किया जा सकता है।" बिन्दुओं के अति प्रयोग, वर्तनी की भूलों, चिह्नों की उपयुक्तता की ओर भी उन्होंने ध्यान दिलाया था। आवाजाही की छूट देने वाली अध्याय-रहित कथा संरचना उन्हें खासी अच्छी लगी थी – ताम-झाम के बिना सीधे भीतर तक ले जाने वाली।

दोनों खण्डों की शुरुआत के काव्यांश (?) भी उन्हें खूब अच्छे लगे थे। सदोष वर्तनी वाले निशानों की तरह इन जगहों को भी उन्होंने बुकमार्क हटाकर अंगुली रखकर दिखाया था। पुस्तक की अन्तर्वस्तु को लेकर जिस बात की मुझे अधीर प्रतीक्षा थी, उस पर वे सबसे बाद में आये।

आगे की बातचीत से लगा था, अन्तर्वस्तु की तरह बुनी हुई और इतने आयामों में पसारी गयी आत्म-स्वातन्त्र्य के अर्जन की अवधारणा ही थी जो पुस्तक में उनकी रुचि का मुख्य विषय थी। दो पात्रों के बीच जमकर हुए संवाद के द्वारा वह स्पष्टतर भी हो गयी थी। इसी मुद्दे के कई पक्षों पर वे देर तक बात करते रहे। उनके हिसाब से मैंने स्त्री को केन्द्र में रखा, जिससे 'बहुत-सी बातें तो जड़ से निर्विवाद हो गयीं, पर यह स्त्री के ही नहीं मनुष्य मात्र के आत्मसंघर्ष का मामला है। उसे उसी स्तर तक देखा जाना चाहिए जो चित्रित किया गया है।' यह व्याख्या मुझे अच्छी न लगी हो ऐसा नहीं कह सकती, पर पात्रों के आसपास हिरते-फिरते रहने की जो बात उन्होंने फोन पर कही थी, उसे मैं भूली नहीं थी।

उस सवाल का जवाब अन्ततः उन्होंने दिया– एकाएक, वह भी अंग्रेजी में, भाषा पक्ष को लेकर अभी-अभी दी इतनी हिदायतों के बावजूद– "वुड इट सरप्राइज यू इफ आई से आई एम विद द लूजर?" (क्या आपको हैरानी होगी, अगर मैं कहूँ कि मैं खोने वाले के साथ हूँ।) आश्चर्य मुझे हुआ था, यह जानकर कि उनकी संवेदना पात्र 'विवेक' के साथ थी, पात्र 'आनन्द' के साथ नहीं, जो व्यक्तित्व के स्तर पर बेहद संयत, आत्मशक्ति-सम्पन्न, वयस्क और दुख-तत्त्व पर पार पा सकने वाला प्राणी था। मेरे अनुमान से आनन्द को ही स्वभावतः उनकी पसन्द का पात्र होना चाहिए था। (ज्यादातर पाठकों की भी यही प्रतिक्रिया थी)। उनका यह निष्कर्ष मुझे आज भी उनकी आन्तरिकता में टीसते किसी ऐसे दर्द की टोह देता लगता है जिसमें किसी का साझा न रहा हो। नहीं तो साहित्य में अनुभव और विचार, समझ और मर्म के अलग-अलग मायनों की बात किसे नहीं मालूम।

कारण जो भी हो, बात आगे नहीं चली। बीच में गम्भीरता जैसी पसर गयी थी। उनकी वैसी स्मित-विहीन मुद्रा मैंने पहले कभी नहीं देखी थी। 'अच्छा बस' कहकर वह उठे और बिना किसी औपचारिकता के निर्वाह के लपककर चले गये। जाने मुझे क्यों देर तक लगता रहा कि उस वातावरण में पुस्तक के सन्दर्भ से इतर

भी कुछ अनजाना अनदेखा साँस ले रहा है, जो इस पूरे अनुभव में शामिल है। उनकी मृत्यु के बाद मैंने बहुत लोगों से वात्स्यायन जी द्वारा इस पुस्तक की संस्तुति किए जाने की बात सुनी थी।

उन्हीं किन्हीं दिनों वे अघोषित ही, हमारे घर आये थे। मेरे जन्मदिन पर भेंट में एक सुर्ख गुलाब और अपनी आवाज में टेप की हुई कविताओं का कैसेट लाये थे। तभी उन्होंने बताया था कि एक बार पहले भी वे हमारे घर आ चुके हैं। घण्टी टीपी थी। जल्दी दरवाजा नहीं खुला तो लौट गये थे। उस सुबह जब आये तब साफ-सफाई का समय था; रास्ते में रखा झाड़ू, प्रवेश द्वार पर फेंकने के लिए जमा कूड़ा-कबाड़। सफेद झक्क कपड़ों में उन्हें द्वार पर खड़ा देखकर सारा घर सकपका गया था। मेरे देवर की बच्ची प्राची 'किंग अंकल आये... किंग अंकल आये' कहती उनके पार्श्व में हो ली थी। यह नाम उसको किसने सुझाया होगा, यह आज तक रहस्य है। रचनात्मकता के पदार्पण पर शायद वह पहली सहज निर्दोष स्वागतोक्ति थी। मेरे संकेत पर प्राची उन्हें तुरन्त ही ऊपरी मंजिल में ले गयी। मेरे अध्ययन कक्ष में यह उनका पहला और अन्तिम प्रवेश था। तैयार होकर जब तक मैं ऊपर आयी, प्राची से उनकी प्रगाढ़ दोस्ती चल रही थी। वे झूलनी कुर्सी पर बैठे झूल-से रहे थे और स्वभाव से प्रगल्भ, प्राची उनके घुटनों से लगी, उसी लय पर झूलती बोल-बतिया रही थी। गयी रात उन पर लिखे 'मुक्ति कामना' वाले लेख के पूरा हो जाने और सुबह एकाएक उनके उपस्थित मिलने के संयोग से मैं बेसम्भाल पुलक से भर गयी थी। कुछ और समझ में नहीं आया तो मैं वह लेख उन्हें थमाकर नाश्ते-पानी की व्यवस्था के लिए नीचे चली गयी। एकान्त में उन्होंने स्वभावतः वह लेख ध्यान से पढ़ा होगा। मैं आयी तो प्रसन्न दीखे। 'कैसा लगा?...कुछ बना?' मेरा वही सनातन प्रश्न। –"इतने सालों से लिखता आ रहा हूँ। इसी बात की पूँछ पकड़कर चलता आ रहा हूँ। अब जाकर किसी ने सही नब्ज पर हाथ रखा।"

मैं भीतर से फूल तो रही थी, पर अपने को संयत करने के लिए उसी पुरानी तरकीब की शरण में चली गयी थी। कुछ ज्यादा ही बोलने लगी, कि इस लेख में केवल काव्यकर्म को ही समेटा है। दूसरी विधाओं में भी इसका विस्तार देख चुकी हूँ, कभी लिख डालूँगी। (वह लिखना अब तक नहीं हुआ)। इस बीच प्राची गुलाब का फूल उठाकर कब गायब हुई, किसी ने नहीं देखा। वह मेरे पतिदेव के साथ लौटी। एक बदरंग से रिबन से गुलाब को बाँधकर प्राची ने छोटा-सा गोल घेरा बना लिया था और अपने 'किंग अंकल' के सिर पर पहनाने की कोशिश में लगी थी। इतने बड़े सिर पर इतना छोटा घेरा... अँटा नहीं तो एकदम रुआँसी हो गयी;

तब वात्स्यायन जी ने उससे उसकी नोट बुक मँगायी और उस पर अपने हाथ से लिखकर दो कविताएँ भेंट कीं (एक थी 'गेहूँ के खेत में', दूसरी का नाम याद नहीं)। मेरा विश्वास है कि अब लन्दन में बसी प्राची की मंजूषा में वे दोनों कविताएँ कहीं सुरक्षित पड़ी होंगी। याद आता है कि वह जिद करके वात्स्यायन जी के दाह-संस्कार में भी गयी थी, बल्कि हमारा पूरा परिवार।

तब तक भ्रमण-प्रिय सेठ साहब ने वहीं आकर अड्डा जमा लिया था। यात्राओं के बारे में वह वात्स्यायन जी के मुरीद थे। उस दिन भी उनसे आगामी यात्राओं के चिट्ठे बनवाए गये। उन्हें बताना होगा कि इस साल के सरकारी भत्ते से कब, कहाँ जाएँगे। जो वात्स्यायन जी कहें वही अटल सत्य। पतिदेव का यह लोभ सनातन किस्म का था। लाइब्रेरी से मुझे घर लिवाने आते समय यदि मैं वात्स्यायन जी के साथ बैठी मिल जाऊँ तो पौ बारह। बीच के उपस्थित सन्दर्भ को निरस्त कर संवाद देशाटन के घोड़ों पर कूदने लगता था। उन्हें बताना पड़ता था, कब, कहाँ, कौन-सी दिशा, कैसी जलवायु, वनस्पति, परिधान, ठहरने के ठिकाने-दर्शनीय स्थल आदि सब कुछ। सेठ साहब के स्वभावगत आग्रहों, आवृत्तियों से घायल होते हुए भी वे हँसते-मुस्कुराते रहते थे। पालमपुर (हिमाचल) की यात्रा हमने उनके सुझाव पर ही की थी। अगली बार का पड़ाव डलहौजी या खजियार हो सकता है, विदेश में हों तो कैलिफोर्निया, यह भी उसी समय सुझा दिया गया था।

इस सिलसिले में स्मरण में तैरती आती एक और छोटी-सी प्रवृत्तिगत बात। पालमपुर, अंद्रेटा घाटी और धर्मशाला से लौटने के कई दिन बाद उनसे मिलने पर मैं होटल के टैरेस से दिखती धौलाधार पर्वत श्रेणियों की अनुपमेयता का बखान करने बैठी थी। लम्बी देर सुनते रहे फिर हँसते हुए धीरे से बोले– "मैं यह सब कुछ जानता हूँ।" मैं संकुचित हुई थी– "तो फिर टोका क्यों नहीं?" उत्तर था– "मैं आपको मिलते आनन्द में बाधा क्यों डालता?" इस छोटी-सी घटना से, मेरे मन में उनकी चीजों को विरूपित-निरूपित न करने, अक्षुण्ण बना रहने देने की प्रवृत्ति को लेकर एक और प्रविष्टि हुई थी।

क्रम ठीक से याद नहीं, पर उसके बाद भी उनका दो बार हमारे घर आना हुआ – साक्षात्कारों के सिलसिले में। विद्यानिवास मिश्र जी ने *अभिरुचि* की शुरुआत की तो पहले अंक के लिए वात्स्यायन जी से साक्षात्कार का काम मुझे सौंपा। मैं बौखला गयी। साक्षात्कार के समय होशो-हवास दुरुस्त होने चाहिए और वही जो उनकी उपस्थिति में सबसे पहले गुम होते थे। सचेत पाठक होना एक बात है, वाचा की रीति-नीति में निपुण होना दूसरी बात। ऐसी प्रवीणता अध्ययन-अध्यापन में लगे, रोज-दर-रोज मुखर रूप से संवाद-विसंवाद में लगे लोगों में सहज होती है।

यही नहीं, हर विधा की अपनी भी कुछ शर्तें होती हैं। उस जमीन पर खड़े होकर विषयी के अन्तर्न्यस्त को खोलने की जरूरत होती है। सम्बन्धित लेखक के प्रति प्रश्नकर्ता का प्रशंसात्मक रुख प्रतिपक्ष का निर्माण करने में बाधक भी हो सकता है। पूछने वाला इस बारे में संयमित सचेत न हो तो मेहनत विफल हो सकती है। इन मिले-जुले कारणों से बनते तनाव के चलते मिश्र जी को मैंने इस काम को लेकर अपनी असमर्थता जताई थी। पता लगा निर्णय और चुनाव उनका नहीं वात्स्यायन जी का है। जान गयी थी, फिर तो उस होने को होना ही है।

देखती आ रही थी, उनके स्वभाव में एक निर्द्वन्द्व पहल है। अपने चाहने को कर गुजरने की अभीत संकल्पशीलता। दो-एक दिन में ही उनका फोन आ गया था कि अगले हफ्ते का अमुक दिन उनको अनुकूल है, यदि मुझे भी सुविधाजनक हो तो वे टेपरेकॉर्डर लेकर मेरे घर पहुँच सकेंगे। वे आये। काम शुरू जरूर हुआ, पर मेरे मन में इच्छित तैयारी की अनुभूति नहीं थी। होती तो भी मुझे अधूरी ही लगती। जिज्ञासाएँ अनन्त थीं, उनकी उपलब्धियाँ भी कुछ कम नहीं थीं। पर मेरे पूछने का ढब ही बार-बार गड़बड़ा जाता था। प्रश्न बनते-बनते बिगड़ जाता था। फिर भी वे उसी सुस्थित भाव से सधा हुआ जवाब देते रहते। हर शब्द में छिपे अर्थ संकेतों पर पूरा ध्यान देते। प्रश्न के हर हिस्से को खोलने में सचेष्ट दीखते। उनकी मृत्यु के बाद छपी पुस्तक *रचनाः कब और किन के बीच* में पाठकों ने पहले खण्ड में प्रश्न बनाते मेरे वाक्यों का हड़बड़ापन स्वयं देख लिया होगा। उनके उत्तरों की सुसंगति भी लक्ष्य की होगी। तीसरी खेप के प्रश्न लिखकर भेजे गये थे। उत्तर भी लिखित में आये थे और *अभिरुचि* में ही छपे थे।

साक्षात्कारों की तैयारी में, नये सिरे से वात्स्यायन जी के कृतित्व से जूझते कई भूमिगत हो चुके सवालों ने सिर उठा लिया था। *भवन्ती, अन्तरा, शाश्वती* – अन्तःप्रक्रियाओं की ये किताबें मेरे लिए वैसे भी विशेष थीं – कृतित्व-व्यक्तित्व के बीच बनते पुलों को लेकर मेरी सनातन जिज्ञासा को पोषित करतीं। जर्मन कवि रिल्के के सौ पत्रों के अनुवाद करने का काम (आज सोचती हूँ) मैंने इन्हीं आन्तरिक बाध्यताओं के चलते करना तय किया होगा। मुझे यह भी लगने लगा था कि इन दो छोरों के बीच अविच्छिन्न संगति की तलाश साहित्यिक दृष्टि से हमारे लिए मूल्यवान सिद्ध हो सकती है। पश्चिम में इन उपक्रमों ने एक से ज्यादा स्तरों पर अपने लेखकों में निहित सम्भावनाओं को बहुत-सी प्रशाखाओं में फैल-फैला सकने के लिए सुलभ कराया है।

उन देशों में ऐसे उपक्रमों की बहुलता और अपनी सांस्कृतिक परम्परा में इनकी विरलता अकसर वात्स्यायन जी और मेरे बीच चर्चा या विचार का विषय बनती थी। इसी सन्दर्भ में एक बार उन्होंने मुझे ब्रितानी लेखक वर्जीनिया वुल्फ

पर लिखी ऐसी ही एक किताब दी थी। उस किताब को या तो मैंने टूट-टूट कर पढ़ा था इसलिए; या वह मुझे अपनी अपेक्षाओं का उत्तर देती नहीं लगी थी, पर मेरी कम उत्साही प्रतिक्रिया ने उन्हें खिन्न जरूर किया था। पता नहीं उनका कभी इस ओर ध्यान जाता था या नहीं कि वे अपने वजूद-काल में, एक ही समय में खुले और बन्द, पहुँच-अपहुँच, निजी-अनिजी जैसे दो अलग-अलग छोरों पर एक साथ खड़े दिखाई देते थे। कब कौन-सी कुंजी उस आबद्धता को खोल सकती है, यह भी विचारगत मुद्दे की गवेषणा-गणना का अन्तरंग पर अधखुला हिस्सा था। एक दिन सामान्य-सी जिज्ञासा की तरह मैंने उनका मनोभाव जानना चाहा– "वह कौन-सा समय होगा, जब आप अपने हथियार डालने को राजी होंगे?" मुझे लगा था परिधि की कोर पर टिके ऐसे परोक्ष वाक्य को वे समझ नहीं पाएँगे, पर वे समझ गये थे। तभी उन्होंने बताया कि रामकमल राय यह 'दुष्कर्म' कर रहे हैं, मेरी जीवनी लिख रहे हैं। अब उन्हें लम्बा समय देना पड़ता है, उनका 'हुकुम' मानना पड़ता है। "पर इसमें आपकी रजामन्दी तो रही होगी?" पूछने पर वे बेहद गम्भीर हो गये थे। बोले, "हाँ। लिखने वाले की मंशा में खोट न हो तो सब ठीक ही है। पर उखाड़ने-पछाड़ने के लिए किसी को जमीन चाहिए तो बात दूसरी है।" उनके चेहरे पर झलक आती उदासी से जाहिर था कि उखाड़ने-पछाड़ने की राजनीति से वे कितने पीड़ित रहते होंगे। तब शायद अपने निहायत समृद्ध आन्तरिक स्रोतों की ऊर्जा ही उनकी सहचर बनकर रहती होगी, जिसे उन्होंने कठोर आत्मानुशासन से कमाया था।

डॉ. रामकमल राय की पुस्तक *शिखर से सागर तक* जब छपकर आयी तो वात्स्यायन जी ने लोकार्पण से पहले ही उसकी एक प्रति मुझे दे दी थी। साथ में अपनी किसी नयी किताब की हस्ताक्षरित प्रति भी। अपनी नयी छपी किताब की हस्ताक्षरित प्रति उन्होंने सदा मुझे दी। उनके ठाठ-बाट के अनुकूल कृतज्ञता प्रकट करने की शायद मुझे तमीज नहीं थी। 'थैंक्यू' कहकर छोड़ देती थी। उनको अपना कुछ कभी पढ़ने को दिया तो ध्यान से, उसी समय पढ़कर, दूर देखते हुए, दोनों हथेलियों के बीच पन्नों को रखकर सहलाते रहते थे फिर, "अच्छा है, छपा सकती हैं, पर उससे पहले फिर से देख लेना चाहिए" कहकर मेज पर रख देते थे। "आप बताएँगे, कहाँ से?" "नहीं, वह देखना तो आपका अपना ही होगा। पूरा कर लें तो मैं एक बार जरूर देख लूँगा। पर इस काम को तुरन्त ही कर लेना अच्छा है।"

उनके ऐसे बार-बार दोहराए जाते इंगित को मैं अच्छी तरह समझने लगी थी। *शेखर-भाग* 3 के सृजन और प्रकाशन की लगातार पूछताछ से वे अब प्रश्नाहत होने लगे थे। कहा करते थे, "पहले मैं ऐसा नहीं मानता था। अब लगता है अनुभव से दूरी लेखक को महँगी पड़ती है। अनुभव को उसी समय खरा कर लेना चाहिए जब वह अपने भीतर उत्पात मचा रहा हो", यह एक तरह से एलियट से

प्रभावित होने के आरोप का खण्डन था; या वे अपने अवबोध में आगे निकल आये थे।

उन्हें कहते मुझे संकोच ही हुआ था कि बहुत से निहित कारणों से राय की लिखी जीवनी मुझे उतनी पसन्द नहीं आयी। थोड़ी देर खामोश रहकर अज्ञेय जी बोले– "मेहनत तो बहुत की है, पर जिसकी जितनी तथा है उतना ही तो कोई करेगा?" मैंने उन्हें बताया नहीं था कि पुस्तक पढ़ने के बाद मैंने एक लेख लिखा था (जिस पर 4 अगस्त, 1986 की तिथि दर्ज है) जो मुख्यतः तो अपने को प्रभावमुक्त करने और नुकीले तरीके से अपने एतराजों को समझने के लिए ही था, ताकि आगे चलकर वात्स्यायन जी से उस विषय पर खुलकर बात हो सके। यों आधार ग्रन्थ वह निश्चय ही अच्छी पुस्तक थी, श्री राय ने– 'यहाँ इतना ही जानना काफी है' के तौर पर का सहारा लेते हुए एक इतिवृत्त पूरा किया था, जो मेरी समझ में इस तरह के दस्तावेज का जिम्मा उठाने के कर्म के विरुद्ध था। मुझे लगा था तब फिर ऐसी अधूरी अनमनी चेष्टा क्यों करनी चाहिए?

"आपने उन्हें सहयोग नहीं दिया होगा? सारा सच नहीं बताया होगा?" पता नहीं कैसे हिम्मत करके मैं उनसे कह गयी थी।

वे विचारमग्न हो गये थे। कुछ आगे को झुककर बैठे। फिर पीछे होकर कुर्सी पर पीठ लगाकर बैठ गये, लगभग असम्पृक्त। फिर जैसे चेत आया हो– "सहयोग देने से ही वह पूरी बात कह पाऊँगा, यह कैसे कह सकता हूँ।" फिर छोटी-सी चुप्पी के बाद– "मैं किस रास्ते से यहाँ तक पहुँचा हूँ उस बात का बहुत महत्त्व भी नहीं।"

याद करती हूँ *भवन्ती* में कहीं ऐसा कुछ उन्होंने लिखा भी है। यह भी लिखा कि "जिन छोटे-छोटे प्रकरणों से जोड़कर यह पुस्तक बनी है, वे प्रायः सभी छोटे-छोटे युद्धों के इतिहास हैं। प्रत्येक के पीछे एक यन्त्रणा भरी प्रक्रिया रही है।" अच्छा ही हुआ बातचीत के दौरान ही शंकरदयाल सिंह या शायद ऋषिकल्प आ गये। विषय और वातावरण बदल गया; फिर भी उठते-उठते उन्होंने मेरी ओर उन्मुख होकर कहा– "ऐसा भी तो हो सकता है – किसी को किसी दूसरे का किया हुआ काम पसन्द न आये तो वह उस काम को खुद ही कर डाले।" यह सुझाव था या उनकी इच्छा, यह उस रपटते क्षण मेरे लिए तय कर पाना मुश्किल था। पर यह जरूर जानती थी कि उनके निहितार्थ सदा संक्षिप्त और सुविचारित होते थे।

बाद में अपने को टटोला तो लगा कि मैं 'तय' कर लेती तो भी वह 'हाँ' की सीध में न होता। देर से लिखना शुरू किया – ऐसा करके मैंने पहले से ही अपने अनगिनत दायित्वों, दबावों की गिनती में एक और दायित्व जोड़ लिया था। जिए जा चुके का बहुत-सा – मैला-उजला – मेरे अपने ही भीतर बन्दी था। सर्वोपरि तो साहित्यिक वातावरण में फैलती धुआँस कि एक नयी-नकोर लेखक वात्स्यायन जी जैसे प्रतिष्ठित समादृत रचनाकार के कन्धों पर खड़े होकर दुनिया देखने का सपना

देख रही हूँ। यह मुझे हर तरह से अमान्य था। खाल अभी इतनी मोटी नहीं हुई थी कि प्रभाव न पड़ता। किसी का माध्यम बनने या किसी को अपना माध्यम बनाने की कोई अभीप्सा मेरे मन में नहीं थी। गर्वोक्ति न मानी जाए तो कहूँ उतना आत्मबल, श्रमबल मुझमें था। उतनी-सी पूँजी के सहारे ही मैं लेखन के संसार में उतरी थी। अपनी कमियों और गुणों को स्वीकार करके चलने और उनके बीच जीने का सलीका घनघोर संघर्षमय जीवन मुझे सिखा चुका था। अन्तःसलिला की तरह पिता का संरक्षक साया हर घड़ी मेरे साथ रहता था। कभी भूलती नहीं थी, किस तरह निरभ्र आकाश के नीचे केवल तीन कपड़ों में आन खड़े होने के बाद उन्होंने अपना जीवन बनाया था (सन्दर्भ–*देश का विभाजन*)।

अपने विश्वासवश यह भी जानती थी कि मेरा ऐसा मनोभाव जान लेने के बाद वात्स्यायन जी जैसे आत्मसम्पन्न, आत्मनिष्ठ व्यक्ति को भी मेरा ऐसा कोई कृत्य स्वीकार न होगा। दूसरों को माध्यम बनाने की कोई नकारात्मक वृत्ति मैंने उनमें नहीं देखी थी, नये लेखकों के हक में वे अपने ही समय, क्षमता और प्रज्ञा का इस्तेमाल हो लेने देते थे। स्नेह से उन्हें देखते-परखते, उनके 'स्वात्म भाव' को ही सुदृढ़ करने में लगे रहते थे। उनके रूबरू खड़ा होने के लिए गिड़गिड़ाहट की नहीं, असली, उत्सुक, निर्दोष जिज्ञासाओं और पूर्वाग्रह रहित मंशा की निष्कलुषता की जरूरत थी। इसी बीच कभी एक बार उन्होंने, बिना किसी प्रसंग के, फोन पर ही कहा जरूर था– "आप मुझसे कभी भी, कुछ भी जानना चाहेंगी तो जरूर सच कहूँगा।" वह वाक्य शायद मेरे कान में अपने मनोभाव को सूचित करता, एक कतरा-भर डाल देने की तरह था – उतना-भर, विखण्डित।

कइयों का मानना है कि वात्स्यायन जी को अपनी कहानी खुद लिखनी चाहिए थी। इस बारे में मैंने उनके साथ हुए प्रश्नोत्तर में पूछा कि क्या अपनी आत्मकथा लिखने के बारे में कभी मन में विचार नहीं आया? उनका जवाब थाः "नहीं। या कि यों कहें कि मेरी कथा के रूप में आत्मकथा का कुछ महत्त्व नहीं है। लेकिन अगर किसी साहित्यकार ही सही – साहित्यकार के जीवन में ऐसी परिस्थिति आती है और उसमें वह कोई ऐसा निर्णय लेता है जो कि मेरी दृष्टि में उसे लेना चाहिए – या कि लगातार बहुत क्लेश पाकर भागता भी है – तो वह संघर्ष भी सामने आना चाहिए। यह बात तो मैं मानता हूँ, लेकिन वह बात आत्मकथा में भी आनी चाहिए, यह नहीं सिद्ध होता है इससे। और आत्मकथा के रूप में आ सकती है इसमें मुझे संदेह है। क्योंकि वहाँ पर अपने को सामने लाने की जो प्रवृत्ति हो जाती है उससे वास्तविक परिस्थिति को थोड़ा झूठा करके भी प्रस्तुत किया जा सकता है। मैं तो इसीलिए कहता हूँ कि इस कोटि का सच अगर लिखना चाहे कोई तो उपन्यास उसके लिए सही विधा है और आत्मकथा नहीं। आत्मकथा में झूठ लिखना ज्यादा आसान है, उपन्यास में सच लिखना ज्यादा आसान है।"

वह उनकी छिहत्तरवीं वर्षगाँठ रही होगी, जब हमें उनके घर प्रीतिभोज पर न्योता गया था। उनकी पचहत्तरवीं वर्षगाँठ इंडिया इंटरनेशनल सेंटर के सभागार में सुरुचिपूर्ण ढंग से मनायी गयी थी। डॉ. रामकमल राय द्वारा लिखी जीवनी का उस दिन लोकार्पण हुआ और शाम को केलुचरण महापात्र और माधवी मुद्‌गल ने नृत्य पेश किया। आमन्त्रण वाले दिन उनके घर पहुँचते ही इला जी ने कहा था– "आज वात्स्यायन जी के पसन्द के लोगों को बुलाया गया है।" उन्होंने खुले मण्डप में जाने का निर्देश दिया था, जहाँ महामान्य कुमार गन्धर्व का गायन चल रहा था। लोग तल्लीन होकर सामने बिछे गद्‌दों पर बैठे सुन रहे थे। वात्स्यायन जी सबसे आगे की पंक्ति में बैठे थे। गायन के तुरन्त बाद भोजन करके हम जल्दी वापिस आ गये थे। कैवेंटर लेन वाले उनके घर में इससे पहले हम केवल एक ही बार गये थे। इच्छा सदा रही कि कभी जाकर उनका अध्ययन-कक्ष और पढ़ने-लिखने का सलीका देखूँ, पर उतनी इजाजत अपने आप को मैंने कभी नहीं दी। उनके घर के चारों ओर कुशंकाओं, सन्देहों, आरोपों, अरक्षाओं का एक गन्धाता हुआ घेरा था, जिसे लाँघने की इच्छा, मंशा, जरूरत किसे थी! अपने अग्रजों की समृद्ध विरासत के अधिकारी होने के नाते वात्स्यायन जी के श्रेष्ठत्व के निस्सीम में विचरण करने की जिन्हें छूट हो, वे ईंटों से बनी चारदीवारी से सिर फोड़ने क्यों जाएँगे?

4 अप्रैल, 1987 को उनका अवसान। सूचना मन्नु जी ने दी। सन्न कर देने वाली खबर थी। अवसन्नता की पथरीली परती पर मेरा परिवार पहले से भौचक खड़ा था। 11 मार्च को ही हमने बेटी को दो छोटे बच्चों सहित कार एक्सीडेंट में खोया था। उसी पखवाड़े जिठानी की और परिवार के एक किशोर पोते की मृत्यु हो चुकी थी। सब कुछ भीतर से हिला हुआ था। ध्यान आ रहा है बिटिया की मृत्यु के बाद कभी वात्स्यायन जी का फोन आया था– "यह मैं आप लोगों के बारे में क्या सुन रहा हूँ?" –"ठीक सुन रहे हैं।" कुछ क्षणों की खामोशी– "आप लोग थोड़ा स्वस्थ हो लें, फिर मिलता हूँ।"

मेरे मन में सब कुछ गड्डमड्ड हो गया था। उनके मुख-दर्शन, शवयात्रा, दाह-संस्कार, बाद के कर्म, स्मृति सभा – सब कुछ। सब में हिस्सा लिया था पर जैसे नहीं भी लिया। सब कुछ औपचारिक, सामाजिक, यंत्रवत। वात्स्यायन जी की मृत्यु मेरे लिए मात्र एक – महान लेखक की मृत्यु नहीं थी। एक अग्रज, आत्मीय, वत्सल दिग्दर्शक की मृत्यु थी। उनकी अनुपस्थिति मेरे परिवार वालों की अनुपस्थितियों के बीच ही कहीं गड्डमड्ड होकर बैठ गयी भी। अभाव, विषाद और अवसाद का एक ठोस पुंज था, जिसमें ढेरों मुखविहीन छायाएँ बन्दी थीं। असह्य बोझ, पर बोझ की पहचान मन में नहीं थी।

कुसमय आया। निकल गया। छापें छोड़ गया। ऐसी या वैसी या जैसी भी स्मृतियों से मुक्ति मेरी वांछा नहीं है। उन्हें जहाँ, जितनी जगह लेनी हो लें। किसी सयाने ने कहा था– "अपनी स्मृतियों को सँभालकर रखिए, आप उन्हें दोबारा जी नहीं सकते।"

27

जीने का सलीका

॥ वेदप्रकाश `वटुक'

'अज्ञेय' नाम से मैं किशोर अवस्था से ही परिचित था। 1948 में मेरठ में हुए हिन्दी साहित्य सम्मेलन के अवसर पर प्रकाशित स्मारिका में मेरठ के गण्मान्य साहित्यकारों का एक चित्र भी मुद्रित हुआ था, जिसमें अज्ञेय जी भी बैठे थे। बिना मूँछ-दाढ़ी की आकर्षक छवि के साथ। पाँच वर्ष बाद जब मैं 'साहित्य रत्न' की परीक्षा दे रहा था, तो उनका बहुचर्चित उपन्यास *शेखरः एक जीवनी* पाठ्यक्रम का भाग था। उसी वर्ष मेरठ कॉलेज की हीरक जयन्ती भी मनाई जा रही थी। उस अवसर पर संस्कृत विभाग की ओर से एक संस्कृत नाटक का मंचन भी किया गया था। हमने सुना था कि उसके निर्देशन में कपिला जी के साथ अज्ञेय जी भी कई बार सहायता करने आये थे। पर उनके दर्शनों से मैं वंचित ही रहा था।

वह सुअवसर मुझे मिला देश से हजारों मील दूर लन्दन में। 1955 में मुझे 'हिन्दी परिषद, लन्दन' के मन्त्री पद का दायित्व सौंपा गया था। पता चला, यूनेस्को की ओर से किसी यात्रा-वृत्ति पर अज्ञेय जी यूरोप की सांस्कृतिक यात्रा के सिलसिले में लन्दन आये हुए हैं। हमने उन्हें परिषद की ओर से एक विशेष सभा में सादर आमन्त्रित किया। वे उसमें आये। स्थानीय कवियों ने उनके सान्निध्य में काव्य-पाठ किया। अन्त में उनसे सविनय निवेदन किया कि वे भी अपनी कविताओं का पाठ करें। सहज भाव से उन्होंने हमें अनुगृहीत किया। शीतकाल की वह सन्ध्या आज भी मेरे जीवन की अमूल्य निधि है। अविस्मरणीय। 'मैं वहाँ हूँ', 'एक दिन जब', 'साँप' आदि उस दिन की वे पढ़ी कविताएँ मेरे ह्रदय पर अमिट छाप छोड़ गयीं। सभी को काव्य-पाठ से उन्होंने अभिभूत कर दिया। हमारा मन तो कभी भी न भरता, पर रात के 12 बजे लन्दन की भूगर्त रेलों के बन्द होने की विवशता में हमें सभा विसर्जित करनी पड़ी। बाद में उनकी दो कविताएँ मैंने परिषद की साहित्यिक पत्रिका *नैवेद्य* में प्रकाशित कीं और नौ वर्ष बाद 'अज्ञेय' ने उस सन्ध्या की कविताओं को मेरे आग्रह पर रेकार्ड करके मेरे जन्मदिन पर मुझे भेंट किया।

अगला दिन अज्ञेय जी के साथ मैंने और लन्दन विश्वविद्यालय के तत्कालीन हिन्दी प्राध्यापक स्वर्गीय गणेशदत्त गौड़ ने लन्दन के विभिन्न संग्रहालयों में बिताया। कुशीनगर में अपने पुरातत्त्व विशेषज्ञ पिता हीरानन्द जी वात्स्यायन के शोध-शिविर में जन्मे अज्ञेय जी कितनी गहनता से इन संग्रहालयों की ऐतिहासिक धरोहरों में लीन हो गये, वह अनुभूति मुझे आज तक हिन्दी के किसी और विद्वान में देखने को नहीं मिली। मुझे लगा, अगर वे परिस्थितिवश कवि, लेखक अथवा उपन्यासकार न होते, तो अवश्य ही मूर्तिकला, पुरातत्त्व अथवा प्राचीन इतिहास के विशेषज्ञ होते। उनकी जिज्ञासा, उनकी विश्लेषण शक्ति और उनका मौलिक चिन्तन मेरे युवा-मानस पर गहन प्रभाव छोड़ गया।

हमारी अगली भेंट नौ वर्ष बाद बर्कले, कैलिफोर्निया में हुई। मैं वहाँ कैलिफोर्निया विश्वविद्यालय में भारतीय भाषा-साहित्य विभाग में नया प्राध्यापक बनकर आया था और अज्ञेय जी उसी विभाग में 'अतिथि प्राध्यापक' के रूप में काम कर रहे थे। भारतीय साहित्य और संस्कृति का अध्यापन। उन्होंने बड़ी सहृदयता से मेरा स्वागत किया और निस्संकोच भाव से मुझे अपनी अन्तरंग मित्र-मण्डली में सम्मिलित कर लिया। हम पाँच-छह लोग प्रायः लंच पर युनिवर्सिटी से चार ब्लॉक दूर एक मैक्सिकन रेस्तराँ में जाते। मेरे अतिरिक्त शेष व्यक्ति तो अमेरिकन कवि-प्राध्यापक ही होते थे। अज्ञेय जी की प्रसिद्धि *शेखरः एक जीवनी* उपन्यास के अतिरिक्त प्रयोगधर्मी के रूप में भी थी, जिसमें *तार सप्तकों* की शृंखला का विशेष उल्लेख होता था।

अपने बर्कले के प्राध्यापक-काल में भी उनकी प्रयोगधर्मिता नये रूप में अवतरित हुई। उन्होंने अमेरिकन कवियों का एक समूह इकट्ठा किया और आधुनिक हिन्दी कवियों की रचनाओं का अंग्रेजी (बल्कि अमेरिकी) भाषा में अनुवाद कराना शुरू किया। उस अनुवाद में अनुवाद की भाषा के मुहावरे और उसकी आत्मा की अनुकूलता हो, जिससे पाठक को अनुवाद की नहीं, मौलिकता की अनुभूति हो, इस बात का पूरा-पूरा प्रयास किया गया। एक-एक कविता के अनुवाद के लिए कई-कई बैठकें हुईं। एक-एक शब्द पर बहस होती और वह अनुवाद – बल्कि कविता का नया जन्म – दोनों भाषाओं के विशेषज्ञ पाठकों को जब तक स्वीकार न होता, तब तक परिष्कार जारी रहता। दो वर्षों के सामूहिक प्रयास का यह सुफल इंडियाना युनिवर्सिटी प्रेस से प्रकाशित 'मॉडर्न हिन्दी पोएट्री' पुस्तक के रूप में आया, जिसकी विशद भूमिका अज्ञेय जी ने लिखी। उसमें भारतीय परम्पराओं, 'शब्द' के साथ-साथ 'मौन' की महत्ता का विश्लेषण भी था। इसी प्रयास की एक और कड़ी थी भारतीय वाङ्मय से चुनी हुई सहस्त्रों वर्षों में रचित कविताओं का अनुवाद, जिसका सम्पादन विद्यानिवास मिश्र ने किया था।

साथ ही यूनेस्को द्वारा विश्व साहित्य की कृतियों के अनुवाद में चयन किए गये प्रेमचन्द के उपन्यास 'गोदान' के अनुवाद में भी अज्ञेय जी का विशेष योगदान था। यद्यपि अनुवादक के रूप में उस उपन्यास के मुखपृष्ठ पर गोर्डन रोजरमल का ही नाम लिखा गया है, तथापि, अज्ञेय जी का योगदान किसी प्रकार भी कम न था। अज्ञेय जी के उपन्यास *अपने-अपने अजनबी* के अनुवाद में गोर्डन रोजरमल का भी योगदान था, यद्यपि वहाँ अनुवादक के नाम में, अज्ञेय जी का ही नाम मुद्रित है। इसके अतिरिक्त अज्ञेय जी की प्रेरणा का ही परिणाम था अमेरिकी कवि लेनार्ड नेथन द्वारा किया गया कालिदास-कृत *मेघदूत* का अंग्रेजी अनुवाद। लेनार्ड नेथन ने ही अज्ञेय जी के साथ मिलकर उनकी चुनी हुई कविताओं का अनुवाद भी किया था, जो 'सेंटर फॉर साउथ एशियन स्टडीज' द्वारा प्रकाशित किया गया। इसी प्रकार का प्रयोग अज्ञेय जी की कविताओं के जर्मन अनुवाद में लोठार लुत्से के साथ हुआ। कालान्तर में तमिल और तेलुगू के अनुवादों में भी यह सहयोग-धर्मिता दोहराई गयी।

अज्ञेय जी का अंग्रेजी भाषा पर पूरा अधिकार था। आखिर तो उनकी पहली काव्य-कृति, उनकी अंग्रेजी कविताओं का संकलन *प्रिजन डेज एंड अदर पोएम्स* के नाम से प्रकाशित हुई थी, जो उनके कारावास-काल का परिणाम थी और जिसकी भूमिका जवाहरलाल नेहरू ने लिखी थी। मेरा विश्वास है कि अगर वे अंग्रेजी के लेखक होते, तो आज के किसी भी भारतीय मूल के अंग्रेजी लेखक से अधिक प्रसिद्धि और स्वीकृति पाते। किन्तु विदेशी कृतियों के गहन अध्येता होते हुए भी और विदेशी संस्कृति के किसी भी हिन्दी लेखक से अधिक जानकार होते हुए भी वे सही अर्थों में हिन्दी और भारतीय संस्कृति के अप्रतिम प्रतिनिधि थे। उस भारतीय संस्कृति के, जिसकी घोषणा ऋग्वेद में हुई है कि सभी दिशाओं से उदात्त भावनाओं को आने दें। साथ ही विदेशी आँधी से कभी हमारा सांस्कृतिक भवन न उड़े, इसका ध्यान भी उन्हें था।

यह एक सुविदित तथ्य है कि अज्ञेय जी ने कहीं भी स्थायी रूप से रहने के लिए घर नहीं बनाया। उन्होंने स्थायी रूप से कोई नौकरी करने का प्रयास ही नहीं किया। न ही वे जीवन के किसी एक खेमे में बन्द होकर रहे। अपने जीवन के युवाकाल में वे क्रान्तिकारी रहे, और कारागार में अकेली कोठरी में बरसों तक बन्दी भी। वास्तव में तो उनका साहित्यिक जीवन भी उसी एकान्त यातनावास में शुरू हुआ, न केवल 'प्रिजन पोएम्स' के रूप में, बल्कि उनकी पहली हिन्दी कहानी की रचना भी वहीं हुई।

तो एक ओर वे कारागार के बन्दी क्रान्तिकारी रहे, तो शायद नाजीवाद अथवा फासीवाद का विरोध करने के लिए उन्होंने द्वितीय विश्वयुद्ध में सेना में अपनी

सेवाएँ अर्पित कर दीं। उन दोनों ही स्थितियों की चर्चा वे प्रायः नहीं करते थे। यूँ भी मुखरता, जो जैनेन्द्र जी का प्राण थी, कभी उनकी प्रवृत्ति नहीं रही। अतः मित्रों के साथ कॉफी हाउस में घण्टों बिताकर कुछ ही वाक्यों में उन्हें सन्तोष हो जाता था। कारागार ने उन्हें अन्तर्मुखी बना दिया था। जो भी हो, उन्होंने आकाशवाणी में काम किया, *प्रतीक* (बाद में *नया प्रतीक*) सम्पादित किया, अध्यापन किया। पर हमेशा कोई न कोई नयी योजना उनके मस्तिष्क को झकझोरती रहती थी। बर्कले में एक दिन अपने कार्यालय में बैठे थे। मैं गया, तो कहने लगे, अच्छा इन शब्दों में आपको – वे कभी 'तुम' नहीं, कहते थे, कौन-सा पसन्द है, काल, समय, दिनमान? ऐसे ही कुछ और शब्द थे। मैंने पता नहीं कौन-सा शब्द चुना। उनके पास अमेरिका की प्रसिद्ध साप्ताहिक समाचार-पत्रिका *टाइम* पड़ी थी। मुझे पता नहीं था कि वे उसी के स्तर की एक साप्ताहिक पत्रिका के सम्पादन की योजना बना रहे थे। भारत जाकर वह योजना पूरी हुई *दिनमान* के प्रकाशन में।

और उसी पत्रिका के लिए कई बार उन्होंने आदेश दिया मुझे लिखने को। बाद में *नया प्रतीक* और *नवभारत टाइम्स* के सम्पादनकाल में उन्होंने मुझे प्रेरित किया कई लेख लिखने के लिए और समीक्षाएँ करने को। मैंने अपनी किशोर अवस्था में लिखना शुरू किया था और बीसवीं शताब्दी के छठे और सातवें दशकों में सैकड़ों लेख विभिन्न पत्र-पत्रिकाओं में लिखे थे – विशेषतः ब्रिटेन-अमेरिका के विषय में। किन्तु पता नहीं क्यों 1971 में माँ की मृत्यु के बाद लेख लिखने बन्द कर दिए। कविताएँ उमड़ती रहीं। प्रकाशन में उतनी रुचि न थी। फिर भी हजारों लिखी गयीं उस दशक में। अमेरिकी आन्दोलनों से प्रभावित, आपातकाल से आहत हृदय मानो फूट पड़ा। तीन-चार संकलन भी आये। किन्तु 1980 में जब भारतीय साहित्य प्रकाशन मेरठ ने मेरा संकलन *एक बूँद और* प्रकाशित करना चाहा, तो उन्होंने कहा, मुझे इसकी भूमिका किसी से लिखवानी चाहिए। मेरा मान्यता थी कि कविता, जैसे भवानी प्रसाद मिश्र ने कहा था, स्वयं बोलेगी हम नहीं, अतः मैं तो किसी से कहूँगा नहीं, मैंने कह दिया। पर वे मानने वाले न थे। अज्ञेय जी के निकट आ गये थे वे। उन्हें पता था कि मैं अज्ञेय जी के निकट रहा हूँ। इतना कि उनके घर में सप्ताहों ठहरा हूँ, उनके द्वारा की गयी भानजी के विवाह में मैं उनके बहुत कम साहित्यिक मित्रों में से सपरिवार शामिल हुआ हूँ। अतः उन्होंने अज्ञेय जी से निवेदन किया कि वे भूमिका लिखें। अज्ञेय जी भूमिका कम ही लिखते थे। पर उन्होंने परमात्मा शरण जी का निवेदन, 'सहर्ष' स्वीकार किया। इतना ही नहीं, वे जैनेन्द्र जी की अध्यक्षता में, भवानी भाई के सान्निध्य में, क्षेमचन्द्र जी 'सुमन' द्वारा संचालित सभा में उस काव्य-संकलन का विमोचन करने भी आये। वास्तव में तो उन्होंने वह दिन, जो मेरा जन्मदिन भी था, पूरा मुझे समर्पित किया। उस दिन

से पहले ही उन्होंने मुझे अपने निवास पर आमन्त्रित किया था। रात भर उनके यहाँ ठहरा। प्रातःकाल उन्होंने मुझे भारतीय विद्या भवन में 'लोक साहित्य और सामाजिक परिवर्तन' पर विशेष भाषण देने के लिए आमन्त्रित करवाया युवराज कर्णसिंह द्वारा। आस्ट्रेलिया में इतिहास के प्राध्यापक डॉ. दामोदर प्रसाद सिंहल ने सभा की अध्यक्षता की थी।

अज्ञेय जी के द्वारा पुस्तक की भूमिका लिखे जाने से लाभ-हानि दोनों ही बातें हुईं। कुछ समीक्षकों ने कविताओं में वे सारे गुण देखे, जो अज्ञेय जी ने देखे थे। उनके शाश्वत विरोधी आलोचकों ने बिना पढ़े ही वे फतवे दे दिए कि उन कविताओं में कोई सार ही नहीं है। काव्य-मनीषी हरिवंशराय बच्चन जी का पत्र आया जिसमें अज्ञेय जी की प्रशस्ति पाने को स्वयं एक उपलब्धि बताया, तो नेमिचन्द्र जैन, जो मेरी रचना प्रशंसा के साथ अपने पत्र में प्रकाशित कर चुके थे, अचानक मेरी कविताओं को हेय समझने लगे। अशोक वाजपेयी के खेमे के लोग, जो अभी तक मुझे वामपन्थी अथवा साम्यवादी परक कहते अघाते नहीं थे, अचानक मेरी 'प्रतिबद्धता' पर उँगली उठाने लगे और मुझे अनुभव हुआ कि हिन्दी माफिया तटस्थ भाव से कोई भी मूल्यांकन करने में समर्थ नहीं। विडम्बना तो यह है कि जिन्होंने जैनेन्द्र जी और 'अज्ञेय' की उनके जीवन में पूरी उपेक्षा की, वही उन लोगों की मृत्यु के बाद उनसे सम्बन्धित न्यासों के अधिकारी हैं। तथाकथित जनवादी रचनाकारों में आज तक किसी ने भी ऐसी सरकारी सुविधाओं को लेने से इनकार नहीं किया, जो उन्हें नवाजी गयी हों। मंच से आम आदमी का नारा घोषित करने वाले तथाकथित प्रगतिशील लेखकों को मैंने अधिकांशतः बुर्जुआ जीवन ही जीते देखा है।

मेरी भारत यात्रा में साहित्यिक तीर्थ यात्रा के स्थान थे स्वर्गीय कन्हैयालाल मिश्र प्रभाकर, निर्मल वर्मा, क्षेमचन्द्र 'सुमन', प्रभाकर माचवे आदि के भवन, किन्तु बर्कले में निकट रहने के कारण अज्ञेय जी का घर विशेष था। उनके साथ मैंने ऋषिकेश आदि स्थानों की यात्रा भी की। कई साहित्यिक परिसंवादों में भी मैंने भाग लिया। विद्यानिवास जी मिश्र का उनसे विशेष सम्बन्ध था। वे अज्ञेय जी को 'भाई' कहकर पुकारते थे। उनकी जीवन-पद्धतियों में कोई समानता न थी। मिश्र जी पूर्णतः कर्मकाण्डी, स्वयंपाकी पण्डित संस्कृतज्ञ, कुर्ता-धोती पहनने वाले चोटीधारी, पूजापाठी। किन्तु हिन्दी-साहित्य की सेवा में दोनों की निष्ठा थी, पारस्परिक सहयोग था।

अज्ञेय जी सुविधानुसार पूर्वी-पश्चिमी सभ्यता में समान रूप से सहज जीने वाले प्राणी थे, सम्पूर्ण आहार-व्यवहार, वेशभूषा में भारतीय भी और पश्चिमी भी। किन्तु उन्होंने सदा दूसरों की भावना का आदर किया। उन्हें अच्छी कॉफी बनाने/पीने

का शौक था। उसके लिए उन्होंने मुझसे इटली के कॉफी बनाने के पात्र तो मँगवाए, पर कभी भी विदेशी मदिरा विशेष लाने का आग्रह नहीं किया। "वेद जी तो वह लाएँगे नहीं। वे तो मदिरा छूते नहीं।" वे प्रायः कहते थे। मेरे उनके घर पर रहते कभी भी मांसाहार न पका। किसी के व्यक्तिगत जीवन के विषय में भी उन्होंने कभी रस नहीं लिया, जबकि उनका व्यक्तिगत जीवन हिन्दी के साहित्यकारों में प्रायः चर्चा का विषय रहा।

मेरे आग्रह पर वे कई बार इला के साथ हमारे घर मेरठ आये। भाभी जी का बनाया भोजन उन्हें बहुत स्वादिष्ट लगता था, विशेषतः खीर। बेपढ़ी भाभी को भी उनके लिए खाना बनाने में बहुत प्रसन्नता होती थी, इला तो उन्हें बेहद पसन्द थी।... उनका अपने सेवक गोविन्द से दीर्घकालीन सम्बन्ध था। वह अपनी फसल बोने, काटने के समय अपने घर जाता था, समय पर चला आता। कभी भी मैंने उन्हें उस पर नाराज होते नहीं देखा। सह-अस्तित्व का यही भाव उनमें उस चिड़िया के प्रति भी मिला, जिसने उनके स्नानागार के गीजर पर अपना नीड़ बना लिया था।

अज्ञेय जी पूर्णतः स्वावलम्बी थे। विदेश में रहते हों, या स्वदेश में, घर एक कमरा हो या भव्य भवन, वे हमेशा करीने से रहते थे। कोई भी अव्यवस्था उन्हें पसन्द न थी। कपड़े भारतीय हों या पश्चिमी, जरा भी फूहड़पन कहीं न होता था। उनकी वेशभूषा उनके भव्य व्यक्तित्व से मेल खाती थी। उनकी मधुर मुस्कान में उनकी सुरुचिपूर्ण कटी दाढ़ी आकर्षण बढ़ाने में सहायक थी।

एक बार वे हमारे साथ स्टॉकटन, कैलिफोर्निया के गुरुद्वारे में गये, जो अमेरिका का सबसे पुराना गुरुद्वारा था और विदेश में भारतीय स्वतन्त्रता-संग्राम में निष्ठ क्रान्तिकारियों का केन्द्र रहा था। गुरु नानकदेव का पर्व मना था उस दिन। हम देर से पहुँचे थे। भक्त लोग घर जा चुके थे। उन दिनों गुरुद्वारा मासूमियत भरी प्रेम-एकता-देशभक्ति-भावना का केन्द्र होता था — सभी धर्मों के लिए। विघटनवादी संकीर्णता का अड्डा नहीं। ग्रन्थी भी सरल आदमी था। अज्ञेय जी से बड़ा प्रभावित हुआ। बोला, "आपकी दाढ़ी तो बहुत सुन्दर है, आकर्षक।" फिर वह बोला, "आज तो आपने देर कर दी। आप गुरु औरगंजेब के जन्मदिन पर आना।" हम हक्के-बक्के रह गये। "क्या?" "हाँ, हाँ, आप गुरु औरंगजेब के पर्व पर आना।" हमें उसकी मासूमियत पर बड़ा अचरज हुआ, जो औरंगजेब और अर्जुनदेव का अन्तर भी नहीं जानता था। अज्ञेय जी भी एक सरल मुस्कान मुस्कुराकर रह गये।

अज्ञेय जी अगर डाक से भेजने का पैकेट बनाते, तो वह भी कलाकृति लगता था। उनकी पाचन-क्रिया भी सुनियोजित होती। रसोईघर पूर्णतः स्वच्छ और हर वस्तु अपनी जगह करीने से सजी। पुस्तकों पर ढंग से चढ़े कवर। मेज पर कागज/कलम/स्याही सब सुरुचिपूर्ण व्यवस्था से पूर्ण।

अज्ञेय जी का पढ़ाने का ढंग भी निराला था। उनके छात्र बताते हैं कि वे आरम्भ वक्तव्य से नहीं मौन से ही करते थे। छात्रों को पहले अपनी जिज्ञासा व्यक्त करने देते थे। फिर उसी आधार पर परिसंवाद पद्धति से शिक्षण होता था। जिस-जिस अमेरिकन छात्र ने उनकी कक्षा में अध्ययन किया, उस-उसने अपने को सौभाग्यशाली समझा। चार दशक बाद भी वे उनका स्मरण भावुकता से करते हैं।

जिस प्रकार जैनेन्द्र जी को शतरंज का शौक था, चौधरी चरणसिंह को ताश खेलने का चाव था, उसी प्रकार अज्ञेय जी को 'स्क्रैबल' खेल से अगाध प्रेम था। इतना कि उनकी यात्रा में उस खेल की यात्रा-सामग्री उनके साथ रहती। उनका अंग्रेजी शब्दों का ज्ञान उनके अंग्रेजीभाषी विद्वानों को भी चकित कर देता। मेरा सौभाग्य था कि मैंने उनके साथ अनेक बार इस शब्द-खेल का आनन्द उठाया।

इतना तो सभी जानते हैं कि अज्ञेय जी मितभाषी थे। अपनी इस मौन रहने की छवि से वे स्वयं भी सन्तुष्ट थे। इससे बहुत से फालतू लोगों से वे बच जाते थे। अनेक प्रश्नों के अनावश्यक उत्तर में उलझना न पड़ता था। इसका एक उदाहरण देता हूँ। प्रथम विश्व हिन्दी सम्मेलन के बारे में मैंने एक आलोचनात्मक लेख *नया प्रतीक* के लिए लिखा था, जिसे अज्ञेय जी ने 'हिन्दी-हिन्दी कितना पानी' शीर्षक दिया था। मैं अज्ञेय जी के कार्यालय में बैठा था कि एक महोदय आये और आक्रामक तेवर में उनसे बोले, "आपने अपनी पत्रिका में यह लेख 'हिन्दी-हिन्दी कितना पानी' क्यों छाप दिया? बड़े नाराज हैं साहित्यिक लोग?" अज्ञेय जी ने कुछ नहीं कहा, बस मुस्कुराते रहे धीमे से। मेरा परिचय भी उस व्यक्ति से नहीं कराया।... कुछ घण्टों बाद मैं बाँके बिहारी भटनागर के कार्यालय में उनके दर्शन करने गया। वहाँ भी वह महाशय पहुँच गये। वही आक्रामक रुख अपनाते हुए उन्होंने भटनागर जी से कहा, "आपने वह लेख पढ़ा है, जो *नया प्रतीक* में छपा है?" भटनागर जी ने उनसे कहा, "पहले मैं आपका परिचय ऐसे व्यक्ति से कराता हूँ, जिन्होंने दो दशकों से विदेश में हिन्दी की सेवा की है।" और उन्होंने मेरी ओर संकेत करते हुए कहा, "इनसे मिलें, ये हैं डॉ. वेद प्रकाश 'वटुक'।" अब तो वे महोदय क्षण भर को हतप्रभ रह गये। पर तुरन्त ही नये अवतार में नया रूप धारण करके बोले, "हमें आप जैसे ही स्पष्टभाषी लोगों की जरूरत है।" तुरन्त ही उन्होंने अपनी संस्था में भाषण देने के लिए आमन्त्रित कर दिया। अज्ञेय जी इस प्रकार के दोगलेपन से तो बचे थे। मैंने उनकी अनुपस्थिति में जिन साहित्यकारों को अज्ञेय जी को 'छिछोरा', 'बिका हुआ' आदि कहते सुना, वही सभाओं में अज्ञेय जी को आमन्त्रित करके उन्हें 'हिन्दी की अमूल्य निधि' कहकर वन्दना भी करते रहे।

अज्ञेय जी ने विदुषी कपिला जी से विवाह किया और डेढ़ दशक बाद उनसे

अलग होकर शेष जीवन वे इला डालमिया के साथ रहे। मेरी उनसे मैत्री का कारण यह भी रहा कि मैंने उनके व्यक्तिगत जीवन पर कभी भी अपना कोई मत प्रकट नहीं किया। न ही कपिला जी के प्रति मेरे आदर में कमी आयी। उनके अलगाव के दिनों की वेदना का साक्षी मैं रहा, जब इला बर्कले में अकेले, अज्ञेय जी के साथ रहीं। भारत आने पर मैं एक दिन कपिला जी के सरकारी निवास स्थान पर अज्ञेय जी का और उनका अतिथि रहा। अज्ञेय जी की छोटी बहन भी उस रात वहाँ थी; किन्तु उस रात संवाद नाम की कोई वस्तु वहाँ न थी। उस दिन पहली बार मौन की भयावहता का आभास हुआ। कपिला जी के आतिथ्य में कोई कमी न थी बल्कि शालीनता का आधिक्य ही था। पर कुछ औपचारिक शब्दों के अतिरिक्त कोई कुछ नहीं बोल रहा था। मैंने प्रातः शीघ्र विदा लेना ही शुभ समझा।

उसके कुछ दिनों बाद मैंने भारत विद्या संस्थान, दिल्ली का संचालक होने पर कपिला जी को साप्ताहिक भाषण-माला में आमन्त्रित किया। उन्होंने कोई उत्तर न दिया। अन्त में मैंने उन्हें लम्बा पत्र लिखा और निवेदन किया कि वे मुझे स्पष्ट बताएँ। यदि उनके न आने का कारण मेरी अज्ञेय जी से निकटता है, तो कृपया उसे बौद्धिक जीवन का अंग न बनाएँ। वे आयीं, विद्वत्तापूर्ण भाषण दिया। उसके बाद वे कार से मुझे मेरे निवास पर छोड़ने आयीं। मार्ग में एक पेड़ के नीचे कार रोककर घण्टे भर तक अपनी वेदना खुले हृदय से व्यक्त की। मैंने सुन ली। उनके प्रति सद्‌भावना मेरे मन में थी। पर उस दिन के बाद कपिला जी से कभी वह अनौपचारिक भेंट न हुई, जो पहले होती थी। बस सभा-सम्मेलनों में औपचारिक अभिवादन आदि होता रहा। शायद उन्हें लगा हो कि अज्ञेय जी से उस भेंट की चर्चा करूँगा। पर तथ्य यह है कि दो दशकों से ऊपर सघन सम्पर्क होने पर भी अज्ञेय जी ने कभी भी मुझसे कपिला जी या इला से अपने सम्बन्धों की चर्चा न की। इला ने अवश्य कपिला जी की वेदना जाननी चाही और अज्ञेय जी से अपने सम्बन्धों के प्रति संवेदनशीलता और असहजता की चर्चा प्रायः की और अन्तिम दिनों में तो पूरा प्रयास किया कि वे अज्ञेय जी को हिन्दी की नारी लेखिकाओं से बचा सकें।

इस प्रश्न पर हिन्दी के कुछ साहित्यकारों ने कुछ समय तक अज्ञेय जी का बायकाट भी किया। चर्चा का विषय भी रहे। भारतीय ज्ञानपीठ पुरस्कार पाने पर मैं उन्हें बधाई देने *नवभारत टाइम्स* कार्यालय में गया। वहाँ एक पत्रकारिता की नवस्नातिका उनका साक्षात्कार लेने आयी। उसने बातचीत के दौरान उनसे पूछा, "क्या किसी को समाज की रीतियों को तोड़ने का अधिकार इसीलिए मिल जाता है कि वह समाज में प्रतिष्ठित प्रसिद्ध व्यक्ति है?" प्रश्न का स्पष्ट संकेत उनके व्यक्तिगत जीवन की ओर था।

उन्होंने उत्तर में मात्र इतना कहा, 'यदि वह उसका परिणाम भुगतने को तैयार हो।' तब से अनेक साहित्यकारों ने उनके और इला के सम्बन्धों को लेकर मुझसे चर्चा करने का प्रयास किया है। अज्ञेय जी की मृत्यु के बाद इला के विवाह को लेकर तो और भी। मेरी उन्हें सलाह रही है कि वे इतना समझें कि मेरे सम्बन्धों में ऐसे प्रश्नों का या निर्णय देने का कोई स्थान नहीं है।

अज्ञेय जी, जैनेन्द्र जी, भवानी भाई अब तो सभी मनीषी चले गये। ऐम्बैसी कॉफी हाउस, मैक्सिकन रेस्तराँ, कैलिफोर्निया विश्वविद्यालय, वत्सल निधि शिविर, और अनेक वे तीर्थ स्थल अब उनकी स्मृति के मन्दिर रह गये हैं। वन-प्रदेशों में घूमते, जहाँ उन्होंने मेरे चित्र लिये अब शून्य से लगते हैं। याद आते हैं बर्कले के वे दिन, जब उनकी बनाई कॉफी पीते थे और उनकी अन्तिम बर्कले यात्रा, जब वे यूगोस्लाविया में अन्तरराष्ट्रीय पुरस्कार प्राप्त करके आये थे, मेरे अतिथि थे और अपने सम्मान में दिए गये प्रीतिभोज में स्वयं ही बनाया था स्वादिष्ट पुलाव। कितने रूपों में जाना है मैंने उन्हें – चित्रकार, पुरातत्त्वज्ञ, पाकसिद्ध, मित्र, प्रेरक, कवि, संस्मरणों के चलचित्र, आलोचक, सम्पादक, बहुआयामी जीवन को जीने वाले प्रयोगधर्मी, बच्चों में बच्चे, और अपने मिशनरी गुरुओं के निष्ठावान शिष्य। कितने दिन, कितने स्थल, कितनी स्मृतियाँ – सब रह-रहकर हृदय में गूँजते हैं, घोषित करने को 'अरे यायावर, रहेगा याद?'

28

बिच्छुओं के बीच नंगे पाँव

॥ पद्मा सचदेव

एक बरस बीत गया। ऐसे ही बैसाखी के आसपास उगने वाले उदासी-भरे दिन थे। धरती करवट ले रही थी। फगुनाहट से भीगी हवा मानिनी स्त्री की तरह सुहाग से भरी बैठी थी। सात मार्च को अज्ञेय जी का जन्मदिन था, और साथ-ही-साथ यात्राओं का लम्बा सिलसिला। जन्मदिन से पहले ही यह साक्षात्कार हुआ था। पर कौन जानता था कि इस बातचीत के बाद यात्राएँ करते-करते यायावर अकस्मात् अपना झोला लेकर चल देंगे तो फिर आना भूल जाएँगे। कुछ सवाल मन में और भी थे, जिन्हें पूछने का अवसर ही न मिला।

वह कमरा और बगीचा, जहाँ हमारी बातचीत हुई थी, एक उदासी से भरे लगते थे। यह उदासी इला जी के सूखे, भावरहित, उदास चेहरे को देखने के बाद मेरे मन में उग आयी है, या मौसम का अबोलापन है, नहीं जानती।

एक बरस बीत चला। इसी तरह आने वाले बरस भी बीत जाएँगे और प्रतीक्षारहित ये दिन यायावर को किसी भी शाम के झुटपुटे में वापस न लाएँगे। इसके बावजूद उनका अस्तित्व साये की तरह उनके घर-आँगन में, उनके पाठकों के हृदय में और उनके अक्षर-अक्षर में मौजूद रहेगा। उनके घर में उनके कपड़े धुलेंगे, तहाए जाएँगे और अलमारियों में रख दिए जाएँगे। उनकी किताबों की धूल साफ होगी। उनकी घड़ी में चाबी भरी जाएगी, उनकी बान की कुर्सी साफ होगी। उनका 'ट्री हाउस' लटकता रहेगा। जो बातचीत पिछले बरस हुई थी, उसे यायावर नहीं पढ़ेंगे। पर मुझे लगेगा, उन्होंने पढ़ लिया है। यही सब तो लिखा था मैंने एक बरस पहले।

हिमालय के शिखरों को छूता आकाश मानो उसे रिझाने के लिए कई रंग बदल रहा है – निर्मल स्वच्छ वैष्णो माता की किसी कंजक की दूधगंगा में धुली हथेली की तरह, कभी बादलों की कूची से कई तरह के चित्र बनाता हुआ, कभी एक बेतरतीब हाथी की तरह अपनी सूँड से शंकराचार्य की पताका को हिला-हिलाकर जाता हुआ, कभी साँप की कुण्डली की तरह सूर्य को घेरे हुए इन्द्रधनुष जैसा रंगीला

बादशाह, कभी कश्मीर की डल लेक में कहीं धूप-छाँह करते उसकी झुँझलाहट से आनन्द उठाता, कभी ठण्डी हवा से बादामों में हरे कवच की बूर झाड़ता, कभी जरा-सा खुलकर उसमें भँवर की तरह बादलों को मथता हुआ।

आसमान में बदलते इन चित्रों को एक बालक मन्त्रमुग्ध-सा देखता है। कई आकृतियाँ जिन्हें बादल एक शैतान बच्चे की तरह अपनी पट्टी पर बना-बनाकर तुरन्त मिटा देता है। कहीं सिफ़्र उड़ती परी का आँचल रह जाता है, कहीं सफेद में नील घोले कोई विराट कबूतर खड़ा है, अभी वह मुँह भी नहीं खोल पाता कि एक ऋषि अपनी दाढ़ी फहराता हुआ निकल जाता है।

बालक टकटकी लगाये देख रहा है। बादलों के घड़े में से अंजुरी में पानी लेकर हवा जोर से छिड़कती है। बालक के चेहरे पर कुछ छींटे पड़े हैं। चौंककर वह बूँद को इस तरह महसूस करता है कि बूँद टूटती नहीं। बालक सोचता है—'भगवान हो न हो, पर प्रकृति है। इसके बारे में कोई सन्देह नहीं।'

बूँद कब तक चेहरे पर ठहरेगी। सहसा उछलेगी क्यों नहीं? बालक मुस्कुराता है। पानी की बूँद से उसे याद आती है लखनऊ में गोमती की बाढ़। पानी से भरी सड़कों पर चलती नावें। कुछ के लिए आनन्द, कुछ के लिए मरण, कुछ का सब बह जाता है, कुछ का बचा रहता है। कई घरों के आगे सब्जी से भरी नावें आकर रुकती हैं। कइयों के घर-द्वार बाढ़ के गँदले पानी में बह गये हैं। कइयों के बच्चों के कपड़े सूखे हैं, कइयों के भीग रहे हैं।

बादल कहीं जीवन है, कहीं मरण। कहीं मोर अपने पूरे पंख खोलकर बादल का स्वागत करता है, कहीं खुले घोंसले का पक्षी अपने परों के नीचे अण्डे छुपाए आशंका से भर उठता है — अभी-अभी अगर अण्डा फूटा तो उसका स्वागत क्या बौछार से होगा।

लखनऊ की सड़क पर बहते पानी को देख रहे हैं दरख़्तों पर बैठे लोग। दरख़्तों के मजबूत तने टूट जाएँगे क्या? तने पर लगी आँखें यह भी नहीं देख पातीं कि बाढ़ का पानी धीरे-धीरे कम हो रहा है।

पिता पुरातत्त्व के विशेषज्ञ। आज यहाँ, कल वहाँ। जंगल, देहात, बियाबान उजाड़ इलाकों से उसका बचपन से ही परिचय है। उसके मन में उत्सुकता का स्थान सबसे ऊपर है। एक दिन वह लेटर बॉक्स के लाल रंग से आकर्षित होकर उस पर चढ़ बैठा था। उसकी चोटी पर लगी काली खूँटी को पकड़े वह विजेता हवा में उड़ रहा था। आकाश से बातें कर रहा था। तभी उसे किसी ने ऐसे ही हवा से बूँद की तरह नीचे उतार दिया था। अब जैसे ऊँची टहनी से धड़ाम से बच्चा नीचे आ गिरे। इससे बालक के मन में विद्रोह पैदा हुआ। प्रकृति तो उसकी सहेली है।

चुपचाप उसकी गोद में बैठा रहता है तो प्रकृति की गृहस्थी में कोई विघ्न नहीं पड़ता।

पिता 'गीत-गोविन्द' के पद गुनगुनाते हैं। बालक को यह वाणी प्रकृति के मुँह से ही फूटने वाले लोकगीतों के बोलों की तरह लगती है।

पिता, पं. हीरानन्द शास्त्री आज यहाँ, कल वहाँ अतीत के उपहार इकट्ठे करते हैं। बड़ा सम्मान है उनका। जम्मू-कश्मीर के महाराजा प्रताप सिंह के बुलावे पर कश्मीर आया है सारा परिवार। बालक ने एक दिन पिता के संग दरबार में जाकर कुतूहल से महाराजा को देखा है। उनकी बड़ी-सी पगड़ी और डोगरे पहरावे का बड़ा रौब भी पड़ा है। वैसे भी प्रकृति-पुत्र है यह बालक और प्रकृति ने तो यहाँ पूरी गोद ही एक बार झाड़ दी है। बालक अपनी उत्सुक नजर की पलकों से एक-एक उपहार चुनकर मन में रखता गया है। बालक के पिता अपने बच्चों को स्वतन्त्र ग्वने के पक्ष में हैं। वे चाहते है, उनका पुत्र सृष्टि की तहों को खुद खोले। उसकी सलवटें अपने हाथों से निकाले। बालको, चुपचाप इन गाँठों को धीरे-धीरे खोलने में कोई बाधा नहीं है। वह तो मेले में आया है – हर खिलौना लेगा, हर हिंडोले पर झूलेगा, हर दुकान से खरीदेगा, हर भीड़ को झाँकेगा, हर मिठाई को चखेगा, बावरा अहेरी कहीं का।

जेहलम नदी की शान्त चाल मानो किसी गाभिन गाय की गर्वित चाल है। धूल से रँगा उसका मटमैला पानी दूर से देखने पर लगता है – अचल खड़ा है। मानो गाँव की किसी युवती की देह खेत में संझा तक काम करते-करते पूरी की पूरी धूल में सन गयी हो। उसी पर मल्लाह एक सुर, एक ताल में चप्पू चलाते हैं। बालक हठ करता है, तो उसे भी चप्पू चलाने दिया जाता है... तभी तो उसने पानी में बिना सोचे-समझे अकस्मात् छलाँग लगा दी। शायद पानी ने बुलाया होगा। कुछ गोते खा लिये हैं, तभी मल्लाह निकाल लाते हैं। इससे पहले भी भाइयों की देखादेखी बालक ने जल में छलाँग लगा दी थी। पिताजी ने कहा था, जब तैरना नहीं आता तो छलाँग क्यों लगाई? परन्तु डूबे बगैर क्या आज तक कोई तैर सका है? जी चाहता है, पूछूँ।

पर आने के बाद कैसा लगता है यायावर? इसके उत्तर में मुस्कुराहट और फिर आकाश को ताकना। आकाश से जाने क्या रिश्ता रहा होगा। वही तो मूक गवाह है इस मौनी बाबा का।

एक लम्बे से नाम में चार-पाँच नाम... जैसे ये कम थे कि एक 'अज्ञेय' और जुड़ गया। एक ही जीवन में कितने ही जीवन जिए। हर क्षण, हर लम्हे को पूरी तरह भोगा। यायावर तो तभी हो गये, जब पुरातत्त्व शिविर ही में जन्म हुआ। हर

चीज को परखने और जीने का कुतूहल तभी से साथ लग गया। कवि, घुमन्तू, सैनिक, सम्पादक, माली, बढ़ई, क्रान्तिकारी, कैदी, विद्रोही और वत्सल। वत्सल होकर ही दोनों पीढ़ियों के बीच पुल बनाने शुरू किए, जैसे श्रीनगर को श्रीनगर से जोड़ते हुए कई पुल हैं जेहलम पर। इन्हें प्यारे-प्यारे नाम दिए हैं कश्मीरियों ने।

इस क्रिया में वे हब्बा खातून को भी नहीं भूले। हबकदल उसके नाम का पुल है। अक्षरों के कितने ही ऐसे पुल अधबने पड़े हैं। इन्हें कौन पूरा करेगा?

दिल्ली के साहित्यिक समारोहों में जिन्हें सुनने को भीड़ इकट्ठी होती, जिनके इर्द-गिर्द हार की तरह बिखरी रहती, उनसे बातें करने का श्रेय मिला भी तो कब, जब कई प्रश्न अधूरे छोड़कर यायावर फिर चल दिया। यायावरी ही के कारण तो यह साक्षात्कार टल रहा था। आज यहाँ, कल वहाँ। जब एक ही बार चार-पाँच दिन मिले तो इला जी कहने लगीं मान गये हैं तो कर डालिए, फिर इनका बाहर जाना हो रहा है।

सात मार्च को जन्मदिन था, पर यायावर नेपाल में थे। पिछले जन्मदिन पर कुमार गन्धर्व का गायन सुनने दिल्ली के प्रबुद्ध संगीतकार इकट्ठे हुए थे। उसी लॉन में अपनी बान की कुर्सी पर छतरी लगवाकर बैठे थे अज्ञेय। मेरे मन में प्रसन्नता के साथ डर भी था। यह डर तब एकाएक खत्म हो गया, जब अज्ञेय जी की यादों की गठरी से उछलकर पाँच-छह बरस का एक बालक मेरे सामने आ खड़ा हुआ।

आज से 70 बरस पहले श्रीनगर से जम्मू आने का साधन ताँगा था या खच्चर। राह में कई दिन लगते थे। जगह-जगह पड़ाव होते। पीर पंचाल की चोटी पर हाँफते हुए घोड़े को राहत देने के खयाल से कम, और पाँव के नीचे बर्फ महसूसने के खयाल से अधिक प्रफुल्लित यह बालक ताँगे से उतर पड़ा था।

मैंने अचानक पूछा, "क्या वहाँ मालपूए वाला था?"

वे चौंककर मुस्कुराए।

अरे, यह मालपूए वाला कहाँ से आ गया? पीर के सफेद ठण्डे यख मस्तक पर यह सौंफ वाला मालपूआ कहाँ से आ गया? धूँ-धूँ करके थकी हुई बोझिल बस जब पीर पर चढ़ती थी तो वहीं एक कच्चे से छपड़े के नीचे बैठता था मालपूए वाला। पास ही में पीर की छोटी उँगली से सरककर बहता था मीठे पानी का झरना। इतना बड़ा लालच। वहाँ हाँफती हुई बसें कमर पर हाथ रखकर रुकती थीं। तब धीरे-धीरे सवारियाँ उतरकर हाथ-मुँह धोकर सौंफ की महक वाले मालपूए खाकर पानी पीती थीं। पूए की आसपास की गोलाई जितनी कड़क, उतना ही बीच में नर्म, गुदगुदा, मक्खन जैसा सिंका हुआ पूआ, दर्शनीय भी और स्वादिष्ट भी। मैंने कहा, "मैंने तो वे पूए खाए हैं।"

अपनी उँगली से कुर्सी के हत्थे पर कुछ लिखते हुए वे बोले, "आप ज्यादा भाग्यवान रहीं। हमारे आने-जाने के वक्त तो वह पूएवाला कहीं न था।" वे हँस पड़े। निर्मल-सी हँसी से कहीं कोयल के कुहकने की आवाज आयी— कुहू-कुहू।

बादाम और सेब के शहर से आम के गाँव लौटना। एक झटका-सा लगा। अज्ञेय जी अपनी बान की कुर्सी पर, दोनों हाथ अपनी चिर-परिचित मुद्रा में उलझाए हुए शायद पीर से लौट न पाये थे। पर पीर पिघलने में कितना वक्त लगता है।

कश्मीर में थोड़ी दूर जिस स्कूल में पढ़े, वह चौथे पुल पर था। बच्चे कश्मीरी बोलते थे। मिली-जुली उर्दू-हिन्दी में भी अपने लहजे में बात करते थे। पढ़ाई की शुरुआत संस्कृत और फारसी में करने की परम्परा थी। घर में बेशुमार किताबें रहतीं। भाई पढ़ते रहते। खेल की तरह पढ़ना भी शुरू किया।

कोई बोझ या मजबूरी न थी। इससे पहले कभी स्कूल न गये थे। तीनेक महीने शायद पढ़े थे। कश्मीर में जाड़े में स्कूल शुरू किया। गर्मियों में जम्मू आ गये। स्कूल में संस्कृत भी पढ़ाई जाती थी। उसके प्रति बचपन ही से आकर्षण था। खेलना भी अच्छा लगता था। तैरने और बोटिंग करने का भी खूब आकर्षण था। बहार आती तो स्कूल की तरफ से कश्तियों का जुलूस निकलता। जेहलम के आँगन में मेला लग जाता। जिसकी कश्ती आगे जाती उसको इनाम मिलता। स्कूल के बच्चे ही कश्ती चलाते थे। माँ की तरह गम्भीर स्वभाव वाले जेहलम से खौफ की नहीं, ममता की लहरें उठती थीं। हाँ, सजा भी मिली एकाध बार। शरारत तो करते थे। पर कौन-सी शरारत पर सजा मिली, यह याद नहीं रहा।

स्कूल की इमारत में कमरों के बाहर खम्भे थे। वहाँ फिसलते थे हम। अज्ञेय जी अतीत को मुस्कुराकर बुला रहे थे। जरा-सा थमकर बोले।

"क्लास में बैठे-बैठे भी खम्भे पर फिसलने का ध्यान रहता था। दूसरी क्लास में झाँकने का बड़ा शौक था। अपनी उम्र से बड़े लड़कों से दोस्ती करना अच्छा लगता था। स्कूल में हम तीन-चार महीने रहे। झगड़ा हुआ और स्कूल जाना बन्द कर दिया। फिर घर में ही पढ़ाई होती रही। एक बार जम्मू जाते वक्त रास्ते में ताँगे से उतरे तो ताँगेवाले ने उत्साह बढ़ाते हुए कहा, यह बच्चा जरूर चल सकता है। मैं जरा ज्यादा उत्साहित हो गया। अकेला ही एक पड़ाव से चल दिया। पिताजी ने देखा। उन्हें दुस्साहस अच्छा लगता था। उन्होंने जाने दिया, पर पीछे एक अर्दली लगा दिया। रास्ते में कोई सुरंग न थी। पाँव में पूले पहनी हुई थी। ठण्डी बर्फीली हवा से पैर जम गये थे। यह भी सुना था कि पैर ठिठुरे तो सेंकने न चाहिए, धीरे-धीरे हाथ से मालिश करनी चाहिए।"

"चढ़ाई शुरू हुई तो पैर और ठिठुरे। पर ठिठुरन सहसा अच्छा लगा। श्रीनगर

में जब डल में डूबा था, तो भी रोमांच हुआ था। हम सब चार चिनारी में पिकनिक पर गये थे। भाई तैरने लगे। मैंने देखा– एक सम्मोहन था तैरने में। शान्त झील की छाती पर अधलेटे बाँहें हिलाना। बस, धड़ाम से कूद लिए। भाइयों की चिल्लाहट सुनकर माँझी लपककर आये और निकाल लिया।"

"कश्मीर में ही मानसबल और वुलर झील पर जाना याद है। बड़ी शान्त जगह थी। वुलर झील पर हम हाउस बोट में गये थे। झील के किनारे-किनारे चलता था हमारा घर। बस रात को रुकता था। छत पर बैठकर प्रकृति को निहारना मन्त्रमुग्ध कर देता। हाउसबोट – चलता-फिरता घर – वैसे भी खूब रोमांचित करता। खेल का खेल और सफर का सफर।"

"सबसे सुन्दर होती रात। चाँद अपने हाथ में खीर का कटोरा थामे उसे धीरे-धीरे झील में उँड़ेलता रहता। चाँद मानो मित्र था। सामने बैठकर बातें करता रहता। सबने अलग-अलग तरीके से जिया होगा। झील से खेलने को मन करता, तो माँझी से चप्पू लेकर चलाने लगते हम सब भाई। जब माँझी झील में बाँस डालते और हाउसबोट आगे खिसकती, तो बाँस पर बड़ा लालच होता। बहाव के खिलाफ धीरे-धीरे चलता था हमारा घर। ऐसे में अपनी प्रसन्नता व्यक्त करने के लिए एक दिन मैंने झोंक में छलाँग लगा दी। माँझियों ने तुरन्त निकाल लिया।"

मैंने जरा चुहल से पूछा, "कई छलाँगें लगा गये आप। क्या मौत से डर न था?"

बोले, "उस वक्त सिर्फ पानी में जाने की जिज्ञासा थी। जीवन ही जीवन था। जम्मू-कश्मीर के रास्ते में आने वाला संगलों का पुल भी याद है। हिंडोला-सा लगता था। बीच में धीरे-धीरे जाती बस रुकती तो लोग खूँख्वार चिनाब की खुली हुई दाढ़ों में पैसा फेंकते।"

"जम्मू में हमारा घर तवी नदी के ऊपर था। पहाड़ी के नीचे बहती है यह नदी। वहाँ चिनाब से निकली रणवीर नहर में भी हम जाते थे।" मुझे लगा– अभी कहेंगे, उसमें भी डूबा था। मैंने मुस्कुराकर उनकी तरफ देखा। वे समझकर मुस्कुराए– "नहीं, वहाँ नहीं डूबा। और याद आता है रेशमघर। सिल्क फैक्ट्री को वहाँ यही कहते थे। फैक्ट्री के मैनेजर पिताजी के दोस्त थे। उनके बच्चों के संग हम खेलने जाते थे। सिल्क के कीड़े का उबलता घर देखकर पीड़ा होती थी। रेशमघर में लम्बी घास होती थी। उसके झुलने का अन्दाज खूब था। कभी-कभी छुप्पा-छुप्पी खेलते थे। पत्थरों में वास्क पौधे के सफेद फूलों का मधु चूसना प्रिय शगल था। आम के पेड़ पर चढ़ना आम खाने से ज्यादा स्वादिष्ट होता था। काफी ऊँचा चढ़ जाता था मैं। तवी में नहाना, फिर ढक्की चढ़कर आना, खूब याद है।"

मैंने पूछा, "वास्क पौधा कहीं बरैकड़ तो नहीं?"

मुस्कुराए, "हाँ, वही।"

यह जंगली पौधे का डोगरी नाम है। मैंने भी कई बार अपने गाँव में चूसा है इसका रस। मैंने अज्ञेय जी को इसके बारे में प्रचलित एक मुहावरा सुनाया—

बरैकड़ गिल्ली वी बलै,
सस्स गरीबनी वी लड़ै।

(बरैकड़ पौधा गीला भी जलता है और सास गरीब हो तो भी लड़ती है।)

इस पर वे खूब हँसे। बोले, "जब बिहार गये तब नौ बरस का था। बिहार में पटना, नालंदा सब जगह खुदाई के लिए पिताजी जाते थे। हमारा परिवार काफी बड़ा था। बड़ी बहन सात बरस बड़ी थी। फिर भाई थे। पिताजी को माँ के हाथ के खाने के बाद सिर्फ बहन के हाथ का खाना पसन्द था। नौकर सब्जी काट देते, ऊपर का सारा काम कर देते, पर खाना माँ ही बनाती थी। मैं बहन जी के बहुत करीब था। हम दोनों, सात बरस का अन्तर होने पर भी मित्र की तरह थे। जब पिताजी की देख-रेख में नालंदा की खुदाई हो रही थी, तब पिताजी के संग मैं भी जाता था। पृथ्वी की तहों से कब क्या निकल आएगा, यह जानने की बड़ी उत्सुकता रहती। मजदूर खुदाई करते तो देखना अच्छा लगता था।

"वहाँ हमारे डाक बँगले के पास एक पोखर था। उसमें खूब कमल खिलते थे। अमराई भी थी। जो कुछ भी धरती के गर्भ से निकलता, एक कमरे में साफ करके रख दिया जाता। एक संसार खुल जाता था। इतने आकर्षण के बीच बिच्छू रहते थे। घड़े के नीचे, जूते के भीतर, कहीं भी बिच्छू रहते थे।" मैंने पूछा, "क्या बिच्छू ने कभी काटा?" हँसकर बोले, "कई बार काट जाते थे। तब उस जगह को दबाकर खून निकाल देते। साथ में जहर भी निकल जाता। फिर बूटी लगा देते, बस। वैसे भी हम नंगे पाँव घूमते थे। बिहार में लोग कहते, 'शास्त्री जी के नंगे पाँव वाले बेटे!' घूमने के साथ-साथ पढ़ना भी होता था।" मैं बहन जी से पढ़ता या उनकी निगरानी में पढ़ता था। किसी ने कभी भी पढ़ाई के लिए नहीं कहा। जाकर पढ़ो — यह हमसे कभी न कहा गया। बड़े भाई पढ़ते तो हम भी उनकी देखादेखी पढ़ते। इतनी किताबें, इतनी तरह की किताबें थीं कि पढ़े बिना रहा नहीं जाता था। पिता कभी पढ़ते देखते तो कहते, पढ़कर सुनाओ।

पिता हमेशा प्रोत्साहन देते थे। बढ़ईगीरी करने का शौक लगा तो सब औजार मँगवा दिए। मैंने घर के लिए चौकी बनाई, अलमारियाँ ठीक कीं। अपने कपड़े मैं खुद ही सिलता था। कभी मशीन से, कभी हाथ से। अब भी खुद ही डिज़ाइन

करता हूँ। बहन जी कढ़ाई-बुनाई करती थीं तो उसमें भी दखल रखता था। बिहार में हम तीन बरस रहे। उसके बाद दक्षिण में नीलगिरि, ऊटी, कोयगिरी वगैरह गये। वहाँ मुझे शिलालेख पढ़ने का शौक हुआ। ब्राह्मी और पाली में होते थे शिलालेख। हम कई प्राचीन स्थान देखने भी जाते थे। नया देखने में उत्सुकता बनी रहती थी। एक बार मैं और दो बड़े भाई विजयनगर के खँडहर देखने गये। वहाँ पर कुछ दिन रहे। हाँ, एक बार मैं फिर डूबा। महाबलीपुरम् के समुद्र में। तीन बार डूबना हो गया। दो बार कश्मीर में, एक बार यहाँ। फिर अपने हाथों को उलझाकर बोले, "तैरना तो आ गया था, पर अक्ल न आयी थी।"

इस पर खूब हँसी हुई। उन्हें यह मालूम था कि मैं मन ही मन यह सोचकर हँस रही हूँ – अब आ गयी है क्या? पर उनसे यह कहा नहीं जा सकता था।

दूसरे या तीसरे दिन जब मैं उनके यहाँ गयी तो नीम के दरख्त पर बनाया जाने वाला 'ट्री हाउस' न्यूज में था। हाथ में आरी-वारी लिये खड़ा था बढ़ई। अज्ञेय जी उसे समझा रहे थे। कहाँ, कैसे कील ठुकेगी। तभी इला जी कहने लगीं, "पिछले डेढ़ महीने से कभी एंजाइना का दर्द हो जाता है। इन्हें तो ये सीढ़ी उतरना भी मना है और ये 'ट्री हाउस' बनवा रहे हैं। कहने से नहीं सुनते।" मैंने मन-ही-मन कहा– काम करने से ठीक रहेंगे। दर्द इन्हें व्यस्त देखकर भाग जाएगा। पर कहाँ भागा? दर्द तो दबे पाँव आता है।

अज्ञेय जी भीतर बैठे और मेरी तरफ प्रश्न करने वाली दृष्टि से देखा। मैंने कहा– डूबने की बात हुई थी। इस पर पूरा कमरा हलका हो गया।

अज्ञेय जी बोले, "घर में हर कोई अलग-अलग किसी कोने में बैठा रहता था। जंगल में, खँडहर में, बगीचे के कोने में। घर में भी काफी जगह थी। पेड़ पर बैठकर बैलेंस बनाकर पढ़ते रहना अच्छा लगता था। एकाध बार गिरा भी, पर ज्यादा लगी नहीं। गिरने पर आसपास नजर दौड़ाकर यही देखता रहता कि कहीं किसी ने देखा तो नहीं।"

"उन्हीं दिनों मैंने तीस-चालीस पन्ने की एक हस्तलिखित पत्रिका निकाली। उसका नाम था *आनन्दबन्धु*। दस-ग्यारह बरस की उम्र थी। इसकी, जाहिर है, एक ही प्रति होती थी। घर में लोग बड़ी उत्सुकता से पढ़ते थे। पिताजी अपने मित्रों को भी भेजते थे। इसे घुमाया जाता था। इसमें हमारे भाई-बहन लिखते थे। एकाध बार पिताजी ने भी लिखा। इसमें कविता, कहानी, लेख के अलावा यात्रा-वर्णन भी होते थे। वही यात्राएँ जो हम करते थे।"

"एक बार हम नीलगिरि में जलप्रपात देखने गये। दो भाई, और मैं। हम रातभर जंगल में भटकते रहे। जंगल की भूलभुलैया पगडंडियों में गुम होते रहे।

जब काफी देर घर न पहुँचे तो पिताजी को चिन्ता हुई। दस-ग्यारह बजे तक तो उन्होंने सब्र किया, फिर बारह बजे चौकीदार को साथ लेकर, लालटेन थामे हमें ढूँढ़ने निकले। जब उन्होंने हमें देख लिया तो वहीं से लौट गये। अपने मन की चिन्ता वे हम लोगों पर प्रकट नहीं करना चाहते थे। घर पहुँचे तो माँ ने खूब डाँटा। हम नंगे पाँव गये थे।"

मैंने पूछा, "यह नंगे पाँव भटकने की क्या सूझी आपको?"

"वहाँ सब नंगे पाँव ही घूमते थे। हमने सोचा, जब यहीं रहना है तो नंगे पाँव ही रहना चाहिए।" धीरे-धीरे अज्ञेय जी अपने अतीत की बातें बता रहे थे। मौन टूट रहा था—

"चौदहवें बरस में मैं मैट्रिक के इम्तहान में बैठा और प्रथम श्रेणी में पास हो गया। बड़े भाई तो आगे पढ़ने के लिए घर से चले गये थे। घर में थोड़ा अकेलापन भी लगने लगा। अब तक स्कूल तो न गये थे, पर कॉलेज का आकर्षण खींचता था। एक भाई मद्रास में थे। सबसे बड़े भाई पंजाब मेडिकल कॉलेज में थे। मद्रास में जो भाई थे, उनके पास डबलरूम था, हॉस्टल में मेस भी था। मैं वहीं गया। यहाँ ब्राह्मणों का हॉस्टल अलग था और दूसरा, छोटी जाति वालों का अलग। यह बात कही नहीं जाती थी, पर दोनों स्थानों में खूब अन्तर था। हम ब्राह्मणों के हॉस्टल से झगड़ा करके दूसरे हॉस्टल में चले गये। इस बात पर ब्राह्मण खूब चिढ़े। हमारे नये हॉस्टल में ईसाई थे, हरिजन थे और कोई बन्धन न था। हर कोई साधारण व्यवहार करता। दोस्तियाँ होतीं, खूब हंगामे होते। हमारी वहाँ दो लड़कों से दोस्ती हुई। एक केरल का था। दूसरा ईसाई था। हम सब मिलकर टेनिस खेलते थे। वहाँ खाना दक्षिण भारतीय ढंग का पकता था। हम लोग हॉस्टल से बाहर खाना खाने लगे। वैसे हमें दक्षिण का भोजन भी खूब पसन्द था। पर वहाँ 'नान-वेज' भी पकता था इसलिए बाहर ही खाने लगे। इंटरमीडिएट के बाद छुट्टियों में हम घर चले आये। बी.एससी. मैंने पंजाब से किया। हम लाहौर में एफ.सी. हॉस्टल में रहे।

"यहीं हमारी भेंट क्रान्तिकारियों से हुई। हमारे कुछ सहपाठी भी क्रान्तिकारी थे। हमने अपना एक दल बनाया। फिर भगतसिंह की पार्टी के कुछ सदस्यों से परिचय हुआ। उस समय स्वभाव में उद्दंडता थी। इतिहास पढ़ा था। स्वाधीनता की भावना प्रबल थी। हम तीनों भाई अलग-अलग कॉलेज में थे। मेरे भाइयों को यह खबर न थी कि मैं क्रान्तिकारी पथ पर जा रहा हूँ। मुझे सिर्फ कभी-कभी पिताजी की चिन्ता होती थी। उन्हीं दिनों हमारा परिचय सेना के कुछ लोगों से हुआ। हम लाला लाजपत राय से भी मिले।

"उन्हीं दिनों गढ़वाली रेजीमेंट ने जुलूस पर गोली चलाने से इनकार कर दिया। उनका कोर्ट-मार्शल हुआ। हमने यह सब छापकर पर्चे बाँटने शुरू कर

दिए। तभी 'नौजवान भारत सभा' के कुछ सदस्यों से भी परिचय हुआ। आजाद और भगवतीचरण वोहरा उन्हीं दिनों भगतसिंह को छुड़ाने आये थे। हम भी उसमें शामिल हो गये। आजाद के साथ काम किया, उनके साथ रहे भी। यशपाल भी थे। पर किन्हीं कारणों से भगतसिंह को छुड़ाने में कामयाबी न मिली। योजना यह थी कि कचहरी जाते समय आक्रमण करके भगतसिंह को छुड़ा लेंगे। ट्रक चलाने का काम मुझे सौंपा गया था। पर यह सब हो न पाया।"

"फिर हम सबको लाहौर से हट जाने को कहा गया। आजाद, धनवंतरि सब पंजाब से चले गये। पर तभी एक अजीब बात हुई। हमारे एक साथी की तलाशी ली गयी। तलाशी तो किताब के लिए हुई थी, पर उनके हाथ रिवॉल्वर लगा। मैं भी उसी घर में था। हम किसी तरह पुलिस को झाँसा देकर भाग निकले। पर मेरी और साथी की फोटो वारंट के साथ छप गयी। हम भेष बदलकर अमृतसर गये। वहाँ दुर्गियाना मन्दिर में ठहरे। मैं कश्मीरी पण्डित बना और मेरा साथी नौकर। हमारा एक साथी जो किसी तरह भी कश्मीरी न लगता था, मुसलमान बन गया। हमने साइनबोर्ड और पेंटिंग की एक दुकान भी कर ली और उसके ऊपर रहने लगे। हमारे साथियों में एक मस्जिद के इमाम भी थे। सो कुछ लोग मस्जिद में रहने लगे। उन्हीं दिनों इत्तफाक से सड़क पर बिजली के खम्भे लग रहे थे। उस इलाके में बहुत मिस्त्री रहते थे। लगे हाथ हम भी मिस्त्री हो गये। रंग-वंग लेकर साइनबोर्ड बनाते और शाम को घर लौट आते।"

"हमारा असली काम था पिस्तौलों की मरम्मत, जो पेशावर से आते थे। वह आजाद इलाका था। पठान हमारे साथी थे। कुछ रिवॉल्वर भी थे हमारे पास। उनकी मरम्मत के लिए एक कारीगर खोजा गया। किसी ने पुलिस को खबर कर दी। आधी रात को पुलिस ने छापा मारा। चार-पाँच रिवॉल्वर निकले।

"तीन आदमी घर पर थे। तीनों ही पकड़े गये। अमृतसर में मुकदमा चला। फिर लाहौर किले में बन्द कर दिए गये। किले में सीलन थी, अँधेरा था और थी तनहाई। हम सब अलग-अलग थे। यातनाएँ दी गयीं। महीना-भर तफ्तीश होती रही। फिर हमें अमृतसर ले जाया गया। उन्हीं दिनों सत्याग्रह आन्दोलन भी चल रहा था। जेल में सात सौ कैदी ठुँसे हुए थे, जबकि सिर्फ डेढ़ सौ के रहने की व्यवस्था थी। हम लोग अंडर ट्रॉयल थे। कचहरी जाना होता था। उसके अलावा हम खूब पढ़ते-लिखते, रौनक लगी रहती। कई विषयों पर बहस-मुबाहिसे भी होते। मुकदमा डेढ़ साल तक चला। साथ ही दिल्ली में षड्यन्त्र का नया मुकदमा शुरू हो गया। इस केस के लिए दिल्ली से अमृतसर जाना पड़ता था। पिताजी उन दिनों दक्षिण में थे। उन्हें सरकार तंग कर रही थी। पर मैं शायद उनके बचपन का

सपना पूरा कर रहा था। इसलिए वे अप्रसन्न न थे। माँ जरूर दुखी होंगी। फिर तो चार बरस जेल में ही कटे। जब यशपाल जी और प्रकाशवती जी को छिपाकर रखने का काम मुझे सौंपा गया तब मैं उन्हें चम्बा ले गया। वहाँ एक बहुत सुन्दर स्थान है – खजियार। वहीं पर हम रहे। चम्बा में जो रियासत के वकील थे, उनसे हमें खूब सहायता मिली।"

लॉन में काले मुकुट वाली एक बुलबुल धीरे-धीरे कीड़े चुग रही थी। अज्ञेय जी के साथ मुझे देखकर ठिठकी। मैंने शरारत से पूछा, "यह तो आपको जानती-सी लगती है। पर एक अपरिचित को देखकर ठिठक गयी है!" अज्ञेय जी को मालूम था, मैं चुहल में बात करती हूँ।

"...पहचान के लिए जो मुखबिर लाया गया, वह हमारा ही साथी था। जब मैं कश्मीरी पण्डित बनकर दुर्गियाना मन्दिर में रह रहा था, तब वह वहाँ नौकर बनकर रहता था। मैं उसके साथ मित्रवत् ही रहता था। उसे खाना बनाकर खिलाता था। उसने कहा, मैं पृथ्वीराज का वंशज हूँ। मैंने कहा, तुम जयचन्द के वंशज लगते हो। उसने आँखें नीची कर लीं। तीसरी बार जब वह पहचान के लिए हमारे सामने से गुजरा तो मजिस्ट्रेट ने कहा— पहचानो, यही है न?

"उसने हाँ में सिर हिला दिया। मैंने उसका हाथ पकड़कर मरोड़ा। मजिस्ट्रेट ने मेरा हाथ पकड़ लिया। मैंने दूसरे हाथ से उसे भरपूर दो थप्पड़ मारे, उसका सिर घूम गया। मैंने मजिस्ट्रेट का भी हाथ मरोड़ा तो उसकी उँगली टूट गयी। फिर मुझे पेटियों से मारा गया। पर थप्पड़ का असर यह हुआ कि मुखबिर ने अदालत में मुझे न पहचाना। हम चौदह थे। पर उनमें से जो किसी तरह से भी हमारा साथी न था, उसी को मुखबिर ने कहा— यह व्यक्ति है।

"एक और वाकया याद आ रहा है। कचहरी में जब हम जाते थे तो हमारे साथ लुहार भी जाता था। वहाँ वह बेड़ियाँ काट देता। कचहरी में हम बेड़ियों से मुक्त रहते थे। एक बार हमने कचहरी से जेल जाने से इनकार कर दिया। हम चाहते थे, ट्रायल खत्म न हो। कचहरी जेल को सौंपेगी तो जेल के कानून लागू होंगे। हमने एक-दूसरे की बाँहें मजबूती से पकड़ लीं। हमारी इस पकड़ को छुड़ाकर बेड़ियाँ पहनाना आसान न था। जून का महीना था। दिन के बारह बज रहे थे। हमें सजा के तौर पर पैदल ले जाया गया। रास्ते में प्यास लगी तो पानी न दिया। हमारा एक साथी गिरा तो हम कन्धे का सहारा देकर उसे ले चले। बेला रोड पर उन्होंने एक ट्रक खड़ा किया था। उसी में बैठाकर हमें ले जाया गया।

"हमारा केस जिस तरह चल रहा था, काफी लम्बा चल सकता था। फाँसी की कोठरी भी दिखाई देती थी। पर हम तो तीन-चार जने अकेले थे। लिखते-पढ़ते और गाते रहते थे।

"जब जेल में आया था तब जैनेन्द्र जी जेल में थे। एक-डेढ़ माह हम इकट्ठे भी रहे थे। उनकी *परख* तब तक छप चुकी थी। बाद में उन्हीं को मैंने अपनी कहानी भेजी थी। 'अज्ञेय' उन्हीं का शब्द है। पहले तो मुझे यह बिलकुल अच्छा न लगा था। पर 'अज्ञेय' नाम से काफी कुछ छप चुका था। नाम चल गया था।

"जब सजा हो गयी तब मुल्तान जेल में भी रहे। फिर साल-भर लाहौर में रहे। पिताजी भी रिटायर होकर वहीं आ गये थे। छोटा भाई भी जेल में था। माँ रोती रहती थीं। जेल से छूटे तो *सैनिक* नाम के साप्ताहिक पत्र का सम्पादन किया। यह राजनीतिक पत्र था। साल-डेढ़ साल इस पत्र के साथ रहा। मैं आगरा में अखबार निकालता था और मेरठ में किसान-आन्दोलन में भी शामिल रहता। एक-दो दिन के लिए चिरगाँव भी जाता था। अस्सी रुपये वेतन मिलता था। पच्चीस-तीस बच भी जाते थे।"

मैंने जरा चिन्तित होकर पूछा, "आप इतने बड़े हो गये, पर किसी लड़की में क्या आपकी दिलचस्पी नहीं हुई?"

"नहीं, अब तक तो नहीं हुई। पर जब होगी तब यह मत समझिएगा कि बता ही दूँगा।" बड़ा रस लेकर मुझे चिढ़ाते हुए अज्ञेय जी ने कहा। आकाश जैसे निर्मल हो गया। वे जरा-सा हँसे भी, कंजूसी के साथ और मैं हमेशा की तरह ठहाका लगाकर। फूलचुही लैला की लम्बी सुराहीदार गर्दन से रस पीती-पीती घबराकर उठी। घर के पीछे से भी आवाजें आने लगीं। बाग के पीछे जंगल से पत्ते बौखलाकर खड़के। जंगल की आवाज से खौफ खाकर मैंने पूछा, "यहाँ साँप भी होते होंगे?"

अज्ञेय जी कहने लगे, "हाँ, यही प्रश्न एक सज्जन ने मुझसे किया तो मैंने कहा था, यहाँ मोर बहुत हैं। घर के पीछे से उन्हीं की आवाजें आ रही हैं।"

मैंने उन्हें प्रसन्न पाकर फिर पूछा, "और लड़की?"

"कॉलेज में बहुत कम थीं। कॉलेज-मैगजीन निकलती थी। हम तो उसमें छापते ही थे। एक लड़की मैगजीन का उर्दू विभाग देखती थी। वह कभी-कभी आकर बातें करती थी। वह अपनी कार चलाकर आती थी। उन दिनों यह एक अजूबा था। लड़के छेड़कर कहते— क्या रखा है किसी के कार चलाने पर, लड़की दूसरा मिसरा जोड़ती— क्या रखा है किसी के बेकार चिल्लाने पर।"

मैंने कहा, "यह तो टालने वाली बात है। चलिए मेरठ ही चलते हैं।" मेरी हताशा देखकर वे जरा नहीं बदले, झट मेरठ पहुँच गये।

"मैं किसानों की रैली में गाँव-गाँव जाकर भाषण देता था। हम चाहते थे कि किसान साहसी बनें। किसानों का जुलूस लेकर हम दिल्ली भी गये थे। मेरठ के खाते-पीते किसान थे। हमारे यत्न से वे साहसी हुए।

"हाँ, कलकत्ता से बनारसीदास चतुर्वेदी *विशाल भारत* चलाते थे। उनके सहायक मैं और बृजमोहन वर्मा थे। बृजमोहन जी की मृत्यु हो गयी, तो दो-ढाई वर्ष तक मैं ही *विशाल भारत* अकेले निकालता रहा। उन दिनों शान्तिनिकेतन में भी आना-जाना रहता था। बंगाली आपको जल्दी अपनाता नहीं, पर मैं उनकी भाषा बोलता था, इससे आसानी हुई। गुरुदेव को पहली बार शान्तिनिकेतन में सुना था। दूसरी बार जैनेन्द्र जी भी साथ थे। गुरुदेव ने पचास मिनट का समय दिया था। हमारे साथ हजारीप्रसाद द्विवेदी भी गये थे। हजारीप्रसाद जी व जैनेन्द्र जी ने उनके चरण नहीं छुए। मैंने भी नहीं छुए, झुककर प्रणाम कर लिया। उनका चेहरा बदला।

"फिर द्विवेदी जी ने जैनेन्द्र जी का परिचय करवाते हुए कहा– इनका उपन्यास *सुनीता* छपा है। लगता है आपके *घरे-बाहरे* से ये उसे आगे ले गये हैं। अब गुरुदेव की त्योरियाँ चढ़ीं। उन्होंने सेक्रेटरी को कुछ कहा। अभी पाँच मिनट भी न हुए थे कि हमें रुखसत कर दिया गया। जब मैं कॉलेज में था, तब मुझ पर *गीतांजलि* का बहुत प्रभाव पड़ा था। मेरी शुरू की कविताओं में यह प्रभाव है। मुझे ताराशंकर, प्रबोध सान्याल और बुद्धदेव आदि का लेखन खूब अच्छा लगता था। कलकत्ता में आकर ही मुझे बड़े शहर के जीवन का पता लगा। यहाँ अमीर और गरीब के बीच की दूरी बहुत बड़ी थी। लाहौर में यह सब न था। हम लाहौर में सिविल एरिया में रहते थे। कलकत्ता आकर ही शहर से सही पहचान हुई। लेखक-समाज से भी परिचय हुआ। इसका विवरण मेरी कुछ कहानियों में आया है।

"पर अब वहाँ ऐसी स्थितियाँ थीं कि टिक पाना मुश्किल था। *विशाल भारत* से चतुर्वेदी जी भी नाराज थे। वे मुझे काम सौंपकर गये।

"कहानीकार कमलकान्त वर्मा हमारे सहायक सम्पादक होकर आये। उनमें एक बहुत बड़ा गुण था। वे हर किसी का पत्र पढ़ते थे। वहीं तक रहते तो भी ठीक था, लेकिन वे यह भी जानना चाहते थे कि इसका उत्तर क्या जा रहा है। कई बार मेरी चिट्ठी पढ़कर मेरी जानकारी के बगैर उसका उत्तर भी दे देते थे। एक बार अखबार के पते पर भगवतीचरण वर्मा के नाम पत्र आया। पत्र बम्बई से किसी फिल्म की स्क्रिप्ट लिखने के लिए आया था। उन्होंने पत्र पढ़ा और उत्तर भी दे दिया कि वे (अज्ञेय) क्या लेखक हैं, आपको हमसे लिखवाना चाहिए। यह बात किसी तरह मालूम हो गयी तो उन्हें डाँटा। मालिकों से कहकर हमें वहाँ से हटाने की चाल होने लगी। हमने त्यागपत्र दे दिया।

"यह सन् 1939 का समय था। कमलकान्त जी का दूसरों के पत्र पढ़ने का चस्का काफी आगे बढ़ चुका था। वे तो सम्पादक श्रीराम शर्मा तक की डाक पढ़कर उचित-अनुचित उत्तर देने से न चूकते थे, हमारी क्या बिसात थी। हमारे पिताजी के पत्र भी वे न केवल पढ़ते थे, अपितु कई बार उनके उत्तर भी खुद ही दे

देते थे। हमने कहा था, तो कोई सुनवाई नहीं हुई। उन्हीं दिनों बनारसीदास चतुर्वेदी जी की चिट्ठी आयी कि उनकी चिट्ठियों का गोलमाल हो रहा है। हमने कहा, जब तक हमारी चिट्ठी कमलकान्त जी पढ़ते रहे कुछ न हुआ, अब तो वे दूर-दूर तक हाथ साफ करने लगे हैं। लिहाजा इन बातों को मद्देनजर रखते हुए कमलकान्त जी को हटा दिया गया। फिर धीरे-धीरे पत्र भी बन्द हो गया।

"मैंने वहाँ रहकर बहुत लिखा था। कला की आलोचना का काम भी कुछ किया था। पिताजी उन दिनों बड़ौदा राज्य में पाँच वर्ष के लिए पुरातत्त्व विभाग में कार्यरत थे, पर मैं किसी पर निर्भर न रहना चाहता था।"

मैंने कहा, "उन दिनों पढ़े-लिखे लोग रेडियो में भी जाते थे। यह फील्ड क्या आपने एकदम छोड़ दिया?" गर्दन झुकाए हुए, जैसे अपराध करते बच्चे को पकड़ लिया हो, जरा-सा मुस्कुराते हुए बोले–

"1940 में दिल्ली रेडियो में था – हिन्दी समाचार विभाग में। तब रेडियो सिविल लाइन्स में होता था। दो कोठियाँ साथ-साथ थीं। उन दिनों हिन्दी का काफी विरोध था। बुखारी का जमाना था। उर्दू ही उर्दू चलती थी। ब्राडकास्टिंग में कृश्नचन्दर, नून मीम राशिद, सिन्दबाद जहाजी, मंटो आदि थे। कोशिश यह रहती थी कि रेडियो की भाषा आम बोली जाने वाली भाषा हो। रेडियो छोड़कर फिर 1943 में आर्मी में चला आया। यही उस वक्त समझ में आता था कि देश की रक्षा न करना कोई बुद्धिमानी की बात नहीं है। मैंने आर्मी हेडक्वार्टर्स को लिखकर कहा कि मैं आर्मी में आना चाहता हूँ। उनका उत्तर आया, थैंक यू। इनकार कर दिया।

"सी.आई.डी. ने कह दिया था, यह बड़ा खतरनाक आदमी है।

"कुछ महीनों बाद एक फोन आया, मैं फलाँ कर्नल हूँ। क्या आप सेना में आने के लिए अभी भी ख्वाहिशमन्द हैं?"

"मैंने लिखा, क्या हालत ऐसी हो गयी है कि आप यह जोखिम उठाने के लिए तैयार हैं?"

हँसी का एक बुलबुला उठा और अज्ञेय अपने हाथों की उलझन को देखते हुए बोले, तो हम सेना में आ गये। मालूम हुआ जापानी सीमा के अन्दर भूमिगत होकर काम करना पड़ेगा। असम में भूमिगत संगठन ने काम शुरू किया। हम सात आदमी थे। सेना के साथ मिलकर काम करते थे। वहीं पर तीन बरस रहे। कभी-कभी घर में चिट्ठी डाल देते थे। हममें से दो शादीशुदा थे। एक साल बाद अट्ठाइस दिन की छुट्टी मिलती थी। दूसरा काम था घूमना और भरोसेमन्द लोगों को ढूँढ़ना। वहाँ बांग्ला और असमिया में दो साप्ताहिक पत्र निकलते थे, दोनों पत्र मैं देखता था। ये साप्ताहिक कलकत्ता में छपते थे।

ब्रह्मपुत्र में माझुली द्वीप था। वहाँ असमिया वैष्णवों के तीन मठ थे। इनमें से

एक मठ राष्ट्रीय आन्दोलन से जुड़ा था। वहाँ के लोगों पर खूब अत्याचार होते थे। उनका नमक, राशन आदि सब बन्द था। डिप्टी कमिश्नर के संग उनकी मारपीट हुई थी। उनके महन्त जेल में थे। बड़े सज्जन व्यक्ति थे। उनके गाँव को भूखों मार डालने के यत्न थे। उनके पास दिया जलाने को तेल न था। वे पुआल जलाकर रोशनी करते थे। जब बाढ़ आती तो छह मील का वह टापू दो मील का रह जाता। खाने-पीने की चीजें, पानी, सब दरख्तों पर पोटलियों और सुराहियों में टँगा रहता। पेड़ों पर मचान भी बने होते। टापू में अन्न बहुत होता था, पर बाढ़ का जोखिम भी कम न था।

"जापानी समर्पण नहीं करते थे, क्योंकि उन्हें मार दिया जाता था। हमसे कहा गया कि हम उन्हें जापानी भाषा में अपील करके बाहर आने को कहें। हमने अपील की। हमारा भरोसा करके वे खाइयों से बाहर निकले। अमेरिकी फौजों ने उन्हें भून दिया। उन्हें बाहर निकालने की योजना हमारी थी, पर उन्हें अमेरिकियों को सौंप दिया गया। यह बात छिपा दी गयी। हमने उनसे पूछा कि आपने हमसे यह विश्वासघात क्यों करवाया, तो कहा गया कि इस बात का कभी नाम भी मत लेना। 1945 में जब यूरोप की लड़ाई खत्म हो गयी तो हम सेना छोड़कर आ गये।

"कुछ दिन मेरठ में रहने के बाद इलाहाबाद आ गया, वहाँ *प्रतीक* निकाला, *तार सप्तक* का सम्पादन किया और *शेखर* का दूसरा भाग भी वहाँ लिखा। पहला भाग तो जेल में लिखा था।"

"19 बरस की उम्र में फाँसी की सम्भावना कैसी लगती थी?" मैंने पूछा तो वे कहने लगे, "अब तक जिया हुआ सब कुछ बहुत सुन्दर था। उसे अक्षरों में पिरोया था। जैसे सब जल्दी-जल्दी समेटा हो। जेल में इस तरह जीवन जीकर, अक्षरों में बाँधना बड़ा सुखद था।" फिर बोले, "हम तो काफी आगे आ गये। 1940 में सन्तोष से हमारा ब्याह हुआ था, वह तो आपने पूछा ही नहीं।"

कवि अज्ञेय प्रसन्न मुद्रा में थे। मैंने अंग्रेजी में कहा, "आई एम नाट इंटरेस्टेड इन योर मैरिज। आई एम इंटरेस्टेड इन योर लव अफेयर्स!" (आपकी शादियों में मेरी दिलचस्पी नहीं, मैं आपके प्रेम-प्रसंगों के बारे में जानना चाहती हूँ।)

कहकर मैं तो खुलकर न हँसी। न जाने क्या कह देंगे। पर वे खूब रस से पगी हँसी हँसे। फिर कुर्सी के हत्थे पर हलके से हाथ रखकर अतीत में लौट गये। बोले, "जब मैं मद्रास में फर्स्ट ईयर में था, तब पन्द्रह बरस का था। वहाँ एक दक्षिणी लड़की पढ़ती थी। स्वभाव मुझसे एकदम भिन्न। बड़ी जिन्दादिल थी वह। बहार के झोंके की तरह सुगन्धों से भरी हुई। स्थिर न रहने वाली। लचकीली डाली की तरह थी..." फिर मेरी तरफ देखा। मैं अगले वाक्य की प्रतीक्षा में थी। पन्द्रह

बरस की उम्र का इश्क बेवकूफाना भले ही हो, निश्छल और नूतन तो होता ही है। वे भी मुझे देख रहे थे। फिर नीचे देखते हुए बोले, "वह केरल के समुद्र में डूब गयी।"

इसके साथ ही डूब गयी मेरी उत्सुकता। मैंने पूछा, "इलाहाबाद में लेखकों से भेंट होती रहती होगी?" कहने लगे, "हाँ, महादेवी, पन्त, बच्चन और 'परिमल' वाले सभी वहाँ थे। 'परिमल' में मैं प्रायः जाता था। वहाँ सर्वेश्वर, साही, भारती और दूसरे कई लोग थे।

"इलाहाबाद में महादेवी से तो हमारा औपचारिक मिलना-जुलना ही होता था। हाँ, 'परिमल' के नाते पन्त, बच्चन और तेजी से मिलना-जुलना होता रहता था। साहित्य से सम्बन्धित काफी लोग तब इलाहाबाद में थे। वहाँ गंगा पर घूमने और नहाने का काफी आकर्षण था। साहित्य का आकर्षण तो था ही। घर में गोष्ठियाँ होती थीं, गीतकार आते थे।"

मेरे पूछने पर उन्होंने कहा, "सब कविता गायी नहीं जा सकती। मुक्त छन्द की कविता याद नहीं रखी जा सकती, तभी कविता पढ़ी जाने लगी। पहले सुनी-सुनाई जाती थी।"

मैंने पूछा, "क्या कविता का युग समाप्त हो गया है?"

बोले, "रुचि की बात है, पहले भी थोड़े लोग काव्य का संस्कार रखते थे। पर कविता का युग कभी समाप्त नहीं होता।"

मैंने रेडियो की बात की तो कहने लगे, "रेडियो को समाज में उठाने के लिए साहित्यकारों का योगदान लेना जरूरी है। 1955 में मैं फिर रेडियो में आया था। इसी दौरान विदेश जाने के लिए फैलोशिप मिली, तो रेडियो के लोगों ने पूछा– कैसे जा रहे हो, हम नहीं जाने देंगे। हिन्दी के आदमी से वैसे ही थोड़ा चिढ़ते थे। मैंने त्यागपत्र दे दिया। मैं यूरोप के समाज व चिन्तन से परिचित होना चाहता था। छोटी-छोटी डाक्युमेंट्री बनाने का भी शौक था। पहली बार विदेश गया तो दस-एक महीने वहाँ रहा। खाना कामचलाऊ मिलता था। मीलों तक फैली चरागाहों में गायें खूब दूध देती थीं। डाक्युमेंट्री भी बनाई। उसमें एक इटालियन फिल्म डायरेक्टर के साथ काम किया। वहाँ जर्मन मूल की एक लड़की से दोस्ती हो गयी। अभी तक बराबर उसके पत्र आते हैं। फैलोशिप पर ही मैं एशियाई देशों में भी गया। वहाँ के साहित्य और संस्कृति से परिचय हुआ। वहाँ स्त्री को आजादी तो है, पर हमारे देश में जैसे किसी परिवार में पति का मित्र उसकी अनुपस्थिति में भी रह सकता है, ऐसा यूरोप में सम्भव नहीं है। जो विश्वास परिवारों में यहाँ है वहाँ नहीं है। हर समाज अपने पाखण्ड को ढाँपकर रखता है।"

मैंने पूछा, "आपको सपने किस तरह के आते हैं?"

"कई बार, सपने में देखा दृश्य, लगता है पहले भी देख चुका हूँ या यह घटना पहले भी घट चुकी है। अब तो सपने कम आते हैं।

"1960-61 में मैं अमेरिका पढ़ाने गया था। विद्यार्थियों के आन्दोलन का जमाना था वहाँ। अमेरिका के दक्षिण में काले-गोरों के स्कूल अलग थे। हम कालों के स्कूल में पढ़ाने गये। मेरे पास वक्त-बेवक्त लोग आते रहते थे। वहीं कहते, हमें आपका आशीर्वाद चाहिए।"

मैंने पूछा, "रचना के दौरान कवि के मन की क्या दशा होती है?"

बोले, "लिखते वक्त एक दूसरे जगत में प्रवेश करना होता है। कवि ही कविता के पास जाता है। उससे साक्षात्कार तब होता है जब कवि साहस पाता है। कविता हर वक्त साथ नहीं रहती।"

मैंने कहा, "बीवियों का यह कहना कि हमारे मियाँ शेर कह रहे हैं, कहाँ तक सार्थक है?"

"आत्मरक्षा का कुछ तो उपाय हो।" यह कहकर वे जरा-सा स्मित होंठों पर लाकर चुपा गये। फिर बोले, "अलेक्जेंडर ड्यूमा जब बहुत प्रसिद्ध हो गये तो वे अपनी तिमंजिली छत पर बैठते थे – कागज कलम से लैस। नीचे से गुजरते हुए लोग कहते– वह देखो लेखक लिख रहा है। उसे तंग न करो।

"भीड़ में नहीं लिखा जाता है। वैसे तो कुछ स्वभाव की भी बात है। पर एक ऐसी जगह जरूर होनी चाहिए जहाँ का वातावरण अपना रचा हुआ हो। शुद्ध रचना में, गद्य हो या पद्य, परिश्रम तो है ही। जो कहानी मैं लिखता हूँ, अगर वह गुम हो जाए तो मैं उन्हीं शब्दों में उसे दोबारा लिख सकता हूँ।"

मैंने कहा, "यह तो चमत्कार है। मुझे तो कभी-कभी अपनी कविता का नाम भी याद नहीं रहता।"

कहने लगे, "मैं कविता और कहानी पढ़ने के लिए लिखता हूँ। लोग सुनने के लिए लिखते हैं। कहानी में कल्पना और यथार्थ की पहचान, कल्पना के बिना नहीं हो सकती। हमारी बुद्धि उसे कैमरे से देखती है। पूरी कल्पना से भी कहानी की उपज हो सकती है। उसमें अनुभव का योग रहता है। एक सिरा पकड़कर आगे जाया जा सकता है।

"*दिनमान* में मैं सन् 64 से 68 तक था। एक साल छुट्टी लेकर विदेश गया। वहाँ साल और रहना पड़ा तो त्यागपत्र दे दिया।

"जब *दिनमान* का काम शुरू किया था तो मालिकों ने कहा था कि आप

टिककर तो रहते नहीं, पत्र का क्या होगा? मैंने कहा था, जब तक पत्र स्थापित न हो, कहीं न जाऊँगा। जितनी ग्राहक-संख्या उन्होंने बनाने को कहा था, जब उससे भी दस हजार अधिक हो गयी तो मैंने कहा– अब अगर छोड़ना चाहूँ तो चौंकना नहीं चाहिए। मैं छुट्टी पर गया तो रघुवीर सहाय पत्र देखने लगे। वे मुख्य सहायक सम्पादक थे। मैं पूरी तरह सन्तुष्ट तो न था, पर फिर भी ठीक था।"

मैंने पूछा, "साहित्य-सृजन के साथ पत्रकारिता का क्या मेल है?"

बोले, "दोनों का रूप अलग है, दोनों में लिखने का मन होता है।"

भाषा के सवाल पर अज्ञेय जी कहने लगे, "अब बोलियाँ भाषा का रूप ले रही हैं। पाठकों की संख्या भी बढ़ रही है और पाठकों में समझ भी बढ़ रही है। एक मानक-भाषा जो सब भाषाओं में सेतु का काम करे, हिन्दी ही हो सकती है। यह बात पहले भी सत्य थी, आज भी सत्य है।"

फिर मेरे एक सवाल के उत्तर में कहने लगे, "भाषाओं के दुश्मन नहीं होते। कहीं अगर विरोध होता है तो उन्हें यह डर लग रहा होता है कि कोई भाषा राष्ट्रभाषा होगी, तो हमारे भाषागर्व को ठेस लगेगी।"

अब तक कॉफी आ गयी थी। सुरुचिपूर्ण तरीके से सजी ट्रे में सुन्दर प्याले और शक्कर से भरा एक बर्तन। लाल-लाल शक्कर खाने की इच्छा हो रही थी। अज्ञेय जी गिनकर कॉफी के घूँट पी रहे थे। इला जी जाफरानी रंग की साड़ी पहने, बड़ी-सी बिन्दी लगाए कमरों में आ-जा रही थीं। मेरी हिम्मत अब काफी बढ़ चुकी थी। यह हिम्मत उन्हीं की दी हुई थी। मैंने पूछ लिया, "इला जी से आपका परिचय कैसे हुआ?"

"पहला परिचय सन् 67 में हुआ। तब मैं *दिनमान* का सम्पादक था। ये कहानियाँ लिखती थीं। इनकी पाण्डुलिपि मैंने देखी थी।"

मैंने पूछा, "इला जी की ऐसी कौन-सी बात थी जिसने आपको आकर्षित किया?"

रस से सनी मुस्कुराहट। लेकिन यह उत्तर न था। मैंने फिर इसरार किया, "एक कवि और लेखक को प्रभावित करना आसान नहीं होता। कोई तो आकर्षण का खास अन्दाज रहा होगा?"

मौन रहने के बाद वे धीरे-धीरे बोले, "यह बात क्या बताई जा सकती है?"

उत्तर जिस प्रेम में रची बाँसुरी के स्वर से दिया गया था, उसे मैं लिख नहीं सकती। उस बात के बीच आने वाले सुन्दर मोड़ों का बखान कलम से बाहर की चीज है। शब्द तो लिखे जा सकते हैं, पर आवाज का खुमार और मिठास लिखने की चीज नहीं है। फिर क्या वे कभी कहेंगे, 'यह बात क्या बताई जा सकती है।'

सच, नहीं, नहीं बताई जा सकती। कब, कौन, कितना करीब हो जाता है, यह बताना कठिन है।

"क्या आप दोनों झगड़ा करते हैं?"

"हाँ, झगड़ा तो होता ही रहता है। इला जी खूब झगड़ा करती हैं। मुझे काम करने के समय खलल नहीं चाहिए। कोई मेरी अधूरी रचना पढ़े तो मुझे अच्छा नहीं लगता। काम के बीच बात करना भी मुझे अच्छा नहीं लगता।"

"कैसे अच्छा लगता है?" मैंने चुटकी ली।

"आपसे बात कर रहे हैं, यह अच्छा लग रहा है।"

मैंने कहा, "पता नहीं यह हाँ कह देने की मजबूरी है या प्रसन्नता।"

वे न सुनते हुए बोले, "लिखते समय मैं सिर्फ अपने आपसे मिलना चाहता हूँ। लेखक है तो लिखेगा ही। मुझे घर में व्यवस्था पसन्द है, जो प्रायः मेरी ही की हुई होती है। कोई वस्तु बिखरे नहीं, इधर से उधर न हो। सब सुचारु रूप से चले। जहाँ रखूँ, वहीं रखी मिले।"

मैंने कहा, "लेखक के साथ रहना बड़ा कठिन होता है।" तो बोले (बड़ी विनम्रता के साथ) "यह आप इला जी से पूछिए।"

इला जी से क्या पूछूँ, कौन-सी बात पूछूँ? और वे क्या बताएँगी? मैंने सोचा, ये जा रहे हैं नेपाल, फिर भोपाल। कुछ दिन रुकते तो हैं नहीं। बीच में जब आएँगे तो कुछ और पूछ लूँगी। भोपाल से दो तारीख की सुबह लौटे। शाम को पण्डित जसराज का प्रोग्राम था। पौने दो घण्टा सुनते रहे। तीन तारीख की रात को पण्डित जसराज के साथ खाना खाया था। अपनी पसन्द की सभी चीजें बनवाई थीं। दूसरे दिन चार अप्रैल के कार्यक्रमों में सबसे बड़ा था 'ट्री हाउस' का उद्घाटन, जिसमें बैठकर उन्हें अपने कुछ मित्रों को कविताएँ सुनानी थीं। कई कार्यक्रम आनेवाले दिनों के लिए तय थे, पर मोहलत ही तो न मिली।

डॉ. कर्णसिंह कहने लगे, "मुझे कई बार वत्सल निधि के कार्यक्रमों में आमन्त्रित किया, पर जा न सका। ट्रस्ट की बैठकों में तो जाता रहा।"

डॉ. साहब कह रहे थे, "उनकी सबसे बड़ी विशेषता थी कम बोलना। एक बार फोन आया, हम किसी वक्त आना चाहते हैं। आये तो चाय-वाय हुई, पर अज्ञेय जी कुछ बोले नहीं। मेरी तो चुप रहने की आदत है नहीं। हम डोगरे महाचपल होते हैं। मैंने सोचा, कुछ तो ये आने का सबब कहेंगे। पर नहीं। एक घण्टा बैठे रहे। फिर पता चला कि किसी की फैलोशिप की बात थी। अपने लिए कुछ न था, पर दूसरे के लिए कहने में भी महासंकोच।"

"एक बात और। जब मैं ऑथर्स गिल्ड ऑफ इंडिया का अध्यक्ष था तो उस हैसियत से मैंने नोबल प्राइज के लिए इनका नाम मनोनीत किया। पर मैंने इसका

प्रचार नहीं किया। सोचा, ढिंढोरा क्यों पीटूँ। कहीं हिन्दी जगत में विवाद न खड़ा हो, जो अक्सर होता है। उनकी बौद्धिक पृष्ठभूमि से मैं बड़ा प्रभावित था। उनका व्यक्तित्व ऐसा था कि उन्हें बाँधकर रखना मुश्किल था। किसी दायरे में बाँधना कठिन था।

"इंडिया इंटरनेशनल सेंटर में जब हमने 'हिन्दी सन्ध्या' शृंखला शुरू की, तब सबसे पहले अज्ञेय जी का कविता पाठ हुआ। मैंने उन्हें पहली और आखिरी बार कविता पढ़ते सुना। उनमें आत्मसंयम बहुत था। कविता-पाठ में यह गुण होता था।"

पर कोई पच्चीस-तीस बरस जब अज्ञेय ने कविता नहीं पढ़ी, तब यह मौन टूटा था, सुप्रसिद्ध न्यायविद् और विद्वान लक्ष्मीमल्ल सिंघवी के यहाँ। सिंघवी जी को अज्ञेय जी बनता हुआ 'ट्री हाउस' दिखाने ले गये थे। उन्हें कहने लगे, आप सीढ़ियाँ मत चढ़िए। तब सिंघवी साहब ने कहा, और आप सीढ़ियाँ चढ़ेंगे? तब कहने लगे, धरती से ऊपर उठे बिना वहाँ कैसे पहुँचेंगे?

29

शिखर की ओर

॥ सुधेन्दु पटेल

एकांगी ही सही, अज्ञेय से मेरा रिश्ता बहुत पुराना है। आत्मीयता से ओत-प्रोत इस रिश्ते का कोई नाम देना जरूरी भी नहीं है। कभी-कभी ऐसा भी होता है कि रिश्ते की पहचान सिर्फ वहाँ की हवा को होती है। विश्वास न हो तो पेड़ों से पूछ सकते हैं। एक बार मैंने भी पूछा था। मेरी मजबूरी थी। गवाही सिर्फ पेड़ ही दे सकते थे। उस बात को डेढ़ दशक हो चला।

यायावरी करते हुए बुद्ध की निर्वाण स्थली उत्तर प्रदेश के देवरिया जिला स्थित एक गाँव 'कसिया' पहुँचने पर पता चला था कि वह अज्ञेय की जन्म-स्थली भी है। यह भी वहीं पता चला था कि पुरातत्त्वविद् हीरानन्द शास्त्री के मँझले बेटे का जन्म तम्बू में हुआ था। शायद इसलिए वे जन्मजात यायावर थे। शालवनों के द्वीप में बुद्ध ने शरीर छोड़ा था। अज्ञेय ने वहाँ जन्म लिया था।

उन्हें सच्चिदानन्द नाम मिला और आजीवन वे चिन्मय तलाशते रहे।

काशी स्थित बाला घाट की सीढ़ियों के मुहाने पर कैमरा लटकाए अज्ञेय जी को पहली बार सप्रयास देखा था। उन दिनों अज्ञेय जब भी काशी आते, कला पारखी भारत कला भवन के संस्थापक राय कृष्णदास के यहाँ ही उनका ठहरना होता। वहाँ सम्भवतः 1937 में पुराविदों के काशी सम्मेलन में अपने पिता के साथ वे राय साहब से पहली बार मिले थे। *स्मृति-लेखा* में गहरे संस्कारों वाले राय साहब के बारे में लिखा भी– "...यह स्मृति उस जीवन्त और अर्थगर्भ अतीत का प्रतिलेख तैयार करती जाती थी जो भविष्य की लीकें डालता है और उन्हें स्नेह से सींच कर पूरे समाज की अग्रगति के लिए चिकना बनाता है।"

बालाजी मन्दिर घाट में प्रथम दर्शन और डॉ. विद्यानिवास मिश्र के घर पर हुई पहली मुलाकात के वक्त यह सोचा भी न था कि कभी उनके निकट बैठकर 'दिल्ली में' उनके हाथ से बनाये हुए गुलाब जामुन के रंग स्वाद का अवसर मिलेगा। अवसर ओम थानवी के साथ-संगत से प्राप्त हुआ था। 'दिव्य-भोजन' मुझ बनारसी की कमजोरी है, इसके लिए 'मधुमेह' को ठेंगा दिखाने में भी नहीं हिचकता हूँ।

जयपुर में राजस्थान प्रौढ़ शिक्षण समिति के सौजन्य से, रमेश थानवी के सान्निध्य में एकाधिक बार अज्ञेय जी के साथ भोजन का अवसर मिला। एक बार की बात है, मिर्जा इस्माइल रोड के एक होटल में चलन के अनुसार रमेश जी पनीर-मलाई वाली सब्जियों का आर्डर दे रहे थे तो वात्स्यायन जी ने टोक कर कहा था, 'थानवी जी, फैन्सी भोजन क्यों मँगवा रहे हैं, साग मँगवाइये', मांसाहारी अज्ञेय जी का आग्रह हमें रुचा था।

यह और बात है कि वत्सल निधि और राजस्थान प्रौढ़ शिक्षण समिति के संयुक्त तत्वावधान में 'परिवेश और साहित्य' पर हुए ग्यारह दिवसीय लेखक शिविर में भी उनका सामिष भोजन के प्रति कोई आग्रह नहीं दिखा था। इतने निकट रहने-देखने-सुनने के फलस्वरूप उनके बारे में गढ़े किस्सों को तार-तार होते पाया था। माउंट आबू शिविर से कुछ ही वर्ष पहले मैं राजस्थानवासी बना था। 'नक्की-झील' पर भी रेगिस्तान की छवि ही मेरे दिमाग में तारी रही थी। अज्ञेय जी को निहारता और सोचता था आखिर कितने रंग हैं, कितनी छटा है।

आज से चार दशक पहले *शेखरः एक जीवनी* पढ़ने के साथ ही उनसे कहीं भीतर तक जुड़ गया था। उन्हीं दिनों अपने बांग्लाभाषी हिन्दी अध्यापक सुनील मुखोपाध्याय से पता चला था कि अज्ञेय क्रान्तिकारी रहे हैं। मेरे लिए उम्र के उस पड़ाव पर इतना भर जान लेना पर्याप्त था कि फलां नामधारी दुनिया बदलने का हौसला रखता है। डॉ. राममनोहर लोहिया मेरे आदर्श थे। नेताजी सुभाषचन्द्र बोस, वीर सावरकर और गाँधी से रिश्ता महसूस करता था। तभी मेरे समक्ष अज्ञेय लोहिया के साथ आ जुड़े। तब मैं हिन्दी की अपेक्षा बांग्ला साहित्य ज्यादा पढ़ता था। दरअसल अज्ञेय और यशपाल की रचनाओं से ही मैंने हिन्दी साहित्य को जानना प्रारम्भ किया था। फिर प्रेमचन्द और निराला भाए थे।

अज्ञेय के बहुआयामी व्यक्तित्व के बारे में जितना जान पाता था उससे और अधिक जानने की उत्कण्ठा बढ़ती जाती थी। मैं सोचता था आखिर कितने रंग हैं अज्ञेय जी के जीवन में। कितनी छटा है। दरअसल, हिन्दी के औघड़ कवियों में से एक राजकमल चौधरी के अभिन्न मित्र छायाकार अतिबल सिंह के सान्निध्य में मैंने तब साहित्य की भीतरी दुनिया में ताक-झाँक करना शुरू ही किया था। उस दौर में कवि अज्ञेय को लेकर कई-कई परतों वाले किस्से सुनता रहता था। बहुत कम बोलते हैं, घुमक्कड़ हैं, डेढ़ दर्जन भाषाएँ जानते हैं, चित्रकार हैं, अच्छे फोटोग्राफर भी हैं, रसिक हैं, एक नम्बर के साहित्यिक अखाड़िया हैं, सी.आई.ए. के वरिष्ठ एजेंटों में एक है, नक्सलवादियों को भीतर-ही-भीतर मदद करते रहते हैं, उन्हें बम बनाने का प्रशिक्षण देते हैं... इतने किस्से कि मुझे अज्ञेय जी से ईर्ष्या भी होती थी।

यह उस वक्त की बात है जब किशोरावस्था को पीछे छोड़ तरुणाई की देहरी के अन्दर दाखिल हुआ ही था। उस दौरान कृष्ण बनने से लेकर देश में आमूलचूल परिवर्तन करने की कार्यवाही का 'ब्लू प्रिंट' मन में सँजोए कल्पना लोक में खोया रहता था। डॉ. लोहिया के रंग में पूरी तरह रँगा हुआ था। साहित्य और पत्रकारिता के क्षेत्र में भी कभी-कभी कविता, कहानी या रपट लिखकर घुसपैठ करने लगा था। संगत का असर था।

तभी 'अज्ञेय' *दिनमान* लेकर प्रकट हुए। हिन्दी पत्रकारिता के हलके में एक ताजी हवा बहने का अहसास हुआ। मेरे लिए तो बड़ी बात यह भी थी कि *दिनमान* में डॉ. लोहिया को खूब जगह मिलती थी। उनकी अनुपस्थिति में भी उनकी बातें छपती थीं। ऐसी स्थिति में अज्ञेय के व्यक्तित्व और साहित्य से जुड़े किस्सों से आक्रान्त मेरी स्थिति की कल्पना सहज ही की जा सकती है।

यह वह दौर था, जब अपने हर तर्क को अकाट्य बनाने के लिए 'सम' की तरह "*दिनमान* में लिखा है" पर लाकर पटक दिया जाता था। उसके बाद *दिनमान* में छपी बात को चुनौती देने की किसी की हिम्मत नहीं होती थी। बहस में हम मैदान हथिया लेते थे। यह कहना सच होगा कि उस दौर में परिवर्तन के लिए आकुल मेरे जैसे अनेकों-अनेक युवजनों को *दिनमान* से राजनीति की 'लाइन' मिलती रही। हम समाजवादी युवजनों का तो *दिनमान* मानो मुखपत्र था। समाज को सही तरीके से समझने की तमीज हमें 'सच्चिदानन्द वात्स्यायन' द्वारा सम्पादित *दिनमान* से ही मिलती थी। इतना ही नहीं, समाज के साथ अनेकों-अनेक सन्दर्भों के रिश्तों की परिभाषा भी *दिनमान* ने ही तब दी थी।

अज्ञेय ने पूँजीपति के पैसे से निकलने वाले पत्र को परिवर्तन की राजनीति का मुखपत्र बना दिया था। जबकि तब भी हिन्दुस्तान के ढपोरशंखी मार्क्सवादियों का एक बड़ा तबका, जो जब-तब साहित्य में राजनीति करने से बाज नहीं आता था, अज्ञेय को अराजनीतिक व्यक्तित्व वाला घोषित करने की कोशिश करने में लगा हुआ था। आकाश में मुँह करके दूसरों पर थूकने वाला यह 'प्राक्सी की राजनीति' करने वाला तबका मदारी की तरह मजमा तो जमा लेता था, लेकिन मजमा बिखरते भी देर नहीं लगती थी। उन लोगों की संवेदना से शून्य मुहावरों वाली क्रान्तिकारी भाषा किसी भी युवजन को 'हिज मास्टर वायस' तो बना देती थी, किन्तु उसे स्वतन्त्र व्यक्तित्व की हैसियत की जगह एक 'एजेंट' के बतौर ही समाज में जगह मिलती थी। ऐसी परिस्थिति में *दिनमान* की नये मुहावरों से लैस भाषा ने लाखों-लाख युवजनों को परोक्ष-अपरोक्ष रूप से संवेदनशील बनाने का प्रशिक्षण दिया था। किसी युवा पत्रकार को यदि हिन्दी पत्रकारिता सीखनी हो तो

आज भी वात्सायन जी द्वारा सम्पादित *दिनमान* का एक-एक अंक पाठ्यपुस्तक की तरह सन्दर्भ का काम करेगा। यह बड़ा काम अज्ञेय जैसी दृष्टि वाला व्यक्ति ही कर सकता था। इसके लिए हमारी पीढ़ी इनकी विशेष ऋणी रहेगी।

मुझे याद आता है जब 1967 में बिहार सूखे से बेहाल पड़ा था और तमाम राजनीतिक संगठन सरकार से इस्तीफे की माँग कर रहे थे। तब अज्ञेय सम्पादकीय लिखकर बड़बोलेपन का परिचय देने की जगह (स्वयं फणीश्वरनाथ रेणु को साथ लेकर) 'सूखा' कवर करने बिहार के गाँवों में गये थे। 'सूखा' को एक राजनीतिक मुद्दा बनाने का काम पत्रकारिता के जरिए तब अज्ञेय ने किया था। आजाद भारत की हिन्दी-भाषी गरीब जनता को पहली बार तभी पता चला था कि सूखा और अकाल दैवी प्रकोप नहीं, सरकारी अकर्मण्यता का ही परिणाम होता है। अज्ञेय ने पत्रकारिता के जरिए समाज को उसकी स्वतन्त्र हैसियत लौटाने की मुहिम छेड़कर एक नयी दिशा दी थी। हिन्दुस्तान की गरीब शोषित जनता के पैरोकारों को पहली बार अपनी भाषा और मुहावरों से जुड़ी पत्रिका मिली थी, जिसने उसे न केवल एक नया संस्कार दिया बल्कि उसकी सामाजिक-राजनीतिक समझ में भी इजाफा किया था।

मैं भूल नहीं पाया हूँ कि 'सूखा' शीर्षक से *दिनमान* के मध्यवर्ती पृष्ठों पर सर्वेश्वर दयाल सक्सेना, कुँवरनारायण और त्रिलोचन शास्त्री की कविता के साथ ही अज्ञेय ने अपनी एक छोटी-सी कविता भी दी थी: 'न जाओ।'

अन्न की कमी का रोना रोने
विधायक के पास न जाओ
अन्न से
विधायक सस्ता है:
अन्न की वसूली में
सरकारें भी सुस्त हैं—
विधायकों की खरीददारी में
हर दल दिलेर है!

हमें 'सूखे की राजनीति' को समझने में अज्ञेय की कविता से भी मदद मिली थी। कविता के भीतर छुपे अर्थ के खुलने के बाद जो समझ बनती है, वह व्यक्ति को राजनीतिक दृष्टि से सम्पन्न ही बनाती है। मनुष्य की अस्मिता का एहसास कराने वाली यह छोटी-सी कविता उस दौर में बड़ा अर्थ रखती थी। तब शब्दों का इस कदर अवमूल्यन नहीं हुआ था और न ही राजनीति का अपराधीकरण हुआ था।

उन्होंने पत्रकारिता को परिवर्तन का औजार बनाया था, क्योंकि उन्हें पता था

कि "यह भी सच है कि राजनीतिक लोगों में – उन लोगों में जिन्हें अखबारों में साधारणतया नेता कहा जाता है – साहित्यिक या सांस्कृतिक चेतना के गुण का निरन्तर ह्रास हुआ है। आज का राजनीतिक पहले की अपेक्षा कहीं कम सांस्कृतिक व्यक्ति है; वह एक पेशेवर राजनीतिक व्यक्ति ही है, और पेशे से बाहर उसे किसी चीज के लिए अवकाश नहीं है। मैं आशा तो करता हूँ कि भविष्य में इस स्थिति में सुधार होगा।" उन्होंने 'नेता' को सुधारने की कोशिश पत्रकारिता के जरिए की थी, ताकि उसमें सांस्कृतिक समझदारी विकसित हो। यह कहने की आवश्यकता नहीं है कि वे अंशतः उसमें सफल भी हुए थे। एक धारा तभी से चली थी जिसने पत्रकारिता को नयी मुहावरेदार भाषा दी थी।

कवि के रूप में भी उनकी राजनीतिक सक्रियता बराबर बनी रही थी। वे घोषित तौर पर झण्डा उठाकर भले ही चलते न दिखाई दिए हों, लेकिन साहित्य के रास्ते से वे राजनीतिक समीकरणों को समझते-समझाते रहते थे। यह किसी भी स्वाधीनचेता व्यक्ति, यदि वह साहित्यकार है तो और भी, के लिए जरूरी नहीं है कि वह "किसी का पिट्ठू हो या किसी का पक्षधर।" अज्ञेय अपनी अस्मिता को खोकर राजनीतिक सरोकार रखने के पक्षधर कभी नहीं रहे – तब भी जब उन्होंने हथियारी क्रान्ति से बरतानिया हुकूमत को पलटने का सपना देखा। दरअसल, वे वादों से परे व्यक्ति-स्वाधीनता की लड़ाई आजीवन लड़ते रहे। उन्होंने समाज को बार-बार चेताते हुए कहा भी: "प्रश्न असल में कविता और राजनीति का नहीं, कवि और राजनीति का है। और समकालीन राजनीति में एक महत्त्व की बात यह है कि हमारे जीवन के हर क्षेत्र में सरकार का दखल बढ़ता जा रहा है और सरकार दिन-प्रतिदिन और अधिक निर्वैयक्तिक होती जा रही है...यह निर्वैयक्तिक राज्य सत्ता आज नागरिक जीवन में सर्वत्र दिखाई देती है, लेकिन उसका कोई चेहरा या रूपाकार न होने से यह भी नहीं समझ में आता कि उससे लड़ा कैसे जाए। इस माया-युद्ध का एक पहलू यह भी है कि लड़ने वाले को अपने पर भी शक होने लगता है कि क्या मैं भी ऐसा बिना चेहरे और व्यक्तित्व का जीव तो नहीं हूँ? इस प्रवृत्ति का उदाहरण आज की कविता में ढेरों मिलेगा... आज कवि की समस्या यह है कि वह एक अनैतिक या नीति-अतीत सूत्र से एक नैतिक युद्ध (क्योंकि मूल्यों के लिए युद्ध) लड़ रहा है।"

सहृदय अज्ञेय जी के राजनीतिक सरोकार को लेकर समय-समय तूफान खड़ा किया जाता रहा, हालाँकि इससे अज्ञेय के विराट व्यक्तित्व पर कभी कोई असर नहीं पड़ा। अनर्गल बहस जरूर खड़ी होती रही है। उनका 'रेडिकल मानववादियों' के प्रणेता एम.एन. राय से सीधा सम्पर्क रहा। पण्डित नेहरू से लगाकर जयप्रकाश,

लोहिया से सम्पर्क तो जगजाहिर है। यों स्वभाव से विनम्रता की मूर्ति अज्ञेय गाँधी के निकट थे। कभी उन्होंने भगतसिंह और चन्द्रशेखर आजाद के साथ आजादी की लड़ाई लड़ी थी। पर धीरे-धीरे वे गाँधी जी के रास्ते की ओर आये। गाँधीवादियों की पत्रिका *गाँधी मार्ग* के वे मार्गदर्शकों में रहे। समाजवादियों से उनके रिश्ते भी ठोस रहे।

लेकिन, इसके बावजूद, किसी विचारधारा-विशेष के वे अनुगामी कभी नहीं रहे। उनकी तरह का स्वाधीन व्यक्ति, जो प्राणीमात्र की आजादी का पक्षधर रहा हो और जो उस दिशा में प्रयत्न भी करता रहा हो, अनुगमन नहीं कर सकता था। उन्हें पूँजीवादी खेमे का माना जाता रहा, बिना किसी आधार की पहचान किए। लेकिन उन्होंने स्वयं ही कहा था कि, "मैं पूँजीवादी खेमे में कभी नहीं रहा, लेकिन जो लोग कहते हैं, उनको तकलीफ इस बात की है कि उनके खेमे में नहीं हूँ और क्यों नहीं हूँ। मैं तो समझता हूँ कि लेखक किसी खेमे में नहीं रहता, क्योंकि उसका यह अधिकार बना रहना चाहिए कि वह सभी की अच्छी बातों की तारीफ भी कर सके तो सभी की गलत बातों की या संकीर्ण चिन्तन का दोष भी देख और दिखा सके।"

अज्ञेय लोकतन्त्र पद्धति को बेहतर मानते ही नहीं थे, अपनी जीवनचर्या में प्रयोग भी करते रहे। मुझे वत्सल निधि और राजस्थान प्रौढ़ शिक्षण समिति के संयुक्त प्रयास से आयोजित माउंट आबू के लेखक-शिविर की याद आती है, जहाँ नये-पुराने लेखकों को लोकतान्त्रिक पद्धति से अज्ञेय साथ लेकर चले थे। उन अविस्मरणीय ग्यारह दिनों की स्मृतियों में कोई दिन ऐसा नहीं था कि जब उन्होंने अपने विराट व्यक्तित्व से आतंकित किया हो। वे 'सरगमाथा' की चोटी की तरह थे, जिसकी ऊँचाई डराती नहीं, पास और पास आने को लुभाती है। उसके शिखर तक पहुँचने की, स्पर्श करने की लालसा मन में जगती है!

30

सीढ़ियों पर सत्याग्रह

॥ कुसुम गुप्त

बाबूजी (जैनेन्द्र कुमार) और वात्स्यायन चाचा जी बहुत अच्छे दोस्त थे। चाचा जी अक्सर हमारे दरियागंज वाले घर में आया करते थे। कई बार वे हमारे घर ठहरते भी थे। बाद में तो वे हमारे दरियागंज वाले घर के सामने वाले घर में ही किराए पर रहने लगे। ... मेरी अवस्था अस्सी के करीब होने आयी है, बचपन की बहुत सारी यादें धुँधली पड़ गयी हैं। मगर अनेक बातें जब-तब ताजा हो उठती हैं।

मैं बहुत छोटी थी तब एक बार चाचा जी (अज्ञेय) इन्दु बुआ के साथ हमारे घर आये थे। इन्दु बुआ यानी उनकी बहन; सम्भवतः वे ही *शेखरः एक जीवनी* की शशि होंगी। वे पंजाब से आये थे और हमारे घर में तीन-चार दिन तक रहे। वे मेहमान थे और दरियागंज वाले हमारे छोटे से घर में बड़े आत्मीय भाव से रहे थे। इन्दु बुआ का व्यक्तित्व साधारण होते हुए भी बड़ा आकर्षक था। भाभी (माँ को हम भाई-बहन भाभी कहकर पुकारते थे) से वे बहुत घुली-मिली थीं। इन लोगों ने एक दिन एक अंग्रेजी फिल्म देखने का कार्यक्रम बनाया। कोई बड़ी प्रसिद्ध फिल्म लगी थी उन दिनों। इन्दु बुआ ने कहा, भाभी भी हमारे साथ फिल्म देखने जाएँगी। भाभी बड़े संकोच से बोलीं– मुझे कौन अंग्रेजी आती है जो मैं देखने जाऊँगी! तब वे दोनों – बुआ और चाचा जी – जिद भरे स्वर में बोले कि नहीं, चलना होगा। और थोड़ी देर बाद मैंने देखा कि इन्दु बुआ मेरी माँ को साड़ी पहना रही थीं उल्टे पल्ले वाली। भाभी को बड़ा संकोच हो रहा था। लेकिन बुआ की मनुहार के आगे उन्होंने हथियार डाल दिए। वे सभी – बाबूजी, माँ, चाचा जी और इन्दु बुआ – फिल्म देखने चले गये। पिक्चर हाल में क्या हुआ, मैं नहीं जानती। लौटे तो काफी देर तक हँसी-ठट्ठा होता रहा। भाभी हमेशा की तरह चूल्हे-चौके में लग गयीं। फिर सब लोगों ने खाना खाया। चाचा जी को फिल्मों में रुचि थी। बाबूजी भी जब-तब पसन्द करते थे। इसलिए हम बच्चों को कभी उन्होंने सिनेमा देखने से मना भी नहीं किया। कभी-कभी हमें साथ भी ले जाते थे। यही वजह थी कि चाचा जी की मनुहार पर वे भाभी को भी साथ ले गये थे उस दिन फिल्म देखने।

चाचा जी हम बच्चों का बहुत ध्यान रखते थे। मैं जब इन्द्रप्रस्थ कॉलेज में पढ़ती थी, कॉलेज की बस में जाती थी। एक दिन रास्ते में, कश्मीरी गेट के पास बस खराब हो गयी। शायद पुराने हिन्दू कॉलेज के पास। सोचा कि अब क्या करूँ। बस स्टैंड की ओर आयी, पर खयाल आया कि जेब में पैसे नहीं हैं। मन ही मन सोचा कि आज पैदल ही दरियागंज जाना होगा। तभी देखती हूँ कि कपिला जी और चाचा जी बस स्टैंड पर खड़े हैं, कतार में, कहीं जाने के लिए। उन दिनों उनके पास अपना कोई वाहन नहीं था। वे उन दिनों बस में ही चलते थे। कतार में लग कर बस लेते और आते-जाते। मुझे देखा तो पूछा— अरे! तुम यहाँ कैसे? मैंने बताया कि मेरे कॉलेज की बस खराब हो गयी है। "तो फिर दूसरी बस से जा रही हो?" उन्होंने कहा। मैं चुप रही। मेरे पास बस का किराया नहीं था, चाचा जी ने पता नहीं कैसे भाँप लिया। बोले— "कुछ पैसे वैसे हैं या नहीं?" फिर चाचा जी ने मुझे पैसे दिए। बोले भी— हम तुम्हें घर छोड़ आएँ? मैंने कहा, नहीं चली जाऊँगी। फिर वे बस लेकर अपने रास्ते गये, मैं घर आ गयी। यह सम्भवतः 1950-1955 के बीच की बात होगी।

ऐसे ही एक बार चाचा जी हमारे घर आये तो परिवार को पिकनिक पर ले गये। इन्दु बुआ भी हमारे साथ थीं। तब दिल्ली इतनी बड़ी कहाँ थी। कुदसिया पार्क के सामने ही यमुना का तट था और दूर से लोहे का पुल दिखाई देता था। वहीं पिकनिक मनायी गयी। सूखी रेत पर नाव की ओट लेकर चूल्हा बनाया। दाल-बाटी बनी। बाबूजी बोले— मैं तो सिर्फ अरहर की दाल बना सकता हूँ। उन्होंने बनाई भी। चाचा जी ने बाद में कभी कहा भी कि जैनेन्द्र में यदि किसी चीज की कुशलता है तो वह दाल बनाने की है! बाकी भोजन उस रोज चाचा जी ने ही पकाया। बहुत लजीज दाल-बाटी बनी थी। चूरमा भी।

जब मैं स्कूल में ही पढ़ती थी, एक दिन लौटी तो घर के पास ही एक छोटे से हॉस्पिटल के पास बाबूजी और अन्य परिजनों को खड़े देखा। पूछा तो पता चला कि माँ गिर गयी है। उनकी कई हड्डियाँ टूट गयी थीं। हुआ यह कि हमारी माँ घर में कुछ न कुछ करती रहती थीं। एक दिन कुछ सामान निकालने के लिए टांड पर चढ़ी थीं तो गिर गयीं। काफी चोट आयी थी। भाभी के पूरे शरीर पर प्लास्टर था। कुछ दिन बाद सोचा गया कि यहाँ की गर्मी से बचने के लिए मसूरी चला जाए। वहाँ कैमल बैक के आसपास एक कॉटेज किराये पर ले ली गयी। लगभग दो महीने वहाँ रहे। एक महाराज रख लिया था। वही खाना बना देता था।

एक दिन वात्स्यायन चाचा जी भी वहाँ आ गये। बल्कि कई बार आये। एक दिन बोले— चलो सब लोग घूमने चलते हैं। इशारा हम सब बच्चों की ओर था। वे पूरी मसूरी का चक्कर तीन घंटे में लगा आते थे। जब हम सब चलने लगे तो

बारिश आ गयी। हम लोगों ने कहा– चाचा जी, अब कैसे जाएँगे। बोले– अरे पानी ही तो है– चलो, तेजी से चलो। रास्ते में से एक झाड़ तोड़ कर उसकी डंडी-सी बना ली और उसे डुलाते हुए हम सबको लेकर कैमटी फाल की ओर बढ़ते गये। सारे रास्ते गपशप करते रहे। बताते रहे कि फलाँ फूल का नाम क्या है, पत्ती किस काम की है, वगैरह। फूल-पौधों के बारे में उनकी जानकारी अद्भुत थी। फिर बोले– देखते हैं कौन पहले पहुँचता है। बीच-बीच में कहते जाते– तुम क्यों उदास हो, धीरे चल रहे हो, जल्दी चलो आदि। और फिर कहीं-कहीं दौड़ भी लगाने लगते। हम उनके पीछे-पीछे दौड़ते।

कपिला जी और चाचा जी कई बार सुन्दर नर्सरी में घूमने जाते थे। बागवानी वे करते ही थे। कौन-सा पौधा कब लगाना चाहिए, फूल कौन-सा है, कब खिलेगा आदि के बारे में उनका ज्ञान बड़ा गहरा था। वे बड़े जिज्ञासु भी थे। गजब की जिज्ञासा से भरे हुए।

प्रगति मैदान के सामने आज जो स्पोर्ट्स क्लब है, वहाँ स्पोर्ट्स कॉम्प्लेक्स हुआ करता था। वहीं चाचा जी और कपिला जी तैरने आते थे। चाचा जी ने ही वहीं हम बच्चों को तैरना सिखाया था। चाचा जी बेहद एडवेंचरस थे। कोई भी नया काम उन्हें प्रिय था। वह उन्हें आकर्षित करता था। एक बार स्कूटर खरीदा और चला कर लाये दरियागंज में। शायद वैस्पा रहा होगा। स्कूटर तब चला ही था, इसलिए अजूबा जैसा था। चाचा जी आये तो हमारे घर के आसपास शोर-सा मच गया। लोगों को बड़ा कौतुक लगा। कौतुक यह कि एक लम्बा, सुदर्शन और भारी भरकम शरीर का आदमी एक पिद्दी-सी सवारी चला कर ला रहा है!

एक बार बाबूजी के साथ मैं उनके मोती बाग वाले घर गयी थी। यह घर सरकारी था और कपिला चाची जी को मिला हुआ था। उनका पुराना नौकर गोविन्द वहाँ था। कपिला जी मुझसे बोलीं– कुसुम देखो, यह पार्टीशन इन्होंने बनाया है। उसके एक ओर उनका गद्दा बिछा हुआ था और दूसरी ओर 'डाइनिंग रूम' था। ऊपर नहीं, जमीन पर बैठने का इन्तजाम। मोटे गद्दे पर गाव तकिए भी रखे हुए। तो कपिला जी ने दिखाया – ये किताबों के रैक्स भी इन्होंने बनाए हैं। मैं हैरान हो गयी थी। कौन-सा हुनर चाचा जी में नहीं था। वे हर चीज, हर काम करीने से करने के कायल थे।

एक शुरू के दिनों की घटना है, 1936-37 की, जिसका जिक्र चाचा जी ने खुद किया है। उन दिनों वे क्रांतिकारी समूह में थे। लाहौर या अमृतसर से भागकर हमारे घर आ गये। रात का वक्त था और बारिश हो रही थी। दरवाजा खटखटाने पर भाभी ने भीतर से ही पूछा– कौन। चाचा जी बोले– वात्स्यायन। पता नहीं

क्या सोच कर भाभी ने दरवाजा नहीं खोला। चाचा जी भी जिद्दी थे। बोले— मत खोलो, मैं यहीं बैठा हूँ। और वे किसी सत्याग्रही की तरह सीढ़ियों पर जम गये। घण्टे भर बाद बाबूजी ने आने पर देखा। अन्दर लाये और भाभी को पूछा— वात्स्यायन को अन्दर क्यों नहीं आने दिया? बाहर बारिश भी थी। भाभी ने कहा— मुझे क्या पता कौन है? चाचा जी ने कहा— लेकिन भाभी, मैंने पूछने पर बताया तो था कि वात्स्यायन हूँ। खैर, इस प्रसंग पर चाचा जी ने लिखा है कि उस बात को लेकर उस रात काफी हँसी हुई थी। सुना है चाचा जी ने उन दिनों दाढ़ी बढ़ा रखी थी।

जब वे दिल्ली में रेडियो में काम करते थे, एक दिन बोले कि आज मुझे एक नाटक की रिहर्सल करानी है। मैंने बाबूजी से कहा कि क्या मैं रिहर्सल देखने चली जाऊँ। बाबूजी ने कहा— क्यों नहीं। तब मैं कॉलेज में ही थी। चाचा जी उस नाटक का निर्देशन कर रहे थे। उनका व्यक्तित्व इतना भव्य और सुदर्शन था कि सबको आकर्षित करता था। साफ-सुथरे, आधुनिक मगर सुरुचिपूर्ण कपड़े पहनना उनका शौक था। जब वे रिहर्सल का सीन समझा रहे थे तो नाटक की नायिका उन्हें ही देखे जा रही थी। जब उसे डायलाग बोलने होते तो वह भूल जाती थी। मैंने चाचा जी से कहा— अब आप यहाँ से चले जाइए, नहीं तो आज की रिहर्सल यहीं रह जाएगी।

मेरी शादी के बाद की बात है। एक दिन मैं घर आयी। देखा कि बाहर की बैठक में बाबूजी और चाचा जी बैठे हैं। दोनों चुप थे। मुझे लगा मुझे आता जान चुप हो गये हैं। मैं घर के अन्दर चली गयी। कुछ देर बाद सोचा, चाचा जी से मिल आती हूँ। आयी तो देखा कि दोनों तब भी चुपचाप बैठे हैं। मैंने पूछा— क्या बात है? तो चाचा जी बोले— हमारा मूक वार्तालाप चल रहा है। मैं वहीं बैठ गयी। मैंने कहा— आप दोनों बैठे हैं कुछ तो बात कीजिए। दोनों की बातचीत शुरू कराई। कोई झगड़ा नहीं था, बस बातचीत का कोई सूत्र नहीं मिल रहा था। सच तो यह है कि चाचा जी के मन में बाबूजी के लिए बहुत आदर था। कहीं बहुत गहरे में दोनों एक-दूसरे से जुड़े हुए थे। बाद में चाचा जी ने उपन्यास *त्यागपत्र* का अंग्रेजी में अनुवाद भी किया, ताकि अहिन्दीभाषी उन तक पहुँच सकें।

शादी के बाद मैं कलकत्ता रहने लगी। चाचा जी को कलकत्ता, या कहूँ बंगाल, बहुत अच्छा लगता था। वहाँ एक बार मेरे घर भी आये। आने का भाव कुछ ऐसा ही था कि बेटी का घर है, जाना चाहिए। यह उनका स्नेह और लगाव था कि उन्हें इतना ध्यान रहा। तब बाबूजी वहाँ नहीं थे। नहीं तो समझा जाता कि बाबूजी के

कारण आये होंगे। बस, अचानक ही मिलने आ गये थे। बाद में मैं दिल्ली आ गयी। हम लोग फ्रेंड्स कॉलोनी में रहने लगे। हमने एक बार चाचा जी से कहा कि बाबूजी के साथ आपकी एक लम्बी बातचीत होनी चाहिए। यूरोप में परम्परा है कि दो समकालीन रचनाकार बैठ कर साहित्यिक चर्चा करते हैं और उससे कोई नयी बात निकल कर सामने आती है, कुछ उसी तरह की। तब उन्होंने कुछ कहा नहीं। वे कई बातों का तत्काल जवाब नहीं देते थे। बात आयी-गयी हो गयी। कोई साल-डेढ़ साल बाद एक दिन उनका फोन आया कि कुसुम, जैनेन्द्र जी से बात करके समय तय कर लो, मुझे उनसे बात करनी है। पहले तो मैंने उन्हें कहा कि आप खुद ही उनसे बातचीत कर के तय कर लीजिए, मगर उन्होंने जिद की तो मैंने बाबूजी से बात की। समय तय हो गया। मेरे ही घर में बाबूजी को बुलवा लिया गया। चाचा जी भी आये। रिकॉर्डर लेकर।

उन दोनों के बीच क्या बातचीत हुई नहीं मालूम, लेकिन लम्बी बातचीत चली। इस बीच हमने गाड़ी भेज कर इला जी को भी बुलवा लिया। वे पहुँचीं तब दोनों लोगों ने बातचीत खत्म की। हमने कहा, आप लोग बात जारी रखिए, हम अलग बातचीत करेंगे। लेकिन चाचा जी ने कहा कि आज बस इतना ही। बाकी बातें किसी और दिन करेंगे। खाना हुआ। चाचा जी और इला जी घर लौट गये। पर वह बातचीत बाद में अधूरी रह गयी। किन्हीं कारणों से टलती रही। एक बार चाचा जी की तबीयत खराब हो गयी तो अगली बार बाबूजी बीमार हो गये। और दोनों दुबारा नहीं बैठ पाये। अब उस बातचीत की रेकार्डिंग कहाँ है, पता नहीं। शायद चाचा जी की कोई योजना रही हो, उस बातचीत को किसी रूप में इस्तेमाल करने की। बातचीत पूरी हुई नहीं, इसलिए शायद वह योजना भी धरी की धरी रह गयी।

एक बार हम सबने सोचा कि चुपके से बाबूजी का जन्मदिन मनाया जाए। उनके सभी समकालीनों को बुलाया गया। चाचा जी को भी बुलाया। बाबूजी को आयोजन के बारे में बताया नहीं गया था। चाचा जी आये तो बाबूजी के चरणस्पर्श कर एक तरफ खड़े हो गये। यह सब इतनी जल्दी हो गया कि फोटो नहीं ली जा सकी। तब बाबूजी ने कहा कि हम दोनों की एक फोटो तो लो। तब एक बार फिर चाचा जी ने बाबूजी के पाँव छुए और फिर पास खड़े हो गये।

हमने कभी-कभी महसूस किया कि बाबूजी और चाचा जी में किन्हीं बातों को लेकर मतभेद है, दोनों के बीच दूरी पैदा हो गयी है। मगर दोनों में से किसी ने कम से कम हमारे सामने अपने मन की बातें नहीं खोलीं। हमारे परिवार पर भी उसका कोई असर नहीं पड़ता था। यहाँ तक कि उससे चाचा जी के हमसे मिलने-जुलने पर भी कभी कोई असर नहीं दिखा।

बाबूजी को पक्षाघात हुआ। तब हम ओखला में रहने लगे थे। चाचा जी वहीं आये थे। बाबूजी वीलचेयर पर बैठे थे। चाचा जी उनका हाथ अपने हाथों में पकड़े दो-ढाई घण्टे उनके पास बैठे रहे। मौन। जैसे वे दोनों स्पर्श की भाषा में बतिया रहे हों। यह भी उनका मौन वार्तालाप था, मगर उस वार्तालाप से भिन्न जो कभी दरियागंज वाले घर में वे दोनों बरामदे में बैठे कर रहे थे। यही दोनों की अन्तिम भेंट थी। चाचा जी से शायद हमारी भी।

प्रस्तुतिः सूर्यनाथ सिंह

31

सागर से सागर तक

॥ कन्हैयालाल नन्दन

जब छिहत्तर वर्ष पूरे कर वे सतहत्तरवें वर्ष में प्रवेश कर रहे थे तो उन्हें अपना नमन अर्पित करते हुए उस अवसर पर प्रकाशन के लिए किसी रचना की माँग भी मैंने रखी। साँझ का झुटपुटा था। वे अन्दर गये और एक चिन्तनपरक गद्यखण्ड और एक कविता लेकर बाहर आये। कविता अपने मूल रूप में ताजी-ताजी लिखी उनकी डायरी में ही थी। उसे इला जी से एक अलग कागज पर उतार लाने को कहा और स्वयं उस लेख की टंकण की अशुद्धियाँ ठीक करने में लग गये। मैंने प्रार्थना की कि आपकी आँख पर ज्यादा जोर पड़ता देख रहा हूँ, आप इसे यों ही दे दें, मैं इसे ठीक कर लूँगा। उनका उत्तर मुझे निरुत्तर कर गया, 'रचना को छपने देने से पहले उसमें संशोधन लेखक को स्वयं अपने हाथ से करना चाहिए। सम्पादक के हाथ में संशोधित रचना ही जानी चाहिए।' और मैं उन्हें एक-एक पंक्ति को पढ़ते-सुधारते देखता रहा।

उन्होंने दोनों ही रचनाएँ मेरे हाथ में रखीं, बोलेः 'जो आप पहले छापना चाहें, छापें। दोनों छापना चाहें दोनों छापें, अब इन पर आपका अधिकार है।' स्वयं जिस पत्र के वे प्रधान सम्पादक रह चुके हों, उसी के फीचर सम्पादक के प्रति उनकी यह लेखकीय विनम्रता उनके मन में रहने वाले लेखक और सम्पादक के रिश्तों को उजागर कर रही थी। पहचान कर उस अवसर पर उनकी दी हुई कविता 'वसीयत' को ही सादर प्रकाशित किया था।

आज जब उस कविता की प्रारम्भिक पंक्तियों को फिर से देख रहा हूँ— *मेरी छाती पर हवाएँ लिख जाती हैं महीन रेखाओं में अपनी वसीयत और फिर हवाओं के झोंके ही वसीयतनामा उड़ा कर कहीं और ले जाते हैं*...तो समूची मानवीय प्रकृति से सीधा संवाद करती उनकी यह कविता उनके अन्तिम दिनों के चिन्तन का प्रतिनिधित्व-सी करती मालूम होती है।

उन दिनों मैं बराबर उनसे मिलने और बातचीत करने पर यह महसूस करता रहा था कि वे अब अपने काम जल्दी-जल्दी खत्म करने की एक त्वरा से गुजर रहे

हैं। जिन कुछ लोगों के मन में उनके लिए साहित्यिक विरोधभाव भी रहा है... उनके लिए वे एक विशेष उदारभाव के साथ बात करते थे, यह अलग बात है कि उस भाव को व्यक्त करते हुए वे अपना स्मित-भाव भी जोड़ना न भूलते थे। जुड़ना वे उस पीढ़ी से अधिक पसन्द करते थे जिसे युवा पीढ़ी कहा जाता है। इस तरह पुरातन और नवीन के वे स्वयं सेतुबन्ध थे। वत्सल निधि के शिविरों में विभिन्न क्षेत्रों के युवा प्रतिनिधियों का उपस्थित होना मात्र संयोग नहीं था, उनके चिन्तन का कार्यरूप प्रतिफलन था — वे शिविर चाहे जम्मू में हों, बरगी में हो या द्वारका में। उनकी एक कविता इस समय स्मृति में उभर रही हैः

भीतर ही भीतर
झरे पत्तों के साथ गलता
और जीर्ण होता रहता हूँ,
नये प्राण पाता हूँ

कविता लिखी तब गयी थी जब नयी कविता का आन्दोलन जड़ पकड़ कर सरपट दौड़ने लगा था और उसके अनुयायी कवियों पर क्षणजीवी होने का आरोप लग रहा था, इस व्याख्या के साथ कि क्षण तो दूसरे ही क्षण मर जाता है तब फिर मृत्यु का यशगान जीने वाली कविताओं का क्या भविष्य है। उन्हें पराजय बोध की आत्मस्वीकृति सिद्ध करने के लिए अज्ञेय की ही पंक्तियाँ याद आती थींः 'हाय, यह प्रतिदिन अपने और पराये...वे सब कहीं उन अभ्यासों में रच गये थे जिससे होती हुई वे उँगलियाँ सधी थीं, यह मन सधा था, जिसमें बसे हुए रूपाकार निरन्तर चाक पर मूर्त होने थे।...पर मैं कब हूँ। उन सबने मुझे रचा है पर जब मैं रचता हूँ तो उतनी ही सधी उँगलियों से, उतनी ही लम्बी साधना को मूर्त रूप देता हुआ।'

रचनाशीलता में परम्परा से अपना दाय चुनकर आवें में ऐसा मृदाकार देना कि उसमें स्वयं को झोंकते हुए भी अपने काल-खंड की निजता उभारी जा सके, अज्ञेय की सर्जना का मूल बिन्दु था। वे मानते थे कि रचनाकर्म मात्र मनोरंजन नहीं है और न स्वास्थ्य लाभ का नुस्खा, लेकिन उसे पढ़कर स्वस्थ मानसिकता का विकास समाज में हो, उससे थोड़ा बहुत समाज का मनोरंजन भी होता हो तो हो, लेकिन रचनाकार के सरोकार परम्परा को ठुकराने में नहीं, परम्परा से अपने लिए उपयुक्त चुनने में रत होने चाहिए।

कैसी विडम्बना रही है कि एक ओर उनकी रचनाधर्मिता को नये मूल्य गढ़ने में भूमिका निभानी पड़ी है तो दूसरी ओर उनके निबन्धों की अनेक पंक्तियों में

परम्परा को नये सिरे से पुनर्जीवित करने की ललक का प्रतिविषय भी है। सद्यः प्रकाशित 'छाया का जंगल' के अनेक निबन्ध मेरी इस बात की पुष्टि करते मिलेंगे, यहाँ तक कि बच्चों के खेल-खिलौनों तक में उन्होंने अपनी इस दृष्टि को केन्द्रित किया है।

अपनी अस्वस्थता की बहुत अधिक परवाह किए बिना, वे यात्राओं पर निकलने से कभी नहीं चूके। भारत भवन, भोपाल के त्रैवार्षिक काव्य समारोह, 'कवि भारती' में सम्मिलित होने गये थे। उनके हाथों कन्नड़ कवि गोपाल कृष्ण अडिग को कबीर पुरस्कार दिया जाना था। अडिग जी अस्वस्थ होने के कारण पुरस्कार लेने और समारोह में भाग लेने नहीं आ सके थे। उनके प्रतिनिधि के रूप में कन्नड़ के वरिष्ठ कवि रामचन्द्र शर्मा ने पुरस्कार ग्रहण किया था। पुरस्कार अर्पित करते हुए अज्ञेय जी ने जो शब्द कहे थे वे अभी भी कानों में बज रहे हैं: कम से कम एक बात की प्रसन्नता मुझे इस समारोह में सम्मिलित होने और अपने हाथों एक भारतीय भाषा के वरिष्ठ कवि को पुरस्कार देने की हो रही है कि भारत भवन ने कवि को किसी कवि के हाथों पुरस्कार देने का आयोजन किया है। वरना तो होता यह है कि किसी धार्मिक अनुष्ठान का मुख्य अतिथि बिना यह देखे किसी ऐसे व्यक्ति को भी बना दिया जाता है जिसका आचरण बिलकुल धर्मसम्मत नहीं होता। कवि अपने जीवन में पाता ही क्या है; वह सदा समाज को देता ही देता है।

उनके ये शब्द उनकी जीवन्तता, प्रखर चिन्तन और बेलौस वक्तृता का पर्याय बनकर उभरे थे। कहना चाहिए कि इस समारोह की मुख्य शोभा थी अज्ञेय की उपस्थिति। जब वहाँ कवियों से अपने हस्तलेख में एक पटल पर कुछ लिखने और हस्ताक्षर करने का अनुरोध किया गया तो लोगों ने देखा कि अज्ञेय ने सारी औपचारिकताएँ तोड़ कर काली क्रेयान हाथ में ले न केवल अपनी कुछ पंक्तियाँ लिखीं, बल्कि अपनी कविता के एक पोस्टर पर उस कविता से सम्बन्धित *सदानीरा* का चित्र भी बनाया। उस समय उपस्थित जनसमुदाय अज्ञेय के आसपास भीड़ लगाये खड़ा था। अज्ञेय उस चित्र को एक कुशल चित्रकार की तरह क्रेयान से उकेरने में लगे हुए थे। पलटकर भीड़ से मुखातिब हुए तो सिर्फ एक मुस्कान भाव का जवाब दे रही थी।

32

समीप हैं तो आया करें

॥ जगदीश चतुर्वेदी

मैं अज्ञेय जी के व्यक्तित्व के प्रति बचपन से ही आकर्षित रहा। मुझे उनके उपन्यास भी प्रभावित करते थे और ग्रीक मुखाकृति वाला व्यक्तित्व भी। यह सच है कि अपने कॉलेज के दिनों में शेखर कहीं मेरा बहुत प्रिय पात्र था। उसकी प्रियता में प्रेम, प्रकृति और क्रान्ति तो थी ही, कहीं वह तन्तु भी था जिसके कारण अज्ञेय पर यदा-कदा डी.एच. लारेंस से प्रभावित होने के आरोप भी लगते रहे। वस्तुतः मैं डी.एच. लारेंस और हिन्दी में अज्ञेय दोनों को उन दिनों बहुत आत्मीयता महसूस करते हुए पढ़ता था।

वात्स्यायन जी की कविताएँ थोड़े बाद में पढ़ीं। शायद पचास-इक्यावन में *इन्द्रधनु रौंदे हुए ये* की कुछ कविताएँ छायावादी तत्त्व लिये हुए भी एक नयी ताजगी से भरी थीं। उन दिनों मैं एलियट पढ़ रहा था और *हरी घास पर क्षण भर* और *बावरा अहेरी* की कुछ कविताएँ मुझे अच्छी लगी थीं। कहने का आशय यह है कि *शेखर* का कृतिकार कई रूपों में मेरे अन्तस में अपनी विविध छवियों को बिखेर रहा था। इसी दौरान मैंने यशपाल का *सिंहावलोकन* पढ़ा, और क्रान्तिकारी अज्ञेय से एक अन्तरंग परिचय हुआ। लाहौर के वे विप्लव भरे दिन, भगवती भाई की शहादत और भगतसिंह के कारनामे मेरी स्मृति में गूँज गये। भगवती भाई जब मृत्यु शैया पर पड़े थे, तब उस बियावान जंगल में रावी तट पर उनका उपचार करने वात्स्यायन जी की जिद पर उनके भाई गये थे। वह शायद मेडिकल कॉलेज के विद्यार्थी थे। उस समय के अज्ञेय के कुछ चित्र मैंने पत्रिकाओं और पुस्तकों में देखे हैं। बहुत तेजस्वी, साथ-ही-साथ एक सुकुमारता लिये हुए उनका मुखमण्डल था। चमकती हुई दो आँखें जिन पर वे सुनहरी डण्डी का चश्मा लगाते थे। बाद में वे क्रान्तिकारियों के साथ पकड़े गये और जेल में रहे। तो क्रान्तिकारी अज्ञेय ने शेखर के साथ-साथ अपने इस विद्रोही रूप में भी मुझे प्रभावित किया था। शनैः-शनैः मैं उनकी तमाम रचनाएँ जो इस बीच छपती रहीं – कहानियाँ, लेख और कविताएँ – बहुत तन्मयता से पढ़ता रहा।

विक्टोरिया कॉलेज, ग्वालियर से बी.ए. करने के बाद मैंने एम.ए. उज्जैन से किया। वहाँ डॉ. शिवमंगल सिंह सुमन मेरे प्राध्यापक थे। उनका वात्स्यायन जी से घनिष्ठ सम्बन्ध था। वे कक्षा में और इससे इतर घर पर भी बहुत से आत्मीय प्रसंग कई साहित्यकारों और प्रमुखतः बच्चन और अज्ञेय के सुनाते रहते थे। अज्ञेय जी के प्रेम-सम्बन्धों के बारे में भी कई बातें हुई थीं। मेरा ऐसे व्यक्तित्व के प्रति जो जीवन में ही मिथ बन गया था, आकर्षण सहज ही और प्रबल हो गया था। हमने कई बार अज्ञेय जी को उज्जैन में बुलाने का प्रयास भी किया, पर जब वह आये, उस दिन मैं उस शहर में नहीं था। मुझे लौटने पर एक ऐसा दुःख हुआ जो किसी आत्मीय के आकर चले जाने पर होता था। और फिर मैं कई जगह घूमकर अन्त में दिल्ली आ गया। यह सन् 1959 की गर्मियाँ थीं।

दिल्ली आने पर जिन व्यक्तियों से मिलना चाहता था और जिनके प्रति बचपन से एक आकर्षण रहा था – उनमें थे जैनेन्द्र, बच्चन और अज्ञेय।

अज्ञेय जी से मेरी पहली मुलाकात मुझे हमेशा याद रहेगी। यह संयोग ही था कि मैं दिल्ली आकर सबसे पहले मोती बाग में एक कमरा लेकर रहने लगा। शिक्षा मंत्रालय में उन दिनों कुछ ऐसे लोग थे जिनकी साहित्य में रुचि थी। एक थे बदरीदत्त पाण्डेय जो सुमित्रानन्दन पन्त के भाँजे थे और जिनसे आते ही मेरी घनिष्ठता हो गयी थी। पाण्डेय जी ने मुझे बताया कि जहाँ तुम रहते हो, उसके पास ही अज्ञेय रहते हैं। अज्ञेय जी उन दिनों कपिला जी के साथ मोती बाग के सरकारी फ्लैट में रह रहे थे। न जाने कौन-सी झिझक थी कि मैं कई बार सोचकर भी उनसे मिलने न जा सका। शायद यह मेरी स्वाभाविक वृत्ति है, जब तक कोई औपचारिक परिचय न हो जाए, मुझे मिलना असमंजस में डाल देता है। उन दिनों वात्स्यायन जी के घर कभी-कभी साहित्यिक गोष्ठियाँ होती रहती थीं। मुझे डॉ. रणवीर रांग्रा का निमन्त्रण मिला और मैंने तत्काल सहमति दी।

वह गोष्ठी वात्स्यायन जी के घर पर थी। वात्स्यायन जी बैठक में गावतकिये के सहारे गद्दी पर बैठे थे। धवल परिधान में उनकी मुखाकृति बहुत भव्य लग रही थी। उनकी श्वेत और बहुत सलीके वाली दाढ़ी में मुझे तोलस्तोय की छवि दिखाई दी। मेरे नमन करने पर वह धीमे से मुस्कुराए। उनकी मुस्कुराहट में भी एक जादू था। मैंने उनकी भद्रता एवं कुलीन रुचि के बहुत से किस्से सुने थे, अतः मैं चुपचाप सामने दरी पर बैठ गया। मुझे याद है कि मैंने कुछ कविताएँ पढ़ी थीं और वात्स्यायन जी ने प्रशंसा की दृष्टि से मेरी ओर देखा था। कुछ और कवियों ने भी कविताएँ पढ़ीं और अन्त में जब मैं चलने लगा

तो मैंने झिझकते हुए कहा– 'मैं यहीं आपके पड़ोस में रहता हूँ। यों उज्जैन से आया हूँ और सुमन जी का विद्यार्थी हूँ।' उनके होंठों की मुस्कान फैल गयी। उन्होंने अत्यन्त आत्मीयता से मेरे कन्धे पर हाथ रखकर कहा– 'आप तो समीप ही हैं, कभी-कभी आया करें।' लेकिन कोई एक झिझक जो मुझमें सदैव से ही रही है, मुझ पर हावी रही और मैं मोती बाग के उस फ्लैट पर कभी नहीं गया। कदाचित् यह भी मेरी इसी संकोची वृत्ति का परिणाम है कि वात्स्यायन जी से आत्मीयता महसूस करते हुए भी मैं जब भी उनसे मिला, वह बड़े खुले मन और आत्मीयता से मिले, किन्तु उनका घनिष्ठ, आत्मीय तथा परिवार का सदस्य मैं नहीं बन पाया। लेकिन एक दूरी भी कभी-कभी हमें घनिष्ठता से बाँधती है। ऐसा मुझे उनकी कई आगे की मुलाकातों में दृष्टिगत हुआ।

यह सन् 1963 की बात है। मैंने *प्रारम्भ* नामक एक कविता-संकलन सम्पादित किया था। इसमें संकलित कवियों को मैंने आक्रोशी कवियों की संज्ञा दी थी। हिन्दी-साहित्य में यह गहमागहमी के वर्ष थे। कई आन्दोलन चल रहे थे, कई प्रकार के प्रयोग कविता में हो रहे थे। मैंने अपने इस संकलन की भूमिका में लिखा था कि आज के कवि और अज्ञेय की रुचि में अन्तर आ गया है। जब यह संकलन पत्रिकाओं में भेजा गया तो इस पंक्ति की विशेष चर्चा या प्रतिक्रिया हुई। *धर्मयुग* में डॉ. प्रभाकर माचवे ने अपनी लम्बी समीक्षा का शीर्षक दिया 'एक उत्साह भरा प्रारम्भ' व सम्पादक धर्मवीर भारती ने मोटे अक्षरों में यह भी टाँक दिया था 'अज्ञेय की रुचि और आज की रुचि में अन्तर आ गया है।' यह प्रसंग मैं इसलिए लिख रहा हूँ कि इस समीक्षा के कुछ दिनों बाद ही भारतभूषण अग्रवाल के कमरे में अज्ञेय जी से मेरा साक्षात्कार हुआ। उनके साथ कपिला जी भी थीं। भारत जी जब परिचय कराने लगे तो परिचय की बात बीच में काटकर अज्ञेय जी ने कपिला जी से मेरा परिचय कराया– 'ये *प्रारम्भ* के सम्पादक जगदीश चतुर्वेदी हैं।' भारत जी के कमरे में काफी देर तक अज्ञेय जी *प्रारम्भ* के कवियों की कविताओं पर खुले मन से बात करते रहे। यों काव्यगत आक्रोश के सम्बन्ध में चाहे उनके विचार हमसे भिन्न रहे हों, किन्तु कविताओं की तेजी से वे अप्रसन्न नहीं थे। कुछ कवियों की कविताएँ उनको अच्छी भी लगी थीं और उनका जिक्र भी उन्होंने किया था। तब मैंने उनसे झिझकते हुए कहा था कि मुझे पुस्तक देने स्वयं आना चाहिए था, किन्तु अपने संकोच में मैंने उसे डाक से भेज दिया था। उनको पहली बार मैंने जोर से हँसते हुए देखा था। उन्होंने शायद कहा था– 'संकोच कैसा?' और उनके हाथों के पंजे एक विशेष मुद्रा में ऊपर उठ

गये थे। मैं चुप हो गया था। और कदाचित् फिर हम सभी चुप रहे थे।

इस घटना के बाद के कुछ वर्ष मेरे लिए महत्त्वपूर्ण भी रहे और विशेष आपाधापी के भी। हम लोगों पर नवीनता और भाषा का मुहावरा बदलने की धुन सवार थी। *तार सप्तक* के कवि हमें पुराने लगने लगे थे। हम अपनी योजनाओं में व्यस्त थे। उसी दौरान एक बार अज्ञेय जी से किसी कॉलेज में मुलाकात हुई। अज्ञेय जी अध्यक्षता कर रहे थे और कविता के नये प्रतिमानों पर बातचीत हो रही थी। सबसे पहले मैंने ही कविता पर अपने विचार प्रकट किए थे। जाहिर है कि समकालीन कविता का जो तेवर और रुख हमें मान्य था, उसी के सम्बन्ध में मैं बोल रहा था। अपने पूर्ववर्तियों के भाषा और भाव-संस्कारों पर कुछ टिप्पणी भी की थी। कुछ और वक्ताओं के बाद अज्ञेय जी का अध्यक्षीय भाषण था। उनका नाम लेकर भी मैंने काफी कुछ कहा था, पर अपनी प्रकृति के अनुरूप उनका प्रत्युत्तर अत्यन्त संक्षिप्त था और उसमें उन्होंने कोई सफाई न देते हुए समय और परिस्थितियों के बदलने की बात की थी। उनकी मुद्रा लगातार गम्भीर बनी रही थी। इस समारोह के बाद जो चाय-पान था, उसमें कई विद्यार्थी ऑटोग्राफ लेने आगे बढ़ आये थे। अज्ञेय

जी ने कदाचित् अपने ढंग से नयी पीढ़ी से मजाक करते हुए ऑटोग्राफ की वह कॉपियाँ मेरी ओर बढ़ा दी थीं। मैं उनके पास गया और स्वतः ऑटोग्राफ बुक्स देकर उन्हें हस्ताक्षर देने का आग्रह किया था। वह थोड़ा-सा मुँह खोलकर मुस्कुराए थे और कहा था– 'आप भी तो साथ-ही-साथ हस्ताक्षर कीजिए।' उस आवाज में कोई कटुता या दूरी नहीं थी। जैसे किसी अपने आत्मीय छोटे भाई को सम्बोधन हो। मैं हस्ताक्षर करता रहा था और बाद में दूर जा खड़ा हुआ था। वात्स्यायन जी एक काजू की प्लेट लिये उधर टहलते हुए आये थे और मेरी ओर बढ़ाते हुए बोले थे– 'आप भी लीजिए न।' यह विनम्रता उनके स्वभाव की एक विशेषता थी।

एक बार अज्ञेय जी से मिलने उनके घर भी गया था। *भारतीय कविता* नामक पुस्तक मैं केन्द्रीय हिन्दी निदेशालय के लिए सम्पादित कर रहा था और उसमें अधिकांश हिन्दी कवियों की लम्बी कविताएँ संकलित की गयी थीं। मैंने उनकी चर्चित लम्बी कविता जो कई विश्वविद्यालयों के पाठ्यक्रम में भी है – 'असाध्य वीणा' – सम्मिलित करने के लिए उनसे आग्रह किया था। उन्होंने लिखा था, इस कविता के स्थान पर कोई और लम्बी कविता ले ली जाए। मुझे सहसा उनकी और कोई लम्बी कविता याद नहीं आयी थी। मैं सोच रहा था कि कभी व्यक्तिगत मिलकर उनसे ही कोई अन्य लम्बी कविता प्राप्त कर लूँगा। शायद पाठ्यक्रम में ली गयी कविता वह देना नहीं चाहते

थे। यों 'असाध्य वीणा' निश्चय ही अज्ञेय जी की कुछ बहुत अच्छी कविताओं में से है। मेरा मन उसे सम्मिलित करने का था। इसी सन्दर्भ में मुझे हिन्दी पाठ्यक्रमों और हिन्दी साहित्य सम्मेलन तथा विश्वविद्यालयों के प्राध्यापकों के सम्बन्ध में कुछ दिन पूर्व व्यंग्यात्मक लहजे में कही उनकी एक बात याद आ गयी थी। वह बात मुझे बहुत अच्छी लगी थी। उन्होंने कहा था, 'मैं जलाने और हिंसा जैसे स्थानों पर नहीं जाता।' जलाने से उनका आशय जवाहरलाल नेहरू विश्वविद्यालय और हिंसा से हिन्दी साहित्य सम्मेलन था।

मैं जब बिना समय लिये पहुँचा तो दोपहर ढल रही थी। उनका लम्बा-चौड़ा उद्यान एकदम शान्त था। बरामदे में भी कोई न था। दूर-दूर तक चुप्पी और शान्ति थी उनके व्यक्तित्व की तरह। मैंने सहमते हुए कॉलबेल पर उँगली रखी। कुछ क्षणों बाद अज्ञेय जी ने दरवाजा खोला और नमन की मुद्रा में उठे मेरे हाथों को उन्होंने अपने हाथों में थाम लिया। हम अन्दर बैठक में बैठ गये और घण्टों तक सामयिक साहित्य, प्रगतिशील चिन्तन, जवाहरलाल नेहरू विश्वविद्यालय के हिन्दी विभाग और पूर्ववर्ती कवियों की जीवन प्रणाली पर बात करते रहे। कुछ समय बाद डॉ. विद्यानिवास मिश्र भी हमारे साथ आ बैठे और बातचीत का मोड़ भारतीय दर्शन और दिक्-काल आदि विषयों की ओर मुड़ गया। चलते समय अज्ञेय जी ने ही अपनी लम्बी कविता 'हेमन्त का गीत' मुझे संकलन के लिए दी। वह कविता शायद पहले पढ़ी नहीं थी। पढ़ी हो तो उसकी स्मृति नहीं रही थी। मैंने उसे घर आकर पढ़ा और अज्ञेय जी की रुचि को दाद दी।

यह भी कहा जाता है कि वह पत्रों के उत्तर नहीं देते थे या माँगने पर भी रचनाएँ नहीं भेजते थे, किन्तु मैंने जब भी आग्रह किया किसी संकलन या 'भाषा' पत्रिका के लिए तो उन्होंने कभी मना नहीं किया। यही नहीं, अपनी नयी रचनाएँ भी मुझे दीं।

यह मेरा सौभाग्य रहा कि अज्ञेय जी को जब भारतीय ज्ञानपीठ पुरस्कार से सम्मानित किया गया तो कलकत्ते की प्रसिद्ध सांस्कृतिक संस्था भारतीय संस्कृति संसद ने एक समारोह का आयोजन किया था, जिसमें मैं भी सम्मिलित हुआ था। पुरस्कार लेते समय दिया गया अज्ञेय जी का लम्बा भाषण बहुत ही सन्तुलित, सामयिक एवं लेखकीय दायित्व के विभिन्न मुद्दों को प्रतिभासित करने में सक्षम था। दो-तीन दिन वहाँ समारोह होते रहे। इलाहाबाद से डॉ. जगदीश गुप्त, आगरा से डॉ. विद्यानिवास मिश्र, दिल्ली से कवि भवानी प्रसाद मिश्र तथा मैंने और कलकत्ता विश्वविद्यालय के डॉ. कल्याणमल लोढ़ा और

विष्णुकान्त शास्त्री ने इन परिचर्चाओं में भाग लिया था। वात्स्यायन जी अत्यन्त अन्तरंग रूप में सभी साहित्यिक मित्रों से मिलते रहे और विभिन्न सामयिक विषयों पर अपनी सहज और सटीक टिप्पणियाँ देते रहे। इसी समारोह के आसपास हरिद्वार में भी जब डॉ. प्रभाकर माचवे की षष्टिपूर्ति मनाई गयी तो वह अपने वचन के अनुसार नियत समय पर वहाँ पहुँचे थे। चर्चा हो रही थी कि अज्ञेय जी का क्या पता आएँ या न आएँ कि तभी समाचार मिला कि वात्स्यायन जी आ गये। वह दिनभर हमारे साथ रहे और अपने मित्र माचवे के साथ के कई अन्तरंग संस्मरण सुनाते रहे। उनकी बातों में हमें बच्चों जैसा उत्साह नजर आया। उन्होंने हमें *तार सप्तक* के कई समकालीनों की भी काव्य रुचियों की जानकारी दी। उस दिन हरिद्वार में ठण्ड बहुत थी और लगातार बारिश गिर रही थी। ऐसे मौसम में भी अपने मित्र को दिए गये वादे पर पहुँचना अज्ञेय के मैत्री-गुण को दर्शाता है।

अज्ञेय जी अपने समकालीनों के साथ-साथ अपने परवर्ती और युवा-कवियों से भी निरन्तर सम्पर्कों को महत्त्व देते थे। मुझे मालूम है कि मेरे कई समकालीन और युवा साहित्यकार वात्स्यायन जी के यहाँ घण्टों बैठकर जीवन और साहित्य की चर्चा करते थे। हाँ, उनकी कुछ रुचियाँ अवश्य थीं जो अपने ढंग से अच्छे और बुरे की पहचान करती थीं। उन्हें जो पसन्द आये चाहे वह बाद में उनके आलोचक ही क्यों न रहे हों उनके साथ उनका व्यवहार शालीन और अन्तरंग रहा। सन् 1986 के प्रारम्भ में जब डॉ. कमलकिशोर गोयनका ने एक पुस्तक मेरे जीवन और साहित्य पर सम्पादित की तो अज्ञेय जी को उसके लोकार्पण के लिए आमन्त्रित किया गया। *चौथा सप्तक* की भूमिका में अज्ञेय जी हम लोगों की कविता के सम्बन्ध में कुछ विरोधी टिप्पणी भी दे चुके थे। लगता था शायद वह इस समारोह में नहीं आएँगे। किन्तु जब उनको स्नेह से आमन्त्रित किया गया तो उन्होंने सहर्ष आने की अनुमति दी। यह अवश्य पूछा कि इस समारोह की अध्यक्षता कौन कर रहा है। जब उन्हें बताया गया कि अध्यक्ष प्रसिद्ध शिक्षाशास्त्री और भारतीय भाषाओं के विद्वान तथा पुराने आई.सी.एस. अधिकारी रामप्रसन्न नायक हैं, तो उन्होंने सहमति देते हुए नायक जी की भी प्रशंसा की। वात्स्यायन जी इस अवसर पर आये। उनके तमाम साथी डॉ. प्रभाकर माचवे, गिरिजाकुमार माथुर और डॉ. नगेन्द्र आदि भी मंच पर उपस्थित थे। बड़ी रात गये तक उस ठण्डी 9 जनवरी की सर्द रात में अज्ञेय जी वहाँ उपस्थित रहे। वत्सल निधि के समारोहों में भी उनसे बातचीत होती रही है। जब भी सामना होता या कोई साहित्यिक आयोजन होता तो वे बड़ी आत्मीयता से मिलते थे। जैनेन्द्र जी की दोहित्री

श्रुति के विवाह में वे इला जी के साथ आये थे और बड़ी देर तक मेरी पुस्तकों तथा परिवार के सदस्यों के सम्बन्ध में बात करते रहे थे।

इधर वात्स्यायन जी की रचनाओं के साथ उनके जीवनक्रम और विचारों में भी एक परिवर्तन परिलक्षित होता था। महाप्रयाण के पूर्व यह आधुनिक चेता भारतीय संस्कृति के मूल तत्त्वों की खोज और सांस्कृतिक स्थलों की अपने सहयोगियों के साथ यात्रा करने की भी कई योजनाओं पर सक्रिय थे।

'जय जानकी-जीवन यात्रा', 'भागवत-भूमि यात्रा' आदि इसी प्रकार के सांस्कृतिक प्रयोग थे। इधर की उनकी कविताओं और आलेखों में समय, काल और व्यक्ति की अनबूझ पहेलियों से साक्षात्कार होने के प्रयास भी दिखाई दिए। यों पिछले दो दशकों से उनकी रचनाओं में भारतीय दर्शन और संस्कृति के ज्वलन्त प्रश्नों से जूझने की एक अपूर्व भंगिमा दिखाई देती रही है। बातचीत में भी अज्ञेय जी इधर समयातीत और भविष्य आदि को आँकने की चेष्टा में रत दिखाई देते थे।

33

पक्षीविहार में खाली पेट

॥ विद्याबिन्दु सिंह

अज्ञेय जी के बारे में कुछ लिखने बैठती हूँ तो उनके व्यक्तित्व के अनेकानेक पहलू मन में कौंध जाते हैं। स्मृतियों के बिखरे पलों में से क्या-क्या समेटा जाए?

वह सौम्य निश्छल बालकों-सी स्मिति, कुछ सोचता हुआ ज्ञान की आभा से दीप्त मुखमण्डल, कहीं दूर देखती हुई चिन्तन में डूबी आँखें, उन्नत भाल पर चिन्तन और अनुभव की रेखाएँ आँखों के सामने मूर्तिमान सत्य की तरह उजागर हो जाता है। लगता है अभी भी कैवेंटर्स ईस्ट के कैवेंटर लेन के लॉन, बरामदे, बैठक, अतिथि-गृह, भोजन कक्ष की कुर्सियों पर वह देदीप्यमान स्वरूप बैठा है, कुछ सोच रहा है, कुछ लिख रहा है या फिर बातें कर रहा है बहुत ही धीरे-धीरे। या फिर एक वाक्य बोलने के बाद बीच में आकर बैठ गया है एक मौन अन्तराल। उस मौन की भी अपनी भाषा थी, कुछ रचती हुई, कुछ कहती हुई या सामने वाले को आकुल करती हुई कि यह मौन कैसे तोड़ा जाय?

समक्ष बैठे सबकी अधिक से अधिक सुनने की वह शान्त मुद्रा जो सामने वाले के आग्रह पर ही तनिक मुखर होकर फिर अपने भीतर वापस जाकर सुनने के लिए प्रस्तुत हो जाती थी। बीच-बीच में किसी के प्रश्न का बहुत ही नपा-तुला सटीक उत्तर प्रश्नकर्त्ता को कितना सन्तोष या अतृप्ति दे गया, इसकी ओर ध्यान कम जाता था। इतने अल्प शब्दों में और समय में सूत्रों जैसे उत्तर इतनी सहज सरलता से देते कि सुनने वाला उत्सुक जिज्ञासा के एक-एक शब्द को पीने का प्रयास करता, क्योंकि वह उसकी मूल्यवत्ता के प्रति आश्वस्त होता था और वही बात दुबारा पूछने का वह दुस्साहस नहीं कर सकता था।

उसके आशीर्वाद की छाँह पाने वाले कुछ क्षणों को सहेजती हूँ तो स्मृतियों के अनमोल मोती श्रद्धा सुमन बनने को प्रस्तुत हो जाते हैं।

क.मु. हिन्दी विद्यापीठ में जब मैं अध्ययनरत थी, तब वात्स्यायन जी का व्याख्यान वहाँ आयोजित हुआ था। मृदु अल्प भाषी व्यक्तित्व की वाणी से साहित्य की गूढ़ विवेचना, साहित्यधर्मिता की पहचान के अनेक बिन्दु हम लोगों को सुलभ

हो रहे थे। मैं अपने पाँच वर्षीय पुत्र विनय मानेक को भी उस गोष्ठी में साथ लायी थी। उसे कहीं अलग न छोड़ पाने की विवशता थी। मैंने उसे व्यस्त रखने के लिए कागज और कलम थमा दिया था। वह एकटक उस सौम्य मूर्ति को कुछ देर निहारता और फिर आड़ी-तिरछी रेखाएँ कागज पर खींचता रहा। मैं व्याख्यान सुनने में तल्लीन थी। मेरे बेटे की बगल में बैठे एक सज्जन ने व्याख्यान पूरा होने पर मेरा ध्यान आकृष्ट करते हुए भविष्यवाणी की– बहन जी! आपका बेटा तो बड़ा कलाकार बनेगा। मैंने देखा कि विद्वान वक्ता का रेखाचित्र कागज पर उसने बनाया था। दाढ़ी की बनावट से अज्ञेय जी का चित्र लग रहा था। कुछ लोग चित्र देखने लगे। मंच से उतरकर वात्स्यायन जी आ रहे थे। किसी ने उनसे कह दिया कि एक नन्हे कलाकार ने आपको कैद कर लिया है– वे ठहर गये। उन सज्जन ने नन्ही कलम की रेखाओं का चित्र उन्हें थमा दिया। वात्स्यायन जी ने जिस ममत्व भरी दृष्टि से बच्चे की ओर निहारा उससे मैं अभिभूत हो गयी। उन्होंने उस पर हस्ताक्षर करके उसे वापस कर दिया।

वत्सल निधि के कई शिविरों में उनके साक्षात्कार का अवसर मिला। साक्षरता निकेतन में आयोजित लेखक शिविर में वहाँ के तत्कालीन निदेशक भगवतीशरण सिंह जी ने मुझे भी आमन्त्रित किया था। निमन्त्रण पत्र में जिस सत्र में मुझे बोलना था उसमें विशिष्ट अतिथि के रूप में वात्स्यायन जी का उल्लेख था।

बड़ा संकोच हो रहा था, इतने बड़े साहित्यकार के सम्मुख क्या बोल पाऊँगी? पर बड़े शान्त मन से शान्त मुद्रा में उन्होंने मेरा प्रपत्र सुना और उसके बाद धीरे से पार्श्व में बैठे भगवतीशरण सिंह जी से कुछ कहा। श्री सिंह ने कहा कि आदरणीय वात्स्यायन जी मुख्य अतिथि की इच्छा है कि आप एक लोकगीत सस्वर सुनाएँ।

मैंने एक निरवाही का गीत सुनाया, जिसमें कुलवधू के कष्टों की सहज अभिव्यक्ति थी। उस गीत की मार्मिकता से विद्वत् समाज विचलित हो उठा था। आदरणीय वात्स्यायन जी ने मौन रहते हुए एक गहरा उच्छ्वास लिया और मुझे लगा कि वे भीतर तक भीग गये हैं करुणा से।

वत्सल निधि के शिविर में उनके दर्शन कई बार हुए। उनसे मिलकर हमेशा आत्मगौरव का बोध होता था, बौनेपन का नहीं। यह उनकी सबसे बड़ी विशेषता थी कि सामने वाला व्यक्ति अदना होते हुए भी स्वयं को अदना न समझे और अपनी शक्ति पहचाने। ऐसा व्यवहार करने वाले लोग अब कितने हैं?

लोक जीवन में रामकथा पर मैंने आदरणीय वात्स्यायन जी और आदरणीय विद्यानिवास मिश्र जी के निर्देश पर पुस्तक लिखी। वह पुस्तक तब तक मुद्रित नहीं हो सकी थी, उनके जीवनकाल में उसके प्रकाशन पर शायद उन्हें अच्छा

लगता। 'जानकी-जीवन यात्रा' के समय *जन जनक जानकी* में छापने के लिए उन्होंने मुझे पत्र लिखा था कि आप अवध के ही हैं इसलिए 'अवध की बहू सीता' के बारे में लोकमानस की अभिव्यक्ति को वाणी दें। मिथिला की बेटी पर उन्होंने उषा किरण खान जी से लिखवाया था।

जानकी-जीवन यात्रा के दौरान प्रयाग में उन्होंने कहा कि रामकथा से सम्बन्धित लोकगीतों को टेपबद्ध करवाइए। मैंने कुछ कार्य इस दिशा में किया, पर समग्र नहीं कर सकी। संकलन का कार्य तो पर्याप्त हो गया है। टेपबद्ध करने के कार्य को पूरा करने का संकल्प है।

स्मृतियों की परतें खोलती हूँ तो एक और घटना की स्मृति आँखें भर देती है। वत्सल निधि के एक शिविर में मैं आमन्त्रित थी। भाग लेने के लिए कार्यालय से मुझे औपचारिक अनुमति मिलने में कुछ परिस्थितिवश कठिनाई थी। मैं आकस्मिक अवकाश लेकर जा सकी थी, पर पूरा समय नहीं दे पायी थी। इससे मुझे भी कष्ट हुआ। अगली बार जब शिविर लखनऊ से बाहर आयोजित हुआ तो मुझे फिर आमन्त्रण मिला। हिन्दी संस्थान के तत्कालीन कार्यकारी उपाध्यक्ष आदरणीय डॉ. शिवमंगल सिंह 'सुमन' ने दूसरे दिन मुझे बुलाकर पूछा कि तुम्हें वत्सल निधि का आमन्त्रण मिला है। मैंने हामी भरी तो उन्होंने मुझे वात्स्यायन जी का पत्र दिखाया, जिसमें उन्होंने सुमन जी को लिखा था– मैंने विद्याबिन्दु सिंह को आमन्त्रित किया है। उन्हें आप आने की अनुमति दें और यदि आवश्यक समझें तो सचिव, शिक्षा विभाग को भी मेरा पत्र भेजकर अनुमति दिलाएँ।

पत्र पढ़कर मैं हैरान हो गयी कि क्या उन्हें पिछले कार्यक्रम की कठिनाई का ज्ञान हो गया था? मैंने तो उन्हें कुछ बताया भी नहीं था। फिर ध्यान आया कि स्नेहमयी बहन इला जी ने सम्भवतः उनसे चर्चा कर दी हो। इला जी का सान्निध्य और अपनापन भी हम सभी सहभागियों को अभिभूत कर देता था। सम्भवतः उनके रुकने के स्नेह आग्रह के उत्तर में मैंने अपनी कठिनाई उनसे बता दी हो।

वत्सल निधि के कई शिविर उनके महाप्रयाण के बाद भी आयोजित हुए। उनके बिना यह तो लगता था कि आयोजन की मूल आत्मा दिख नहीं रही है, पर यह भी लगता था कि वह यहीं कहीं आसपास हैं और अभी उनकी मृदु वाणी कह उठेगी– "विद्या जी! मंगलाचरण लोक के देवीगीत से करें।"

एक बार गोष्ठी में उनसे मैंने एक अबोध प्रश्न पूछ लिया था। उस समय जब साहित्य में यथार्थ और आदर्श को लेकर बहस चल रही थी, मैंने पूछ लिया था– सत्य के नाम पर जो यथार्थ आज व्यक्त हो रहा है क्या उससे शिव की प्राप्ति हो सकती है?

ऐसा लगा कि उन्हें प्रश्न अटपटा लगा। वे कुछ तमतमा से उठे और बोले— जो शिव नहीं है, वह सत्य कैसे हो सकता है?

इसके बाद वह चुप हो गये। मैं चाहती थी कि कुछ और स्पष्ट करेंगे, पर वह एक वाक्य ही पर्याप्त था।

वत्सल निधि के वृन्दावन शिविर के बाद घना पक्षी विहार भरतपुर के लिए सहभागियों को लेकर बस पहुँची। वहाँ पक्षी विहार में ही भोजन के पैकेट्स पहुँचने थे। जाने क्यों भोजन पहुँचने में देर हो गयी। कुछ लोग भूख से बेहाल भोजन की प्रतीक्षा में वहीं कहीं विश्राम करना चाह रहे थे। पर वात्स्यायन जी प्रकृति के खुले विस्तार में पहुँच जाएँ और भोजन की प्रतीक्षा कहीं ठहरकर करें, यह उनके लिए असह्य था। वे चुपचाप एक ओर को चल पड़े। उनके पीछे इला जी भी। फिर तो धीरे-धीरे सारे साहित्यकार प्रकृति के अनुपम उपहार पक्षियों को देखने के लिए निकल पड़े। मैं सपरिवार थी। हम लोगों के साथ सुप्रसिद्ध कहानीकार गोविन्द मिश्र भी चल रहे थे। तभी गोविन्द जी की निगाह बेर के पेड़ पर पड़ गयी। उन्होंने मुझसे कहा— विद्या जी! बेर बीनेंगी, तोड़ी जाय! मैं तो भाई गाँव का आदमी हूँ। ढेला मारकर बेर तोड़ सकता हूँ। फिर क्या था, गोविन्द जी और मेरे पति कृष्ण प्रताप जी ने ढेले मारकर बेर तोड़ गिराए। बच्चों ने बेर तोड़कर रूमाल में बाँध लिये। सबको खट्टे-मीठे बेर दिए। उस भूख में तो दो-चार बेर खाकर सबको तृप्ति मिली। हम आगे बढ़े तो देखा वात्स्यायन जी सड़क से हटकर एक ऊबड़-खाबड़ जगह पर खड़े होकर साइबेरिया के पक्षियों की ओर मुग्ध भाव से निहार रहे थे। इला जी पास में खड़ी थीं। मैंने रूमाल के बेर उन दोनों की ओर बढ़ा दिए। दोनों ने बड़ी सहजता से बेर लिया, गोविन्द मिश्र जी बोल उठे— यह गाँव वालों की निगाह से नहीं बच सका। सुनकर वे मुस्कुराए और बड़ी कोमलता से हथेली पर बेर रखकर देखने लगे। और धीरे से बोले— तीन बेर खाती थीं वे बीन बेर खाती हैं। आज की यात्रा ने इसे सिद्ध कर दिया।

तब तक उस जंगल में भोजन आ जाने की प्रसन्नता से चहकते स्वर लोगों को सुनाई दिए और सब लोग बस की ओर लौट पड़े। हाथों में ले-लेकर सबने भोजन किया। वात्स्यायन जी बोल उठे— "आज यहाँ करपात्री तो सब हो ही गये।" सबने जोरदार ठहाका लगाया।

एक बार कई प्रतिभागियों के साथ उनके घर में मैं भी उपस्थित थी। वात्स्यायन जी सबके साथ नाश्ते की मेज पर बैठे थे। मेज पर बिजली का टोस्टर मक्खन और ब्रेड रखकर सेंक रहे थे और अपने हाथ से मक्खन लगाकर अतिथियों की ओर बढ़ा रहे थे। मुझे बहुत संकोच हो रहा था। मैंने मदद करनी चाही तो

इला जी सहित सभी ने मुझे संकेत से मना कर दिया। मुझे बड़ा विचित्र लगा जैसे कोई अनुष्ठान हो और कोई अभिमंत्रित यजमान ही सारे कृत्य पूरा करे। मैं उस समय तो चुप रह गयी। बाद में लोगों ने बताया कि वात्स्यायन जी को इस कार्य में आनन्द आता है। वे बड़े मूड में आकर इसे करते हैं। किसी अतिथि को स्वयं टोस्ट सेंक कर दें और दूसरे को इस सुख और महत्त्व से वंचित होना पड़े यह शिष्टाचार के प्रतिकूल था, इसीलिए मुझे संकेत से मना किया गया था। इतने कलात्मक ढंग से अति कुशल गृहिणी की तरह टोस्ट सेंकना, नपा-तुला मक्खन लगाकर काटकर परोसना एक अविस्मरणीय दृश्य था।

वे जीवन भर यायावर रहे, पर 'घर' उन्हें खींचता रहा। 'घर' भी ऐसा जो नीड़ हो, जिसमें बसेरा हो पर वह बन्धन न बने, जब चाहे वहाँ से निकलकर उड़ान भर सकें। एक नीड़ पेड़ पर उन्होंने बनाया भी था, पर वह नीड़ इतना उदार निकला कि कुछ दिन बसेरे के लिए भी उन्हें नहीं बाँध सका और उन्हें मुक्त असीम आकाश में कभी न लौटने के लिए छोड़ दिया।

34

जैसी छेनी वैसी मूरत

॥ श्यामसुन्दर दुबे

अतिथि-कक्ष का दरवाजा किसी ने खटखटाया। रात के नौ बज रहे थे। दिसम्बर की कड़कड़ाती ठण्ड थी। लिहाफों में दुबके हम लोग सर्दी के विरुद्ध सन्नद्ध थे। मेरे साथ थे राजेन्द्र उपाध्याय। मैंने उन्हें उकसाया कि वे दरवाजा खोल दें, लेकिन वे अलसाए हुए थे। मैंने दरवाजा खोला तो सामने खड़े युगल को देखकर अचकचा गया। अज्ञेय और इला डालमिया सामने थे। इतनी रात में? वे हौले से हँसे, मुस्कुराए, फिर बोले– 'अन्दर आ जाएँ?' हम विभोर थे। राजेन्द्र ने अपना लिहाफ फेंका शरीर में शायद-गर्मी-सी सनसना गयी थी। अज्ञेय जी फिर मुस्कुराए, 'ठण्ड है, लेटे रहिए'। वे पास पड़ी कुर्सी के सहारे या उसकी ओट लेकर खड़े थे। कक्ष का मुआयना-सा करते। उन्होंने जानना चाहा था– गीजर ठीक से काम कर रहा है? रजाइयाँ पर्याप्त हैं? कोई असुविधा तो नहीं?

दसेक मिनट बाद क्षमा माँगते हुए वे चले गये– 'आपको परेशान किया।'

यह छोटी-सी मगर हमारे दिलो-दिमाग पर छा जाने वाली घटना वृन्दावन में आयोजित वत्सल निधि शिविर के पहले दिन की है। अज्ञेय की वत्सलता का यह प्रथम साक्षात्कार था, उनकी आत्मीयता का एक दूरदेशी संस्पर्श मैं पहले पा चुका था।

मैं उन दिनों मध्य प्रदेश के धुर आदिवासी क्षेत्र सरगुजा के सरकारी कॉलेज में मुदर्रसी के सिलसिले में वहाँ की अभ्रकधर्मी खाक छान रहा था। लिखने-पढ़ने का जुनून सवार था, सो चाहे जिस पत्रिका में छपने के लिए रचना भेज देता था। प्रसिद्धि के लिए बालसुलभ छटपटाहट से उन दिनों भरा हुआ मैं अपने वामन पगों से, त्रैलोक्य नापने की उतावली की जद में था। अज्ञेय ने *नया प्रतीक* का सम्पादन शुरू किया ही था, कि मैंने एक निबन्ध उसमें प्रकाशनार्थ भेज दिया। निबन्ध वापस आ गया। उसके साथ एक लम्बा पत्र निकलाः अज्ञेय की हस्तलिपि में। निबन्ध न छपने का गम तो उसी बात से काफूर हो गया। मैं रोमांचित था।

पत्र में कुछ सलाह-मशविरे थे। अन्त में एक पंक्ति थी, "हम आपका निबन्ध अवश्य छापना चाहेंगे।" पत्र करिश्मे जैसा था। उस घनघोर जंगल में न जाने

कितने जनों को यह पत्र पढ़ाया। लगभग एक वर्ष बाद एक निबन्ध फिर मैंने *नया प्रतीक* को और भेजा। इस दफा कोई पत्र नहीं, न प्रकाशन से सम्बन्धित कोई सूचना। एक दिन *नया प्रतीक* का अंक डाक से आया। निबन्ध उसमें छपा हुआ था। अब अज्ञेय से मौन सम्भाषण जैसा चल निकला। मैं निबन्ध भेजता और वे उसे प्रकाशित कर देते। अज्ञेय की यह महत्त्वपूर्ण मौन स्वीकृति एक नये लेखक को साहित्य की सीढ़ियों पर चढ़ने का साहस दे रही थी। उनकी आत्मीयता ने मुझे उस पत्र से भी छुआ, जिसमें उन्होंने मुझे वृन्दावन वत्सल निधि शिविर में आमन्त्रित किया था।

इस शिविर में केवलादेव पक्षी विहार (भरतपुर) में लेखकों के भ्रमण का कार्यक्रम था। वहाँ पहुँचने के लिए सुबह ही हम लोगों का काफिला चल पड़ा था। डॉ. विद्यानिवास मिश्र को दोपहर के भोजन का प्रभार सौंपा गया था। उन्होंने अपने किसी स्थानीय प्रिय पात्र को इसके लिए चुना था। भोजन की व्यवस्था का लचीलापन इस कदर खिंचता गया कि पक्षी-विहार में दोपहर ढलने तक हर दिशा से भोजन गन्धी हवा की सरसराहट बनी रही। सब तितर-बितर हो गये। मैं, गोविन्द मिश्र और इलाजी उस तरफ बढ़ गये थे जिधर विदेशी पक्षी अपनी चोंचें मटका रहे थे। हम पक्षियों को देख रहे थे और पक्षी हमारी आहट ले रहे थे। वे शायद चौकन्ने हो गये थे। हमारी उपस्थिति से वे विहंगम दृश्य रचते हुए झुरमुटों में हिलबिलान हो रहे थे। हमारे इस पक्षी-उड़ानी प्रवेश से वहाँ कैमरा साधे खड़े अज्ञेय, हतलक्ष्य हुए थे। मुस्कुराते हुए उन्होंने हमें देखा। दोपहर की शीर्ष ऊँचाई पर से सूर्य की किरणें उनके पसीने से परिपूरित माथे को छू रही थीं। वे बिना कुछ बोले वहाँ से खिसक गये।

तभी वे टकरा गये एक नव-विवाहित जोड़े से। छरहरे लम्बे गौरवर्णी युवक ने उनके पैर छुए। जीन्स पहने चारु चकित हिरणी-सी युवती औचक घटे इस प्रसंग से उपजी उत्फुल्लिता को शायद अपने भीतर-भीतर ही आस्वादित कर रही थी। तब तक हम लोग भी इस प्रिय-प्रवास के सौजन्य सान्निध्य में सम्मिलित हो गये थे। युवक ने बताया कि वह अमृतराय का चिरंजीव है। विवाह के बाद मधु छंदस् विहार करने पक्षी-क्रीड़ा-स्थली में आया है। उसने अज्ञेय को पहचान लिया था। अज्ञेय ने उस जोड़े को अपनी टोली में शामिल कर लिया।

देखते-देखते सूर्य अपने शीर्ष से ढुलक गया। हम सब एकत्रित थे। भोजन का अब भी अता-पता नहीं था। विद्यानिवास जी के चेहरे पर चिन्ता की रेखाएँ उभर आयी थीं। अज्ञेय ने साथ में रखे बिस्किट और फल हम लोगों को दिए। स्वयं कुछ नहीं खाया। वे बार-बार विद्यानिवास मिश्र को देख लेते थे एकदम शान्त, अनुद्वेलित। लेकिन लग रहा था कि वे चिन्तित हैं। ढलते सूरज ने हमारे

भ्रमण-ताप को कुछ कम किया। तभी एक जीप आकर हमारे दल के बीचोबीच खड़ी हो गयी! भोजन आ गया था। चेहरे खिल उठे। अज्ञेय स्थिर थे। विद्यानिवास किंचित आक्रोशित। बड़े नेह-दुलार से दोनों ने हमें भोजन कराया। अज्ञेय के भीतर वत्सलता का अजस्र स्रोत था। उनसे दूर-दूर रहने वाले इस स्रोत की फुहार नहीं छू पाते थे। वे अज्ञेय को अहं से विजड़ित संगमरमरी मूर्ति जैसा अनुभव करते, अपनी-अपनी छेनियों से इस मूर्ति को छीलते रहते थे।

अज्ञेय का विश्वास पक्ष अडिग था। वे विश्वास बाँटते और सहेजते थे। बरगीनगर में वत्सल निधि शिविर आयोजित करने का निश्चय किया गया। रामप्रताप खरे बरगीनगर में अधीक्षण अभियन्ता थे। अज्ञेय से तो नहीं, विद्यानिवास मिश्र से वे परिचित थे। बरगीनगर के आयोजन में जो पूर्व ताना-बाना बुना गया था उसमें रामप्रताप खरे और विद्यानिवास मिश्र की बुनकर जैसी भूमिका थी। आयोजन से कुछ पूर्व मुझे अज्ञेय का पत्र मिला। उसमें बरगीनगर के आयोजन का मैदानी भार मुझे देते हुए लिखा, “आप ही मेरे परिचितों में बरगीनगर के पास हैं, इसलिए आपको इस शिविर की गतिविधियों में आयोजक की तरह सक्रिय रहना है।” आयोजन के पहले दिन उन्होंने मुझे उस जगह बुलाया जहाँ ठहरे हुए थे। उन्होंने मुझे लाल कपड़े वाली एक थैली दी। कहने लगे, “इला जी अपनी व्यस्तता के कारण नहीं आ रही हैं। वे ही इस तरह का काम देखती थीं। उन्होंने यह थैली मुझे दी थी। मैं आपको दे रहा हूँ। अब आप हिसाब-किताब सँभालिए?” उन्होंने थैली में रखी हुई राशि की परिगणना बताई।

बरगीनगर के समापन अवसर पर जब वे सिंचाई विभाग के गेस्ट हाउस के पोर्च में खड़े थे, उनके चश्मे के भीतर से आँसुओं की बूँदें झलमला रही थीं। उस समय छोटा पुत्र मेरे साथ था। आठ-दस साल का रहा होगा। अज्ञेय ने शिविर के दौरान उसकी उनसे भी अधिक आवभगत की, जिन्हें उन्होंने आमन्त्रित किया था। विदा-वेला पर उन्होंने उसकी जेब में गुपचुप कुछ राशि डाल दी। गोया शिविर के लेखकों की तरह उसे भी वे अपने स्नेह का पत्रं-पुष्पं दे रहे हों।

बरगीनगर में बाँध बनाया जा रहा था। काम अपनी पूर्णता पर था। नर्मदा के चरफर स्वभाव को बाँध ने बाधित किया था। लगता था, नर्मदा बहुत गुस्से में है। उसके आस्फालन में प्रवाह की अनेक भंगिमाएँ थीं। उसका शक्तिपात पातालफोड़ जैसा दृश्य निर्मित कर रहा था। हम लोग इस दृश्य को निहारकर रात सात-आठ बजे अपने कार्यस्थल पर लौट आये थे। थकान तो थी ही, रात के भोजन में भी विलम्ब था। अज्ञेय को लगा कुछ होना चाहिए! उन्होंने सबको परिधि बनाते हुए बैठने को कहा। गोलमेज कॉन्फ्रेंस जैसा दृश्य बन गया। वे सूत्रधार और प्रस्तावक

की भूमिका में थे। उन्होंने स्पष्ट किया, "हम सब नर्मदा को देखकर आये हैं। नर्मदा हमारे भीतर है। एक-एक पंक्ति बोलकर हम सब एक संयुक्त कविता रचेंगे। पश्चिम में कविगण इस तरह की सम्मिलित रचना करते रहे हैं।" क्रमशः सभी ने अपने उमड़ते-घुमड़ते अनुभव को, विचार को, एक पंक्ति में कीलित करते हुए अभिव्यक्त किया। अज्ञेय अपनी नोटबुक में इस सद्यः सृजित कविता को नोट करते जा रहे थे। शिविरार्थियों ने अपने सहकार से एक कविता रच दी। अज्ञेय के खिलंदड़ेपन को लोग कहाँ जान पाये हैं।

अज्ञेय के भीतर जो एक सहज मजाकिया समाया हुआ था। वह उनकी अन्तरंगता में मन्द मुस्कान बनकर फूटता था। उनका व्यंग्य सार्थक चोट करने वाला संक्षिप्त अभिव्यक्ति में सिमटा रहता था। वे शब्दों के पारखी थे, उनका व्यंग्य-विशेष कभी-कभी शब्दों के ध्वनि-विपर्यय से भी फूट पड़ता था। वे 'शुक्ला जी' को 'शू-कला' कहकर अपने आत्मीय के सम्बोधन को किंचित् हास्य का पुट दे सकते थे। वे शब्द-क्रीड़ारत रहने वाले शब्द-व्यसनी भी थे। रमेशचन्द्र शाह एक दिन सुना रहे थे कि कैवेंटर लेन वाले आवास में वे जब-तब अंग्रेजी शब्दों की स्पेलिंग की माथापच्ची वाली युगल-क्रीड़ा का अवसर निकाल लेते थे। संयत, सावधान अज्ञेय का यह भावुक और बाल विनोदी स्वभाव कभी-कभी ही प्रकट होता था। वे सब जगह या हरेक से खुलना पसन्द नहीं करते थे। शायद अपने अनखुले प्रचार से वे मन ही मन कभी खिल भी उठते होंगे।

अज्ञेय ने प्रकृति को जिया। जंगल, नदी, पहाड़, उनके आत्मीय थे। पहला ही दिन था शिविर का। चारों दिशाओं से लोग आ रहे थे। मैं एटा से जबलपुर पहले पहुँच चुका था। कुतुब एक्सप्रेस से अज्ञेय और दिल्ली वासी अन्य साहित्यकार आ रहे थे। मुझे स्टेशन पर स्वागत करना था। जैसे ही मैं स्टेशन पहुँचा, देखा अकेले अज्ञेय चले आ रहे हैं। न कुतुब आयी, न अन्य कोई संगी-साथी! ये कैसे आये! क्या रात से ही यहाँ रुके हैं? बहुत सारे प्रश्न मेरे मन में थे। उन्होंने बताया वे हवाई जहाज से आ रहे हैं। अब स्टेशन पर सभी आगन्तुकों का स्वागत करेंगे। अज्ञेय का प्रवेश हर जगह चौंकाने वाला है।

जबलपुर से थोड़ी ही दूरी पर बरगीनगर इंजीनियरों, ठेकेदारों और मजदूरों की बस्ती है। केवल एक दशक पुरानी बस्ती। एक ऊँची पहाड़ी पर नन्दिकेश्वर शंकर की स्थापना वहाँ के वाशिन्दों ने की थी। नन्दिकेश्वर का पुराना मन्दिर बाँध की डूब में आ गया था। मन्दिर ही नहीं, लगभग डेढ़-दो सौ गाँव बाँध में समा रहे थे। विस्थापित लोग, विस्थापित ढोर-डांगर सब नये ढंग से पाँव टेकेंगे। जमीन छोड़ने का, नर्मदा का किनारा छोड़ने का दुःख उन्हें सालता होगा। नन्दिकेश्वर को भी

विस्थापित होना पड़ा। उनके लिए नया विशाल मन्दिर बन रहा है। बरगीनगर में अज्ञेय को घण्टा भर नहीं हुआ था, उनकी दृष्टि इस पहाड़ पर अटक गयी। वहाँ – उस शीर्ष पर पहुँचना है। फिर क्या था, पहाड़ को घेरते सर्पिल मार्ग पर हमारा वाहन था। मन्दिर तक पहुँचकर वे नन्दिकेश्वर के विस्थापन क्षेत्र के किसान-मजदूर के विस्थापन की त्रासदी का अनुभव कर रहे थे। वे बोले– 'शंकर को तो हमने मन्दिर दे दिया, लेकिन उन हजारों शंकरों का क्या होगा, जो अपने नन्दियों के साथ भटकने को मजबूर कर दिए जाएँगे।"

बरगीनगर में दूर-दूर तक फैली शिखर मालाओं के तल को अपने में समेटती, एक छोटी-सी नदी है – टेमर! इसके छोटे-छोटे जल प्रपात सोपान शृंखला-सी निर्मित कर रहे थे। झाड़ियों की ऊदी-ऊदी ऊँचाइयों में हिलबिलान-सी होती इस नदी के एक प्रपात स्थल पर सन्ध्या के मटमैले नीम-अँधेरे के हाथ अभी ठण्डे नहीं हुए थे। शिविरार्थियों का झुण्ड बिखर गया था – टेमर के इर्द-गिर्द! मैं अज्ञेय के साथ था। वे छाया आखेटक के रूप में किसी टीले पर चढ़ते – किसी निचाई में उतरते। कैमरे के साथ उनकी बालसुलभ हँसी होंठों पर बिखर उठती थी। मुझे आश्चर्य हो रहा था – इस उम्र में भी इतनी दौड़-धूप! टेमर की कगार पर उस दिन अनायास ही एक गोष्ठी चल पड़ी थी। लेखक और पाठक आमने-सामने! पाठक किसी को नहीं बख्श रहे थे। जो मन में आया सो कह दिया। कुछ बातें सच थीं और कुछ इस तरह थीं कि लेखकों से भिड़ने का मौका है तो क्यों न अच्छी तरह से खबर ली जाए। अधिकतर पाठकों ने नयी कविता की छन्द-मुक्ति को आड़े हाथों लिया था। मुझे आक्षेपों का उत्तर देना था। मेरी छन्द-पक्षधरता उत्तर में उजागर हो रही थी। अज्ञेय ने बीच में ही टिप्पणी जड़ दी– "आप तो वायदा माफ गवाह हो गये हैं!" माहौल एकदम खुशनुमा हो गया।

अन्त में अज्ञेय ने एक-एक कर सभी प्रश्नों के उत्तर दिए। उन्होंने कहा, "दो अभियोग यहाँ साथ-साथ अलग-अलग सत्ताओं द्वारा लगाए जा रहे हैं। पहला अभियोग इस नदी का है। इसकी कल-कल करती इस धारा का है, जिसकी ध्वनि के समान्तर काफी चिल्ला-चिल्ला कर बातें कही गयीं। हमें नदी को सुनना था, नदी को निहारना था, नदी के स्वर में डूबना था। वह जो कविता रच रही थी उसे सुनना था।" लगा सचमुच कहीं गलती हुई है। भ्रमण और पर्यटन की मानसिकता अलग होती है। पाठकों द्वारा लगाए गये अभियोगों से लहूलुहान होते विचारों और तर्कों के बीच सचमुच हमारे करीब बहती नदी का अस्तित्व ही समाप्त हो गया था। पाठकों के अभियोगों का उत्तर तो दिया जा सकता था, पर नदी का अभियोग अनुत्तरित ही रहा, जो अज्ञेय को सालता रहा।

वृन्दावन शिविर में युवा और युवतर कवियों की गोष्ठी चल रही थी। कुछ

वरिष्ठ जन इन कविताओं पर टिप्पणी कर रहे थे। अज्ञेय इस काव्य-पाठ और उसकी मीमांसा में खोए थे। गोष्ठी के समापन पर डॉ. शिवमंगल सिंह 'सुमन' ने प्रस्ताव रखा– अज्ञेय अपने कविता-पाठ से इस गोष्ठी का समापन करेंगे। अज्ञेय क्षणभर के लिए चकित हुए, फिर धीमे और विनम्र स्वर में उन्होंने इस प्रस्ताव को अस्वीकार कर दिया। डॉ. सुमन ने हठ पकड़ लिया। वे अपनी बात पर अडिग थे। अज्ञेय भी टस-से-मस नहीं हो रहे थे। डॉ. सुमन ने अस्वीकार को कुछ-कुछ अपनी तौहीन-सा समझा। उनका चेहरा लाल हो गया। जहाँ तक मुझे स्मरण आ रहा है, वे कह रहे थे– "मुझे तो इन तिथियों में जयपुर में आयोजित प्रगतिशील लेखक संघ के सम्मेलन में होना था। लेकिन भाई के कहने पर मैं यहाँ आ गया, और भाई हैं कि मेरा छोटा-सा अनुरोध तक नहीं मान रहे हैं?" अज्ञेय को अनुरोध नहीं मानना था, सो नहीं माना।

यह दृढ़ता अज्ञेय के पास थी। वे सहज और संवेदनशील थे, किन्तु ढुलमुल नहीं थे। व्यवस्था के भीतर ही वे अपनी समाई खोजते थे, हालाँकि कभी-कभी वे अपनी बनाई व्यवस्था में अपने संकोच के कारण कण्ठ-साध्य स्थितियों में पड़ जाया करते थे। बरगीनगर में प्रातः सत्रीय संगोष्ठी धुआँधार ढंग से चल रही थी। दो बजने को आया और एक वक्ता माइक छोड़ ही नहीं रहे थे। सब भूखे-लांघे बेमन से उन्हें सुन रहे थे। मैंने शिविर की व्यवस्था का हवाला देते हुए अज्ञेय से कहा कि भोजन कब का तैयार है। आप वक्ता को संकेत करें कि वे अपने वक्तव्य को संक्षिप्त कर दें। वे अविचलित रहे। मुझे सुन लिया। फिर वक्ता की तरफ मुखातिब हो गये और उसे गौर से सुनने लगे। करीब तीन बजे वक्ता ने माइक छोड़ा। सबने उन्मुक्ति की साँस ली। अज्ञेय ने मेरे करीब आकर धीरे से कहा, "उन्हें बोलने ही बुलाया गया है। कोई बोले और उसे रोका जाए – यह अच्छा नहीं। वे अपने आप रुक जाएँ, यही प्रीतिकर है।" दूसरे का सम्मान रखना अज्ञेय की प्राथमिकताओं में सबसे ऊपर रहा।

बरगीनगर में वे अकेले रुके थे। अन्यथा इला डालमिया उनके साथ होती थीं। बहुत सारी व्यवस्था वे अपनी तरह से अज्ञेय के लिए कर लेती थीं। यदि अज्ञेय को काव्य-पाठ करना है, तो इला कविताओं का चयन करती थीं – शायद उनका क्रम भी निर्धारित करती थीं। बाज वक्त तो मैंने देखा कि अज्ञेय काव्य-पाठ कर रहे हैं और इला डालमिया उनके पीछे खड़ी, पाठ के लिए कविताएँ थमाती जा रही हैं।

अज्ञेय अकेले थे। मैं सुबह-सुबह उनके पास व्यवस्था सम्बन्धी परामर्श लेने पहुँच गया। उनकी मेज पर एक विदेशी घड़ी रखी थी। वह कोयल की कुहू-कुहू उच्चारित करने लगी। मैंने उनसे पूछा कि घड़ी क्यों बोल रही है? वे सहज भाव से

बोले कि मुझे दवा लेने के लिए कह रही है। इला जी रहती हैं तो उस सबका खयाल रखती हैं। उन्होंने ही उस घड़ी में समय जमा दिया है, कि मुझे दवा लेनी है। दवा लेने के बाद वे मुझे जल्दबाजी में दिखे। मैं जब तक उनसे कुछ कहता, वे ही बोल उठे, "व्यवस्था आपको ही देखनी है, मुझे तो देखनी नहीं है। मैं भी आपकी ही व्यवस्था में शामिल हूँ, इसलिए कोई परामर्श मैं नहीं दूँगा।" मैं उनसे इतनी बात सुनकर चला आया। मन में बार-बार एक ही बात कौंध रही थी कि वे व्यवस्था प्रिय हैं, पर दूसरे की व्यवस्था में हस्तक्षेप करने के पक्षधर नहीं हैं।

वृन्दावन शिविर में अज्ञेय का फोटोग्राफर मन अधिक सक्रिय था। एक साहित्यकार बन्धु थे, जो फोटो उतरवाना पसन्द करते थे। उन्होंने समूह फोटो के लिए अज्ञेय को राजी कर लिया था। सुबह-सुबह सूरज पूरब में थोड़ा-सा ऊपर चढ़ा ही था कि उन्होंने अज्ञेय को बुला लिया। अज्ञेय अपना तिपाया कैमरा लेकर आ गये। कुर्सियाँ जम गयीं। वे सज्जन सभी को अपने-अपने कक्षों से खदेड़ लाये। कुछ मन से आये, कुछ बेमन। कुछ भुनभुनाते हुए भी आये, "बड़ा प्रचार-धर्मी व्यक्ति है, अब अज्ञेय के साथ फोटो खिंचाएगा और सबको दिखाएगा।" इन सबके बीच अज्ञेय एकदम चुस्त-दुरुस्त थे – पैंट और जर्किन पहने हुए। लोगों को फोटो के लिए बैठा रहे थे। अब अज्ञेय फोटो खींचते रहेंगे तो खुद फोटो में कैसे आएँगे? वे सज्जन, जो आयोजन के सूत्रधार थे, अज्ञेय के पास पहुँचे और अज्ञेय से अनुनय करने लगे कि यह काम किसी दूसरे को थमाएँ और आप हम लोगों के बीच बैठें। अज्ञेय महीन मजाक के मूड में थे। बोले, आपने तो समूह फोटो खींचने के लिए ही कहा था। सज्जन हतप्रभ हो गये। अज्ञेय ने तब कहा, 'चलिए बैठिए, मैं भी आ रहा हूँ।' बीच में उन्होंने एक खाली कुर्सी पहले ही छोड़ने का निर्देश दे रखा था। वे वहाँ आकर बैठ गये। साहित्यकार बन्धु फिर ससोपंज में थे कि अब क्या? फोटो कौन खींचेगा? अज्ञेय ने बैठे-बैठे ही कहा। तब सभी हँसे! कैमरे की ओर देखें! फोटो खिंच रही है। स्वयंचालित कैमरे ने फोटो ली। अब अज्ञेय की बारी थी। उन्होंने कहा, "आप लोग अब क्रम-भंग करके बैठें। मैं अपने लिए फोटो खींचूँगा।" उन्होंने पाँच-छह चित्र लिये। फोटो सैशन समाप्त हुआ।

आयोजन की आत्मीयता को आयोजन के उपरान्त तक बनाये रखना इस समय का दुर्लभ प्रसंग है। आप किसी आयोजन में सम्मिलित हुए। आयोजनकर्ता ने आभार व्यक्त किया। कोष संरक्षक ने आपकी यात्रा का पाथेय चुकाया। बात खत्म! अज्ञेय आयोजन के बाद भी आयोजन की स्मृतियाँ निरन्तर भेजते थे। आयोजन से हम लौटकर आते थे चार-छह दिन में उनका हस्तलिखित धन्यवाद-पत्र मिल जाता। फिर दो-तीन किश्तों में हमारे पास आयोजन के छायाचित्र आते। मुझे

उन्होंने वे चित्र भी भेजे थे, जिनमें मैं श्रोता की हैसियत से मंच के समक्ष बैठा था।

अज्ञेय का अपना आभिजात्य था। जितने वे प्रियदर्शी थे – उतने ही अपनी सुघड़ता के प्रति सावधान भी। उनका सौन्दर्यबोध अप्रतिम था। उनका सृजन उनके व्यक्तित्व की झलक देता है। शब्द के प्रति वे बेहद सावधान रचनाकार थे। उनकी कल्पना दृष्टि लोक जीवन के सौन्दर्यपरक बिम्बों को उभारने में सदैव तत्पर रही है। वे जितना जैसा है – वह उतना ही, वैसा ही प्रकट हो – में विश्वास करते थे।

एक बार उन्होंने हम लोगों से पूछ लिया– "आप लोग कविता लिखते हैं। यह बताएँ कि यह कैसे पता चलता है कि अब यहाँ कविता समाप्त हो रही है।" हम लोग अपनी तरह से उन्हें उत्तर देते रहे। वे सुनते रहे। उन्होंने कोई टिप्पणी नहीं की। शायद वे समकालीन कविता के स्फीत और आस्फालित लहजे को केन्द्र में रखकर अपनी प्रश्नात्मक टिप्पणी कर रहे थे। चतुर लोग अब अज्ञेय के प्रश्न की उत्तर श्रुतियों का अनुमान लगाते रहें!

गुजरते समय के साथ ही अज्ञेय के नये अर्थ निरन्तर खुलते जाएँगे, और हम उन्हें और अच्छी तरह से समझने में समर्थ हो पाएँगे।

35

आपका पत्र मिला

॥ महेन्द्र भटनागर

अपने प्रारम्भिक साहित्यिक जीवन में मैं 'अज्ञेय' जी से बड़ा प्रभावित था। उनसे मेरा प्रथम साहित्यिक परिचय 'रोज' (गैंग्रीन) शीर्षक कहानी के माध्यम से हुआ। इस कहानी के कला-सौन्दर्य और मनोवैज्ञानिक चित्रण ने बहुत आकर्षित किया था। तदुपरान्त 'अज्ञेय' जी की और भी कहानियाँ भी पढ़ीं – जो उपलब्ध हो सकीं। *कोठरी की बात* (जेल-जीवन की कहानियों का संग्रह) पढ़ी। व्यक्ति के सम्बन्ध में, बहुत-कुछ उज्जैन-आवास के दौरान, प्रभाकर माचवे जी से सुना। बाद में, डॉ. शिवमंगल सिंह 'सुमन' जी से। *तार सप्तक* प्रभाकर माचवे जी के यहाँ ही देखा, सन् 1945 के बाद कभी। *तार सप्तक* के मुखपृष्ठ का चित्र देखकर 'अज्ञेय' जी की असाधारणता का बोध होता है। माचवे जी इस चित्र को समझ नहीं पाते थे; उन्हें वह कुछ उल्लू का-सा चित्र प्रतीत होता था! 'अज्ञेय' जी के वैशिष्ट्य पर हम प्रायः बात करते थे। *तार सप्तक* की प्रकाशन-योजना भी माचवे जी से ही विदित हुई थी। 'अज्ञेय' जी से मेरा सीधा परिचय व पत्राचार सन् 1948 में हुआ। उन दिनों मैं उज्जैन से *सन्ध्या* नामक मासिक पत्रिका का सम्पादन कर रहा था। *सन्ध्या* की प्रति 'अज्ञेय' जी को भी प्रयाग भेजी। 'अज्ञेय' जी का उत्साहवर्द्धक पत्र मिलाः

प्रयाग
दिनांक 17.11.48

प्रिय महेन्द्र जी,

'सन्ध्या' मिली। सुन्दर है, और आशा करता हूँ कि आप उसे निकाल ले जाएँगे। मध्य-भारत में नयी पत्रिकाओं के लिए काफी क्षेत्र है और आपको उसका लाभ उठाकर 'सन्ध्या' की उन्नति का प्रयत्न करना चाहिए।

मैं दिसम्बर में कुछ भेज सकूँगा; आप क्या एक बार याद दिलाने का कष्ट करेंगे?

सस्नेह, आपका
वात्स्यायन

'अज्ञेय' जी उन दिनों प्रयाग से *प्रतीक* निकाल रहे थे, श्रीपतराय जी के साथ। *प्रतीक* के अंक (हेमन्त/1948) में उन्होंने मेरी भी एक कविता *संकल्प-विकल्प* प्रकाशित कीः

आज यह कैसी थकावट?
कर रही प्रति अंग-रग-रग को शिथिल!
मन अचेतन भाव-जड़ता पर गया रुक!
ये उनींदे शान्त बोझिल नैन भी थक-से गये!
क्यों आज मेरे प्राण का
उच्छ्वास हलका हो रहा है,
गूँजते हैं क्यों नहीं स्वर व्योम में?

पिघलता जा रहा विश्वास मन का
मोम-सा बन,
और भावी आस भी
क्यों दूर-तारा-सी
दृष्टि पथ से हो रही ओझल?

व जीवन का धरातल
धूल में कंटक छिपाए
राह मेरी कर रहा दुर्गम!

गगन की घहरती इन आँधियों से
आज क्यों यह दीप प्राणों का
रहा उठ रह-रह सहम?

रे सत्य है,
इतना न हो सकता कभी भ्रम!

भूल जाऊँ?
या थकावट से शिथिल होकर
नींद की निस्पन्द श्वासों की
अनेकों झाड़ियों में
स्वप्न की डोरी बनाकर झूल लूँ?

इस सत्य के सम्मुख झुका कर शीश अपना
आत्म-गति को
(रुक रही जो)
रोक लूँ?

या सत्य की हर चाल से
संघर्ष कर लूँ आत्मबल से आज?

नागपुर विश्वविद्यालय से स्वाध्यायी परीक्षार्थी के रूप में हिन्दी में एम.ए. कर चुका था। महाराजवाड़ा शासकीय हाई स्कूल, उज्जैन में अध्यापक था, मात्र साठ रुपये प्रति माह पर! भूगोल और हिन्दी की कक्षाएँ पढ़ाता था। स्वयं को बड़ा असन्तुष्ट अनुभव करता था। किसी बेहतर कार्य व पद के लिए प्रयत्नशील था। पिताजी के वेतन से घर का गुजारा कठिन होता जा रहा था। परिवार की आर्थिक स्थिति खराब होने के कारण ही, बी.ए. करने के बाद, नौकरी करनी पड़ी थी।

'अज्ञेय' जी से सम्बन्ध क्रमशः विकसित होते गये। सोचा, क्यों न उनके माध्यम से ऑल इंडिया रेडियो की किसी नौकरी के लिए प्रयत्न करूँ। माचवे जी उन दिनों माधव इंटरमीडिएट शासकीय महाविद्यालय, उज्जैन में तर्क-शास्त्र, फिर अंग्रेजी के व्याख्याता थे। साहित्यिक ख्याति अर्जित कर चुके थे। उन दिनों पत्र-पत्रिकाओं में जमकर लिख रहे थे। मैं अध्यापकी से असन्तुष्ट था। समाचार-पत्रों में रोजगार सम्बन्धी विज्ञापन नियमित देखता था। एक दिन ऑल इंडिया रेडियो के प्रोग्राम-असिस्टेंट का विज्ञापन देखने में आया। तुरन्त पत्र लिखकर फॉर्म मँगवाया। फॉर्म भरने में कोई त्रुटि न रह जाए, इसलिए माचवे जी को दिखाने गया। माचवे जी मुझसे हर प्रकार से वरिष्ठ थे। उन्होंने देखा-भाला और फिर मैंने उसे पंजीकृत-डाक से निर्दिष्ट पते पर भेज दिया। उचित समय पर इंटरव्यू-कॉल आया बम्बई का। बड़ी खुशी हुई। फौरन माचवे जी को बताने उनके निवास पर पहुँचा। माचवे जी बोले, "मेरा भी इंटरव्यू-कॉल आया है बम्बई का। साथ-साथ चलेंगे। वहाँ ठाणे में मेरे एक रिश्तेदार रहते हैं, लोकल-ट्रेन निरीक्षक हैं। वहाँ ठहरेंगे।"

फिर, उन्होंने बताया कि जब मैं अपना भरा हुआ फॉर्म उन्हें दिखाने गया था, तब उन्होंने भी फॉर्म मँगवा लिया था और भरकर भेज दिया था। विज्ञापन तो उनकी नजर में आया नहीं, मुझसे ही जानकारी उन्हें मिली थी। अपने आवेदन के सम्बन्ध में उन्होंने मुझे कुछ बता नहीं रखा था। माचवे जी भी अपने पद से सन्तुष्ट नहीं थे। वे भी कहीं बाहर निकल जाने के लिए, मेरे समान, छटपटा रहे

थे। हम दोनों के इंटरव्यू, बम्बई में, एक ही दिन हुए। हम दोनों ने एक ही प्रान्त से, एक ही नगर से और एक ही मुहल्ले (माधवनगर) से आवेदन-पत्र प्रेषित किए थे। केन्द्रीय सरकार की नौकरी थी। एक बार में, एक ही स्थान से, दोनों का चयन किया जाना शायद ठीक न समझा गया हो। जाहिर है, माचवे जी की तुलना में मेरा पहले चुना जाना सम्भव (न्यायोचित) न था। और माचवे जी का ही चयन हुआ। लेकिन मुझे रिजेक्शन-कार्ड उस समय तक नहीं भेजा गया, जब तक माचवे जी ने ऑल इंडिया रेडियो, नागपुर में कार्य-भार ग्रहण नहीं कर लिया। यदि किसी कारणवश माचवे जी रेडियो की नौकरी स्वीकार नहीं करते तो फिर नियुक्ति-पत्र मेरे पास आता! प्रतीक्षा-सूची सम्बन्धी सूचना देने की प्रथा तब, लगता है, नहीं थी। गरज यह है कि मैं अपने अध्यापक-पद पर यथावत् बना रह गया!

इस पृष्ठभूमि में मैंने 'अज्ञेय' जी को लिखा। 'अज्ञेय' जी ने मुझे यथासमय उत्तर दियाः

प्रतीक/14 हेस्टिंग्स रोड, इलाहाबाद

17 जनवरी, 1949

प्रिय महेन्द्र जी,

आपका कार्ड मिला था। उसका उत्तर इसलिए नहीं दिया कि पड़ताल अभी बाकी थी।

रेडियो प्रोग्राम-असिस्टेंट और ट्रांसमिशन असिस्टेंट तो अभी और लिए जाएँगे। इनकी नियुक्ति तो नयी दिल्ली द्वारा होती है; लेकिन आप चाहें तो आवेदन लखनऊ के स्टेशन-डायरेक्टर को भी भेज सकते हैं। इलाहाबाद के लिए, जहाँ तक मुझे मालूम है, प्रोग्राम-असिस्टेंट नये नहीं लेकर लखनऊ और दिल्ली से ही पूरे कर लिए जाएँगे। लेकिन स्टाफ-आर्टिस्ट तो दो-तीन लिए जाएँगे और एनाउंसर भी। इनके लिए अगर आप आवेदन देना चाहें तो मुझे भेज दें। आशा है कि मैं कुछ सहायता कर सकूँगा। आप एक बाजाब्ता आवेदन-पत्र स्टेशन-डायरेक्टर लखनऊ के नाम भी भेज दें कि आप इलाहाबाद में स्टाफ-आर्टिस्ट या एनाउंसर होना चाहते हैं। जो आवेदन-पत्र भेजें, उसकी एक अतिरिक्त कॉपी मेरे पास भेज दें। मैं यहाँ से कोशिश कर लूँगा। आपको ऑडीशन के लिए आना होगा। जनवरी के अन्तिम और फरवरी के प्रथम सप्ताह में लोगों को उसके लिए बुलाया जाएगा। जिस तरह की योग्यताओं की जरूरत है, वह तो आप जानते ही हैं। मातृभाषा भी हिन्दी हो तो अच्छा है। इसके अलावा अगर आप बुन्देलखंडी या संयुक्त प्रान्त की और कोई जन-बोली बोल सकते हों तो उसका उल्लेख अवश्य कर दीजिएगा।

उत्तर शीघ्र दें और आवेदन तो फौरन भेज दें।
आशा है, आप प्रसन्न हैं।

स्नेही
वात्स्यायन

आवेदन के साथ ऐसी एक तालिका दे दें:
(अंग्रेजी में प्रोफार्मा का प्रारूप 'अज्ञेय' जी ने स्वयं लिखकर भेजा।)

'अज्ञेय' जी ने इतनी रुचि ली, देखकर मन उनके प्रति कृतज्ञता से भर गया। उस समय तक उनसे मिला तक न था। सूत्र मात्र रचनात्मक लेखन था, पत्राचार था। 'अज्ञेय' जी में एक बहुत अच्छे मित्र के गुण थे। सहयोग करना, उपकार करना उनकी प्रकृति थी। खेद है, उनके और निकट न आ सका।

निर्धारित कार्यक्रमानुसार उनसे मिलने इलाहाबाद तक भी न जा सका। कारण, यात्रा-भीरुता। 'अज्ञेय' जी को फिर लिखा और अपनी स्थिति बताई। इस बीच यह खबर सुनने में आयी कि नोबल पुरस्कार के लिए 'अज्ञेय' जी के नाम पर भी विचार हो रहा है। अतः पत्र में इसका उल्लेख किया। प्रभाकर माचवे जी आकाशवाणी केन्द्र, नागपुर से स्थानान्तरित होकर इलाहाबाद पहुँच चुके थे। इसकी सूचना 'अज्ञेय' जी ने दी और पत्रोत्तर में लिखा:

'अज्ञेय'/14 हेस्टिंग्स रोड इलाहाबाद
16 फरवरी, 1949

प्रिय महेन्द्र जी,

आपका 2 तारीख का पत्र मिला। यों तो आप इधर अभी आ गये होते तो अच्छा होता। जो कुछ निर्णय होना होता, जल्द पता लग जाता। लेकिन अब अगर सुविधा नहीं है तो मई के प्रथम सप्ताह में ही सही। इस बीच मैं फिर बात कर लूँगा।

श्री प्रभाकर जी आ गये हैं और मेरे साथ ही हैं। आपको अलग से पत्र लिख रहे हैं।

मेरी जब-तब जहाँ-तहाँ एप्लाई करने की बात उड़ती रहती है। ऐसी अफवाहों से, और नहीं तो, मेरा मनोरंजन तो होता ही है!

स्नेहपूर्वक आपका,
स.ही. वात्स्यायन

सन् 1950 लग गया। मैं एल.टी. कर चुका था। मध्य-भारत के तत्कालीन शिक्षा-संचालक भैरवनाथ झा ने साक्षात्कार के पश्चात् मुझे पदोन्नत कर, व्याख्याता बनाकर, इंटरमीडिएट कॉलेज, धार स्थानान्तरित कर दिया। इससे आर्थिक दृष्टि से भी कुछ राहत मिली। अन्यत्र जाकर नौकरी करने का विचार त्याग दिया। लेकिन नागपुर विश्वविद्यालय से पीएच.डी. उपाधि प्राप्त करने का निश्चय किया। डॉ. विनयमोहन शर्मा के निर्देशन में। विषय रखा – 'प्रेमचन्द के समस्यामूलक उपन्यास'। इस सम्बन्ध में 'अज्ञेय' जी को बताया और उनकी राय ली। प्रेमचन्द का उपन्यास-साहित्य खरीदना था। श्रीपतराय जी को लिखने के पूर्व 'अज्ञेय' जी को लिखा। उन्होंने, श्रीपतराय जी से कहकर, प्रेमचन्द के उपन्यासों का सेट मुझे उपहारस्वरूप तुरन्त भिजवा दिया। इस सबसे सम्बन्धित उनका पत्र इस प्रकार है:

इलाहाबाद
29 अगस्त, 1950

प्रियवर,

आपका पत्र दिल्ली से लौटकर कल देखा। आप धार में नियुक्त हो गये, जानकर आनन्द हुआ।

प्रेमचन्द के 'समस्यामूलक' उपन्यास कौन से हैं? मेरी समझ में तो सब सामाजिक हैं या व्यक्ति चरित्र के उपन्यास हैं। यों उपन्यास कला आदि के विषय में पुस्तकों की सूची आपको कुछ दिनों बाद याद दिलाए जाने पर दिल्ली से भेज दूँगा। मैं अब इधर कम और दिल्ली अधिक रहता रहूँगा – प्रतिमास एक सप्ताह इलाहाबाद और तीन सप्ताह दिल्ली। दिल्ली का पता है द्वारा *थॉट* साप्ताहिक, 35 फैज बाजार रोड, दरियागंज, दिल्ली। आपका पत्र श्रीपत जी को देकर उन्हें कहे दे रहा हूँ; आप उन्हें या अमृत को सीधे पत्र लिख सकते हैं। पता – श्रीपतराय, 6 ड्रमंड रोड, इलाहाबाद।

सस्नेह,
वात्स्यायन

'अज्ञेय' जी के उपर्युक्त पत्र में व्यक्त विचार के आलोक में ही मैंने 'समस्यामूलक उपन्यास' का विस्तृत सैद्धान्तिक विवेचन प्रस्तुत किया। शोध प्रबन्ध के 'प्रवेश' में भी अपना मन्तव्य स्पष्ट किया। विवादास्पद पक्ष ही शोध को नवीनता व मौलिकता प्रदान करते हैं। वस्तुतः लेखक की अपनी थीसिस यही होती है। सर्वमान्य पक्षों पर लिखना इतना धारदार नहीं होता। उसमें मात्र श्रम है – चाहे वह विवेचन-विश्लेषण का ही क्यों न हो। नवीन स्थापना सही अर्थों में शोध है।

'अज्ञेय' जी को मात्र एक बार प्रत्यक्ष देख-सुन सका, जब वे माधव महाविद्यालय, उज्जैन किसी कार्यक्रम में आये थे। सन् ठीक - ठीक स्मरण नहीं। सम्भवतः सितम्बर 1955 के पूर्व। उन दिनों 'सुमन' जी भी उज्जैन में थे।

प्रगतिशील काव्य-धारा से जुड़े होने के कारण मैंने 'अज्ञेय' जी की प्रकाशन योजनाओं में सम्मिलित होना कभी नहीं चाहा। *सप्तकों* में स्थान मिले ऐसा कभी सोचा तक नहीं, यद्यपि गिरिजाकुमार माथुर चाहते थे। *आलोचना* (जुलाई, 1954) में प्रकाशित उन्होंने अपने एक लेख ('नई कविता का भविष्य') में ऐसा संकेत भी दिया। इसके पूर्व गजानन माधव मुक्तिबोध ने आकाशवाणी-केन्द्र नागपुर से मेरी काव्य-कृति *टूटती शृंखलाएँ* (प्रकाशन 1949) की समीक्षा *तार सप्तक* के परिप्रेक्ष्य में प्रसारित करते हुए उसे *तार सप्तक* की परम्परा का काव्य स्थापित किया था।

'अज्ञेय' जी के काव्य पर, सन् 1946 में प्रकाशित *इत्यलम* संकलन के आधार पर, मैंने अपने छात्रों को एक आलेख का डिक्टेशन दिया था। वह *आधुनिक साहित्य और कला* में और फिर *समग्र* में समाविष्ट है। छात्रोपयोगी दृष्टि के कारण उसमें नया स्वतन्त्र स्व-चिन्तन नहीं, मात्र सामान्य विशेषताओं का उल्लेख है।

'अज्ञेय'-काव्य में बहुत-कुछ स्पष्ट, सम्प्रेषणीय, कलात्मक व आकर्षक है, तो पर्याप्त दुरूह, जटिल व अस्पष्ट भी। उनकी समग्र साहित्य-साधना निस्सन्देह महत्त्वपूर्ण है, जिस पर तटस्थ-निष्पक्ष दृष्टि से विचार होना शेष है।

36

नदी के पार पेड़

॥ शीन काफ़ निज़ाम

मालूम हुआ कि मौसूफ़ (जिनका ज़िक्र है) अच्छे-ख़ासे मग़रूर और मर्दुमबेज़ार (मनुष्यों से मिलने से घबराने वाले) हैं। मैंने कहा, "हमारे गली क़ासिम जान वालों ने कह रखा है:

पानी से सगगज़ीदा डरे जिस तरह 'असद'
डरता हूँ आईने से कि मर्दुमग़जीदा हूँ

(असद! जिस तरह कुत्ते का काटा पानी से डरता है, मैं उसी तरह आईने से डरता हूँ कि आदमी का मारा (काटा) हूँ!)

मुमकिन है आदमज़ाद ने बड़ी तकलीफ़ें पहुँचाई हों। ऐसे आदमी से तो ज़रूर मिलना चाहिए आख़िर दूर ही के सही, हैं तो हमारी ही मर्दुमगज़ीदा बिरादरी के।" जवाब में बताया-समझाया गया कि बड़े चुप्पे हैं। बोलने से डरते हैं। अपने आसपास शब्द नहीं, सन्नाटा बुनते हैं। सन्नाटा भी मनहूस! उबाने-भगाने वाला।

आख़िर आदमी ने कच्चा दूध पिया है और मैं भी आदमी ठहरा। सो उनसे दूर रहने में ही अपनी आफ़ियत (चैन, भलाई) समझी।

और 'अज्ञेय' जब तक जोधपुर में रहे, मैं उनसे दूर-दूर ही रहा। उनसे ज़्यादा अपने से डरता हुआ। मग़रूर आदमी की कौन-सी बात लग जाए। वैसे भी मेरे अपने ख़याल में जिन लोगों को हम पसन्द करते हैं, उनसे एक उचित दूरी तब तक बनाए रखनी चाहिए, जब तक हम उनके मिजाज और आदतो-अतवार को ठीक-ठीक समझ न लें। हम उर्दू वालों की कमज़ोरी या क़ुव्वत यह है कि हम मिज़ाजन् उस्ताद ज़ौक़ के इस शे'र पर ईमान रखते हैं:

बजा कहे जिसे आलम उसे बजा समझो
ज़बाने-ख़ल्क को नक़्क़ारा-ए-ख़ुदा समझो।

यानी जिसे बहुसंख्यक कहें, उसी को सही समझो।

लेकिन यहाँ एक वाक़ये का ज़िक्र ज़रूरी मालूम होता है।

सन् 1971 या 72 में, जोधपुर के टाउन हाल में 'शामे-फ़िराक़' का आयोजन हुआ। प्रोग्राम कुछ यों हुआ कि फ़िराक़ साहब के कुछ विद्यार्थी जोधपुर में कार्यरत थे। उन्हीं लोगों ने मिलकर यह आयोजन किया था। इसमें फ़िराक़ साहब अपनी पसन्द के कुछ शायरों के साथ तशरीफ़ लाये। फ़िराक़ साहब को देखने-सुनने के लिए शहर उमड़ पड़ा। हाल में तिल धरने को जगह न थी। बालकनी खचाखच भरी हुई थी। आजू-बाजू की जगहें भी पुर हो चुकी थीं। इतने में मेरी नज़र बालकनी पर पड़ी। देखा कि अज्ञेय एक तरफ़ खड़े हैं। मैंने ग़ौर किया कि जब तक पहले दौर में फ़िराक़ साहब ने पढ़ नहीं लिया, अज्ञेय बालकनी में ही खड़े रहे। पहले दौर के बाद वे चले गये या उन्हें शायद सीट मिल गयी, नहीं जानता, लेकिन पहले दौर में उन्हें इस तरह खड़े देखना अच्छा नहीं लगा। लेकिन इस वाक़ये से यह अन्दाज़ा ज़रूर हो गया कि उनके मन में अपने समकालीन बड़े कवि के प्रति कितना सम्मान था। मैं यह भी नहीं जानता कि फ़िराक़ साहब को इसकी सूचना हुई कि नहीं और अगर हुई होती तो उन पर इसकी क्या प्रतिक्रिया हुई होती? बहरहाल, अज्ञेय के बारे में सुनी हुई बातों पर शक तो ज़रूर हुआ, परन्तु तसदीक़ तो बरसों बाद होनी थी। बड़ी वजह वही ज़बाने-ख़ल्क़ थी जो उनसे किसी न किसी असाहित्यिक कारण से नाराज़ थे। या बक़ौल यगाना चंगेज़ीः

सब तिरे सिवा काफ़िर आख़िर इसका मतलब क्या
सर फिरा दे इंसा का ऐसा ख़ब्ते-मज़हब क्या

मेरी तर्बीयत (दीक्षा) में मैथिलीशरण गुप्त थे। पहली बार 'अज्ञेय' का नाम अपने करमफ़र्मा स्व. डॉ. हरगोविन्द पुरोहित से सुना। उन्होंने *विपथगा* के बारे में तफ़सील से बताया। डॉ. पुरोहित जोधपुर में मेडिकल ज्यूरिस्ट थे, लेकिन पढ़ने के मरीज़। उन्हीं के समकालीन पत्रकार-साहित्यानुरागी स्व. नारायणदास (उमराव जी), जो राय-वादी थे, एक बार मुझे कहा कि यह कविता देखोः

आओ बैठें
इसी ढाल की हरी घास पर।
माली-चौकीदारों का यह समय नहीं है...

कुछ दिनों बाद उन्होंने एक किताब दी जिसका नाम था *सुनहले शैवाल*। मैं उसमें छपी तस्वीरें देखने लगा तो बोले, यह कविता देखोः

हम ने
शिखरों पर जो प्यार किया
घाटियों में उसे याद करते रहे
फिर तलहटियों में पछताया किए
कि क्यों जीवन यों बरबाद करते रहे

ये खुले दिमाग़ों के ज़हीन लोग थे। बुराई पर ख़ामोश, अच्छाई की खुलकर तारीफ़ उनका मज़हब था। टोकने-रोकने का भी एक अलग अन्दाज़ होता था। मुक्तिबोध का संग्रह *चाँद का मुँह टेढ़ा है* भी इन्हीं के ज़रिए पढ़ने को नसीब हुआ।

अज्ञेय जापान में हैं या फ़लाँ शहर में, इसकी इत्तिला भी ऐसे ही लोगों से मिलती रही।

जिस ज़माने का ज़िक्र हो रहा है, वह ज़माना *अज्ञेय की काव्यतितीर्षा* के प्रकाशित और चर्चित होने का है। उसके लेखक नन्दकिशोर आचार्य, जिनसे मेरा परिचय स्व. नन्दकिशोर बोड़ा ने कराया था, अक्सर जोधपुर आते-जाते थे। वे एक बार 'अज्ञेय' से मिलने जोधपुर आये। मिलकर लौटे तो मैंने अपने अनुभव सुनाते हुए अज्ञेय के बारे में पूछा तो 'मुझे तो ऐसा नहीं लगा,' कहकर टाल गये। जी में आया इन्हीं के वसीले से एक बार देख-मिल लेने में क्या बुराई है। लेकिन सुनी हुई बातों का असर बहुत गहरा था। श्रव्य-परम्परा की अपनी करामात होती है। फिर एक दिन खबर आयी कि 'अज्ञेय' जोधपुर छोड़ गये।

मेरी उनसे पहली मुलाक़ात या परिचय, जोधपुर रेलवे स्टेशन पर हुआ। वे किसी कार्यक्रम में शायद व्याख्यान देने आये थे। मित्रों का आग्रह था कि उनका काव्य-पाठ हो। आचार्य जी से बात की। उन्होंने कहा आप पत्र भिजवा दें, कार्यक्रम हो जाएगा। मैं अजीब उलझन में था। ख़त कैसे लिखूँ? जान न पहचान, ख़ाला बड़ी सलाम! फिर काव्य-पाठ के लिए निमन्त्रण कैसे दिया जाय। मानदेय का क्या बनेगा? मैंने फिर आचार्य जी से कहा कि आप ही उन्हें हमारी तरफ़ से दावत दे दें। जोधपुर आपका भी तो शहर है।

अचानक एक दिन एक अन्तर्देशीय-पत्र मिला। जिसमें काव्य-पाठ की स्वीकृति और मुझसे मिलने की इच्छा थी। तो स्टेशन पर जब मेरा उनसे आचार्य जी ने परिचय कराया तो मुस्कुराते हुए इतना-भर पूछा, "मेरा पत्र आपको मिल गया था?" मैंने हाँ में सर हिला दिया। मैं, समझिए, फ़िराक़ साहब का शे'र बना खड़ा था:

तुम मुख़ातिब भी हो, क़रीब भी हो
तुमको देखें कि तुमसे बात करें

व्याख्यान के दूसरे रोज़ कविता-पाठ होना था। कुछ कारणों से स्थानीय सूचना केन्द्र के जिस हाल में कविता-पाठ होना था, वहाँ से कार्यक्रम पुस्तकालय में लाना पड़ा। कड़ी गर्मी के सबब जब सुनने वाले गर्मी से घबरा रहे थे, अज्ञेय बिना गर्मी की बात किए दो घण्टे तक कविताएँ पढ़ते रहे और बिलकुल सहज। खचाखच भरे पुस्तकालय-हाल से बाहर आने वाले मुझे मुबारकबाद देते और मैं यह सोच रहा था कि समाअत (सुनने) से ज़ियारत (देखने) बिलकुल उलट साबित हुई!

जोधपुर में वे महेश शिक्षण संस्थान के मेहमान थे। मैंने चाहा कि एक दिन वे घर पर आएँ। लेकिन उन्हें कहना मेरे लिए मुश्किल और आचार्य इस मामले में मेरी मदद करने को तैयार नहीं थे। जोधपुर छोड़ने से एक दिन पहले ख़ुद ही बोले, "घर कब चलेंगे?" मैं हैरान। आज ही। ठीक है। बहुत ही सादा-सा खाना था। मेरे दिमाग़ में जो अज्ञेय बने थे, उनके लिए तो वह बहुत ही बुरा रहा होगा। लेकिन हाथ धोते हुए बोले– "फूड एट लास्ट!" बड़े लोगों की दावतें खाते हुए खाना तो भूल ही गये। इन तीन दिनों में उनके सामने मैं तो हाँ-हूँ से ज्यादा बोला ही नहीं था। मौक़ा पाकर उन्होंने यह भी कहा– "निज़ाम साहब, आप तो मुझसे भी कम बोलते हैं।" मैं बड़ी मुश्किल से अपना क़हक़हा रोकता वहाँ से भाग लिया। बाद में दोस्तों ने मेरा कितना मज़ाक़ बनाया होगा, आप कल्पना कर सकते हैं। यह सिलसिला आज भी अन्तरंग मित्रों में जब-तब छिड़ जाता है।

दिल्ली पहुँचकर अज्ञेय ने पहुँच का ख़त लिखा। इस यात्रा ने उनके बारे में मेरी जो भी ग़लतफ़हमियाँ थीं, उन्हें दूर कर दिया। मैंने उन्हें हमेशा सहज पाया। उन तीन दिनों की नज़दीकी में मैं यह समझा कि तिल का ताड़ और राई का पहाड़ बनाना हमारा सबसे प्रिय शौक़ है। हमदर्दी का रूमाल हर वक़्त हमारे हाथ में रहता है और जब वह किसी काम न आ सके तो हमें कोफ़्त होती है। हम दूसरों के बारे में अधिक से अधिक जानना और अपने बारे में कम-से-कम बताना चाहते हैं। सामने वाला जब अनावश्यक जानकारी नहीं देता तो हम अपनी कल्पनाओं से प्राप्त जानकारियों को फैलाते फिरते हैं।

जोधपुर प्रवास की एक अहम बात तो बताना भूल ही गया। घर से होटल जाते हुए पता नहीं कहाँ-किधर से आधुनिक उर्दू-काव्य का ज़िक्र निकल आया। मैंने अपनी तरफ़ से इत्तिला देते हुए कहा कि हिन्दी कविता में जो मुक़ाम और मर्तबा आपको और शमशेर को हासिल है, उर्दू-शाइरी में वही मुक़ामो-मर्तबा मीरा जी और नून मीम राशिद का है। उन्होंने बड़ी नम्रता से कहा– उनसे तो मेरा परिचय है। ऑल इंडिया रेडियो में कुछ समय साथ भी गुज़रा है। बाद में मालूम हुआ कि उनकी शुरू की तालीम फ़ारसी और संस्कृत में हुई थी। शायद वे इसीलिए शब्द शनास ही नहीं, शब्दों के

मिज़ाजशनास भी थे। किस शब्द से कितना और कैसे बरामद किया जा सकता है, यह हुनर मैंने 'मीर' के बाद उन्हीं के यहाँ पाया।

एक बार उन्होंने पूछा कि "जिसके लिए वसीयत की जाय उसे क्या कहेंगे?" मैं, पूरा यक़ीन होते हुए भी, हिचकिचाते हुए बोलाः 'वसी'! उनके चेहरे ही से जाना कि मैं ठीक हूँ और परीक्षा में पास हो गया हूँ। इसी तरह एक रोज़ दिल्ली में स्व. विष्णुकान्त शास्त्री उनसे मिलने आये हुए थे और मालूम नहीं किस प्रसंग में अज्ञेय को उन्हीं की कविताएँ सुना रहे थे। शास्त्री जी के बाद नन्दकिशोर आचार्य को ही अज्ञेय की इतनी कविताएँ जबानी सुनाते देखा-सुना है। मैं उनकी याददाश्त की दाद दे रहा था। इधर-उधर की बातों के बीच उर्दू-हिन्दी के अन्तर की बात आ गयी। अज्ञेय जी ने कहा, 'उर्दू के शायर से पूछिए।' शास्त्री जी ने मेरी तरफ़ देखा। मैंने कहा, हम 'वो ही' को 'वही' कहेंगे। 'वह' को 'वो' कहेंगे और बहुवचन में भी 'वे' नहीं 'वो' कहेंगे। 'मीर' और 'सौदा' के ज़मानों तक हम भी एकवचन के लिए 'वो' और बहुवचन के लिए 'वे' लिखते-बोलते थे, लेकिन अब तो यही सूरत है। हाँ, 'वह' शायद हमने कभी नहीं कहा। जैसे 'मीर' ने कहा हैः

—वे लोग तुम ने एक ही शोख़ी में खो दिए
—हम वे नहीं हैं जिन के ख़ूँ से तिरी राह सब है गुल

'अज्ञेय' जी के हाव-भाव ही से पसन्दो-नापसन्द का अन्दाज़ा किया जा सकता था। उर्दू के जिन बड़े शाइरों को मैंने क़रीब से देखा, उनके यहाँ भी कुछ इसी क़िस्म का अन्दाज़ होता था। यानी आप पर अगर विश्वास कर लिया गया है तो बहस में आपको आगे कर दिया गया है। लेकिन यहाँ तो आज भी अपने पर यक़ीन नहीं। मुझे लखनऊ का शिविर याद आता है। उसमें एक सत्र की अध्यक्षता मुझे करनी थी। जब कार्यक्रम का सिरा मुझ तक पहुँचा तो पसीने छूट गये। हिन्दी जगत के महारथी मसलन निर्मल वर्मा, रघुवीर सहाय, विजयदेव नारायण साही, डॉ. देवराज, विद्यानिवास मिश्र आदि मौजूद और विषय था — नये लेखकों की समस्याएँ। मैंने नन्दकिशोर आचार्य जी की तरफ़ मदद को हाथ बढ़ाया। मगर अल्लाह रे संगदिली, दोस्त ही क्या, जो मुश्किल मुसीबत में काम आये? सारे हवास जमा करके अज्ञेय जी से सवाल किया। वहाँ से भी ख़ाली हाथ ही लौटना पड़ा। इस फ़ैसले के साथ कि "अब तो परिवर्तन नहीं हो सकता।" ज़िन्दगी की पहली सदारत और यह कितनी बड़ी जिम्मेदारी है यह तो वही जाने जिसे कभी निबाहने के लिए मजबूर होना पड़ा हो। जान ज़ीक़। मदद के नाम पर इतना हुआ कि गोष्ठी में अज्ञेय बिलकुल मेरे पास बैठ गये। गोष्ठी सफल रही। कहने का मतलब यह कि फ़ैसला नहीं बदलेगा, आपकी हिचकिचाहट आप ही को

दूर करनी होगी। हौसले के लिए मौजूदगी कम नहीं है। तर्बीयत का यह तरीक़ा आत्म-विश्वास तो बढ़ाता ही है।

बाद के बरसों में, दिल्ली में, अक्सर उन्हीं के यहाँ कैवेंटर्स ईस्ट में ठहरना होने लगा। नन्दकिशोर आचार्य की हैसियत उस घर में अगर पुत्र-सी थी तो मेरी पुत्र-मित्र-पुत्रवत की सी। उनके यहाँ रहते हुए कई हिन्दी लेखकों तथा कलाकर्मियों से मिलने की सआदत हासिल हुई।

दूसरे कलाकारों से उनके रिश्ते कैसे थे, उसके लिए एक वाक़या सुनें। एक दिन 'अज्ञेय' नहा रहे थे और अपना प्रिय ट्रांजिस्टर मुझे दे गये थे कि मैं उनकी अदम मौजूदगी में क्रिकेट के स्कोर जानता रहूँ। मैं लॉन की धूप में बैठा पूरी तवज्जो से क्रिकेट की कमेंट्री सुन रहा था कि हुसेन साहिब (मक़बूल फ़िदा हुसेन) की तशरीफ़ आवरी हुई। सलाम के बाद हुसेन साहिब ने पूछा "भाई कहाँ हैं?" मैं कुछ कहूँ कि सामने से अज्ञेय जी नमूदार हुए। एक-दूसरे को सामने पाकर दोनों के चेहरे खिल गये। अज्ञेय जी ने अपनी ही तरह का कम्बलनुमा फ़िरन पहन रखा था। दोनों के दर्मियान जय-जय का आदान-प्रदान हुआ। अज्ञेय जी और हुसेन साहिब में बातें शुरू हुईं कि हुसेन साहिब ने उनकी फ़िरन के कन्धे पर पड़े बालों को हटाना शुरू किया। अज्ञेय जी ने जैसे आँखों ही में पूछा हो "क्या है?" हुसेन साहिब ने आँखों के अल्फ़ाज़ पकड़ते हुए कहा, "कुछ नहीं भाई, आपको छूने का बहाना ढूँढ़ रहा था।"

इसी तरह एक दिन इंडिया इंटरनेशनल सेंटर में खाने के लिए गये। खाने का ऑर्डर दिया जा चुका था। हम लोग बैठे इन्तज़ारी बातें कर रहे थे कि एक महिला ने उनके पास आकर निहायत अदब और एहतिराम से प्रणाम किया। मुझे लगा कि मैंने उन्हें कई बार देखा है। लेकिन कहाँ, यह समझ नहीं पा रहा था। इसलिए करीब ही बैठीं इला जी की तरफ देखा, कि वात्स्यायन जी ने कहा– "निज़ाम साहब, ये वैजयन्ती माला हैं, सुप्रसिद्ध नृत्यांगना।" फिर बोले, "ये हैं शीन काफ़ निज़ाम, प्रसिद्ध उर्दू शाइर।" 'शाइर' शायद इसलिए कहा हो कि उर्दू में इसका सही उच्चारण यही है। एक बार पं. विष्णुकान्त शास्त्री जी से इस पर अज्ञेय जी की मौजूदगी में बात हो चुकी थी।

एक दिन सुबह की चाय पीते-पीते पूछा गया, "आज का क्या कार्यक्रम है?" मैंने कहा, "कुछ नहीं।" बोले– "तो तैयार होकर नाश्ता किया जाता है।" नाश्ते की मेज़ पर पूछा, "आप को मालूम है कि रहीम कहाँ सो रहे हैं?" मैं इस अचानक सवाल के लिए तैयार नहीं था और जवाब भी कहाँ मालूम था। ख़ामोशी इख़्तियार करने में भलाई समझी। नाश्ते के बाद कहा– चलें? मैं सर हिलाकर पीछे-पीछे हो लिया। कार में भी मुकम्मल चुप्पी रही। कार एक इमारत के आगे रुकी। 'अज्ञेय'

ने उस इमारत को कई ज़ावियों (कोणों) से देखा। फिर अपने थैले से कैमरा निकाला। कुछ तस्वीरें लीं। डिकी में से स्टूल निकलवाया। उस पर खड़े होकर कुछ और फोटो लिये और चल दिए। थोड़ी देर बाद बोले, "यह रहीम का मक़बरा था।" मैंने कहा, "कितनों को ख़बर होगी?" "ऐसा तो नहीं माना जाना चाहिए।" बाद में, मैं सही साबित हुआ, यह एक अलग दास्तान है। इस घटना से यह मालूम होता है कि वे अन्य को कमतर नहीं समझते थे। हर सलाहियत, बल्कि सम्भावित सलाहियत, का भी सम्मान करते थे। इसी तरह का लेखक पाठक पर भरोसा कर सकता है।

वात्स्यायन जी को यह पसन्द नहीं था कि कोई उनके पैर छुए। लेकिन मुझे यह छूट थी। मुझे मद्रास जाना था। मद्रास (अब चेन्नई) जाने के लिए दिल्ली होकर ही जाना होता था। मैं मुलाक़ात के लिए हाज़िर हुआ। साथ में ए.डी. राही साहब भी थे। मुझे बताया-समझाया गया कि वहाँ कार्यक्रम के बाद महाबलीपुरम आदि स्थान अवश्य देख लेने चाहिए। खाने का ख़याल रखा जाना चाहिए। इस नसीहत के साथ इला जी ने पर्याप्त सामग्री भी एक थैले में भर दी। रुख़सत के वक़्त मैंने पैर छुए तो राही साहिब ने भी पैर छुए। राही साहब से तो अरे-अरे कहा, फिर मेरी तरफ़ देखते हुए बोले, "आप अपना सम्प्रदाय बढ़ा रहे हैं!"

मेरी एक किताब देवनागरी लिपि में छपनी थी। उर्दू में प्रकाशित काव्य-संग्रहों पर तो मैंने किसी से भूमिका लिखवाई नहीं थी। लेकिन जी चाहा कि नागरी में किताब आये तो उसके लिए किसी हिन्दी के सहृदय से भूमिका के लिए गुज़ारिश करनी चाहिए। मुल्ला की दौड़ मस्जिद तक। भाई नन्दकिशोर आचार्य से हिचकिचाते हुए अपनी इच्छा बताई तो मुझे बातों से बहला दिया। फिर कुछ सोचकर कहा— पाण्डुलिपि अज्ञेय जी को क्यों न दे दें! मैं हैरान। अव्वल तो उनसे सम्बन्ध ऐसे हैं कि अगर उन्होंने इनकार कर दिया तो बहुत बुरा लगेगा। दूसरे यह कि ज़रूरी नहीं कि जो आप पर इनायत करे, आप पर मेहरबान हो वह आप के कविता संग्रह की भूमिका भी लिखे। तीसरे वे इतने व्यस्त रहते हैं कि इस काम से उनके काम का नुक़सान होगा। ऐसे ही कुछ उल्टे-सीधे, बिना सिर-पैर के ख़यालात के कारण उन्हें कहने की हिम्मत नहीं हुई। हौसला तो पहले ही से जवाब दे चुका था।

अचानक एक दिन बैठे-बिठाए अज्ञेय ने पूछा— "नन्दकिशोर बता रहे थे कि आपकी पुस्तक हिन्दी में आ रही है?" मैंने कहा— "जी हाँ! मुसव्विदा तो तैयार है। प्रकाशक की तरफ से तक़ाज़ा भी है, लेकिन मामला भूमिका पर अटक गया है।" "किसी से बात हुई है?" "जी नहीं। न हिम्मत है, न हौसला।" "ऐसा क्यों?" मैं ख़ामोश!

मुझसे उनकी बातें क़िस्तों में होती थीं। दूसरे-तीसरे दिन फिर बात निकली।

मैंने अपने मन की कह दी। और बात बन गयी। मुझे लगता है कि उनके बारे में सुनी-सुनाई बातें और उनके व्यक्तित्व से आदमी ऐसा प्रभावित रहता था कि सहमा-सहमा रहता और अपनी इस कमज़ोरी को वह उनके मत्थे मढ़ता था। ख़ैर, बात भूमिका की थी। मुसव्विदा उनकी ख़िदमत में पेश कर दिया। लेकिन भूमिका आते-जाते भाव-भूमि पर शक के सपोलिये रेंगने लगे। बीच में वे विदेश चले गये। लौटकर शायद भूल गये या लिखी हुई भूमिका मुझे भिजवानी रह गयी। बहरहाल एक दिन मुझे वह भूमिका मिल गयी। उसके साथ पत्र भी था, जिसमें क्षमा माँगी गयी। हमारे ज़माने में सलीक़े और तकल्लुफ़ात (औपचारिकताओं) को तसन्नौ (बनावटीपन) से ताबीर किया जाता है। लेकिन हमें यह भी याद रखना चाहिए कि यह एक ज़माने की तहजीब़ी कद्र (सांस्कृतिक-मूल्य) भी तो है। और 'अज्ञेय' यथासम्भव उन मूल्यों का निर्वाह करते थे। (वह किताब *दश्त में दरिया* नाम से राजकमल से छपी।)

जिन लोगों को उनके यहाँ मेहमान बनने का मौक़ा मिला है, वे इस बात की ताईद करेंगे कि अज्ञेय बड़े मेहमाननवाज़ थे। मेहमान के मिज़ाज के मुताबिक़ तवज्जो करना पुरानी क़द्रों (मूल्यों) की कहानी है। लेकिन जो मेहमाननवाज़ी अज्ञेय जी के यहाँ होती थी, वह मिसाली थी। मेहमान बदमज़ा न हो इसकी मिसाल यह वाक़या है।

मैं और रमेशचन्द्र शाह वात्स्यायन जी के यहाँ मेहमान थे। सर्दियों के दिन थे और उस रात सर्दी कुछ ज़्यादा थी। हम लोग खाने की मेज़ पर बैठे हुए थे। खाना शुरू ही किया था कि वात्स्यायन जी अपनी जगह से उठे और चुपचाप बाहर निकल गये। इला जी, रमेश जी और मैं खाना खाते रहे। सोचा शायद कुछ याद आ गया हो। लेकिन जब वक़्त कुछ ज़्यादा होने लगा तो फ़िक्र हुई। इला जी देखने गयीं। थोड़ी देर में लौटकर आयीं, और बताया कि थोड़ा 'अनईजी फ़ील' कर रहे थे। लेटे हैं। अभी आ जाएँगे। मेरा माथा ठनका। लेकिन जैसा उन्होंने अपने हाव-भाव से प्रकट किया, उससे यही लगा कि मामूली बात है। गैस वगैरह बन गयी होगी। खाने के बाद हम लोग उनके कमरे में गये तो सूरत कुछ और पायी। डॉक्टर का नम्बर तलाश किया गया, लेकिन राब्ता न हो सका। दूसरे डॉक्टर की तलाश हुई तो वह भी दिल्ली से बाहर था। हम लोग चुपचाप बैठे रहे। कुछ देर बाद हम लोगों को कहा कि "मैं स्वस्थ हूँ, आप आराम करें।" सुबह डॉक्टर आया तो ई.सी.जी. से मालूम हुआ कि एन्जाइना है, उसका दर्द बर्दाश्त कैसे किया? मुझे *भवन्ती* वाला वाक़या याद हो आया। कोई महीने-डेढ़ महीने बाद मामूल पर आये। मेज़बान को ऐसे में भी यह ख़याल रहे कि मेहमान परेशान न हो। इसलिए अपने दर्द को दबा ले जाने वाले विरले ही होते हैं। ऐसा ही वाक़या उनकी बहन के

देहान्त पर हुआ। मैंने कहा था कि हमदर्दी जताने वालों को अगर हमदर्दी जताने का मौक़ा न मिले तो उन्हें बड़ी झुँझलाहट होती है। अब यह अपना-अपना मिज़ाज है कि कोई हमदर्दी हासिल करने के लिए तरह-तरह की कहानियाँ बनाता है और कोई चुपचाप सहन कर ले जाता है।

खाने के बड़े शौक़ीन — बल्कि चटोरे! लेकिन लज़ीज़ और उम्दा खानों के। यहाँ लज़ीज़ और उम्दा का मतलब ज़ायक़ा है, हलुवा मांडा नहीं। खाने के साथ-साथ खिलाने के भी बड़े शौक़ीन थे। पता नहीं, उन्हें कैसे ख़बर हो गयी कि मुझे आइसक्रीम मरग़ूब है। गला ख़राब हो जाता, इसके बावजूद आइसक्रीम खाता। अज्ञेय जी को भी शायद इसका शौक़ रहा होगा। राजस्थानी में एक कहावत है— "पूत रै मिस पोली खावै।" यानी बेटे या बच्चे के बहाने नर्म रोटी खाना। तो मेरे बहाने खुद भी आइसक्रीम पर हाथ आज़माते। मिठाई के भी शौक़ीन थे। लेकिन हर चीज़ में एक सलीक़ा और अनुकरणीय क़रीना होता था।

अगर मेरा हाफ़िज़ा दग़ा नहीं करता तो यह शायद बोधगया वाले लेखक शिविर की बात है। हम सभी लोग किसी बीहड़ में घूमने गये और तय हुआ कि रात को यहीं डाक बँगले में क़याम रहेगा। उन्होंने अपने मुक़ाम पर ही आराम करना चाहा। लेकिन उनके कमरे की चाबी का पता नहीं चल रहा था। नन्दकिशोर जी ने कहा— हमारे कमरे की चाबी ले लें। आचार्य जी और मैं एक ही कमरे में थे। चाबी मेरे पास थी इसलिए मेरी ढूँढ़ पड़ी। बात मालूम होने पर मैंने टालना चाहा। सबब, कमरा तो ग़ज़ल की रेजाकारी-सा छोड़ आया थाः कहीं कुछ तो कहीं कुछ। लेकिन ना-नुकर की कोई माकूल वजह भी नहीं थी। आख़िर चाबी देनी पड़ी। सुबह जब अपने कमरे में दाखिल हुए तो उसकी शक्लो-सूरत ही दूसरी पायी। सारी चीज़ें अपनी-अपनी जगह पर रखी हुई थीं। वे एक व्यवस्थित जीवन जीने के आदी थे। कवि-शाइर होना अस्त-व्यस्त या अव्यवस्थित होना तो नहीं! इशारे से शायद यही समझाया गया था। उन्हें कहकर नहीं, करके समझाने की आदत थी। कविता में भी वे जो चाहते थे, वही करते थे। मैंने कभी उन्हें किसी को रोकते-टोकते नहीं देखा। ग़ैर-ज़रूरी क्या, ज़रूरी दख़लंदाज़ी भी उनके मिज़ाज में नहीं थी। आप अपनी ज़िम्मेदारी समझते हुए जितना अच्छे से अच्छा कर सकते हैं, करें।

एक लेखक होने का स्वाभिमान उनमें बराबर दिखाई देता था। वे लेखकीय गरिमा के पक्षधर थे। उनके तौर-तरीक़ों से मालूम होता था कि वे लेखक को ग़ैरमामूली नहीं तो मामूली चीज़ भी नहीं समझते थे। लेकिन कोई दावा भी नहीं करते थे।

मैंने कहा उन्हें ग़ैर-ज़रूरी कुछ भी अच्छा नहीं लगता था — बोलना भी उसमें शामिल था। इसी तरह उन्हें ग़ैर-ज़रूरी पूछ-ताछ की भी आदत नहीं थी। आगा-तागा

लेना उन्हें नहीं आया। मैंने उन्हें कभी किसी की बुराई करते भी नहीं सुना। उनके खिलाफ प्रचार करने वालों के लिए भी कभी कोई हलकी बात नहीं सुनी। आदमी थे, बुरा तो लगता ही होगा। लेकिन आत्म-नियन्त्रण कमाल का था। इसीलिए तो अपने से छोटों की आलोचना भी न सिर्फ तवज्जो से सुनते, बल्कि मानने के काबिल होती तो मान भी जाते।

मानसर (जम्मू) शिविर में लम्बी कविता पर बात हो रही थी। 'असाध्य वीणा' का ज़िक्र आना ही था। डॉ. रामस्वरूप चतुर्वेदी की किसी बात पर नन्दकिशोर जी ने इसी कविता का हवाला दिया और बहस पर फैसले के लिए 'अज्ञेय' जी ही को कह दिया गया। नन्दकिशोर जी का तर्क और आपत्ति दोनों ही अज्ञेय जी के विरुद्ध पड़ती थीं। लेकिन उन्होंने फ़ैसला आचार्य जी के पक्ष में, यानी अपने ख़िलाफ़ दिया। मैं ठहरा उर्दू परम्परा का पर्वर्दा – ख़ता-ए-बुज़ुर्गां ग़िरफ़्तन ख़तास्त (बुज़ुर्गों की ग़लती पकड़ना भी ग़लती है) – इसलिए मेरा नारियल चटख़ना सही था। गोष्ठी के बाद आचार्य जी के लत्ते लेने लगा। खरी-खोटी भी सुना ही दी होगी। झील पर घूमते हुए वात्स्यायन जी से सामना हो गया। आचार्य जी ने इधर-उधर की बात करने के बाद सीधे ही पूछ लिया कि क्या गोष्ठी में मैंने कोई ग़लत बात कह दी? उन्होंने हैरानी से उनकी तरफ़ देखा। फिर बोले नहीं तो। वह निज़ाम साहिब बड़ी देर से फ़टकार दिए जाते हैं।

वे मुस्कुराए और बोले– नहीं आपने ठीक कहा था। एक बार कभी मज़ाक़ में उन्होंने नन्दकिशोर जी से कहा था, "आपके तर्क तो ठीक होते हैं, लेकिन नतीज़े सही नहीं होते।" मैंने उसी का सहारा लिया।

यादें और बातें तो इतनी हैं कि दफ़्तर चाहिए – ज़िक्र उस परीवश का और फिर बयां अपना! इसलिए उनकी पसन्द के एक शे'र से अपनी बात ख़त्म करता हूँ:

किसी का कुछ नहीं होकर भी सब का सब कुछ था
नदी के पार जो इक पेड़ था पुराना वो

37

भीड़ में अकेले

॥ रमेश मेहता

जब भी कभी अपने साहित्यिक मित्रों से अज्ञेय जी को लेकर चर्चा होती है तो उनका एक ही आग्रह होता है – अज्ञेय से जुड़े अपने संस्मरण लिखो। यह सुनते ही मेरे सामने फिर वही सवाल खड़ा हो जाता है, जो बहुत पहले इला जी के फोन को सुनने के बाद हुआ था। बरगीनगर शिविर से लौटे बहुत दिन हो गये थे और अब इला कह रही थीं कि वात्स्यायन जी का कहना है बरगीनगर में पढ़े गये आलेखों आदि को लेकर तैयार की जा रही किताब में जाने वाली अनौपचारिक रपट इस बार मैं लिखूँ। मैंने कहा कि पहले से पता होता तो नोट्स आदि ले लिये होते, मगर अब तो मेरे पास सिर्फ स्मृतियाँ हैं। दो दिन बाद इला जी का फिर फोन आया: 'वात्स्यायन कह रहे हैं कि जो याद है वही लिखे जाने के योग्य है – अतः मैं रपट लिख ही डालूँ।'

मेरे चंचल मन ने यहाँ भी मेरा पीछा नहीं छोड़ा। मेरे भीतर बैठा सम्पादक सौदेबाजी करने से बाज नहीं आया। मैंने भी शर्त रख दी– मैं रपट केवल एक शर्त पर लिखूँगा, वात्स्यायन जी को भी *शीराजा* के आगामी 'यात्रा विशेषांक' के लिए एक यात्रा-संस्मरण लिखना होगा। उधर से हाँ सुनने के बाद ही मैंने रपट पर काम शुरू किया। अन्ततः अगली बार दिल्ली जाने पर इस हाथ रपट दी और उस हाथ यात्रा-संस्मरण ले लिया था। यह रपट बाद में नेशनल से 1987 में प्रकाशित किताब *समकालीन कविता में छन्द* में शामिल की गयी।

1983 में पहली बार अज्ञेय से मिलने से लेकर 1987 में उनके देहान्त तक कितने दिन मैंने उनके साथ बिताए थे, इसका कहीं कोई हिसाब उपलब्ध नहीं है। सो बात को उनके पहली बार जम्मू आने से शुरू करता हूँ।

जब मैंने अपने मित्रों को बताया था कि अज्ञेय जी ने अप्रैल में जम्मू आने का निमन्त्रण स्वीकार कर लिया है तो मुझे मिली-जुली प्रतिक्रियाओं का सामना करना पड़ा। उत्साह देने वाले कम थे और डराने वाले अधिक। अज्ञेय जी के बारे में इतनी तरह की धारणाएँ प्रचलित थीं कि उनके प्रिज्म से अज्ञेय के व्यक्तित्व

का सही खाका खींचना बहुत दूभर था। बहरहाल, 8 अप्रैल 1983 की सुबह जब हम लोग अज्ञेय जी की अगवानी के लिए हवाई अड्डे पर खड़े थे तो लगभग सभी के मन में धुकधुकी थी कि न जाने अज्ञेय जी से संवाद स्थापित हो पाएगा या नहीं। मेरे मन में तो बस यही चल रहा था कि जब ओखली में सिर दे ही दिया तो मूसल से क्या डरना।

निर्धारित समय पर विमान उतरा और हमने देखा कि यात्रियों की भीड़ में अज्ञेय जी अकेले और अलग दिखाई दे रहे हैं। उनके चेहरे पर देदीप्यमान मुस्कान हमें ढाढस बँधाने के लिए काफी थी। उनके बारे में इतनी तरह की बातें सुन रखी थीं कि विश्वास ही नहीं हो रहा था कि अज्ञेय सचमुच मुस्कुराते हुए और विनम्र भाव से हमारी ओर बढ़े चले आ रहे हैं। अपने सभी साथियों से उनका परिचय करवाकर मैंने उन्हें गाड़ी की ओर चलने का अनुरोध किया। आर.आर.एल. के गेस्ट हाउस जाते हुए कार में उनके साथ जो चर्चा हुई, उसके चलते मन में यह भरोसा हो गया था कि आने वाले दिनों में उनकी ओर से कोई समस्या नहीं होने वाली है।

गेस्ट हाउस पहुँचकर उन्होंने छूटते ही कार्यक्रमों की चर्चा आरम्भ कर दी। एक-एक बात को वे बहुत कुरेद-कुरेद कर पूछ रहे थे। जैसे कि उनके काव्य-वाचन के समय कौन लोग वहाँ होंगे और कि कविता-कार्यशाला की क्या रूपरेखा तय की गयी है। मेरे साथ ऐसा पहली बार हो रहा था और मुझे परेशानी भी हो रही थी। मैंने उन्हें मोटी-मोटी बातें बताने के बाद कह दिया था कि सारी बातें धीरे-धीरे उन्हें पता चल जाएँगी।

दोपहर को अभिनव थियेटर में कविता कार्यशाला का आयोजन था। जैसा कि होता है, हम लोगों ने एक ओर दो-तीन कुर्सियाँ लगा रखी थीं और सामने की ओर हाल की कुर्सियों पर पचीस-तीस कवियों के बैठने की व्यवस्था की गयी थी। हाल के अन्दर घुसते ही अज्ञेय जी की पहली प्रतिक्रिया थी कि यह व्यवस्था तो कार्यशाला के अनुरूप नहीं लगती। हमारी हालत खराब...अब क्या करें? पाँच-दस मिनट इसी चर्चा में निकल गये कि स्थिति से निपटने का क्या उपाय हो सकता है? व्यवस्था में किसी प्रकार के बदलाव की कोई गुंजाइश न देखते हुए अज्ञेय जी ने कार्यशाला आरम्भ करना ही बेहतर समझा।

अज्ञेय जी ने प्रतिभागियों को सम्बोधित करते हुए कहा थाः "आजकल सभी लोग ये कहते सुने जाते हैं कि वे छन्दमुक्त कविता लिख रहे हैं। मगर ऐसा कहने से पहले उन्हें इस बात का विचार करना चाहिए कि छन्द से मुक्ति की बात करने का सही अधिकारी वही हो सकता है, जिसे छन्द का ज्ञान हो। अगर आपको छन्द का ज्ञान ही नहीं है तो आप मुक्ति किससे चाह रहे हैं?"

कार्यशाला के बाद हम लोग बागे-बाहू चले आये हैं। इस बाग को बने हुए कुछ ही दिन हुए हैं। शेख अब्दुल्ला सरकार में एक मन्त्री ने इसे – कारण जो भी रहा हो – बहुत प्यार, उत्साह और लगन से बनवाया था। अज्ञेय जी को जगह पसन्द आयी। मेरे साथ निर्मल विनोद और छत्रपाल थे। छत्रपाल अपने साथ एक ऑटोमेटिक कैमरा भी लाये थे। वे कैमरे को ऑटो फोकस पर रखकर फोटो खींचे जा रहे थे। अचानक अज्ञेय ने उनके हाथ से कैमरा ले लिया और कहा कि चलिए अब मैं आप लोगों की फोटो उतारता हूँ। हमारे लिए इससे बढ़कर सौभाग्य और क्या हो सकता था कि स्वयं अज्ञेय हमारा फोटो खींचें। हम लोग अभी चुहल करते हुए 'पोज' ही बना रहे थे कि कैमरे के शटर की आवाज ने हमें चौंका दिया था। अज्ञेय जी ने फोटो खींच लिया था। अब वे हमें बता रहे थे कि बताकर फोटो खींचने का भला क्या फायदा? फिर वे छत्रपाल को समझाने लगे थे, 'जब आकाश पर बादल छाए हों तो कभी ऑटो फोकस का इस्तेमाल नहीं करना चाहिए।' छत्रपाल के क्यों के जवाब में उन्होंने बताया कि ऑटो मोड में कैमरा आकाश की लाइट को लेकर अपर्चर सेट करता है और इसी से सब गड़बड़ हो जाता है। ऑब्जैक्ट के चेहरे पर पड़ने वाली रोशनी और क्षितिज की रोशनी में भारी अन्तर होता है। अतः फोटो खराब निकलता है। हमारा दुर्भाग्य कि उनके द्वारा खींचे गये एकमात्र फोटो के बाद कैमरे में रील खत्म हो गयी और उसके बाद कोई फोटो नहीं खींची जा सकी। लैब से फोटो आ जाने के बाद अज्ञेय जी के कथन की सचाई हमें फोटोग्राफी का पाठ पढ़ा रही थी।

बागे-बाहू में टहलते हुए अचानक अज्ञेय पूछने लगे, 'आपको क्या पढ़ना अच्छा लगता है?' औचक सवाल ने मुझे अचकचा दिया था। फिर भी मैंने अपने को सँभालते हुए जवाब दिया, 'पढ़ने में तो मुझे गद्य अच्छा लगता है, जबकि मेरी रुचि कविता लिखने में है।' उत्तर तो दे दिया, मगर मैं इस सवाल का सन्दर्भ समझ नहीं पा रहा था। पूछने में झिझक होने के कारण चुप रहना ही बेहतर समझा। मगर अज्ञेय के दिल्ली लौटने के कुछ ही दिन बाद मेरे सवाल का जवाब मेरे सामने था। अज्ञेय ने *कहाँ है द्वारिका* पर 'रमेश मेहता को प्रीतिपूर्वक' और *एक बूँद सहसा उछली* पर 'नरेश मेहता को अपने जम्मू प्रवास की सुखद स्मृति में और साभार' लिखकर मुझे भिजवा दिया था। अब मैं समझा कि उनके प्रश्न का मर्म कहाँ छिपा था। दुःख हुआ कि मैंने पढ़ने के सन्दर्भ में कविता क्यों नहीं कहा।

बागे-बाहू से लौटकर उन्होंने विश्राम के लिए अवकाश माँगा और मुझे शाम पाँच बजे आने को कहा। शाम पाँच बजे हम लोग रघुनाथ मन्दिर देखने चल दिए। वहाँ से बाहर निकले तो मैंने देखा कि वे बिना कुछ कहे रघुनाथ मन्दिर से सिटी चौक की ओर बढ़ने लगे हैं। चलते-चलते वे अचानक हरि थियेटर के

सामने आकर रुक गये और सामने के चौबारे को बड़े ध्यान से देखने लगे। कुछ देर देखते रहने के बाद बोले, 'यही वह घर है जहाँ मेरा बचपन बीता था।' फिर बोले यहीं से ऊपर की ओर जाने पर कहीं कॉमरेड धन्वंतरी का भी घर है, जहाँ मैं गिरफ्तारी से बचने के लिए कुछ दिन छिपकर रहा था। मैंने उन्हें गाड़ी में बैठने को कहा और गाड़ी वाले को फत्तू चौगान चलने के लिए कहा। फत्तू चौगान पहुँचकर उन्हें सब याद आ गया था। यह है वह गली, जिससे होकर हम लोग ढक्की उतरकर तवी नदी में नहाने जाया करते थे। यह रहा वह मकान जहाँ मैं रुका था। और वे अभिभूत से न जाने कितनी देर वहीं खड़े खयालों में खोए रहे।

गेस्ट हाउस पहुँचकर मैंने बड़े संकोच के साथ पूछने का साहस जुटायाः 'मैंने सुना है कि हर व्यक्ति का अपना एक नियत ब्रांड होता है। आप कौन-सा लेना पसन्द करेंगे?' वे जरा-सा मुस्कुराए और बोले, 'ऐसा तो नहीं कि मैं पीता नहीं हूँ, मगर अभी मन नहीं है। आप इसकी चिन्ता छोड़ दें।' बात चल निकली थी तो मुझे लगा कि लगे हाथ एक और सवाल भी पूछ ही लिया जाए। मैंने पूछा, 'हर आदमी को किसी व्यक्ति के साथ बैठकर पीने में आनन्द आता है। आपके लिए ऐसा खास आदमी कौन है?' जवाब आया— 'निर्मल वर्मा। मुझे उसके साथ पीते हुए अच्छा लगता है।' यह बात यहीं खत्म हो गयी और हम खाना खाने के लिए बलराज पुरी के घर जाने के लिए तैयार थे।

अगली बार दिल्ली जाने पर जब उनसे मिलना हुआ तो उन्होंने तीन ऑडियो कैसेट्स निकालकर देते हुए कहा कि मैं इन्हें श्रीमती चंचल डोगरा को दे दूँ। मैंने देखा उन पर अज्ञेय जी ने अपने हस्ताक्षर भी किए थे। इन तीनों में अज्ञेय जी की अपनी आवाज में रेकॉर्ड की गयी कविताएँ थीं। उन्होंने इस सन्दर्भ में केवल एक शर्त रखी थी कि चंचल इन्हें किसी और को नहीं देंगी। असल में चंचल के घर में डिनर करने और उसके कॉलेज में व्याख्यान देने के बाद कहीं चंचल ने उनसे कहा था कि वह उनकी कविताओं की सबसे बड़ी प्रशंसक है और काश, उसके पास उनकी अपनी आवाज में रेकॉर्ड की गयी कविताएँ होतीं, जिन्हें वह जब चाहे सुन पाती। अज्ञेय ने इस बात को याद रखा और दिल्ली लौटने के बाद स्टूडियो में जाकर इन कविताओं को विशेष रूप से चंचल के लिए रेकॉर्ड करवाया।

जम्मू विश्वविद्यालय की ओर से अज्ञेय जी का व्याख्यान रखा गया था। विषय था, 'मेरी रचना प्रक्रिया'। निमन्त्रण पत्र पर अंग्रेजी में छपा था— 'माइ क्रियेटिव प्रोसेस'। अज्ञेय इस अनुवाद से सहमत नहीं थे। सृजन-प्रक्रिया को बता पाना सरल नहीं होता। उन्होंने कहा, असल में होना चाहिए था— "मैं कैसे लिखता हूँ"। अपने व्याख्यान में बाद में उन्होंने इस पर विस्तार से चर्चा भी की थी। तब हमें

समझ में आया था कि अज्ञेय भाषा और शब्दों के उपयोग के प्रति कितने जागरुक और संवेदनशील हैं।

जबसे अज्ञेय ने जम्मू की धरती पर कदम रखा था, न जाने कितनी बार पूछ चुके थे कि काव्य-वाचन का स्वरूप क्या रहेगा, यानी काव्य-वाचन कितनी देर चलेगा और उपस्थिति किस प्रकार की होगी। मैं हर बार कह देता कि बता दूँगा। और बात गोल कर जाता। भीतर ही भीतर मुझे झुँझलाहट भी हो रही थी कि इस बात को लेकर अज्ञेय इतने चिन्तित क्यों हैं? हमें तो यही पता है कि एक कवि एक नहीं तो दो कविताएँ पढ़ता है, और बहुत हुआ तो एक कविता और। फिर भला इसमें इतनी चिन्ता की क्या बात है जो अज्ञेय के मन को उद्वेलित किए हुए है? अन्ततः मैंने पूछ ही लिया– "आप इस बात को लेकर इतना परेशान क्यों हैं?" उन्होंने बहुत संयत भाव से उत्तर दिया, "क्योंकि मैं काव्य-वाचन को एक परफॉर्मेंस मानता हूँ। इसीलिए काव्य-वाचन से पहले आवश्यक तैयारी करना जरूरी समझता हूँ।" अब बात समझ में आयी। उनका अगला सवाल था– 'काव्य-वाचन कितनी देर का होगा?' मैंने पूछा, 'आप कितनी देर का चाहते हैं?' 'जैसा आप कहें। कम से कम आधा घण्टा और अधिक से अधिक एक घण्टा।' अब मेरे चौंकने की बारी थी। यहाँ तो बीस-पच्चीस कवियों वाला कवि सम्मेलन भी डेढ़-दो घण्टे से अधिक नहीं चलता और वे अकेले एक घण्टा काव्य-वाचन करने की बात कर रहे हैं। उनकी बात का मान तो रखना ही था। मैंने कहा– 'चालीस मिनट ठीक रहेगा?' उन्हें भी लगा कि यही ठीक है।

अगला प्रश्न 'श्रोता कौन होंगे?" मैंने उन्हें बताया कि जम्मू शायद अकेली ऐसी जगह है जहाँ सभी भाषाओं के साहित्यकार एक साथ मिल-बैठकर विभिन्न भाषाओं के साहित्यकारों को सुनते और सुनाते हैं। अतः उन्हें सुनने वालों में हिन्दी, उर्दू, पंजाबी, डोगरी और कश्मीरी के साहित्यकार होंगे। उनके चेहरे पर आश्वस्ति का भाव देखकर मुझे राहत मिली। मगर नहीं। अज्ञेय जी के मन में अभी एक दुविधा और थी। वे जानना चाहते थे कि उस कार्यक्रम में जिनकी कविता पुस्तक का विमोचन हो रहा है, क्या वे भी कविता पढ़ेंगे? 'जी हाँ, सिर्फ वही नहीं, साथ में रवीन्द्रनाथ त्यागी भी कविता पढ़ेंगे।' उनके माथे पर चिन्ता की लकीरें खिंच जाती हैं। कुछ देर सोचने के बाद उन्होंने कहा, 'क्या ऐसा नहीं हो सकता कि उन दोनों के कविता-पाठ के बाद एक लम्बा अन्तराल आ जाए?' मैंने उत्तर दिया, 'हो सकता है। मैं आपको बुलाने से पहले आपका परिचय खूब लम्बा खींच सकता हूँ।' उनके चेहरे पर आश्वस्ति के भाव स्पष्ट दिखाई देने लगे थे। उन्हें देखकर मैं स्वयं भी आश्वस्त हो चला था।

अन्ततः वह दिन आ गया, जब अज्ञेय जी को कृष्णा गुप्ता की कविता

पुस्तक का लोकार्पण करने के बाद अपना काव्य-वाचन करना था। हाल में एक भी कुर्सी खाली नहीं थी। जब अज्ञेय जी ने काव्य-वाचन आरम्भ किया तो हाल में एकदम सन्नाटा छा गया। सब मानो किसी और दुनिया में चले गये थे। बीच में एक बार बाहर किसी ने स्कूटर चालू किया तो सारे श्रोता ऐसे झल्ला उठे मानो उन्हें बरबस किसी ने आनन्द के सागर से बाहर निकाल फेंका हो। मगर उस दिन मैंने जाना था कि अज्ञेय जी की वाणी और उनकी कविता में कितनी ताकत है। सभा पूर्ववत उनकी कविता के लोक में विचरने लगी थी और किसी को समय का कोई अहसास नहीं रह गया था। सारी उपस्थिति के लिए यह एक अनूठा अनुभव था, जो फिर कभी प्राप्त नहीं हुआ।

वहाँ से पहले से तय कार्यक्रम के अनुसार हम दोपहर के भोजन के लिए रवीन्द्रनाथ त्यागी के घर चले आये थे। कार्यक्रमों की सफलता से अज्ञेय प्रसन्न थे। खाना खाने के बाद उन्हें हवाई अड्डे पर छोड़कर लौटते हुए त्यागी जी ने मुझे गले से लगाते हुए भावुक स्वर में कहा था, "रमेश, अज्ञेय को मैं 'परिमल' के जमाने से जानता हूँ और दिल्ली में भी न जाने कितनी बार मिलना हुआ है। मगर इस बार का मिलना बिलकुल अलग रहा। मैं तुम्हें धन्यवाद देना चाहता हूँ कि तुम्हारे कारण मैंने अज्ञेय जी को जीवन में पहली बार हँसते हुए देखा है!"

अपने चार साल के परिचय के दिनों में मैंने अज्ञेय को केवल दो बार गुस्सा होते देखा था। पहली बार तब जब मानसर में आयोजित होने वाले वत्सल निधि के शिविर के बारे में आगे बातचीत करने और वत्सल निधि के एक न्यासी डॉ. कर्ण सिंह से मिलने के लिए मुझे दिल्ली बुलाया गया था। तब इला जी ने एक बार स्वयं मानसर जाकर प्रबन्ध की समीक्षा करने का प्रस्ताव अज्ञेय जी के सामने रखा था। वे गुस्सा होकर बोले थे, "जब ये कर ही रहे हैं तो फिर तुम्हारे जाने की क्या जरूरत है?" तब मैंने अपने बचाव का रास्ता देखकर कहा– अच्छा है न कि ये आएँ और कहीं कोई कमी-बेशी रह गयी हो तो उसके बारे में हमें बता दें, ताकि सब काम एकदम चकाचक हो जाए। तब उन्होंने उन्हें जम्मू आने की इजाजत दे दी थी। दूसरी बार वत्सल निधि के मानसर में आयोजित शिविर में भाग लेने आये प्रतिभागियों के जम्मू भ्रमण के समय अमर महल संग्रहालय घूमने के बाद बागे-बाहू जाने की बात थी। बीच में किसी ने रघुनाथ बाजार के पास बस रोकने को कह दिया। मैंने इस शर्त पर बस रुकवाना स्वीकार कर लिया कि सभी प्रतिभागी आधे घण्टे में वापस चले आएँगे ताकि हम लोग बागे-बाहू से सूर्यास्त का नजारा देख सकें। असल में सूर्यास्त का नजारा देखने का सुझाव वात्स्यायन जी का ही था। अब सूर्यास्त होने लगा है और प्रतिभागियों की कहीं कोई खबर नहीं है। और वात्स्यायन जी का गुस्सा बढ़ता जा रहा है। मुख से कुछ बोल नहीं रहे हैं,

मगर चेहरा लाल हुआ जा रहा है। थोड़ी-थोड़ी देर में मुझे खा जाने वाली नजरों से देख लेते हैं। अन्ततः मैंने क्षमा माँगना ही उचित समझा तो बोले– शॉपिंग तो कभी भी और कहीं भी की जा सकती है, मगर ऐसा सूर्यास्त सब जगह नहीं देखा जा सकता। मुझे इन लोगों का पता है, इसीलिए बस रोकने से मना कर रहा था। मगर अब इस प्रसंग को भूल जाओ।

और वे मानसर पहुँचते-न-पहुँचते फिर सामान्य हो चले थे।

38

एक छाया जैसे गुजरी

॥ मृदुला गर्ग

अज्ञेय से मेरी पहली मुलाकात 1974 में हुई, जब मेरी बहन मंजुल भगत का पहला कहानी संग्रह *गुलमोहर के गुच्छे* भारतीय ज्ञानपीठ से प्रकाशित हुआ। मैं दस बरस दिल्ली से बाहर रहने के बाद वापस लौटी थी। 1970-71 में हम दोनों ने, करीब-करीब एक साथ, लेखन शुरू किया था। मेरी कोई पुस्तक तब तक नहीं छपी थी।

मंजुल की पहली किताब के प्रकाशन की खुशी पर सप्रू हाउस में चायपान था। लगे हाथों दो-चार लेखक-आलोचक किताब पर बातचीत भी करने वाले थे। एक दिन, अचानक, मंजुल मेरे घर आयी और बोली, "मजा तब आये जब जलसे में अज्ञेय आएँ।" मैंने कहा, "बुला लेते हैं।"

आप समझ गये होंगे, हम हिन्दी साहित्य के राजनीतिक शिष्टाचार से किस कदर अनभिज्ञ थीं। अलबत्ता अज्ञेय के साहित्य से नहीं। खूब पढ़ा था उन्हें। उन दिनों अज्ञेय हिन्दी साहित्य गगन पर सूर्य की तरह देदीप्यमान थे। पर चूँकि मंजुल ने एम.ए. अंग्रेजी में नाम लिखवाया था, डिग्री भले न ली हो। और मैंने एम.ए. करके तीन साल अर्थशास्त्र पढ़ाया था। हमें हिन्दी जगत के सोपानतन्त्र और चरण-स्पर्शीय शिष्टाचार की आदत न थी। मिरांडा हाउस और दिल्ली स्कूल ऑफ इकोनॉमिक्स में नामी-गिरामी प्रोफेसरों और अर्थशास्त्रियों से हम बराबरी के दर्जे पर बहस करते रहे थे। घर का संस्कार भी बौद्धिक और उदार था। हर उम्र का सदस्य, अपनी राय देने को सर्वथा स्वतन्त्र था। दरअसल, पिताजी का अज्ञेय से अच्छा परिचय था, पर उन्होंने उनसे बात करने से इनकार कर दिया। कहा, हम दोनों से अपना रिश्ता वे तभी जाहिर करेंगे जब वे हमारे पिता की तरह जाने जा सकें, हम उनकी बेटियों की तरह नहीं। तकदीर हमारी, ऐसे नैतिक-जन हमारी किस्मत में लिखे थे!

हमने तय किया, अज्ञेय को फोन करके जलसे में आमन्त्रित किया जाए। फिर हमने काल्पनिक सिक्का उछाला जो, हमेशा की तरह, मेरे विपरीत पड़ा।

यानी फोन करने का जिम्मा मेरा हुआ। फोन मिलाया गया। अज्ञेय ने खुद उठाया या उन्हें दिया गया, याद नहीं। मैंने कहा, "वात्स्यायन जी, मेरा नाम मृदुला गर्ग है। आप मुझे नहीं जानते। मेरी बड़ी बहन हैं, मंजुल भगत, उन्हें भी आप नहीं जानते। उनकी पहली किताब *गुलमोहर के गुच्छे* छपकर आयी है। उस खुशी में हम फलाँ तारीख को फलाँ वक्त सप्रू हाउस में चायपान कर रहे हैं, आप आइए!"

पूछा गया, किताब कहाँ से छपी है? मैंने बतलाया, भारतीय ज्ञानपीठ से।

तब मंजुल ने मेरे हाथ से फोन ले लिया और बोलीं, "यह वही भारतीय ज्ञानपीठ है, जिसने सुमित्रानन्दन पन्त को पुरस्कार दिया था।"

वात्स्यायन जी ने कहा, "समझ रहा हूँ। पर पुस्तक तो मेरे पास आयी नहीं।"

"ओहो, हम आकर दे जाते हैं। बंगाली मार्केट से आपके घर कौन-से नम्बर की बस आती है?"

"रहने दीजिए," अज्ञेय ने कहा और फोन भी कट गया।

मैंने कहा, "अजीब अहमक है तू। उनसे बस का नम्बर पूछने की क्या जरूरत थी। हम खुद पता कर लेते।" वह बोली, "तू कौन कम बेवकूफ है। मैं मृदुला गर्ग हूँ, आप मुझे नहीं जानते, वह मंजुल भगत है, आप उसे नहीं जानते. ..ऐसे भला कोई आता है?"

हमने तय पाया कि अज्ञेय नहीं आएँगे।

पर वे आ गये। सबसे पहले आये। देर तक रहे। किताब देखी, शायद एक कहानी पढ़ भी डाली। बोले, "ऐसी बहनों को देखने का मोह कैसे छोड़ता, जो अपनी पुस्तक की खुशी खुद मना रही हों।"

मंजुल ने दबे स्वर में मुझसे कहा, "यह तो ऐसे है कि कोई पूछे, आप अपने जूते खुद पॉलिश करते हैं तो जनाब कहें, आप किसके करते हैं?" यानी हम बौड़म समझ ही नहीं पाये कि अपनी किताब की खुशी खुद क्यों नहीं मनाई जा सकती।

उनसे नहीं कहा तो उनके व्यक्तित्व के प्रभामण्डल के दबाव में। यह वह जमाना था जब रवीन्द्रनाथ ठाकुर के बाद किसी लेखक की सदेह छवि मोहित करती थी तो अज्ञेय की ही। अपनी छवि की तराश में वे भी सजग-सतर्क थे। एक शब्द में कहना हो तो उस छवि को यही नाम दूँगी – तराश। तराशी हुई दाढ़ी, तराश के साथ इस्तरी किया लिबास, तराशा-सधा स्वर, तराशे हुए तेवर। तराशा रचनाकर्म और चिन्तन। तराशी हुई आत्मकथा, यानी *शेखरः एक जीवनी*। तराशी यायावरी। तराशा प्रेम, कई बार या एक बार भी नहीं? वैसा ही अहम्।

दूसरे के अहम् को तराश कर बौना बनाने का माद्दा। साधारण को तराश कर सानुपातिक कर डालने का भी। उनके व्याख्यानों से बढ़कर मेरे लिए धरोहर उनका वह तेवर है, जिसके चलते वे किसी के आगे झुकते न थे। एक गोष्ठी में तत्कालीन चेकोस्लोवाकिया के विख्यात हिन्दी अध्येता ओदोलेन स्मेकल ने हिन्दी वालों को शुद्ध हिन्दी न बोलने पर धिक्कारा। अज्ञेय ने निहायत संयमित स्वर में विरोध जताते हुए कहा, हमारी भाषा है, हम जैसे चाहें बोलें; हम निरन्तर उसे परिवर्तित करते हैं, करना चाहिए। एक प्रगतिशील गोष्ठी में इसलिए बोलने से इनकार कर दिया क्योंकि, उनके हिसाब से, विचार-विमर्श का स्तर बचकाना था। खूब मनाने पर भी नहीं माने, उठकर चले गये। जबकि बाकी दिग्गज, मान-मनौवल का खेल खेलने के बाद, देर तक बोलने पर राजी हो गये थे।

अज्ञेय अपनी संजीदगी और दीर्घ मौन के लिए मशहूर थे। यह हमारा सौभाग्य था कि हमने उन्हें पहली ही बार मुस्कुराते, हँसते, मजाक करते देखा। यहाँ तनिक संशोधन जरूरी है। आमने-सामने भले उस दिन पहली बार देखा था, पर दूर से उनकी सुस्मित, खिलंदड़ी छवि के साक्षी काफी अरसे से थे। यकीन के लिए यह जानना काफी है कि हम मिरांडा हाउस में उन दिनों पढ़े थे, जब कपिला मलिक (वात्स्यायन) वहाँ अंग्रेजी पढ़ाती थीं और वात्स्यायन जी का उनसे प्रेमयोग चल रहा था। अब, अज्ञेय की गुरु-गम्भीर छवि को देखते हुए उसे 'अफेयर' तो कहा नहीं जा सकता! कपिला जी पूरे मिरांडा हाउस की लाडली बेटी थीं। वात्स्यायन जी से उनका विवाह हुआ तो लगा हमीं ने बेटी विदा की। उनकी आशिकी और शख्सियत की कशिश वात्स्यायन के उपन्यास *नदी के द्वीप* में बखूबी महसूस की। कोई कितना अज्ञेय क्यों न हो, आशिकी के सफर के दौरान बे-मुस्कुराए कैसे रह सकता है? लिहाजा, हमने दूर से जब उन्हें देखा तो दमकती मुस्कान लिये। कपिला जी से उनका सम्बन्ध-विच्छेद हुआ तो उसका दुख हमने अपनी रगों में महसूस किया। यह बात और है कि इला जी से भी हमारा परिचय था और वे हमें भाती भी थीं। शिशु के लिए उनकी उद्दाम अतृप्त लालसा के भी हम साक्षी रहे। पर वह अवान्तर प्रसंग है।

वापस कवि से पहली सदेह मुलाकात पर आया जाए। कुछ न कहकर बहुत कुछ कह गये थे उस दिन अज्ञेय! हमें ईमानदारी का अमूल्य सबक सिखला दिया था या समझिए कि पिताजी की सीख पर मुहर लगा दी थी। उस बेलौस ईमानदारी की वजह से आगे चलकर हमने तरह-तरह के अन्याय सहे, पर ईमानदारी नहीं छोड़ी। चाय के दौरान उनका पिताजी से मिलना भी हो गया और

उनके यह कहने से कि, 'तो आप इनके पिता हैं', हमारे हाथ लॉटरी लग गयी। पिताजी सार्वजनिक रूप से पिता तजवीज हो गये!

अज्ञेय के कहने का निहितार्थ समझने में हमें देर नहीं लगी थी। हिन्दी साहित्य जगत में ईमानदारी से अपनी भावनाएँ प्रकट करने का रिवाज नहीं था। हर लेखक अजब दार्शनिक या गुस्सैल मुद्रा अपनाए घूमता था, जैसे साहित्य का जनाजा अपने कन्धों पर उठाए हो। प्रेम, कला, शिल्प, वैयक्तिक अस्मिता, रस आदि से तिरस्कार और उपेक्षा के भाव थे, बल्कि यों समझिए कि 'भाव' ही तिरस्कृत था। घोषित प्रगतिशील, पत्नी के निःस्वार्थ प्रेम का भरपूर मजा लेते हुए, 'प्रेम' को नकारते थे। अफीम खाने से परहेज न था, पर धर्म को अफीम कह कर धिक्कारते थे। मेहनताने का चेक मिलने पर उसे भुना, शराब पीना प्रगतिशीलता थी, पर बच्चों के लिए मिठाई खरीदना, उच्चवर्गीय आभिजात्य। छोटी दीवाली पर हुई रेडियो रेकॉर्डिंग के बाद मैं इस व्यापार की भुक्तभोगी रही थी। धुरन्धर से धुरन्धर लेखक कलम हाथ में थामे, इन्तजार करने पर मजबूर था कि शिल्प सूझे तो विचार की धारा को रचनात्मक कृति बनाए पर शिल्प के अदम्य आकर्षण को पाश्चात्य अनुकरण बतलाकर लांछित करने से बाज नहीं आता था। भूल जाता था कि मार्क्सवाद स्वयं धुर पाश्चात्य फलसफा है; या कला और सौन्दर्यबोध को कोस कर वह मार्क्स के अपूर्व भाषा ज्ञान और कलात्मक शिल्प को तिरस्कृत कर रहा था।

ऐसे माहौल में भाषा और शिल्प के अद्भुत चितेरे अज्ञेय का कला के प्रति समर्पित बने रहकर साहित्यिक बिरादरी का सम्मान जीतना चमत्कार से कम न था। अनेक गोष्ठियों में उन्हें ईमानदारी और साहस के साथ अपने नितान्त मौलिक चिन्तन को शब्द देते सुन चुकी थी। *दिनमान* के सम्पादक रहते, उन्होंने 'प्राग', 'वारसा' जैसे अंग्रेजों के दिए उच्चारण को छोड़ शहरों के मूल नाम 'प्राहा' 'वरसावा' आदि लिखना शुरू किया था। अफसोस, हमारी उपनिवेशवादी मानसिकता सचाई हजम न कर पायी और उनके जाने के बाद हम अंग्रेजियत पर लौट आये। पर मुझे लगता है, आगे चलकर कोलकाता, मुम्बई, बेंगलुरु, आदि नामकरण उन्हीं के डाले बीज से पनपे थे।

उस पहली मुलाकात के बाद अज्ञेय से गोष्ठियों में मिलना होता रहा, पर साक्षात् अकेले मिलना छह बरस बाद तब हुआ, जब 1980 में मेरा चौथा उपन्यास *अनित्य* छपा। पहला उपन्यास 1975 में छपा था, पर मंजुल वाला वाकया दुहराने का मौका न था। दुहराव में तिलिस्म नहीं होता। यों भी प्रकाशक द्वारा आयोजित गोष्ठी में, बतौर अध्यक्ष, जैनेन्द्र जी आये थे। जैनेन्द्र और अज्ञेय के बीच तनातनी चल रही थी। सुना था जैनेन्द्र ने कहीं अज्ञेय का परिचय अपने अनुवादक की

तरह दे डाला था जिससे, जाहिर है, तनातनी और बढ़ गयी थी। वात्स्यायन को जैनेन्द्र का दिया 'अज्ञेय' उपनाम पसन्द न था। अपनी नापसन्दगी वे छुपाते न थे, पर अचरज, उपनाम का प्रयोग करते जाने से भी एतराज न था। दरअसल, यह इस बात का सबूत था कि वात्स्यायन नाम का कवि धरती से ऊपर नहीं, धरती पर विचरने वाला जीव था। मानवीय गुण-दोष सम्पूर्ण।

धरती को अगर प्रकृति या पर्यावरण का पर्याय मानें तो अज्ञेय से ज्यादा कौन था धरती का? पत्ते-पत्ते में उनकी गहरी काव्यात्मक ही नहीं, दार्शनिक रुचि थी। वैज्ञानिक जानकारी भी कम न थी। कौन-सी वनस्पति कब-कहाँ उगी, किस जैविक तर्क के तहत पनपी, किस-किस तरह हरियाई और नष्ट हुई, उनसे ज्यादा किसी कवि ने न जाना, न जानने की कोशिश की। प्रकृति का नैसर्गिक संगीत उनके लेखन में यों तरंगित था कि उसकी सौन्दर्यानुभूति ही नहीं, उसमें निहित गहन चिन्तन भी प्रकृति के विलक्षण तर्क से प्रेरित होता था। यही कारण था कि उनके अतुल्य और विपुल गद्य साहित्य के बावजूद अन्ततः उनके नाम के साथ 'कवि' शब्द उपनाम की तरह जुड़ा, जैसे रवीन्द्रनाथ ठाकुर के साथ 'कविवर – गुरुदेव' या शेक्सपीयर के साथ 'द बार्ड'।

1980 में तमिल लेखक पोट्टेकट को भारतीय ज्ञानपीठ पुरस्कार मिला था। उस उपलक्ष्य में शाम के चायपान में मंजुल और मेरी मुलाकात अज्ञेय और पोट्टेकट से एक साथ हुई। चित्र खींचे जा रहे थे। पता नहीं अज्ञेय को क्या सूझा कि मन्द स्मित के साथ मंजुल और मेरे एक तरफ खड़े हो गये, पोट्टेकट को दूसरी तरफ खड़े होने का इशारा करके बोले "हम इनके द्वारपाल हो जाएँ।" यह हँसी-मजाक कितना दुर्लभ था, मैंने बाद में समझा। वहीं उन्होंने मुझे बताया कि किसी पत्रिका में मेरे उपन्यास की समीक्षा निकली थी। बोले, "बड़ी तारीफ की है आपकी"। फिर जोड़ा– "घर आएँ तो बात हो सकती है।" मुझ कूढ़मग्ज की समझ में भी आ गया कि उपन्यास उन्होंने पढ़ लिया है।

मैं तिपहिया लेकर कैवेंटर्स ईस्ट वाले उनके बँगले पर पहुँची; तय वक्त से पाँच मिनट बाद। शहर के शहरीपन की कैद से छूटा गजब इलाका था। घर था कि मिल नहीं रहा था। मैं वक्त की पाबन्दी का सबक घुट्टी में पिए थी, लिहाजा तिपहिए से उतरते ही, आकुल स्वर में, देर से आने के लिए माफी माँगी। उनके चेहरे पर मुस्कान-सी छलकी, एक भौंह ने हरकत की और वे बोले, 'आइए।' मुझे लगा, सिर्फ पाँच मिनट की देरी के लिए क्षमा माँगना उन्हें भाया है। जहाँ तक मुझे याद है, रमेशचन्द्र शाह तथा कुछ अन्य जन बाहर बरामदे में थे। अज्ञेय मुझे सीधे बैठक में ले गये। सबसे पहले जो उन्होंने कहा, उससे अचरज भी हुआ और उनकी

छवि की तराश भी बिगड़ी। कहा कि मेरे पिछले उपन्यास *चित्तकोबरा* पर *सारिका* में बहस पढ़ी थी, पर उपन्यास नहीं। *अनित्य* पढ़ने के बाद *चित्तकोबरा* मँगा कर पढ़ा। चकित मैं सोच रही थी, अगर अज्ञेय जैसा मनमौजी और दबंग व्यक्ति, *सारिका* की फूहड़ टिप्पणियों से प्रभावित हो *चित्तकोबरा* पढ़ने से परहेज कर सकता था तो आम जन का क्या हाल हुआ होगा? तब तक चुप्पी का पाठ हृदयंगम कर लिया था, सो अपनी भवों को तनिक ऊपर उठा सम पर ले आयी, पर कुछ कहा नहीं। अज्ञेय ने क्षणांश को मुझे ताका। एक छाया चेहरे पर थिरक कर गुजर गयी, जैसे पत्ता खड़का हो। फिर वे *अनित्य* पर बात करने लगे। बहुत बातें हुईं जिन्हें दुहराना बेकार है, कोई गवाह है नहीं। कुछ दिन पहले चन्द्रकान्त बांदिवडेकर ने मुझसे कहा कि *अनित्य* अज्ञेय को पसन्द आया था, पर उसका भी कोई गवाह नहीं है। सो आपका मानना, न मानना, दोनों उचित होंगे। हाँ, उस बातचीत में एक दिलचस्प प्रसंग था, जिसे बाँटना चाहती हूँ। स्मृति में अटका है, ज्यों-का-त्यों।

उपन्यास के अनित्य नामक पात्र के बारे में उन्होंने कहा कि कैसा मोहभंग है उसका, ज़ब वह बार-बार लौट आता है। प्रतिवाद में मैंने कहा, "यही तो अन्तर है यायावर और संन्यासी में। संन्यासी जाता है तो लौटता नहीं, यायावर लौट-लौट आता है। तभी तो यायावर कहलाता है, नहीं?"

यायावरी के विशेषज्ञ अज्ञेय से ऐसा कहना गुरु-शिष्य परम्परा के दरबार में गुस्ताखी ही मानी जाएगी। पर मुझे आदत थी डॉक्टर वी.के.आर.वी. राव और के.एन. राज जैसे दिग्गज गुरुओं से बहस करने की। सो निस्संकोच अपना मत दे डाला। उन्होंने उत्तर नहीं दिया। न विरोध, न अनुमोदन; बस इस बार पत्ता जरा जोर से खड़का। एक सुरमई छाया चेहरे से होकर गुजरी और कमरे में मौन पसर गया। चुप्पी खिंचती गयी। उनकी चुप्पी की दीर्घता से मैं स्वयं परिचित न थी, पर उसका बखान पर्याप्त सुन रखा था। इसलिए कुछ देर बाद उठ खड़ी हुई, कहा—"नमस्कार।"

"जाएँगी?" वे बोले। एक बार फिर, चेहरे पर छाया लहराई, पर वह पहली छाया से कुछ अलग थी। "बैठिए," उन्होंने कहा, "इला नाश्ता ला रही हैं।" किसी अदृश्य संगत के अन्तर्गत इला जी और नाश्ते की ट्रे लिये सेवक तुरन्त उपस्थित हो गये। मैं बैठ गयी। और कर भी क्या सकती थी! सोचा, मुझे इला जी के पास छोड़ अज्ञेय बाहर चले जाएँगे पर वे गये नहीं। कुछ औपचारिक बातचीत के बाद, पता नहीं क्यों, इला जी और मेरे बीच, लेखक के अहम् पर बात चल निकली। चोट खाए थी, शायद इसलिए मेरे मुँह से निकला "लेखक में अहंकार तो होता ही

है।” इस बार अज्ञेय के चेहरे को जिस छाया ने धूमिल किया, वह गुजरी नहीं, टिकी रही। मैंने तुरन्त संशोधन किया, “अहंकार नहीं, अहम् कहना चाहिए था।” छाया हट गयी। फिर जाने मुझे क्या सूझा कि, आ बैल मुझे मार की तर्ज पर, उनकी आँखों में आँखें डालकर कहा, “वैसे व्यावहारिक अन्तर दोनों में है नहीं।” कहने के साथ अपना पर्स उठा, चलने की तैयारी भी कर ली। सोचा इस बार उनके चेहरे पर जो उभरेगा, देर तक झेला न जाएगा। पर हुआ यह कि माथे पर शिकन आते-आते बिला गयी और वे मुस्कुरा दिए। मेरा मन्तव्य समझ, मेरे ही अस्त्र से मुझे परास्त कर दिया। मैं नतमस्तक हुई। शायद कुछ बरस बाद, उनकी मृत्यु पर ये जो पंक्तियाँ मैंने लिखीं, उसके पीछे वह सहज दुराव और लगाव-भरा परिहास रहा होगा।

उन पंक्तियों को उद्धृत करने से पहले एक बात और। उनके पचहत्तरवें जन्मदिवस पर कई समारोह हुए थे। उन्हीं में से एक में आपसी बातचीत में उन्होंने कहा था, हमारे यहाँ 75 नहीं, 77 वर्ष और 77 दिन की आयु महत्त्वपूर्ण है। पता नहीं क्यों मैंने, जिसने कभी डायरी नहीं रखी, हाथ की पुस्तिका में यह दर्ज कर लिया। उनकी मृत्यु हुई तो वह कथन याद आया। उस पड़ाव पर वे पहुँचे नहीं थे। यह लेख लिखते हुए पुस्तिका खोजने का प्रयास तक मैंने नहीं किया। इतनी प्रिय वस्तुएँ नष्ट हो चुकीं कि वह भी बिला गयी होगी कहीं। खोजने का मन नहीं है; याददाश्त काफी है। सबूत न होने पर भी गलत नहीं होऊँगी, क्योंकि यह बात मेरे सपने में आ सकने वाली है नहीं।

39

जमीन का मंच

॥ प्रभात कुमार भट्टाचार्य

माधव कॉलेज, उज्जैन। पिछली सदी के छठे दशक का शुरुआती दौर। डॉ. शिवमंगल सिंह सुमन थे प्राचार्य। मैं राजनीति विज्ञान का विभागाध्यक्ष तो था ही, साथ में कॉलेज के और विक्रम विश्वविद्यालय के साहित्यिक-सांस्कृतिक गतिविधियों का पीर-बावर्ची वगैरह। उस दिन मैं पढ़ा रहा था कि सुमन जी के कक्ष का द्वारपाल मेरे द्वार के सामने आ खड़ा हुआ, सलाम की मुद्रा में। मेरे पूछने पर बतलाया कि सुमन जी दिल्ली से आ गये हैं और उन्होंने तुरन्त याद किया है। मैं अवाक्। सुमन जी ने पहले कभी चलते पीरियड के बीच किसी शिक्षक को तलब नहीं किया था। जैसे ही मैं उनके कक्ष में उपस्थित हुआ, उनके खिले हुए चेहरे ने मुझे बतला दिया कि बात कुछ खास जरूर है।

बोले— ऐसी खबर लाया हूँ कि सुनोगे तो खुश हो जाओगे।

—युवक-समारोह के मुख्य अतिथि तय हो गये क्या?

—अरे हाँ भाई, अज्ञेय जी आ रहे हैं।

इससे पहले कि मैं कुछ बोलूँ सुमन जी बोलते चले गये।

—लेकिन एक शर्त है। अज्ञेय जी के अभी-अभी प्रकाशित काव्य नाटक *उत्तर प्रियदर्शी* का मंचन करना है। यह रही पुस्तक।

—सर, नाटक की तैयारी में कम से कम एक महीना तो लग जाता है। तो क्या युवक-समारोह स्थगित हो गया? अब तक सुमन जी का खिला हुआ चेहरा खिलखिलाहट में तब्दील हो चुका था, बोले— यही तो शर्त की खासियत है।

—क्या सर?

—नाटक की तैयारी के लिए तुम्हें सिर्फ छह दिन मिलेंगे। और मैंने अज्ञेय जी को वचन दिया है कि प्रभात छह दिनों में नाटक तैयार कर लेगा। इसीलिए तो मैंने तुम्हें क्लास-रूम से बुलाया है। बस, तुरन्त जुट जाओ तैयारी में।

उत्तर प्रियदर्शी की विभिन्न भूमिकाओं के लिए अभिनेताओं का चयन ताबड़तोड़ किया गया। कोई खास दिक्कत नहीं हुई, क्योंकि मेरी टीम हमेशा तैयार रहती

थी। नाटक की रीडिंग और फिर रात भर संवादों की रेकॉर्डिंग के साथ-साथ ध्वनि प्रभाव भी रेकॉर्ड हो गये। उसी रात को ही मंच-सज्जा, वेश-भूषा और प्रकाश-व्यवस्था की क्यू शीट तैयार हो गयी। स्टेज प्रॉप्स भी तय हो गये। मेरी टीम के पर्दे के पीछे काम वाले कलाकार भी अपने-अपने काम में जुट गये। आगामी पाँच दिनों तक पहले से रेकॉर्ड संवादों पर अभिनेता अपने-अपने गति अभिनटन के साथ-साथ लिप-सिंकिंग का अभ्यास करते रहे।

निश्चित तिथि पर *उत्तर प्रियदर्शी* का मंचन निर्विघ्न सफलता के साथ सम्पन्न हो गया। अज्ञेय ने मंच पर आकर मुझे गले लगाकर कहा– आप पर सुमन जी का अगाध विश्वास जितना आश्चर्यजनक था, उससे कहीं ज्यादा है आपके द्वारा उनके विश्वास का खूबसूरत निर्वाह।

सुमन जी ने टिप्पणी की– तुम खुशकिस्मत हो प्रभात। अज्ञेय जी इतनी खुलकर तारीफ नहीं करते।

अज्ञेय बोल उठे– यह आपसे किसने कह दिया, सुमन जी। मैं खुलकर तारीफ भी करता हूँ, मगर फिजूल नहीं।

नाटक के कलाकारों ने अज्ञेय जी और सुमन जी के साथ फोटो खिंचवाने का आग्रह किया। अज्ञेय तुरन्त राजी हो गये। नाटक के एक महत्त्वपूर्ण पात्र 'घोर' के लिए मैंने मुखौटा बनवाया था। उस पात्र ने फोटो खिंचवाने के पहले मुखौटा उतार लिया था। मगर अज्ञेय जी ने फोटो खिंचवाते हुए उस पात्र को मुखौटा पहना दिया।

फोटो खिंचने के बाद उस पात्र ने अज्ञेय जी से शिकायत की मुद्रा में कहा– सर, मेरा चेहरा तो मुखौटे के पीछे छिप गया!

वे हँसकर बोले– नाटक में मुखौटा ही तो आपका एकमात्र चेहरा था।

अगले दिन अज्ञेय जी को कार से नागदा स्टेशन पहुँचना था। उन्होंने कहा– सुमन जी, मुझे खुशी होगी अगर प्रभात जी मेरे साथ नागदा तक चलें।

करीब डेढ़ घण्टे का सफर था और हम जी भरकर बातें करते रहे। ढेर सारी बातों के बीच मैंने उनसे यह भी कहा– *उत्तर प्रियदर्शी* की इस प्रस्तुति से मेरा मन नहीं भरा है। एक बार और करूँगा और उस वक्त फिर आपको याद करूँगा।

मेरी दूसरी मुलाकात अज्ञेय जी से दिल्ली में उनके निवास पर हुई। मेरी काव्य-नाटक त्रयी का पहला नाटक *काठ महल* मध्य प्रदेश साहित्य परिषद की मासिक पत्रिका *साक्षात्कार* के एक अंक में सम्पादक शानी ने न केवल पूरा छापा, बल्कि उसे पुस्तकाकार भी प्रकाशित किया। इसी पुस्तक को लेकर मैं अज्ञेय से मिलने गया। वे इतनी आत्मीयता से मिले कि लगा जैसे वर्षों बाद अपने किसी प्रियजन से मिल

रहे हों – मेरी अपेक्षा से कहीं अधिक। चाय की ट्रे हाजिर हुई। अज्ञेय जी की जानी-मानी नफासत के साथ शुगर पॉट, मिल्क पॉट, टीकोजी अवगुंठित केटली वगैरह। मैंने चाय छानने की पेशकश की, मगर अज्ञेय जी का हाथ टीकोजी पर पहुँच चुका था। शक्कर कितनी, दूध कितना आदि के उत्तर बेहद संकोच के साथ मैं देता रहा। चाय की पहली चुस्की लेने के बाद जब मैंने उनको *काठ महल* की एक प्रति भेंट की तो उन्होंने प्रीतिकर आश्चर्य के साथ ग्रहण किया। काव्य नाटक की कुछ प्रारम्भिक पंक्तियाँ पढ़कर उन्होंने उसी आत्मीयता से कहा– अभी तक मैं आपको नाट्य-निर्देशक के रूप में ही जानता था। मगर आप तो नाटककार भी हैं और कवि भी। एक रंगकर्मी यदि नाटककार भी हो तो उससे बड़ी जुगलबन्दी दूसरी नहीं हो सकती।

आखिर चलते-चलते मैंने उनसे कहा– बस एक ही बात कहना चाहता हूँ...।

उन्होंने हँसते हुए कहा– प्रभात जी, आप आश्वस्त रहें। मैं *काठ महल* पढ़ूँगा जरूर।

किस्मत देखिए, अज्ञेय जी ने न केवल *काठ महल* पढ़ा, बल्कि मेरा दूसरा काव्य-नाटक *प्रेत शताब्दी* और तीसरा काव्य-नाटक *आगामी आदमी* पढ़ने की उत्सुकता भी प्रकट की। मगर मेरी बदकिस्मती रही। मैं काव्य-नाटक त्रयी उन्हें भेंट नहीं कर सका। बहुत देर हो गयी। मेरी जिद ही मेरे आड़े आयी। कोई ऐसा प्रकाशक मिले जो इन तीनों काव्य-नाटकों को अलग-अलग पुस्तकाकार तो छापे ही, साथ में उन्हें समग्र रूप में 'मुक्तिकथा' के नाम से एक कवर में भी छापे – यानी कुल चार पुस्तकें एक साथ। पाण्डुलिपियों की तैयारी के दसियों बरस बाद आखिरकार लोकभारती प्रकाशन, इलाहाबाद ने यह बीड़ा उठाया।

मैं जब भी दिल्ली जाता अज्ञेय से जरूर मिलता। एक बार मैं फिर दिल्ली गया, खासतौर पर अज्ञेय से मिलने। उन दिनों डीन था विक्रम विश्वविद्यालय के विद्यार्थी कल्याण विभाग में।

हम एक पाक्षिक पत्रिका का सम्पादन-प्रकाशन करते थे – *विक्रम विश्वविद्यालय समाचार* जो पूरे बारह वर्षों तक निरन्तर प्रकाशित होता रहा।

इसी सिलसिले में हमने मध्य प्रदेश के समस्त विश्वविद्यालयों के चुने हुए युवा लेखकों को एक मंच पर इकट्ठा करने के लिए अन्तर्विश्वविद्यालयीन युवा लेखन शिविर का आयोजन किया। हमने कुलपति सुमन जी के सामने प्रस्ताव रखा कि हम कुछ महत्त्वपूर्ण साहित्यकारों और पत्रकारों को इस शिविर में युवा विद्यार्थी-लेखकों के मार्गदर्शन के लिए आमन्त्रित करना चाहते हैं– अज्ञेय, रघुवीर सहाय, कन्हैयालाल नन्दन और राजेन्द्र माथुर। सुमन जी ने तत्काल स्वीकृति तो

दी, मगर यह शंका भी प्रकट की कि अज्ञेय जी तो आमन्त्रण स्वीकार नहीं करेंगे।

मैंने कहा– मैं स्वयं दिल्ली जाऊँगा और उनसे पुरजोर आग्रह करूँगा।

इसी सिलसिले में जब मैं अज्ञेय जी से मिला तो उन्होंने खूब ध्यान से मेरी परियोजना के बारे में सुना। मैंने जोर देकर कहा कि मध्य प्रदेश के सभी अंचलों से तीन सौ से अधिक विश्वविद्यालयीन विद्यार्थी-रचनाकार शामिल हो रहे हैं। उन्होंने उदास होकर कहा– प्रभात जी, यह योजना निश्चय ही बहुत महत्त्वपूर्ण है जिसे छोड़ने में मुझे दुख होगा। आप स्वयं आये हैं न्योता लेकर। आपको निराश करने में मुझे तकलीफ होगी। मगर मेरी विवशता है कि मैं सरकारी आयोजनों में जाता नहीं हूँ।

मैंने तुरन्त हस्तक्षेप किया– लेकिन विश्वविद्यालय तो सरकारी नहीं होते हैं। ये तो स्वायत्त हैं।

—मगर कुलपति सुमन जी तो सरकारी सेवा में हैं।

—फिलहाल तो सरकारी सेवा में नहीं हैं।

मेरे मुँह में आया मैं उन्हें याद दिलाऊँ कि वे माधव कॉलेज के कार्यक्रम में तो शामिल हुए थे और माधव कॉलेज कभी सरकारी कॉलेज हुआ करता था। लेकिन ऐसा कहना अशोभनीय होता, इसलिए मैंने नहीं कहा। पता नहीं कैसे उन्होंने मेरे मन की बात भाँप ली और बोले– "आप ठीक कह रहे हैं। विश्वविद्यालय तो स्वायत्त होते हैं। मुझे याद आया जब सुमन जी ने मुझे आश्वस्त किया था कि माधव कॉलेज उन दिनों सरकारी नहीं था। विक्रम विश्वविद्यालय ने उसे टेकओवर कर लिया था, तभी मैं उस कार्यक्रम में शामिल होने पर राजी हो गया था, जिसमें आपने *उत्तर प्रियदर्शी* का मंचन किया था। ठीक है प्रभात जी मैं आऊँगा और तीनों दिन विद्यार्थियों के बीच रहूँगा।"

निश्चित तिथि पर मैं अज्ञेय जी का स्वागत करने के लिए इन्दौर हवाई अड्डे पर पहुँचा। पत्रकार आलोक मेहता उन दिनों *नवभारत टाइम्स* में कार्यरत थे। उन्हें इस आयोजन में पत्रकार के रूप में आमन्त्रित किया गया था और मैंने उन्हें यह जिम्मेदारी भी सौंपी थी कि वे अज्ञेय जी को लेकर इस कार्यक्रम में उपस्थित होंगे। इन्दौर से उज्जैन तक कार से आते हुए मैंने अज्ञेय जी को सूचना दी कि उज्जैन प्रवास में वे सुमन जी के कुलपति निवास में अतिथि होंगे। अज्ञेय जी के चेहरे पर अप्रसन्नता झलक उठी। बोले– क्यों, विक्रम विश्वविद्यालय का गेस्ट हाउस नहीं है क्या?

—जी हाँ, अच्छा-खासा है। मगर आपको फर्स्ट फ्लोर पर ठहरना होगा। और इला जी ने कहा था... अज्ञेय जी ने हँसकर मुझे अधबीच ही रोक दिया और

बोले— मैं उन्हें समझा दूँगा। मैं गेस्ट हाउस में ही ठहरूँगा।

मैंने गेस्ट हाउस के ग्राउंड फ्लोर के हाल में ही मध्य प्रदेश अन्तर्विश्वविद्यालयीन युवा लेखन शिविर का आयोजन रखा था। शाम को शिविर का उद्घाटन अज्ञेय जी करने वाले थे।

भोज के बाद उन्हें विश्राम करने का आग्रह कर मैं नीचे उतर आया और हाल की बैठक व्यवस्था की देख-रेख करने लगा। कुछ ही समय गुजरा होगा कि देखता हूँ, अज्ञेय जी हाल के प्रवेश द्वार पर खड़े हैं। मैं ठगा-सा खड़ा रह गया। एक भारी-भरकम शब्द 'किंकर्त्तव्यविमूढ़' शायद ऐसे मौकों के लिए गढ़ा गया है।

सहसा मेरी आँखों पर कैमरे जैसी आँख लग गयी, जिसमें उनकी तस्वीर कुछ इस तरह उभरी— बीसवीं शताब्दी के शीर्षस्थ शब्द-पुरुष, चश्मे से झाँकती आँखों में भी उतनी ही चौड़ी मुस्कान, जितनी होंठों पर — कुर्ता-पाजामा और वास्कट — कद-काठी और श्मश्रु ग्रीक इतिहास-पुरुष जैसी।

इससे पहले कि मैं उनके पास पहुँचूँ, वे हाल में दाखिल हो चुके थे। और मुआयना-सा करते बोले— तो यह है आपका हाल। अच्छा-खासा है। न बड़ा, न छोटा। बैठक-व्यवस्था भी आपने जमीन पर ही रखी है। आमने-सामने।

सहसा मेरी ओर मुखातिब हुए और बोले— एक सुझाव दूँ।

—जरूर दीजिए, हमें बेहद खुशी होगी।

—आपने हाल के एक सिरे पर तखत डालकर मंच बनाया है। सामने तीन सौ विद्यार्थी बैठेंगे। क्या ऐसा नहीं हो सकता कि बीच हाल की दाहिनी दीवार के सहारे मंच व्यवस्था रखें और विद्यार्थी समाज मंच के तीन तरफ बैठें — अर्द्ध गोलाकार।

—यह तो और भी अच्छा होगा। अनौपचारिक बातचीत जैसा, बिलकुल इंटिमेट थियेटर की तरह।

—आपने सटीक बात की। आप सचमुच एक रंगकर्मी की तरह बात करते हैं। अब ये बताइए कि अलग से तखत डालकर मंच बनाने की क्या जरूरत है? हम भी तो जमीन पर बैठ सकते हैं।

—क्यों नहीं! आप जैसे ऊँचे कद वाले व्यक्ति को तो कोई फर्क नहीं पड़ेगा। आप उपस्थित समाज की अन्तिम पंक्ति तक सीधे देख सकेंगे। मगर मुझ जैसे पाँच फुट चार इंच वाले नाटे व्यक्ति के बारे में भी तो सोचकर देखिए!

हँस पड़े अज्ञेय और बोले— आप जीते, मैं हारा। मंच जरूर बने। अच्छा, यह तो बताइए, कार्यक्रम ठीक समय पर शुरू तो हो जाएगा।

—जी हाँ, ठीक पाँच बजे शाम।

अज्ञेय जी अपने कमरे की ओर चले गये। मैं भी संशोधित बैठक व्यवस्था पूरी

करके घर चला गया। और ठीक पौने पाँच बजे अतिथि निवास पहुँचकर अविश्वसनीय अचरज से देखता हूँ कि अज्ञेय बाहर लॉन में विद्यार्थियों से घिरे खड़े हैं। मैंने विद्यार्थियों को साढ़े चार बजे अतिथि निवास पहुँचने का निर्देश जारी कर रखा था। जाहिर है कि विद्यार्थियों के झुण्ड को अतिथि निवास के लॉन पर इकट्ठा देखकर अज्ञेय जी पहली मंजिल वाले अपने कमरे से नीचे उतर आये थे। मेरे चेहरे पर शर्मिन्दगी उन्होंने पढ़ ली और बोले– देखिए, आपके डीन साहब निर्धारित समय से पन्द्रह मिनट पहले बाकायदे उपस्थित हो गये हैं। और मैं कार्यक्रम का निमन्त्रित मुख्य अतिथि आप सबको आया देख लोभ संवरण नहीं कर सका और बेकायदे बीस मिनट पहले आपके बीच हाजिर हो गया!

विक्रम विश्वविद्यालय के एक उद्धत विद्यार्थी ने कहा– अज्ञेय जी, हम भी हमारे डीन साहब के बारे में कुछ कहना चाहते हैं। जब उन्होंने हमें सूचित किया कि आप हमारे युवा लेखन शिविर के मुख्य अतिथि के रूप में पधार रहे हैं, तब हमें उन पर कतई विश्वास नहीं हुआ। आपके बारे में हमारी धारणा थी कि आप तो गजदन्ती मीनार में विराजते हैं। भला साधारण विद्यार्थियों के बीच क्यों आएँगे। लेकिन आप तो जितने असाधारण हैं, उससे कहीं ज्यादा साधारण हैं।

आपसी बातचीत की अन्तरंगता भरी शैली में अज्ञेय जी ने मध्य प्रदेश अन्तर्विश्वविद्यालयीन युवा लेखन शिविर का तथाकथित उद्‌घाटन किया। कहीं कोई औपचारिकता नहीं। कोई भाषण नहीं, केवल बातचीत और टिप्पणियाँ। ऐसी अनोखी आपसदारी कायम हो गयी अज्ञेय और विद्यार्थियों के बीच कि लग रहा था किसी कॉफी हाउस में बैठे युवा अपने प्रिय लेखक के प्रश्नोत्तरी का खेल खेल रहे हैं, जो सहज बौद्धिक भी था और सृजनकर्मी तो था ही।

कब शाम गुजर गयी और रात पसर गयी, पता ही नहीं चला। गेस्ट हाउस के आँगन में ही बुफे डिनर का आयोजन था। एकदम हलके मूड में थे अज्ञेय जी। मगर बातचीत जारी थी। कविता, कहानी, उपन्यास, नाटक, रिपोर्ताज – सभी विधाओं पर। कभी किसी कविता के बहाने, तो कभी किसी कहानी अथवा उपन्यास अथवा नाटक के चरित्रों के इर्द-गिर्द। केवल हिन्दी साहित्य और भारतीय साहित्य नहीं, बल्कि विश्व-साहित्य पर भी खूब मजे ले लेकर सारगर्भित टिप्पणियाँ कर रहे थे अज्ञेय जी। लग रहा था, चलते-फिरते एनसाइक्लोपीडिया से रूबरू हों। भोजन के बाद भी विसर्जित नहीं हुई सभा। कॉफी पीने के बहाने एक बार फिर उसी हाल में, उसी बैठक शैली में मिल बैठे। अब तक विद्यार्थी इतना खुल गये थे कि जिद पर भी आ गये– अज्ञेय जी कविता सुनाएँ। थोड़ी देर तक ना-नुच के बाद अज्ञेय जी कविता सुनाने पर राजी हो गये। वह कविता-निशा समाप्त होने

का नाम नहीं ले रही थी।

किसी ने फरमाइश की– 'असाध्य वीणा!'

अज्ञेय जी बोले– रात काफी हो गयी है। कविता लम्बी है। कल सुनाएँगे।

उसी समय किसी ने उनके सामने उनका नाटक *उत्तर प्रियदर्शी* रख दिया और कहा– इसमें से कुछ सुनाइए।

अज्ञेय जी ने मुस्कुराकर मेरी ओर देखा और कहा– यह तो काव्य-नाटक है। इसे कोई नाट्य-निर्देशक सुनाए तो कुछ और बात होगी। क्यों प्रभात जी? मेरे पास भी उत्तर तैयार था– कल शाम इसका मंचन होगा। तभी देख-सुन लीजिए!

थोड़े आश्चर्यचकित हुए अज्ञेय जी, बोले– आप दूसरी बार करेंगे?

–मैंने खुद से वादा किया था कि दूसरी बार फिर *उत्तर प्रियदर्शी* का मंचन करेंगे और वह भी आपकी उपस्थिति में।

अगली शाम *उत्तर प्रियदर्शी* का मंचन हुआ। रघुवीर सहाय भी आ चुके थे। राजेन्द्र माथुर और कन्हैयालाल नन्दन भी।

मंचन के बाद अज्ञेय जी बोले– काफी कुछ नये प्रयोग किए हैं आपने दूसरे प्रदर्शन में। खासकर 'घोर' के प्रवेश के लिए जापानी शैली के मंच विधान हानामिची का प्रयोग तो चौंकाने वाला था। इस बार आपने 'घोर' को मुखौटा नहीं दिया – उसके चेहरे पर कुडियाट्टम शैली का चित्रांकन बेहद प्रभावशाली ढंग से किया।

रघुवीर सहाय ने टिप्पणी की– नरक के दृश्य की प्रकाश-व्यवस्था और ध्वनि-प्रभाव ने तो चमत्कृत कर दिया। कन्हैयालाल नन्दन नाटक में संगीत के प्रयोग से बहुत प्रभावित थे और राजेन्द्र माथुर पात्रों के शैलीकृत अंग संचालन और वाचिक की प्रशंसा करते रहे।

अज्ञेय जी ने अपने ढंग से टिप्पणी की– टोटल थियेटर का प्रयोग था, और खूब था।

उन्होंने उस रात मेरे घर पर भोजन किया। मेरे पिताजी जीवित थे। वे तो ठेठ वैज्ञानिक थे, रसायन-शास्त्र के प्रोफेसर। साहित्य से दूर-दूर तक कोई सम्बन्ध नहीं था उनका। मगर जब उनके साथ अज्ञेय जी ने बातचीत की तो लगा कि रसायन में भी रससिद्ध हैं अज्ञेय। मेरी पत्नी पेंटिंग करती हैं। उनका काम उन्होंने मनोयोग से देखा और प्रतिक्रिया भी करते रहे। उन्हें यह जानकर आश्चर्य हुआ कि मेरी बेटी कृष्णा की शादी उसी वर्ष हुई थी। हँसकर बोले– अभी तो आप दोनों की खेलने-खाने की उम्र है। और आप सास-ससुर बन गये?

याद आता है कि अज्ञेय जी को दार्जीलिंग चाय बहुत पसन्द थी। उनके घर पी गयी

चाय की महक आज तक मेरे मन में बसी हुई है। चाय की ट्रे वे बैठक में स्वयं उठाकर लाये थे। मैंने उनसे ट्रे लेने की पेशकश की तो मुसकुराते हुए मुझे बैठने का इशारा किया। खुद चाय बनायी। फिर चाय-परोस व्यापार भी बेहद करीने से। बाद में जब वे उज्जैन आये तब मेरी पत्नी के बंगला शैली में मछली पकाने की तारीफ में शुद्ध बांग्ला में बोले– ''बोहू दिन पौरे सोर से माछ खेलाय। खूब भालो लागलो।'' और फिर भोजनोपरान्त बैठक में पहुँचकर जब मैंने उनसे चाय के बारे में पूछा– थोड़ी चाय चलेगी? तो तनिक ऊहापोह की स्थिति में आ गये। मैं हिम्मत करके उनसे यह कहने की धृष्टता कर बैठा कि मेरे गरीबखाने में बस यही तो एक रईसी है। वे इतनी खूबसूरती से मुस्कुराये कि आँखें बड़ी हो गयीं। बोले– जरूर पिऊँगा। मगर गरीबखाना नहीं, घर कहिए। मुझे याद है, आपमें चाय पीने की तमीज है। तब तक श्रीमती जी चाय की ट्रे लेकर उपस्थित हो गयीं। मैं चाय लेने के लिए उठा तो अज्ञेय जी ने टोका – प्रभात जी, मैं तो प्रोनोति जी के हाथ की चाय पिऊँगा। फिर वे मेरी श्रीमती जी की ओर मुखातिब हुए ''आपनार कोनो औसुविधे तो हौवेना?'' शर्मिन्दा होती सी श्रीमती जी बोलीं– आपनि ऐमोन कोरे बोलबेन ना। एरा तो आमार सौभाग्गे।

वही चाय थी, उनकी वाली पसन्दीदा दार्जीलिंग चाय, लिपटन ग्रीन लेबल। चाय पीते हुए अज्ञेय जी ने अपने ढंग से एक सवाल पूछा– आपका नाम 'प्रभात' है और आप उसे 'प्रभात' ही उच्चारित करते हैं, प्रोभात (बंगला उच्चारण) नहीं कहते। फिर आप प्रणति जी को 'प्रोनोति' क्यों कहते हैं? अब तक मैं उनसे थोड़ा खुल चुका था। बोला– प्रनति जी अपनी पेन्टिंग्स में 'प्रोनोति' ही लिखती हैं! अज्ञेय बोले– तब तो आप ठीक करते हैं। लेकिन अभी आपने 'प्रणति जी' को 'प्रनति जी' क्यों कहा? मैंने कहा, आप तो जानते हैं बांग्ला में दन्त्य 'न' और मूर्धन्य 'ण' का उच्चारण 'न' ही होता है! फिर थोड़ा झिझकते हुए बोला– एक बात और है। 'ण' का उच्चारण मुझे कठोर लगता है। अब अपनी श्रीमती जी के नाम में मैं कठोरता कैसे सह सकता हूँ? फिर तो अज्ञेय जी खूब खिल खिलाकर हँस पड़े। उनकी खिलखिलाहट से मेरी आँखें भीग गयी थीं। लोग कहते हैं कि वे चुप्पे-घुन्ने थे। काश, उस रोज ऐसा सोचने वाला कोई शख्स वहाँ मौजूद होता। खैर।

तीसरी शाम हमने अज्ञेय और रघुवीर सहाय की कविताओं का नाट्य-मंचन किया।

अज्ञेय जी ने मुस्कुराते हुए सहाय जी से कहा– हमारी और आपकी कविताओं के नेपथ्य से नाट्य-पाठ में एक जानी-पहचानी आवाज थी।

रघुवीर सहाय ने कहा– इस आवाज के बारे में प्रभात जी प्रकाश डालेंगे।

अज्ञेय बोले– प्रभात जी तो नाम से ही स्वयं प्रकाश हैं।

पूरे तीन दिनों तक सुबह से रात तक खूब गहमा-गहमी रही। विद्यार्थियों में अपार उत्साह था! अज्ञेय ने *असाध्य वीणा* सुनाई और रघुवीर सहाय ने भी अपनी कविताएँ सुनाईं। चूँकि इस शिविर में साहित्य के साथ-साथ पत्रकारिता की भी चर्चा हुई, इसलिए नन्दन, राजेन्द्र माथुर और आलोक मेहता विशेष रूप से आमन्त्रित थे। अज्ञेय और रघुवीर सहाय ने भी साहित्य चर्चा के साथ-साथ पत्रकारिता के सम्बन्ध में ढेर सारी बातें कीं।

कुछ ही महीनों बाद अज्ञेय जी के लिए ज्ञानपीठ पुरस्कार की घोषणा हुई। मैंने तुरन्त फोन पर बधाई दी। उन्होंने मिलने की इच्छा प्रकट की। मिला तो उन्होंने कहा कि वे चाहते थे कि जिस दिन उन्हें ज्ञानपीठ पुरस्कार से अलंकृत किया जाए, उस शाम मैं उनकी कविताओं का नाट्य-मंचन करूँ अथवा *उत्तर प्रियदर्शी* प्रस्तुत करूँ। मैं बेहद खुश हुआ। अज्ञेय जी ने मुझे जो मान दिया वह मेरे लिए मूल्यवान धरोहर है। यह और बात है कि उस शाम को मेरे पास करने के लिए कुछ नहीं था, लाख चाहने के बावजूद। ज्ञानपीठ समारोह में अज्ञेय जी के स्नेहिल आग्रह पर मैं स्वयं उपस्थित अवश्य था।

40

विचारधारा से आगे

॥ रामशरण जोशी

"आपको अपना परिचय देने की आवश्यकता नहीं है। आपको *दिनमान* में पढ़ चुका हूँ। कहिए कैसे आना हुआ?"

महीन, लेकिन सटीक व संस्कृत आवाज से मैं स्वयं को उस रोज लज्जित अनुभव कर रहा था। कानों से चन्द शब्दों के टकराने के पश्चात् मैं स्वयं को कोस रहा था, मन ही मन में। मैंने आरम्भ में नाहक कहा था– 'मेरा नाम रामशरण जोशी है। मैं विचारों से वामपन्थी पत्रकार हूँ।' किसी प्रकार अपने भावों को संयत किया और कन्धे से झूल रहे लाल थैले से अंग्रेजी की पत्रिका निकाल उनके हाथों में थमा दी। पत्रिका थी *फ्रंटीयर*। कोलकाता से प्रकाशित और समरसेन द्वारा सम्पादित।

वह पत्रिका रेडिकल वामपन्थी विचारों की थी और सीपीआई (एमएल) लाइन की समर्थक मानी जाती थी। उसमें मेरा एक लम्बा विश्लेषणात्मक आलेख छपा हुआ था। आलेख में मोरारजी शासन में आदिवासी और दलितों के विरुद्ध हिन्दी व ग्रामीण क्षेत्रों में विस्फोटित ऊँची जातियों की हिंसा का विश्लेषण किया गया था। आलेख में जेपी की सम्पूर्ण क्रान्ति, दूसरी आजादी और जनता पार्टी सरकार की तीखी चीरफाड़ की गयी थी। इसके साथ ही इन्दिरा गाँधी के बीस सूत्रीय कार्यक्रम के दो महत्त्वपूर्ण हिस्सों 'जेनेसिस ऑफ रूरल टेंशन इन इंडिया' एक बन्धक श्रमिक प्रथा उन्मूलन और दो ऋणमुक्ति अभियान का व्यापक परिप्रेक्ष्य में विश्लेषण किया गया था। यह दर्शाया गया था कि इन दो ऐतिहासिक कदमों से ग्रामीण समाज में मौजूद सामन्ती शक्तियाँ बुरी तरह से प्रभावित हुई हैं। इन शक्तियों का उत्पीड़क सामाजिक तन्त्र और शोषक आर्थिक तन्त्र भीतर-बाहर से हिल उठा है। उत्पीड़ित व शोषित श्रम-शक्तियों में मुक्ति के भाव अंकुरित होने लगे हैं। इनमें नयी गतिशीलता पैदा हुई है। अब पुश्तैनी बन्धक श्रमिक, खेतिहर श्रमिक, दलित आदि मुक्त आकाश में विचरना चाहते हैं। उन्हें बन्धनमुक्त श्रम-बाजार चाहिए।

संक्षेप में एक नये अस्तित्व का भाव इस हाशिए की मानवता में उमड़ने-घुमड़ने

लगता था। जमींदार, सूदखोर, महाजन जैसी सामन्ती शक्तियों को श्रमिक मानवता का ऐसा अप्रत्याशित रूपान्तरण कतई रास नहीं आया। उन्होंने आपातकाल पूर्व की अमानुषिक व्यवस्था को पुनर्स्थापित करने की प्रक्रिया में अत्याचारों का सिलसिला शुरू कर दिया। बिहार, उत्तर प्रदेश, मध्य प्रदेश सहित कई क्षेत्रों में ग्रामीण हिंसा भड़क उठी। दलित आदिवासी और अन्य पिछड़ी जातियों की श्रमिक सन्तानें मारी गयीं। इसी सामन्ती 'बैकलैश' पर फोकस आलेख में था।

मैं सोच रहा था कि सामने वाला व्यक्ति जेपी का समर्थक है। इन्दिरा गाँधी के आपातकाल का कट्टर विरोधी है। सोवियत संघ और साम्यवादियों से घृणा करता है। अमेरिका-समर्थक माना जाता है। चर्चा यह भी रही है कि यह साहित्य-संस्कृति के क्षेत्र में सीआईए के इशारों पर काम करता रहा है। अभिजात पृष्ठभूमि से आता है। इसकी सम्पूर्ण काया ही नफासत की गवाही दे रही है। चीकट, खुरदुरे लोगों से इसके क्या सरोकार हो सकते हैं? यह मेरी 'रेडिकल समीक्षा' को क्यों छापने लगा?

वाकई, मैं मन में मान चुका था कि यह सम्पादक केवल नाटक कर रहा है। आलेख को देखने का। बस। कुछ ही पलों बाद मुझे लौटा देगा। मुझसे कहा जाएगा— 'यह छपने लायक नहीं है, कहीं और देखो। आप वामपंथियों को सर्वत्र सामन्तवाद, पूँजीवाद, अमेरिकावाद ही दिखाई देते हैं। कुछ नया लिखो, नये ढंग से सोचो, घिसे-पिटे क्लेशों से मुक्ति लो।' इसी प्रकार के सम्पादक-विरोधी भावों से मैं घिरा हुआ था।

मैं सामने बैठे सम्पादक की मुद्राओं को बारीकी से पढ़ रहा था। मैंने देखा उनकी आँखें पत्रिका के शब्दों पर गड़ी हुई हैं। पढ़ने की गति तेज है। चार-पाँच हजार शब्दों को वे दस-बारह मिनट में पढ़ लेते हैं। फिर सलीके से पत्रिका बन्द कर मुझे लौटाते हुए कहते हैं— 'अच्छा है। आप तो हिन्दी के पत्रकार हैं?'

'जी हाँ।'

फिर इसे हिन्दी में क्यों नहीं लिख डालते?

सम्पादक की वाक्-शैली धीमी थी। वे प्रत्येक शब्द को सुस्पष्टता के साथ बोल रहे थे। लेकिन उनका वाक्य मुझ तक पहुँचने में शताब्दियाँ ले रहा है, ऐसा मुझे लग रहा था। मैं एक्टिविस्ट था, अधीरता मेरी शैली थी। मैं सम्पादक का निर्णय फटाफट सुनना चाहता था। वैसे ही मुझे सम्पादक की सम्पूर्ण उपस्थिति से चिढ़ हो रही थी। दमकता ललाट, झुर्रीमुक्त मुखमण्डल, करीनेदार दाढ़ी, आकर्षक चश्मा, मेरे मोटे कपड़ों को चिढ़ाता...दमकता कुर्ता-पाजामा और कोसा सिल्क की बंडी, हम दोनों के बीच पसरी चार-पाँच फुट चौड़ी एक्जिक्यूटिव टेबल, शेल्फ में सजी पुस्तकें और

वातानुकूलित कक्ष। मैं ऐसे वातावरण से जल्द से जल्द निजात पाना चाहता था, इसलिए अपने आलेख का भाग्य जानने के लिए उतावला हो रहा था।

'जी!'

'ऐसा कीजिए, इन तथ्यों और विश्लेषण पर आधारित एक स्वतन्त्र लेख तैयार कर दीजिए।'

'कब तक?'

'जल्दी कर दें तो ठीक रहेगा। बस। ध्यान रहे *फ्रंटीयर* से अलग *नवभारत टाइम्स* के पाठकों के लिए होना चाहिए।'

बस। इन चन्द वाक्यों के साथ सम्पादक ने 'अच्छा' के साथ मुझे जाने का संकेत दिया। मैं 'नमस्कार' कहकर मिश्रित भाव के साथ सम्पादक के कक्ष से बाहर आ गया। मेरे जीवन की यह पहली पन्द्रह मिनट की मुलाकात थी सच्चिदानन्द हीरानन्द वात्स्यायन 'अज्ञेय' के साथ। उन दिनों वे *नवभारत टाइम्स* के प्रधान सम्पादक। आपातकाल की समाप्ति, इन्दिरा गाँधी की पराजय और केन्द्र में जयप्रकाश नारायण समर्थित जनता पार्टी की सरकार के सत्तारूढ़ होने के पश्चात् अज्ञेय जी को *नवभारत टाइम्स* का नेतृत्व सौंपा गया था।

उनसे पहले अक्षय कुमार जैन सम्पादक की लम्बी पारी खेल चुके थे। उन्हें कांग्रेस सत्ता प्रतिष्ठान का विश्वासपात्र माना जाता था। सफल पूँजीपति वही है, जो चंचल ऋतुओं की भाषा को आत्मसात् कर ले। इस दृष्टि से *टाइम्स* समूह का जैन-घराना सदैव बेजोड़ रहा है। केन्द्र में सत्ता परिवर्तन के साथ ही *नवभारत टाइम्स* की कमान हिन्दी के ऐसे व्यक्तित्व को हस्तान्तरित की जानी थी, जिसे नये राष्ट्रीय नेतृत्व का विश्वास प्राप्त हो।

इस नेतृत्व-खोज में अज्ञेय जी का चयन एक स्वाभाविक परिणाम था। वैसे वे इसके एक दशक पहले भी *टाइम्स* समूह की ही साप्ताहिक पत्रिका *दिनमान* के संस्थापक-सम्पादक रह चुके थे। वे इस समूह की कार्यशैली से भलीभाँति परिचित थे। इस चयन में कई और भी अदृश्य कारण रहे होंगे, जिनका यहाँ उल्लेख प्रासंगिक नहीं है। यदि कोई प्रासंगिक है तो वह यह है कि राजधानी की हिन्दी दैनिक पत्रकारिता में अज्ञेय जी की उपस्थिति को निस्सन्देह एक 'ऐतिहासिक घटना' कहा जाएगा। उनके सम्पादकत्व ने मुख्यधारा की हिन्दी पत्रकारिता को गौरवान्वित ही किया।

तो जैसे ही मैं अज्ञेय जी के कक्ष से बाहर आया तो कवि-मित्र इब्बार रब्बी टकरा गये। उन्होंने उत्सुकता से पूछ लिया—

'कुछ काम बना? हमारे नये सम्पादक ने कैसा रेस्पांस दिया।' मैंने मित्र को सारांश में बतला दिया।

'फिर क्या है, फटाफट हिन्दी में लिख डालो। अज्ञेय जी हवाई बातें नहीं करते। कहा है तो छापेंगे।'

मैं यहाँ पर बतला दूँ कि रब्बी के उकसावे पर ही मैं अज्ञेय जी से मिला था। रब्बी चाहते थे कि यह विश्लेषण हिन्दी में भी प्रकाशित हो। *नवभारत टाइम्स* से और उपयुक्त मंच क्या हो सकता था? हम दोनों के बीच अज्ञेय जी को लेकर काफी चर्चा भी हुई। मेरे मन में इस अभिजात व व्यक्तिवादी लेखक को लेकर कई 'रिजर्वेशन' थे।

काल्पनिक पूर्वग्रहों से मैं भरा हुआ था। मुझे मेरे कतिपय वामपन्थी लेखक मित्रों ने विभिन्न उदाहरणों से समझा रखा था कि अज्ञेय जी घोर वामपन्थ-विरोधी हैं। इनसे सौ मील के फासले पर रहना चाहिए। मित्रों के अनुभवों, उदाहरणों और विचारों से अज्ञेय जी के प्रति मेरी धारणा बनी हुई थी, इसलिए मैं सम्पादक से मिलकर अपना वक्त बरबाद नहीं करना चाहता था।

लेकिन एम.ए. में मेरे सहपाठी रहे रब्बी इस बात पर तुले हुए थे– मैं अज्ञेय-दर्शन का प्रयोग करूँ। यदि यह निष्फल भी रहता है तो क्या फर्क पड़ता

है। कभी अँधेरे में चला तीर भी निशाने पर लग जाता है। रब्बी ने यह भी सूचना दी कि असगर वजाहत भी अज्ञेय जी से मिला था। वह निराश नहीं लौटा। 'तो यार। लपक लो इस मौके को।' जब दोस्त ने फैसला सुना ही दिया तो कहाँ भागता?

दो दिनों के कड़े परिश्रम के पश्चात् हिन्दी में अपना आलेख लेकर सम्पादक-कक्ष में उपस्थित हो गया। आलेख टंकित था। अज्ञेय जी ने सरसरी दृष्टि उस पर मारी और फिर उसी मन्थर गति में कहा, 'ठीक है। इसे छोड़ जाइए। हम देख लेंगे।'

मुझे अज्ञेय जी का दूसरी भेंट में ऐसा आभास नहीं मिला, जो मुझे आलेख के शीघ्र ही उपयोग से आश्वस्त करता हो। भेंट की यह दूसरी पारी तो नितान्त नीरस रही। मैं कक्ष से बाहर आकर रब्बी पर उबल भी पड़ा–

'बुढ़ऊ ने बेवकूफ बना दिया है।'

'क्यों, क्या हुआ?' रब्बी ने शरारत-भरी मुस्कान से पूछा।

'बस, लेख लेकर रख लिया है। छापने के बारे में पॉजिटिव ढंग से कुछ नहीं कहा...।'

'अरे यह उनकी शैली है। लौटाया तो नहीं ना? तुम एक्टीविस्ट हो। वे सम्पादक हैं। दोनों के काम के तरीकों में अन्तर तो होगा ही। धीरज रखो। मैं देख लूँगा।'

रब्बी ने मेरे हाथों में धैर्य की कुल्फी थमा दी, जिसे लेकर मैं *टाइम्स हाउस* से बाहर निकल आया। मैं व्यग्रता के साथ प्रतिदिन नजारा देखता। इस बेचैनी में तीन-चार रोज गुजर गये। मेरे धीरज का बाँध टूटता जा रहा था। फोन पर रब्बी पर भी मैंने गुस्सा उतार दिया। दोस्त ने मेरे शब्दों का बुरा नहीं माना। बस! यही सलाह दी– 'अगले सप्ताह तक इन्तजार करो। तब भी नहीं छपे तो अज्ञेय जी की खबर लेने यहाँ चले आना।'

खामोशी के अलावा मैं कर भी क्या सकता था। रब्बी की बात सही निकली। अगले ही सोमवार मेरा आलेख प्रकाशित हुआ। चूँकि लम्बा था, इसलिए सम्पादकीय पृष्ठ पर उसे तीन किश्तों में तीन रोज तक प्रकाशित किया गया। 'दक्षिणपन्थी' अज्ञेय जी का नया रूप मेरे सामने था, जो कि निजी अनुभव से जन्मा था।

कथा यहीं समाप्त नहीं होती है। बस तीन किस्तों के अध्याय का अन्त होता है। कुछ अन्तराल के बाद मैं *नभाटा* दफ्तर पहुँचता हूँ। शिष्टाचारवश अज्ञेय जी से मिलने पहुँच जाता हूँ। हुआ यह कि मैं पन्द्रह-बीस रोज पलामू जिले (अब झारखण्ड में) में बिताकर लौटता हूँ। इस जिले के मनातू प्रखण्ड में कुछ समय बिताता हूँ। बर्बरता का चरम यहाँ देखने को मिलता है। मनातू के एक सवर्ण जमींदार ने दो 'बाघ' पाल रखे थे। डेढ़-दो दर्जन लठैतों की फौज भी उसके पास थी। सैकड़ों दलित और मैदानी आदिवासी उसके यहाँ 'बन्धक-श्रमिक' और 'बेगार-श्रमिक' का जीवन जीने के लिए अभिशप्त थे। आसपास के क्षेत्रों में वह जमींदार 'आदमखोर' के रूप में कुख्यात था।

इस दारुण गाथा को मैंने शब्दबद्ध कर रखा था। कन्धे से झूल रहे झोले में इसकी एक प्रति पड़ी थी, इसलिए दिमाग के किसी कोने में इसके प्रकाशन का भी लोभ फुदक रहा था। इसलिए निजी सचिव से भेंट का समय माँगा। पर्ची अन्दर भेजी गयी और चन्द मिनटों के पश्चात् मैं सम्पादक अज्ञेय जी को उनके कक्ष में नमस्कार कर रहा था।

'कैसे हैं आप?' हिन्दी का सर्वश्रेष्ठ सम्पादक एक सामान्य घुमन्तू पत्रकार से कुशलक्षेम पूछ रहा था। मुस्कान की महीन-महीन रेखाएँ उनके मुख पर उभरी हुई थीं। मैं कृतज्ञ चन्द शब्दों में अपना हालचाल बयाँ कर देता हूँ और लगे हाथ उन्हें अपनी पलामू और मनातू यात्रा की जानकारी भी देता हूँ। वे ध्यानपूर्वक सुनते हैं और इंटरकॉम पर किसी को कक्ष में बुलाते हैं। चन्द क्षणों में एक चेहरा प्रवेश लेता है।

'आप हैं रामशरण जोशी जी...'

'जी हाँ, कुछ दिन पहले हम इन्हें छाप चुके हैं।'

'और आप हैं गौरीशंकर जोशी जी।'

हम दोनों के बीच नमस्कारों का आदान-प्रदान होता है। अज्ञेय जी अपने सहायक सम्पादक से कहते हैं–

'जोशी जी, रामशरण जी अभी बिहार से लौटे हैं। कुछ कचोटने वाले अनुभव हैं इनके। देख लीजिए। रामशरण जी, आप इनके साथ चले जाएँ।'

मेरे लिए अज्ञेय जी का यह रूप नितान्त अप्रत्याशित था। गौरीशंकर जोशी पहले बीबीसी में थे। अज्ञेय जी के कहने पर ही वे लन्दन से दिल्ली आये और *नभाटा* में डिप्टी एडिटर बना दिए गये। अज्ञेय जी के कमरे से बाहर निकलने के पश्चात् हम जोशी जी के बगल वाले कक्ष में बैठ गये। मैंने अपनी ताजी अनुभव-यात्रा के सम्बन्ध में गौरीशंकर जी को विस्तार से बतला दिया। उन्होंने तुरन्त ही स्टोरी लिखने को कहा। यह मनातू गाथा भी *नभाटा* के सम्पादकीय पृष्ठ पर दो रोज प्रकाशित हुई, 'नरभक्षी शासन और बेगारों की दुनिया' शीर्षक से। दोनों लेखों की वांछित प्रतिक्रिया भी हुई। *नभाटा* के शहरी पाठकों के लिए यह नया यथार्थ था। सम्पादकीय पृष्ठ पर छपने के कारण आलेखों का बौद्धिक क्षेत्रों में भी नोटिस किया गया। जाहिर है, इसकी पृष्ठभूमि में अज्ञेय जी थे।

कुछ सप्ताह बाद मैं *नभाटा* गया हुआ था। रविवारीय पृष्ठ की प्रभारी माया शर्मा के साथ बैठकर मैं कुछ चर्चा कर रहा था। चर्चा का विषय था 'छत्तीसगढ़ का अभिशाप – खेसारी दाल'। यह विषाक्त दाल हुआ करती थी। इसको नियमित खाने से 'विकलांगता' का खतरा बना रहता था। विन्ध्याचल में भी इसके जहरीले प्रभाव फैले थे। इसका मैंने अलग से विशेष अध्ययन किया था। खैर, मैं माया जी से इस त्रासदी पर फीचर छापने के लिए कह रहा था। वे तैयार हो गयीं। इस बीच अज्ञेय जी अपने कमरे से निकलकर दफ्तर से बाहर जा रहे थे। माया जी की मेज खुले हाल में हुआ करती थी। दफ्तर से बाहर जाने वाले मार्ग के किनारे पर। अज्ञेय जी ने मुझे माया जी से बतियाते हुए देख लिया और वहीं रुक गये। जाहिर है, मैं और माया जी खड़े हो गये। उन्होंने मुस्कुराते हुए पूछा– 'इन दिनों क्या कर रहे हैं?'

'मैं अभी छत्तीसगढ़ और रीवा से लौटा हूँ। खेसारी या मटर दाल की विकृतियों के सम्बन्ध में माया जी से चर्चा कर रहा था।'

'इनसे लिखवाइए (माया जी से)।'

'जी, मैं जोशी जी से यही कह रही थी।'

'अच्छा... आप काफी यायावरी कर लेते हैं?'

'बस यों ही गाँव-गाँव भटकता रहता हूँ।'

उन दिनों मैं राष्ट्रीय श्रम संस्थान की ग्रामीण इकाई के साथ जुड़ा हुआ था।

बन्धक श्रमिक शिविरों के आयोजन के सिलसिले में देश के ग्रामीण क्षेत्रों का दौरा करना पड़ता था।

कुछ क्षण बीत गये। अज्ञेय जी ने अचानक मुझसे पूछा– 'क्या आप कभी रायगढ़ गये हैं?'

'कई दफे। रायगढ़ से जशपुर और अंबिकापुर (सरगुजा) भी गया हूँ।'

अज्ञेय जी का चेहरा खिल उठता है। वे स्मृतियों में डूब जाते हैं। खड़े-खड़े कहने लगते हैं–

'जोशी जी, मेरा बचपन बीता है रायगढ़ में। मेरे पिता रायगढ़ रियासत में उच्च अधिकारी थे। पुरातत्त्व व संगीत में मेरी बहुत रुचि रही है। रायगढ़ के क्षेत्र में मैंने अपने परिजनों के साथ बहुत भ्रमण किया है।'

अज्ञेय जी बिलकुल किशोर बन चुके थे। विगत स्मृतियों के वशीभूत हो चुके थे। एक संयमित संस्कारशील चंचलता उनके स्वरों में गुंजित थी। हाल में बैठे उनके अन्य सहयोगी हम दोनों को कौतुकभरी दृष्टि से देख रहे थे। अज्ञेय जी के बारे में प्रसिद्ध था कि वे तीर गति से दफ्तर में आते हैं और उसी शैली में बाहर चले जाते हैं। बीच में कहीं रुकते नहीं हैं। लेकिन इस समय इस दृश्य से सभी अचम्भित थे। अज्ञेय जी बोलते चले गये।

'मैं वहाँ के जंगलों में खूब भटका हूँ। फूल-पत्तियों, तितलियों का आनन्द लिया है। छुट्टियों में हम रायगढ़ जाया करते थे, संगीत सुना करते थे। पिताजी, प्राचीन वस्तुओं को दिखाने ले जाया करते थे।'

उस समय मेरा भी भावनात्मक लगाव रायगढ़ के साथ था, इसलिए अज्ञेय जी का प्रत्येक शब्द, प्रत्येक स्मृति मेरे लिए किसी 'रागात्मक अनुभूति' से कम नहीं थे। ये क्षण मेरे लिए दुर्लभ थे। दस-बारह मिनट यों ही वे खड़े रहे और मैं उनके नास्टेल्जिया में भीगता रहा। उनके जाने के पश्चात् माया जी आश्चर्यचकित थीं। कुछ पत्रकार दौड़े-दौड़े आये और बोले– 'हमारे सम्पादक को क्या घुट्टी पिला दी है। हमसे तो बात करते ही नहीं हैं। बौद्धिकता में डूबे रहते हैं।' रब्बी को भी इस नजारे से हैरत थी।

अज्ञेय जी के सम्पादककाल में मेरे कई आलेख व फीचर प्रकाशित हुए। इससे प्रोत्साहित होकर मैं *नभाटा* की विशेष संवाददाता परीक्षा में बैठ गया। उन दिनों 'वांट्स' निकली हुई थी। लिखित परीक्षा के बाद मुझे इंटरव्यू के लिए भी बुला लिया गया। मैंने दोनों मोर्चे जीत लिए। नियुक्ति पत्र की प्रतीक्षा करने लगा। इसी बीच केन्द्र में राजनीतिक तूफान उठने लगा। मोरारजी सरकार का शीराजा बिखरने लगा। जेपी का तिलिस्म टूट गया। चौधरी चरण सिंह ने बगावत

कर दी। दूसरी आजादी और प्रथम गैर-कांग्रेसी सरकार की अकाल मृत्यु हो गयी। ऋतु भाषा के पण्डित *टाइम्स* पतियों ने भी अज्ञेय-अध्याय की इति कर दी। उन्हें इन्दिरा-वापसी अपरिहार्य दिखाई देने लगी।

अज्ञेय जी की खामोश विदाई हुई। कांग्रेस सत्ता प्रतिष्ठान के समीपी व *नभाटा* के ही वरिष्ठ विशेष संवाददाता आनन्द कुमार जैन को ज्ञानपीठ पुरस्कार से सम्मानित साहित्यकार सम्पादक का उत्तराधिकारी बना दिया गया। नभाटा एक बार पुनः अक्षय-युग में धकेल दिया गया। मेरे नियुक्ति पत्र की नियति भी अज्ञेय जी के साथ नत्थी हो गयी।

इस प्रकार अज्ञेय जी के साथ हुई तीन-चार पत्रकारीय मुठभेड़ों ने मेरी अनुभव-राशि को समृद्ध ही किया। अब आप इस व्यक्ति को पूर्व वामपन्थी, रेनीगेड, संशोधनवादी, रॉयवादी या जेपीवादी, ब्रिटिश या सीआईए एजेंट, रहस्यवादी या अन्तर्मुखी या आत्ममुग्ध जिस तरह भी, सुविधानुसार, परिभाषित करें – लेकिन इस मदमाते दीपक की...'इसे भी पंक्ति को दे दो' की तड़प की झलक *नभाटा* के सम्पादक में देखी थी मैंने। वरना क्यों मुझसे वे 'धरा के अभागों' के बारे में बार-बार लिखवाते। यह एक सचेत सृजक की गरिमा का रूप है।

41

बॅड़ दा

॥ निर्मला ठाकुर

बॅड़ दा यानी 'अज्ञेय' से मैं पहली बार तब मिली जब बी.ए. प्रथम वर्ष की छात्रा थी। मेरी दीदी (प्रेमलता वर्मा) लेकर गयी थीं। बॅड़ दा अपने विवाह के बाद इलाहाबाद आये थे। *इंडियन प्रेस* परिसर के 'बारह-बंगलिया' के किसी एक बँगले में रहते थे। हम दोनों भरी दोपहरी में उनका घर ढूँढ़ते हुए पहुँचे थे। दरवाजा खटखटाया तो एक नौकर ने खोला।

'हमें अज्ञेय जी से मिलना है', दीदी ने कहा। अन्दर सम्भवतः अपने स्वामी को सूचना देकर उसने हमें ड्राइंगरूम में बिठा दिया। थोड़ी ही देर में झक् सफेद कुर्ता-पाजामा पहने अज्ञेय जी ड्राइंगरूम में नमूदार हुए। उन्होंने जैसे कुछ विस्मय से अपनी उजली दन्तपंक्ति हलके-से दिखाते हुए पूछा– 'कहिए!'

'हम आपसे मिलना चाहते थे।' दीदी ने कहा।

फिर यों ही बातें होती रहीं। बातें दीदी ही कर रही थीं। मैं तो उत्सुकतावश चली आयी थी और चुपचाप उस लम्बे-चौड़े, सौम्य-सुदर्शन व्यक्ति को देख रही थी, कुछ सुन भी रही थी। शायद मुझे चुप देखकर वे उठे और अन्दर चले गये। लौटे तो उनके हाथ में तस्वीरों का एक एलबम और कुछ अलग से छायाचित्र थे।

'आप इन्हें देखिए।'

मैं इतने बड़े कवि, रचनाकार के मुख से 'आप' जैसा भारी-भरकम शब्द सुनकर संकुचित हो गयी। मैं तस्वीरें देखती रही। सारी तस्वीरें उन्हीं की थीं। छोटी, बड़ी, विभिन्न मुद्राओं में कुछ तस्वीरें देखकर मन में आया यदि वे मुझे दे देते तो। शायद वे मेरी भंगिमा भाँप गये, बोले– 'जो आपको अच्छी लगे, ले सकती हैं।'

मैंने अपने लोभ पर संयम रखा और मारे संकोच के एक छोटी-सी तस्वीर लेने का साहस जुटाया।

'यह ले लूँ?' मैंने पूछा।

'अच्छा, तो आपको साहब ही पसन्द आया।' वे बड़े मजे से अपनी बत्तीसी दिखाते हुए हँसे।

दरअसल भइया (मलयज) के कारण हमारे घर में लेखकों के बड़े-बड़े मजमे लगते थे। शमशेर बहादुर सिंह, लक्ष्मीकान्त वर्मा, नरेश मेहता, नामवर सिंह, केदारनाथ सिंह, लक्ष्मीधर मालवीय और विष्णुचन्द्र शर्मा से लेकर शिवकुटी लाल वर्मा तक। हमारे छोटे मामा श्रीराम वर्मा हम लोगों के साथ ही रहते थे। कुछ वर्षों पहले ही *निकष* और *संकेत* निकले थे। *नई कविता* जैसी पत्रिका निकल रही थी। इस माहौल में हम सभी उपर्युक्त लेखकों की रचनाएँ पढ़ते, उन पर बहस करते या अपनी प्रतिक्रियाएँ व्यक्त करते। दीदी तो इन लेखकों की बैठकों या गोष्ठियों में अक्सर पहुँच जाती थीं और मैं डरते-डरते, कभी-कभी। उन बैठकों का माहौल बहुत जीवन्त होता था। शायद इन्हीं सब कारणों से मेरे कविता लिखने की शुरुआत हुई। हम 'तीन तिलंगे' थे। मैं, दीदी और मामा। जो लिखते, आपस में सुनते-सुनाते। भइया मलयज से डर लगता था। एक तो वे हम सब से बड़े थे, दूसरे अपनी बीमारी (तपेदिक), जो उन दिनों ला-इलाज थी, के कारण गम्भीर और हम सब से दूर ही दूर रह रहे थे। अधिकतर वे पहाड़ पर रहते। बाद में वेल्लूर में ऑपरेशन से उनका एक फेफड़ा निकाल दिया गया, तब ठीक हुए।

लेखकों की आवाजाहियों में अज्ञेय जी का नाम भी आता। इसकी भी चर्चा थी कि वे इलाहाबाद आकर बस गये हैं। मैंने तब तक उनकी कहानी *रोज* और शायद काव्य-संग्रह *हरी घास पर क्षण भर* पढ़ा था।

इन्हीं स्थितियों में हम दोनों पहली बार उनसे मिलने गये थे। इसके बाद दीदी ने एक दिन घोषणा की कि अज्ञेय जी हमारे घर आ रहे हैं। मुझे विश्वास नहीं हुआ, लेकिन यह सच था। अब उनके स्वागत में ढेर सारी तैयारी करनी थी। दीदी ने आनन-फानन में ड्राइंगरूम-कम बेडरूम को धो-पोंछ कर चमका दिया। बीच-बीच में वे मुझसे भी सहयोग लेती रहीं। पर्दे की समस्या प्रबल थी, धुले पर्दे आये नहीं थे, जो लगे थे वे फीके-फीके-से थे। क्या किया जाए? फिर उन्हीं पर्दों को पलटकर सिला गया और रंग-चुंग कर, प्रेस करके दरवाजों, खिड़कियों पर लगा दिया गया था। दीदी की घनघोर तैयारी देखकर माँ भी उत्सुक हो उठीं। भइया उन दिनों मसूरी में थे। एक अजीब-सी उत्तेजना, आशंका और प्रतीक्षा के बाद हमने देखा कि 'अज्ञेय' रिक्शे से उतर रहे हैं। दीदी झट से नीचे गयीं और उन्हें जाकर अन्दर ले आयीं। हमने उनके चरण-स्पर्श किए तो वे तुरन्त संकुचित हो उठे– 'अरे यह क्या, बस-बस'। वे मुश्किल से एकाध घण्टा रहे, लेकिन घर में जैसे उतनी देर उत्सव का माहौल बन गया था।

जब हम पहली बार उनसे मिले, तब भी वे अकेले ही थे। कपिला जी को शायद कहीं विदेश जाना था, अतः वे चली गयी थीं। केवल एक ही बार उस मकान में उन दोनों को साथ-साथ देखने का सौभाग्य मिला था। बाद में बीच-बीच

में उनसे मिलना हो जाता था। कभी किसी गोष्ठी में, कभी हम सबके ताऊ जी – शमशेर बहादुर सिंह – के 'जस्ट फिट' वाले घर पर और कभी 'बसुधा' में (डॉ. आशा मुकुल दास का घर)। ऐसे ही एक बार हम लोग 'बसुधा' में उनसे मिलने गये तो मैंने देखा अज्ञेय जी 'बउदि' (डॉ. आशा मुकुल दास की पत्नी) से फर्राटे से बांग्ला में बात कर रहे हैं। मुझे आश्चर्य भी कुछ हुआ और अच्छा भी लगा। क्षणभर को सोचा कि तब तो मैं इनसे बांग्ला में बात कर सकती हूँ।

मोहत्सिमगंज, जहाँ हमारा मकान था, बुनियादी तौर पर बंगालियों का मोहल्ला था। इलाहाबाद में बांग्लाभाषी समुदाय बहुत बड़ा है। मोहत्सिमगंज, नॉर्थ मलाका, साउथ मलाका, लूकरगंज, कर्नलगंज, एलेनगंज, टैगोर टाउन, जॉर्ज टाउन – तब ये सभी मुहल्ले बंगालियों के मुहल्ले थे। युनिवर्सिटी, हाईकोर्ट से लेकर सरकारी नौकरियों में बांग्लाभाषियों की संख्या अच्छी-खासी थी। नया इलाहाबाद मुख्यतः अंग्रेजों द्वारा बसाया गया एक औपनिवेशिक नगर था। बंगाल नवजागरण के बाद पढ़े-लिखे बांग्लाभाषी समुदाय ने बंगाल से पश्चिम की ओर बड़ी संख्या में आवाजाही की। बनारस और वृन्दावन तो मुक्ति प्राप्ति कामना के कारण पहले से ही उनके घोंसले थे, लेकिन पश्चिम के दूसरे औपनिवेशिक नगरों, कस्बों की ओर भी अंग्रेजों के बढ़ते कदम के साथ कदम मिलाते हुए वे आये और बस गये। मुख्यतः ये अंग्रेजीदाँ पढ़े-लिखे मध्यवर्ग के लोग थे, जो अपने अंग्रेजी ज्ञान के कारण छोटी-बड़ी नौकरियों में आये और अपनी भाषा, अपनी सगर्व बौद्धिक उच्चता को धारण करने वाले ये बंगाली मुहल्ले ढाका और कोलकाता के लघु संस्करण जैसे थे। इसीलिए इलाहाबाद में दशहरे के त्योहार की भाँति उतना ही बड़ा दुर्गापूजा का त्योहार आज भी मनाया जाता है। दशहरे की चौकियाँ और सप्तमी-अष्टमी के दुर्गापूजा के पण्डाल दोनों ही समान रूप में सजाए जाते हैं। वहाँ रात्रि में मंच पर सांस्कृतिक कार्यक्रम होते हैं और दिन में पूजा-आरती और प्रसाद का अच्छा-खासा प्रबन्ध भी।

इलाहाबाद की संस्कृति में खत्रियों, कायस्थों, सरयूपारीण ब्राह्मणों और बंगालियों का जो रसायन है, वह दूसरे नगरों में कम ही मिलेगा। हम लोगों का घर मोहत्सिमगंज के बंगाली मुहल्ले में था, जहाँ बचपन से ही अपनी सहेलियों से बोलते-बतियाते मैं बांग्ला सीख गयी थी। बोलने का लहजा, मुहावरे और इस भाषा की बारीक सांस्कृतिक अभिव्यंजनाएँ और गीत मेरी अपनी भाषा हिन्दी की तरह ही मेरे लिए सहज थे। इसीलिए जब मैंने अज्ञेय जी को 'बउदि' से बांग्ला में बातें करते सुना तो मेरी बाछें खिल गयीं। बाद के दिनों में मैं कभी-कभी उनसे बांग्ला में बोलती। अज्ञेय जी शुद्ध और सहज हिन्दी ही अधिक बोलते थे। उसमें कभी

अंग्रेजी के शब्दों को लपेटते नहीं थे। और कुछ हुआ हो या नहीं, इसी में से कब मैं उन्हें बॅड़ दा (बड़े भाई) कहने लगी। इसका पता ही नहीं चला और कब मुझे वे 'आप' से 'तुम' सम्बोधन देने लगे, इसका भी। लेकिन ऐसा होने पर उनके बड़प्पन, महत्त्व और उनकी गरिमा को देखते हुए मैं सहज हो गयी।

हम लोग 'जस्ट फिट' (शमशेर जी का घर) अक्सर जाया करते थे। शमशेर जी थे तो बुज़ुर्ग पर हमारा मन वहाँ खूब लगता। अनेक विषयों पर बातें होतीं, जैसे खिचड़ी बनाने से लेकर कविता की भाषा शैली, अभिव्यंजना, कभी चित्रकला की बारीकियाँ और उस बीच में चाय, खाना बनाने का कार्यक्रम, और कभी-कभी अपने पारिवारिक जीवन के बारे में कोई संस्मरण। इस दौरान कोई आ गया तो गर्मजोशी से मेहमान की आवभगत, उससे भी गपशप। इन्हीं में एक बड़ा नाम था 'बॅड़ दा' का, जो कभी-कभार मिलने आ जाते। धीरे-धीरे क्रमशः शमशेर ताऊ जी के माध्यम से हम उनके करीब आये। मुझे वे बड़े भव्य और रिजर्व व्यक्तित्व वाले लगते। उनके लिए मन में बहुत संभ्रम था। आते थे तो उनके चरण-स्पर्श किए और बस। दीदी (अब वे अर्जेन्टीना में हैं) के कारण मैं उनके व्यक्तित्व से कुछ और परिचित हुई।

अब जब भी वे इलाहाबाद आते, अक्सर हमें सूचना मिल जाती। वैसे तो उनके आने की खबर इलाहाबाद के सारे लेखक-समुदाय को हो जाती। वे इलाहाबाद के लेखकों के हीरो थे। यहाँ वे पहले भी रह चुके थे। 14, हेस्टिंग्ज रोड (न्याय मार्ग, जहाँ अब उत्तर मध्य क्षेत्र सांस्कृतिक केन्द्र का दफ्तर है) में वे श्रीपत राय के साथ रहते हुए सन् 46 के आसपास *प्रतीक* निकाल चुके थे, 'बारह बंगलिया' छोड़ने के बाद अज्ञेय जी फिर दिल्ली लौट गये। उसके बाद भी जब वे इलाहाबाद आते (और प्रायः आते) तो ठहरते 'बसुधा' में ही। अगर शमशेर जी के यहाँ नहीं तो हम तीनों (दीदी, मैं और मामा) 'बसुधा' में ही उनसे मिलने जाते। इन्हीं बैठकों में कभी दीदी ने बॅड़ दा को बताया कि निर्मल बहुत अच्छा गाती है – बांग्ला गीत भी। मुझे अपने गाने और कण्ठ पर बहुत भरोसा था। कॉलेज के दिनों में ढेरों प्रशंसा बटोर चुकी थी। विश्वविद्यालय में मंच पर गाने का अवसर मिल चुका था। मैंने उन्हें एक बांग्ला गीत सुनाया, फिर राग दरबारी में एक हिन्दी गीत *दीपक जल-जलकर बुझता है* उन्हें स्वर सम्भवतः भाया। आँख मूँदकर सुनते रहे। मैं आश्वस्त हुई। दूसरे-तीसरे दिन मैं और दीदी विश्वविद्यालय होते हुए उनके दर्शनार्थ पैदल-पैदल चले तो सोचा इत्ती धूप में जा तो रहे हैं, पता नहीं मिलेंगे या नहीं। सौभाग्य से वे भी कहीं से होकर आ रहे थे और उन्हें रिक्शे से उतर कर ड्राइंगरूम में जाते हमने देख लिया था। 'लेखक द ग्रेट' मैंने मन में कहा। बउदि ने ही दरवाजा खोला। हमें बैठाया और भीतर चली गयीं। 'बॅड़ दा' करीब आधे

घण्टे बाद ड्राइंगरूम में आये।

'अच्छा आप लोग हैं! बड़ी तेज धूप है।' उनके मुँह से निकला। वे भीतर जाकर 'बउदि' से कुछ बोले बांग्ला में। तीन गिलास पानी भिजवाया गया। फिर हम कुछ इत्मीनान से बैठे। वे अपनी विदेश यात्रा का वृत्तान्त सुनाते रहे। क्या-क्या किया, किस विश्वविद्यालय ने उन्हें व्याख्यान देने के लिए आमन्त्रित किया आदि। अचानक मेरी ओर मुखातिब होकर बोले– 'आपका संगीत का अभ्यास कैसा चल रहा है?' कहकर उन्होंने आँख मूँद लीं। शायद बाहर से लौटे थे और गर्मी से थक गये थे। उन्होंने सहसा आँखें खोलीं– 'आप मेरी कविताएँ – गीत गा सकेंगी?' मैं चुप। क्या बोलूँ? फिर थोड़ा मुखर हुई। 'आप मुझे 'आप' कहना तो छोड़ें, मैं आपसे बहुत छोटी हूँ।'

'देखिए, जब आरम्भ से ही बच्चों को आप कहा जाता है, तभी 'आप' कहने की आदत पड़ती है।' चेहरे पर हल्की स्मिति। मैं कुछ बोलूँ कि दीदी ने आँखों से बरजा और बोलीं– 'किस संग्रह की बात कर रहे थे आप?'

'पहले आप स्वीकृति तो दें।' उन्होंने मुझे लक्ष्य कर कहा। मैं झेंप गयी, जल्दी से बोल पड़ी– 'क्यों नहीं गाऊँगी, आप गीत तो बताएँ।'

इत्यलम में है। तय हुआ कि गीतों का चयन वे करेंगे। फिर हमारी भेंट हुई तो चयन को एक बार फिर से देखा गया। एकाध गीत जिसका अभ्यास मैंने घर पर किया था, उन्हें सुनाया तो उन्हें अच्छा लगा। राग जयजयवन्ती में *प्राण, तुम्हारी पद रज फूली* की धुन बहुत अच्छी बन गयी थी। इसी तरह लोकधुन पर *घास हरी हुलसानी...ओ पिया पानी बरसा* तथा 'क्वांर की बयार' सुनाई तो प्रसन्न हुए और कुछ सुझाव भी दिए।

तो इस तरह हम निकट आये। मैंने अपने अनुभव से जाना कि बॅड़ दा का रुझान प्राचीन इमारतों के प्रति बहुत था। उनके बारे में उनका ज्ञान हमें आश्चर्यचकित कर देता था, साथ ही क्षोभ भी कि ऐसी-ऐसी दुर्लभ इमारतें हैं, जिनकी ओर सरकार या प्रशासन ध्यान ही नहीं देता। पूरी दिल्ली के कोने-अँतरों में बहुत-सी ऐसी प्राचीन, ऐतिहासिक इमारतें उन्होंने हमें दिखाईं भी। इसी सन्दर्भ में एक घटना याद हो आयी। एक बार वे हम लोगों को दिल्ली का पुराना किला दिखाने ले गये। अन्दर प्रवेश करते ही सतभैये शोर मचाते हुए दिख गये। बॅड़ दा को झट चुहल सूझी, मुझसे बोले, 'इन चिड़ियों को देख रही हैं आप, इन्हें क्या कहते हैं?'

'सतभैये', मैं बोली।

'हाँ, पर जब शान्त रहते हैं तभी जब ये शोर मचाते हैं तो 'सतबहिनी' कहलाते हैं।' कहकर कुछ मुस्कुराए। मैंने तुरन्त प्रतिवाद किया, लेकिन उनसे

तर्क तो कर नहीं सकते थे। वहाँ घूमते हुए उन्होंने कई महत्त्वपूर्ण जानकारियाँ दीं।

बँड़ दा एक बड़े अच्छे गाइड भी थे।

बस यह जरूर था कि पहले वे मेरे साथ गम्भीर नहीं रह पाते थे, कुछ न कुछ छेड़ कर देते थे और मैं बच्चों की तरह उनसे उलझ पड़ती थी। पर वे कभी बुरा नहीं मानते थे। उनका व्यवहार मेरे प्रति एक छोटी बहन, पुत्री और नन्ही मित्र जैसा था। वात्सल्य और स्नेह का रूप मैंने उनकी चमकती आँखों और शरारत वाली मुद्रा, उनकी हँसती हुई आँखों और चेहरे में अनेक बार पाया। एक बार किसी बात पर जब वे हँसे तो बचपने में आकर मैंने कहा, 'जरा देखूँ तो आपकी यह चमकती, दमकती दन्तपंक्तियाँ असली हैं या' – और मैंने अपनी उँगली झटक उनके दाँतों में लगा दी। वे एकाएक बोले, 'यह क्या कर रही हो? अरे भई असली हैं – एकदम असली' और आहिस्ते से हाथ हटा दिया। 'वज्रदन्ती का प्रयोग करता हूँ,' कहकर वे फिर हँसे। मुझे लज्जा का अनुभव हुआ कि क्या बचपना कर बैठती हूँ। कभी-कभी वे गम्भीर होते थे या अपनी लाइब्रेरी में चिन्तन की मुद्रा में या स्टडी में कुछ लिखते या सोचते हुए तो उनसे एक शब्द भी बोलने का साहस नहीं होता था।

सच कहा जाय तो बँड़ दा का वह तथाकथित रिजर्व व्यवहार मेरे साथ तो नहीं था। अब उन बातों को सोचती हूँ तो लगता है कि वे भीतर से कहीं बहुत घरेलू किस्म के इंसान थे। घर-परिवार, बच्चे उन्हें अच्छे लगते थे। यह मैंने तब महसूस किया था जब ३-सी, कासिल्स रोड वाले मकान में वे आते थे। मेरे दो बच्चे थे। बड़े प्यार से मेरी बेटी अनुपमा के गाल थपथपाते या बेटे अनिमेष से क्रिकेट कमेन्ट्री का स्कोर पूछते। उनका अपना एक अलग ढंग था, तरीका था – उनके व्यक्तित्व के अनुरूप।

सोचती हूँ मेरे और बँड़ दा के बीच साहित्य में बहुत लेना-देना नहीं था। वैसे भी उन जैसे विद्वान चिन्तक, लेखक, कवि के साथ कहीं से भी मेरा क्या जोड़ हो सकता था? कहना चाहिए कि जमीन-आसमान का अन्तर होते हुए भी जैसे कुछ ऐसा पारिवारिक भावनात्मक रिश्ता था हमारे बीच, जो इन दूरियों को कम करता था, जहाँ देना-पावना जैसा सोच नहीं था। जब मैं कविताएँ लिखने लगी, दूसरे लेखकों की पुस्तक पर मेरी एकाध समीक्षा भी छपी तब भी हममें किसी ने भूले से भी उसकी चर्चा नहीं की। चिढ़ाने के भाव से भी नहीं कि अब तुम कुछ लिखती-पढ़ती भी हो। वे अक्सर अपनी तर्जनी और अँगूठे को छोटा-सा बनाकर मुझसे कहते– 'बस अभी भी तुम इतनी-सी हो।'

वे कभी-कभी ही मुझसे साहित्य या लेखन के बारे में चर्चा करते। मैं उनके लिए अपरिपक्व तो थी ही। एक बार की बात याद है, मैं 'बसुधा' गयी थी। मैंने

बातों ही बातों में कहा– 'आप आत्मकथा क्यों नहीं लिखते? विविधताओं से भरा जीवन है आपका। सैन्य-जीवन से लेकर क्रान्तिकारी, बम बनाने से लेकर चर्म-शिल्प कला तक में दक्ष। लेखक, आलोचक, चिन्तक तो हैं ही आप!' बोले– 'आत्मकथा लिखना आसान नहीं है। मैंने कई बार सोचा, पर लगा नहीं, नहीं लिख सकूँगा मैं।'

'क्यों?' मैंने पूछा, 'आखिर बच्चन जी ने भी तो आत्मकथा लिखी है– *क्या भूलूँ, क्या याद करूँ?'* वे नाराजगी और आक्रोश से बोले– 'तुम्हें पता है, उसमें अधिकांशतः झूठ है? आत्मकथा के लिए ईमानदारी बहुत आवश्यक है। इसीलिए उसे लिखना भी कठिन है।' मैंने उनके आक्रोश का यह रूप नहीं देखा था। बातें, सम्भवतः बहुत सारी रही होंगी पृष्ठभूमि में। खैर उन्होंने मुझसे पूछा कि मेरी पढ़ाई-लिखाई (एम.ए. की) कैसी चल रही है। मैंने बताया और कुछ गीतों की चर्चा भी की। फिर भी मुझे लग रहा था कि कहीं उनके मन में क्षोभ न हो। पर ऐसा शायद था नहीं, क्योंकि मेरे लिए बेली रोड से घर तक के लिए एक रिक्शा मँगवा दिया था। अकेली होने पर कभी-कभी वे चलकर रिक्शे तक साथ-साथ आते थे और कभी तो बड़ी मुश्किल से मैं ही मना कर देती, क्योंकि हमारा इरादा युनिवर्सिटी जाने का होता। बेचारे (उन दिनों) मेरे प्रेमी (अब पति, दूधनाथ सिंह) प्रतीक्षा में पलक-पाँवड़े बिछाए होते।

एक दिन जब हम तीनों जन (मैं, दीदी और बॅड़ दा) संगम-तट पर नाव से घूमने गये तो देखा बॅड़ दा बीच-बीच में मुझे चिन्तित दृष्टि से देख रहे हैं। मैं समझ नहीं पायी, लेकिन कुछ अन्देशा-सा हुआ कि मेरी बहन जी ने मेरे बारे में उनसे कुछ जड़ तो नहीं दिया। उस दिन वे मुझसे लगभग नहीं बोले। घर लौटने पर मैंने दीदी से पूछा तो बोलीं, 'हाँ, उन्हें तुम्हारे प्रेम-प्रसंग के बारे में तो बताना ही था न। वे हमेशा तुम्हारी चिन्ता करते हैं, तुम्हारा हित चाहते हैं, तुम्हारे भविष्य का प्रश्न है। उन्हें जब मैंने बताया कि तुम दूधनाथ सिंह से प्रेम करती हो तो उन्हें आश्चर्य हुआ। मैंने तो कहा कि आप उसे समझाइए। पर वे चुप हो गये। बाद में बोले मैं कैसे समझा सकता हूँ, धीरे-धीरे उसे ही समझना होगा।'

मैं हतप्रभ हो गयी। दीदी पर क्रोध भी आया कि क्या पड़ी थी उन्हें मेरे बारे में इस तरह की बातें करने की। पता नहीं उन्होंने क्या सोचा होगा। लगता है इलाहाबाद के हितैषी लेखकों की बातें भी उनके कानों में पहुँची होंगी। क्या पता हमारे पूज्य मामा जी हों...ऐसी ढेरों बातें मैं सोच गयी। मैं भीतर ही भीतर संकुचित हो उठी थी। अब जानती हूँ कि बॅड़ दा किसी के भी स्वतन्त्र निर्णय के पक्षधर थे। अपनी ओर से किसी भी तरह का दबाव डालना नहीं चाहते थे। वे उपदेश देने के पक्ष में भी नहीं थे। बाद के दिनों में मैं कभी भी अनिर्णय की स्थिति में होती तो कहते– 'कोई न कोई निर्णय तो तुम्हें ही करना होगा, हाथ

पकड़कर पालने के बजाय अपने आप रास्ता ढूँढ़ना होता है। वह रास्ता कठिन भी हो सकता है और सरल भी, अच्छा हो कि कुछ कठिन रास्ते को अपनाया जाय जिससे अपने लक्ष्य तक पहुँचने में सन्तुष्ट तो हुआ जा सकता है।'

बॅड़ दा का रास्ता आसान नहीं था। उनका व्यक्तित्व विविधता और जोखिम से भरा था। श्रीमती प्रकाशवती (यशपाल की पत्नी) ने एक बार मेरे पति को बताया था कि क्रान्तिकारियों में उन दिनों दो ही लोग थे, जिनकी बुरी नजर मुझ पर नहीं थी, एक तो स्वयं आजाद और दूसरे वात्स्यायन। सभी जानते हैं कि क्रांतिकारी दौर में अज्ञेय जी और प्रकाशवती बम बनाने के कारखाने में साथ-साथ काम करते थे।

वे राजनीति में सक्रिय थे और जेल में रहकर *शेखरः एक जीवनी* लिख रहे थे। वे सशक्त कथाकार, उपन्यासकार, निबन्धकार, कवि और पत्रकार थे। वही बॅड़ दा इलाहाबाद आये तो उन दिनों लेखक समाज, विशेषकर 'परिमल' ग्रुप के नायक थे। इलाहाबाद उन्हें प्रिय था, इसीलिए वे यहाँ बसने भी आये थे। या यह देखने कि यहाँ रहा जा सकता है अथवा नहीं। अन्ततः वे यहाँ नहीं रह पाये। मुझे लगता है यहाँ की साहित्यिक राजनीति उन्हें रास नहीं आयी। मैंने कहा भी कि आपको यहीं रहना चाहिए। एक बार उन्होंने मेरी बात पर कहा– 'यहाँ के लोग चाहते ही नहीं कि मैं रहूँ', स्वर में किंचित् हँसी, दुख और क्षोभ था। इसी सन्दर्भ में उनके लिखे पत्र का एक अंश याद आता है, जो उन्होंने 22 फरवरी, 1964 को विदेश से भेजा था– *'आशा है वहाँ सब स्वस्थ और प्रसन्न हैं और मुझे इस हद तक भूल गये हैं कि निन्दा करने की जरूरत नहीं समझते।'* बहरहाल, दुबारा इलाहाबाद जो छोड़ा तो फिर लौटकर बसने नहीं आये। हाँ, हमसे नाता बराबर बना रहा। वे आते थे, आमन्त्रित किए जाते थे, लोगों से मिलते-जुलते थे। कई बार व्याख्यान देने आये। एक बार 'निराला व्याख्यानमाला' के अन्तर्गत उन्हें आमन्त्रित किया गया था। मुझसे बोले, 'तुम आना तो मेरे व्याख्यान का नोट्स तैयार कर लेना, मुझे चाहिए।' मैंने उनकी आज्ञा शिरोधार्य की। उनका यह भरोसा कम बड़ी बात नहीं थी। कभी-कभी वे कोई काम निकालकर भी इलाहाबाद आ जाते थे। यदि मैं कहूँ कि हमसे मिलने के लिए भी कोई कार्यक्रम बनाकर आ जाते तो अत्युक्ति नहीं होगी।

बॅड़ दा ने वत्सल निधि की स्थापना की तो जहाँ तक मुझे स्मरण है पहली संगोष्ठी लखनऊ में रखी थी सन् 1981 में। मुझे भी निमन्त्रण मिला। बॅड़ दा ने कुछ कार्यक्रमों की रूपरेखा बता दी थी। वत्सल निधि की ओर से ठहरने का प्रबन्ध था। परन्तु दुर्भाग्य से उन्हीं दिनों मेरा 'टॉन्सिल' बढ़ गया था और गला बुरी तरह खराब था। मेरे गाने के कार्यक्रम का क्या होगा, इसकी चिन्ता मुझे बराबर

सता रही थी। कई दिन तक इला जी ने काढ़ा बनवाकर पिलवाया। फिर श्रीमती भगवतीशरण सिंह से 'बेनेड्रिल' में केसर मिलाकर पीने का सुझाव आया, उसका भी सेवन किया। उसके कारण नींद आती। कुछ काबू आया।

इस दौरान विभिन्न विषयों पर चर्चाएँ होती रहीं, परिचर्चाएँ हुईं और उनकी रेकॉर्डिंग भी। इस संगोष्ठी में विजयदेव नारायण साही और डॉ. विपिन कुमार अग्रवाल भी अपने इलाहाबाद से थे। मैं खाँसी के भय से चुपचाप सुनती रहती और 'बेनेड्रिल' के प्रभाव से ऊँघती रहती। सम्भवतः पाँच दिन का कार्यक्रम था। उसी दौरान बॅंड़ दा का जन्मदिन पड़ा। कुछ सांस्कृतिक कार्यक्रम आयोजित किए गये। सभी लोग देखने गये। शाम धीरे-धीरे उतर रही थी। इला जी मेरी बगल में बैठी थीं। अचानक वे मेरी ओर उन्मुख होकर बोलीं– 'जरा अपने आँचल से मेरी ओर आड़ कर देंगी प्लीज!' मैं समझी नहीं। फिर मैंने आँचल से जब आड़ की तो गौर किया कि वे निःशब्द रो रही हैं। मैं हतप्रभ, यह क्या हुआ इनको? बॅंड़ दा के जन्मदिन पर? बाद में श्रीमती भगवतीशरण सिंह से मैंने जिज्ञासावश पूछा तो वे बोलीं– 'क्या पता, उन्हें अपने पति की उम्र का एहसास हो रहा हो।' वे कहकर एकाएक चुप हो गयीं। मन खिन्न था।

संगोष्ठी के अन्तिम दिन मैंने बॅंड़ दा की कविता का गायन किया– *'क्वांर की बयार चली'*। संगोष्ठी समापन के तुरन्त बाद प्रस्ताव आया कि अज्ञेय जी के लघु नाटक *बसन्त* की रेकॉर्डिंग होनी है। लखनऊ के ही किसी प्राइवेट स्टूडियो में। किन-किन को इस नाटक का प्रतिभागी होना है, तय हुआ। मेरा नाम भी प्रस्तावित था। हम लोग लगभग शाम को पहुँचे।

नाटक में बालक बसन्त की भूमिका मुझे दी गयी। हम स्क्रिप्ट लेकर बैठे। मैंने अपना पार्ट अच्छी तरह देख और पढ़ लिया। रेकॉर्डिंग कई बार रोकी गयी, कभी टेक्निकल गड़बड़ी से कभी किसी के संवाद सही न उतरने के कारण। रेकॉर्डिंग समाप्त होते-होते रात्रि के नौ-साढ़े नौ बज गये थे। बीस मिनट का नाटक था। सबने सुना। सबसे अधिक मेरे रोल की प्रशंसा हुई। इन सभी प्रतिभागी कलाकारों में मैं सबसे छोटी थी। रेकॉर्डिंग के समय बॅंड़ दा उपस्थित नहीं थे। लेकिन बाद में उन्होंने सुना और स्मरण है कि वे मुझसे प्रसन्न थे। लम्बे अन्तराल के बाद एक बार दिल्ली में भेंट होने पर मैंने पूछा– वह नाटक वाला कैसेट कहाँ है? तो किंचित् क्षोभ से उत्तर दिया– 'दुर्गावती सिंह से वह कैसेट खो गया।' दुर्गावती जी उन दिनों आकाशवाणी, लखनऊ में थीं।

बॅंड़ दा में मैंने एक गुण देखा कि जिससे सहज होते थे, होते थे। फिर चाहे कोई कुछ सोचे। जैसे वे मेरे घर आते अवश्य थे, पर मेरे पति से कभी खुले नहीं। मेरे

पति भी संभ्रम से उनसे बात करते। दोनों में चाहे-अनचाहे दूरी बनी रही। पूछने पर मेरे पति कहते– 'वात्स्यायन जी से लेखक को दूर ही रहना चाहिए। उनका ऐसा प्रभाव है कि वे सबको बौना बना देते हैं।' भइया मलयज से जब मैंने कहा कि वे बहुत आग्रह से आपको बुलाते हैं, तो लगभग वैसा ही उत्तर उनके पास भी था– 'वे वटवृक्ष हैं, उनसे दूरी बनाकर ही रहना चाहिए।' सच तो यह है कि शमशेर जी से भी बहुत करीबी मुझे दिखी नहीं। उनके गिनती के मित्र थे। सम्भवतः दो या तीन, वह भी साहित्यकार नहीं – केवल बौद्धिक, विवेकवान। यह भी मैंने बॅड़ दा से ही जाना।

जैसा मैंने कहा, बॅड़ दा कहीं बहुत सहज थे। महानगर में उन्हें अपना कोई मिल जाय तो उनके लिए भरसक समय निकालते थे। मुझे एक बार बॅड़ दा से मिलना था (दिल्ली जाऊँ और उनसे न मिलूँ, ऐसा कैसे होता)। मैंने फोन पर उन्हें बताया कि मैं आकाशवाणी महानिदेशालय जाऊँगी, वहाँ मुझे कुछ काम भी है। बोले– ठीक है, तुम ग्यारह बजे बाहर आकर मेरी प्रतीक्षा करना। मैं महानिदेशालय पहुँची तो दस बज रहे थे। पता चला, आज तो रविवार के कारण, ऑफिस बन्द है। मात्र स्टूडियो खुले थे। मैं वहाँ जाकर क्या करती। बड़ी कोफ्त हुई। मैं बाहर निकलकर प्रतीक्षा करने लगी। बार-बार अपनी घड़ी देखती और झुंझलाती। ठीक ग्यारह बजे बॅड़ दा की कार आकर ठीक मेरे सामने रुकी। जान में जान आयी, इस महानगरी में खो जाने का भय तुरन्त समाप्त। मैं भागकर पहुँची और बैठ गयी। शान्त स्वर में बोले, 'कहाँ चलना है?' 'पता नहीं'। फिर अपनी मूर्खता बताई तो वही स्निग्ध हँसी – 'वार का स्मरण तो मुझे भी नहीं रहा।' और हम यों ही घूमते-घामते, इधर-उधर की बातें करते रहे। एकाएक बोले– 'अरे मैं तो बिलकुल भूल ही गया था, मुझे बंगाली मार्केट जाना है, मुझे कुछ लाने को कहा गया था।'

मार्केट पहुँचकर बोले– 'तुम यहीं बैठो, मैं बस आता हूँ।' लौटे तो हाथ में दो पैकेट थे। बोले– 'तुम्हें सबसे निकट के बस-स्टॉप से ऑटो करवा दूँ?' मैंने कहा– 'नहीं, मैं बस से जाऊँगी।' 'चली जाओगी?' वे कुछ असमंजस में दिखे। मैंने हामी में सिर हिलाया। कार से बस-स्टॉप पर उतरने लगी तो एक पैकेट मेरी ओर बढ़ाया– 'यह तुम्हारे लिए'। मैंने संकोच के साथ ले लिया। सोचा बंगाली मार्केट के सफेद रसगुल्ले प्रसिद्ध हैं, ऐसा एक बार मार्केट के सामने से गुजरते हुए उन्होंने बताया था, वही होंगे। मैं घर – मॉडल टाऊन – पहुँची। भइया (मलयज) घर पर ही थे। मैंने उनकी ओर बढ़ाते हुए खुशी-खुशी बताया कि बॅड़ दा ने रसगुल्ले का पैकेट दिया है। जब खिलाने के लिए खोला तो पनीर निकला। बड़ी कोफ्त हुई। मैंने भाभी को दे दिया कि उपयोग कर लें। तीसरे दिन भेंट हुई तो स्वयं अफसोस करने लगे– 'निर्मल, उस दिन तो बड़ी डाँट पड़ गयी। पनीर का पैकेट तुमको पकड़ा

दिया, रसगुल्ले घर ले आया! उसकी सजा यह मिली कि मुझे फिर जाना पड़ा पनीर लाने।' मैं हँसने लगी– 'तो आपको भी कोई डाँटने वाला है।'

'मुझे डाँट पड़ी और तुम्हें आनन्द आ रहा है', उन्होंने मुझे हलकी-सी चपत लगाई। यह तब की बात है जब वे और कपिला जी चाणक्यपुरी में रहते थे।

एक और प्रसंग। मैंने भइया से कहा मुझे *दिनमान* आफिस जाना है। बॅड़ दा उन दिनों *दिनमान* के सम्पादक थे और मुझे इतनी छूट थी कि बिना फोन किए दिल्ली आने पर उनसे मिल सकती थी। भइया मुझे *दिनमान* ऑफिस तक छोड़ आये। भीतर नहीं गये। मैंने बताया कि भइया मुझे यहाँ तक छोड़ गये हैं। तुरन्त बोले– 'अरे उनको अन्दर क्यों नहीं ले आयीं?' 'उन्हें अपने ऑफिस जाने की जल्दी थी, मैं बोली।' भइया कृषि भवन में वहाँ की पत्रिका के सम्पादन में थे। चलते वक्त उन्होंने कहा था– 'मिलने के बाद तुम बस-स्टॉप पर आ जाना। मैं मिल जाऊँगा, फिर साथ चलेंगे।' बॅड़ दा कुछ देर बाद काम समेट मेरे साथ बाहर निकल आये। आँखों में वही सवाल – 'कहाँ चलें?'

सुबह चलने की हड़बड़ी में मैंने नाश्ता भी ठीक से नहीं किया था। दोपहर के साढ़े बारह बज रहे थे। बोलने की हिम्मत नहीं। हम उनके साथ सचिवालय गये। लम्बी-चौड़ी, ऊँचाई की ओर जाती हुई साफ-सुथरी सुन्दर सड़क, महिमामण्डित राष्ट्रपति भवन। फिर घुमाते हुए एक बड़ी-सी इमारत पर रुके। बोले– 'आता हूँ।' (हो सकता है कपिला जी के पास किसी काम से गये हों) कुछ देर बाद प्रकट हुए। पूछा– 'भूख लगी होगी?' 'नहीं, कुछ विशेष नहीं।' वे मेरे संकोच को समझ गये। कनाट प्लेस आये। सम्भवतः 'एम्बेसी' रेस्तरां हम गये। उनके वहाँ कई परिचित मिल गये। सबसे हाथ जोड़ते, उज्ज्वल दन्त-पंक्तियों की छटा बिखेरते एक जगह बैठे। मेरे ऑर्डर न देने पर स्वयं कई तरह की चीजें मँगवायीं। बाद में आइसक्रीम। 'बॅड़ दा' को अपने काम की भी चिन्ता थी, सो हम *दिनमान* ऑफिस पहुँचे।

वे अपने काम में जुट गये और मैं पत्रिकाएँ पलटती, पढ़ती रही। भइया से शाम चार बजे मिलना तय था। बीच में एकाध बार बॅड़ दा बोले– 'बोर तो नहीं हो रही हो?' मैं 'ना' में सिर हिला देती। घड़ी देखकर मैं उठ गयी। समय पर पहुँचना था। भइया मिल गये तो उस भीड़-भाड़ में राहत मिली। चलते-चलते अचानक उन्होंने पूछा– 'निर्मल, अज्ञेय जी ने तुम्हें कुछ खिलाया-पिलाया, या बस? चलो, तुम्हें तो बहुत भूख लग रही होगी, इतनी देर खाया तो क्या होगा।' मैं इस अनपेक्षित प्रश्न से सहसा घबराकर बोली– 'अरे नहीं, कुछ खाया भी, आइसक्रीम भी।' भीड़-भाड़, शोर में लगता है उन्होंने मेरी पूरी बात सुनी ही नहीं– 'अरे बस?' वे एक रेस्तरां में ले गये। मेरी विचित्र स्थिति। उनके स्नेह को भी मैं

किसी भाँति आहत नहीं कर सकती थी। उनके चेहरे पर चिन्ता और वात्सल्य का मिलाजुला भाव था। मैं चुप रह गयी। सो उस दिन डबल खाना-पीना पड़ा। बाहर निकले तो हमारे भाई साहब के चेहरे पर सन्तुष्टि का भाव दिखा कि निर्मल ने खा-पी लिया। घूमते-घामते, पुस्तकों की दुकान पर रुकते हम कहीं शाम सात बजे घर पहुँचे।

मुझे लगता है व्यक्ति कितना भी गूढ़-गम्भीर लेखक हो, चिन्तक हो, कहीं न कहीं किन्हीं स्थितियों में सहज भी होता है। जो लेखक-समुदाय 'अज्ञेय' पर 'स्नॉब' होने का आरोप लगाते रहे, उन्हें अपने भीतर झाँककर देखना चाहिए।

अज्ञेय जी को बिना जाने-समझे इस तरह के आरोपों का कोई अर्थ नहीं होता। सहजता का एक छोटा-सा उदाहरण और याद आ रहा है। एक बार हम इंडिया इंटरनेशनल सेंटर गये। पूछा— 'कुछ खाओगी?'

'नहीं, सिर्फ कॉफी।'

ठीक है तुम 'गर्म-गर्म' कॉफी पियो, मैं 'ठण्डी-ठण्डी' आइसक्रीम खाता हूँ। शरारती अन्दाज में बोले। इस बीच कॉफी आ ही गयी थी। मैंने भी कहा— 'मेरा गला ठीक होने दीजिए, डबल आइसक्रीम खाऊँगी आपसे।' हँसकर बोले— 'पहले गला तो ठीक करो।' स्मरण करती हूँ कि साहित्य-जगत के पुरोधा उस समय कितने सहज, कितने सरल लग रहे थे। पता नहीं इसका अनुभव हममें से कितनों को है। हमने वहीं बैठकर एक बार फिर उनके कविताओं के चयन की चर्चा की। तय हुआ कि स्टूडियो में गाने की रेकॉर्डिंग की जाए।

एक दिन निमन्त्रण मिला कि दरियागंज में कोई स्टूडियो है, वहाँ चलना है। हम दरियागंज के भीतर सँकरे रास्तों से होते हुए अन्ततः वहाँ पहुँचे। रेकॉर्डिंग की व्यवस्था की गयी। बॅड़ दा रेकॉर्डिंग रूम में बैठे और साथ में इंजीनियर वीर जी भी। हाँ, स्टूडियो में उसके पहले मेरा अभ्यास हुआ गाने का। बॅड़ दा ने सुना। उन्होंने पहले उसी छोटी-सी कविता को गाने के लिए कहा— 'क्वांर की बयार।' कुछ बातें उन्होंने समझाईं भी। बीच-बीच में कई कट रेकॉर्ड हुए। अन्त में फाइनल रेकॉर्डिंग हुई। सुनकर उनके मुख पर सन्तुष्टि का भाव उभरा। इन सब में लगभग दो घण्टे तो हो ही गये थे। एक-एक शब्द, उसकी भावाभिव्यक्ति, शब्द पर कितना स्वराघात हो, भाव को किस शब्द पर जोर देने से वह और प्रभावकारी हो सकता है। यानी कि कितना स्ट्रेस, कितना पॉज, कितना उतार-चढ़ाव, ठहराव। बाप रे! इतना तो मैंने आकाशवाणी के नेशनल प्रोग्राम के संगीत-रूपक में भी परिश्रम न किया होगा, जहाँ बाहर से निमन्त्रित किए गये संगीत के महारथी राकेश मोहन घिल्डियाल ने सूर का पूरा पद गवाया था— 'जसोदा, हरि पालने

झुलावैं'। वे भी कलाकारों से बहुत परिश्रम करवाते थे, लेकिन हमारे बॅड़ दा! कोई जवाब नहीं था। वह टेप शायद वे अपने घर ले आये। मैंने संकोच के मारे नहीं पूछा। तय हुआ कि दूसरी-तीसरी कविता की रेकॉर्डिंग आगे शीघ्र तय कर ली जाएगी। पर वह नौबत ही नहीं आयी। मैं अपनी नौकरी, घर-गृहस्थी में उलझ गयी और बॅड़ दा विदेश चले गये।

बॅड़ दा के साहित्य रूप से तो परिचय होने लगा था, पर संगीत की भी इतनी गहरी समझ है, नहीं जानती थी। मैंने एक बार संगीत की चर्चा करते हुए कहा– बॅड़ दा, साहित्य, चित्रकला आदि में युग-विशेष और उससे और आगे बढ़ते रहने की अभिव्यक्ति मिलती है, लेकिन संगीत में तो सदियों से वही पुरानी रट है– 'बाजूबन्द खुल-खुल जाए'। गीतों में कोई नयापन नहीं, वही रीतिकालीन मानसिकता के गाने। वही पिटी-पिटायी बन्दिशें। क्यों नहीं किसी संगीतकार, गायक का ध्यान इस ओर जाता? बोले– हाँ, यह दोष तो है; लेकिन कुछ गायकों ने इसे तोड़ा भी है, जैसे कुमार गन्धर्व। और तुमने पण्डित ओंकारनाथ ठाकुर का गाया पद सुना है– 'जोगी, मत जा'? पुरातन होते हुए भी नवीन है। कुछ बातों को हम यों ही खारिज नहीं कर सकते। पर हाँ, यह सही है कि जितना काम संगीत के क्षेत्र में होना चाहिए, वह नहीं हो रहा है।

सन् 1982 में भइया मलयज का हृदयाघात से निधन हो गया। उस समय उनकी आयु कुल सैंतालीस वर्ष ही थी। मैं भागी-भागी बदहवास दिल्ली पहुँची। हमारा पूरा परिवार इस आकस्मिक मृत्यु से सन्न था। माँ सन् अस्सी में ही चल बसी थीं। जवान बेटे की मृत्यु-यन्त्रणा से वे बच गयीं। बाबूजी का तकलीफ से जर्जर चेहरा देखा नहीं जा रहा था। बॅड़ दा को सूचना मिली। वे तुरन्त मॉडल टाउन वाले मकान, सी-12, में आये। बाबूजी के पास मौन बैठे, सान्त्वना देते रहे। इस बीच वे दो-तीन बार आये। घर की आर्थिक स्थिति उनसे छिपी न रह सकी। बाद में वत्सल निधि की ओर से आर्थिक सहायता भी दी। भइया और मुझमें धीरे-धीरे बहुत अच्छी अंडरस्टैंडिंग हो गयी थी। मेरे कष्ट और संघर्ष वे समझते थे। मैं अपने को सँभाल नहीं पा रही थी। उस समय इन्हीं बॅड़ दा ने मेरे सिर पर हाथ रखते हुए कहा था 'निर्मल, मैं हूँ न।' बहुत सहारा और सान्त्वना दी थी उन्होंने। जब उन्हें ज्ञात हुआ कि मृत्यु के समय तक भइया को अपने दो बच्चों के स्कूल में एडमिशन की चिन्ता बनी हुई थी तो किसी तरह समय निकालकर मेरे और मेरी छोटी बहन नीलू के साथ वे एडमिशन के लिए स्कूलों में भी भटके। इस तरह वे हमारे परिवार के वरिष्ठ सदस्य जैसे बन गये थे।

भइया की चर्चा आने पर कई बार अज्ञेय जी की बातों से जाना कि वे भइया की लेखन-प्रतिभा के प्रशंसक थे। जब हम दिल्ली से वापस चलने को हुए तो मैंने बॅड़ दा से कहा, 'आप हमारा स्लीपर में रिजर्वेशन करा देंगे?' उन्होंने पूछा, 'किस तारीख का?' मैंने बता दिया। उन्होंने मेरा और नीलू का क्रमशः कानपुर और इलाहाबाद के लिए सेकेंड ए.सी. का रिजर्वेशन करा दिया। बॅड़ दा पर लोग तरह-तरह के आरोप लगाते थे। वे बौद्धिक थे, बड़े लेखक थे, बहुत-सी बातें सुनकर दरकिनार कर देते थे। पर कुछ बातें उन्हें भी चुभती थीं। जैसे उन्हें अमेरिकन एजेंट कहना, या विदेश के पैसों से ऐश करते हैं आदि। इस तरह की अफवाहें उनके बारे में अक्सर फैलाई जाती थीं। सच तो यह है कि अपने पिता से मिले पैसों को उन्होंने *प्रतीक* द्वैमासिक के प्रकाशन और खर्च में उड़ा दिया। इलाहाबाद में हमेशा डॉ. आशा मुकुल दास के ही घर ठहरते थे। इस तरह अधिकांश स्थानों पर उनके मित्र थे जो उन्हें अपने पास रखने में गर्व महसूस करते थे।

वे सदैव अपरिग्रही रहे, जो एक सच्चे यायावर का लक्षण होता है। इतने बड़े लेखक को विदेशों से आमन्त्रण मिलना कुछ आश्चर्यजनक नहीं था। वे जाते थे, पर अपने देश को भूलकर वहाँ बसने की कल्पना दूर-दूर तक नहीं कर पाते थे। सन् 1961 में उन्हें कैलिफोर्निया जाना था, तीन वर्ष का अनुबन्ध था विजिटिंग प्रोफेसर पद के लिए। मैंने विश्वास के साथ कहा– 'एक साल में लौट आएँगे आप।' प्रसन्न हो गये। फिर कहा– 'निर्मल, तुममें सहज विश्वास है, वहाँ इच्छा न हुई, और निश्चय ही नहीं होगी, तो मैं चला आऊँगा।' उन्होंने अपने लिए कोई विशेष सुविधा नहीं बटोरी। हाँ, घर का सपना कभी-कभी देखते थे। उनकी 'घर' पर कई कविताएँ भी हैं, जिनमें से एक उनके हाथ की लिखी मेरे पास है। पर घर का सपना तो सपना ही रहा। एक बार जब मैं कैवेंटर लेन वाले मकान के फाटक में घुसी तो बेसाख्ता निकल गया– कितनी अच्छी और शानदार जगह रहते हैं आप बॅड़ दा, यह पुराने ढंग का भव्य बँगला...बात उन्होंने काट दी– 'पर मैं इसमें रहना कब चाहता था।' स्वर में अरुचि और खिन्नता का भाव स्पष्ट झलक आया था। फिर सामने के वृक्ष की ओर संकेत करते हुए बोले– 'मैं तो इस पर एक छोटा-सा घर बनाना चाहता हूँ, फिर उसी में रहना।' मैंने थोड़े परिहास से कहा– 'वाह, इत्ते बड़े आप, भला पेड़ पर बने छोटे से घर में रहेंगे कैसे?' 'तुम देखना, बनने तो दो।' घर का सपना लिये ही बॅड़ दा चले गये।

1983 में मेरा दिल्ली जाना हुआ। वे मुझे कैवेंटर लेन लेकर आये। मैं किन्हीं कारणों से बहुत खिन्न थी। उन्होंने शायद हमेशा की भाँति प्रसन्न न देखकर पूछा– 'क्या बात है?' मैं चुप रही, 'कुछ नहीं, यों ही।' वे समझते थे, लेकिन आगे

कुछ पूछा नहीं। एकाएक बोले– 'चलो, मैं कुछ कविताएँ सुनाता हूँ।' मैंने कहा आप– 'कविताएँ रेकॉर्ड भी कर देंगे?' वे तुरन्त मान गये। मेरा मन रखने के लिए टेप रेकॉर्डर उठा लाये। कैसेट लगाकर बोले– 'क्या सुनोगी?' मैं उनके संग्रह में से कविताएँ चुनती गयी और वे पढ़ते रहे, रेकॉर्डिंग चलती रही। फिर उन्होंने अपनी इच्छा से कुछ कविताएँ पाठ कर रेकॉर्ड कीं जिसमें 'असाध्य वीणा' जैसी लम्बी कविता भी थी। वे सब मेरे पास आज भी सुरक्षित हैं।

'असाध्य वीणा' सुनना अपने आप में एक अनुभव था। वे पढ़ रहे थे। धीरे-धीरे वे सब कुछ से बेखबर होते गये। वे कविता को डूबकर पढ़ रहे थे। केवल मैं थी, चकित और मुग्ध श्रोता। महसूस हो रहा था जैसे केशकम्बली वही हैं। वही उन जंगलों से निकलकर आये। रखी हुई 'असाध्य वीणा' को उठाकर बजाया, फिर चुपचाप अपने प्रिय पार्श्व-गिरि के नद-नालों को पार करते, आकाश का विस्तार और पंछियों की उड़ान को निहारते नम्र चीड़ों में गुम हो गये। क्या जिस तरह, जिस सुर-ताल में उन्होंने हिन्दी कविता की उस नयी 'असाध्य वीणा' को उठाकर बजाया और रख दिया, उसे फिर क्या किसी ने वैसा ही बजाया या उससे बेहतर?

'केशकम्बली' कैवेंटर लेन में पड़े हुए थे सन् 84 में। दिल के मरीज थे और डॉक्टरों ने सिर्फ आराम के लिए कहा था।

असल में हर बड़ा कवि 'असाध्य वीणा' को ही बजाता है। सधी हुई वीणा को बजाने का क्या अर्थ? यह कितनी बड़ी त्रासदी थी कि एक विश्व-यायावर बीमारी के दौरान एक कमरे में कैद था। जंगलों, नदियों, झरनों, पर्वत-शृंखलाओं को अपने मजबूत पैरों से धाँगने वाले एक रचनाकार को अधिक से अधिक घर के बरामदे में निकलकर बाहर आसमान और पेड़ों को देखने की अनुमति भी मुश्किल से मिलती थी। ऐसे में उनके पत्र का अंश याद आ रहा है–

'मैं स्वयं काफी बीमार रहा। उस प्रदर्शनी के दौरान ही दिल का दौरा-सा उठा– पहले जैसा तो नहीं, पर दर्द कुछ कम नहीं रहा! –और पन्द्रह दिन के लिए जड़वत् लिटा दिया गया– हिलने-डुलने की भी मनाही...उसके बाद कुछ रियायत हुई और थोड़ा बाहर बैठना। टहलना मिला ही था कि एक बार फिर कष्ट हुआ दिसम्बर के अन्त में। तब से फिर कैद हूँ।'...

बॅड़ दा के पास मेरे स्वर में उनके कुछ गीत और कविताएँ रेकार्ड थीं, जो जाहिर है उन्होंने ही की थीं। फिर भी उनकी बहुत इच्छा थी कि एक अन्य कैसेट में मैं उनकी कुछ और कविताएँ, कुछ गीत, अपने स्वर में और रेकॉर्ड कर भेजूँ। इसके लिए उन्होंने मुझे फिलिप्स का टेपरेकॉर्डर और सोनी का कैसेट दिया था। कुछ तो मैंने किया, और कुछ और भी स्वर में ढालकर सँवारने की योजना बनाती

रही। पर जो मैं चाह रही थी, नहीं हो पा रहा था। फिर कुछ दिनों के लिए यह स्थगित कर दिया।

1985 में मैंने प्रोड्यूसर का पद सँभाला। बॅड़ दा को लिखित सूचना दी थी। पता नहीं वह पत्र उन्हें मिला भी या नहीं। इस बारे में मुझे कोई प्रत्युत्तर नहीं मिला था। एक दिन मैं स्टूडियो से कार्यक्रम का प्रसारण करवाकर ड्यूटी रूम आयी तो चपरासी ने बताया: एक सज्जन आपका इन्तजार कर रहे हैं – वहाँ सोफे पर। मैंने सोचा कोई वार्ताकार होंगे। सामने दृष्टि पड़ी तो मैं ख़ुशी से दंग – ये क्या, बॅड़ दा बैठे हैं! चुपचाप, मौन, इस तरह? मैंने, फौरन जाकर चरण स्पर्श किए तो वे उठ खड़े हुए– 'कैसी हो? क्या हुआ तुम्हारे सेलेक्शन का?' मैंने आश्चर्य से कहा– 'हो गया बॅड़ दा, मैंने आपको पत्र लिखा था।' उनकी इस चिन्ता से मैं हतप्रभ रह गयी। कितना ध्यान था उन्हें। किसी से जानकारी न लेकर सीधे इलाहाबाद चले आये। मैं उनकी इस आत्मीयता के आगे नतमस्तक थी।

बॅड़ दा ही थे, जिन्होंने मेरी कविता की नोट बुक माँगकर उसे पढ़ा – स्थान-स्थान पर संशोधन किए, कुछ समझाया, कुछ सुझाव दिए। वे ही थे, जिन्होंने कहा– तुम कविताओं की पाण्डुलिपि तैयार करके मुझे दे दो, मैं देख लूँ। भूमिका मैं लिख दूँगा। उन्होंने मुझे लिखने के प्रति आत्मविश्वास जगाया जो एक लम्बे अरसे से बुझा पड़ा था। मैंने पाण्डुलिपि तैयार करके दी। पढ़ने के बाद उन्होंने कहा कि इसमें कम-से-कम आठ-दस कविताएँ और दो तो पूरी पुस्तक बनेगी। फिर किन्हीं न किन्हीं कारणों से व्यवधान आता गया। इस दौरान बॅड़ दा को फिर हृदयाघात हुआ...बात अधूरी रह गयी। यदि वे होते तो मेरा पहला काव्य-संग्रह आठ-दस वर्षों के अन्तराल में न निकलता। उनकी पुस्तकें – जो समय-समय पर मुझे देते रहे – मेरी पूँजी हैं। उनके न रहने पर अन्तिम दो पुस्तकें इला जी ने हमें भेजी थीं।

मुझे एक बात का हमेशा गहरा पश्चाताप रहेगा कि बच्चों, घर-गृहस्थी के जंजाल, आकाशवाणी के कार्याधिक्य ने मुझे इतना कम अवकाश दिया कि मैं उन्हें बहुत कम पत्र लिख पायी, जिसका उन्होंने अपने पत्रों में बराबर उल्लेख किया है। अब वे पत्र पढ़ती हूँ तो कितनी पीड़ा होती है। बॅड़ दा देश-विदेश कहीं भी हों, पत्र लिख ही देते थे। चाहे हवाई अड्डे पर मिले थोड़े समय में भी:

'यह पत्र एक हवाई अड्डे पर बैठकर लिख रहा हूँ। दूसरे हवाई अड्डे से डाक में छोड़ूँगा। इधर लम्बे अरसे के बीच ऐसा हो गया है कि चिट्ठी लिखने का समय या अवसर ऐसे ही जगहों पर मिले तो मिले, नहीं तो दौड़-दौड़-दौड़, या निरन्तर यों घिरे हुए कि पत्र लिखने का सवाल ही न हो।...'

बॅड़ दा के वे समय-समय पर लिखे पत्र मेरी अमूल्य धरोहर हैं। मैं सचमुच

अपराध से भर उठती हूँ। लगता है मुझमें इतनी समझ ही नहीं थी कि इतना बड़ा व्यक्ति, इतना आत्मीय, यदि मुझे लिख रहा है तो कैसे भी हो मुझे हर पत्र का उत्तर देना ही चाहिए था। लेकिन मैं तो कल पर टालकर सन्तोष कर गयी।

उनसे मेरी अन्तिम भेंट तब हुई, जब मैं 'निपसिड' की कार्यशाला में हौज खास के एक गेस्ट हाउस में ठहरी थी। सम्भवतः 1986 में। ढेरों लेक्चर सुनने और प्रोग्राम तैयार करने के दौरान समय निकाल कर मैं उनके निवास पर गयी थी। साथ में सिक्किम से आयी मेरी एक प्रतिभागी सहयोगिनी भी थी। वहाँ जाना बस यों ही रहा। लगा कि वे बहुत ठीक नहीं हैं, सहज नहीं हैं जैसे होते थे। घर में तनाव की गन्ध थी। वह घर जो उनका कभी नहीं रहा। कुछ देर यों ही बातें करके उनका हालचाल लेकर मैंने जाने की अनुमति माँगी, क्योंकि बातें कुछ हो ही नहीं सकती थीं। जबकि मुझे ढेर सारी बातें करनी थीं उनसे। वे दरवाजे तक छोड़ने आये। मैंने उनके चरण-स्पर्श किए। लगभग मौन भाव से हम दोनों ने एक-दूसरे को हाथ जोड़े।

उन्होंने बहुत पहले एक पत्र में लिखा था, विदेश से– 'तुम लोगों की याद बराबर बनी रहती है। अत्युक्ति न होगी यदि कहूँ कि कभी जाती नहीं।'

पुनः आऊँगा
(भले ही बरस-दिन, अनगिन
युगों के बाद।)

आज उनकी यह कविता-पंक्ति बड़ी शिद्दत से याद आ रही है।

42

दिनमान के दिन

॥ जवाहरलाल कौल

दिनमान में शामिल होने से पहले मैं अज्ञेय को नहीं जानता था। हिन्दी में एम.ए. करते हुए उनके कुछ साहित्य को मैंने पढ़ा अवश्य था, लेकिन वैसे ही जैसे परीक्षा पास करने के लिए पढ़ा जाता है। न साहित्यकार के रूप में और न ही व्यक्ति के तौर पर उनके बारे में मेरी कोई विशेष समझ बन पायी थी। उन दिनों एक पत्रिका, शायद *साप्ताहिक हिन्दुस्तान,* में छपे एक लेख के शीर्षक से मैं चमत्कृत हुआ था– *'सच्चिदानन्द हीरानन्द वात्स्यायन को हिन्दी साहित्य अज्ञेय'*। उस लेखक के तर्कों से सहमत होने या असहमति दर्शाने का सवाल ही पैदा नहीं होता था, क्योंकि जिस व्यक्ति को मैं ठीक से जानता ही नहीं उसका आकलन किसी और की मार्फत करना मेरे स्वभाव में नहीं है। बस शीर्षक में साहित्यिक नहीं, पत्रकारिता वाली या विज्ञापनीय चतुरता अवश्य थी।

लेकिन जब मैं एक समाचार समिति में साल भर की नौकरी के बाद गम्भीर पत्रकारिता का अवसर खोजते-खोजते *दिनमान* पहुँचा तो लगा लम्बी-चौड़ी कद-काया के इस रहस्यमय व्यक्ति को समझना एक बड़ी चुनौती होगा। *दिनमान* अभी तीन-चार महीने से ही निकलने लगा था और अभी तक भरती जारी थी। एक रिक्त स्थान के लिए कई आवेदकों में मैं भी एक था। हमारी बातचीत बहुत लम्बी नहीं हुई। लेकिन साक्षात्कार के अन्त पर मुझे लगा कि मैंने यहाँ काम करने का अवसर खो दिया है। अज्ञेय जी ने पूछा कि किसी सूर्य मन्दिर का मुख्य द्वार किस दिशा में होना चाहिए। मैंने कहा कि सूर्य मन्दिर का द्वार तो स्वाभाविक रूप से पूर्व की ओर ही होगा। 'लेकिन मार्तण्ड में है क्या?' मैं चकरा गया, अगर कह दूँ कि है और हुआ नहीं तो? दो बार मार्तण्ड के खँडहरों को देखा था, लेकिन कभी वास्तुशिल्प या ऐतिहासिक महत्त्व को जाँचने का उद्देश्य नहीं था। कुछ क्षणों के अनिश्चय के बाद मैंने हथियार डाल दिए। मैंने कहा कि मैं नहीं जानता, मैंने इतनी गहराई से कभी जाँचा ही नहीं।

अज्ञेय मुस्कुराए और साक्षात्कार समाप्त हुआ। कमरे से बाहर जाने से पहले

मैंने पलटकर अज्ञेय से पूछा– अगर आप सही उत्तर बता दें तो किसी और के सामने भी शर्मिन्दा होने से बच जाऊँगा। वात्स्यायन जी की मुस्कान कुछ चौड़ी हो गयी। उन्होंने कहा– बैठ जाओ। मैं बैठ गया। पूछा कि आपको पता है न कि इस पद के लिए कितना वेतन तय किया गया है। जी, विज्ञापन में लिखा है वेतनमान। वात्स्यायन जी थोड़ी देर चुपचाप मुझे देखते रहे, शायद मुझसे कुछ और सुनना चाहते थे। लेकिन मैं इसे उनका अनुमोदन मानकर अपने भाग्य को ही सराह रहा था। कुछ नहीं बोला। साल भर पश्चात् मुझे अपनी मूर्खता का एहसास हुआ, जब मुझे पता चला कि मैं उन सबसे कम वेतन पर आया था, जिन्हें मुझसे पहले चुना गया था। मैं विचलित हुआ और पहली और आखिरी बार मैं वात्स्यायन जी के कमरे में शिकायत लेकर गया। मैंने पूछा कि क्या मुझे इसलिए सबसे नीचे रखा गया कि मैं यहाँ किसी को नहीं जानता था? 'नहीं, इसलिए कि तुमने माँगा नहीं और कम्पनियाँ बिना माँगे तो देती नहीं। चिन्ता न करो, कुछ कर लूँगा।'

जिन लोगों ने वात्स्यायन जी के साथ काम किया है, वे अक्सर शिकायत करते थे कि वे कभी खुलते नहीं, हर समय उनके चेहरे पर एक आवरण-सा पड़ा रहता है। उन्हीं दिनों पहली बार मैंने पोकर फेस का अर्थ जान लिया। पोकर एक खेल होता है जिसमें अपनी स्थिति छिपाने के लिए चेहरे को भी निर्विकार रखा जाता है ताकि सामने वाला खिलाड़ी कुछ भी भाँप न पाये। किसी ने उनके इस स्वभाव को पोकर के बदले चीनी चेहरा भी कह दिया। दावा किया जाता है कि चीनी व्यक्ति के चेहरे से आप उसके मन या मस्तिष्क में चल रहे विचारों को पढ़ नहीं सकते। वाकई वात्स्यायन जी से संवाद करना आसान नहीं था। यह उनका स्वभाव था कि समरनीति?

बरसों बाद एक छोटी-सी घटना से मैं जान पाया कि यह उनका सहज स्वभाव नहीं था, आरोपित था। बहादुरशाह जफर मार्ग के कार्यालय में एक दिन एक व्यक्ति आया जो दिखने में कोई सम्पन्न किसान लगता था। बात करने के लहजे से हरियाणवी या पश्चिम उत्तर प्रदेश का जाट हो सकता था। वह वात्स्यायन जी से मिलना चाहता था। पहले तो किसी ने उस पर विशेष ध्यान नहीं दिया, लेकिन जब वह उत्तेजित होकर आग्रह करने लगा कि वात्स्यायन उनसे मिलने से कभी इनकार कर ही नहीं सकते तो चौधरी साहब के नाम की पर्ची अन्दर भेज दी गयी। वात्स्यायन जी ने उसे अन्दर बुलाया। मैं उस समय उनके कमरे में किसी खबर के बारे में उन्हें बता रहा था।

किसान के अन्दर आते ही वात्स्यायन जी ने उन्हें पहचान लिया और ऐसे स्वागत किया जैसे पुराने दोस्त का होता है। छूटते ही किसान ने कहा, तो यह अखबार चलाते हो। फिर हँसी-मजाक का छोटा-सा दौर चला और मैंने पहली बार

देखा कि आखिर वात्स्यायन इतने भी अज्ञेय नहीं हैं। वे खुलकर हँस भी लेते हैं, मजाक कर सकते हैं और सह भी सकते हैं। मैं संयोग से वहाँ था, इसलिए वात्स्यायन जी को लगा कि परिचय कराना चाहिए। तब पता चला किसान सचमुच उनका दोस्त ही था, उन दिनों का जब क्रान्तिकारी आन्दोलन के दौरान पुलिस से भागते हुए वे इसी किसान के घर छिपते थे। लेकिन यह हास्य-विनोद का वातावरण अधिक देर तक नहीं रह पाया, क्योंकि किसान तो वही किसान था और वात्स्यायन अज्ञेय हो चुके थे। चौधरी साहब की एक सरल-सी जिज्ञासा ने वात्स्यायन जी की सहज हँसी पर अचानक परदा डाल दिया। चौधरी साहब ने पूछा शादी-वादी कर ली है न, बच्चे-वच्चे हैं कि नहीं? मुझे लगा, खुला आकाश जैसे घटाओं से घिर गया हो। अब मेरा अन्दर रहना उचित नहीं था। फिर आऊँगा कहकर, मैं बाहर आ गया।

मनोहर श्याम जोशी कहते थे कि वात्स्यायन दूसरों से अलग दिखना चाहते हैं। लेकिन अलग दिखने और अलग-थलग दिखने में कुछ तो अन्तर होता ही है। एक में अगर विशिष्टता है तो दूसरे में विरक्ति। वात्स्यायन विरक्त तो हरगिज नहीं थे। मेरे वरिष्ठ सहयोगियों में दो को उनके काफी निकट माना जाना जाता था। रघुवीर सहाय और सर्वेश्वर दयाल सक्सेना। सर्वेश्वर जी के रिश्ते साहित्यिक से अधिक व्यक्तिगत थे। वात्स्यायन जी को वे भाई कहते थे। और भाई की ही तरह उनसे सलाह-मशविरा करते थे और कभी-कभी शिकायत भी। वही नहीं, मैंने कई बार उनकी पत्नी को भी वात्स्यायन जी के पास आकर अपनी पारिवारिक समस्याओं पर चर्चा या शिकायत करते देखा। व्यक्तिगत रिश्तों में मैंने उन्हें कभी असहज या अस्वाभाविक नहीं पाया। कम बोलने या तौलकर बोलने का उन्होंने ऐसा अभ्यास किया था कि ये उनके स्वभाव का हिस्सा ही लगते थे। स्पष्ट है कि सामने वाले की शिकायत या सुझाव या लम्बे कथन के उत्तर में बीच-बीच में हाँ-हूँ आदि और छोटी-छोटी दाढ़ी पर फैलती हल्की-सी मुस्कुराहट से वात्स्यायन जी के व्यवहार में अजीब तरह की रहस्यमयता तो आ ही जाती थी। वे लेखन में औरों से अलग थे ही; व्यक्तिगत व्यवहार में भी अलग दिखें, इसकी आवश्यकता ही क्या थी? मुझे लगता था कि यह आवरण मुझ जैसे खालिस अखबारची के लिए नहीं था। वह उनके आसपास रहने वाले साहित्यकारों और आलोचकों के लिए ही रहा होगा।

वे उस तरह की बहस में नहीं पड़ते थे जैसी साहित्यकारों के बीच अक्सर चलती रहती है। शायद इसलिए कि वे साहित्यिक बिरादरी की खेमाबन्दी या राजनैतिक पूर्वाग्रहों से, जो अक्सर छुआछूत की सीमा तक जा सकती थी, बाहर रहना चाहते थे। लेकिन राममनोहर लोहिया और मानवेन्द्रनाथ राय जैसों की संगत

करने वाले वात्स्यायन जी लाख चाहने पर भी दोनों तरह के अतिवादियों से टकरा ही जाते थे। *दिनमान* में रामधन कई आन्दोलनों से भटक-भटक कर चले आये थे। उनका ताजा नशा नक्सलवाद का था। पता नहीं उन दिनों कौन से नक्सली गुट से उनका सीधा वास्ता था। शायद सत्यनारायण गुट से। रामधन काफी पढ़ाकू भी थे और लड़ाकू भी। वात्स्यायन जी ने किस धुन में उन्हें *दिनमान* के लिए लिया था, मैं नहीं जानता। शायद उनकी बौद्धिक ख्याति के कारण। लेकिन रामधन और वात्स्यायन के बीच आरम्भ से ही एक तरह की बौद्धिक दूरी रहती थी, जो धीरे-धीरे इतनी चौड़ी हो गयी कि किसी मामले पर विस्फोट हो ही गया। वात्स्यायन जी ने इस असहयोग की स्थिति को तोड़ने के लिए रामधन को *दिनमान* छोड़ने को कहा, लेकिन रामधन ने *दिनमान* के कार्यालय के सामने एक तम्बू गाड़कर सत्याग्रह शुरू कर दिया। साथियों और प्रबन्धन के समझाने पर भी रामधन नहीं माने तो प्रबन्धन ने उन्हें नौकरी से निकाल दिया। धुन का पक्का रामधन फिर भी धरने पर ही डटा रहा तो एक दिन पुलिस आयी और तम्बू उखाड़कर उन्हें हटा दिया। इस घटना ने वात्स्यायन जी को काफी आहत कर दिया। मैंने उन्हें इतना चुप-चुप कभी नहीं देखा था। यों तो वे बोलते ही कम थे। लेकिन कम बोलते हुए भी वे सदा सामने उपस्थित नजर आते थे। रामधन के धरने के दिनों की चुप्पी तो मितभाषण नहीं, वैसा मौन था जो अक्सर बाहर से भागकर भीतर शरण लेने से पैदा होता है।

दिनमान के लिए अपने सहयोगियों का चुनाव करने में उन्हें कोई मुश्किल नहीं आयी। यह अलग बात है कि रघुवीर सहाय और मनोहर श्याम जोशी के बीच सन्तुलन बनाए रखने के लिए उन्हें कुछ कवायद करनी पड़ी और कुछ देर के लिए सहाय जी के मन में कटुता भी पैदा हो गयी। अगर सर्वेश्वर जी को उन्होंने पहले ही मुख्य उपसम्पादक न बना दिया होता तो यह कटुता कुछ और तीखी हो सकती थी। लेकिन रामधन और एक और सहयोगी – शास्त्री जी – के बारे में उनका अनुमान या आकलन सही नहीं बैठा। एक के बारे में इसलिए नहीं कि वे कुछ अधिक तेजतर्रार और विचारधारा से प्रतिबद्ध निकले; दूसरे अपनी भाषा में आवश्यकता से अधिक परम्परावादी और बाहर की दुनिया से बेखबर थे। शास्त्री जी संस्कृत में शास्त्री तो थे ही, कई शास्त्रीय पत्रिकाओं और पुस्तकों का सम्पादन भी कर चुके थे। अपने संस्कृत-ज्ञान पर उन्हें इतना भरोसा था कि वे किसी अनजान से लगने वाले शब्द के बारे में किसी से पूछना भी आवश्यक नहीं समझते थे। *दिनमान* में इस तरह का अहंकार किसी और में नहीं था। जहाँ कहीं भी हम अटक जाते, दूसरों से पूछने में नहीं हिचकते थे। आखिर *दिनमान* एक प्रयोग ही तो था। इसके कारण तो एक बार सर्वेश्वर जी का मजाक भी उड़ाया गया। उन दिनों विएतनाम

में जंग चल रही थी। रोज खबरें आती रहतीं कि विएतकांग ने अमेरिकियों पर यहाँ छापा मारा, वहाँ मारा। सर्वेश्वर जी को दूरदराज की इन खबरों से कोई लगाव नहीं था। लेकिन एक दिन उनके मन में भी जिज्ञासा हुई और बोले— जोशी, विएतकांग और विएतनाम दो अलग-अलग बातें हैं? जोशी ने मजाकिया लहजे में कहा 'नहीं सर्वेश्वर, तुम कुछ भी लिख दो, हम अपने आप ठीक कर देंगे।' ऐसी नोक-झोंक उनके बीच हुआ ही करती थी।

लेकिन शेष सभी लोग जानकारी बाँटते रहते थे। शास्त्री अपवाद थे। इसी विशेषता ने उनके लिए मुसीबत खड़ी कर दी। वात्स्यायन जी अपना सम्पादकीय सबके बाद में लिखते थे। पत्रिका का अन्तिम फरमा प्रेस में छपने के दिन ही वे लिखकर जाते थे। शास्त्री जी को यह उत्तरदायित्व सौंपा जाता था कि वे उसका प्रूफ पढ़कर छापने को दें। इसमें उन्हें रात देर हो जाती थी। एक रात वात्स्यायन जी के सम्पादकीय में एक शब्द था— 'कामू'। शास्त्री जी को लगा कि कामू कोई शब्द नहीं हो सकता। ध्यान से देखा तो मूल प्रति में भी यही शब्द था। थोड़ी देर को लगा कि फोन करके वात्स्यायन जी से पूछ लिया जाए कि यह आपने क्या शब्द लिखा है। वे चाहते तो जोशी जी से या सर्वेश्वर जी से भी पूछ सकते थे। उन्हें बता दिया गया होता कि कामू प्रसिद्ध अस्तित्ववादी लेखक थे। लेकिन अपने शब्द ज्ञान के अहंकार के कारण वे इस नतीजे पर पहुँचे कि कामू शब्द तो हो ही नहीं सकता; वात्स्यायन जी को 'कामी' शब्द लिखना था, गलती से 'कामू' लिख बैठे। उन्होंने शब्द बदला और पेज ओके कर दिया। अगले दिन *दिनमान* की प्रति सम्पादक की मेज पर पहुँची तो वात्स्यायन जी आगबबूला हो गये। उनके लेख का गुड़ गोबर कर दिया गया था। दुर्भाग्य से शास्त्री जी अभी प्रोबेशन पर ही थे। *दिनमान* में उनका इतना ही साथ रहा। ऐसी कुछ घटनाओं से कभी-कभी लगता तो था कि छोटी-छोटी बातों से अप्रभावित या विचलित न होने की लाख कोशिशों के बावजूद वात्स्यायन जी जब भी ऐसी अप्रत्याशित परिस्थितियों से घिर जाते थे तो एकदम मजबूर और बेबस-से दिखते थे।

वात्स्यायन जी की पत्रकारिता पर बहुत कुछ लिखा गया है और लिखा जाएगा। जब मैं *दिनमान* में काम कर रहा था तो उन्हें परखने की स्थिति में नहीं था। *दिनमान* के सहयोगियों के बीच अक्सर यह चर्चा हुआ करती थी— वात्स्यायन जी का साहित्यिक वारिस कौन है, रघुवीर सहाय या सर्वेश्वर दयाल सक्सेना? हालाँकि हमारे बीच मनोहर श्याम जोशी भी थे, जिन्हें वात्स्यायन जी व्यक्तिगत तौर पर मानते भी थे लेकिन जोशी न तो स्वभाव में न ही अपनी साहित्यिक शैली में वात्स्यायन के वारिस कहला सकते थे। मुझे लगता है कि ऐसी उनकी कोई

कामना भी नहीं रही होगी। यहाँ सवाल व्यक्तिगत रिश्तों का नहीं, साहित्यिक विरासत का रहता था। सहाय जी भी उन साहित्यकारों में माने जाते थे जिन्हें सोचने-समझने वाला लेखक कहा जाता था। जिन्होंने अपने देश के ही नहीं दुनिया के बड़े साहित्यकारों को, कम-से-कम समकालीन साहित्यकारों को, पढ़ा और समझा था। उनके सामाजिक और मानवीय सरोकार थे। अज्ञेय की ही तरह सहाय जी भी भाषा की सम्प्रेषणीयता की बात करते थे। लेकिन सहाय जी अज्ञेय के पट शिष्य कहलाने से बचना चाहते थे, ताकि लोग यह न मान बैठें कि उनके लेखन में जो कुछ है सब पर अज्ञेय की छाप है। यदा-कदा उन्होंने इस प्रकार के विचार व्यक्त भी किए थे। लेकिन इस मायने में वे अज्ञेय जैसे ही थे, सबसे अलग दिखने की कामना उनमें भी थी। फिर भी जाने-अनजाने वे सही कहते थे कि कथ्य और भाषा दोनों ही दृष्टियों से वे अज्ञेय के साहित्यिक उत्तराधिकारी नहीं थे।

वात्स्यायन जी की एक मान्यता को मैंने अपनी पत्रकारिता के लम्बे दौर में अपनी भाषा का मानक बना लिया। उनका कहना था कि शब्द क्लिष्ट नहीं होते, क्लिष्ट होता है वाक्य। आप सरल से सरल शब्दों का प्रयोग करके भी एक अत्यन्त क्लिष्ट वाक्य या पूरा का पूरा अनुच्छेद जटिल बना सकते हैं। हम किसी दिलचस्प उपन्यास को पढ़ते समय किसी एक शब्द के कारण अटक नहीं जाते, जिसका सही अर्थ हम नहीं जानते। अधिक जिज्ञासु पाठक बाद में उसका सही अर्थ खोज लेते हैं, लेकिन उपन्यास के प्रवाह में उससे बहुत अन्तर नहीं आता। आमफहम शब्द आमफहम भाषा नहीं बनाते। सहाय जी अपने शब्दों पर बहुत ध्यान देते थे, लेकिन उनकी भाषा में वह सम्प्रेषणीयता नहीं थी। अक्सर विनोद में हम, यानी *दिनमान* में काम करने वाले उपसम्पादक, उनके लेखन को जलेबी बनाना कहते थे, जिसका कोई भी किनारा खोजना आसान नहीं होता। अधिकतर लेखकों में क्लिष्टता विचारों में होती है, जो उनकी अभिव्यक्ति में भी आ ही जाती है।

यह प्रसंग मैं इसलिए दुहरा रहा हूँ कि जो लोग 'अज्ञेय' की भाषा और साहित्य पर गरिष्ठता का आरोप लगाते हैं, वे शायद इस मायने में सही हैं कि वात्स्यायन जी कथित लोकप्रिय साहित्य और भाषा को अपने संवाद का माध्यम नहीं बना पाये। ऐसा नहीं कि उन्हें एहसास नहीं था कि वे एक समाचार साप्ताहिक निकाल रहे हैं और समाचार लेखन के लिए केवल साहित्यिक भाषा शैली का आग्रह उन्होंने कभी नहीं किया। मनोहर श्याम जोशी के भाषा के साथ खेल करने के हुनर का उन्होंने कभी विरोध नहीं किया। वे स्वयं जिस स्तर पर बात करते थे उस स्तर पर उनमें भी कोई गरिष्ठता नहीं थी, न क्लिष्टता थी। बरसों बाद जब उर्दू के लोकप्रिय कवि निदा फाजली ने मुझे कहा कि 'अज्ञेय' ने

हिन्दी साहित्य को एक खास मुकाम पर लाकर अटका दिया तो मैंने प्रतिवाद करना आवश्यक नहीं समझा। निदा फाजली उस दौर के शायर हैं, जिसमें पेट और मन के लिए बारी-बारी से फिल्मी गाने लिखना और साहित्य-रचना करना दस्तूर है। कम-से-कम साहित्य-लेखन में यह अज्ञेय के बूते की बात नहीं थी।

शब्दों के बारे में वात्स्यायन जी के दो आग्रह थे। व्यक्तियों और स्थानों के नामों को जहाँ तक हो सके वैसे ही लिखा जाए जैसा उन देशों में बोला जाता है। आवश्यक नहीं कि हम हर नाम को अंग्रेजी के उच्चारण के अनुसार लिखें। मसलन मास्को शब्द अंग्रेजी के माध्यम से पूरे भारत में आमफहम हो गया था। लेकिन रूस में इसका उच्चारण मस्क्वा किया जाता है। इसी प्रकार हम तब तक दक्षिण अमेरिकी देश को चिली कहते थे, लेकिन *दिनमान* ने उसे चिले लिखना आरम्भ कर दिया। हिन्दी के अतिरिक्त अन्य भारतीय भाषाओं के शब्दों पर भी यही नियम लागू होता था। जिन अंग्रेजी शब्दों को हमने अपना लिया है, उनमें जो सरल हैं उनको हमने ज्यों का त्यों रहने दिया। लेकिन जो बोलने में कुछ कठिन लगें, उनमें से बहुतों का देशीकरण कर दिया। एक नया शब्द आया था कुएंटल, यानी सौ किलोग्राम। इसे बोलने में जीभ को कुछ अतिरिक्त घुमाना पड़ता है। सोचा गया कि क्यों न इसे कुंतल कहना आरम्भ करें। भाषा के परिष्कार के बारे में वे काफी कुछ अमेरिकी समाज से प्रभावित थे, जिसने अनेक अंग्रेजी शब्दों के हिज्जे ही नहीं बदल दिए हैं, बल्कि दस्तावेजी भाषा को भी बहुत कुछ बदल दिया है।

अक्सर कहा जाता है कि वात्स्यायन जी अमेरिकी समाचार साप्ताहिक *टाइम* या *न्यूजवीक* की तरह की एक पत्रिका निकालना चाहते थे। लेकिन वात्स्यायन जी को इस बात का एहसास था कि इसके लिए जितने बड़े समाचार तन्त्र की आवश्यकता होगी, उसके लिए *टाइम्स ऑफ इंडिया* जैसा संगठन तैयार नहीं होगा। रमा और शान्ति प्रसाद जैन की उत्सुकता के बावजूद प्रतिष्ठान इतने बड़े बजट की जोखिम नहीं ले सकता था। जोखिम थी कि भारी खर्च करने के बावजूद शायद *दिनमान* की न तो उतनी बड़ी प्रसार संख्या होगी, जिस पर यह तन्त्र खड़ा रह सकता, और न ही विज्ञापनदाताओं का पर्याप्त समर्थन मिलेगा। इसलिए दिनमान के लिए एक मध्यमार्ग का चुनाव ही सही रास्ता था। कभी-कभी लोगों को यह जानकार हैरानी होती है कि तेरह पत्रकारों के बल पर हम एक ऐसा समाचार साप्ताहिक कैसे चला पाते थे जिसने हिन्दी पत्रकारिता में कीर्तिमान बना लिया।

दरअसल वात्स्यायन जी ने सुनिश्चित कर दिया था कि देश या विदेश में जितने भी लिखित सूचना और समाचार स्रोत उपलब्ध थे, उन सब का हम उपयोग

करें। साफ है कि इनमें से अधिकतर अंग्रेजी में थे। मुझे मालूम है कि जब मैं *दिनमान* के लिए विज्ञान रिपोर्टर का भी काम करने लगा तो और सन्दर्भ ग्रन्थों के अतिरिक्त *एनसाइक्लोपीडिया ऑफ साइंस* और कई अन्तरराष्ट्रीय विज्ञान पत्रिकाएँ ही मेरी मार्गदर्शक हुआ करती थीं। *यूरोपियन एशियन रेकार्डर* और कई विदेशी पत्र-पत्रिकाओं के साथ ही अखबारी कतरनों की बीसियों फाइलें हमारा सन्दर्भ कक्ष बनाती थीं। इस 'मुर्दाघर' से ही हम कुछ जीवित सूचनाएँ निकालकर ताजा खबरें बनाते रहते थे। अखबारी लोग इसे मुर्दाघर (मोर्ग) कहते हैं – यानी जहाँ मरी हुई खबरों का भण्डार होता है। *दिनमान* का हर सहयोगी कई तरह के काम करता था। हम उपसम्पादक ही नहीं संवाददाता भी हुआ करते थे। हम अनुवादक थे और प्रूफरीडर भी। एक साप्ताहिक को निकालने के लिए तब पूरे सात दिन लगते थे, क्योंकि तब लाइनो प्रिंटिंग का युग था, छपाई किस्तों में हो पाती थी। कम कर्मचारियों के बावजूद एक उत्कृष्ट लेकिन छोटी-सी पत्रिका ने विशाल सामाजिक छवि बना ली तो यह दूसरों से हटकर रहने वाले वात्स्यायन का प्रभाव था या उस समय के सहयोगियों में एक नयी चुनौती को स्वीकार करने का जुनून? शायद दोनों ही बातें सही हों।

43

पहाड़ की पगडंडियों पर

॥ शेखर पाठक

1969-70 में लखनऊ प्रवास के समय यशपाल से पहली बार अज्ञेय के क्रान्तिकारी रूप का परिचय मिला था। मैं अपने मामा के साथ सेक्टर-सी, महानगर में रह रहा था। जल्द ही हमारे घर के पीछे चित्रलेखा और महानगर गोल मार्केट के पास यशपाल नाम वाले घर देख लिये थे। एक घर रचनाकार की प्रसिद्ध रचना पर तो दूसरे घर पर लेखक का नाम। कुछ ही समय में दोनों लेखकों के पास जाने का सिलसिला बन गया। इसी क्रम में एक-दो बार अमृतलाल नागर और रणधीर सिंह बिष्ट से भी मुलाकात हो गयी, जब यशपाल के साथ हजरतगंज के कॉफी हाउस में जाने का मौका मिला।

यशपाल ने विप्लव प्रकाशन से प्रकाशित *सिंहावलोकन* के तीन खण्ड दिये। इनमें 1920 से 1935 तक के राष्ट्रीय संग्राम और विशेष रूप से क्रान्तिकारी इतिहास की प्रस्तुति थी। हिन्दुस्तान सोशलिस्ट रिपब्लिकन आर्मी की इनमें विशेष चर्चा थी। मैंने इसी किताब से भारतीय संग्राम के क्रान्तिकारी इतिहास को आंशिक रूप से जाना।

तब तक मैंने अज्ञेय की कुछ ही रचनाएँ पढ़ी थीं। 1970 के बाद अल्मोड़ा आने पर *शेखरः एक जीवनी* पढ़ी। उसका मेरे तथा सहपाठियों के मन पर बड़ा असर रहा। क्रान्तिकारी आदर्शवाद की उस उम्र में हम लोगों पर *चन्द्रकान्ता सन्तति, माँ, झूठा सच, गुनाहों का देवता* जैसे उपन्यासों का अलग-अलग किस्म का असर होता था। हम लोग इब्ने सफी, बी.ए. को भी पढ़ चुके थे।

1971 में मुझे बी.ए. फाइनल में अल्मोड़ा कॉलेज में भर्ती होना पड़ा, क्योंकि तब प्राइवेट परीक्षा देने की सुविधा नहीं थी। तब शिक्षक ही इस तरह परीक्षा दे सकते थे। मेरी मिडिल स्कूल की अस्थायी नौकरी तब जा चुकी थी। तभी हमारे प्राध्यापक मथुरादत्त पन्त जी ने बताया था कि वात्स्यायन जी बिनसर आये हैं, तुम मिल क्यों नहीं आते हो? पन्त जी को हम कुछ साथियों की साहित्यिक दिलचस्पी और लेखन उत्सुकता की जानकारी थी। पर हम अज्ञेय से मिलने नहीं जा सके।

1972 में बी.ए. पास होने पर मन में आया कि अब मैं इलाहाबाद चला जाऊँ; शैलेश (दाज्यू) मटियानी के साथ रहकर अंग्रेजी में एम.ए. करूँ और *विकल्प* में भी आंशिक सहयोग करूँ। शैलेश दाज्यू से पत्राचार हुआ और मैं अगस्त 1972 के अन्त में इलाहाबाद को चला गया। शैलेश दाज्यू के मोतीलाल नेहरू नगर में स्थित घर में सप्ताह भर भी नहीं रह पाया, क्योंकि इलाहाबाद विश्वविद्यालय में अभी 1970-71 की परीक्षाएँ भी लम्बित थी। मन खिन्न हो गया। छात्र असन्तोष के कारण साल के अन्त तक नया सत्र शुरू होने की सम्भावना नहीं थी। वापस लखनऊ आया तो वहाँ भी यही हाल था। यद्यपि लखनऊ विश्वविद्यालय का मेरे लिए कोई आकर्षण न था। उत्तर प्रदेश में विश्वविद्यालय ही अशान्त नहीं थे, पी.ए. सी. में भी असन्तोष था और गुजरात आन्दोलन की सुगबुगाहट शुरू हो गयी थी।

सितम्बर अन्त या अक्टूबर शुरू में मैं अल्मोड़ा आया और अपने शिक्षकों – उमेश चन्द्र पाण्डे, महेन्द्र कुमार रस्तोगी और जे.सी. जोशी (मामू) – के परामर्श से मैंने एम.ए. इतिहास में प्रवेश लिया और मेरे जीवन का एक नया अध्याय शुरू हुआ।

अल्मोड़ा। सम्भवतः अक्टूबर 1972 का अन्तिम सप्ताह। अज्ञेय जी फिर बिनसर आये हुए हैं, ऐसा हमें हमारे प्राध्यापक पन्त जी ने बताया। शायद यह भी बताया कि वे दत्त परिवार के अतिथि हैं या दत्त जी के पास में ही उनका मकान है। एक दिन मैं और शमशेर बिष्ट अज्ञेय से मिलने बिनसर दत्त दम्पती के यहाँ को रवाना हो गये। शरद ऋतु थी। नारायण तेवाड़ी देवाल, कसार देवी होकर हम गये। तब ताकुला वाली सड़क में बहुत कम गाड़ियाँ चलती थीं। हमें दत्त जी के घर पहुँचने में चार घण्टे लग गये। भटके भी।

विवेक दत्त और उनकी जर्मन पत्नी मैरी दत्त ने हमें बड़े स्नेह से बिठाया। बताया कि अज्ञेय जी वहीं हैं। अज्ञेय जी का अपना घर भी पास में ही था। बंगला और जर्मन भाषियों[1] के साथ हिन्दी में बात करने में आनन्द आया। कुछ ही देर में किंचित खिचड़ी प्रकार की मगर आकर्षक दाढ़ी वाले व्यक्ति पाजामे-कमीज में प्रकट हुए। भव्य व्यक्तित्व। यह अज्ञेय से पहला सामना था। उनके साथ एक युवा महिला (सम्भवतः इला डालमिया) भी थीं, जो कुछ देर तो वहाँ पर रहीं पर बाद में भीतर चली गयीं।

नमस्ते हुई। परिचय दिया। बताया कि हम दोनों अल्मोड़ा कॉलेज में एम.ए. के विद्यार्थी हैं। शमशेर छात्रसंघ के अध्यक्ष थे और मैं कॉलेज मैगजीन का सम्पादक। उत्साह में मैंने यह भी बता डाला कि शमशेर को लगभग नब्बे प्रतिशत छात्रों के वोट मिले थे। वे चुपचाप सुनते रहे।

---

1. जर्मनी के हिन्दी विद्वान लोठार लुत्से रहे होंगे, जो तब वहीं घर लेकर रह रहे थे। –सं.

मैं कुछ और कहने के क्रम में यह बताना नहीं भूला कि मैं उनके द्वारा स्थापित *दिनमान* में भी लिखता रहता हूँ। अब एक हलकी मुस्कान उनके चेहरे पर दिखी। मैंने उनके बोलने का इन्तजार नहीं किया और कहा कि *दिनमान* की *मेरे गाँव का चित्र* आलेख सीरीज में मेरा लेख प्रथम निकला था। उन्होंने सिर हिलाया और इस बार उनके मुखारविन्द से शब्द निकले 'मैंने लेख पढ़ा था।'

फिर चुप्पी उपस्थित हो गयी।

मैंने आगे बढ़ने का प्रयास किया और कहा कि हम दोनों ने *शेखरः एक जीवनी* को पढ़ने का आनन्द उठाया है। उपन्यास का एक अंग्रेजी संवाद याद था। मैंने उसे भी दोहरा दियाः "आइ वांट टु डाइ वाइल यू लव मी"। उन्होंने हमारी ओर देखा और फिर मुस्कुराये। सचाई यह है कि मुझे उनके बड़े रचना संसार का तब तक ज्यादा पता ही नहीं था।

मैंने पूछा कि उन दिनों को कैसे याद करते हैं जब आप क्रान्तिकारी आन्दोलन में सक्रिय थे? अब अज्ञेय पहली बार बड़ा वाक्य बोले, 'सब कुछ परिस्थितियाँ और मनःस्थिति तय करती है। तब क्रान्तिकारी बन सकने की परिस्थितियाँ थीं। हमारी पीढ़ी को यह मौका मिला।'

'क्या अब नहीं हैं परिस्थितियाँ?' शमशेर का प्रश्न था।

'आपको लग सकती हैं, क्योंकि आप तरुण हैं और आदर्शवादी होना आपका स्वभाव है। यह क्रान्तिकारी की भी पहली जरूरत होती है।'

शमशेर ने नक्सलबाड़ी आन्दोलन, लातिनी अमेरिका के आन्दोलनों का जिक्र किया। वे बोले, 'हाँ यह तो है। पर उसके बाद अच्छा बदलाव आ जाय इसकी गारंटी नहीं है।' शमशेर कुछ और बहस करना चाहते थे पर विवेक दत्त को आता देख बात रुक-सी गयी।

चाय भी आ गयी। छोटी-सी मेज पर केतली और कप रखे गये। अज्ञेय ने चाय बनाना शुरू कर दिया। मैं यह काम करने से चूक गया। वे बारी-बारी से पूछते चीनी कितनी और चीनी, चाय, दूध कप में डाल कर हमें देते। हम उनके हाथों की गतिशीलता देखते रहते। तब अज्ञेय ने विषयान्तर करते हुए पूछा कि दत्त जी और मैडम दत्त के बारे में आप लोग जानते हैं?

हमने बताया कि हमारे प्राध्यापक महोदय ने उनके बारे में बताया था कि मैडम जर्मनी से *राजुला मालूशाही* की प्रेम कथा पर काम करने आयीं और यहीं बस गयीं। तभी मैडम मैरी दत्त वहाँ आ गयीं। हमने खड़े होकर उनको नमस्कार किया। वे भी बैठ गयीं। अज्ञेय ने उनसे हमारा परिचय कराया। उनका तरीका इतना सहज और आत्मीय था कि स्वयं मैडम दत्त ने उनसे पूछा कि वे हम लोगों को कब से जानते हैं? जब उन्होंने कहा कि अभी से, तो सभी को एक साथ हँसी आयी।

पर अज्ञेय जी ने हँसने में किंचित कंजूसी बरती।

उदय शंकर और लोक कलाकार संघ के साथ मोहन सिंह रीठागाड़ी, गोपी दास, मोहन उप्रेती और ब्रजेन्द्र लाल शाह की चर्चा भी वहाँ हुई। पर और बातें नहीं हो सकीं। हमने अपने कॉलेज में व्याख्यान देने का आग्रह किया। उन्होंने कहा, अगली बार। अपनी उम्र तथा जरूरत के अनुरूप हमने अज्ञेय से अपने आशीष वचन लिखने का आग्रह किया। उन्होंने दो पन्नों में बहुत आकर्षक तरीके से अपना वक्तव्य लिखकर दिया, जो अभी भी घर में कहीं दुबका होगा। उस वक्तव्य को शमशेर बाद में बहुत बार अपने भाषणों में इस्तेमाल करता था। अज्ञेय ने लिखा था– 'युवा वही है जो अन्याय का विरोध करे। सही को सही तथा गलत को गलत कहे। जिसके पास आदर्श हों तथा जो अपने समाज तथा दुनिया के लिए सपने देखता हो।' आदि-आदि।

दोपहर ढल गयी थी। हिमालय में सामने बादल आ गये थे और हमें भी तीन-चार घण्टे वापसी की यात्रा में चलना था। विदा ली। अज्ञेय और विवेक दत्त आगे तक हमें छोड़ने आये। प्रणाम के साथ हम वापस चलने लगे।

शायद 1974 की गर्मी आयी। अस्कोट-आराकोट अभियान (25 मई) के शुरू होने से पहले अल्मोड़ा बाजार में हमें अज्ञेय मिल गये। उनके साथ उनके एक मित्र थे। वे वापस बिनसर को जा रहे थे। मेरे साथ दो-तीन सहपाठी थे। हम उनके साथ-साथ बातें करते हुए चलने लगे। उन्होंने कुछ सामान खरीदा। एक छोटा-सा पिट्ठू उनके पास था।

लाला बाजार से नन्दा देवी होकर पोखरखाली को निकले तो हमने उन्हें कामरेड पी.सी. जोशी का घर बड़े उत्साह से दिखाया, जो खँडहर होने की प्रतीक्षा में था। यह भी बताने की जुर्रत की कि मेरठ षड्यन्त्र केस में पकड़े जाने के बाद जब पी.सी. जोशी को अल्मोड़ा जेल लाया गया था तो जनता ने कितने उत्साह से उनका स्वागत किया था। वे मुस्कुराकर सब सुन रहे थे। उन्हें दरअसल यह सब पता था। पर उन्हें यह पता नहीं था कि दायीं तरफ की कोठी हर्षदेव जोशी की है, जो कि पी.सी. जोशी के पूर्वजों में थे और अपने समय के बहुत प्रभावशाली व्यक्ति थे।

कुछ आगे नारायण तेवाड़ी देवाल के बाद हम पपड़शैली के पास पहुँचे। पास की जगह सिमतोला उदय शंकर द्वारा अपनी सांस्कृतिक संस्था के लिए छाँटी गयी थी। वह सपना साकार नहीं हो सका था। हलकी चढ़ाई के बाद स्नो-व्यू में एक घर के पास पहुँच गये। धुँधले और ढँके गये हिमालयी क्षेत्र सामने थे। अज्ञेय ने पूछा, 'जानते हैं शेखर, इस घर में ब्रूस्टर दम्पती रहे थे। दोनों अत्यन्त प्रतिभाशाली चित्रकार थे। अमेरिका से आये थे।' मैंने यह नाम बोसी सेन (प्रसिद्ध कृषि

विज्ञानी तथा विवेकानन्द लैब के संस्थापक) के यहाँ सुने तो थे, पर उनके यहाँ पर रहने की बात पता नहीं थी। यह घर उस वक्त बन्द था।

धीरे-धीरे आगे बढ़ते गये और कसार देवी पहुँच गये, जहाँ तब जर्मन पिता और बौलिवियन माँ के भिक्षु बन गये बेटे गोविन्दा अनागरिक लामा (मूल नाम ई. एल. हौफमैन) अपनी भारतीय पारसी पत्नी ली गौतमी के साथ रहते थे। हमने अज्ञेय जी को बताया कि हम उनके पास अपने प्राध्यापक के साथ दो बार हो आये हैं। अज्ञेय ने उनकी प्रसिद्ध पुस्तक *द वे ऑफ द वाइट क्लाउड्स* पढ़ने की सलाह दी, जिसका जिक्र हमसे मथुरादत्त पन्त ने भी कभी नहीं किया था। कुछ सालों बाद उस बेहतरीन किताब को पढ़ने और उसके फोटो/चित्रों को देखने का सौभाग्य मिला। यह सतलज के किनारे किनारे 1948 में छपरांग, थोलिंग आदि मठों से होकर कैलास पर्वत और मानसरोवर तक की गयी यात्रा थी। इस किताब में इन मठों के, जिन्हें एक-दो साल बाद लाल सैनिकों ने ध्वस्त कर दिया था, आखिरी फोटो भी थे।

हम लोगों ने कसार देवी मन्दिर के नीचे से अज्ञेय से विदा ली। इस बार वे आत्मीयता से भरे लगे।

फिर जब वे *नवभारत टाइम्स* के सम्पादक थे तो उनका पत्र आया कि कभी-कभार *दिनमान* की तरह *नवभारत टाइम्स* के लिए लिखा करूँ। मैं तब तक नौकरी में फँस गया था। हमारे साथी कुँवर प्रसून और चंडी प्रसाद भट्ट तो *नवभारत टाइम्स* के लिए नियमित लिखते ही थे। तभी 1977 के अगस्त-सितम्बर में तवाघाट में भूस्खलन से अनेक लोग मारे गये। जब चंडी प्रसाद भट्ट, शमशेर और केदार सिंह कुंजवाल तवाघाट गये तो अज्ञेय ने बीच-पच्चीस दिन पुरानी होने के बावजूद इस घटना को *नवभारत टाइम्स* के पहले पेज की खबर बनाया था। उनके भीतर की रचनात्मक पत्रकारिता का यह उदाहरण था।

अगले साल फिर बाढ़ और भूस्खलनों का दुर्भाग्य पहाड़ों में आया। तभी बहादुर शाह जफर मार्ग स्थित *नवभारत टाइम्स* के दफ्तर में हम उनसे मिलने गये थे। अज्ञेय बहुत आत्मीयता से मिले। कुशलबाद पूछी। मैंने हाल ही में प्रकाशित *कुली बेगार प्रथा* तथा उसके विरुद्ध हुए आन्दोलन सम्बन्धी अपनी किताब उनको दी। उन्होंने कहा पढ़ूँगा। किताब का सुन्दर आवरण देख कर पूछा कि सुरेन्द्र जोशी कहाँ रहते हैं? मैंने बताया, जयपुर। तवाघाट सहित तमाम प्राकृतिक आपदाओं और चिपको आन्दोलन के बारे में पूछा और फिर *नवभारत टाइम्स* के लिए कुछ-न-कुछ लिखने को कहा। नैनीताल में बहुत भीड़-भाड़ हो जाने की भी चर्चा उन्होंने की। अपना एक कविता-संग्रह भी दिया।

जाते-जाते मैंने उन्हें *नैनीताल समाचार* का एक अंक दिया, जिसमें पत्र के

टाइटल के ऊपर इन्हीं का लिखा एक वक्तव्य छपा थाः 'जब हजारों पेड़ कटते हैं, तब जाकर एक दिन का अखबार तैयार होता है। अतः लिखने से पूर्व लेखक रचना को इस दृष्टिकोण से परखें कि वह इस योग्य है भी या नहीं, जिसके लिए हजारों पेड़ों को काटना पड़े।'

क्षण-भर को एक मुस्कान उनके चेहरे पर तैरी और उतनी ही जल्दी तिरोहित हो गयी।

वनस्पतियों और पर्यावरण को लेकर अज्ञेय की चिन्ता पुरानी और गहरी रही है। उनकी डायरियों में इसके कई इंदराज मिलते हैं। एक यहाँ उद्धृत करने को जी करता है। 'पेड़ और कविता' शीर्षक देकर वे लिखते हैः

पेड़ के नीचे रुक कर सुस्ता लिया, फिर कॉपी निकाली तो एक लम्बी साँस सुन कर चौंका। पर आसपास कोई नहीं था! मैंने सोचा, भ्रम हुआ होगा, हवा होगी। फिर लिखने की ओर दत्तचित्त हुआ। लम्बी साँस फिर सुनाई दी।

पेड़ ने लम्बी साँस ली थी।

मैंने कहा, 'क्यों पेड़, क्या हुआ?'

पेड़ बोला, 'तुम कवि हो न?'

मैंने कहा, 'हूँ भी तो क्या? वन-प्रकृति का भक्त हूँ, पेड़ों से प्रेम है मुझे—'

पेड़ टोक कर बोला, 'होगा, होगा। तुम पेड़ पर कविता लिखो, या पेड़ को बचाने के आन्दोलन के लिए ही कविता लिखो, छपेगी तो पेड़ की लुगदी पर ही! जब-जब कोई लिखता है मैं लम्बी साँस लेता हूँ—यह पेड़ काटने का एक और निमित्त बना...'

पेड़ ने फिर लम्बी साँस ली।

पेड़ के साथ कविता का यह भी एक रिश्ता है। इतना साफ नहीं दिखा था न?

अज्ञेय से अन्तिम मुलाकात नैनीताल में हुई। शायद मई का महीना रहा होगा। मल्लीताल बाजार में वे और निर्मल वर्मा साथ-साथ घूमते मिले। निर्मल वर्मा से मिलने एक बार पुष्पेश दा राजेन्द्र नगर के आसपास वाले उनके घर में ले गये थे। निर्मल वर्मा को आश्चर्य-सा हुआ कि इतनी आत्मीयता से कौन मिल रहा है। अज्ञेय ने उन्हें बताया कि मैं पूर्व परिचित हूँ और यहाँ कॉलेज में हूँ। मैंने निर्मल वर्मा को पुरानी मुलाकात की याद दिलायी।

देर तक बातें हुईं। उन्हें वापस भीमताल जाना था। उनके साथ ही मालरोड की तरफ आया। किसी रेस्तरां में चाय पी। कुछ गपशप हुई। रास्ते में मेरे बहुत-से परिचित मिल रहे थे। निर्मल वर्मा अज्ञेय से कह रहे थे कि छोटे कस्बों में सब एक दूसरे को जानते हैं। फिर उन्होंने कहा कि वैसे भी फिल्मी कलाकारों, खिलाड़ियों या नेताओं की तरह लेखकों या अन्य कलाकारों को लोग नहीं जानते हैं।

मैंने कहा कि लेखकों की पुस्तकों को तो लोग जानते हैं, पर लेखकों के चेहरों को उतना नहीं जान पाते हैं। मैंने बताया कि यहाँ हम सभी लोग अपने शहर के साहित्यकारों – गोविन्द बल्लभ पन्त (नाटककार), यमुना दत्त वैष्णव 'अशोक', तारा पाण्डे, शिवानी तथा बटरोही आदि – को किताबों के मार्फत ही नहीं व्यक्तिगत रूप से भी जानते हैं। इतने में कुछ नौजवानों ने दोनों को नमस्कार किया। वे हमारे विश्वविद्यालय के छात्र थे और दोनों हस्तियों से परिचित थे। आगे कुछ और नमस्ते हुई। मैंने उन्हें याद दिलाना चाहा कि वे यहाँ अपरिचित नहीं हैं। उनकी जड़ें और टहनियाँ पहाड़ों में भी हैं!

डाँठ पर उन्हें विदा किया, जहाँ अज्ञेय का ड्राइवर रुका था। जाते-जाते मैंने अज्ञेय जी से उनके भीमताल वाले घर के बाबत पूछा तो उन्होंने बताया कि उसे बेच दिया है। बिनसर का घर भी बेच दिया गया था। अब अरुण सिंह इस घर में रहते हैं, जो राजीव गाँधी के सखा और उनकी सरकार में मंत्री थे।

इस बीच अज्ञेय ने ड्राइवर को कुछ सामान लाने भेजा। हम लोग झील की तरफ देख रहे थे। गाँधी प्रतिमा के पास से नैनी झील सदा की तरह बहुत आकर्षक लग रही थी। मैंने अज्ञेय जी से पूछ डाला कि उन्हें कुछ याद आ रहा है? दरअसल, मुझे उनकी कुछ पंक्तियाँ याद आ गयी थीं। वे कुछ प्रश्नात्मक होकर मेरी ओर देखने लगे। निर्मल भी कुछ सोचने लगे। मैंने कहा– आपको आपकी एक कविता याद दिलाऊँ? वे 'हाँ' बोले। मेरे मुख से उनकी *सागर मुद्रा* की यह कविता निकलती रही:

नदी में
मछलियाँ उछलती हैं:
क्षितिज पर उमड़ रहे होंगे
बादलों के साये।

क्या तुम्हारे चौके में
आटा नहीं उछलता
कि यह प्रवासी
लौट आये?

वे दोनों शायद किंचित आश्चर्य में थे। अज्ञेय की मुस्कान देर तक चेंहरे पर रही। मुस्कान के बीच ही विदाई हुई।

44

आगत पीढ़ी के साथ

॥ सुरेश ऋतुपर्ण

अज्ञेय उन कुछ उदार साहित्यिकों में से एक थे जो नयी पीढ़ी को प्रेरणा देने के साथ उन्हें साथ लेकर चलने में भी विश्वास रखते थे। इसके साथ यह भी सच है कि वे छुटभैये चापलूसों को भी पास नहीं फटकने देते थे। प्रतिभाशील युवा लेखकों की पहचान का उनका अपना पैमाना था। जो उनके पैमाने पर खरा उतरता था, उसे वे यथोचित अवसर देने की चेष्टा भी करते थे। सम्भवतः सन् 1968 के आसपास उन्होंने *दिनमान* में एक लेख लिखा था जिसमें कहा था कि युवा पीढ़ी के साथ संवाद की स्थिति बनी रहनी चाहिए। उनके इस विचार को लेकर अनेक प्रगतिशील आलोचक उनके पीछे पड़ गये। *आलोचना* में तो सम्पादक महोदय ने काफी लम्बा लेख ही लिखा जिसमें अज्ञेय की मंशा पर अनेक तरह के प्रश्नचिह्न लगाए गये थे। उनकी जन्म शताब्दी के अवसर पर जब हम उन्हें याद कर रहे हैं तो एकदम स्पष्ट हो जाता है कि उन्होंने जिस नयी पीढ़ी के साथ संवाद बनाया था, उनमें से अनेक लोग आज के जाने-माने लेखक हैं।

वे कोई महन्त नहीं थे और न उनका कोई मठ था। इसलिए उनके 'चेले चपाटे' भी नहीं थे। उन्हें न तो यह चिन्ता थी कि उनका नाम लेवा कोई होगा, या नहीं होगा। उन्हें लोगों को चुनकर जगह-जगह फिट करने की चिन्ता भी न थी। इसलिए नयी पीढ़ी से उनका सम्बन्ध और सम्पर्क आगत सम्भावनाओं की पहचान से जुड़ा था। उन्होंने इसके लिए किसी विशेष प्रकार के सिद्धान्त से जुड़ाव को आधार कभी नहीं बनाया। युवा पीढ़ी के प्रति स्नेहिल मित्रवत व्यवहार के कुछ प्रसंग मेरी स्मृतियों में अटके हैं।

बात सम्भवतः 1967-68 की रही होगी। श्रीराम कॉलेज ऑफ कॉमर्स में एक अन्तर्महाविद्यालय कविता प्रतियोगिता का आयोजन था। डॉ. कैलाशपति ओझा इसके परामर्शदाता थे और महेश मिश्र – जो कॉमर्स के विद्यार्थी थे – संयोजक थे। वे उस समय तृतीय वर्ष में पढ़ते थे। मैं हिन्दू कॉलेज में पढ़ता था और विभिन्न कविता प्रतियोगिताओं में हमारी भेंट होती रहती थी। वे काफी भारी-भरकम

थे। कुछ साथी उनके इसी मोटेपन का मजाक भी बनाते थे। लेकिन वे बड़े संवेदनशील, पढ़ने वाले और उत्साही कवि थे। उस समय वे जो कविताएँ लिख रहे थे, वे हम सबसे अलग और अत्यन्त महत्त्वपूर्ण थीं। उस समय के प्रायः सभी कवियों को वे पढ़ चुके थे और पढ़ते रहते थे। अज्ञेय, भारती, मुक्तिबोध, सर्वेश्वर, कैलाश वाजपेयी आदि हम सब लोगों की बहसों में रहते थे। हम लोग भी नयी-नयी योजनाएँ बनाते थे प्रकाशन की, क्योंकि हम नवोदित कवियों की रचनाएँ कहीं प्रकाशित नहीं हो पाती थीं। उन्हीं दिनों 'दिविक' नामक संग्रह के प्रकाशन की योजना बनी। वस्तुतः दिविक 'दिल्ली विश्वविद्यालय कविताशब्द' का संक्षिप्त रूप था। इस संग्रह का सम्पादन हमारे वरिष्ठ मित्र सुखवीर सिंह ने किया था। आवरण की परिकल्पना सहित अनेक भागदौड़ के काम मेरे और महेश के जिम्मे थे।

ऐसे ही गहमा-गहमी के दिनों की एक शाम महेश ने बताया कि वे अपने कॉलेज में एक कविता प्रतियोगिता आयोजित कर रहे हैं जिसकी अध्यक्षता अज्ञेय करेंगे। मुझे विश्वास नहीं हुआ। अब तक हम विभिन्न स्रोतों से यह समझ चुके थे कि अज्ञेय अत्यन्त संकोची हैं और सामान्यतः ऐसे भीड़-भड़क्के वाले आयोजनों से दूर रहते हैं। और फिर कविता प्रतियोगिता जैसे विश्वविद्यालयी आयोजन में वे आएँगे, इसमें सन्देह था। लेकिन महेश उनसे मिलकर बड़े आश्वस्त लौटे थे। कार्ड आदि छपे और निमन्त्रण सभी कॉलेजों में पहुँचा। हिन्दू कॉलेज से कौन भाग लेगा, इस पर मित्रों में चर्चा भी हुई। मेरा जाना तो तय था; पर टीम का दूसरा सदस्य कौन हो यह अभी तय नहीं था। हमारे समकालीन साथी बनवारी (*जनसत्ता* के पूर्व स्थानीय सम्पादक) जो हमारे कॉलेज में ही पढ़ते थे, उन दिनों कविताएँ भी लिखते थे और हमारे कॉलेज की भित्ति पत्रिका पर उनकी रचनाएँ यदा-कदा प्रदर्शित होती रहती थीं। वे अनुपम मिश्र के भी मित्र थे जो संस्कृत आनर्स में पढ़ते थे। उस मित्रता के नाते बनवारी मन्नाजी (भवानी प्रसाद मिश्र) से पुत्रवत स्नेह पाते थे। बनवारी सामान्यतः प्रतियोगिताओं में नहीं जाते थे, लेकिन अज्ञेय की अध्यक्षता में होने वाली इस प्रतियोगिता में जाने के लिए उनके मन में भी उत्सुकता थी। फलतः हम दोनों ने वहाँ एक टीम के रूप में जाने का निर्णय किया।

बनवारी तब बनवारी 'राजेन' नाम से कविताएँ लिखते थे। हम दोनों काफी पहले ही श्रीराम कॉलेज पहुँच गये। महीना तो याद नहीं आ रहा, पर हलकी सर्दियों के दिन थे। हम दोनों श्रीराम कॉलेज के दौलतराम कॉलेज की तरफ वाले लॉन में बैठे प्रतियोगिता में पढ़ने वाली कविताओं का पाठ कर रहे थे कि तभी एक स्टैंडर्ड कार सामने आकर रुकी। उसे अज्ञेय जी चला रहे थे और उनके साथ

सर्वेश्वर जी बैठे थे। दोनों कार से उतरकर इधर-उधर देखने लगे। शायद सोच रहे होंगे कि उनके स्वागत व मार्गदर्शन के लिए तो यहाँ कोई भी नहीं है।

उनकी उलझन हम दोनों ने समझी, आगे आकर उन्हें नमस्कार किया और संकेत करके कहा– "इधर से आइए। आयोजन कॉलेज हाल में है।" आगे-आगे वे दोनों चले। अज्ञेय जी की धीमी गरिमामय चाल। हम बरामदे में पहुँचे सोच रहे थे कि भागकर महेश को खबर करें, पर अज्ञेय जी को छोड़कर जाना उचित भी नहीं लग रहा था। वे सीढ़ियाँ चढ़कर बरामदे में दाखिल हुए और उन्होंने सर्वेश्वर जी से कहा– "यहाँ तो बड़ा सन्नाटा है।" उस बरामदे की शुरुआत एक गुम्बद से होती है। उस गुम्बद में गूँजती उनकी वह धीर-गम्भीर आवाज आज भी मेरे कानों में गूँजती-सी लगती है।

जब अज्ञेय हाल के करीब पहुँचे तो वहाँ दरवाजे पर महेश मालाएँ लिये खड़े थे। महेश ने सोचा था कि वे मुख्य द्वार से आएँगे। एक लड़का भागता उनके पास पहुँचा और अज्ञेय जी के आने की सूचना दी। वह भी अगवानी के लिए आगे भागा। उन्हें साथ लेकर हाल में प्रविष्ट हुए तो देखा कि श्रीराम कॉलेज का सभागार खचाखच भरा है। सभी अज्ञेय को देखकर खड़े हो गये। तालियाँ बजती रहीं। पूरे कॉलेज में सन्नाटे का रहस्य यही था कि सब लोग सभागार में अपने-अपने स्थान पर विराजमान थे। दिल्ली विश्वविद्यालय के इतिहास में सम्भवतः इतनी बड़ी कविता प्रतियोगिता कभी नहीं हुई होगी। कम-से-कम मुझे अपने दिल्ली विश्वविद्यालय से सैंतीस वर्षों के जुड़ाव में तो याद नहीं पड़ता।

इस प्रतियोगिता में इकत्तीस या बत्तीस टीमों ने भाग लिया था। यानी बासठ या चौंसठ लोगों ने कविताएँ पढ़ी होंगी। जाहिर है, बहुत से छात्र तो बस अज्ञेय को देखने आये थे। कविता पढ़ने के बहाने। करोड़ीमल कॉलेज की टीम जीती। सतीश वशिष्ठ और सुश्री त्रिपाठी (प्रथम नाम याद नहीं, वे प्रयाग नारायण त्रिपाठी की पुत्री थीं) को पुरस्कार मिले थे।

बहरहाल अज्ञेय के भाषण के साथ प्रतियोगिता समाप्त हो गयी। महेश मिश्र ने अज्ञेय के साथ श्रीराम कॉलेज के अध्यापकों और हिन्दी साहित्य सभा के पदाधिकारियों की एक समूह-चित्र की व्यवस्था कर रखी थी, बाहर लॉन में। प्रसिद्ध छायाकार ए.आर. दत्त को बुलाया गया था। अन्दाज था कि तीन घण्टे में कार्यक्रम समाप्त हो जाएगा तो छह बजे बाहर लॉन में ग्रुप फोटो हो सकेगा। लेकिन बहुत देर हो जाने के कारण अँधेरा हो गया था और इतने बड़े ग्रुप-फोटो के लिए अतिरिक्त प्रकाश व्यवस्था में समय लगता। अज्ञेय जाना चाहते थे, लेकिन महेश के विनम्र आग्रह को टाल न सके। तब तक ए.आर. दत्त ने अपने सहयोगी को कश्मीरी गेट स्थित स्टुडियो से विशिष्ट किस्म के आर्क लैम्प को लाने भेज

दिया था। लैम्प पहुँचे और ग्रुप-फोटो के बाद ही अज्ञेय गये। नयी पीढ़ी के प्रति उनके स्नेह का ही प्रमाण था यह।

दूसरा प्रमाण इसके अनेक वर्ष बाद मिला। 'युववाणी' पर उनके साथ एक साक्षात्कार की रेकॉर्डिंग थी। सम्भवतः 1973 का वर्ष था। कमला शास्त्री 'युववाणी' की प्रोड्यूसर थीं। याद नहीं पड़ता कि इंटरव्यू किन लोगों ने लिए थे। लेकिन इंटरव्यू के बाद मैं, पवन माथुर, दिविक रमेश, सुरेश किसलय, रामकुमार शर्मा आदि मित्र उन्हें आकाशवाणी के मुख्य पोर्टिको के पास कार के निकट घेर कर खड़े थे तथा कुछ चर्चा चल रही थी। सभी के मन में था कि उनके साथ कुछ देर बैठा जाए। अज्ञेय भी बड़ी शालीनता से बातें कर रहे थे। बेहद कम बोल रहे थे, सुन ज्यादा रहे थे। मैंने पवन माथुर और सुरेश किसलय से गुपचुप तरीके से कहा– अज्ञेय जी के साथ कहीं बैठकर कॉफी पीने की बात की जाए। सबने हाँ कर दी। बड़ी हिम्मत करके उनसे यह बात कही गयी। आशंका तो यही थी कि मना कर देंगे। पर अप्रत्याशित रूप से उन्होंने हलके-से कहा– ''कहाँ पी जा सकती है?'' हम लोग उत्साहित हो गये। पर उनके व्यक्तित्व के अनुरूप कौन-सी जगह हो सकती है, यह सोचने लगे। अचानक खयाल आया कि युनाइटेड कॉफी हाउस ठीक रहेगा। वे बोले– ''ठीक है, पर चलेंगे कैसे? किस-किसके पास वाहन है।" हम सब तो तब बस के यात्री होते थे। सुरेश किसलय ने तुरन्त कहा– "आपकी कार से चलेंगे।" वे हमें गिनने लगे। बोले, पर उसमें सब तो नहीं आ सकेंगे। कमला शास्त्री बोलीं– कुछ हमारे साथ आकाशवाणी की कार से पहुँच जाएँगे। और इसी तरह हम लोग उनके साथ युनाइटेड कॉफी हाउस पहुँच गये। कमला जी भी साथ थीं, इसलिए सब लोग ऊपर बने फैमिली रूम में जाकर बैठ गये। तब तक हमने आपस में, अपनी-अपनी जेब देखकर, यह अन्दाज लगा लिया था कि बिल देने में कठिनाई नहीं आएगी।

कॉफी और पकौड़ों का आर्डर दे दिया गया। वे धीरे-धीरे सबका परिचय पाने लगे। कौन क्या करता है, क्या लिख रहा है वगैरह। तभी अचानक किसलय ने प्रश्न दाग दिया– "अज्ञेय जी, पर सच तो यही है कि नयी कविता ने छन्द तोड़कर कविता के साथ बड़ा अनर्थ किया है।" प्रश्न कुछ इस अन्दाज से किया गया था कि 'नयी कविता' से अभिप्राय 'अज्ञेय' से हो गया। वे बड़े धैर्य और विश्वास से बोले– "नहीं, ऐसा तो कतई नहीं है। नयी कविता के कवियों ने पहले छन्द को सिद्ध किया और फिर तोड़ा है। बिना छन्द को सिद्ध किए छन्द-मुक्त कविता लिखी ही नहीं जा सकती। छन्द यदि बन्धन बन जाए, रीति बन जाए तो उसे तोड़ना ही श्रेयस्कर है। मेरी आरम्भिक अनेक कविताएँ छन्दमय हैं। *भग्नदूत*

या *चिन्ता* की कविताएँ देख लें। पर मैं उस बन्धन से मुक्त होना चाहता था जो मेरे अनुभव, भावों की अभिव्यक्ति में आड़े आता था। बस यही कविता की छन्द-मुक्ति है।" ऐसी ही अनेक बातों पर चर्चा होती रही और हम सभी सम्मोहन में बँधे उन्हें सुनते रहे। कहना न होगा, बिल भी अज्ञेय जी ने ही चुकाया। अपनी आगत पीढ़ी के लिए वे सदैव स्नेहिल बने रहे।

तीसरी घटना जैनेन्द्र जी को लेकर है। जैनेन्द्र जी का अस्सीवाँ जन्मदिन जनवरी 1985 में उनकी पुत्री श्रीमती कुसुम गुप्त ने अपने फ्रेंड्स कॉलोनी स्थित घर में मनाने का फैसला किया था। तारीख कुछ आगे-पीछे की रखी गयी, ताकि बाबू जी को शक न हो। सभी परिजनों, इष्ट मित्रों को भी स्पष्ट ताकीद कर दी गयी थी कि किसी से जिक्र न किया जाए। प्रदीप जी (जैनेन्द्र के पुत्र) ने मुझे पहले से कह दिया था कि उस दिन कैमरा अवश्य लेकर आऊँ।

मैं जब जैनेन्द्र जी के घर पहुँचा तो देखा वे लोग फ्रेंड्स कॉलोनी जाने के लिए तैयार हो रहे हैं। बाबू जी बाहर वाली बैठक में कुर्ता-पाजामा पहने बैठे थे। मैं पहुँचा तो उन्होंने भेद-भरी दृष्टि से देखा। बोले, "कहाँ से आ रहे हो?" मैंने गोलमोल उत्तर दिया— कॉलेज से लौट रहा था, सोचा कि आपके दर्शन करता चलूँ। पर लगता है कि आप लोग कहीं जा रहे हैं, इसलिए अब घर लौट जाऊँगा। बोले— हमारे साथ कुसुम के घर चलो, उसने कुछ लोगों को बुला रखा है। वह तो ऐसा करती ही रहती है। कोई खास बात नहीं है, तुम भी चलो। मैंने प्रसन्न होकर कहा— "ठीक है। यह तो बड़े सौभाग्य की बात है।" तभी भाभी श्रीमती जैनेन्द्र आयीं और बोलीं— ये कुर्ता-धोती लायीं हूँ, पहन लो। भाभी की ओर तीखी दृष्टि से देखते वे बोले— क्या यह कुर्ता-पाजामा ठीक नहीं? मैं तो इसी में चल रहा हूँ।

भाभी थोड़े गुस्से से बोलीं— "जो तुम्हारा मन करे पहन कर चलो। मुझे क्या है। तुम जानो, तुम्हारी बेटी जाने।" बाबू जी बोले— "तो ऐसे कहो न कि कुसुम ने कहा है।" और बाबू जी चुपचाप धोती-कुर्ता पहनकर तैयार हो गये। अपनी चिर-परिचित लोई को कन्धे पर डालकर बोले— "चलो भाई! मैं तो तैयार हूँ।"

दीदी की गाड़ी आ गयी थी। जब हम फ्रेंड्स कॉलोनी पहुँचे तो बाबूजी ने देखा बहुत-से लोग हैं। बड़ा जमावड़ा है। वे मन्द-मन्द मुस्कुराए, पर बोले कुछ नहीं। उनकी पौत्री एवं धेवतियों ने बाबूजी के सामने अस्सी गुलाबों का बड़ा-सा गुलदस्ता भेंट किया और जन्मदिन की बधाई दी।

धीरे-धीरे हिन्दी के अनेक बड़े साहित्यिक लोग यथा अमृता प्रीतम, टी.एन. चतुर्वेदी, पद्मा सचदेव, सुनीता जैन, हिमांशु जोशी, उषा भगत, निर्मला देशपाण्डे प्रभृति लोग आने लगे और बधाइयों का दौर चलने लगा। तभी अज्ञेय जी आये

और जैनेन्द्र जी के पास पहुँच कर झुककर चरणस्पर्श किया। जैनेन्द्र जी ने उन्हें बाँहों में भर लिया और मुझे पुकारते हुए बोले– "अरे भाई! एक फोटो तो ले लो।" मैं चरणस्पर्श का फोटो लेने से चूक गया था। इस फोटो-प्रसंग का जिक्र स्वयं अज्ञेय जी ने अपने एक आलेख में यों किया है– *मैं जैनेन्द्र जी को प्रणाम करने झुका तो किसी ने आवाज दी, "अरे कोई फोटो लो, फोटो। फोटो शायद लिया भी गया।"*

पर सच तो यही है कि वह फोटो नहीं लिया जा सका था, पर और अनेक फोटो लिये थे। तभी भाभी ने अज्ञेय जी से शिकायत करते हुए कहा कि तुम इतने दिनों से आये क्यों नहीं। क्या बात है, क्यों दिमाग खराब हो गया है। तो वे मृदु मुस्कान के साथ बोले– "पता नहीं किसका दिमाग ज्यादा खराब हुआ है।" भाभी हँसने लगीं। अज्ञेय जी का आशय शायद यह था कि दिमाग तो भाई जैनेन्द्र जी का भी खराब हो सकता है। तभी भाभी ने कहा– "अकेले क्यों आये हो? इला को क्यों नहीं लाये।" तो वे बोले– "तुमने मुझे बुलाया था। मैं आ गया हूँ। इला से कहोगी तो वह भी आ ही जाएँगी।" भाभी समझ गयीं। तत्काल जाकर फोन किया। लगभग एक घण्टे बाद इला जी भी आ गयीं। कुल मिलाकर बड़ी खुशनुमा शाम थी। बाहर लॉन में चाँदनी चौक के चाट-पकौड़ी वालों के खोमचे लगे हुए थे। अज्ञेय जी भी चटोरों की उस भीड़ में शामिल होकर आनन्द लेने लगे थे।

45

ठहरा हुआ समय

॥ रमेश ऋषिकल्प

दिल्ली में गर्मियों के शुरुआती दिन थे। देश में इमरजेंसी लगी थी। मैं दिल्ली विश्वविद्यालय के हिन्दू कॉलेज में पढ़ रहा था। गर्मियों की छुट्टियाँ होने से पहले ही मैंने आकाशवाणी में 'युववाणी' की प्रोड्यूसर कमला शास्त्री से मिलकर कुछ कार्यक्रम प्रस्तुत करने की योजना बनाई। उन दिनों मैं 'युववाणी' पर नियमित रूप से कार्यक्रम करता था। कमला जी ने आग्रह किया कि इस बार अज्ञेय जी के साथ एक अच्छी बातचीत रेकार्ड करनी चाहिए। लेकिन समस्या यह थी कि इस बातचीत के लिए उन्हें तैयार कैसे किया जाय? यह आसान काम नहीं था। अज्ञेय को लेकर लोग बहुत कुछ कहा करते थे, कि उनमें अहं बहुत है, कि किसी से बातचीत नहीं करते या यह कि बड़े शाही ढंग से रहते हैं। यह भी कहा जाता कि वे भारत में कम, यूरोप-अमेरिका में ज्यादा रहते हैं। और यह भी कि पश्चिमी संस्कृति से बहुत प्रभावित हैं।

उन्हें अपने कार्यक्रम में लाना मुझे कठिन लगा। फिर भी मैंने शीला झुनझुनवाला से अज्ञेय जी का पता और फोन नम्बर लिया। अज्ञेय उन दिनों गॉल्फ लिंक्स में रहते थे। मकान का नम्बर सौ था या शायद एक सौ एक। एक दिन मैं शाम चार बजे के आसपास वहाँ पहुँचा और घण्टी बजा दी। दरवाजा इला जी ने खोला। वे किसी उपन्यास की नायिका-सी लगीं। मुझे *नदी के द्वीप* की गौरा याद आयी। मैंने कहा, अज्ञेय जी से मिलना है, आकाशवाणी से आया हूँ। उन्होंने बिठाया और भीतर चली गयीं। थोड़ी देर में अज्ञेय आ गये। मैंने जीवन में पहली बार उन्हें देखा था। सब जानते हैं कि वे भव्य व्यक्तित्व के स्वामी थे। मुझे लगा जैसे सामने कोई देवदूत खड़ा हो। सफेद पाजामा, सफेद कुर्ता। करीने की दाढ़ी और चश्मा।

इस पहली मुलाकात में ही अज्ञेय बहुत सौम्य और शालीन लगे। न उनका कथित घमण्ड कहीं दिखाई दिया, न अहंकार। अब यह कहने में मुझे कोई संकोच नहीं कि अज्ञेय के अन्दर का मनुष्य बहुत बड़ा था। अपने संघर्ष के दौर में मैं जाने कितने साहित्यकारों, रचनाकारों, कलाकारों, पत्रकारों और प्रशासनिक अधिकारियों

से मिला, बहुतों से सम्बन्ध भी बने। लेकिन अज्ञेय जितना बड़ा मनुष्य मैंने दूसरा नहीं देखा। मुझे बार-बार लगता है कि अज्ञेय हिन्दी साहित्य और हिन्दी पत्रकारिता को नयी दिशा इसलिए भी दे पाये क्योंकि उनके रचनाकार में हमेशा एक बड़े मनुष्य का निवास रहा। शायद उसी ने उन्हें सच्चा विद्रोही भी बनाया।

बहरहाल, उस पहली मुलाकात में मैंने महसूस किया कि अज्ञेय अपने छोटे व्यक्ति को भी बराबर लाकर बात करते हैं। उन्होंने मुझसे मेरे बारे में पूछा। जब मैंने बताया कि खुर्जा का हूँ तो उन्होंने फौरन पण्डित नरेन्द्र शर्मा का नाम लिया। जब इला जी चाय लायीं तो उन्होंने उन्हें मेरे बारे में बताया। मुझे उस समय इला जी का व्यवहार भी सौम्य लगा। कोई एक घण्टे वहाँ रहा। जब मैंने उनके सामने अपने कार्यक्रम में आने का प्रस्ताव रखा तो उन्होंने साफ कहा, अभी दो महीने मैं कहीं नहीं जाऊँगा। यदि आप दो महीने बाद बुलाएँगे तो जरूर आऊँगा। मुझे हलकी-सी निराशा हुई। पर उनकी बात मान लेने के सिवा कोई चारा न था।

दो महीने बाद इमरजेंसी उठ चुकी थी और जनता पार्टी की सरकार बन गयी थी। अज्ञेय *नवभारत टाइम्स* के सम्पादक हो गये। अखबार के लिए मैं भी लिखने लगा। अज्ञेय जी ने मुझे एक स्तम्भ दिया, जिसका नाम था 'आमने-सामने'। स्तम्भ के लिए किन लोगों से बातचीत करनी है, यह उनके कमरे में बैठकर तय कर लेता था। अनेक महत्त्वपूर्ण लोगों से बातचीत हुई। मसलन बिनोद बिहारी मुखर्जी, सोनल मानसिंह, कृष्णा सोबती, कंवल कृष्ण, रामकुमार, जैनेन्द्र कुमार, इब्राहीम अल-काजी, यामिनी कृष्णमूर्ति, बिरजू महाराज, रामविलास शर्मा आदि। साक्षात्कार लेने से पहले अज्ञेय विषय पर काफी बातचीत कर लेते थे। साक्षात्कार के माध्यम से व्यक्तित्व को सामने कैसे लाया जाय, यह मैंने उन्हीं से सीखा।

यह पत्रकारिता में मेरी पहली दीक्षा थी। अज्ञेय जी ने बताया कि कोई भी बातचीत सिर्फ बातचीत नहीं होती, वह कलाकार या रचनाकार का समय भी होती है। साक्षात्कार तैयार कर मैं सीधे उनके कमरे में जाता। वे संशोधन करते तो पूछते कि जो संशोधन किए हैं, क्या आप उनसे सहमत हैं? मैं सोचता, अज्ञेय कभी अपने विचारों को थोपने की कोशिश नहीं करते। स्वतन्त्रता व्यवहार में कैसे आती है, यह मैंने उनमें निकट से देखा। उस समय कला-साहित्य का पेज शानी देखा करते थे। अज्ञेय ही उनको लाये थे। मैं अपना लेख हमेशा अज्ञेय जी को देता था, इस बात से शानी थोड़े खफा भी थे। हालाँकि मेरा इरादा उनकी अवमानना करना नहीं था। अज्ञेय जी से मिलना, जानना और सीखना अच्छा लगता था। खास बात यह थी कि मिलने का समय मैंने कभी नहीं लिया। बिना समय तय किए उनके घर भी चला जाता था। असल में इस धृष्टता का मुख्य कारण यह था कि तब मेरे पास कोई फोन नहीं था। उन दिनों वैसे भी वह दुर्लभ चीज होती थी। जो हो,

उन्होंने मुझे कभी मना नहीं किया। हालाँकि उन मुलाकातों में वे खुद बहुत कम बोलते थे।

वह समय मेरे लिए संघर्ष का था, लेकिन उमंगों से भरा। *दिनमान* (तब रघुवीर सहाय सम्पादक थे) से लेकर *नवभारत टाइम्स* तक अनेक पत्र-पत्रिकाओं में लिखता था और 'युववाणी' कार्यक्रम प्रस्तुत करता था। अज्ञेय जी को सम्पादक बने जब दो महीने हो गये तो मैंने उन्हें 'युववाणी' के कार्यक्रम की बात याद दिलाई। उनका वादा था, वे मान गये। मैं और कमला शास्त्री अनुबन्ध-पत्र लेकर *नवभारत टाइम्स* के दफ्तर गये। अज्ञेय जी ने अनुबन्ध-पत्र गौर से पढ़ा। फिर पीछे लिखे हुए कई नियम और शर्तों को अपनी कलम से काटते हुए कमला शास्त्री से कहा– मैं इन-इन शर्तों से सहमत नहीं हूँ, अब आप देख लीजिए। कमला जी ने उनका कहा सब स्वीकार कर लिया। बातचीत का विषय रखा गया था 'मूल्यों के प्रति प्रतिबद्धता', जो उन्हें स्वीकार था।

अज्ञेय ठीक समय पर आकाशवाणी भवन पहुँचे। हम लोग तो स्वागत के लिए खड़े ही थे, आकाशवाणी के निदेशक भी उन्हें लिवाने पोर्च में आये थे। युववाणी पर उस साल वह एक शानदार कार्यक्रम था। अज्ञेय के साथ बातचीत के लिए हमने जिन लोगों को रखा उनमें कृष्णदत्त पालीवाल, सुखवीर सिंह भी थे। मेरे लिए अज्ञेय से ऐसी बातचीत का वह पहला मौका था। कार्यक्रम लगभग चालीस मिनट का था। रेकार्डिंग के बाद हम लोग अज्ञेय जी को चाय के लिए आकाशवाणी कैंटीन भी ले गये।

गर्मियों की ही एक शाम थी। अज्ञेय जी ने मुझे और युववाणी पर कार्यक्रम पेश करने वाले कुछ लोगों को अपने घर आमन्त्रित किया। असल में पहल हमारी थी। अभी वे *नवभारत टाइम्स* में ही थे। मैंने कहा कि हम लोग आपके साथ किसी दिन बैठना चाहते हैं। बताइए, आप कहाँ चाहेंगे? उन्होंने कहा– लोग कहते हैं कि मेरे घर की कॉफी अच्छी होती है। आप लोगों को कोई एतराज न हो तो मेरे घर ही बैठक जम सकती है। कमला शास्त्री और तीन-चार और लोगों के साथ मैं गॉल्फ लिंक्स पहुँचा। अज्ञेय ने प्रसन्नचित्त मुद्रा में हमारा स्वागत किया। दरअसल, वह छोटी-मोटी दावत ही थी, जिसमें एक-दो चीजें स्वयं अज्ञेय जी ने हाथ से बनाई थीं। मैंने अनुभव किया कि अज्ञेय खुलना चाहते हैं, पर स्वाभाविक ही हर किसी को अपनी मासूमियत के लायक वे नहीं समझते। जी हाँ, उनके भीतर शालीनता के साथ एक प्रकार की मासूमियत और कोमलता भी थी। खैर, बात तो उन्होंने कम ही की, पर आग्रहपूर्वक हमें खिलाया खूब।

अज्ञेय मुझे अपने साथ जोड़ना चाहते थे। *टाइम्स ऑफ इंडिया* समूह के

मालिकों में अज्ञेय का बड़ा सम्मान था। वे अज्ञेय जी को *टाइम्स ऑफ इंडिया* के सम्पादक से ज्यादा वेतन देकर वहाँ लाये थे। ऐसा न पहले हुआ था, न बाद में हुआ है। मैंने संवाददाता पद के लिए इंटरव्यू दिया। मुझे चुन लिया गया। लेकिन तभी वहाँ लम्बी हड़ताल हो गयी। दो साल पूरे होने के बाद अज्ञेय जी ने भी *नवभारत टाइम्स* छोड़ दिया। खैर, पत्रकारिता की दीक्षा मुझे उनसे मिल चुकी थी। कुछ वर्ष बाद *जनसत्ता* निकला, जहाँ मुझे काम मिल गया।

जिन दिनों अज्ञेय *नवभारत टाइम्स* में थे, उनकी दो किताबें आयी थीं—*शाश्वती* और *अद्यतन*। एक दिन मैं उनके पास बैठा था। एक तैयार पाण्डुलिपि सामने रखी थी। अचानक उन्होंने पूछा, क्या इस किताब के लिए आप कोई नाम सुझा सकते हैं? मैं थोड़ा चौंका। इसे परीक्षा समझ तुरन्त दिमाग दौड़ाया। मुझे तीन नाम सूझे— निरन्तरा, चिरन्तनी और शाश्वती। अज्ञेय को 'शाश्वती' अच्छा लगा। बाद में इस नाम से प्रकाशित होने पर किताब की प्रति उन्होंने मुझे भेंट भी की।

इस बीच वे गॉल्फ लिंक्स से निजामुद्दीन आ गये थे। वह भी शानदार मकान था। मैं वहाँ बहुत गया। उसी दौर में उन्हें ज्ञानपीठ पुरस्कार की घोषणा हुई। हम सब बहुत खुश हुए। *नवभारत टाइम्स* जाकर उन्हें बधाई दी और पूछा, घोषणा सुनकर आपको कैसा लग रहा है? प्रश्न करने के बाद ही मुझे लगा कि मैंने बचकाना सवाल कर दिया है। उन्होंने कहा, "छोड़िए, भला लगना क्या है। पुरस्कार है, बस ठीक है। असली पुरस्कार तो लिखने की सन्तुष्टि है।" इसके बाद उन्होंने एक दक्षिण भारतीय लेखक का उपन्यास '*मूक्कजी*' दिया, जो हिन्दी में अनूदित था। उसे भी ज्ञानपीठ पुरस्कार मिल चुका था। उन्होंने कहा, इस उपन्यास की समीक्षा कर दीजिए। मैंने उनसे यों ही पूछ लिया कि किसी कृति की समीक्षा करते समय समीक्षक को सबसे ज्यादा ध्यान किस बात का रखना चाहिए? उन्होंने कहा— किसी भी लेखक को सबसे पहले उसकी अपनी जमीन पर ही जाँचना चाहिए, बाकी सब बाद में सोचना चाहिए।

ज्ञानपीठ पुरस्कार समारोह उस दफा कलकत्ता में आयोजित किया गया। उन्होंने मुझे भी कलकत्ता आने का निमन्त्रण दिया। एक किस्सा सुनाया। उन्होंने कहा— ज्ञानपीठ वालों ने मुझसे पूछे बिना पुरस्कार देने के लिए प्रधानमन्त्री को आमन्त्रित किया और मुझे सूचना भर भेज दी। लेकिन मैंने प्रधानमन्त्री से पुरस्कार लेने से मना कर दिया। कुछ दिनों बाद फिर सूचना मिली कि अच्छा अब हमने पुरस्कार देने के लिए नेपाल नरेश से बात की है। अज्ञेय आगे बोले, तो मैंने कहा आपने यह कैसे सोच लिया कि मैं नेपाल नरेश के हाथों पुरस्कार ले लूँगा? अन्त में उन्होंने ही उनसे कहा कि आप चाहें तो श्रीमती अरुंडेल या कुमार गन्धर्व को पुरस्कार देने के लिए आमन्त्रित कर सकते हैं। असल में अज्ञेय किसी कलाकार

के हाथ से ही पुरस्कार लेना चाहते थे, किसी राजा या नेता के हाथ से नहीं। और यही हुआ। उन्हें पुरस्कार देने के लिए रुक्मिणी देवी अरुंडेल कलकत्ता आयीं।

जब अज्ञेय सरदार पटेल मार्ग पर स्थित कैवेंटर्स ईस्ट में आ गये तो और सक्रिय हो गये थे। ज्ञानपीठ पुरस्कार की राशि में उतनी ही अपने पास से मिलाकर वत्सल निधि की स्थापना की। निधि के तहत लेखक शिविरों की शुरुआत की और पिता हीरानन्द शास्त्री के नाम पर तीन दिन की विशेष व्याख्यानमाला शुरू की। बाद में वत्सल निधि के तत्त्वावधान में ही अनेक सांस्कृतिक यात्राएँ। उन्होंने मुझे अनेक लेखक-शिविरों में युवा लेखक के रूप में आमन्त्रित किया। सबसे पहला आयोजन लखनऊ के लिटरेसी हाउस में हुआ था। माउंट आबू के शिविर में भी मुझे आमन्त्रित किया गया, पर मैं अचानक बीमार पड़ गया। फिर अगले वृन्दावन शिविर में शामिल हुआ। उस शिविर की यादें कैसे भूल सकता हूँ जिसमें अज्ञेय के साथ-साथ विद्यानिवास मिश्र, नरेश मेहता, वीरेन्द्र कुमार भट्टाचार्य, रामस्वरूप चतुर्वेदी, रामेश्वर शुक्ल अंचल, विश्वनाथ प्रसाद तिवारी, रमेशचन्द्र शाह, अज्ञेय जी के छोटे भाई वत्सराज भणोत, गोविन्द मिश्र, राजकुमार कुम्भज, ब्रजेन्द्र त्रिपाठी, मदन सोनी आदि शामिल थे। उन शिविरों में अज्ञेय ने नये और वरिष्ठ लेखकों को संवाद का मौका दिया। ऐसे लेखक-शिविरों का आयोजन निजी प्रयत्नों से हिन्दी जगत में अन्यत्र शायद नहीं हुआ।

यही वह समय था जब नीलम से मेरा परिचय दिल्ली युनिवर्सिटी के रिसर्च फ्लोर पर हुआ। वह भी गर्मियों की एक अच्छी शाम थी, जब त्रिवेणी कला संगम में हीरानन्द शास्त्री व्याख्यानमाला का आयोजन हो रहा था। अज्ञेय जी अभी त्रिवेणी के मुख्य द्वार पर अतिथियों का स्वागत करने के लिए खड़े हुए थे, जैसा कि वे हमेशा करते थे। मैं और नीलम पहुँचे तो उन्होंने कहा– आपको तो जल्दी आना चाहिए था। मैंने कहा– नीलम को लेने युनिवर्सिटी हॉस्टल गया था, इसलिए देर हो गयी। मैंने नीलम का उनसे परिचय कराया। इस परिचय के बाद हम दोनों अज्ञेय के और करीब हो गये।

इतने कि वे हमें अपने परिवार की पुरानी बातें भी सुनाने लगे। अपने बचपन के बहुत-से किस्से। जिन्दगी की घटनाएँ। एक बार उन्होंने बताया कि जब युवा थे और अपने माता-पिता के साथ रहते थे, किसी डॉक्टर ने उनकी बहन के साथ कुछ बदतमीजी की। अज्ञेय जी को यह बात पता चली तो उसे बड़े आग्रह के साथ चाय पर आमन्त्रित किया। जब डॉक्टर साहब चाय पी चुके और चलने लगे तो अज्ञेय ने उनके गाल पर एक थप्पड़ रसीद कर दिया। बाद में जब पिता जी को यह मालूम हुआ तो उन्होंने उन्हें नाराज होकर कहा कि यही करना था तो उसके क्लीनिक पर जाकर क्यों नहीं किया, घर बुलाने की क्या जरूरत थी?

अज्ञेय जब मूड में होते तब पुराने और मजेदार किस्से रस लेकर सुनाते। लाहौर में एक दफा कॉलेज के दादा समझे जाने वाले जगदीश सेठी को उन्होंने सरेआम पीट दिया था, जो बाद में हिन्दी फिल्मों के प्रथम खलनायक के रूप में मशहूर हुए। कलकत्ता में जब पृथ्वीराज कपूर ने सेठी से परिचय करवाया तो वे अज्ञेय जी को पहचान कर झेंप गये थे। अज्ञेय पंजाबियों का भी खूब मजाक उड़ाते, हालाँकि खुद पीछे से पंजाबी थे। संयोग से नीलम भी पंजाबी परिवार की हैं। एक बार उन्होंने किस्सा सुनाया कि उनके मुहल्ले में एक पंजाबी कथा-वाचक महाभारत पर कथा कर रहे थे। बीच-बीच में कई बातें वे भूल जाते थे। उन्होंने पाँचों पाण्डवों के नाम बताने शुरू किए, लेकिन बीच में भूल गये। फिर बोले— मैं त्वानु पाण्डवां दे नाम दस र्‍या सी। इक सी अर्जुन, इक भीम, ते इक होर, ते इक होर, ते इक होर!... नीलम को देख अज्ञेय जी को पुराने पंजाबी संस्कारों की याद आ जाती। हम उनके यहाँ पहुँचते और वे मूड में होते तो हँसते हुए, मजा लेते कहते— की हाल-चाल है जी त्वाडा!

एक बार अज्ञेय विदेश से ऐसा कैमरा लाये थे जिसमें तस्वीर खिंचते ही बाहर निकल आती थी। उस कैमरे से उन्होंने अपने उद्यान में हमारे कई फोटो खींचे, खासतौर पर नीलम के। अज्ञेय जी के खींचे हुए वे फोटो नीलम के पास सुरक्षित हैं। अज्ञेय जी को फोटोग्राफी का गहरा शौक था। शौक मुझे भी रहा है। उन्हीं से मैंने सीखा कि प्रकाश का रचनात्मक इस्तेमाल कैसे किया जाता है। उन्हीं दिनों मैंने कैनन का एसएलआर कैमरा खरीदा था, साथ में दो सौ मिमी का टेलि-लेंस और एक वाइड एंगल भी लिया था। अज्ञेय जी के पास तो और अच्छा कैमरा था। हमें मशहूर छायाकार ओ.पी. शर्मा से मिलाने का काम भी अज्ञेय जी ने किया था। बाद में मैंने ओपी शर्मा और *हिन्दुस्तान टाइम्स* के छायाकार त्यागराजन का दूरदर्शन पर इंटरव्यू किया। उन्हीं दिनों अज्ञेय जी के छायाचित्रों की एक प्रदर्शनी हिमाचल भवन में आयोजित की गयी, जिसका उद्‌घाटन महादेवी वर्मा ने किया था।

दो भागों में छपी अज्ञेय जी की सम्पूर्ण कविताओं के संग्रह *सदानीरा* की पाण्डुलिपि नीलम ने तैयार की थी। अज्ञेय जी ने *सदानीरा* की भूमिका में नीलम का नाम दिया है। नीलम ने अज्ञेय की कुछ और किताबों को अन्तिम रूप देने में अज्ञेय जी के साथ काम किया। एक वर्ष तो हमने गर्मियों की छुट्टियों की पूरी-पूरी दुपहर अज्ञेय जी के घर पर ही बिताई। शाम को अक्सर वे हमारे लिए कोई न कोई मिठाई जरूर मँगवाते थे। शाम को उनके साथ कभी घूमने भी जाते। इला जी उन दिनों विदेश में थीं।

जब *जनसत्ता* में उप-सम्पादक के रूप में मेरी नियुक्ति हुई तो अज्ञेय बहुत

खुश हुए। इस नियुक्ति के कोई डेढ़ वर्ष बाद नीलम से मेरा विवाह हो गया। हम दोनों अज्ञेय जी को निमन्त्रण-पत्र देने गये जो पूरी तरह हिन्दी में था। उसे देख अज्ञेय जी बोले— 'कार्ड तो बड़े ठाठ का छपवाया है!' विवाह का आयोजन शामनाथ मार्ग पर 'ओबेराय मेडिंस' में था। अज्ञेय आये और पूरे पाँच घण्टे वहाँ रहे। लोग आते और जाते रहे। अज्ञेय जी की उपस्थिति सबसे निराली थी। कुछ लोगों को उनकी उपस्थिति से सुखद आश्चर्य भी हुआ। नीलम के लिए अज्ञेय मोतियों का आभूषण लाये। हालाँकि इससे पहले भी वे हमें कई उपहार दे चुके थे। जब भी विदेश जाते तो बढ़िया कलम लाते। नीलम के लिए घड़ी या कोई और चीज। शैफर्स, मोंट-ब्लांक और 'वाटरमैन' मैंने अपनी जिन्दगी में पहली बार तभी देखे थे। हमारे विवाह में अज्ञेय जी की उपस्थिति को देखकर किसी ने कहा— 'यह शादी तो ऐतिहासिक हो गयी।' ओबेराय से अज्ञेय जब चलने लगे तो धीरे-से हमसे बोले— 'अब चलूँ या और ठहरूँ?'

दस-पन्द्रह दिन बाद अज्ञेय जी ने हमारी शादी के उपलक्ष्य में इंडिया इंटरनेशनल सेंटर में लंच का आयोजन किया। उन्होंने हमसे कहा— तुम लोगों की शादी में जाकर मैं अपनी पुरानी स्मृतियों को फिर से जी गया। हमने पूछा— कैसे? उन्होंने बताया कि वे शादी के समय से डेढ़ घण्टे पहले आकर निकट के कुदसिया बाग में घूमते रहे, जिससे 'पुरानी स्मृतियाँ जुड़ी हुई थीं।' उन्होंने बताया, इसीलिए *नदी के द्वीप* में उन्होंने कुदसिया बाग को लिया है। अज्ञेय जी ने बताया कि वहाँ वे अक्सर किसी के साथ आते थे और कुदसिया बाग में घूमा करते थे। शामनाथ मार्ग उन दिनों बहुत शान्त जगह थी। अज्ञेय जी ने जब यह बात बताई तो मुझे *नदी के द्वीप* में कुदसिया बाग में घूमते भुवन का एक वाक्य याद आया— 'हाउंड्स ऑफ हेवन आर एवरीवेयर।' अज्ञेय जी से इस मुलाकात के बाद मैंने *नदी के द्वीप* एक बार फिर पढ़ा और बहुत-सी चीजें नये ढंग से समझने की कोशिश की। समय कितनी अजीब चीज है जो बीत कर भी कहीं हमारे भीतर ठहरा रह जाता है। अज्ञेय ने काल पर चिन्तन करते हुए *संवत्सर* में लिखा है कि समय यदि कहीं ठहरता है तो स्मृति में ही ठहरता है।

हमारी बेटी स्वाति का नाम अज्ञेय जी का दिया हुआ है। जब बेटी का जन्म हुआ तो अज्ञेय जी का फोन आया कि बेटी हुई या बेटा, तो मैंने कहा कि प्यारी-सी बिटिया आयी है। वात्स्यायन जी ने हमें बधाई दी। पण्डित ने उसका नाम 'क' से निकाला। थोड़े दिन बाद जब हम उसे अज्ञेय जी से मिलाने ले गये तो उन्होंने उसे गोद में लेकर कहा— इसका नाम क्या रखेंगे? हमने कहा कि 'क' से निकला है। अज्ञेय बोले— अगर मैं कोई नाम दूँ तो कोई एतराज होगा? मैं और नीलम एक दूसरे को देखने लगे। हमने कहा कि आपका दिया हुआ नाम तो

हमारी बेटी के लिए आपका आशिष होगा। उन्होंने कहा— मेरे मन में बहुत पहले से एक नाम है। हमने एक साथ पूछा— क्या? उन्होंने कहा— स्वाति! इस तरह हमने बेटी का नाम स्वाति रखा।

मैं यहाँ यह बताना चाहूँगा कि जहाँ अज्ञेय जी से हमारे सम्बन्ध अत्यन्त आत्मीय थे, वहीं इला जी से सम्बन्ध सामान्य नहीं रहे। इला जी चाहती थीं कि हम अज्ञेय जी से उनके माध्यम से मिलें। यह हमें मंजूर नहीं था। मैंने हमेशा ही सम्बन्धों में किसी माध्यम को अनावश्यक समझा है। हालाँकि अज्ञेय जी ने कभी इस बात को महत्त्व नहीं दिया। एक घटना याद आती है। अज्ञेय जी ने हमें शाम को घर पर बुलाया। मैं और नीलम पहुँचे। दरवाजा इला जी ने खोला। हमने कहा कि अज्ञेय जी से मिलना है। उन्होंने कहा कि अभी वे नहीं मिलेंगे, व्यस्त हैं। हमने कहा कि उन्हीं ने बुलाया है, आप एक बार बस बता दीजिए। वे राजी नहीं थीं। दरवाजे पर खड़े होकर यह सब बात हो रही थी कि आवाज सुनकर अज्ञेय अन्दर से निकल आये और बोले— आप लोग बाहर क्यों खड़े हैं, अन्दर आइए। इला जी वहाँ से चली गयीं। अज्ञेय हमें अपनी 'स्टडी' में ले गये। अज्ञेय जी हमसे उसी तरह मिलते रहे। जब नीलम वत्सल निधि द्वारा आयोजित बोधगया लेखक शिविर में गयी तो वहाँ भी कुछ ऐसा ही अप्रिय घटित हुआ। नीलम ने लौटकर बताया तो मुझे तकलीफ हुई। मैंने और नीलम ने तय किया कि अब हम कैवेंटर लेन नहीं जाएँगे। अज्ञेय जी को अपना यह फैसला बता भी दिया। वे बोले— 'आप लोगों ने तो बहुत जल्दी हथियार डाल दिए!' लेकिन इसके बाद भी अज्ञेय जी का स्नेह घटा नहीं। वे आईआईसी या होटलों में हमें आमन्त्रित करते रहे।

अज्ञेय द्वारा पेड़ पर बनाए गये घर की बहुत चर्चा हुई है। उस घर को बनाने की असली कहानी यह है कि शाम को इला जी की बहन – जो सामने वाले कैंवेटर्स वेस्ट नामक बँगले में रहती थीं – उनके दोनों बच्चे राम और गौरी शाम को अज्ञेय जी के पास खेलने आ जाते थे। उनकी उम्र पाँच-छह साल के करीब रही होगी। अज्ञेय जी को वे मौसा जी कहते थे। ये बच्चे बाल-सुलभ जिज्ञासा में अनेक प्रश्न करते, अज्ञेय मुस्कुरा कर उनके प्रश्नों का उत्तर देते। हम जब वहाँ होते तो हैरान होकर देखते कि भारतीय साहित्य की एक शिखर प्रतिभा किन तर्कों से, कितनी बाल-सुलभ मुद्राओं में राम और गौरी की शंकाओं का समाधान कर रही है। एक दिन उन बच्चों ने अज्ञेय से कहा— मौसा जी, क्या पेड़ पर घर बनाया जा सकता है? इन बच्चों ने शायद किसी कहानी में ऐसा कुछ पढ़ा था। अज्ञेय बोले— हाँ, बनाया जा सकता है। लेकिन पेड़ काफी मजबूत और बड़ा होना चाहिए। अचानक गौरी ने वहीं एक पेड़ की ओर इशारा करके कहा— क्या इस बड़े पेड़ पर बन सकता है? अज्ञेय जी के मुँह से निकला— हाँ, क्यों नहीं? राम ने कहा— क्या

आप बना सकते हैं? अज्ञेय बोले– कोशिश करेंगे! अन्दर का प्रयोगशील शेखर शायद जाग उठा। उन्होंने कुछ दिन बाद पेड़ पर घर बना दिया। ऊपर चढ़ने के लिए सीढ़ी लगाई। नीचे पेड़ के पास खूब सारी जमुना की रेत मँगवा कर डलवाई ताकि चढ़ते-गिरते कोई बच्चा गिर पड़े तो बचाव हो। राम और गौरी पेड़ वाले घर पर कई बार चढ़े और उतरे। 'मौसा जी' ने उनकी कल्पना को साकार कर दिया था। यह दूसरी बात है कि पचहत्तर साल का शेखर भी वहाँ चढ़ता-उतरता था।

हमने अन्तिम समय तक 'अज्ञेय' के भीतर शेखर को विकसित होते देखा। जब उनसे आग्रह किया कि *शेखरः एक जीवनी* का तीसरा भाग भी लिखें तो वे बोले– पर शेखर तो अब बहुत बड़ा हो गया है! तीसरा भाग लिखने का आग्रह प्रस्तुत होने पर वे गम्भीर होकर मौन हो जाते। एक शाम अचानक उन्होंने ऐलान की मुद्रा में कहा– 'शेखर अगले सप्ताह महाबलीपुरम जा रहा है, उस सूत्र को पकड़ने के लिए जो उससे बहुत पहले छूट गया था।' हम खुश हुए। वे कई दिन महाबलीपुरम में रहे। लौटकर उन्होंने शेखर का तीसरा भाग लिखा। किस रूप में? यह बताना यहाँ आवश्यक नहीं समझता।... कई बार समय ही चीजों को साफ करता है।

46

डेढ़ शब्द और जलेबी

॥ पंकज बिष्ट

अज्ञेय जी को देखने का सौभाग्य मुझे पहली बार सन् 1968 में मिला। उन दिनों मैं *नवभारत टाइम्स* में इंटर्नशिप कर रहा था। वे *दिनमान* के सम्पादक थे और *दिनमान* ने अपने प्रकाशन के साथ ही हिन्दी में महत्त्वपूर्ण जगह बना ली थी। इसे तब हिन्दी का *टाइम* (अमेरिकी साप्ताहिक जिसका उन दिनों जबरदस्त रुतबा था) माना जाता था और एक तरह से यह उसकी नकल कहिए या तर्ज पर था भी। पर यह कहना भी पूरी तरह सही नहीं होगा कि यथावत नकल था। अज्ञेय जी के बाद रघुवीर सहाय के दौरान भी *दिनमान* की हिन्दी के बौद्धिक समाज में विशेष जगह बनी रही। यह मेरा सौभाग्य था कि मेरा एक पत्र 1967 में *दिनमान* में छप चुका था और उस अंक को मैंने वर्षों सँभालकर रखा। एक तरह से वह पत्र राजनैतिक पत्रकारिता में मेरी दखलन्दाजी की शुरुआत कहा जा सकता है। पत्र राममनोहर लोहिया के एक साक्षात्कार पर प्रतिक्रिया थी। वैसे लोहिया और समाजवादी आन्दोलन *दिनमान* के प्रिय विषय थे और काफी हद तक *दिनमान* के प्रसार का – जो बिहार में सबसे ज्यादा था – आधार भी वही थे।

बाद में अज्ञेय *एवरीमेन्स वीकली* के सम्पादक बने। जयप्रकाश नारायण उसके प्रधान सम्पादक थे और वह बहादुरशाह जफर मार्ग की इंडियन एक्सप्रेस बिल्डिंग से, बल्कि कहना चाहिए उसकी मदद से ही निकलता था। *एवरीमेन्स* सम्पूर्ण क्रान्ति आन्दोलन का एक तरह से मुखपत्र था। इसके हिन्दी सहोदर का नाम था *प्रजानीति*।

अज्ञेय जी ज्यादातर खादी का सफेद कुर्ता-पाजामा और उस पर क्रीम रंग की बंडी पहने होते थे। कुर्ता-पाजामा इतने सफेद होते थे कि मैं यह सोचकर आश्चर्य करता रहता था आखिर वे इन्हें कहाँ से धुलवाते होंगे? एकाध बार मैंने उन्हें बातिक प्रिंट की छापेदार बुशर्ट में भी देखा था। प्रकाशन विभाग के संग्रह में उनके कई पुराने बड़े आकर्षक फोटो थे, जिनमें एक फौजी वर्दी में भी था। खैर, जब भी वे आते, बहादुरशाह जफर मार्ग स्थित टाइम्स हाउस का दूसरा तल्ला उनके

व्यक्तित्व व पाण्डित्य की गम्भीरता से थम-सा जाता था। ऐसा सम्भवतः शाम लाल के लिए भी नहीं होता होगा जो उन दिनों *टाइम्स ऑफ इंडिया* के सम्पादक थे। वैसे शाम लाल, मुम्बई में बैठते थे और बहुत ही लो प्रोफाइल्ड आदमी थे।

दिनमान उन दिनों बहादुरशाह जफर मार्ग स्थित टाइम्स हाउस में ही था। बाद में उसे *टाइम्स ऑफ इंडिया* की 10 दरियागंज स्थित पुरानी बिल्डिंग में पटक दिया गया था। जफर मार्ग की दूसरी मंजिल में सीढ़ियों से प्रवेश करने पर पहले दायीं ओर *टाइम्स ऑफ इंडिया* का ब्यूरो और उसके आगे सम्पादकीय विभाग था, बीच में *नवभारत टाइम्स* और बिलकुल बायें छोर पर खिड़की से लगे *दिनमान* के लोग बैठा करते थे। खिड़की के बाहर कब्रिस्तान और पीछे आईआईएमपी व एजीसीआर की बिल्डिंगें नजर आती थीं। अज्ञेय जी विशेषकर पढ़ने-लिखने की चीजें स्वयं ही लाया करते थे। उनसे मिलने या बात करने की हिम्मत मैं कभी नहीं कर पाया। उनका व्यक्तित्व इतना भव्य था कि एक विदेशी महिला ने एक बार मुझसे गद्गद होकर कहा कि मैंने ऐसा सुन्दर आदमी नहीं देखा। और यह भी तब जब वे साठ पार कर चुके थे। वे लगभग छह फुट के थे और उनका शरीर भी कसरती था। सफेद दाढ़ी और चश्मे में वे किसी ग्रीक दार्शनिक से कम नहीं लगते थे। मैंने उन्हें एकाध बार कपिला जी के साथ भी आते-जाते देखा था और एक-आध गोष्ठियों में भी सुना था।

अज्ञेय जी ने *दिनमान* कब छोड़ा यह ठीक से याद नहीं है, पर मैं *नभाटा* में ज्यादा दिन नहीं रहा और दिसम्बर, 1968 में मुझे प्रकाशन विभाग में नौकरी मिल गयी। सम्भवतः सन् 70-71 की बात होगी, एक दिन मैंने उन्हें और इला डालमिया को टी हाउस के संसद मार्ग पर खुलने वाले दरवाजे के ठीक सामने से सड़क पार करते हुए देखा। निर्मल वर्मा भी साथ थे। टी हाउस संसद मार्ग के ऐन कोने में, आज जहाँ एलआईसी की बिल्डिंग है ठीक उसके सामने, हुआ करता था। उसका एक दरवाजा कनाट सर्कस की ओर खुलता था तो दूसरा संसद मार्ग की ओर। मेरे लिए वह बड़ा रोमांचक क्षण था। इला साँवली, काफी लम्बी और लावण्यमयी थीं और अज्ञेय जी से इकत्तीस साल छोटी थीं। उस दिन जिस चीज ने मुझे आकर्षित किया वह था इला डालमिया का लम्बा-सा, रंग-बिरंगे फुँदनोंवाला चुटीला, जो उनकी पीठ पर पेंडुलम की तरह लयबद्ध झूल रहा था। उनके आकर्षक व्यक्तित्व ने कई दिन तक मेरा पल्ला नहीं छोड़ा।

अज्ञेय जी से मेरा वास्तविक सामना कुछ वर्ष बाद हुआ, पर इस बीच एक और घटना घटी। 1977 में जनता दल के सत्ता में आने पर अज्ञेय जी को *नवभारत टाइम्स* का सम्पादक बना दिया गया। उनके जेपी के नजदीक होने ने इसमें निश्चय ही महत्त्वपूर्ण भूमिका निभाई होगी। *नवभारत टाइम्स* कुल मिलाकर सदा

से सामान्य हिन्दी पाठकों का ही अखबार रहा है। अज्ञेय जी *सैनिक, विशाल भारत, प्रतीक* आदि कई पत्र-पत्रिकाओं का सम्पादन कर चुके थे। उन्होंने *नवभारत टाइम्स* को बदलने की कोशिश की और उसी कोशिश के तहत वे कथाकार शानी को अखबार के साप्ताहिक संस्करण को सुधारने की मंशा से सहायक सम्पादक बनाकर भोपाल से लाये। शानी द्वारा सम्पादित पहले रविवारीय परिशिष्ट में मेरी कहानी 'प्रतिचक्र' छपी। इस कहानी का शीर्षक योगेश गुप्त ने सुझाया था, जिनसे मेरी उन दिनों खासी दोस्ती हुआ करती थी।

शानी द्वारा इसके छापे जाने के पीछे भी एक कहानी है। उनसे मेरा कोई पूर्व परिचय नहीं था, सिवा इसके कि मैं उन्हें उनके बहुचर्चित उपन्यास *काला जल* और उनके द्वारा सम्पादित मध्य प्रदेश सरकार की पत्रिका *साक्षात्कार* के कारण जानता था। वे, अहंकारी न भी कहा जाए तो भी अतिरिक्त रूप से आत्मसजग व्यक्ति थे। पहले अंक के लिए उन्हें कोई सन्तोषप्रद कहानी मिल नहीं रही थी। सम्भवतः कवि इब्बार रब्बी ने, जो उन दिनों *नवभारत टाइम्स* में थे, मुझसे कहा कि कोई कहानी दो, शानी चाहते हैं। मेरे पास एक कहानी थी। पर उसको लेकर मुझे खुद शंका थी, विशेषकर *नवभारत टाइम्स* के पाठक वर्ग को देखते हुए। मैंने सुझाया कि असगर वजाहत से कहानी माँगी जाए, पर शानी इसके लिए तैयार नहीं थे। वे नहीं चाहते थे कि उन पर आरोप लगे कि आते ही मुसलमानों की कहानियाँ छापने लगे हैं। जो भी हो रब्बी के आग्रह पर मैंने कहानी अपनी शंका के साथ, देखने को दे दी। वह छप भी गयी। शानी के सम्पादन में छपी मेरी वह पहली और आखिरी रचना थी। वैसे वे *नवभारत टाइम्स* में ज्यादा दिन रहे भी नहीं।

कहानी छपने के बाद जो हुआ वह भी कम मजेदार नहीं था।

एक-आध महीने बाद पारिश्रमिक मिला। चेक देखकर मुझे बड़ा गुस्सा आया। विशेषकर इसलिए कि अखबार के सम्पादक अज्ञेय जी थे। कुल पचास रुपये का था। मैंने तत्काल एक पत्र में अपना सारा गुस्सा उगल दिया। उसमें लिखा कि, जिस अखबारी संस्थान ने छह सौ करोड़ रुपये (उस वर्ष) का लाभ कमाया हो, वह अपने लेखकों का इस तरह अपमान करे, यह मुझे स्वीकार नहीं है। यह पैसा मेरी ओर से बैनेट कोलमैन कम्पनी को दे दिया जाए। पत्र लेकर मैं *नवभारत टाइम्स* पहुँचा। बात बारह या एक बजे की होगी। मैंने पत्र रब्बी को दिखलाया। जैसी रब्बी की आदत है, उन्होंने पत्र का पूरा मजा लेने के बाद उसे अज्ञेय जी के पीए को थमा दिया।

मैं वापस अभी अपने दफ्तर, जो उन दिनों इंडिया गेट के नजदीक पटियाला हाउस में, हुआ करता था, पहुँचा भी नहीं था कि अज्ञेय जी के पीए का फोन आ

गया कि वे मुझसे तुरन्त मिलना चाहते हैं। उस दिन सम्भव न होने के कारण मैं अगले दिन पहुँचा। उनसे मिलने की कल्पना से ही मैं खासा उत्तेजित और कुछ हद तक घबराया हुआ भी था। पहुँचते ही मुझे अन्दर बुला लिया गया। अज्ञेय जी के सामने मेरा चेक रखा हुआ था। बैठने का इशारा करते हुए उन्होंने पूछा, ''आपकी कहानी थी?''

''जी,'' मैंने कहा।

इस पर उनकी प्रतिक्रया थी, ''कम है।'' मेरा सौभाग्य था कि वे थोड़ा मुस्कुराए भी और जोड़ा, ''आप इसे छोड़ जाइए।'' संकेत था कि अब जा सकते हैं। मैं असहज तो था ही, फौरन खड़ा हो गया। गले से धन्यवाद तक ठीक से नहीं निकल पाया और मैं कमरे से बाहर आ गया। पर मैं अपने कारनामे से काफी दिन तक गद्गद रहा और 'इसे कहते हैं विरोध' वाले अन्दाज में अपनी वीरता की गाथा लोगों को सुनाता रहा।

अन्ततः एक दिन *नवभारत टाइम्स* की ओर से नया चेक भी आ गया। मैंने बड़े उत्साह से लिफाफा खोला। चेक ने मुझे स्तब्ध कर दिया। नया चेक सिर्फ 75 रुपये का था। जब कि उन्हीं दिनों *सारिका* और *धर्मयुग* जैसी बैनेट कोलमैन की ही पत्रिकाएँ एक कहानी का पाँच सौ से हजार रुपये तक दिया करती थीं। यहाँ तक कि *आजकल* एक कहानी के 250 रुपये तक देता था और *रविवार* स्वयं मुझे एक कहानी के 350 रुपये दे चुका था। वैसे मैं अपने पत्र में अज्ञेय जी को सम्पादक होने के नाते यह भी लिख चुका था कि आप (*नवभारत टाइम्स*) अंग्रेजी वालों से तुलना तो नहीं कर सकते, पर कम से कम हिन्दी वालों के बराबर तो पारिश्रमिक होना चाहिए। पर मैं खिन्नता से इतना भर चुका था कि आगे कुछ भी कहना या करने का उत्साह ही नहीं रहा। इसे अज्ञेय जी का आतंक भी कह सकते हैं कि मैं फिर विरोध नहीं कर पाया। हो सकता है, तब तकनीकी कारणों से अज्ञेय जी पैसा एक सीमा से ज्यादा न बढ़ा पाये हों, पर बाद में *नवभारत टाइम्स* के पारिश्रमिक में जरूर बढ़ोतरी की गयी थी।

वे *नवभारत टाइम्स* में एक-सवा साल[1] से ज्यादा नहीं रहे। ज्ञानपीठ अज्ञेय जी को *नवभारत टाइम्स* से हटने के बाद[2] ही मिला था। वे स्वयं हटे या उन्हें हटाया गया यह भी ठीक से कहा नहीं जा सकता[3]। पर यह जगजाहिर है कि ज्ञानपीठ *टाइम्स ऑफ इंडिया* के मालिकों का ही ट्रस्ट है। यह प्रश्न हो सकता है कि क्या अज्ञेय जी को पहले से ही इशारा कर दिया गया था कि आपको ज्ञानपीठ मिलने वाला है? ऐसे किसी आदमी को पुरस्कार देना जो बैनेट कोलमैन की सेवा

1. दो साल रहे। 2. *नवभारत टाइम्स* में रहते ज्ञानपीठ घोषित हो गया था। 3. न हटे, न हटाए गये। अनुबन्ध का कार्यकाल पूरा किया। –सं.

में हो, सम्मान की गरिमा जरूर घटाता।

दूसरी ओर उनके हटने के साथ ही शानी को भी हटा दिया गया। अज्ञेय जी का बैनेट कोलमैन के तत्कालीन मालिकों पर खासा प्रभाव था, इसके बावजूद ऐसा क्यों हुआ, कहा नहीं जा सकता। क्या अज्ञेय जी ने शानी की पैरवी नहीं की होगी? या मालिकों ने अज्ञेय जी का, जो भी राजनैतिक इस्तेमाल हो सकता था, कर लिया था और अब वे उनकी ओर देखना भी नहीं चाहते थे? पर मुझे यह जरूर याद है कि इससे शानी बहुत परेशान हुए। सम्भवतः वे अनुबन्ध पर आये थे या फिर प्रोबेशन में ही थे। अज्ञेय जी के कहने पर उन्होंने लगी-लगाई सरकारी नौकरी छोड़ी थी। संयोग से उन्हीं दिनों साहित्य अकादेमी ने हिन्दी पत्रिका *समकालीन भारतीय साहित्य* निकालने का निर्णय किया और शानी इसके पहले सम्पादक बने। कुछ का तो यह भी मानना है कि शानी को काम पर लगाने के लिए अकादेमी के तत्कालीन सर्वे-सर्वाओं ने पत्रिका की आनन-फानन में शुरुआत करवाई थी।

शानी के अलावा अज्ञेय जी सिद्धेश्वर प्रसाद को भी लाये थे, जो उससे पहले सम्भवतः बिहार सरकार में मन्त्री रह चुके थे और बाद में गवर्नर भी बने। उन्हीं दिनों अज्ञेय जी सम्पादित सप्तक शृंखला का *चौथा सप्तक* प्रकाशित हुआ था। सिद्धेश्वर प्रसाद ने *नवभारत टाइम्स* में ही उस पर एक के बाद एक तीन लेख लिखे। कहा जाता है कि इस लेख माला का एक पुष्प और तैयार था, जिसे अन्ततः इला डालमिया के हस्तक्षेप पर रोका गया। यह देखना अपने आप में कोई बहुत आश्वस्त नहीं करता कि *नवभारत टाइम्स* में उन दिनों उन गोष्ठियों की रिपोर्टें, जिनमें अज्ञेय जी की अध्यक्षता होती या उनका भाषण होता, विस्तार से छपने लगे थे।

अज्ञेय जी को 1979 में (वर्ष 1978 का) ज्ञानपीठ मिला था। उन दिनों मैं *आजकल* का सहायक सम्पादक था। मैंने अज्ञेय जी पर विशेष सामग्री देने की योजना बनाई। तत्कालीन सम्पादक भागीरथ पाण्डेय की ओर से मुझे पूरी छूट थी। बोले, जरूर होना चाहिए। आखिर हिन्दी को ज्ञानपीठ मिला है। तय हुआ कि लेखों के अलावा उनका साक्षात्कार और कविताएँ भी छापी जाएँ। इससे भी बड़ी बात यह थी कि मैं आवरण पर उनका चित्र छापना चाहता था जो *आजकल* की तब तक परम्परा नहीं थी। सामान्यतः विषय से सम्बन्धित आवरण न देकर कलात्मक या किसी कलाकृति को स्वयं में एक रचना की तरह छापा जाता था। और यह परम्परा देवेन्द्र सत्यार्थी ने स्थापित की थी, जो चित्रकला के खासे प्रेमी थे और जिन्होंने *आजकल* को दूसरे महायुद्ध के दौरान अंग्रेजों की प्रचार की योजना

से निकालकर एक साहित्यिक-सांस्कृतिक पत्रिका का रूप और प्रतिष्ठा दिलवाई थी।

कम से कम साक्षात्कार के लिए सबसे पहले अज्ञेय जी की सहमति जरूरी थी। मेरी न तो उन तक पहुँच थी, न ही सीधे बात करने की हिम्मत। विष्णु नागर मित्र और समवयस्क होने के अलावा उन दिनों फ्रीलांसिंग किया करते थे और *आजकल* के लिए भी अक्सर लिखते थे। मैं जानता था वे अज्ञेय जी के सम्पर्क में हैं। मैंने उन्हें पकड़ा।

पश्चिमी निजामुद्दीन में ऐन सड़क से लगे एक मकान की पहली मंजिल पर अज्ञेय जी इला डालमिया के साथ रह रहे थे। वे विवाहित नहीं थे बल्कि 'लिव इन पार्टनर' थे और यह सम्बन्ध तब तक चार-पाँच साल पुराना हो चुका था। उस सुरुचिपूर्ण मकान में, जितनी होनी चाहिए थी हमारी उससे कुछ ज्यादा ही आवभगत हुई। इला बहुत ही मेहमाननवाज महिला थीं। वे अज्ञेय जी के लिए जिस तरह समर्पित थीं, वह भी देखते बनता था। उन्हें देखकर मैं मन ही मन आश्वस्त हुआ था कि लेखक बनना कोई गलत निर्णय नहीं है। अज्ञेय जी पहाड़ों के प्रेमी थे और कुछ हद तक पहाड़ियों के भी। मनोहर श्याम जोशी और गौरीशंकर जोशी उनके बहुत निकट थे। दोनों ही उनके साथ *दिनमान* में काम कर चुके थे। गौरीशंकर जोशी तो *नवभारत टाइम्स* में भी रहे। इसे महज इत्तफाक ही कहेंगे कि एक और जोशी, दयाकृष्ण, की शादी की पार्टी में भी उनसे मुलाकात का मौका मिला था। यह 1980-81 के आसपास की बात है। पार्टी आनन्द पर्वत में डीएवी स्कूल के परिसर में हुई थी। वहाँ अज्ञेय जी के साथ इला तो थीं ही, निर्मल वर्मा भी उपस्थित थे। उन्हीं की सिफारिश पर दयाकृष्ण *जनसत्ता* में रिपोर्टर बने थे। मैं वर-वधू दोनों को *आजकल* के कारण जानता था, जहाँ उन्होंने थोड़ा-बहुत लिखा था। दयाकृष्ण को जिस महिला ने भेजा था, वे भी पहाड़ी थीं और पाण्डे जी को जानती थीं। सम्भ्रान्त महिला साहित्य प्रेमी थीं और दिल्ली के साहित्यिक समाज में उनका उठना-बैठना था। अज्ञेय जी समेत कई जाने-माने लेखकों के वे सम्पर्क में थीं। उन्हीं के माध्यम से दयाकृष्ण अज्ञेय और निर्मल वर्मा तक पहुँचे थे।

इला जी ने बतलाया कि भीमताल और भवाली के बीच में उन्होंने एक मकान खरीदा है। कई वर्ष बाद 1995 में इग्नू की एक फिल्म बनाने के दौरान विज्ञान लेखक और हमारे वरिष्ठ मित्र स्व. कैलाश साह के भवाली के घर जाना हुआ। उनके छोटे भाई महेशलाल साह ने वहाँ से दूर नीचे दायीं ओर एक भव्य बँगले की ओर इशारा करते हुए बतलाया था कि वह मकान अज्ञेय जी का है। वे लोग वहाँ कितना रह पाये, कहा नहीं जा सकता। अज्ञेय जी कुमाऊँ के पहाड़ों में 40 के दशक से ही आ-जा रहे थे और *नटरंग* (अंक 74-76) में छपे नेमिचन्द्र जैन को

लिखे एक पत्र के अनुसार अज्ञेय जी ने जून, 1942 में ही भीमताल में जमीन खरीद ली थी। उन्होंने पत्र में लिखा है, जमीन "झील के किनारे पर है (यद्यपि झील कभी-कभी रूठकर परे चली जाती है)।" पर लगता है अज्ञेय जी वहाँ मकान नहीं बनवा पाये थे। महेशलाल साह ने जो मकान दिखलाया था, वह झील से तीन-चार कि.मी. की दूरी पर भवाली की ओर था। लगता है औपनिवेशिक शैली का वह भव्य बँगला बाद में खरीदा गया होगा। कुछ ऐसा याद पड़ रहा है कि महेश ने इसे भुतहा कहा था, सम्भवतः वह अर्से से खाली पड़ा रहा होगा। आजादी के बाद कुछ वर्षों तक वहाँ ऐसे कई बँगले हुआ करते थे जिन्हें कभी अंग्रेजों ने बनवाया था और जिनमें वे ब्रिटिश हुकूमत के समाप्त होने के साथ ही औने-पौने दामों में बेचकर या खाली कर के चले गये थे। कुछ अंग्रेज लगभग साठ के दशक तक रहे। 1956 तक भवाली में हमारे घर के पीछे कम-से-कम तीन बँगलों में अंग्रेज थे। उनके परिवारों से हमारा कोई लेन-देन नहीं था, पर उनके बच्चे जरूर हमारे साथ कभी-कभी फुटबाल खेला करते थे।

अज्ञेय जी सम्भवतः कुछ काम कर रहे थे, इसलिए थोड़ा देर से आये थे और आये भी तो ज्यादा बातें इला डालमिया से ही होती रहीं जो हमारी समवयस्क थीं। पहाड़ और पहाड़ियों से उनका खासा सरोकार था। कहने लगीं, पहाड़ इतने सुन्दर हैं और वहाँ प्रकृति इतनी मेहरबान है फिर भी पहाड़ी गरीब हैं। हमें देखिए हम लोग (मारवाड़ी-राजस्थानी) जिस इलाके से आते हैं, वह बिलकुल बंजर है फिर भी वहाँ के लोग सम्पन्न हैं। उनकी बात सही थी। इसमें शक भी नहीं है कि पहाड़ियों में नौकरियों की ही परम्परा रही है। मैंने उनसे कहा था, नौकरी करना आसान होता है जबकि व्यापार के लिए विशेष दक्षता, लगन, समझदारी, मेहनत और सबसे बड़ी चीज उद्यमिता की जरूरत होती है जो पहाड़ियों के पास नहीं है।

"नहीं," वे अत्यन्त शालीन महिला थीं और सम्भवतः मेरी इतनी स्पष्ट आत्मस्वीकृति से थोड़ा असहज हो गयी थीं। बोलीं, "समझदार, मेहनती और ईमानदार तो पहाड़ी होते हैं। थोड़ा कोशिश की जरूरत है।"

"परम्परा बनने में समय लगता है।" वे मेरी बात पर मुस्कुरायी थीं।

अज्ञेय जी से बातचीत का दूसरा ही स्तर रहा। न जाने कैसे पाश्चात्यीकरण पर बात चल पड़ी। वे बताने लगे कि हम लोग किस हद तक अन्धानुकरण के आदी हो चुके हैं। बोले, किसी भी होटल में जाइए और भारतीय खाना भी खाइए तो भी छोटी प्लेट को – क्वार्टर प्लेट – बायें हाथ की ओर रख दिया जाता है, जबकि उसमें रोटी रखी जाती है। हम लोग रोटी को सीधे हाथ से तोड़कर खाते हैं, पश्चिम में काँटे से उल्टे हाथ से खाया जाता है। हमारे हिसाब से क्वार्टर प्लेट को सीधे हाथ की ओर रखा जाना चाहिए, पर हम इतना भी नहीं कर सकते। दुर्भाग्य

से यह विवेकहीन परम्परा आज भी बरकरार है।

मैं इस बात को मानने लगा था कि जो समाज मौलिक चिन्तन नहीं कर सकता वह समाज सिर्फ नकल करता है, और आँख मूँदकर करता है। यह बात मैंने उन्हीं दिनों कहीं पढ़ी थी। इससे मेरी जो समझ बनी थी, वह यह थी कि नये काम करने के लिए ऐसे वैचारिक आधार की जरूरत होती है जो कि सामयिक चुनौतियों का सामना करने की क्षमता रखता हो। और तभी यह व्यक्ति और समाज के दैनन्दिन व्यवहार में प्रतिबिम्बित होता है। मैंने वही तर्क उनके सामने रख दिया।

अज्ञेय जी ने अन्ततः पूछा, ''बतलाइए, कैसे आना हुआ?''

विष्णु नागर ने मेरा परिचय देने की कोशिश की तो अज्ञेय जी ने उन्हें बीच में ही टोक दिया, ''मैं जानता हूँ।'' मुझे डर लगा, *नवभारत टाइम्स* के पारिश्रमिक के प्रसंग को तो कहीं अज्ञेय जी ने नकारात्मक रूप में नहीं लिया होगा?

नागर ने थोड़ा सँभलकर बात आगे बढ़ाई, "*आजकल* आप पर विशेषांक निकालना चाहता है। उसके लिए साक्षात्कार चाहते हैं।''

अज्ञेय जी ने मेरी ओर मुखातिब होकर धीमी आवाज में पर भयावह दृढ़ता से कहा, "मैं सरकारी पत्रिकाओं को साक्षात्कार नहीं देता।''

उनके उत्तर से एक पल के लिए मैं सन्न रह गया। देर तक समझ में नहीं आया, क्या जवाब दूँ। किसी तरह मैंने हिम्मत जुटाकर कहा, ''आप जो कहेंगे, वही छपेगा। और हम तो सिर्फ साहित्य पर ही बात करना चाहते हैं। आपके व्यक्तित्व और कृतित्व पर।'' वह जनता दल के शासन का दौर था, जिसके अज्ञेय जी समर्थक थे ही। अभिव्यक्ति की स्वतन्त्रता पर कहीं किसी तरह की कोई बन्दिश नहीं रह गयी थी।

''नहीं, यह सम्भव नहीं है।'' संक्षिप्त-से उत्तर के बाद उनका सर हौले से नकार में हिला और वह दीर्घ मौन में उतर गये। न तो उन पर मेरी बात का कोई प्रभाव पड़ा और न मेरे चेहरे की हताशा, नाउम्मीदी और याचना ने ही उन पर कोई असर डाला।

अन्ततः मैंने न जाने कैसे हिम्मत कर कह ही दिया, ''आप रेडियो और टेलीविजन को तो साक्षात्कार देते ही हैं, उनके कार्यक्रमों में भी आते हैं।'' उन दिनों रेडियो (आकाशवाणी) और टीवी (दूरदर्शन) पर सरकार का एकाधिकार था और मैं उन्हें कई कार्यक्रमों में देख-सुन चुका था। मैं तब तक यही जानता था कि वे आकाशवाणी से सलाहकार के रूप में जुड़े रहे हैं। बाद में मुझे पता चला कि वे आकाशवाणी में बाकायदा स्टाफ आर्टिस्ट के रूप में अनुबन्ध पर 40 के दशक के शुरू में तीन वर्ष के करीब काम कर चुके थे।

इस पर उन्होंने जिस निर्विकार भाव से देखा, उसका कुछ भी अर्थ हो सकता था – उपेक्षा से लेकर तिरस्कार तक। कुछ पल में लगने लगा मानो मैं उनकी नजरों के आगे से ही गायब हो गया होऊँ। उनका मौन मेरे अन्दर चेतावनी का सायरन बजाने लगा था। इसके बाद बैठने का कोई औचित्य नहीं रह गया था। हम लोग उठ गये। उन्होंने हमें दरवाजे तक छोड़ने की शालीनता बरती। निराशा के अलावा उनके पाखण्ड ने मुझे बौखला दिया था। पर मुझे सन्तोष था कि जो कहना चाहिए था, मैंने कह दिया था।

अगले दिन दफ्तर में जब हमारे सम्पादक जी ने पूछा, कल क्या हुआ तो मैं भड़क गया– भाड़ में जाएँ अज्ञेय जी, इंटरव्यू-इंटरव्यू कुछ नहीं होगा।

पाण्डेय जी मेरी बात सुनकर हँसे। बोले, ''अरे क्या हो गया?''

मैंने पूरा किस्सा सुना दिया। उन्होंने शान्त करने वाले अन्दाज में कहा, ''छोड़, एक लेख लिखवा दे।'' और खुद, जैसा कि उनकी आदत थी, उठकर दूसरी जगह चले गये।

एक-आध घण्टे बाद एक और वरिष्ठ सहयोगी जगदीश गोयल, जो पुस्तकों के सम्पादक थे, *आजकल* के कमरे में आये और पूछने लगे, ''अरे भई, क्या हुआ? सुना तुम बड़े गुस्से में हो।''

गोयल जी पाण्डेय जी के परम भक्त थे, गोकि वे समकालीन थे और लगभग समान पद पर थे, इस पर भी उनका गुरु-शिष्य जैसा नाता था। जो भी हो पाण्डेय जी अक्सर उनके पास ही बैठे मिलते थे। वे दोनों आकाशवाणी में वर्षों साथ काम कर चुके थे। मैंने टालने की कोशिश की। वैसे भी गोयल कोई साहित्यिक आदमी तो थे नहीं। दूसरा, मैं अपनी ज्यादा भद्द भी नहीं पिटवाना चाहता था। मैंने उसी अन्दाज में कहा, कुछ नहीं। एक साक्षात्कार करना था, नहीं हो पाएगा।

''किसका साक्षात्कार?'' उन्होंने जानते-बूझते साग्रह पूछा। पाण्डेय जी ने निश्चित ही उन्हें सब कुछ बता दिया था।

''अज्ञेय जी का!'' मैंने खीझते हुए कहा था। मुझे इसमें भी शक था कि वह अज्ञेय जी के नाम से भी परिचित होंगे।

''हुआ क्या?'' उन्होंने मेरा पिंड नहीं छोड़ा।

पूरी अनिच्छा के बावजूद मुझे किस्सा बतलाना पड़ा। जितना संक्षेप में हो सकता था, मैंने बयान कर दिया।

वे मुस्कुराए, बोले, ''चाहते क्या हो?''

''क्या चाहते हैं! कुछ नहीं। वह साक्षात्कार नहीं देना चाहते तो न सही। इसमें पाखण्ड की क्या बात है!'' मेरी खीझ न चाहते हुए भी छिप नहीं पा रही थी।

"तुम साक्षात्कार चाहते हो न!" उनकी गम्भीरता ने मुझे चौंका दिया। मेरे भीतर बैठे सम्पादक के कान खड़े हो गये।

"चाहते हैं, पर चाहने से क्या होता है?" सारे गुस्से के बावजूद, गोयल साहब की बातों ने एक हलकी-सी ही क्यों न हो, पर उम्मीद जगा ही दी थी। एक सम्पादक के नाते अज्ञेय जी से कहीं ज्यादा बड़ी मेरी जिम्मेदारी *आजकल* के पाठकों के प्रति थी, जिसकी मैं रोटी खाता था। ज्ञानपीठ मात्र अज्ञेय नामक व्यक्ति को नहीं, बल्कि हिन्दी भाषा को भी मिला था।

अचानक गोयल साहब ने टेलीफोन की ओर इशारा करते हुए कहा, "मिलाओ फोन।"

मैं उनके अन्दाज से घबरा गया। गोयल साहब अपने अक्खड़पन और दुस्साहसिकता के लिए बदनाम थे। सोचा अज्ञेय जी को कहीं कुछ अंडबंड ही न बोल दें। मैं ऐसी स्थिति भी नहीं चाहता था। आखिर वे इतने बड़े और सम्माननीय लेखक थे।

उन्होंने फिर कहा, "अरे मिलाओ फोन!"

इस पर भी मेरा हाथ नहीं बढ़ा।

"लाओ, मुझे दो नम्बर," उन्होंने फोन अपनी ओर खींचते हुए कहा।

मैंने नम्बर देने से पहले आखिर पूछ ही लिया, "आप जानते हैं उन्हें?"

"अरे भई नम्बर तो दो!" मेरी बात का जवाब न देकर वे अपने आग्रह पर अड़े रहे। उनके आत्मविश्वास के आगे मैं टिक नहीं सका और मेरे नम्बर बोलने के साथ ही साथ टेलीफोन का डायल घूमने लगा।

"मैं गोयल बोल रहा हूँ", उन्होंने कहा, "क्या वात्स्यायन जी से बात हो सकती है?"

मेरी साँस लगभग थमने को थी। जैसा कि होना था, फोन इला जी ने उठाया होगा। वैसे भी अज्ञेय जी शायद ही कभी फोन उठाते हों।

कुछ देर के इन्तजार के बाद, दूसरी ओर की आवाज का जवाब देते हुए उन्होंने कहा, "वात्स्यायन जी, नमस्कार मैं जगदीश गोयल बोल रहा हूँ।" सामान्य औपचारिकताओं के बाद गोयल साहब को मुद्दे पर आने में देर नहीं लगी। मेरे सामने अजूबा हो रहा था। कल्पनातीत। मेरा दिल धड़कने लगा। जैसा कि होना था, उधर से मना किया गया। पर गोयल साहब ने हार नहीं मानी, बल्कि पूरे अधिकार के साथ बोले, और जिसे मैंने अपने कानों से सुना, "नहीं, वात्स्यायन जी आपको साक्षात्कार देना ही होगा। मैं वचन दे चुका हूँ।"

आश्चर्यों का आश्चर्य यह हुआ कि देखते ही देखते अज्ञेय जी ने गोयल साहब के सामने हथियार डाल दिए।

अन्त में गोयल साहब ने कहा, "तो ठीक है भेज देता हूँ।"

मुझे आदेश हुआ, अगले दिन उनसे जाकर मिल लूँ।

मैं डरता हुआ-सा फिर निजामुद्दीन के उस घर में पहुँचा। अज्ञेय जी ने पूछा, "साक्षात्कार कौन करेगा?"

मैंने कहा, "आप जिसे कहें!"

"नहीं," उन्होंने कहा, "नाम सुझाइए।"

मैंने विष्णु नागर, नेत्रसिंह रावत और प्रयाग शुक्ल सहित कुछ नाम सुझाए, पर वे आश्चर्यजनक रूप से नाटककार कुसुम कुमार पर सहमत हुए। जबकि मैं सोच रहा था वे रघुवीर सहाय या मनोहर श्याम जोशी जैसे किसी लेखक के नाम पर सहमत होंगे। अपनी सीमाओं के कारण मैं ये नाम नहीं सुझा पाया था। मनोहर श्याम जोशी से मेरा संवाद था, रघुवीर सहाय से तो कभी हो ही नहीं पाया। वैसे भी इतने बड़े लोग किसी सामान्य-सी सरकारी पत्रिका के लिए यह काम क्यों करते। वैसे अज्ञेय जी के कहने पर सम्भवतः रघुवीर सहाय कर देते, क्योंकि वह तब तक *दिनमान* से हटाए जा चुके थे या हटाए जा रहे थे। खैर, यह नौबत आयी ही नहीं। चुनाव अज्ञेय जी का था, मुझे क्या आपत्ति हो सकती थी! मेरे हाथ में कुछ रह ही नहीं गया था। हाँ, निराशा जरूर हुई।

"प्रश्न बनाकर दे दीजिएगा," उनका आदेश था।

हम दोनों ने मिलकर प्रश्न बनाये और कुसुम कुमार ही उन्हें लेकर अज्ञेय जी के पास गयीं। मैं तब भी नहीं समझ पाया कि क्या होनेवाला है, उलटे योजना बनाता रहा कि जब कुसुम कुमार साक्षात्कार करने जाएँगी तब साथ चला जाऊँगा और कुछ अतिरिक्त प्रश्न तो पूछ ही लूँगा। अज्ञेय जी ने प्रश्नावली रख ली और टाइप किए हुए जवाब हमें मार्फत कुसुम कुमार यथासमय भिजवा दिए। उस निर्जीव साक्षात्कार में, जो जरा भी असुविधाजनक सवाल हो सकते थे, बदल दिए गये थे।

आजकल का जून, 1979 अंक अज्ञेय केन्द्रित अंक के रूप में प्रकाशित हुआ। उसी वर्ष उनके साक्षात्कारों की किताब *अपरोक्ष* में उस अंक में प्रकाशित वह साक्षात्कार भी शामिल किया गया। हमने साथ में उनकी दो नयी कविताएँ भी प्रकाशित की थीं। चाहता तो था कि कोई गद्यांश भी मिले और उनके खींचे फोटोग्राफ भी। उन्हें फोटोग्राफी का शौक था, यह बात मैं *आँगन के पार द्वार* संग्रह से जानता था, जिसमें उनके खींचे कई सुन्दर फोटोग्राफ शामिल थे।[1] पर यह तब

1. यह संग्रह *सुनहले शैवाल* रहा होगा।

हो पाता जब थोड़ी भी सहजता बन पाती। मेरा शुरू में जो भी उत्साह था, साक्षात्कार के साथ ही ठण्डा हो चुका था। कविताएँ भी सम्भवतः कुसुम कुमार ने ही लाकर दीं। प्रफुल्लचन्द्र ओझा 'मुक्त' और प्रयाग नारायण त्रिपाठी ने उन पर लेख लिखे थे। 'मुक्त' का लेख कैसे आया, यानी उनसे लिखने को किसने और क्यों कहा, यह याद नहीं है। इतना जरूर याद है कि 'मुक्त' *एवरीमेंस* के हिन्दी संस्करण *प्रजानीति* के सम्पादक थे।[1] प्रयाग नारायण त्रिपाठी से मैंने आग्रह किया था। यद्यपि त्रिपाठी जी हमारे बॉस रह चुके थे, पर वे अत्यन्त सरल आदमी थे और उनसे मेरे मित्रतापूर्ण सम्बन्ध थे। वे *तीसरे सप्तक* के पहले कवि थे। इस सप्तक में विजयदेव नारायण साही, सर्वेश्वर दयाल सक्सेना, मदन वात्स्यायन, केदारनाथ सिंह और कीर्ति चौधरी के अलावा कुँवर नारायण भी शामिल हैं जिन्हें गत वर्ष ज्ञानपीठ मिला है। *नवभारत टाइम्स* के लेखों की शृंखला के बावजूद *चौथा सप्तक* कोई प्रभाव नहीं छोड़ पाया। एक अर्थ में यह इस बात का भी प्रमाण था कि तब तक अज्ञेय जी की समकालीन रचनाकर्म की नब्ज पर पकड़ नहीं रही थी। जो युवा उनसे सम्पर्क में थे, या उसके बाद वत्सल निधि के माध्यम से जुड़े, उनमें से शायद ही कोई साहित्य में अपना स्थान बना पाया हो।

आजकल के उस अंक की सबसे बड़ी विशेषता उसका आवरण रही। हमने अज्ञेय जी के विशेष रंगीन फोटो खिंचवाए जो प्रकाशन विभाग के प्रमुख फोटोग्राफर मोतीलाल जैन ने खींचे थे। उन दिनों रंगीन चित्र सिर्फ ट्रांसपेरेंसी में ही सम्भव हुआ करते थे। और भी समस्याएँ थीं। जैसे कि *आजकल* तब तक लैटरप्रेस पर छपता था, यानी फोटो के हॉफटोन ब्लॉक बनवाने पड़ते थे। जिस प्रेस के पास *आजकल* छापने का अनुबन्ध था, वह ब्लॉक किसी ऐरे-गैरे ब्लॉक-मेकर से कम-से-कम लागत पर बनवाता था। उस आवरण के लिए हमने विशेष अनुमति ली और स्टेट्समैन प्रेस से स्वयं ब्लॉक बनवाकर प्रेस को दिए। पूरे पृष्ठ के इस चित्र में अज्ञेय जी के पीछे थोड़ी ऊँचाई पर एक बड़ा-सा राजस्थानी पटचित्र या मधुबनी पेंटिंग लटकी हुई है। वे सोफे पर बैठे हैं और उनकी बायीं ओर कोने की मेज पर एक लैम्प है। वे कुर्ता-पाजामा नहीं, बल्कि नीली कमीज और उस पर खुली जैकेट पहने हैं। बहुत सम्भव है

1. दरअसल, *प्रजानीति* का प्रकाशन 1975 में आपातकाल लगते ही बन्द हो गया था। *प्रजानीति, एवरीमेंस वीकली* का हिन्दी संस्करण भी नहीं था। *एवरीमेंस* जयप्रकाश नारायण की लोकनीति परिषद का प्रकाशन था, जबकि *प्रजानीति* रामनाथ गोयनका के *इंडियन एक्सप्रेस* समूह का। रामनाथ गोयनका का जयप्रकाश नारायण को सहयोग और समर्थन जरूर था लेकिन 1979 में न *एवरीमेंस* निकल रहा था, न *प्रजानीति*। *—सं.*

यह फोटोग्राफर के आग्रह पर हुआ हो, जो अपने चित्र में रंग चाहता होगा। उनके जैकेट से एक बात तो साफ है कि यह चित्र मार्च महीने के आसपास का रहा होगा। कम्पोज के लिए हम प्रेस को सामग्री डेढ़ महीना पहले दे दिया करते थे।

जो भी हो, जैसा कि मैं बतला चुका हूँ, यह *आजकल* के इतिहास में पहली बार हुआ था कि किसी समकालीन लेखक के चित्र को पूरे पृष्ठ और वह भी आवरण पर छापा गया हो। उसी दौरान हमारे एक मित्र ने, जो कोलकाता से आये थे, मुझे एक मजेदार बात बतलाई। बोले मैं *रविवार* के दफ्तर गया था। वहाँ सुरेन्द्र प्रताप सिंह के कमरे (*रविवार* साप्ताहिक) में *आजकल* का (अज्ञेय जी वाला) आवरण चिपका हुआ था। उत्साहविहीनता से भरे उस काम का यह बड़ा पुरस्कार था। निश्चय ही यह अज्ञेय जी के कारण रहा होगा, पर उसे प्रस्तुत तो हमने ही किया था।

यह बतलाना तो रह ही गया है कि गोयल साहब की बात अज्ञेय जी मान कैसे गये। असल में अज्ञेय जी असम में सेना के प्रचार विभाग से लौटने के बाद, दो-ढाई वर्ष (1952-1955) आकाशवाणी के हिन्दी समाचार विभाग से सलाहकार के रूप में जुड़े रहे थे। वैसे उनका सेना और वह भी अंग्रेजी सेना के प्रचार विभाग के लिए काम करना (1943-1945) भी कम रहस्यमय नहीं रहा है। 1942 में दिल्ली में फासिस्ट विरोधी सम्मेलन का आयोजन करना और सेना में जाकर असम में काम करना, जहाँ जापानियों के हमले का खतरा स्पष्ट नजर आ रहा था, शायद इसकी स्वाभाविक परिणति थी। यहाँ यह याद रखना जरूरी है कि भारतीय स्वतन्त्रता आन्दोलन के सन्दर्भ में फासीवाद के खतरे को तब उस तरह से नहीं देखा-समझा जाता था, जैसा कि आज है। कम्युनिस्ट पार्टी निश्चय ही फासीवाद का जमकर विरोध कर रही थी और इसका बड़ा कारण जर्मनी का सोवियत रूस पर आक्रमण था। सुभाषचन्द्र बोस तब जापानियों और जर्मनी की मदद से आजादी की लड़ाई चला रहे थे। यानी यह तब शुद्ध अंग्रेजी साम्राज्य को बचाने की रणनीति का हिस्सा था।

उनका अंग्रेजों के साथ जाना तब कुछ ज्यादा ही अटपटा था, जबकि वे आजादी के क्रान्तिकारी आन्दोलन से जुड़े थे। हिन्दुस्तान सोशलिस्ट रिपब्लिकन आर्मी में रहते हुए वे बम बनाते हुए पकड़े गये थे। उन्होंने अंग्रेजों की जेलों में लगभग तीन वर्ष बिताए थे। वैसे बाद में अज्ञेय जी की कांग्रेस फॉर कल्चरल फ्रीडम के साथ भी निकटता रही जो *क्वेस्ट* और बाद में *न्यू क्वेस्ट* नाम की पत्रिका निकालता था। इस सन्दर्भ में 1999 के अन्त में *लंदन रिव्यू ऑफ बुक्स*

में *हू पेड द पाइपर? सीआईए एंड द कल्चरल कोल्ड वार* नामक पुस्तक की समीक्षा करते हुए एडवर्ड सईद ने लिखा है: "...हमारे बहुत थोड़े बुद्धिजीवी और सांस्कृतिक क्षेत्र की हस्तियाँ सीआईए द्वारा दिए गये लालचों से बच पायी थीं – चाहे वे आरामदायक विदेश यात्राओं के रूप में हों या छिपाकर दी गयी आर्थिक सहायता के रूप में हों – *पार्टिजन रिव्यू, कामेंट्री, सिवान रिव्यू, कैनयान रिव्यू* के अलावा *एनकाउंटर* और उसकी फ्रांसीसी, जर्मनी, इतालवी और यहाँ तक कि अरबी और भारतीय (इशारा *क्वेस्ट* की तरफ ही है) सभी कलमें लाभान्वित हुई थीं – या कांग्रेस फॉर कल्चरल फ्रीडम जैसे संगठनों और फोर्ड फाउंडेशन, जिसके बारे में शुरुआत से ही ऐसा लगता था मानो यह सिर्फ संयुक्त राज्य अमेरिका की विदेश नीति को बढ़ावा देने और सीआईए की कारगुजारियों को आड़ देने के लिए है, ठेके देने के रूप में था। एशिया, अफ्रीका और लातिन अमेरिका में फोर्ड की वर्तमान प्रतिष्ठा और दानशीलता पर आज भी इस राजनैतिक इतिहास का धब्बा है।" (*समयान्तर,* जनवरी, 2000 में प्रकाशित अनुवाद)

प्रसंगवश, अज्ञेय जी साठ के दशक के मध्य से सत्तर के दशक के मध्य तक कई बार विदेश यात्राओं पर गये और अमेरिका में अध्यापन भी किया। सीआईए द्वारा कला व संस्कृति के क्षेत्र में की जा रही गतिविधियों का खुलासा 1968 में हुआ था और इसके साथ ही वैश्विक स्तर पर बौद्धिक जगत की स्टीफेन स्पेंडर और रॉबर्ट लॉवेल जैसी कई हस्तियाँ ध्वस्त हो गयी थीं तथा कला व साहित्य जगत की कई संस्थाओं और पत्र-पत्रिकाओं की विश्वसनीयता जाती रही थी।

अज्ञेय जी के देहान्त के बाद उनके जीवन के बारे में लिखे लेख 'अज्ञेय की याद में' में इला डालमिया ने अज्ञेय के अंग्रेजों की भारतीय सेना में जाने के सम्बन्ध में मजेदार जानकारी दी है। अज्ञेय जी (जिन्हें इला वत्सल नाम से सम्बोधित करती थीं) की गिरफ्तारी अमृतसर में हुई थी। तब पंजाब इंटेलिजेंस ब्यूरो का मुखिया जेनकिंस नाम का अंग्रेज था। उसने अज्ञेय से पूछताछ की थी। "जब वत्सल को जेल से छुट्टी मिली तो उनकी क्रान्तिकारी गतिविधियों की चर्चा इतनी फैल गयी थी कि कॉलेज वालों ने कॉलेज में दाखिला देने से इनकार कर दिया। पर जेल से छूटने पर उनको ऑल इंडिया रेडियो का एक पत्र मिला। वहाँ से काम का आमन्त्रण था। पंजाब के इंटेलिजेंस ब्यूरो के मुखिया जेनकिंस की सिफारिश पर ऑल इंडिया (रेडियो) ने यह कदम उठाया था। जेनकिंस के मन में इस साहसी युवक की सचाई के चरित्र की छाप पड़ चुकी थी।..."

"कुछ समय बाद जब वत्सल भारतीय सेना में भरती होना चाह रहे थे, तो

इन्हीं जेनकिंस ने वात्स्यायन के बारे में कहा था कि यह युवक चरित्रवान है, विश्वसनीय है।...''[1] यानी जेनकिंस ने अज्ञेय जी की सिफारिश की थी।

''जब जापानी सेना इंफाल के बॉर्डर से भारत में आने का प्रयत्न कर रही थी, उस समय अंग्रेज सरकार को ऐसे लोगों की जरूरत थी जिनका भारतीय आदमी सहज ही भरोसा कर सकें। तब वत्सल को सेना में सम्मिलित होने का निमन्त्रण मिला।...''

हिन्दी दुनिया का यह एक बड़ा रहस्य है कि आखिर वह व्यक्ति जो अंग्रेजों के विरुद्ध हथियार उठा चुका हो, किस तरह से अंग्रेजों की सेना में भरती हुआ। इला डालमिया के लेख में इसका स्पष्टीकरण इस प्रकार है:

''वत्सल के मन में गिरफ्तार होने के पहले से ही आतंकवादी रास्ते को लेकर शंकाएँ उत्पन्न होने लगी थीं। सन् 41-42 के दिन। वत्सल एकदम अकेले हो गये थे। सन् 42 के भारत छोड़ो आन्दोलन से वत्सल का मन नहीं जुड़ा। गाँधी, नौजवान समाजवादी जयप्रकाश, लोहिया, इन सबसे वत्सल का सोच अलग था। भारतीय लोगों में, भारत की अंग्रेजों से स्वतन्त्रता ही, सबसे बड़ी चीज लग रही थी। इधर वत्सल को लग रहा था कि द्वितीय महायुद्ध छिड़ा हुआ है। इसमें हिटलर की विजय सारी मानव जाति की हार होगी। वत्सल की चिन्ता उस मनुष्यता की रक्षा के लिए थी। इसी सोच के तहत वत्सल ने तय किया कि वे न केवल युद्ध के पक्ष में हैं और अंग्रेजों की सेना है तो क्या हुआ, वे सक्रिय रूप से उसमें शामिल भी

1. उद्धरण अधूरा है। 'इला' पुस्तक में छपे इस अध्याय का पूरा उद्धरण पढ़ें तो दूसरा ही निष्कर्ष निकलता है, कि जेनकिंस ने अज्ञेय की सिफारिश नहीं बल्कि प्रतिकूल राय दी थी, जिसकी वजह से अज्ञेय को सेना में नहीं लिया गया। पुस्तक के इसी अध्याय में एक और उद्धरण है, वह भी इसी बात की पुष्टि करता है। इला डालमिया का वह संस्मरणात्मक आलेख *अपने अपने अज्ञेय* (भाग-1) में संकलित है। प्रसंगवश, सन्दर्भ के लिए दोनों उद्धरण इस प्रकार हैं:

    (क) कुछ बरस बाद जब वत्सल भारतीय सेना में भरती होना चाह रहे थे, तो इन्हीं जेनकिंस ने वात्स्यायन के बारे में कहा था कि यह युवक चरित्रवान है, विश्वसनीय है। पर साथ में यह भी पूछा था कि क्या अंग्रेज सरकार की हालत इतनी बिगड़ गयी है कि उसे अपने विद्रोहियों के सहयोग की जरूरत पड़ रही है। जेनकिंस ने यह बात वत्सल को भी बतला दी थी। इसी बात के आधार पर उस समय भारतीय सेना में वत्सल को स्थान नहीं मिला था। (*इला*, पृष्ठ 122)

    (ख) जेनकिंस ने वत्सल के चरित्र और साहस पर भरोसा तो दिलाया, किन्तु उनकी इस टिप्पणी पर कि क्या अंग्रेजी सरकार की स्थिति इतनी खराब हो गई है कि एक क्रान्तिकारी नवयुवक को सरकार में भरती किया जाए, वत्सल को भारतीय सेना में नौकरी नहीं मिल सकी। (*इला*, पृष्ठ 126)

होंगे। स्थिति, भारत की सीमित स्थिति देखने की बात नहीं थी, सम्पूर्ण विश्व के मानव जाति के सन्दर्भ में स्थिति को देखने की बात थी।...''

सन् 2006 में राजकमल प्रकाशन से प्रकाशित पुस्तक *इला* में संगृहीत इस लेख में यशपाल का काफी नकारात्मक सन्दर्भों में जिक्र है। एक जगह लिखा गया है– ''यशपाल पर दल वालों को सन्देह हो गया था।'' ''यशपाल साहसी थे, लेकिन अपने को अपने अन्य साथियों से ऊँचा मानते थे।'' ''वह (गिरिवर सिंह) वास्तव में तो दल का साथी था, अतः सब सदस्य उससे बराबर का बर्ताव करते थे, पर यशपाल उसके साथ नौकरों जैसा बर्ताव करते थे।'' बाद में गिरिवर मुखबिर हो गया था और उसने अदालत में अज्ञेय को पहचानने से इनकार कर दिया था। अज्ञेय जी के सम्पादन के दौरान *दिनमान* में क्रान्तिकारी आन्दोलन के बारे में एक विवाद छपा था, जिसमें यशपाल पर काफी कीचड़ उछाला गया था।

इला डालमिया के लेख से एक बात तो स्पष्ट है कि यह सारी जानकारी उन्हें अज्ञेय जी ने स्वयं दी होगी। क्या इससे साफ यह नहीं नजर आता कि जेनकिंस ने अज्ञेय को तोड़ लिया था, अन्यथा रेडियो की ओर से उन्हें बुलाया जाना और फिर सीधे सेना में भरती करना, जहाँ वे तीन वर्ष रहे, अपने आप में अजूबा नहीं है? ये बातें मात्र अज्ञेय के सन्दर्भ में अकादमिक महत्त्व या रुचि की नहीं हैं बल्कि हिन्दुस्तान रिपब्लिकन आर्मी के बारे में और प्रकारान्तर से स्वतन्त्रता आन्दोलन के क्रान्तिकारी इतिहास को समझने के लिए भी लाभप्रद साबित होंगी। यह अपने आप में आश्चर्य की बात है कि अभी तक किसी भी शोधार्थी ने अज्ञेय के इस पक्ष की पड़ताल नहीं की है। मेरे विचार में कम से कम अब तो राष्ट्रीय अभिलेखागार में उस दौर के दस्तावेज अवलोकनार्थ उपलब्ध होंगे। उन्हें देखकर जेनकिंस की भूमिका और अज्ञेय के सेना में जाने के सारे सन्दर्भों को समझा जा सकता है। इसके अलावा यशपाल को लेकर जो शंकाएँ हैं, उन्हें भी स्पष्ट करने में मदद मिलेगी।

दिल्ली से निकलने वाली रायिस्टों की साप्ताहिक पत्रिका *थॉट* को लेकर भी कई तरह की बातें कही जाती थीं, जिसके मालिक-सम्पादक राम सिंह थे। अज्ञेय जी इससे बाद में भी साहित्य सम्पादक के तौर पर जुड़े रहे थे। 1942 के दौरान रायिस्टों की योजना दिल्ली से *इंडिपेंडेंट इंडिया* नाम से एक दैनिक निकालने की भी थी, जिसका सम्पादक राम सिंह को ही होना था और अज्ञेय सहायक के तौर पर जुड़ने वाले थे। गोकि *थॉट* आठवें दशक तक जिन्दा रही, पर वह पूरी तरह अप्रासंगिक हो चुकी थी।

यहाँ एक बात और ध्यान देने योग्य है। इसमें शक नहीं है कि कम्युनिस्ट फासीवाद के विरोध के चक्कर में अंग्रेजों के सहयोगी हो गये थे, पर महत्त्वपूर्ण यह

है कि अज्ञेय न तो कम्युनिस्ट थे और न ही उनके समर्थक। बल्कि ऐसा लगता है कि रणनीतिगत कारणों से मार्क्सवादियों से सम्बन्ध बन गये थे। 22 अप्रैल, 1942 को नेमिचन्द्र जैन को लिखे पत्र से स्पष्ट है कि वे रॉयिस्ट थे और रेडियो में काम करते हुए वे औपनिवेशिक सरकार के लिए उससे बाहर भी कुछ बड़ा काम करना चाहते थे, गोकि यह काम फासीवाद विरोध के नाम पर ही होना था। इस पत्र में उन्होंने लिखा है, "... मैं यह मानकर चला हूँ कि आप जेनुइन एंटीफासिस्ट हैं; प्रश्न यही है कि उस खरी भावना को कार्यान्वित करने के बारे में आप क्या सोचते हैं।

1. "यदि कुछ व्यक्तियों या संस्थाओं के उद्योग से एक होमगार्ड आन्दोलन आरम्भ हो, जिसे सरकार की भी मंजूरी मिल जाए, तो आप उसमें योग दे सकेंगे? (अगर सरकार शुरू करेगी तो जनता उपेक्षा करेगी; अगर सरकार मंजूरी न देगी तो काम कठिन होगा; इसलिए यही सूरत हो सकती है न!) यह संगठन बिलकुल इंग्लैंड के होमगार्ड के ढंग का होगा, और उसे सैनिक, राजनीतिक और नागरिक शिक्षा दी जाएगी।"

सात प्रश्नों की शृंखला में तीसरा प्रश्न है, " 'रॉयिस्टों' के साथ काम करने में आपको कोई आपत्ति है?"

नेमिचन्द्र जैन को 27 अगस्त, 1945 को लिखे पत्र में अज्ञेय उनका इसलिए मजाक बनाते हैं कि वे साम्यवादी विचारधारा के हैं। नेमिचन्द्र जैन उन दिनों साम्यवादी विचारों के निकट थे। अज्ञेय ने लिखा है, ''आपकी करनी पर रोष तो क्या होता। एक तो वैसे ही नहीं होता, क्योंकि आप (यह आप जातिवाचक है, अर्थात् आप प्रोग्रेसिव –) लोगों की तरह सब कर्मों को नापने के लिए बनी-बनाई छड़ी मेरे पास कहाँ है?...'' पत्र में उन्होंने आगे लिखा है, ''शायद मार्क्सवादियों के लिए उनकी डाक सेफ्टी वॉल्व है, जिसमें हर तरह के डेवियेनिस्ट या डाइवर्जनिस्ट या रोमांटिक या सब्जैक्टिव या...विचार व्यक्त किए जा सकते हैं। नहीं तो क्या आप ऑफिसियली यह मत प्रकाशित कर सकते कि 'काम शायद इस बार अधिक अच्छा हो। क्या जाने।' 'जीवन और मन की गति किस ओर धकेले लिये जा रही है पता नहीं चलता।' ''

इस सन्दर्भ में अन्तिम बात यह है कि 22 अप्रैल, 1942 वाले पत्र में अज्ञेय ने नेमिचन्द्र जैन को हिदायत दी थी, ''देखिए, उत्तर देने के बाद इस पत्र को फाड़ दें या अपने साथ लेते आवें।'' प्रश्न यह है इस पत्र के प्रति वे इतने सचेत क्यों थे? इसके अगले ही साल वे सेना के लिए उत्तर-पूर्व में काम करने चले गये थे।

खैर, आकाशवाणी के दौरान गोयल साहब ने उनके साथ काम किया था। वही

सम्बन्ध काम कर गया था। देखने की बात यह थी कि अज्ञेय जी अपने साथियों और प्रेमियों का किस हद तक सम्मान करते थे और उन्हें एडजस्ट करते थे। उसी दौरान आकाशवाणी में रघुवीर सहाय, सर्वेश्वर दयाल सक्सेना और मनोहर श्याम जोशी भी रहे थे। वैसे यहाँ यह बतलाना जरूरी है कि अज्ञेय जी उससे पहले कभी भी *आजकल* में नहीं छपे थे। यह मैं इसलिए कह सकता हूँ कि जून, 1994 में जब हमने *आजकल* का स्वर्ण-जयन्ती अंक निकाला, जो कि विगत आधी सदी में *आजकल* में प्रकाशित सामग्री का चयन था, तो उसके एक-एक अंक को खँगाला था और शायद ही कोई ऐसा बड़ा नाम हो जो पिछले पाँच दशकों में *आजकल* में छपा हो, वह स्वर्ण-जयन्ती अंक में न शामिल किया गया हो।

यह तो सब जानते ही हैं कि अज्ञेय घुमक्कड़ी के जबरदस्त शौकीन थे। उनका पत्रकारिता प्रेम भी कम चर्चित नहीं है। *दिनमान* की स्थापना उनका सबसे चर्चित काम कहा जा सकता है, जो अपने आप में कई मायनों में अभिनव प्रयत्न था। नेमिचन्द्र जैन को लिखे पत्रों में उन्होंने कम-से-कम तीन जगह नयी पत्रिकाएँ निकालने की योजना पर चर्चा की है। सेना से लौटकर 1947 से 1950 तक उन्होंने इलाहाबाद से *प्रतीक* का प्रकाशन-सम्पादन किया था। दिसम्बर, 1973 में दिल्ली से *प्रतीक* को *नया प्रतीक* के नाम से मासिक निकाला गया था। इला डालमिया इससे पूरी तरह जुड़ी रहीं। गोकि इस बार भी वह ज्यादा नहीं चला।

सम्भवतः 1983 या 84 की बात है। ज्ञानपीठ किसी दक्षिण की भाषा के लेखक को मिला था। सम्मान समारोह के बाद उन दिनों एक दावत भी ज्ञानपीठ दिया करता था। 1980 में सम्पादक पाण्डेय जी के सेवानिवृत्त होने के साथ ही मुझे *आजकल* से हटा दिया गया था। इस बीच जगदीश गोयल की पदोन्नति हो गयी थी और वे आकाशवाणी पत्रिका समूह के प्रधान सम्पादक बना दिए गये थे। उन्होंने मुझे समाचार प्रभाग से खींचकर *आकाशवाणी पत्रिका* के सहायक सम्पादक के पद पर बुला लिया था। उसका दफ्तर पीटीआई बिल्डिंग में था और हिन्दी के अलावा वहाँ से *आकाशवाणी* अंग्रेजी और *आवाज* उर्दू पत्रिका भी निकलती थी। ये मूलतः आकाशवाणी के कार्यक्रमों की पत्रिकाएँ थीं, बाद में इनमें कुछ सूचनाएँ दूरदर्शन के कार्यक्रमों की भी शामिल की जाने लगीं। इनके और भी कई प्रादेशिक संस्करण थे जो विभिन्न राज्यों की राजधानियों से निकलते थे। *आवाज* में शुरुआती दौर में मजाज लखनवी ने काम किया था और यह नाम भी उन्हीं का दिया हुआ था।

मुझे पहली बार ज्ञानपीठ की उस पार्टी का निमन्त्रण मिला था और यह कम प्रसन्नता की बात नहीं थी। इसलिए कि यह मेरे साहित्य के संस्थानों में भी पहचाने जाने की शुरुआत थी। पार्टी तिलक मार्ग की दो नम्बर कोठी में हुआ करती थी। ऐन पटियाला हाउस के सामने, जहाँ तब प्रकाशन विभाग होता था।

डालमिया की यह कोठी भी उन दिनों बैनेट कोलमैन के नियन्त्रण में थी। आयोजन काफी भव्य था, जिसमें दिल्ली के सभी बड़े हिन्दी लेखक तो शामिल थे ही, विभिन्न भाषाओं के लेखक व कलाकार आदि भी उपस्थित थे। खाने के स्टाल लगे हुए थे। लोग स्टालों के बीच आ-जा रहे थे। मैंने अचानक देखा कि एक जगह अज्ञेय जी अकेले खड़े हैं। 1979 के बाद से मुझे उनसे मिलने का मौका नहीं मिला था। मैं सब कुछ भूल, लपककर उनके पास जा पहुँचा और हाथ जोड़कर खड़ा हो गया। उन्होंने नमस्कार का जवाब तो दिया, पर वह इतना ठण्डा था कि लगा पहचान नहीं रहे हैं।

आजकल के हवाले से मैंने याद दिलाने की कोशिश की।

"जानता हूँ।" शब्दों की ऐसी मितव्ययिता जीवन में मुझे फिर कभी देखने-सुनने को नहीं मिली। वे डेढ़ शब्द उस कोलाहल और उत्सवी माहौल पर इतने भारी पड़े कि सब कुछ मौन हो गया। मेरी समझ जवाब दे गयी। बात आगे बढ़ाने का कोई सिरा ही नहीं सूझा।

मैंने बहुत ही औघड़ तरीके से कहा, मैं अब *आजकल* में नहीं रहा हूँ।

वे चुप रहे। मुझे लगा मैंने कोई बहुत ही बेवकूफाना बात कह दी है, जबकि कोई गुरु-गम्भीर साहित्यिक या दार्शनिक बात कहनी चाहिए थी।

अगली बात जो मैं कह सकता था वह थी कि आजकल *आकाशवाणी पत्रिका* में हूँ। यह कहना मुझे और भी बचकाना लगा। व्यावहारिक यह था कि किसी तरह सामने से हट जाऊँ। पर यह हिम्मत भी नहीं रह गयी थी कि अचानक मुड़कर दूसरा रुख कर सकूँ। एक-एक पल एक-एक युग की सजा-सी महसूस होने लगा। न जाने कब तक अज्ञेय जी के मौन के पहाड़ के नीचे दबा मैं छटपटाता रहा कि अचानक महसूस किया, किसी ने पीछे से मेरे दोनों कन्धों को पकड़ा है। इससे पहले कि समझ में आता क्या हो रहा है, एक ही झटके में उन मजबूत हाथों ने मुझे दूसरी ओर घुमा दिया। मैंने आवाज सुनी, "इधर आओ, जलेबी खाओ।" मनोहर श्याम जोशी थे। न जाने उन्होंने कहाँ से देख लिया था कि मैं फँस गया हूँ।

जलेबी पहाड़ियों की प्रिय मिठाई है। गर्मा-गर्म हो तो फिर बात ही क्या है!

47

अज्ञेय–रेखा के आर–पार

॥ पवन चौधरी मनमौजी

सन् 1977 की बात है। मुझे लिखने की लत लग चुकी थी। कुछ लेख अंग्रेजी के अलावा हिन्दी में भी छप चुके थे। वात्स्यायन जी यानी 'अज्ञेय' *नवभारत टाइम्स* के सम्पादक थे। उनके बारे में मुझे खास मालूम नहीं था। कारण कि वे साहित्य के नक्षत्र थे और मैं कानून का साधारण सिपाही। मैं एक दिन *नवभारत टाइम्स* के दफ्तर में कवि मित्र रमेश गौड़ के पास बैठा बतिया रहा था। अचानक मेरी नजर एक कमरे के दरवाजे पर पड़ी जिसके बाहर लिखा था– 'सम्पादक'।

'पण्डित जी, सम्पादक महोदय से मिलना इतना आसान नहीं है, जितना कि आप सोच रहे हैं।' गौड़ ने मुझे समझाया। फिर विश्वास भी दिया कि उपयुक्त अवसर पर वे मेरी मुलाकात करवा देंगे।

दो-ढाई महीने बीत गये। एक शाम अचानक कवि मित्र का फोन आया। सूचना दी कि सम्पादक जी ने अगले दिन चार बजे मिलने का समय दिया है। बताया कि सम्पादक महोदय समय के बहुत पाबन्द हैं। यह सुझाव भी दिया कि सम्पादक से मिलने से पहले मैं उनसे भी मिल लूँ ताकि मुझे आवश्यक सलाह दे सकें।

अगले दिन ठीक साढ़े तीन बजे मैं कवि मित्र के सामने जा खड़ा हुआ। उसने तनिक कम बोलने की सलाह दी। ठीक चार बजे सम्पादक के कमरे के बाहर खड़े निजी सेवक ने मुझे आमन्त्रण का संकेत दिया।

मैंने धीरे से कमरे में प्रवेश किया। एकदम कुर्सी छोड़ते हुए खड़े होकर दोनों हाथ जोड़ते हुए अज्ञेय जी ने अद्भुत मुस्कान के साथ मेरा अभिवादन किया। उनकी इस अकल्पनीय सज्जनता के कारण एक क्षण के लिए मेरा आश्चर्य में डूब-सा जाना स्वाभाविक था। ऐसी सदाशय विनम्रता के साथ कोई प्रभावशाली व्यक्तित्व मुझे शायद पहली बार ही मिला था।

'कहिए?' उन्होंने मुझे अपनी बात कहने का अवसर दिया।

'हुजूर, पेशे से तो मैं वकील हूँ। मगर लिखने का शौक भी है। आपके पत्र के

लिए कुछ लिखने की इच्छा है। यदि आप अनुमति दें तो... ।'

'आप क्या लिखते हैं?'

'मैं अधिकतर कानूनी विषयों पर लिखता हूँ।'

'किस प्रकार के कानूनी विषयों पर?'

'मैं आमतौर पर आम आदमी के लिए आम आदमी की भाषा में लिखता हूँ ताकि आम आदमी कानून के बारे में जान सके।'

'आप कानून और इंसाफ में क्या अन्तर समझते हैं?'

'इस समय तो मैं अधिक नहीं बता सकता। फिर भी, कानून धरती पर है और इंसाफ आसमान पर। कानून कागज की सड़क पर नियमों-उपनियमों की पटरियों पर रेंगता है जबकि इंसाफ, आजाद पक्षी के समान, खुले आसमान में उड़ता है।'

मेरा 'साक्षात्कार' समाप्त हुआ। इसके बाद उन्होंने कुछ निजी संस्मरण सुनाए। यह भी बताया कि उन्होंने जिन्दगी भर कानून बस तोड़े हैं। आखिर में निर्णय सुनाया, 'ऐसा है कि फिलहाल एक महीने में केवल एक लेख छप सकता है। आम आदमी और कानून पर आप एक लेख भिजवा दीजिए।'

'ठीक है।' मैं इतना ही कह पाया था। कवि मित्र की सलाह भी मुझे अच्छी तरह याद थी। फिर भी मुझसे रहा नहीं गया। मैंने पूछ लिया— 'लेख की लम्बाई कितनी होनी चाहिए?'

'यही हजार-बारह सौ शब्द।' मुझे हौसला हुआ। मैंने दूसरा सवाल पूछ लिया— 'यदि आप कोई विषय सुझा देते... ।'

'अच्छा तो ठीक है।' पहले की तरह कुर्सी से उठते हुए और दोनों हाथ जोड़ते हुए उन्होंने मुझे विदा दी।

लेख के विषय में मैं सोचता रहा। फिर खयाल आया कि अज्ञेय जी ने जो सवाल पूछा था — कानून और इंसाफ में क्या अन्तर है — उसका पूरा जवाब ही कहाँ दे पाया था। क्यों न अधूरे जवाब को पूरा कर दूँ लेख के रूप में। लेख लिखकर मैं उन्हें दे आया। मुझे उम्मीद कम थी, पर वह चौथे दिन ही छप गया।

अज्ञेय जी ने महीने में एक लेख — अधिक से अधिक दो — छापने के लिए 'हाँ' कही थी, केवल कानून सम्बन्धी विषयों पर। लेकिन जैसे-जैसे समय गुजरता गया, प्रकाशित रचनाओं की संख्या बढ़ती गयी। अपवाद के तौर पर केवल दो रचनाएँ अप्रकाशित रहीं। एक कहानी 'परीक्षा' को लौटाते हुए उन्होंने पत्र द्वारा उपयोग न किये जाने के कारण से भी अवगत कराया था— युवा वर्ग पर सम्भावित कुप्रभाव। दूसरी रचना एक लेख था। इसमें मैंने राष्ट्रपति नीलम संजीव रेड्डी के एक बयान

की आलोचना की थी। राष्ट्रपति ने कहा था कि वे बुर्का-राष्ट्रपति बनना पसन्द नहीं करेंगे और राष्ट्रपति भवन के बजाय दो कमरे के फ्लैट में रहना पसन्द करेंगे।

लेख को पढ़ने के बाद, उनके दफ्तर में हुई वार्ता भी कम दिलचस्प नहीं थी:

'पवन जी, अभी तक अखबारों में किसी राष्ट्रपति के विरुद्ध इस प्रकार का कोई लेख नहीं छपा है।'

मगर इससे पहले किसी राष्ट्रपति ने भी ऐसा कहाँ कहा है, मैंने तुरन्त उत्तर दिया।

'आपकी बात भी सही है।' उन्होंने लेख रख लिया, पर वह छपा नहीं। बाद में मैंने इसकी वजह पूछी तो उन्होंने कहा– काफी सोच-विचार के बाद मैं इस निर्णय पर पहुँचा कि देश के राष्ट्रपति की आलोचना में हमें थोड़ा लिहाज बरतना चाहिए।

बहरहाल, विशेष बात यह कि मेरी सभी रचनाएँ अज्ञेय जी ने बिना किसी 'तकादे' या अहसान प्रदर्शन के छापीं। मैं उनका मुरीद हो गया।

अज्ञेय जी से सम्बन्ध आगे बढ़ा और बढ़ता चला गया। मैंने दो किताबें छपवाईं, *कानून और हम* और *इंदिरायण* जो आपातकाल के अत्याचारों पर थीं। अज्ञेय जी भी आपातकाल के घोर विरोधी थे। मैंने उनसे लोकार्पण की गुजारिश की। और कौन आ रहे हैं, उन्होंने दरियाफ्त की। मैंने न्यायमूर्ति हरबंस लाल आनन्द का नाम लिया। उन्होंने कैलेंडर पर नजर डालकर हामी भर दी।

आयोजन में मंच पर न्यायमूर्ति ही जब-तब अज्ञेय जी से बातचीत का प्रयत्न करते रहे। अज्ञेय सहज थे, लेकिन बोले लोकार्पण करते हुए ही। मैं इतना अनाड़ी था कि लोकार्पण की किताबें बगैर लपेटे उनके हाथ में यों ही रख दीं। वे अव्यवस्था भाँप गये, पर बोले कुछ नहीं, सहज ही मुस्कुराते हुए मेरी झेंप उन्होंने जैसे मिटाने की कोशिश भी की।

इस आयोजन में अज्ञेय जी जैसी हस्ती की उपस्थिति से मेरी धाक जम गयी। मित्रों को बहुत हैरानी भी हुई। मेरे एक मित्र के पिता फूलचन्द जैन (अब दिवंगत) अज्ञेय जी को जानते थे। उन्होंने मेरी जानकारी बढ़ाते हुए क्रान्तिकारी दौर के कई प्रसंग बताए। यह तो अब जगजाहिर है कि भगतसिंह और चन्द्रशेखर आजाद के समूह में विस्फोटक तैयार करने की भूमिका अज्ञेय जी ने निभाई। लेकिन मेरे लिए यह तथ्य दिलचस्प था कि अंग्रेजों की अदालत के सम्मुख मुकदमों में अपनी पैरवी अज्ञेय जी खुद करते थे। यह 1931 की बात है। फूलचन्द जी के अनुसार अज्ञेय जी की 'वकालत' का लोहा उनके सह-अभियुक्त ही नहीं, बैरिस्टर भी मानने लगे थे। अज्ञेय पर कई अभियोग थे। उन्हें सजा भी हुई। मेरे आग्रह पर फूलचन्द जी ने लाहौर षड्यन्त्र केस की हजारों पृष्ठों पर फैली

कार्रवाई का एक जिल्द बँधा भाग मुझे दिखाया। इसकी जाँच एक आयोग ने की, जिसके अध्यक्ष एस.एस. वाइट थे। मुकदमे का नाम — जिसे बाद में आयोग ने षड्यन्त्र करार दिया — 'क्राउन बनाम कपूरचंद तथा अन्य' था। 'अन्य' में दर्जन से ज्यादा अभियुक्त थे, जिनमें एक 'एस.एच. वात्स्यायन' थे। अन्य अभियुक्तों में विमल प्रसाद जैन भी थे, जिनकी दोस्ती अज्ञेय जी से जीवन के आखिरी दिनों तक बनी रही। अपनी वकालत सिर्फ दो अभियुक्तों ने की थी। दूसरा नाम भी कम महत्त्वपूर्ण न था — विद्याभूषण।

खैर, मैं अपनी दास्तान पूरी करूँ। अज्ञेय जी के साथ पता नहीं कैसा रिश्ता पनपा कि मेरे मस्त स्वभाव और लेखन को देख उन्होंने मुझे 'मनमौजी' की संज्ञा दे डाली। एक दफा मन की मौज यों निकली, अपना घर बनाने की सूझी। मुहूर्त के बाद शिलान्यास करवाना था। मेरे दिमाग में अज्ञेय जी का नाम कौंधा। पर हम सबको संशय था कि वे यह काम नहीं करेंगे। पर यह राय भी बनी कि कोशिश करने में क्या हर्ज है, मना ही तो करेंगे।

अगले दिन, यानी 3 मार्च, 1978 की सुबह, मैं *नवभारत टाइम्स* के दफ्तर पहुँच गया। 'कहिए', वे बोले। मैंने फौरन कहा— आज कोई लेख लेकर नहीं आया हूँ। गुजारिश लाया हूँ। 'कहिए'। जी, अपनी कुटिया बना रहा हूँ, आप उसका शिलान्यास करें, यह इच्छा है। यह अजीबोगरीब प्रस्ताव सुनकर वे कुछ चौंके। फिर बोले, किसी मन्त्री से यह काम करवाते या किसी न्यायमूर्ति को बुलाइए, आपके पेशे की दृष्टि से भी ऐसा उपयुक्त होगा। मैं भी जिद-सी कर बैठा— उन लोगों से मुझे क्या। यह शुभ काम है और इसे आपके हाथों सम्पन्न करवाना चाहता हूँ। उन्होंने हलके-से मुस्कुराते हुए पूछा, "लेकिन मेरे हाथों ही क्यों?"

मुझे याद है, मैंने उनके सवाल का विस्तार से जवाब दिया था। सार यह था कि अच्छे हाथ नींव रखेंगे तो घर अच्छा बनेगा; हमें हमेशा इसका अहसास रहेगा कि एक महान साहित्यकार ने इसकी नींव रखी थी; यह बात मुझे और मेरे बच्चों को घर मर्यादा में रहने के लिए प्रेरित करती रहेगी। "ठीक है, मुझे कब और कहाँ पहुँचना है?" आखिर में उन्होंने पूछा और मेरी जान में जान आयी।

6 मार्च, 1978 को अज्ञेय जी निर्धारित वक्त पर हमारे ठिकाने पर आ पहुँचे— प्लाट नं. 31, मानसरोवर गार्डन। मेरे दोस्तों और परिजनों के साथ चिलचिलाती धूप और गर्म हवा के थपेड़ों को अनदेखा करते हुए वे देर तक खुले में खड़े रहे। फिर मेरे आग्रह पर नींव में उतर गये। मन्त्रोच्चार के बीच जिस आत्मीयता और आस्थाभाव से उन्होंने शिलान्यास किया, उसका वर्णन करना मेरे लिए मुश्किल काम है।

1979 के अन्त में दिल्ली उच्च न्यायालय ने उच्चतर न्यायिक सेवा में भर्ती के लिए इच्छुक वकीलों द्वारा प्रार्थनापत्र भेजने के लिए एक विज्ञापन प्रकाशित किया था। मैंने भी प्रार्थनापत्र भेजने का निर्णय लिया। प्रार्थनापत्र के साथ महान साहित्यकार और सम्पादक 'अज्ञेय' का प्रमाणपत्र लगाने की सूझी। मैं अपने दुपहिए पर सवार हो उनसे मिलने उनके निवास पर गया। उनको अपने उद्देश्य एवं इच्छा दोनों से अवगत करवाया।

आप हिन्दी में चाहेंगे या अंग्रेजी में? उन्होंने सहज भाव से पूछा।

जैसी आपकी मर्जी। जिस भाषा में आप सुविधापूर्वक लिख सकें अथवा लिखना पसन्द करें। मैंने उत्तर दिया।

मैं अंग्रेजी और हिन्दी दोनों में लिख सकता हूँ। जैसा आप चाहें वैसा हो जाएगा। चूँकि आप इसे उच्च न्यायालय के न्यायाधीशों को भिजवा रहे हैं, इसलिए इसे अंग्रेजी में भेजें तो बेहतर होगा। मेरे मन की उलझन को सुलझाते हुए उन्होंने उत्तर दिया।

जैसा आप ठीक समझें। मैं इसे लेने कब आ जाऊँ? मैंने पूछा। कल को छोड़कर कभी भी। परसों शाम तक तैयार कर सकें तो कृपा होगी। ठीक है। तो परसों मैं इसी समय आ जाऊँ। ठीक है।

निश्चित समय पर मैं उनके निवास पर पहुँच गया। दरवाजे की चौखट पर चिपटी घण्टी का बटन दबाया। स्वयं अज्ञेय जी ने किवाड़ खोला। मैं घर में दाखिल हुआ, और कुर्सी पर बैठ गया। उन्होंने दराज खोली, एक कागज निकाला और मुझे थमा दिया। "देख लीजिए, कुछ ठीक भी बन गया है।" मुँह पर हलकी-सी मुस्कान बिखेरते हुए उन्होंने पूछा। इसमें जो लिखा था वह (अनुवाद में) इस प्रकार थाः "श्री पवन चौधरी से मेरी पहली भेंट कुछ वर्ष पहले हुई। व्यक्ति के रूप में, वकील के रूप में तथा लेखक के रूप में, न केवल कानूनी विषयों के सन्दर्भ में, बल्कि सामान्य विषयों के सन्दर्भ में भी मैं उनके गुणों से अत्यधिक प्रभावित हुआ हूँ।"

अक्तूबर 10, 1979
सच्चिदानन्द हीरानन्द वात्स्यायन

पर नौकरी मुझे नहीं मिली। बाद में लम्बे अन्तराल में ऐसे दो अवसर और आये। अज्ञेय जी ने फिर प्रमाण-पत्र दे दिए। मुझे अफसोस नौकरी न पा सकने का नहीं है। अफसोस यह है कि मैंने अज्ञेय जी के दिए मूल प्रमाण-पत्र आवेदन के साथ रख दिये थे। यह बात मुझे हमेशा सालती है और इसका पछतावा मुझे जीवन भर रहेगा। मेरे लिए वे प्रमाण-पत्र जीवन भर की कमाई से ज्यादा कीमती थे।

मुझे अज्ञेय जी के सम्पादन में लिखने के अलावा उनका वकील बनने का भी गौरव हासिल हुआ। 1980 में एक दफा फोन कर उन्होंने कहा कि मुझे आपकी सलाह चाहिए, इस शर्त पर कि आप मेरे साथ वैसा ही सलूक करेंगे जैसा अपने मुवक्किलों के साथ करते हैं। मैंने कहा, मैं आपसे ठीक वैसा ही व्यवहार करूँगा जैसा कि मुझे आप जैसे मुवक्किल के साथ करना चाहिए। रहा फीस का सवाल, वह मुझे एडवांस में पर्याप्त मिल चुकी है। भविष्य में कमी रही तो माँग लूँगा।

काम मामूली था। नैनीताल के पास उन्होंने एक घर खरीदा था। उसकी रजिस्ट्री का काम बाकी था। औपचारिकता भर थी, लेकिन कानूनी झमेलों में छोटा-सा पत्थर कब पहाड़ बन जाए, कहा नहीं जा सकता। हमने तय किया कि नैनीताल जाना होगा। पर अज्ञेय जी फीस को लेकर शायद बहुत सोच रहे थे। एक बार तो चेकबुक सामने रखकर उन्होंने मुँहमाँगी फीस भरने के लिए कलम भी खोल लिया! मैं भी ढीठ था। बोला, आप मुझे अपने साथ नैनीताल की यात्रा के सुख से वंचित रखना चाहते हैं तो बात अलग है।

मई, 1980 का महीना था। तारीख ठीक से याद नहीं। अज्ञेय जी और इला जी अपनी फिएट कार में तड़के ठीक छह बजे मेरी कुटिया के दरवाजे पर पहुँच गये। मैं कार में आगे बैठा। रास्ते में मेरी तरह किसी को भी यह बेचैनी अनुभव होती कि अज्ञेय जी से बात कैसे करें। सवाल के जवाब में निपट मुस्कुराहट से कोई कितना और क्या समझे! हम लोग पहली दफा इतनी देर इतने निकट बैठे थे। लेकिन दोनों के बीच एक 'अज्ञेय रेखा' खिंची हुई थी। बल्कि इस मायने में शायद इला जी और उनके बीच भी।

मैंने नैनीताल वाले घर का जिक्र जान-बूझकर छेड़ दिया। लेकिन तब भी पीछे से कुछ खास वार्तालाप नहीं। मैंने पूछा, क्या उसमें आप रहेंगे? जवाबः ऐसा कर भी सकता हूँ और नहीं भी!

मकान मैंने तब तक देखा नहीं था। कोई खास सवाल उमड़ नहीं रहे थे। फिर भी मैंने कहा– यहाँ लोगों को आपसे मिलने में मुश्किल होगी। दिल्ली में तो आसान है, आपका पता लोग जानते हैं। इस पर अज्ञेय जी मुस्कुराए और बोलेः "आपको एक मजेदार बात बताऊँ। आप हैरान होंगे। यह मेरा एक-सौ-एक वाँ पता होगा।" फिर मेरी दुविधा का जवाब भी दे ही दियाः "मेरा ऐसा विचार है कि जो मुझसे मिलना चाहता है, अगर सचमुच इच्छुक है, तो मेरा पता अवश्य लगा लेगा।"

रास्ते में हम चाय के लिए रुके। आधा-अधूरा वार्तालाप होता रहा। उसे मेरा एकालाप कहना ज्यादा उचित होगा।

कार जब नैनीताल की चढ़ाई चढ़ रही थी, अज्ञेय जी ने ड्राइवर को गाड़ी की

रफ्तार बढ़ाने को कहा। ड्राइवर ने कोशिश की, पर गति में कुछ खास फर्क नहीं पड़ा। अज्ञेय जी ने गाड़ी रुकवा दी। फिर ड्राइवर को पीछे भेज खुद स्टियरिंग सँभाल लिया। और फिएट ये जा, वो जा। वे कार चला नहीं रहे थे, मानो उड़ा रहे थे। मैं बगल में बैठा था। रास्ते घुमावदार थे। मैं सचमुच डर गया। हालाँकि जिस आत्मविश्वास से वे कार चला रहे थे, मैं सुरक्षा को लेकर जल्द आश्वस्त भी हो गया और उनके हौसले का कायल भी।

नैनीताल में हम दो दिन ठहरे। रजिस्ट्री का काम पहले रोज ही निपट गया था। अज्ञेय जी ने एक रात आगे भीमताल के डाक बँगले में रुकने का कार्यक्रम तय कर रखा था। वहाँ से मेहरा गाँव थोड़ी ही दूरी पर है, जहाँ उनका बँगला था। उसकी खैर-खबर भी वे ले लेना चाहते थे।

कचहरी से निकलने के बाद नैनीताल में अज्ञेय जी ने चादरें खरीदीं। फिर भीमताल के रास्ते में गाड़ी रुकवाई और बाहर निकलकर तरकारी खरीदने लगे। तब तक मुझे भीमताल के ठहराव के बारे में कुछ पता नहीं था। वे सब्जियाँ दरअसल डाक बँगले की रसोई के लिए थीं। और चादरें मेरे उपयोग के लिए! डाक बँगले में मेरी 'भीमकाया' को देखते चौकीदार को कहकर पलंग बदलवाया। फिर खाना मेज पर लगा तो सामने बैठकर मुझे आदर से खिलाया। सुबह नाश्ते पर भी यही हाल था। ब्राह्मण होने के नाते मुझे उनकी सेवा करनी चाहिए थी। पर उनके सामने उस वक्त किसी की नहीं चल सकती थी – जिसने उनकी मेजबानी देखी है वह इसे समझ सकता है।

सुबह हम उनके बँगले की ओर बढ़े। अंग्रेजों के वक्त का शानदार बँगला। सड़क के किनारे, पर्वतों और पेड़ों की निगहबानी में। पर वहाँ तक पहुँचाने वाली सड़क बड़ी पथरीली थी। कंकड़ ही नहीं, यहाँ-वहाँ काँटोंभरी झाड़ियाँ भी। मैं ऊपर कम, नीचे ज्यादा देखता था। और अज्ञेय जी? अंग्रेजी टोप में उनकी फौजी की-सी चाल देखने लायक थी। इला जी को भी शायद ऐसे रास्तों का अभ्यास था। पर मुझे कदम-कदम पर पाँव रपटने का भय था। बँगले पर पहुँचे तभी चैन की साँस ली।

बँगले और उसकी प्राकृतिक अवस्थिति को देख मैं अज्ञेय जी की सूझबूझ का कायल हो गया। एकान्तप्रिय लेखक के लिए वह स्वर्ग से कम क्या था। मैं कहे बगैर अपने को रोक न सका– अज्ञेय जी, कभी युवा लेखकों को भी यहाँ रुकने का मौका प्रदान करें! उन्होंने फौरन जवाब दिया– ठीक है!

वे रहते तो मैं भी एक दफा वहाँ फिर से जाता। पर उस एकान्त का सुख मेरी किस्मत में शायद उतना ही बदा था।

उसी वर्ष पश्चिम दिल्ली के मानसरोवर गार्डन में हमने अपनी कुटिया का गृह-प्रवेश

किया, जिसका शिलान्यास अज्ञेय जी ने किया था। मैं उसके लिए भी उन्हें घर लिवा लाया। मेरी पत्नी बिमलेश ने चुन-चुन कर पकवान बनाए, मिष्ठान सँजोए। वे देर तक रुके। कोई चार घण्टे। चाव से खाया। फिर माँग कर कॉफी पी। पत्नी की तैयारी ज्यादा थी, सो बोली– आपने ठीक से कुछ खाया नहीं। अज्ञेय जी बोले– इतना तो मैं दस दिनों में खाता हूँ। उन्हें खाना पसन्द आया था, ऐसा हमें लगा। खाने के बाद अज्ञेय जी ने एक किस्सा यों सुनायाः "हमारे माखनलाल चतुर्वेदी जी को डॉक्टर ने भारी चीजें खाने के लिए मना कर रखा था। तो अक्सर किसी के यहाँ जाकर ऐसे कहते थे– भई, भारी चीजें खाने के लिए तो हमें मना कर रखा है। इसलिए बस हलकी-हलकी पूरी, दूध के ऊपर वाली मलाई इत्यादि ही देना। यानी अपने हलकेपन में ऊपर तैरने वाली चीजें! मैं इसी से गुजर कर लूँगा। इस किस्से पर मैं और बिमलेश उनके जाने के बाद भी हँसते रहे।"

अज्ञेय जी और हममें जमीन-आसमान का फासला था। लेकिन उनकी तारीफ यही थी कि चाहें तो सब दूरियाँ पाट लेते थे। अपनी 'अज्ञेय-रेखा' बनाए रखते हुए भी। उनसे मुझे अमूल्य सीख मिली कि कैसे मित्र, मेहमान और अनजान से व्यवहार किया जा सकता है – स्वयं का स्वाभिमान बनाए रखते हुए और दूसरे के

 स्वाभिमान का सम्मान करते हुए।

कई प्रसंग हैं। स्थानाभाव की वजह से बस एक और। मैंने 1985 में अपनी दो किताबें छपवाईं– *मिस्टर इंसाफ,* दूसरी *वकालत में अदालत* । पाण्डुलिपियाँ लेकर पहुँच गया अज्ञेय जी के हुजूर में। दरख्वास्त यह कि मेहरबानी कर इनकी भूमिका लिख दीजिए। आप यकीन मानिए, 'साधारण पाठक' (उन्हीं के शब्द हैं) के लिए लिखी गयी उन किताबों की संयुक्त भूमिका उन्होंने लिख दी। तीन पृष्ठों में छपी भूमिका लम्बी है, पर उसकी शुरुआत यों थी– "इन पंक्तियों के पाठक को अन्त में लेखक का नाम देखकर शायद उतना ही आश्चर्य होगा जितना मुझे इस बात को लेकर है कि मैं कौन-सी पुस्तक की भूमिका लिख रहा हूँ। श्री पवन चौधरी से मेरा कई वर्षों का परिचय है। लिखते रहने को मैंने उन्हें जब-तब उकसाया भी है।..." और आखिरी पंक्तियाँ इस प्रकार थीं– "ये पुस्तकें उस साधारण पाठक तक पहुँचें जिसके लिए वे लिखी गयी हैं, और उसे उसी दिशा में प्रेरित करें जो लेखक की वांछित दिशा है, यही कामना करता हूँ। साधारण नागरिक की विवेकपूर्ण क्रियाशीलता के बिना समाज को इंसाफ मिलना कठिन ही रहेगा।"

आपने एक मनमौजी लेखक और एक कालजयी साहित्यकार के बीच ऐसे कृष्ण-सुदामा रिश्ते को अन्यत्र कहीं देखा है? देखा हो तो मुझे भी खबर कीजिएगा!

48

अमरकंटक के सहयात्री

॥ राजेन्द्र मिश्र

डाक बँगले का वह कमरा अब ठीक वही कमरा न था, जिसमें मैं वात्स्यायन जी को छोड़कर आया था। बायीं ओर रखी दो कुर्सियाँ दायीं ओर करीने से जमा दी गयी थीं। बीच में रखे पलंग को दीवार की ओर सरका दिया गया था। बन्द खिड़कियाँ खुल गयी थीं। गद्दे के ऊपर साफ-सफेद चादर बिछी थी। मेज पर एक बड़ी डायरी और दो पुस्तकें थीं। ऊपर रखी पुस्तक का नाम था– 'द वेल ऑफ डेज'।

'दिया' या 'मिला' परिवेश बदल गया था। चीजें वही थीं, लेकिन अब वे किसी की समूची उपस्थिति में नया विन्यास पाकर वही नहीं रह गयी थीं।

आज से ठीक चालीस बरस पहले अपने महाविद्यालय के वार्षिकोत्सव में काव्य-पाठ के लिए हमने वात्स्यायन जी और मुक्तिबोध को बिलासपुर आमन्त्रित किया था। मुख्यतः श्रीकान्त वर्मा द्वारा प्रस्तावित इस आयोजन को एस.बी.आर. कॉलेज के अंग्रेजी विभाग के प्रोफेसर एवं छात्र-संघ प्रभारी एस.के. मुखर्जी का उदार समर्थन प्राप्त था। श्रीकान्त *भारतीय श्रमिक* में काम करने दिल्ली चले गये थे। वहाँ उन्होंने वात्स्यायन जी से मिलकर काव्य-पाठ के लिए उनकी स्वीकृति प्राप्त कर ली। इधर मुक्तिबोध नागपुर से राजनांदगाँव आ गये। उन्होंने भी प्रसन्नतापूर्वक आना स्वीकार कर लिया था। वात्स्यायन ट्रेन से आये। उन्हें पोस्ट ऑफिस के पास वाले डाक बँगले में ठहरा दिया गया। अब मुक्तिबोध की प्रतीक्षा थी। कुछ जरूरी काम से कॉलेज जाने पर मालूम पड़ा कि वे भी आ गये और इधर-उधर भटकते हुए वहाँ पहुँच गये हैं।

लगभग दो घण्टे बाद जरूरी काम निपटाकर अपने मित्र जगदीश श्रीवास्तव के साथ मुक्तिबोध जी से मिलने मैं सीधे डाक बँगले पहुँचा। पीछे वाले कमरे का परदा उठा हुआ था। वे चुपचाप कुर्सी पर बैठे गोद में रखे तकिए को परेशान नजर से कुछ इस तरह देख रहे थे जैसे कि उससे लड़ रहे हों। धूल और पसीने के धब्बों से मलिन वह तकिया उनकी समूची चेतना का अशान्त केन्द्र बना हुआ था। वे उसे कुछ देर देखते रहे फिर आँख बन्द कर लेते, फिर आँख खोलते और फिर

बन्द कर लेते थे।

माथे पर उभरती-मिटती रेखाओं से कुछ भी पढ़ सकना मुश्किल था। उन्होंने एक बीड़ी सुलगाई और जलती काड़ी को कुछ देर तक देखते रहे।

जरूर हमसे कोई भूल हो गयी थी, जिससे वे परेशान थे। "आप लोगों ने यह अच्छा आयोजन किया है। बरसों बाद वात्स्यायन जी से मिलना हुआ। अच्छा लगा।"

काड़ी बुझ गयी थी। उन्होंने उसे फेंकते हुए कहना जारी रखा।

"थकान-सी आ गयी थी, इसलिए सो गया था। कुछ देर पहले उठकर देखता हूँ कि यह तकिया मेरे सिर के नीचे रखा हुआ है। जहाँ तक याद आता है कि वह पहले यहाँ नहीं था। पूछने पर पता चला कि यह यहाँ का है भी नहीं। अजीब बात है, है-न, पाट्नर। बहुत ही अजीब।"

यह बोलते हुए वे मेरी आँखों की ओर देख रहे थे। तकिए को लेकर मुक्तिबोध की इस उलझन ने हमें भी उलझा दिया था।

"पाट्नर बात कुछ धीरे-धीरे समझ में तो आ रही है। लगता है कि यह सफेद गिलाफ वाला सेमल का सुन्दर तकिया वात्स्यायन जी का है। अब आप

ही बताएँ यह और किसका हो सकता है? इसे वे चुपचाप मेरे सिरहाने रख गये हैं।...मजे की बात है।"

यह कहते हुए उनकी आँखों में एक चमक उभर आयी थी।

"है-न, पाट्नर!"

कुर्ते की जेब से कुछ निकालते हुए उन्होंने कहा– "आपको थोड़ी तकलीफ तो होगी, लेकिन मेरा एक काम कीजिए। ये पैसे लेकर साबुन ले आइए। मैं इसे धोना चाहता हूँ।"

"मुक्तिबोध जी, यह अठन्नी आप अपने पास ही रखें। गिलाफ मुझे दे दें। यह अभी धुल जाएगा।"

"नहीं पाट्नर, साबुन तो आप इसी पैसे से लाएँगे।" जगदीश ने समझदारी से काम लिया। बिना कुछ कहे वे बाहर से साबुन ले आये।

मुक्तिबोध ने नल के नीचे गिलाफ को ले जाकर उसे रगड़-रगड़ कर धोया। पानी निचोड़ने के बाद उन्होंने बरामदे में रखी आरामकुर्सी पर उसे सूखने के लिए डाल दिया।

छोटी-सी घटना को एक बड़े ताने-बाने में डालकर उससे जूझना मुक्तिबोध का स्वभाव था। वे कहीं भी और कभी भी अशान्त और उद्विग्न हो सकते थे। वे अपने भीतर से औरों से नहीं, उस मुक्तिबोध से भी झगड़ते थे जो कभी उनके पास आता और कभी छिटक जाता था।

वे सम-वेदना में मनुष्य का बुनियादी अध्यात्म पढ़ते, लेकिन दया के अभिजात शिल्प के प्रति सतर्क और चौकन्ने भी रहते।

शाम को महाविद्यालय में काव्य-पाठ सुनने के लिए छात्रों और प्राध्यापकों के अलावा नगर के कविता रसिक बड़ी संख्या में उपस्थित थे। अज्ञेय और मुक्तिबोध जैसे नये कवियों को लेकर यह उत्सुकता मुझे अच्छी लगी थी। मुक्तिबोध जी ने 'सहर्ष स्वीकारा है' और 'मुझे पुकारती हुई पुकार' जैसी दो किंचित् लम्बी और दो अन्य कविताओं का पाठ किया। जहाँ तक याद आता है कि अन्तिम पढ़ी कविता में एक पंक्ति – 'एक ही तो गंगा हैः एक ही देह' थी। मुक्तिबोध कविता इस तरह पढ़ते जैसे उसे फिर से अभी-अभी रच रहे हों। रचने के तापमान में पढ़ने का यह उनका ढंग था। कविता की गति पकड़ने में वे अपनी सारी ऊर्जा को पंक्तियों के उच्चार में समेट लेते।

मुक्तिबोध रची गयी कविताओं के नहीं, रची जा रही कविता के कवि थे। वे अपनी हर कविता को एक बार फिर लिखने के लिए जैसे उत्सुक रहते थे।

वात्स्यायन जी के काव्य-पाठ का ढंग बिलकुल दूसरा था। उनके पाठ में कविता उस अनुभूति की तरह व्यक्त होती थी जो निष्पन्न हो चुकी है। अज्ञेय कुछ हटकर अज्ञेय के कृतित्व का प्रशान्त पाठ करना जानते थे। उन्होंने जो सात-आठ कविताएँ पढ़ीं, उनमें से कुछ थीं – 'एक दिन जब', 'सर्जना के क्षण', 'आखेटक', 'तुम फिर आ गये, क्वाँर' आदि।

लगभग सत्रह साल बाद जनवरी, 1975 में नागपुर में आयोजित पहले विश्व हिन्दी सम्मेलन में वात्स्यायन से फिर भेंट हुई। जिस विधायक विश्रामगृह में मैं ठहरा था वहीं का एक कमरा उनके लिए भी आरक्षित था।

नागपुर आते ही सबसे पहले प्रसिद्ध चित्रकार विनायक मासोजी का ठौर-ठिकाना जानना चाह रहे थे। मैंने अपने कई परिचितों से पूछा, पर वे तो उनका नाम तक नहीं जानते थे। अन्त में भाऊ समर्थ ने उनका ठीक-ठीक पता बताया। वात्स्यायन टैक्सी लेकर उनसे मिलने चले गये। वहाँ से लौटकर वे मेरे कमरे में आये। पता बताने के लिए धन्यवाद भी दिया।

वे मासोजी की स्थिति देखकर बहुत चिन्तित थे।

सम्मेलन में भारतीय भाषाओं के कई लेखक तथा विदेशों से आये हिन्दी प्राध्यापक और भाषाविद् शामिल थे। शिवमंगल सिंह सुमन, नामवर सिंह, धर्मवीर भारती, जगदीश गुप्त, विष्णुकान्त शास्त्री, कमलेश्वर, राजेन्द्र यादव, विष्णु खरे जैसे हिन्दी के लेखक भी आयोजन में शिरकत कर रहे थे।

हिन्दी की इस नयी हलचल के प्रति वात्स्यायन लगभग उदास दीखे।

वे बिलासपुर की पहली यात्रा को याद करते हुए कहने लगे कि उस बार अमरकंटक जाने की भी इच्छा थी, पर पूरी नहीं हुई। मैंने तुरन्त कहा कि आप यदि रायपुर आना स्वीकार करें तो अमरकंटक जाने की आपकी इच्छा पूरी करने का सुखद भार मैं ले सकता हूँ। वात्स्यायन आने को तैयार हो गये।

रायपुर आकर मैंने उन्हें दो पत्र लिखे। पत्रों की पहुँच की सूचना देते हुए उन्होंने लिखाः

25.2.75

प्रियवर,

आपके दोनों पत्र मिल गये। पहले पत्र का उत्तर देने में देर यों हुई कि कार्यक्रम के बारे में बहुत अनिश्चय रहाः मैंने नहीं सोचा था कि आप इतनी देर से चाहेंगे। फिर 26 मार्च के आसपास होली भी है न? – सोच रहा था कि आपने शायद उसे ध्यान में न रखा हो – या कि उन छुट्टियों को ध्यान में रखकर ही '31 मार्च तक' की बात लिखी?

खैर! अब कहीं जाकर विभिन्न योजनाओं का संयोजन कर पाया हूँ। अभी आपको तार दे रहा हूँ कि अगली 11 मार्च को रायपुर पहुँचूँगा – सायंकाल। दिल्ली से हो सका तो, 9 तारीख को ग्रांड ट्रेन से चलूँगा; न हो सका तो 10 तारीख को विमान से पहुँचूँगा (महा अनिश्चय इसलिए है कि एक और यात्रा से 8 तारीख को लौटने की बात है, उसमें देर हुई या अधिक थक गया तो 9 को नहीं चलूँगा।) हर हालत में 10 तारीख शाम को नागपुर पहुँच जाऊँगाः 11 तारीख को सवेरे डाक से चलकर पाँच बजे रायपुर, या वह न हुआ तो एक्सप्रेस से रात को साढ़े दस बजे रायपुर पहुँचूँगा। कौन-सी गाड़ी से आता हूँ, इसकी पक्की सूचना आपको समय से दे दूँगा कि आपको असुविधा न हो। इस हिसाब से आप 12-13 मार्च को भाषण रख सकते हैं जैसा भी वहाँ सुविधाजनक हो; दो भाषणों से अलग एक गोष्ठी या लेखकों आदि से बातचीत का कार्यक्रम भी दोनों में से किसी दिन रख सकते हैं। जो भी कार्यक्रम होगा उसका निर्वाह मैं कर लूँगा।

उसके आगे? आपने अमरकंटक/जगदलपुर का चारा डाला है, उसका लोभ छोड़ नहीं सकता हूँ। पर 17 को शाम तक दिल्ली लौट भी आना चाहता हूँ। क्या आप इसी हिसाब से कार्यक्रम बना ले सकेंगे? समय-सारिणियाँ देखकर पता लगा कि एक गाड़ी (उत्कल एक्सप्रेस) पेंड्रा रोड से सीधी दिल्ली तक आती है – पर सप्ताह में शायद दो दिन – यदि ऐसा ही कार्यक्रम बने और गाड़ी के हिसाब से दिन ठीक बैठे तो यह हो सकता है कि 16 तारीख को पेंड्रा रोड से

गाड़ी पकड़कर 17 की रात को दिल्ली पहुँच जाऊँ। अर्थात् 14-15 और 16 पूर्वार्द्ध अमरकंटक के लिए हो सकता है। नहीं तो अगर आप जबलपुर आदि कहीं छोड़ते हों तो उसी के अनुसार हो सकता है -- वहाँ से इलाहाबाद/दिल्ली आ सकता हूँ। यह सारा विचार आप पर छोड़ देता हूँ: 11 तारीख की शाम मैं वहाँ पहुँच जाऊँगा और 17 की शाम को वापसी के हिसाब से बाकी कार्यक्रम आप बना लें।

भाषणों के विषयः एक के लिए क्या कहानी की चर्चा उपयुक्त होगी? नयी कविता की बातों से तो ऊब चुका हूँ। यदि ठीक हो, तो विषय 'कहानी और यथार्थ' अथवा 'कहानीः यथार्थ के प्रस्तुतीकरण की समस्याएँ' हो सकता है। अपनी प्रतिक्रिया मुझे सूचित कर दें या आपको घोषणा जल्द करनी हो तो 'आज की कहानी' पर बोलेंगे क्या ऐसा कुछ फार्मूला निकल आएगा।

दूसरे भाषण के लिए विषय रामायण से सम्बद्ध भी हो सकता है। तुलसी रामायण का विशेषज्ञ मैं नहीं हूँ, पर राम-कथा की अर्थवत्ता का प्रश्न मेरे लिए कई बार उठा है। आजकल किशारों के लिए रामायण लिख रहा हूँ इसलिए भी। अतः आप ठीक समझें तो 'राम-कथा और आज का पाठक समाज' भी विषय हो सकता है। उससे व्यापकतर (यद्यपि यह काफी व्यापक बन जाता है) विषय चाहें तो वैसा सूचित करेंः फिर कुछ सोचूँगा। आपके पत्र की प्रतीक्षा रहेगी। इधर मैं 11 तारीख के हिसाब से कार्यक्रम पक्का करता चलता हूँ।

सप्रीत अभिवादन के साथ

आपका
वात्स्यायन

पुनश्चः विद्यानिवास जी आएँगे? तभी या अलग से? आवें और अमरकंटक भी चलें तो मजा रहेगा।

वा.

ऊपर के पत्र से स्पष्ट है कि वात्स्यायन अपनी यात्रा को सतर्कता के साथ विन्यस्त करते हुए समय का अधिकतम रचनात्मक उपयोग कर लेना चाहते थे।

नियत तिथि और ट्रेन से वे रायपुर आये। मैं शाम को बूढ़ा तालाब स्थित विवेकानन्द पार्क में उन्हें ले गया। अशोक वाजपेयी के *पूर्वग्रह* को लेकर चर्चा होती रही। पता नहीं क्यों उन्हें ऐसा कुछ लग रहा था कि अब सरकार साहित्य के मामले में भी हस्तक्षेप कर रही है। दूसरे दिन उन्होंने 'राम-कथा और आज का पाठक समाज' विषय पर एकाग्र व्याख्यान दिया। यह देखकर आश्चर्य हुआ

कि न केवल रायपुर के, बल्कि समूचे छत्तीसगढ़ के कस्बों के लेखक, साहित्य प्रेमी, बुद्धिजीवी, प्राध्यापक और अध्येता उन्हें सुनने-देखने बड़ी संख्या में एकत्र थे।

वात्स्यायन जी ने अपने सुचिन्तित व्याख्यान में राम-कथा को लेकर प्रचलित विभिन्न दृष्टियों का विवेचन करते हुए कहा– "सभी दृष्टियाँ एकांगी हैं: यह नहीं कि कोई भी नितान्त अप्रासंगिक है। सब में कुछ तत्त्व है। सभी राम-कथा का आज का जीवित स्वरूप, पहचानने में कुछ सहायक हो सकती हैं, यदि हम किसी एक को मानकर अन्य सभी के प्रति आँख मूँद न लें।" और यह भी कि– "सम्यक् दृष्टि तक पहुँचने के लिए पहले लक्ष्य करना चाहिए कि राम-कथा का स्वरूप लगातार विकसित होता रहा है और यह विकास केवल कथा के अलंकरण के लिए नहीं, विकासमान सत्य के लगातार व्यापकतर रूप को आत्मसात् करने के उपक्रम में होता रहा है।"

लोक साहित्य और संस्कारी साहित्य में आदान-प्रदान के अनेक सुन्दर और रोचक उदाहरणों को प्रस्तुत करते हुए उन्होंने कहा कि इससे दोनों पक्षों को लाभ मिला। एक क्षेत्र की मार्मिक सूझ का लाभ दूसरे को देकर दोनों की दृष्टि को प्रीतिकर विस्तार मिला। यह राम-कथा की प्राणवत्ता ही है कि वह निरन्तर दोनों से शक्ति पाती रही।

दूसरे दिन के व्याख्यान का विषय था– 'कहानी और यथार्थ'। आरम्भ में इस विषय से जुड़े कई तरह के प्रश्नों का उल्लेख करते हुए वात्स्यायन ने कहा कि– "अगर काल की चूल उखड़ी हुई है तो यथार्थ का क्या होता है? 'यथार्थ की पकड़' हमें कैसे होती है? कहानी में लगातार 'यथार्थ की पकड़' की जो चर्चा है, उस पकड़ या पहचान के बारे में जो दावे हैं, उनका क्या होता है?" वात्स्यायन के अनुसार– "यथार्थ की पकड़ की इस शब्द-बहुल चर्चा में लोग दो चीजें मानकर चलते जान पड़ते हैं जो दोनों ही प्रश्नाधीन हैं: पहली यह कि यह इकहरा या एकस्तरीय होता है। जो दीखता नहीं है, या थोड़ा और आगे बढ़कर कह लें, कि जो गोचर नहीं है वह यथार्थ नहीं है – यह एक नये प्रकार का अन्धापन है जिसे यथार्थ-बोध का नाम दिया जाता रहा है। और अगर यथार्थ के वास्तव में अनेक स्तर होते हैं, तो केवल बाहरी खोल को देखने तक सीमित रहने में कौन-सी बहादुरी या विशिष्ट प्रतिभा है?"

तीसरे दिन अर्चना के आमन्त्रण पर वे 'गोपाल भवन' आये। हमारी सास से बांग्ला में बातचीत करते रहे। 'चुप्पे' के रूप में विख्यात यह कवि 'अड्डा मारना' भी जानता था। उसे देसी-विदेशी कितने चुटकुले याद थे। यदि आपसे उसकी पट गयी तो वह आपको घण्टों बाँधे रख सकता था।

रात की ट्रेन से हम बिलासपुर आ गये। उसी डाक बँगले में उन्हें ठहरना था, जहाँ वे बरसों पहले ठहरे थे। सोने से पहले मुक्तिबोध को याद करते हुए उन्होंने *तार सप्तक* के प्रकाशन का वृत्तान्त बताया।

दूसरे दिन वहाँ उनका एक व्याख्यान हुआ। एक अन्य आयोजन में नगर के लेखकों से मिले। रात में रामबाबू सोंथलिया द्वारा की गयी समुचित व्यवस्था और सतीश जायसवाल की देख-रेख में हम सब कार से अमरकंटक के लिए रवाना हुए।

रास्ते में जगह-जगह जंगल में लगी आग को वात्स्यायन ध्यान से देखते रहे। केंवची में ठहरकर हमने चाय पी। उन्होंने कैमरे से कुछ तस्वीरें भी लीं। पहाड़ की आड़ी-टेढ़ी सड़क से गुजरते हुए हम भोर होने से कुछ पहले अमरकंटक पहुँच गये। सतीश के चालाक यत्न से वन-विभाग के 'गेस्ट हाउस' का दरवाजा खुला।

सुबह 'पलंग चाय' पाकर मैं हैरान हो गया। बाहर जाने के लिए पूरी तरह से तैयार वात्स्यायन जी ने जाने कब उठकर यह इन्तजाम हमारे लिए किया था। तुरत-फुरत तैयार होकर मैं भी बाहर आ गया।

वन-प्रान्त के साथ अज्ञेय के घने संवेदन-सम्बन्ध रहे हैं। प्रकृति के वृक्ष, वनस्पति, नदी, पहाड़ और सन्नाटे में भी उन्होंने अपनी परम्परा को देखा-पढ़ा है। पेड़ से झरते पत्तों की लय को वे ध्यान से सुनते और उसके सौन्दर्य पर मुग्ध होते थे। मैं देख रहा था कि वे एक विशाल वटवृक्ष, जिसकी झूलती जड़ें मानो उसकी दूर तक फैली डाली को सहारा दे रही थीं; के सामने कुछ इस तरह से खड़े थे जैसे वह कुछ उनसे कह रहा हो और जिसे ध्यान से वे सुन भी रहे हों।

हम नर्मदा कुण्ड में आ गये। वात्स्यायन जी के साथ नर्मदा के स्रोत-जल का स्पर्श किया। 'माई की बगिया' में बूँद-बूँद टपकते पानी के कारण एक बावड़ी बन गयी थी। किसी ने कहा कि वास्तव में नर्मदा यहीं से निकली है। एक जटाधारी साधु को वात्स्यायन जी ने कुछ रुपये दिए। मैंने कहा– "आप तो पूरे आस्तिक निकले।"

"नास्तिक तो नहीं ही हूँ।" –यह कहते-मुस्कुराते अज्ञेय आगे बढ़ गये।

हमें पेंड्रा रोड पहुँचना था। वात्स्यायन जी ट्रेन से भोपाल जाना चाहते थे। हमने दिशा बदली। कुछ ही दूर गये होंगे कि कवि के इशारे पर कार रोक दी गयी। वह माइल स्टोन था, जिसमें शून्य से नीचे अमरकंटक लिखा हुआ था। अपने कैमरे को एक निश्चित कोण पर रखते हुए वे पास की चट्टान पर बैठ गये। उन्होंने मुझे भी पास बुलाया। शून्य, अमरकंटक और अज्ञेय के साथ उतरे छाया चित्र को आज तक मैंने जतन से रखा है।

वात्स्यायन को पेंड्रा रोड से पलाश की डाली के साथ हमने विदा किया। वे भोपाल रुकते हुए दिल्ली चले गये। कुछ दिनों बाद उनका पत्र मिलाः

ए 3/5 वसन्त विहार
नयी दिल्ली 7.4

प्रियवर,

आपका पत्र मिल गयाः अन्य सामग्री की प्रतीक्षा है।

मैं तो आकर फौरन पिछड़े कार्य में डूब गया; यात्रा अत्यन्त-व्यस्त रहकर भी इतनी प्रीतिकर रही थी कि थकान नहीं, स्फूर्ति ही लेकर आया था। अभी पूरा तो नहीं कर पाया पिछली क्षति को, पर बहुत-सा काम निपटा लिया है और रायपुर/भोपाल के भाषणों का लिखित रूप भी कुछ-न-कुछ कर ही लिया है – सिर्फ रामायण वाले भाषण के और अस्मिता वाले के – इनकी टेप से प्रतिलिपियाँ आ जाएँ तभी करूँगा। यथार्थ वाला तो प्रायः नया ही तैयार कर लियाः वह प्रतीक के मई अंक में दे भी रहा हूँ। जल्दी का एक कारण यह भी था कि वह सामग्री मूलतः एक भूमिका के लिए जोड़ी थी – अपने एक कहानी संग्रह की भूमिका के लिए।

फोटो आ गयेः साथ चार भेज रहा हूँ। जिस आश्रम में नर्मदा कुण्ड था, उसका नाम मुझे याद नहीं रहाः आप फोटो भिजवाएँ तो उस पर अवश्य टीप दीजिएगा। आपके सहयोग और उत्साह से अमरकंटक की यात्रा सम्पन्न हो गयी – यद्यपि ऐसी तूफानी ढंग से! – इसके लिए आपका आभारी हूँ। बिलासपुर के रामबाबू का भी सहयोग तो स्मरणीय है ही। वहाँ के नाम-पते मेरे पास नहीं हैं – आप सब भेज देंगे तो उन्हें भी पत्र लिख दूँगा।

रायपुर के पहले दिन के ब्योरे वाले अखबार तो मैं ले आया था; दूसरे दिन के तथा बिलासपुर के जिनमें हों उनकी कतरनें भी भेज दें तो उपकार होगा। मुझे याद पड़ता है कि अंग्रेजी हितवाद ने शायद प्रेस वाली बातचीत कुछ गलत ढंग से प्रस्तुत की – पर वह तो होता ही रहता है।

आपका दिल्ली की तरफ आने का सुयोग बने तो अवश्य सूचना दीजिएगा। मैं कभी भी जगदलपुर की तरफ जा सकने की ताक में रहूँगा!! यों अमरकंटक की यात्रा से यह समझ में आया कि आरम्भ का शरदकाल इन प्रदेशों के लिए उत्तम है – सितम्बर-अक्टूबर, दशहरा या उसके आसपास। यही बात शायद पंचमढ़ी के लिए भी सत्य होगी।

श्रीमती अर्चना को मेरा सादर नमस्कार देंः उन्होंने मेरे लिए जो कष्ट

उठाया उसके लिए मेरी ओर से क्षमा-याचना भी उन तक पहुँचा दें।

आपके तथा उनके लिए अपनी नयी पुस्तक *अन्तरा* तथा एक-दो और पुस्तकें भेज रहा हूँ अलग डाक से। पहुँच दीजिएगा।

हाँ, उस मानपत्र की फोटो भी दो-चार दिन में भेजूँगा – वह फिल्म धुल जाए। तभी प्रिंट निकल सकेंगे।

विभु कुमार को और अन्य सभी बन्धुजनों को सप्रीत नमस्कार पहुँचा दें।

आपका
वात्स्यायन

अपने पत्र के साथ जो फोटो भेजें, उनमें से एक वह भी जिसके उतारे जाने का जिक्र मैंने ऊपर किया है। उसके पीछे लिखा हैः

"यों वर्षों से सालता हुआ कंटक निकल गया।"

अमरकंटक के सहयात्री को–

अज्ञेय

उसके बाद जब कभी दिल्ली जाता, वात्स्यायन जी से, यदि वे वहाँ होते तो जरूर मिलता था।

अज्ञेय के कृतित्व पर केन्द्रित एक आलोचनात्मक पुस्तक सम्पादित करने की योजना बना रहा था। इसके लिए मुख्यतः रमेशचन्द्र शाह, अशोक वाजपेयी, रामस्वरूप चतुर्वेदी, विद्यानिवास मिश्र, चन्द्रकान्त बांदिवडेकर आदि के साथ मदन सोनी और उदयन वाजपेयी जैसे युवा लेखकों से सहयोग के लिए उन्हें पत्र लिखने वाला था। यह सोचकर कि वात्स्यायन जी कुछ ऐसे भी लेखकों के नाम बता सकते हैं जिन्होंने विवेकपूर्ण ढंग से उन पर लिखा हो, और वे मेरे ध्यान में न हों, मैंने उन्हें समूची योजना के बारे में किंचित् विस्तार से एक पत्र लिखा। कुछ दिनों बाद मुझे इस सिलसिले में उनका पत्र मिलाः

सच्चिदानन्द वात्स्यायन 1 दिसम्बर, 1986
कैवेंटर्स ईस्ट, कैवेंटर लेन
नयी दिल्ली-110021

प्रियवर,

आपका पत्र पाकर एक सुखद आश्चर्य हुआ। आपको और अर्चना जी को याद करता रहता हूँ और ध्यान आता रहता है कि वर्षों से भेंट नहीं हुई। अब

1987 में भेंट होने की सम्भावना कर रहा हूँ लेकिन अभी कोई निश्चित कार्यक्रम नहीं बना है। इस बीच एक बार झाँसी-चिरगाँव जाने की आशा करता हूँ, पर इसका भी कोई पक्का कार्यक्रम अभी नहीं बना है। छतरपुर में दद्दा की प्रतिमा की प्रतिष्ठापना की बात हो रही है, उस अवसर पर जाना सम्भव हुआ तो वहाँ जाऊँगा।

आपकी पुस्तक की योजना से थोड़ा कुतूहल हुआ। यों पुस्तकों में जो छपा हुआ है, विशेषकर उन पुस्तकों में जो अभी उपलब्ध हैं और जिनके लेखक अभी स्वयं अप्रासंगिक नहीं करार दे दिए गये हैं (जैसा कि मध्य प्रदेश में मैं) उसी को फिर से संगृहीत कर देना विशेष उपयोगी तो नहीं जान पड़ता – थोड़ी-सी सुविधा उस शोधकर्ता को जरूर हो जाएगी जो अधिक पढ़ना नहीं चाहता। शायद ज्यादा अच्छा यही हो कि आपने जिन लेखकों के नाम लिये हैं, उनसे नये लेख माँगे जाएँ। चाहे फिर यही हो कि पुराने लेखों को आलोच्य लेखक की बाद की रचनाओं के आधार पर संशोधित-संवर्धित कर दिया जाए।

पुस्तकाकार छप चुके लेखों की बात ही हो तो दो-एक नाम और जोड़े जा सकते हैं। और अगर पुस्तक का बन्धन न हो, पत्र-पत्रिकाओं की बात भी सोची जा सकती हो तो कुछ नाम और भी जोड़ सकते हैं। आपकी सूची के अलावा जिन लेखकों की आलोचनाएँ मुझे सविवेकपूर्ण लगी हैं उनमें पं. विष्णुकान्त शास्त्री, डॉ. नन्दकिशोर आचार्य, डॉ. कृष्णदत्त पालीवाल, श्रीमती राजी सेठ, डॉ. महेन्द्र मधुकर, डॉ. निर्मला शर्मा, डॉ. महाराज कृष्ण वोहरा के नाम ले सकते हैं। यों तो हरिशंकर परसाई, नागार्जुन, नवल, कमलेश्वर आदि की भी आलोचनात्मक दृष्टियाँ हैं, जिनकी बानगी आलोचना ग्रन्थ के पाठकों को मिलनी चाहिए। लेकिन मैं शायद अधिक कुछ कह गया – आपने जितनी राय माँगी थी उससे आगे चला गया। ऐसा हुआ हो तो उतनी बात को भुला दें।

आशा है, आप सपरिवार प्रसन्न हैं। अर्चना जी को मेरा सादर नमस्कार दें।

आपका

(सच्चिदानन्द)

पूर्वग्रह ने 11 से 13 जनवरी, 1987 को 'भारत भवन' में आलोचक त्रैवार्षिकी का आयोजन किया था। अज्ञेय उसमें शामिल होने वाले थे। इसी तथ्य को ध्यान में रखते हुए ही शायद उन्होंने अपने पत्र में भेंट होने की सम्भावना का जिक्र किया था।

वल्लभ विद्यानगर से चलकर प्रो. विष्णुकान्त शास्त्री के साथ उज्जैन पहुँचा। वहाँ से बस से आते हुए एक दुर्घटना में फँस जाने के कारण हम लगभग दो

बजे दोपहर भोपाल पहुँचे। जाहिर है कि *समवाय* का पहला सत्र समाप्त हो गया था। लेखक भोजन के लिए 'जहाँनुमा' लौट आये थे। मैं जब वहाँ पहुँचा तो काउंटर के पास एक सोफे पर वात्स्यायन जी बैठे अशोक वाजपेयी से बतिया रहे थे। मैंने उन्हें नमस्कार किया। मुस्कुराते हुए वे खड़े हो गये। विनोद जी की कविता के लहजे में 'अज्ञेय की मुस्कुराहट थी।' उनसे कुछ बोलने में मुझे संकोच हुआ। अशोक जी को जल्दी-जल्दी देर से आने का कारण बताते हुए मैं अपने लिए निर्धारित कमरे में चला गया।

शाम को वात्स्यायन जी को 'भारत भवन' में देखा, न वे कुछ बोले और न मैंने ही बोलना उचित समझा। अज्ञेय बिना बोले ही कुछ कह जरूर रहे थे, जिसे उस समय समझना मेरे लिए कठिन था।

दूसरे दिन सुबह भी कुछ ऐसा ही घटा। शाम को मैं उनके पास गया। नमस्कार करते हुए मैंने कहा– "वात्स्यायन जी, आप मुझे पहचान नहीं रहे हैं। मैं राजेन्द्र मिश्र हूँ।"

"यही तो मैं भी आपसे पूछना चाहता हूँ– राजेन्द्र जी! आप मुझे पहचान नहीं रहे हैं। मैं वात्स्यायन हूँ।" अज्ञेय ने कहा।

वे सही कह रहे थे, दरअसल मैं वात्स्यायन जी को कितना पहचानता था!

अमरकंटक के सहयात्री होते हुए भी अन्ततः वे 'अज्ञेय' थे।

49

लघु अंजली हमारी

॥ शम्पा शाह

हमारे घर कोई ऐसे व्यक्ति आने वाले हैं, जो बहुत ही बड़े और महान होंगे, क्योंकि मम्मी तो मम्मी, पापा भी घर की साफ-सफाई में जुटे हैं। पापा को उनके साथ साँची जाना है और मम्मी कह रही हैं कि वे भी साथ चलेंगी। इस पर दोनों की नोंक-झोंक चल रही है, क्योंकि पापा-मम्मी दोनों के साँची जाने का अर्थ है – मेरा और मेरी एक साल की बहन राजुला का भी साथ चलना।

सबेरे तड़के ही वे आ गये। यानी अज्ञेय जी। चेहरे पर मुस्कान, जो आँखों से, चमकते दाँतों से, एक दूसरे से गुँथे उनके हाथों से – सबसे फैल रही थी। उन दिनों मेरी किसी से मिलने में जरा दिलचस्पी नहीं रहती थी। पर मम्मी-पापा में आने वाले आगन्तुक को लेकर जैसा उत्साह था, उसे देख कुतूहलवश मैं भी कमरे में ताका-झाँकी कर रही थी। परदे के पीछे से झाँकते हुए उस उम्र में भी दो बातों का भरपूर एहसास हुआ था – एक तो उनकी मुस्कान, जिसके चलते वे न बोलते हुए भी चुप नहीं लगते थे। और दूसरा, कि उनके होने से कमरा जो काफी बड़ा और खाली था, भरा-भरा लग रहा था। लगता था जैसे बहुत-से आत्मीयजन एक साथ बैठे हुए हैं। मम्मी ने मुठिए के साथ गाजर का हलुआ भी दिया और थोड़ा झेंपते हुए बोलीं– 'मुझे मालूम है, आज आपका जन्मदिन है।' इस पर आगन्तुक को विस्मय हुआ और बहुत खुशी भी। पर, यह सब भी हमें सिर्फ उनके मुस्कुराते चेहरे से ही पता चला। कहा शायद उन्होंने तब भी कुछ नहीं! यह हो सकता है कुछ इतने धीरे से बुदबुदाया हो जिसे किसी ने नहीं सुना। चाय के दौरान मम्मी ने उनसे यह भी कह दिया कि वे भी उनके साथ साँची जाना चाहती हैं। वे बोले– 'मुझे तो बहुत खुशी होगी यदि सब चलेंगे। मैंने तो आपको असुविधा होगी यह सोचकर सिर्फ रमेश जी का नाम लिखा था।'

हम सब साँची में तीन दिन रुके। जिसमें से एक दिन ताँगे से उदयगिरि भी गये थे। आज याद करते हुए सब कुछ कितनी दूर और फिर भी कितना पास लगता है। अज्ञेय जी का कक्कू को गोद में लिये घूमना। मेरा फोटो खींचने की

उनकी बच्चों सी जिद। मुझे फोटो उतरवाना बहुत खराब लगता था, आज भी लगता है। और तब इस बात का तो अहसास ही नहीं था कि तमीज या लिहाज भी कोई चीज है, या कि, दूसरे का मन रखने के लिए भी कुछ करना चाहिए। आज अपने उस अड़ियलपने पर तो शर्म आती ही है, पर फिर भी समझ में नहीं आता कि अज्ञेय जी (वे तो आखिर उस समय भी बड़े थे) को मेरा फोटो खींचने की ऐसी जिद क्यों थी?

इस यात्रा के दो वर्ष बाद एक शाम अचानक ही अज्ञेय जी घर आ गये। घर पर सिर्फ मैं और पापा ही थे। हड़बड़ाहट में मुझे समझ ही नहीं आया कि मैं क्या करूँ! बस इतना तय था कि कुछ करना चाहिए। मैंने ब्रश उठाया और लगी बाथरूम के फर्श और दीवार को घिसने। रगड़-रगड़ कर उसे आधे घण्टे चमकाया। बाहर आयी और बैठक की दीवार से कान लगाकर सुना तो वे पापा से कह रहे थे– 'चाय नहाने के बाद पिएँगे।' मुझे घोर आश्चर्य हुआ, दिसम्बर की ठिठुरती शाम छह बजे नहाने में क्या तुक हुई? लेकिन फिर मैं अपनी दूरदर्शिता पर खुश हुई कि वाह मैंने भी क्या सोच-विचार कर काम चुना। अज्ञेय जी करीब आधे घण्टे तक नहाते रहे और मैं...मेरे ही नहीं, पापा के भी आश्चर्य से कान खड़े थे, क्योंकि बाथरूम से खासी गाने की आवाज आ रही थी। मेरे रगड़-रगड़ के बाथरूम धोने और अज्ञेय जी के उसी वक्त नहाने की इच्छा को मैं वर्षों तक महज संयोग समझती रही। बहुत बाद में जाकर यह समझ में आया कि मेरे रगड़-रगड़कर बाथरूम धोने की वजह से ही उस सर्दी की शाम वे इतनी देर तक नहाए थे। छोटी-से-छोटी बात पर भी ध्यान देना और बिना कुछ कहे दूसरे को बड़ा बना देना उनकी खूबी थी।

बाद में कई बार मिलना हुआ। वे हमारी बात को इतने ध्यान से सुनते कि हम बिना संकोच के अपने बचकाने किस्से उन्हें सुनाने लगते। लगता ही नहीं था कि वे बड़े हैं और हम छोटे। कि, हमारी ऊलजलूल बातों में उन्हें भला क्या रस हो सकता है! ऐसा विश्वास, जो हममें विश्वास जगाता, ऐसा खुलापन जो हमें भी खोलता, ऐसी ऊँचाई जो हमारा कद भी ऊँचा कर देती। हम उन्हें अपने स्कूली ऐडवेंचर सुनाते और फिर वे हमें अपने। उन्होंने हमें बताया था कि एक बार वे अल्मोड़ा के निकट एक गाँव में रामलीला देख रहे थे। हनुमान जी को लंका के लिए छलाँग लगानी थी कि तभी हनुमान जी स्टेज से कूदे और दर्शकों में से एक सज्जन से, जो उस वक्त बीड़ी पी रहे थे, बोले – 'जल्दी बीड़ी दे भइया, मुझे बहुत दूर जाना है।' ऐसे ही कितने किस्से हमने सुने होंगे – खासतौर से खाने की मेज पर, जहाँ देर तक बैठना उन्हें बहुत प्रिय था। अज्ञेय जी को बागवानी का शौक था तो वे सज्जन उन्हें बाग के एक-एक विलक्षण पौधों के बारे में बता रहे थे।

रक्तचम्पा के बारे में उन्होंने बताया कि इसकी डाल जब कहीं से चोरी से लायी जाए तभी लगती है। अज्ञेय जी ने उन्हीं सज्जन के यहाँ से, उसी रोज, उसी घूमने के दौरान रक्तचम्पा की डाल उनके बताए नियमानुसार प्राप्त की और अपने बाग में सफलतापूर्वक लगाई।

चूँकि वे कम बोलते थे, इसलिए अपने को व्यक्त करने के तरीके भी उनके बड़े अलग थे। मसलन, उनके हाथ की उँगलियाँ हमेशा किसी न किसी तरह की लय में थाप देती रहती थीं। जो भी लोग उन्हें निकट से जानते थे, वे उनकी उँगलियों की थाप से ही बता सकते थे कि वे प्रसन्न हैं या चिन्तित या फिर क्रुद्ध। खाने की मेज पर उनकी यह आदत भी कमाल की थी कि हर कटोरे, प्लेट, गिलास को हौले-हौले चम्मच से बजा-बजाकर देखते। बड़ी उम्र के लोगों में इतने चाव से खाना खाते भी हमने बहुत कम लोगों को देखा है।

1987 में मैंने भारत भवन में चीनी मिट्टी से कुम्हारों के चाक पर काम करना सीखा। एक-डेढ़ महीने बाद भट्ठी लगाई गयी और उसमें मेरा भी कुछ काम पकाया गया। पकाकर जिस दिन मैं घर लायी, उस दिन संयोग से अज्ञेय जी घर पर ही थे। मुझे पता चला कि उन्होंने भी एक समय में पॉटरी की थी। बल्कि उनकी बनाई चीजें मैंने देखी थीं उन्हीं के घर पर। लिहाजा अपना काम उन्हें दिखाने की तो मेरी हिम्मत ही नहीं थी। मैं थैला लिये चोरों-सी बचती हुई घर के पिछले दरवाजे से घुसी, ताकि उनसे आमना-सामना न हो। लेकिन ठीक उसी क्षण वे पानी पीने की गरज से अन्दर आये। मेरा चोरों-सा चेहरा और बेडौल थैला देख उन्हें खटका हुआ होगा, फौरन बोले– 'क्या लायी हो?' मैं इतनी अचानक पकड़ी गयी थी कि किसी भी तरह का झूठ गढ़ने में असमर्थ रही – थैला उनके हवाले कर दिया और वे एक-एक पॉट को कागज में से निकालकर मेज पर रखने लगे। वे सब बहुत साधारण और नौसिखिए द्वारा बनाई चीजें थीं। पर वे एक-एक को हाथ में लेकर उलटते-पुलटते घण्टे भर तक वहीं खड़े रहे। शुरू में तो इतनी परेशान थी कि मुझे लग रहा था कब पिण्ड छूटेगा। फिर लगा कि इतनी देर तक क्या देख रहे हैं? फिर धीरे-धीरे साहस बढ़ा, मन को कुछ भान आया, अपनी बनाई चीजों में भी कुछ दिखने लगा। वे पूछने लगे कि फलाँ 'ग्लेज' कैसे आया? क्या अपने आसपास मिलने वाली मिट्टी या पत्थरों का प्रयोग भी किया है? और फिर यह कि कैसे उन्होंने अपने एक पॉट को रंग लगाकर उसमें क्वार्ट्ज पत्थर के टुकड़े रख दिए थे और जिनके भट्ठी में पिघलने से ऐसे रंग आये कि सब पूछते थे, यह कैसे आया?

उन पन्द्रह-बीस पॉट्स में से एक पानी का 'जग' उन्हें विशेष पसन्द आया था। यह बात भी उन्होंने कही नहीं, पर घर में सबको पता थी। क्योंकि खाना खाते

वक्त वे उसी में से पानी पीते, बहुत बार उसे छूते और दूसरे किसी को उसमें से पानी नहीं पीने देते। मुझे यह देख अभिमान होता, अच्छा भी लगा। मम्मी ने मुझे कहा कि वह 'जग' मैं उन्हें दे दूँ। पर मुझे बेहद संकोच हुआ। लगा, अभी तो सीखना शुरू ही किया है और फिर वे स्वयं बहुत अच्छे पॉट बना चुके हैं, उन्हें भला कैसे दिया जाए! सोचा कभी ऐसा 'जग' अवश्य बनाऊँगी, जो उन्हें दे सकूँगी। उस जग को न देने का मलाल आज तक है और ऐसा 'जग', जो उन्हें दे सकूँ, जाने कब बनेगा?

इसके बाद की यात्रा में वे भारत भवन की 'कवि भारती' नामक कविता गोष्ठी में हिस्सा लेने आये हुए थे। मैंने अपने इतराने के क्षण में उनसे यह कह दिया कि मैं उन्हें भारत भवन का सिरेमिक वर्कशॉप दिखाना चाहती हूँ, जहाँ काम करती हूँ और साथ ही अपने गुरु दरोज जी से भी मिलवाना चाहती हूँ। उन्होंने कहा ठीक है, मैं सुबह के सत्र के दौरान कभी भी उन्हें ले जाऊँ। कह तो दिया, लेकिन बाद में मेरे काटो तो खून नहीं। इतने लोगों के बीच से उन्हें कैसे ले जाऊँ? और फिर स्टूडियो देखने में उनकी क्या दिलचस्पी हो सकती है? फिर सोचा उन्हें तो शायद याद भी न होगा और मैं भी दुबारा जिक्र नहीं करूँगी। मैं दोपहर को उस तरफ गयी ही नहीं, बल्कि देर शाम तक उनसे नहीं मिली। शाम को वे ही मेरे कमरे में आये और बोले– 'तुम आयी नहीं। तुम्हें लोगों के बीच से मुझे उठाने में संकोच होगा, सोचकर मैं दो बार बाहर भी आया था।' शर्म से मेरा मुँह तो पकी हुई नारंगी-सा हो गया। जब मम्मी ने मेरे न आने का कारण बताया तो वे बोले– 'ठीक है, अभी चले चलते हैं।'

रात के आठ बजे वे घर से पैदल ही हमारे साथ फिर से भारत भवन गये, हमारा स्टूडियो देखा, काफी देर तक वहाँ रहे। दरोज सर ने चाक पर एक सुन्दर आकार गढ़ा और सहज ही अज्ञेय जी से उस पर हस्ताक्षर करने का आग्रह किया। पर अज्ञेय जी ने मना कर दिया। हम सबको थोड़ा बुरा भी लगा, अटपटा भी। पता नहीं उन्होंने हस्ताक्षर करने से इनकार क्यों कर दिया। शायद वे स्वयं कुछ बनाना चाहते थे या फिर दूसरे के बनाए गये रूपाकार पर हस्ताक्षर करना उन्हें न भाया हो या पता नहीं क्या...। अगले दिन, यानी एक अप्रैल की शाम वे दिल्ली चले गये और चार को यह खबर आयी कि वे इस नश्वर लोक से ही विदा हो गये। हम लोगों के लिए यह एक असम्भव घटना थी, क्योंकि घर के हर कोने, हर चीज पर उनकी मौजूदगी की ऊनी-ऊनी आँच थी। वह तख्त जिस पर वे अनेकों बार हमारे यहाँ सोए, इतना छोटा था कि उनके पैर उसके बाहर निकले रहते और हर करवट पर वह चूहों-सा चींचीं-चूँचूँ करता था। उस तख्त की इन तमाम विशेषताओं पर भी हमारा ध्यान बाद में ही गया। उन्होंने हमें इसका अहसास कभी नहीं होने दिया।

इस 'कवि भारती' ने मेरे जीवन में एक अपूर्व सुख का द्वार भी खोला – कविता को पढ़ने का सुख। कुछ अजीब बात है कि इसके पहले तक मैं गद्य तो बहुत चाव से पढ़ती थी, पर कविता को पढ़ने की समझ या कहिए स्वाद, अभी भी मेरे भीतर परीकथा की सोती राजकुमारी की तरह सोया हुआ था। किसी जादुई छड़ी की तरह अज्ञेय जी की आवाज में ये पंक्तियाँ–

'धुंध ढकी कितनी गहरी वापिका तुम्हारी
लघु अंजली हमारी...'

मेरे भीतर उतरती चली गयी और सोई राजकुमारी को हौले से जगा दिया।

वे इतने सालों से हमारे घर आते थे। पर मैंने *शेखरः एक जीवनी* को छोड़कर कुछ भी न पढ़ा था। सब कुछ उनके कभी न आ सकने की सम्भावना के बाद ही पढ़ा। कितना सुख मिला और साथ ही कितनी कोफ्त हुई, ऐसा लगा जैसे किसी ने धोखा किया हो, ट्रेन में बिठा स्वयं झाँसा दे लापता हो गया हो...। उनकी कविता, उनके लेखन ने जो सुख दिया, उसे कितने हाथों से लेती हूँ, उसका निर्मल प्रवाह लगातार मेरी उँगलियों से होकर बहता है।

50

तीर जैसे निशान

॥ राजेन्द्र उपाध्याय

अज्ञेय के अपनेपन की आँच आज भी आसपास महसूस करता हूँ। उनको अब भी आसपास पाता हूँ। उनके कैवेंटर्स ईस्ट वाले घर में कई बार गया हूँ। कुछ देर इन्तजार करने के बाद वे आते – जब नहीं आते तब भी उनके ड्राइंग रूम की हर चीज बोलती थी कि वे हैं, यहीं कहीं और आ रहे हैं। उनके बगैर भी हर चीज से उनकी उपस्थिति अनुभव होती थी। वे नहा-धोकर, सज-सँवरकर ही बाहर निलकते थे।

उनसे पहली मुलाकात कलकत्ते के कला मन्दिर में हुई थी। उन्होंने हठ करके ज्ञानपीठ पुरस्कार समारोह कलकत्ते में रखवाया था। तब तक सभी ज्ञानपीठ पुरस्कार दिल्ली में प्रधानमन्त्री-राष्ट्रपति ही देते आये थे। उनको चौदहवाँ ज्ञानपीठ पुरस्कार कलकत्ते में 28 दिसम्बर, 1979 को नृत्यांगना रुक्मिणी देवी अरुंडेल ने दिया। उदयशंकर के नर्तक बेटे (अब स्वर्गीय) ने 'असाध्य वीणा' पर अविस्मरणीय नृत्य प्रस्तुति दी थी। मैं तब कलकत्ते में एम.ए. हिन्दी का छात्र था। प्रभाकर माचवे कलकत्ते में भारतीय भाषा परिषद के निदेशक होकर आये थे। अज्ञेय ने उस पुरस्कार समारोह में कहा था कि 'मेरे अधिकांश मित्र जो दिल्ली में रहते हैं – नहीं आ पाये – उनकी बधाई भी मेरे काम की होती...पर... ।'

मेरे एम.ए. हिन्दी के पाठ्यक्रम में *शेखरः एक जीवनी* था, कहानी 'रोज' थी और 'आज के लोकप्रिय हिन्दी कवि' माला में विद्यानिवास मिश्र द्वारा सम्पादित संकलन था। पाठ्यक्रम में शामिल कवि दिवंगत होते थे या पहुँच से बाहर। जैसे हरिऔध, रसखान, गुलेरी, कबीर, मोहन राकेश आदि। पर इतनी जल्दी अज्ञेय मिल जाएँगे, सोचा न था।

इसी पुरस्कार समारोह में अग्रिम पंक्ति में बैठे अज्ञेय के पास जाकर देखा – प्रशंसकों से घिरे थे। आकाशवाणी के केन्द्र निदेशक इंटरव्यू के लिए जोर दे रहे थे। ऑटोग्राफ बुक पकड़ाई। अब छोड़िए, अब छोड़िए। शायद थक गये होंगे। फिर भी कलम पकड़ा ही दी। छोटा-सा हस्ताक्षर – 'अज्ञेय।' घबराहट में मैं जल्दी

आ गया और मेरी कलम, कलम के धनी के पास ही रह गयी। पता नहीं उसका उन्होंने क्या किया। उससे कुछ लिखा या नहीं। शायद वहीं किसी को दे दिया हो, शायद नहीं। इस पुरस्कार समारोह में लोठार लुत्से आये थे और अज्ञेय के कई क्रान्तिकारी दोस्त भी, जो उनके साथ बम बनाने का काम कर चुके थे।

अज्ञेय के न बोलने के किस्से तो बहुत सुने थे। साक्षात् तब देखा जब शिक्षायतन कॉलेज में उनका सम्मान था। वहाँ विष्णुकान्त शास्त्री भी थे। अज्ञेय से जब बोलने को कहा गया तो बोले कि मैंने आयोजकों से कहा था कि आऊँगा वहाँ, लेकिन बोलूँगा नहीं। मुझसे वादा किया गया था कि बुलवाएँगे नहीं। इसलिए मैं इनका दिया वादा तोड़ूँगा नहीं। और ये भी मुझ पर दबाव नहीं डालेंगे। और यही हुआ। अज्ञेय नहीं बोले। अज्ञेय और इला जी रामकृष्ण मठ के गेस्ट हाउस में एक ही कमरे में ठहरे थे। कोलकाता के परम्परावादी रूढ़िग्रस्त मारवाड़ी समाज को यह बात नागवार गुजरी। पर अज्ञेय शायद इस समाज को कुछ सबक भी सिखा रहे थे। वे अपनी जिद पर अड़े रहने वाले, न झुकने वाले साहित्यकार थे। नहीं बोलेंगे तो नहीं बोलेंगे। नहीं जाएँगे तो नहीं जाएँगे। साथ हुए हैं तो साथ छोड़ेंगे नहीं।

स्टेट्समैन ने उनको ज्ञानपीठ पुरस्कार मिलने पर शीर्षक दिया– 'ए जर्नलिस्ट गेट्स ज्ञानपीठ दिस इयर!' ज्ञानपीठ पुरस्कार समारोह में दिया गया उनका भाषण उत्कृष्ट गद्य का नमूना था। कई दिनों तक मैंने उसे सँभाले रखा।

माचवे जी *तार सप्तक* में थे। अज्ञेय के निकट आगरा, इलाहाबाद आदि जगहों पर रहे थे। श्रीमती माचवे बताती थीं कि अज्ञेय कैसे चुपके-चुपके श्रीमती शान्ता मुक्तिबोध की मदद करते थे। श्रीमती आशा दास के साथ उनके कैसे आत्मीय सम्बन्ध थे। श्रीमती दास के बेटे मानस मुकुल दास को मैंने कैंवेटर्स ईस्ट में और वत्सल निधि के अनेक शिविरों में देखा था। मानसमुकुल दास अज्ञेय को शिल्पी कहते थे। मैंने पहली बार तब किसी लेखक के लिए 'शिल्पी' शब्द सुना था। शिल्पी मैं वास्तुशिल्पी या शिल्पकार (कुम्हार) को ही मानता था। बाद में पता चला अज्ञेय वास्तव में शिल्पकार थे। वे चमड़े का काम करना भी जानते थे। उन्होंने जैनेन्द्र का प्लास्टर ऑफ पेरिस का बस्ट (बुत) बनाया था। वे सीना-पिरोना-काढ़ना तक जानते थे।

तार सप्तक मैंने काफी समय तक पढ़ा नहीं था। कोर्स की किताबें ही पढ़ता था। *शेखर* का भाग-दो कोर्स में था। वही पढ़ा था। कविताएँ पढ़ी थीं। भारतीय भाषा परिषद में माचवे जी के साथ चार सौ रुपये में लग लिया था। तीन बजे तक क्लास करता, फिर ट्राम में बैठकर भारतीय भाषा परिषद में। वहाँ मंगलवार को कवि-गोष्ठी होती। संचालन मैं ही करता था। एक दिन वहाँ विनोददास आये।

तब तक उन्हें भारतीय ज्ञानपीठ का पहला युवा कवि पुरस्कार मिल गया था। उनको कवि-गोष्ठी में बुलाया। उनके साथ कलकत्ता घूमा। चर्चा हुई तो उन्होंने बताया कि अज्ञेय ने वत्सल निधि की स्थापना युवकों के लिए ही की है, आपको उसमें जाना चाहिए। मैंने कहा– हमको कौन बुलाएगा। बोले, बुलाएँगे। तब तक लखनऊ में वत्सल निधि लेखक शिविर हो चुका था। उसकी चर्चा मैंने सुनी थी। विनोददास लखनऊ शिविर में हो आये थे। वहाँ सभी बड़े लेखक जुटे थे।

आज के जमाने में बड़े-बड़े पुरस्कार पाने वाले लेखकों-कवियों को कम-से-कम अज्ञेय शताब्दी में सीख लेनी चाहिए कि पुरस्कार को वे अर्जित राशि नहीं मानते थे। उन्होंने अपने ज्ञानपीठ भाषण में ही लिखकर पुरस्कार में मिली राशि भी वसीयत कर दी थी– "यह जो पुरस्कार की राशि मुझे मिली है, यह क्या उपार्जित धन है? पचास वर्ष से मैं लिख रहा हूँ, आगे भी अपने लिए विश्राम नहीं देखता, न चाहता हूँ, फिर भी यह क्या मेरा उपार्जन है, मेरा भोग्य है?"

इसी भाषण में उन्होंने अपने अनुपार्जित धन (एक लाख रुपये) और अर्जित धन (एक लाख रुपये) को मिलाकर वत्सल निधि की स्थापना की थी, जिसका विधान तैयार करने का काम डॉ. लक्ष्मीमल्ल सिंघवी को दिया गया था।

मैं भारतीय भाषा परिषद और एम.ए. हिन्दी की कक्षाओं में व्यस्त था कि एक दिन अचानक मेरे शरत बनर्जी रोड, कलकत्ता के पते पर सच्चिदानन्द वात्स्यायन के पते वाला एक लिफाफा प्राप्त हुआ, जिसमें "वत्सल निधि के क्रियाकलापों से सम्भवतः आप परिचित होंगे" के बाद वृन्दावन लेखक शिविर में आने का आमन्त्रण था। 31 अक्टूबर, 1982 की वह चिट्ठी कुछ दिनों तक झोले में डाले घूमता रहा – माचवे जी को दिखाई – युनिवर्सिटी की कक्षाओं में रोब झाड़ा कि अज्ञेय ने बुलाया है।

समकालीन हिन्दी काव्य के लिए – (और मेरे जैसे युवा कवियों के लिए अधिक) अनुकूल वातावरण और संस्कारवान सामाजिक तैयार करने में अज्ञेय ने बहुत बड़ी भूमिका निभाई है। वृन्दावन कैसे जाना है कब पहुँचना है – तब मुझे पता नहीं था। पिताजी किसी काम से दिल्ली गये तो मैंने उनसे अज्ञेय से बात करने को कहा। उनके पास, न मेरे पास अज्ञेय का टेलिफोन नम्बर था। डायरेक्टरी में भी नहीं। तब पिताजी ने अपने मित्र वेदप्रताप वैदिक से कहा। उन्होंने अज्ञेय से बात की। अज्ञेय ने कहा कि कोलकाता से तो सीधे वृन्दावन-मथुरा पहुँचने में ही सुविधा रहेगी। फिर भी मैं 25 दिसम्बर को दिल्ली आ गया और मित्र के स्कूटर पर कैवेंटर्स ईस्ट पहुँचा। सुबह-सुबह अज्ञेय ने ही दरवाजा खोला। धवल दाढ़ी में, गाउन में उनका वह भव्यरूप भूलता नहीं। नाश्ते की टेबल पर ले गये। इला जी

से परिचय कराया। इला जी ने नाश्ता कराया। कॉफी पिलाई। अज्ञेय ब्रेड खुद ही काटकर टोस्टर में डालते थे। बाद में मुझे बाथरूम आदि दिखाकर लॉन में धूप में छोड़ दिया गया। जरा हम लोग भी तैयार हो लेते हैं – अज्ञेय ने कहा।

लॉन में बैठे-बैठे मैं ऊब रहा था कि कथाकार गोविन्द मिश्र आ गये। वे भी चलेंगे – पता लगा। तृतीय वत्सल निधि लेखक शिविर में 'साहित्य और सामाजिक परिवर्तन' विषय था। दोपहर तक रामस्वरूप चतुर्वेदी आदि कई लेखक आ गये। एक मेटाडोर कम पड़ गयी। फोन करके दूसरी मँगाई गयी। अज्ञेय खुद हर काम की चीज ध्यान से रखवा रहे थे। आने-जाने के लिए वातानुकूलित दूसरे दर्जे के टिकट की व्यवस्था थी।

वृन्दावन में ठण्ड बहुत थी और मैं कोलकाता निवासी उसके लिए तैयार होकर नहीं आया था। एक बन रही इमारत में हमें ठहराया गया। कम्बल आदि तो थे, फिर भी ठण्ड थी। वृन्दावन में एक सत्र काव्य-पाठ का भी था, जिसकी अध्यक्षता राजकुमार कुंभज ने की और संचालन मैंने किया। उस कवि-सम्मेलन में उस समय के सभी शीर्षस्थ कवियों ने काव्य-पाठ किया था। शिवमंगल सिंह 'सुमन', नरेश मेहता और बसंत बापट (मराठी के शीर्षस्थ कवि) प्रमुख थे। रमेशचन्द्र शाह, ज्योत्सना मिलन, मदन सोनी, नन्दकिशोर आचार्य, ध्रुव शुक्ल, श्रीकान्त जोशी भी थे। चन्द्रकान्त बांदिवडेकर, पुणे के फिल्म आलोचक सतीश बहादुर भी। अज्ञेय के बाद ज्ञानपीठ पुरस्कार पाने वाले वीरेन्द्र कुमार भट्टाचार्य भी आये थे। ज्ञानपीठ पुरस्कार प्राप्त दो-तीन कवि वहाँ थे।

इसी सत्र में सुमन जी ने समां बाँधा। कुछ सवाल-जवाब हुए। युवा कवियों के सामने क्या दिक्कत आ रही है – इस सत्र का संचालन मदन सोनी ने किया था। मैंने इसमें कहा कि *धर्मयुग, साप्ताहिक हिन्दुस्तान* जैसी पत्रिकाएँ हम लोगों को स्थान नहीं देतीं तो निराशा होती है। इन पत्रिकाओं में छपने वालों को ही कवि माना जाता है, बाकी को नहीं। ऐसे में हम क्या करें? मैंने सोचा ऐसे ही कुछ कह दिया है मैंने। पर अज्ञेय ने इस बात पर कहा कि आप लोग जिन पत्रिकाओं में न छपने पर अफसोस करते हैं, आपको मालूम होना चाहिए कि उनमें से किसी पत्रिका में वर्षों से मेरी कोई रचना नहीं छपी है – न छपेगी। इन पत्रिकाओं को आप अपना पैमाना मत मानिए और लिखते रहिए। आज की कविता पर उन्होंने श्रोताओं के प्रश्नों के उत्तर भी दिए। और फिर कहा कि जहाँ तक इन कवियों की कविता का सम्बन्ध है – मैं उनसे अलग बात करूँगा।

रात को खाने के बाद उन्होंने हम सबको एक बड़े से कमरे में बुलाया। उस रात जितना मुखर मैंने उनको कभी नहीं देखा। 'धूमिल' की नकल पर लिखी जा रही कविताओं की उन्होंने आलोचना की। कहा कि बताइए, अगर आपकी कविता

को तोड़कर नहीं, सीधी पंक्ति में लिख दें तो वह कविता रहेगी? फिर पूछा कि आप कैसे बताएँगे कि कविता यहाँ खत्म हो रही है या हो गयी है? उर्दू के शायर तो बताते थे कि अन्तिम मिसरा है, गीतकार भी कहता था कि अन्तिम पंक्ति है, आखिरी दोहा है, शेर है आदि। उनके सवाल दिमाग चकरा देने वाले थे। तब इनके पीछे की अर्थ-व्यंजना समझ में नहीं आती थी। अब कुछ समझ में आता है। धूमिल मार्का कविता पर उन्होंने कहा था कि थोड़ी देर को चमत्कार पैदा करना कवि का उद्देश्य नहीं है।

उस शिविर में मैं संकोची – इला जी के शब्दों में दब्बू – था। अज्ञेय जी से मिलना चाहता था। इला जी ने कहा कि आप तो घोंचू ही रहेंगे। जाइए, बात कीजिए। पर मुझसे नहीं होता था। अज्ञेय हम युवा कवियों से संवाद के इच्छुक थे। एक दिन रमेश ऋषिकल्प, मदन, ध्रुव शुक्ल, कुंभज, रमेशदत्त दुबे ने उन्हें घेर ही लिया। अज्ञेय भी देर तक हम लोगों के बीच खड़े बतियाते रहे। मैंने संकोच तोड़कर पूछ लिया– 'अज्ञेय जी! आप इतना कम क्यों बोलते हैं?' बोले– "कुछ तो जेल में रहने के कारण मौन व्रत की आदत पड़ गयी है। अब तो इतना बोल भी लेता हूँ। पहले तो यह हाल था कि जरा-सा बोलता था तो जबड़ों में दर्द होने लगता था। फिर अब यह संकल्प लिया है कि व्यर्थ का बोलकर ऊर्जा का अपव्यय न करूँ। ऊर्जा को बचाकर रखना चाहिए।" रमेश बहुत प्रश्न पूछता था। उसको उन्होंने 'प्रश्नपुंगव' की संज्ञा दी थी।

हम लोग भरतपुर घूमने गये तो अज्ञेय ने पश्चिमी पोशाक धारण की। पतलून पर जैकेट। कैमरा लटका लिया था। भरतपुर में एक जापानी युवक ने अज्ञेय के साथ हम युवा कवियों की कुछ तस्वीरें ली थीं। उसने उन्हें धुलवाकर दो-तीन प्रतियाँ भेजी भी थीं। बरसों बाद मैंने *हिन्दुस्तान* में अज्ञेय पर एक लेख दिया – साथ में वे तस्वीरें भी दे दीं। वे वापस नहीं मिलीं। अब मलाल होता है। खुद अज्ञेय ने भी हम लोगों की तस्वीरें खींची थीं जो इला जी से बार-बार कहने पर भी मिली नहीं। पता नहीं अब कहाँ होंगी।

वृन्दावन शिविर में कई विदेशी भी थे। अमेरिका से आयी जूडी बेनेड थी, जिनके पितामह प्रो.जे.एम. बेनेड लाहौर में अज्ञेय को भौतिक शास्त्र पढ़ाते रहे थे। भरतपुर में पक्षी विहार के समय हम लोगों के लिए खाने का इन्तजाम पं. विद्यानिवास मिश्र से नहीं हो पाया। बड़ी देर हो गयी भूख के मारे। आखिर में दूर कहीं – शायद मथुरा से – बनवाकर भोजन लाया गया, जो ठण्डा हो गया था। विद्यानिवास जी परेशान और दुखी थे। 'भाई' अज्ञेय पण्डित जी को कुछ नहीं बोले, वे चुप थे।

वृन्दावन से चलते समय या कवि-सम्मेलन के बाद ही मैं अपनी कविता की कॉपी अज्ञेय को दे आया था। उन्होंने इसी सम्मेलन में बताया था कि मेरी कई कविताओं को देखकर मेरे एक गुरु ने कहा था, ऐसा करो तुम इनको फाड़ दो। तो मैंने (अज्ञेय ने) उनकी सलाह का अक्षरशः पालन किया। आज के युवा कवि शायद ऐसा नहीं करेंगे। मैं जब अज्ञेय को अपनी कॉपी देने लगा तो उन्होंने शुरू में इनकार किया। फिर मैंने कहा कि अगर आप कहेंगे कि इनको फाड़ दो तो मैं वैसा ही करूँगा। अज्ञेय ने वह कॉपी रख ली।

कोलकाता लौटकर भारतीय भाषा परिषद आया। छुट्टी लेकर माचवे जी की अनुमति से ही गया था। पर परिषद वालों ने आठ दिन की तनख्वाह काट ली। माचवे जी ने भी कुछ नहीं कहा। अज्ञेय को मैंने लिखा कि और सब तो ठीक रहा, सीखने को भी बहुत कुछ मिला, पर यह नुकसान हो गया। अज्ञेय जी अब इसमें क्या करेंगे, यह सोचकर बैठा रहा। अज्ञेय जी को कुछ करने को लिखा भी नहीं था। पर तुरन्त अज्ञेय का टाइप किया हुआ पत्र प्रबन्धकों के नाम आया कि राजेन्द्र उपाध्याय इतने दिनों तक यहाँ भारतीय भाषाओं के लेखकों से सम्पर्क करते रहे – परिषद का काम ही करते रहे – अतः इनका वेतन वापस किया जाए। दोपहर में एम.ए. की कक्षा के बाद मैं परिषद पहुँचा तो माचवे जी ने वह पत्र दिखाया और कहा कि अपने रुपये ले लो। अज्ञेय ने बुलाया था सो अज्ञेय ने जिम्मेदारी ली और मेरा नुकसान नहीं होने दिया।

इस बीच अज्ञेय जी को युगोस्लाविया का 'स्वर्णमाल' पुरस्कार मिला। उसकी बधाई दी और अपनी कॉपी की भी याद दिलाई। 10 मई, 1983 का पत्र आया कि 'मैंने सोचा था कि आप अकादेमी वाले काम से आएँगे तो मिलेंगे – तब बातें होंगी। इसलिए पत्र नहीं लिखा।' मिलकर विस्तार से बात होती तो मुझे भी सन्तोष होता। मैं संकोच के मारे गया ही नहीं मिलने।

उस पत्र में उन्होंने यह भी लिखा था कि "कविताएँ एक-दो को छोड़कर सभी मुझे अच्छी लगीं। मुझे नहीं पता कि आप इन्हें संग्रह भर की मानते हैं या नहीं, क्योंकि मेरा मानना है कि कवि का पहला संग्रह बहुत छोटा नहीं होना चाहिए और उसमें सर्जक की अनेकोन्मुखता की कुछ झलक मिलनी चाहिए। अनन्तर भले ही पतले संग्रह आते रहें। इसमें झील, चिड़िया, पेड़, पत्ती, आकाश वगैरह से कविता कहने की आवृत्ति बहुत है। यों भी इधर युवा कवियों में इसकी आवृत्ति खटकती है। इससे बचना चाहिए। इन कविताओं में से अधिकांश में पेड़, चिड़िया, झील, आकाश आदि के रूपक का निर्वाह हो गया है और बच्चे को सम्बोधन करके कविता कहने की युक्ति भी निभ गयी है, लेकिन इन कविताओं में इसकी आवृत्ति खटकने लगी है और आगे तो

आपको इसे बिलकुल छोड़ ही देना चाहिए। यों भी इधर दूसरे कवियों में भी इससे मिलते-जुलते बिम्बों की इतनी अधिक आवृत्ति हुई है कि यह एक नया मुहावरा-सा बन गया है। इस स्थिति से सतर्क रहना चाहिए। आगे उन्होंने लिखा था– "दो-एक और बातों के बारे में भी सतर्क कर दूँ। मध्यवर्गीय या निम्न मध्यवर्गीय परिवार की सीमाओं और उनसे पैदा होने वाली कुण्ठाओं की ओर आपने कई बार इशारा किया है। इससे पाठक में सहानुभूति और करुणा उत्पन्न होती है और वह अभीष्ट है, लेकिन जिस चीज से सतर्क रहना चाहिए वह यह कि कभी कहीं ऐसा न हो कि कविता में आत्मकरुणा की भनक भी हो। नहीं तो वह कवि के उद्देश्य के प्रतिकूल हो जाती है और कविता का प्रभाव नष्ट करती है। 'इस स्थिति में विजय को मेरी सहानुभूति मिलनी चाहिए' और कवि बेचारा अपने पर ही तरस खा रहा है – "इनमें आकाश-पाताल का अन्तर होता है।"

अज्ञेय जी ने जगह-जगह मेरी कविता में टीप दी थी और कुछ तीर जैसे निशान बनाए थे कि यहाँ कविता उतार पर है। कई जगह खुद अपनी ओर से पंक्तियाँ लिख दी थीं। अपनी व्यस्त दिनचर्या में से कुछ समय निकालकर उन्होंने मुझ जैसे तरुण कवि पर इतनी मेहनत की थी और कुछ अहम बातें लिखी थीं जो आज भी मेरे काम की हैं।

उन्होंने इतना सब लिखने, मेहनत करने के बाद भी यह आग्रह नहीं किया कि उन्हें ऐसा ही छपाओ। उन्होंने साफ लिख दिया कि "आपकी कॉपी में पेंसिल से जो कुछ मैंने लिखा है वह आसानी से मिटाया जा सकता है।" वह कॉपी मैंने बहुत दिन तक सँभालकर रखी। उनका लिखा मिटाया नहीं। क्या अज्ञेय का लिखा आसानी से मिटाया जा सकता है? अज्ञेय ने इस पत्र में लिखा था कि "अगर इन कविताओं का पुस्तकाकार प्रकाशन निकट भविष्य में न हो तो इन्हें मुझे *पाँचवाँ सप्तक* के सन्दर्भ में विचार करने के लिए दें। साथ ही आपकी ओर से एक वक्तव्य होने से मुझे सुविधा रहेगी।" कुसुम खेमानी ने माचवे जी से कहा– 'राजेन्द्र जी तो *सप्तक* में आ रहे हैं।' श्रीमती माचवे ने कहा– 'अज्ञेय जी नये-नये लड़कों को पटाना जानते हैं।'

इस बीच उन कविताओं का पुस्तकाकार प्रकाशन हो गया। साहित्य अकादेमी में कार्यरत जगजीत सिंह 'जीत' ने नया प्रकाशन खोला था शान्तिकुंज प्रकाशन नाम से। उन्होंने 'सिर्फ पेड़ ही नहीं कटते हैं' नाम से वह पाण्डुलिपि छाप दी। उसमें अज्ञेय के संशोधन नहीं हो पाये थे। अज्ञेय को संग्रह मिला तो 6 जुलाई, 1983 का बधाई पत्र आया– 'मेरे दिए संशोधन का तो इसमें पालन नहीं हो पाया। फिर भी आशा करता हूँ कि इसका स्वागत होगा।' मैंने

कविताएँ एक बार फिर पढ़ लीं और वे मुझे प्रीतिकर लगीं।

कुछ दिन बाद रमेशचन्द्र शाह ने लिखा कि आपका संग्रह मैंने अज्ञेय की मेज पर देखा था। कुछ इसी कारण शायद *इंडियन लिटरेचर* में हिन्दी साहित्य पर लिखते हुए शाह साहब ने उस पर लिखा। अज्ञेय से जब भी मिलने जाता तो वे संग्रह की समीक्षा के बारे में पूछते थे।

वृन्दावन शिविर से लौटकर मदन सोनी ने *कलावार्ता* अप्रैल 84 में अज्ञेय पर हमला किया – 'एक सफल लेखक की महत्त्वाकांक्षाओं का एकालाप।' इससे पहले अज्ञेय ने *साप्ताहिक हिन्दुस्तान* में स्त्रुगा काव्य समारोह के बारे में एक वृत्तान्त लिखा कि यह आयोजन हमारे आयोजनों से कितना भिन्न था और उनके लिए कोई राजनेता नहीं, कवि सबसे महत्त्वपूर्ण है। यह भी कि कवियों ने मिलकर कैसे आपस में सामूहिक कविता रची थी। ऐसा प्रयोग अज्ञेय ने श्रीकान्त वर्मा, आक्तोविया पॉज के साथ भी किया था। शिविरों में भी किया। मदन ने उसी लेख को आधार बनाकर उन पर हमला किया था। मैंने *कलावार्ता* में एक चिट्ठी लिखी जो 'मान भी लिया जाए कि यह महात्त्वाकांक्षा है' शीर्षक से छपी।

युगोस्लाविया पुरस्कार की घोषणा के बाद मेरी बधाई पर उनका हाथ से लिखा पत्र आया कि 'आपकी बधाई को सचमुच की बधाई मानता हूँ। हिन्दी को भारत के बाहर प्रतिष्ठा मिले, उस भाषा को और उस भाषा में रचे जा रहे साहित्य को प्रतिष्ठा मिले – मैं उसका निमित्त बनूँ यही प्रयत्न रहता है।'

एक बार जे.एन.यू. के कुछ छात्र *लहर* पत्रिका के लिए विष्णु खरे का इंटरव्यू लेने पहुँच गये। उसमें विष्णु खरे ने अज्ञेय को भयानक आत्मकेद्रिन्त व्यक्ति बताया और पता नहीं (प्रतिक्रियावादी आदि) क्या-क्या कहा। मैंने अज्ञेय को लिखा तो उन्होंने 1 अगस्त, 1983 को जवाब लिखा कि "इन सब पत्रिकाओं तक मेरी पहुँच नहीं है। कोई कुछ बता देता है तो देख लेता हूँ। आपको कष्ट हुआ। मेरा मानना है कि हिन्दी में पाठक इतना सजग है कि वह सब निर्णय कर सकता है। विवेकवान पाठक ही इसका अपनी ओर से जवाब दे सकता है। आप उसे पढ़कर उत्तेजित हुए यह अच्छा भी लगा और अनावश्यक भी। लेखक को तो उदासीन ही रहना चाहिए, नहीं तो वह भावना और समय दोनों का अपव्यय है।"

मैं एक बार उनके पास गया। फोन करके ही जाता था। फोन इला जी उठाती थीं। मुझसे कहती थीं कि इला जी न बोलकर इला दीदी बोला करें। मैं अन्त तक उन्हें दीदी नहीं बोल पाया। एक बार अज्ञेय ने फोन उठा लिया। 'जी

कहिए। बताइए। ठीक है। आइए।' मैं अचकचा गया। उनके बोलने की इस शैली की इला जी ने अपने उपन्यास *छत पर अपर्णा* में अच्छी नकल की है।

सितम्बर 1983 में मैं सूचना कार्यालय में नियुक्ति पर दिल्ली आ गया था। वहाँ अज्ञेय जी का तार मिला बोधगया चलने के लिए। बोधगया में अक्टूबर 83 के अन्तिम सप्ताह में शंकरदयाल सिंह के सौजन्य से लेखक शिविर हुआ। हम युवा लेखक एसी चेयरकार में बैठकर पटना गये, वहाँ से गया-बोधगया। वहाँ अज्ञेय ने लोगों के आग्रह पर नदी में खड़े होकर काव्य-पाठ किया। प्रभाकर माचवे ने *धर्मयुग* में इसका मजाक उड़ाया। शरद जोशी ने भी। बहरहाल, शिविर में एक सप्ताह तक विभिन्न पीढ़ियों और प्रदेशों के लगभग पैंतीस लेखकों के बीच विचार-विमर्श हुआ। चर्चा में मैंने कह दिया– 'इसमें तो अज्ञेय ही अज्ञेय हैं और कुछ नही।' अज्ञेय सब सुनते रहे। फिर कुछ और चर्चा चली। शायद अज्ञेय ने कुछ पर्चा पढ़ा। फिर मेरी ओर मुखातिब होकर बोले– 'अब राजेन्द्र उपाध्याय की टिप्पणी।' इसमें व्यंग्य था। तब मैं कुछ भी बेझिझक बोल देता था। नन्दकिशोर आचार्य के पर्चे में अंग्रेजी के उद्धरणों की भरमार पाकर मैंने उस पर टिप्पणी कर डाली। बोधगया शिविर में एक रात कलेक्टर ने अपने यहाँ भोजन का इन्तजाम किया – अज्ञेय ने वहाँ जाने से साफ मना कर दिया। बाकी लेखक लोग गये। अज्ञेय नहीं गये।

इसी शिविर में हम युवा लेखकों के लिए एक सत्र रखा गया था 'अभी मैंने क्या पढ़ा?' इसमें मैंने अज्ञेय के *दिनमान* में छपे यात्रा-वृत्तान्त की चर्चा की थी और कहा कि लेखक रोमांटिक हो गया है। अज्ञेय उस वक्त कुछ नहीं बोले। बाद में एक अन्य गोष्ठी में मेरे पास बैठे तो अवसर पाकर बोले– "राजेन्द्र जी आपने और जो भी आलोचना की वह तो ठीक है – पर...।" वे जल्दी-जल्दी में कुछ बोल गये। मुझसे जवाब देते न बना।

इसके बाद जब भी उनके घर जाता चाय-पानी करके आ जाता। अज्ञेय हाथ मसलते सोफे पर बैठे रहते। उनके इन्हीं विचारपूर्ण हाथों का एक चित्र इलां जी ने वत्सल निधि की हीरानन्द शास्त्री व्याख्यानमाला के आमन्त्रण-पत्र पर छापा था। उनके हाथ भी सोचते लगते थे।

एक दिन अचानक वे रवीन्द्र भवन के दरवाजे पर खड़े मिल गये। 'आप यहाँ कैसे?' बस इतनी-सी बात हुई। वे अपने रास्ते – मैं अपने। ललित कला अकादमी में भी वे बन्द गले का कोट पहने खड़े दिखे थे। कला-प्रदर्शनियाँ वे चाव से देखते थे। ई. कुमारिल स्वामी जैसे अनेक कलाकारों से उनका

परिचय था। *प्रतीक* में उन्होंने 'कला' पर बहुतेरा लिखा है। रामकुमार को लिखे पत्रों में पेरिस के कला संग्रहालयों की बात लिखी है। रामकुमार को उन्होंने पेंटिंग बनाने की मेज भेंट की थी।

1986 में मैं प्रकाशन विभाग में आ गया था। *आजकल* के सम्पादक उनसे मिलना चाहते थे। मैं ले गया। जब मैथिलीशरण गुप्त जन्म-शताब्दी पर किताब छापने की योजना बनी, मैं विजय अग्रवाल के साथ अज्ञेय के घर गया। सामग्री माँगी। उन्होंने दे दी। मैथिलीशरण गुप्त अभिनन्दन ग्रन्थ सहित कई दुर्लभ ग्रन्थ दिखाए और कहा कि ये ऐसे मूल्यवान ग्रन्थ हैं जो मिलें तो खरीद लो, उधार ले लो और न मिलें तो चुरा लो!

मैं उनको अपने विभाग में कविता पाठ के लिए बुलाना चाहता था। उन्होंने मना कर दिया। बोले, सरकारी आयोजन में नहीं जाता। इला जी कार में मुझे बोट क्लब तक छोड़ने आयीं। मैंने कहा– 'इस दुनिया में सब कुछ तो सरकार का है। ये सड़क भी। रेल भी, पटरी भी। इस सड़क पर भी अज्ञेय न चलें।' फिर वे गिरिराज जी का केस लेकर शास्त्री भवन क्यों गये थे? उन्हीं दिनों अज्ञेय लगभग प्रतिदिन रेडियो में गोपालदास और रघुवीर सहाय के साथ 'धरोहर' के लिए बातचीत रेकॉर्ड कराने जाते थे।

इस बीच मेरा एम.ए. हिन्दी का परीक्षा परिणाम आ गया था। मैं हिन्दी साहित्य में प्रथम श्रेणी में प्रथम आया था। विश्वविद्यालय के अध्यापकों की सलाह थी कि फटाफट पीएच.डी. कर लूँ।... लिखने का चस्का था। फिर भी कलकत्ते में डॉ. दयानन्द सरस्वती (अब स्वर्गीय) के मार्गदर्शन में 'अज्ञेय के काव्य की रचना प्रक्रिया एवं प्रेरणाभूमि' विषय पर पीएच.डी. के लिए पंजीकरण करा लिया था। शिल्पपक्ष, बिम्बविधान में उलझकर रह गया। इला जी से बार-बार मदद का आग्रह करता था। वे कहती थीं कि सब किताबें उपलब्ध करा दूँगी। एकाध थीसिस भी दिखा दूँगी – पर मैं ही संकोच के मारे आगे बात नहीं कर पाया।

जब 9 मार्च, 86 को अज्ञेय 75 के हुए तो इला जी ने मुझे सपत्नीक अपने घर बुलाया। वहाँ पण्डित कुमार गन्धर्व का गाना अब तक याद है। शाम को इंडिया इंटरनेशनल सेंटर में डेढ़ घण्टे तक अज्ञेय ने काव्य-पाठ किया, उसमें 'असाध्य वीणा' भी थी। एक साँस में इतनी लम्बी कविता का लययुक्त पाठ आसान काम नहीं है।

26 मार्च, 1987 को उनसे आखिरी मुलाकात में उनकी पीठ कुछ झुकी देखी थी। उन्होंने पेड़ पर बनाया घर और एक मोर दिखाया। आइएगा कहते हुए पगडंडी तक छोड़ने आये थे। 4 अप्रैल को नीम के पेड़ पर शाम चार बजे

इस कुटिया में बैठकर कविता पाठ करने वाले थे। मगर वह नहीं हो सका।

अज्ञेय के निधन के बाद में भी दिसम्बर की ठण्ड में वत्सल निधि की व्याख्यानमाला में जाता रहा। कुल्हड़ में चाय मिलती रही और साथ में गाजर की बर्फी। एकाध ऐसी ही व्याख्यानमाला में निरंजन कोइराला मिले, जिनसे इला जी ने शादी की। कैवेंटर्स ईस्ट भी गया। तब नन्दकिशोर आचार्य और शीन काफ निजाम भी थे। इला जी ने *सदानीरा* के दोनों खण्ड दिए – जिल्द में बँधे हुए। अज्ञेय को याद कर मेरी रुलाई आ गयी।

51

कविता में जानना

॥ अंजु ढड्ढा मिश्र

वर्ष 1983 के वसन्त के शुरुआती दिन थे। अंग्रेजी साहित्य में एम.फिल. के लघु शोध प्रबन्ध के लिए 'टी.एस. एलियट की कविता में काल बोध' विषय को जिदपूर्वक मनवाकर काम करना शुरू किया था। कवि संजीव मिश्र से नया-नया परिचय था। एलियट की ढेरों पंक्तियाँ याद थीं। कविता का जादू घेरे रहता था। एक दिन संजीव ने एक किताब देकर कहा, तुम एलियट का काल बोध ढूँढ़ने में लगी हो – देखो हमारे अज्ञेय ने काल के बारे में कितना सुन्दर लिखा है। किताब लेकर घर गयी तो अचानक जोधपुर जाना पड़ गया। रास्ते में पढ़ने के लिए वही किताब रख ली। पढ़ने लगी तो उसमें जयपुर से जोधपुर की एक यात्रा का जिक्र था, जिसमें एक ग्रामीण से यह पूछने पर कि उसने एक कुत्ते के साथ किसी आदमी को जाते देखा है, उसने उत्तर दिया "अब तक तो नहीं।" उसी वाक्य से अज्ञेय ने भारतीय काल की अवधारणा की अपनी बात विकसित की थी।

मेरे लिए वह पल जैसे कुछ नया संसार उद्भासित होने का पल बन गया: यही सड़क रही होगी – शायद स्थान भी वही, वही लैंडस्केप। मारवाड़ी में क्या कहा होगा उस आदमी ने? क्या "अज ताईं तो कोने"। मेरी आँखें बस की खिड़की से उन खुले खाली थोअर और खेजड़ी के मैदानों में उस ग्रामीण और कुत्ते के साथ जाते आदमी को ढूँढ़ने लगीं। क्या वह अब भी होगा यहीं कहीं अपनी बकरियों के साथ? और वह आदमी, जिसने वह प्रश्न पूछा था? लेखक यही तो करता है आपके लिए। आपके सूने वीराने को आपका परिचित बना देता है – जैसे पहाड़ी बर्फ में भटके व्यक्ति को अचानक किसी को पैरों के निशान मिल जाएँ।

जोधपुर पहुँची तो अगली सुबह अखबार में जयनारायण व्यास सभागार में अपने बहत्तरवें जन्मदिन पर अज्ञेय के कविता पाठ की सूचना थी। शाम को खचाखच भरे डरु टाउन हॉल के बाहर मेरे नानाजी ने एक दुबले-पतले सज्जन से परिचय कराया – अपना मित्र कहकर – जो उस कार्यक्रम के संयोजक थे। उनके साथ उनके एक और कवि-मित्र थे। कार्यक्रम आरम्भ होने पर टाउन हॉल में

गूँजती हुई निजाम साहब की आवाज में वात्स्यायन जी के जन्मदिन के सम्बोधन, कविता पाठ और कवि नन्दकिशोर आचार्य से परिचय की वह स्पष्ट छाप अब तक मन पर अंकित है। पूर्ववर्ती और परवर्ती कवियों के बीच कविता का कैसा विरल सम्बन्ध सम्भव है, उसकी सघनता की वह पहली 'छाप' थी।

अगली सुबह वात्स्यायन जी से मिलने गये तो वहाँ काफी भीड़ थी। कोई अपनी पुस्तक भेंट करने आया था तो कोई ऑटोग्राफ लेने। एक सज्जन अपनी बेटी की अंकतालिका लेकर आये थे, उनके हस्ताक्षर के लिए, जिसमें उसे हिन्दी साहित्य में सर्वोच्च अंक मिले थे और अज्ञेय उसके प्रिय लेखक थे। उनमें ऐसे अनेक लोग थे, जिन्हें उनसे कोई बात नहीं करनी थी। बस श्रद्धा भाव से नमस्कार करके चुप खड़े उनके दर्शन करने थे। इस तरह का भाव मैंने इससे पहले केवल मन्दिरों में दर्शनार्थियों या जैन स्थानकों में साधु-साध्वियों के सामने ही देखा था। लेखक के प्रति इतनी श्रद्धा मैंने इससे पहले कभी नहीं देखी। अपनी बारी आने पर परिचय-अपरिचय की मेरी दुविधा को सहज करते हुए, और जन्मदिन पर खाली हाथ बधाई देने के मेरे संकोच को सहज करते हुए उन्होंने बेहद खूबसूरत गढ़त की जोधपुरी जूती की जोड़ी दिखाई, जो उन्हें जन्मदिन पर भेंट मिली थी। मैं आश्चर्य में यही सोचती रही कि कब उस जूतीसाज ने उनके पैरों का नाप लिया होगा और कब उसे गाँठा होगा। कई बरस बाद निजाम साहब ने घटना इस रूप में दोहराई कि सुबह जब लोगों ने उनके कविता पाठ की प्रशंसा की तो वात्स्यायन जी ने गर्वपूर्वक स्मित के साथ वे जूतियाँ दिखाकर कहा था, "हाँ देखिए न, तभी तो ये मिली हैं!"

अगला वर्ष पूरा ढूँढ़-ढूँढ़ कर अज्ञेय का लेखन पढ़ने और अपने शोध, जिसे मैंने फिर जिदपूर्वक बदल कर 'अज्ञेय और एलियट का काल चिन्तन' करवाया था, पूरा करने में बीता। उन्हीं दिनों जयपुर में हीरानन्द शास्त्री व्याख्यानमाला का आयोजन हुआ। 1985 की सर्दियों में वत्सल निधि लेखक शिविर आयोजित होना था, जिसमें संजीव आमन्त्रित थे, लेकिन अपने पिताजी की अस्वस्थता के कारण नहीं जा पा रहे थे। घटनाक्रम कुछ ऐसा बना कि उसमें संजीव की जगह मैं मानसर में थी। काव्य को वेद और रंगमंच को यज्ञ क्यों माना गया होगा, इसे यदि हमारे समय की समझ से जानना हो तो आप वत्सल निधि के लेखक शिविर या आयोवा के पोएट्री फेस्टिवल जैसे ही किसी समागम में समझ सकते हैं। उठते-बैठते, खाते-सोते सिर्फ कविता। चेतना की ऐसी काव्यमय, काव्यात्मक सम्पृक्ति विरले ही किसी काव्यानुष्ठान में सम्भव होती होगी।

मानसर झील के किनारे बने गेस्ट हाउस और उसके आसपास बनी छोटी कुटियाओं में चार पीढ़ियों के चालीस लेखक, अलग-अलग शहरों से पहले रेल, फिर बस और कारों से पहुँचे हुए। सुबह नाश्ता कर नौ बजे से शुरू होकर शाम सात बजे तक चलने वाले कविता पाठ और कविता संवाद के सत्र, जम्मू के 'स्थल पुराणों' की यात्रा और मानसर झील की साढ़े चार किलोमीटर की सुबह-शाम की सैर का हर पल किसी भी कवि-कवियशःप्रार्थी के लिए कैसा कविता संसार रच सकता है, यह उसमें होकर ही जाना जा सकता है। कविता के गम्भीरतम रूप से लेकर आपसी चुहल तक हर रस की, हर प्रकार की कविता, शब्दों के नये-पुराने तरह-तरह के खेलमेल, फूल-पौधों-वृक्षों, कीट-पतंगों, पशु-पक्षियों के परिचय, भाषा-भूषा-भोजन संस्कृति के सभी पक्षों का ऐसा सादा और सुरुचिपूर्ण संयोजन बहुत कम सध पाता है। मानसर के उन दिनों की अनेक छवियाँ मेरे मन पर अब भी स्पष्ट अंकित हैं। एक काव्य संस्कार की तरह कविता के कई रूपों और भाव सम्पन्न कवियों के काव्यसामर्थ्य से मेरी यह पहली भेंट थी। पं. विद्यानिवास मिश्र, रामस्वरूप चतुर्वेदी, विपिनचन्द्र अग्रवाल, अजित कुमार, प्रयाग शुक्ल, नवीन सागर, रमेशचन्द्र शाह, ज्योत्सना मिलन, स्नेहमयी चौधरी, अर्चना वर्मा, नन्दकिशोर आचार्य, शीन काफ निजाम – हरेक से परिचय की अपनी कहानी।

दूसरे ही सत्र में मानस मुकुल दास का भेजा पत्र मुझे पढ़ने को दिया गया। किसी कारण से वे आ नहीं पाये थे। लेकिन उनकी अनुपस्थिति में भी उनके पत्र और विचारों के प्रति गम्भीरता में वहाँ मौजूद सभी के कविता के प्रति सम्मान और लगाव की झलक थी। विद्यानिवास जी और रामस्वरूप जी की लेखक की निष्ठा को लेकर उलझन, आचार्य जी के वात्स्यायन जी की *एक बूँद सहसा उछली* में निष्कर्ष आरोपित करने के आक्षेप पर वात्स्यायन जी का स्वीकार और निजाम साहब का आचार्य जी से विवाद, शाह साहब के अपनी कुटिया से न आने पर उन्हें दी गयी 'हठ-योगी' की उपाधि और नवीन सागर के सुझाए नाम 'नमनौला' से पूरी गरिमा के साथ प्रेइंग मेंटिस नामक कीट का नामकरण – वहाँ की शायद ही कोई घटना होगी जो बौद्धिक और भावात्मक निष्ठा का प्रमाण न हो। और इस सब की पृष्ठभूमि में इला जी का दृश्य और वात्स्यायन जी का अदृश्य सुरुचिपूर्ण संचालन, जम्मू के सहभागियों का सहज सहयोग।

वहाँ के उस वातावरण का ही असर रहा होगा कि मैंने भी एक परचे का प्रस्ताव कर दिया। वात्स्यायन जी ने तुरन्त तय कर दिया– "आपको परसों सुबह पढ़ना है।" लिखने की बारी आयी तो होश फाख्ता। वैचारिक-साहित्यिक कार्य हिन्दी में कर पाने का न अनुभव, न सामर्थ्य। अगली बार हिन्दी में पढ़ने की शर्त

पर वह पत्र अंग्रेजी में लिखने की स्वीकृति मिली। फिर भी न लिखा गया तो अर्चना दी (अर्चना वर्मा) ने अपने कमरे में लगभग बन्द कर दिया कि परचा पूरा करके ही बाहर आना। खैर परचा पढ़ा तो प्रश्नों की बौछार। उन प्रश्नों के उत्तर विपिनचन्द्र अग्रवाल, रमेशचन्द्र शाह और खुद वात्स्यायन जी ने दिए – कुछ आचार्य जी ने दिए – इतने परिपक्व माहौल में एक पच्चीस वर्ष की लड़की के विचारों के प्रति अग्रजों की ऐसी गम्भीरता मेरे लिए एकदम अप्रत्याशित थी। लेकिन काव्य चेतना और वैचारिक निष्ठा की वह आश्वस्ति अब तक मेरे साथ है, और हमेशा रहेगी।

52

आधी रात को तस्वीरें

॥ ओपी शर्मा

अज्ञेय जी से पहली बार मुलाकात तब हुई जब *दिनमान* शुरू हुआ ही था। यह 1965 की बात है। उससे पहले मैंने उनका कुछ साहित्य पढ़ा था। खास तौर से कविताएँ। *तार सप्तक* निकला तो उसमें नवीनता लगी। फिर *शेखरः एक जीवनी* पढ़ा। बहुत अच्छा लगा। उनसे मिलने की इच्छा होने लगी। जब एक दफा भेंट हो गयी तो मुलाकातों का सिलसिला-सा चल पड़ा। एक तरह से, वह बिना रुके आखिर तक चलता रहा। *दिनमान* में जब तक वे सम्पादक रहे, मैं वहाँ लिखता भी था।

अज्ञेय बहुत सारे विषयों पर बात करते थे, लेकिन रिजर्व भी बहुत रहते थे।

फोटोग्राफी का उन्हें शुरू से शौक था। मैं उनसे बहुत छोटा था और फोटोग्राफी भी बहुत बाद में शुरू की। तस्वीरें खींचकर वे कई बार दृश्यों पर कविताएँ लिखते थे। कई बार उन्होंने कविताएँ लिखीं तो उनके लिए तस्वीरें खींचीं। *सुनहले शैवाल* में सारी उनकी खुद की खींची तस्वीरें हैं। तस्वीरों के बारे में वे अक्सर बातें करते थे। उन पर काफी-काफी देर चर्चा होती थी।

फोटोग्राफी की गजब की समझ थी उन्हें। उनके उपकरण यानी कैमरा, लेंस वगैरह बहुत पेशेवराना थे। दो कैमरे उनके पास थे। एक था थर्टी-फाइव यानी मिनिएचर कैमरा और दूसरा वन-ट्वेंटी यानी मीडियम फार्मेट। हो सकता है उन्होंने लार्ज फार्मेट भी इस्तेमाल किया हो, पर उसकी मुझे जानकारी नहीं है।

मेरे खयाल से डार्क रूम में खुद उन्होंने कभी काम नहीं किया। पर जब कभी हम लोग काम करते थे तो वहाँ आ जाते थे। बात करते थे। मसलन, ये प्रिंट कैसे बनाया और इसमें क्या प्रयोग हो सकता है वगैरह-वगैरह। फोटो के प्रिंट वगैरह बनवाने का अपना सारा काम वे बाहर से करवाते थे, कनॉट प्लेस से। हालाँकि कभी-कभी मैं भी उनका काम कर दिया करता था।

कभी-कभार वे कांट्रैक्ट-शीट लेकर आ जाते थे – जिसमें निगेटिव के आकार की तस्वीरें होती हैं। फिर काफी देर तक उस पर चर्चा करते कि कौन-सी तस्वीर

ठीक है और कौन नहीं, किसे सुधारा जा सकता है या किस तरह सुधारा जा सकता है वगैरह। भले ही डार्क रूम में काम करते मैंने उन्हें कभी नहीं देखा, पर वहाँ काम कैसे होता है इसकी उन्हें गहरी समझ थी। यह भी सम्भव है कि 1965 में मेरी मुलाकात से पहले उन्होंने डार्क रूम में कभी काम किया भी हो।

1983 में इंडिया इंटरनेशनल फोटोग्राफिक काउंसिल की स्थापना हुई थी। वे उसके संस्थापक सदस्यों में एक थे। दुनिया भर में फोटोग्राफी में क्या ट्रेंड चल रहे हैं, इस पर वहाँ वे चर्चा करते थे। हमारी काउंसिल की ओर से लगाई गयी एक प्रदर्शनी का उद्घाटन भी उन्होंने किया था।

अज्ञेय जी से और गहरा सम्पर्क तब हुआ जब 'जानकी-जीवन यात्रा' आयोजित हुई। उन्होंने मुझसे कहा कि यात्रा में मैं भी चलूँ। यात्रा पटना से शुरू हुई थी। वहाँ से हम नेपाल गये। फिर गोरखपुर, इलाहाबाद, चित्रकूट आदि होते हुए दिल्ली आये। यात्रा डेढ़-दो महीने की रही होगी। इस दौरान हम लोग सुबह से शाम तक साथ रहे। यात्रा के दौरान हर तरह की और हर विषय को ध्यान में रखकर तस्वीरें खींची गयीं। उन तस्वीरों को लेकर भी उनसे विचार-विमर्श होता था।

दरअसल यात्रा राम और सीता से जुड़े स्थलों की थी, जिन्हें हम लोग मौजूदा सन्दर्भों में देखने-समझने गये थे। उस यात्रा में बहुत-से साहित्यकार साथ थे। कुछ लोग बीच में भी शामिल हुए। जैसे, अमृतलाल नागर फैजाबाद से साथ हुए। शंकर दयाल सिंह यात्रा की सारी व्यवस्था देख रहे थे। जहाँ जाते थे वहाँ स्थानीय साहित्यकार भी मिलते थे। जहाँ-जहाँ रुकते थे, वहाँ के स्थानीय समूहों के साथ शाम को बैठकें होती थीं। उनसे वहाँ की जगहों के बारे में बात होती तो पता चलता कि उनके मन में क्या है। उसके बाद जो तस्वीरें बनतीं, वे और बेहतर होती थीं। बाद में उन तस्वीरों की प्रदर्शनी लगाई गयी हिमाचल भवन में। महादेवी वर्मा ने प्रदर्शनी का उद्घाटन किया था। वे तस्वीरें अब कहाँ हैं, पता नहीं।

जानकी यात्रा को लेकर एक रोचक घटना है। हम लोग निकले थे। पटना से काफी आगे की बात रही होगी। बिहार में उस जमाने में हालात बहुत खराब थे। हम लोगों की गाड़ियाँ जा रही थीं – पाँच-छह जीपें। रात के ग्यारह-साढ़े ग्यारह बजे का समय रहा होगा। चारों तरफ घुप्प अँधेरा था। अचानक जीपों की हैड लाइट की रोशनी में हम लोगों ने देखा कि सड़क के बीच में कुछ लोग खड़े हैं। उस जमाने में डाकुओं का बड़ा आतंक था। हम घबरा गये थे। लगा कि आज मारे गये सब। या यह कि लुट तो जाएँगे। हमारे पास महँगे कैमरे भी थे – मेरे पास भी था, अज्ञेय जी के पास भी।

शंकर दयाल सिंह ने कहा आप लोग यहीं रहें। मैं अपनी गाड़ी लेकर आगे

जाता हूँ और देखता हूँ कि मामला क्या है। पता चला कि सारे लोग किसी स्थानीय साहित्यिक संस्था के थे। उन्हें जाने कैसे पता चल गया कि अज्ञेय जी उधर से निकलेंगे। वे अज्ञेय जी से कविता सुनना चाहते थे, जो उस उक्त यात्रियों को अजीब-सी माँग लगी। पर अज्ञेय जी सहज थे। वे चाहते थे कि ये लोग इतनी रात को हम लोगों से मिलने आये हैं तो उनके साथ तस्वीरें खींची जाएँ। पर मेरे सामने सवाल यह था कि इतना बड़ा ग्रुप है और फ्लैश लाइट में सारा ग्रुप नहीं आ सकता, तो तस्वीरें खींची कैसे जाएँ! फिर हमने और अज्ञेय जी ने मिलकर एक तरकीब सोची। आज भी याद आता है कि वह तरकीब न सूझी होती तो तस्वीर नहीं बनती। उस तरकीब के अनुसार सारे लोग सड़क पर बैठ गये। पीछे सारे यात्री लोग खड़े हो गये। फिर सारी जीपों को सामने खड़ा कर उन सबकी हैड लाइट जला दी। इस तरह काफी रोशनी हो गयी और तस्वीरें खींच ली गयीं। वे तस्वीरें बहुत अच्छी आयीं। एक तरह से यादगार तस्वीरें हैं, अगर कहीं मिल जाएँ।

मैंने उनके साथ भागवत-भूमि यात्रा भी की। वह मथुरा से द्वारका तक की यात्रा थी। लेकिन वह यात्रा बीच में रुक गयी। पता नहीं क्या हुआ, कुछ ठीक से याद नहीं है। इस यात्रा में भी पहली यात्रा की तरह ही तस्वीरें खींची गयी थीं।

मैं मॉडर्न स्कूल में फोटोग्राफी पढ़ाता था। अज्ञेय जी से महीने में एकाध बार तो उन दिनों में बातचीत होती ही थी। वे कई बार स्कूल में मिलने चले आते थे। उनके समय के साहित्यकार भी हमारे स्कूल में आते थे मेरे निवेदन पर। पाण्डेय बेचन शर्मा 'उग्र', जैनेन्द्र कुमार, फिराक गोरखपुरी, फैज अहमद फैज आदि कई साहित्यकार आये।

मुझे लगता है कि चाहे फोटोग्राफी हो, साहित्य हो, पेंटिंग हो, संगीत या नृत्य हो, सभी का एक-दूसरे से काफी सम्बन्ध है। एक-दूसरे से काफी हद तक काम करने की प्रेरणा ली जा सकती है। बहरहाल, साहित्यकारों और कलाकारों के सम्पर्क से मुझे बहुत लाभ हुआ।

अज्ञेय का पहला पोर्ट्रेट मैंने 1965 में बनाया था। तब वे काफी युवा लगते थे। उसके बाद जब भी समय मिलता, वे आते थे। कई बार अपनी खींची तस्वीरें लेकर। तस्वीरें बनवाने के लिए वे पूरा समय देते थे। अगर सही मायने में अच्छी तस्वीर बनानी है, जिसे हम पोर्ट्रेट कहते हैं, तो उसे बिना समझे-बूझे नहीं बनाया जा सकता। हरेक का चेहरा अलग होता है, हरेक का व्यक्तित्व अलग होता है। जब तक ये चीजें झलकें नहीं, बात नहीं बनती।

अज्ञेय सचेत होकर पोर्ट्रेट के लिए कभी नहीं बैठे, कि ऐसा दिखाई देना

चाहिए, मैं ऐसे बैठूँगा वगैरह। उन्होंने सब मुझ पर छोड़ रखा था। इसीलिए काम करने में मजा आता था। सिटिंग के दौरान साहित्यिक चर्चा भी हो जाती थी। जब किसी का पोर्ट्रेट बनाते हैं और उसके बारे में, उसके कृतित्व के बारे में, लेखन या संगीत के बारे में बात करते हैं तो भाव बदल जाता है। कोई अपनी बात याद कर रहा होता है तो झलकता है कि व्यक्ति क्या है। एक अच्छा पोर्ट्रेट बनाने के लिए समय चाहिए। किसी को देख-समझकर यह तय करना आसान होता है कि उसका चेहरा किस कोण से अच्छा लगेगा, उनकी कौन-सी भाव-मुद्रा अच्छी लगेगी। किसका पूरा चेहरा बनाना है, किसे तीन-चौथाई बनाना है। पोर्ट्रेट में अन्तर्दृष्टि झलकनी चाहिए। अच्छा पोर्ट्रेट सही मायनों में वही है, जिसमें सारा व्यक्तित्व आ जाए।

अज्ञेय ने शायद इनडोर में काम नहीं किया। वे आउटडोर में ज्यादा काम करते थे। चाहे लैंडस्केप हों, चाहे दूसरे चित्र हों – मित्रों वगैरह के। जहाँ जैसी रोशनी उपलब्ध होती थी, उसी में काम करते थे। तस्वीर बनाने के लिए रोशनी का सबसे पहले ध्यान रखा जाता है। यह जानना जरूरी है कि क्या रोशनी पर्याप्त है तस्वीर बनाने के लिए। अज्ञेय उसका ध्यान रखते थे। किसकी तस्वीर कैसी बननी है, यह भी ध्यान वे रखते थे। यों भी जो व्यक्ति अच्छी कविता लिख सकता है, उसे अच्छी तस्वीर खींचने में क्या दिक्कत हो सकती है! जिस तरह कविता में एक-एक शब्द मायने रखता है, उसी तरह तस्वीर का एक-एक हिस्सा मायने रखता है।

जब अज्ञेय *दिनमान* में थे, मेरे कई पोर्ट्रेट कवर पर आते थे। जैसे शमशेर जी का पोर्ट्रेट था, या शम्भु मित्र का। होता यही था कि कभी कोई साहित्यकार आया, नाटककार आया या ऐसे ही कोई और, तो अज्ञेय जी कहते थे कि इनका पोर्ट्रेट कर दीजिए।

निजी जिन्दगी के बारे में वे बातचीत नहीं करते थे। हाँ, एक जमाने में वे भगतसिंह वगैरह के साथी रह चुके थे। इसे लेकर जरूर बातें हुई थीं। उसके बाद अज्ञेय फौज में भी रहे। एक तरह से उनका व्यक्तित्व बहुआयामी था। मेरा सम्पर्क जिन-जिन साहित्यकारों और दूसरी विधा के लोगों से हुआ, उनमें अज्ञेय बिलकुल अलग थे। शायद कुछ बातें उनमें अलग इसलिए थीं क्योंकि वे घूमते बहुत थे। घुमक्कड़ी का और फोटोग्राफी का साथ भी होता है।

उनके घर कई बार गया। उनकी लाइब्रेरी बहुत अच्छी और बड़ी थी। काफी सुव्यवस्थित भी। वे चीजों को करीने से रखते थे। उनका कैमरा पुराना होते हुए भी कभी पुराना नहीं लगता था। कोई नया लेंस आ गया या कोई और चीज आ गयी

तो बदलते भी रहते थे। शुरू में वे पुराना जर्मन कैमरा इस्तेमाल करते थे; उसके साथ एक जूम लैंस था वन ट्वेंटी का। वह उन्हें बहुत प्रिय था। पेंटेक्स थोड़ा कम इस्तेमाल करते थे, क्योंकि वह भारी था। बाद में निकॉन इस्तेमाल करने लगे। फ्लैश यूनिट, लेंसेज, ट्राइपॉड, सभी उपकरण उनके पास थे। कभी-कभी ऐसा भी हुआ कि यात्रा पर निकले और मेरी कोई चीज काम नहीं कर रही है, तो उनसे मैंने ले भी ली।

मेरा उनसे अन्तिम दिनों तक सम्पर्क बना रहा। संयोग की बात है, मैंने पहली बार किसी काम से उन्हें फोन किया तो पता चला वे नहीं रहे। थोड़ी देर पहले ही गुजर गये थे। मैं तो सन्न रह गया कि ऐसा भी हो सकता है, अभी परसों जिनसे बात हुई थी। घर से पता चला था कि अचानक ऐसा हुआ। मैं भागा-भागा निगम बोध घाट गया। पर अज्ञेय नहीं मिले। उनकी मिट्टी मिली।

53

कुशीनगर से शुरू हुई खोज

॥ अरुणेश नीरन

अज्ञेय को कुशीनगर बहुत प्रिय था। लोग उस कुशीनगर को जानते हैं, जहाँ बुद्ध का महापरिनिर्वाण हुआ, जहाँ सुभद (सुभद्र) को अन्तिम दीक्षा मिली, जहाँ उनके शव को पाने के लिए आठ राज्यों की सेनाएँ आपस में युद्ध के लिए सन्नद्ध हो गयीं, जहाँ उनका चक्रवर्ती सम्राट् की तरह दाह-संस्कार हुआ और आठ भागों में उनकी अस्थियों के फूल बाँटे गये। लेकिन वह मृण्मय कुशीनगर है, जो इतिहास में है। एक चिन्मय कुशीनगर भी है। मृण्मय में द्रष्टा होता है, दृष्टि होती है, दृश्य होते हैं। उसमें द्रष्टा के अनुभव को कहा जा सकता है। लेकिन चिन्मय को कैसे कहा जाए? कौन कहेगा? कैसे कहेगा? किससे कहेगा? वहाँ तो कुछ है ही नहीं। उसमें तो तन्मय ही हुआ जा सकता है, डूबा और विसर्जित हुआ जा सकता है।

मृण्मय कुशीनगर के पुरातत्त्व शिविर में वे पैदा हुए, लेकिन जीवन भर चिन्मय की खोज चलती रही। इसीलिए वे बार-बार यहाँ आते रहे मौन का रहस्य जानने, शून्य को धारण करने, आत्म की स्रोतस्वनी के उत्स को खोजने। नदी का द्वीप बनकर, नदी, जो उन्हें वृहद् भूखण्ड से मिलाती थी, वृहद् भूखण्ड, जो उनका पितर था। आत्म की यही स्रोतस्वनी उनकी सत्ता के अगाध रस-भण्डार से निःसृत होकर, शून्य में सन्नाटे को बुनती हुई, उसी चिन्मय, अनुभूति-नियन्त्रित समाधिमय महासत्ता के समुद्र में विलीन हो जाती है। 'नदी' और 'सागर' अज्ञेय के प्रिय प्रतीक हैं। मूल स्रोत से सागर तक और सागर से मूल स्रोत तक – एक ही सत्ता है जो अनादि है, अनन्त है। मूल स्रोत भी वही सागर है, जो नदियों के शून्य जल-भण्डार को भरने के लिए अपने जल को वाष्प बनाकर आकाश में पहुँचाता है और वे मेघ बनकर नदी को भर देते हैं। नदी के सृजन और विसर्जन का कारण सागर है। एकता, प्राणमय एकता ही सबका सार है। इसी एकता के वे अन्वेषी थे। नदी से सागर तक का प्रवाह जीवन का प्रवाह था।

इसीलिए वे किसी एक केन्द्र से बँधे नहीं थे। कुशीनगर से जो जीवन-यात्रा शुरू हुई थी, वह दिल्ली के जन-समुद्र में विलीन हुई। कुशीनगर, मेरठ, आगरा,

कलकत्ता, पूर्वोत्तर, इलाहाबाद, फिर दिल्ली – बीच-बीच में लम्बे-लम्बे विदेश प्रवास – लेकिन उनका घर होते हुए भी कहीं नहीं था। क्योंकि उनका घर रहने के लिए था ही नहीं, वह लौटने के लिए था। उनके भीतर भी घर की खोज चल रही थी। इसी खोज-यात्रा में वे बार-बार कुशीनगर आते रहे।

1973 में मैंने उन्हें दीक्षान्त भाषण देने के लिए बुद्ध महाविद्यालय में आमन्त्रित किया। एक वर्ष पूर्व महादेवी वर्मा दीक्षान्त समारोह की मुख्य अतिथि थीं और उन्होंने अपने भाषण से श्रोता समूह को सम्मोहित कर लिया था। इस वर्ष सब अज्ञेय को सुनना चाहते थे।

मैं वहाँ हिन्दी विभाग में प्राध्यापक था। मेरे प्राचार्य ने अज्ञेय को बुलाने और कुशीनगर में उनके स्वागत का दायित्व मुझे सौंप दिया। अज्ञेय को गोरखपुर हवाई अड्डे से मैं कुशीनगर ला रहा था तो उन्होंने मुझसे पूछा कि 'दीक्षान्त समारोह में क्या गोरखपुर विश्वविद्यालय के कुलपति बालकृष्ण राव भी आएँगे?' मैंने जवाब दिया कि 'वे ही दीक्षान्त समारोह की अध्यक्षता करेंगे।'

दूसरे दिन राव साहब पथिक निवास आये, जहाँ अज्ञेय ठहरे हुए थे। दोनों इलाहाबाद की चर्चा में डूब गये। राव साहब ही ज्यादा बोल रहे थे, अज्ञेय कभी-कभी कोई टीप लगा देते थे। इलाहाबादी संस्कृति पर चर्चा होते-होते बात संस्कृति पर आयी। राव साहब ने कहा कि हिन्दुस्तान साक्षर हो रहा है, अपनी संस्कृति को समझने लगा है। अज्ञेय ने रोका और कहा कि हमारा देश सदियों से श्रुति परम्परा में पला है, काला अक्षर भले ही उसके लिए भैंस बराबर हो, पर वाणी की जो उज्ज्वल मूर्ति उसके स्मृति-पटल पर जगमगाती रही है, वह उसे अन्धकार भरे जीवन में भी राह दिखाती रही है, सार्थकता और अन्तःसमृद्धि देती रही है। साक्षरता नये प्रकार के निरक्षर पैदा कर रही है। निरक्षर के लिए संस्कृति स्वभाव है, साक्षर के लिए अध्ययन का एक विषय।

अज्ञेय ने दीक्षान्त समारोह में अद्भुत भाषण दिया। निस्तब्ध होकर लोग सुनते रहे। उन्होंने व्याख्यान का समापन करते हुए कहा, 'आप देश के लोक समाज को साक्षर बनाने के काम में लगें या न लगें, लेकिन यह दायित्व तो आप पर आ ही गया है कि लोक-समाज की समृद्धि के उस आधार को विघटित न होने दें, उस संस्कारिता की लौ को न बुझने दें। यह धारा है, स्रोत है – वह जीवनदायी अमृत का स्रोत ही नहीं, उस आलोक का भी स्रोत है जिसके बिना अमृत की भी पहचान नहीं होती।'

लोक-समाज के प्रति उनकी आस्था का प्रमाण दूसरे ही दिन मिल गया।

कुलपति राव साहब अगले दिन पुनः अज्ञेय से मिलने आये। आते ही कहा, 'वात्स्यायन जी, मेरी इच्छा है कि कल विश्वविद्यालय में आपका काव्य-पाठ या व्याख्यान हो। कब समय दे रहे हैं?'

वात्स्यायन जी चुप। राव साहब ने प्रश्न दुहराया, 'मेरी इच्छा है...।' फिर चुप। तीसरी बार प्रश्न दुहराया गया, 'मेरी इच्छा है... ।'

अज्ञेय की चुप्पी टूटी, 'आपकी इच्छा हो सकती है! मैं तीन दिन के बाद दिल्ली जा रहा हूँ। वहाँ सम्पर्क कीजिए। देखेंगे! अच्छा, नमस्कार!' बात समाप्त। अज्ञेय के हाथ जुड़ गये। अवाक् राव साहब चले गये।

उसी दिन शाम को हम शिक्षाशास्त्र के एक प्राध्यापक के घर भोजन करने गये। अज्ञेय ने मुझसे किसी के घर भोजन की व्यवस्था करने को कहा था, क्योंकि तीन-सितारा पथिक निवास का भोजन उन्हें पसन्द नहीं आया था।

उस प्राध्यापक के यहाँ पहले से ही दस-पन्द्रह ग्रामीण लोग इकट्ठे होकर बतरस का आनन्द ले रहे थे। अज्ञेय चौकी पर पालथी मारकर बैठ गये।

'अज्ञेय जी, कोई कविता सुनाइए।' एक ग्रामीण ने माँग की।

मैं तो स्तब्ध रह गया। कहीं अज्ञेय नाराज होकर उठ न जाएँ। राव साहब को सवेरे दिया गया उत्तर मुझे बार-बार याद आ रहा था।

'देखिए, मेरे पास अपना कोई कविता-संकलन नहीं है और कविताएँ याद नहीं हैं।' अज्ञेय ने मुस्कुराते हुए कहा।

इसी बीच एक सज्जन चुपके से निकले और अपने आवास से *सुनहले शैवाल* की प्रति लाकर रख दी।

अज्ञेय ने पुस्तक हाथ में ली और डेढ़ घण्टे तक काव्य-पाठ करते रहे। कुशीनगर की उस शान्त सन्ध्या में गूँजते हुए अज्ञेय के स्वर में जो आत्मीयता थी, जो रस था, जो पीड़ा थी, उसके जादू में हम न जाने किस लोक में पहुँच गये थे। सन्ध्या के उस धुँधलके में जैसे प्रकाश का एक वलय स्वरों के पंखों पर उतर आया हो और हर श्रोता अब उसके वृत्त में चलने वाला राहगीर बन गया हो। हर श्रोता की आँख गीली हो गयी थी। कवि के स्वर, शाम का सन्नाटा और झरती ओस ने सबको जैसे सम्मोहित कर दिया था।

लौटते वक्त मैंने पूछा, 'अज्ञेय जी, वह आपका श्रोतावर्ग नहीं था। मैं माफी माँगता हूँ।'

'इसकी आवश्यकता नहीं है। वही श्रोतावर्ग मेरी कविताओं का आधार है और उन्हीं की चेतना मेरी रचना-भूमि है। मैं तो कृतज्ञ हूँ आपका कि आप मुझे वहाँ ले गये।' अज्ञेय बोले।

मेरे गुरु पं. विद्यानिवास मिश्र का आदेश मिला कि 'अज्ञेय जी का पैंसठवाँ जन्मदिन हम लोग कुशीनगर में मनाएँगे, वहीं, जहाँ उनका जन्म हुआ था। तैयारी शुरू कर दो।'

इस बार कॉलेज का दीक्षान्त समारोह तो था नहीं कि सारी व्यवस्था कॉलेज करता। सूचना मिली कि समारोह की अध्यक्षता पं. श्रीनारायण चतुर्वेदी करेंगे और अज्ञेय की बड़ी बहन तो आ ही रही हैं, भवानीप्रसाद मिश्र, लोठार लुत्से, डॉ. रघुवंश, जगदीश गुप्त, रामस्वरूप चतुर्वेदी, रामकमल राय, केदारनाथ सिंह आदि भी साथ रहेंगे।

हम लोग सहकारी व्यवस्था में जुट गये। कहीं से ईंट कहीं से रोड़ा लेकर कार्यक्रम का कुनबा तैयार किया गया। आकाशवाणी ने कार की व्यवस्था कर दी, मित्रों ने आवास की, कॉलेज ने निःशुल्क अपना हाल दे दिया। कुछ लोगों ने भोजन का जिम्मा लिया। मार्ग-व्यय की व्यवस्था करनी नहीं थी, क्योंकि सभी लोग अपने खरचे से आ रहे थे।

सहयोग माँगने हम लोग प्रदेश के एक वरिष्ठ नेता के घर गये और अनुरोध किया कि कार्यक्रम के बाद वे सबको जलपान कराने की व्यवस्था कर दें। वे सहर्ष तैयार हो गये; लेकिन उन्होंने इच्छा व्यक्त की कि वह आयोजन कुशीनगर के समारोह-स्थल पर नहीं, उनकी कोठी के लॉन पर होगा। उन्होंने यह भी कहा कि प्रस्तावित अज्ञेय संस्थान के लिए वे दस हजार रुपये की सहयोग राशि भी देंगे।

7 मार्च को सभी लोग जुटे। बड़ी बहन सत्यवती जी ने वह स्थान दिखाया जहाँ वह शिविर लगा था और जिसमें 7 मार्च, सन् 1911 को अज्ञेय का जन्म हुआ था। सभी ने वहाँ साल के एक-एक पौधे को रोपा, फिर मुख्य कार्यक्रम के लिए हाल में पहुँचे। अज्ञेय ने चतुर्वेदी जी और बड़ी बहन के चरण-स्पर्श किए और कार्यक्रम आरम्भ हुआ। अज्ञेय की बगल में बैठे विद्यानिवास जी ने घोषणा की कि भाषण केवल उन्हीं का होगा, जो कवि नहीं हैं, जो कवि हैं वे काव्य-पाठ के द्वारा आदरांजलि देंगे। केदार जी, परमानन्द श्रीवास्तव, भवानी भाई, विश्वनाथ प्रसाद तिवारी, राहगीर, अनन्त मिश्र ने अपनी कविताएँ सुनाईं, बाकी ने अज्ञेय के कवि-कर्म और व्यक्तित्व पर व्याख्यान दिए, चतुर्वेदी जी ने आशीर्वाद दिया और अज्ञेय के भाव-विभोर होकर दिए गये आभार के बाद कार्यक्रम समाप्त हो गया।

इसके बाद उस नेता के घर जाना था जलपान के लिए। हम लोग बाहर निकले तो आकाशवाणी की कार नहीं थी। उसी से दो कि.मी. दूर नेताजी की कोठी में पहुँचना था। विवश होकर मैंने सर मजीठिया से अनुरोध किया कि वे अपनी मर्सिडीज से तीन-चार खेप में सबको वहाँ पहुँचा दें। चौरासी वर्षीय

मजीठिया साहब से यह अनुरोध करते हुए संकोच हो रहा था, लेकिन कोई दूसरा विकल्प भी नहीं था।

मजीठिया साहब ने प्रसन्नता से इस प्रस्ताव को स्वीकार कर लिया और पहली खेप में अज्ञेय, भवानी भाई, विद्यानिवास मिश्र को स्वयं लेकर कसया पहुँचे, नेताजी की कोठी पर। चार-पाँच चक्कर में सब पहुँच गये।

लॉन में बड़े करीने से जलपान की व्यवस्था की गयी थी। जब सब लोग बैठ गये, नाश्ता लग गया तो नेताजी ने अज्ञेय से अनुरोध किया कि 'वात्स्यायन जी, शुरू करें।'

अज्ञेय बहुत गम्भीर थे। न उन्होंने नेताजी की ओर देखा, न नाश्ता शुरू किया।

अनुरोध बार-बार दुहराया गया। अज्ञेय जी चुप्प तो चुप्प।

अचानक वे खड़े हो गये और धीरे से कहा, 'चलिए, बाहर चलें।'

सब उठ खड़े हुए — बिना एक कण छुए। नेताजी स्तब्ध। हम सब स्तब्ध।

बाहर आकर उन्होंने कहा, 'चलिए, किसी दुकान में जलपान किया जाए।'

मेरे मित्र, कवि-कथाकार और उस समय वहाँ के एस.डी.एम. राजेन्द्र प्रसाद पाण्डेय साथ में ही थे। उन्होंने अनुरोध किया कि मेरा आवास बगल में है, वहीं जलपान हो। हम सब अज्ञेय की मौन सहमति पाकर उनके आवास में चले गये। राजेन्द्र का परिवार उस समय नहीं था। अज्ञेय के प्रस्ताव पर सबने मिलकर नाश्ता बनाया। इला जी, ओमवती जी रसोई में गयीं, अज्ञेय के नेतृत्व में लोगों ने आलू काटा, मटर के दाने निकाले, धनिया की पत्ती तैयार की और समूह-भोज का आनन्द लिया।

दूसरे दिन अज्ञेय ने मुझे बुलाया और कहा, 'मेरे नाम पर बनने वाले संस्थान के लिए उस नेता के द्वारा दी जाने वाली जिस सहयोग राशि की आप चर्चा कर रहे थे, वह आप नहीं लेंगे। इसकी सूचना आप उन्हें दे दें।'

'आप नहीं चाहते हैं तो वह सहयोग राशि हम नहीं लेंगे। लेकिन कल आप जलपान की टेबल से उठ क्यों गये? बहुत बुरा माना होगा उन्होंने।'

'मानने दें। जो आदमी अपने घर आये बुजुर्ग का सम्मान नहीं कर सकता, उसके यहाँ जलपान कैसे किया जा सकता है?' इतना कहकर वे मौन हो गये।

मैं भवानी भाई के पास गया, यह पूछने कि, 'जब पहली खेप में वे अज्ञेय के साथ पहुँचे तो हुआ क्या था? क्या किसी ने उनका या अज्ञेय जी का अपमान कर दिया?'

'अरे, नहीं भैया! वह हम लोग का अपमान क्या करेगा? तुमने जिस कार में

हम लोगों को भेजा था, वहाँ उतरते ही वह आदमी वयोवृद्ध मजीठिया साहब से कहा-सुनी करता रहा। उसने यह भी कह दिया कि आप अज्ञेय जी के बहाने हमारे परिसर में कैसे आ गये? मजीठिया साहब तो सज्जन आदमी हैं, सुनकर मुस्कुराते रहे; लेकिन भाई (अज्ञेय) गम्भीर हो गये। तभी मुझे लग गया कि कुछ-न-कुछ होकर रहेगा। वही हुआ भी।'

अज्ञेय की शालीन सामाजिकता और गहरी संवेदना ने नेताजी के अशालीन व्यवहार को अपने मौन से जो उत्तर दिया, उससे हम अवाक् थे। अपने प्रति व्यक्त किए जा रहे सम्मान का उनके लिए कोई अर्थ नहीं था। उनकी भावभूमि कठोर यथार्थ और उतने ही कठोर आदर्श के बीच झूला झूलने वाली भावभूमि थी।

सन् 1978 के जाड़ों में अज्ञेय फिर कुशीनगर आये। इस बार अकेले आये। उस क्षेत्र के एक प्रसिद्ध उद्योगपति ने बम्बई विश्वविद्यालय से अज्ञेय के उपन्यासों पर शोध किया था। वे मिलने आये और दूसरे दिन दोपहर के भोजन के लिए उन्हें अपने आवास पर आमन्त्रित किया।

अज्ञेय जी ने उत्तर दिया, 'अरुणेश जी से पूछिए।' फिर एक लम्बी चुप्पी के बाद, 'जैसा वे चाहें।'

दूसरे दिन उनके घर जाते हुए कार में मैंने पूछा, 'वात्स्यायन जी, आपातकाल में हम इतने कायर क्यों हो गये थे? खासकर लेखक और पत्रकार? आप भी देश छोड़कर जर्मनी चले गये। लौटे तो इमरजेंसी उठ जाने के बाद।'

'चलिए, अच्छा ही हुआ। सबकी पोल खुल गयी।' अज्ञेय बोले।

'आप भी तो चुप रहे।'

'चुप की भी एक दहाड़ होती है और अधिनायक अगर उसे सुन सकता है तो उसी से उसकी नींद हराम हो जाती है।' उसी के अगले माह *नया प्रतीक* का सम्पादकीय देखकर मैं चौंक गया। शीर्षक था – 'चुप की दहाड़'।

उद्योगपति के यहाँ शानदार भोजन की व्यवस्था थी। अज्ञेय के सम्मान में क्षेत्र के दस-पन्द्रह अतिविशिष्ट जनों को भी आमन्त्रित किया गया था। डाइनिंग टेबल पर अज्ञेय के लिए चाँदी का डिनर-सेट रखा हुआ था और फूलों से कमरा महक रहा था।

जब भोजन के लिए आमन्त्रित किया गया तो अज्ञेय उठे और कोने की टेबल पर रखी स्टील की प्लेट ली, उसमें खाना रखा और एक कुर्सी का कुशन खींचकर जमीन पर बैठकर खाने लगे। उपस्थित जनों ने भी उनका अनुसरण किया और सब जमीन पर बैठ गये। सारा आभिजात्य छिन्न-भिन्न हो गया। चाँदी का

डिनर-सेट पड़ा रह गया।

यह अज्ञेय का अहं नहीं, वास्तव में उनका कवच था – उन मूल्यों को बचाने का साधन भी, जो नष्ट हो रहे हैं, जिन्हें जान-बूझकर आधुनिकता, प्रगति और युग-धर्म के नाम पर नष्ट किया जा रहा है।

अन्तिम बार अज्ञेय अपनी मृत्यु के दो माह पहले कुशीनगर आये। उनके साथ भगवतीशरण सिंह, विद्यानिवास मिश्र और दुर्गावती सिंह थे। वे लोग दुर्गावती सिंह द्वारा अज्ञेय पर बनाए जा रहे वृत्तचित्र की शूटिंग के सिलसिले में आये थे।

महापरिनिर्वाण मन्दिर के सामने अज्ञेय खड़े हैं, मौन में कुछ बोलते हुए। सूर्य उगता है और उसकी पहली किरण मन्दिर पर पड़ती है, फिर उतरकर अज्ञेय को आलोकित कर देती है। दुर्गावती जी बोलती हैं– 'कट'। रह जाते हैं हाथ हिलाते पत्ते, शरमीली सुबह, सन्नाटा बुनती हवा और अकेलेपन का वैभव। आँखें बुद्ध की मूर्ति को निहार रही हैं, जैसे वे विगतागत के, वर्तमान के पद्मकोश महाबुद्ध को जीवन का नैवेद्य समर्पित कर रहे हों। उन फूलों के द्वारा, जो अँजुरी में नहीं हैं, भिन्न-भिन्न वनों-उपवनों में अपनी डाली पर खिले हैं। जिस कली को जहाँ पर खिलना है, वह वहीं खिली हुई है। हे महाबुद्ध! जो भी सुख जिस डाली पर पल्लवित और पुलकित हुआ है, मैं उसे वहीं पर अक्षत, अनाघ्रात (बिना सूँघे हुए), अछूते और निर्मल रूप से तुम्हें अर्पित करता हूँ।

54

आँख को फ़ख़्र है

॥ शह्रयार

आँख को फ़ख़्र है इस पर कि तुम्हें देखा है
होंठ शर्मिन्दा हैं इस पर कि कोई बात न की
आमने सामने तुम आये कई बार मेरे
जी ने हर बार यही चाहा कि तुम से यह कहूँ
शाइरी हिन्दी की जितनी भी जहाँ से है पढ़ी
फ़िक्रो-अस्लूब में तुम सब से अलग, सब से जुदा
आलमी ख्वाब परेशान तुम्हें रखते थे,
गुफ़्तगू में मगर महदूद मसाइल घर के
यानी इस मुल्क के आइन्दा पे तुम हैराँ थे
मुझ को बस फ़ख़्र है इस पर कि तुम्हें देखा है
होंठ शर्मिन्दा हैं इस पर कि कोई बात न की

□□

अज्ञेयः जीवन-वृत्त

नाम सच्चिदानन्द वात्स्यायन
माता– व्यन्ती देवी, पिता– पण्डित हीरानन्द शास्त्री

1911 जन्म 7 मार्च, फाल्गुन शुक्ल सप्तमी, संवत् 1967 को कुशीनगर (कसिया), जिला देवरिया (पूर्वी उत्तरप्रदेश) के एक उत्खनन शिविर में। पुरातत्त्ववेत्ता पिता वहाँ कार्यरत थे।

1915 बचपन लखनऊ में। हिन्दी पहली भाषा। संस्कृत मौखिक परम्परा में
शिक्षा आरम्भ।

1919 पिता कश्मीर स्थानान्तरित। श्रीनगर और जम्मू में संस्कृत, फारसी और अंग्रेजी की प्रारम्भिक शिक्षा।

1921-22 कश्मीर से बिहार। नालन्दा में हिन्दी शिक्षा।

माँ के साथ जलियाँवाला काण्ड के बाद पंजाब-यात्रा। देशभक्ति का संकल्प और अंग्रेजी साम्राज्यवाद के प्रति विद्रोह की भावना। पटना में नारे का उद्घोष – 'गाँधी जी का बोलबाला, दुश्मन का मुँह हो काला'। घर में विदेशी कपड़ों का ढेर जमा कर आग लगाई। बड़गाँव में 'सत्य हरिश्चन्द्र' नाट्य मंचन से अभिभूत होकर 'इन्द्रसभा' नाटक खेलने का प्रयास।

उडुपि (नीलगिरि) में मध्वाचार्य-संस्थान में यज्ञोपवीत संस्कार।

दक्षिण में रहते अंग्रेजी साहित्य से परिचय।

1924-25 नालन्दा और पटना में काशीप्रसाद जायसवाल, रायबहादुर हीरालाल और राखालदास बन्द्योपाध्याय जैसे विद्वानों का सम्पर्क मिला। बन्द्योपाध्याय से बांग्ला सीखी।

हस्तलिखित हिन्दी पत्रिका *आनन्द-बन्धु* का आयोजन। उसी वक्त कहानी और लघु-उपन्यास लेखन पर भी हाथ आजमाया। 'श्रीवत्स' उपनाम रखा।

पंजाब से प्राइवेट हाई स्कूल की परीक्षा उत्तीर्ण की।

1927 साइन्स क्रिश्चियन कॉलेज, मद्रास से इंटर। ब्राह्मणों का हॉस्टल छोड़ अन्य जातियों के हॉस्टल में जा रहे, जहाँ ईसाई, हरिजन आदि सब साथ रहते थे।

कॉलेज-पत्रिका का सम्पादन। पहली कविता का प्रकाशन।

1929 फारमन कॉलेज, लाहौर से भौतिक विज्ञान में बी.एससी., प्रथम श्रेणी में प्रथम।

मद्रास में अंग्रेजी के प्रोफेसर एंडरसन के साथ टैगोर-मण्डल की स्थापना।

लाहौर में अमेरिकी प्रोफेसर जेम्स मार्टिन बनेड और प्रो. डेनियल से सम्पर्क। अंग्रेजी साहित्य, बाइबिल-ज्ञान और रवीन्द्रनाथ ठाकुर के अध्ययन के लिए स्वर्णपदक।

कांग्रेस अधिवेशन में सेवादल में शामिल हुए। नौजवान भारत सभा के युवकों से परिचय। लाहौर में ही क्रान्तिकारी जीवन की शुरुआत। पहले अपना दल बनाया, फिर हिन्दुस्तान सोशलिस्ट रिपब्लिकन आर्मी से जुड़ाव। चन्द्रशेखर आजाद, सुखदेव, भगवतीचरण वोहरा, यशपाल आदि के सम्पर्क में आये। लाला लाजपत राय से मुलाकात।

पहली कहानी 'जिज्ञासा' की रचना, जिसे अन्तिम रूप छह वर्ष बाद मिला।

1930 चन्द्रशेखर आजाद के निर्देश पर भगतसिंह को जेल से छुड़ा लाने के लिए लाहौर में ट्रक चलाना सीखा। वहीं बम विस्फोट में भगवतीचरण वोहरा की शहादत के बाद भगतसिंह को छुड़ाने की योजना स्थगित। क्रान्तिकारियों में अनबन। यशपाल को पंजाब के डलहौजी (अब हिमाचल प्रदेश में) के पहाड़ों में ले जाकर एक महीना छिपा रखा।

दिल्ली में 'हिमालयन टायलेट्स' नाम से गुप्त बम फैक्टरी की स्थापना। 'साइंटिस्ट' का जिम्मा निभाया। बाद में फैक्टरी अमृतसर

में स्थानान्तरित। कश्मीरी व्यापारी बनकर दुर्ग्याना मन्दिर में प्रवास। फिर जलियाँवाला बाग के पास मुहम्मदबख्श के भेस में पेंटर की दुकान। इलैक्ट्रिशियन का रूप भी धरा। मसजिद में प्रवास। सरकार ने गिरफ्तारी के लिए पाँच सौ रुपये का इनाम घोषित किया। केवल कृष्ण और देवराज के साथ 15 नवम्बर को गिरफ्तार। आर्म्स एक्ट में एक महीना लाहौर किले में, फिर अमृतसर की हवालात में।

1931-35 दिल्ली में शासन के खिलाफ षड्यन्त्र का मुकदमा, जो 1933 तक चला। दिल्ली जेल में काल-कोठरी में बन्दी रहे। विशेष ट्राइब्युनल में अपनी पैरवी खुद की।

इसी बीच *चिन्ता* काव्य और *शेखरः एक जीवनी* का सृजन। कहानियाँ लिखीं। लघु काव्य संग्रह *भग्नदूत* का प्रकाशन।

लाहौर हाईकोर्ट के आदेश पर फरवरी 1934 में मुकदमे में बरी। मगर पुलिस ने नजरबन्दी का आदेश दिखाकर लाहौर किले भेजा। फिर दो वर्ष लाहौर के घर में नजरबन्द। बाहर आने पर माता और छोटे भाई की मृत्यु का दुख तथा पिता की सेवा-निवृत्ति।

जेल में रहते मैथिलीशरण गुप्त से पत्र-व्यवहार द्वारा सम्बन्ध, जो बाद में घनिष्ठ होते चले गये।

अक्तूबर 1932 में पहली कहानी 'अमरवल्लरी' का साप्ताहिक *जागरण* में प्रकाशन। इसे जैनेन्द्र कुमार ने पत्रिका के सम्पादक प्रेमचन्द के पास लेखक को अज्ञेय बताते हुए भेजा था। प्रेमचन्द ने लाचारी में अज्ञेय विशेषण नाम की तरह बरता। बाद में जैनेन्द्र जी से दिल्ली के सेशन्स कोर्ट में पहली मुलाकात। जेल से प्रेमचन्द के साथ पत्राचार। उन्हें कविताएँ भी भेजीं, जो नहीं छपीं।

दिल्ली जेल से बाहर आने पर प्रेमचन्द से प्रत्यक्ष सम्पर्क। कविता पर संवाद।

1935 में नागपुर में बालकृष्ण शर्मा नवीन से भेंट।

1936 कॉलेज में प्रवेश का विफल प्रयत्न। आजीविका की तलाश। आगरा के साप्ताहिक *सैनिक* में बगैर नाम के सम्पादक।

क्रान्तिकारी साथी विमल प्रसाद जैन के साथ मेरठ के किसान आन्दोलन में सक्रिय हुए। किसानों और सजा काट चुके क्रान्तिकारियों

के विशाल समूह ने दिल्ली तक मार्च निकाला। मित्रों की सलाह पर राजनीति से दूर होकर केवल साहित्य की तरफ केन्द्रित हुए। रामविलास शर्मा, प्रकाशचन्द गुप्त, भारत भूषण अग्रवाल, प्रभाकर माचवे और नेमिचन्द्र जैन से परिचय।

जैनेन्द्र कुमार के साथ शान्तिनिकेतन की यात्रा। रास्ते में बनारस में प्रेमचन्द के घर ठहरे। शान्तिनिकेतन में हजारीप्रसाद द्विवेदी के साथ रवीन्द्रनाथ ठाकुर से मिले। *गीतांजलि* से अत्यन्त प्रभावित रहे।

1937-39 मानवेन्द्रनाथ राय से सम्पर्क।

पं. बनारसीदास चतुर्वेदी के आग्रह पर *विशाल भारत* के सम्पादन के लिए कलकत्ता गये। लगभग डेढ़ वर्ष वहाँ रहे। सुधीन्द्रनाथ दत्त, पुलिन सेन, बुद्धदेव बसु के अलावा पृथ्वीराज कपूर और बलराज साहनी आदि से परिचय। शान्तिनिकेतन में हजारीप्रसाद जी से घनिष्ठता।

1939 में *विशाल भारत* छोड़कर पिता के पास बड़ौदा में।

अध्ययन के लिए विदेश जाने का कार्यक्रम युद्ध छिड़ जाने के कारण स्थगित। ऑल इंडिया रेडियो के हिन्दी समाचार विभाग में नौकरी। उर्दू विभाग में कृश्नचन्दर, नून मीम राशिद, सिन्दबाद जहाजी और सआदत हसन मंटो साथ थे। भाषा-सुधार और समाचार-भाषा कोश तैयार करने का काम किया।

कहानी संग्रह *विपथगा* का प्रकाशन।

इलाहाबाद में पं. वाचस्पति पाठक के घर निराला से पहली मुलाकात।

1940 *आरती* मासिक के सम्पादन में दो वर्ष प्रफुल्लचन्द्र ओझा 'मुक्त' को सहयोग।

जुलाई में बंगाली युवती सन्तोष से विवाह। अनबन होने से अगस्त में ही अलग हो गये। 1946 में विवाह-विच्छेद।

1941 *शेखरः एक जीवनी* का प्रकाशन। विरोध और प्रशंसा का सिलसिला।

1942 दिल्ली में अखिल भारतीय फासिस्ट विरोधी सम्मेलन का आयोजन।

प्रगतिशील लेखक संघ के सदस्यों सहित, शाहिद लतीफ, कृश्नचन्दर

और शिवदान सिंह का साथ। सम्मेलन में प्रगतिशील गुट का अलगाव।

होमवती देवी के सहयोग से मेरठ में हिन्दी साहित्य परिषद की स्थापना। दो साहित्य सम्मेलनों का आयोजन। निराला, बच्चन, भगवतीचरण वर्मा, हजारीप्रसाद द्विवेदी, जैनेन्द्र कुमार आदि की शिरकत। परिषद के लिए *आधुनिक हिन्दी साहित्य* का सम्पादन।

1943 दूसरे महायुद्ध के दौरान भारत पर सम्भावित आक्रमण के वक्त सेना में भरती होकर असम-बर्मा सीमा के मोर्चे पर।

तार सप्तक का सम्पादन।

1944 *शेखरः एक जीवनी* के दूसरे भाग और कहानी संग्रह *परम्परा* का प्रकाशन। 'इंडिया लाइब्रेरी' कार्यक्रम के अन्तर्गत शरच्चन्द्र के उपन्यास *श्रीकान्त* का अंग्रेजी में अनुवाद।

1945 महायुद्ध खत्म होने पर सेना से मुक्ति पाने का आवेदन, जो 1946 में स्वीकृत हुआ।

निबन्ध संग्रह *त्रिशंकु* और कहानी संग्रह *कोठरी की बात* का प्रकाशन।

1946 गुरदासपुर में पिता की मृत्यु।

कुमाऊँ में प्रवास। फिर इलाहाबाद। द्वैमासिक *प्रतीक* का सम्पादन-प्रकाशन। 'परिमल' के साथ सक्रिय जुड़ाव।

इत्यलम्, प्रिजन डेज एंड अदर पोएम्स और जैनेन्द्र कुमार के उपन्यास *त्यागपत्र* का अनुवाद *द रेजिग्नेशन* नाम से अंग्रेजी में प्रकाशित।

1947-54 दिल्ली से *प्रतीक* (अब मासिक) का सम्पादन। *थॉट* के साहित्य-पृष्ठों का सम्पादन। *शरणार्थी, बावरा अहेरी, हरी घास पर क्षण भर, नदी के द्वीप, अरे यायावर रहेगा याद* और *जयदोल* का प्रकाशन।

1951 में *दूसरा सप्तक* का सम्पादन।

मानवेन्द्रनाथ राय के साथ गहन सम्पर्क।

	ऑल इंडिया रेडियो के समाचार विभाग में ढाई वर्ष फिर कार्य।
1955-56	यूनेस्को की ओर से यूरोप-भ्रमण की फेलोशिप। रेडियो से छुट्टी न मिलने पर त्यागपत्र। यूरोप में एक इतालवी फिल्मकार के साथ काम किया। एक वृत्तचित्र का निर्माण। कपिला मलिक से विवाह।
1957-58	जापान-भ्रमण। जेन-बौद्ध दर्शन का प्रभाव। जापान में लिखी अनेक कविताएँ *अरी ओ करुणा प्रभामय* में संकलित। बाद में कुछ समय के लिए फिर इलाहाबाद में। अंग्रेजी पत्रिका *वाक्* का सम्पादन।
1959	*तीसरा सप्तक* का सम्पादन।
1960	यूरोप-भ्रमण। यात्रा-वृत्तान्त *एक बूँद सहसा उछली* और व्यक्तिपरक आलेखों की पुस्तक *आत्मनेपद* का प्रकाशन। सुमित्रानन्दन पन्त की षष्टि-पूर्ति पर प्रकृति काव्य के संकलन *रूपाम्बरा* का सम्पादन।
1961-64	*आँगन के पार द्वार* काव्य-संग्रह पर साहित्य अकादेमी पुरस्कार। कैलिफोर्निया विश्वविद्यालय, बर्कले में भारतीय संस्कृति एवं साहित्य के प्रोफेसर। *अपने अपने अजनबी* का प्रकाशन। विद्यानिवास मिश्र और अमेरिकी कवियों के सहयोग से हिन्दी कवियों और अपनी कविताओं के अनुवाद।
1965-70	*दिनमान* साप्ताहिक के संस्थापक-सम्पादक। रघुवीर सहाय, सर्वेश्वरदयाल सक्सेना, श्रीकान्त वर्मा, मनोहर श्याम जोशी आदि साहित्यकारों को समाचारों की पत्रकारिता से जोड़ा। नयी शब्दावली चलाई। 1966 में फणीश्वरनाथ रेणु के साथ बिहार के सूखा-क्षेत्र का दौरा किया, जिसका शृंखला-बद्ध रिपोर्ताज बहुत चर्चित हुआ।

इसी बीच आस्ट्रेलिया, पूर्वी यूरोप के देशों, सोवियत यूनियन, मैक्सिको और मध्य यूरोप के देशों की यात्रा और व्याख्यान।

1969 में *दिनमान* से अलग हुए। बाद में कुछ समय तक कैलिफोर्निया विश्वविद्यालय में फिर विजिटिंग प्रोफेसर।

1971-72 इला डालमिया के साथ सह-जीवन।

आलवाल का प्रकाशन, जिसे प्रकाशक से उसकी बेरुखी के कारण वापस लिया।

जोधपुर विश्वविद्यालय में तुलनात्मक साहित्य और भाषा अनुशीलन विभाग में प्रोफेसर, निदेशक। एक वर्ष बाद पदत्याग।

जापान यात्रा। *भवन्ती* का प्रकाशन।

1973-74 जयप्रकाश नारायण के अनुरोध पर *एवरीमेन्स वीकली* का सम्पादन।

दिसम्बर 1973 में मासिक *नया प्रतीक* का सम्पादन। *पहले मैं सन्नाटा बुनता हूँ* का प्रकाशन।

1975-76 *अन्तरा* का प्रकाशन। 1976 में आठ माह के लिए जर्मनी के हाइडेलबर्ग विश्वविद्यालय में विजिटिंग प्रोफेसर।

आपातकाल को लेकर उद्विग्न। कविताओं में विरोध।

1977-80 दैनिक *नवभारत टाइम्स* का सम्पादन। प्रेस आयोग के सदस्य। *महावृक्ष के नीचे* का प्रकाशन।

राजेन्द्र प्रसाद स्मृति व्याख्यान दिया, जिसमें गाँधी-विचार की खुलकर प्रशंसा और दक्षिणपन्थियों की निन्दा की।

कितनी नावों में कितनी बार कविता संग्रह पर भारतीय ज्ञानपीठ पुरस्कार। पुरस्कार राशि में अपनी ओर से बराबर की राशि जोड़कर वत्सल निधि की स्थापना।

चौथा सप्तक का सम्पादन। यूरोप की यात्रा।

1981 वत्सल निधि आयोजनों की शुरुआत, जिनमें आगे लेखक-शिविर, कार्यशालाएँ, लेखकों की यात्राएँ, हीरानन्द शास्त्री व्याख्यान और राय कृष्णदास व्याख्यान आयोजित होते रहे। लखनऊ में पहला

लेखक शिविर ।

1982 आगरा विश्वविद्यालय के कन्हैयालाल माणिकलाल मुंशी विद्यापीठ में अतिथि प्रोफेसर।

नदी की बाँक पर छाया और *कहाँ है द्वारका* का प्रकाशन।

साप्ताहिक हिन्दुस्तान में अनेक महत्त्वपूर्ण लेखकों (अग्रज मैथिलीशरण गुप्त, प्रेमचन्द, निराला, पन्त, सरोजिनी नायडू, माखनलाल चतुर्वेदी, राय कृष्णदास, होमवती देवी, रामधारी सिंह दिनकर, बालकृष्ण शर्मा नवीन, हजारीप्रसाद द्विवेदी और अनुज रेणु) का विनम्र स्मरण। बाद में शृंखला पुस्तक-रूप में *स्मृति-लेखा* नाम से प्रकाशित।

यूरोप-अमेरिका की यात्रा। माउंट आबू और वृन्दावन में लेखक शिविर।

1983 स्त्रूगा (यूगोस्लाविया) के इंटरनेशनल पोएट्री एवार्ड (गोल्डन रीथ) से अलंकृत।

लेखक समूह की 'जानकी-जीवन यात्रा'। बोधगया में लेखक शिविर का आयोजन।

1984 हॉलैंड में पोएट्री इंटरनेशनल आयोजन में भागीदारी।

बरगीनगर (मध्य प्रदेश) में लेखक शिविर।

1985 साहित्य अकादेमी के शिष्टमंडल में चीन यात्रा।

लेखकों के साथ 'भागवत-भूमि' यात्रा का आयोजन। मानसर (जम्मू) में लेखक शिविर।

1986 फ्रेंकफुर्त पुस्तक मेले में शिरकत।

1987 'भारत-भारती' सम्मान की घोषणा।

भारत भवन, भोपाल में आयोजित 'कवि-भारती' में भागीदारी।

4 अप्रैल की सुबह दिल्ली में देहावसान।

परिशिष्ट दो

अज्ञेय की कृतियाँ

कविता-संकलन

भग्नदूत (1933)
चिन्ता (1942)
इत्यलम् (1946)
हरी घास पर क्षण भर (1949)
बावरा अहेरी (1954)
इन्द्रधनु रौंदे हुए ये (1957)
अरी ओ करुणा प्रभामय (1959)
आँगन के पार द्वार (1961)
पूर्वा (1965)
सुनहले शैवाल (1965)
कितनी नावों में कितनी बार (1967)
क्योंकि मैं उसे जानता हूँ (1969)
सागर-मुद्रा (1970)
पहले मैं सन्नाटा बुनता हूँ (1973)
महावृक्ष के नीचे (1977)
सर्जना के क्षण (चयन, 1979)
नदी की बाँक पर छाया (1982)
सदानीरा-1 (1986)
सदानीरा-2 (1986)
ऐसा कोई घर आपने देखा है (1986)
मरुथल (1995)
कविश्री (सम्पा. सियारामशरण गुप्त, 1957)
आज के लोकप्रिय कवि (सम्पा. विद्यानिवास मिश्र, 1963)

काव्य-स्तबक (सम्पा. विद्यानिवास मिश्र एवं रमेशचन्द्र शाह, 1995)
सन्नाटे का छन्द (सम्पा. अशोक वाजपेयी, 1997)
अज्ञेयः संकलित कविताएँ (सम्पा. नामवर सिंह, 2011)

उपन्यास

शेखरः एक जीवनी, प्रथम भाग (1941)
शेखरः एक जीवनी, दूसरा भाग (1944)
शेखरः एक जीवनी, तीसरा भाग (अप्रकाशित, अप्राप्य)
नदी के द्वीप (1952)
अपने अपने अजनबी (1961)
बारहखम्भा (सह-लेखक, 1987)
छायामेखल (अपूर्ण, 2000)
बीनू भगत (अपूर्ण, 2000)

कहानी-संग्रह

विपथगा (1937)
परम्परा (1944)
कोठरी की बात (1945)
शरणार्थी (1948)
जयदोल (1951)
अमरवल्लरी तथा अन्य कहानियाँ (1954)
कड़ियाँ तथा अन्य कहानियाँ (1957)
अछूते फूल और अन्य कहानियाँ (1960)
ये तेरे प्रतिरूप (1961)
जिज्ञासा तथा अन्य कहानियाँ (1965)
मेरी प्रिय कहानियाँ (चयन, 1975)
छोड़ा हुआ रास्ता (सम्पूर्ण कहानियाँ-1, 1975)
लौटती पगडंडियाँ (सम्पूर्ण कहानियाँ-2, 1975)
सम्पूर्ण कहानियाँ (2005)
आदम की डायरी (सम्पा. नन्दकिशोर आचार्य, 1997)

नाटक

उत्तर प्रियदर्शी (1967)

यात्रा-वृत्तान्त

अरे यायावर रहेगा याद (1953)
किरणों की खोज में (चयन, 1955)
एक बूँद सहसा उछली (1960)

आलोचना, विचार

आधुनिक हिन्दी साहित्य (1942)
त्रिशंकु (1945)
आत्मनेपद (1960)
हिन्दी साहित्यः एक आधुनिक परिदृश्य (1967)
आलवाल (1971)
लिखि कागद कोरे (1972)
जोग लिखी (1977)
अद्यतन (1978)
संवत्सर (1978)
स्रोत और सेतु (1978)
व्यक्ति और व्यवस्था (1979)
युगसन्धियों पर (1981)
धार और किनारे (1982)
आत्मपरक (1983)
कवि-दृष्टि (भूमिकाएँ, 1983)
केन्द्र और परिधि (1984)
स्मृति के परिदृश्य (1987)
स्मृतिछन्दा (1989)
तद्भव (चयन, अशोक वाजपेयी, 1989)
खुले में खड़ा पेड़ (सम्पा. नन्दकिशोर आचार्य, 1999)
लेखक का दायित्व (सम्पा. नन्दकिशोर आचार्य, 2002)
कवि-निकषः गद्यकार अज्ञेय (सम्पा. विद्यानिवास मिश्र, 2002)

ललित निबन्ध

सब रंग (छद्म नाम 'कुट्टिचातन' से) (1956)
सब रंग और कुछ राग (1969)

कहाँ है द्वारका (1982)
छाया का जंगल (1984)

डायरी

भवन्ती (1972)
अन्तरा (1975)
शाश्वती (1979)
शेषा (1996)
कविमन (सम्पा. इला डालमिया कोइराला, 2000)

संस्मरण

स्मृति-लेखा (1982)
स्मृति के गलियारों से (2000)

सम्पादित

तार सप्तक (1943)
नेहरू अभिनन्दन ग्रन्थ (सह-सम्पादक, 1949)
दूसरा सप्तक (1951)
नये एकांकी (1952)
हिन्दी की प्रतिनिधि कहानियाँ (संयुक्त रूप से, 1952)
तीसरा सप्तक (1959)
पुष्करिणी (कविता संग्रह, 1959)
रूपाम्बरा (सुमित्रानन्दन पन्त अभिनन्दन ग्रन्थ, 1960)
नये साहित्य स्रष्टा-1, सर्वेश्वरदयाल सक्सेनाः काठ की घंटियाँ (1959)
नये साहित्य स्रष्टा-2, रघुवीर सहायः सीढ़ियों पर धूप में (1960)
नये साहित्य स्रष्टा-3, अजित कुमारः अंकित होने दो (1962)
नये साहित्य स्रष्टा-4, शान्ति मेहरोत्रा (अनुपलब्ध 1962)
चौथा सप्तक (1978)
होमवती स्मारक ग्रंथ
जन जनक जानकी (जानकी-जीवन यात्रा के संस्मरण) (1983)
सर्जन और सम्प्रेषण (वत्सल निधि लेखक शिविर, लखनऊ) (1984)
भारतीय कलादृष्टि (1985)
साहित्य का परिवेश (वत्सल निधि लेखक शिविर, माउंट आबू) (1985)

साहित्य और समाज परिवर्तन (वत्सल निधि लेखक शिविर, वृन्दावन) (1986)
सामाजिक यथार्थ और कथा-भाषा (वत्सल निधि लेखक शिविर, बरगी नगर) (1986)
समकालीन कविता में छन्द (वत्सल निधि लेखक शिविर, बोधगया) (1987)
भविष्य और साहित्य (वत्सल निधि लेखक शिविर, वृन्दावन) (1989)
इंडियन पोएटिक ट्रेडिशन (विद्यानिवास मिश्र और लियोनार्ड नाथन के साथ) (1964)

संयोजन

भागवत-भूमि यात्रा (यात्री लेखकों के संस्मरण सम्पा. कृष्णदत्त पालीवाल) (2010)

वार्ताएँ

अपरोक्ष/ रघुवीर सहाय, नेत्रसिंह रावत एवं अन्य (1979)
रचनाः क्यों और किनके बीच/ नन्दकिशोर आचार्य, गीति सेन एवं अन्य (1988)
अज्ञेय अपने बारे में (ऑल इंडिया रेडियो अभिलेखागार)/ रघुवीर सहाय और गोपाल दास (1992)
कवि नायक अज्ञेय/ इला डालमिया और नीलिमा माथुर (2002)
अज्ञेय से साक्षात्कार/ सम्पा. कृष्णदत्त पालीवाल (2010)

संचयन

अज्ञेय संचयिता/ सम्पा. नन्दकिशोर आचार्य (2001)
अज्ञेय रचना संचयन/सम्पा. कन्हैयालाल नन्दन (2010)
अज्ञेय रचना सागर/सम्पा. कृष्णदत्त पालीवाल (2011)

अंग्रेजी कृतियाँ

प्रिजन डेज एंड अदर पोएम्स (कविता, 1946)
ए सेंस ऑफ टाइम (निबन्ध, 1981)

अनुवाद

श्रीकान्त (शरच्चन्द्र, बांग्ला से अंग्रेजी में)
गोरा (रवीन्द्रनाथ ठाकुर, बांग्ला से)
राजा (रवीन्द्रनाथ ठाकुर, बांग्ला से)

विवेकानन्द (रघुवीर सहाय के साथ, बांग्ला से)
वजीर का फीला (द विजीर्स एलीफेंट, *आइवो एन्द्रिक*, अंग्रेजी से)
महायात्रा (*द होली लैंड*, पेर लागरक्विस्त की स्वीडी उपन्यास-त्रयी, अंग्रेजी से)
द रेजिग्नेशन (*त्यागपत्र*, जैनेन्द्र कुमार, अंग्रेजी में)
द सेवंथ होर्स ऑफ द सन (*सूरज का सातवाँ घोड़ा*, धर्मवीर भारती, अंग्रेजी में)
द साइलेंट वाटर्स (*सोया हुआ जल*, सर्वेश्वरदयाल सक्सेना, अंग्रेजी में *थॉट* में प्रकाशित)

अपनी कृतियों का अनुवाद

टु ईच हिज स्ट्रेंजर (*अपने-अपने अजनबी*) (1967)
द अनमास्टर्ड ल्यूट एंड अदर पोएम्स (असाध्य वीणा और अन्य कविताएँ, सम्पा. प्रीतीश नन्दी) (1969)
द रिवोल्विंग रॉक एंड अदर पोएम्स (चक्रान्त शिला और अन्य कविताएँ, सम्पा. प्रीतीश नन्दी) (1969)
फर्स्ट पर्सन, सेकंड पर्सन (कविताएँ, लियोनार्ड नाथन के साथ) (1971)

साइन्स एंड साइलेंसेज (कविताएँ, लियोनार्ड नाथन के साथ) (1976)
ठौर-ठिकाने/ष्टांड ओर्टे (जर्मन में लोठार लुत्से के साथ) (1976)
आइलैंड्स इन द स्ट्रीम (*नदी के द्वीप*) (1979)
नीलाम्बरी (कविताएँ, मानस मुकुल दास के साथ) (1981)
ट्रूकुलेन्ट क्ले (*भवन्ती* का अनुवाद, मानस मुकुल दास के साथ) (1982)
प्रिपेरिंग द ग्राउंड (*अन्तरा* का अनुवाद, मानस मुकुल दास के साथ) (1984)

अज्ञेय पर बने वृत्तचित्र

सारस्वत वन का बावरा अहेरी, निर्माता दुर्गावती सिंह, दूरदर्शन, नयी दिल्ली (1985)
कवि भारती, भारत भवन, भोपाल (1987)
सन्नाटे का छन्द, निर्देशक नीलिमा व प्रमोद माथुर, वत्सल निधि, नयी दिल्ली (1989)
दीप अकेला, निर्देशक प्रमोद माथुर, महात्मा गाँधी अन्तरराष्ट्रीय हिन्दी विश्वविद्यालय, वर्धा (2002)

नाट्य-मंचन

उत्तर प्रियदर्शीः प्रथम मंचन लक्ष्मीनारायण लाल के निर्देशन में (1967)

परिशिष्ट तीन

अज्ञेय से सम्बन्धित कुछ पुस्तकें

अज्ञेय – कथाकार और विचारक: विजयमोहन सिंह, वाणी प्रकाशन, नयी दिल्ली

अज्ञेय और आधुनिक रचना की समस्या: रामस्वरूप चतुर्वेदी, लोकभारती, इलाहाबाद

अज्ञेय – एक अध्ययन: भोलाभाई पटेल, वाणी प्रकाशन, नयी दिल्ली

अज्ञेय की काव्यतितीर्षा: नन्दकिशोर आचार्य, वाग्देवी प्रकाशन, बीकानेर

आधुनिक हिन्दी काव्य में व्यक्तित्व, अज्ञेय के विशेष सन्दर्भ में: रामकमल राय, लोकभारती, इलाहाबाद

शिखर से सागर तक (जीवनी): रामकमल राय, नेशनल पब्लिशिंग हाउस, नयी दिल्ली

अज्ञेय – वन का छन्द: विद्यानिवास मिश्र, वाणी प्रकाशन, नयी दिल्ली

अज्ञेय: सम्पा. विश्वनाथ प्रसाद तिवारी, नेशनल पब्लिशिंग हाउस, नयी दिल्ली

अज्ञेय और उनका कथा साहित्य: गोपाल राय, वाणी प्रकाशन, नयी दिल्ली

अज्ञेय की कविता एक मूल्यांकन: चन्द्रकान्त बान्दिवडेकर, विनोद पुस्तक मन्दिर, आगरा

अज्ञेय – विचार का स्वराज: कृष्णदत्त पालीवाल, प्रतिभा प्रतिष्ठान, नयी दिल्ली

अज्ञेय – कवि-कर्म का संकट: कृष्णदत्त पालीवाल, वाणी प्रकाशन, नयी दिल्ली

अज्ञेय की उपन्यास-यात्रा: ए. अरविन्दाक्षन, लोकभारती, इलाहाबाद

अज्ञेय का रचना संसार: सम्पा. गंगाप्रसाद विमल, सुषमा पुस्तकालय, नयी दिल्ली

अज्ञेय की काव्य चेतना: कृष्ण भावुक, अशोक प्रकाशन, दिल्ली

अज्ञेय – एक मूल्यांकन: सम्पा. मणिका मोहिनी, वैचारिकी संकलन, नयी दिल्ली

अज्ञेय का काव्य: दुर्गाशंकर मिश्र, हिन्दी साहित्य भण्डार, लखनऊ

अज्ञेय का अन्तःप्रक्रिया साहित्य: मथुरेश नन्दन कुलश्रेष्ठ, चित्रलेखा प्रकाशन, इलाहाबाद

अज्ञेय की कविता: शम्भुनाथ चतुर्वेदी, राष्ट्रीय साहित्य सदन, लखनऊ

अज्ञेय और पूर्वोत्तर भारत: सम्पा. रीतारानी पालीवाल, वाणी प्रकाशन, नयी दिल्ली

अज्ञेय – वागर्थ का वैभव: रमेश चन्द्र शाह, वाणी प्रकाशन, नयी दिल्ली
द क्वेस्ट ऑफ अज्ञेय: रोजर हूकर, मोतीलाल बनारसीदास, नयी दिल्ली
आलोचक अज्ञेय की उपस्थिति: कृष्णदत्त पालीवाल, वाणी प्रकाशन, नयी दिल्ली
अज्ञेय (मोनोग्राफ): रमेश चन्द्र शाह, साहित्य अकादेमी, नयी दिल्ली
अज्ञेय (जीवनी): प्रभाकर माचवे, राजपाल एंड संज, दिल्ली
अज्ञेय का संसार: सम्पा. अशोक वाजपेयी, पूर्वोदय प्रकाशन, नयी दिल्ली
अज्ञेय की काव्य संवेदना: कमल कुमार, अखिल भारतीय प्रकाशन, नयी दिल्ली
अज्ञेय साहित्य में प्रयोग और मूल्यांकन: केदारनाथ शर्मा, अनुपम प्रकाशन, जयपुर
अज्ञेय की कविता – परम्परा और प्रयोग: रमेश ऋषिकल्प, वाणी प्रकाशन, नयी दिल्ली
अज्ञेय का चिन्तन: रमेश ऋशिकल्प, मेधा बुक्स, नयी दिल्ली
याद एक यायावर की: शंकरदयाल सिंह, प्रभात प्रकाशन, नयी दिल्ली
अज्ञेय – कुछ रंग, कुछ राग: श्रीलाल शुक्ल, प्रभात प्रकाशन, नयी दिल्ली
पत्रकारिता के युग निर्माता: रमेश चन्द्र शाह, प्रभात प्रकाशन, नयी दिल्ली

अनुक्रमणिका

ऐ

ओ

औ

क

छ

ज

झ

ट

ध

न

प

फ

ब

स

आभार

पुस्तकें

रेणु रचनावलीः राजकमल प्रकाशन
हंसबलाकाः जानकीवल्लभ शास्त्री, अन्तरा प्रकाशन
अज्ञेयः प्रभाकर माचवे, राजपाल एंड संज
शब्द-पुरुष अज्ञेयः नरेश मेहता, लोकभारती प्रकाशन
दूसरी दुनियाः निर्मल वर्मा, भारतीय ज्ञानपीठ
बातों-बातों मेंः मनोहर श्याम जोशी, राजकमल प्रकाशन
इलाः सं. वसुधा डालमिया/यशोधरा डालमिया, राजकमल प्रकाशन

पत्र-पत्रिकाएँ

हंस, नई कहानियाँ, सारिका, धर्मयुग, रेडिकल ह्यूमेनिस्ट, दस्तावेज, पूर्वग्रह, अभिरुचि, समकालीन भारतीय साहित्य, अकार, अक्सर, पक्षधर, बहुवचन, साहित्य अमृत, हिन्दी जगत, गंगा, रूपाम्बरा, समयान्तर, समावर्तन, वैचारिकी, अक्षर पर्व, जनसत्ता, नवभारत टाइम्स, हिन्दुस्तान, नई दुनिया, इतवारी पत्रिका, चौथी दुनिया

वेब-पत्रिका

सृजनगाथा

लोग

कपिला वात्स्यायन, अशोक वाजपेयी, विष्णु खरे, लक्ष्मीधर मालवीय, नन्दकिशोर आचार्य, मानस मुकुल दास, विश्वनाथ प्रसाद तिवारी, इन्द्रनाथ चौधुरी, कृष्णदत्त पालीवाल, राजी सेठ, ओ.पी. शर्मा, प्रदीप कुमार, मधुकर उपाध्याय, रामकृपाल सिंह, प्रियदर्शन, प्रभात रंजन, मंजु खन्ना, राजेन्द्र उपाध्याय, राजेन्द्र राजन, सूर्यनाथ सिंह, रामजन्म पाठक, राकेश तिवारी, अमर छाबड़ा, उमाशंकर कुकरेती, अरुण माहेश्वरी, विनोद भारद्वाज, गणेश रजवार